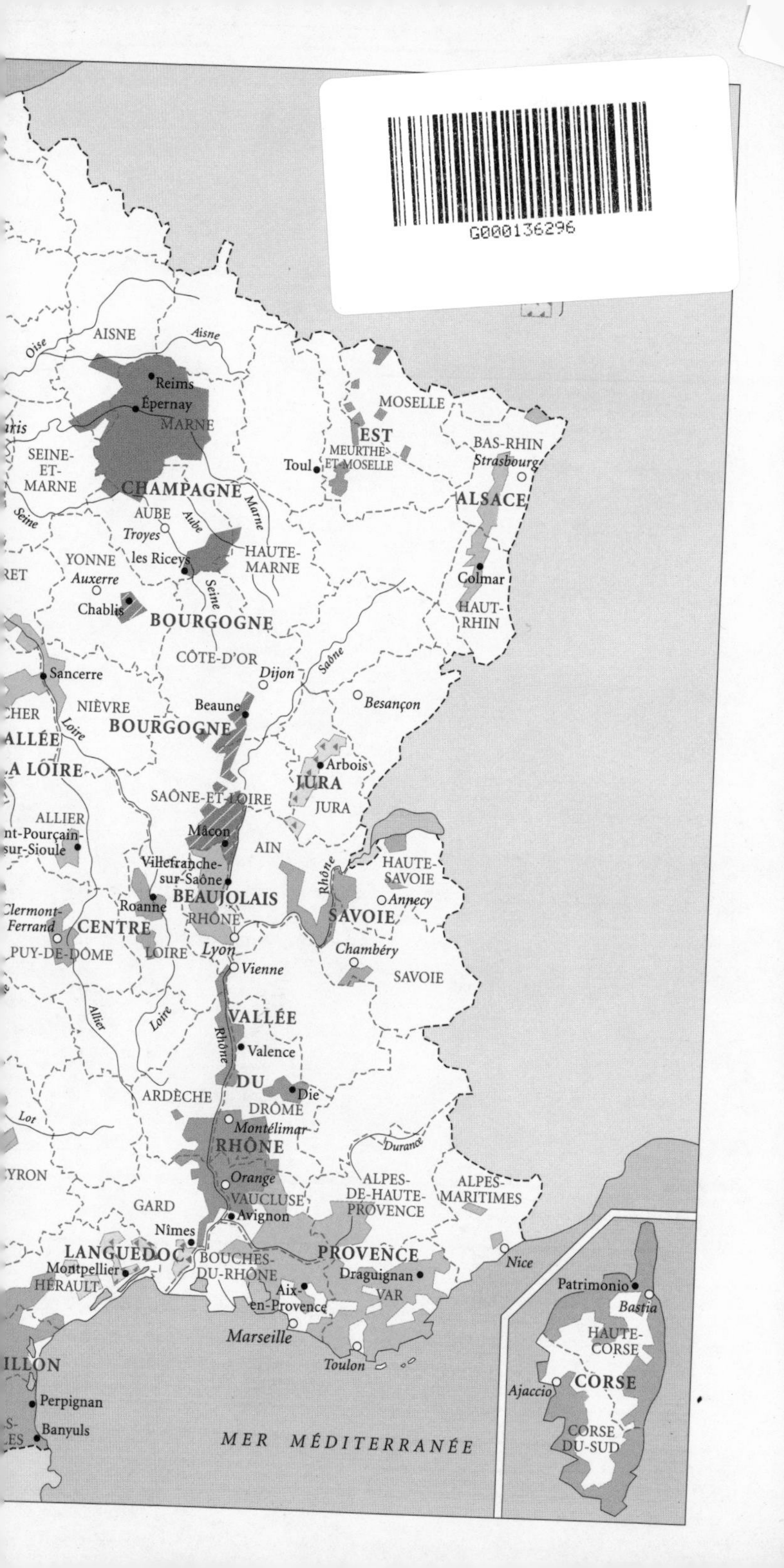

AISNE
Aisne
Oise
Reims
Épernay
MARNE
SEINE-ET-MARNE
CHAMPAGNE
Marne
Seine
AUBE
Aube
Troyes
les Riceys
HAUTE-MARNE
YONNE
Auxerre
Chablis
BOURGOGNE
Seine
MOSELLE
EST
MEURTHE-ET-MOSELLE
Toul
BAS-RHIN
Strasbourg
ALSACE
Colmar
HAUT-RHIN
CÔTE-D'OR
Dijon
Saône
Besançon
Sancerre
NIÈVRE
Loire
Beaune
BOURGOGNE
Arbois
JURA
JURA
SAÔNE-ET-LOIRE
ALLIER
Mâcon
AIN
Villefranche-sur-Saône
BEAUJOLAIS
Roanne
Clermont-Ferrand
CENTRE
PUY-DE-DÔME
LOIRE
RHÔNE
Lyon
Vienne
HAUTE-SAVOIE
Annecy
Rhône
SAVOIE
Chambéry
SAVOIE
VALLÉE
Rhône
Valence
DU
Die
DRÔME
Allier
Loire
ARDÈCHE
Lot
Montélimar
RHÔNE
Durance
Orange
VAUCLUSE
Avignon
GARD
Nîmes
ALPES-DE-HAUTE-PROVENCE
ALPES-MARITIMES
LANGUEDOC
Montpellier
HÉRAULT
BOUCHES-DU-RHÔNE
PROVENCE
Draguignan
VAR
Aix-en-Provence
Marseille
Toulon
Nice
Perpignan
Banyuls
MER MÉDITERRANÉE
Patrimonio
Bastia
HAUTE-CORSE
CORSE
Ajaccio
CORSE DU-SUD

LE GUIDE HACHETTE DES VINS 2002

GUIDE HACHETTE DES VINS

Direction de l'ouvrage : Catherine Montalbetti.

Ont collaboré : Christian Asselin, INRA, *Unité de recherche vigne et vin ;* Jean-François Bazin ; Claude Bérenguer ; Richard Bertin, *œnologue ;* Pierre Bidan, *professeur à l'ENSA de Montpellier ;* Jean Bisson, *ancien directeur de station viticole de l'INRA ;* Jean-Pierre Callède, *œnologue ;* Pierre Casamayor, *maître de conférences à la Faculté des Sciences de Toulouse ;* Béatrice de Chabert, *œnologue ;* Robert Cordonnier, *directeur de recherche à l'INRA ;* Jean-Pierre Deroudille ; Michel Dovaz ; Michel Feuillat, *professeur à la Faculté des Sciences de Dijon ;* Pierre Huglin, *directeur de recherche à l'INRA ;* Robert Lala, *œnologue ;* Antoine Lebègue ; Michel Le Seac'h ; Jean-Pierre Martinez, *chambre d'Agriculture du Loir-et-Cher ;* Mariska Pezzutto, *œnologue ;* Jacques Puisais, *président honoraire de l'Union française des œnologues ;* Pascal Ribéreau-Gayon, *ancien doyen de la faculté d'œnologie de l'université de Bordeaux II ;* André Roth, *ingénieur des travaux agricoles ;* Alex Schaeffer, INRA, *directeur Station de recherche vigne et vin ;* Anne Seguin ; Erick Stonestreet ; Bernard Thévenet, *ingénieur des travaux agricoles ;* Pierre Torrès, *directeur de la station vitivinicole en Roussillon.*

Ainsi que : Patricia Abbou ; Elisabeth Bonvarlet ; Sylvie Chambadal ; Isabelle Chotel ; Nicole Crémer ; Sylvie Hano ; Micheline Martel ; François Merveilleau ; Diane Meur ; Evelyne Werth.

Editeur-assistant : Christine Cuperly.

Secrétaire d'édition : Anne Le Meur.

Informatique éditoriale : Marie-Line Gros-Desormeaux ; Sylvie Clochez ; Martine Lavergne.

Nous exprimons nos très vifs remerciements aux 900 membres des commissions de dégustation réunies spécialement pour l'élaboration de ce guide, et qui, selon l'usage, demeurent anonymes, ainsi qu'aux organismes qui ont bien voulu apporter leur appui à l'ouvrage ou participer à sa documentation générale : l'Institut National des Appellations d'Origine, INAO ; l'Institut National de la Recherche Agronomique, INRA ; la Direction de la Consommation et de la Répression des Fraudes ; l'Office National interprofessionnel des Vins et ses Délégations régionales, ONIVINS ; le Centre Français du Commerce Extérieur ; la DGDDI ; les Comités, Conseils, Fédérations et Unions interprofessionnels ; l'Institut des Produits de la Vigne de Montpellier et l'ENSAM ; l'Université Paul Sabatier de Toulouse ; les Syndicats viticoles et associations de viticulteurs ; les Unions et Fédérations de Grands Crus ; les Syndicats des Maisons de négoce ; les Chambres d'agriculture ; les laboratoires départementaux d'analyse ; Les lycées agricoles d'Amboise, d'Avize, de Blanquefort, de Bommes, de Montagne-Saint-Emilion, de Montreuil-Bellay et de Nîmes-Rodilhan, les lycées hôteliers de Bastia et de Tain l'Hermitage, le CFPPA d'Hyères ; l'Institut Rhodanien ; l'Union française des œnologues et les Fédérations régionales d'œnologues ; les Syndicats des Courtiers de vins ; l'Union de la Sommellerie française et les Associations régionales de Sommeliers ; pour la Suisse, l'Office fédéral de l'agriculture, la Commission fédérale du Contrôle du commerce des vins, les responsables des Services de la viticulture cantonaux, l'OVV, l'OPAV, l'OPAGE ; pour le Grand-Duché du Luxembourg, l'institut viti-vinicole luxembourgeois ; la Marque nationale du vin luxembourgeois ; le Fonds de solidarité.

Couverture : Calligram (création) ; Nicole Dassonville (réalisation). – **Maquette et mise en pages :** François Huertas. – **Cartographie :** Fabrice Le Goff. – **Illustrations :** Véronique Chappée. – **Production :** Gérard Piassale avec Claire Leleu, Françoise Jolivot et Thierry Dubus. – **Composition :** M.I.C. – **Photogravure :** Packédit. – **Impression :** Maulde et Renou (St-Quentin). – **Façonnage :** SIRC, Marigny-le-Châtel. **Papier :** primapage ivoire des Papeteries du Léman.

Crédits iconographiques :
Photos p. 20 : C. Sarramon ; p. 25 : Scope/J.-L. Barde ; p. 29 : Bruno Bachelet.

Imprimé en France. N° d'impression AB/01080043 – Dépôt légal n° 15742 / Septembre 2001
Édition n° 01 – 23.6608.6. – ISBN 2.01.236608.2

LE GUIDE HACHETTE DES VINS 2002

SOMMAIRE

TABLE DES CARTES

SOMMAIRE

Sélection des meilleurs vins de France

SYMBOLES

SYMBOLES UTILISÉS DANS LE GUIDE

La reproduction d'une étiquette signale un « coup de cœur » de la commission

*** vin exceptionnel
** vin remarquable
* vin très réussi

1999 millésime ou année du vin dégusté

□	vin « tranquille » blanc	○	vin effervescent blanc
◪	vin « tranquille » rosé	◒	vin effervescent rosé
■	vin « tranquille » rouge	●	vin effervescent rouge

50 000, 12 500... nombre moyen de bouteilles du vin présenté

4 ha superficie de production du vin présenté

	élevage en cuve		thermorégulation
	élevage en fût		adresse, téléphone, fax, e-mail
☑	vente à la propriété		
	condition de visite ou de dégustation (r.-v. = sur rendez-vous)		
	nom du propriétaire, si différent de celui figurant dans l'adresse		
n.c.	information non communiquée		

LES PRIX

LES PRIX (prix moyen de la bouteille en France par carton de 12) sont donnés sous toutes réserves. Pour une lecture plus aisée, les fourchettes de prix des vins indiquées dans le Guide ont fait l'objet d'une convertion €/F arrondie à la dizaine de francs, et ne correspondent donc pas à une convertion exacte. 1 € = 6,55957 FF.

– 3 €	3 à 5 €	5 à 8 €	8 à 11 €	11 à 15 €
– 20 F	20 à 30 F	30 à 50 F	50 à 70 F	70 à 100 F
15 à 23 €	23 à 30 €	30 à 38 €	38 à 46 €	46 à 76 €
100 à 150 F	150 à 200 F	200 à 250 F	250 à 300 F	300 à 500 F
+ 76 €				
+ 500 F				

Le fond rouge indique un bon rapport qualité/prix – 30 F

LES MILLÉSIMES ⑧② 83 |⑧⑤| |**86**| **89** ⑨⓪ 91 |92| 93 **95** **96** |97| **98**

83 91	les millésimes en rouge sont à boire
93 95	les millésimes en noir sont à garder
|**86**||92|	les millésimes en noir entre deux traits verticaux sont à boire pouvant attendre
83 **95**	les meilleurs millésimes sont en gras
⑨⓪	le millésime exceptionnel est dans un cercle

Les millésimes indiqués n'impliquent pas une disponibilité à la vente chez le producteur mais chez les cavistes ou restaurateurs.

AVERTISSEMENT

LA SELECTION DE L'ANNEE

Ce guide présente les 9 000 meilleurs vins de France, de Suisse et du Luxembourg, **tous dégustés en 2001.** Il s'agit d'**une sélection entièrement nouvelle,** portant sur le dernier millésime mis en bouteilles. Ces vins ont été élus pour vous par **900 experts au cours des commissions de dégustation à l'aveugle** du Guide Hachette des Vins, parmi plus de 30 000 vins de toutes les appellations. Quelque mille vins sélectionnés, sans faire l'objet d'une entrée, sont mentionnés en **caractères gras** dans la notice consacrée au vin le mieux noté du producteur.

Un guide objectif

L'absence de toute participation publicitaire et financière des producteurs, coopératives ou négociants cités assure **l'impartialité** de l'ouvrage, dont l'unique ambition est d'être **un guide d'achat au service des consommateurs.** Les notes de dégustation doivent être comparées au sein d'une même appellation : il est en effet impossible de juger des appellations différentes selon le même barème.

Un classement par étoiles

Mis sous cache afin de préserver l'anonymat, chaque vin est examiné par un jury qui décrit sa couleur, ses qualités olfactives et gustatives et lui attribue une note.

0 vin à défaut, il est éliminé ;
1 petit vin et vin moyen, il est éliminé ;
2 vin réussi, typique, il est cité sans étoile ;
3 vin très réussi, **une étoile** ;
4 vin remarquable par sa structure, **deux étoiles** ;
5 vin exceptionnel, modèle de l'appellation, **trois étoiles**.

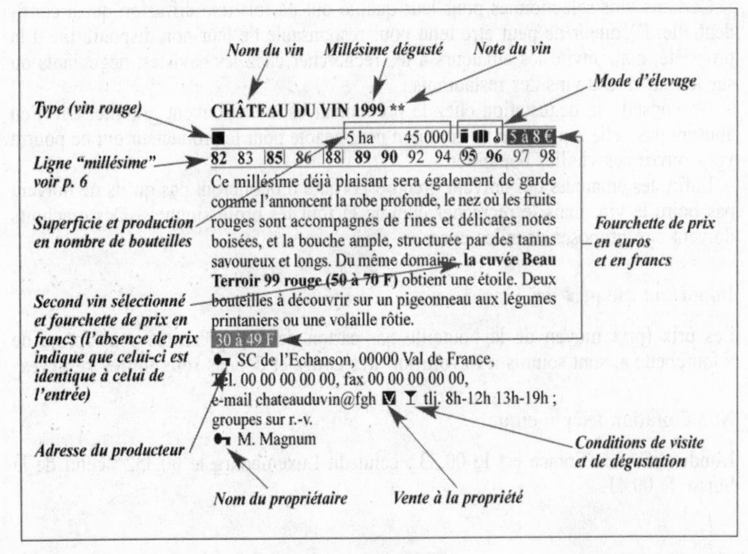

Les coups de cœur

Les vins dont l'étiquette est reproduite constituent les « coups de cœur », librement choisis et élus à l'aveugle par les dégustateurs du Guide ; ils sont particulièrement recommandés aux lecteurs.

Une lecture claire

– Les vins sélectionnés sont répertoriés :
• par régions, classées alphabétiquement ; puis trois sections sont consacrées aux vins doux naturels, aux vins de liqueur et aux vins de pays. Un chapitre offre une sélection de vins du Luxembourg, un autre une sélection de vins suisses ;
• par appellations, présentées géographiquement à l'intérieur de chaque région ;
• par ordre alphabétique à l'intérieur de chaque appellation.
– Quatre index en fin d'ouvrage permettent de retrouver les appellations, les communes, les producteurs et les vins.
– 49 cartes permettent de visualiser l'implantation géographique des vignobles.

Les raisons de certaines absences

Des vins connus, parfois même réputés, peuvent être absents de cette édition : soit parce que les producteurs ne les ont pas présentés ; soit parce qu'ils ont été éliminés lors des dégustations.

Le guide de l'acheteur

L'objet de ce guide est d'**aider le consommateur à choisir ses vins** selon ses goûts et à découvrir les meilleurs rapports qualité/prix (fourchette de prix en rouge).
– Une lecture attentive des introductions générales, régionales et de chaque appellation est indispensable : certaines informations communes à l'ensemble des vins ne sont pas répétées pour chacun d'eux.
– Le **signet**, placé en vis-à-vis de n'importe quelle page, donne immédiatement la **clé des symboles** et le sommaire ; consultez également les pages 4, 5 et 6.
– Certains vins sélectionnés pour leur qualité ont parfois une diffusion quasi confidentielle. L'éditeur ne peut être tenu pour responsable de leur non-disponibilité à la propriété, mais invite les amateurs à les rechercher chez les cavistes, négociants ou sur les cartes des vins des restaurants ;
– Un conseil : la dégustation chez le producteur est bien souvent gratuite. On n'en abusera pas : elle représente un coût non négligeable pour le producteur qui ne pourra vous ouvrir ses vieilles bouteilles.
– Enfin, les amateurs qui doivent prendre la route n'oublieront pas qu'ils ne doivent pas boire le vin, mais le recracher comme le font les professionnels. Des crachoirs doivent être proposés dans les caves.

Important : le prix des vins

Les prix (prix moyen de la bouteille par carton de 12), présentés sous forme de « fourchette », sont soumis à **l'évolution des cours** et donnés **sous toutes réserves**.

Numérotation téléphonique

L'indicatif de la France est le 00.33 ; celui du Luxembourg le 00.352 ; celui de la Suisse le 00.41.

LE VIN BIEN RAISONNÉ

Face à la demande des consommateurs, les appellations d'origine contrôlée s'apprêtent à intégrer des pratiques de la culture raisonnée dans leurs règles de production. Une initiative qui reste dans l'esprit de cette institution qui encadre la production des vins de qualité depuis plus de soixante-cinq ans.

Alors que les consommateurs se préoccupent de plus en plus de la qualité sanitaire et gustative des aliments qu'ils achètent - et l'inquiétante actualité de la dernière décennie les y a puissamment incités -, les viticulteurs pourraient se dire qu'ils ont été des pionniers et se complaire dans l'autosatisfaction. Tout l'édifice des appellations d'origine contrôlée, bâti en 1935 avec le décret-loi portant sur la création des AOC, est en effet destiné à garantir à l'acheteur non seulement l'origine du vin mais aussi son «terroir», notion qui englobe un ensemble très complexe de facteurs naturels et de conditions de production «locales, loyales et constantes» définies par des décrets propres à chaque appellation. Ces textes précisent aussi bien les cépages autorisés que le nombre de pieds à l'hectare, la manière de tailler la vigne ou les méthodes de vinification. Ce n'est sans doute pas demain que l'on risque de voir autoriser les plants de vigne génétiquement modifiés dans les AOC, alors qu'il est déjà presque impossible d'y introduire des cépages nouveaux sélectionnés par les méthodes traditionnelles.

La tentation était grande de se contenter d'un système qui a fait ses preuves. Pourtant, même si la France a instauré le dispositif de contrôle le plus sévère au monde en matière de production vinicole, les viticulteurs les plus conscients ressentent depuis longtemps la nécessité d'aller de l'avant en matière de respect de l'environnement.

1945-1980
L'AGE D'OR DE LA LUTTE CHIMIQUE

De fait, les règles de production des AOC n'avaient pas pris en compte les produits phytosanitaires qui n'existaient pratiquement pas en 1935, en dehors du soufre pour combattre l'oïdium, du sulfate de cuivre contre le mildiou et des composés à l'arsenic pour traiter les ceps. Après la Seconde Guerre mondiale, les immenses progrès de la chimie organique allaient mettre à la disposition des viticulteurs du monde entier des armes inouïes pour combattre leurs «ennemis» : insecticides et acaricides, anti-pourriture de toutes natures et même désherbants pour réduire les façons culturales. La lutte était d'autant plus acharnée que l'on gardait à l'esprit les ravages du phylloxéra qui avait failli anéantir le vignoble. L'enthousiasme était à son comble : il n'y avait plus de «mauvaises années», puisque même dans les pires conditions climatiques, les volumes de production étaient peu affectés et surtout, on pouvait obtenir du raisin pratiquement sain. La science faisait des miracles et la tentation était grande d'en user, voire d'en abuser. Traitements d'été préventifs jusqu'à douze fois en moins de trois mois, pulvérisations à grande échelle, par hélicoptère lorsque le terrain est trop accidenté, produits «systémiques» qui pénètrent à l'intérieur de la plante... Un enthousiasme pour la chimie qui traduisait, en Europe et dans le Nouveau Monde, la culture productiviste de la génération de l'après-guerre.

PLUSIEURS ALERTES

Plusieurs alertes, dans de nombreux vignobles, ont permis aux producteurs de prendre la mesure des effets négatifs d'une lutte chimique systématique et sans discernement, et les ont rendus plus vigilants quant à la nature des produits utilisés, aussi bien à la vigne qu'au chai. Dans les années 1980, ils ont par exemple subi la chasse à la procymidone. Une molécule miracle qui combattait la pourriture grise. Anti-cryptogame au fabuleux pouvoir pénétrant, elle protégeait la vigne. Jusqu'au jour où l'on s'est aperçu qu'elle la pénétrait si bien qu'on la retrouvait dans les moûts et jusque dans le vin. Le gouvernement américain interdit immédiatement l'utilisation de ce produit chimique ainsi que les importations de vins en contenant la moindre trace.

La lutte raisonnée : une riposte graduée

Aujourd'hui, l'environnement est un critère incontournable dans la réflexion sur les choix techniques. Les esprits sont mûrs et l'on ne parle plus seulement de réflexion, mais d'action. Dans tous les vignobles, des groupes de viticulteurs ont commencé depuis au moins dix ans à pratiquer la culture raisonnée. Celle-ci consiste à réduire, voire à supprimer les engrais, à observer les maladies, compter les ravageurs à l'aide de «pièges» pour ne les détruire qu'en cas de nécessité absolue, à ne plus utiliser d'herbicides...

En Gironde, Philippe Chéty, l'un des pionniers de ces pratiques, est même devenu président du service Vin de la Chambre d'agriculture de la Gironde. Il est ainsi à la tête de la plus grosse machine de développement technique du département : c'est dire si la profession est acquise à un usage plus mesuré des moyens de protection chimique. Il met en œuvre ces pratiques depuis dix-huit ans et assure que l'on peut éviter de 25 à 50 % des traitements en limitant la vigueur de la vigne et en ne pulvérisant que lorsque c'est strictement nécessaire. Les agents de développement de la Chambre d'agriculture, dont beaucoup ont été recrutés ces dix dernières années, ont tous été formés à ces nouvelles pratiques.

Unifier les pratiques ?

En Beaujolais, la Chambre d'agriculture du Rhône s'est aussi lancée dans une démarche semblable au sein du Comité de développement du Beaujolais avec la « charte pour la qualité » qui date de 1990. Au fil des années, le nombre des viticulteurs adhérant à la charte a augmenté régulièrement pour dépasser les 220 en 1999. Pour ceux qui voulaient aller plus loin, une association dotée d'un cahier des charges très rigoureux a été créée en 1997. Celle-ci a fait des adeptes dans de nombreux autres vignobles. Le respect du cahier des charges, garanti par un bureau de certification, se traduit par l'octroi d'un logo que l'on peut faire figurer sur l'étiquette.

Ces démarches individuelles ne pouvaient pas ne pas faire réagir les responsables de la viticulture. Si des producteurs jugent nécessaire d'aller plus loin, de s'imposer des règles supplémentaires, l'AOC ne doit-elle pas inclure dans ses règles cette juste prise en compte de la protection de l'environnement ? Jusqu'alors, il ne s'agissait que d'agriculteurs agro-biologiques en marge du système agricole général et s'adressant à quelques consommateurs militants de l'écologie. Aujourd'hui, comment faire appliquer les règles de l'agriculture raisonnée par tous ?

Viticulture et environnement

La commission «Terroirs et environnement» de l'INAO a donc pour mission d'apporter des garanties supplémentaires aux consommateurs. C'est le sens du rapport qu'elle a soumis au conseil national de l'INAO réuni le 26 avril 2001. L'idée principale est d'inclure dans les conditions de production définies par le décret de chaque appellation ce qui n'avait pas été imaginé en 1935 : désinfection des sols, usage des engrais et produits phytosanitaires, désherbage, effeuillage, etc. On a vite abandonné l'idée d'imposer des règles générales à toutes les appellations, tant elle était contraire à l'esprit même des appellations d'origine contrôlée. Celles-ci ont en effet un fonctionnement décentralisé, l'appellation d'origine étant un patrimoine collectif dont chaque viticulteur est responsable, et ce sont les professionnels qui doivent proposer les règles qui s'adaptent le mieux à leur vignoble pour qu'elles puissent être comprises et appliquées.

La Champagne, plus sérieusement touchée par les questions de pollution des eaux a déjà terminé son travail, tandis qu'il se poursuit en Bordelais avec l'appui des syndicats viticoles. La démarche a l'avantage de pouvoir entraîner l'immense majorité des producteurs vers un meilleur respect du milieu naturel. La qualité du vin bénéficiera forcément de l'attention portée à la vigne.

Des démarches radicales

Certains consommateurs ont choisi d'acheter du vin produit en agrobiologie. Cette technique n'exclut pas totalement la chimie puisque le soufre et le sulfate de cuivre y restent autorisés, mais elle prohibe les désherbants et les produits phytosanitaires de synthèse. Elle recommande surtout les façons culturales et l'utilisation des amendements organiques pour suppléer à la chimie. Le label AB (Agriculture biologique), délivré par de nombreux organismes certificateurs, garantit en principe ces

pratiques désormais reconnues par le ministère de l'Agriculture qui a agréé un cahier des charges.
La biodynamie va encore plus loin, mais elle a encore très peu de partisans en dehors de quelques vedettes comme Nicolas Joly à La Coulée de Serrant ou Michel Chapoutier à Tain L'Hermitage. Lancée par l'Autrichien Rudolf Steiner en 1924, elle se veut une véritable philosophie réconciliant le viticulteur avec le cosmos, puisqu'elle tient compte de «l'influence du soleil, de la lune et de tous les mouvements des planètes sur la vie».
Même si l'ensemble de la viticulture AOC ne suit pas ces pratiques extrêmes, elle deviendra «raisonnée», ce qu'elle a toujours été ou plutôt ce qu'elle aurait toujours dû être. Il s'agit de parvenir à exprimer le meilleur d'un terroir et non pas de le brutaliser. Le grand vin ne peut être que « raisonné. » *JEAN-PIERRE DEROUDILLE*

ACTUALITÉ DE LA FRANCE VITICOLE

La France a produit en 2000 quelque 59,7 millions d'hectolitres de vins (36 % de blancs et 64 % de vins rouges et rosés). Si le marché intérieur est toujours très important, avec une consommation moyenne de 54 litres par an et par habitant, l'exportation continue à fournir une part notable des débouchés. En 2000, 14,8 millions d'hectolitres ont été vendus à l'étranger. Les vins tranquilles d'appellation (VQPRD) ont représenté 6,8 millions d'hectolitres et ont rapporté 18,9 milliards de francs. Des exportations qui diminuent en volume (- 2,7 %) par rapport à 1999, mais qui restent stables en valeur pour cette catégorie de vin, alors que les vins de table, y compris les vins de pays, connaissent une crise majeure.

QUOI DE NEUF EN ALSACE ?

Le vignoble, qui pendant si longtemps s'était identifié avec ses cépages, se penche résolument sur ses grands crus. Vive le terroir, sous l'étendard des lieux-dits !

Dans l'ensemble du vignoble, l'hiver 2000 a été aimable. Débourrement de la vigne autour du 20 avril. Un printemps changeant, humide en avril, ensoleillé en mai. De fortes chaleurs ont donné des orages. La grêle les 10, 11 et 13 mai a frappé Andlau, le Brandhof, le Moenchberg, Scherwiller, Ribeauvillé. La végétation a démarré avec deux bonnes semaines d'avance. La floraison a été extraordinairement précoce, vers le 6 juin. Juillet a vu le retour d'un temps pluvieux et frais. Puis en août ont éclaté à nouveau des orages, souvent accompagnés de grêle (le 25 juillet sur le Kritt, à Orschwiller, Bergheim, Eguisheim, Ribeauvillé encore). La récolte a débuté dès le 11 septembre pour le crémant, le 21 septembre pour les vins tranquilles, le 2 octobre pour les vendanges tardives et sélections de grains nobles. Les vendangeurs se sont mouillés : il a beaucoup plu, surtout à la mi-octobre, ce qui a créé des foyers de pourriture grise. Le botrytis s'est développé assez tôt et il doit offrir d'agréables résultats dès lors que la cueillette a été rapide.
La récolte 2000 s'élève à 1 214 624 hl environ, inférieure à celle de 1999 (près de 1 240 000 hl), mais supérieure à la moyenne annuelle des cinq dernières années. Le rendement moyen à l'hectare approchait les 90 hl en 1999, et il est cette fois de l'ordre de 85 hl. Le volume de l'AOC alsace est de 1 008 744 hl (83 % de la production totale).

2000 : L'ANNÉE DU RIESLING

En raison des pluies fréquentes, les cépages sensibles, le muscat et le chasselas, ont souffert et peuvent manquer de concentration. Les pinots ont parfois été atteints par la pourriture. L'auxerrois est souvent frais et gourmand, le gewurztraminer en général honorable. Son acidité lui offre quelques perspectives de garde. Le pinot gris a donné un raisin à la maturité flamboyante mais souvent difficile à maîtriser. Bien trié et vinifié avec soin, il fait honneur à son millésime. Le sylvaner a produit un bon vin. Le riesling assez tardif est le vainqueur de l'année, notamment à Riquewihr et dans les environs.

L'ALSACE GRAND CRU : LA BOUTEILLE DE PROUE

Le nouveau décret du 24 janvier 2001 apporte des modifications sensibles aux règles applicables aux vins de l'AOC alsace grand cru (4 % de la production du vignoble : 1 600 ha classés, 700 ha plantés). Tout viticulteur ayant l'intention de produire un grand cru doit désormais souscrire avant le 1er mars une déclaration précisant notamment la désignation, les cépages et la surface des parcelles destinées à cette production. De nouvelles règles de conduite s'appliquent à toute vigne plantée à partir du 1er septembre 2000 : densité de plantation de 4 500 pieds/ha minimum, écartement maximum de 2 m entre les rangs, interdiction des vendanges mécaniques…

Le nouveau rendement de base autorisé est de 55 hl/ha (au lieu de 70 hl/ha inscrits dans le précédent décret), celui-ci pouvant être augmenté annuellement d'un PLC (plafond limite de classement fixant le rendement maximum autorisé pour avoir accès à l'AOC) variable (entre 0 et 20 %), le rendement butoir étant de 66 hl/ha. L'AOC alsace grand cru ne représente pas encore des volumes très importants, mais ceux-ci progressent d'année en année : ils sont ainsi passés de 33 500 hl en 1995 à 48 500 hl en 2000. Une telle montée en puissance témoigne d'une révolution : le vignoble alsacien, qui privilégiait jusqu'à présent ses cépages, se tourne de plus en plus vers ses terroirs, à partir de ses grands crus. Une identité nouvelle se profile, reposant sur une recherche de la meilleure adaptation du cépage au terroir. Une analyse qui pourrait conduire à long terme à limiter le nombre de cépages autorisés sur chaque grand cru (il sont quatre aujourd'hui, muscat, pinot gris, riesling et gewurztraminer), et aussi à ouvrir au sylvaner, aujourd'hui interdit de grand cru, certains lieux-dits favorables à ce cépage.

UN MARCHÉ EN LÉGÈRE BAISSE

Après une période euphorique (record absolu des ventes de la campagne 1999-2000 avec 1 199 000 hl, 160 millions de bouteilles, + 4,3 % en un an), le vin tranquille d'Alsace connaît un léger recul de commercialisation en 2000 (- 2 % en volume avec 155 millions de bouteilles). Les meilleures percées récentes à l'étranger se situent au Canada (+ 27 %), en Norvège (+ 17 %), au Japon (+ 9 %) et aux Etats-Unis (+ 8 %). Les Pays-Bas restent (hors crémant) les meilleurs clients : 20 %. Le marché allemand occupe la troisième place alors qu'il fut le premier débouché pendant trente ans. Si l'on inclut le crémant cependant, l'Allemagne garde la première position à l'export (8,5 millions de bouteilles, devant la Belgique et le Luxembourg, 8,4 millions de bouteilles, et les Pays-Bas, 8,1 millions de bouteilles).

Après les bonnes performances réalisées en 1999, le crémant alsacien est lui aussi en recul (- 4 % en 2000). Avec près de 20 millions de cols, il demeure cependant leader sur le marché français des effervescents, hors champagne. Sa production 2000 est de 157 000 hl (13 % du volume global du vignoble).

BRÈVES DE VIGNOBLE

L'INAO projette de modifier le décret concernant l'AOC crémant d'alsace, pour permettre d'améliorer le transport et donc la qualité des raisins. En effet, comme pour tous les vins de méthode traditionnelle, les raisins doivent arriver entiers dans le pressoir. Cette exigence est soulignée dans le texte en préparation. Quant aux installations de réception et de pressurage, elles devront faire l'objet d'un agrément si le décret est publié.

QUOI DE NEUF EN BEAUJOLAIS ?

On se souvient du débat qui a agité le vignoble l'an dernier au sujet de la machine à vendanger. Allait-on admettre cette pratique contraire aux usages et à la réglementation ? En définitive, c'est non. Mais la controverse demeure vive. Cela dit, le millésime 2000 est beaujolais dans l'âme, alors que le précédent était un peu atypique.

Drôle d'année 2000 ! Des tempêtes, mais pas de dégâts. En avril, un temps chaud a présidé à l'éveil de la nature. Humidité quasi tropicale, vent du sud brûlant. Mildiou et black-rot ont amené leur lot de soucis au cœur d'une vigne luxuriante. Des orages ont éclaté, notamment en juin, durant le week-end de la Pentecôte. Juillet a été froid, mais le mois d'août a compensé le déficit. La véraison a été précoce, la pourriture grise pour ainsi dire absente. Le ban des vendanges a été ouvert le 28 août après plusieurs semaines ensoleillées. La récolte s'est poursuivie jusqu'au 20 septembre dans de bonnes conditions climatiques et sanitaires. Des vendanges 2000 qui auront été les plus précoces de ces trente dernières années.
Année typiquement « beaujolaise », contrairement à la précédente qui avait donné des vins charnus et charpentés, 2000 a engendré des vins de moindre acidité et assez fruités.

PAS DE VENDANGE MÉCANIQUE

La récolte 2000 s'élève à 1 396 835 hl. Le beaujolais blanc poursuit sa baisse. Beaujolais et beaujolais-villages se maintiennent. Pour les crus (368 463 hl), on peut parler d'une relative stabilité sauf en régnié (-14,3 %), la dernière-née des AOC qui n'a pas encore trouvé son rang de dixième cru. On observe également de légères diminutions en chénas, juliénas et saint-amour. Les exportations ont connu une légère érosion en volume (- 1,9 %), tout en continuant à progresser en valeur (+ 3,2 %). L'Allemagne reste le premier marché pour l'exportation (24,2 % des volumes), mais on observe une baisse de 5,6 % des quantités. En revanche, les chiffres ont progressé au Royaume-Uni, de 5,1 % en volume et de 8,7 % en valeur, malgré la concurrence très forte des vins du Nouveau Monde. Les beaujolais sont les vins d'appellation les plus exportés au Japon qui est le cinquième client du vignoble.
La machine à vendanger dans la partie sud du vignoble ? On a voté à bulletins secrets au sein du comité, et à une large majorité (36 contre, 5 pour, 2 abstentions) on a dit non. Cette sagesse n'est pas du goût de tous les viticulteurs, dont plusieurs avaient déjà commandé leur machine à la suite d'un avis favorable de l'Union viticole beaujolaise.

60 MILLIONS DE BOUTEILLES EN PRIMEUR

Le primeur 2000 a été lancé pour la première fois à Séoul et à Saint-Pétersbourg. Un tiers de la production du vignoble a été écoulé en beaujolais nouveau en 2000 (452 000 hl, soit 60 millions de bouteilles). Une réglementation nouvelle du beaujolais nouveau est en cours. Les viticulteurs de Lantignié réfléchissent à un primeur «haut de gamme» fondé sur une mention propriété de la commune...

BRÈVES DU VIGNOBLE

La Saint-Vincent bourguignonne fait des émules ! Depuis 2001, la Fête des crus du Beaujolais, jusqu'alors organisée à Chiroubles, est devenue tournante. Elle a eu lieu à Fleurie le 6 mai 2000. Au printemps 2002, elle se tiendra à Villié-Morgon. On se penche sur la maturation du gamay (SICAREX Beaujolais et INRA) pour conclure que la vendange retardée diminue l'acidité et renforce la couleur.
Une innovation pour le millésime 2000 : les vignerons du Beaulolais ont installé un cuvage en plein cœur de Lyon et vinifié ici 150 hl. Dans le sud du vignoble, la fête du Beaujolais gourmand à Tarare s'est accompagnée de la naissance d'une nouvelle confrérie exclusivement féminine, la Consœurerie de la Tarandouille (une andouille cuisinée au beaujolais).
Une disparition très émouvante, celle de Louis Bréchard, l'un des pères des AOC et pilier de toute la viticulture de qualité durant un demi-siècle, que tout le monde appelait « Papa Bréchard », décédé à l'âge de quatre-vingt-seize ans.

QUOI DE NEUF EN BORDELAIS ?

Le dernier millésime du siècle est une réussite technique indiscutable et bien venue pour soutenir un marché plutôt morose pour la grande majorité des viticulteurs. Malgré cela, les prix n'ont plus de limite pour les crus qui ont une cote internationale...

Le millésime 2000 à Bordeaux a été celui des superlatifs, aussi bien pour décrire l'intempérance du marché que pour vanter la qualité de la récolte. Il est vrai qu'on n'avait sans doute pas vu de conditions climatiques aussi favorables pour produire de grands vins depuis les années 1989 et 1990. Pour s'en convaincre, la bible est toujours la note sur le millésime que produisent chaque année les professeurs Pascal Ribéreau-Gayon et Guy Guimberteau de la faculté d'Œnologie.

2000 EN FANFARE

Ces relevés météorologiques et analytiques, établis dans les mêmes conditions depuis plusieurs décennies, confirment par ailleurs d'autres observations sur le réchauffement de la planète. Il est permis de penser qu'à long terme, le type des vins de Bordeaux pourrait s'en trouver modifié tout aussi sûrement que par les changements de mode de conduite de la vigne ou des pratiques œnologiques.

Les universitaires ont ainsi constaté un changement régulier dans les dates moyennes de demi-floraison et demi-véraison durant les décennies 70, 80 et 90. On a gagné deux semaines en trente ans pour la demi-floraison et la demi-véraison. Ces chiffres, fondés sur des moyennes décennales, montrent aussi une accélération de la tendance sur la dernière période. On observe régulièrement des vendanges plus précoces avec des raisins plus mûrs.

Le millésime 2000 va même au-delà de la tendance à long terme, ce qui lui confère un caractère exceptionnel. La demi-véraison, constatée dès le 6 août, est extrêmement précoce. Il avait fait particulièrement chaud en début d'année, sans que l'on constate de déficit d'eau après le départ de la végétation, d'avril à juin. Les premières attaques de mildiou, assez virulentes dans de telles conditions, ont été très vite jugulées.

L'été avait mal commencé avec du froid et de la pluie au début de juillet, mais il fut chaud et sec à partir du quinze du mois, et ces conditions se prolongèrent de façon remarquable en septembre. La température maximale dépassa les 25 °C pendant plus de la moitié du mois avec trois jours au-delà de 30 °C.

MATURITÉ ET QUALITÉ

Au 18 septembre, dernier prélèvement avant les vendanges, les raisins avaient atteint une maturité extraordinaire, avec un degré potentiel de 13,6° pour les merlots et de 12,2° pour les cabernets-sauvignons. Même en 1989, dernier record avec 1996, on en était loin ! Plus remarquable encore, cette qualité allait de pair avec des rendements élevés, puisque le poids de cent baies était supérieur à celui constaté dans tous les grands millésimes connus. Malgré cela, les taux de polyphénols, c'est-à-dire de tanins, restaient très élevés, gage d'une bonne structure et de vins complexes. Tout cela se payait toutefois d'une acidité faible, mais néanmoins comparable aux grands millésimes 89 et 90. Dernier atout de la récolte 2000, un état sanitaire excellent.

La dernière récolte du siècle fut mémorable. Le ciel le permit en restant clément jusqu'à la fin de septembre. Ce n'est qu'à partir du 10 octobre que l'automne s'installa avec de fortes précipitations. Le vignoble n'allait pratiquement plus revoir le soleil jusqu'en janvier 2001, comme d'ailleurs le reste de l'Europe.

Les raisins blancs destinés au bordeaux sec ont donc été récoltés sous le soleil, dans un état sanitaire parfait et à pleine maturité. Tout cela donne des vinifications sans histoires et des vins réussis, avec un seul écueil, des arômes qui ne sont pas à leur plénitude. On sait que les blancs préfèrent souvent la fraîcheur pour exprimer leur potentiel. Sans doute, l'année est plus propice aux vins blancs destinés au vieillissement, éventuellement passés en barrique, plutôt qu'aux exercices d'expression aromatique. Pour les rouges, en revanche, c'est le carton plein. Couleur profonde, tanins, fruit, souplesse, ils ont été d'emblée remarquables, rappelant en cela les années les plus suaves comme 1982 ou 1989.

Certes, les cabernets-sauvignons dans des situations tardives ont été récoltés sous la pluie, mais sans grand dommage. Les rouges 2000 sont de la veine des plus grands, ceux qui sont agréables dès leurs premières années et qui ont néanmoins un potentiel de vie de plusieurs décennies.

Restent les liquoreux qui ont souffert de ce lessivage de fin de saison, la pourriture noble n'ayant pu se développer et remplir son office : beaucoup de châteaux ont renoncé aux derniers ramassages. La typicité des sauternes et des barsac risque d'en souffrir, même si des vins de bonne facture ont été produits.

Volumes pléthoriques, prix en baisse

Les surfaces plantées en vignes AOC ayant encore augmenté de près de 2 000 ha depuis les dernières vendanges en Bordelais, il n'est pas étonnant de voir que la récolte a été abondante. La déclaration de récolte en AOC rouge, toutes appellations confondues, a donc atteint les 6 037 494 hl contre 5 965 896 hl en 1999. En revanche, le blanc, toujours parent pauvre du vignoble girondin, a vu sa production se réduire à nouveau, passant de 912 797 hl à 856 911 hl.

Ces quantités élevées ont lourdement pesé sur le marché, surtout pour les AOC régionales. Ainsi, les cours qui étaient déjà faiblement orientés au début de l'année 2000, avec le tonneau de bordeaux rouge (900 l) coté 8 500 F à la production, prix de gros, ont encore baissé. Pendant toute la campagne 2000-2001, ils sont restés accrochés entre 6 500 et 7 500 F, ce qui ramène les viticulteurs une dizaine d'année en arrière. Ceux-ci ont cependant réussi à segmenter le marché, grâce au bordeaux supérieur, appellation qui cotait encore en juin 2001 de 8 000 à 8 500 F le tonneau. Le consommateur trouve dans les rayons le bordeaux à 18 F en moyenne et le bordeaux supérieur à 24 F.

La vogue du rosé ne se dément pas, puisque ses ventes ont augmenté de 24 % durant l'année 2000. Enfin, le blanc va plus mal que jamais. Entre 2 500 F et 4 000 F le tonneau, il est en perdition, malgré la baisse continue des surfaces qui lui sont consacrées et de la production. Dommage, quand on sait que des bordeaux blancs, des entre-deux-mers ou des graves peuvent atteindre des niveaux qualitatifs dignes de bien d'autres appellations spécialisées dans cette couleur qui se vendent deux ou trois fois plus cher.

Primeurs en folie : le vignoble à deux vitesses

A l'autre bout de l'échelle, des entreprises ne connaissent pas la crise ; ce sont les grands crus et leur cortège de vins à la mode, soutenus par les notations de quelques critiques médiatiques – qui goûtent des vins de six mois alors qu'ils ne sont pas élevés et ne seront mis en bouteilles que quatorze à dix-huit mois plus tard. La campagne des vins vendus en primeur, d'avril à juin 2001, apparaît comme une provocation dans ce climat morose. Déjà, les crus bourgeois et les crus classés affichaient des prix à la hausse de 30 % à 50 %, arguant de la hausse du dollar couplée à la baisse de l'euro (contre livre et yen) et de la qualité reconnue du millésime 2000, quand les «premiers» ont fait preuve de la plus extraordinaire insolence. Latour, Lafite, Mouton, Margaux et Haut-Brion se sont affichés au prix jamais vu de 1 400 F la bouteille. A quelques jours de l'ouverture de VINEXPO, le salon des vins et spiritueux du monde entier qui s'est tenu à Bordeaux du 17 au 21 juin, l'information a alimenté la chronique.

Les exportations ? Selon le CFCE, elle ont connu une légère augmentation en volume (2 173 395 hl pour 2000 contre 2 160 803 pour 1999 mais ont légèrement baissé en valeur : -1,19 % – ce qui représente tout de même plus de 8 milliards de francs.

Châteaux vendus

Quelle que soit l'orientation du marché, il y a toujours des transactions dans les domaines. C'est le cas par exemple des frères André et Lucien Lurton qui ont cédé Clos Fourtet, premier grand cru classé de saint-émilion à Philippe Cuvelier, homme d'affaires parisien qui avait réussi dans la papeterie en gros. A 280 millions de francs les 20 ha de vigne et le stock, le moment était sans doute bien choisi. De la même façon, le groupe britannique Bass, qui est passé de la bière et des spiritueux à l'hôtellerie, s'est défait de Château Lascombes, second grand cru classé de margaux, acquis en 1971. A 500 millions de francs les 85 ha, c'est moins cher que Clos Fourtet, mais Saint-Emilion gardera toujours une prime

par rapport au Médoc. L'acheteur est un fonds financier américain, Colony Capital.
A Saint-Emilion une autre vente mérite d'être signalée. Celle du château Curé-Bon, grand cru classé (4,5 ha de vigne), qui a été acheté par les frères Wertheimer, propriétaires de la société Chanel, de Rauzan Ségla à Margaux et du Château Canon. Curé-Bon est appelé à disparaître : de 18 ha, Canon passera ainsi à 21,5 ha, seuls les 3,5 ha du plateau de Saint-Emilion ayant été admis à passer du statut de grand cru classé à celui de premier grand cru classé.
Autre vente importante, celle de propriétés appartenant encore au groupe Suez-Lyonnaise. Les châteaux Meyney (52 ha à Saint-Estèphe) et Plagnac (30 ha en Médoc) ont donc été cédés à Cordier-Mestrezat qui appartient au groupe coopératif languedocien Val d'Orbieu-Listel. Enfin, le Clos des Jacobins et le château La Commanderie à Saint-Emilion ont été rachetés par le parfumeur Marcel Frydmann (groupe Marionnaud).

QUOI DE NEUF EN BOURGOGNE ?

Le millésime 2000 est assuré d'un long destin, car une bouteille portant cette collerette suscitera toujours un moment d'émotion. C'est en volume la deuxième récolte de toute l'histoire bourguignonne. Climatiquement ingrate, l'année a réclamé une grande vigilance. Le millésime est en retrait par rapport au 99.

Le record de production se situe en 1999 (1 608 214 hl). Le volume produit en 2000, 1 550 706 hl, est supérieur à la moyenne sur cinq ans (1 484 692 hl). Les blancs représentent près des deux tiers de la récolte (943 180 hl), ce qui confirme la tendance antérieure, tandis que les rouges progressent très légèrement (607 526 hl). Au regard de la récolte précédente, la diminution résulte surtout d'une production moins homogène et de l'attribution moins généreuse du plafond limite de classement (dépassement du rendement maximum). En blanc, le millésime a donné d'excellents chablis. En rouge, la Côte de Nuits prend l'avantage sur la Côte de Beaune (c'était l'inverse en 1999).
De 1999 à 2000, le volume en blanc a diminué pour les villages de la Côte de Nuits (- 9,4 %) et dans une moindre mesure pour les vins de Chablis (- 5,7 %) et les grands crus de Côte-d'Or (- 5,8 %), avec une importante diminution en chevalier-montrachet et en montrachet. Il est resté stable ailleurs. Sa seule progression concerne les appellations communales du Mâconnais (+ 5,7 %). En rouge, le Mâconnais (mâcon et mâcon supérieur) progresse également (+ 1,6 %) tandis que les villages des Côtes de Nuits et de Beaune diminuent sensiblement (respectivement - 15,4 % et - 13,8 %). En ce qui concerne les grands crus de Côte-d'Or, la baisse en volume s'établit à - 7,7 % (fortes diminutions en griotte-chambertin, grands échézeaux, clos de tart, clos de vougeot et romanée saint-vivant).

Vendanges très précoces

Épargnée par les tempêtes de la fin décembre 1999, la Bourgogne a connu un hiver très doux. Le débourrement, rapide, est intervenu dès les premiers jours de mars. Tout s'est bien passé jusqu'en mai-juin, avec de chaudes journées favorables à une végétation heureuse. Début juin, la fleur avait le sourire. La sortie de raisin était abondante. Un mois de juillet assez pluvieux, froid et morose n'a pas empêché le cycle végétatif de garder son avance et la véraison d'être précoce. Des orages de grêle se sont accompagnés de mildiou et de botrytis (en Mâconnais les 2 et 4 juillet, puis 17 et 18 août). Malgré le retour des orages, juillet et août ont été dans l'ensemble assez froids. A partir de la fin août, une élévation sensible des températures a accéléré la maturation tout en favorisant la richesse en sucre naturel et en diminuant les taux d'acidité. Le botrytis a souvent été présent, notamment en Côte de Nuits. Les orages ne sont revenus qu'à la mi-septembre, en Côte de Beaune. La maturation est belle et ces vendanges figurent parmi les plus précoces de la décennie 1990-2000 (début septembre en Mâconnais).

PRIX : LE TASSEMENT APRÈS LA HAUSSE

Attrait d'un millésime historique, effet porteur de la demande étrangère, les cours étaient à la hausse (+ 11 %) lors de la vente des vins des Hospices de Beaune, en novembre. Le record de 1989 a été battu, avec 47 577 F la pièce de 228 l (300 bouteilles). Les rouges ont progressé de 9 % avec un prix moyen de la pièce à 44 872 F. Ce sont les cuvées les plus prestigieuses, comme le clos de la roche et les mazis-chambertin qui ont accentué le mouvement avec quelque 30 % de hausse. Les blancs ont vu le bâtard-montrachet progresser de 30 %, vendu à 158 086 F la pièce, cependant que le prix moyen de l'ensemble des vins blancs de Bourgogne augmentait de 20 %, pour un prix moyen à la pièce de 61 123 F.
Le marché s'est ensuite quelque peu tassé. Au printemps suivant, la pièce de rouge s'est vendue 24 912 F aux Hospices de Nuits-Saint-Georges, soit une baisse de 2,89 %. La pièce de blanc (4 seulement) a réellement chuté : - 28,57 %.
La Bourgogne se tient bien sur les marchés extérieurs, avec près de 90 millions de bouteilles vendues lors de la campagne 1999-2000 pour plus de 3,5 milliards de francs, ce qui constitue une stabilité en volume et une progression de 3 % en valeur. Les rouges n'ont pas le vent en poupe, en raison des prix élevés et de la concurrence des vins étrangers. Avec 62 millions de bouteilles, les blancs se sont taillé la part du lion cependant qu'en valeur, les rouges ont conservé l'avantage. Les deux tiers des exportations bourguignonnes s'effectuent en Grande-Bretagne (23 millions de bouteilles pour 752 millions de francs), aux Etats-Unis (15 millions de bouteilles, mais pour 811 millions de francs), en Allemagne (11 millions de bouteilles), en Belgique et au Japon (8 millions de bouteilles pour chacun des deux pays).

BRÈVES DU VIGNOBLE

Au nord de la Saône-et-Loire, proche des Maranges et de la Côte chalonnaise, le Couchois (380 ha de vignes en caves particulières) est constitué de 6 communes : Couches, Dracy-lès-Couches, Saint-Jean-de-Trézy, Saint-Maurice-lès-Couches, Saint-Pierre-de-Varennes et Saint-Sernin-du-Plain. Elles pourront bénéficier de l'adjonction de la dénomination géographique Côtes du Couchois à l'AOC bourgogne rouge. Il ne s'agit pas d'une nouvelle AOC, mais d'une mention d'origine au sein de l'AOC régionale. Premier millésime : celui de l'an 2000 pour 1 000 hl environ.
La vigne en lyre suscite un débat dans certains secteurs du vignoble. C'est une pratique de plantation en vigne haute et large apparue en Bourgogne il y a une quarantaine d'années : un double palissage en V. Plusieurs viticulteurs se sont engagés fortement dans l'utilisation de ce mode de conduite, notamment dans les AOC auxey-duresses et hautes-côtes-de-beaune, ainsi que dans les appellations régionales, la Côte chalonnaise et le Couchois, à titre expérimental. Un tel mode de conduite n'est pas prévu dans les textes des AOC et les syndicats concernés semblent réticents pour l'y introduire. Dans ces conditions, l'INAO sera contraint d'interdire à ces viticulteurs de revendiquer l'AOC pour leurs parcelles ainsi cultivées. Il appartient à la profession d'engager la modification des textes, faute de quoi les quelque 50 ha conduits en lyre devront être reconvertis.
Cette année encore, les OGM mobilisent le vignoble. Cette fois, c'est à l'initiative d'Anne-Claude Leflaive (Puligny-Montrachet) que 24 viticulteurs et négociants-éleveurs ont lancé, en 2000, l'Appel de Beaune. Ils exigent un moratoire sur l'introduction des OGM dans les AOC bourguignonnes, estimant cette révolution susceptible de porter atteinte à la typicité des vins ainsi qu'à l'identité des cépages.
Les Caves des Hautes-Côtes ont absorbé en juin 2001 les Caves de la Vervelle (Bligny-lès-Beaune) vinifiant 5 000 hl. Elles représentent désormais la seule coopérative en Côte-d'Or.
Antonin Rodet (Mercurey) a acquis une partie du domaine de l'Aigle à Limoux (53 ha dont 27 plantés). Le domaine Roux Père et Fils (Saint-Aubin) s'implante au domaine Sainte-Croix à Aspiran (Hérault) après avoir pris pied à Lunel. Michel Picard (Chagny) a pris le contrôle des Grandes Serres, négoce-éleveur à Châteauneuf-du-Pape. Le groupe alsacien Tresch accroît son site Raoul Clerget (Montagny-lès-Beaune) et a conclu un accord

de partenariat avec le domaine Romuald Valot (Villers-la-Faye en Hautes-Côtes de Nuits). Le groupe international Belvédère (Beaune) s'implante davantage encore en Pologne, pour distribuer notamment les vins bulgares. Le célèbre architecte Frank Gehry construira la cuverie du Clos Jordan au Canada (non loin des chutes du Niagara) pour les Vins Jean-Claude Boisset. Plusieurs maisons (Denis Philibert, Goichot, Léglise, Chanson Père et Fils) connaissent des péripéties judiciaires pour des motifs d'ailleurs assez divers et non encore jugés alors que nous mettons sous presse. On ne peut donc rien en conclure à cette date.

Dates à retenir : les 26 et 27 janvier 2002 à Buxy, Montagny-lès-Buxy, Jully-lès-Buxy et Saint-Vallerin, où l'on célèbrera la Saint-Vincent tournante en Côte chalonnaise. En 2003 il est prévu d'organiser la fête comme un «retour aux sources», au château du Clos de Vougeot et dans le voisinage. Les Grands Jours de Bourgogne se dérouleront du 17 au 24 mars 2002.

QUOI DE NEUF EN CHAMPAGNE ?

Riche en émotion, éprouvante, marquée par la grêle, l'année 2000 n'est pas de celles que l'on oublie facilement. Mais les conditions climatiques se sont arrangées et la qualité est en définitive très correcte. Quant au tournant du millénaire, s'il a été salué par nombre de bulles champenoises, il a marqué un net recul au regard de l'année précédente qui fut la grande année du champagne.

L'année 2000, dans ses débuts, n'a guère été encourageante : la nature a décidé de rappeler sa force en imposant, dans de nombreux secteurs, une alternance d'épisodes froids, pluvieux puis chauds et orageux qui ont contribué à dérégler le cycle végétatif de la vigne. L'hiver a été sec et très doux, les températures minimales dépassant les normales de plus de 2 °C. La vigne a débourré à la mi-avril dans la douceur d'un printemps très arrosé. On a observé des taches de mildiou dès le début du mois de mai, ainsi que les premiers orages de grêle et une première génération de tordeuses de grappe.

APRÈS LES PARASITES ET LA GRÊLE…

Mai et juin ont été particulièrement secs. La pleine fleur a été relevée le 11 juin pour les chardonnays, le 12 pour les pinots noirs et le 15 pour les pinots meuniers. Le jaunissement des vignes, qui fit son apparition peu avant la floraison, prit une ampleur inhabituelle dans la seconde quinzaine de juin. Ce phénomène, apparemment lié à l'emploi d'un désherbant, résista aux traitements, écimages et rognages habituellement favorables au reverdissement. La situation finit par s'améliorer courant juillet dans la majorité des cas. Alors que la vigne reverdissait lentement, de violents orages de grêle s'abattirent sur le vignoble. Le 2 juillet, des précipitations de grêlons de la taille d'un œuf de pigeon dévastèrent 1 900 ha de vignes à 100 %. L'année 2000 a été, avec 1971, l'une des grandes années à grêle du siècle puisqu'à la veille des vendanges 13 000 ha avaient été touchés par les nombreux orages de grêle, dont 2 900 ha détruits à 100 % (soit respectivement quelque 40 % et 9 % du vignoble). Dans le courant du mois d'août, le temps s'est remis au beau. La période sèche et ensoleillée s'est poursuivie pendant les vendanges, ce qui a permis de cueillir des grappes d'un poids très supérieur à la moyenne (150 g et plus) et d'une qualité sanitaire parfaite. Les vendanges, assez précoces, ont commencé dès le 11 septembre et, une semaine plus tard, la quasi-totalité des 100 000 vendangeurs était au travail.

La récolte 2000 s'élève à 1 188 910 pièces (2 437 265 hl ; 1 pièce = 205 l). Elle est inférieure en quantité aux deux précédentes qui dépassaient les 1 220 000 pièces (2 500 000 hl). Tous les éléments ont donc été réunis pour faire de belles cuvées. Avec un degré alcoométrique élevé pour la région (9,9 °) et une acidité à 7,6 g/l, le millésime 2000 ne sera pas aussi flatteur que le 90 mais les vins sont nets et francs. Ils apporteront aux assemblages une personnalité classique.

... Les vicissitudes d'un marché contrasté

Les expéditions pour l'an 2000 sont en baisse de 22 % par rapport à 1999. Cette baisse peut s'interpréter par le phénomène classique des « couvertures de précaution ». Et puis, la grande nuit du champagne fut celle du 31 décembre 1999, et non la Saint-Sylvestre de 2000.
Selon le CFCE, les exportations ont connu un net fléchissement en volume par rapport à 1999 : 815 609 hl contre 1 068 879 hl (-23,77 %), et, à un moindre degré, en valeur : elles ont rapporté quelque 10 milliards de francs contre 12 milliards l'année précédente. On observe exactement la même tendance pour les mousseux d'autres provenance : - 25 % en volume et en valeur. Il y a bien eu « un effet an 2000 » qui a fait de l'année 1999 une année hors normes. L'évolution des vins d'appellation tranquilles semble plus... tranquille, avec moins d'à-coup, du moins pour les vignobles les plus connus à l'étranger.
Le prix du foncier viticole a augmenté de 17 % en un an, le prix des vignes ayant triplé en dix ans. Les viticulteurs de l'Aube se battent pour « retrouver » les terres à champagne dont ils s'estiment privés notamment dans la Côte des Bars et à la suite de la loi de 1951. Celle-ci a permis de réduire les superficies (16 000 ha en potentiel selon la loi de 1927, 6 500 ha aujourd'hui).

Brèves du vignoble

Un conflit entre la Suisse et l'Union européenne ? Les accords conclus récemment interdisent à la commune de Suisse vaudoise portant le nom de Champagne (depuis l'an 855 !) d'appeler ainsi le vin du canton de Vaud appellation Bonvillars produit sur ses 28 ha de vigne.
Le Comité interprofessionnel a annoncé l'engagement de la Champagne dans la viticulture raisonnée (début 2001).
Les Champagnes Mumm et Perrier Jouët ont quitté le groupe Hicks, Muse, Tate & First pour passer dans le giron d'Allied Domecq, au prix de 575 millions d'euros, alors que le prix d'achat en 1999 était de 300 millions d'euros ! Le Champagne Pommery a racheté SIMEXVI en Belgique et créé ainsi sa filiale dans ce pays, SA Pommery-Belgium.
Henkell & Söhnlein a acheté le groupe Gratien & Meyer (producteur en Champagne et à Saumur). Le Comité interprofessionnel des vins de Champagne a obtenu du tribunal de grande instance de Paris l'interdiction pour les biscuiteries Delos et Cantreau d'appeler «Champagne» leurs produits... Pourtant, cette dénomination de biscuit était passée dans la langue courante depuis cent cinquante ans.

QUOI DE NEUF DANS LE JURA ?

Comme disait Edgar Faure, homme politique et défenseur des vins de son département, « la patience est l'antichambre du bonheur ». Il faudra attendre, en effet, 2007 pour savourer le vin jaune 2000. Mais déjà, les autres vins du Jura annoncent un beau millésime.

A un hiver doux a fait suite un printemps superbe, d'avril à juin. La première semaine de juin a vu la floraison se produire sans problème. Le temps s'est gâté au commencement de l'été, avec de la grêle sur Arbois (30 juin) et l'Etoile (1er juillet). Le début de juillet a été très arrosé. Le temps a fraîchi, ce qui a causé un petit retard dans la végétation. Après un mois d'août assez orageux, les vendanges ont commencé à la mi-septembre. A Château-Chalon, les premiers raisins ont été coupés le 26 septembre. La récolte s'est achevée sous les averses. L'état sanitaire du raisin a un peu souffert des

attaques tardives de pourriture (savagnin), ou précoces du mildiou (poulsard et trousseau). Les jaunes 2000 sont sur la bonne voie et les blancs, assez gras, ont le vent en poupe. Les rouges ont également de belles perspectives et seront prêts à boire en 2002 ou 2003.
La récolte 2000 s'élève à 97 826 hl, dont 31 380 hl en rouges et rosés, 39 883 hl en blancs et jaunes, 13 875 hl en crémant du Jura. On note une diminution de la récolte par rapport à 1999 (110 750 hl) mais ce vignoble, particulièrement sensible aux aléas climatiques, connaît une production en dents de scie (16 354 hl seulement en 1991, par exemple). La montée en puissance du crémant est sensible, et le château-chalon conserve sa place. Le chardonnay et le pinot noir jouent un peu les trouble-fête parmi les cépages traditionnels.

QUOI DE NEUF EN SAVOIE ?

Si la récolte est stable en quantité, elle se révèle excellente en qualité. Tous les records sont battus en 2000 pour les richesses en sucre naturel. Même 97 n'avait pas fait mieux ! Les vins ont du volume et de la classe. L'année est bienheureuse.

L'hiver a été clément, le printemps agréable, assez ensoleillé et sec. D'avril à juin, temps paradisiaque. La floraison intervient sans contretemps au début de juin. Juillet est marqué par des précipitations, août un peu agité, mais la récolte est très précoce : elle se déroule du 5 au 18 septembre pour la plupart des raisins. Les volumes ont atteint 140 000 hl, en légère hausse par rapport à l'année précédente (138 300 hl).
Le vignoble de Savoie ne peut guère progresser en superficie : 1 % d'augmentation des surfaces chaque année. Toutes les nouvelles plantations s'effectuent en haut de coteau. Les viticulteurs du secteur de Jongieux remettent ainsi en production une grande partie des hauteurs de Marestel, produisant une remarquable roussette. Combat contre l'érosion, enherbement des vignes, maîtrise des rendements, lutte raisonnée contre les maladies et les ravageurs de la vigne : la Savoie est à la page.
Ce vignoble sort de son image « sports d'hiver » répandue par les jacquères, très productives (d'ailleurs excellentes dans le millésime 2000), avec la ferme intention d'affirmer la personnalité de ses vins, ce qu'autorisent les autres cépages, roussanne (bergeron), altesse (roussette) et la remarquable mondeuse. Des vins de caractère comme en produit, par exemple, Chignin en Combe de Savoie, avec le bergeron et la mondeuse. Le gamay peut aussi donner de très belles bouteilles, et l'année 2000 a été également favorable à ce cépage.

QUOI DE NEUF EN LANGUEDOC-ROUSSILLON ?

Si le dernier millésime du XXe siècle fait bonne figure, dans la lignée de l'excellent 98 et semble distancer le 99, plus inégal, la même année a vu, tel un cauchemar récurrent, le retour des crises de surproduction. Les vins de table, y compris les vins de pays, subissent une chute de leurs ventes, en particulier à l'export. Un nouveau défi pour cette région, qui depuis quinze ans a connu un développement qualitatif sans précédent, révélé par les différentes éditions du Guide : 30 pages dans l'édition 1986 et 59 dans l'édition 2002 !

L'année avait mal commencé, marquée dans les Corbières, par les fortes inondations de novembre 1999 liées à des précipitations orageuses. L'hiver fut sec mais le printemps, assez chaud et traversé d'épisodes pluvieux, a permis de répondre aux besoins en eau de la vigne. La fleur, précoce, est apparue au début de juin. Si le mois de juillet s'est montré plutôt frais et venteux, le mois d'août a été assez chaud. Grâce à deux vagues de précipitations à la fin de juillet et d'août, les vignes n'ont pas manqué d'eau. L'influence des vents a été presque partout bénéfique à la végétation et la première moitié de septembre, plutôt sèche et chaude, a été favorable à une maturation progressive du raisin, accompagnée d'un rationnement en eau bénéfique. Selon les vignobles, les vendanges se sont déroulées de la fin août à la mi-octobre. Les baies offrent en général un état sanitaire parfait. Leurs pellicules, très colorées et épaisses, annoncent des vins riches et concentrés.

DES VINS RICHES ET BIEN MURS

Dans le Languedoc, le millésime 2000 conjugue concentration, degré alcoolique, complexité et finesse. Une richesse qui s'observe non seulement en rouge, mais aussi en blanc. Le picpoul de Pinet présente ainsi sa vivacité et ses arômes friands des belles années. La personnalité des produits s'affirme peu à peu et les terroirs s'expriment, donnant des vins bien typés. Les vins du Roussillon ont le fruit qui plaira aux amateurs pressés, tout en offrant, pour certains, une concentration suffisante pour admettre une garde de quelques années. Les côtes du roussillon s'envolent vers un bel avenir.
Grenache, carignan, mourvèdre, bourboulenc réussissent bien dans ce millésime. La syrah a localement souffert de la sécheresse.

En raison de sa situation géographique, limoux est bien sûr un cas particulier. Les conditions climatiques y ont été favorables. On y observe toujours une expression marquée des terroirs.
La récolte AOC du Languedoc s'élève à quelque 2 100 000 hl de vins secs, auxquels il faut ajouter 45 887 hl de vins doux naturels (les muscats de l'Hérault). La production du Roussillon atteint environ 406 000 hl en vins secs, et 341 000 hl en vins doux naturels. Cela donne, pour toute la production VQPRD du Languedoc-Roussillon, environ 2 895 000 hl. Une production considérable, mais qui ne fait pas oublier celle des vins de table et de pays, affectée par la chute des cours : 13, 6 millions d'hectolitres pour les seuls départements de l'Aude et de l'Hérault. En vins doux naturels, les AOC de muscat se portent bien. Elles ont représenté en 2000 la moitié de la production des vins doux naturels du Languedoc-Roussillon. En Roussillon, le muscat-de-rivesaltes continue sa belle progression et augmente ses volumes (149 215 hl), conséquence de la reconversion des rivesaltes. Cette dernière AOC, avec 130 000 hl, reste en crise. Maury, avec une nouvelle équipe à la cave coopérative, s'oriente vers la diversification en reconvertissant une partie de sa production vers les côtes-du-roussillon-villages. Banyuls, enfin, est toujours sur un marché très équilibré.
Les exportations de vins d'appellations, si elles connaissent un léger fléchissement en volume (1 036 000 hl, -5,4 %), se maintiennent en valeur. Les difficultés que connaissent certaines exploitations tiennent à la chute des cours, surtout en vins de table, et à la concurrence internationale. Cela n'a pas empêché, ces dernières années, de nouveaux domaines de devenir opérateurs en sortant de la coopération. En AOC coteaux-du-langue-

doc, par exemple, le nombre de déclarants de récolte en cave particulière est passé de 446 en 1985 à 566 en 1999.

Un interêt nouveau pour les blancs secs

Aux rouges et aux rosés, l'AOC collioure aimerait ajouter des blancs. Un dossier est en cours. Cela concerne une production de 500 hl qui entre aujourd'hui dans la catégorie des vins de pays. L'AOC fitou, la doyenne en Languedoc-Roussillon et vouée aux vins rouges, pense elle aussi sérieusement aux blancs. La cave coopérative de Tuchan effectue des essais depuis une vingtaine d'années (de l'ordre de 4 à 500 hl ces dernières années, à partir du grenache blanc, du macabeu et d'un peu de muscat, au maximum 5 %). Quant aux producteurs de Picpoul (AOC coteaux-du-languedoc), ils aimeraient obtenir une AOC spécifique picpoul-de-pinet pour ses 40 000 hl.

Brèves du vignoble

Après les inondations de novembre 1999 (voir édition 2001) qui ont dévasté le vignoble des Corbières, celui-ci a été reconstitué grâce à la générosité de tous. Ainsi, la cave coopérative de Cascastel est-elle hors d'eau. Les milliers d'hectares endommagés dans l'Aude ont été restaurés. Certains vignobles ont dû être relocalisés, comme à Tuchan.
Epilogue de la polémique déclenchée l'an dernier par le projet d'investissement de Robert Mondavi à Aniane (Hérault). La nouvelle municipalité, élue en mars 2001, s'est opposée au projet et Robert Mondavi s'est retiré. Mondavi devait investir 55 millions de francs pour défricher 75 ha (dont 80 % propriété de la commune), les planter et créer une cave de vinification. Depuis 1997, le Californien commercialise aux Etats-Unis des vins de pays d'Oc (marque Vichon Mediterranean) et se situe au 4e rang sur ce marché, pénétrant également le Japon, l'Amérique latine et même l'Europe. Une seconde présentation (marque Arianna) fait office de «bouteille du patron» pour la restauration américaine. L'ensemble représente un chiffre d'affaires de 84 millions de francs en 2000.
Dans le même temps, les investisseurs viennent de partout en France pour étendre leur «carte des vins». Les Bourguignons sont particulièrement actifs. Le domaine Roux Père et Fils (Saint-Aubin) a acquis le domaine Sainte-Croix à Aspiran dans l'Hérault, après avoir acheté à Lunel le château Saint-Séries pour un vin de cépage rouge et un peu d'AOC clairette-du-languedoc. Filiale de Worms et Cie, Antonin Rodet (Mercurey) a acheté une partie du domaine de l'Aigle en haute vallée de l'Aude, en partenariat avec Jean-Louis Denois, créateur de ce vignoble. Le château des Mazes, à Saint-Aunès dans l'Hérault, a été acquis par des investisseurs nord-américains. Après avoir pris le contrôle des Domaines de Virginie à Béziers et décidé de transférer ici son unité d'embouteillage de Sallèles dans l'Aude, le groupe bordelais Castel engage d 'importants investissements (100 000 hl, 5 000 barriques, 100 millions de bouteilles par an).

QUOI DE NEUF EN PROVENCE ?

« Amoureux à boire », selon la jolie formule de Marie Mauron, le 2000 met un beau point final au XXe siècle. Sans être exceptionnel, le millésime tourne autour de la mention bien à très bien.

Pendant toute la période du cycle végétatif de la vigne (avril à septembre), la Provence a bénéficié d'excellentes conditions climatiques, ensoleillées et sèches, ce qui a permis à l'ensemble des cépages d'arriver à un bon état sanitaire. L'avant-saison a été clémente, sans aucun gel de printemps. Des précipitations bien réparties ont permis de combler le déficit d'un hiver sec. La fleur est apparue à la fin de mai ou au début de juin. Juin, en certains endroits, et juillet ont été marqués par une certaine fraîcheur due au vent. L'été est resté sec, seulement traversé de quelques pluies sporadiques autour du 14 juillet. La sécheresse a été relativement bien supportée grâce à une hygrométrie nocturne satisfaisante. Les vendanges ont commencé parfois dès le 15 août (pour les cépages précoces), et le 3 septembre à Bandol.

MATURITE ET CONCENTRATION

La réussite est certaine avec un haut degré naturel, une acidité satisfaisante, d'heureux résultats tant en rouge qu'en blanc. Si les vignes ont souffert, c'est de stress hydrique. Mais le superbe mois de septembre a permis d'atteindre une maturité très satisfaisante et une forte concentration. En blanc, les macérations pelliculaires sont bien venues. Carignan et syrah possèdent une belle matière, grenache et mourvèdre de forts degrés alcooliques. En rouge, les conditions de maturation ont autorisé de longues cuvaisons. Le millésime est donc de bonne, voire d'excellente qualité.

Les volumes sont supérieurs à ceux du millésime précédent : 1 334 000 hl pour toutes les AOC, dont 56 832 hl de blancs (4,25 %). Cassis offre d'étonnants vins blancs. Micro-appellations, palette et bellet tiennent leur rang. Bandol joue la diversité mais continue de marquer des points en rouge. Les baux-de-provence se font peu à peu une place. Les coteaux-d'aix signent un bon millésime dans les trois couleurs. Quant aux coteaux varois, ils expriment surtout en rouge leur personnalité. Les côtes-de-provence offrent des rosés élégants. Certains rouges pourront être de garde, alors que les blancs proposent parfois des vins captivants.

Les côtes-de-provence peuvent-elles mettre mieux en valeur des terroirs identifiés ? On en parle depuis plusieurs années, mais le sujet n'avance guère. D'autant que le vin se vend bien : 900 000 hl, un record, durant la campagne 1999-2000 (+ 8,5 % par rapport à la campagne précédente, même si les ventes à l'exportation connaissent un recul (- 14,6 % en volume, -7,6 % en valeur).

En coteaux varois, si les modalité de production restent inchangées pour les blancs, l'encépagement des rouges et des rosés a été modifié pour la récolte 2000, avec des cépages principaux et secondaires. Grenache, cinsault, mourvèdre et syrah doivent maintenant représenter 80 % de l'encépagement. Deux cépages au moins sont obligatoires mais aucun ne doit représenter plus de 90 % de l'encépagement.

QUOI DE NEUF EN CORSE ?

L'année viticole 2000 s'est déroulée sous le signe d'un soleil éclatant et de la sécheresse estivale. La récolte globale a été supérieure en volume à celle de l'année précédente. La qualité ? Hétérogène, mais d'un niveau satisfaisant.

Le millésime 2000 a été marqué par des températures élevées et l'absence de précipitations, sauf dans le nord de l'île. La partie méridionale a été désertée par la pluie pendant de longs mois d'un soleil de feu. Si bien que la maturité a été précoce : les premiers raisins ont été coupés au lendemain du 15 août. En raison de la sécheresse (les pluies ne sont arrivées qu'en novembre), les raisins étaient dans un état sanitaire excellent, même si le nord de l'île, a connu quelques foyers de pourriture.

La Corse a livré 400 000 hl de vin en 2000, dont environ 200 000 hl environ en vin de pays et 80 000 hl en vin de table. Les 2 510 ha de superficies en AOC (corse 74 %, patrimonio 15 %, ajaccio 8 %, muscat du cap corse 3 %) ont produit 111 052 hl, ce qui représente une récolte nettement supérieure à celle de l'année précédente : en vin-de-corse, 87 058 hl (9 % de blanc), en ajaccio, 6 558 hl, en patrimonio, 17 435 hl et en muscat-du-cap-corse, 2 095 hl.

La vendange se caractérise par sa maturité et son acidité. En ajaccio, la sécheresse estivale a bloqué la maturité du sciacarello et flétri les grains, rendant les vinifications difficiles.

Fait rarissime : dans la nuit du 15 avril 2001, un millier d'hectares situés enre Bastia et Solenzara, sur la côte orientale, ont gelé par -5 °C. Patrimonio n'a pas trop souffert. On estime à 10 % la destruction totale des parcelles.

QUOI DE NEUF DANS LE SUD-OUEST ?

Le grand Bassin aquitain, qui rassemble les régions Aquitaine et Midi-Pyrénées, constitue une unité géographique et climatique autour de la Garonne et de ses affluents. Il n'est donc pas étonnant que lorsque Bordeaux tient un grand millésime, les vins du Sud-Ouest soient aussi à la fête, avec quelques nuances tenant à quelques jours de précocité en plus ou en moins ou à la nature des cépages.

Le millésime 2000 a connu quelques aléas climatiques au cours du premier semestre, lesquels ont aussi pesé sur la récolte : pluies très abondantes, notamment d'avril à juillet en pleine période de développement physiologique, du débourrement jusqu'après la fécondation : 250 mm d'eau sont ainsi tombés en Bergeracois. Le mildiou a donc attaqué la vigne, tandis que la floraison s'est produite dans des conditions peu favorables. Dès le mois d'août, le mildiou était jugulé, mais on notait un peu de coulure et de millerandage. De quoi expliquer des quantités en légère baisse dans toutes les appellations. Beau temps ensuite.

Les viticulteurs de Bergerac, au vu des conditions climatiques superbes et stables, décidèrent d'attendre jusqu'au 20 septembre pour lancer le ban des vendanges, espérant ainsi obtenir de meilleures concentrations de composés phénoliques (tanins) et d'anthocyanes (matière colorante). Cette tendance s'est manifestée dans tout le Sud-Ouest où ni le climat de la seconde quinzaine de septembre, ni l'état sanitaire du raisin n'inspiraient d'inquiétude, contrairement aux années précédentes.

Les rouges furent donc récoltés à partir de la fin de septembre pour obtenir des tanins souples. Certains tentèrent même de pousser jusqu'à la mi-octobre, ce qui se révéla hasardeux à partir du milieu du mois, car octobre a été très arrosé dans tout le Sud-Ouest.

Les blancs avaient été récoltés évidemment plus tôt, dans des conditions idéales, dès le 6 septembre à Bergerac, les moelleux au cours du mois de septembre. Il n'y a guère que les liquoreux de type botrytisé comme le monbazillac qui ont souffert : les derniers ramassages ont dû être annulés en raison d'une trop forte humidité.

Malgré ces problèmes ponctuels, de Gaillac à Madiran en passant par Buzet et Cahors, on tient un millésime 2000 excellent à exceptionnel, surtout pour les rouges qui sont colorés, riches en arômes et en tanins. Les blancs sont sans défaut, mais ils manquent parfois de la fraîcheur et de la vivacité des vins qu'on aime boire jeunes. Alors que l'on s'adonne de plus en plus à la vinification des blancs en barrique, ce caractère n'apparaîtra plus comme un défaut, la maturité et le gras étant aujourd'hui davantage recherchés.

MALGRÉ UNE LÉGÈRE BAISSE, UNE PRODUCTION ÉLEVÉE

Les quantités récoltées sont dans l'ensemble légèrement inférieures à celles déclarées en 1999. Les volumes restent importants. Ainsi, la récolte d'AOC du Bergeracois, toutes appellations confondues, est passée de 680 351 hl en 1999 à 646 537 hl en 2000, une baisse minime d'environ 5 %. On note cependant que la bonne qualité du millésime a permis de « surclasser » de nombreux lots: Alors que le bergerac blanc, difficile à vendre, a vu ses quantités revendiquées baisser de 12 %, le cotes de bergerac blanc ne baisse que de 4 %. Le pécharmant ne voit sa production réduite que de 2 %.

LES PROGRÈS DU GAILLACOIS

A Gaillac, cet effet «surclassement» est évident, et il est favorisé par l'excellente orientation du marché pour l'appellation. Alors que le vignoble tarnais a vu sa production passer de 644 464 hl en 1999 à 619 115 hl en 2000, le total des AOC gaillac a augmenté de 175 679 hl à 184 564 hl en 2000. Les blancs (de 43 851 hl à 45 858 hl) en ont profité comme les rouges (de 131 828 hl à 138 706 hl). Fait significatif, pour la première fois depuis cinquante ans, le vignoble du Tarn a cessé de régresser, et s'est même enrichi de 72 ha en 2000, la surface d'AOC ayant augmenté de 133 ha. Sous un climat presque languedocien, 2000 s'est aussi révélé de grande qualité : mûr,

facile, sans problème de vinification et bien structuré. Avec une vingtaine d'années de décalage, l'AOC gaillac vit l'évolution qu'a connue le Bordelais : éradication progressive du vin de table, suprématie de l'AOC et amélioration générale de la qualité.
Cahors n'a pas les mêmes caractéristiques, puisque son vignoble a été presque entièrement reconstitué après la Seconde Guerre mondiale sur les bases d'une AOVDQS devenue AOC en 1970. On continue d'y planter de la vigne, puisque les surfaces déclarées sont passées de 4 274 ha en 1999 à 4 427 ha en 2000, mais la production a pourtant été légèrement réduite, passant de 254 784 hl à 243 911 hl.
Les côtes-du-frontonnais ont également connu cette petite baisse de régime, passant de 128 196 hl déclarés à 120 607 hl revendiqués. En revanche, l'appellation jurançon (sec et doux), passant de 46 768 hl à 50 678 hl, est en progression de 1999 à 2000.

Dans l'orbite de Bordeaux

Le marché des vins du Sud-Ouest a été diversement orienté. Les vignobles proches du Bordelais par l'encépagement et les pratiques culturelles ont souffert en sympathie avec lui. A Buzet, les exportations ont nettement baissé en volume. A Bergerac, les stocks importants, liés à une récolte 1999 abondante, ont pesé sur les ventes et les prix : les disponibilités (stock+récolte) qui étaient de 1 098 383 hl au début de la campagne 1999-2000, déjà en hausse de 2,9 %, ont progressé de 3,5 % pour atteindre 1 136 382 hl en septembre 2000. A Gaillac, en revanche, les prix de gros du vrac se sont maintenus entre 660 F et 670 F l'hectolitre pour le rouge tout au long de la campagne, c'est-à-dire très proches des 6 500 F le tonneau (900 l) du bordeaux d'AOC régionale qui correspondent à 7,20 F le litre. Qui l'aurait cru il y a vingt, ou même dix ans ? Le retour des manifestations dans le Midi viticole producteur de vins de table montre aussi que la concurrence acharnée sur les AOC premiers prix où l'on trouve aussi bien du bordeaux que des côtes-du-rhône va jusqu'à peser sur ce qu'on appelait autrefois les « consommations courantes ».
Face aux difficultés de commercialisation sur le marché mondial et aux coûts croissants des campagnes de promotion, les syndicats viticoles de Bordeaux et l'interprofession se sont rangés cette année à une proposition politique qui leur avait longtemps semblé superflue, voire dangereuse. Le Conseil régional d'Aquitaine a créé un Conseil des vins d'Aquitaine (CVA), association financée par l'institution politique et qui regroupe l'ensemble des appellations de la région administrative, Bordeaux compris. La direction en a été confiée à Pierre Cambar, ancien directeur du syndicat viticole régional des appellations bordeaux et bordeaux supérieur et la présidence à M. de Bosredon, de Bergerac.
Les appellations du Sud-Ouest, dont les prix se tiennent plutôt mieux, compte tenu d'un prix du foncier encore raisonnable (120 à 150 000 F l'hectare) constituent des lieux d'accueil pour investisseurs. Les plantations que l'on observe à Gaillac, mais aussi à Cahors et en Lot-et-Garonne, en sont le signe.
D'ailleurs, de nouveaux vignobles se présentent au seuil du vénérable INAO pour y recevoir la consécration suprême. C'est le cas par exemple de celui de Saint-Sardos (Tarn-et-Garonne) qui a déjà été maintes fois distingué dans le Guide et qui demande le bénéfice d'une AOVDQS. Le dossier, en cours d'instruction, devrait déboucher sur la délimitation parcellaire l'an prochain et l'arrêté ministériel pourrait être signé en 2003.

QUOI DE NEUF EN VAL DE LOIRE ?

L'année 2000 s'est terminée, le 30 novembre, sur la nouvelle de l'inscription du Val de Loire au patrimoine mondial de l'Unesco. Une consécration qui rejaillit sur le vignoble : du schiste ou du tuffeau, l'homme a fait surgir des ceps comme des fermes et des châteaux, qui contribuent à la douceur des paysages ligériens.

DANS LA RÉGION NANTAISE

Les conditions climatiques de l'année 2000 ont été moins favorables que celles de 1999. Un hiver doux et un printemps pluvieux ont favorisé l'apparition de parasites et l'ensoleillement a été très déficitaire en juillet. Heureusement, le beau temps du mois d'août a permis de sauvegarder l'essentiel.

Le millésime se situe dans une « bonne moyenne », avec une qualité assez homogène. Le muscadet 2000 est fruité et bien sec du fait d'un degré d'acidité relativement élevé.

La production totale de la région nantaise (y compris les VDQS fiefs vendéens) a atteint 967 000 hl, soit environ 3 % de plus qu'en 1999, dont 762 000 hl pour le muscadet. Cela correspond à peu près aux quantités commercialisées. Les stocks demeurent donc très faibles et ne représentent qu'une demi-récolte. Résultat : la pénurie menace à partir de l'été 2002, car la vendange 2001 s'annonce fortement déficitaire. Cela tient moins au gel du 20 avril (jour de la dégustation locale du Guide), qui a touché la partie nord du vignoble, qu'aux pluies abondantes et à la fraîcheur du printemps. Le débourrement a été si décevant que les quantités pourraient être divisées par deux. Cela risque d'être fatal aux exploitations les plus fragiles, à moins d'une forte hausse des prix.

Or celle-ci ne semble pas d'actualité. Malgré la bonne tenue des ventes en volume, surtout pour le « sur lie » qui progresse d'environ 6 % d'une année sur l'autre, les prix stagnent à un niveau faible. A l'exportation, une forte progression sur les marchés allemands, américains et japonais ne suffit pas à compenser le vif recul du marché anglais, premier débouché du muscadet.

La stagnation des prix alimente les tensions entre viticulteurs et négociants. Les vendangeoirs gérés par certains de ces derniers gagnent du terrain ; ils ont vinifié 99 000 hl en 2000-2001, soit plus de 10 % de la production. Mais alors que l'on y voyait surtout une solution pour les petites exploitations, ils tendent à monter en gamme pour traiter la production de domaines et châteaux importants.

La coopération demeure peu répandue ; deux des trois petites coopératives créées ces dernières années viennent de rejoindre les Vignerons de La Noëlle, qui voudraient porter leurs volumes à la hauteur de leur réputation.

La profession poursuit ses réflexions sur un futur « troisième niveau » du muscadet, qui se superposerait aux appellations sous-régionales (sèvre-et-maine, côtes de grand-lieu et coteaux-de-la-loire).

EN ANJOU-SAUMUR

Marquée par les précipitations, en particulier au printemps et en septembre-octobre, l'année 2000 n'a guère été ensoleillée : il manque environ 200 heures d'insolation par rapport à une année moyenne. Cependant, les températures sont restées au-dessus de la moyenne, avec des mois de mai et juin très chauds.

Le débourrement a connu la même précocité que l'an dernier (10 jours d'avance sur la moyenne). La douceur et l'humidité ont favorisé le développement régulier de la végétation, mais aussi le mildiou, qui a imposé des traitements réguliers. Si la floraison s'est déroulée dans des conditions optimales, la vigne a perdu son avance en raison de la fraîcheur de juillet, et la véraison est intervenue aux dates moyennes, entre le 20-23 août et le 5-8 septembre. Les vendanges ont commencé vers le 25 septembre.

Malgré la pluie, les raisins n'ont guère été atteints par la pourriture, les températures diurnes plutôt fraîches et les pellicules épaisses de cette année ayant freiné le développement du botrytis. Des cabernets ont pu être ainsi récoltés fin octobre, et des chenins fin novembre en bon état sanitaire.

Les gamay, grolleau et cabernet ont été vendangés dans de bonnes conditions. Les vins obtenus sont d'une grande richesse aromatique. Les rouges sont colorés et parfaitement équilibrés. Les pluies importantes d'octobre et de novembre ont contrarié la récolte des blancs. Cependant, les parcelles dont la vigueur a été maîtrisée se sont bien comportées. La maturité était au rendez-vous. Les vins secs seront fruités et légers, les liquoreux seront francs de goût, et parfois fort gras lorsque les vendanges auront été très tardives.

En Touraine

Si le printemps est apparu dès la fin de février avec trois semaines ensoleillées, le temps s'est ensuite rafraîchi et le débourrement a eu lieu à la date habituelle. Pluvieuses en avril, marquées par une forte nébulosité en mai, les conditions climatiques ont entraîné là aussi le développement du mildiou. Le temps estival des deux dernières décades de juin a favorisé la floraison, puis juillet s'est montré pluvieux, août plus ensoleillé mais toujours plus arrosé que la normale. Heureusement, le beau temps s'est installé à partir du 7 septembre et s'est maintenu jusqu'au 8 octobre qui a vu le retour durable des précipitations : il a plu pendant plus d'un mois.

Les grappes étaient constituées de grains plus gros que la normale avec des pellicules plus épaisses, quels que soient les cépages, ce qui les rendait plus résistantes au botrytis.

Les vendanges ont commencé à partir du 12 septembre pour les cépages les plus précoces, comme le gamay et le sauvignon, autour de la dernière semaine de septembre pour le chenin et les cabernets, et la première semaine d'octobre pour le chenin et pineau d'Aunis de la vallée du Loir.

Les vins rouges sont en général bien structurés, ronds et colorés. Un millésime honorable, notamment en chinon, bourgueil et saint-nicolas-de-bourgueil. Les rouges de la vallée du Loir et du Vendômois sont assez souples.

Les vins blancs secs sont de bonne naissance. Le chenin s'est fort bien comporté en sec ou demi-sec, en vouvray et montlouis, ou comme vin de base d'effervescents, mais en raison des pluies d'octobre et de novembre, 2000 n'est pas une année de liquoreux. Le raisin ne s'est pas concentré au-dessus de 14° : pas de grains nobles cette année. Des chutes de grêle ont par ailleurs affecté la production en montlouis.

L'AOC touraine noble-joué a été reconnue : il s'agit de vins rosés ou gris assemblant meunier, pinot gris (20 % minimum) et pinot noir (10 % minimum), produits à Chambray-lès-Tours, Esures, Larçay, Saint-Avertin et Joué-lès-Tours. Le premier millésime, qui fait son entrée dans le Guide, est le 99. Quant au VDQS coteaux-du-vendômois, il est promu en AOC.

Dans le Centre

Le débourrement s'est produit autour du 15 avril, avec quelques jours d'avance sur une année moyenne. Les chaleurs exceptionnellement fortes de mai et de juin ont accéléré la croissance de la vigne. A la mi-juin, la floraison était pratiquement terminée. Juillet, particulièrement frais et humide, localement ponctué d'orages, a ralenti l'évolution des nouvelles grappes et obligé les viticulteurs à une surveillance du feuillage. Heureusement, août a vu le retour du beau temps. Des températures modérées ont permis une lente maturation des baies et un bon affinement des arômes. Les trois dernières semaines, excellentes, ont assuré une accumulation des sucres importante et le maintien d'une teneur en acide équilibrée. Le ciel étant resté clément au moment des vendanges, les vignerons ont pu étaler leur récolte et cueillir chaque parcelle au meilleur de sa maturité. Les vendanges ont commencé le 13 septembre pour le pinot gris et à partir du 18 pour le sauvignon. Elles ont pu durer jusqu'au 15 octobre pour ce cépage, les pinot noir et gamay ayant été récoltés entre-temps.

Les vins blancs livrent des arômes d'une belle complexité et d'une grande finesse, qui expriment leur terroir par des nuances fruitées et minérales, parfois végétales. Ils font preuve de volume, de fermeté, de persistance, de caractère et laissent présager un millésime de bonne tenue. Les meilleures cuvées pourront être conservées plusieurs années.

Les vins rouges sont fruités, puissants. Ils demanderont un mûrissement plus ou moins prolongé suivant l'origine des raisins.

Brèves du vignoble

Après son « opéra de rue » de 2000, le Comité interprofessionnel des vins de Nantes a produit un opéra comique, Arlequin et Muscadine, à la gloire du muscadet sur lie, « le vin qui fait chanter la ville ». Il a aussi organisé un *roadshow* présentant des vieux millésimes « haute expresssion » dans plusieurs villes d'Europe et d'Amérique du Nord. Le Musée du vignoble nantais, au Pallet, a adopté une nouvelle scénographie plus interactive. L'appellation bonnezeaux a fêté en 2000 son cinquantième anniversaire.

La route des Vignobles du Cœur de France a été inaugurée le 26 février 2001 à Bourges. Elle a rejoint à Valençay la route des vignobles de Touraine, le 4 mai 2001.
Le seizième Salon des vins de Loire se déroulera à Angers du lundi 4 au mercredi 6 février 2002. Deux invités : les Etats-Unis et l'Irlande.

QUOI DE NEUF DANS LE RHÔNE ?

Rien ne sert de courir, il faut arriver à point ! Cette version inédite du proverbe s'applique à merveille au millésime 2000, où la végétation, longtemps ankylosée sous l'effet d'un hiver tôt venu, a pris son élan dès les premières chaleurs. L'année s'est finalement révélée précoce, et une séquence heureuse de chaleur, d'orages et de mistral a donné dans l'ensemble des vins d'une belle richesse.

On ne l'aurait pas deviné au début de l'année : 2000 s'est finalement distingué par sa précocité. Et pourtant, des chutes de neige spectaculaires (23 cm à Carpentras), dès le 20 et 21 novembre 1999, avaient fait l'actualité et marqué la journée de la ballade des primeurs dans le Gard. A la mi-avril, le millésime 2000 était plutôt en retard par rapport aux années précédentes et surtout à 1997 (25 jours), année qui avait battu il est vrai tous les records d'insolation et de chaleur. Mais les mois de mai et juin, ensoleillés et chauds, ont largement permis de combler ce retard. La floraison a commencé le 20 mai dans le sud, le 23 dans le nord et dès la fin de juin, le millésime s'annonçait comme précoce par rapport aux années antérieures.

LES INGRÉDIENTS D'UN BON MILLÉSIME

Après un mois de juillet particulièrement frais et pluvieux, août, à partir du 14, se fit caniculaire, avec des températures supérieures de 1,8 °C par rapport à la normale, si bien que la précocité de l'année s'est confirmée. Les vendanges ont commencé dès la fin du mois dans la partie méridionale du Gard et le 6 septembre dans la vallée du Rhône septentrionale. A cette date, l'état sanitaire du raisin était remarquable, le rendement en jus et les acidités totales étaient plutôt faibles et le degré s'annonçait élevé. La richesse en composés polyphénoliques faisait comparer 2000 aux deux bons millésimes précédents.
Cependant, le décalage entre la maturité pelliculaire (arôme, couleur, tanins) et pulpaire (sucres et acidité) a souvent conduit à retarder la récolte. Les orages du 20 septembre ont permis de relancer la maturité freinée par la sécheresse. Le mistral, comme toujours, a joué son rôle à merveille. L'alternance des températures entre le jour et la nuit a permis une richesse en anthocyanes supérieure à la moyenne des quatre dernières années. L'épaisseur des peaux et l'état sanitaire excellent des raisins ont permis de longues cuvaisons et une très bonne extraction, ce qui laisse espérer des vins colorés, aromatiques, riches en tanins et de garde : tous les ingrédients d'un bon millésime.
La vallée méridionale a fourni des vins rouges colorés, à reflets violacés, aux tanins tout en douceur. Le grenache a donné un fruité rappelant la mûre sauvage. Les vins blancs sont dominés par un joli fruité aux nuances d'agrumes et de fruits à chair blanche. Les rosés arborent une robe vive et délivrent des arômes de petits fruits rouges. La partie septentrionale a produit des vins blancs d'un bon potentiel aromatique, et qui s'expriment déjà en nuances de fruits blancs avec quelques touches de fleurs blanches. Les vins rouges se distinguent par leur couleur, leur fruité et leurs tanins bien présents mais veloutés.

Remarquablement servis par le millésime, ils sont d'une grande noblesse et de garde.
La récolte 2000 dépasse les deux précédentes : 3 858 500 hl contre 3 661 000 hl en 1999. Elle progresse toujours en côtes-du-rhône villages : 317 700 hl en 1999, 336 150 en 2000. Les volumes sont également en hausse en châteauneuf-du-pape.

En quinze ans, un marché réorienté

Longtemps, la restauration hors foyer a constitué le principal débouché des vins du Rhône – le vin de carafe en accompagnement du repas quotidien. En 1987 encore, ce débouché représentait 40 % des volumes commercialisés, devant la consommation à domicile (34 %) et l'export (27 %). En 1999 la consommation à domicile (40 %) a pris le pas sur la consommation hors foyer (30 %). En 2000 les ventes d'AOC ont encore augmenté de 3 % pour la consommation française à domicile.
Autre tendance positive de ces cinq dernières années, la part croissante des vins du Rhône exportés : elle a atteint 30 % du total des ventes, contre 21 % en 1994. De toutes les régions françaises, c'est le Rhône qui affiche les plus fortes hausses à l'export : il a exporté 798 301 hl, ce qui a représenté plus de 1,7 milliard de francs, et une hausse de 5,45 % en volume et de près de 15 % en valeur.

Brèves du vignoble

Une nouvelle cave coopérative a été créée à Pujaut, dans le Gard : la Cave de Sauveterre ; située en plein cœur du village, elle s'est installée en bordure de la RN 580, à côté du Cellier des Chartreux. La mise en place des cuves extérieures, destinées à l'assemblage, s'est faite par hélicoptère. Cette opération concernait une cuve de 3 000 hl pesant 6 t, deux cuves de 500 hl pesant chacune 3 t et quatre autres de 50 hl d'un poids de 1,5 t.
Un nouveau groupement de producteurs est né dans le Ventoux : Les Vignobles du Ventoux, avec quatre caves coopératives (Les Roches Blanches à Mormoiron, la Cave Saint-Marc à Caromb, Les Vignerons du Mont-Ventoux à Bedoin et La Courtoise à Saint-Didier). L'ensemble représente un tiers des volumes de l'appellation.
Enfin, le « vin des Papes » est né de la vigne du palais des Papes, plantée en 1997 et qui a donné sa première récolte. Les Compagnons du Ban des vendanges ont réalisé une vente aux enchères mémorable qui s'est tenue dans la superbe salle du Conclave, le 9 juillet 2001. C'est l'association « Mises en scènes » qui a profité des bénéfices de cette vente à travers le projet « Lire à l'Hôpital » destiné aux patients du service d'hématologie à l'hôpital d'Avignon.

Par définition, le vin est « le produit obtenu exclusivement par la fermentation alcoolique, totale ou partielle, de raisins frais, foulés ou non, ou de moûts de raisin ».
Toutes les définitions légales imposent aux vins une teneur en alcool minimum, 8,5 % vol. ou 9,5 % vol. selon les zones viticoles. La teneur en alcool (d° alcoolique) est exprimée en pourcentage du volume du vin constitué par de l'alcool pur ; il faut 17 g de sucre dans le moût pour produire 1 % vol. d'alcool par la fermentation.

LES DIFFERENTS TYPES DE VINS

— La réglementation européenne, entérinant les usages français, distingue les *vins de table* et les VQPRD. Les Vins de qualité produits dans une région déterminée (VQPRD) sont soumis à des règlements de contrôle. En France, ils correspondent aux *Appellations d'origine vins délimités de qualité supérieure* (AOVDQS) et aux *Vins d'appellation d'origine contrôlée* (AOC). Il faut noter que les jeunes vignes sont exclues de l'appellation jusqu'à quatre ans (vins trop légers).

— Les *vins secs et les vins sucrés* (demi-secs, moelleux et doux) sont caractérisés par des taux de sucre variables. La production des vins sucrés suppose des raisins très mûrs, riches en sucre, dont une partie seulement est transformée en alcool par la fermentation. Les sauternes par exemple sont des vins particulièrement riches; ils sont obtenus à partir de raisins très concentrés par la pourriture noble. On les désigne volontiers par l'expression « grands vins liquoreux » qu'il ne faut pas confondre avec « vins de liqueurs » définit par la législation européenne (voir ci-dessous).

— Les *vins mousseux* s'opposent aux *vins tranquilles*, par la présence, au débouchage de la bouteille, d'un dégagement de gaz carbonique provenant d'une seconde fermentation (prise de mousse). Dans la méthode traditionnelle, autrefois dite « champenoise », celle-ci est effectuée dans la bouteille définitive. Si elle est effectuée en cuve, on parle de méthode en « cuve close ».

— Les *vins mousseux gazéifiés* présentent aussi un dégagement de gaz carbonique qui provient, totalement ou partiellement, d'une addition de gaz. Les *vins pétillants* possèdent, eux, une pression de gaz carbonique comprise entre 1 et 2,5 bars. Leur degré alcoolique doit être supérieur à 7 % vol. seulement. Le *pétillant de raisin* est obtenu par fermentation partielle du moût de raisin ; le titre alcoolique est faible; il peut être inférieur à 7 % vol., mais doit être supérieur à 1 % vol.

— Les *vins de liqueur* sont obtenus par addition, avant, pendant et après la fermentation, d'alcool neutre, d'eau-de-vie de vin, de moût de raisin concentré ou d'un mélange de ces produits. L'expression *« mistelle »* ne fait pas partie de la réglementation européenne qui parle de « moût de raisin frais muté à l'alcool », résultat de l'addition d'alcool ou d'eau-de-vie de vin à du moût de raisin (la fermentation est exclue) ; le pineau des charentes, le floc de gascogne et le macvin du jura appartiennent à cette catégorie.

LA VIGNE ET SA CULTURE

La vigne appartient au genre *Vitis* dont il existe de nombreuses espèces. Traditionnellement, le vin est produit à partir de différentes variétés de *Vitis vinifera*, originaire du continent européen. Mais il existe d'autres espèces provenant du continent américain. Certaines sont infertiles, d'autres donnent des produits doués d'un caractère organoleptique très particulier, appelé « foxé », et peu appréciés. Mais ces variétés, dites américaines, possèdent des caractéristiques de résistance aux maladies supérieures à celles de *Vitis vinifera*. Dans les années 1930, on a donc cherché à créer, par hybridation, de nouvelles variétés résistant aux maladies, comme les espèces américaines, mais produisant des vins de même qualité que ceux de *Vitis vinifera* ; ce fut un échec qualitatif.

— *Vitis vinifera* est sensible à un insecte, le phylloxéra, qui attaque les racines, et dont on sait les dévastations qu'il produisit à la fin du XIXe s. Le développement d'un greffon de *Vitis vinifera* sur un porte-greffe de vigne américaine résistant au phylloxéra conduit désormais à un cep ayant les propriétés de l'espèce, mais dont les racines ne sont pas infectées par l'insecte.

— L'espèce *Vitis vinifera* comprend de nombreuses variétés, appelées *cépages*. Chaque région viticole a sélectionné les mieux adaptés, mais les conditions économiques et l'évolution du goût des consommateurs peuvent aussi intervenir dans la modification de l'encépagement. Certains vignobles produisent des vins issus d'un seul cépage (pinot et chardonnay en Bourgogne ou riesling en Alsace). Dans d'autres régions (Champagne, Bordelais), les plus grands vins résultent de l'association de plusieurs cépages ayant des caractéristiques complémentaires. Les cépages sont eux-mêmes constitués d'un ensemble « d'individus » (clones) ne présentant pas des caractéristiques identiques (productivité, maturité, infection par les maladies à virus) ; aussi la sélection des meilleures souches a-t-elle toujours été recherchée. Des recherches sont actuellement en cours pour définir les résistances des vignes par modifications génétiques.

— Les conditions de culture de la vigne ont une incidence décisive sur la qualité du vin. On peut modifier considérablement son rendement en agissant sur la fertilisation, la densité des plants, le choix du porte-greffe, la taille. Mais on sait aussi que l'on ne peut pas augmenter exagérément les rendements sans affecter la qualité. Celle-ci n'est pas compromise lorsque la quantité est obtenue par la conjonction de facteurs naturels favo-

REGIONS	CEPAGES	CARACTERES
Toutes les AOC de bourgogne rouge	pinot	vins fins de garde
Toutes les AOC de bourgogne blanc	chardonnay	vins fins de garde
Beaujolais	gamay	vins de primeur ou de consommation rapide
Rhône Nord rouge	syrah	vins fins de garde
Rhône Nord blanc	marsanne, roussanne	garde variable
Rhône Nord blanc	viognier	vins fins de garde
Rhône Sud, Languedoc, Côtes de Provence	grenache, cinsault, mourvèdre, syrah	vins plantureux de moyenne ou petite garde
Alsace (chaque cépage, vinifié seul, donne son nom au vin)	riesling, pinot gris, gewurztraminer, sylvaner, muscat...	vins aromatiques à boire rapidement sauf les grands crus, vendanges tardives ou sélections de grains nobles
Champagne	pinot, chardonnay	à boire dès l'achat
Loire blanc	sauvignon	vins aromatiques à boire rapidement
Loire blanc	muscadet	à boire rapidement
Loire blanc	chenin	se bonifient longuement
Loire rouge	cabernet franc (breton)	petite à grande garde
Toutes les AOC de bordeaux rouges, bergerac et Sud-Ouest	cabernet-sauvignon, cabernet franc et merlot	vins fins de garde
Madiran	tannat, cabernets	vins fins de garde
Bordeaux blanc, bergerac, montravel, monbazillac, duras...	sémillon, sauvignon, muscadelle	secs : de petite à longue garde ; liquoreux : longue garde
Jurançon	petit manseng, gros manseng	secs : petite garde ; moelleux : longue garde

rables ; certains grands millésimes sont aussi des récoltes abondantes. L'augmentation des rendements, au cours des années récentes, est en fait surtout liée à l'amélioration des conditions de culture. La limite à ne pas dépasser dépend de la qualité du produit : le rendement maximum se situe entre 45 et 60 hl/ha pour les grands vins rouges, un peu plus pour les vins blancs secs. Pour produire de bons vins, il faut en outre des vignes suffisamment âgées (trente ans et plus), ayant parfaitement développé leur système racinaire.
— La vigne est une plante sensible à de nombreuses maladies, mildiou, oïdium, blackrot, pourriture, etc., compromettant la récolte et communiquant aux raisins de mauvais goûts susceptibles de se retrouver dans le vin. Les viticulteurs disposent de moyens de traitement efficaces, facteurs certains de l'amélioration générale de la qualité. Probablement, dans le passé, la viticulture a un peu abusé, dans un souci de recherche de la sécurité, de l'emploi des pesticides chimiques. Aujourd'hui, une réflexion s'est imposée. D'une part, l'ensemble de la viticulture se sent impliquée dans la recherche d'une culture raisonnée qui fait appel aux traitements uniquement lorsqu'ils sont nécessaires. D'autre part, l'agrobiologie, s'appuyant sur une biodynamique du sol, cherche à créer des conditions naturelles rendant la vigne moins sensible aux maladies.

TERROIR VITICOLE : ADAPTATION DES CEPAGES AU SOL ET AU CLIMAT

Prise dans son sens le plus large, la notion de « terroir viticole » regroupe de nombreuses données d'ordre biologique (choix du cépage), géographique, climatique, géologique et pédologique. Il faut ajouter aussi des facteurs humains, historiques, commerciaux : par exemple, il est sûr que l'existence du port de Bordeaux et son trafic important avec les pays nordiques ont incité, dès le XVIIIe s., les viticulteurs à améliorer la qualité de leur production.
— La vigne est cultivée dans l'hémisphère Nord entre le 35e et le 50e parallèle ; elle est donc adaptée à des climats très différents. Cependant, les vignobles septentrionaux, les plus froids, permettent seulement la culture des cépages blancs, que l'on choisit précoces et dont les fruits peuvent mûrir avant les froids de l'automne ; sous des climats chauds sont cultivés les cépages tardifs, qui autorisent des productions importantes. Pour faire du bon vin, il faut un raisin bien mûr, mais il ne faut pas une maturation trop rapide et trop complète, qui entraîne une perte des éléments aromatiques : on choisit donc les cépages pour lesquels la maturation est atteinte de justesse. Une difficulté, pour les grands vignobles des zones climatiques marginales, est l'irrégularité, d'une année à l'autre, des conditions climatiques pendant la période de maturation.
— Des excès, de sécheresse ou d'humidité, peuvent également intervenir. Le sol du vignoble joue alors un rôle essentiel pour régulariser l'alimentation en eau de la plante : il apporte de l'eau au printemps, lors de la croissance ; il élimine les excès éventuels de pluie pendant la maturation. Les sols graveleux et calcaires assurent particulièrement bien ces régulations ; mais on connaît aussi des crus réputés sur des sols sableux, et même argileux. Éventuellement, un drainage artificiel complète la régulation naturelle. Ce phénomène rend compte de l'existence de crus de haute réputation sur des sols en apparence différents, comme de la présence, côte à côte, de vignobles de qualité variable sur des sols en apparence voisins.
— On sait aussi que la couleur ou les caractères aromatiques et gustatifs des vins, d'un même cépage et sous un même climat, peuvent présenter des différences selon la nature du sol et du sous-sol ; ainsi en est-il selon qu'ils proviennent de sols formés sur des calcaires, sur des molasses argilo-calcaires, sur des sédiments argileux, sableux ou gravelo-sableux. L'augmentation de la proportion d'argile dans les graves donne des vins plus acides, plus tanniques et corsés, au détriment de la finesse ; le sauvignon blanc, lui, prend des notes odorantes plus ou moins puissantes sur calcaire, sur graves ou sur marnes. En tout état de cause, la vigne est une plante particulièrement peu exigeante, qui pousse sur des sols pauvres. Cette pauvreté est d'ailleurs un élément de la qualité des vins, car elle favorise des rendements limités qui évitent la dilution des colorants, des arômes et des constituants sapides.

LE CYCLE DES TRAVAUX DE LA VIGNE

Destinée à équilibrer la production des fruits, en évitant le développement exagéré du bois, la taille annuelle s'effectue normalement entre décembre et mars. La longueur des sarments, choisie en fonction de la vigueur de la plante, commande directement l'importance de la récolte. Les labours de printemps « déchaussent » la plante, en ramenant la terre vers le milieu du rang, et créent une couche meuble qui restera aussi sèche que possible. Le décavaillonnage consiste à enlever la terre qui reste, sous le rang, entre les ceps.

— En fonction des besoins, les travaux du sol sont poursuivis pendant toute la durée du cycle végétal ; ils détruisent la végétation adventice, maintiennent le sol meuble et évitent les pertes d'eau par évaporation. Le désherbage peut être effectué chimiquement ; s'il est total, il est effectué à la fin de l'hiver, et les travaux aratoires sont complètement supprimés ; on parle alors de non-culture, qui constitue une économie substantielle. Cependant, certains producteurs soucieux de l'environnement préfèrent les vignes enherbées qui permettent de limiter la vigueur de la plante.

— Pendant toute la période végétative, on procède à différentes opérations pour limiter la prolifération végétale : l'épamprage, suppression de certains rameaux ; le rognage, raccourcissement de leur extrémité ; l'effeuillage, qui permet une meilleure exposition des raisins au soleil, l'accolage, pour maintenir les sarments dans les vignes palissées. Le viticulteur doit également protéger la vigne des maladies : le Service de la protection des végétaux diffuse des informations qui permettent de prévoir les traitements nécessaires, faits par pulvérisation de produits actifs, qu'ils soient naturels (agrobiologie) ou issus de la chimie industrielle.

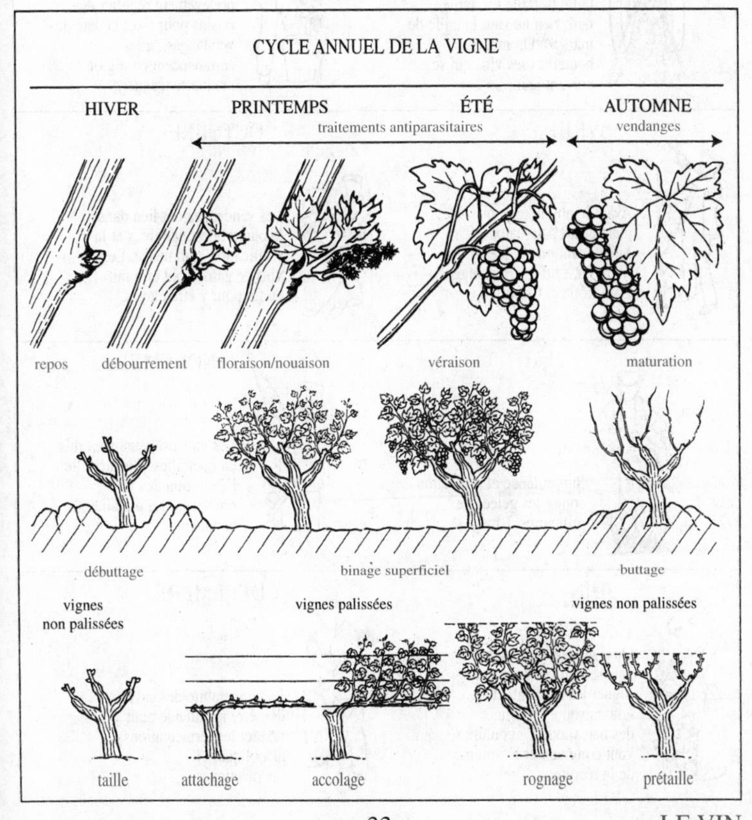

CALENDRIER DU VIGNERON

JANVIER

Si la taille s'effectue de décembre à mars, c'est bien « à la Saint-Vincent que l'hiver s'en va ou se reprend ».

JUILLET

Les traitements contre les parasites continuent ainsi que la surveillance du vin sous les fortes variations de température !

FEVRIER

Le vin se contracte avec l'abaissement de la température. Surveiller les tonneaux pour l'ouillage qui se fait périodiquement toute l'année. Les fermentations malolactiques doivent être terminées.

AOUT

Travailler le sol serait nuisible à la vigne, mais il faut être vigilant devant les invasions possibles de certains parasites. On prépare la cuverie dans les régions précoces.

MARS

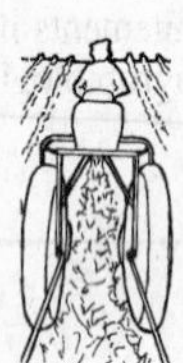

On « débutte ». On finit la taille (« taille tôt, taille tard, rien ne vaut la taille de mars »). On met en bouteilles les vins qui se boivent jeunes.

SEPTEMBRE

Étude de la maturation par prélèvement régulier des raisins pour fixer la date des vendanges ; elles commencent en région méditerranéenne.

AVRIL

Avant le phylloxéra, on plantait les paisseaux. Maintenant on palisse sur fil de fer, sauf à l'Hermitage, Côte Rôtie et Condrieu.

OCTOBRE

Les vendanges ont lieu dans la plupart des vignobles et la vinification commence. Les vins de garde vont être mis en fût pour y être élevés.

MAI

Surveillance et protection contre les gelées de printemps. Binage.

NOVEMBRE

Les vins primeurs sont mis en bouteilles. On surveille l'évolution des vins nouveaux. La prétaille commence.

JUIN

On *« accole »* les vignes palissées et commence à rogner les sarments. La « nouaison » (= donner des baies) ou la « coulure » vont commander le volume de la récolte.

DECEMBRE

La température des caves doit être maintenue pour assurer les fermentations alcooliques et malolactiques.

— Enfin, en automne, après les vendanges, un dernier labour ramène la terre vers les ceps et les protège des gelées hivernales; la formation d'une rigole au centre du rang permet d'évacuer les eaux de ruissellement. Ce labour est éventuellement utilisé pour enfouir des engrais.

LES RAISINS ET LES VENDANGES

L'état de maturité du raisin est un facteur essentiel de la qualité du vin. Mais dans une même région, les conditions climatologiques sont variables d'une année à l'autre, entraînant des différences de constitution des raisins, qui déterminent les caractéristiques propres de chaque millésime. Une bonne maturation suppose un temps chaud et sec : la date des vendanges doit être fixée avec beaucoup de discernement, en fonction de l'évolution de la maturation et de l'état sanitaire du raisin.

— De plus en plus, les vendanges manuelles laissent place au ramassage mécanique. Les machines, munies de batteurs, font tomber les grains sur un tapis mobile ; un ventilateur élimine la plus grande partie des feuilles. La brutalité de l'action sur le raisin n'est pas *a priori* favorable à la qualité, surtout pour les vins blancs : les crus de haute réputation seront les derniers à faire appel à ce procédé de ramassage, malgré des progrès considérables dans la conception et la conduite de ces machines. Dans le cas de maturité excessive lors des vendanges, l'acidité trop basse peut être compensée par addition d'acide tartrique. Si la maturité est insuffisante, on peut au contraire diminuer l'acidité par le carbonate de calcium. Dans ce cas, le raisin insuffisamment sucré pourrait donner un vin d'un degré alcoolique insuffisant. La concentration du moût peut intervenir. Enfin, dans des conditions bien précises, la législation permet d'augmenter la richesse saccharine du moût par addition de sucre : c'est la chaptalisation.

LA « NAISSANCE » DU VIN

Le phénomène microbiologique essentiel qui donne naissance au vin est la fermentation alcoolique ; le développement d'une espèce de levure *(Saccharomyces cerevisae)*, à l'abri de l'air, décompose le sucre en alcool et en gaz carbonique; de nombreux produits secondaires apparaissent (glycérol, acide succinique, esters, etc.), qui participent à l'arôme et au goût du vin. La fermentation dégage des calories qui provoquent l'échauffement de la cuve, ce qui peut nécessiter une réfrigération.

— Après la fermentation alcoolique peut intervenir, dans certains cas, la fermentation malolactique : sous l'influence de bactéries, l'acide malique est décomposé en acide lactique et en gaz carbonique. La conséquence est une baisse d'acidité et un assouplissement du vin, avec affinement de l'arôme ; simultanément, le vin acquiert une meilleure stabilité pour sa conservation. Les vins rouges en sont toujours améliorés ; l'avantage est moins systématique pour les vins blancs. Mais levures et bactéries lactiques existent sur le raisin ; elles se développent à l'occasion des manipulations de la vendange dans le chai : au remplissage de la cuve, l'inoculation peut être suffisante ; mais on effectue de plus en plus un levurage avec des levures sèches fournies par le commerce. Cette opération permet un meilleur déroulement de la fermentation ; elle évite certains défauts liés à des levures particulières (odeurs de réduction) et, dans certains cas, une souche adaptée permet une meilleure révélation des arômes spécifiques d'un cépage (sauvignon), à partir de précurseurs non aromatiques existant dans le raisin. En tout état de cause, la qualité et la typicité du vin reposent sur la qualité du raisin, donc sur des facteurs naturels (crus et terroirs).

— Les levures se développent toujours avant les bactéries, dont la croissance commence lorsque les levures ont cessé de fermenter. Si cet arrêt intervient avant que la totalité du sucre ait été transformée en alcool, le sucre résiduel peut être décomposé par les bactéries avec production d'acide acétique (acide volatile) ; il s'agit d'un accident grave, connu sous le nom de « piqûre » ; un procédé récemment découvert permet d'éliminer les substances toxiques qui se forment alors à partir des levures elles-mêmes. Au cours de la conservation, il reste toujours des populations bactériennes dans le vin, qui peuvent provoquer des accidents graves : décomposition de certains constituants du vin ; oxydation et formation d'acide acétique (processus de fabrication du vinaigre) ; les soins apportés aujourd'hui à la vinification peuvent éviter ces risques.

LES DIFFERENTES VINIFICATIONS

Vinification en rouge

Dans la majorité des cas, le raisin est d'abord égrappé ; les grains sont ensuite foulés et le mélange de pulpe, de pépins et de pellicules est envoyé dans la cuve de fermentation, après légère addition d'anhydride sulfureux pour assurer une protection contre les oxydations et les contaminations microbiennes. Dès le début de la fermentation, le gaz carbonique soulève toutes les particules solides qui forment, à la partie supérieure de la cuve, une masse compacte appelée « chapeau » ou « marc ».

— Dans la cuve, la fermentation alcoolique se déroule en même temps que la macération des pellicules et des pépins dans le jus. La fermentation complète du sucre dure en général de cinq à huit jours; elle est favorisée par l'aération, pour augmenter la croissance de la population de levures, et par le contrôle de la température (aux environs de 30 °C) pour éviter la mort de ces levures. La macération apporte essentiellement au vin rouge sa couleur et sa structure tannique. Les vins destinés à un long vieillissement doivent être riches en tanin, et subissent donc une longue macération (deux à trois semaines) de 25 à 30 °C. En revanche, les vins rouges à consommer jeunes, de type primeur, doivent être fruités et peu tanniques: leur macération est réduite à quelques jours.

— L'écoulage de la cuve est la séparation du jus, appelé « vin de goutte » ou « grand vin », et du marc. Par pressurage, le marc donne le vin de presse : son assemblage éventuel avec le vin de goutte dépend de critères gustatifs et analytiques. Vins de goutte et vins de presse sont remis en cuve séparément pour subir les fermentations d'achèvement : disparition des sucres résiduels et fermentation malolactique. Pour les grands vins, de plus en plus, l'écoulage se fait directement en fûts de chêne, dans lesquels s'effectue la fermentation malolactique. Les vins rouges acquièrent ainsi un caractère boisé plus harmonieux.

— Cette technique est la méthode de base, mais il existe d'autres procédés de vinification qui présentent un intérêt particulier dans certains cas (thermovinification, vinification continue, macération carbonique).

Vinification en rosé

Les vins clairets, rosés ou gris, sont obtenus par macérations d'importance variable de raisins à peine rosés ou fortement colorés. Le plus généralement, ils sont vinifiés par pressurage direct de raisins noirs ou par saignées. Dans ce dernier cas, la cuve est remplie, comme pour une vinification en rouge classique ; au bout de quelques heures, on tire une certaine proportion du jus qui fermente séparément ; et la cuve est remplie à nouveau pour faire du vin rouge. Celui-ci est alors plus concentré.

Vinification en blanc

En matière de vin blanc, il existe une grande diversité de types : à chacun d'eux correspondent une technique de vinification et une qualité de vendange appropriées. Le plus souvent, le vin blanc résulte de la fermentation d'un pur jus de raisin ; le pressurage précède donc la fermentation. Dans certains cas, cependant, on effectue une courte macération pelliculaire préfermentaire pour extraire leurs arômes ; il faut alors des raisins parfaitement sains et mûrs, afin d'éviter des défauts gustatifs (amertume) et olfactifs (mauvaise odeur). L'extraction du jus est faite par foulage, égouttage et, enfin, pressurage ; les jus de presse sont fermentés séparément, car de moins bonne qualité. Le moût blanc, très sensible à l'oxydation, est immédiatement protégé par addition d'anhydride sulfureux. Dès l'extraction du jus, on procède à sa clarification par débourbage. En outre, pendant la fermentation, la cuve est en permanence maintenue à une température de l'ordre de 20 à 24 °C pour protéger les arômes.

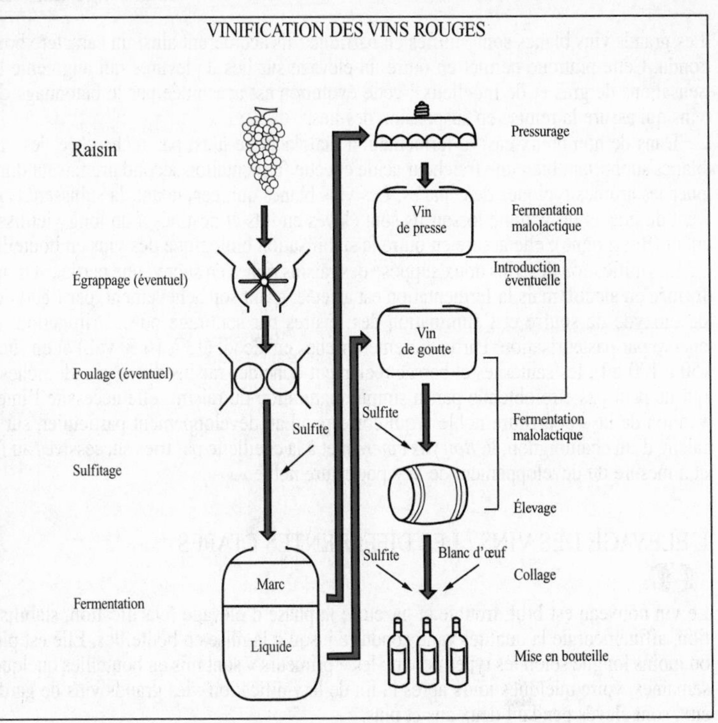
VINIFICATION DES VINS ROUGES
Raisin
Pressurage
Vin de presse
Fermentation malolactique
Introduction éventuelle
Égrappage (éventuel)
Vin de goutte
Foulage (éventuel)
Sulfite
Fermentation malolactique
Sulfite
Sulfitage
Élevage
Sulfite
Blanc d'œuf
Collage
Marc
Fermentation
Liquide
Mise en bouteille

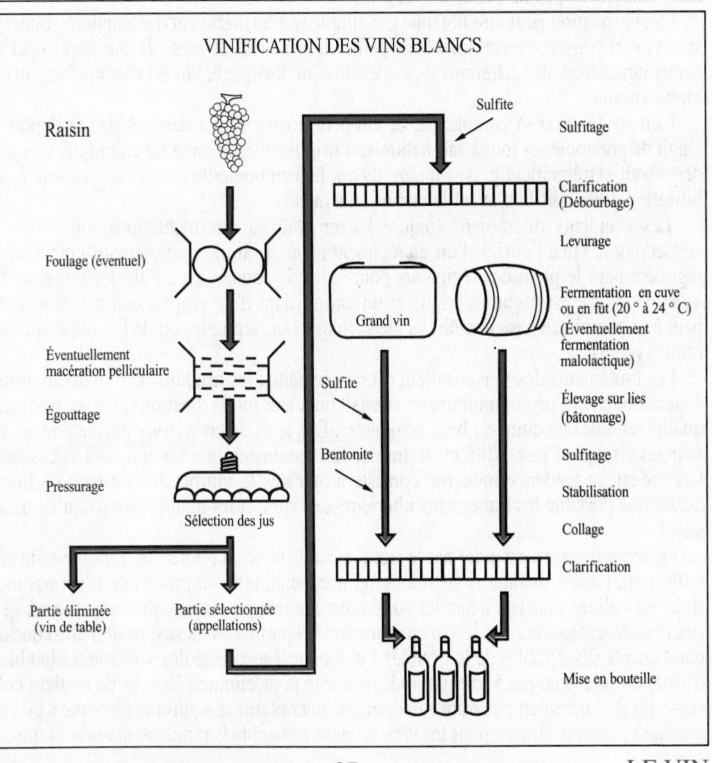
VINIFICATION DES VINS BLANCS
Sulfite
Raisin
Sulfitage
Clarification (Débourbage)
Levurage
Foulage (éventuel)
Fermentation en cuve ou en fût (20 ° à 24 ° C)
Grand vin
(Éventuellement fermentation malolactique)
Éventuellement macération pelliculaire
Sulfite
Élevage sur lies (bâtonnage)
Égouttage
Bentonite
Sulfitage
Pressurage
Stabilisation
Sélection des jus
Collage
Clarification
Partie éliminée (vin de table)
Partie sélectionnée (appellations)
Mise en bouteille

Les grands vins blancs sont vinifiés en barrique ; ils acquièrent ainsi un caractère boisé fondu. Cette pratique permet en outre un élevage sur lies de levures qui augmente les sensations de gras et de moelleux ; cette évolution est accentuée par le bâtonnage des vins qui assure la remise en suspension des lies.

— Dans de nombreux cas, la fermentation malolactique n'est pas recherchée, les vins blancs supportant bien une fraîcheur acide et cette fermentation secondaire faisant diminuer les arômes typiques de cépages. Les vins blancs qui, cependant, la subissent trouvent du gras et du volume lorsqu'ils sont élevés en fûts et destinés à un long vieillissement (Bourgogne); elle assure en outre la stabilisation biologique des vins en bouteille.

— La vinification des vins doux suppose des raisins riches en sucre ; une partie est transformée en alcool, mais la fermentation est arrêtée, avant son achèvement, par l'addition de dioxyde de soufre et l'élimination des levures par soutirage ou centrifugation, ou encore par pasteurisation. Particulièrement riches en alcool (13 à 16 % vol.) et en sucre (50 à 100 g/l), les sauternes et barsac réclament donc des raisins d'une grande richesse qui ne peut pas être obtenue par la simple maturation du raisin ; elle nécessite l'intervention de la « pourriture noble » qui correspond au développement particulier, sur le raisin, d'un champignon, le *Botrytis cinerea*, et à la cueillette par tries successives au fur et à mesure du développement de la « pourriture noble ».

L'ELEVAGE DES VINS : LES DIFFERENTES ETAPES

Le vin nouveau est brut, trouble et gazeux ; la phase d'élevage (clarification, stabilisation, affinement de la qualité) va le conduire jusqu'à la mise en bouteilles. Elle est plus ou moins longue selon les types de vin : les « primeurs » sont mis en bouteilles quelques semaines, voire quelques jours après la fin de la vinification ; les grands vins de garde, eux, sont élevés pendant deux ans et plus.

— La clarification peut être obtenue par simple sédimentation et décantation (soutirage) si le vin est conservé en récipients de petite capacité (fût de bois). Il faut faire appel à la centrifugation ou aux différents types de filtration lorsque le vin est conservé en cuve de grand volume.

— Compte tenu de sa complexité, le vin peut donner lieu à des troubles et dépôts ; il s'agit de phénomènes tout à fait naturels, d'origine microbienne ou chimique. Ces accidents sont extrêmement graves lorsqu'ils ont lieu en bouteille ; pour cette raison, la stabilisation doit avoir lieu avant le conditionnement.

— Les accidents microbiens (piqûre bactérienne ou refermentation) sont évités en conservant le vin à l'abri de l'air en récipient plein ; l'ouillage consiste justement à faire régulièrement le plein des récipients pour éviter le contact avec l'air. En outre, le dioxyde de soufre est un antiseptique et un antioxydant d'un emploi courant. Son action peut être complétée par celle de l'acide sorbique (antiseptique) ou de l'acide ascorbique (antioxydant).

— Les traitements des vins résultent d'une nécessité ; les produits de traitement utilisés sont relativement peu nombreux; on connaît bien leur mode d'action qui n'affecte pas la qualité, et leur innocuité est bien démontrée. Des tests de laboratoire permettent de prévoir les risques d'instabilité et de limiter les traitements à ceux qui sont nécessaires. Cependant, la tendance moderne consiste à agir dès la vinification de façon à limiter autant que possible les traitements ultérieurs des vins et les manipulations qu'ils nécessitent.

— Le dépôt de tartre est évité par le froid, avant la mise en bouteilles; inhibiteur de cristallisation, l'acide métatartrique a un effet immédiat, mais sa protection n'est pas indéfinie. Le collage consiste à ajouter au vin une matière protéique (albumine d'œuf, gélatine) ; celle-ci flocule dans le vin en éliminant les particules en suspension ainsi que des constituants susceptibles de le troubler à la longue. Le collage des vins rouges (au blanc d'œuf) est une pratique ancienne, indispensable pour éliminer l'excès de matière colorante qui floculerait en tapissant l'intérieur de la bouteille. La gomme arabique a un effet similaire ; elle est utilisée pour les vins de table consommés rapidement après la mise en

bouteilles. La coagulation des protéines naturelles dans les vins blancs (casse protéique) est évitée en les éliminant par fixation sur une argile colloïdale, la bentonite. L'excès de certains métaux (fer et cuivre) donne également lieu à des troubles ; leur élimination peut être effectuée par le ferrocyanure de potassium.
— L'élevage comprend aussi une phase d'affinage. Elle comporte d'abord l'élimination du gaz carbonique en excès provenant de la fermentation ; son réglage dépend du style : il donne de la fraîcheur aux vins blancs secs et aux vins jeunes ; en revanche, il durcit les vins de garde, particulièrement les grands vins rouges. L'introduction ménagée d'oxygène assure également une transformation indispensable des tanins des vins rouges jeunes; elle est indispensable à leur vieillissement ultérieur en bouteilles. L'oxydation ménagée se produit spontanément en fût de chêne ; les techniques dites de « microbullage » permettent d'introduire, de façon régulière, les quantités d'oxygène juste nécessaire.
— Le fût de bois de chêne apporte aux vins des arômes vanillés qui s'harmonisent parfaitement avec ceux du fruit, surtout lorsque le bois est neuf; le chêne de l'Allier (forêt de Tronçais) convient mieux que le chêne du Limousin ; le bois doit être fendu et séché à l'air pendant trois ans avant son utilisation. Ce type d'élevage fait partie de la tradition des grands vins, mais il est très onéreux (prix d'achat des fûts, travail manuel, perte par évaporation). En outre, lorsqu'ils sont un peu vieux, les fûts peuvent être des sources de contamination microbienne et apporter au vin plus de défauts que de qualités. Ce type d'élevage doit être réservé à des vins suffisamment riches afin que le caractère boisé ne domine pas le fruité du raisin et ne banalise pas la typicité ; l'importance du boisé doit être dosée (en jouant sur la durée d'élevage et sur la proportion de barriques neuves), en fonction de la structure du vin, afin qu'il ne sèche pas au cours du vieillissement. Des tentatives ont été faites en vue de simplifier l'acquisition du caractère boisé, en particulier par la macération de copeaux de bois de chêne, pratique interdite pour les vins d'AOC.

CONDITIONNEMENT - VIEILLISSEMENT

L'expression « vieillissement » est spécifiquement réservée aux transformations lentes du vin conservé en bouteille, à l'abri complet de l'oxygène de l'air. La mise en bouteille demande beaucoup de soin et de propreté; il faut éviter que le vin, parfaitement clarifié, soit contaminé par cette opération. Des précautions doivent en outre être prises pour respecter le volume indiqué. Le liège reste le matériau de choix pour l'obturation des bouteilles ; grâce à son élasticité, il assure une bonne herméticité. Cependant, ce matériau est dégradable ; il est recommandé de changer les bouchons tous les vingt-cinq ans. En outre, on connaît les deux risques du bouchage liège : les « bouteilles couleuses » et les « goûts de bouchon ».
— Les transformations du vin en bouteilles sont multiples et fort complexes. Il intervient d'abord une modification de la couleur, parfaitement mise en évidence dans le cas des vins rouges ; rouge vif dans les vins jeunes, elle évolue vers des nuances plus jaunes, responsables d'une teinte évoquant la tuile ou la brique. Dans les vins très vieux, la nuance rouge a complètement disparu ; le jaune et le marron sont les couleurs dominantes. Ces transformations sont responsables des dépôts de matière colorante dans les très vieux vins. Elles agissent sur le goût des tanins en provoquant un assouplissement de la structure générale du vin.
— Au cours du vieillissement en bouteilles interviennent également un développement des arômes et l'apparition du « bouquet » spécifique du vin vieux ; il s'agit de transformations complexes dont les fondements chimiques restent obscurs (les phénomènes d'estérification n'interviennent pas).

CONTRÔLE DE LA QUALITÉ

Le bon vin n'est pas forcément un grand vin; par ailleurs, lorsque l'on parle d'un « vin de qualité », on évoque la hiérarchie qui va des vins de table aux grands crus, avec tous les intermédiaires. Derrière ces deux idées se retrouve la distinction entre les « facteurs naturels » et les « facteurs humains » de la qualité. Les seconds sont indispensables pour avoir un « bon vin » ; mais un « grand vin » nécessite en plus des conditions de milieu (sol, climat) particulières et exigeantes...

— Si l'analyse chimique permet de déceler des anomalies et de mettre en évidence certains défauts du vin, ses limites pour définir la qualité sont bien connues ; en dernier ressort, la dégustation est le critère essentiel d'appréciation de la qualité. Des progrès considérables ont été accomplis depuis une vingtaine d'années dans les techniques d'analyse sensorielle permettant de mieux en maîtriser les aspects subjectifs ; ils tiennent compte du développement des connaissances en matière de physiologie de l'odorat et du goût, et des conditions pratiques de la dégustation. L'expertise gustative intervient de plus en plus dans le contrôle de la qualité, pour l'agréage des vins d'appellation d'origine contrôlée ou dans le cadre d'expertises judiciaires.

— Le contrôle réglementaire de la qualité du vin s'est en effet imposé depuis longtemps. La loi du 1er août 1905 sur la loyauté des transactions commerciales constitue le premier texte officiel. Mais la réglementation a été progressivement affinée au fur et à mesure que progressaient les connaissances de la constitution du vin et de ses transformations. En s'appuyant sur l'analyse chimique, la réglementation définit une sorte de qualité minimale en évitant les principaux défauts. Elle incite en outre la technique à améliorer ce niveau minimum. La Direction de la consommation et de la répression des fraudes est responsable de la vérification des normes analytiques ainsi établies.

— Cette action est complétée par celle de l'Institut national des appellations d'origine, chargé, après consultation des syndicats intéressés, de déterminer les conditions de production et d'en assurer le contrôle; aire de production, nature des cépages, mode de plantation et de taille, pratiques culturales, techniques de vinification, constitution des moûts et du vin, rendement. Cet organisme assure également la défense des vins d'appellation d'origine en France et à l'étranger.

— Dans chaque région, enfin, les syndicats viticoles participent à la défense des intérêts des viticulteurs adhérents, en particulier dans le cadre des différentes appellations. Cette action est souvent coordonnée par des conseils, bureaux ou comités interprofessionnels, qui rassemblent les représentants des différents syndicats, de producteurs et de négociants, et différentes personnalités du monde professionnel et de l'administration.

Pascal Ribéreau-Gayon

Acheter un vin est la chose la plus facile du monde, le choisir à bon escient est la chose la plus difficile. Si l'on considère la totalité de l'offre, c'est à quelques centaines de milliers de vins différents qu'est confronté l'amateur.
La France, à elle seule, produit plusieurs dizaines de milliers de vins qui ont tous une spécificité et des caractères propres. Ce qui les distingue apparemment, outre leur couleur, c'est l'étiquette. D'où son importance et le souci des pouvoirs publics et des instances professionnelles de réglementer son usage et sa présentation. D'où également pour l'acheteur la nécessité d'en percer les arcanes.

L'ETIQUETTE

L'étiquette remplit plusieurs fonctions.
— La première est d'un caractère légal : indiquer le responsable du vin en cas de contestation. Ce peut être un négociant ou un propriétaire-récoltant. Dans certains cas ces renseignements seront confirmés par les mentions portées au sommet de la capsule de surbouchage.
— La seconde fonction de l'étiquette est d'une extrême importance, elle fixe la catégorie à laquelle appartient le vin : vin de table, vin de pays, Appellation d'origine vin délimité de qualité supérieure ou Appellation d'origine contrôlée, ou plus brièvement, pour les deux dernières, AOVDQS et AOC, celles-ci étant assimilées dans la terminologie européenne au Vin de qualité produit dans des régions déterminées, dit VQPRD.

Appellation d'origine contrôlée

C'est la classe reine, celle de tous les grands vins. L'étiquette porte obligatoirement la mention « XXXX appellation contrôlée » ou « appellation XXXX contrôlée ». Cette mention désigne expressément une région, un ensemble de communes, une commune ou même parfois un cru (ou climat) dans lequel le vignoble est implanté. Il est sous-entendu que, pour avoir droit à l'appellation d'origine contrôlée, un vin doit avoir été élaboré suivant « les usages locaux, loyaux et constants », c'est-à-dire à partir de cépages nobles homologués plantés dans des terrains choisis, et vinifié selon les traditions régionales. Rendement à l'hectare et degré alcoolique (minimum, parfois maximum également) sont fixés par la loi. Les vins sont agréés chaque année par une commission de dégustation.
— Ces règles nationales sont complétées par l'application institutionnalisée de coutumes locales. Ainsi, en Alsace, l'appellation régionale est pratiquement toujours doublée de la mention du cépage; en Bourgogne, seuls les premiers crus peuvent être mentionnés en caractères d'imprimerie de dimension égale à ceux employés pour l'appellation communale, les climats non classés dans la première catégorie ne pouvant figurer qu'en petits caractères dont la dimension ne peut être supérieure à la moitié de celle employée pour désigner l'appellation... En outre, sur l'étiquette des grands crus ne figure pas l'origine communale, les grands crus bénéficiant d'une appellation propre.

COMMENT LIRE UNE ETIQUETTE ?

L'étiquette doit permettre l'identification du vin et de son responsable légal. Le dernier intervenant dans l'élaboration du vin est celui qui le met en bouteilles ; c'est obligatoirement son nom qui figure sur l'étiquette. Chaque dénomination catégorielle est astreinte à des règles d'étiquetage spécifiques. Le premier devoir de l'étiquette est d'informer le consommateur et d'indiquer l'appartenance du vin à l'une des quatre catégories suivantes :
– vin de table (mention d'origine, degré alcoolique, volume, nom et adresse de l'embouteilleur sont obligatoires ; le millésime, interdit) ;
– vin de pays ;
– appellation d'origine vin délimité de qualité supérieure (AOVDQS) ;
– appellation d'origine contrôlée (AOC).

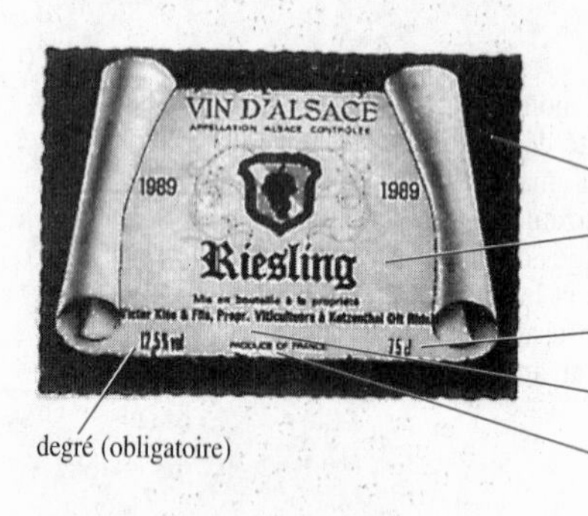

AOC Alsace

timbre fiscal (capsule) vert

dénomination catégorielle (obligatoire)

indication du cépage (autorisée seulement en cas de cépage pur)

volume (obligatoire)

toutes mentions obligatoires

exigé pour l'exportation vers certains pays

degré (obligatoire)

AOC Bordelais

timbre fiscal vert

assimilé à une marque (facultatif)

millésime (facultatif)

classement (facultatif)

dénomination catégorielle (obligatoire)

nom et adresse de l'embouteilleur (obligatoire)

le mot « propriétaire » (facultatif) fixe le statut de l'exploitation

facultatif

volume (obligatoire)

exigé pour l'exportation vers certains pays

degré (obligatoire)

AOC Bourgogne

timbre fiscal vert

souvent sur une collerette, le millésime est facultatif

nom du cru (facultatif) ; la même dimension de caractères que l'appellation indique qu'il s'agit d'un 1er cru

dénomination catégorielle (obligatoire)

degré (obligatoire)

nom et adresse de l'embouteilleur (obligatoire) ; indique en outre la mise en bouteilles à la propriété, et qu'il ne s'agit pas d'un vin de négoce

exigé pour l'exportation vers certains pays

volume (obligatoire)

AOC Champagne

timbre fiscal vert

sans grande signification (facultatif)

obligatoire

tout champagne est AOC : la mention ne figure pas ; c'est la seule exception à la règle exigeant la mention de la dénomination catégorielle

marque et adresse (obligatoire ; sous-entendu « mis en bouteille par… »)

volume (obligatoire)

type de vin, dosage (obligatoire)

statut de l'exploitation et n° du registre professionnel (facultatif)

AOVDQS

timbre fiscal vert

millésime (facultatif)

cépage (facultatif ; autorisé uniquement en cas de cépage pur)

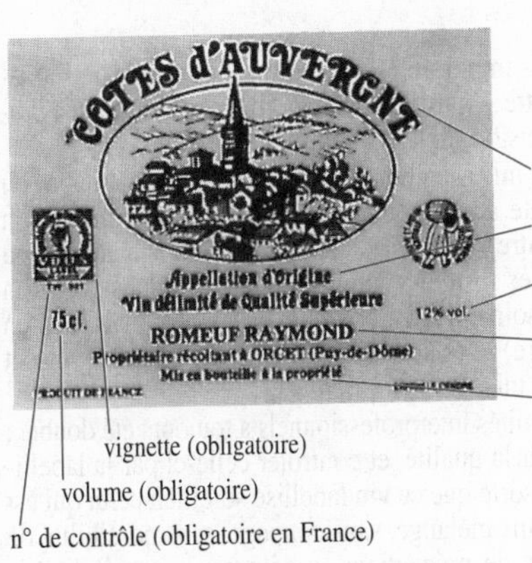

nom de l'appellation (obligatoire)

dénomination catégorielle (obligatoire)

degré (obligatoire)

nom et adresse de l'embouteilleur (obligatoire)

mention « à la propriété » (facultatif)

vignette (obligatoire)

volume (obligatoire)

n° de contrôle (obligatoire en France)

Vins de pays

timbre fiscal bleu

vins de table, ils sont astreints aux mêmes obligations. Les mots « vin de pays » doivent être suivis de l'unité géographique (obligatoire)

« au domaine » : mention facultative

unité géographique (obligatoire)

nom et adresse de l'embouteilleur (obligatoire)

degré (obligatoire)

volume (obligatoire)

Appellation d'origine vin délimité de qualité supérieure

« Antichambre » de la classe précédente, cette catégorie est sensiblement astreinte aux mêmes règles. Les AOVDQS sont labellisés après dégustation. L'étiquette comporte obligatoirement la mention « Appellation d'origine vin délimité de qualité supérieure » et une vignette AOVDQS. Ce ne sont pas des vins de garde, mais quelques-uns d'entre eux gagnent pourtant à être encavés.

Vins de pays

L'étiquette des vins de pays précise la provenance géographique du vin. On lira donc « Vin de pays de... » suivi d'une mention régionale.

— Ces vins sont issus de cépages plus ou moins nobles dont la liste est légalement définie, et qui sont complantés dans une aire assez vaste mais néanmoins limitée. En outre, leur degré alcoolique, leur acidité, leur acidité volatile font l'objet de contrôles. Ces vins frais, fruités et gouleyants, se boivent jeunes ; il est inutile, sinon nuisible, de les encaver.

— D'autres textes, d'autres informations peuvent compléter les étiquettes. Ils ne sont pas obligatoires comme les précédents mais sont néanmoins soumis à la réglementation. Les termes clos, château, cru classé par exemple ne peuvent être employés que s'ils correspondent à un usage ancien, à une réalité. Ce que les étiquettes perdent en fantaisie, elles le gagnent en vérité; l'acheteur ne s'en plaindra pas puisqu'elles sont de plus en plus crédibles.

Millésime et mise en bouteilles

Deux mentions non obligatoires mais très importantes retiendront l'attention de l'amateur : le millésime, soit porté sur l'étiquette – c'est le cas le meilleur – soit sur une collerette collée au haut du flacon, et la précision du lieu de mise en bouteilles.

— L'amateur exigeant ne tolérera que les mises en bouteilles au (ou du) domaine, à (ou de) la propriété, au (ou du) château. Toute autre mention, c'est-à-dire toute indication n'entraînant pas un lien absolu et étroit entre le lieu exact où est vinifié le vin et celui où il est mis en bouteilles, est sans intérêt. Les formules « mis en bouteilles dans la région de production, mis en bouteilles par nos soins, mis en bouteilles dans nos chais, mis en bouteilles par xx (xx étant un intermédiaire) », pour exactes qu'elles soient, n'apportent pas la garantie d'origine que procure la « mise à la propriété ».

— Le souci des pouvoirs publics et des comités interprofessionnels a toujours été double : d'abord inciter les producteurs à améliorer la qualité, et contrôler celle-ci par la labellisation après dégustation ; ensuite faire en sorte que ce vin labellisé soit bien celui qui est vendu dans la bouteille portant le label, sans mélange, sans coupage, sans possibilité de substitution. Or, en dépit de toutes sortes de précautions, y compris la possibilité de contrôle du cheminement des vins, la meilleure garantie d'authenticité du produit demeure la mise en bouteilles à la propriété ; car un propriétaire-récoltant n'a pas le droit d'acheter du vin pour l'entreposer dans son chai, celui-ci ne devant contenir que le vin qu'il produit lui-même.

— A noter que les mises en bouteilles effectuées à la coopérative par celle-ci au bénéfice du coopérateur peuvent être qualifiées de « mise en bouteilles à la propriété ».

Les capsules

La plupart des bouteilles sont coiffées d'une capsule de surbouchage. Cette capsule porte parfois une vignette fiscale, c'est-à-dire la preuve que l'on a acquitté les droits de circulation la concernant, appelés familièrement « congé ». C'est pour cela que ces capsules sont dites « capsules congé ». Lorsque les bouteilles ne sont pas ainsi « fiscalisées », elles doivent être accompagnées d'un acquit (ou congé) délivré par la perception la plus proche (voir le chapitre « Le transport du vin », ci-dessous).

— Cette vignette permet de déterminer le statut du producteur (propriétaire ou négociant) et la région de production. Les capsules de surbouchage peuvent être fiscalisées ou non, personnalisées ou non, mais elles sont généralement l'un et l'autre.

L'étampage des bouchons
Les producteurs de vins de qualité ont éprouvé le besoin de confirmer leurs étiquettes en marquant les bouchons. Une étiquette peut se décoller alors que le bouchon demeure : c'est pour cela que l'origine du vin et le millésime y sont étampés. C'est aussi une façon de décourager les fraudeurs éventuels qui ne peuvent plus se contenter de remplacer simplement des étiquettes. Notez que pour les vins mousseux à appellation, l'indication de l'appellation sur le bouchon est obligatoire.

COMMENT ACHETER, A QUI ACHETER ?

Les circuits de distribution du vin sont complexes et variés, du plus court au plus tortueux, chacun présentant des avantages et des inconvénients. D'autre part, les modes de commercialisation du vin prennent des formes différentes selon la présentation (en vrac, en bouteilles) et sa période d'achat (en primeur).

Vins à boire, vins à encaver
L'achat de vins à boire ou de vins à encaver ne procède pas de la même démarche. A but opposé, choix opposé. Les vins destinés à la consommation immédiate seront prêts à boire, c'est-à-dire de primeur, de pays, de petite ou moyenne origine, de millésime facile à évolution rapide ou il s'agira de grands vins à leur apogée, mais introuvables ou presque, sur le marché.
— Dans tous les cas, plus encore évidemment pour les grands vins, un temps de repos de deux à quinze jours est nécessaire entre l'achat, donc le transport, et la consommation. Les vieilles bouteilles seront déplacées avec d'infinies précautions, verticalement et sans heurts, afin d'éviter tout brassage du dépôt.
— Les vins à encaver seront achetés jeunes, dans le dessein de les faire vieillir. Choisir toujours les plus grands possibles dans de grands millésimes. Toujours des vins qui non seulement résistent à l'usure du temps mais qui se bonifient avec les années.

L'achat en vrac
Est dit achat « en vrac » l'achat de vin non logé en bouteilles. L'expression achat de vin « en cercle » est réservée à l'achat en tonneaux, alors que le « vrac » peut être transporté en citernes de toute nature, du wagon de 220 hl en acier au cubitainer de plastique d'une contenance de 5 litres, en passant par la bonbonne de verre.
— La vente en vrac est pratiquée par les coopératives, par certains propriétaires, par quelques négociants, et même par des détaillants; c'est ce que l'on baptise « vin vendu à la tireuse ». Cette commercialisation concerne les vins ordinaires et de qualité moyenne. Il est rare de parvenir à acquérir un vin de haute qualité en vrac. Dans certaines régions, ce type de commercialisation est interdit ; c'est le cas pour les crus classés du Bordelais.
— Il faut prévenir l'amateur que, même lorsqu'un vigneron prétend que le vin qu'il vend en vrac est identique à celui qu'il vend en bouteilles, cela n'est pas tout à fait exact ; il sélectionne toujours les meilleures cuves pour le vin qu'il met en bouteilles lui-même.
— L'achat du vin en vrac permet cependant une économie de l'ordre de 25 %, puisqu'il est d'usage de payer au maximum pour un litre de vin le prix facturé pour une bouteille (de 0,75 l).
— L'acheteur réalise également une économie sur les frais de transport, mais doit acheter des bouchons et des bouteilles s'il n'en a pas. Il faut aussi compter les frais (peu élevés) de retour du fût si la transaction s'est faite « en cercle ».

Voici les contenances les plus usitées :

– Barrique bordelaise	225 litres
– Pièce bourguignonne	228 litres
– Pièce mâconnaise	216 litres
– Pièce de Chablis	132 litres
– Pièce champenoise	205 litres

— La mise en bouteilles, opération plaisante si on la réalise à plusieurs, ne pose pas, quoi qu'on en dise, de gros problèmes, pourvu que l'on se conforme à quelques règles élémentaires définies plus loin.

L'achat en bouteilles

L'achat en bouteilles peut se faire chez le vigneron, à la coopérative, chez le négociant et au travers des circuits de distribution habituels.

— Où l'amateur doit-il acheter pour réaliser la meilleure affaire ? Chez le propriétaire pour des vins peu ou pas diffusés, et ils sont légion; directement dans les coopératives afin d'éviter pour les petites quantités les frais d'expédition de plus en plus élevés. Dans tous les autres cas, cela est moins simple qu'il n'y paraît. Il faut se souvenir que les producteurs et les négociants sont tenus de ne pas concurrencer déloyalement leurs diffuseurs ; autrement dit, de ne pas commercialiser des bouteilles moins chères qu'eux. Ainsi nombre de châteaux bordelais, peu portés sur la vente au détail, proposent même leurs flacons à des prix supérieurs à ceux pratiqués par les détaillants, afin de dissuader les acheteurs qui s'obstinent malgré tout, par ignorance ou pour d'inexplicables raisons... D'autant plus que les revendeurs obtiennent, à la suite de commandes massives, des prix infiniment plus intéressants que le particulier qui n'achète qu'une caisse.

— Dans ces conditions, on peut émettre un principe général : les vins de domaines ou de châteaux notoires largement diffusés ne seront pas acquis sur place, sauf s'il s'agit de millésimes rares ou de cuvées spéciales.

L'achat en primeur

Cette formule de vente de vin, développée depuis quelques années par les Bordelais, a connu un joli succès au cours des années 80. Il serait d'ailleurs préférable de parler de ventes ou d'achats par souscription. Le principe est simple : acquérir un vin avant qu'il soit élevé et mis en bouteilles à un prix très inférieur à celui qu'il atteindra lorsqu'il sera livrable.

— Les souscriptions sont ouvertes pour un temps limité et pour un volume contingenté, généralement au printemps et au début de l'été qui suit les vendanges. L'acheteur verse la moitié du prix convenu à la commande et s'engage à solder sa dette à la livraison des flacons, c'est-à-dire douze à quinze mois plus tard. Ainsi le producteur touche-t-il rapidement de l'argent frais et l'acheteur peut réaliser une bonne opération lorsque les cours des vins augmentent. Ce fut le cas des années 1974-1975 jusqu'à la fin des années 80. Ce type de transaction s'apparente à ce que l'on nomme, à la Bourse, le marché à terme.

— Que se passe-t-il si les cours s'effondrent (surproduction, crise, etc.) entre le moment de la souscription et celui de la livraison ? Les souscripteurs paient leurs bouteilles plus cher que ceux qui n'ont pas souscrit. Cela s'est déjà vu, cela se revoit. A ce jeu spéculatif et dans le but d'assurer leur approvisionnement, de grands négociants se sont ruinés. Il est vrai que leur contrat était d'autant plus risqué qu'il portait sur plusieurs années.

— Lorsque tout va bien, la vente en primeur est sans doute la seule façon de payer un vin en dessous de son cours (20 à 40 % environ). Les ventes en primeur sont organisées directement par les propriétaires, mais elles sont également pratiquées par des sociétés de négoce et des clubs de vente de vin.

L'achat chez le producteur

Outre les aspects presque techniques décrits ci-dessus, la visite rendue au producteur, indispensable si son vin n'est pas (ou peu) diffusé, apporte à l'amateur des satisfactions d'une nature tout autre que la réalisation d'un bon achat. C'est par la fréquentation des producteurs, véritables pères de leur vin, que les œnophiles peuvent comprendre ce qu'est un terroir et sa spécificité, saisir ce qu'est l'art de la vinification, à savoir l'art de tirer la quintessence d'un raisin, et enfin, établir les relations étroites qui existent entre un vigneron et son vin, c'est-à-dire entre un créateur et sa création. Le « bien boire », le « mieux boire », passe par cette démarche. La fréquentation des vignerons est irremplaçable.

L'achat en cave coopérative

La qualité des vins livrés par les coopératives progresse constamment. Ces organismes sont équipés pour une commercialisation facile de vins en vrac et en bouteilles, à des prix généralement légèrement inférieurs à ceux pratiqués par les autres canaux de vente à qualité égale.

— On connaît le principe des coopératives vinicoles : les adhérents apportent leur raisin, et les responsables techniques – dont généralement un œnologue – se chargent du pressurage, de la vinification, dans certaines appellations, de l'élevage et de la commercialisation.

— La production de plusieurs types de vins donne aux coopératives la possibilité soit d'exploiter les meilleurs raisins (en les isolant) soit de donner sa chance à tel ou tel terroir par des vinifications séparées. Des systèmes de primes accordées aux raisins nobles et aux raisins les plus mûrs, la possibilité d'élaborer et de commercialiser des vins selon la qualité spécifique de chaque livraison de raisin ouvrent aux meilleures coopératives le secteur des vins de qualité voire de garde. Les autres demeurent fournisseurs de vins de table et de vins de pays qui ne gagnent rien à une garde prolongée en cave.

L'achat chez le négociant

Le négociant, par définition, achète des vins pour les revendre. En outre, il est souvent lui-même propriétaire de vignobles. Il peut donc agir en producteur et commercialiser sa production, il peut vendre le vin de producteurs indépendants sans autre intervention que le transfert – cas des négociants bordelais qui ont à leur catalogue des vins mis en bouteilles au château ; il peut même signer un contrat de monopole de vente avec une unité de production. Il peut être négociant-éleveur, c'est-à-dire élever des vins dans ses chais en assemblant des vins de même appellation fournis par divers producteurs ; il devient alors créateur du produit à double titre : par le choix de ses achats et par l'assemblage qu'il exécute. Les négociants sont installés dans les grandes zones viticoles, mais bien entendu, rien n'empêche un négociant bourguignon de commercialiser du vin de Bordeaux – ou inversement. Le propre d'un négociant est de diffuser, donc d'alimenter les réseaux de vente de détail qu'il ne doit pas concurrencer en vendant chez lui ses vins à des prix très inférieurs.

L'achat aux cavistes et aux détaillants

C'est l'achat le plus facile et le plus rapide, le plus sûr également lorsque le caviste est qualifié ; depuis quelques années, nombre de boutiques spécialisées dans la vente de vins de qualité ont vu le jour. Qu'est-ce qu'un bon caviste ? Celui qui est équipé pour entreposer les vins dans de bonnes conditions, mais aussi celui qui sait choisir des vins originaux de producteurs amoureux de leur métier. En outre, le bon détaillant, le bon caviste saura conseiller l'acheteur, lui faire découvrir des vins que celui-ci ignore et l'inciter à marier mets et vins pour valoriser les uns et les autres.

Les grandes surfaces

Acheter des vins de qualité en grande surface est devenu pratique courante, alors que c'était exceptionnel dans les années 1970. Parfois, ce type de commerce présente des déficiences dans la présentation : chaleur, lumière crue des néons, bouteilles rangées à la verticale. Heureusement, ces lacunes deviennent de plus en plus rares. Aujourd'hui, nombre d'établissements possèdent un rayon spécialisé bien équipé, où les bouteilles sont couchées et classées par appellation. L'amateur trouve dans les grandes surfaces non seulement des vins courants, mais aussi des crus prestigieux. Seuls les appellations confidentielles et les vins de petites propriétés sont moins représentés. Contrairement à une idée assez répandue, il peut être très avantageux d'acheter une bouteille prestigieuse en grande surface.

Les clubs

Quantité de flacons, livrés en cartons ou en caisses, arrivent directement chez l'amateur grâce à l'activité de clubs qui offrent à leurs adhérents un certain nombre d'avantages, à commencer par le service de revues sérieuses et informées. Les vins proposés sont sélectionnés par des œnologues et des personnalités connues et compétentes. Le choix

bordeaux
champagne
bourgogne
alsace
côtes du rhône
« clavelin » (jura)
provence
bourgogne
bordeaux
champagne
alsace
« INAO »
la série des impitoyables
vins rouges
effervescents
vins blancs
rouges jeunes et rosés
rouges vieux

est assez vaste et comporte parfois des vins peu courants. Il faut toutefois noter que beaucoup de « clubs » sont des négociants.

Les ventes aux enchères

De plus en plus à la mode et de plus en plus fréquentées, ces ventes sont organisées par des commissaires-priseurs assistés d'un expert. Il est de la première importance de connaître l'origine des bouteilles. Si elles proviennent d'un grand restaurant ou de la riche cave d'un amateur qui s'en dessaisit (renouvellement d'une cave, succession, etc.), il est probable que leur conservation est parfaite. Si elles constituent un regroupement de petits lots divers, rien ne prouve que leur garde ait été satisfaisante.

— Seule la couleur du vin peut renseigner l'acheteur. L'amateur averti ne surenchérira jamais lorsque se présentent des bouteilles dont le niveau n'est pas parfait, ni lorsque la teinte des vins blancs vire au bronze plus ou moins foncé ou que la robe des vins rouges est visiblement « usée ».

— Il est rare de pouvoir réaliser de bonnes affaires dans les grandes appellations qui intéressent des restaurateurs pour meubler leur carte ; en revanche, les appellations marginales moins recherchées par les professionnels sont parfois très abordables.

La vente des Hospices de Beaune et autres similaires

Les vins vendus lors de ces manifestations à but charitable sont logés en pièces (fûts) et doivent être élevés durant douze à quatorze mois. Ils sont donc réservés de ce fait aux professionnels.

Le transport du vin

Une fois résolu le problème du choix des vins, et sachant que l'on pourra les accueillir et les conserver dans de bonnes conditions (voir plus loin), il faut les transporter. Le transport des vins de qualité impose quelques précautions et obéit à une réglementation stricte.

— Qu'on le transporte soi-même en voiture ou qu'on use des services d'un transporteur, le gros de l'été et le cœur de l'hiver ne sont pas favorables au voyage du vin. Il faut préserver le vin des températures extrêmes, surtout des températures élevées qui ne l'affectent pas temporairement mais définitivement, quelle que soit la période de repos (même des années...) qu'on lui accorde ultérieurement, quels que soient sa couleur, son type et son origine.

— Arrivé à domicile, on déposera tout de suite les bouteilles en cave. Si l'on a acquis du vin en vrac, on entreposera les récipients directement au lieu de la mise en bouteilles, en cave si la place le permet, afin de n'avoir plus à les déplacer. Les cubitainers seront déposés à 80 cm du sol (la hauteur d'une table), les fûts à 30 cm, pour permettre de tirer le vin jusqu'à la dernière goutte sans modifier sa position, ce qui est essentiel.

La réglementation du transport des vins en France

Le transport des boissons alcoolisées est soumis à un régime particulier et fait l'objet de taxes fiscales matérialisées par un document d'accompagnement qui peut prendre deux formes : soit la *capsule fiscalisée*, ou *capsule congé*, apposée au sommet de chaque bouteille, soit un congé délivré par la recette-perception proche du point de vente ou par le vigneron s'il dispose d'un carnet à souche. Le vin en vrac doit toujours être accompagné du congé le concernant.

— Sur ce document figurent le nom du vendeur et le cru, le volume et le nombre de récipients, le destinataire, le mode de transport et sa durée. Si le voyage se prolonge au-delà de ce qui est prévu, il faut faire modifier la durée de validité du congé par le premier bureau de recette-perception que l'on rencontre.

— Transporter du vin sans congé est assimilé à une fraude fiscale et puni comme telle. Il est recommandé de conserver ces documents fiscaux, car en cas de déménagement, donc de nouveau transport du vin, ils serviront à l'établissement d'un nouveau congé.

— La taxation est proportionnelle au volume du vin et à son classement administratif limité à deux catégories: vin de table et vin d'appellation.

L'exportation du vin

Le vin comme tout ce qui est produit ou manufacturé en France subit un certain nombre de taxes. Lorsque ces matières ou objets sont exportés, il est possible d'en obtenir l'exemption ou le remboursement. Dans le cas du vin, cette exonération porte sur la TVA et la taxe de circulation (mais pas sur la taxe parafiscale destinée au Fonds national de développement agricole). Lorsqu'un voyageur veut bénéficier de la détaxe à l'exportation, il faut que le vin qu'il achète soit accompagné de son titre de mouvement (N° 8102 vert pour les vins d'appellation, N° 8101 bleu pour les vins de table) qui sera « déchargé » par le bureau de douane qui constate la sortie de la marchandise. Si les bouteilles sont tributaires de *capsules congé* (vignette fiscale), leur détaxation est impossible ; il convient donc, au moment de l'achat, de préciser au vendeur que l'on entend exporter son acquisition et bénéficier de détaxation. Il est prudent de se renseigner sur les conditions d'importation des vins et alcools dans le pays d'accueil, chacun d'entre eux ayant sa propre réglementation, qui s'étend de la taxation douanière au contingentement, voire à l'interdiction pure et simple.

CONSERVER SON VIN

Constituer une bonne cave tient du casse-tête chinois ; aux principes énoncés jusqu'ici s'ajoutent en effet des exigences subtiles... Il convient ainsi de tenter d'acquérir des vins de même usage et de même style, mais dont les évolutions ne seront pas semblables, afin qu'ils n'atteignent pas tous en même temps leur apogée. On tentera de trouver des vins dont la période d'apogée soit la plus étendue possible, afin de n'être pas tenu de les consommer tous dans un bref laps de temps. On panachera le plus possible, pour ne pas être contraint à boire toujours les mêmes vins, fussent-ils les meilleurs, et pouvoir les adapter à toutes les circonstances de la vie et à toutes les préparations culinaires. Enfin, on ne peut échapper à deux paramètres qui conditionnent l'application de tous les principes : le budget dont on dispose et la capacité de sa cave.

— Une bonne cave est un lieu clos, sombre, à l'abri des trépidations et du bruit, exempte de toutes odeurs, protégée des courants d'air mais néanmoins ventilée, ni trop sèche ni trop humide, d'un degré hygrométrique de 75%, et surtout d'une température stable la plus proche possible de 11 °C.

— Les caves citadines réunissent rarement de telles caractéristiques. Il faut donc, avant d'encaver du vin, tenter d'améliorer le local ; établir une légère aération ou au contraire obstruer un soupirail trop ouvert ; humidifier l'atmosphère en déposant une bassine d'eau contenant un peu de charbon de bois ou l'assécher par du gravier et en augmentant la ventilation ; tenter de stabiliser la température par des panneaux isolants ; éventuellement, monter les casiers sur des blocs caoutchouc pour neutraliser les vibrations. Si une chaudière se trouve à proximité, si des odeurs de mazout se répandent, il n'y a pas grand-chose à espérer.

— Il se peut que l'on n'ait pas de cave ou qu'elle soit inutilisable. Deux solutions sont possibles : acheter une « cave d'appartement », c'est-à-dire une unité de stockage de vin, d'une capacité de 50 à 500 bouteilles, dont température et hygrométrie sont automatiquement maintenues ; ou encore construire de toutes pièces, en retrait dans son appartement, un lieu de stockage dont la température se modifie sans à-coups et ne dépasse pas, si possible, 16 °C, tout en se souvenant que plus la température est élevée, plus le vin évolue rapidement. Il faut se garder d'une erreur commune : ce n'est pas parce qu'un vin atteint rapidement son apogée dans de mauvaises conditions de garde qu'il peut rivaliser avec le niveau de qualité qu'il aurait atteint lentement dans une bonne cave fraîche. On s'abstiendra donc de faire vieillir de très grands vins à évolution lente dans une cave ou un local trop chaud. Il appartient aux amateurs de moduler leurs achats et le plan d'encavement en fonction des conditions particulières imposées par les locaux dont ils disposent.

Une bonne cave : son aménagement

L'expérience prouve qu'une cave est toujours trop petite. Le rangement des bouteilles doit être rationnellement organisé. Le casier à bouteilles, à un ou deux rangs, offre bien des avantages : il est peu coûteux, installé immédiatement, et donne accès aisément à l'ensemble des flacons encavés. Malheureusement, il est volumineux au regard du nombre de bouteilles logées. Pour gagner de la place, une seule méthode : l'empilement des bouteilles. Afin de séparer les piles pour avoir accès aux différents vins, il faut construire ou faire construire – ce n'est pas compliqué – des casiers en parpaings pouvant contenir 24, 36 ou 48 bouteilles en pile, sur deux rangs.

— Si la cave le permet, si le bois ne pourrit pas, il est possible d'élever des casiers en planches. Il faudra alors les surveiller car ils peuvent donner asile aux insectes qui attaquent les bouchons.

— Deux appareils compléteront l'aménagement de la cave : un thermomètre à maxima et minima, et un hygromètre. Des relevés réguliers permettront de corriger les défauts détectés et de jauger les facultés de bonification apportées par le vieillissement en cave.

La mise en bouteilles

Si le vin à mettre en bouteilles a été transporté en cubitainer, il doit être mis en bouteilles très rapidement ; s'il a voyagé dans un tonneau, il faut – c'est impératif – le laisser reposer une quinzaine de jours avant de le loger dans les flacons. Cette donnée théorique doit être tempérée par les conditions atmosphériques régnant le jour choisi pour la mise en bouteilles. Il convient que le temps soit clément, un jour de haute pression, un jour sans pluie ni orage. Dans la pratique, l'amateur composera entre ce principe et ses obligations personnelles. En revanche, il ne composera aucunement avec le matériel nécessaire. Tout d'abord, des bouteilles adaptées au type de vin. Sans tomber dans le purisme, il réunira des bouteilles bordelaises pour tous les vins du Sud-Ouest et peut-être du Midi, et réservera celles de type bourgogne pour le Sud-Est, le Beaujolais et la Bourgogne, sachant qu'il existe également d'autres bouteilles régionales réservées à certaines appellations.

— Si l'on range les bouteilles en pile, on prendra garde au fait que, tant bordelaises que bourguignonnes, elles existent en versions plus ou moins légères (bouteilles à fond plat ou presque plat) et en version lourde. Outre le poids, hauteur et diamètre différencient ces deux catégories de bouteilles.

— Elles sont toutes également aptes à garder le vin, mais les plus légères sont moins aptes à la mise en stockage en pile pour la conservation de longue durée. De plus, ces dernières peuvent, lorsqu'elles sont trop remplies, éclater quand on enfonce énergiquement le bouchon.

— D'une façon générale, mieux vaut user de bouteilles lourdes. Il est presque incongru d'embouteiller un grand vin dans du verre léger, de même qu'on s'abstiendra de loger un vin rouge dans des bouteilles blanches, c'est-à-dire incolores. L'usage veut qu'on réserve ces dernières à certains vins blancs, « pour voir leur robe », dit-on. Les vins blancs étant particulièrement sensibles à la lumière, cet usage est à proscrire. Cette sensibilité à la lumière est si grande que les maisons de champagne qui proposent des vins en bouteilles blanches (incolores) les protègent toujours par un papier opaque ou un carton.

— Quel que soit le type de bouteilles choisi, on vérifiera avant la mise que l'on dispose bien du nombre suffisant de bouteilles et de bouchons, puisqu'une fois l'opération engagée, elle doit être achevée rapidement. On ne peut laisser le fût ou le cubitainer « en vidange » ; ce qui aurait pour effet d'oxyder le vin restant, voire de lui infliger une acescence qui le rendrait impropre à toute consommation. On veillera également à la rigoureuse propreté des bouteilles qui doivent être parfaitement rincées et séchées.

Les bouchons

En dépit de nombreuses recherches, le liège demeure le seul matériau apte à obturer les bouteilles. Les bouchons de liège ne sont pas tous identiques; ils diffèrent en diamètre, en longueur et en qualité.

— Dans tous les cas, le diamètre du bouchon sera supérieur de 6 mm à celui du goulot.

— Meilleur est le vin, plus long sera le bouchon ; à la fois nécessaire à une longue garde et hommage rendu au vin et à ceux qui le boivent.

— La qualité du liège est plus difficile à déceler. Il faut qu'il ait une dizaine d'années pour avoir toute la souplesse désirée. Les beaux bouchons ne présentent pas ou peu de ces petites fissures que l'on obstrue parfois avec de la poudre de liège ; dans ce cas, les bouchons sont dits « améliorés ». On peut également acheter des bouchons étampés (ou les faire étamper), portant le millésime du vin à embouteiller.

— Aujourd'hui on vend des bouchons prêts à l'emploi, stérilisés à l'ozone, proposés en emballages stériles. On ne les humidifie plus. Désormais, on bouche « à sec ». L'avantage de cette méthode a été démontré.

Le vin dans la bouteille

La tireuse est l'appareil idéal pour remplir la bouteille. Des tireuses à amorçage et à vanne commandée par contact avec la bouteille se vendent dans les grandes surfaces à des prix très modiques.

On veillera à faire couler le vin le long de la paroi de la bouteille, maintenue légèrement oblique, afin de limiter le brassage et l'oxydation. Cette précaution est encore plus nécessaire pour les vins blancs. En aucun cas une écume ne doit apparaître à la surface du liquide. Les bouteilles seront remplies le plus possible afin que le bouchon soit en contact avec le vin (bouteille verticale). Le bouchon sera introduit dans la bouteille à l'aide d'une boucheuse, qui le comprimera latéralement avant l'introduction. Il existe une vaste gamme d'appareils, à tous les prix, destinés à cet usage.

L'étiquette

On préparera de la colle de tapissier ou un mélange d'eau et de farine, ou, encore plus simplement, on humectera les étiquettes avec du lait pour les coller sur le bas de la bouteille, à 3 cm de son pied.

— Les perfectionnistes habillent le goulot de capsules préformées posées grâce à un petit appareil manuel, ou cirent les goulots en les trempant dans de la cire de couleur fondue achetée chez le marchand de bouchons.

Le vin en cave

Le rangement des bouteilles en cave est un casse-tête, car l'œnophile ne dispose jamais de toute la place souhaitée. Dans la mesure du possible, on respectera les principes suivants : les vins blancs près du sol ; les vins rouges au-dessus ; les vins de garde dans les rangées (ou casiers) du fond, les moins accessibles ; les bouteilles à boire, en situation frontale.

— Les flacons achetés ou livrés en carton ne doivent pas demeurer dans ce type d'emballage, contrairement à ceux livrés en caisse de bois. Ceux qui envisagent de revendre leur vin le laisseront en caisse, les autres s'en abstiendront pour deux raisons : elles occupent beaucoup de place et sont la proie favorite des pilleurs de caves. Dans tous les cas, un système de notation (algébrique par exemple) permettra de repérer casiers et bouteilles. Ces notations seront exploitées dans l'auxiliaire le plus utile de la cave : le livre de cave.

Trois propositions de cave

Chacun garnit sa cave selon ses goûts. Les ensembles décrits ne sont que des propositions à interpréter. La recherche de la diversité en est le fil conducteur. Les vins de primeur, les vins qui ne gagnent rien à être encavés ne figurent pas dans ces suggestions. Plus le nombre de bouteilles est restreint, plus leur renouvellement sera surveillé. Les valeurs indiquées entre parenthèses ne sont bien sûr que des ordres de grandeur.

Exemples de caves

CAVE DE 50 BOUTEILLES (4 000 FRANCS, ENVIRON 600 EUROS)

25 bouteilles de bordeaux	17 rouges (graves, saint-émilion, médoc, pomerol, fronsac) 8 blancs : 5 secs (graves) 3 liquoreux (sauternes-barsac)
20 bouteilles de bourgogne	12 rouges (crus de la Côte de Nuits, crus de la Côte de Beaune) 8 blancs (chablis, meursault, puligny)
10 bouteilles vallée du Rhône	7 rouges (côte-rôtie, hermitage, châteauneuf-du-pape) 3 blancs (hermitage, condrieu)

CAVE DE 150 BOUTEILLES (ENVIRON 13 000 FRANCS, ENVIRON 2 000 EUROS)

Région		Rouge	Blanc
40 Bordeaux	30 rouges 10 blancs	Fronsac Pomerol Saint-Émilion Graves Médoc (crus classés crus bourgeois)	5 grands secs 5 { Sainte-Croix-du-Mont Sauternes-Barsac
30 Bourgogne	15 rouges 15 blancs	crus de la Côte de Nuits crus de la Côte de Beaune vins de la Côte chalonnaise	Chablis Meursault Puligny-Montrachet
25 Vallée du Rhône	19 rouges 6 blancs	Côte-rôtie Hermitage rouge Cornas Saint-Joseph Châteauneuf-du-Pape Gigondas Côtes-du-Rhône Villages	Condrieu Hermitage blanc Chateauneuf-du-Pape blanc
15 Vallée de la Loire	8 rouges 7 blancs	Bourgueil Chinon Saumur-Champigny	Pouilly Fumé Vouvray Coteaux du Layon
10 Sud-Ouest	7 rouges 3 blancs	Madiran Cahors	Jurançon (secs et doux)
8 Sud-Est	6 rouges 2 blancs	Bandol Palette rouge	Cassis Palette blanc
7 Alsace	(blancs)		Gewurztraminer Riesling Tokay
5 Jura	(blancs)		Vins jaunes Côtes du Jura-Arbois
10 Champagnes et mousseux (pour en avoir à disposition : ces vins ne se bonifiant pas en vieillissant).			Crémant de { Loire Bourgogne Alsace Divers types de champagnes

CAVE DE 300 BOUTEILLES

La création d'une telle cave suppose un investissement d'environ 25 000 francs (environ 3 800 euros). On doublera les chiffres de la cave de 150 bouteilles, en se souvenant que plus le nombre de flacons augmente, plus la longévité des vins doit être grande. Ce qui se traduit malheureusement (en général) par l'obligation d'acquérir des vins de prix élevé…

Le livre de cave

C'est la mémoire, le guide et le « juge de paix » de l'œnophile. On doit y trouver les renseignements suivants : date d'entrée, nombre de bouteilles de chaque cru, identification précise, prix, apogée présumé, localisation dans la cave ; et, éventuellement, l'accord avec le plat idéal et un commentaire de dégustation.

L'ART DE BOIRE

Si boire est une nécessité physiologique, boire du vin est un plaisir... ce plaisir peut être plus ou moins intense selon le vin, selon les conditions de dégustation, selon la sensibilité du dégustateur.

La dégustation

Il existe plusieurs types de dégustation, adaptés à des finalités particulières : dégustation technique, analytique, comparative, triangulaire, etc., en usage chez les professionnels. L'œnophile, lui, pratique la dégustation hédoniste, celle qui lui permet de tirer la quintessence d'un vin, mais aussi de pouvoir en parler tout en contribuant à développer l'acuité de son nez et de son palais.

— La dégustation, et plus généralement la consommation d'un vin, ne saurait se faire n'importe où et n'importe comment. Les locaux doivent être agréables, bien éclairés (lumière naturelle ou éclairage ne modifiant pas les couleurs, dit « lumière du jour »), de couleur claire de préférence, exempts de toutes odeurs parasites telles que parfum, fumée (tabac ou cheminée), odeurs de cuisine ou de bouquets de fleurs, etc. La température doit être moyenne (18 à 20 °C).

— Le choix d'un verre adéquat est extrêmement important. Il doit être incolore afin que la robe du vin soit bien visible, et si possible fin ; sa forme sera celle d'une fleur de tulipe, c'est-à-dire ne s'évasant pas comme c'est souvent le cas, mais au contraire se refermant légèrement. Le corps du verre doit être séparé du pied par une tige. Cette disposition évite de chauffer le vin lorsqu'on tient le verre à la main (par son pied) et facilite sa mise en rotation, opération destinée à activer son oxygénation (et même son oxydation) et à exhaler son bouquet.

— La forme du verre est si importante et a une telle influence sur l'appréciation olfactive et gustative du vin, que l'Association française de normalisation (AFNOR) et les instances internationales de normalisation (ISO) ont adopté, après étude, un verre qui offre toutes garanties d'efficacité au dégustateur et au consommateur; ce type de verre, appelé communément « verre INAO » n'est pas réservé aux professionnels. Il est en vente dans quelques maisons spécialisées. Depuis quelques années, les verriers français, allemands et autrichiens proposent un vaste choix de verres tout à fait remarquables.

Technique de la dégustation

La dégustation fait appel à la vue, à l'odorat, au goût et au sens tactile, non par l'intermédiaire des doigts bien sûr, mais par l'entremise de la bouche, sensible aux effets « mécaniques » du vin – température, consistance, gaz dissous, etc.

L'ŒIL

Par l'œil, le consommateur prend un premier contact avec le vin. L'examen de la robe (ensemble des caractères visuels), marquée en outre par le cépage d'origine, est riche d'enseignement. C'est un premier test. Quelles que soient sa couleur et sa teinte, le vin doit être limpide, sans trouble. Des traînées ou des brouillards sont signes de maladies, le vin doit être rejeté. Seuls sont admissibles de petits cristaux de bitartrates (insolubles) : la gravelle, précipitation dont sont atteints les vins victimes d'un coup de froid ; leur qualité n'en est pas altérée. L'examen de la limpidité se pratique en interposant le verre entre l'œil et une source lumineuse placée si possible à même hauteur ; la transparence (vin rouge), elle, est déterminée en examinant le vin sur un fond blanc, nappe ou feuille de papier ; cet examen implique que l'on incline son verre. Le disque (la surface) devient elliptique et son observation informe sur l'âge du vin et sur son état de conservation ; on examine alors la nuance de la robe. Tous les vins jeunes doivent être transparents, ce qui n'est pas toujours le cas des vins vieux de qualité.

Vin	Nuance de la robe	Déduction
Blanc	Presque incolore	Très jeune, très protégé de l'oxydation Vinification moderne en cuve
	Jaune très clair à reflets verts	Jeune à très jeune. Vinifié et élevé en cuve
	Jaune paille, jaune or	La maturité. Peut-être élevé dans le bois
	Or cuivre, or bronze	Déjà vieux
	Ambré à noir	Oxydé, trop vieux
Rosé	Blanc taché, œil-de-perdrix à reflets rosés	Rosé de pressurage et vin gris jeune
	Rose saumon à rouge très clair franc	Rosé jeune et fruité à boire
	Rose avec nuance jaune à pelure d'oignon	Commence à être vieux pour son type
Rouge	Violacé	Très jeune. Bonne teinte de gamay de primeur et des beaujolais nouveaux (6 à 18 mois)
	Rouge pur (cerise)	Ni jeune ni évolué. L'apogée pour les vins qui ne sont ni primeurs ni de garde (2-3 ans)
	Rouge à franges orangées	Maturité de vin de petite garde. Début de vieillissement (3-7 ans)
	Rouge brun à brun	Seuls les grands vins atteignent leur apogée vêtus de cette robe. Pour les autres, il est trop tard

— L'examen visuel s'intéresse encore à l'éclat, ou brillance, du vin. Un vin qui a de l'éclat est gai, vif ; un vin terne est probablement triste... Cette inspection visuelle de la robe s'achève par l'intensité de la couleur, qu'on se gardera de confondre avec la nuance (le ton) de celle-ci.
— C'est l'intensité de la robe des vins rouges, la plus facilement perceptible, qui « parle » le plus.

Vin	Nuance de la robe	Déduction
Robe trop claire	Manque d'extraction Année pluvieuse Rendement excessif Vignes jeunes Raisins insuffisamment mûrs Raisins pourris Cuvaison trop courte Fermentation à basse température	Vins légers et de faible garde Vins de petits millésimes
Robe foncée	Bonne extraction Rendement faible Vieilles vignes Vinification réussie	Bons ou grands vins Bel avenir

__ C'est encore l'œil qui découvre les « jambes » ou les « larmes », écoulements que le vin forme sur la paroi du verre quand on l'anime d'un mouvement rotatif pour humer le bouquet du vin (voir ci-après) ; celles-ci rendent compte du degré alcoolique : le cognac en produit toujours, les vins de pays rarement.

Exemple de vocabulaire se rapportant à l'examen visuel :

Nuances : pourpre, grenat, rubis, violet, cerise, pivoine.
Intensité : légère, soutenue, foncée, profonde, intense.
Éclat : mat, terne, triste, éclatant, brillant.
Limpidité et transparence : opaque, louche, voilée, cristalline, parfaite.

LE NEZ

L'examen olfactif est la deuxième épreuve que le vin dégusté doit subir. Certaines odeurs sont éliminatoires, telles l'acidité volatile (acescence, vinaigre), l'odeur du liège (goût de bouchon) ; mais dans la plupart des cas, le bouquet du vin – l'ensemble des odeurs se dégageant du verre – procure des découvertes toujours renouvelées.

__ Les composants aromatiques du bouquet s'expriment selon leur volatilité. C'est en quelque sorte une évaporation du vin, et c'est pour cela que la température de service est si importante. Trop froid, pas de bouquet ; trop chaud, vaporisation trop rapide, combinaison, oxydation, destruction des parfums très volatils, et extraction d'éléments aromatiques lourds anormaux.

__ Le bouquet du vin rassemble donc un faisceau de parfums en mouvance permanente ; ils se présentent successivement selon la température et l'oxydation. C'est pour cela que le maniement du verre est important. On commencera par humer ce qui se dégage du verre immobile, puis on imprimera au vin un mouvement de rotation : l'air fait alors son effet et d'autres parfums apparaissent.

__ La qualité d'un vin est fonction de l'intensité et de la complexité du bouquet. Les petits vins n'offrent que peu – ou pas – de bouquet ; simplistes, monocordes, ils se décrivent en un mot. Au contraire, les grands vins se caractérisent par des bouquets amples, profonds, dont la complexité se renouvelle constamment.

__ Le vocabulaire relatif au bouquet est infini, car il ne procède que par analogie. Divers systèmes de classification des parfums ont été proposés ; pour simplifier, retenons ceux qui présentent un caractère floral, fruité, végétal (ou herbacé), épicé, balsamique, animal, boisé, empyreumatique (en référence au feu), chimique.

Exemple de vocabulaire se rapportant à l'examen olfactif :

Fleurs : violette, tilleul, jasmin, sureau, acacia, iris, pivoine.
Fruits : framboise, cassis, cerise, griotte, groseille, abricot, pomme, banane, pruneau.
Végétal : herbacé, fougère, mousse, sous-bois, terre humide, crayeux, champignons divers.
Épicé : toutes les épices, du poivre au gingembre en passant par le clou de girofle et la muscade.
Balsamique : résine, pin, térébinthe.
Animal : viande, viande faisandée, gibier, fauve, musc, fourrure.
Empyreumatique : brûlé, grillé, pain grillé, tabac, foin séché, tous les arômes de torréfaction (café, etc.).

LA BOUCHE

Après avoir triomphé des deux épreuves de l'œil et du nez, le vin subit un dernier examen « en bouche ».

Une faible quantité de vin est mise en bouche, où on le garde. Un filet d'air est aspiré afin de permettre sa diffusion dans l'ensemble de la cavité buccale. A défaut, il est simplement mâché. Dans la bouche, le vin s'échauffe, il diffuse de nouveaux éléments aromatiques recueillis par voie rétronasale, étant entendu que les papilles de la langue ne sont sensibles qu'aux quatre saveurs élémentaires : amer, acide, sucré et salé ; voilà pourquoi une personne enrhumée ne peut goûter un vin (ou un aliment), la voie rétronasale étant alors inopérante.

— Outre les quatre saveurs précisées ci-dessus, la bouche est sensible à la température du vin, à sa viscosité, à la présence – ou à l'absence – de gaz carbonique et à l'astringence (effet tactile : absence de lubrification par la salive et contraction des muqueuses sous l'action des tanins).

— C'est en bouche que se révèlent l'équilibre, l'harmonie ou, au contraire, le caractère de vins mal bâtis qui ne doivent pas être achetés.

Les vins blancs, gris et rosés se caractérisent par un bon équilibre entre acidité et moelleux.

Trop d'acidité : le vin est agressif ; pas assez, il est plat.
Trop de moelleux : le vin est lourd, épais ; pas assez, il est mince, terne.

Pour les vins rouges, l'équilibre tient compte de l'acidité, du moelleux et des tanins.

Excès d'acidité :	vin trop nerveux, souvent maigre.
Excès de tanins :	vin dur, astringent.
Excès de moelleux (rare) :	vin lourd.
Carence en acidité :	vin mou.
Carence en tanins :	vin sans charpente, informe.
Carence en moelleux :	vin qui sèche.

Un bon vin se situe au point d'équilibre des trois composantes ci-dessus. Ces éléments supportent sa richesse aromatique ; un grand vin se distingue d'un bon vin par sa construction rigoureuse et puissante, quoique fondue, et par son ampleur dans la complexité aromatique.

Exemple de vocabulaire relatif au vin en bouche :

Critique : informe, mou, plat, mince, aqueux, limité, transparent, pauvre, lourd, massif, grossier, épais, déséquilibré.

Laudatif : structuré, construit, charpenté, équilibré, corpulent, complet, élégant, fin, qui a du grain, riche.

Après cette analyse en bouche, le vin est avalé. L'œnophile se concentre alors pour mesurer sa persistance aromatique, familièrement appelée « longueur en bouche ». Cette estimation s'exprime en caudalies, unité savante valant tout simplement... une seconde. Plus un vin est long, plus il est estimable. Cette longueur en bouche, à elle seule, permet de hiérarchiser les vins, du plus petit au plus grand.

— Cette mesure en secondes est à la fois très simple et très compliquée ; elle ne porte que sur la longueur aromatique, à l'exclusion des éléments de structure du vin (acidité, amertume, sucre et alcool) qui ne doivent pas être perçus comme tels.

L'identification d'un vin

La dégustation, comme la consommation, est appréciative. Il s'agit de goûter pleinement un vin et de déterminer s'il est grand, moyen ou petit. Très souvent, il est question de savoir s'il est conforme à son type ; mais encore faut-il que son origine soit précisée.

— La dégustation d'identification, c'est-à-dire de reconnaissance, est un sport, un jeu de société ; mais c'est un jeu injouable sans un minimum d'informations. On peut reconnaître un cépage, par exemple un cabernet-sauvignon. Mais est-ce un cabernet-sauvignon d'Italie, du Languedoc, de Californie, du Chili, d'Argentine, d'Australie ou d'Afrique du Sud ? Si l'on se limite à la France, l'identification des grandes régions est possible ; mais lorsqu'on veut être plus précis, d'ardus problèmes surviennent : si l'on propose six verres de vin en précisant qu'ils représentent les six appellations du Médoc (listrac, moulis, margaux, saint-julien, pauillac, saint-estèphe), combien y aura-t-il de sans fautes ?

— Une expérience classique que chacun peut renouveler prouve la difficulté de la dégustation : le dégustateur, les yeux bandés, goûte en ordre dispersé des vins rouges peu tanniques et des vins blancs non aromatiques, de préférence élevés dans le bois. Il doit simplement distinguer le blanc du rouge (et inversement) : il est très rare qu'il ne se trompe pas ! Paradoxalement, il est beaucoup plus facile de reconnaître un vin très typé dont on a encore en tête et en bouche le souvenir ; mais combien a-t-on de chances que le vin proposé soit justement celui-là ?

Déguster pour acheter

Lorsque l'on se rend dans le vignoble et que l'on a l'intention d'acheter du vin, il faut choisir, donc déguster. Il s'agit alors de pratiquer des dégustations appréciatives et comparatives. La dégustation comparative de deux ou trois vins est facile ; elle se complique dès que l'on fait interférer le prix des vins. Dans un budget fixe – ils le sont malheureusement tous – certains achats sont facilement éliminés. Cette dégustation se complique davantage si l'on tient compte de l'usage des vins, de leur mariage avec des mets. Deviner ce que l'on mangera dans dix ans, et par conséquent acheter aujourd'hui le vin nécessaire à cette occasion-là, tient du tour de magie... La dégustation comparative, simple et facile dans son principe, devient extrêmement délicate, puisque l'acheteur doit présumer de l'évolution de divers vins, et supputer leur période d'apogée. Les vignerons eux-mêmes se trompent parfois lorsqu'ils tentent d'imaginer l'avenir de leur vin. On a vu certains d'entre eux racheter leur propre vin qu'ils avaient bradé, car ils avaient estimé faussement que leur bonification était compromise...

— Quelques principes peuvent néanmoins fournir des éléments d'appréciation. Pour se bonifier, les vins doivent être solidement construits. Ils doivent avoir un degré alcoolique suffisant, et l'ont en fait toujours : la chaptalisation (ajout de sucre réglementé par la loi) y contribue si nécessaire ; il faut donc porter son attention ailleurs, sur l'acidité et les tanins. Un vin trop souple, qui peut être cependant très agréable, dont l'acidité est faible, voire trop faible, sera fragile, et sa longévité ne sera pas assurée. Un vin faible en tanins n'aura guère plus d'avenir. Dans le premier cas, le raisin aura souffert d'un excès de soleil et de chaleur, dans le second, d'un manque de maturité, d'attaques de pourriture ou encore d'une vinification inadaptée.

— Ces deux constituants du vin, acidité et tanins, se mesurent : l'acidité s'évalue en équivalence d'acide sulfurique – en grammes par litre, à moins que l'on préfère le pH –, et les tanins, selon l'indice de Folain, mais il s'agit là d'un travail de laboratoire.

— L'avenir d'un vin qui ne comporte pas au moins 3 grammes d'acidité n'est pas assuré ; quant à l'estimation du seuil de tanin en dessous duquel la longue garde est problématique, elle n'est pas rigoureuse. Cependant, la connaissance de cet indice est utile, car des tanins très mûrs, doux, enrobés, sont parfois sous-évalués à la dégustation, où ils ne se révèlent pas toujours.

— Dans tous les cas, on dégustera le vin dans de bonnes conditions, sans se laisser prendre par l'atmosphère de la cave du vigneron. On évitera de le goûter au sortir d'un repas, après l'absorption d'eau-de-vie, de café, de chocolat ou de bonbons à la menthe, ou encore après avoir fumé. Si le vigneron propose des noix, méfiance ! Car elles améliorent tous les vins. Méfiance également à l'égard du fromage, qui modifie la sensibilité du palais ; tout au plus, si l'on y tient, mangera-t-on un morceau de pain, nature.

S'exercer à la dégustation

De même que toute autre technique, celle de la dégustation s'apprend. On peut la pratiquer chez soi en suivant les quelques énoncés ci-dessus. On peut aussi, si l'on est passionné, suivre des stages, de plus en plus nombreux. On peut encore s'inscrire à des cycles d'initiation proposés par divers organismes privés dont les activités sont très diverses : étude de la dégustation, étude de l'accord des mets et des vins, exploration par la dégustation des grandes régions de production françaises ou étrangères, analyse de l'influence des cépages, des millésimes, des sols, incidence des techniques de vinification, dégustations commentées en présence du propriétaire, etc.

Le service des vins

Au restaurant, le service du vin est l'apanage du sommelier. Chez soi, c'est le maître de maison qui devient sommelier et doit en avoir les capacités. Celles-ci sont nombreuses à mettre en œuvre, à commencer par le choix des bouteilles les mieux adaptées aux plats composant le repas, et qui ont atteint leur apogée.
— Le goût de chacun intervient bien sûr dans le mariage des mets et des vins ; néanmoins, des siècles d'expérience ont permis de dégager des principes généraux, des alliances idéales et des incompatibilités majeures.
— L'évolution des vins est très dissemblable. Seul leur apogée intéresse l'œnophile, qui désire le meilleur. Selon l'appellation, et donc selon le cépage, le sol et la vinification, celui-là peut survenir dans des périodes s'échelonnant entre un et vingt ans. Selon le millésime porté par la bouteille, le vin peut évoluer deux ou trois fois plus rapidement. On peut cependant établir des moyennes, qui peuvent servir de base et que l'on modulera en fonction de sa cave et des informations sur les cartes de millésimes.

Apogée (en années)

B = blanc ; R = rouge

Alsace (B) : dans l'année
Alsace Grand Cru (B) : 1-4
Alsace Vendanges tardives (B) : 8-12
Jura (B) : 4 ; (R) : 8
Jura rosé : 6
Vin jaune (B) : 20
Savoie (B) : 1-2 ; (R) : 2-4
Bourgogne (B) : 5 ; (R) : 7
Grand bourgogne (B) : 8-10 ; (R) : 10-15
Mâcon (B) : 2-3 ; (R) : 1-2
Beaujolais (R) : dans l'année
Crus du Beaujolais (R) : 1-4
Vallée du Rhône Nord (B) : 2-3 ; (R) : 4-5
Côte-rôtie, hermitage, etc. (B) : 8 ; (R) : 8-15
Vallée du Rhône Sud (B) : 2 ; (R) : 4-8
Loire (B) : 1-5 ; (R) : 3-10
Loire moelleux, liquoreux (B) : 10-15
Vins du Périgord (B) : 2-3 ; (R) : 3-4
Vins du Périgord liquoreux (B) : 6-8
Bordeaux (B) : 2-3 ; (R) : 6-8
Grands bordeaux (B) : 4-10 ; (R) : 10-15
Bordeaux liquoreux (B) : 10-15
Jurançon sec (B) : 2-4
Jurançon moelleux, liquoreux (B) : 6-10
Madiran (R) : 5-12
Cahors (R) : 3-10
Gaillac (B) : 1-3 ; (R) : 2-4
Languedoc (B) : 1-2 ; (R) : 2-4
Côtes-de-provence (B) : 1-2 ; (R) : 2-4
Corse (B) : 1-2 ; (R) : 2-4

Remarque :
– Ne pas confondre l'apogée avec la longévité maximale.
– Une cave chaude ou à température variable accélère l'évolution des vins.

Modalités du service

Rien ne doit être négligé dans la conduite de la bouteille, de son enlèvement en cave jusqu'au moment où le vin parvient dans le verre. Plus un vin est âgé, plus il exige de soins. La bouteille sera prise sur pile et redressée lentement pour être amenée sur les lieux de sa consommation, à moins qu'on ne la dépose directement dans un panier verseur.
— Les vins de peu d'ambition seront servis de la façon la plus simple ; pour les vins très fragiles, donc de grand âge, on les fera couler de la bouteille amoureusement déposée sur le panier dans l'exacte position qu'elle occupait sur pile ; les vins plus jeunes ou jeunes, les vins robustes, seront décantés, soit pour les aérer parce qu'ils contiennent encore quelques traces de gaz, souvenir de leur fermentation, soit pour amorcer une oxydation bénéfique pour la dégustation, soit encore pour isoler le vin clair des sédiments déposés au fond de la bouteille. Dans ce cas, le vin sera transvasé avec soin, et on le versera devant une source lumineuse, traditionnellement une bougie – une habitude qui date d'avant l'éclairage électrique et qui n'apporte aucun avantage – pour laisser dans la bouteille le vin trouble et les matières solides.

Quand déboucher, quand servir ?

Le professeur Peynaud soutient qu'il est inutile d'enlever le bouchon longtemps avant de consommer le vin, la surface en contact avec l'air (le goulot et la bouteille) étant trop petite. Cependant, le tableau ci-dessous résume des usages qui, s'ils n'améliorent pas toujours le vin dans tous les cas, ne l'abîment jamais.

Vins blancs aromatiques Vins de primeur rouges et blancs Vins courants rouges et blancs Vins rosés	Déboucher, boire sans délai. Bouteille verticale.
Vins blancs de la Loire Vins blancs liquoreux	Déboucher, attendre une heure. Bouteille verticale.
Vins rouges jeunes Vins rouges à leur apogée	Décanter une demi-heure à deux heures avant consommation.
Vins rouges anciens fragiles	Déboucher en panier verseur, et servir sans délai : éventuellement décanter et consommer tout de suite.

Déboucher

La capsule doit être coupée en dessous de la bague ou au milieu de celle-ci. Le vin ne doit pas entrer en contact avec le métal de la capsule. Dans le cas où le goulot est ciré, donner de petits coups afin d'écailler la cire. Mieux encore, essayer d'enlever la cire avec un couteau sur la partie supérieure du col, cette méthode ayant l'avantage de ne pas ébranler la bouteille et le vin.

— Pour extraire le bouchon, seul le tire-bouchon, à vis en queue de cochon donne satisfaction (avec le tire-bouchon à lames, d'un maniement délicat). Théoriquement, le bouchon ne doit pas être transpercé. Une fois extrait, il est humé : il ne doit présenter aucune odeur parasite et ne pas sentir le liège (goût de bouchon). Ensuite, le vin est goûté pour une ultime vérification, avant d'être servi aux convives.

À quelle température ?

On peut tuer un vin en le servant à une température inadéquate, ou, au contraire, l'exalter en le servant à la température appropriée. Il est très rare que celle-ci soit atteinte, d'où l'utilité du thermomètre à vin, de poche si l'on va au restaurant ou à plonger dans la bouteille lorsque l'on opère chez soi. La température de service d'un vin dépend de son appellation (c'est-à-dire de son type), de son âge et, dans une faible proportion, de la température ambiante. On n'oubliera pas que le vin se réchauffe dans le verre.

Grands vins rouges de Bordeaux	16-17°
Grands vins rouges de Bourgogne	15-16°
Vins rouges de qualité, grands vins rouges avant leur apogée	14-16°
Grands vins blancs secs	14-16°
Vins rouges légers, fruités, jeunes	11-12°
Vins rosés, vins de primeur	10-12°
Vins blancs secs, vins de pays rouges	10-12°
Petits blancs, vins de pays blancs	8-10°
Champagne, mousseux	7-8°
Liquoreux	6°

Ces températures doivent être augmentées d'un ou deux degrés lorsque le vin est vieux.

— On a tendance à servir légèrement plus frais les vins qui jouent le rôle d'apéritif, et à boire les vins qui accompagnent le repas légèrement chambrés. De même, on tiendra compte du climat de la région ou de la température qui règne dans la pièce : sous un climat torride, un vin bu à 11 degrés paraîtra glacé, il conviendra donc de le porter à 13 voire à 14 degrés.

— Néanmoins, on se gardera de dépasser 20 degrés car, au-delà, des phénomènes physico-chimiques indépendants de l'environnement, donc absolus, altèrent les qualités du vin et le plaisir qu'on peut en attendre.

Les verres

A chaque région son verre. Dans la pratique, à moins de tomber dans un purisme excessif, on se contentera soit d'un verre universel (de style verre à dégustation), soit de deux types les plus usités, le verre à bordeaux et le verre à bourgogne. Quel que soit le verre choisi, il sera rempli modérément, plus près du tiers que de la moitié.

Au restaurant

Au restaurant, le sommelier s'occupe de la bouteille, hume le bouchon, mais fait goûter le vin à celui qui l'a commandé. Auparavant, il aura suggéré des vins en fonction des mets.

— La lecture de la carte des vins est instructive, non parce qu'elle dévoile les secrets de la cave, ce qui est sa fonction, mais parce qu'elle permet de situer le niveau de compétence du sommelier, du caviste ou du patron. Une carte correcte doit impérativement comporter, pour chaque vin, les informations suivantes: appellation, millésime, lieu de la mise en bouteilles, nom du négociant ou du propriétaire auteur et responsable du vin. Ce dernier point est très souvent omis, on ne sait pourquoi.

— Une belle carte doit présenter un éventail large, tant sur le plan du nombre d'appellations proposées que sur celui de la diversité et de la qualité des millésimes (nombre de restaurateurs ont la fâcheuse habitude de toujours proposer les petites années...). Une carte intelligente sera particulièrement adaptée au style ou à la spécialisation de la cuisine, ou encore fera la part belle aux vins régionaux.

— Parfois, il est proposé la « cuvée du patron » ; il est en effet possible d'acheter un vin agréable qui ne bénéficie pas d'appellation d'origine, mais ce ne sera jamais un grand vin.

Bistrots à vin

Depuis longtemps, il existe des « bistrots à vin » ou « bars à vin », vendant au verre des vins de qualité, bien souvent des vins « de propriétaires » sélectionnés par le patron lui-même au cours des visites de vignobles. Des assiettes de cochonnaille et de fromages sont également proposées aux clients.

Dans les années 1970, une nouvelle génération de bistrots à vin fréquemment baptisés « wine bar » s'est développée. La mise au point d'un appareil protégeant le vin dans les bouteilles ouvertes par une couche d'azote – le *cruover* – a permis à ces établissements de proposer aux clients de très grands vins de millésimes prestigieux. Parallèlement, une restauration moins rudimentaire a complété leur carte.

LES MILLESIMES

Tous les vins de qualité sont millésimés. Seuls quelques vins et certains champagnes, leur élaboration particulière par mélange de plusieurs années le justifiant, font exception à cette règle.

— Cela étant admis, que penser d'un flacon non millésimé ? Deux cas sont possibles ; soit le millésime est inavouable car sa réputation est détestable dans l'appellation ; soit il ne peut être millésimé car il contient le produit de l'assemblage de « vins de plusieurs années », selon la formule en usage chez les professionnels. La qualité du produit dépend du talent de l'assembleur ; généralement, le vin assemblé est supérieur à chacun de ses composants mais il est déconseillé de faire vieillir ce type de bouteille. Le vin portant un grand millésime est concentré et équilibré. Il est généralement issu, mais pas obligatoirement, de petites récoltes (en volume) et de vendanges précoces.

— Dans tous les cas, les grands millésimes ne naissent que de raisins parfaitement sains, totalement exempts de pourriture. Pour obtenir un grand millésime, peu importe le temps qu'il fait au début du cycle végétatif : on peut même soutenir que quelques mésaventures, telles que gel ou coulure (chute de jeunes baies avant maturation), sont favorables, puisqu'elles vont diminuer le nombre de grappes par pied, ce qui est préjudiciable au volume. En revanche, la période qui s'étend du 15 août aux vendanges (fin septembre) est capitale : un maximum de chaleur et de soleil est alors nécessaire. 1961, qui demeure jusqu'à nouvel avis « l'année du siècle », est exemplaire : tout s'est passé comme il fallait. *A contrario*, les années 1963, 1965, 1968 furent désastreuses, parce qu'elles cumulèrent froid et pluie, d'où absence de maturité et fort rendement, les raisins se gorgeant d'eau. Pluie et chaleur ne valent guère mieux, car l'eau tiédie favorise la pourriture. C'est l'écueil sur lequel a buté un grand millésime potentiel dans le Sud-Ouest en 1976. Les progrès des traitements de protection du raisin, particulièrement destinés à s'opposer au ver de la grappe et au développement de la pourriture, permettent des récoltes de qualité qui eussent été autrefois très compromises. Ces traitements permettent également d'attendre avec une relative sérénité, même si les conditions météorologiques momentanées ne sont pas encourageantes, le plein mûrissement du raisin, d'où un important gain de qualité. Dès 1978, on note l'apparition d'excellents millésimes vendangés tardivement.

— On a l'habitude de résumer la qualité des millésimes dans des tableaux de cotation. Ces notes ne représentent que des moyennes : elles ne prennent pas en compte les microclimats, pas plus que les efforts... héroïques de tris de raisins à la vendange, ou les sélections forcenées des vins en cuve. C'est ainsi par exemple, que le vin de Graves, domaine de Chevalier 1965 – millésime par ailleurs épouvantable – démontre que l'on peut élaborer un grand vin dans une année cotée zéro !

Propositions de cotation (de 0 à 20)

	Bordeaux R	Bordeaux B liquoreux	Bordeaux B sec	Bourgogne R	Bourgogne B	Champagne	Loire	Rhône	Alsace
1900	19	19	17	13		17			
1901	11	14							
1902									
1903	14	7	11						
1904	15	17		16		19		18	
1905	14	12							
1906	16	16		19	18				
1907	12	10		15					
1908	13	16							
1909	10	7							Alsace allemande
1910									
1911	14	14		19	19	20	19	19	
1912	10	11							
1913	7	7							
1914	13	15				18			
1915	15	16		16	15	15	12	15	
1916	15	15		13	11	12	11	10	
1917	14	16		11	11	13	12	9	
1918	16	12		13	12	12	11	14	
1919	15	10		18	18	15	18	15	15
1920	17	16		13	14	14	11	13	10
1921	16	20		16	20	20	20	13	20
1922	9	11		9	16	4	7	6	4

	Bordeaux R	Bordeaux B liquoreux	Bordeaux B sec	Bourgogne R	Bourgogne B	Champagne	Loire	Rhône	Alsace
1923	12	13		16	18	17	18	18	14
1924	15	16		13	14	11	14	17	11
1925	6	11		6	5	3	4	8	6
1926	16	17		16	16	15	13	13	14
1927	7	14		7	5	5	3	4	
1928	19	17		18	20	20	17	17	17
1929	20	20		20	19	19	18	19	18
1930							3	4	3
1931	2	2		2	3		3	5	3
1932				2	3	3	3	3	7
1933	11	9		16	18	16	17	17	15
1934	17	17		17	18	17	16	17	16
1935	7	12		13	16	10	15	5	14
1936	7	11		9	10	9	12	13	9
1937	16	20		18	18	18	16	17	17
1938	8	12		14	10	10	12	8	9
1939	11	16		9	9	9	10	8	3
1940	13	12		12	8	8	11	5	10
1941	12	10		9	12	10	7	5	5
1942	12	16		14	12	16	11	14	14
1943	15	17		17	16	17	13	17	16
1944	13	11	12	10	10		6	8	4
1945	20	20	18	20	18	20	19	18	20
1946	14	9	10	10	13	10	12	17	9
1947	18	20	18	18	18	18	20	18	17
1948	16	16	16	10	14	11	12		15
1949	19	20	18	20	18	17	16	17	19
1950	13	18	16	11	19	16	14	15	14
1951	8	6	6	7	6	7	7	8	8
1952	16	16	16	16	18	16	15	16	14
1953	19	17	16	18	17	17	18	14	18
1954	10			14	11	15	9	13	9
1955	16	19	18	15	18	19	16	15	17
1956	5						9	12	9
1957	10	15		14	15		13	16	13
1958	11	14		10	9		12	14	12
1959	19	20	18	19	17	17	19	15	20
1960	11	10	10	10	7	14	9	12	12
1961	20	15	16	18	17	16	16	18	19
1962	16	16	16	17	19	17	15	16	14
1963					10				
1964	16	9	13	16	17	18	16	14	18

	Bordeaux R	Bordeaux B liquoreux	Bordeaux B sec	Bourgogne R	Bourgogne B	Champagne	Loire	Rhône	Alsace
1965			12				8		
1966	17	15	16	18	18	17	15	16	12
1967	14	18	16	15	16		13	15	14
1968									
1969	10	13	12	19	18	16	15	16	16
1970	17	17	18	15	15	17	15	15	14
1971	16	17	19	18	20	16	17	15	18
1972	10		9	11	13		9	14	9
1973	13	12		12	16	16	16	13	16
1974	11	14		12	13	8	11	12	13
1975	18	17	18		11	18	15	10	15
1976	15	19	16	18	15	15	18	16	19
1977	12	7	14	11	12	9	11	11	12
1978	17	14	17	19	17	16	17	19	15
1979	16	18	18	15	16	15	14	16	16
1980	13	17	18	12	12	14	13	15	10
1981	16	16	17	14	15	15	15	14	17
1982	18	14	16	14	16	16	14	13	15
1983	17	17	16	15	16	15	12	16	20
1984	13	13	12	13	14	5	10	11	15
1985	18	15	14	17	17	17	16	16	19
1986	17	17	12	12	15	9	13	10	10
1987	13	11	16	12	11	10	13	8	13
1988	16	19	18	16	14	15	16	18	17
1989	18	19	18	16	18	16	20	16	16
1990	18	20	17	18	16	19	17	17	18
1991	13	14	13	14	15	11	12	13	13
1992	12	10	14	15	17	12	14	12	12
1993	13	8	15	14	13	12	13	13	13
1994	14	14	17	14	16	12	14	14	12
1995	16	18	17	14	16	16	17	16	12
1996	15	18	16	17	18	19	17	14	12
1997	14	18	14	14	17	15	16	14	13
1998	15	16	14	15	15	13	14	18	13
1999	14	17	13	13	12	15	12	16	10
2000	18	10	16	11	15	15	16	17	12

Les zones cernées d'un trait épais indiquent les vins à mettre en cave.
Les liquoreux de la Loire sont notés 20 pour le millésime 90.

Quels millésimes boire maintenant ?

Les vins évoluent différemment selon qu'ils sont nés d'une année maussade ou ensoleillée, mais aussi selon leur appellation, leur hiérarchie au sein de cette appellation, leur vinification, leur élevage ; leur vieillissement dépend également de la cave où ils sont entreposés.

— Le tableau de cotation des millésimes concerne des vins de bonne facture, de millésimes récents, donc disponibles, s'ils sont encavés convenablement. Il ne concerne ni les vins ni les cuvées exceptionnels. Les vins sont cotés à leur apogée. Cette cotation n'intègre pas l'évolution actuelle des millésimes anciens.

LA CUISINE AU VIN

La cuisine au vin ne date pas d'aujourd'hui. Apicius déjà donne la recette du porcelet à la sauce au vin (c'était du vin de paille). Pourquoi user du vin en cuisine ? Pour les saveurs qu'il apporte et pour les vertus digestives qu'il ajoute aux plats grâce à la glycérine et aux tanins. L'alcool, considéré par certains comme un maléfice, a presque totalement disparu à la cuisson.

— On pourrait retracer une histoire de la cuisine à travers le vin : les marinades ont été inventées pour conserver des pièces de viande, aujourd'hui on les perpétue pour l'apport d'éléments sapides. La cuisson, donc la réduction des marinades, est à l'origine des sauces. Parfois, on a cuit la viande avec la marinade, et l'on a inventé les civets, les daubes et les courts-bouillons, y compris les œufs en meurette.

Conseils

– ne jamais gaspiller de vieux millésimes pour la cuisine. C'est coûteux, inutile et même nuisible.
– ne jamais user en cuisine de vins ordinaires ou de vins trop légers, leur réduction ne concentre que leur manque de présence.
– le « goût de bouchon » disparaît à la cuisson. Réserver les bouteilles présentant ce défaut à cet usage.
– boire avec le plat le vin de cuisson ou de la même origine.

LE VINAIGRE AU VIN

Le vin est l'ami de l'homme, le vinaigre est l'ennemi du vin. Doit-on conclure que le vinaigre est l'ennemi de l'homme ? Non, vins et vinaigres jouent chacun leur partie dans l'orchestre des saveurs dont l'homme se régale. Jeter des vins de qualité un peu éventés, bouchonnés, ou oxydés serait regrettable. Le vinaigrier est là pour les accueillir. Un vinaigrier domestique est un récipient de 3 à 5 litres en bois, ou mieux, en terre vernissée, généralement muni d'un robinet. L'acidité du vinaigre est un adjuvant, un révélateur. C'est un contrepoint, pas un solo. Pour contenir ses ardeurs, le gourmet a inventé le vinaigre aromatisé. Nombre de hauts goûts se fondent en une harmonie de timbres : ail, échalote, petits oignons, estragon, graines de moutarde, grains de poivre, clous de girofle, fleurs de sureau, de capucine, pétales de roses, feuilles de laurier, branches de thym, de perce-pierre, etc.

Conseils

– ne jamais déposer un vinaigrier dans une cave.
– chaque fois que se développe dans le vinaigrier ce que l'on appelle la « mère du vinaigre » (masse visqueuse), l'éliminer.
– placer le vinaigrier dans un lieu tempéré (20 °C).
– ne jamais le boucher hermétiquement car l'air contribue à la vie des bactéries acétiques qui transforment l'alcool du vin en acide acétique.
– ne jamais placer les aromates dans le vinaigrier. Il faut extraire le vinaigre du vinaigrier et conserver le vinaigre aromatisé dans un autre récipient, de préférence hermétique.
– ne jamais introduire dans le vinaigrier de vin sans origine.
– le vinaigrier doit vivre. Chaque fois que l'on retire du vinaigre, ajouter un volume équivalent de vin.
– un vinaigre laissé en souffrance dans un vinaigrier plus de deux ou trois mois (maximum) n'est plus qu'acétique. Il perd son goût de vin, il n'a plus d'intérêt.

LES METS ET LES VINS

Rien n'est plus difficile que de trouver « le » vin idéal pour accompagner un plat. D'ailleurs, peut-il y avoir un vin idéal ? Au chapitre du mariage des mets et des vins, la monogamie n'a pas de place ; il faut profiter de l'extrême variété des vins français et faire des expériences : une bonne cave permet par approximations successives d'approcher de la vérité...

HORS-D'ŒUVRE, ENTREES

ANCHOÏADE
- côtes du roussillon rosé
- coteaux d'aix-en-provence rosé
- alsace sylvaner

ARTICHAUTS BARIGOULE
- coteaux d'aix-en-provence rosé
- rosé de loire
- bordeaux rosé

ASPERGES SAUCE MOUSSELINE
- alsace muscat

AVOCAT
- champagne
- bugey blanc
- bordeaux sec

CUISSES DE GRENOUILLE
- corbières blanc
- entre-deux-mers
- touraine sauvignon

ESCARGOTS À LA BOURGUIGNONNE
- bourgogne aligoté
- alsace riesling
- touraine sauvignon

FOIE GRAS AU NATUREL
- barsac
- corton-charlemagne
- listrac
- banyuls rimage

FOIE GRAS EN BRIOCHE
- alsace tokay sélection de grains nobles
- montrachet
- pécharmant

FOIE GRAS GRILLÉ
- jurançon
- graves rouge
- condrieu

POIVRONS ROUGES GRILLÉS VINAIGRETTE
- clairette de bellegarde
- muscadet
- mâcon lugny blanc

SALADE NIÇOISE
- alsace sylvaner
- côtes du rhône rouge
- coteaux d'aix-en-provence rosé

SALADE DE SOJA
- alsace tokay
- clairette du languedoc
- muscadet

CHARCUTERIE

JAMBON BRAISÉ
- alsace tokay
- côtes du rhône rouge
- côtes du roussillon rosé

JAMBON PERSILLÉ
- chassagne montrachet blanc
- coteaux du tricastin rouge
- beaujolais rouge

JAMBON DE BAYONNE
- côtes du rhône-villages
- bordeaux clairet
- corbières rosé

JAMBON DE SANGLIER FUMÉ
- côtes de saint-mont rouge
- bandol rouge
- sancerre blanc

PÂTÉ DE LIÈVRE
- côtes de duras rouge
- saumur-champigny
- moulin à vent

RILLETTES
- bourgogne rouge
- alsace pinot noir
- touraine gamay

RILLONS
- touraine cabernet
- beaujolais-villages
- rosé de loire

SAUCISSON
- côtes du rhône-villages
- beaujolais
- côtes du roussillon rosé

TERRINE DE FOIE BLOND
- meursault-charmes
- saint-nicolas de bourgueil
- morgon

COQUILLAGE ET CRUSTACES

BOUQUET MAYONNAISE
- bourgone blanc
- alsace riesling
- haut-poitou sauvignon

BROCHETTES DE SAINT-JACQUES
- graves blancs
- alsace sylvaner
- beaujolais-villages rouge

CALMARS FARCIS
- mâcon-villages
- premières côtes de bordeaux
- gaillac rosé

CASSOLETTE DE MOULES AUX ÉPINARDS
- muscadet
- bourgogne aligoté bouzeron
- coteaux champenois blanc

CLOVISSES AU GRATIN
- pacherenc du vic-bilh
- rully blanc
- beaujolais blanc

COCKTAIL DE CRABE
- jurançon sec
- fiefs vendéens blanc
- bordeaux sec sauvignon

ECREVISSES À LA NAGE
- sancerre blanc
- côtes du rhône blanc
- gaillac blanc

HOMARD À L'AMÉRICAINE
- arbois jaune
- juliénas

HOMARD GRILLÉ
- hermitage blanc
- pouilly-fuissé
- savennières

HUÎTRES DE MARENNES
- muscadet
- bourgogne aligoté
- alsace sylvaner
- chablis
- beaujolais primeur rouge

HUÎTRES AU CHAMPAGNE
- bourgone hautes-côtes de nuit blanc
- coteaux champenois blanc
- rousette de savoie

LANGOUSTE MAYONNAISE
- patrimonio blanc
- alsace riesling
- savoie apremont

LANGOUSTINES AU COGNAC
- chablis premier cru
- graves blanc
- muscadet de sèvres-et-maine

MOUCLADE DES CHARENTES
- saint-véran
- bergerac sec
- haut-poitou chardonnay

Moules (crues) de Bouzigues
- coteaux du langedoc blanc
- muscadet de sèvre-et-maine
- coteaux d'aix-en-provence blanc

Moules marinières
- bourgone blanc
- alsace pinot
- bordeaux sec sauvignon

Palourdes farcies
- graves blanc
- montagny
- anjou blanc

Plateau de fruits de mer
- chablis
- muscadet
- alsace sylvaner

Salade de coquillages au concombre
- graves blanc
- muscadet
- alsace klevner

POISSONS

Anguille poêlée persillade
- corbières rosé
- gros plant du pays nantais
- blaye blanc

Alose à l'oseille
- anjou blanc
- rosé de loire
- haut-poitou chardonnay

Bar (loup) grillé
- auxey-duresses blanc
- bellet blanc
- bergerac sec

Barbue à la dieppoise
- graves blanc
- puligny-montrachet
- coteaux du languedoc blanc

Barquettes girondines
- bâtard-montrachet
- graves supérieurs
- quincy

Baudroie en gigot de mer
- mâcon-villages
- châteauneuf-du-pape blanc
- bandol rosé

Bouillabaisse
- côtes du roussillon blanc
- côteaux d'aix-en-provence blanc
- muscadet des coteaux de la loire

Bourride
- coteaux d'aix-en-provence rosé
- rosé de loire
- bordeaux rosé

Brandade
- haut-poitou rosé
- bandol rosé
- corbières rosé

Carpe farcie
- montagny
- touraine azay-le-rideau blanc
- alsace pinot

Colin froid mayonnaise
- pouilly-fuissé
- savoie
- chignin
- bergeron
- alsace klevner

Coquilles de poissons
- saint-aubin blanc
- saumur sec blanc
- crozes-hermitage blanc

Darnes de saumon grillées
- chassagne-montrachet blanc
- cahors
- côtes du rhône rosé

Filets de sole bonne femme
- graves blanc
- chablis grand cru
- sancerre blanc

Feuilleté de blanc de turbot
- chevalier-montrachet
- crozes-hermitage blanc

Gravettes d'Arcachon à la bordelaise
- graves blanc
- bordeaux sec
- jurançon sec

Koulibiak de saumon
- pouilly-vinzelles
- graves blanc
- rosé de loire

Lamproie à la bordelaise
- graves rouges
- bergerac rouge
- bordeaux rosé

Lisettes au vin blanc
- alsace sylvaner
- haut-poitou sauvignon
- quincy

Matelote de l'Ill
- chablis premier cru
- arbois blanc
- alsace riesling

Merlan en colère
- alsace gutedel
- entre-deux-mers
- seyssel

Morue à l'aïoli
- coteaux d'aix-en-provence rosé
- bordeaux rosé
- haut-poitou rosé

Morue grillée
- gros plant du pays nantais
- rosé de loire
- coteaux d'aix-en-provence rosé

Œufs de saumon
- haut-poitou rosé
- graves rouge
- côtes du rhône rouge

Petite friture
- beaujolais blanc
- béarn blanc
- fiefs vendéens blanc

Petits rougets grillés
- chassagne-montrachet blanc
- hermitage blanc
- bergerac

Pochouse
- meursault
- l'étoile
- mâcon-villages

Quenelle de brochet lyonnaise
- montrachet
- pouilly-vinzelles
- beaujolais-villages rouge

Rouille sétoise
- clairette du langedoc
- côtes du roussillon rosé
- rosé de loire

Sandre au beurre blanc
- muscadet
- saumur blanc
- saint-joseph blanc

Sardines grillées
- clairette de bellegarde
- jurançon sec
- bourgogne aligoté

Saumon fumé
- puligny-montrachet premier cru
- pouilly-fumé
- bordeaux sec sauvignon

Sole meunière
- meursault blanc
- alsace riesling
- entre-deux-mers

Soufflé Nantua
- bâtard-montrachet
- crozes-hermitage blanc
- bergerac sec

Thon rouge aux oignons
- coteaux d'aix blanc
- coteaux du langedoc blanc
- côtes de duras sauvignon

Thon (germon) basquaise
- graves blanc
- pacherenc de vic-bilh
- gaillac blanc

Tourteau farci
- premières côtes de bordeaux blanc
- bourgogne blanc
- muscadet

Truite aux amandes
- chassagne-montrachet blanc
- alsace klevner
- côtes du roussillon

Turbot sauce hollandaise
- graves blanc
- saumur blanc
- hermitage blanc

VIANDES ROUGES ET BLANCHES

Agneau

BARON D'AGNEAU AU FOUR
- haut-médoc
- savoie-mondeuse
- minervois

CARRE D'AGNEAU MARLY
- saint-julien
- ajaccio
- coteaux du lyonnais

EPAULE D'AGNEAU BOULANGERE
- hermitage rouge
- côtes de bourg rouge
- moulin à vent

FILET D'AGNEAU EN CROUTE
- pomerol
- mercurey
- coteaux du tricastin

RAGOUT D'AGNEAU AU THYM
- châteauneuf-du-pape rouge
- saint-chinian
- fleurie

SAUTE D'AGNEAU PROVENÇALE
- gigondas
- côtes de provence rouge
- bourgogne passetoutgrain rouge

SELLE D'AGNEAU AUX HERBES
- vin de corse rouge
- côtes du rhône rouge
- coteaux du giennois rouge

Mouton

CURRY DE MOUTON
- montagne saint-émilion
- alsace tokay
- côtes du rhône

DAUBE DE MOUTON
- patrimonio rouge
- côtes du rhône-villages rouge
- morgon

GIGOT À LA FICELLE
- morey-saint-denis
- saint-émilion
- côte de provence rouge

GIGOT FROID MAYONNAISE
- saint-aubin blanc
- bordeaux rouge
- entre-deux-mers

MOUTON EN CARBONADE
- graves de vayres rouge
- fitou
- crozes-hermitage rouge

NAVARIN
- anjou rouge
- bordeaux côtes-de-francs rouge
- bourgogne marsannay rouge

POITRINE DE MOUTON FARCIE
- côtes du jura rouge
- graves rouge
- haut-poitou gamay

Bœuf

BŒUF BOURGUIGNON
- rully rouge
- saumur rouge
- côte du marmandais rouge

CHATEAUBRIAND
- margaux
- alsace pinot
- coteaux du tricastin

DAUBE
- buzet rouge
- côtes du vivarais rouge
- arbois rouge

ENTRECOTE BORDELAISE
- saint-julien
- saint-joseph rouge
- côtes du roussillon-villages

FILET DE BŒUF DUCHESSE
- côte rôtie
- gigondas
- graves rouge

FONDUE BOURGUIGNONNE
- bordeaux rouge
- côtes du ventoux rouge
- bourgogne rosé

GARDIANE
- lirac rouge
- côtes du luberon rouge
- costières de nîmes rouge

POT-AU-FEU
- anjou rouge
- bordeaux rouge
- beaujolais rouge

ROSBIF CHAUD
- moulis
- aloxe-corton
- côtes du rhône rouge

ROSBIF FROID
- madiran
- beaune rouge
- cahors

STEACK MAÎTRE D'HÔTEL
- bergerac rouge
- arbois rosé
- chénas

TOURNEDOS BEARNAISE
- listrac
- saint-aubin rouge
- touraine amboise rouge

Porc

ANDOUILLETTE A LA CREME
- touraine blanc
- bourgogne blanc
- saint-joseph blanc

ANDOUILLETTE GRILLEE
- coteaux champenois blanc
- petit chablis
- beaujolais rouge

BAECKEOFFE
- alsace riesling
- alsace sylvaner

CASSOULET
- côtes du frontonnais rouge
- minervois rouge
- bergerac rouge

CHOU FARCI
- côtes du rhône rouge
- touraine gamay
- bordeaux sec sauvignon

CHOUCROUTE
- alsace riesling
- alsace sylvaner

COCHON DE LAIT EN GELEE
- graves de vayres blanc
- costières du gard rosé
- beaujolais-villages rouge

CONFIT
- tursan rouge
- corbières rouge
- cahors

COTE DE PORC CHARCUTIERE
- bourgogne blanc
- côtes d'auvergne rouge
- bordeaux clairet

PALETTE AU SAUVIGNON
- bergerac sec
- menetou-salon
- bordeaux rosé

POTEE
- côtes du luberon
- côte de brouilly
- bourgogne aligoté

ROTI DE PORC A LA SAUGE
- rully blanc
- côtes du rhône rouge
- minervois rosé

ROTI DE PORC FROID
- bourgogne blanc
- lirac rouge
- bordeaux sec

SAUCISSE DE TOULOUSE GRILLEE
- saint-joseph ou bergerac rouges
- côtes du frontonnais rosé

Veau

BROCHETTES DE ROGNONS
- cornas
- beaujolais-villages
- coteaux du languedoc rosé

BLANQUETTE DE VEAU A L'ANCIENNE
- arbois blanc
- alsace grand cru riesling
- côtes de provence rosé

COTE DE VEAU GRILLEE
- côtes du rhône rouge
- anjou blanc
- bourgogne rosé

ESCALOPE PANEE
- côtes du jura blanc
- corbières blanc
- côtes du ventoux rouge

FOIE DE VEAU A L'ANGLAISE
- médoc
- coteaux d'aix-en-provence rouge
- haut-poitou rosé

NOIX DE VEAU BRAISEE
- mâcon-villages blanc
- côtes de duras rouge
- brouilly

PAUPIETTES DE VEAU
- anjou gamay
- minervois rosé
- costières de nîmes blanc

RIS DE VEAU AUX LANGOUSTINES
- graves blanc
- alsace tokay
- bordeaux rosé

ROGNONS SAUTES AU VIN JAUNE
- arbois blanc
- gaillac vin de voile
- bourgogne aligoté

ROGNONS DE VEAU A LA MOELLE
- saint-émilion
- saumur-champigny
- coteaux d'aix-en-provence rosé

VEAU MARENGO
- côtes de duras merlot
- alsace klevner
- coteaux du tricastin rosé

VEAU ORLOFF
- chassagne montrachet blanc
- chiroubles
- lirac rosé

VOLAILLES, LAPIN

BARBARIE AUX OLIVES
- savoie-mondeuse rouge
- canon-fronsac
- anjou cabernet rouge

BROCHETTES DE CŒURS DE CANARD
- saint-georges-saint-émilion
- chinon
- côtes du rhône-villages

CANARD A L'ORANGE
- côtes du jura jaune
- cahors
- graves rouge

CANARD FARCI
- saint-émilion grand cru
- bandol rouge
- buzet rouge

CANARD AUX NAVETS
- puisseguin saint-émilion
- saumur-champigny
- coteaux d'aix-en-provence rouge

CANETTE AUX PECHES
- banyuls
- chinon rouge
- graves rouge

CHAPON ROTI
- bourgogne blanc
- touraine-mesland
- côtes du rhône rosé

COQ AU VIN ROUGE
- ladoix
- côte de beaune
- châteauneuf-du-pape rouge
- touraine cabernet

CURRY DE POULET
- montagne saint-émilion
- alsace tokay
- côtes du rhône

DINDE AUX MARRONS
- saint-joseph rouge
- sancerre rouge
- meursault blanc

DINDONNEAU A LA BROCHE
- monthélie
- graves blanc
- châteaumeillant rosé

ESCALOPES DE DINDE AU ROQUEFORT
- côtes du jura blanc
- bourgogne aligoté
- coteaux d'aix-en-provence rosé

FRICASSEE DE LAPIN
- touraine rosé
- côtes de blaye blanc
- beaujolais-villages rouge

LAPIN ROTI A LA MOUTARDE
- sancerre rouge
- tavel
- côtes de provence blanc

MAGRET AU POIVRE VERT
- saint-joseph rouge
- bourgueil rouge
- bergerac rouge

OIE FARCIE
- anjou cabernet rouge
- côtes du marmandais rouge
- beaujolais-villages

PIGEONNEAUX A LA PRINTANIERE
- crozes-hermitage rouge
- bordeaux rouge
- touraine gamay

PINTADEAU A L'ARMAGNAC
- saint-estèphe
- chassagne-montrachet rouge
- fleurie

POULARDE DEMI-DEUIL
- chevalier-montrachet
- arbois blanc
- juliénas

POULARDE EN CROUTE DE SEL
- listrac
- mâcon-villages blanc
- côtes du rhône rouge

POULET AU RIESLING
- alsace grand cru riesling
- touraine sauvignon
- côtes du rhône rosé

POULET BASQUAISE
- côtes de duras sauvignon
- bordeaux sec
- coteaux du languedoc rosé

POULET SAUTE AU MORILLES
- savigny-lès-beaune rouge
- arbois blanc
- sancerre blanc

POUSSIN DE LA WANTZENAU
- côtes de toul gris
- alsace gutedel
- beaujolais

GIBIER

BECASSE FLAMBEE
- pauillac
- musigny
- hermitage

BROCHETTE DE MAUVIETTES
- pernand-vergelesses rouge
- pomerol
- côtes du ventoux rouge

CIVET DE LIEVRE
- canon-fronsac
- bonnes-mares
- minervois rouge

Cotelettes de chevreuil conti
- lalande-de-pomerol
- côtes de beaune rouge
- crozes-hermitage rouge

Cuissot de sanglier sauce venaison
- chambertin
- montage saint-émilion
- corbières rouge

Faisan en chartreuse
- moulis
- pommard
- saint-nicolas de bourgueil

Filet de sanglier bordelaise
- pomerol
- bandol
- gigondas

Gigue de chevreuil grand veneur
- hermitage rouge
- corton rouge
- côtes du roussillon rouge

Grives au genievre
- échezeaux
- coteaux du tricastin rouge
- chénas

Halbran roti
- saint-émilion grand cru
- côte rotie
- faugères

Jambon de sanglier braise
- fronsac
- châteauneuf-du-pape rouge
- moulin-à-vent

Lapereau roti
- auxey-duresses rouge
- puisseguin saint-émilion
- crozes-hermitage rouge

Lievre a la royale
- saint-joseph rouge
- volnay
- pécharmant

Merles a la facon corse
- ajaccio rouge
- côtes de provence rouge
- coteaux du languedoc rouge

Perdreau roti
- haut-médoc
- vosne-romanée
- bourgueil

Perdrix aux choux
- bourgogne irancy
- arbois rosé
- cornas

Perdrix a la catalane
- maury
- côtes du roussillon rouge
- beaujolais-villages

Rable de lievre au genievre
- chambolle musigny
- savoie-mondeuse
- saint-chinian

Salmis de colvert
- côte rôtie
- chinon rouge
- bordeaux supérieur

Salmis de palombe
- saint-julien
- côte de nuits-villages
- patrimonio

LEGUMES

Beignets d'aubergines
- bourgogne rouge
- beaujolais rouge
- bordeaux sec

Celeri braise
- côtes du ventoux rouge
- alsace pinot noir
- touraine sauvignon

Champignons
- beaune blanc
- alsace tokay
- coteaux de giennois rouge

Gratin dauphinois
- bordeaux côtes de castillon
- châteauneuf-du-pape blanc
- alsace riesling

Grisets sautes persillade
- beaune blanc
- alsace tokay
- coteaux du giennois rouge

Haricots verts
- côte de beaune blanc
- sancerre blanc
- entre-deux-mers

Pates
- côtes du rhône rouge
- coteaux d'aix rosé

Petits pois
- saint-romain blanc
- côtes du jura blanc
- touraine sauvignon

Pois gourmands
- graves blanc
- côtes du rhône rouge
- alsace riesling

Poivrons farcis
- mâcon-villages
- côtes du rhône rosé
- alsace tokay

FROMAGES

Au lait de vache

Beaufort
- arbois jaune
- meursault
- vin de savoie
- chignin
- bergeron

Bleu d'Auvergne
- côtes de bergerac moelleux
- beaujolais
- touraine sauvignon

Bleu de Bresse
- côtes du jura blanc
- macon rouge
- côtes de bergerac blanc

Brie
- beaune rouge
- alsace pinot noir
- coteaux du languedoc rouge

Camembert
- bandol rouge
- côtes du roussillon-villages
- beaujolais-villages

Cantal
- coteaux du vivarais rouge
- côtes de provence rosé
- lirac blanc

Carre de l'est
- saint-joseph rouge
- coteaux d'aix-en-provence rouge
- brouilly

Carre frais
- cahors
- côtes du roussillon rosé
- côtes du rhône blanc

Chaource
- montagne saint-émilion
- cadillac
- chénas

Citeaux
- aloxe-corton
- coteaux champenois rouge
- fleurie

Comte
- château-chalon, graves blanc
- côtes du luberon blanc

Edam demi-etuve
- pauillac
- fixin
- costières de nîmes rouge

Epoisses
- savigny
- côtes du jura rouge
- côte de brouilly

Fourme d'Ambert
- l'étoile jaune
- cérons
- banyuls rimage

GOUDA DEMI-ETUVE
- saint-estèphe
- chinon
- coteaux du tricastin

LIVAROT
- bonnezeaux
- sainte-croix-du-mont
- alsace gewurztraminer

MAROILLES
- jurançon
- alsace gewurztraminer vendanges tardives

MIMOLETTE DEMI-ETUVE
- graves rouge
- santenay
- côtes du rhône rouge

MORBIER
- gevrey-chambertin
- madiran
- côtes du ventoux rouge

MUNSTER
- coteaux du layon-villages
- loupiac
- alsace gewurztraminer

PATE FONDUE (FROMAGES A)
- alsace riesling
- haut-poitou sauvignon
- côtes du rhône-villages

PONT-L'EVEQUE
- côtes de saint-mont
- bourgueil
- nuit saint-georges

RACLETTE
- vin de savoie
- apremont
- côtes de duras sauvignon
- juliénas

REBLOCHON
- mercurey
- lirac rouge
- touraine gamay

RIGOTTE
- bourgogne hautes-côtes de nuits rouge
- côte du forez
- saint-amour

SAINT-MARCELLIN
- faugères
- tursan rouge
- chiroubles

SAINT-NECTAIRE
- fronsac
- bourgogne rouge
- mâcon-villages blanc

VACHERIN
- corton
- premières côtes de bordeaux
- barsac

Au lait de chèvre

CABECOU
- bourgogne blanc
- tavel
- gaillac blanc

CROTTIN DE CHAVIGNOL
- sancerre blanc
- bordeaux sec
- côte roannaise

CHEVRE FRAIS
- champagne
- montlouis demi-sec
- crémant d'alsace

CORSE (FROMAGE DE CHEVRE DE)
- patrimonio blanc
- cassis blanc
- costières de nîmes blanc

PELARDON
- condrieu
- roussette de savoie
- coteaux du lyonnais rouge

SAINTE-MAURE
- rivesaltes blanc
- alsace tokay
- cheverny gamay

SELLES-SUR-CHER
- coteaux de l'aubance
- cheverny
- romorantin
- sancerre rosé

VALENCAY
- vouvray moelleux
- haut-poitou rosé
- valençay gamay

Au lait de brebis

CORSE (FROMAGE DE BREBIS DE)
- bourgogne irancy
- ajaccio
- côtes du roussillon rouge

EISBARECH
- lalande-de-pomerol
- cornas
- marcillac

LARUNS
- bordeaux côtes de castillon
- gaillac rouge
- côtes de provence rouge

ROQUEFORT
- côtes du jura jaune
- sauternes
- muscat de rivesaltes

DESSERTS

BRIOCHE
- rivesaltes rouge
- muscat de beaumes-de-venise
- alsace vendanges tardives

BUCHE DE NOEL
- champagne demi-sec
- clairette de die tradition

CREME RENVERSEE
- coteaux du layon-villages
- sauternes
- muscat de saint-jean de minervois

FAR BRETON
- pineau des charentes
- anjou coteaux de la loire
- cadillac

FRAISIER
- muscat de rivesaltes
- maury

GATEAU AU CHOCOLAT
- banyuls grand cru
- pineau des charentes rosé

GLACE A LA VANILLE AU COULIS DE FRAMBOISE
- loupiac
- coteaux du layon

ILE FLOTTANTE
- loupiac
- rivesaltes blanc
- muscat de rivesaltes

KOUGLOF
- quarts de chaume
- alsace vendanges tardives
- muscat de mireval

PITHIVIERS
- maury
- bonnezeaux
- muscat de lunel

SALADE D'ORANGES
- sainte-croix-du-mont
- rivesaltes blanc
- muscat de rivesaltes

TARTE AU CITRON
- alsace sélection de grains nobles
- cérons
- rivesaltes blanc

TARTE TATIN
- pineau des charentes
- arbois vin de paille
- jurançon

Alsace

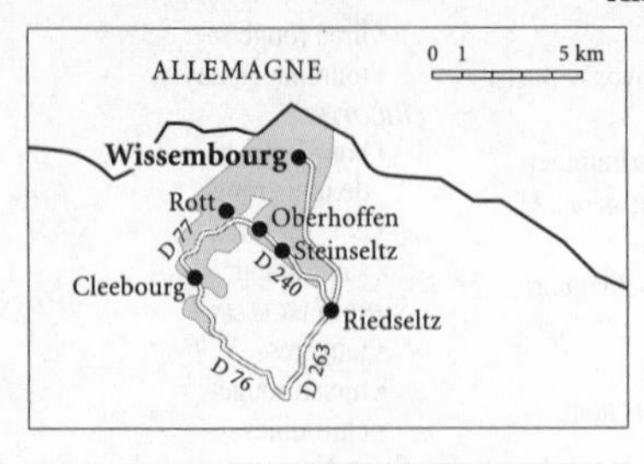

ALLEMAGNE
0 1 5 km
Wissembourg
Rott
Oberhoffen
Steinseltz
Cleebourg
Riedseltz
D 77
D 240
D 76
D 263

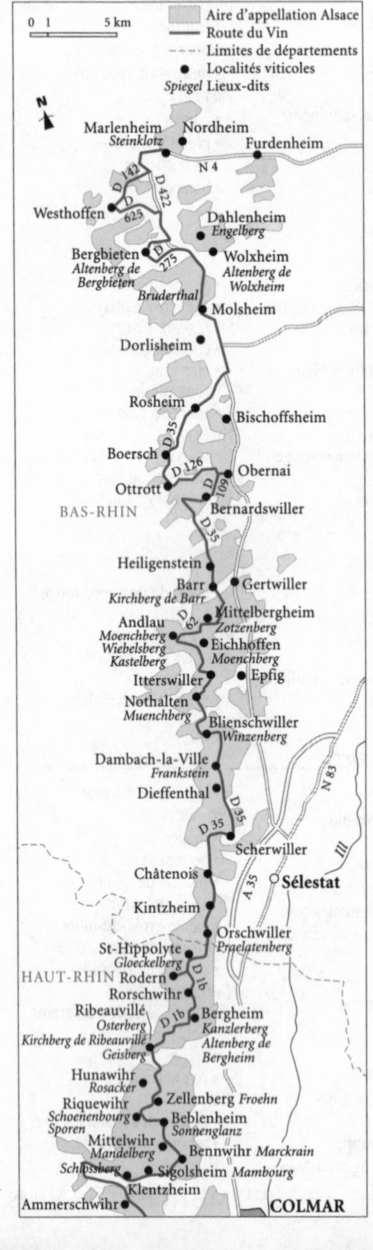

0 1 5 km
Aire d'appellation Alsace
Route du Vin
Limites de départements
Localités viticoles
Spiegel Lieux-dits
N
Marlenheim
Steinklotz
Nordheim
Furdenheim
N 4
D 142
D 422
Westhoffen
D 625
Dahlenheim
Engelberg
Bergbieten
Altenberg de Bergbieten
D 275
Wolxheim
Altenberg de Wolxheim
Bruderthal
Molsheim
Dorlisheim
Rosheim
Bischoffsheim
D 35
Boersch
D 126
Obernai
Ottrott
D 109
Bernardswiller
BAS-RHIN
D 35
Heiligenstein
Barr
Kirchberg de Barr
Gertwiller
Mittelbergheim
Zotzenberg
Andlau
Moenchberg
Wiebelsberg
Kastelberg
D 62
Eichhoffen
Moenchberg
Epfig
Itterswiller
Nothalten
Muenchberg
Blienschwiller
Winzenberg
Dambach-la-Ville
Frankstein
Dieffenthal
N 83
D 35
Scherwiller
Ill
Châtenois
A 35
Sélestat
Kintzheim
Orschwiller
Praelatenberg
St-Hippolyte
Gloeckelberg
HAUT-RHIN
Rodern
D 1b
Rorschwihr
Ribeauvillé
Osterberg
Bergheim
Kanzlerberg
Altenberg de Bergheim
Kirchberg de Ribeauvillé
Geisberg
Hunawihr
Rosacker
Zellenberg Froehn
Riquewihr
Schoenenbourg
Sporen
Beblenheim
Sonnenglanz
Mittelwihr
Mandelberg
Bennwihr Marckrain
Schlossberg
Sigolsheim Mambourg
Klentzheim
Ammerschwihr
COLMAR

0 1 5 km
Alsace
Barr
Kirchberg de Barr
D 35
Mittelbergheim
Zotzenberg
Andlau
Moenchberg
Wiebelsberg
Kastelberg
Eichhoffen
Moenchberg
Itterswiller
Epfig
Nothalten
Muenchberg
N
N 83
Blienschwiller
Winzenberg
Dambach-la-Ville
Frankstein
BAS-RHIN
D 35
Dieffenthal
D 35
Ill
Scherwiller
Châtenois
A 35
Sélestat
Kintzheim
Orschwiller
Praelatenberg
St-Hippolyte
Gloeckelberg
D 1b
Rodern
Rorschwihr
Bergheim
Kanzlerberg
Altenberg de Bergheim
Ribeauvillé
Osterberg
Kirchberg de Ribeauvillé
Geisberg
Hunawihr Rosacker
Zellenberg Froehn
Riquewihr
Schoenenbourg
Sporen
Beblenheim Sonnenglanz
Mittelwihr Mandelberg
Schlossberg
Bennwihr Marekrain
Klentzheim
Furstentum
Kaysersberg
N 415
Sigolsheim
Mambourg
N 83
Ammerschwihr
Kaefferkopf
Katzenthal
Wineck-Schlossberg
Ingersheim
Florimont
COLMAR
Niedermorschwihr
Sommerberg
Ill
Turckheim
Brand
Wintzenheim
Hengst
Zimmerbach
N 422
Wettolsheim
Steingrubler
Eguisheim
Pfergsigberg, Eichberg
Husseren-les-Chât.
D 14
D 1
Voegtlinshoffen
Herrlisheim
HAUT-RHIN
Hattstatt
Hatschbourg
Gueberschwihr
Goldert
A 35
Pfaffenheim
Steinert
Westhalten
Vorbourg
Soultzmatt
Zinnkoepfle
Rouffach
D 18b
N 83
Orschwihr
Pfingstberg
D 5
Bergholtz
Spiegel
Guebwiller
Saering, Kitterlé, Kessler
Wuenheim
Ollwiller
N 83
D 5
Thur
Cernay
D 35
Thann
Rangen
Vieux-Thann
MULHOUSE
A 36
Aire d'appellation Alsace
Route du Vin
Limites de départements
Localités viticoles
Saering Lieux-dits

L'ALSACE ET L'EST

L'Alsace

La plus grande partie du vignoble d'Alsace est implantée sur les collines qui bordent le massif vosgien et qui prennent pied dans la plaine rhénane. Les Vosges, qui se dressent entre l'Alsace et le reste du pays, donnent à la région son climat spécifique, car elles captent la grande masse des précipitations venant de l'Océan. C'est ainsi que la pluviométrie moyenne annuelle de la région de Colmar, avec moins de 500 mm, est la plus faible de France ! En été, cette chaîne fait obstacle à l'influence rafraîchissante des vents atlantiques, mais ce sont surtout les différents microclimats, nés des nombreuses sinuosités du relief, qui jouent un rôle prépondérant dans la répartition et la qualité des vignobles.

Une autre caractéristique de ce vignoble est la grande diversité de ses sols. Alors que dans un passé considéré comme récent par les géologues, même s'il remonte à quelque cinquante millions d'années, Vosges et Forêt-Noire formaient un seul ensemble, issu d'une succession de phénomènes tectoniques (immersions, érosions, plissements...), à partir de l'ère tertiaire, la partie médiane de ce massif a commencé à s'affaisser pour donner naissance, bien plus tard, à une plaine. Par suite de ce tassement, presque toutes les couches de terrain qui s'étaient accumulées au cours des différentes périodes géologiques ont été remises à nu sur la zone de rupture. Or, c'est surtout là que sont localisés les vignobles. C'est ainsi que la plupart des communes viticoles sont caractérisées par au moins quatre ou cinq formations de terrains différents.

L'histoire du vignoble alsacien se perd dans la nuit des temps, et les populations préhistoriques ont sans doute déjà dû tirer parti de la vigne, dont la culture proprement dite ne semble cependant dater que de la conquête romaine. L'invasion des Germains, au Ve s., entraîna un déclin passager de la viticulture, mais des documents écrits nous révèlent que les vignobles ont assez rapidement repris de l'importance, sous l'influence déterminante des évêchés, des abbayes et des couvents. Des documents antérieurs à l'an 900 mentionnent déjà plus de cent soixante localités où la vigne était cultivée.

Cette expansion se poursuivit sans interruption jusqu'au XVIe s., qui marqua l'apogée de la viticulture en Alsace. Les magnifiques maisons de style Renaissance que l'on rencontre encore dans maintes communes viticoles témoignent indiscutablement de la prospérité de ce temps, où de grandes quantités de vins d'Alsace étaient déjà exportées dans toute l'Europe. Mais la guerre de Trente Ans, période de dévastation par les armes, le pillage, la faim et la peste, eut des conséquences catastrophiques pour la viticulture, comme pour les autres activités économiques de la région.

La paix revenue, la culture de la vigne reprit peu à peu son essor, mais l'extension des vignobles se fit principalement à partir de cépages communs. Un édit royal de 1731 tenta bien de mettre fin à cette situation, mais sans grand succès. Cette tendance s'accentua encore après la Révolution, et la superficie du vignoble passa de 23 000 ha en 1808 à 30 000 ha en 1828. Il s'instaura une surproduction, aggravée par la disparition totale des exportations et par une diminution de la consommation du vin au profit de la bière. Par la suite, la concurrence des vins du Midi, facilitée par l'avènement des chemins de fer, ainsi que l'apparition et l'extension des maladies cryptogamiques, des vers de la grappe et du phylloxéra ne firent qu'augmenter toutes les difficultés. Il s'ensuivit, à partir de 1902, une diminution de la superficie du vignoble qui continua jusque vers 1948, année qui le vit tomber à 9 500 ha, dont 7 500 en appellation alsace.

L'essor économique de l'après-guerre et les efforts de la profession influèrent favorablement sur le développement du vignoble alsacien, qui possède actuellement, sur une superficie de quelque 14 500 ha, un potentiel de production de l'ordre de 1 210 000 hl en 2000 - dont 48 500 hl en grands crus et 157 000 hl en crémant d'Alsace -, commercialisés en France et à l'étranger, les exportations atteignant plus du quart des ventes totales. Ce développement a été l'œuvre de l'ensemble des diverses branches professionnelles qui mettent chacune sur le marché des quantités plus ou moins identiques de vin. Il s'agit des viticulteurs producteurs, des coopératives et des négociants (souvent eux-mêmes producteurs), qui achètent des quantités importantes à des viticulteurs ne vinifiant pas eux-mêmes leur récolte.

Tout au long de l'année, de nombreuses manifestations vinicoles se déroulent dans les diverses localités qui bordent la route du Vin. Celle-ci est un des attraits touristiques et culturels majeurs de la province. Le point culminant de ces manifestations est sans doute la Foire annuelle du vin d'Alsace qui a lieu en août à Colmar, précédée par celles de Guebwiller, d'Ammerschwihr, de Ribeauvillé, de Barr et de Molsheim. Mais il convient également de citer celle, particulièrement prestigieuse, de la confrérie Saint-Etienne, née au XIVe s. et restaurée en 1947.

Le principal atout des vins d'Alsace réside dans le développement optimal des constituants aromatiques des raisins, qui s'effectue souvent mieux dans des régions à climat tempéré frais, où la maturation est lente et prolongée. Leur spécificité dépend naturellement de la variété, et l'une des particularités de la région est la dénomination des vins d'après la variété qui les a produits, alors qu'en règle générale les autres vins français d'appellation d'origine contrôlée portent le nom de la région ou d'un site géographique plus restreint qui leur a donné naissance.

Les raisins, récoltés courant octobre, sont transportés le plus rapidement possible au chai pour y subir un foulage, parfois un égrappage, puis le pressurage. Le moût qui s'écoule du pressoir est chargé de « bourbes » qu'il importe d'éliminer le plus vite possible par sédimentation ou par centrifugation. Le moût clarifié entre ensuite en fermentation, phase au cours de laquelle on veille tout particulièrement à éviter un excès de température. Par la suite, le vin jeune et trouble demande de la part du viticulteur toute une série de soins : soutirage, ouillage, sulfitage raisonné, clarification. La conservation en cuves ou en fûts se poursuit ensuite jusque vers le mois de mai, époque à laquelle le vin subit son conditionnement final en bouteilles. Cette façon de procéder concerne la vendange destinée à l'obtention des vins blancs secs, c'est-à-dire plus de 90 % de la production alsacienne.

Les alsaces « vendanges tardives » et « sélection de grains nobles », eux, sont des productions issues de vendanges surmûries et ne constituent des appellations officielles que depuis 1984. Ils sont soumis à des conditions de production extrêmement rigoureuses, les plus exigeantes de toutes pour ce qui concerne le taux de sucre des raisins. Il s'agit évidemment de vins de classe exceptionnelle, qui ne peuvent être obtenus tous les ans et dont le prix de revient est très élevé. Seuls le gewurztraminer, le pinot gris, le riesling et plus rarement le muscat peuvent bénéficier de ces mentions spécifiques.

Dans l'esprit des consommateurs, le vin d'Alsace doit se boire jeune, ce qui est en grande partie vrai pour le sylvaner, le chasselas, le pinot blanc et l'edelzwicker ; mais cette jeunesse est loin d'être éphémère, et riesling, gewurztraminer, pinot gris ont souvent intérêt à n'être consommés qu'après deux ans d'âge. Il n'existe en réalité aucune règle fixe à cet égard, et certains grands vins, nés au cours des années de grande maturité des raisins, se conservent beaucoup plus longtemps, des dizaines d'années parfois.

L'appellation alsace, applicable dans l'ensemble des cent dix aires de production communales, est subordonnée à l'utilisation de onze cépages : gewurztraminer, riesling rhénan, pinot gris, muscats blanc et rose à petits grains, muscat ottonel, pinot blanc vrai, auxerrois blanc, pinot noir, sylvaner blanc, chasselas blanc et rose.

Alsace klevener de heiligenstein

Le klevener de heiligenstein n'est autre que le vieux traminer (ou savagnin rose) connu depuis des siècles en Alsace.

Il a fait place progressivement à sa variante épicée ou « gewurztraminer » dans l'ensemble de la région, mais est resté vivace à Heiligenstein et dans cinq communes voisines.

Il constitue une originalité par sa rareté et son élégance. Ses vins sont en effet à la fois très bien charpentés et discrètement aromatiques.

ANDRE DOCK Cuvée Tentation 1999★★

☐ 0,2 ha 800 11 à 15 €

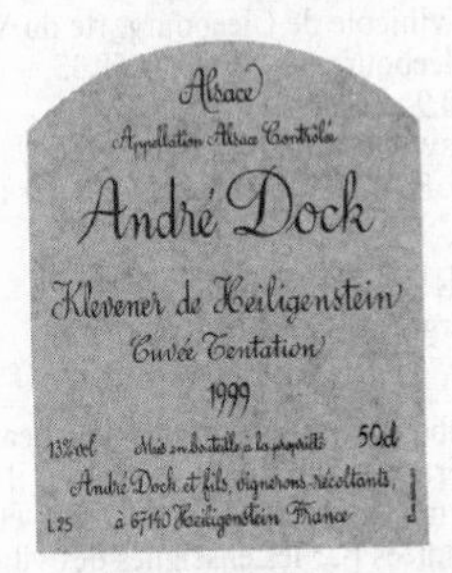

S'il fait partie de la famille des savagnins, le klevener de heiligenstein, à la différence du gewurztraminer, n'est pas aromatique. Néanmoins, il dévoile un fruité fin et élégant. Ce vin en est l'illustration. Sa robe jaune d'or laisse présager sa grande maturité. Au nez, les senteurs de fruits confits dominent, associées à des arômes de poire mêlés d'ananas qui lui confèrent une rare distinction. Parfaitement harmonieux, ce 99 est riche et ample. Un délice... (Sucres résiduels : 50 g/l ; bouteilles de 50 cl.) (70 à 99 F)

André et Christian Dock, 20, rue Principale, 67140 Heiligenstein, tél. 03.88.08.02.69, fax 03.88.08.19.72 ☑ Y t.l.j. 8h-12h 13h-18h

DOM. DOCK Cuvée Prestige 1999

☐ 1,2 ha 8 000 5 à 8 €

Le domaine Dock, propriétaire de 9 ha sur la commune de Heiligenstein, exporte une part non négligeable de sa production dans les pays du nord de l'Europe (Allemagne, Pays-Bas, Belgique). Il propose dans le millésime 99 une cuvée jaune clair à or pâle, limpide et de grande brillance. Si ce vin n'est pas encore très intense au nez et reste sur sa réserve en fin de bouche, il est bien fait et épicé. (Sucres résiduels : 10 g/l.) (30 à 49 F)

André et Christian Dock, 20, rue Principale, 67140 Heiligenstein, tél. 03.88.08.02.69, fax 03.88.08.19.72 ☑ Y t.l.j. 8h-12h 13h-18h

PAUL DOCK Cuvée Prestige 1999★

☐ 0,3 ha 2 000 8 à 11 €

La production de klevener de heiligenstein est limitée au village éponyme et à quatres communes environnantes : Bourgheim, Gertwiller, Goxwiller et Obernai. Ce vignoble se situe à quelques kilomètres au nord de Barr, au pied du mont Sainte-Odile. Chez Paul Dock, c'est un vin jaune doré, révélateur de la maturité du raisin, qui est né à Heiligenstein. Il exhale des arômes de poire et de coing. La bouche est en parfait accord avec le nez : « Que de fruits ! », dit l'un des dégustateurs. Ce vin est issu de vendanges surmûries, ce qui explique son moelleux, en harmonie avec sa structure. (Sucres résiduels : 33 g/l.) (50 à 69 F)

Paul Dock, 55, rue Principale, 67140 Heiligenstein, tél. 03.88.08.02.49, fax 03.88.08.02.49 ☑ Y t.l.j. 9h-11h30 13h30-19h

DANIEL RUFF L'Authentique 1999*

☐ 0,6 ha 4 000 [8 à 11 €]

C'est en 1742 que le maire d'Heiligenstein, Ehrhard Wantz, rapporta le klevener du nord de l'Italie. Aussi apprécié fût-il, ce cépage connut au début du XX^{e}s. un déclin sensible, tant et si bien qu'il ne représentait plus que 3 ha en 1970. Après sa reconnaissance en appellation alsace, il put heureusement reconquérir le terroir argilo-siliceux, bien drainé et sec, qui lui convient. L'Authentique klevener, Daniel Ruff l'a réussi. Jaune soutenu, son vin exprime déjà les caractères du cépage. En bouche, il présente un équilibre harmonieux et dévoile une grande matière en finale. Prêt à boire, il peut aussi patienter pour atteindre son plein épanouissement. (Sucres résiduels : 11 g/l.) (50 à 69 F)

Dom. Daniel Ruff, 64, rue Principale, 67140 Heiligenstein, tél. 03.88.08.10.81, fax 03.88.08.43.61 r.-v.

Alsace sylvaner

Les origines du sylvaner sont très incertaines, mais son aire de prédilection a toujours été limitée au vignoble allemand et à celui du Bas-Rhin en France. En Alsace même, c'est un cépage extrêmement intéressant grâce à son rendement et à sa régularité de production.

Son vin est d'une remarquable fraîcheur, assez acide, doté d'un fruité discret. On trouve en réalité deux types de sylvaner sur le marché. Le premier, de loin supérieur, provient de terroirs bien exposés et peu enclins à la surproduction. Le second est apprécié par ceux qui aiment un type de vin sans prétention, agréable et désaltérant. Le sylvaner accompagne volontiers choucroute, hors-d'œuvre et entrées, de même que les fruits de mer, tout spécialement les huîtres.

CAVE VINICOLE D'ANDLAU-BARR
Mittelbergheim 1999

☐ n.c. 10 000 [3 à 5 €]

Le zotzenberg est un terroir exposé au sud, dont le sol mêle des calcaires jurassiques et des conglomérats marno-calcaires. La cave vinicole y a produit un sylvaner aux arômes de fruits exotiques (agrume, mangue) et confits. D'attaque assez vive, ce vin fait preuve d'équilibre et d'une persistance moyenne. (20 à 29 F)

Cave vinicole d'Andlau et environs, 15, av. des Vosges, 67140 Barr, tél. 03.88.08.90.53, fax 03.88.08.41.79 r.-v.

PATRICK BEYER 1999**

☐ 0,5 ha 3 000 [3 à 5 €]

La commune d'Epfig est connue pour l'exploitation du bois depuis le VIII^{e}s. ; en outre son église romane Sainte-Marguerite présente un grand intérêt. Lors de votre visite, ne manquez pas l'exploitation de Patrick Beyer dont le sylvaner, issu d'un terroir argilo-calcaire, est remarquable. En effet, ses arômes de fruits frais et de pain grillé se libèrent intensément et de manière persistante. De bonne attaque en bouche, ce vin ample développe une fine fraîcheur, avant de conclure sur une note de noisette. Un jeune membre du jury s'exclame : « J'adore ! » (20 à 29 F)

Patrick Beyer, 27, rue des Alliés, 67680 Epfig, tél. 03.88.85.50.21, fax 03.88.57.81.46 r.-v.

E. BOECKEL
Mittelbergheim Vieilles vignes 1999*

☐ 1 ha 10 000 [5 à 8 €]

L'étiquette dessinée par C. Spindler rappelle l'ancienne tradition de la maison Boeckel et de son sylvaner issu du grand Zotzenberg et de ses environs. Ce 99 décline une palette aromatique composée de notes végétales et de nuances d'agrumes, puis s'ouvre sur le registre des fruits confits. Son attaque franche et bien fraîche annonce une matière de bonne tenue où les arômes de pêche et d'abricot sont mis en valeur. Un beau vin typé, agréable et chaleureux. (30 à 49 F)

Emile Boeckel, 2, rue de la Montagne, 67140 Mittelbergheim, tél. 03.88.08.91.91, fax 03.88.08.91.88, e-mail vins.boeckel@proveis.com r.-v.

CAVE DE CLEEBOURG 1999

☐ 16,36 ha 24 000 [3 à 5 €]

Créée en 1946 pour sauver la viticulture dans le nord de l'Alsace, la cave de Cléebourg regroupe plus de 180 ha grâce aux nombreux adhérents de la région. Cette cuvée provient d'un terroir argilo-sableux. Typée du cépage dans ses expressions végétales (foin coupé), elle donne une sensation d'équilibre avec une légère amertume en finale. (20 à 29 F)

Cave vinicole de Cléebourg, rte du Vin, 67160 Cléebourg, tél. 03.88.94.50.33, fax 03.88.94.57.08, e-mail cave.cleebourg@wanadoo.fr t.l.j. 8h-12h 14h-18h; groupes sur r.-v.

GERARD DOLDER
Mittelbergheim 1999***

☐ 0,56 ha 5 300 [5 à 8 €]

Mittelbergheim est l'un des plus beaux villages de France. Dominant la plaine, il possède de jolies maisons des XVIe et XVII^{e}s., et ses rues sont rythmées par les enseignes des viticulteurs. Ne serait-il pas en outre la capitale du sylvaner ? La cuvée de Gérard Dolder le laisse imaginer. Retenue au premier nez, elle s'ouvre ensuite sur des notes florales, fruitées et épicées ; en bouche, le dégustateur a l'impression de mordre dans une pomme mûre et croquante. Le bel équilibre se poursuit jusque dans une longue finale. (30 à 49 F)

Gérard Dolder, 29, rue de la Montagne, 67140 Mittelbergheim, tél. 03.88.08.02.94, fax 03.88.08.55.86 ☑ Y t.l.j. 9h-12h 14h-18h

PAUL FAHRER
Réserve des Coteaux du Haut-Kœnigsbourg 1999

☐ 0,2 ha 1 800 3à5€

Le village d'Orschwiller est situé au pied du Haut-Kœnigsbourg qui est le château médiéval d'Alsace le plus connu et le plus visité. Cette exploitation familiale, créée il y a plus de soixante ans, compte 6 ha de vignes. Ce vin aux nuances végétales, s'ouvre progressivement sur le fruit. Franc en attaque, il est équilibré et structuré, avec une finale légèrement citronnée. (20 à 29 F)

Paul Fahrer, 3, pl. de La Mairie, 67600 Orschwiller, tél. 03.88.92.86.57, fax 03.88.92.20.41 ☑ Y r.-v.

CHARLES FREY Frauenberg 1999★

☐ 0,5 ha 4 000 5à8€

Etablis à Dambach, cité entourée de remparts médiévaux, les Frey pratiquent une viticulture biodynamique. Issu d'un terroir d'arènes granitiques, leur sylvaner dévoile des arômes fins, presque discrets. La bouche, bien équilibrée, se développe agréablement, avec une bonne persistance sur une note vive. (30 à 49 F)

EARL Charles et Dominique Frey, 4, rue des Ours, 67650 Dambach-la-Ville, tél. 03.88.92.41.04, fax 03.88.92.62.23, e-mail frey.dom.bio@wanadoo.fr ☑ Y t.l.j. sf dim. 9h-12h 13h30-18h

JEAN-MARIE HAAG
Vallée Noble Vieilles vignes 1999★

☐ 0,5 ha 5 200 5à8€

Soultzmatt est connu pour ses eaux minérales et pour ses grands vins. Les unes pour la soif, les autres pour le plaisir de déguster. Ce jeune viticulteur, installé depuis 1988, propose un sylvaner de la Vallée Noble. Typé du cépage, fin au nez, son vin s'ouvre progressivement. Il dévoile un bon équilibre et de la souplesse grâce à une acidité bien fondue. (30 à 49 F)

Jean-Marie Haag, 17, rue des Chèvres, 68570 Soultzmatt, tél. 03.89.47.02.38, fax 03.89.47.64.79, e-mail jean-marie.haag@wanadoo.fr ☑ Y t.l.j. 9h-12h 14h-18h; dim. et groupes sur r.-v.

JEAN HIRTZ ET FILS
Mittelbergheim 1999★

☐ 0,3 ha 1 200 3à5€

Riche de trois siècles d'histoire et d'expériences, cette exploitation familiale, reprise en 1989 par Edy Hirtz, regroupe aujourd'hui 7,5 ha de vignes. Son sylvaner de Mittelbergheim livre des arômes fins, encore retenus. En bouche, l'ampleur est plus marquée. L'équilibre parfait se poursuit dans une finale de bonne longueur. (20 à 29 F)

GAEC Jean Hirtz et Fils, 13, rue Rotland, 67140 Mittelbergheim, tél. 03.88.08.47.90, fax 03.88.08.47.90 ☑ Y t.l.j. 9h-12h 13h30-19h

LANDMANN Zellberg 1999★★★

☐ 1 ha 6 000 5à8€

Le domaine Landmann est né en 1995 de la fusion de deux exploitations familiales. Depuis, le siège et la cave du XVII[e]s. ont bénéficié d'une rénovation complète. Ces efforts trouvent une récompense dans la qualité de ce sylvaner de Zellberg. Les arômes typés du cépage sont complétés par des notes de poivre et de coing. Bien charpenté et souple, ce vin s'étire avec finesse et puissance. Il se distingue par sa persistance. (30 à 49 F)

Armand Landmann, 74, rte du Vin, 67680 Nothalten, tél. 03.88.92.41.12, fax 03.88.92.41.12 ☑ Y r.-v.

DOM. DE LA VIEILLE FORGE 1999

☐ 0,15 ha 1 200 5à8€

Situé à l'emplacement de la vieille forge de l'arrière-grand-père, cette cave a été créée par un jeune œnologue en 1998. Ce sylvaner fait partie du deuxième millésime qu'il vinifie. Net, fin, un peu fermé au nez, il paraît plutôt rond en bouche, mais n'est pas encore épanoui. Il devrait l'être à la sortie du Guide. (30 à 49 F)

SCEA Wiehle, Dom. de la Vieille Forge, 5, rue de Hoen, 68980 Beblenheim, tél. 03.89.86.01.58, fax 03.89.47.86.37 ☑ Y r.-v.

Alsace pinot ou klevner

Sous ces deux dénominations (la seconde étant un vieux nom alsacien), le vin de cette appellation peut provenir de plusieurs cépages : le pinot blanc vrai et l'auxerrois blanc. Ce sont deux variétés assez peu exigeantes, capables de donner des résultats remarquables dans des situations moyennes, car leurs vins allient agréablement fraîcheur, corps et souplesse. En une dizaine d'années, leur superficie a presque doublé, passant de 10 à 18 % de l'ensemble du vignoble.

Dans la gamme des vins d'Alsace, le pinot blanc représente le juste milieu, et il n'est pas rare qu'il surclasse certains rieslings. Du point de vue gastronomique, il s'accorde avec de nombreux plats, à l'exception des fromages et des desserts.

PIERRE ARNOLD Auxerrois 1999

☐ 0,35 ha 2 500 5à8€

En Alsace, nombre de domaines familiaux ont deux ou trois siècles d'existence : celui-ci remonte par exemple à 1711. Pierre Arnold exploite 6,5 ha de vignes. Il fait vieillir ses vins dix mois en fût de chêne. Son auxerrois possède un nez franc qui s'ouvre sur un beau fruité. Equilibré, typé et persistant, il révèle une matière de qualité. Un vin prometteur. (30 à 49 F)

Pierre Arnold, 16, rue de la Paix, 67650 Dambach-la-Ville, tél. 03.88.92.41.70, fax 03.88.92.62.95 ☒ Y t.l.j. 9h-19h; dim. sur r.-v.

A. L. BAUR 1999

☐ 0,56 ha 6 000 5à8€

Ce pinot blanc est né à Voegtlinshoffen, belvédère dominant le vignoble et la plaine d'Alsace à plus de 300 m d'altitude. Avec sa robe pâle, son nez franc et fruité, son palais d'une persistance moyenne mais équilibré, il représente assez bien le cépage. Une cuvée de la même variété avait obtenu un coup de cœur dans l'édition 1999 du Guide. (30 à 49 F)

A. L. Baur, 4, rue Roger-Frémeaux, 68420 Voegtlinshoffen, tél. 03.89.49.30.97, fax 03.89.49.21.37 ☒ Y r.-v.

AIME CARL Roetel Auxerrois 1999

☐ n.c. n.c. 3à5€

Cette exploitation, passée de la polyculture à la viticulture il y a une cinquantaine d'années, fait son entrée dans le Guide avec l'installation du fils (1999). Son pinot auxerrois, relativement discret au nez, affiche davantage de fruité en bouche. De bon équilibre, il est bien caractéristique du cépage. (20 à 29 F)

Alexandre Carl, 2, rue Saint-Sébastien, 67650 Dambach-la-Ville, tél. 03.88.92.60.51, fax 03.88.92.61.52 ☒ Y r.-v.

MICHEL DIETRICH Auxerrois Cuvée du Printemps 1999*

☐ 0,6 ha 4 000 3à5€

Dambach-la-Ville a gardé de l'époque médiévale des remparts entourés de fossés et trois portes tours. Ses rues étroites sont bordées de vieilles maisons de vignerons, comme celle de Michel Dietrich. Sa cuvée du Printemps, née de l'auxerrois, cépage un peu plus précoce que le pinot, apparaît quelque peu atypique par son expression empyreumatique. Le fruité reste discret. Ample et équilibré, un vin plaisant. A découvrir. (20 à 29 F)

Michel Dietrich, 3, rue des Ours, 67650 Dambach-la-Ville, tél. 03.88.92.41.31, fax 03.88.92.62.88 ☒ Y t.l.j. sf dim. 9h-11h30 13h30-19h30

DREYER Eguisheim 1999**

☐ 0,8 ha 6 000 3à5€

Les Dreyer habitent rue de Hautvillers : Eguisheim, berceau présumé du vignoble alsacien, est jumelé avec celui du champagne. Ces producteurs proposent un excellent pinot blanc, dans la lignée du millésime précédent, qui avait obtenu la même note. Sur sa réserve au premier nez, ce 99 s'ouvre ensuite sur un beau fruité, franc et net. Typé du cépage, il est déjà ample et fait preuve d'une agréable rondeur. Un vin très séduisant, que l'on pourra marier avec une viande blanche en sauce. (20 à 29 F)

GAEC Robert Dreyer et Fils, 17, rue de Hautvillers, 68420 Eguisheim, tél. 03.89.23.12.18, fax 03.89.41.61.45 ☒ Y r.-v.

DOM. ANDRE EHRHART 1999

☐ 0,35 ha 2 500 3à5€

Ce domaine familial est établi au centre de Wettolsheim, près de Colmar, dans une maison à colombage de 1737. Son pinot blanc a été jugé tout aussi typique par ses arômes d'abord sur leur réserve, puis plus puissants. Fruité, agréable par son équilibre et sa persistance au palais, il pourra accompagner tout un repas. (20 à 29 F)

André Ehrhart et Fils, 68, rue Herzog, 68920 Wettolsheim, tél. 03.89.80.66.16, fax 03.89.79.44.20 ☒ Y t.l.j. sf dim. 8h-11h30 14h-18h

FRITZ Auxerrois 1999*

☐ 0,3 ha 3 000 5à8€

Le vignoble d'Ottrott, qui s'étend au pied des châteaux de Lutzelbourg et de Rathsamhausen, est un des fiefs du pinot noir. On voit pourtant, avec cet auxerrois, que les cépages blancs peuvent donner dans ces terroirs de jolies bouteilles. Ce 99 offre des arômes intenses mêlant le bourgeon de cassis, la prune et même des notes un peu briochées. Vineux en bouche, c'est un pinot blanc qui sort des sentiers battus. (30 à 49 F)

Fritz-Schmitt, 1, rue des Châteaux, 67530 Ottrott, tél. 03.88.95.98.06 ☒ Y r.-v.

Schmitt

KIENTZLER Ribeauvillé 1999*

☐ 2,5 ha 9 200 5à8€

Vous trouverez cette cave à l'écart de la ville, telle une île au cœur d'une mer de vignes. André

Kientzler y vinifie méticuleusement et sereinement la production des 11 ha de son domaine. Son pinot blanc livre des arômes intenses de fruits mûrs. Puissant, toujours fruité, le palais est équilibré. Un vin agréable et harmonieux qui conviendra particulièrement aux viandes blanches. (30 à 49 F)

André Kientzler, 50, rte de Bergheim, 68150 Ribeauvillé, tél. 03.89.73.67.10, fax 03.89.73.35.81 r.-v.

PIERRE KOCH ET FILS Auxerrois 1999*

☐ 0,7 ha 6 000 3à5€

Village-rue, Nothalten possède deux fontaines d'époque Renaissance. Pierre et François Koch exploitent 12 ha de vignes aux environs. Né du cépage auxerrois, ce 99 s'ouvre sur des arômes de fruits avec une fine nuance épicée. On retrouve ce fruité typé en bouche. Le palais, équilibré, révèle une pointe de fraîcheur. Un vin harmonieux et gouleyant. (20 à 29 F)

Pierre et François Koch, 2, rte du Vin, 67680 Nothalten, tél. 03.88.92.42.30, fax 03.88.92.62.91 t.l.j. 9h-12h 13h30-18h

DOM. DE LA SINNE 1999

☐ 0,5 ha 4 000 3à5€

Conduit en biodynamie, ce domaine de 11 ha propose un pinot blanc aux arômes frais et fruités. Le palais révèle un assez bon équilibre - quelque peu troublé cependant par le sucre restant - et une belle longueur. Une pointe d'amertume se manifeste en finale. (20 à 29 F)

GAEC Jérôme Geschickt et Fils, 1, pl. de la Sinne, 68770 Ammerschwihr, tél. 03.89.47.12.54, fax 03.89.47.34.76, e-mail geschickt@wanadoo.fr r.-v.

FRANCOIS LICHTLE Hohrain 1999***

☐ 0,18 ha 1 200 5à8€

Entouré de vignobles et dominé par la silhouette des donjons des trois châteaux du Haut-Eguisheim, Husseren-les-Châteaux correspond au point culminant (390 m) du vignoble alsacien. Quant à ce pinot blanc, né dans le terroir argilo-gréseux du Hohrain, il atteint lui aussi des sommets. Qu'il soit noir ou blanc (voir édition 2000 du Guide), François Lichtlé sait décidément jouer du pinot ! Vinifié en foudre conformément à la tradition, ce 99 offre une symphonie aux notes fruitées et épicées. Au palais, fraîcheur, gras et puissance composent un ensemble équilibré, harmonieux et élégant. Un vin surprenant, à découvrir. (30 à 49 F)

Dom. François Lichtlé, 17, rue des Vignerons, 68420 Husseren-les-Châteaux, tél. 03.89.49.31.34, fax 03.89.49.37.51, e-mail hlichtle@aol.com r.-v.

CH. OLLWILLER

Clos de La Tourelle 1999**

☐ n.c. 10 000 5à8€

Les raisins récoltés au château d'Ollwiller, dans la partie méridionale du vignoble alsacien, sont vinifiés et commercialisés par la Cave du Vieil-Armand. Ce 99 se distingue par ses arômes de surmaturation agrémentés de fines notes épicées. Produit d'une bonne matière première, il est intensément fruité, équilibré, avec un brin de fraîcheur en finale. Une bouteille bien sympathique. (30 à 49 F)

Cave vinicole du Vieil-Armand, 3, rte de Cernay, 68360 Soultz-Wuenheim, tél. 03.89.76.73.75, fax 03.89.76.70.75 r.-v.

JEAN RAPP Muhlweg Auxerrois 1999

☐ 0,36 ha 1 500 5à8€

Héritier d'une lignée de vignerons remontant à 1765, Jean Rapp s'est installé en 1975. Il exploite 8 ha dans le nord du vignoble alsacien. Son domaine fait son entrée dans le Guide avec un auxerrois marqué par un vieillissement de vingt mois en foudre. L'élevage se traduit par des notes boisées aux nuances de noisette que l'on retrouve en première bouche. L'attaque est vive malgré une bonne structure. Un vin racé, atypique, qui ne peut laisser indifférent. (30 à 49 F)

Jean Rapp, 1, faubourg des Vosges, 67120 Dorlisheim, tél. 03.88.38.28.43, fax 03.88.38.28.43 r.-v.

HUBERT REYSER 1999**

☐ 1 ha 6 000 5à8€

Provenant du tronçon septentrional de la route des Vins, à l'ouest de Strasbourg, ce klevner est plein de fraîcheur et de fruits mûrs. Ces arômes s'affirment au palais. Malgré une pointe de vivacité, signe de jeunesse, ce 99 est bien vinifié, typé et agréable. (30 à 49 F)

EARL Hubert Reyser, 26, rue de la Chapelle, 67520 Nordheim, tél. 03.88.87.76.38, fax 03.88.87.59.67 r.-v.

LUCAS ET ANDRE RIEFFEL

Klevner Vieilles vignes 1999

☐ 0,4 ha 3 300 5à8€

Bien que discrets, les arômes de ce pinot sont purs et frais, avec une légère note mentholée. Agréable, axé sur la rondeur, un vin typé et gouleyant. « L'esprit du pinot », conclut un membre du jury. (30 à 49 F)

Lucas et André Rieffel, 11, rue Principale, 67140 Mittelbergheim, tél. 03.88.08.95.48, fax 03.88.08.28.94 r.-v.

EMILE SCHILLINGER 1999

☐ 0,2 ha 2 400 3à5€

Un clocher roman à trois étages datant du XIIes. domine tout le village et le vignoble de Gueberschwihr. C'est dans ce paysage charmant que s'inscrit cette exploitation de 5,5 ha. Son pinot blanc a retenu l'attention des dégustateurs. Un vin clair, limpide, net, un peu discret et pourtant quelque peu surprenant et surtout... agréable à boire. N'est-ce-pas l'essentiel ? (20 à 29 F)

EARL Emile Schillinger, 2, rue de la Chapelle, 68420 Gueberschwihr, tél. 03.89.47.91.59, fax 03.89.47.91.75 r.-v.

CAVE FRANCOIS SCHMITT 1999★★

0,33 ha 3 000 3à5€

En 1972, François Schmitt a repris la ferme familiale de 3 ha. Il a porté sa superficie à 11 ha et en a fait, avec sa femme et aujourd'hui son fils Frédéric, une exploitation viticole dynamique. Le pinot blanc du domaine est un modèle du genre. L'or de la robe invite à humer le verre. Le nez bien fruité, avec des nuances exotiques et épicées, confirme cette première impression. Quant au palais, il est gras et frais à la fois, ample, aromatique et d'une remarquable persistance. Une belle harmonie. (20 à 29 F)

Cave François Schmitt, 19, rte de Soultzmatt, 68500 Orschwihr, tél. 03.89.76.08.45, fax 03.89.76.44.02 r.-v.

PIERRE SCHUELLER ET FILS 1999

0,3 ha 3 300 3à5€

En cent cinquante ans d'existence, ce domaine a connu quatre générations de vignerons. Il est situé à 300 m d'altitude et domine la plaine d'Alsace. Son pinot auxerrois délivre un fruité encore discret et cependant plaisant. En bouche, il n'est pas des plus longs, mais montre un bon équilibre et des nuances typées du cépage. (20 à 29 F)

Dom. Pierre Schueller, 4, rte du Vin, 68420 Husseren-les-Châteaux, tél. 03.89.49.30.36, fax 03.89.49.30.36 r.-v.

SPITZ ET FILS Auxerrois Sélection 1999★★

0,35 ha 4 400 5à8€

Dominique et Marie-Claude Spitz sont à la tête d'une exploitation de 10 ha depuis 1983. Leur savoir-faire leur a valu maintes étoiles dans le Guide (elles viennent souvent par deux !). Voyez cet auxerrois : son fruité d'agrumes et de pêche révèle une belle maturité. La suite de la dégustation confirme cette entrée en matière encourageante : typique, équilibrée, riche, assez vineuse, toujours intensément aromatique, la bouche se prolonge sur une note de surmaturation et laisse augurer un bon potentiel de garde. (30 à 49 F)

Spitz et Fils, 2-4, rte des Vins, 67650 Blienschwiller, tél. 03.88.92.61.20, fax 03.88.92.61.26 r.-v.

Dominique & Marie-Claude Spitz

GERARD STINTZI 1999

1,6 ha 9 000 5à8€

Un nouveau dans le Guide ? Non ! On a vu cette exploitation dans l'édition 1987, puis... plus de nouvelles. Entre-temps, ces vignerons ont aménagé deux caves, dont une à tonneaux, agrandi leur propriété (8 ha aujourd'hui), et la nouvelle génération se prépare à la succession. Que dire de ce pinot ? Il est bien fruité, avec quelques notes évoluées, ample, gras, équilibré. « Vin typique d'un terroir argilo-calcaire », écrit un dégustateur. Il a vu juste. (30 à 49 F)

EARL Gérard Stintzi, 29, rue Principale, 68420 Husseren-les-Châteaux, tél. 03.89.49.30.10, fax 03.89.49.34.99 r.-v.

ANTOINE STOFFEL Auxerrois 1999★★

0,72 ha 5 700 5à8€

Située en plein vignoble d'Eguisheim, cette exploitation compte un peu moins de 8 ha en production. A. Stoffel reste attaché aux techniques traditionnelles qu'il applique avec savoir-faire depuis près de quarante ans. Il a tiré de l'auxerrois un vin au nez intense de fleurs blanches, un peu poivré. Frais et souple à l'attaque, le palais s'ouvre sur des fruits à dominante confite. Sa matière est séveuse et d'une persistance remarquable. (30 à 49 F)

Antoine Stoffel, 21, rue de Colmar, 68420 Eguisheim, tél. 03.89.41.32.03, fax 03.89.24.92.07 t.l.j. sf dim. 8h-12h 14h-18h

CAVE DE TURCKHEIM Rotenberg 1999★

2,5 ha 26 000 5à8€

Produit sur un sol argilo-calcaire, ce pinot apparaît très discret au premier nez, puis s'ouvre progressivement pour évoquer un panier de fruits exotiques. Ample, riche, équilibré et persistant au palais, il finit sur une pointe d'amertume. (30 à 49 F)

Cave de Turckheim, 16, rue des Tuileries, 68230 Turckheim, tél. 03.89.30.23.60, fax 03.89.27.06.25 r.-v.

CHARLES WANTZ Auxerrois "R" 1999★

1 ha 6 000 5à8€

Dirigée par Erwin Moser et sa femme, la maison de négoce Ch. Wantz possède aussi un vignoble à Barr. Elle propose un auxerrois au premier nez bien sympathique avec ses notes de fruits frais. L'intensité aromatique se maintient en bouche et s'allie à une petite rondeur tout aussi agréable. (30 à 49 F)

Charles Wantz, 36, rue Saint-Marc, 67140 Barr, tél. 03.88.08.90.44, fax 03.88.08.54.61, e-mail eliane.moser@fnac.net r.-v.

ZEYSSOLFF Auxerrois 1999

2 ha 12 000 5à8€

Réputé pour ses pains d'épice (*Lebküchle*), le village de Gertwiller produit également des vins dignes d'intérêt, tel cet auxerrois né sur un terroir argilo-calcaire et sableux. Mêlant la pêche blanche, la pâte de fruits et le miel, sa palette aromatique est riche et complexe. Plaisant à l'attaque, le palais montre un caractère rond et corsé en finale. (30 à 49 F)

G. Zeyssolff, 156, rte de Strasbourg, 67140 Gertwiller, tél. 03.88.08.90.08, fax 03.88.08.91.60, e-mail yuav.zeyssolff@wanadoo.fr r.-v.

Alsace riesling

Le riesling est le cépage rhénan par excellence, et la vallée du Rhin est son berceau. Il s'agit d'une variété tardive pour la région, dont la production est régulière et bonne. Elle occupe près de 22 % du vignoble.

Le riesling alsacien est un vin sec, ce qui le différencie de façon générale de son homologue allemand. Ses atouts résident dans l'harmonie entre son bouquet et son fruité délicats, son corps et son acidité assez prononcée mais extrêmement fine. Mais pour atteindre cet apogée, il devra provenir d'une bonne situation.

Le riesling a essaimé dans de nombreux autres pays viticoles, où la dénomination riesling, sauf si l'on précise « riesling rhénan », n'est pas totalement fiable : une dizaine d'autres cépages ont, de par le monde, été baptisés de ce nom ! Du point de vue gastronomique, le riesling convient tout particulièrement aux poissons, aux fruits de mer et, bien entendu, à la choucroute garnie à l'alsacienne ou au coq au riesling chaque fois qu'il ne contient pas de sucres résiduels ; les sélections de grains nobles et vendanges tardives se prêtent aux accords des vins liquoreux.

ALLIMANT-LAUGNER 1999

☐ 2,6 ha 21 000 5à8€

Situé aux confins du Haut-Rhin, Orschwiller est l'un des villages qui s'égrènent au pied du Haut-Kœnigsbourg. Hubert Laugner, qui a repris le domaine familial en 1984, y exploite plus de 11 ha de vignes. Son riesling offre un nez d'abord discret et fin, qui s'ouvre sur la pêche blanche et les fruits exotiques. Bien équilibré, il reste intéressant par son équilibre et ses arômes de fruits. (Sucres résiduels : 5 g/l.) (30 à 49 F)

Allimant-Laugner, 10, Grand-Rue, 67600 Orschwiller, tél. 03.88.92.06.52, fax 03.88.82.76.38, e-mail alaugner@terre-net.fr
t.l.j. sf dim. 8h-19h
Hubert Laugner

DOM. YVES AMBERG
Damgraben Vieilles vignes 1999

☐ 1 ha 5 000 5à8€

Yves Amberg ne ménage pas ses efforts tant à la vigne qu'à la cave, et sa production est régulièrement saluée, parfois aux meilleures places. Ce riesling du Damgraben a été cité dans le millésime précédent. Le 99 présente une belle nuance citronnée assortie d'une légère marque minérale. La bouche prolonge le nez ; équilibrée, elle allie fraîcheur typée et souplesse agréable. (Sucres résiduels : 6 g/l.) (30 à 49 F)

Yves Amberg, 19, rue Fronholz, 67680 Epfig, tél. 03.88.85.51.28, fax 03.88.85.52.71 r.-v.

COMTE D'ANDLAU-HOMBOURG 1999★

☐ n.c. 4 000 5à8€

Propriété des comtes d'Andlau-Hombourg, ce domaine viticole remonte au XIIᵉs. La fraîcheur est le fil conducteur de son riesling, un vin équilibré et tout en finesse. Sa réussite réside dans son fruité ; des notes de pêche blanche et d'agrumes lui confèrent race et élégance. (Sucres résiduels : 3,4 g/l.) (30 à 49 F)

Comtes d'Andlau-Hombourg, Château d'Ittenwiller, 67140 Saint-Pierre, tél. 03.88.08.13.30, fax 03.88.08.13.30 r.-v.

MARC ANSTOTZ Cuvée Catherine 1999★★

☐ 0,6 ha 1 800 5à8€

Situé à l'ouest de Strasbourg, Balbronn mérite une visite, tant pour son église romane fortifiée que pour ce domaine, dont la cave recèle non seulement des foudres anciens sculptés, mais aussi cette remarquable cuvée, malheureusement confidentielle. Issu d'un terroir argilo-calcaire à gypse, ce riesling affiche un nez dominé par des notes d'agrumes un brin surmûris, que l'on retrouve en bouche. Après une attaque vive, le vin montre un très bon équilibre. Les nuances d'agrumes s'amplifient et accompagnent la longue finale. (Sucres résiduels : 12 g/l.) (30 à 49 F)

EARL Anstotz et Fils, 51, rue Balbach, 67310 Balbronn, tél. 03.88.50.30.55, fax 03.88.50.58.06 r.-v.
Marc Anstotz

LEON BAUR Elisabeth Stumpf 1999

☐ 1,2 ha 10 000 5à8€

La cité médiévale d'Eguisheim, l'un des berceaux du vignoble, s'ordonne en trois cercles concentriques autour de son château. C'est dans le secteur nord, rue des Remparts, que vous trouverez le siège de cette exploitation familiale. Sa cuvée Elisabeth Stumpf, au nez fin et fruité, typé pamplemousse et ananas, révèle une matière légère. Elle allie souplesse et fraîcheur. (Sucres résiduels : 7 g/l.) (30 à 49 F)

Jean-Louis Baur, 22, rue du Rempart-Nord, 68420 Eguisheim, tél. 03.89.41.79.13, fax 03.89.41.93.72 r.-v.

BESTHEIM Rebgarten 1999★

☐ 12 ha 120 000 🍷 5à8€

Rebgarten signifiant « jardin de vignes », les lieux-dits portant ce nom sont légion en Alsace. Celui-ci est situé sur des sols granitiques. Il a donné un riesling dont les expressions florales et minérales, bien que discrètes, reflètent ce terroir. Un vin qui n'atteint sans doute pas des sommets de complexité, mais qui se montre bien typé, équilibré, nerveux et fin : un ensemble aussi classique que prometteur. (Sucres résiduels : 10 g/l.) (30 à 49 F)

🔑 Cave de Bestheim-Bennwihr,
3, rue du Gal-de-Gaulle, 68630 Bennwihr,
tél. 03.89.49.09.29, fax 03.89.49.09.20,
e-mail bestheim@gofornet.com ☑ 🍷 r.-v.

JOSEPH CATTIN 1999★

☐ 6 ha 48 000 🛢 5à8€

Les frères Jacques et Jean-Marie Cattin sont à la tête de ce domaine depuis 1978. Leur grand-père Joseph fut déjà un viticulteur de talent. Ce riesling, au nez intense de fleurs blanches et de fruits jaunes, affiche une belle structure équilibrée entre rondeur et fraîcheur, avec une finale bien longue. Un alsace expressif et de bonne ampleur. (Sucres résiduels : 5 g/l.) (30 à 49 F)

🔑 Joseph Cattin, 18, rue Roger-Frémeaux,
68420 Voegtlinshoffen, tél. 03.89.49.30.21,
fax 03.89.49.26.02, e-mail gcattin@terre-net.fr
☑ 🍷 t.l.j. 8h-12h 14h-18h; dim. sur r.-v.

DOM. VITICOLE DE LA VILLE DE COLMAR 1999

☐ 1,17 ha 9 000 🍷 5à8€

Le Domaine viticole de la ville de Colmar a pris la suite de l'Institut Oberlin, centre de recherche créé en 1895. Il s'étend sur 24 ha et fait la fierté de la capitale de la viticulture alsacienne. Très expressif par son fruité de pêche et de mirabelle qui s'amplifie à l'aération, son riesling révèle une belle matière. Gras, riche, peut-être un peu trop axé sur la douceur mais baigné par les arômes, il montre en finale une fraîcheur bienvenue qui contribue à sa longueur. (Sucres résiduels : 4,8 g/l.) (30 à 49 F)

🔑 Dom. viticole de la ville de Colmar,
2, rue Stauffen, 68000 Colmar,
tél. 03.89.79.11.87, fax 03.89.80.38.66,
e-mail cave@domaineviticoledecolmar.fr
☑ 🍷 t.l.j. 8h-12h 14h-18h; groupes sur r.-v. f. août

MICHEL DIETRICH
Cuvée Lanzenberg 1999★★

☐ 1,5 ha 8 000 🛢 5à8€

Connaissez-vous la « bouteille de l'Ours » créée par les vignerons de Dambach ? Elle a été réservée par Michel Dietrich à cette cuvée Lanzenberg. D'abord fermé, ce riesling laisse seulement percer une touche de poivre, avant de s'ouvrir sur un jardin d'agrumes (pamplemousse-citron). S'y ajoute une légère note minérale, qui se retrouve au palais. En bouche, la matière est enveloppée de gras, et recouverte d'une fraîcheur un peu vive. Une belle symphonie en pizzicato ! (Sucres résiduels : 3,87 g/l.) (30 à 49 F)

🔑 Michel Dietrich, 3, rue des Ours,
67650 Dambach-la-Ville, tél. 03.88.92.41.31,
fax 03.88.92.62.88 ☑ 🍷 t.l.j. sf dim. 9h-11h30 13h30-19h30

HENRI EHRHART
Kaefferkopf d'Ammerschwihr 1999★

☐ 0,85 ha 4 200 🍷 5à8€

La cité d'Ammerschwihr, florissante au XVIe s., a conservé des éléments de fortification : des remparts, la porte haute (XIIIe s.), la tour des Voleurs et celle des Bourgeois. Aujourd'hui, elle s'attache avant tout à la défense et à la mise en valeur de son cru du Kaefferkopf, témoin ce beau riesling. Très fruité, un peu surmûri, agrémenté d'une pointe minérale, ce 99 reflète le terroir granitique qui l'a vu naître. Vif, assez rond, il paraît équilibré et ample. (Sucres résiduels : 7 g/l.) (30 à 49 F)

🔑 Henri Ehrhart, quartier des Fleurs,
68770 Ammerschwihr, tél. 03.89.78.23.74,
fax 03.89.47.32.59 ☑ 🍷 r.-v.

DAVID ERMEL Réserve particulière 1999

☐ 0,8 ha 7 500 🍷 5à8€

L'emblématique église fortifiée de Hunawihr figure sur l'étiquette de ce riesling au nez fin et expressif, essentiellement fruité. La bouche, de structure moyenne, apparaît d'abord souple, puis une fraîcheur assez vive prend le dessus. Un riesling honnête, signé par une exploitation familiale de 12 ha. (Sucres résiduels : 4 g/l.) (30 à 49 F)

🔑 David Ermel, 30, rte de Ribeauvillé,
68150 Hunawihr, tél. 03.89.73.61.71,
fax 03.89.73.32.56 ☑ 🍷 r.-v.

ANDRE FALLER Cuvée Julien 1999★★

☐ 0,15 ha 1 200 8à11€

Une ancienne voie romaine traverse le charmant village d'Itterswiller, également connu pour son circuit « vins et gastronomie ». Né d'un terroir sablo-caillouteux, ce riesling affiche le fruité du cépage et des notes minérales caractéristiques. Franc, frais et fruité en bouche, il est typé et harmonieux. (Sucres résiduels : 11 g/l.) (50 à 69 F)

🔑 André Faller, 2, rte du Vin, 67140 Itterswiller, tél. 03.88.85.53.55, fax 03.88.85.51.13,
e-mail info@vins-faller.com ☑ 🍷 r.-v.

ROBERT FALLER ET FILS
Cuvée Bénédicte 1999★★

☐ 0,35 ha 3 000 🛢 5à8€

Cette cuvée fort prisée du jury porte le nom de la fille de Jean-Baptiste Faller, laquelle a pris en 1996 la tête du domaine familial (12 ha sur des terroirs ensoleillés de Ribeauvillé). Elle séduit d'emblée par la complexité de sa palette aromatique où la fleur blanche se mêle à des notes fruitées et minérales. Une attaque ample, presque explosive, un palais à la fois puissant et vif, très fruité avec des nuances balsamiques, prolongent le plaisir du nez. La fraîcheur assure l'équilibre et la superbe persistance de ce vin remarquable. (Sucres résiduels : 4 g/l.) (30 à 49 F)

Robert Faller et Fils, 36, Grand-Rue, 68150 Ribeauvillé, tél. 03.89.73.60.47, fax 03.89.73.34.80, e-mail sarlfaller@aol.com r.-v.

MARCEL FREYBURGER
Kaefferkopf 1999

n.c. 1 700 5 à 8 €

Cette exploitation, créée en 1951 par Sébastien Freyburger, regroupe aujourd'hui 5 ha de vignes ; elle est dirigée depuis 1994 par Christophe Freyburger. Ce riesling, d'abord discret, s'ouvre sur un fruité frais, et même légèrement herbacé. En bouche, il présente une certaine harmonie, mais il faut attendre que les sucres restants soient intégrés. (Sucres résiduels : 8 g/l.) (30 à 49 F)

Marcel Freyburger, 13, Grand-Rue, 68770 Ammerschwihr, tél. 03.89.78.25.72, fax 03.89.78.15.50 t.l.j. 9h-12h 14h-18h; dim. sur r.-v.

Christophe Freyburger

FREY-SOHLER
Instant douceur Vendanges tardives 1998★★

0,9 ha 4 000 15 à 23 €

Scherwiller peut être considéré comme un des berceaux du riesling. Ses terroirs de graves alluvionnaires conviennent parfaitement à ce cépage, qui peut alors parvenir à son optimum qualitatif. La robe de ce vin à reflets d'or est brillante ; ses arômes expriment les agrumes et les fruits exotiques nuancés par des notes fleuries de lilas et de muguet. Son palais est onctueux, très souple, puissant. La finale élégante se termine sur une touche d'agrumes confits. (100 à 149 F)

Frey-Sohler, 72, rue de l'Ortenbourg, 67750 Scherwiller, tél. 03.88.92.10.13, fax 03.88.82.57.11, e-mail freysohl@terre-net.fr t.l.j. 8h-12h 13h15-19h; dim. sur r.-v.

Sohler Frères

LUCIEN GANTZER 1999★

0,7 ha 5 000 5 à 8 €

Entre Colmar et Rouffach, Gueberschwihr mérite un détour, en particulier pour son église au riche clocher roman. C'est dans une rue pittoresque du village, proche de la belle place, que l'on trouvera la cave du domaine Lucien Gantzer. La fille aînée du fondateur a pris en 1997 la tête de cette exploitation de 5 ha. Tout d'or vêtu, son riesling offre d'envoûtants arômes de fruits confits. Sa richesse et son ampleur s'allient à une fine fraîcheur, créant un ensemble harmonieux et racé. (Sucres résiduels : 8 g/l.) (30 à 49 F)

SCEA Lucien Gantzer, 9, rue du Nord, 68420 Gueberschwihr, tél. 03.89.49.31.81, fax 03.89.49.23.34 r.-v.

MICHEL GOETTELMANN 1999★

0,14 ha 1 600 5 à 8 €

A la tête de l'exploitation familiale depuis 1991, Michel Goettelmann vinifie tous les cépages d'Alsace et pratique la vente directe depuis 1994. Son riesling est typé « agrumes », avec quelques notes de pêche et une nuance minérale. Racé et agréable, de bon équilibre, il finit plaisamment sur une fraîcheur citronnée. (30 à 49 F)

Michel Goettelmann, 27 A, rue des Goumiers, 67730 Châtenois, tél. 03.88.82.12.40, fax 03.88.82.12.40, e-mail mgoettelmann@wanadoo.fr t.l.j. 8h-12h 13h-19h

JOSEPH GSELL Cuvée Modeste Gsell 1999

n.c. 2 000 8 à 11 €

Depuis 1978, Joseph Gsell est à la tête du domaine familial qui a son siège dans une maison tricentenaire. Issue d'un terroir argilo-calcaire, cette cuvée se distingue par son ampleur, tant au nez, aux nuances fruitées, qu'en bouche, où l'on découvre une belle matière. La chaleur l'emporte cependant sur la fraîcheur. Une légère amertume conclut la dégustation. (Sucres résiduels : 8 g/l.) (50 à 69 F)

Joseph Gsell, 26, Grand-Rue, 68500 Orschwihr, tél. 03.89.76.95.11, fax 03.89.76.20.54 t.l.j. sf dim. 9h-19h

DOM. GUNTZ
Ortenberg Cuvée Mathéus 1999★★

0,22 ha 1 600 8 à 11 €

L'étiquette le proclame : ce domaine, établi à Scherwiller, au pied du château de l'Ortenbourg, compte onze générations de vignerons (la dernière est à sa tête depuis 1993). L'expérience et un travail rigoureux portent leurs fruits dans ce beau riesling. Ce vin revêtu d'or s'ouvre sur des notes citronnées, des nuances de fruits surmûris, presque confits, avec un soupçon de miel. Une grande matière s'impose en bouche, mais l'expression aromatique reste encore sur sa réserve. A attendre un an ou deux pour que le fruité puisse s'affirmer. (Sucres résiduels : 23 g/l.) (50 à 69 F)

Christophe Guntz, 27, rue de Dambach, 67750 Scherwiller, tél. 03.88.58.30.30, fax 03.88.82.70.77 t.l.j. 8h-19h; dim. sur r.-v.

ANDRE HARTMANN
Armoirie Hartmann 1999★

0,7 ha n.c. 8 à 11 €

Tel un balcon surplombant la plaine d'Alsace, le village de Voegtlinshoffen domine une mer de vignes. La famille Hartmann y est établie depuis le XVIIe s. Son riesling Armoirie est souvent complimenté dans le Guide. Le 99 présente un nez fin, au fruité discret, une bouche expressive dans un équilibre frais et agréable. Il s'affirmera mieux dans quelques mois. (Sucres résiduels : 10 g/l.) (50 à 69 F)

André Hartmann, 11, rue Roger-Frémeaux, 68420 Voegtlinshoffen, tél. 03.89.49.38.34, fax 03.89.49.26.18 t.l.j. sf dim. 9h-12h 14h-18h

HERTZOG Tradition 1999*

☐ 0,3 ha 3 500 5à8€

Les premiers documents relatifs à l'histoire viticole d'Obermorschwihr remontent au Xe s., époque à laquelle l'évêque de Strasbourg céda le *vicus Morswilare* au couvent Saint-Thomas. Au XVe s., l'abbaye de Marbach, toute proche, y détenait de vastes vignobles réputés. Ce riesling très réussi traduit certainement une belle continuité dans la mise en valeur du terroir. Né de l'argilo-calcaire, il présente un fruité subtil aux nuances de pêche et de poire. Une fraîcheur fine, assez citronnée, lui confère un équilibre élégant, une finale longue parachevant son harmonie. (Sucres résiduels : 7 g/l.) (30 à 49 F)

EARL Sylvain Hertzog, 18, rte du Vin, 68420 Obermorschwihr, tél. 03.89.49.31.93, fax 03.89.49.28.85 ☑ Y t.l.j. 9h-19h; dim. sur r.-v.

HUBER ET BLEGER Schlossreben 1999

☐ 0,8 ha 8 000 5à8€

Ce domaine de 16 ha est dirigé depuis 1977 par deux frères, Claude et Marc Huber. Le nom du lieu-dit Schlossreben (« vignes du château ») fait référence au château du Haut-Kœnigsbourg, l'un des monuments de France les plus visités, et qui n'est qu'à quelques kilomètres de Saint-Hippolyte. Ce terroir a donné naissance à un vin au nez d'intensité moyenne, mais intéressant par ses fines notes de poire et de pêche. Sa fraîcheur, sa longueur et une certaine ampleur traduisent une belle matière. (Sucres résiduels : 8 g/l.) (30 à 49 F)

SCEA Huber et Bléger, 6, rte du Vin, 68590 Saint-Hippolyte, tél. 03.89.73.01.12, fax 03.89.73.00.81, e-mail huber.bleger@online.fr ☑ Y t.l.j. 8h-12h 13h30-18h30

JACQUES ILTIS Schlossreben 1999*

☐ 0,35 ha 2 500 5à8€

Situé au pied du Haut-Kœnigsbourg, ce domaine de 8,5 ha est exploité par les fils de Jacques Iltis, Christophe et Benoît. La cave est garnie de fûts de chêne légués par leurs ancêtres tonneliers. C'est d'ailleurs dans le bois qu'a été élaboré ce riesling qui exprime avec charme les fleurs blanches et les agrumes (pamplemousse), reflétant le sol granitique dont il est issu. On retrouve ces arômes dans une attaque fraîche. Le vin révèle un bon équilibre, avec une pointe de chaleur, et finit sur des notes de terroir. (Sucres résiduels : 5 g/l.) (30 à 49 F)

Jacques Iltis et Fils, 1, rue Schlossreben, 68590 Saint-Hippolyte, tél. 03.89.73.00.67, fax 03.89.73.01.82 ☑ Y t.l.j. 8h-12h 14h-18h; dim. sur r.-v.

ROGER JUNG ET FILS Riquewihr 1999*

☐ 0,4 ha 3 500 5à8€

Etablis à Riquewihr, une des cités viticoles les plus visitées d'Alsace, Rémy et Jacques Jung ont pris en 1989 la succession de leur père Roger et gèrent un domaine de 15 ha. Ils revendiquent une politique de qualité, et ce 99 ne fait pas mentir leur profession de foi : un riesling fruité, tant au nez qu'au palais, avec des nuances d'épices (poivre). Souple en première bouche, ce vin est agréable par son ampleur et sa fraîcheur qui lui assurent une longue finale. (Sucres résiduels : 4,5 g/l.) (30 à 49 F)

SARL Roger Jung et Fils, 23, rue de la 1re-Armée, 68340 Riquewihr, tél. 03.89.47.92.17, fax 03.89.47.87.63, e-mail rjung@terre-net.fr ☑ Y r.-v.

HENRI KLEE Vieilles vignes 1999

☐ 1,3 ha 7 800 5à8€

Philippe Klée est à la tête de l'exploitation depuis 1985. Il représente la neuvième génération de cette famille au service du vin depuis 1624. Son riesling Vieilles vignes s'annonce intéressant par ses notes de surmaturation (miel et cire). Ensuite, il s'affirme par une bonne étoffe, intense, volumineuse, mais élégante. Sa finale incite à attendre cette bouteille un an ou deux. (Sucres résiduels : 6 g/l.) (30 à 49 F)

EARL Henri Klée et Fils, 11, Grand-Rue, 68230 Katzenthal, tél. 03.89.27.03.81, fax 03.89.27.28.17 ☑ Y r.-v.

KOEHLY Hahnenberg 1999

☐ 0,42 ha 2 000 5à8€

Kintzheim est situé près de Sélestat, sur la route du Haut-Kœnigsbourg. A la tête de la propriété depuis 1976, Jean-Marie Koehly exploite un vignoble de plus de 15 ha. Le Hahnenberg, terroir sablo-gréseux, a marqué ce riesling. Ses arômes complexes mêlent des expressions florales, fruitées (abricot), des notes de surmaturation et des nuances minérales (pierre à fusil). En bouche, les sucres restants ne sont pas encore intégrés et incitent à attendre ce 99 pour lui permettre de gagner en harmonie. (Sucres résiduels : 10 g/l.) (30 à 49 F)

Jean-Marie Koehly, 64, rue du Gal-de-Gaulle, 67600 Kintzheim, tél. 03.88.82.09.77, fax 03.88.82.09.77 ☑ Y t.l.j. 8h-12 h 13h-19h; f. 20 déc.-5 janv.

JACQUES LINDENLAUB Stierkopf 1999

☐ 0,65 ha 4 600 5à8€

Dans le village de Dorlisheim, proche de Molsheim, le visiteur peut admirer une église romane, un puits et des maisons Renaissance, les ruines de la commanderie de Saint-Jean. Un sentier viticole lui permet de découvrir les cépages et les travaux de la vigne. Né d'un sol argilo-calcaire, ce riesling présente des arômes discrets et fins qui s'affirment davantage en bouche, sur des notes citronnées. Après une attaque souple, la vivacité surgit et assure une finale assez longue. (Sucres résiduels : 8 g/l.) (30 à 49 F)

Jacques Lindenlaub, 6, fbg des Vosges, 67120 Dorlisheim, tél. 03.88.38.21.78, fax 03.88.38.55.38 ☑ Y r.-v.

JEROME LORENTZ Réserve 1999**

☐ 3 ha 20 000 8à11€

Cette maison de négoce réputée exploite aussi son propre domaine (32 ha de vignes). Sa cuvée Réserve, née d'un terroir argilo-calcaire, s'exprime par des arômes fruités très intenses. Intensité que l'on retrouve en bouche, où le vin s'impose, puissant, sec et profond, jusqu'à la finale, agréable et persistante. (Sucres résiduels : 6 g/l.) (50 à 69 F)

Jérôme Lorentz, 1-3, rue des Vignerons, 68750 Bergheim, tél. 03.89.73.22.22, fax 03.89.73.30.49, e-mail lorentz@vins-lorentz.com t.l.j. sf dim. 10h-12h 14h-18h30

Charles Lorentz

ANDRE MAULER Burgreben 1999*

☐ 0,34 ha 2 800 5 à 8 €

Burgreben ou les « vignes du château » : le nom de ce lieu-dit indique l'ancienneté du vignoble qui remonte aux premiers siècles du Moyen Age. La famille Mauler compte quatre générations de vignerons. Elle propose un riesling encore discret au nez, qui s'ouvre toutefois sur quelques notes florales. De bonne structure en bouche, avec déjà une approche minérale, c'est un vin racé et prometteur. (Sucres résiduels : 0,7 g/l.) (30 à 49 F)

André Mauler et successeurs, 3, rue Jean-Macé, 68980 Beblenheim, tél. 03.89.47.90.50, fax 03.89.47.80.08, e-mail c.mauler@caramail.com r.-v.

METZ-GEIGER 1999*

☐ 0,47 ha 2 900 3 à 5 €

Ce riesling provient d'Epfig, grosse bourgade viticole qui a pour attrait la chapelle romane Sainte-Marguerite, située à l'écart de la commune en allant vers la plaine. Né d'un sol argilo-sableux, il présente un nez intense de citron et de citron vert, avec des notes minérales. D'attaque vive, il est franc, très frais. Son acidité lui confère une bonne longueur et permettra un bon accord avec du poisson. (Sucres résiduels : 5 g/l.) (20 à 29 F)

Metz-Geiger, 9, rue Fronholz, 67680 Epfig, tél. 03.88.85.55.21, fax 03.88.85.55.21 r.-v.

DENIS MEYER
Vendanges tardives 1998**

☐ 0,24 ha 1 100 11 à 15 €

C'est une ancienne famille de vignerons établie à Voegtlinshoffen depuis 1761 qui présente ce vin d'un jaune soutenu, issu d'un terroir de calcaire coquillier. Le nez fin, ample, riche, révèle surtout des arômes de fruits confits, type abricot ou agrumes. L'équilibre en bouche et la longueur de la finale sont remarquables. Les arômes d'agrumes confèrent au vin une subtilité inégalable. (Bouteilles de 50 cl.) (70 à 99 F)

Denis Meyer, 2, rte du Vin, 68420 Voegtlinshoffen, tél. 03.89.49.38.00, fax 03.89.49.26.52 r.-v.

MEYER-FONNE Kaefferkopf 1999*

☐ 0,13 ha 900 11 à 15 €

Le Kaefferkopf, terroir argilo-calcaro-gréseux, fut délimité en 1932. Ce lieu-dit de 63 ha n'a pas fait l'objet d'un classement en grand cru. Panier d'agrumes et bouquet de fleurs blanches, ce riesling s'affirme par ses arômes. Soyeux, le palais revient sur les fruits ; son acidité souple et sa puissance en font un vin racé qui gagnera en noblesse dans deux à trois ans. (Sucres résiduels : 5 g/l.) (70 à 99 F)

Meyer-Fonné, 24, Grand-Rue, 68230 Katzenthal, tél. 03.89.27.16.50, fax 03.89.27.34.17 r.-v.

François et Félix Meyer

JOS. MOELLINGER ET FILS
Sélection 1999

☐ 0,75 ha 8 000 5 à 8 €

Joseph Moellinger commercialisa les premières bouteilles en 1945. Aujourd'hui, ce domaine familial de 14 ha, proche de Colmar, est dirigé par son petit-fils Michel. Son riesling Sélection est d'un abord séduisant : nez chaud aux arômes fumés et briochés, attaque agréable, marquée par la douceur, relayée par une fraîcheur rectiligne, notes d'agrumes et de fleurs en bouche. La finale ? Encore un peu vive, mais cela passera... (Sucres résiduels : 6,3 g/l.) (30 à 49 F)

SCEA Jos. Moellinger et Fils, 6, rue de la 5e-D.-B., 68920 Wettolsheim, tél. 03.89.80.62.02, fax 03.89.80.04.94 t.l.j. 8h-12h 13h30-19h; f. oct.

FRANCIS MURE 1999*

☐ 0,4 ha 2 500 5 à 8 €

Les anémones pulsatiles, qui annoncent le printemps sur les hauteurs de Westhalten, ornent l'étiquette de ce riesling d'un jaune clair doré. Si le nez se montre encore fermé, il n'en est pas moins prometteur. Mais c'est en bouche que ce vin typé révèle son caractère, avec une attaque franche, un bon équilibre et une grande longueur. Ce 99 sera à maturité en 2003. (Sucres résiduels : 2 g/l.) (30 à 49 F)

Francis Muré, 30, rue de Rouffach, 68250 Westhalten, tél. 03.89.47.64.20, fax 03.89.47.09.39 r.-v.

CAVE VINICOLE D'ORSCHWILLER-KINTZHEIM
Les Faîtières 1999

☐ n.c. 1 250 000 5 à 8 €

Créée en 1957, cette coopérative est établie au pied du Haut-Kœnigsbourg. Elle propose un volume impressionnant d'un riesling fort honorable, de persistance moyenne, auquel il n'a manqué qu'un peu de fraîcheur pour gagner des étoiles : en bouche, l'acidité est couverte par le gras et une certaine rondeur, associés à des notes de fruits confits. Le nez intense de fruits très mûrs est bien attirant. (Sucres résiduels : 5 g/l.) (30 à 49 F)

Cave vinicole d'Orschwiller-Kintzheim, rte du Vin, BP 2, 67600 Orschwiller, tél. 03.88.92.09.87, fax 03.88.82.30.92 r.-v.

OTTER Sélection de grains nobles 1998*

☐ 0,8 ha 2 000 30 à 38 €

Le terroir d'où est issu ce riesling est calcaire et laisse son empreinte dans les caractères gustatifs du vin. D'un bel aspect jaune d'or, celui-ci présente un nez très fin, dominé par des arômes d'agrumes surmûris. De légères notes grillées apparaissent en rétro-olfaction, accompagnées d'une matière ample et riche. La finale fraîche

laisse réapparaître l'agrume confit. L'avenir de ce vin est assuré. (200 à 249 F)
Dom. François Otter et Fils, 4, rue du Muscat, 68420 Hattstatt, tél. 03.89.49.33.00, fax 03.89.49.38.69, e-mail ottjef@nucleus.fr r.-v.

VIGNOBLES REINHART
Sélection de grains nobles 1998*

0,4 ha 2 500 23 à 30 €

Les vins de sélection de grains nobles en riesling sont issus de vendanges renfermant plus de 256 g/l de sucres. Le riesling conserve de manière notable sa personnalité variétale, même lorsque ses baies ont été botrytisées. Jaune d'or intense tirant sur le vieil or, ce 98 est riche d'arômes de confit, de miel et de pêche, nuancés d'une minéralité complexe au nez. Le palais offre beaucoup de rondeur et de gras. Grâce à sa fraîcheur, ce vin a une grande tenue en bouche. Son harmonie est réussie. (Bouteilles de 50 cl.) (150 à 199 F)
Pierre Reinhart, 7, rue du Printemps, 68500 Orschwihr, tél. 03.89.76.95.12, fax 03.89.74.84.08 r.-v.

PIERRE ET JEAN-PIERRE RIETSCH
Stein 1999*

0,46 ha 5 000 5 à 8 €

Etablis à Mittelbergheim, commune classée parmi les cent plus beaux villages de France, les Rietsch se distinguent régulièrement par la qualité de leurs rieslings et l'originalité de leurs étiquettes. Ce 99 présente des arômes complexes et fins et révèle un bon équilibre en bouche. Un ensemble très agréable qui trouvera sa place sur les tables de l'été 2002. (Sucres résiduels : 9,2 g/l.) (30 à 49 F)
Pierre et Jean-Pierre Rietsch, 32, rue Principale, 67140 Mittelbergheim, tél. 03.88.08.00.64, fax 03.88.08.40.91, e-mail rietsch@wanadoo.fr r.-v.

LA CAVE DU ROI DAGOBERT
Riesling de Wolxheim 1999

2 ha 20 666 5 à 8 €

Le nom de cette cave rappelle que le plus célèbre des rois mérovingiens avait des terres viticoles dans cette partie nord du vignoble alsacien. Jaune clair dans le verre, ce riesling apparaît encore fermé mais laisse percevoir des arômes riches et complexes. De bonne matière et d'une belle fraîcheur jusqu'en finale, il demande à être attendu un an ou deux avant d'être apprécié. (Sucres résiduels : 6 g/l.) (30 à 49 F)
La cave du Roi Dagobert, 1, rte de Scharrachbergheim, 67310 Traenheim, tél. 03.88.50.69.00, fax 03.88.50.69.09, e-mail dagobert@cave-dagobert.com t.l.j. 8h-12h 14h-18h

RUHLMANN Cristal Granit «S» 1999

1 ha 6 600 5 à 8 €

Fondé en 1688, ce domaine s'est beaucoup développé durant les deux dernières décennies, tant en superficie (17 ha aujourd'hui) qu'à l'export. Il propose une cuvée issue du Schlossberg, lieu-dit granitique de Dambach (à ne pas confondre avec le grand cru du même nom situé dans le Haut-Rhin). Un vin aux notes florales de chèvrefeuille et de rose qui en révèlent le terroir. La bouche, fraîche, équilibrée et distinguée, est caractéristique du cépage. (Sucres résiduels : 2 g/l.) (30 à 49 F)
Ruhlmann, 34, rue du Mal-Foch, 67650 Dambach-la-Ville, tél. 03.88.92.41.86, fax 03.88.92.61.81 t.l.j. sf dim. 8h-12h 13h30-19h

RUHLMANN-DIRRINGER
Cuvée réservée 1999*

1,2 ha 10 000 5 à 8 €

Située en bordure des remparts de Dambach, cette propriété intéressera les amateurs de bons vins et de vieilles pierres, qui pourront découvrir ce 99 sous les voûtes en ogive de son caveau datant de 1578. Marqué par des notes d'agrumes et de fruits confits, ce riesling révèle au palais une belle continuité aromatique et une bonne fraîcheur. Un ensemble harmonieux et typé. (Sucres résiduels : 4 g/l.) (30 à 49 F)
Ruhlmann-Dirringer, 3, rue de Mullenheim, 67650 Dambach-la-Ville, tél. 03.88.92.40.28, fax 03.88.92.48.05 t.l.j. sf dim. 9h-11h45 13h30-18h30

CLOS SAINTE-APOLLINE
Bollenberg Tradition 1999

1,5 ha 5 000 5 à 8 €

Créé en 1887, le domaine de Bollenberg porte le nom d'un terroir argilo-calcaire typique des collines viticoles du sud de l'Alsace. Sa cuvée Tradition révèle au nez une légère surmaturation, avec des notes de fruits mûrs et confits. Après une attaque souple, elle montre une harmonie déjà correcte, mais qui devrait se parfaire après une garde d'un an ou deux. (Sucres résiduels : 2 g/l.) (30 à 49 F)
Clos Sainte-Apolline, Dom. du Bollenberg, 68250 Westhalten, tél. 03.89.49.67.10, fax 03.89.49.76.16, e-mail info@bollenberg.com t.l.j. 8h-20h

SCHAEFFER-WOERLY
Clos du Bernstein 1999

n.c. 1 700 8 à 11 €

Depuis 1987, Vincent Woerly est à la tête de ce domaine familial qui compte 7 ha. Terroir granitique, le clos du Bernstein a donné un riesling fin, encore discret au nez, et qui devrait s'épanouir au cours des mois à venir. En bouche, après une attaque fraîche, et même vive, la bonne structure s'affirme. La finale est agréable et persistante. Un vin qu'il faut savoir attendre. (Sucres résiduels : 12 g/l.) (50 à 69 F)
Schaeffer-Woerly, 3, pl. du Marché, 67650 Dambach-la-Ville, tél. 03.88.92.40.81, fax 03.88.92.49.87 t.l.j. 9h-12 h 14h-18h; dim. sur r.-v.

JEAN-PAUL SCHMITT Rittersberg 1999

1,5 ha 9 000 8 à 11 €

Encore impressionnant, le château de l'Ortenbourg gardait l'entrée du val de Villé. Forteresse de Rodolphe de Habsbourg au XIII[e]s., elle servit en 1525 de toile de fond au sanglant épilogue de la guerre des Paysans, épisode décisif de la Réforme. C'est sur ses pentes que Jean-Paul Schmitt exploite 8 ha de vignes, acquises par sa famille en 1927. Sa cuvée du Rittersberg, encore sur sa réserve sur le plan aromatique, laisse une impression fraîche. En bouche, elle s'affirme dans la souplesse, avec des notes d'agrumes, une petite pointe d'amertume et une finale longue et intéressante. (Sucres résiduels : 7 g/l.) (50 à 69 F)

Jean-Paul Schmitt, Hühnelmühle, 67750 Scherwiller, tél. 03.88.82.34.74, fax 03.88.82.33.95, e-mail vins.j.pschmitt@wanadoo.fr t.l.j. 10h-12h 13h-18h; dim. 14h-19h; f. 15 au 30 jan.

SCHOENHEITZ Holder 1999

0,3 ha 1 800 5 à 8 €

Wihr-au-Val est situé à l'entrée de la vallée de Munster qui pénètre les hautes Vosges. La famille Schoenheitz y est établie depuis la fin du XVII[e]s. Elle a remis en valeur des parcelles intéressantes, tel le Holder, terroir granitique où est né ce riesling. Un vin plaisant, qui affiche des nuances florales et épicées, équilibré et frais en finale. (Sucres résiduels : 2 g/l.) (30 à 49 F)

Henri Schoenheitz, 1, rue de Walbach, 68230 Wihr-au-Val, tél. 03.89.71.03.96, fax 03.89.71.14.33 r.-v.

JEAN-VICTOR SCHUTZ Vieilles vignes 1999

1,5 ha 7 000 5 à 8 €

Créée en 1997, cette maison de négoce commercialise 95 % de ses vins à l'étranger et particulièrement en Hollande, en Belgique et au Danemark. Jaune pâle à l'œil, un peu perlant, ce riesling se situe dans une bonne moyenne aromatique, avec quelques notes végétales. Des nuances d'agrumes s'épanouissent en bouche après une attaque vive. Fraîcheur et rondeur se côtoient. On attend leur mariage. (Sucres résiduels : 13 g/l.) (30 à 49 F)

Jean-Victor Schutz, 34, rue du Mal.-Foch, 67650 Dambach-la-Ville, tél. 03.88.92.41.86, fax 03.88.92.61.81 r.-v.

E. SPANNAGEL ET FILS Côtes de Kientzheim Kirrenburg 1999

0,08 ha 800 5 à 8 €

Depuis 1995, Rémy Spannagel exploite le domaine familial situé près de Colmar. Toutes ses vignes sont plantées en coteau, sur des sols granitiques. Son riesling Kirrenburg s'annonce par une robe jaune doré qui précède une belle matière, et s'exprime par des arômes de fruits surmûris et de fruits secs. D'un bon équilibre, légèrement marquée par l'alcool, la bouche confirme la richesse de la structure. Ce vin semble prêt à boire. (Sucres résiduels : 5 g/l.) (30 à 49 F)

Eugène Spannagel et Fils, 11, rue de Cussac, 68240 Sigolsheim, tél. 03.89.78.25.90, fax 03.89.78.25.90, e-mail remy.spannagel@free.fr r.-v.

PIERRE SPARR Altenbourg 1999★

0,97 ha 11 400 11 à 15 €

Très mûre par ses nuances minérales et ses notes de surmaturation, très longue, cette cuvée affiche une rondeur, un gras et une intensité rares. On la trouvera sans doute peu caractéristique du cépage, mais on ne pourra pas lui dénier une forte personnalité. Elle est signée par une maison de négoce fondée en 1892 et bien connue des lecteurs du Guide. (Sucres résiduels : 9,7 g/l.) (70 à 99 F)

SA Pierre Sparr et ses Fils, 2, rue de la 1re Armée, 68240 Sigolsheim, tél. 03.89.78.24.22, fax 03.89.47.32.62, e-mail vins-sparr@rmcnet.fr r.-v.

ANDRE STENTZ Rosenberg 1999

0,75 ha 4 000 8 à 11 €

Située dans une commune proche de Colmar, l'exploitation d'André Stentz remonte au XVII[e]s. Elle s'est convertie à l'agriculture biologique dès le début des années 1980. Fruité, fin et élégant au nez, ce riesling s'exprime davantage au palais. Bien équilibré, il persiste en finale sur une petite rondeur. (Sucres résiduels : 10 g/l.) (50 à 69 F)

André Stentz, 2, rue de la Batteuse, 68920 Wettolsheim, tél. 03.89.80.64.91, fax 03.89.79.59.75 r.-v.

MICHELE ET JEAN-LUC STOECKLE Cuvée réservée 1999★

1 ha 6 000 5 à 8 €

Installés depuis vingt ans, Michèle et Jean-Luc Stoecklé exploitent 6,5 ha de vignes autour de Katzenthal, près de Colmar. Leur Cuvée réservée, née d'un sol granitique, ne renie pas ses origines. Ses arômes de fleurs, de réglisse soulignés d'épices annoncent une matière de qualité ; frais et puissant à la fois, ce vin affiche sa race dans une belle finale. (30 à 49 F)

Michèle et Jean-Luc Stoecklé, 9, Grand-Rue, 68230 Katzenthal, tél. 03.89.27.05.08, fax 03.89.27.33.61 t.l.j. sf dim. après-midi 8h-12h 13h-19h

DOM. STOEFFLER Kronenbourg 1999★

0,5 ha 3 000 5 à 8 €

Martine et Vincent Stoeffler ont uni leurs destinées, leurs vignobles (situés respectivement autour de Barr et de Ribeauvillé) et leurs compétences d'œnologues pour créer, en 1988, un domaine d'une douzaine d'hectares. Leur engagement en faveur de la qualité porte ses fruits depuis plus de dix ans, témoin cette cuvée du lieu-dit Kronenbourg, dont le millésime précédent avait été salué d'un coup de cœur. Le 99 s'ouvre sur des arômes intenses d'agrumes et de miel. En bouche, les beaux arômes de raisin bien mûr sont en harmonie avec un palais équilibré auquel on trouve de la profondeur. Un vin de garde à oublier quelque temps en cave. (Sucres résiduels : 5 g/l.) (30 à 49 F)

Dom. Martine et Vincent Stoeffler, 1, rue des Lièvres, 67140 Barr, tél. 03.88.08.52.50, fax 03.88.08.17.09, e-mail vins.stoeffler@wanadoo.fr r.-v.

STRUSS Bildstoecklé 1999★

☐ 0,19 ha 1 050 ▮ 5 à 8 €

La famille Struss exploite quelque 5 ha à Obermorschwihr, village dont l'histoire viticole est étroitement liée à l'abbaye de Marbach. Ce couvent fondé au XIe s., qui fut un centre spirituel de l'Alsace médiévale, y détenait en effet de bons vignobles sur des terroirs argilo-calcaires. D'un sol calcaire est né ce 99 ample et expressif par ses arômes citronnés. L'attaque est franche et souple. On retrouve au palais des notes d'agrumes qui s'harmonisent avec une certaine rondeur de surmaturité. La fraîcheur en finale accompagne une bonne persistance. (Sucres résiduels : 10 g/l.) (30 à 49 F)

André Struss et Fils, 16, rue Principale, 68420 Obermorschwihr, tél. 03.89.49.36.71, fax 03.89.49.37.30 ☑ Y r.-v.

Philippe Struss

ANDRE THOMAS ET FILS
Sélection de grains nobles 1998★★

☐ 0,5 ha 1000 ▮ 23 à 30 €

Les terroirs granitiques réussissent merveilleusement bien au riesling. Ce cépage possède des baies épaisses, assez peu sensibles au *Botrytis*. Lorsque les vignerons parviennent à récolter des grains nobles, les résultats sont magiques. Jaune d'or à vieil or, ce vin offre un nez remarquable de finesse : très fruit confit avec une note de champignon nuancée d'abricot frais, il est d'une belle élégance. La bouche est fondue, riche, harmonieuse, de grande tenue. (150 à 199 F)

EARL André Thomas et Fils, 3, rue des Seigneurs, 68770 Ammerschwihr, tél. 03.89.47.16.60, fax 03.89.47.37.22 ☑ Y r.-v.

TRIMBACH Cuvée Frédéric-Emile 1997★

☐ 5,5 ha 30 000 ▮ 15 à 23 €

Ce riesling paille clair à reflets verts bien marqués provient de vignes exposées au sud et au sud-est, de terroirs argilo-calcaires ou de calcaires coquilliers. Au nez, on découvre, à côté d'un joli fruit mûr (pêche blanche) et de fragrances d'acacia, une minéralité affirmée. On retrouve ce caractère minéral dans une bouche bien équilibrée, puissamment aromatique. La finale assez vive, un peu citronnée, est bien prolongée par son fruit. Un vin déjà expressif, mais qui a le tonus nécessaire pour vieillir. (100 à 149 F)

F.E. Trimbach, 15, rte de Bergheim, 68150 Ribeauvillé, tél. 03.89.73.60.30, fax 03.89.73.89.04, e-mail contact@maison-trimbach.fr ☑ Y r.-v.

VORBURGER 1999★

☐ n.c. n.c. 5 à 8 €

Cette exploitation, créée dans les années 1950, est établie à Voegtlinshoffen, charmant village perché au-dessus du vignoble. Son riesling 98 avait obtenu un coup de cœur. Le millésime suivant s'annonce par des nuances florales et épicées ; il affiche une bonne matière, du gras, de l'équilibre et des notes de surmaturation. Le support acide, tout en fraîcheur, lui donne du tonus et de la persistance. (Sucres résiduels : 3 g/l.) (30 à 49 F)

Jean-Pierre Vorburger et Fils, 3, rue de la Source, 68420 Voegtlinshoffen, tél. 03.89.49.35.52, fax 03.89.86.40.56 ☑ Y t.l.j. sf dim. 8h-12h 13h30-18h

CH. WAGENBOURG Vallée Noble 1999

☐ n.c. 7 000 5 à 8 €

Soultzmatt est situé à l'entrée de la Vallée Noble, qui tire son nom des sept châteaux qui la gardaient. Le château Wagenbourg est le seul à subsister. La famille Klein, dont les ancêtres étaient vignerons au village dès les premières années du XVIIe s., s'y est installée en 1905. Jacky et Mireille Klein ont pris la tête de la propriété en 1995. Leur riesling, élégant par ses arômes d'agrumes, a aussi pour lui une bonne attaque, des qualités de fraîcheur et d'équilibre, ainsi qu'une plaisante finale arrondie. (Sucres résiduels : 3 g/l.) (30 à 49 F)

Joseph et Jacky Klein, Ch. Wagenbourg, 25, rue de la Vallée, 68570 Soultzmatt, tél. 03.89.47.01.41, fax 03.89.47.65.61 ☑ Y t.l.j. sf dim. 8h-12h 13h-19h

WILLM 1999★

☐ n.c. n.c. 5 à 8 €

Cette maison de négoce fait partie du groupe Wolfberger d'Eguisheim. Elle a son siège à Barr, centre viticole du Bas-Rhin qui mérite une visite, notamment pour le musée de la Folie-Marco, bel exemple de riche demeure du XVIIIe s. Son riesling 99 mêle dans sa palette aromatique des notes de fruits confits et de fleurs blanches, complétées d'une nuance minérale. Souple à l'attaque, fin, structuré, il possède un caractère épicé et se montre assez long en bouche. (Sucres résiduels : 4 g/l.) (30 à 49 F)

Alsace Willm, 32, rue du Dr-Sultzer, 67140 Barr, tél. 03.88.08.19.11, fax 03.88.08.56.21 ☑ Y r.-v.

FERNAND ZIEGLER
Clos Saint-Ulrich 1999★

☐ 1,2 ha 3 130 ▮▮ 5 à 8 €

Héritier d'une famille enracinée dans le vignoble alsacien - le domaine remonte à 1634 -, Fernand Ziegler s'est installé il y a près de quarante ans. Une expérience dont a certainement bénéficié ce riesling, au nez net et frais évoquant un panier d'agrumes. On retrouve la fraîcheur en bouche, avec une belle complexité, une structure en finesse et des notes de fruits en finale. (Sucres résiduels : 2,5 g/l.) (30 à 49 F)

EARL Fernand Ziegler et Fils, 7, rue des Vosges, 68150 Hunawihr, tél. 03.89.73.64.42, fax 03.89.73.71.38 ☑ Y r.-v.

JEAN ZIEGLER Seidenfaden 1999

☐ 0,6 ha 3 000 ▮ 5 à 8 €

Cette propriété de moins de 3 ha compte déjà quatre générations de vignerons. A Riquewihr, histoire et tradition demeurent des valeurs sûres, à l'instar du riesling. Celui-ci, issu d'un sol marno-gypseux, ne manque pas de race : vif à l'attaque, de structure souple, il termine sur une note encore jeune. A attendre. (Sucres résiduels : 12 g/l.) (30 à 49 F)

🔑 Jean Ziegler, 3, chem. de la Daensch, 9, rue des Juifs, 68340 Riquewihr, tél. 03.89.47.96.47, fax 03.89.47.96.47, e-mail info@trotthus.com 🅥 Y r.-v.

ZIMMERMANN Sélection première 1999★

☐ 0,7 ha 6 000 ⬛ 5à8€

Vignerons de père en fils depuis 1693, les Zimmermann élaborent leurs vins dans le respect des traditions. Né dans un cadre dominé par le château du Haut-Kœnigsbourg, ce riesling présente un côté chaleureux et minéral qui reflète le terroir siliceux dont il est issu. Les nuances de pêche et d'agrumes se déploient tout en subtilité tandis que des notes fraîches se font jour après une attaque souple. Un ensemble bien équilibré et plaisant. (Sucres résiduels : 7 g/l.) (30 à 49 F)

🔑 EARL A. Zimmermann Fils, 3, Grand-Rue, 67600 Orschwiller, tél. 03.88.92.08.49, fax 03.88.92.94.55 🅥 Y r.-v.

PIERRE-PAUL ZINK 1999

☐ 0,8 ha 6 600 5à8€

Etabli à Pfaffenheim, village où sont installés un grand nombre de vignerons, Pierre-Paul Zink propose un riesling expressif et flatteur, avec son fruité d'agrumes et ses notes de fleurs blanches. Marquée par la fraîcheur dès l'attaque, la bouche révèle équilibre et persistance. Un vin qui gagnera en harmonie après une garde d'un an ou deux. (Sucres résiduels : 2 g/l.) (30 à 49 F)

🔑 Pierre-Paul Zink, 27, rue de la Lauch, 68250 Pfaffenheim, tél. 03.89.49.60.87, fax 03.89.49.73.05 🅥 Y r.-v.

Alsace muscat

Deux variétés de muscat servent à élaborer ce vin sec et aromatique qui donne l'impression que l'on croque du raisin frais. Le premier, dénommé de tout temps muscat d'Alsace, n'est rien d'autre que celui que l'on connaît mieux sous le nom de muscat de Frontignan. Comme il est tardif, on le réserve aux meilleures expositions. Le second, plus précoce et de ce fait plus répandu, est le muscat ottonel. Ces deux cépages occupent 340 ha, soit 2,4 % du vignoble. Le muscat d'Alsace doit être considéré comme une spécialité aimable et étonnante, à boire en apéritif et lors de réceptions avec, par exemple, du kugelhopf ou des bretzels.

CAMILLE BRAUN Bollenberg 1999★

☐ 0,4 ha 2 500 ▮🌡 5à8€

La colline du Bollenberg est connue pour sa flore protégée et la légende des sorcières qui seraient toujours présentes certaines nuits d'été. Ce terroir argilo-calcaire et le savoir-faire de ce vigneron ont donné naissance à un muscat aux notes florales et un peu fruitées. La bouche n'est pas très longue mais révèle une belle attaque fraîche et ronde à la fois, puis une bonne présence fruitée. (Sucres résiduels : 9 g/l.) (30 à 49 F)

🔑 Camille Braun, 16, Grand-Rue, 68500 Orschwihr, tél. 03.89.76.95.20, fax 03.89.74.35.03 🅥 Y t.l.j. sf dim. 8h-12h 13h30-19h

DOM. BERNARD ET DANIEL HAEGI Vendanges tardives 1998★

☐ 0,25 ha 840 ▮🌡 15à23€

Le muscat est certainement l'un des cépages les plus délicats d'Alsace. Réussir un vin sec est déjà difficile, mais élaborer un vin de vendanges tardives relève d'un véritable art. Bernard et Daniel Haegi l'ont fort bien réussi. La robe est jaune d'or brillant. Le nez offre un fruité très délicat ; le palais bien équilibré est tout en finesse. Les arômes encore discrets ne demandent qu'à se développer. Une très belle matière. (100 à 149 F)

🔑 Bernard et Daniel Haegi, 33, rue de la Montagne, 67140 Mittelbergheim, tél. 03.88.08.95.80, fax 03.88.08.91.20 🅥 Y t.l.j. sf dim. 8h-12h 13h-18h

HERTZOG 1999

☐ 0,13 ha 1 500 ▮🌡 5à8€

Une église à colombage. C'est à Obermorschwihr et c'est la seule connue en haute Alsace. Et ce muscat, très riche en bouche, même un peu corsé, vous le trouverez chez Sylvain Hertzog. Au nez : des notes un peu grillées et des nuances de miel. En bouche : de la rondeur et de la matière avec une finale assez longue. Ce vin pourra accompagner une cuisine exotique ou un gâteau aux amandes. (Sucres résiduels : 6 g/l.) (30 à 49 F)

🔑 EARL Sylvain Hertzog, 18, rte du Vin, 68420 Obermorschwihr, tél. 03.89.49.31.93, fax 03.89.49.28.85 🅥 Y t.l.j. 9h-19h; dim. sur r.-v.

JEAN-LUC MEYER 1999

☐ 0,24 ha 1 800 ▮ 5à8€

Jean-Luc Meyer est à la tête de ce domaine depuis 1982. Son exploitation regroupe actuellement une dizaine d'hectares. D'un jaune pâle à reflets dorés, son muscat, sec selon la tradition, est bien construit. Les arômes du cépage et les notes de fruits confits sont intenses. La bouche, d'abord bien ronde, laisse place à une fraîcheur fruitée qui assure une bonne longueur. (Sucres résiduels : 2 g/l.) (30 à 49 F)

🔑 Jean-Luc Meyer, 4, rue des Trois-Châteaux, 68420 Eguisheim, tél. 03.89.24.53.66, fax 03.89.41.66.46 🅥 Y r.-v.

EDMOND RENTZ Réserve 1999★

☐ 0,7 ha 5 000 ⬛ 5à8€

Etabli dans le village de Zellenberg, perché sur une colline, ce vigneron dirige une propriété de 20 ha depuis 1954. Celle-ci trouve ses origines en 1785, lors de l'achat des premières parcelles

de vignes. Ce muscat, produit sur un terroir argilo-calcaire, révèle de beaux fruits avec une légère pointe de fruits secs. Le fruité du raisin, accompagné d'une petite rondeur, est bien présent au palais et se poursuit dans une finale assez longue. (Sucres résiduels : 10 g/l.) (30 à 49 F)
EARL Dom. Edmond Rentz, 7, rte du Vin, 68340 Zellenberg, tél. 03.89.47.90.17, fax 03.89.47.97.27 t.l.j. sf dim. 9h-12h 14h-18h

LOUIS SCHERB ET FILS 1999*

0,48 ha 4 800 5à8€

Un clocher roman du XII[e]s. caractérise le village pittoresque de Gueberschwihr, également connu pour sa fête de l'Amitié, fin août. D'un abord réservé, ce muscat s'ouvre ensuite sur des notes exotiques, plutôt complexes. Franc, assez corsé, il s'exprime avec élégance et personnalité en bouche. A conseiller en apéritif. (Sucres résiduels : 4,9 g/l.) (30 à 49 F)
EARL Joseph et André Scherb, 1, rte de Saint-Marc, 68420 Gueberschwihr, tél. 03.89.49.30.83, fax 03.89.49.30.65 t.l.j. 8h-12h 13h-19h; dim. 9h-12h

JEAN-LOUIS SCHOEPFER 1999

0,35 ha 2 000 5à8€

Depuis 1656, les Schoepfer sont viticulteurs de père en fils à Wettolsheim. En 1997, Gilles a rejoint le domaine familial. Typé muscat d'Alsace, avec une légère nuance de fleur d'acacia, ce vin est d'attaque franche, plein en bouche et de belle vivacité. Une note de tilleul lui donne un air printanier. A déguster sur un plat d'asperges. (Sucres résiduels : 4 g/l.) (30 à 49 F)
EARL Jean-Louis Schoepfer, 35, rue Herzog, 68920 Wettolsheim, tél. 03.89.80.71.29, fax 03.89.79.61.35, e-mail jlschoepfer@libertysurf.fr r.-v.

DOM. STIRN Tradition 1999*

0,15 ha 1 200 5à8€

Fabien Stirn, jeune œnologue, est à la tête de cette propriété depuis 1999. Il y accomplit son rêve et vit sa passion du vin. Les reflets dorés dans une belle brillance sont, pour ce muscat, bien flatteurs. Les arômes intenses et complexes déclinent violette, tilleul, mûre, fruits confits et miel. L'harmonie s'établit dans une bouche tout en rondeur et ample. Un vin excellent en apéritif et sans doute plaisant sur des crustacés poêlés. (Sucres résiduels : 7 g/l.) (30 à 49 F)
Fabien Stirn, Dom. Stirn, 3, rue du Château, 68240 Sigolsheim, tél. 03.89.47.30.58, fax 03.89.47.30.58 r.-v.

Alsace gewurztraminer

Le cépage qui est à l'origine de ce vin est une forme particulièrement aromatique de la famille des traminer. Un traité publié en 1551 le désigne déjà comme une variété typiquement alsacienne. Cette authenticité, qui s'est de plus en plus affirmée à travers les siècles, est sans doute due au fait qu'il atteint dans ce vignoble un optimum de qualité. Ce qui lui a conféré une réputation unique dans la viticulture mondiale.

Son vin est corsé, bien charpenté, en général sec mais parfois moelleux, et caractérisé par un bouquet merveilleux, plus ou moins puissant selon les situations et les millésimes. Le gewurztraminer, qui a une production relativement faible et irrégulière, est un cépage précoce aux raisins très sucrés. Il occupe environ 2 500 ha, c'est-à-dire près de 17,6 % de la superficie du vignoble alsacien. Souvent servi en apéritif, lors de réceptions ou sur des desserts, il accompagne aussi, surtout lorsqu'il est puissant, les fromages à goût relevé comme le roquefort et le munster.

DOM. PIERRE ADAM Kaefferkopf 1999*

8 ha 6 000 8à11€

Pierre Adam a fondé cette exploitation dans les années 1950. Son fils Rémy, qui l'a reprise au début des années 1990, est aujourd'hui à la tête de 11 ha de vignes situées en bonne partie dans le Kaefferkopf. C'est de ce terroir prestigieux au sol argilo-calcaire qu'est issu ce gewurztraminer déjà très expressif, mêlant notes épicées et fruits confits. Long et envoûtant, le palais permettra des accords avec des spécialités exotiques. (Sucres résiduels : 18 g/l.) (50 à 69 F)
Dom. Pierre Adam, 8, rue du Lt-Louis-Mourier, 68770 Ammerschwihr, tél. 03.89.78.23.07, fax 03.89.47.39.68, e-mail info@domaine-adam.com t.l.j. 8h-12h 13h-20h

J.-B. ADAM
Kaefferkopf Réserve particulière Cuvée Jean-Baptiste 1999*

1,5 ha 8 000 11à15€

Vignerons et négociants à Ammerschwihr depuis 1614, les Adam restent particulièrement attachés à la tradition ; cette vénérable maison propose un vin qui a été jugé très jeune. Ce Kaefferkopf allie au nez des arômes de rose à des notes fumées. Son palais plutôt rond, puissant et fort agréable, le fera recommander à l'apéritif ou sur de la cuisine asiatique (Sucres résiduels : 25 g/l.) (70 à 99 F)
Jean-Baptiste Adam, 5, rue de l'Aigle, 68770 Ammerschwihr, tél. 03.89.78.23.21, fax 03.89.47.35.91, e-mail adam@jb-adam.com t.l.j. sf dim. 8h-12h 14h-18h30; groupes sur r.-v.

LAURENT BANNWARTH

Bildstoecklé 1999★

☐	1,8 ha	12 142	🍷 5 à 8 €

Laurent Bannwarth exploite plus de 10 ha de vignes avec son fils. Il a acquis une solide réputation pour ses produits de grande maturité. Ses gewurztraminer, en particulier, sont très souvent mentionnés dans le Guide. Celui-ci, d'origine argilo-calcaire, affiche sa richesse et des arômes caractéristiques du cépage. D'une ampleur inhabituelle au palais, c'est un vin gras et persistant que l'on consommera aussi bien à l'apéritif qu'au dessert. (Sucres résiduels : 7,5 g/l.) (30 à 49 F)

🔑 Laurent Bannwarth et Fils, 9, rte du Vin, 68420 Obermorschwihr, tél. 03.89.49.30.87, fax 03.89.49.29.02, e-mail bannwarth@calixo.net ☑ Y r.-v.

DOM. BARMES-BUECHER

Herrenweg 1999★

☐	0,37 ha	2 000	🍷 11 à 15 €

Issu de l'alliance de deux familles, ce domaine réputé compte aujourd'hui 15 ha de vignes. Il s'est engagé depuis trois ans dans la voie exigeante de la biodynamie. Reflétant son terroir graveleux d'origine, ce gewurztraminer offre des arômes très intenses. Le palais révèle une belle charpente et une longue persistance. Un vin opulent. (Sucres résiduels : 10 g/l.) (70 à 99 F)

🔑 Dom. Barmès-Buecher, 30, rue Sainte-Gertrude, 68920 Wettolsheim, tél. 03.89.80.62.92, fax 03.89.79.30.80, e-mail barmes-buecher@terre-net.fr ☑ Y r.-v.

BARON DE HOEN

Vendanges tardives 1998

☐	20 ha	12 000	🍷 15 à 23 €

Beblenheim se trouve au pied du coteau du Sonnenglanz ; cette commune est l'une des perles du vignoble alsacien et propose aux visiteurs de beaux exemples architecturaux : des maisons à pans de bois ou une fontaine gothique. La cave de Hoen exploite une superficie de 250 ha. Ce gewurztraminer jaune clair brillant présente un nez marqué par le terroir, aux effluves surtout floraux. La bouche fine et bien structurée demande à parfaire son harmonie. Un vin de bonne persistance qu'il faudra attendre de trois à cinq ans. (100 à 149 F)

🔑 SICA Baron de Hoen, 20, rue de Hoen, 68980 Beblenheim, tél. 03.89.47.89.93 ☑ Y r.-v.

BAUMANN ZIRGEL

Sélection de grains nobles 1998★★★

☐	1 ha	3 000	23 à 30 €

Issu d'un terroir argilo-calcaire, ce gewurztraminer constitue un modèle pour tous les vins de sélection de grains nobles. Or légèrement cuivré, il est d'une complexité extrême : prune, coing, fruits (orange), amande, cire s'y mêlent délicieusement. Au palais, la même puissance aromatique apparaît jusqu'à une longue finale. Chaque élément a sa place pour composer un chef-d'œuvre. (Bouteilles de 50 cl.) (150 à 199 F)

🔑 EARL Baumann-Zirgel, 5, rue du Vignoble, 68630 Mittelwihr, tél. 03.89.47.90.40, fax 03.89.49.04.89 ☑ Y t.l.j. 8h30-12h30 14h-19h

🔑 J.-J. Zirgel

FRANCOIS BAUR 1999

☐	0,78 ha	5 000	🛢 11 à 15 €

Ce gewurztraminer est signé par une exploitation de 11 ha, installée au cœur du bourg de Turckheim, dans une magnifique demeure qui date des débuts du domaine (1741). Originaire d'un terroir granitique, il apparaît très intense au nez, avec des notes de fleurs et de fruits surmûris. La complexité aromatique se retrouve dans un palais aérien et subtil. A découvrir sur des plats exotiques. (Sucres résiduels : 20 g/l.) (70 à 99 F)

🔑 François Baur Petit-Fils, 3, Grand-Rue, 68230 Turckheim, tél. 03.89.27.06.62, fax 03.89.27.47.21, e-mail vinsbaur@hotmail.com ☑ Y r.-v.

BECK - DOM. DU REMPART

Cuvée du Rempart 1999

☐	0,5 ha	2 000	🍷 11 à 15 €

Gilbert Beck ne se contente pas d'exploiter son domaine de 9 ha, il met sa passion du terroir alsacien au service de ses confrères en présentant leurs produits dans sa Maison des Grands Crus ! Elégante et florale au nez, sa cuvée du Rempart est marquée par son origine granitique. D'une attaque assez souple, le palais est plutôt rond mais non dépourvu de structure. Une belle harmonie. (Sucres résiduels : 37 g/l.) (70 à 99 F)

🔑 Beck, Dom. du Rempart, 5, rue des Remparts, 67650 Dambach-la-Ville, tél. 03.88.92.62.03, fax 03.88.92.49.40 ☑ Y r.-v.

🔑 Gilbert Beck

DOM. JEAN-MARC BERNHARD

Vieilles vignes 1999

☐	n.c.	n.c.	🍷 5 à 8 €

Après un an de stages qui l'ont mené jusque dans les nouveaux pays viticoles, Frédéric Bernhard, œnologue, a rejoint son père Jean-Marc sur le domaine des ancêtres, s'apprêtant ainsi à perpétuer une tradition qui remonte à l'Empire. Le tandem nous fait découvrir un gewurztraminer séduisant par sa robe dorée, aux arômes de fleurs et de fruits confits. Très riche au palais, ce vin, actuellement dominé par une pointe de sucre restant, devrait trouver son harmonie avec le temps. (Sucres résiduels : 19 g/l.) (30 à 49 F)

🔑 Domaine Jean-Marc Bernhard,
21, Grand-Rue, 68230 Katzenthal,
tél. 03.89.27.05.34, fax 03.89.27.58.72,
e-mail jeanmarcbernhard@online.fr
▼ ⊥ t.l.j. sf dim. 9h-12h 14h-19h

BESTHEIM Vendanges tardives 1998

□ 5,61 ha 17 000 15 à 23 €

Pendant la Seconde Guerre mondiale, le village de Bennwihr et ses vignes furent entièrement détruits par les obus. Afin de reconstruire le vignoble et de reprendre la production, une cave vinicole fut créée dès 1945, qui s'associa plus tard à la cave de Westhalten et prit le nom de Bestheim. Elle propose ici un vin jaune paille, dont le nez s'ouvre doucement sur des notes de fleurs et des arômes minéraux. La bouche révèle ampleur et concentration, mais laisse l'empreinte d'un taux de sucre important. Ce gewurztraminer mérite cinq ans de garde. (100 à 149 F)

🔑 Bestheim - Cave de Westhalten, 52,
rte de Soultzmatt, 68250 Westhalten,
tél. 03.89.49.09.29, fax 03.89.49.09.20,
e-mail bestheim@gofornet.com ▼ ⊥ r.-v.

DOM. CLAUDE BLEGER Sélection de grains nobles 1998**

□ 0,28 ha 2 200 23 à 30 €

L'arbre généalogique de Claude Bléger remonte à la guerre de Trente Ans. L'exploitation de 7 ha se situe à Orschwiller, ancien fief du château du Haut-Kœnigsbourg, dont on trouve mention pour la première fois en 823. Ce gewurztraminer, jaune doré, arbore un nez ample, épicé avec des nuances de réglisse. Plein et puissant, il est harmonieusement équilibré et laisse en rétro-olfaction un sillage de fruits confits (poire) très persistant. (Bouteilles de 50 cl.) (150 à 199 F)

🔑 Dom. Claude Bléger, 23, Grand-Rue,
67600 Orschwiller, tél. 03.88.92.32.56,
fax 03.88.82.59.95 ▼ ⊥ t.l.j. 9h-12h15
13h15-19h30

CAVE DE CLEEBOURG Oberberg Steinseltz 1999

□ 4,36 ha 7 000 5 à 8 €

Cléebourg la « nordique » : savez-vous qu'aux XVIIe et XVIII[e]s., à la suite d'un mariage, la cité et ses voisines furent directement rattachées à la couronne de Suède ? Aujourd'hui, la cave vinicole, créée en 1946, réunit tous les viticulteurs de la partie la plus septentrionale du vignoble, l'îlot de Wissembourg, vinifiant la production de 180 ha. Issu d'un terroir argilo-limoneux, ce gewurztraminer affiche un nez exubérant de litchi et de fruits exotiques. Plutôt souple à l'attaque, assez rond, il est tout indiqué pour le dessert. (Sucres résiduels : 8,5 g/l.) (30 à 49 F)

🔑 Cave vinicole de Cléebourg, rte du Vin,
67160 Cléebourg, tél. 03.88.94.50.33,
fax 03.88.94.57.08,
e-mail cave.cleebourg@wanadoo.fr
▼ ⊥ t.l.j. 8h-12h 14h-18h; groupes sur r.-v.

DOM. ANDRE EHRHART ET FILS Herrenweg 1999*

□ 0,8 ha 6 000 5 à 8 €

Tout proche de Colmar, Wettolsheim est un village pittoresque entièrement dédié à la viticulture. André Ehrhart y est établi dans une demeure datée de 1737. D'année en année, ses vins se retrouvent en bonne place dans le Guide. Ce gewurztraminer d'origine argilo-calcaire est déjà très ouvert au nez, qui mêle des notes amyliques et fruitées. Plutôt gras et ample, le palais s'achève sur une finale impressionnante. (Sucres résiduels : 8 g/l.) (30 à 49 F)

🔑 André Ehrhart et Fils, 68, rue Herzog,
68920 Wettolsheim, tél. 03.89.80.66.16,
fax 03.89.79.44.20 ▼ ⊥ t.l.j. sf dim. 8h-11h30
14h-18h

RENE FLEITH-ESCHARD Letzenberg 1999*

□ 0,7 ha 4 400 5 à 8 €

Une exploitation figurant régulièrement dans le Guide, plus d'une fois aux meilleures places. René Fleith n'a eu de cesse de l'agrandir ; il a porté sa superficie à plus de 9 ha. Son fils Vincent l'a rejoint en 1995 avec la volonté d'entreprendre une nouvelle tranche d'investissements dans la cave. Reflétant son origine argilo-calcaire, leur gewurztraminer du Letzenberg apparaît encore très jeune au nez, où l'on sent poindre des notes de fruits et de surmaturation. Rond et harmonieux au palais, c'est un vin puissant et bâti pour une longue garde. (Sucres résiduels : 25 g/l.) (30 à 49 F)

🔑 René Fleith-Eschard, lieu-dit Lange Matten,
68040 Ingersheim, tél. 03.89.27.24.19,
fax 03.89.27.56.79 ▼ ⊥ r.-v.
🔑 René et Vincent Fleith

ANTOINE FONNE Kaefferkopf 1999**

□ 1 ha 4 800 5 à 8 €

Cette petite exploitation (4 ha) est établie à Ammerschwihr, l'une des plus importantes communes viticoles d'Alsace. Elle s'est spécialisée dans la viticulture au début des années 1970 et a su tirer parti de vignes situées dans le Kaefferkopf, célèbre terroir alsacien, témoin ce remarquable 99. La légèreté du sol granitique se retrouve dans l'élégance et l'intensité des arômes dominés par les fruits exotiques. Equilibré et persistant en bouche, c'est un gewurztraminer racé et typé, que l'on servira aussi bien à l'apéritif qu'en fin de repas. (Sucres résiduels : 17 g/l.) (30 à 49 F)

🔑 Antoine Fonné, 14, Grand-Rue,
68770 Ammerschwihr, tél. 03.89.47.37.90,
fax 03.89.47.18.83 ▼ ⊥ r.-v.

ROBERT FREUDENREICH ET FILS Sélection de grains nobles 1998**

□ 1,12 ha 2 700 23 à 30 €

Les terroirs marno-calcaires recouverts de cailloutis calcaires de Pfaffenheim se prêtent parfaitement à l'élaboration de sélections de grains nobles. Ce 98, jaune profond à reflets ambrés, possède un nez complexe, explosion de fruits confits et d'épices, soulignés d'une nuance caractéristique de la pourriture noble. Le palais voluptueux, sans aucune lourdeur, confirme l'élégance du vin jusqu'à une longue finale. Un grand avenir en perspective. (Bouteilles de 50 cl.) Le domaine a par ailleurs obtenu une étoile pour son **gewurztraminer sec Bergweingarten 99 (50 à 69 F)**. Ses atouts : un nez explosif mariant le coing, le melon et les fruits exotiques et un palais frais, équilibré et persistant. (150 à 199 F)

Robert Freudenreich et Fils, 31, rue de l'Eglise, 68250 Pfaffenheim, tél. 03.89.49.60.88, fax 03.89.49.69.36 r.-v.

FREY-SOHLER
Sélection de grains nobles 1998

	0,9 ha	n.c.	38 à 46 €

Ce vin de sélection de grains nobles est issu de graves alluvionnaires, ce qui explique son ouverture et son aptitude à être dégusté dès maintenant. Jaune profond à reflets dorés, il développe un nez puissant d'épices et de fruits confits. Au palais, cette impression se poursuit. Un gewurztraminer peu complexe mais frais, typique et harmonieux. (250 à 299 F)

Frey-Sohler, 72, rue de l'Ortenbourg, 67750 Scherwiller, tél. 03.88.92.10.13, fax 03.88.82.57.11, e-mail freysohl@terre-net.fr t.l.j. 8h-12h 13h15-19h; dim. sur r.-v.

Sohler frères

PAUL GINGLINGER
Vendanges tardives 1998*

	0,7 ha	3 500	15 à 23 €

Paul Ginglinger est à la tête d'une exploitation de 12 ha, créée en 1636. Il y est secondé par son fils Michel, œnologue depuis quelques années. Ensemble, ils ont produit un vin de teinte dorée, aux arômes de fruits confits. La matière, pleine et savoureuse, laisse une impression de puissance et de gras. L'équilibre très harmonieux est de bon augure pour l'évolution de ce gewurztraminer. (100 à 149 F)

Paul Ginglinger, 8, pl. Charles-de-Gaulle, 68420 Eguisheim, tél. 03.89.41.44.25, fax 03.89.24.94.88, e-mail ginglin@club-internet.fr r.-v.

ANDRE HARTMANN
Terrasses du Hagelberg 1999

	0,3 ha	n.c.	8 à 11 €

Fleuron du domaine André Hartmann, les terrasses du Hagelberg, patiemment reconstruites en 1991, confèrent au vignoble un charme romantique tout en favorisant une maturation précoce des raisins. Ce gewurztraminer reflète au nez le terroir de calcaire coquillier d'où il est issu : il se montre en effet très floral, le caractère épicé n'apparaissant qu'en fin de bouche. C'est un vin élégant et structuré pour un long vieillissement. (Sucres résiduels : 30 g/l.) (50 à 69 F)

André Hartmann, 11, rue Roger-Frémeaux, 68420 Voegtlinshoffen, tél. 03.89.49.38.34, fax 03.89.49.26.18 t.l.j. sf dim. 9h-12h 14h-18h

HASSENFORDER 1999*

	0,25 ha	1000	5 à 8 €

Ce gewurztraminer provient de Nothalten, village entièrement voué à la vigne. A la tête de son exploitation depuis 1977, Gilbert Hassenforder propose un gewurztraminer d'origine marno-calcaire, encore marqué par des arômes de type fermentaires d'où ressort la banane. D'une bonne attaque plutôt vive, bien structuré, il pourra accompagner les fromages ou des spécialités exotiques. (Sucres résiduels : 8,5 g/l.) (30 à 49 F)

Gilbert Hassenforder, 57, rte des Vins d'Alsace, 67680 Nothalten, tél. 03.88.92.41.81, fax 03.88.92.41.81 r.-v.

BRUNO HERTZ Réserve 1999*

	0,3 ha	2 000	5 à 8 €

Vigneron et œnologue, Bruno Hertz a établi son siège dans le centre de la cité médiévale d'Eguisheim considérée comme l'un des berceaux du vignoble alsacien. Il exploite près de 6 ha de vignes. Malgré une origine argilo-calcaire, son gewurztraminer Réserve est déjà très intense et expressif au nez avec ses nuances d'agrumes et d'abricot. Frais et charpenté au palais, bien persistant, il sera aussi agréable servi en apéritif que sur un plat exotique. (Sucres résiduels : 5 g/l.) (30 à 49 F)

Bruno Hertz, 9, pl. de l'Eglise, 68420 Eguisheim, tél. 03.89.41.81.61, fax 03.89.41.68.32 r.-v.

ALBERT HERTZ Vendanges tardives 1998

	0,35 ha	2 000	15 à 23 €

Eguisheim est l'un des bourgs les plus pittoresques d'Alsace et la patrie du pape Léon IX, dont on fêtera le millénaire de la naissance en 2002. Albert Hertz y a produit un vin jaune paille à reflets dorés. Le nez s'exprime sur des notes complexes de fruits exotiques, de raisins secs et sur un léger côté fumé. Le palais est certes soyeux et onctueux, mais la générosité masque l'expression du cépage. Un vin déjà relativement évolué. (100 à 149 F)

Albert Hertz, 3, rue du Riesling, 68420 Eguisheim, tél. 03.89.41.30.32, fax 03.89.23.99.23 r.-v.

DOM. ROGER HEYBERGER
Bildstoeckle Sélection de grains nobles 1998**

	1 ha	4 000	23 à 30 €

Une belle robe jaune d'or avec des reflets brillants, un nez frais de pétale de rose et d'épices le caractérisent. La bouche est onctueuse, légèrement confite et sa longueur appréciable. Ce 98 n'est pas encore très ouvert ; il est nécessaire de l'attendre encore un peu, mais il est prometteur. (150 à 199 F)

Roger Heyberger et Fils, 5, rue Principale, 68420 Obermorschwihr, tél. 03.89.49.30.01, fax 03.89.49.22.28 t.l.j. sf dim. 8h-12h 14h-18h

HORCHER
Sélection de grains nobles 1998*

□ 0,25 ha 1000 23 à 30 €

Sur la commune de Mittelwihr, à l'est de laquelle se trouve le grand cru Mandelberg réputé pour son climat doux, les vignes de riesling et de gewurztraminer se partagent la vedette. Ernest Horcher propose un vin jaune ambré profond, à reflets dorés. Encore fermé, le nez laisse cependant apparaître des notes d'agrumes. De belle attaque, le palais est velouté, donnant une agréable impression. Ses arômes sont intenses et très persistants. (150 à 199 F)

Ernest Horcher et Fils, 6, rue du Vignoble, 68630 Mittelwihr, tél. 03.89.47.93.26, fax 03.89.49.04.92 t.l.j. sf dim. 8h-12h 14h-19h

CLAUDE ET GEORGES HUMBRECHT 1999*

□ 0,75 ha 7 000 5 à 8 €

Gueberschwihr n'est pas seulement célèbre pour son clocher roman, c'est aussi un fleuron du vignoble alsacien. Georges et Claude Humbrecht y travaillent depuis 1989. Déjà bien ouvert malgré son origine argilo-calcaire, leur gewurztraminer livre des arômes d'ananas et de fruits exotiques. Puissant et très long en bouche, c'est un vin sec qui s'accordera avec des fromages ou des spécialités asiatiques. (Sucres résiduels : 6 g/l.) (30 à 49 F)

EARL Claude et Georges Humbrecht, 33, rue de Pfaffenheim, 68420 Gueberschwihr, tél. 03.89.49.31.51 r.-v.

JEAN HUTTARD Prestige 1999*

□ 0,5 ha 2 500 8 à 11 €

Zellenberg est un magnifique village perché sur un éperon avancé à l'est de Riquewihr. Installés au bord de la route des Vins, les Huttard y sont vignerons depuis de nombreuses générations. Malgré son origine argilo-calcaire, leur gewurztraminer est déjà très intense au nez, les nuances de rose rivalisent avec les touches de fruits exotiques et de surmaturation. D'un bon équilibre au palais, long et chaleureux, il révèle une grande matière. (Sucres résiduels : 25 g/l.) (50 à 69 F)

Jean Huttard, 10, rte du Vin, 68340 Zellenberg, tél. 03.89.47.90.49, fax 03.89.47.90.32 t.l.j. sauf lun. 9h-12h 14h-18h

Jean-Claude Huttard

JEAN-CHARLES KIEFFER 1999*

□ 0,3 ha 1 500 5 à 8 €

Héritier d'une lignée de vignerons remontant au XVIII[e]s., Jean-Charles Kieffer exploite 9 ha de vignes dans le pittoresque village d'Itterswiller. À la fois intense et très complexe au nez, son gewurztraminer mêle aux notes d'agrumes et de fruits confits traditionnelles d'autres caractères liés à la surmaturation. Ample et structuré au palais, c'est un vin persistant - le fruit d'une belle matière première. (Sucres résiduels : 15 g/l.) (30 à 49 F)

Jean-Charles Kieffer, 7, rte des Vins, 67140 Itterswiller, tél. 03.88.85.59.80, fax 03.88.57.81.44, e-mail jean-charles-kieffer@wanadoo.fr t.l.j. 8h-12h 14h-18h

CAVE DE KIENTZHEIM-KAYSERSBERG
Altenburg 1999

□ 9,83 ha 16 000 8 à 11 €

Cette coopérative rassemble la production de 180 ha de vignes répartis dans les deux communes voisines de Kaysersberg et de Kientzheim. Dans cette dernière commune se trouve le siège de la confrérie Saint-Etienne. D'une intensité moyenne au nez, ce gewurztraminer développe des arômes de thé et de fruits mûrs. Equilibré et élégant au palais, il est encore jeune mais s'épanouira avec le temps, comme tous les vins issus de terroirs argilo-marneux. (Sucres résiduels : 20 g/l.) (50 à 69 F)

Cave de Kientzheim-Kaysersberg, 10, rue des Vieux-Moulins, 68240 Kientzheim, tél. 03.89.47.13.19, fax 03.89.47.34.38 r.-v.

KLEIN AUX VIEUX REMPARTS
Schlossreben 1999*

□ 0,75 ha 4 500 8 à 11 €

Les fidèles du Guide connaissent bien les productions de cette propriété de 8 ha établie au pied du Haut-Kœnigsbourg et dirigée depuis 1973 par Jean-Marie Klein : ses vins y figurent régulièrement. Ses « vignes du château » (Schlossreben) poussent sur un sol granitique qui a donné un gewurztraminer au nez très élégant, fruité et grillé. D'une belle attaque au palais, à la fois vif et charpenté, ce 99 trouvera sa place sur de nombreux plats. (Sucres résiduels : 7,5 g/l.) (50 à 69 F)

Françoise et Jean-Marie Klein - Aux Vieux Remparts, rte du Haut-Kœnigsbourg, 68590 Saint-Hippolyte, tél. 03.89.73.00.41, fax 03.89.73.04.94 r.-v.

PAUL KUBLER Weingarten 1999

□ 0,22 ha 2 000 8 à 11 €

Viticulteurs de père en fils depuis 1620, les Kubler sont à la tête d'un domaine qui compte à Soultzmatt, charmante bourgade de la Vallée Noble. Originaire d'un terroir gréseux, ce gewurztraminer est déjà très ample et intense au nez, les arômes du cépage se mêlant à ceux de la fermentation. Puissant et harmonieux au palais, c'est le produit d'une belle matière première. (Sucres résiduels : 24 g/l.) (50 à 69 F)

EARL Paul Kubler, 103, rue de la Vallée, 68570 Soultzmatt, tél. 03.89.47.00.75, fax 03.89.47.65.45, e-mail kubler@lesvins.com r.-v.

KUEHN Kaefferkopf 1999*

□ n.c. 25 000 8 à 11 €

Vénérable entreprise de négoce d'Ammerschwihr, la maison Kuehn appartient désormais à la cave vinicole d'Ingersheim, mais elle a gardé son autonomie et continue d'exploiter son superbe domaine de 12 ha de vignes. Son gewurztraminer du Kaefferkopf offre un nez très intense mêlant notes florales et épicées ; s'y joutent des nuances plus originales de violette t de fruits confits. Plutôt gras et ample au alais, c'est un vin équilibré et racé, plein de romesses. (Sucres résiduels : 20 g/l.) 50 à 69 F)

Kuehn SA, 3, Grand-Rue, 68770 Ammerchwihr, tél. 03.89.78.23.16, fax 03.89.47.18.32 t.l.j. sf sam. dim. 8h-12h 13h-17h

FRANCOIS LICHTLE

élection de grains nobles 1998**

n.c. 600 23 à 30 €

Le village de Husseren-les-Châteaux, culminant à 390 m, est le plus élevé de la route des ins. Il prit son essor à la Révolution, lorsque es villageois devinrent propriétaires des anciennes terres de l'abbaye de Marbach. De son terroir argilo-calcaire est né un gewurztraminer aune profond, à reflets vieil or. Le nez intense, 'une grande complexité, évoque les fruits onfits et l'abricot sec. Généreux et onctueux, ce in possède du gras, du corps et fait preuve 'une belle harmonie jusqu'à une finale très peristante. (Bouteilles de 50 cl.) (150 à 199 F)

Dom. François Lichtlé, 17, rue des ignerons, 68420 Husseren-les-Châteaux, él. 03.89.49.31.34, fax 03.89.49.37.51, -mail hlichtle@aol.com r.-v.

FRANCOIS LIPP

élection de grains nobles 1998**

0,46 ha 600 30 à 38 €

La maison Lipp a été créée vers 1825. Fournisseur de la brasserie Lipp, à Paris comme à urich, elle possède 6,5 ha de vignes. Une robe aune d'or à reflets ambrés et de grande brillance onne d'emblée un attrait certain à son gewurzraminer. Le nez fin s'inscrit dans le registre picé. En bouche, le vin est distingué, parfaitement équilibré et délivre des touches d'acacia. Il st confit et « sent le soleil », selon l'un des égustateurs. Une belle matière. (200 à 249 F)

François Lipp et Fils, 6, rte du Vin, 8420 Husseren-les-Châteaux, él. 03.89.49.30.37, fax 03.89.49.32.23 r.-v.

MARZOLF Sélection de grains nobles 1998*

0,25 ha 1 300 30 à 38 €

Installée à Gueberschwihr depuis 1844, cette amille a l'avantage d'exploiter une partie de ses ignes sur le grand cru Goldert. Jaune ambré à eflets vieil or, ce 98 décline des arômes épicés, rillés et des notes de café. En bouche, il est mple et complexe, peut-être encore un peu ourd, mais de belle persistance. Attendons-le ncore un peu. (200 à 249 F)

GAEC Marzolf, 9, rte de Rouffach, 8420 Gueberschwihr, tél. 03.89.49.31.02, ax 03.89.49.20.84, e-mail vins@marzolf.fr r.-v.

ALBERT MAURER 1999*

1,05 ha 6 500 5 à 8 €

Vigneron depuis 1965, Albert Maurer est ujourd'hui à la tête d'une exploitation de 11 ha, ituée à proximité de la ville de Barr. Conforme son origine argilo-calcaire, son gewurztrami-er présente un nez peu exubérant, qui s'ouvre sur des arômes épicés. Assez opulent à l'attaque, c'est un vin gras, bien structuré et persistant. (Sucres résiduels : 14 g/l.) (30 à 49 F)

Albert Maurer, 11, rue du Vignoble, 67140 Eichhoffen, tél. 03.88.08.96.75, fax 03.88.08.59.98 t.l.j. sf dim. 8h-12h 13h30-18h

GERARD METZ

Vieilles vignes Cuvée Prestige 1999*

0,5 ha 3 000 5 à 8 €

Viticulteurs de père en fils depuis le début du XX^{e}s., et aujourd'hui à la tête de 12 ha de vignes, les Metz doivent leur réputation non seulement à leur savoir-faire mais aussi à la diversité des terroirs qu'ils exploitent. C'est ainsi que l'on trouve la marque d'un sol argilo-sablonneux dans l'intensité aromatique de ce gewurztraminer, où l'on reconnaît des notes d'épices et de réglisse. Plutôt souple et bien équilibré au palais, c'est le produit d'une belle matière. Il s'accordera avec les fromages et les desserts. (Sucres résiduels : 7 g/l.) (30 à 49 F)

Dom. Gérard Metz, 23, rte du Vin, 67140 Itterswiller, tél. 03.88.57.80.25, fax 03.88.57.81.42 r.-v.

Eric Casimir

DOM. RENE MEYER

La Croix du Pfoeller Vieilles vignes Cuvée Martin 1999

0,55 ha 5 400 8 à 11 €

Vigneron depuis 1959, René Meyer exploite aujourd'hui avec son fils 8 ha de vignes magnifiquement exposées. Originaire d'un terroir marno-calcaire et de vignes de quarante-cinq ans, cette cuvée Martin se distingue au nez par des arômes fumés. Plutôt souple au palais, elle a toute la structure requise pour parvenir à une belle harmonie et sera à son optimum après deux ou trois ans de garde. (Sucres résiduels : 31 g/l.) (50 à 69 F)

EARL Dom. René Meyer et Fils, 14, Grand-Rue, 68230 Katzenthal, tél. 03.89.27.04.67, fax 03.89.27.50.59 r.-v.

DOM. MOLTES Bergweingarten 1999*

0,5 ha 2 500 8 à 11 €

Descendant d'une longue lignée de vignerons, remontant au XVIII^{e}s., Stéphane et Michäel Moltès ont repris ensemble ce domaine en 1997. Les deux frères exploitent 11 ha de vignes. Le terroir argilo-calcaire du Bergweingarten réussit bien au gewurztraminer. Celui-ci est en effet particulièrement typé au nez avec ses nuances épicées et fruitées. Plutôt rond et gras au palais, c'est un vin opulent : tout ce qu'il faut pour l'apéritif ou les desserts. (Sucres résiduels : 20 g/l.) (50 à 69 F)

Dom. Antoine Moltès et Fils, 8-10, rue du Fossé, 68250 Pfaffenheim, tél. 03.89.49.60.85, fax 03.89.49.50.43, e-mail domaine@vins-moltes.com t.l.j. 8h-12h 14h-19h

JULES MULLER Réserve 1999

☐ 3 ha 20 000 8 à 11 €

Fondée en 1886, la maison de négoce Jules Muller a conservé sa personnalité même si elle appartient aujourd'hui à la société Gustave Lorentz. Pour ne pas s'éloigner des récoltes, elle continue d'exploiter en propre un vignoble de 12 ha. Originaire d'un terroir argilo-calcaire, ce gewurztraminer développe au nez des arômes fruités et épicés déjà très expressifs. Puissant et plutôt gras au palais, c'est le produit d'une belle matière. (Sucres résiduels : 6 g/l.) (50 à 69 F)

Jules Muller, 91, rue des Vignerons, 68750 Bergheim, tél. 03.89.73.22.21, fax 03.89.73.30.49 t.l.j. sf dim. 10h-12h 14h-18h30

Gustave Lorentz

CH. D'ORSCHWIHR Bollenberg 1999★★

☐ 1,3 ha 10 000 5 à 8 €

Hubert Hartmann a repris il y a quelques années ce château doté d'un domaine de 20 ha et lui a donné une réputation dont témoignent les étoiles obtenues dans les dernières éditions du Guide. D'origine argilo-calcaire, son gewurztraminer du Bollenberg développe au nez des arômes très intenses où les épices se mêlent au pétale de rose. D'une belle attaque et très puissant au palais, c'est un vin sec, idéal sur la cuisine exotique. (Sucres résiduels : 4 g/l.) (30 à 49 F)

Ch. d'Orschwihr, 1, rue du Centre, 68500 Orschwihr, tél. 03.89.74.25.00, fax 03.89.76.56.91, e-mail hh@chateau-or.com r.-v.

OTTER Sélection de grains nobles 1998★★

☐ 0,34 ha 1 600 30 à 38 €

Le domaine Otter est situé depuis 1890 à Hattstatt, cette ancienne cité fortifiée au XII[e]s. dont on peut encore voir des murs d'enceinte. Il propose un vin jaune profond, à reflets ambrés. Après un nez complexe de fruits exotiques et d'épices, la bouche s'étire longuement, avec du gras et des arômes de fruits exotiques. Fruits et raisins secs signent la finale de manière persistante. Un grand vin. (200 à 249 F)

Dom. François Otter et Fils, 4, rue du Muscat, 68420 Hattstatt, tél. 03.89.49.33.00, fax 03.89.49.38.69, e-mail ottjef@nucleus.fr r.-v.

Jean-François Otter

LES VIGNERONS DE PFAFFENHEIM ET GUEBERSCHWIHR
Grande Réserve 1999★★

☐ 0,77 ha 6 000 8 à 11 €

La cave vinicole de Pfaffenheim a fusionné avec celle de Gueberschwihr en 1968. Elle rassemble aujourd'hui la production de 235 ha de vignes. Ses vins sont souvent très bien notés dans le Guide. Voyez ce gewurztraminer qui allie l'élégance à la puissance. Marqué au nez par des arômes de fruits, de coing et de surmaturation, il se révèle très ample et surtout fort long au palais. Toute la race du terroir est présente dans ce vin. (Sucres résiduels : 17 g/l.) (50 à 69 F)

Cave de Pfaffenheim, 5, rue du Chai, BP 33, 68250 Pfaffenheim, tél. 03.89.78.08.08, fax 03.89.49.71.65, e-mail cave@pfaffenheim.com t.l.j. 8h-12h 14h-18h

ERNEST PREISS Cuvée particulière 1999★

☐ 1,5 ha 17 000 8 à 11 €

Epargnée par les derniers conflits, Riquewihr a conservé un riche patrimoine qui en fait l'une des cités viticoles les plus célèbres d'Alsace. Nombre de vignerons et de négociants y perpétuent la tradition. La maison Ernest Preiss propose un gewurztraminer au nez encore jeune, marqué par un soupçon de vanille. Toute l'expression du cépage explose au palais, à la fois épicé et profond. Un vin persistant et armé pour une longue garde. (Sucres résiduels : 9 g/l.) (50 à 69 F)

Ernest Preiss, rue Jacques-Preiss, BP 3, 68340 Riquewihr, tél. 03.89.47.91.21 r.-v.

PREISS-ZIMMER Vieilles vignes 1999

☐ 3 ha 26 000 8 à 11 €

Cette maison de négoce a pignon sur rue à Riquewihr, fleuron du vignoble alsacien tant par son histoire, son architecture que par la qualité du terroir. Elle propose un gewurztraminer encore très jeune, conforme à son terroir argilo calcaire d'origine. La note élégante de fruits exotiques se révèle surtout au palais. A la fois charpenté et puissant, c'est un beau vin de garde (Sucres résiduels : 15 g/l.) (50 à 69 F)

SARL Preiss-Zimmer, 40, rue du Gal-de-Gaulle, 68340 Riquewihr, tél. 03.89.47.86.91, fax 03.89.27.35.33

VIGNOBLES REINHART
Sélection de grains nobles 1998★

☐ 0,4 ha 3 000 23 à 30 €

Orschwihr est une des cités viticoles d'Alsace Au pied de son grand cru Pfingstberg, elle organise tous les ans la Nuit du Crémant. Pierr Reinhart présente ici un gewurztraminer jaun d'or très profond, à reflets ambrés. Son vi révèle au nez des arômes discrètement confits Puissant au palais, il est ouvert, bien évolué. Le notes de poire confite dominent dans cett explosion aromatique. (Bouteilles de 50 cl.) (150 à 199 F)

Pierre Reinhart, 7, rue du Printemps, 68500 Orschwihr, tél. 03.89.76.95.12, fax 03.89.74.84.08 r.-v.

DOM. EDMOND RENTZ
Sélection de grains nobles 1998★

☐ 1 ha 1 800 30 à 38

Zellenberg est situé sur une crête, à 285 r d'altitude, ce qui lui valut le surnom de petit Tolède. C'est ici que les ancêtres de la famill Rentz achetèrent leurs premiers arpents d vignes en 1785. Le domaine compte aujourd'hu 20 ha. Son gewurztraminer jaune ambré est fi mais discret, laissant échapper des arômes d confit et d'abricot. La bouche, très liquoreus riche et puissante, s'achève sur une agréable ser sation de fraîcheur. Un vin proche de sa plein harmonie. (Bouteilles de 50 cl.) (200 à 249 F)

🔑 EARL Dom. Edmond Rentz, 7, rte du Vin, 68340 Zellenberg, tél. 03.89.47.90.17, fax 03.89.47.97.27 ☑ 🍷 t.l.j. sf dim. 9h-12h 14h-18h

DOM. FRANCOIS RUNNER ET FILS

Bergweingarten 1999*

☐	0,83 ha	7 000	🍾	5à8€

C'est en 1997 que Francis-Claude a pris la succession de son père François Runner sur ce domaine de 12 ha. La qualité est toujours au rendez-vous, à en juger par la régularité des mentions dans le Guide. D'origine argilo-calcaire, ce gewurztraminer développe au nez de puissants arômes de fleurs accompagnés de nuances grillées. Assez souple au palais, parfaitement équilibré et très persistant, c'est un vin d'une grande élégance. A servir à l'apéritif ou avec des spécialités asiatiques. (Sucres résiduels : 10 g/l.) (30 à 49 F)

🔑 Dom. François Runner et Fils, 1, rue de la Liberté, 68250 Pfaffenheim, tél. 03.89.49.62.89, fax 03.89.49.73.69 ☑ 🍷 t.l.j. 8h-12h 13h-19h; groupes sur r.-v.

SAULNIER

Vendanges tardives Vieilles vignes 1998**

☐	0,29 ha	1 800	🍾	15à23€

La richesse de Gueberschwihr réside bel et bien dans son vignoble. Il suffit, pour s'en convaincre, de flaner dans ses ruelles pavées, bordées de maisons Renaissance qui s'ouvrent sur une grande cour, un escalier à viorbe et des caves hautes. C'est ici que Marco Saulnier a créé son exploitation en 1992. Régulièrement mentionné dans le Guide, il propose un gewurztraminer jaune paille, exprimant les fruits secs, la figue et l'abricot. Ces mêmes notes reviennent au palais, dans une matière concentrée, bien fondue, puissante et racée. Une nuance de coing apparaît dans une finale très persistante. (100 à 149 F)

🔑 Marco Saulnier, 43, rue Haute, 68420 Gueberschwihr, tél. 03.89.86.42.02, fax 03.89.49.34.82 ☑ 🍷 r.-v.

SAULNIER 1999**

☐	0,15 ha	1 200	🍾	5à8€

Avant de s'installer comme vigneron en 1992, Marco Saulnier a fait ses premières armes à la Chambre d'agriculture du Haut-Rhin. Il n'a pas tardé à se faire connaître, témoin les étoiles qui viennent depuis plusieurs années saluer ses vins dans le Guide. Malgré une origine argilo-calcaire, son gewurztraminer exhale déjà des senteurs d'épices et de rose très intenses. Riche et puissant, c'est le produit d'une matière remarquable. (Sucres résiduels : 8 g/l.) (30 à 49 F)

🔑 Marco Saulnier, 43, rue Haute, 68420 Gueberschwihr, tél. 03.89.86.42.02, fax 03.89.49.34.82 ☑ 🍷 r.-v.

MARTIN SCHAETZEL

Ammerschwihr Cuvée Isabelle 1999*

☐	0,6 ha	4 000	🍾	8à11€

Depuis vingt ans, Jean Schaetzel arrive à concilier ses fonctions d'animateur de la formation professionnelle viticole et la gestion d'un domaine familial de 8 ha. Reflétant son terroir graveleux d'origine, sa cuvée Isabelle se montre déjà très intense au nez, ce qui ne l'empêche pas d'offrir une palette aromatique fort élégante, faite de rose, de litchi et de fruits confits. La bouche ne déçoit pas, bien riche. Sa rondeur est parfaitement contrebalancée par la charpente. (Sucres résiduels : 19,6 g/l.) (50 à 69 F)

🔑 SARL Martin Schaetzel, 3, rue de la 5e-Division-Blindée, 68770 Ammerschwihr, tél. 03.89.47.11.39, fax 03.89.78.29.77 ☑ 🍷 r.-v.

🔑 Béa et Jean Schaetzel

DOM. JOSEPH SCHARSCH 1999*

☐	0,5 ha	4 000	🍾	5à8€

Lorsque Joseph Scharsch a repris cette exploitation en 1970, elle ne comptait que 2,5 ha de vignes. Il a porté sa superficie à 10 ha et s'est spécialisé dans la viticulture. D'origine marno-calcaire, son gewurztraminer apparaît encore très jeune au nez. En revanche, dès l'attaque, il révèle ses atouts : un palais ample et structuré, non dénué de rondeur. Un vin prometteur que l'on pourra servir à l'apéritif ou au dessert. (Sucres résiduels : 9 g/l.) Le même cépage a donné un vin de **Sélection de grains nobles 98 (100 à 149 F** la bouteille de 50 cl), tout aussi réussi (une étoile). Un vin harmonieux en bouche, frais en finale, à la palette aromatique puissante et élégante (fruits cuits, orange, mirabelle). (30 à 49 F)

🔑 Dom. Joseph Scharsch, 12, rue de l'Eglise, 67120 Wolxheim, tél. 03.88.38.30.61, fax 03.88.38.01.13, e-mail domaine.scharsch@wanadoo.fr ☑ 🍷 r.-v.

SCHERB Sélection de grains nobles 1998*

☐	0,43 ha	n.c.	🍾	23à30€

Les vignes de gewurztraminer s'inscrivent entre le vert sapin des forêts et le rose des carrières de grès de Gueberschwihr. Ce cépage s'exprime dans un vin jaune intense, à reflets vieil or. Le nez de fruits exotiques confits est souligné de nuances de fumé et d'épices. La bouche possède la même intensité aromatique : elle est pleine, ample et profonde. (150 à 199 F)

🔑 Michel Scherb, 16, rue Haute, 68420 Gueberschwihr, tél. 03.89.49.26.82, fax 03.89.49.39.06 ☑ 🍷 r.-v.

A. SCHERER Holzweg 1999*

☐	0,25 ha	1 500	🍾	8à11€

Ce gewurztraminer provient de Husseren-les-Châteaux, un pittoresque village perché, qui offre une vue imprenable sur la plaine d'Alsace. Vous pourrez le découvrir dans une demeure de 1750. Très agréable au nez avec ses arômes de fruits mûrs et de surmaturation, ce vin reflète toute la noblesse du terroir argilo-calcaire d'où il est issu. Bien charpenté et harmonieux, le palais possède une pointe de sucre restant en rapport direct avec la qualité de la vendange. (Sucres résiduels : 12 g/l.) (50 à 69 F)

🔑 Vignoble A. Scherer, 12, rte du Vin, BP 4, 68420 Husseren-les-Châteaux, tél. 03.89.49.30.33, fax 03.89.49.27.48, e-mail ascherer@wanadoo.fr ☑ 🍷 t.l.j. sf dim. 8h-12h 13h-18h

DOM. PIERRE SCHILLE Réserve 1999*

☐ 0,39 ha 3 700 8à11€

Pierre Schillé et son épouse se sont lancés dans la mise en bouteilles au début des années 1960. Leur fils Christophe a pris les rênes de l'exploitation en 1990 et dispose aujourd'hui d'une riche palette de terroirs. Issu de sols argilo-calcaires, son gewurztraminer Réserve est déjà bien épanoui ; il mêle des notes épicées à des senteurs florales. Très ample au palais, c'est un vin gras et structuré, persistant et d'une grande harmonie. (Sucres résiduels : 34 g/l.) (50 à 69 F)

Pierre Schillé et Fils, 14, rue du Stade, 68240 Sigolsheim, tél. 03.89.47.10.67, fax 03.89.47.39.12 r.-v.

JEAN-LOUIS SCHOEPFER Kirchacker 1999*

☐ 0,35 ha 2 500 8à11€

Qui ne connaît la faconde toute méridionale de Jean-Louis Schoepfer ? Rejoint ces dernières années par ses deux fils, ce vigneron enthousiaste exploite un domaine de 10 ha à Wettolsheim près de Colmar. Originaire d'un terroir argilo-siliceux, ce gewurztraminer présente un nez très intense de réglisse et d'écorce d'orange. Riche et opulent, renforcé par une pointe de surmaturation, il persiste longtemps en bouche. (Sucres résiduels : 7,5 g/l.) (50 à 69 F)

EARL Jean-Louis Schoepfer, 35, rue Herzog, 68920 Wettolsheim, tél. 03.89.80.71.29, fax 03.89.79.61.35, e-mail jlschoepfer@libertysurf.fr r.-v.

J. SIEGLER 1999*

☐ 0,6 ha 3 300 5à8€

Jean Siegler est l'un des nombreux vignerons établis à Mittelwihr, village connu des amateurs pour sa Côte des Amandiers, terroir bien exposé et précoce. Déjà très intense au nez malgré une origine marno-calcaire, son gewurztraminer est dominé par des arômes de rose, d'épices et de fruits mûrs. Equilibré et charpenté au palais, c'est un vin long et racé. (Sucres résiduels : 10 g/l.) (30 à 49 F)

EARL Jean Siegler Père et Fils, Clos des Terres-Brunes, 26, rue des Merles, 68630 Mittelwihr, tél. 03.89.47.90.70, fax 03.89.49.01.78 t.l.j. 9h-19h

LES VIGNERONS DE SIGOLSHEIM Lieu-dit Vogelgarten 1999*

☐ n.c. 38 000 8à11€

Si la cave vinicole de Sigolsheim - l'une des premières nées après les combats de la poche de Colmar - a rejoint la mouvance de celle de Turckheim, elle reste très attachée à la vinification de ses lieux-dits. Celui-ci a donné un gewurztraminer au nez expressif d'ananas et de banane. L'attaque en est assez fraîche, et le palais épicé est particulièrement persistant. (Sucres résiduels : 8,1 g/l.) (50 à 69 F)

La Cave de Sigolsheim, 11-15, rue Saint-Jacques, 68240 Sigolsheim, tél. 03.89.78.10.10, fax 03.89.78.21.93, e-mail la.cave.de.sigolsheim@gofornet.com t.l.j. 8h-12h 13h30-17h30

RENE SIMONIS Kaefferkopf 1999*

☐ 0,3 ha 1 800 8à11€

Héritier d'une lignée de vignerons établis à Ammerschwihr depuis le XVIIe s., Etienne Simonis est à la tête de l'exploitation depuis 1996. On le retrouve cette année avec un gewurztraminer du Kaefferkopf. Malgré son origine granitique, ce 99 reste très jeune et discret au nez, dominé par des senteurs florales. Ses arômes de fruits exotiques apparaissent dans un palais à la fois souple et bien structuré. Un vin séduisant et promis à un bel avenir. (Sucres résiduels : 40 g/l.) (50 à 69 F)

René et Etienne Simonis, 2, rue des Moulins, 68770 Ammerschwihr, tél. 03.89.47.30.79, fax 03.89.78.24.10 r.-v.

SIPP-MACK Vieilles vignes 1999**

☐ 1,48 ha 12 000 8à11€

Le domaine Sipp-Mack exploite 17 ha, superficie supérieure à celle de la plupart des exploitations familiales de la région. Les vignes sont réparties sur les communes de Hunawihr, Ribeauvillé et Bergheim. Issu d'un terroir argilo-marneux, ce gewurztraminer offre un superbe bouquet qui associe des nuances fruitées, florales et miellées. Plutôt rond au palais, mais fort bien charpenté, c'est un vin envoûtant, produit d'une matière remarquable. (Sucres résiduels : 28 g/l.) (50 à 69 F)

Dom. Sipp-Mack, 1, rue des Vosges, 68150 Hunawihr, tél. 03.89.73.61.88, fax 03.89.73.36.70, e-mail sippmack@calixo.net r.-v.

PAUL SPANNAGEL 1999*

☐ 0,35 ha 3 700 5à8€

La modernité du clocher - due aux destructions de la Seconde Guerre mondiale - ne doit pas faire illusion. Katzenthal est un village chargé d'histoire et pétri de tradition viticole. D'un terroir calcaire, Paul Spannagel a su faire naître un gewurztraminer très floral. Franc à l'attaque, équilibré et persistant, ce 99 trouvera sa place à l'apéritif comme sur les fromages ou les desserts. (Sucres résiduels : 8 g/l.) (30 à 49 F)

Paul Spannagel et Fils, 1, Grand-Rue, 68230 Katzenthal, tél. 03.89.27.01.70, fax 03.89.27.45.93 t.l.j. sf dim. 8h-12h 14h-19h

VINCENT SPANNAGEL Sélection de grains nobles 1998**

☐ 0,36 ha 1 280 23à30€

Katzenthal est situé à quelques kilomètres à l'ouest de Colmar. Lové dans son vignoble, le village est dominé par le château de la Wineck. Vincent Spannagel y a produit un vin jaune d'or de très grande brillance. Le nez est finement fruité, nuancé d'épices. En bouche, ce gewurztraminer est puissant mais harmonieux, doté de touches de fruits confits. (150 à 199 F)

Vincent Spannagel, 82, rue du Vignoble, 68230 Katzenthal, tél. 03.89.27.52.13, fax 03.89.27.56.48 r.-v.

BERNARD STAEHLE Cuvée Elise 1999*

☐ 0,6 ha 2 700 5 à 8 €

Bernard Staehlé, établi dans une commune proche de Colmar, est à la tête de plus de 6 ha de vignes. Il a porté son exploitation à un excellent niveau, dont témoignent les nombreuses étoiles obtenues dans le Guide. Issue d'un terroir marno-calcaire, sa cuvée Elise présente un nez très expressif de coing et de litchi. Bien équilibré, long et puissant, ce vin atteindra sa pleine harmonie après deux ou trois ans de garde. (Sucres résiduels : 18 g/l.) (30 à 49 F)

EARL Bernard Staehlé, 15, rue Clemenceau, 68920 Wintzenheim, tél. 03.89.27.39.02, fax 03.89.27.59.37 r.-v.

DOM. STOEFFLER
Vendanges tardives 1998*

☐ 0,6 ha 2 500 11 à 15 €

Martine et Vincent Stoeffler possèdent leur exploitation à Barr. Depuis 1988, ils ont fusionné leur vignoble avec celui des parents de Martine, établis à Ribeauvillé. Tous deux œnologues, ils exercent leur métier avec art. D'un bel aspect jaune clair, leur vin dévoile un nez intense, aux notes de fruits cuits, et notamment de confiture de mirabelles. Le palais présente une belle rondeur qui demande quelques mois de vieillissement. Puissant, typé, « ce gewurztraminer est un grand classique », dit un des dégustateurs. (70 à 99 F)

Dom. Martine et Vincent Stoeffler, 1, rue des Lièvres, 67140 Barr, tél. 03.88.08.52.50, fax 03.88.08.17.09, e-mail vins.stoeffler@wanadoo.fr r.-v.

THOMANN Clos du Letzenberg 1999

☐ 0,2 ha 2 152 8 à 11 €

La famille Thomann exploite un domaine de 7 ha de vignes. Elle s'est lancée en 1978 dans un projet titanesque de remise en valeur du coteau du Letzenberg, aménageant des terrasses sur ses pentes escarpées. Cela nous vaut un gewurztraminer à reflets dorés, au nez caractéristique du cépage. Bien structuré au palais, c'est un vin long et généreux, parfaitement armé pour la garde. (Sucres résiduels : 12 g/l.) (50 à 69 F)

Vins Le Manoir, 56, rue de la Promenade, 68040 Ingersheim, tél. 03.89.27.23.69, fax 03.89.27.23.69, e-mail thomann@terre-net.fr r.-v.

Thomann

ANDRE THOMAS ET FILS
Vieilles vignes 1999

☐ 0,6 ha 3 000 11 à 15 €

Vignerons passionnés, André et François Thomas exploitent ensemble 6 ha de vignes et se tournent actuellement vers l'agriculture biologique. D'origine argilo-calcaire, leur gewurztraminer Vieilles vignes est encore dans sa phase de jeunesse. Marqué au nez par des arômes d'une grande finesse, il est plutôt gras au palais, mais possède une structure d'une belle acidité qui lui permettra de s'épanouir pleinement après trois ou quatre ans de garde. (Sucres résiduels : 30 g/l.) (70 à 99 F)

EARL André Thomas et Fils, 3, rue des Seigneurs, 68770 Ammerschwihr, tél. 03.89.47.16.60, fax 03.89.47.37.22 r.-v.

TRIMBACH
Cuvée des Seigneurs de Ribeaupierre 1997**

☐ 2,5 ha 12 000 15 à 23 €

Une maison familiale dans le droit fil de la tradition alsacienne, qui met en avant son art de l'assemblage dans des cuvées de signature, marquées par la rigueur et l'exigence. Voyez ce gewurztraminer, d'une teinte paille soutenue animée d'un léger reflet doré. Intense et très typé, le nez décline toute la palette du cépage, avec des parfums d'épices, de rose, de fruits exotiques et des notes muscatées. Tout aussi expressive, la bouche fait preuve d'un équilibre assez riche, voire opulent. Une belle finale, suave et longue, où se déploient des arômes purs et sans lourdeur aucune, conclut la dégustation de ce vin démonstratif. (100 à 149 F)

F.E. Trimbach, 15, rte de Bergheim, 68150 Ribeauvillé, tél. 03.89.73.60.30, fax 03.89.73.89.04, e-mail contact@maison-trimbach.fr r.-v.

CHARLES WANTZ
Sélection de grains nobles 1998*

☐ 0,3 ha 1000 38 à 46 €

La maison Charles Wantz est établie depuis quelques générations à Barr. A côté de diverses autres activités économiques, cette cité a toujours fait valoir sa production vinicole. Elle organise ainsi tous les ans, autour du 14 juillet, la traditionnelle foire aux vins des vignerons du canton. Jaune d'or, ce gewurztraminer chatoie de reflets ambrés brillants, avant d'exhaler un fruité fin, nuancé d'épices. Il attaque en bouche avec franchise, puis se développe puissamment jusqu'à une finale épicée. (250 à 299 F)

Charles Wantz, 36, rue Saint-Marc, 67140 Barr, tél. 03.88.08.90.44, fax 03.88.08.54.61, e-mail eliane.moser@fnac.net r.-v.

JEAN-PAUL WASSLER Fronholz 1999*

☐ 0,37 ha 3 000 8 à 11 €

Jean-Paul Wassler n'en est pas à sa première mise en bouteilles, puisqu'il a pris la tête du domaine en 1960. C'est lui qui l'a orienté vers la vente directe : l'exploitation (12 ha aujourd'hui) écoulait auparavant sa production en vrac, notamment vers Paris. Elle propose un gewurztraminer originaire d'un terroir argilo-calcaire, au nez à la fois subtil et intense rappelant le litchi. Très expressif également, avec des notes florales et exotiques, le palais est équilibré et persistant. (Sucres résiduels : 17 g/l.) (50 à 69 F)

GAEC Jean-Paul Wassler, 1, rte d'Epfig, 67650 Blienschwiller, tél. 03.88.92.41.53, fax 03.88.92.63.11 r.-v.

Marc Wassler

DOM. WEINBACH
Vendanges tardives Altenbourg 1998*

□ 1 ha 4 000 38 à 46 €

Le domaine Weinbach-Clos des Capucins est largement réputé : ses vins sont appréciés sur les meilleures tables. A noter que plus de la moitié de sa production est destinée à l'exportation. Jaune d'or brillant, ce vin se distingue surtout par la finesse de ses arômes qui évoquent les agrumes. La bouche est bien structurée, riche et puissante. L'équilibre est réussi et la finale longue décline des agrumes de grande fraîcheur. C'est un vin d'avenir. (250 à 299 F)

Dom. Weinbach-Colette Faller et ses Filles, Clos des Capucins, 68240 Kaysersberg, tél. 03.89.47.13.21, fax 03.89.47.38.18 r.-v.

JEAN-MICHEL WELTY
Bollenberg 1999**

□ 1,2 ha 10 000 5 à 8 €

A la tête de l'exploitation depuis 1984, Jean-Michel Welty est établi dans une demeure chargée d'histoire, puisqu'il s'agit d'une ancienne cour dîmière, bâtie en 1576. Il présente un superbe gewurztraminer digne de ce cadre, au nez très intense d'épices, de poire et d'agrumes. Gras et charnu au palais, d'une structure et d'une longueur rares, il se prêtera à toutes sortes d'accords gourmands - spécialités exotiques, fromages, desserts. (Sucres résiduels : 13 g/l.) (30 à 49 F)

EARL Dom. Jean-Michel Welty, 22-24, Grand-Rue, 68500 Orschwihr, tél. 03.89.76.09.03, fax 03.89.76.16.80, e-mail jean-michel-welty@terre-net.fr t.l.j. 8h30-11h30 14h-19h; dim. sur r.-v.

WINTER Muhlforst 1999*

□ 0,2 ha 2 000 11 à 15 €

Les fidèles du Guide connaissent bien cette exploitation de Hunawihr, qui propose des cuvées modestes en volume (le domaine ne compte que 4 ha) mais grandes par la qualité. Marqué par son origine argilo-calcaire, ce gewurztraminer reste très jeune. Au nez, des notes fumées trahissent une pointe de surmaturation. Puissant et bien équilibré au palais, c'est un vin généreux et prometteur, qui atteindra son plein épanouissement après deux ans de garde. (Sucres résiduels : 20 g/l.) (70 à 99 F)

Albert Winter, 17, rue Sainte-Hune, 68150 Hunawihr, tél. 03.89.73.62.95, fax 03.89.73.62.95 r.-v.

WUNSCH & MANN
Sélection de grains nobles Collection Joseph Mann 1998

□ 0,8 ha 2 400 30 à 38 €

Producteur-négociant, cette maison est établie depuis longtemps à Wettolsheim. Elle est de celles qui ont fait la renommée du vin d'Alsace. Jaune doré avec des reflets ambrés, son gewurztraminer libère des notes de pêche et d'épices légères. La bouche est ample, fruitée, mais accuse une sucrosité peut-être encore un peu importante. L'harmonie sera un peu plus longue à se faire. (200 à 249 F)

Wunsch et Mann, 2, rue des Clefs, 68920 Wettolsheim, tél. 03.89.22.91.25, fax 03.89.80.05.21, e-mail wunsch-mann@wanadoo.fr r.-v.
Famille Mann

ZIEGLER-MAULER
Vendanges tardives Cuvée Inès 1998

□ 0,4 ha 1000 23 à 30 €

En 1996, cette exploitation de 5 ha a été entièrement reprise par Philippe Ziegler qui assurait déjà la vinification depuis 1990. La cuvée Inès est née de vignes cinquantenaires. A l'œil, sa robe plutôt dorée est un signe prometteur. Le nez présente des notes d'eau-de-vie de marc, ce qui lui donne un caractère un peu évolué. Puissant, empreint d'arômes confits, le palais est encore marqué par la forte teneur en sucres résiduels. Ce vin demande ainsi à se parfaire dans les trois ans à venir. (150 à 199 F)

Jean-Jacques Ziegler-Mauler Fils, 2, rue des Merles, 68630 Mittelwihr, tél. 03.89.47.90.37, fax 03.89.47.98.27 r.-v.

Alsace tokay-pinot gris

La dénomination locale tokay d'Alsace donnée au pinot gris depuis quatre siècles est un fait étonnant, puisque cette variété n'a jamais été utilisée en Hongrie orientale... La légende dit cependant que le tokay aurait été rapporté de ce pays par le général L. de Schwendi, grand propriétaire de vignobles en Alsace. Son aire d'origine semble être, comme celle de tous les pinots, le territoire de l'ancien duché de Bourgogne.

Le pinot gris n'occupe que 1 300 ha, mais il peut produire un vin capiteux, très corsé, plein de noblesse, susceptible de remplacer un vin rouge sur les plats de viande. Lorsqu'il est somptueux comme en 83, 89 et 90, années exceptionnelles, c'est l'un des meilleurs accompagnements du foie gras.

DOM. PIERRE ADAM
Katzenstegel Cuvée Théo 1999**

☐ 1 ha 7 000 8à11€

Cette exploitation familiale, créée en 1950 à partir d'un hectare de vignes, n'a cessé de grandir, en superficie comme en renom. Elle compte aujourd'hui 11 ha, et collectionne les étoiles dans le Guide, en particulier pour ce tokay du Katzenstegel, terroir sablonneux et granitique. Déjà estimée remarquable l'an dernier, cette cuvée Théo est jugée digne, par son élégance, de monter sur le podium dans ce millésime. Son fruité riche et sa persistance, où la fraîcheur s'équilibre avec une superbe rondeur, font l'unanimité. (Sucres résiduels : 22 g/l.) (50 à 69 F)

Dom. Pierre Adam, 8, rue du Lt-Louis-Mourier, 68770 Ammerschwihr, tél. 03.89.78.23.07, fax 03.89.47.39.68, e-mail info@domaine-adam.com t.l.j. 8h-12h 13h-20h

ANDRE ANCEL Quatre Saisons 1999

☐ 0,23 ha 1 490 5à8€

Entourée de murailles et dominée par son donjon, la cité de Kaysersberg a gardé un cachet médiéval et Renaissance. La famille Ancel exploite des vignes aux alentours depuis un peu plus d'un siècle. Dans sa cave s'alignent les traditionnels tonneaux, mais aussi de nouvelles cuves en inox de faible capacité. Cette cuvée possède un nez puissant, qui mêle un fruité de pêche et d'abricot au fumé propre au cépage, arômes que l'on retrouve avec intensité en bouche ; après une attaque franche et ronde, elle apparaît un peu corsée mais reste très plaisante. (Sucres résiduels : 20 g/l.) (30 à 49 F)

EARL André Ancel, 3, rue du Collège, 68240 Kaysersberg, tél. 03.89.47.10.76, fax 03.89.78.13.78 t.l.j. 8h-12h 13h30-19h

VIGNOBLE FREDERIC ARBOGAST
Vieilles vignes 1999

☐ 0,52 ha 3 600 5à8€

La commune de Westhoffen est située dans la partie nord du vignoble, à l'ouest de Strasbourg. Le domaine Arbogast y est établi depuis quelque trente ans. Un sol argilo-marneux est à l'origine de son tokay Vieilles vignes aux arômes de sous-bois et de champignon. En bouche, le fruité se manifeste avec finesse, dans une structure souple. Une harmonie agréable. (Sucres résiduels : 28 g/l.) (30 à 49 F)

EARL Frédéric Arbogast, 3, pl. de l'Eglise, 67310 Westhoffen, tél. 03.88.50.30.51, fax 03.88.50.30.51 r.-v.

DOM. BAUMANN Birgele 1999

☐ 0,83 ha 9 000 8à11€

Cette jeune maison dispose de 14 ha de vignes. Elle résulte de l'association, en 1998, de Jean-Michel Baumann et de Claude Wiss. Leur tokay 99 présente un nez discret, où l'on distingue quelques notes de pêche. Equilibré, fin, d'une belle vivacité, il est bien typé et gagnera en expression d'ici à 2002. (Sucres résiduels : 30,6 g/l.) (50 à 69 F)

Dom. Baumann, 8, av. Méquillet, 68340 Riquewihr, tél. 03.89.47.92.14, fax 03.89.47.99.31, e-mail baumann@reperes.com r.-v.

ANDRE BLANCK ET SES FILS
Cuvée Margaux 1999*

☐ 1,5 ha 5 000 8à11€

Acquise par André Blanck il y a une cinquantaine d'années, la Cour des Chevaliers de Malte appartenait à Lazare de Schwendi, auquel on attribue l'« invention » du tokay. Un site privilégié pour valoriser ce cépage ! Cette cuvée présente un nez complexe, véritable panier de fleurs et de fruits bien mûrs. Son harmonie est faite d'une riche matière alliée à une belle fraîcheur. Elle gagnera encore en éclat d'ici deux à trois ans. (Sucres résiduels : 25 g/l.) (50 à 69 F)

EARL André Blanck et Fils, Ancienne Cour des Chevaliers de Malte, 68240 Kientzheim, tél. 03.89.78.24.72, fax 03.89.47.17.07 t.l.j. sf dim. 8h-19h

HENRI BLEGER
Coteau du Haut-Kœnigsbourg 1999**

☐ 0,38 ha 3 600 8à11€

Saint-Hippolyte est situé au pied du Haut-Kœnigsbourg. Henri Bléger y exploite quelque 8 ha de vignes. Sa cave Renaissance (1562) abrite des fûts de chêne. Ce tokay n'a pas connu le bois, mais c'est un grand. Le fruit très mûr, et même surmûri, s'affirme au nez, à côté de nuances fumées. Une belle matière s'offre au palais, qui apparaît rond mais équilibré. Persistante et fraîche, la finale confère à ce vin un caractère fringant qui « donne envie d'y revenir ». Un tokay de foie gras. (Sucres résiduels : 11 g/l.) (50 à 69 F)

Henri Bléger, 2, rue Saint-Fulrade, 68590 Saint-Hippolyte, tél. 03.89.73.00.08, fax 03.89.73.05.93 r.-v.

DOM. DU BOUXHOF
Vendanges tardives Cuvée Benjamin 1998*

☐ 17,78 ha 1 400 23à30€

De vieux parchemins ont été retrouvés, qui retracent les huit siècles d'histoire du domaine du Bouxhof. Cette propriété viticole de 7 ha est la seule qui soit classée Monument historique (1996) en Alsace. Elle propose un vin jaune doré profond, dont la concentration des arômes de fruits confits, nuancés d'anis, est appréciable au nez. Au palais, l'équilibre est atteint. Ce pinot gris racé, aux notes anisées en rappel, pourrra vieillir grâce à une bonne acidité de soutien. (150 à 199 F)

⊶ EARL François Edel et Fils, Dom. du Bouxhof, 68630 Mittelwihr, tél. 03.89.47.90.34, fax 03.89.47.84.82 ☑ ⵊ t.l.j. 9h-19h

CAMILLE BRAUN Lippelsberg 1999*

☐ 0,5 ha 3 000 5à8€

Descendants d'une lignée au service du vin depuis deux siècles environ, Camille Braun et son fils exploitent 9,5 ha dans la partie sud du vignoble alsacien. Ils valorisent l'expression des terroirs, tel ce Lippelsberg aux sols calcaro-gréseux. D'un fruité riche, avec une touche presque minérale, ce tokay est également très expressif en bouche. Ample, gras et rond au palais, il offre une bonne finale marquée d'une fraîcheur bienvenue. (Sucres résiduels : 23 g/l.) (30 à 49 F)

⊶ Camille Braun, 16, Grand-Rue, 68500 Orschwihr, tél. 03.89.76.95.20, fax 03.89.74.35.03 ☑ ⵊ t.l.j. sf dim. 8h-12h 13h30-19h

DOM. BURGHART-SPETTEL Réserve 1999*

☐ 0,35 ha 2 900 5à8€

Ce domaine familial, créé en 1948, demeure attaché aux traditions, surtout à la vinification en foudre de chêne. Son pinot gris Réserve révèle un beau fruité déjà bien mûr, avec une note de sous-bois d'automne, arômes qui se retrouvent au palais. D'un équilibre agréable par sa fraîcheur et une certaine puissance, ce 99 affiche une bonne longueur en finale. (Sucres résiduels : 12 g/l.) (30 à 49 F)

⊶ Dom. Burghart-Spettel, 9, rte du Vin, 68630 Mittelwihr, tél. 03.89.47.93.19, fax 03.89.49.07.62 ☑ ⵊ r.-v.

DOPFF ET IRION Les Maquisards 1999*

☐ 3,5 ha 21 000 8à11€

Riquewihr et les terres de son château restèrent de 1320 jusqu'à la Révolution dans les mains des ducs de Wurtemberg. Créée en 1946, la société Dopff et Irion exploite deux domaines, dont celui du château de Riquewihr (27 ha). La cuvée de pinot gris Les Maquisards a été baptisée ainsi par René Dopff, fondateur de la maison et ancien résistant. D'un jaune doré brillant, le 99 est un grand classique. Le nez, très fin, livre des notes de confit et de foin coupé. L'attaque révèle fraîcheur, puissance et une bonne étoffe. Un vin qui ne demande qu'à s'épanouir. A attendre. (Sucres résiduels : 14 g/l.) (50 à 69 F)

⊶ Dopff et Irion, Dom. du château de Riquewihr, 68340 Riquewihr, tél. 03.89.47.92.51, fax 03.89.47.98.90, e-mail post@dopff-irion.com ☑ ⵊ r.-v.

EINHART Westerberg 1999

☐ 1 ha 3 000 5à8€

Cette cuvée n'en est pas à sa première mention dans le Guide. Le 99 n'a peut-être pas l'étoffe d'excellents millésimes antérieurs (96 et 94), mais reste satisfaisant : le nez franc, fin et typé, livre des notes miellées et réglissées. Quant au palais, puissant et frais, il est de bon équilibre. Reproduisant une aquarelle d'André Jost, l'étiquette semble traduire les perceptions olfactives et gustatives en nuances à la fois chaudes et fraîches. (Sucres résiduels : 10 g/l.) (30 à 49 F)

⊶ Nicolas Einhart, 15, rue Principale, 67560 Rosenwiller, tél. 03.88.50.41.90, fax 03.88.50.29.27, e-mail info@einhart.com ☑ ⵊ r.-v.

FERNAND ENGEL ET FILS Clos des Anges 1999*

☐ n.c. 7 300 8à11€

Le millésime 99 correspond au cinquantenaire du domaine. Ce tokay révèle progressivement des arômes de fruits. Le palais riche et puissant, encore marqué par le sucre, est de bonne persistance. Un vin prometteur qui devrait s'ouvrir dans un an ou deux. (Sucres résiduels : 35 g/l.) (50 à 69 F)

⊶ GAEC Fernand Engel et Fils, 1, rte du Vin, 68590 Rorschwihr, tél. 03.89.73.77.27, fax 03.89.73.63.70, e-mail fengel@terre-net.fr ☑ ⵊ t.l.j. 8h-12h 13h-18h sf dim. 9h-12h

RENE FLECK 1999

☐ n.c. n.c. 5à8€

Un vin signé René Fleck et Fille, car, en 1995, Nathalie Fleck a rejoint son père sur l'exploitation située dans la Vallée Noble. C'est la quatrième année consécutive qu'un pinot gris du domaine est mentionné dans le Guide. Ce 99, né d'un calcaire coquillier, s'ouvre progressivement sur des notes exotiques, agrémentées de nuances de sous-bois. La bouche, équilibrée, donne une impression de richesse à l'attaque et dans la longue finale ; une certaine chaleur conclut la dégustation. (Sucres résiduels : 10,5 g/l.) (30 à 49 F)

⊶ René Fleck et Fille, 27, rte d'Orschwihr, 68570 Soultzmatt, tél. 03.89.47.01.20, fax 03.89.47.09.24 ☑ ⵊ r.-v.

ROBERT FREUDENREICH Côte de Rouffach 1999

☐ 0,34 ha 3 500 8à11€

A la tête de quelque 7 ha de vignes, les Freudenreich, père et fils, ont gardé toutes les bonnes pratiques traditionnelles, tels la récolte manuelle ou la vinification et l'élevage des vins en fût de chêne. Ils proposent un tokay très floral et bien épicé, tant au nez qu'au palais. Une bouteille agréable par sa rondeur onctueuse et par sa finale qui renoue avec les épices. (Sucres résiduels : 18 g/l.) (50 à 69 F)

⊶ Robert Freudenreich et Fils, 31, rue de l'Eglise, 68250 Pfaffenheim, tél. 03.89.49.60.88, fax 03.89.49.69.36 ☑ ⵊ r.-v.

W. GISSELBRECHT Réserve spéciale 1999

☐ 3 ha 28 000 5à8€

Ville fortifiée, Dambach-la-Ville a gardé l'image qu'elle devait présenter au XVIIIe s. Le bourg se flatte également de posséder le plus vaste vignoble d'Alsace. La maison W. Gisselbrecht, à côté d'une activité de négoce-éleveur, exploite 17 ha à Dambach et dans les communes voisines (Dieffenthal, Scherwiller et Châtenois). Sa Réserve spéciale, encore discrète au nez, s'ouvre légèrement sur quelques nuances florales

t fumées. Le palais, déjà équilibré, se révèle
uissant et persistant. (Sucres résiduels : 10 g/l.)
30 à 49 F)

Willy Gisselbrecht et Fils, 5, rte du Vin,
7650 Dambach-la-Ville, tél. 03.88.92.41.02,
ax 03.88.92.45.50 ☒ Y t.l.j. sf dim. 8h-12h
4h-18h

GOETZ 1999★★

0,6 ha 6 000 5 à 8 €

Napoléon appréciait, dit-on, les vins de Volxheim, village situé dans le nord du vignole, au terroir marno-calcaire. Mathieu Goetz en tiré un pinot gris des plus prometteurs. Le nez, n peu fermé, révèle toutefois un beau fumé. La ouche flatte par son équilibre, son ampleur et a très grande persistance. Un vin apte à la arde, et qui peut se prêter à de nombreux ccords gourmands, avec de la volaille, par xemple. (Sucres résiduels : 13 g/l.) (30 à 49 F)

Mathieu Goetz, 2, rue Jeanne-d'Arc,
7120 Wolxheim, tél. 03.88.38.10.47 ☒ Y r.-v.

JOSEPH GSELL Cuvée César 1999★★

0,3 ha 1 500 8 à 11 €

Cette cuvée César serait-elle dédiée à un mpereur romain ? En tout cas elle ne manque as d'étoffe ! Un joli fumé, intense et fin, 'affirme au nez, puis au palais, riche, équilibré t bien structuré. La finale fruitée lui assure de 'élégance. (Sucres résiduels : 32 g/l.)
(50 à 69 F)

Joseph Gsell, 26, Grand-Rue,
8500 Orschwihr, tél. 03.89.76.95.11,
ax 03.89.76.20.54 ☒ Y t.l.j. sf dim. 9h-19h

JEAN-PAUL HAEFFELIN ET FILS
Cuvée Vieilles vignes 1999★

0,2 ha 2 000 5 à 8 €

Cette famille bénéficie de l'expérience de nombreuses générations, puisque le domaine a té fondé en 1770. En 1993, le fils Daniel a transéré l'exploitation hors de la ville, mais l'accueil les visiteurs se fait toujours à l'intérieur de la ité médiévale. Fruits confits et fleurs blanches u nez, ce tokay révèle un équilibre fait de fraîheur et d'une certaine puissance. Plutôt facile boire, typé, il offre en outre une bonne finale. Sucres résiduels : 15 g/l.) (30 à 49 F)

Vignoble Daniel Haeffelin, 35, Grand-Rue,
8420 Eguisheim, tél. 03.89.41.77.85,
ax 03.89.23.32.43 ☒ Y r.-v.

DOM. HENRI HAEFFELIN ET FILS
Le Silex 1999★

0,5 ha 3 000 8 à 11 €

Depuis 1989 à la tête d'une coquette propriété le 16 ha, Guy Haeffelin s'est donné pour ambiion de « retrouver le goût du terroir ». Comme 'an dernier, sa cuvée le Silex a été remarquée par le jury. D'un jaune soutenu, elle présente un nez où le fruit confit, très présent, s'allie aux fleurs blanches. Malgré une dominante sucrée, 'attaque reste franche et fraîche, introduisant une bouche dont l'ampleur et le gras traduisent a richesse. Ce tokay gagnera en équilibre et en maturité au cours des trois ou quatre années à venir. (Sucres résiduels : 10 g/l.) (50 à 69 F)

Dom. Henri Haeffelin, 13, rue d'Eguisheim,
68920 Wettolsheim, tél. 03.89.80.76.81,
fax 03.89.79.67.05 ☒ Y t.l.j. 8h-12h 13h-19h;
dim. sur r.-v.

Guy Haeffelin

DOM. MATERNE HAEGELIN ET SES FILLES Cuvée Elise 1999

2 ha 17 900 8 à 11 €

Cette cuvée, dédiée à la plus jeune représentante des femmes du domaine, respire elle aussi la jeunesse, avec un nez encore discret, s'ouvrant sur des nuances florales et un fruité un peu surmûri, et sur une bouche souple et ronde, qui n'a pas encore trouvé sa pleine harmonie, avec une acidité très présente. On l'attendra quelque temps. (Sucres résiduels : 16 g/l.) (50 à 69 F)

Dom. Materne Haegelin et ses Filles,
45-47, Grand-Rue, 68500 Orschwihr,
tél. 03.89.76.95.17, fax 03.89.74.88.87,
e-mail filles@haegelin-materne.fr ☒ Y t.l.j.
8h15-12h 13h-18h30

Régine Garnier

HAULLER Cuvée Saint-Sébastien 1999★★

1 ha 11 000 5 à 8 €

Depuis sa fondation en 1830, ce domaine familial s'est développé : il mène une activité de négoce et possède 19 ha de vignes en propre, principalement situées sur des terroirs granitiques. Sa cuvée Saint-Sébastien attire d'entrée par un nez expressif et complexe mêlant nuances florales, fruitées et miellées. La suite révèle un tokay de bonne étoffe, équilibré, fin et persistant malgré sa jeunesse. Un vin de gastronomie, qui pourra accompagner un chapon. (Sucres résiduels : 10 g/l.) (30 à 49 F)

J. Hauller et Fils, 3, rue de la Gare,
67650 Dambach-la-Ville, tél. 03.88.92.40.21,
fax 03.88.92.45.41,
e-mail j.hauller@wanadoo.fr ☒ Y r.-v.

René Hauller

KLEIN-BRAND Cuvée Réserve 1999

0,55 ha 5 800 5 à 8 €

Les terroirs de la Vallée Noble donnent habituellement des vins riches et très typés, dont ce 99, malgré sa jeunesse, fournit un bon exemple. Son nez fin mêle les fleurs blanches (acacia) à des notes très marquées de réglisse et de menthe. On retrouve ces arômes dans un palais bien frais, équilibré et agréable. (Sucres résiduels : 15 g/l.) (30 à 49 F)

Klein-Brand, 96, rue de la Vallée,
68570 Soultzmatt, tél. 03.89.47.00.08,
fax 03.89.47.65.53 ☒ Y t.l.j. sf dim. 8h-12h
13h30-18h

MARC KREYDENWEISS
Clos Rebberg 1999★★

0,4 ha 3 000 11 à 15 €

Signée David Tremlett, l'étiquette est originale par sa sobriété. Quant à ce pinot gris, son nez évoque une coupe débordante de senteurs fruitées - fruits mûrs, secs et confits -, avec un soupçon de miel. En bouche, une belle matière, presque croquante, libère des arômes exotiques et des notes d'abricot. Ce vin procure un réel plaisir. Son auteur ? Un vigneron à la tête d'un domaine de 12 ha, qu'il conduit en biodynamie. (Sucres résiduels : 8 g/l.) (70 à 99 F)

Dom. Marc Kreydenweiss, 12, rue Deharbe, 67140 Andlau, tél. 03.88.08.95.83, fax 03.88.08.41.16 r.-v.

CELLIER DE LA WEISS
Ritzenthaler 1999*

☐ 3 ha 26 300 5à8€

Ce tokay a été produit sur un sol d'alluvions - déposées par la Weiss et la Fecht, rivières descendant des hautes Vosges. Il est flatteur par ses arômes de fruits confits qui complètent ceux du cépage. Après l'attaque ronde, un fruité de coing persiste longuement dans une finale agréable. (Sucres résiduels : 16 g/l.) (30 à 49 F)

Cellier de La Weiss, BP 5, 68240 Kaysersberg, tél. 03.89.30.23.60, fax 03.89.27.35.33

MEISTERMANN Cuvée Prestige 1999

☐ 0,35 ha 4 000 5à8€

Pfaffenheim mérite une visite pour la chapelle de Notre-Dame-du-Schauenberg, ancien lieu de pèlerinage qui offre un point de vue magnifique sur la plaine d'Alsace. Le village compte aussi nombre de maisons vigneronnes anciennes. Modeste par sa superficie (4,5 ha), le domaine de Michel Meistermann est traditionnel par ses caves équipées de foudres. Encore réservée sur le plan aromatique, sa cuvée Prestige est ample, équilibrée et déjà bien persistante. Elle gagnera en expression après un an ou deux de garde. (Sucres résiduels : 10 g/l.) (30 à 49 F)

Michel Meistermann, 37, rue de l'Eglise, 68250 Pfaffenheim, tél. 03.89.49.60.61, fax 03.89.49.79.30 r.-v.

GILBERT MEYER Cuvée Prestige 1999

☐ n.c. 2 400 5à8€

Cette cuvée née d'un sol marno-calcaire délivre quelques arômes floraux sur un léger fumé typé du cépage. De bonne structure, sans trop d'ampleur, mais équilibré et agréable, un classique. (Sucres résiduels : 18 g/l.) (30 à 49 F)

Gilbert Meyer, 5, rue du Schauenberg, 68420 Voegtlinshoffen, tél. 03.89.49.36.65, fax 03.89.86.42.45, e-mail vins.gilbert.meyer@wanadoo.fr r.-v.

CHARLES NOLL 1999*

☐ 0,35 ha 2 500 5à8€

A la tête du domaine familial depuis 1983, Charles Noll exploite 6 ha de vignes plantées principalement sur argilo-calcaires. D'un jaune pâle à reflets verts, son pinot gris présente un nez caractéristique du cépage. La bouche séduit par sa finesse, sa belle fraîcheur et son harmonie. Un ensemble élégant. (Sucres résiduels : 14,6 g/l.) (30 à 49 F)

EARL Charles Noll, 2, rue de l'Ecole, 68630 Mittelwihr, tél. 03.89.47.93.21, fax 03.89.47.86.23 t.l.j. 9h-21h

PIERRE ET JEAN-PIERRE RIETSCH
Rippelholz 1999**

☐ 0,39 ha 2 500 8à11€

Ancienne dépendance de l'abbaye d'Andlau, Mittelbergheim a non seulement conservé son charme pittoresque, mais a su faire grandir son renom viticole, grâce à des vignerons comme les Rietsch. Voyez ce tokay, né sur les sols marno-calcaires du lieu-dit Rippelholz. Son nez de fruits exotiques est expressif et élégant. Le palais, fin et plaisant, révèle une belle matière et un excellent potentiel. Un vin très prometteur à attendre quelques mois. (Sucres résiduels : 36 g/l.) (50 à 69 F)

Pierre et Jean-Pierre Rietsch, 32, rue Principale, 67140 Mittelbergheim, tél. 03.88.08.00.64, fax 03.88.08.40.91, e-mail rietsch@wanadoo.fr r.-v.

WILLY ROLLI-EDEL 1999*

☐ 0,34 ha 1 880 8à11€

Rorschwihr est un des villages qui s'alignent au sud du Haut-Kœnigsbourg. Willy Rolli y exploite avec talent les 11 ha du domaine familial. Son pinot gris présente les accents fumés du cépage avant de livrer des notes florales et miellées. En bouche, on apprécie son ampleur, sa puissance, l'intensité de ses arômes. Une plaisante harmonie. (Sucres résiduels : 17 g/l.) (50 à 69 F)

Willy Rolli-Edel, 5, rue de l'Eglise, 68590 Rorschwihr, tél. 03.89.73.63.26, fax 03.89.73.83.50 r.-v.

DANIEL RUFF Cuvée Julie 1999

☐ 0,6 ha 4 000 5à8€

Ce domaine situé à Heiligenstein, au pied du mont Sainte-Odile, a été fondé en 1920, ce qui en fait une propriété assez récente pour l'Alsace, mais il compte déjà 10 ha. Sa cuvée Julie présente des arômes de surmaturation avec quelques notes amyliques. Sans excès de matière, la bouche est équilibrée, plutôt ronde, et offre des nuances fruitées. (Sucres résiduels : 9 g/l.) (30 à 49 F)

🔑 Dom. Daniel Ruff, 64, rue Principale, 67140 Heiligenstein, tél. 03.88.08.10.81, fax 03.88.08.43.61 ☑ 🍷 r.-v.

CLOS SAINTE-ODILE 1999

☐ n.c. 5 000 🍾 8 à 11 €

Le clos Sainte-Odile est situé sur les hauteurs d'Obernai. Ses vins sont élaborés par une société filiale de la cave vinicole d'Obernai. Celui-ci est dominé par des notes fumées typiques, avec un fruité discret. Franc, équilibré, d'une acidité agréable, c'est un vin « sympathique », conclut un dégustateur. (Sucres résiduels : 7,5 g/l.) (50 à 69 F)

🔑 Sté vinicole Sainte-Odile, 30, rue du Gal-Leclerc, 67210 Obernai, tél. 03.88.47.60.29, fax 03.88.47.60.22 ☑ 🍷 r.-v.

THOMANN

Clos du Letzenberg Sélection de grains nobles 1998*

☐ 0,26 ha 2 267 🍾 15 à 23 €

Situé entre Ingersheim et Turckheim, le Letzenberg bénéficie d'une exposition sud-est. Ce coteau, abandonné après la Première Guerre mondiale, doit sa remise en valeur et son exploitation en terrasses à ce producteur, depuis une vingtaine d'années. Robe jaune paille profond, nez généreux et fin, marqué par les fruits confits, ce vin tapisse merveilleusement le palais. L'équilibre est réussi et l'avenir assuré. (Bouteilles de 50 cl.) (100 à 149 F)

🔑 Vins Le Manoir, 56, rue de la Promenade, 68040 Ingersheim, tél. 03.89.27.23.69, fax 03.89.27.23.69, e-mail thomann@terre-net.fr ☑ 🍷 r.-v.

🔑 Thomann

ANDRE THOMAS ET FILS

Cuvée particulière 1999

☐ 0,3 ha 1 500 11 à 15 €

Forte de nombreuses sélections dans le Guide, la famille Thomas a proposé un tokay issu d'un terroir argilo-calcaire, aux arômes fruités, fins et élégants. En bouche, ce vin présente une structure riche et même un peu grasse. Il reste légèrement sur sa réserve et montre en finale une pointe d'amertume. (Sucres résiduels : 40 g/l.) (70 à 99 F)

🔑 EARL André Thomas et Fils, 3, rue des Seigneurs, 68770 Ammerschwihr, tél. 03.89.47.16.60, fax 03.89.47.37.22 ☑ 🍷 r.-v.

TRIMBACH Réserve personnelle 1997*

☐ 4 ha 20 000 🍾 15 à 23 €

On trouve les vins Trimbach aussi bien sur les tables des restaurants prestigieux qu'à l'Elysée... ou à Matignon... De couleur paille, ce 97 s'affirme par un nez très typé, épicé, un peu lourd avec sa palette mêlant le miel, les fruits jaunes et des notes minérales. Le côté épicé se retrouve en bouche, avec de l'ampleur et un équilibre qui penche vers la suavité. Les sucres résiduels font sentir leur présence dans cet ensemble séduisant, à la finale aromatique. (100 à 149 F)

🔑 F.E. Trimbach, 15, rte de Bergheim, 68150 Ribeauvillé, tél. 03.89.73.60.30, fax 03.89.73.89.04, e-mail contact@maison-trimbach.fr ☑ 🍷 r.-v.

VORBURGER

Sélection de grains nobles 1998**

☐ n.c. n.c. 15 à 23 €

Cette exploitation familiale, créée dans les années 1950, s'est fait connaître dès 1958 sous le nom de Vorburger Arsène. Aujourd'hui dirigée par son petit-fils, elle présente un pinot gris jaune d'or, dont le nez est marqué à souhait par la pourriture noble et par le sous-bois. Riche, opulent et épicé au palais, ce vin possède une très belle acidité, garante de son évolution. De longueur remarquable en bouche, il est de grande noblesse. Le rapport qualité-prix est en outre excellent. (Bouteilles de 50 cl.) (100 à 149 F)

🔑 Jean-Pierre Vorburger et Fils, 3, rue de la Source, 68420 Voegtlinshoffen, tél. 03.89.49.35.52, fax 03.89.86.40.56 ☑ 🍷 t.l.j. sf dim. 8h-12h 13h30-18h

LOUIS WALTER

Cuvée des Seigneurs 1999*

☐ 0,27 ha 2 800 8 à 11 €

Ce domaine familial, créé en 1959 par Louis Walter, est dirigé depuis 1979 par son fils Bernard qui exploite un vignoble de 7 ha autour de Pfaffenheim, aux sols argilo-calcaires. Sa cuvée des Seigneurs séduit par ses arômes riches, complexes et intenses dominés par le coing. En bouche, elle est d'une belle présence par son intensité fruitée et son étoffe déjà équilibrée. Dans quelques mois, elle aura atteint sa parfaite harmonie. (Sucres résiduels : 31 g/l.) (50 à 69 F)

🔑 Bernard Walter, 10, rue de la Tuilerie, 68250 Pfaffenheim, tél. 03.89.49.62.85, fax 03.89.49.62.85, e-mail stéphane-walter@wanadoo.fr ☑ 🍷 r.-v.

JEAN WEINGAND 1999*

☐ n.c. 45 000 5 à 8 €

En complément de l'exploitation familiale, les deux frères Jacques et Jean-Marie Cattin ont développé une activité de négoce. Leur tokay s'annonce par une robe vieil or soutenu et par un nez intense où se succèdent notes fumées et essence d'orange sanguine. On découvre ensuite un palais plutôt riche, équilibré et harmonieux. Un vin de garde déjà charmeur. (Sucres résiduels : 12 g/l.) (30 à 49 F)

🔑 Jean Weingand, 19, rue Roger-Frémeaux, 68420 Voegtlinshoffen, tél. 03.89.49.30.21, fax 03.89.49.26.02 ☑ 🍷 r.-v.

🔑 Jacques et Jean-Marie Cattin

BERNADETTE WELTY ET FILS

1999**

☐ 0,55 ha 3 500 🍾 8 à 11 €

Guy Welty a repris l'exploitation familiale en 1992. Il dispose d'un vignoble de 7 ha environ, réparti sur quatre communes. Né d'un terroir argilo-calcaire, son tokay s'ouvre sur des arômes de surmaturation avec des notes d'agrumes.

L'attaque douce est suivie d'une bouche ronde au bon fruité. Un vin très prometteur dont la finale devrait trouver sa pleine harmonie dans deux à trois ans. (Sucres résiduels : 12 g/l.) (50 à 69 F)

🔑 Bernadette Welty et Fils, 15-17, Grand-Rue, 68500 Orschwihr, tél. 03.89.76.95.21, fax 03.89.76.95.21 ☑ 🍷 t.l.j. sf dim. 8h-12h 13h30-19h

Alsace pinot noir

L'Alsace est surtout réputée pour ses vins blancs ; mais sait-on qu'au Moyen Age les rouges y occupaient une place considérable ? Après avoir presque disparu, le pinot noir (le meilleur cépage rouge des régions septentrionales) occupe 8,9 % du vignoble couvrant 1 294 ha.

On connaît surtout le type rosé, vin agréable, sec et fruité, susceptible comme d'autres rosés d'accompagner une foule de mets. On remarque cependant une tendance qui se développe à élaborer un véritable vin rouge de pinot noir, tendance très prometteuse.

BARON KIRMANN

Elevé en fût de chêne 1999★★

■ 0,2 ha 1 500 11 à 15 €

Décidément, le vignoble de la région d'Obernai se distingue par ses vins de pinot noir. La maison Kirmann, créée en 1630, le démontre avec grand art. La robe de son 99 est rouge foncé intense, ponctuée de reflets violacés. Le nez très aromatique de fruits rouges fait la part belle à la griotte et à la mûre. Au palais, l'équilibre... Ample et gras, ce vin possède des tanins expressifs qui devraient se fondre d'ici deux ans. Et il régale les dégustateurs par ses notes de cerise persistantes en finale. Un pinot noir de garde. (70 à 99 F)

🔑 Philippe Kirmann, 2, rue du Gal-de-Gaulle, 67560 Rosheim, tél. 03.88.50.43.01, fax 03.88.50.22.72 ☑ 🍷 r.-v.

PIERRE BECHT Cuvée Frédéric 1999★

■ 0,5 ha 4 000 5 à 8 €

Dorlisheim, à l'entrée de la vallée de la Bruche, peut s'enorgueillir de son vignoble s'étendant sur les contreforts des collines sous-vosgiennes. Exposition et sols y sont parfaitement adaptés à l'expression des cépages les plus exigeants. La preuve en est ce pinot noir. Rubis profond avec des reflets violacés, il se révèle déjà au nez dans une déclinaison de fruits rouges, surtout cerise et pruneau. Le boisé est bien dosé, lui communiquant juste une pointe d'épices qui souligne l'élégance de l'ensemble. Après une attaque équilibrée en bouche, la structure peu tannique laisse apparaître une grande souplesse. Un beau vin qui se bonifiera encore dans les trois ans à venir. (30 à 49 F)

🔑 Pierre et Frédéric Becht, 26, fg des Vosges, 67120 Dorlisheim, tél. 03.88.38.18.22, fax 03.88.38.87.81 ☑ 🍷 r.-v.

FRANCOIS BLEGER

Rouge de Saint-Hippolyte Vieilli en barrique 1999★

■ 0,2 ha 1 500 8 à 11 €

Les vins rouges de Saint-Hippolyte ont une longue antériorité dans l'histoire du vignoble alsacien. Le pinot noir y a toujours tenu une place prépondérante, à juste titre. Rubis avec des reflets violacés, celui-ci présente un nez complexe et fin de sous-bois. Les fruits rouges apparaissent au palais, accompagnés de tanins riches et d'un boisé élégant. La finale est très persistante. (50 à 69 F)

🔑 François Bléger, 63, rte du Vin, 68590 Saint-Hippolyte, tél. 03.89.73.06.07, fax 03.89.73.06.07, e-mail bleger.françois@liberty-surf.fr ☑ 🍷 r.-v.

DOM. LEON BOESCH

Luss Vallée Noble 1999★★

■ 0,4 ha 2 500 11 à 15 €

Les vignes de la Vallée Noble sont excellemment situées et exposées. Dans cette niche privilégiée, le soleil apparaît en position sud à sud-est. C'est dans ce cadre que Léon Boesch a produit un pinot noir rubis foncé dont les reflets violacés soulignent la brillance. Au nez, les notes boisées et les fruits rouges (mûre et cassis) se fondent. Le palais révèle une bonne structure tannique ; si le boisé est bien présent, il n'est jamais excessif. Dans cette matière ample s'inscrivent non seulement des arômes de cassis et de mûre, mais aussi une nuance de cerise. Un vin qui sera parfait d'ici une bonne année. (70 à 99 F)

🔑 Dom. Léon Boesch, 6, rue Saint-Blaise, 68250 Westhalten, tél. 03.89.47.01.83, fax 03.89.47.64.95 ☑ 🍷 t.l.j. sf dim. 10h-12h 14h-18h

🔑 Gérard Boesch

BOHN 1999

■ 0,6 ha 3 400 5 à 8 €

Au XIIe s., les moines de l'abbaye de Baumgarten ont développé le vignoble sur les pentes abruptes de l'Ungersberg, culminant à 901 m. Les terroirs schisteux et gréseux marquent de leur empreinte les vins qui en sont issus. D'un rouge chaud à reflets cuivrés, celui-ci développe des arômes de fruits cuits encore discrets au nez. En bouche, il est marqué par les tanins du bois qui devront s'estomper afin de laisser apparaître le caractère agréable des fruits rouges. A attendre encore. (30 à 49 F)

🔑 Bernard Bohn, 1, chem. du Leh, 67140 Reichsfeld, tél. 03.88.85.58.78, fax 03.88.57.84.88 ☑ 🍷 t.l.j. 8h-11h45 13h-18h; dim. sur r.-v.

FRANCOIS BOHN Réserve 1999*

■ 0,2 ha 1 500 5à8€

La famille Bohn travaille le domaine viticole depuis de nombreuses générations. Jusqu'en 1998, elle pratiquait essentiellement la vente de raisin, puis elle s'est lancée dans l'élaboration de ses propres vins. La voie choisie était la bonne : ce pinot noir, rubis à reflets plus foncés, n'est-il pas typé ? Ses arômes, quoique encore discrets, laissent présager un bel avenir. Le fruité apparaît, accompagné de senteurs de sous-bois. La bouche, suave et complexe, est encore marquée par les tanins, mais ceux-ci ne demandent qu'à se fondre. (30 à 49 F)

François Bohn, 35, rue des Trois-Épis, 68040 Ingersheim, tél. 03.89.27.31.27, fax 03.89.27.31.27 r.-v.

ANDRE DUSSOURT
Rouge de Blienschwiller Elevé en barrique Réserve Prestige 1999*

■ 0,2 ha 1 450 11à15€

La maison André Dussourt est issue d'une ancienne famille de vignerons, dans le métier depuis le XVII[e]s. Originaire de Blienschwiller, elle s'est établie à Scherwiller après le rachat de la maison Bléger en 1961. Une grande partie de ses vignes sont encore situées à Blienschwiller, telles celles qui ont produit ce pinot noir. La robe rouge foncé à reflets mauves est déjà le signe d'un vin de bonne naissance. Le nez fruité (griotte) est un peu masqué par la vanille du bois. La bouche doit encore parfaire son harmonie, mais tous les signes d'une bonne évolution sont déjà perceptibles. (70 à 99 F)

Dom. André Dussourt, 2, rue de Dambach, 67750 Scherwiller, tél. 03.88.92.10.27, fax 03.88.92.18.44, e-mail vins.dussourt@ wordline.fr
t.l.j. sf dim. 8h-12h 13h30-18h
Paul Dussourt

DOM. ENGEL 1999*

■ 1 ha 10 000 5à8€

Situé au pied du Haut-Kœnigsbourg, Orschwiller est l'un des anciens fiefs du château. Le domaine Engel exploite sur cette commune un domaine de 16 ha, dont les trois quarts de la superficie correspondent au grand cru Praelatenberg. D'un rouge vif et brillant, son pinot noir exprime au nez des arômes de cassis très marqués. Ce caractère de fruits rouges se confirme dans une bouche grasse, ample et riche. Un vin de bonne persistance, agréable et typé. (30 à 49 F)

Dom. Christian et Hubert Engel, 1, rue des Vignes, Haut-Kœnigsbourg, 67600 Orschwiller, tél. 03.88.92.01.83, fax 03.88.82.25.09 t.l.j. 9h-11h30 14h-18h

DOM. FLEISCHER 1999*

■ 0,55 ha 6 000 5à8€

A Pfaffenheim, à mi-chemin entre Colmar et Rouffach, les vignobles sont exposés sud-sud-est. Les terroirs argilo-calcaires, composés de conglomérats caillouteux, conviennent parfaitement à la bonne maturation du pinot noir. Ce 99 rouge clair, plutôt rosé, libère des senteurs encore discrètes de fleurs blanches. En bouche, il dévoile de la fraîcheur, un caractère agréable et gouleyant. Il accompagnera des mets légers comme des viandes blanches. (30 à 49 F)

Dom. Fleischer, 28, rue du Moulin, 68250 Pfaffenheim, tél. 03.89.49.62.70, fax 03.89.49.50.74 r.-v.

J. FRITSCH 1999*

■ 0,37 ha 3 600 5à8€

A l'entrée est de Kientzheim, le château de la confrérie de Saint-Etienne accueille le visiteur ; à ses côtés, le musée du Vin retrace l'histoire de la viticulture locale. Joseph Fritsch propose ici un vin rouge foncé, profond, nuancé par des reflets violacés. Le nez, moyennement intense, est cependant nettement marqué par la griotte, le pruneau et la mûre. Après une attaque franche, la bouche ample laisse monter les arômes en puissance. L'équilibre est presque atteint. Dans deux ou trois ans, ce pinot noir s'exprimera dans toute sa plénitude. (30 à 49 F)

EARL Joseph Fritsch, 31, Grand-Rue, 68240 Kientzheim, tél. 03.89.78.24.27, fax 03.89.78.24.27 r.-v.

GEYER 1999*

■ 0,35 ha 2 200 5à8€

Nothalten est cerné par le vignoble : à l'ouest, les coteaux ensoleillés, exposés est-sud-est, le coiffent ; à l'est, le village domine à son tour les vignes qui s'étendent à ses pieds, en pentes plus douces. Roland Geyer, propriétaire de 9 ha de vignes, a produit un pinot noir limpide, dont les reflets violacés illuminent la robe rubis profond. Le nez est marqué par la cerise noire, la mûre et le pruneau. D'attaque franche, le vin appuie son équilibre en bouche sur des tanins bien présents mais dociles. Les arômes de fruits rouges se font écho, assurant ainsi la persistance et l'ampleur de la finale. (30 à 49 F)

Dom. Roland Geyer, 148, rte du Vin, 67680 Nothalten, tél. 03.88.92.46.82, fax 03.88.92.63.19 r.-v.

DOM. ROBERT HAAG ET FILS 1999

■ 0,53 ha 4 188 5à8€

Près de Sélestat, la commune de Scherwiller a développé son vignoble sur des arènes granitiques et des terroirs adjacents sablo-granitiques. Les vins sont ici pleins de légèreté et d'une grande expression aromatique. Le pinot noir des Haag ne fait pas exception : derrière sa robe rouge brillant se dévoile un nez très floral et fruité. Une note épicée, une touche de pain grillé soulignent sa finesse aromatique. Agréable au palais, ce vin se caractérise par sa fraîcheur jusqu'en finale. (30 à 49 F)

Dom. Robert Haag et Fils, 21, rue de la Mairie, 67750 Scherwiller, tél. 03.88.92.11.83, fax 03.88.82.15.85 t.l.j. sf dim. 9h-12h 14h-19h
François Haag

LEON HEITZMANN 1999***

■ 0,4 ha 3 500 8à11€

La maison Léon Heitzmann n'est pas une inconnue pour les lecteurs du Guide : deux coups de cœur l'ont récompensée récemment.

Valeur sûre, elle l'est d'autant plus qu'une nouvelle distinction lui est attribuée pour son pinot noir 99. Rouge franc très intense, ce vin élégant et riche développe des arômes de cerise, soulignés de notes de cassis. Au palais, il se révèle fin, ample, généreux et persistant, étayé par des tanins nobles, de grande maturité. La souplesse s'associe à la complexité des arômes de fruits rouges. (50 à 69 F)

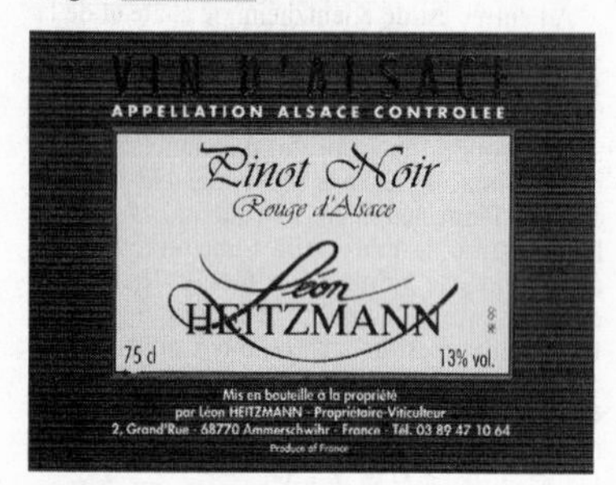

Léon Heitzmann, 2, Grand-Rue, 68770 Ammerschwihr, tél. 03.89.47.10.64, fax 03.89.78.27.76 t.l.j. sf dim. 8h-12h 13h30-18h

EMILE HERZOG 1999*

0,21 ha 1 600 8 à 11 €

Cité historique et, de ce fait, très touristique, Turckheim est connue pour son veilleur de nuit qui maintient la tradition en effectuant, tous les soirs d'été, sa tournée à travers les rues. La famille Herzog est intimement liée à cette ville, où elle est installée depuis 1686. Elle propose un 99 grenat à reflets bruns. Agréablement fruité (cassis), son pinot noir révèle aussi des arômes de confiture de prune au nez, tandis qu'au palais le fruit cuit domine, relevé par des notes de clou de girofle. D'un bon volume, il est ample et généreux et sa finale, puissante et persistante. (50 à 69 F)

Emile Herzog, 28, rue du Florimont, 68230 Turckheim, tél. 03.89.27.08.79, fax 03.89.27.08.79, e-mail e.herzog@laposte.net r.-v.

HORCHER 1999*

0,57 ha 4 800 5 à 8 €

Mittelwihr, sur la route du Vin, est le pays des amandiers. C'est dire combien son microclimat est propice à la vigne. Les terroirs qui lui sont associés lèguent aux vins une expression originale. Ce pinot noir, rubis intense et de grande limpidité, fait la part belle aux fruits rouges (surtout cassis). Rehaussé par la fraîcheur de la réglisse en bouche, il est puissant, charpenté, ample et généreux. Les tanins souples assurent sa prestance. (30 à 49 F)

Ernest Horcher et Fils, 6, rue du Vignoble, 68630 Mittelwihr, tél. 03.89.47.93.26, fax 03.89.49.04.92 t.l.j. sf dim. 8h-12h 14h-19h

ARMAND HURST Vieilles vignes 1999**

0,49 ha 4 000 11 à 15 €

La maison Hurst s'est fait un nom grâce à ses vins de pinot noir. Elle a su tirer le meilleur parti des terroirs granitiques qui composent le Brand. La vieille vigne de pinot noir, dont est issu ce vin, se situe dans le cœur même de ce grand cru. Robe rouge rubis, nez intensément fruité (cassis) nuancé d'un boisé fin, ce vin présente au palais une belle ampleur, des tanins déjà parfaitement fondus, du gras, de la générosité, des fruits rouges. Il est soyeux à souhait. (70 à 99 F)

Armand Hurst, 8, rue de la Chapelle, 68230 Turckheim, tél. 03.89.27.40.22, fax 03.89.27.47.67 r.-v.

KIENTZ Coteaux de Blienschwiller 1999*

0,9 ha 6 500 5 à 8 €

Les terroirs granitiques se caractérisent par un réchauffement rapide de leur sol sous le moindre rayon de soleil. Parce qu'ils assurent généralement une maturité précoce du raisin, les vins qui y sont nés s'expriment tout aussi tôt. Ce pinot noir, intensément rouge, présente un nez frais, composé de fleurs et d'un fruit encore discret. Au palais, il se révèle ample, typé et de belle puissance. Sa finale est en outre de bonne longueur. (30 à 49 F)

René Kientz Fils, 51, rte du Vin, 67650 Blienschwiller, tél. 03.88.92.49.06, fax 03.88.92.45.87 r.-v.

ANDRE KLEINKNECHT Vieilli en barrique 1999*

0,2 ha 1 300 8 à 11 €

Pittoresque par son architecture, Mittelbergheim, au sud de Barr, est également renommé pour ses vignes et ses vins. André Kleinknecht, dont les racines viticoles remontent à 1621, y élabore ses vins avec art, sur un peu plus de 9 ha. Rouge foncé à reflets brique, son pinot noir laisse poindre sous un fond boisé des arômes de cassis. Le palais, ample et gras, est d'une générosité agréable. Les tanins sont encore très marqués, mais l'avenir semble prometteur (deux à trois ans). (50 à 69 F)

André Kleinknecht, 45, rue Principale, 67140 Mittelbergheim, tél. 03.88.08.49.46, fax 03.88.08.49.46, e-mail andre-kleinknecht@wanadoo.fr t.l.j. 10h-11h30 13h-19h

HUBERT KRICK Herrenweg 1999*

0,9 ha 6 000 5 à 8 €

Depuis de nombreuses générations, l'exploitation de Hubert Krick est implantée à Wintzenheim, petite ville à l'entrée de la vallée de Munster. Ce pinot noir provient d'un terroir alluvionnaire précoce grâce à la présence d'un cailloutis important. Une robe rouge très soutenu, un nez intense de fruits rouges nuancés de boisé, un palais agréable, riche, opulent, gras, de grande persistance, le caractérisent. Un beau vin typé qui allie générosité et amabilité en bouche. (30 à 49 F)

EARL Hubert Krick, 93-95, rue Clemenceau, 68920 Wintzenheim, tél. 03.89.27.00.01, fax 03.89.27.54.75 r.-v.

DOM. DE L'ANCIEN MONASTERE
Rouge de Saint-Léonard Cuvée du Grand Chapître 1999★★★

■ 3 ha 3 066 5à8€

Situé près d'Obernai, Saint-Léonard profite d'un flux touristique considérable. Ce petit bourg est l'un des berceaux du pinot noir en Alsace, avec des producteurs de renom tels Bernard Hummel et ses filles. La robe rubis foncé de ce 99 est de bon augure. De la complexité d'abord. Très fruits rouges, le nez est aussi dominé par la mûre nuancée de coing. La bouche soyeuse, étayée par des tanins mûrs très présents, bénéficie d'un équilibre exceptionnel entre la matière, le fruit et l'acidité. (30 à 49 F)

B. Hummel et ses Filles, Dom. de L'Ancien Monastère, 4, cour du Chapître-Saint-Léonard, 67530 Boersch, tél. 03.88.95.81.21, fax 03.88.48.11.21, e-mail b.hummel@wanadoo.fr t.l.j. 8h30-12h30 13h30-19h30

DOM. DE L'ECOLE
Côte de Rouffach 1999★

■ n.c. 4 000 5à8€

Le domaine de l'Ecole fait partie de l'établissement de formation agricole et viticole de Rouffach. Ce vignoble expérimental, créé à des fins pédagogiques en 1868, s'est développé depuis 1970 et s'est forgé une réputation. Son pinot noir revêt une robe rouge rubis à reflets violacés. Au premier nez, on perçoit l'équilibre entre le léger boisé et des arômes de fruits cuits (pruneau). Après aération, des senteurs de cerise et de mûre marquent la typicité du vin. Au palais, les tanins, présents, ne montrent aucune agressivité, tandis que les arômes encore discrets traduisent la jeunesse de ce 99. La finale harmonieuse est d'une bonne longueur. (30 à 49 F)

Dom. de L'Ecole, Lycée viticole, 8, Aux Remparts, 68250 Rouffach, tél. 03.89.78.73.16, fax 03.89.78.73.01, e-mail expl.legta.rouffach@educagri.fr r.-v.

JEAN-LUC MADER
Cuvée Théophile 1999★★★

■ 0,5 ha 2 500 5à8€

La commune de Hunawihr est surtout connue par son église fortifiée. D'autres curiosités, tel le parc des cigognes, attirent les visiteurs. Les sols argilo-calcaires semblent être adaptés au pinot noir, comme en témoigne la cuvée Théophile. D'un beau rouge rubis clair, puissamment fruité (fruits rouges avec prédominance de cerise), délicatement nuancé de boisé, ce vin se révèle surtout au palais. Riche, puissant, généreux, « marqué par la barrique noble », selon la description de l'un des dégustateurs, il est persistant et gras. Son caractère soyeux en relève encore l'élégance. (30 à 49 F)

Jean-Luc Mader, 13, Grand-Rue, 68150 Hunawihr, tél. 03.89.73.80.32, fax 03.89.73.31.22 r.-v.

ALBERT MANN Vieilles vignes 1999

■ 0,33 ha 2 500 15à23€

Wettolsheim, à quelques kilomètres à l'ouest de Colmar, possède un vignoble très important. Ses terroirs marno-calcaires conviennent à tous les cépages et plus particulièrement au pinot noir. D'un rouge léger avec quelques reflets brique, celui-ci exprime au nez un beau boisé et des nuances de fruits rouges. Le palais, assez gras, est cependant marqué par des tanins encore trop présents. La finale, nerveuse, doit se parfaire. (100 à 149 F)

Dom. Albert Mann, 13, rue du Château, 68920 Wettolsheim, tél. 03.89.80.62.00, fax 03.89.80.34.23, e-mail vins@mann-albert.com r.-v.

Barthelmé

OTTER Barriques 1999★★★

■ 0,39 ha 1 200 8à11€

Le domaine François Otter est établi sur la commune de Hattstatt, au pied du grand cru Hatschbourg. Dans le millésime 99, le pinot noir, vinifié à l'ancienne, sans collage ni filtration, atteint des sommets et montre l'exemple. Une robe grenat profond à reflets mauves lui donne de la prestance. Les arômes de griotte nuancés de cuir et d'un boisé épicé sont remarquables. La bouche, d'une grande expressivité, bénéficie de tanins amples et soyeux. Un vin tout simplement parfait : « Son potentiel d'évolution est énorme », selon les dégustateurs. (50 à 69 F)

Dom. François Otter et Fils, 4, rue du Muscat, 68420 Hattstatt, tél. 03.89.49.33.00, fax 03.89.49.38.69, e-mail ottjef@nucleus.fr r.-v.

RINGENBACH-MOSER Réserve 1999

■ 0,6 ha 5 500 5à8€

Sigolsheim est magnifiquement situé au débouché de la vallée très touristique de Kaysersberg. Avec ses terroirs renommés, exposés plein sud, c'est un haut lieu du vignoble alsacien. Une robe rouge à reflets cerise, brillante, habille ce vin. Le nez est marqué par la finesse et la

concentration des arômes. L'attaque est fruitée, agréable, de bonne fraîcheur. « Un pinot noir classique », selon un dégustateur. (30 à 49 F)
Ringenbach-Moser, 12, rue du Vallon, 68240 Sigolsheim, tél. 03.89.47.11.23, fax 03.89.47.32.58 t.l.j. sf sam. dim. 8h30-11h30 13h30-17h30

ROLLY GASSMANN Rodern 1999*

■ 0,7 ha 3 000 11 à 15 €

La renommée de la maison Rolly Gassmann n'est plus à faire. Elle se distingue régulièrement par ses vins expressifs, reflets fidèles de sa maîtrise de la vinification. Ce pinot noir, rouge profond, est déjà disert, sa palette aromatique allant du fruit à des notes légèrement animales. Plein en bouche, il laisse une impression de finesse, d'ampleur et même de gras. Sa finale est certes longue, mais les arômes pourront encore s'y épanouir davantage. Un vin de classe. (70 à 99 F)
Rolly Gassmann, 2, rue de l'Eglise, 68590 Rorschwihr, tél. 03.89.73.63.28, fax 03.89.73.33.06 t.l.j. sf dim. 9h-11h45 13h15-18h

PAUL SCHERER
Réserve personnelle 1999**

■ 0,4 ha 3 000 5 à 8 €

La maison Paul Scherer est l'une des plus anciennes établies sur la commune de Husseren-les-Châteaux. Sa réputation, forgée depuis cinq générations, n'est pas démentie par la qualité de ce pinot noir remarquable de brillance dans sa robe grenat foncé. Le nez dense, exhalant des arômes très frais de fraise, de framboise et de cassis, contribue à son harmonie. La bouche, tout en finesse et homogène, trouve un point d'orgue sur une note fruitée persistante. Un grand vin. (30 à 49 F)
EARL Paul Scherer et Fils, 40, rue Principale, 68420 Husseren-lès-Châteaux, tél. 03.89.49.30.34, fax 03.89.86.41.67 r.-v.

DOM. MAURICE SCHOECH 1999*

■ 0,6 ha 4 500 5 à 8 €

Sébastien et Jean-Léon Schoech conduisent le vignoble de leur père depuis 1995. Ils réussissent ici un pinot noir qui dévoilera tout son potentiel d'ici à deux ans. Rouge à reflets orangés, le vin présente un nez boisé nuancé de fruits cuits, tandis qu'en bouche il privilégie des notes de confiture de groseilles et d'épices (poivre). Corsé et persistant, il développe beaucoup de matière et s'achève en finesse. (30 à 49 F)
Dom. Maurice Schoech, 4, rte de Kientzheim, 68770 Ammerschwihr, tél. 03.89.78.25.78, fax 03.89.78.13.66 t.l.j. sf dim. 9h-12h 13h30-18h

EMILE SCHWARTZ ET FILS
Réserve personnelle 1999*

■ 0,5 ha 4 500 5 à 8 €

Husseren-les-Châteaux est ce village qui, à l'ouest de Colmar, domine l'ensemble de son vignoble. Il compte de beaux terroirs exposés sud-sud-est, aux noms aussi prestigieux que Pfersigberg et Eichberg, deux grands crus. Emile Schwartz cultive ici plus de 6 ha. Sa Réserve personnelle de pinot noir laisse poindre, derrière sa robe pourpre très limpide, des arômes de cerise mêlés de senteurs de plantes méditerranéennes et de notes boisées. Après une attaque grasse, la bouche est bien équilibrée, complexe, mêlant fruits et poivre. (30 à 49 F)
EARL Emile Schwartz et Fils, 3, rue Principale, 68420 Husseren-les-Châteaux, tél. 03.89.49.30.61, fax 03.89.49.27.27 t.l.j. sf dim. 8h-12h 14h-19h; f. 1er -15 sept.

JEAN-PAUL SIMONIS 1999

■ 0,25 ha 2 300 5 à 8 €

Chez Jean-Paul Simonis, le premier pinot noir a été vinifié en 1988. Une décennie plus tard, il propose un vin pourpre profond, sentant la griotte et la mûre, nuancées de pain grillé. La bouche grasse, complexe et puissante, rappelle les arômes de fruits rouges. Les tanins encore très présents gagneront en harmonie avec un peu de temps. (30 à 49 F)
EARL Jean-Paul Simonis et Fils, 1, rue du Chasseur-M.-Besombes, 68770 Ammerschwihr, tél. 03.89.47.13.51, fax 03.89.47.13.51 r.-v.
Jean-Marc Simonis

JEAN SIPP 1999*

■ 2 ha 10 000 11 à 15 €

Ville dynamique par ses activités industrielles, Ribeauvillé l'est aussi par son secteur viticole. La maison Sipp, forte de 20 ha de vignes, y tient une place de choix. Elle a réussi un pinot noir de bonne garde, tout de grenat vêtu. Au nez puissant et complexe de fruits, relevé par le boisé du fût, répondent une grande structure en bouche et une finale persistante. Les tanins ne sont pas encore totalement fondus, mais ce vin ne manque pas d'atouts. (70 à 99 F)
Dom. Jean Sipp, 60, rue de la Fraternité, 68150 Ribeauvillé, tél. 03.89.73.60.02, fax 03.89.73.82.38, e-mail domaine@jean-sipp.com r.-v.
Jean-Jacques Sipp

DOM. J. SPERRY-KOBLOTH
Vieilles vignes 1999*

■ 0,28 ha 2 000 5 à 8 €

A 2 km au nord de Dambach-la-Ville, Blienschwiller est intégré dans le massif granitique des collines sous-vosgiennes. Sur le granite à deux micas naissent des vins légers et élégants. Tels sont bien les caractères de ce pinot noir rouge foncé à reflets violacés. Fruits mûrs, voire fruits secs apparaissent dans une palette plutôt dominée par les fruits rouges (framboise). Au palais, le vin dévoile une grande souplesse, des arômes de fruits secs (figue) et une note de tabac. Peu persistant mais très fin, il s'achève sur une nuance de cassis. (30 à 49 F)
Dom. J. Sperry-Kobloth, 50, rue du Winzenberg, 67650 Blienschwiller, tél. 03.88.92.40.66, fax 03.88.92.63.95 r.-v.

JEAN-MARIE STRAUB 1999

■ 0,35 ha 3 000 5 à 8 €

Les terroirs granitiques semblent bien convenir au pinot noir. S'ils communiquent aux vins un caractère plus léger, ils favorisent aussi une expression aromatique plus intense et précoce. D'un rouge clair avec des reflets brique très typé pinot noir, celui-ci, encore discret au nez laisse apparaître de fines senteurs épicées. Si la finale est un peu courte, le palais est bien construit autour de tanins fins. (30 à 49 F)

Jean-Marie Straub, 61, rte du Vin, 67650 Blienschwiller, tél. 03.88.92.40.42, fax 03.88.92.40.42 Y r.-v.

HUGUES STROHM
Rouge d'Obernai Elevé en fût de chêne 1998★★

■ 0,2 ha 1 200 8 à 11 €

Le vignoble de Hugues Strohm est implanté sur un terroir argilo-calcaire d'Obernai, favorable au pinot noir. Ce cépage a ainsi donné naissance à un vin rubis profond, déjà très intense. Les arômes de fruits rouges dominés par la mûre et soulignés d'une nuance de cuir sont d'une complexité remarquable. Ample, doté de tanins très mûrs, persistant en finale, ce 98 est le type même du grand vin de garde : un dégustateur lui prédit un avenir de douze ans. (50 à 69 F)

Hugues Strohm, 33, rue de la Montagne, 67210 Obernai, tél. 03.88.49.93.51, fax 03.88.48.33.80 Y r.-v.

WEHRLE 1999★

■ 0,8 ha 5 500 5 à 8 €

Husseren-les-Châteaux doit son nom aux trois châteaux qui dominent le bourg. Aujourd'hui en ruine, ces édifices sont cependant d'un accès aisé et peuvent être visités en empruntant la route des Cinq Châteaux. La famille Wehrlé, présente depuis 1910 sur cette commune, propose un vin rouge clair, intéressant par son intensité aromatique - boisé mêlé à la cerise. La structure est légère en bouche mais bien équilibrée. Parce que ses tanins sont peu présents, ce vin peut être dégusté dès aujourd'hui. (30 à 49 F)

Maurice Wehrlé, 21, rue des Vignerons, 68420 Husseren-les-Châteaux, tél. 03.89.49.30.79, fax 03.89.49.29.60 Y r.-v.

GERARD WEINZORN 1999★★

■ 0,4 ha 2 600 8 à 11 €

Niedermorschwihr, non loin de Colmar, dévoile au fur et à mesure de la visite ses richesses. Guide en main, vous y découvrirez la maison style Renaissance, datant de 1615, de ce vigneron. Celle-ci, classée Monument historique, possède un oriel richement sculpté. Vous dégusterez aussi ce vin rubis profond, aux arômes de fruits cuits (fraise, pruneau), voire de confiture, nuancés d'épices. La bouche, souple et ample, présente des tanins de qualité et une trame tout en finesse. Une harmonie parfaite fait de ce pinot noir un grand vin, à boire dès à présent. (50 à 69 F)

Gérard Weinzorn et Fils, 133, rue des Trois-Epis, 68230 Niedermorschwihr, tél. 03.89.27.40.55, fax 03.89.27.04.23, e-mail contact@weinzorn.fr Y t.l.j. 8h-12h 14h-18h

Alsace grand cru

Dans le but de promouvoir les meilleures situations du vignoble, un décret de 1975 a institué l'appellation « alsace grand cru », liée à un certain nombre de contraintes plus rigoureuses en matière de rendement et de teneur en sucre, et limitée au gewurztraminer, au pinot gris, au riesling et au muscat. Les terroirs délimités produisent, parallèlement aux vins sigillés de la confrérie Saint-Etienne et à certaines cuvées de renom, le *nec plus ultra* des vins d'Alsace.

En 1983, un décret définit un premier groupe de 25 lieux-dits admis dans cette appellation, qui sera abrogé et remplacé par un nouveau décret du 17 décembre 1992. Le vignoble d'Alsace compte ainsi officiellement 50 grands crus, répartis sur 47 communes (46 dans le décret - on a oublié Rouffach !) et dont les surfaces sont comprises entre 3,23 ha et 80,28 ha, en raison du principe d'homogénéité géologique propre aux grands crus. La production des grands crus reste modeste : 48 500 hl ont été déclarés pour le millésime 2000.

Les disciplines nouvelles, déjà mises en pratique depuis la récolte 1987, concernent l'élévation de 11 ° à 12 ° du titre alcoométrique minimum naturel des gewurztraminer et des tokay-pinot gris ainsi que l'obligation de mentionner désormais le nom du lieu-dit, conjointement au cépage et au millésime, sur les étiquettes et tous les documents administratifs et commerciaux.

Alsace grand cru altenberg de bergbieten

FREDERIC MOCHEL Muscat 1999★

□ 0,32 ha 2 500 11 à 15 €

Parmi les différents cépages alsaciens, le muscat est le plus exigeant en termes de terroir. Il a besoin d'un sol apte à maintenir une certaine réserve en eau mais se ressuyant bien, d'un sol qui se réchauffe rapidement et qui garde la chaleur emmagasinée, d'un terroir exposé sud-sud-est. Le grand cru Altenberg de Bergbieten, dont est issu ce vin, répond parfaitement à ces exigences. Vert-jaune à reflets brillants, ce 99 exprime puissamment le muscat au nez, avec de fines et élégantes nuances d'épices. Equilibré en bouche, il préserve son harmonie jusque dans sa finale nette et persistante. (Sucres résiduels : 12 g/l.) (70 à 99 F)

Frédéric Mochel, 56, rue Principale, 67310 Traenheim, tél. 03.88.50.38.67, fax 03.88.50.56.19 r.-v.

CAVE D'OBERNAI Riesling 1999*

n.c. 16 000 5 à 8 €

La cave vinicole d'Obernai appartient au groupe Divinal, l'un des principaux opérateurs du vignoble alsacien. Sa taille importante ne l'empêche pas de rechercher l'expression du terroir. On trouve ainsi la marque des sols argilo-marneux du grand cru Altenberg de Bergbieten dans ce riesling qui présente un caractère très jeune, même si le nez laisse déjà poindre des notes de citronnelle et de grillé. Equilibré, aromatique et persistant au palais, c'est un vin harmonieux qui s'accordera avec les produits de la mer. (Sucres résiduels : 2,5 g/l.) (30 à 49 F)

Cave vinicole d'Obernai, 30, rue du Gal-Leclerc, 67210 Obernai, tél. 03.88.47.60.20, fax 03.88.47.60.22 r.-v.

LA CAVE DU ROI DAGOBERT Riesling 1999**

1,5 ha 10 400 5 à 8 €

Autre fleuron du groupe Divinal situé dans le nord du vignoble alsacien, la Cave du Roi Dagobert développe depuis quelques années la vente directe. Sa production, notamment les rieslings, figure régulièrement dans le Guide, parfois aux meilleures places. C'est le cas cette année avec ce 99 au nez très élégant, mêlant le citron et l'amande amère. Le palais est puissant et structuré. Une petite pointe de sucre restant ne remet pas en cause l'équilibre général. Un vin long et très racé. (Sucres résiduels : 7 g/l.) (30 à 49 F)

La cave du Roi Dagobert, 1, rte de Scharrachbergheim, 67310 Traenheim, tél. 03.88.50.69.00, fax 03.88.50.69.09, e-mail dagobert@cave-dagobert.com t.l.j. 8h-12h 14h-18h

Dans ce guide, la reproduction d'une étiquette signale un vin particulièrement recommandé, un « coup de cœur » de la commission.

Alsace grand cru altenberg de bergheim

GUSTAVE LORENTZ Riesling 1999

4 ha 15 000 15 à 23 €

Si la maison Gustave Lorentz, fondée en 1836, est reconnue comme l'une des principales affaires de négoce en Alsace, elle est loin de se désintéresser de ses 32 ha de vignes situés en partie dans le haut de l'Altenberg de Bergheim. Fin et floral au nez, ce riesling est marqué par des notes citronnées et une belle vivacité au palais. Un vin typé et plutôt long en finale. (Sucres résiduels : 7 g/l.) (100 à 149 F)

Gustave Lorentz, 35, Grand-Rue, 68750 Bergheim, tél. 03.89.73.22.22, fax 03.89.73.30.49, e-mail lorentz@vins-lorentz.com t.l.j. sf dim. 10h-12h 14h-18h30

Charles Lorentz

Alsace grand cru altenberg de wolxheim

MUHLBERGER Riesling 1999

1,5 ha 2 500 5 à 8 €

François Muhlberger exploite un domaine de 13 ha avec son fils Robert. Malgré une origine argilo-calcaire, leur riesling de l'Altenberg affiche déjà une belle évolution, avec ses notes minérales perceptibles au nez. Bien structuré, et même plutôt gras, c'est un vin long et harmonieux, que l'on appréciera maintenant. (Sucres résiduels : 10 g/l.) (30 à 49 F)

Vignobles François Muhlberger, 1, rue de Strasbourg, 67120 Wolxheim, tél. 03.88.38.10.33, fax 03.88.38.47.65 t.l.j. 9h-12h 13h-19h

ANDRE REGIN Riesling 1999*

0,7 ha 2 000 5 à 8 €

Cette exploitation de 7,5 ha, située au nord du vignoble alsacien, est dirigée par André Regin depuis 1988. La commune de Wolxheim, avec son grand cru Altenberg, est réputée pour ses rieslings. Celui-ci est encore jeune, mais possède toute la classe que l'on peut attendre d'un vin né dans ce terroir argilo-calcaire. S'annonçant par un nez floral et minéral, il présente une attaque franche et vive. La bouche, assez longue, finit sur des notes d'agrumes qui suggèrent de servir cette bouteille sur des fruits de mer. (Sucres résiduels : 6,8 g/l.) (30 à 49 F)

André Regin, 2, rue Principale, 67120 Wolxheim, tél. 03.88.38.17.02, fax 03.88.38.17.02 r.-v.

ZOELLER Riesling 1999***

0,95 ha 6 600 5 à 8 €

Cette exploitation de 10 ha a été fondée en 1900. Attachée aux méthodes traditionnelles de vinification, elle a tiré le meilleur parti du grand cru Altenberg de Wolxheim. La robe dorée de ce riesling traduit d'emblée sa matière exceptionnelle. Marqué au nez par des arômes de fruits confits et de surmaturation, ce vin apparaît ample, gras et parfaitement structuré. Il s'accordera avec les plats de poisson les plus raffinés. (Sucres résiduels : 12 g/l.) (30 à 49 F)

EARL Maison Zoeller, 14, rue de l'Eglise, 67120 Wolxheim, tél. 03.88.38.15.90, fax 03.88.38.15.90, e-mail vins.Zoeller@ wanadoo.fr ☑ Y t.l.j. sf dim. 9h-11h30 14h-19h

Alsace grand cru brand

DOM. ALBERT BOXLER
Tokay-pinot gris 1999★★

☐ n.c. n.c. 11 à 15 €

Niedermorschwihr est cerné par deux grands crus granitiques, le Sommerberg au nord et le Brand au sud. Ce dernier, exposé plein sud, profite au maximum de l'ensoleillement. Les vins qui y naissent sont marqués par la chaleur à l'instar de ce tokay-pinot gris. Il présente une belle robe jaune paille brillant et des senteurs de fruits et de fumé. En bouche, la puissance va de pair avec le gras et la générosité. L'harmonie presque parfaite se poursuit tout au long de sa longue finale. Très grand vin. (Sucres résiduels : 36 g/l.) (70 à 99 F)

Albert Boxler, 78, rue des Trois-Epis, 68230 Niedermorschwihr, tél. 03.89.27.11.32, fax 03.89.27.70.14, e-mail albert.boxler@online.fr ☑ Y r.-v.

PAUL BUECHER Tokay-pinot gris 1999★

☐ 0,35 ha 2 400 11 à 15 €

Paul Buecher est un des plus importants exploitants viticoles sur la commune de Wettolsheim. Henri et Jean-Marc Buecher, qui en ont actuellement la charge, ne cessent de rechercher une complexité plus grande et une complémentarité entre les cépages et les terroirs. Robe jaune paille à or, fruité intense et surmûri, accompagné de miel, palais puissant, racé, équilibré, terminant sur une bonne acidité de soutien : voilà un vin dont la vinification a été bien maîtrisée et qui peut être dégusté pour lui-même, sans accompagnement. (Sucres résiduels : 24 g/l.) (70 à 99 F)

Paul Buecher, 15, rue Sainte-Gertrude, 68920 Wettolsheim, tél. 03.89.80.64.73, fax 03.89.80.58.62 ☑ Y r.-v.

DOPFF AU MOULIN
Gewurztraminer 1999★

☐ 3,3 ha 18 700 11 à 15 €

Dopff au Moulin, société familiale, est établie de longue date à Riquewihr. Elle exploite, sur la commune de Turckheim, un vignoble de 70 ha situé sur le Brand, l'un des meilleurs terroirs d'Alsace. La robe vieil or de ce vin séduit d'emblée. Le nez expressif révèle des senteurs florales de rose légèrement épicées. Au palais, la note de surmaturation est sensible. Le vin est équilibré et offre une finale agréable, de bonne longueur. (Sucres résiduels : 12 g/l.) (70 à 99 F)

SA Dopff au Moulin, 2, av. Jacques-Preiss, 68340 Riquewihr, tél. 03.89.49.09.69, fax 03.89.47.83.61 ☑ Y t.l.j. 9h-12h 14h-18h

ARMAND HURST Riesling 1999★

☐ 0,88 ha 6 000 8 à 11 €

Situé à l'ouest de Colmar et à l'entrée de la vallée de Munster, le petit bourg de Turckheim tire l'essentiel de ses richesses des vignes, et notamment de celles qui escaladent le coteau granitique du Brand. A la tête d'un domaine de 8 ha, Armand Hurst en a tiré un riesling au nez fin et floral. Après cette entrée en matière pleine de promesses, on découvre un palais ample, très bien structuré, qui dénote un vin armé pour évoluer favorablement avec le temps. A servir avec poisson ou fruits de mer. (Sucres résiduels : 9 g/l.) (50 à 69 F)

Armand Hurst, 8, rue de la Chapelle, 68230 Turckheim, tél. 03.89.27.40.22, fax 03.89.27.47.67 ☑ Y r.-v.

JOSMEYER Riesling 1999★

☐ 0,3 ha 2 500 15 à 23 €

Fondée en 1854, cette maison de négoce possède un vignoble de 25 ha qui est en phase de reconversion à la biodynamie. Reflétant son terroir granitique, ce riesling est déjà très ouvert au nez : son fruité intense se mêle avec élégance à quelques notes de pierre à fusil. Equilibré et très bien structuré au palais, c'est un vin racé, digne des poissons les plus délicats. (Sucres résiduels : 4,9 g/l.) (100 à 149 F)

SA Josmeyer et Fils, 76, rue Clemenceau, 68920 Wintzenheim, tél. 03.89.27.91.90, fax 03.89.27.91.99, e-mail josmeyer@wanadoo.fr ☑ Y r.-v.

CAVE DE TURCKHEIM
Riesling 1999★★★

☐ n.c. 35 000 8 à 11 €

Située en contrebas du grand cru Brand, la cave vinicole de Turckheim joue un rôle très important, qui s'étend à l'ensemble de la vallée. Son riesling grand cru séduit par son nez dont le fruité très expressif indique une grande maturité. D'une belle attaque, il révèle au palais des arômes de fruits mûrs et une structure hors du commun. Harmonieux, apte à la garde, ce vin trouvera sa place non seulement sur du poisson

mais aussi sur des spécialités asiatiques. (Sucres résiduels : 8,1 g/l.) (50 à 69 F)
Cave de Turckheim, 16, rue des Tuileries, 68230 Turckheim, tél. 03.89.30.23.60, fax 03.89.27.06.25 r.-v.

Alsace grand cru bruderthal

FREDERIC ARBOGAST
Gewurztraminer 1999*

0,27 ha 2 000 8 à 11 €

Cette exploitation est relativement récente puisque 1971 correspondait à sa première mise en bouteilles. Une partie de ses vignes est située sur le terroir du Bruderthal sur la commune de Molsheim. Ce vin, or brillant, en est issu. Le nez, quoique encore fermé (c'est le terroir qui veut cela), laisse apparaître des arômes discrets de coing et de raisins de Corinthe. La bouche est puissante, déjà expressive, peut-être pas encore suffisamment fondue. C'est un beau vin en devenir. (Sucres résiduels : 32 g/l.) (50 à 69 F)
EARL Frédéric Arbogast, 3, pl. de l'Eglise, 67310 Westhoffen, tél. 03.88.50.30.51, fax 03.88.50.30.51 r.-v.

GERARD NEUMEYER
Gewurztraminer 1999*

0,79 ha 6 090 15 à 23 €

La maison Gérard Neumeyer est établie à Molsheim et possède une partie importante de ses vignes sur le grand cru Bruderthal, terroir de calcaire coquillier, exposé au sud-est et apte à produire des vins de garde. Elle a réussi dans le millésime **99** un **tokay-pinot gris**, « typé calcaire », au nez puissant de coing et de fumé. Le palais mûr et charpenté est équilibré (sucres résiduels : 40 g/l.). Tout aussi réussi, ce gewurztraminer jaune clair offre une palette complexe de fruits, de fleurs et de notes minérales. Son palais franc et persistant est construit autour d'une belle structure. (Sucres résiduels : 41 g/l.) (100 à 149 F)
Dom. Gérard Neumeyer, 29, rue Ettore-Bugatti, 67120 Molsheim, tél. 03.88.38.12.45, fax 03.88.38.11.27, e-mail domaine.neumeyer@wanadoo.fr t.l.j. sf dim. 9h-12h 14h-19h

BERNARD WEBER Riesling 1999**

1,5 ha 2 000 11 à 15 €

Bernard Weber a repris en 1974 l'exploitation de ses grands-parents. Il propose un riesling grand cru issu d'un terroir de calcaire coquillier. Très intense au nez, ce 99 mêle déjà notes florales et minérales. Plutôt vif à l'attaque, il dévoile ensuite une structure très ample et une persistance remarquable. (Sucres résiduels : 6 g/l.) (70 à 99 F)
Bernard Weber, 49, rue de Saverne, 67120 Molsheim, tél. 03.88.38.52.67, fax 03.88.38.58.81, e-mail info@bernard-weber.com r.-v.

Alsace grand cru eichberg

CHARLES BAUR Riesling 1999***

0,32 ha 2 800 11 à 15 €

Etabli à Eguisheim, Armand Baur conduit un domaine de 12 ha. Son riesling grand cru se montre à la hauteur de la célèbre cité viticole où il est né. Marqué au nez par des arômes floraux mêlés de nuances d'agrumes et de fruits exotiques, il révèle au palais une intensité extraordinaire. Puissant, structuré et harmonieux, c'est un vin de grande classe promis au plus bel avenir. (Sucres résiduels : 4 g/l.) (70 à 99 F)
Charles Baur, 29, Grand-Rue, 68420 Eguisheim, tél. 03.89.41.32.49, fax 03.89.41.55.79, e-mail cave@vinscharlesbaur.fr t.l.j. sf dim. 9h-12h 13h30-19h
Armand Baur

PAUL SCHNEIDER Riesling 1999**

0,27 ha 1 800 8 à 11 €

Le domaine Paul Schneider a son siège dans une maison qui date de 1663 et qui fut autrefois la cour dîmière du grand prévôt de la cathédrale de Strasbourg. Honnête ou éblouissant (voir le 97) selon les années, son riesling du grand cru Eichberg a pris ses habitudes dans le Guide. Ce 99 est un grand. Conforme à son terroir argilo-siliceux d'origine, il mêle au nez citron et fruits exotiques. Complexe, plutôt gras mais très bien structuré au palais, il révèle une excellente matière première. (Sucres résiduels : 6 g/l.) (50 à 69 F)
Paul Schneider et Fils, 1, rue de l'Hôpital, 68420 Eguisheim, tél. 03.89.41.50.07, fax 03.89.41.30.57 t.l.j. 10h-12h 13h30-18h30; dim. sur r.-v.

MAURICE WEHRLE
Tokay-pinot gris 1999*

0,3 ha 2 000 8 à 11 €

Dominant la commune d'Eguisheim, le grand cru Eichberg est un terroir marno-calcaire, exposé au sud-est. Si le gewurztraminer y domine, il accorde une bonne place au riesling et au tokay-pinot gris. Ce dernier cépage a produit un vin jaune paille, dont le nez encore fermé n'en évoque pas moins des arômes complexes et élégants. Racé et charpenté, ce 99 demande deux ans de garde pour atteindre son équilibre. (Sucres résiduels : 17 g/l.) (50 à 69 F)

Maurice Wehrlé, 21, rue des Vignerons, 68420 Husseren-les-Châteaux, tél. 03.89.49.30.79, fax 03.89.49.29.60 r.-v.

PAUL ZINCK Gewurztraminer 1999*

0,5 ha 2 500 8 à 11 €

Célèbre bourg fortifié, Eguisheim défend fermement sa vocation viticole grâce à des producteurs comme Paul Zinck, qui s'est lancé dans la mise en bouteilles en 1970. Un vigneron dynamique qui a développé ses exportations depuis quelques années, ouvert un restaurant gastronomique en 1990 et mis en place une nouvelle unité de vinification en 1995. Son gewurztraminer du grand cru Eichberg figure une fois de plus dans le Guide. Un vin floral et intense au nez, bien charpenté et très long au palais. Une certaine douceur en bouche le destine plutôt à l'apéritif ou au dessert. (Sucres résiduels : 10 g/l.) (50 à 69 F)

SARL Paul Zinck, 18, rue des Trois-Châteaux, 68420 Eguisheim, tél. 03.89.41.19.11, fax 03.89.24.12.85, e-mail info@pzinck.fr r.-v.

Alsace grand cru florimont

RENE MEYER Tokay-pinot gris 1999***

0,24 ha 1 866 11 à 15 €

Le Florimont domine Ingersheim à l'ouest. Comme son nom le laisse entendre, c'est un terroir intéressant par sa flore. Au printemps, les tulipes des vignes s'épanouissent encore sur certaines parcelles. La robe de ce tokay-pinot gris est dorée. Le nez ouvert, puissant, décline des notes de surmaturation et de confit. Après une attaque franche, la complexité, l'ampleur et la longueur constituent les atouts essentiels du palais. Se rapprochant du type « vendanges tardives », ce 99 sera un excellent vin de garde. (Sucres résiduels : 35 g/l.) (70 à 99 F)

EARL Dom. René Meyer et Fils, 14, Grand-Rue, 68230 Katzenthal, tél. 03.89.27.04.67, fax 03.89.27.50.59 r.-v.

BRUNO SORG Riesling 1999*

n.c. 2 900 8 à 11 €

Installé depuis 1965, Bruno Sorg n'a eu de cesse de développer son exploitation. Aujourd'hui, avec son fils, il est à la tête d'un vignoble de 10 ha réparti sur les communes d'Eguisheim et d'Ingersheim. Issu d'un sol argilo-calcaire, son riesling du Florimont, encore jeune, laisse percevoir des nuances de fleurs blanches et de fruits confits. D'une attaque assez vive, il se révèle ample, structuré et long. Un vin d'une grande harmonie. (Sucres résiduels : 3 g/l.) (50 à 69 F)

Dom. Bruno Sorg, 8, rue Mgr-Stumpf, 68420 Eguisheim, tél. 03.89.41.80.85, fax 03.89.41.22.64 r.-v.

Alsace grand cru frankstein

P. KIRSCHNER ET FILS Riesling 1999*

0,3 ha 2 120 8 à 11 €

Le millésime précédent a obtenu un coup de cœur. C'est dire le savoir-faire de cette exploitation qui planta ses vignes en 1800 et fut pionnière de la mise en bouteilles au XIX[e]s. Marqué par son origine granitique, ce riesling 99 apparaît à la fois fruité et aérien. En bouche, il se montre bien structuré, riche, persistant, armé pour un long vieillissement. (Sucres résiduels : 5 g/l.) (50 à 69 F)

Pierre Kirschner, 26, rue Théophile-Bader, 67650 Dambach-la-Ville, tél. 03.88.92.40.55, fax 03.88.92.62.54, e-mail kirschner@ reperes.com t.l.j. sf dim. 8h-12h 13h-19h

RUHLMANN Gewurztraminer 1999*

0,6 ha 5 400 11 à 15 €

Dambach-la-Ville est sans doute la commune viticole la plus importante d'Alsace : la profession viticole y est très active, avec une soixantaine de vignerons metteurs en marché. Elle possède aussi son grand cru, le Frankstein, établi sur un socle granitique à deux micas. Derrière une robe d'or, ce gewurztraminer laisse apparaître une petite pointe de surmaturité au nez, nuancée de fruits confits. Au palais, les arômes de surmaturation sont dominants. L'attaque est chaleureuse et la finale longue. (Sucres résiduels : 12 g/l.) (70 à 99 F)

Ruhlmann, 34, rue du Mal-Foch, 67650 Dambach-la-Ville, tél. 03.88.92.41.86, fax 03.88.92.61.81 t.l.j. sf dim. 8h-12h 13h30-19h

Alsace grand cru furstentum

JOSEPH FRITSCH Gewurztraminer 1999**

0,3 ha 1 800 8 à 11 €

Le grand cru Furstentum sait faire parler à merveille les gewurztraminers qui en sont issus. Installé à Kientzheim, Joseph Fritsch propose un vin jaune plutôt clair, très brillant. Les arômes dominants sont les fruits exotiques et les épices. La bouche, encore discrète, laisse cependant entrevoir une grande subtilité d'arômes, un

équilibre presque réalisé et une finale fruitée tout en longueur. (Sucres résiduels : 39,4 g/l.) (50 à 69 F)
EARL Joseph Fritsch, 31, Grand-Rue, 68240 Kientzheim, tél. 03.89.78.24.27, fax 03.89.78.24.27 r.-v.

ALBERT MANN
Riesling Vendanges tardives 1998*

☐ 0,14 ha 600 23 à 30 €

La famille Mann a diversifié ses terroirs et confirme sa présence sur cinq grands crus. Ce riesling du Furstentum, sous une robe or, présente des arômes confits et une note de café. Au palais, l'attaque est franche et fraîche. Un vin équilibré, ample et riche, promis à un bel avenir sur cinq ans. (150 à 199 F)
Dom. Albert Mann, 13, rue du Château, 68920 Wettolsheim, tél. 03.89.80.62.00, fax 03.89.80.34.23, e-mail vins@mann-albert.com r.-v.

ALBERT MANN
Gewurztraminer Vieilles vignes 1999**

☐ 0,6 ha 4 500 11 à 15 €

Situation exceptionnelle au débouché de la vallée de Kaysersberg, le Furstentum profite d'un ensoleillement maximal, du matin jusqu'au soir, en relation avec son exposition sud-sud-ouest. Il est ainsi protégé des vents du nord. Jaune doré très brillant, ce vin est encore discret au nez, mais déjà prometteur par ses arômes complexes de mangue et d'ananas. Il s'ouvre assez rapidement en bouche, révélant ainsi sa puissance tout en finesse, ainsi que sa grande persistance. La saveur de fruits confits y domine. (Sucres résiduels : 34 g/l.) (70 à 99 F)
Dom. Albert Mann, 13, rue du Château, 68920 Wettolsheim, tél. 03.89.80.62.00, fax 03.89.80.34.23, e-mail vins@mann-albert.com r.-v.
Barthelmé

DOM. WEINBACH
Gewurztraminer Cuvée Laurence 1999**

☐ 1 ha 4 300 30 à 38 €

Un des grands noms du vignoble, Colette Faller et ses filles mènent de main de maître le domaine Weinbach. Les vins sont élaborés avec beaucoup de subtilité. La robe de ce gewurztraminer est d'or ; le nez reflète les épices et un côté végétal noble. Le palais très ample, puissant, est dominé par les arômes du fruit surmûri. La fin de bouche est éclatante et longue, même si la douceur demande encore à se fondre davantage. Les dégustateurs prédisent à ce vin un grand avenir. (Sucres résiduels : 65 g/l.) (200 à 249 F)
Dom. Weinbach-Colette Faller et ses Filles, Clos des Capucins, 68240 Kaysersberg, tél. 03.89.47.13.21, fax 03.89.47.38.18 r.-v.

Vin **cité** sans étoile : réussi
Vin **une étoile** : très réussi
Vin **deux étoiles** : remarquable
Vin **trois étoiles** : exceptionnel

Alsace grand cru geisberg

KIENTZLER Riesling 1999*

☐ 1,3 ha 7 900 15 à 23 €

Depuis 1975, André Kientzler est à la tête d'un domaine de 11 ha, riche en grands crus. Terroir argilo-calcaire, le Geisberg a donné naissance à un riesling au nez très intense où l'on trouve associées nuances fumées, notes de fruits confits et touches minérales. D'une belle attaque, parfaitement structuré, complexe et harmonieux, c'est un vin armé pour un long vieillissement. (Sucres résiduels : 3,5 g/l.) (100 à 149 F)
André Kientzler, 50, rte de Bergheim, 68150 Ribeauvillé, tél. 03.89.73.67.10, fax 03.89.73.35.81 r.-v.

Alsace grand cru gloeckelberg

KOEBERLE KREYER
Tokay-pinot gris 1999***

☐ 0,13 ha 800 8 à 11 €

Ce terroir sableux repose sur un socle granitique. Captant au sud un ensoleillement maximum, il est propice à l'élaboration de grands vins. La preuve en est donnée par ce pinot gris. Intensément jaune avec des reflets verts traduisant sa jeunesse et son grand potentiel d'évolution, ce vin exhale fruits secs, voire confits (coing), associés à une pointe fumée typique. En bouche, il est tout simplement superbe : élégant, racé, charpenté, onctueux. L'équilibre est parfait et laisse présager une longue garde. (Sucres résiduels : 60 g/l.) (50 à 69 F)
Koeberlé Kreyer, 28, rue du Pinot-Noir, 68590 Rodern, tél. 03.89.73.00.55, fax 03.89.73.00.55, e-mail fkoeberl@fr.pakardbell.org r.-v.

CHARLES NOLL Tokay-pinot gris 1999*

☐ 0,1 ha 800 8 à 11 €

Un sol sablonneux caractérise ce terroir : sol léger qui favorise un réchauffement rapide au printemps, ainsi qu'une maturation précoce du raisin. Le pinot gris apprécie ces conditions. Une robe jaune paille assez pâle, animée de quelques reflets verts, séduit l'œil. Au nez, ce vin évoque

les agrumes (mandarine), soulignés d'une pointe de fumé. La bouche fraîche, grasse et puissante possède l'onctuosité nécessaire. Certains dégustateurs jugent ce 99 encore un peu jeune, mais l'unanimité se fait quant à son bel avenir. (Sucres résiduels : 21 g/l.) (50 à 69 F)
EARL Charles Noll, 2, rue de l'Ecole, 68630 Mittelwihr, tél. 03.89.47.93.21, fax 03.89.47.86.23 t.l.j. 9h-21h

Alsace grand cru goldert

GROSS Riesling 1999*

□ 0,16 ha 1 500 8 à 11 €

Dominée par son superbe clocher roman de 36 m de haut, Gueberschwihr figure parmi les communes les plus célèbres du vignoble alsacien. Parmi les nombreuses exploitations qu'elle abrite, celle d'Henri Gross se distingue par la qualité de ses vins. Le Goldert avait donné ici un coup de cœur dans le millésime 96. Marqué au nez par des notes d'agrumes et de fleurs blanches, le 99 se révèle déjà très intense. Ample au palais, long et structuré, il est armé pour la garde. On pourra le savourer sur un poisson en sauce. (Sucres résiduels : 6 g/l.) (50 à 69 F)
EARL Henri Gross et Fils, 11, rue du Nord, 68420 Gueberschwihr, tél. 03.89.49.24.49, fax 03.89.49.33.58 r.-v.

LOUIS SCHERB ET FILS
Gewurztraminer 1999*

□ 0,46 ha 3 900 8 à 11 €

Gueberschwihr est l'un des joyaux du vignoble. Situé à quelques kilomètres au sud de Colmar, il mérite une visite : vous serez captivé par le pittoresque de l'architecture des maisons de vignerons. Le grand cru Goldert y est rattaché. Jaune clair, ce vin révèle un nez de fleurs d'amandier, puis une bouche puissante et fondue. Sa bonne fraîcheur laisse penser qu'il évoluera favorablement dans le temps. Ce 99 accompagnera certains plats relevés. (Sucres résiduels : 8,6 g/l.) (50 à 69 F)
EARL Joseph et André Scherb, 1, rte de Saint-Marc, 68420 Gueberschwihr, tél. 03.89.49.30.83, fax 03.89.49.30.65 t.l.j. 8h-12h 13h-19h; dim. 9h-12h

MAURICE SCHUELLER
Gewurztraminer 1999

□ 0,3 ha 2 500 11 à 15 €

Cette exploitation s'est lancée dans la mise en marché de ses vins en 1965. Elle exploite des vignes dans le grand cru Goldert, certainement l'un des terroirs qui révèle le mieux les spécificités du gewurztraminer. Jaune pâle, ce vin exprime au nez des notes florales, notamment la rose. Sa bouche est puissante et épicée, soutenue par une bonne acidité qui assurera une parfaite garde. (Sucres résiduels : 19 g/l.) (70 à 99 F)
EARL Maurice Schueller, 17, rue Basse, 68420 Gueberschwihr, tél. 03.89.49.31.80, fax 03.89.49.26.60 r.-v.
Marc Schueller

Alsace grand cru hatschbourg

BUECHER-FIX Gewurztraminer 1999***

□ 0,3 ha 2 500 8 à 11 €

Sur les communes de Hattstatt et de Voegtlinshoffen s'étend le grand cru Hatschbourg en situation sud. Un substrat marno-calcaire recouvert de nombreux cailloutis, ainsi que de dépôts de loess et de limon donne à ce terroir ses caractéristiques principales. Sur ce sol naissent des vins de garde. D'or limpide avec de nombreuses larmes le long du verre, ce 99 est une réussite exceptionnelle. Marqué intensément par la rose, accompagnée d'arômes de surmaturation au nez, il se révèle surtout au palais avec une rondeur et un velouté extraordinaires. Il est plein de charme et séducteur jusqu'à sa finale exotique relevée par les épices. (Sucres résiduels : 30 g/l.) (50 à 69 F)
Buecher-Fix, 21, rue Sainte-Gertrude, 68920 Wettolsheim, tél. 03.89.30.12.80, fax 03.89.30.12.81, e-mail buecher@terre-net.fr r.-v.

DOM. JOSEPH CATTIN
Tokay-pinot gris 1999

□ 1,37 ha 10 000 8 à 11 €

La maison Joseph Cattin fait partie de ces pionnières qui ont fait le vignoble en Alsace. Les frères Cattin poursuivent la politique de qualité initiée jadis par leurs ancêtres. Limpide, jaune clair à reflets dorés, ce vin est agréablement fruité avec des notes de pomme verte. Légèrement épicée, son attaque poivrée trouve écho en bouche. Une belle fraîcheur relève une harmonie naissante. (Sucres résiduels : 30 g/l.) (50 à 69 F)
Joseph Cattin, 18, rue Roger-Frémeaux, 68420 Voegtlinshoffen, tél. 03.89.49.30.21, fax 03.89.49.26.02, e-mail gcattin@terre-net.fr t.l.j. 8h-12h 14h-18h; dim. sur r.-v.
Jacques et Jean-Marie Cattin

Alsace grand cru hengst

MOELLINGER Gewurztraminer 1999*

□ n.c. 4 000 5 à 8 €

Le grand cru Hengst prête ses flancs aux rayons du soleil. Ses sols marno-calcaires sont certainement parmi les mieux adaptés au gewurztraminer. D'un jaune doré brillant, ce 99 propose un nez déjà bien ouvert : rose fanée, tabac et épices s'y côtoient. En bouche, l'attaque

est franche et nette ; puissance et onctuosité en sont les grandes caractéristiques. Ce vin de bonne tenue demandera entre six et huit ans pour s'exprimer totalement. (Sucres résiduels : 29,1 g/l.) (30 à 49 F)
SCEA Jos. Moellinger et Fils, 6, rue de la 5e -D.-B., 68920 Wettolsheim,
tél. 03.89.80.62.02, fax 03.89.80.04.94
t.l.j. 8h-12h 13h30-19h; f. oct.

DOM. AIME STENTZ
Clos du Vicus Romain Tokay-pinot gris 1999*

n.c. 4 700 8 à 11 €

Au sud de Wintzenheim et à l'ouest de Wettolsheim, s'étend la masse imposante du Hengst, terroir marno-calcaire magnifiquement exposé au sud-est, qui convient parfaitement au cépage délicat qu'est le pinot gris. Jaune clair à reflets or, ce vin laisse apparaître des arômes subtils de fruits confits. Encore fermé, il propose une bouche massive et marquée par le fruit. L'onctuosité naissante se ressent. C'est un vin de garde qui demande un peu de temps pour se dévoiler complètement. (Sucres résiduels : 15 g/l.) (50 à 69 F)
Dom. Aimé Stentz et Fils, 37, rue Herzog, 68920 Wettolsheim, tél. 03.89.80.63.77, fax 03.89.79.78.68, e-mail stentz.e.@calcxo.net
t.l.j. sf dim. 8h-12h 14h-18h

DOM. AIME STENTZ ET FILS
Gewurztraminer Sélection de grains nobles 1998**

0,19 ha 520 23 à 30 €

Le Hengst donne naissance à de grands vins de gewurztraminer. Celui-ci, brillant, jaune profond à reflets ambrés, s'impose par les arômes épicés puissants du cépage, ainsi que par sa vivacité et sa fraîcheur. Son palais volumineux et onctueux laisse paraître cette même fraîcheur épicée en finale. Des fruits confits accompagnent cette ligne aromatique. Ce vin se cache encore, mais se dévoilera après quatre ou cinq ans de garde. (150 à 199 F)
Dom. Aimé Stentz et Fils, 37, rue Herzog, 68920 Wettolsheim, tél. 03.89.80.63.77, fax 03.89.79.78.68, e-mail stentz.e.@calcxo.net
t.l.j. sf dim. 8h-12h 14h-18h

Alsace grand cru kastelberg

ANDRE ET REMY GRESSER
Riesling 1999*

0,35 ha 2 500 11 à 15 €

Rémy Gresser a repris en 1977 le domaine familial de 10 ha, un vignoble créé à l'époque du Roi-Soleil. A la recherche permanente de la qualité, il s'oriente depuis quelques années vers l'expression des terroirs. Il propose un riesling né sur les schistes du Kastelberg ; un vin très jeune mais élégant avec ses arômes de poire et de coing. Equilibré et persistant, un ensemble fort prometteur. (Sucres résiduels : 6 g/l.)
(70 à 99 F)
Dom. André et Rémy Gresser, 2, rue de l'Ecole, 67140 Andlau, tél. 03.88.08.95.88, fax 03.88.08.55.99, e-mail remy.gresser@wanadoo.fr t.l.j. sf dim. 8h-12h 14h-19h; dim. sur r.-v.

MARC KREYDENWEISS Riesling 1999*

1 ha 4 000 23 à 30 €

Etabli à Andlau à la tête d'un vignoble de 12 ha, Marc Kreydenweiss est devenu au fil des années une référence en Alsace. Voyez ce riesling du Kastelberg. Son nez très intense de pain grillé reflète son terroir schisteux d'origine. Très ample au palais, bien structuré et persistant, il finit sur une note de fruits à noyau. Un ensemble plaisant. (Sucres résiduels : 11 g/l.)
(150 à 199 F)
Dom. Marc Kreydenweiss, 12, rue Deharbe, 67140 Andlau, tél. 03.88.08.95.83, fax 03.88.08.41.16 r.-v.

GUY WACH Riesling 1999***

0,58 ha 4 400 11 à 15 €

Souvent mentionné dans le Guide pour ses rieslings grand cru, Guy Wach est depuis 1979 à la tête d'une exploitation de 7 ha. Quand on est établi dans une commune qui a fêté son millénaire, on ne peut que rendre hommage à la tradition ! Et élaborer de grands vins de garde, comme ce riesling au nez très intense de fruit de la Passion. D'une belle attaque, équilibré et persistant, c'est le produit d'une matière première exceptionnelle. (Sucres résiduels : 12 g/l.)
(70 à 99 F)
Guy Wach, Dom. des Marronniers, 5, rue la Commanderie, 67140 Andlau, tél. 03.88.08.93.20, fax 03.88.08.45.59 r.-v.

Alsace grand cru kirchberg de Barr

DOM. HERING Gewurztraminer 1999*

0,65 ha 4 200 8 à 11 €

La tradition viticole est inscrite dans la famille Hering depuis 1858. L'arrière-grand-père de Jean-Daniel Hering s'était d'ailleurs distingué par ses travaux d'hybridation en vue de créer un porte-greffe mieux adapté aux conditions du vignoble alsacien. Jaune clair à reflets brillants, ce vin se présente très discrètement au nez. Très fin, il demande cependant encore un certain temps pour se dévoiler. La bouche est bien ronde et puissante. Une belle matière qui évoluera favorablement. (Sucres résiduels : 25 g/l.) (50 à 69 F)

Dom. Hering, 6, rue Sultzer, 67140 Barr, tél. 03.88.08.90.07, fax 03.88.08.08.54, e-mail jdh@infonie.fr r.-v.

Alsace grand cru mambourg

PIERRE SPARR
Gewurztraminer Vendanges tardives 1998*

0,9 ha 10 000 23 à 30 €

Pierre Sparr est, avec l'un de ses cousins, à la tête de cette exploitation. Il a misé sur la production de vins de haute qualité. Pour y parvenir, il n'a pas hésité à prendre des dispositions innovantes aussi bien à la vigne qu'au chai. La robe de ce gewurztraminer est jaune d'or. Le nez fait ressortir les fruits confits et la figue fraîche, tandis que le palais concentré est relevé par des arômes de miel d'acacia. Figues et fruits confits resurgissent et complètent la douceur importante de ce vin. Bel avenir. (150 à 199 F)

SA Pierre Sparr et ses Fils, 2, rue de la 1re Armée, 68240 Sigolsheim, tél. 03.89.78.24.22, fax 03.89.47.32.62, e-mail vins-sparr@rmcnet.fr r.-v.

Alsace grand cru mandelberg

JEAN-PAUL ET FRANK HARTWEG
Riesling 1999*

0,26 ha 2 150 8 à 11 €

Jean-Paul Hartweg exploite 8 ha de vignes depuis 1972. Il a été rejoint par son fils en 1996. Le domaine s'est fait une spécialité des vendanges de grande maturité. Et cette grande maturité, voire surmaturité, est présente dans ce riesling d'origine marno-calcaire. A la fois floral et fruité (poire, abricot) au nez, ce 99 est ample et complexe en bouche, des nuances exotiques se mêlant harmonieusement à une certaine rondeur. Un vin très persistant que l'on pourra ouvrir à l'apéritif. (Sucres résiduels : 24 g/l.) (50 à 69 F)

Jean-Paul et Frank Hartweg, 39, rue Jean-Macé, 68980 Beblenheim, tél. 03.89.47.94.79, fax 03.89.49.00.83, e-mail frank.hartweg@free.fr t.l.j. sf dim. 8h-11h30 13h30-18h

JEAN-PAUL MAULER
Gewurztraminer 1999**

0,27 ha 2 300 8 à 11 €

Héritier de l'une des plus anciennes familles vigneronnes de Mittelwihr, Jean-Paul Mauler s'est forgé une réputation. Il a réussi très rapidement à communiquer une originalité à ses vins grâce à la meilleure adéquation entre sol et plante. Une robe or à reflets brillants, un nez de fruits mûrs traduisant la surmaturité, un palais de grande ampleur doublé d'une complexité épicée en fin de bouche, telles sont les caractéristiques de ce gewurztraminer remarquable. (Sucres résiduels : 17,5 g/l.) (50 à 69 F)

Jean-Paul Mauler, 3, pl. des Cigognes, 68630 Mittelwihr, tél. 03.89.47.93.23, fax 03.89.47.88.29 t.l.j. 8h-12h30 14h-19h

CHARLES NOLL
Gewurztraminer 1999***

0,1 ha 900 8 à 11 €

La célèbre Côte des Amandiers, le Mandelberg, semble décidément bien convenir au gewurztraminer. Le présent vin est un modèle du genre. Sa robe est d'or ; son nez de rose et de fruits confits laisse une impression très intense. Au palais, ce 99 explose en un feu d'artifice de fruits confits et de rose fanée. Il est soyeux à point, dans toute sa plénitude. Un délice. Il est superbe. (Sucres résiduels : 31,4 g/l.) (50 à 69 F)

EARL Charles Noll, 2, rue de l'Ecole, 68630 Mittelwihr, tél. 03.89.47.93.21, fax 03.89.47.86.23 t.l.j. 9h-21h

W. WURTZ Gewurztraminer 1999*

0,2 ha 2 000 8 à 11 €

Le Mandelberg est certainement l'un des terroirs les plus précoces d'Alsace : la floraison des amandiers y annonce le printemps. C'est donc à juste titre qu'il a été classé parmi les grands crus. Or pâle brillant et délicat, ce vin est déjà très typé au nez : rose et fruits mûrs s'y retrouvent. En bouche, l'équilibre est relevé par la note de pain d'épice. La finale est tout en fraîcheur, signe d'une bonne évolution sur le long terme. (Sucres résiduels : 15 g/l.) (50 à 69 F)

Willy Wurtz et Fils, 6, rue du Bouxhof, 68630 Mittelwihr, tél. 03.89.47.93.16, fax 03.89.47.89.01 t.l.j. 9h-19h

Lumière et odeurs sont les ennemis du vin : attention à votre cave !

Alsace grand cru marckrain

RENE BARTH Gewurztraminer 1999*

☐ 0,15 ha 1 100 8 à 11 €

Michel Fonné a repris en 1989 le domaine viticole de son oncle. Œnologue, il y exerce ses talents en développant essentiellement la production vins de grands terroirs. Or pâle à reflets verts, ce 99 laisse percer très rapidement des notes de fruits exotiques nuancées d'épices. La bouche est franche, très équilibrée, épicée. Ce vin long en finale mérite qu'on l'attende encore un peu. (Sucres résiduels : 16 g/l.) (50 à 69 F)

Dom. Michel Fonne, 24, rue du Gal-de-Gaulle, 68630 Bennwihr, tél. 03.89.47.92.69, fax 03.89.49.04.86 r.-v.

GAEC René et Michel Koch, 5, rue de la Fontaine, 67680 Nothalten, tél. 03.88.92.41.03, fax 03.88.92.63.99, e-mail vin-koch@oreka.com r.-v.

SAOULIAK
Gewurztraminer Sélection de grains nobles 1998**

☐ 0,12 ha 800 38 à 46 €

Cette entreprise familiale a été créée en 1939 par le grand-père de Marie-Odile Saouliak, qui le conduit depuis 1980 en association avec son fils. D'aspect jaune doré, son gewurztraminer est dominé par les fruits confits et surtout l'orange. La complexité des fruits confits revient au palais, dans un registre plutôt provençal. Le vin conclut sur une finale remarquable. (Bouteilles de 50 cl.) (250 à 299 F)

Saouliak, 102, rte des Vins, 67680 Nothalten, tél. 03.88.92.45.73 t.l.j. 9h-12h 14h-20h

Alsace grand cru moenchberg

ARMAND GILG Riesling 1999*

☐ 1 ha 6 800 8 à 11 €

Etabli dans l'un des plus beaux villages de France, le domaine Gilg, avec ses 22 ha de vignes, fait partie des exploitations qui comptent à Mittelbergheim. Non seulement par la taille mais aussi par le renom. Marqué par son origine sablonneuse, ce riesling présente au nez des arômes floraux intenses et élégants. Plutôt vif à l'attaque, il révèle au palais des nuances citronnées qui le font recommander sur tous les produits de la mer. (Sucres résiduels : 4 g/l.) (50 à 69 F)

Dom. Armand Gilg et Fils, 2, rue Rotland, 67140 Mittelbergheim, tél. 03.88.08.92.76, fax 03.88.08.25.91 r.-v.

Alsace grand cru muenchberg

RENE KOCH ET FILS Riesling 1999*

☐ 0,2 ha 1 200 8 à 11 €

René Koch s'est installé en 1970. Il a été rejoint par son fils Michel, qui représente la troisième génération. Le domaine - 10 ha de vignes - a été retenu ces trois dernières années pour un riesling bien régulier en qualité, issu de ce grand cru aux sols gréseux et volcaniques. Ce 99 est encore jeune. Son nez est dominé par des notes d'agrumes, son palais frais, équilibré et persistant. Un vin de classe pour poisson ou fruits de mer. (Sucres résiduels : 5 g/l.) (50 à 69 F)

Alsace grand cru ollwiller

VIEIL ARMAND Riesling 1999*

☐ n.c. n.c. 8 à 11 €

La Cave du Vieil Armand appartient au groupe Wolfberger. Elle est située dans la partie méridionale du vignoble alsacien, tout comme le grand cru Ollwiller. Malgré son origine argilo-calcaire, ce riesling est déjà très ouvert au nez, avec des notes minérales et des nuances de pain grillé. D'une belle attaque, il se montre équilibré et harmonieux. (Sucres résiduels : 5 g/l.) (50 à 69 F)

Cave vinicole du Vieil-Armand, 3, rte de Cernay, 68360 Soultz-Wuenheim, tél. 03.89.76.73.75, fax 03.89.76.70.75 r.-v.

Alsace grand cru osterberg

FERNAND FROEHLICH ET FILS
Riesling 1999

☐ 0,1 ha 850 5 à 8 €

Installé à Ostheim, village proche de Riquewihr et de Colmar, Fernand Froehlich exploite plus de 8 ha de vignes avec son fils. Il fait son entrée dans le Guide avec ce riesling. Marqué par son terroir argilo-calcaire, ce 99 est encore très jeune même si l'on sent déjà poindre au nez une belle minéralité. Assez vif à l'attaque, il possède un caractère citronné. Il est bâti pour la garde. (Sucres résiduels : 12 g/l.) (30 à 49 F)

EARL Fernand Froehlich et Fils, 29, rte de Colmar, 68150 Ostheim, tél. 03.89.86.01.46, fax 03.89.86.01.54 t.l.j. 8h-12h 13h30-19h30; groupes sur r.-v.

Alsace grand cru pfersigberg

CHARLES BAUR Gewurztraminer 1999*

☐ 0,47 ha 3 500 11 à 15 €

Armand Baur est aujourd'hui à la tête d'une exploitation de 12 ha. Œnologue, il y exerce avec beaucoup de savoir-faire. Jaune doré clair, intensément brillant, son gewurztraminer est certes encore fermé, mais il laisse déjà échapper des senteurs épicées et anisées. Un bel équilibre caractérise le palais, même si la jeunesse de ce 99 est perceptible. Une garde de deux ou trois ans permettra à ce vin d'atteindre la plénitude. (Sucres résiduels : 14 g/l.) (70 à 99 F)

Charles Baur, 29, Grand-Rue, 68420 Eguisheim, tél. 03.89.41.32.49, fax 03.89.41.55.79, e-mail cave@vinscharlesbaur.fr t.l.j. sf dim. 9h-12h 13h30-19h

LEON BAUR Gewurztraminer 1999*

☐ 0,38 ha 2 800 8 à 11 €

Plutôt exposé à l'est-sud-est, le Pfersigberg est constitué de galets calcaires sur un sol marno-calcaire. Ses vins font preuve d'une grande finesse. Jaune doré clair, celui-ci s'exprime intensément au nez dans un registre à dominante épicée. La bouche, bien équilibrée, est remarquablement structurée ; longue, elle laisse apparaître en finale la rose et la violette associées à des notes fruitées de mangue. (Sucres résiduels : 10 g/l.) (50 à 69 F)

Jean-Louis Baur, 22, rue du Rempart-Nord, 68420 Eguisheim, tél. 03.89.41.79.13, fax 03.89.41.93.72 r.-v.

EMILE BEYER
Riesling Vendanges tardives 1998*

☐ 0,51 ha 2 304 15 à 23 €

La famille Beyer est installée à Eguisheim depuis 1580. L'actuel siège de l'exploitation est l'ancienne hostellerie *Au Cheval Blanc*, dont la cave, toujours en fonction, date de 1583. Une robe jaune paille à reflets orangés pare ce vin. Le nez, intense, laisse apparaître des arômes d'orange nuancés d'eucalyptus. En bouche, le dégustateur perçoit d'abord une grande douceur équilibrée par une finale nerveuse. L'impression de zeste d'orange est très marquée. C'est un vin agréable dont l'harmonie devra encore se parfaire. (100 à 149 F)

Emile Beyer, 7, pl. du Château Saint-Léon, 68420 Eguisheim, tél. 03.89.41.40.45, fax 03.89.41.64.21, e-mail info@émile-beyer.fr t.l.j. 9h-12h 14h-18h

ALBERT HERTZ Riesling 1999*

☐ 0,3 ha 2 500 8 à 11 €

A la tête de l'exploitation depuis 1976, Albert Hertz a été sacré « Vigneron de l'année 1993 » dans le cadre de l'*International Wine and Spirit Competition* de Londres. Du Pfersigberg, terroir marno-calcaire, il a tiré un riesling encore jeune, au nez dominé par les agrumes. Le palais, plutôt vif, structuré et persistant, révèle une grande matière. Un vin de gastronomie. (Sucres résiduels : 4 g/l.) (50 à 69 F)

Albert Hertz, 3, rue du Riesling, 68420 Eguisheim, tél. 03.89.41.30.32, fax 03.89.23.99.23 r.-v.

FRANCOIS LICHTLE Riesling 1999*

☐ 0,17 ha 1 200 11 à 15 €

Husseren-les-Châteaux est un village perché d'où la vue embrasse la plaine d'Alsace et, au premier plan, le grand cru Pfersigberg dont le domaine Lichtlé a su trouver de belles expressions. Le nez intense de ce riesling, qui rappelle la pêche, semble une évocation de ce lieu-dit (appelé « Montagne aux Pêchers ») ; on y trouve par ailleurs des notes de fruits confits. Très ample et structuré, le palais révèle une grande matière, légèrement surmaturée. (Sucres résiduels : 6 g/l.) (70 à 99 F)

Dom. François Lichtlé, 17, rue des Vignerons, 68420 Husseren-les-Châteaux, tél. 03.89.49.31.34, fax 03.89.49.37.51, e-mail hlichtle@aol.com r.-v.

JEAN-LOUIS ET FABIENNE MANN
Riesling 1999*

☐ 0,4 ha 3 000 8 à 11 €

Jean-Louis Mann a repris l'exploitation familiale en 1982, mais ne s'est lancé dans la mise en bouteilles qu'en 1998. Avec talent, témoin le superbe riesling 98 décrit dans la dernière édition du Guide, et celui-ci, qui donne toute satisfaction. D'origine marno-calcaire, il développe des arômes d'une rare complexité où le minéral se mêle au citron et aux fruits confits. Parfaitement structuré, un peu gras, long, c'est un vin très prometteur. (Sucres résiduels : 8,5 g/l.) (50 à 69 F)

EARL Jean-Louis Mann, 11, rue du Traminer, 68420 Eguisheim, tél. 03.89.24.26.47, fax 03.89.24.09.41, e-mail mann.jean.louis@wanadoo.fr r.-v.

Alsace grand cru pfingstberg

ALBERT ZIEGLER
Gewurztraminer 1999*

☐ 0,3 ha 2 600 8 à 11 €

Le domaine Albert Ziegler est l'une des maisons importantes d'Orschwihr, commune viticole par excellence. Il exploite une partie de ses vignes sur le Pfingstberg qui, en situation sud-sud-est, domine le vallon d'Orschwihr. Jaune doré brillant, son gewurztraminer révèle un intense fruité exotique, accompagné d'autres fruits secs. Dévoilant beaucoup de typicité en bouche, ce vin est puissant et long. La finale est dominée par la rose fanée et le raisin sec. (Sucres résiduels : 12 g/l.) (50 à 69 F)

Albert Ziegler, 10, rue de l'Eglise, 68500 Orschwihr, tél. 03.89.76.01.12, fax 03.89.74.91.32 t.l.j. 8h-12h 13h-19h

Alsace grand cru praelatenberg

DOM. ALLIMANT-LAUGNER
Riesling 1999*

☐ 0,34 ha 2 600 5 à 8 €

Avec plus de 11 ha de vignes, cette exploitation occupe une place de premier plan à Orschwiller. C'est dans le terroir granitique du Praelatenberg qu'elle puise son inspiration. Encore jeune, ce riesling se montre déjà fort élégant au nez. Intense, structuré et très persistant au palais, c'est le produit d'une grande matière. Il est armé pour un long vieillissement. (Sucres résiduels : 7 g/l.) (30 à 49 F)

Allimant-Laugner, 10, Grand-Rue, 67600 Orschwiller, tél. 03.88.92.06.52, fax 03.88.82.76.38, e-mail alaugner@terre-net.fr t.l.j. sf dim. 8h-19h

Hubert Laugner

DOM. ENGEL FRERES
Gewurztraminer 1999*

☐ 0,12 ha 1000 8 à 11 €

Les belvédères du Haut-Kœnigsbourg dominent les pentes du Praelatenberg. Ce terroir repose sur un socle granitique ; en surface, apparaissent des sols bruns argileux d'épaisseur variable. Le domaine Engel y exploite une superficie de 7 ha. Jaune or, ce vin est bien ouvert sur des notes florales et des arômes de verveine. La bouche équilibrée insiste sur les fruits relevés de rose. C'est un « bel ensemble finement poivré, avec des tendances de fruits secs », écrit l'un des dégustateurs. (Sucres résiduels : 15 g/l.) (50 à 69 F)

Dom. Christian et Hubert Engel, 1, rue des Vignes, Haut-Kœnigsbourg, 67600 Orschwiller, tél. 03.88.92.01.83, fax 03.88.82.25.09 t.l.j. 9h-11h30 14h-18h

SIFFERT Gewurztraminer 1999**

☐ 0,52 ha 6 600 15 à 23 €

Très ancienne maison du vignoble alsacien, le domaine Siffert a fêté son bicentenaire en 1992. Une partie de ses vignes est située sur le terroir du Praelatenberg qui, par la complexité de son sous-sol, marque les vins de son empreinte. Jaune d'or, ce vin manifeste un nez très ouvert de fleurs et de fruits exotiques. La bouche, à dominante de fruits confits, révèle une belle ampleur, du gras et une fin de bouche remarquable. Ce vin est destiné à une garde de trois ans. (Sucres résiduels : 49 g/l ; bouteilles de 50 cl.) (100 à 149 F)

SCEA Dom. Siffert, 16, rte du Vin, 67600 Orschwiller, tél. 03.88.92.02.77, fax 03.88.82.70.02 t.l.j. 9h-12h 13h30-19h; dim. sur r.-v.; f. 15 jan.-15 fév.

Maurice Siffert

Alsace grand cru rangen de thann

CLOS SAINT-THEOBALD
Tokay-pinot gris Vendanges tardives 1998**

☐ 2 ha 3 000 30 à 38 €

Des reflets ambrés sur fond doré parent ce vin aux arômes de fruits confits et de cire d'abeille. Plein, riche et volumineux en bouche, ce 98 est soutenu par une acidité qui lui permettra de supporter une garde de deux ou trois ans. (200 à 249 F)

Dom. Schoffit , 66-68 Nonnenholz-Weg, 68000 Colmar, tél. 03.89.24.41.14, fax 03.89.41.40.52 r.-v.

CLOS SAINT-THEOBALD
Riesling Sélection de grains nobles 1998*

☐ 1 ha 2 000 38 à 46 €

Vieil or, ce 98 décline des notes franches d'agrumes. Les caractères confits se retrouvent en bouche. Malgré un taux de sucres résiduels important, l'harmonie est presque atteinte. Mais ce beau vin s'affinera encore à la faveur de quelques années de garde. (Bouteilles de 50 cl.) En **gewurztraminer sec**, il faut mentionner le **99 (150 à 199 F)**, qui obtient une citation. Brillant et doré, ce vin très marqué par la surmaturation et par la douceur, est assuré de bien évoluer (sucres résiduels : 40 g/l.) (250 à 299 F)

Dom. Schoffit , 66-68 Nonnenholz-Weg, 68000 Colmar, tél. 03.89.24.41.14, fax 03.89.41.40.52 r.-v.

WOLFBERGER Tokay-pinot gris 1999***

☐ n.c. 19 000 23 à 30 €

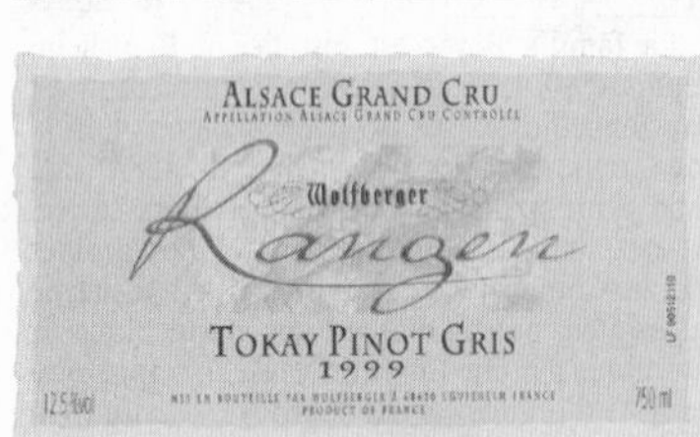

Wolfberger compte parmi les premières maisons en Alsace. Elle propose une large gamme de vins liés aux différents terroirs où elle est implantée. Ce tokay-pinot gris est né sur le Rangen de Thann aux pentes très escarpées. Dans sa robe jaune d'or aux multiples reflets scintillants, il étonne par la finesse et l'exceptionnelle complexité de ses arômes confits. Le palais, élégant, déjà harmonieux, est tout simplement superbe. Ce vin, promis à un bel avenir, acceptera une garde de trois ans. (Sucres résiduels : 60 g/l.) (150 à 199 F)

Cave vinicole Wolfberger, 6, Grand-Rue, 68420 Eguisheim, tél. 03.89.22.20.20, fax 03.89.23.47.09 r.-v.

Alsace grand cru rosacker

CAVE VINICOLE DE HUNAWIHR
Tokay-pinot gris 1999*

☐ 0,8 ha 5 300 8 à 11 €

Les vins de la commune de Hunawihr sont réputés depuis fort longtemps. Les évêques de Bâle et de Saint-Dié, en 1123, s'en disputaient déjà la dîme qui était payée en vin. Cette notoriété est réelle aujourd'hui encore, d'autant qu'un grand cru est venu enrichir la panoplie des lieux-dits. Jaune or à reflets clairs, ce vin présente un fruité discret avec quelques notes de fleurs blanches et de menthe. Le palais séduit par son équilibre renforcé par une certaine fraîcheur. Agréable malgré un taux de sucre encore important, il se termine sur une belle longueur. (Sucres résiduels : 25 g/l.) (50 à 69 F)

Cave vinicole de Hunawihr, 48, rte de Ribeauvillé, 68150 Hunawihr, tél. 03.89.73.61.67, fax 03.89.73.33.95 t.l.j. 8h-12h 14h-18h

FRANCOIS SCHWACH ET FILS
Riesling 1999**

☐ 0,2 ha 1 600 8 à 11 €

Cette vaste exploitation (20 ha) s'est beaucoup développée ces vingt dernières années. Elle mise sur la sélection des terroirs et dispose d'équipements modernes. Le Rosacker, grand cru argilo-calcaire, a donné naissance à ce riesling au nez très intense, mêlant citron, pamplemousse et fruits exotiques. D'une belle attaque, le palais s'avère puissant, plutôt souple et d'une grande longueur. Un vin armé pour la garde. (Sucres résiduels : 8 g/l.) (50 à 69 F)

Dom. François Schwach et Fils, 28, rte de Ribeauvillé, 68150 Hunawihr, tél. 03.89.73.62.15, fax 03.89.73.37.84, e-mail schwach@rmcnet.fr t.l.j. 9h-12h 13h30-18h30; groupes sur r.-v.; f. dim. de jan. à mars

ALBERT WINTER Riesling 1999

☐ 0,2 ha 1 800 8 à 11 €

Régulièrement mentionnée dans le Guide, cette exploitation de taille modeste (4 ha) nous a fait connaître de fort belles cuvées. On se souvient d'un riesling 96 issu du même grand cru, coup de cœur de l'édition 1999. Marqué par son origine argilo-calcaire, le 99 est resté dans sa phase de jeunesse. Au nez, il associe nuances d'agrumes et notes grillées. Equilibré et harmonieux au palais, il possède un fort potentiel de vieillissement. (Sucres résiduels : 12 g/l.) (50 à 69 F)

Albert Winter, 17, rue Sainte-Hune, 68150 Hunawihr, tél. 03.89.73.62.95, fax 03.89.73.62.95 r.-v.

> Mieux vaut ne pas transporter des vins de qualité au cœur de l'été ou de l'hiver ; il faut les préserver des températures extrêmes.

Alsace grand cru saering

DIRLER
Riesling Vendanges tardives 1998**

☐ 0,31 ha 2 500 15 à 23 €

Jean Dirler, représentant la nouvelle génération, s'est installé en 2000 ; il s'est aussi marié, d'où la nouvelle raison sociale de l'entreprise, Dirler-Cadé. La relation entre le vin et le terroir est étudiée depuis longtemps déjà sur cette exploitation, bien avant l'avènement de l'appellation alsace grand cru. Ce riesling est issu d'un terroir marno-sableux abondamment pourvu de cailloutis. Vêtu d'une robe or pâle à reflets jaune brillant, il dévoile un nez de grande qualité, avec des arômes d'agrumes et de fruits confits très complexes. Gras et ample au palais, il laisse suffisamment de place à la fraîcheur pour acquérir une élégance remarquable. Les notes de citron vert, de pamplemousse et de fruits exotiques lui communiquent une finale très persistante. (100 à 149 F)

EARL Dirler-Cadé, 13, rue d'Issenheim, 68500 Bergholtz, tél. 03.89.76.91.00, fax 03.89.76.85.97, e-mail jpdirler@terre-net.fr r.-v.

JOSEPH LOBERGER
Tokay-pinot gris Cuvée Florian 1999*

☐ 0,4 ha 2 500 8 à 11 €

Le Saering est l'un des grands crus qui jouxte l'entrée de la vallée de Guebwiller. C'est un terroir intéressant par sa structure : argilo-sablonneux, il convient à l'expression des cépages les plus délicats. Le pinot gris y trouve un terrain favorable car réserve en eau et chaleur lui sont assurées. Jaune doré à reflets brillants, nez de pêche et de coing nuancé de cire, bouche équilibrée... Voici un vin complexe. Sa finale fraîche lui confère un bon potentiel de garde. (Sucres résiduels : 23,2 g/l.) (50 à 69 F)

Joseph Loberger, 10, rue de Bergholtz-Zell, 68500 Bergholtz, tél. 03.89.76.88.03, fax 03.89.74.16.88 t.l.j. sf dim. 8h-12h 14h-18h

ERIC ROMINGER Riesling 1999**

☐ 0,1 ha 500 11 à 15 €

Vigneron depuis 1986, Eric Rominger est à la tête d'une exploitation de 8 ha. Il vient de transférer sa cave de Bergholtz à Westhalten. Il s'est forgé une solide réputation grâce à ses vins de grands crus. Les lecteurs du Guide connaissent bien ceux du Zinnkoepflé, dont certains millésimes ont atteint des sommets. Voici un riesling du Saering, terroir sablonneux et calcaire qui se traduit par un nez très subtil, à la fois citronné, mentholé et minéral. Très ample au palais, gras mais toujours harmonieux et de bonne longueur, ce 99 est marqué par la maturité. (Sucres résiduels : 8 g/l.) (70 à 99 F)

Eric Rominger, 16, rue Saint-Blaise, 68250 Westhalten, tél. 03.89.47.68.60, fax 03.89.47.68.61 r.-v.

DOMAINES SCHLUMBERGER
Riesling 1999*

☐ 9 ha 20 000 11 à 15 €

Première exploitation du vignoble alsacien par la superficie (145 ha), les domaines Schlumberger se classent aussi parmi les grands par la réputation. Ils possèdent une bonne partie des lieux-dits classés en grand cru de la région de Guebwiller, au sud du vignoble. Ce riesling du Saering, particulièrement intense au nez, associe arômes floraux et minéraux, avec une pointe de réglisse. D'un très bel équilibre au palais, long et harmonieux, c'est un vin de gastronomie. (Sucres résiduels : 14 g/l.) (70 à 99 F)

Domaines Schlumberger,
100, rue Théodore-Deck, 68501 Guebwiller Cedex, tél. 03.89.74.27.00, fax 03.89.74.85.75,
e-mail duschlum@aol.com r.-v.

Alsace grand cru schlossberg

ANDRE BLANCK Riesling 1999*

☐ 2 ha 7 000 8 à 11 €

Le domaine André Blanck a son siège dans l'ancienne cour des chevaliers de Malte, un lieu chargé d'histoire qui jouxte le non moins célèbre château de Schwendi, siège de la confrérie Saint-Etienne. Le Schlossberg est un coteau majestueux au sol d'arènes granitiques. Le riesling y est prépondérant. Marqué par ce terroir, celui-ci se révèle très floral et déjà bien ouvert au nez. Cette intensité se prolonge dans un palais équilibré et persistant. Une longévité assurée. Le 97 avait obtenu un coup de cœur. (Sucres résiduels : 6 g/l.) Le domaine obtient une autre étoile pour un **riesling 98 de vendanges tardives (70 à 99 F).** Ses arômes complexes, minéraux et fruités, son palais riche et ample ont été fort appréciés. (Bouteilles de 50 cl.) (50 à 69 F)

EARL André Blanck et Fils, Ancienne Cour des Chevaliers de Malte, 68240 Kientzheim,
tél. 03.89.78.24.72, fax 03.89.47.17.07 t.l.j. sf dim. 8h-19h

JEAN DIETRICH
Riesling Vieilles vignes 1999*

☐ 0,45 ha 3 000 8 à 11 €

Disposant de 11 ha de vignes à Kaysersberg, le domaine Dietrich n'est pas étranger au renom du Schlossberg, l'un des principaux lieux-dits de l'AOC alsace grand cru. Malgré son origine granitique, ce riesling reste très jeune au nez. Assez vif à l'attaque, structuré et très persistant, c'est un vin de grande classe, qui s'accordera avec poisson et fruits de mer. (Sucres résiduels : 3 g/l.) (50 à 69 F)

Jean Dietrich, 4, rue de l'Oberhof,
68240 Kaysersberg, tél. 03.89.78.25.24,
fax 03.89.47.30.72 t.l.j. 10h-12h 14h-18h

JOSEPH FRITSCH Riesling 1999**

☐ 0,3 ha 1 900 5 à 8 €

Comme tous les vignerons de Kientzheim, Joseph Fritsch offre à sa clientèle toute la gamme des vins d'Alsace, et notamment ce grand cru schlossberg tout en majesté. Reflétant son origine granitique, ce riesling révèle déjà une belle intensité au nez. Fort expressif, c'est un vin de grande race, à la fois élégant, structuré et très persistant. (Sucres résiduels : 6 g/l.) (30 à 49 F)

EARL Joseph Fritsch, 31, Grand-Rue,
68240 Kientzheim, tél. 03.89.78.24.27,
fax 03.89.78.24.27 r.-v.

SALZMANN Riesling 1999*

☐ 1,48 ha 4 300 8 à 11 €

Héritière d'une lignée de vignerons remontant à 1526, la famille Salzmann-Thomann propose un riesling grand cru des plus réussis. Le nez, élégant et très floral, est caractéristique de son terroir granitique d'origine. D'une belle attaque, c'est un vin expressif et harmonieux qui se mariera bien avec les poissons en sauce. (Sucres résiduels : 4 g/l.) (50 à 69 F)

Salzmann-Thomann, Dom. de l'Oberhof,
3, rue de l'Oberhof, 68240 Kaysersberg,
tél. 03.89.47.10.26, fax 03.89.78.13.08 r.-v.

FRANCOIS STOLL Riesling 1999**

☐ 0,3 ha 2 007 5 à 8 €

Descendant d'une lignée de vignerons qui remonte à 1767, François Stoll est établi dans le centre de Kaysersberg, ville célèbre tant par la beauté de son architecture que par son grand cru du Schlossberg où est né ce riesling. Très expressif au nez, ce vin d'origine granitique mêle des arômes floraux et des nuances d'agrumes. Bien équilibré au palais, opulent et très persistant, il trouvera sa place sur les mets de poisson les plus raffinés. (Sucres résiduels : 7,5 g/l.) (30 à 49 F)

GAEC François Stoll,
19, rue Basse-du-Rempart, 68240 Kaysersberg,
tél. 03.89.78.23.10, fax 03.89.78.21.45 r.-v.

ZIEGLER-MAULER
Les Murets Riesling 1999**

☐ 0,27 ha 1 200 8 à 11 €

Philippe Ziegler a repris cette exploitation de 5 ha en 1996. Son riesling grand cru schlossberg Les Murets, souvent mentionné dans le Guide, s'est particulièrement distingué dans ce millésime. Le nez, intense et très complexe, annonce d'emblée une grande maturité. Ample et persistant, le palais est d'une belle harmonie. Un vin à servir sur du poisson cuisiné ou un homard à l'américaine. (Sucres résiduels : 6 g/l.) (50 à 69 F)

Jean-Jacques Ziegler-Mauler Fils,
2, rue des Merles, 68630 Mittelwihr,
tél. 03.89.47.90.37, fax 03.89.47.98.27 r.-v.

Alsace grand cru schoenenbourg

DOPFF AU MOULIN Riesling 1999*

☐ 8 ha 47 000 11 à 15 €

Fondée en 1634 et restée familiale, la maison Dopff au Moulin n'est pas seulement une célèbre entreprise du négoce de Riquewihr. Elle exploite aussi directement 70 ha de vignes et sait ce que « terroir » veut dire. Toute l'opulence du Schoenenbourg se retrouve dans ce riesling à la fois floral et minéral, déjà très intense au nez. Mais c'est au palais que ce vin révèle toute sa puissance et sa complexité. D'une grande persistance, il est digne des mets les plus raffinés. (Sucres résiduels : 6 g/l.) (70 à 99 F)

SA Dopff au Moulin, 2, av. Jacques-Preiss, 68340 Riquewihr, tél. 03.89.49.09.69, fax 03.89.47.83.61 t.l.j. 9h-12h 14h-18h

ROGER JUNG ET FILS
Riesling Vendanges tardives 1998***

☐ 0,35 ha 2 200 15 à 23 €

La petite ville de Riquewihr est connue dans le monde entier grâce à son histoire, certes, mais aussi à son économie viticole. La société Roger Jung et Fils y a établi son siège, sa cave étant située à proximité des remparts historiques de la cité. De l'or et des reflets citron font briller ce vin dans le verre. Au nez marqué par les agrumes (pamplemousse) répond une bouche d'une onctuosité exceptionnelle, dans laquelle le caractère de pamplemousse se complète de notes très riches. La finale laisse en rétro-olfaction une impression persistante d'orange. Un vin extraordinaire d'ampleur. (100 à 149 F)

SARL Roger Jung et Fils, 23, rue de la 1re-Armée, 68340 Riquewihr, tél. 03.89.47.92.17, fax 03.89.47.87.63, e-mail rjung@terre-net.fr r.-v.

JEAN KLACK Riesling 1999*

☐ 0,35 ha 2 200 8 à 11 €

Riquewihr, c'est à la fois le royaume des vieilles pierres - comme cette cave qui, aussi ancienne que le domaine, date de 1628 - et des grands terroirs, tel le coteau du Schoenenbourg. Fort élégant au nez avec ses arômes de fleurs blanches et de mandarine, ce riesling se montre vif et équilibré au palais. Un vin très droit qui sait exprimer aussi bien la typicité du cépage que celle de son terroir marno-calcaire d'origine. (Sucres résiduels : 9 g/l.) (50 à 69 F)

EARL Jean Klack et Fils, 18, rue de la 1re-Armée, 68340 Riquewihr, tél. 03.89.47.92.44, fax 03.89.47.84.72 t.l.j. 9h-12h 14h-20h

Daniel Klack

RAYMOND RENCK Riesling 1999*

☐ 0,08 ha 600 8 à 11 €

Colette et Gérard Schillinger-Renck ont repris cette exploitation d'un peu plus de 5 ha en 1996. Partisans de la vinification traditionnelle, ils laissent une large place à l'expression du terroir. Marqué par son origine marneuse, leur riesling du Schoenenbourg apparaît encore jeune. Le nez livre des nuances de fleurs blanches relevées d'un soupçon de réglisse. Franc et vif à l'attaque, long et racé, c'est un vin bâti pour une longue garde. (Sucres résiduels : 3 g/l.) (50 à 69 F)

EARL Raymond Renck, 11, rue de Hoen, 68980 Beblenheim, tél. 03.89.47.91.75, fax 03.89.47.91.75 r.-v.

FRANCOIS SCHWACH ET FILS
Riesling 1999

☐ 0,13 ha 800 11 à 15 €

Philippe Schwach, qui représente la troisième génération, a rejoint son père sur le domaine en 1985. Avec 20 ha en production, il est à la tête d'une des plus importantes exploitations de la région. Et si son siège est à Hunawihr, cela ne l'empêche pas de développer ses terroirs. Son riesling du Schoenenbourg se montre déjà très ouvert au nez avec ses notes de fleurs blanches. Il se caractérise par une belle attaque et une longue persistance. Un vin armé pour affronter les années. (Sucres résiduels : 6,5 g/l.) (70 à 99 F)

Dom. François Schwach et Fils, 28, rte de Ribeauvillé, 68150 Hunawihr, tél. 03.89.73.62.15, fax 03.89.73.37.84, e-mail schwach@rmcnet.fr t.l.j. 9h-12h 13h30-18h30; groupes sur r.-v.; f. dim. de jan. à mars

Alsace grand cru sommerberg

ALBERT BOXLER Riesling 1999**

☐ n.c. n.c. 8 à 11 €

Village tout en longueur s'étirant au fond d'une vallée dominée par le coteau du Sommerberg, Niedermorschwihr possède une église intéressante par son architecture. La réputation du domaine Albert Boxler n'est plus à faire : l'exploitation décroche régulièrement des étoiles, souvent par paire. Ce riesling 99 est aussi remarquable que le millésime précédent. D'origine granitique, il présente un nez intense et très floral. Son ampleur, qui n'altère en rien son équilibre, en fait un vin d'une grande harmonie. (Sucres résiduels : 3 g/l.) (50 à 69 F)

Albert Boxler, 78, rue des Trois-Epis,
68230 Niedermorschwihr,
tél. 03.89.27.11.32, fax 03.89.27.70.14,
e-mail albert.boxler@online.fr r.-v.

GERARD WEINZORN Riesling 1999**

0,5 ha 2 800 11 à 15 €

La maison, de style Renaissance, est classée Monument historique. Elle remonte à 1619, comme la lignée des ancêtres vignerons de Claude Weinzorn, qui a repris l'exploitation en 1992. Le domaine propose régulièrement des rieslings grand cru (Sommerberg ou Brand). En voici encore un, des plus remarquables. Marqué par son origine granitique, ce 99 est déjà très épanoui au nez, avec ses arômes floraux mêlés de nuances d'agrumes. Assez souple à l'attaque, il révèle rapidement sa belle structure, renforcée par une touche de surmaturation. (Sucres résiduels : 12,5 g/l.) (70 à 99 F)

Gérard Weinzorn et Fils, 133, rue des Trois-Epis, 68230 Niedermorschwihr,
tél. 03.89.27.40.55, fax 03.89.27.04.23,
e-mail contact@weinzorn.fr t.l.j. 8h-12h 14h-18h

Alsace grand cru sonnenglanz

BARON DE HOEN
Tokay-pinot gris 1999*

n.c. 26 000 8 à 11 €

La cave de Hoen, propriété de la cave vinicole de Beblenheim, exploite une importante superficie de vignes sur le terroir du Sonnenglanz. Son pinot gris, jaune paille, s'ouvre sur les fruits exotiques, le coing et la bergamote mêlés de sous-bois. Le palais bien structuré laisse une impression croquante, fruitée (ananas, pêche), harmonieuse et persistante. Laissez à ce vin un an ou deux pour se parfaire. (Sucres résiduels : 25 g/l.) (50 à 69 F)

SICA Baron de Hoen, 20, rue de Hoen,
68980 Beblenheim, tél. 03.89.47.89.93 r.-v.

JEAN BECKER Gewurztraminer 1999*

0,6 ha 4 000 11 à 15 €

La maison Becker, à Zellenberg, est renommée pour ses vins de terroirs. Le Sonnenglanz, sur la commune voisine de Beblenheim, possède une constitution marno-calcaire à structure plutôt lourde qui retarde l'expression aromatique des vins et leur donne une grande aptitude à la garde. Ce gewurztraminer traduit bien ces effets. Jaune pâle, il révèle un nez typé de pétale de rose fraîche, puis une bouche de belle ampleur. Il est certes encore retenu, mais montre déjà des caractères de fruits mûrs et d'épices. A attendre deux ans. (Sucres résiduels : 18 g/l.) (70 à 99 F)

SA Jean Becker, 4, rte d'Ostheim,
68340 Zellenberg, tél. 03.89.47.90.16,
fax 03.89.47.99.57 t.l.j. 8h-12h 14h-18h

JEAN-PAUL ET FRANK HARTWEG
Tokay-pinot gris 1999*

0,2 ha 1 800 8 à 11 €

Frank Hartweg a repris l'exploitation familiale en 1996, après avoir étudié la viticulture et l'œnologie en Bourgogne. Il réussit un pinot gris jaune doré soutenu, dont les arômes fruités se mêlent de quelques notes florales d'acacia. Cette gamme est encore perceptible dans une bouche grasse et ample dont l'harmonie devrait se parfaire. (Sucres résiduels : 44 g/l.) (50 à 69 F)

Jean-Paul et Frank Hartweg,
39, rue Jean-Macé, 68980 Beblenheim,
tél. 03.89.47.94.79, fax 03.89.49.00.83,
e-mail frank.hartweg@free.fr
t.l.j. sf dim. 8h-11h30 13h30-18h

HEIMBERGER Riesling 1999*

1,5 ha 8 000 8 à 11 €

La Cave vinicole de Beblenheim (près de Riquewihr) a su conserver son indépendance. Elle le doit notamment au talent de ses vinificateurs et à la qualité de ses terroirs parmi lesquels on compte plus d'un grand cru. Malgré son origine marno-calcaire, ce riesling est déjà très ouvert au nez. D'une finesse remarquable, il est dominé par des senteurs florales. D'une belle attaque, il présente une structure bien fondue et une longue persistance. Un vin harmonieux et racé. (Sucres résiduels : 5,3 g/l.) (50 à 69 F)

Cave vinicole de Beblenheim,
14, rue de Hoen, 68980 Beblenheim,
tél. 03.89.47.90.02, fax 03.89.47.86.85 r.-v.

BERNARD WURTZ
Tokay-pinot gris 1999*

0,15 ha 600 8 à 11 €

Délimité dès les années 1930, le Sonnenglanz fait partie aujourd'hui de la famille des grands crus. La constitution de son sol, plutôt lourde mais allégée par une structure caillouteuse calcaire, en fait un excellent terroir pour le pinot gris. Celui-ci, jaune soutenu à reflets verts, est déjà ample au nez, alliant coing et fumé. D'une grande fraîcheur, il se construit tout en finesse, avec du gras et de la persistance. (Sucres résiduels : 15 g/l.) (50 à 69 F)

Bernard Wurtz, 12, rue du Château,
68630 Mittelwihr, tél. 03.89.47.93.24,
fax 03.89.86.01.69 r.-v.

Alsace grand cru spiegel

LOBERGER Riesling 1999***

0,45 ha 3 200 8 à 11 €

Descendant d'une lignée de vignerons qui remonte à 1617, Joseph Loberger exploite depuis 1984 un domaine de 6 ha. Marqué par des arômes de fruits exotiques (mangue, fruit de la Passion) très intenses, son riesling du Spiegel est très séduisant au nez. D'une belle attaque, vif, riche et persistant, c'est un vin des plus pronetteurs. Race et tenue sont les fils conducteurs de la dégustation. (Sucres résiduels : 7,2 g/l.) (50 à 69 F)

Joseph Loberger, 10, rue de Bergholtz-Zell, 68500 Bergholtz, tél. 03.89.76.88.03, fax 03.89.74.16.88 ☒ Y t.l.j. sf dim. 8h-12h 14h-18h

DOM. SCHLUMBERGER
Pinot gris 1999*

☐ 2,6 ha 21 000 ▮ ⏸ 11 à 15 €

Les domaines Schlumberger sont les plus grands propriétaires de vignes en Alsace et comptent aussi parmi les plus renommés. Ils présentent une riche palette de vins de terroirs. Leurs vignes à flanc de coteau de la vallée de Guebwiller sont conduites en terrasses. Doré brillant, ce pinot gris livre des arômes surmûris accompagnés de cire. Le palais, gras, ample et généreux, équilibre sa douceur encore dominante par une belle acidité. Un vin très concentré. (Sucres résiduels : 40 g/l.) (70 à 99 F)

Domaines Schlumberger, 100, rue Théodore-Deck, 68501 Guebwiller Cedex, tél. 03.89.74.27.00, fax 03.89.74.85.75, e-mail duschlum@aol.com ☒ Y r.-v.

Alsace grand cru sporen

DOM. DE LA VIEILLE FORGE
Riesling 1999*

☐ 0,1 ha 450 ▮ ♁ 8 à 11 €

Une exploitation reprise en 1998 par un jeune œnologue. La cave est située à l'emplacement de la forge de son arrière-grand-père, d'où son nom. Fleuron du domaine, le Sporen a donné un riesling au nez très subtil de fleurs et de coing. D'une belle attaque, ce vin possède une structure qui s'accommode parfaitement d'une petite pointe de sucre restant. Une grande matière. (Sucres résiduels : 3 g/l.) (50 à 69 F)

SCEA Wiehle, Dom. de la Vieille Forge, 1, rue de Hoen, 68980 Beblenheim, tél. 03.89.86.01.58, fax 03.89.47.86.37 ☒ Y r.-v.

Alsace grand cru steinert

KUENTZ Gewurztraminer 1999*

☐ 0,25 ha 2 000 ⏸ 8 à 11 €

Le Steinert, très largement calcaire, est recouvert d'un cailloutis permettant d'aérer très fortement le sol. Le réchauffement rapide dès le moindre rayon de soleil est ainsi assuré. Doré brillant, le gewurztraminer qui y est né s'exprime moyennement, mais avec beaucoup de finesse florale (rose fanée). Franc, typique, structuré et d'une longueur impressionnante en bouche, il laisse réapparaître en finale la rose fanée et la violette. (Sucres résiduels : 22 g/l.) (50 à 69 F)

R. Kuentz et Fils, 22-24, rue du Fossé, 68250 Pfaffenheim, tél. 03.89.49.61.90, fax 03.89.49.77.17 ☒ Y t.l.j. 8h-12h 13h30-19h; dim. sur r.-v.

Alsace grand cru steingrübler

DOM. BARMES BUECHER
Riesling 1999**

☐ 0,31 ha 1000 ▮ ♁ 15 à 23 €

François Barmès dirige cette exploitation de 15 ha depuis 1985. Depuis trois ans, il s'est engagé dans la voie exigeante de la biodynamie pour s'approcher au plus près de la personnalité du terroir. Malgré son origine argilo-calcaire, son riesling du Steingrübler présente déjà un nez intense, qui mêle harmonieusement les notes d'agrumes et les senteurs grillées issues d'une légère surmaturation. D'une belle attaque, ample et structuré, ce vin offre toute la puissance d'une grande matière première. (Sucres résiduels : 6 g/l.) (100 à 149 F)

Dom. Barmès-Buecher, 30, rue Sainte-Gertrude, 68920 Wettolsheim, tél. 03.89.80.62.92, fax 03.89.79.30.80, e-mail barmes-buecher@terre-net.fr ☒ Y r.-v.

JOS. MOELLINGER ET FILS
Riesling 1999*

☐ 0,2 ha 1 600 ⏸ 5 à 8 €

Joseph Moellinger engagea l'exploitation dans la mise en bouteilles dès 1945. C'est son petit-fils Michel qui dirige aujourd'hui ce domaine de 14 ha. Son riesling du Steingrübler reflète une origine marno-calcaire : il demande encore à s'ouvrir. Il laisse poindre au nez des notes de pierre à fusil. Au palais, il se caractérise par une attaque assez franche suivie d'une sensation plus opulente. Un vin long et racé, propre à satisfaire toutes les audaces gastronomiques. (Sucres résiduels : 5,9 g/l.) (30 à 49 F)

SCEA Jos. Moellinger et Fils, 6, rue de la 5e -D.-B., 68920 Wettolsheim, tél. 03.89.80.62.02, fax 03.89.80.04.94 ☒ Y t.l.j. 8h-12h 13h30-19h; f. oct.

ANDRE STENTZ Tokay-pinot gris 1999*

☐ 0,18 ha 1 250 ▮ ♁ 11 à 15 €

André Stentz est issu d'une vieille famille de vignerons. Ses ancêtres se sont impliqués dans la viticulture dès 1676. Lui-même s'est intéressé à l'agriculture biologique dès 1984. Il maîtrise parfaitement les techniques culturales et œnologiques qui s'y rapportent. Jaune intense avec quelques reflets plus pâles, ce vin est déjà très ouvert au nez, avec un brin de vanille et de pain brioché. En bouche, il est caractérisé par une rondeur qui ne s'est pas entièrement fondue. Cependant, cette souplesse est équilibrée par une belle fraîcheur et rehaussée par le fruité confit. (Sucres résiduels : 30 g/l.) (70 à 99 F)

🔑 André Stentz, 2, rue de la Batteuse, 68920 Wettolsheim, tél. 03.89.80.64.91, fax 03.89.79.59.75 r.-v.

Alsace grand cru wiebelsberg

BOECKEL Riesling 1999★★

☐ 2,5 ha 10 500 8 à 11 €

Etablie dans le cœur ancien du bourg de Mittelbergheim, la maison Boeckel exploite 20 ha de vignes. Le Wiebelsberg, terroir sablo-gréseux, a donné un riesling aux arômes de torréfaction intenses et surprenants. Puissant et structuré, long et racé, un vin original. (Sucres résiduels : 5 g/l.) (50 à 69 F)

🔑 Emile Boeckel, 2, rue de la Montagne, 67140 Mittelbergheim, tél. 03.88.08.91.91, fax 03.88.08.91.88, e-mail vins.boeckel@proveis.com r.-v.

Alsace grand cru wineck-schlossberg

JEAN-MARC BERNHARD
Riesling 1999★

☐ 0,35 ha n.c. 8 à 11 €

A la tête d'une exploitation créée en 1802, Jean-Marc Bernhard est secondé par son fils depuis un an. Il dispose de parcelles dans plusieurs grands crus dont le Wineck-Schlossberg. Son riesling est non seulement marqué par ce terroir granitique, mais aussi par la surmaturation, puisqu'il a été récolté au début de novembre. A la fois floral et fumé au nez, il révèle des notes citronnées au palais. Le 98 avait obtenu un coup de cœur. (Sucres résiduels : 7,2 g/l.) (50 à 69 F)

🔑 Domaine Jean-Marc Bernhard, 21, Grand-Rue, 68230 Katzenthal, tél. 03.89.27.05.34, fax 03.89.27.58.72, e-mail jeanmarcbernhard@online.fr t.l.j. sf dim. 9h-12h 14h-19h

JEAN-PAUL ECKLE Riesling 1999★

☐ 0,21 ha 1 500 8 à 11 €

Jean-Paul Ecklé, maintenant rejoint par son fils Emmanuel, propose régulièrement des rieslings très réussis (et même exceptionnels comme le 96) nés dans le Wineck-Schlossberg. D'un jaune intense, celui-ci révèle au nez des notes de miel et de surmaturation. Gras et ample au palais, il est armé pour le vieillissement. On pourra le servir avec du poisson en sauce. (Sucres résiduels : 5 g/l.) (50 à 69 F)

🔑 Jean-Paul Ecklé et Fils, 29, Grand-Rue, 68230 Katzenthal, tél. 03.89.27.09.41, fax 03.89.80.86.18 t.l.j. 8h-12h 13h-19h

HENRI KLEE
Gewurztraminer Vendanges tardives 1998★★

☐ 0,35 ha 1 800 15 à 23 €

Le granite à deux micas du grand cru Wineck-Schlossberg a communiqué toute sa noblesse au gewurztraminer d'Henri Klée. La robe jaune ocre est remarquable. Quant au nez, encore marqué par les raisins secs, il possède un grand potentiel de développement. Au palais, ce vin est « multidimensionnel », note un dégustateur : ample et longiligne à la fois, charpenté, il s'achève en douceur sur des notes de fruits exotiques. Un vin plein de finesse et de puissance séductrice. (Bouteilles de 50 cl.) (100 à 149 F)

🔑 EARL Henri Klée et Fils, 11, Grand-Rue, 68230 Katzenthal, tél. 03.89.27.03.81, fax 03.89.27.28.17 r.-v.

Alsace grand cru winzenberg

HUBERT METZ Gewurztraminer 1999★

☐ 0,63 ha 3 000 8 à 11 €

Hubert Metz est établi à Blienschwiller, dans l'ancienne cave de la dîme datant de 1728. Jusqu'à la Révolution de 1789, la dîme a été payée en raisins. Or à reflets ambrés, ce vin révèle des arômes de coing et de fruits confits. Ces notes réapparaissent au palais, « avec une pointe d'alcool qui charpente agréablement ce vin », selon un des dégustateurs. L'harmonie devrait se parfaire d'ici trois ans. (Sucres résiduels : 21 g/l.) Dans ce même grand cru, on retrouve encore cette année, avec une citation, le **riesling 99** du domaine. Son nez très intense exprime bien le terroir granitique où il est né. Assez vif au palais, il finit sur une touche citronnée. (50 à 69 F)

🔑 Hubert Metz, 3, rue du Winzenberg, 67650 Blienschwiller, tél. 03.88.92.43.06, fax 03.88.92.62.08, e-mail hubertmetz@aol.com t.l.j. sf dim. 8h-19h

Alsace grand cru zinnkoepflé

DOM. LEON BOESCH
Tokay-pinot gris Sélection de grains nobles 1998★

☐ 0,2 ha n.c. 46 à 76 €

Le Zinnkoepflé est un terroir marno-calcaire coquillier, recherché pour la production de vins de sélection de grains nobles. Ce tokay-pinot gris jaune paille l'illustre bien. Complexe par sa palette aux nuances de sous-bois, il laisse une agréable impression dès l'attaque, puis déve loppe une matière soyeuse. La finale épicée constitue une symphonie d'arômes. (300 à 499 F)

Dom. Léon Boesch, 6, rue Saint-Blaise, 68250 Westhalten, tél. 03.89.47.01.83, fax 03.89.47.64.95 t.l.j. sf dim. 10h-12h 14h-18h

Gérard Boesch

DIRINGER
Gewurztraminer Vendanges tardives 1998*

0,4 ha 1 800 15 à 23 €

Les origines de cette entreprise familiale remontent à 1740. Depuis 1982, Sébastien, œnologue, et Thomas Diringer exploitent un vignoble d'environ 13 ha, situé en grande partie sur le grand cru Zinnkoepflé. Leur gewurztraminer, de teinte jaune pâle, est élégant et fin au nez ; il présente en outre une grande opulence et de l'équilibre en bouche. Sa fraîcheur soutient une finale de bonne longueur. (100 à 149 F)

Dom. Diringer, 18, rue de Rouffach, 68250 Westhalten, tél. 03.89.47.01.06, fax 03.89.47.62.64, e-mail info@diringer.fr t.l.j. sf dim. 9h-12h 14h-19h

RENE FLECK Riesling 1999*

0,14 ha 1 200 5 à 8 €

René Fleck et sa fille - qui l'a rejoint à la direction du domaine en 1995 - proposent un riesling intéressant par la complexité de sa palette aromatique, avec son nez marqué par des notes citronnées et minérales. Une belle attaque introduit un palais long et harmonieux qui possède un solide potentiel de vieillissement. (Sucres résiduels : 14 g/l.) (30 à 49 F)

René Fleck et Fille, 27, rte d'Orschwihr, 68570 Soultzmatt, tél. 03.89.47.01.20, fax 03.89.47.09.24 r.-v.

JEAN-MARIE HAAG
Gewurztraminer Vendanges tardives 1998*

0,37 ha 1 200 15 à 23 €

Charmante cité lovée au fond de la Vallée Noble, Soultzmatt doit son prestige à la viticulture. Toutefois, d'autres activités économiques y sont florissantes : source d'eau minérale de Lisbeth, industrie métallurgique. Une partie importante de cette vendange tardive provient de vignes plantées dans les années 1920. Il en résulte un vin jaune paille à reflets dorés, dont le nez exhale des arômes puissants et fins de fleurs et de fruits exotiques. Opulente, la bouche est déjà équilibrée. Les arômes floraux reviennent dans une finale de persistance moyenne. (100 à 149 F)

Jean-Marie Haag, 17, rue des Chèvres, 68570 Soultzmatt, tél. 03.89.47.02.38, fax 03.89.47.64.79, e-mail jean-marie.haag@wanadoo.fr t.l.j. 9h-12h 14h-18h; dim. et groupes sur r.-v.

PAUL KUBLER
Gewurztraminer Sélection de grains nobles 1998*

0,3 ha 2 000 23 à 30 €

Le grand cru Zinnkoepflé produit des vins étonnants, dont voici un bel exemple. Jaune or, ce gewurztraminer s'ouvre sur un nez confit très complexe, nuancé de figue. Au palais, il semble déjà mûr : très agréable, soyeux, il dévoile des caractères épicés, accompagnés des notes de figue perçues à l'olfaction. (150 à 199 F)

EARL Paul Kubler, 103, rue de la Vallée, 68570 Soultzmatt, tél. 03.89.47.00.75, fax 03.89.47.65.45, e-mail kubler@lesvins.com r.-v.

SEPPI LANDMANN
Tokay-pinot gris Sélection de grains nobles 1998*

0,25 ha 1000 +76 €

Installé en 1982, Seppi Landmann s'est rapidement fait un nom en Alsace. Né dans le terroir précoce de Zinnkoepflé, son tokay-pinot gris s'habille ici d'une robe vieil or. Son nez présente des arômes de cuit, de caramel et de champignon. Intense et généreux en bouche, ce vin très soyeux s'inscrit dans un registre aromatique évoquant noblement la surmaturité du fruit. Un bel exemple de sélection de grains nobles, aux notes épicées. Le **riesling sélection de grains nobles 98 du grand cru Zinnkoepflé** est cité pour ses beaux arômes de fruits en bouche et pour sa fraîcheur. (+ 500 F)

Seppi Landmann, 20, rue de la Vallée, 68570 Soultzmatt, tél. 03.89.47.09.33, fax 03.89.47.06.99, e-mail seppi.landmann@wanadoo.fr r.-v.

FRANCIS MURE Tokay-pinot gris 1999**

0,3 ha 2 200 11 à 15 €

Le Zinnkoepflé bénéficie d'une situation privilégiée. Il est, en effet, abrité à l'ouest de l'influence océanique par les plus hauts sommets vosgiens et des vents du nord par la cime de la colline dont il recouvre la pente exposée au sud. Le sol calcaire apporte de la typicité aux vins. Jaune or profond avec des reflets brillants, ce pinot gris révèle un beau fumé nuancé de coing. Très gras au palais, il est remarquable de complexité. Son potentiel de vieillissement est important. « C'est un vin de grande tenue, apte à être mis en cave », précise un des dégustateurs. (Sucres résiduels : 35 g/l.) (70 à 99 F)

Francis Muré, 30, rue de Rouffach, 68250 Westhalten, tél. 03.89.47.64.20, fax 03.89.47.09.39 r.-v.

Alsace grand cru zotzenberg

BOECKEL Tokay-pinot gris 1999*

0,3 ha 2 050 8 à 11 €

Qui dit Zotzenberg pense à Mittelbergheim. Ce charmant bourg est aussi le siège de la maison Boeckel, sans doute l'une des plus anciennes de la région. Cette dernière a contribué amplement à la renommée du vin d'Alsace. Une robe jaune or pare ce tokay-pinot gris. Le nez, légèrement réglissé, laisse apparaître des senteurs de

sous-bois. L'attaque est franche et le palais a déjà atteint un bel équilibre. Gras, presque sec, c'est un vin de bonne ampleur pouvant accompagner des mets subtils. (Sucres résiduels : 12,5 g/l.) (50 à 69 F)
🔑 Emile Boeckel,
2, rue de la Montagne, 67140 Mittelbergheim,
tél. 03.88.08.91.91, fax 03.88.08.91.88,
e-mail vins.boeckel@proveis.com ☑ Y r.-v.

BERNARD ET DANIEL HAEGI
Riesling 1999*

☐ 0,3 ha 2 400 ⏸ 5à8€

Etablie à Mittelbergheim, l'un des plus beaux villages de France, cette exploitation de 8 ha a déjà capitalisé l'expérience de trois générations de producteurs. Du Zotzenberg, grand cru marno-calcaire, elle a su tirer un riesling au nez intense et floral, caractéristique du cépage. Vif, structuré et persistant, ce vin révèle au palais toute l'empreinte du terroir. (Sucres résiduels : 2 g/l.) (30 à 49 F)
🔑 Bernard et Daniel Haegi, 33, rue de la Montagne, 67140 Mittelbergheim,
tél. 03.88.08.95.80, fax 03.88.08.91.20 ☑ Y t.l.j. sf dim. 8h-12h 13h-18h

FERNAND SELTZ ET FILS
Riesling 1999**

☐ 0,3 ha 2 500 ▮ 8à11€

Cette exploitation de plus de 8 ha de vignes ne s'est lancée dans la mise en bouteilles qu'en 1988. Elle n'a pas perdu de temps ! Malgré son origine marno-calcaire, ce riesling présente déjà un nez très ouvert, aux notes citronnées fort élégantes. D'une attaque franche et relativement souple au palais, long et racé, il accompagnera les poissons les plus délicats. (Sucres résiduels : 4 g/l.) (50 à 69 F)
🔑 EARL Fernand Seltz et Fils,
42, rue Principale, 67140 Mittelbergheim,
tél. 03.88.08.93.92, fax 03.88.08.93.92
☑ Y t.l.j. 8h30-19h; dim. 8h30-12h

A. WITTMANN FILS Riesling 1999**

☐ n.c. 2 660 ▮🌡 5à8€

A la tête d'une exploitation de 8 ha de vignes, les Wittmann sont viticulteurs de père en fils depuis 1785. Quant à leur cave, elle remonte à 1558 ! Ce riesling développe au nez des arômes très intenses qui associent harmonieusement citron, pamplemousse et melon. Vif à l'attaque, parfaitement structuré et persistant, c'est un vin de grande classe. On lui prédit une longue garde. (Sucres résiduels : 6 g/l.) (30 à 49 F)
🔑 EARL André Wittmann et Fils, 7-9, rue Principale, 67140 Mittelbergheim,
tél. 03.88.08.95.79, fax 03.88.08.53.81 ☑ Y r.-v.

A. WITTMANN FILS
Gewurztraminer 1999**

☐ 0,32 ha 2 000 ⏸ 8à11€

La famille Wittmann exploite une partie de ses vignes sur le coteau du Zotzenberg, dont le terroir argilo-marneux assure la production de vins de garde. Paré d'une robe d'or, relevé par des senteurs de fruits exotiques (mangue surtout), ce gewurztraminer possède déjà beaucoup d'assurance. Surprenant dès l'attaque, il se poursuit sur les mêmes notes fruitées perçues à l'olfaction, auxquelles il ajoute des nuances mentholées et anisées en finale. « Ce vin convient à l'amateur qui souhaite sortir des sentiers battus », écrit un dégustateur. (Sucres résiduels : 20 g/l.) (50 à 69 F)
🔑 EARL André Wittmann et Fils,
7-9, rue Principale, 67140 Mittelbergheim,
tél. 03.88.08.95.79, fax 03.88.08.53.81 ☑ Y r.-v.

Crémant d'alsace

La création de cette appellation, en 1976, a donné un nouvel essor à la production de vins effervescents élaborés selon la méthode traditionnelle, qui existait depuis longtemps à une échelle réduite. Les cépages qui peuvent entrer dans la composition de ce produit de plus en plus apprécié sont le pinot blanc, l'auxerrois, le pinot gris, le pinot noir, le riesling et le chardonnay. La production de crémant d'Alsace a atteint 157 000 hl en 2000.

ANDRE ANCEL 1998*

◐ 0,17 ha 1 100 ▮ 5à8€

La famille Ancel commercialise ses vins en bouteilles depuis 1928. André Ancel, quant à lui, est depuis quinze ans à la tête de ce domaine de 8,7 ha. D'un rosé tendre et d'un perlé fin, son crémant est ample, équilibré et fruité. La finale conclut la dégustation dans une belle harmonie. (30 à 49 F)
🔑 EARL André Ancel, 3, rue du Collège, 68240 Kaysersberg, tél. 03.89.47.10.76,
fax 03.89.78.13.78 ☑ Y t.l.j. 8h-12h 13h30-19h

RENE BARTH 1998*

○ 0,5 ha 3 500 ⏸ 5à8€

Issu d'une ancienne famille de vignerons, œnologue de formation, Michel Fonné s'est installé en 1989 en reprenant l'exploitation de son oncle. Son crémant est né d'un assemblage de pinot et de riesling. D'un jaune doré, il est fruité, frais en bouche, avec une note exotique qui plaira en apéritif. (30 à 49 F)

🔑Dom. Michel Fonné,
24, rue du Gal-de-Gaulle, 68630 Bennwihr,
tél. 03.89.47.92.69, fax 03.89.49.04.86,
e-mail michel.fonne@wanadoo.fr ☑ Y r.-v.

A. L. BAUR 1998★

○ 0,55 ha 5 600 ▮ 5à8€

Devant la propriété de la famille Baur, le visiteur peut découvrir un rang de vignes présentant les sept cépages alsaciens. Ce crémant a pour origine le pinot-auxerrois. Il en résulte des arômes fruités, intenses et flatteurs. La bouche, ample et ronde, s'achève sur une bonne longueur. Plaisant par son volume et sa matière, ce vin peut accompagner un repas. (30 à 49 F)
🔑A. L. Baur, 4, rue Roger-Frémeaux,
68420 Voegtlinshoffen, tél. 03.89.49.30.97,
fax 03.89.49.21.37 ☑ Y r.-v.

BESTHEIM

○ n.c. n.c. ▮🌡 5à8€

Bestheim est le fruit de l'union des vignerons coopérateurs de Bennwihr et de Westhalten. C'est dans ce dernier village que se situe l'unité de production de crémant. Celui-ci présente des arômes de fruits et de fleurs. La petite rondeur en bouche est équilibrée par la fraîcheur qui assure une certaine persistance. Un crémant gouleyant. (30 à 49 F)
🔑Cave de Bestheim-Bennwihr,
3, rue du Gal-de-Gaulle, 68630 Bennwihr,
tél. 03.89.49.09.29, fax 03.89.49.09.20,
e-mail bestheim@gofornet.com ☑ Y r.-v.

MAXIME BRAND Rimmler Kapelle 1998★

○ 1,06 ha 6 700 ▮▮ 5à8€

Cette propriété possède une très vieille cave voûtée, sans doute une ancienne cave dîmière. C'est là que vous pourrez découvrir ce crémant issu des vignes situées près de la chapelle Saint-Michel. De bonne effervescence, intense au nez, avec une légère note exotique, ce vin présente aussi une bouche de qualité, dès l'attaque. Le fruité revient dans un équilibre assez souple et agréable. (30 à 49 F)
🔑Maxime Brand, 15, rue Principale,
67120 Ergersheim, tél. 03.88.38.18.87,
fax 03.88.49.84.44 ☑ Y r.-v.

JEAN-CLAUDE BUECHER 1999★

◐ 0,33 ha 3 200 ▮ 5à8€

A la tête d'une exploitation familiale depuis 1980, Jean-Claude Buecher a fait le choix de n'élaborer que du crémant d'alsace. Née du pinot noir, cette cuvée, en robe rose pâle, développe des arômes de fruits rouges et se révèle dans un bel équilibre. (30 à 49 F)
🔑Jean-Claude Buecher, 31, rue des Vignes,
68920 Wettolsheim, tél. 03.89.80.14.01,
fax 03.89.80.17.78 ☑ Y r.-v.

DOM. DOCK 1999★

○ 0,5 ha 6 000 5à8€

De nombreux monastères, dont celui de Sainte-Odile, disposaient de propriétés viticoles dans ce village d'origine mérovingienne qu'est Heiligenstein. La famille Dock y exploite quelque 9 ha. Jaune pâle, à la mousse légère, son crémant exprime avec discrétion des arômes fins de citron et de réglisse. En bouche, il plaît par son équilibre et par sa fraîcheur. (30 à 49 F)
🔑André et Christian Dock, 20, rue Principale,
67140 Heiligenstein, tél. 03.88.08.02.69,
fax 03.88.08.19.72 ☑ Y t.l.j. 8h-12h 13h-18h

DAVID ERMEL 1998★

○ 1,2 ha 12 000 ▮🌡 5à8€

Hunawihr se découvre en promeneur, sur le circuit touristique ou sur le sentier viticole, et, bien sûr, par une visite d'une cave de vigneron, comme celle-ci. Paré d'arômes fins, au fruité discret, habillé d'une robe jaune pâle, ce crémant présente d'abord une bonne fraîcheur puis révèle une matière ronde et persistante. (30 à 49 F)
🔑David Ermel, 30, rte de Ribeauvillé,
68150 Hunawihr, tél. 03.89.73.61.71,
fax 03.89.73.32.56 ☑ Y r.-v.

ANTOINE FONNE Blanc de blancs 1998★

○ 0,32 ha 2 000 ▮🌡 5à8€

Cette exploitation, créée en 1972, est dirigée depuis une dizaine d'années par René Fonné. Son vignoble s'étend sur 4 ha. La mousse est certes de tenue légère, mais cette cuvée n'en est pas moins fine et très florale dans ses expressions. L'alliance d'une belle matière, de la fraîcheur, et d'une persistance notable lui confère l'élégance attendue d'un bon apéritif. (30 à 49 F)
🔑Antoine Fonné, 14, Grand-Rue,
68770 Ammerschwihr, tél. 03.89.47.37.90,
fax 03.89.47.18.83 ☑ Y r.-v.

LOUIS FREYBURGER ET FILS 1998★★

◐ 0,33 ha 4 000 5à8€

André Freyburger dirige ce domaine de 20 ha depuis 1972. Dès 1982, il s'est lancé dans la production de crémants rosés. D'un rose à reflets un peu ambrés, celui-ci fait preuve d'une belle intensité aromatique. En bouche, il présente une matière ronde et persistante. (30 à 49 F)
🔑Dom. Louis Freyburger et Fils,
1, rue du Maire-Witzig, 68750 Bergheim,
tél. 03.89.73.63.82, fax 03.89.73.37.72 ☑ Y r.-v.

JOSEPH GRUSS ET FILS 1999★★★

○ 1,4 ha 16 400 ▮🌡 5à8€

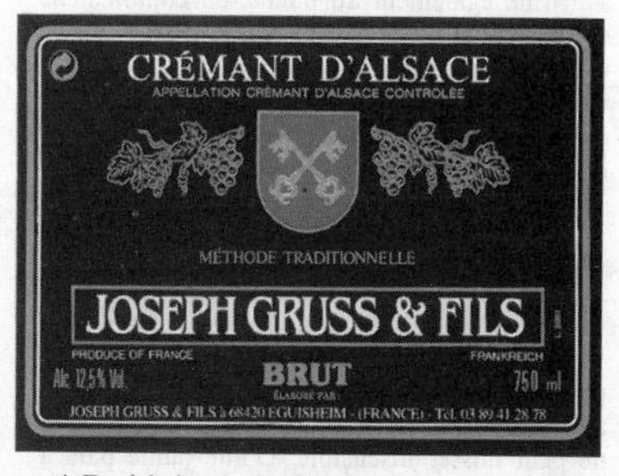

A Eguisheim, la confrérie des Gourmets, officiers publics qui garantissaient la loyauté du vin mis sur le marché, siégeait dans cette maison dont les origines remontent à 1559. Bernard

Gruss et son fils André appliquent une réelle politique de qualité, et leurs vins sont régulièrement mentionnés dans le Guide. Ce crémant, à base de pinot-auxerrois et de riesling, suscite tous les éloges : des arômes aux nuances de pêche et d'agrumes, une belle fraîcheur en alliance avec une rondeur riche... une grande réussite ! (30 à 49 F)

Dom. Gruss, 25, Grand-Rue, 68420 Eguisheim, tél. 03.89.41.28.78, fax 03.89.41.76.66, e-mail domainegruss@hotmail.com t.l.j. 8h-12h 13h30-18h

HUNOLD Cuvée du Paradis 1999

○ 1,5 ha 12 000 5à8€

A Rouffach, Le Paradis est un lieu-dit remarquable, situé sur le haut du coteau qui domine la ville. L'exploitation familiale Hunold compte plus de 12 ha. Ce crémant, né du chardonnay, du pinot et du riesling, affiche une grande finesse, tant par ses arômes d'agrumes que par sa présence en bouche. A déguster en début de repas. (30 à 49 F)

EARL Bruno Hunold , 29, rue aux Quatre-Vents, 68250 Rouffach, tél. 03.89.49.60.57, fax 03.89.49.67.66 r.-v.

HUBERT KRICK 1998*

○ 0,4 ha 4 000 8à11€

Tout près de Colmar, au pied du château de Hohlandsbourg, Wintzenheim fait la jonction entre la ville et le vignoble. Hubert Krick est à la tête d'une exploitation familiale de 11,5 ha depuis 1982. D'une effervescence soutenue, son crémant annonce au nez des notes de fleurs blanches qui se confirment au palais. De bon équilibre, il est typé et persistant. (50 à 69 F)

EARL Hubert Krick, 93-95, rue Clemenceau, 68920 Wintzenheim, tél. 03.89.27.00.01, fax 03.89.27.54.75 r.-v.

ALBERT MAURER 1998*

○ 1,5 ha 12 000 5à8€

Situé à l'écart des grands axes routiers, Eichhoffen est un petit village viticole voisin d'Andlau. Son histoire remonte à l'époque romaine. Ce crémant surprend un peu par sa robe d'un jaune d'or brillant, animée d'une effervescence bien persistante. Son fruité intense s'affirme également au palais, en complément d'une belle attaque. S'ensuit une finale longue et agréable. (30 à 49 F)

Albert Maurer, 11, rue du Vignoble, 67140 Eichhoffen, tél. 03.88.08.96.75, fax 03.88.08.59.98 t.l.j. sf dim. 8h-12h 13h30-18h

PREISS-ZIMMER 1999*

○ 15 ha 150 000 5à8€

La cité Riquewihr blottie derrière ses remparts est une image traditionnelle du vignoble alsacien. Arpenter ses ruelles, visiter ses caves ne peut laisser insensible. D'une jaune pâle à reflets verts, ce crémant a, lui aussi, par ses arômes d'agrumes, une belle personnalité. Celle-ci s'amplifie en bouche jusqu'à une finale franche et élégante. (30 à 49 F)

SARL Preiss-Zimmer, 40, rue du Gal-de-Gaulle, 68340 Riquewihr, tél. 03.89.47.86.91, fax 03.89.27.35.33

RUHLMANN 1998

○ 0,9 ha 8 000 5à8€

Le château de l'Ortenbourg se situe sur les hauteurs de Scherwiller. Certes, il a marqué le passé du village, mais pas autant que la viticulture et la production de riesling. Né d'un mariage de pinot blanc et de riesling, ce crémant offre au nez des nuances florales élégantes. Expressif, bien typé, avec un peu de rondeur, il persiste harmonieusement en bouche. (30 à 49 F)

Gilbert Ruhlmann Fils, 31, rue de l'Ortenbourg, 67750 Scherwiller, tél. 03.88.92.03.21, fax 03.88.82.30.19, e-mail gruhlman@terre-net.fr r.-v.

PAUL SCHNEIDER 1999*

○ 1,15 ha 12 000 8à11€

A Eguisheim, chaque maison est empreinte d'histoire. Le siège de l'exploitation Schneider se situe dans l'ancienne cour dîmière du prévôt de la cathédrale de Strasbourg. Dans ce crémant à la robe jaune paille, l'effervescence est bien intense, tout comme le fruité perceptible au nez et au palais. D'un bon équilibre, souple et frais, ce vin mérite sa place à l'apéritif. (50 à 69 F)

Paul Schneider et Fils, 1, rue de l'Hôpital, 68420 Eguisheim, tél. 03.89.41.50.07, fax 03.89.41.30.57 t.l.j. 10h-12h 13h30-18h30; dim. sur r.-v.

EMILE SCHWARTZ 1998

○ 1,2 ha 12 000 5à8€

Emile Schwartz et son fils Christian exploitent un domaine de 6,5 ha, dont les vignes s'étendent sur les coteaux au pied des trois châteaux d'Eguisheim. Agrémenté de bulles fines et persistantes, ce crémant affiche des arômes typés pinot, agréables et intenses. En bouche, la fraîcheur, qui s'annonce dès l'attaque, lui donne du caractère, sans altérer son équilibre. (30 à 49 F)

EARL Emile Schwartz et Fils, 3, rue Principale, 68420 Husseren-les-Châteaux, tél. 03.89.49.30.61, fax 03.89.49.27.27 t.l.j. sf dim. 8h-12h 14h-19h; f. 1er -15 sept.

BRUNO SORG 1998*

○ n.c. 9 000 5à8€

A quelques pas de l'église dédiée à saint Léon, vous avez la possibilité de visiter la cave du domaine Sorg, et peut-être d'y déguster ce crémant. D'un fruité fin et frais, il offre une pointe de vivacité et une belle rondeur. En bouche, le fruité demeure élégant. (30 à 49 F)

Dom. Bruno Sorg, 8, rue Mgr-Stumpf, 68420 Eguisheim, tél. 03.89.41.80.85, fax 03.89.41.22.64 r.-v.

SPITZ ET FILS Blanc de noirs Fronholz 1998*

○ 0,54 ha 6 200 5à8€

Blienschwiller, ancienne possession de l'évêque de Strasbourg, est une bourgade typiquenent viticole qui compte plus de 200 ha de ignoble et plus de cinquante vignerons. Le omaine Spitz affiche depuis de nombreuses nnées une politique de qualité et réalise de onstants progrès. Ce crémant se présente en obe dorée brillante, à la mousse fine. Les arômes élégants, au nez comme en bouche, contribuent à une impression d'harmonie. Un vin quilibré et agréable. (30 à 49 F)

Spitz et Fils, 2-4, rte des Vins,
7650 Blienschwiller, tél. 03.88.92.61.20,
ax 03.88.92.61.26 r.-v.
D. et M.-C. Spitz

STOFFEL 1998*

	0,69 ha	6 000		5à8€

Chargée d'histoire depuis les époques celtes t romaines, la commune d'Eguisheim a toujours soigné l'accueil des touristes et des œnophiles. La famille Stoffel y contribue tout naturellement. D'un pétillant intense dans une robe r pâle, ce crémant s'affirme par des arômes 'agrumes bien marqués. En bouche, l'attaque raîche laisse place à un bel équilibre. Le palais ersiste agréablement. (30 à 49 F)

Antoine Stoffel, 21, rue de Colmar,
8420 Eguisheim, tél. 03.89.41.32.03,
ax 03.89.24.92.07 t.l.j. sf dim. 8h-12h
4h-18h

ULMER 1998**

	40 ha	4 600		5à8€

L'exploitation Ulmer, créée par le grand-père aternel, compte aujourd'hui une douzaine 'hectares de vignoble. Ce crémant est élaboré partir du seul pinot blanc. Il se présente en obe jaune pâle, avec des arômes intenses de eurs blanches et d'amande. En bouche, il attaue avec fraîcheur, puis se prolonge dans une armonie remarquable. (30 à 49 F)

EARL Rémy Ulmer, 3, rue des Ciseaux,
7650 Rosheim, tél. 03.88.50.45.62,
ax 03.88.50.45.62 r.-v.

LAURENT VOGT Chardonnay 1998**

	0,4 ha	4 800		8à11€

En 1998, Thomas Vogt a succédé à son père aurent. L'exploitation, qui a son siège dans une elle maison à colombage, regroupe 11 ha de ignoble. D'effervescence moyenne, revêtu 'une robe jaune clair, ce crémant, issu du seul hardonnay, livre des arômes délicats et affirnés. Les nuances florales et fruitées se mêlent aux notes grillées et vanillées. Le palais, ample et frais, est souligné de quelques notes torréfiées qui se prolongent notablement. Un vin racé et superbe ! (50 à 69 F)

EARL Laurent Vogt,
4, rue des Vignerons, 67120 Wolxheim,
tél. 03.88.38.50.41, fax 03.88.38.50.41,
e-mail thomas@domaine-vogt.com r.-v.
Thomas Vogt

CH. WAGENBOURG 1998*

	1,1 ha	11 000	5à8€

Ce domaine, dont le siège se situe dans un château construit en 1506, est dirigé par Jacky et Mireille Klein depuis 1987. Né du pinot blanc sur un terroir argilo-calcaire, le crémant du château affirme sa noblesse : une jolie palette au fruité intense qui se prolonge au palais, une matière équilibrée, et une fraîcheur vivace qui lui donne le privilège de bien accompagner un repas. (30 à 49 F)

Joseph et Jacky Klein, Ch. Wagenbourg, 25,
rue de la Vallée, 68570 Soultzmatt,
tél. 03.89.47.01.41, fax 03.89.47.65.61 t.l.j.
sf dim. 8h-12h 13h-19h

ODILE ET DANIELLE WEBER 1998*

	0,4 ha	2 500		8à11€

Les sœurs Weber ont repris la propriété familiale en 1988. Elles exploitent un peu plus de 4 ha conduits en agriculture biologique depuis 1992, et élaborent une gamme de vins d'Alsace bien intéressante. Ce crémant présente un fruité délicat et quelques notes épicées. En bouche, il dévoile une bonne matière, fine et persistante à la fois, d'un équilibre agréable. (50 à 69 F)

GAEC Odile et Danielle Weber,
14, rue de Colmar, 68420 Eguisheim,
tél. 03.89.41.35.56, fax 03.89.41.35.56 r.-v.

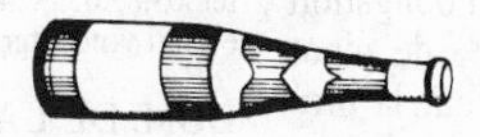

Les vins de l'Est

Les vignobles des Côtes de Toul et de la Moselle restent les deux seuls témoins d'une viticulture lorraine autrefois florissante. Florissant, le vignoble lorrain l'était par son étendue, supérieure à 30 000 ha en 1890. Il l'était aussi par sa notoriété. Les deux vignobles connurent leur apogée à la fin du XIXe s. Dès cette époque, plusieurs facteurs se conjuguèrent pour entraîner leur déclin : la crise phylloxérique, qui introduisit l'usage de cépages hybrides de moindre qualité ; la crise économique viticole de 1907 ; la proximité des champs de bataille de la Première Guerre mondiale ; l'industrialisation de la région, à l'origine d'un formidable exode rural. Ce n'est qu'en 1951 que les pouvoirs publics reconnurent l'originalité de ces vignobles et définirent les côtes de toul et vins de moselle, les rangeant ainsi définitivement parmi les grands vins de France.

Côtes de toul

Situé à l'ouest de Toul et du coude caractéristique de la Moselle, le vignoble se trouve sur le territoire de huit communes qui s'échelonnent le long d'une côte résultant de l'érosion de couches sédimentaires du Bassin parisien. On y rencontre des sols de période jurassique, composés d'argiles oxfordiennes, avec des éboulis calcaires en notable quantité, très bien drainés et d'exposition sud ou sud-est. Le climat semi-continental qui renforce les températures estivales est favorable à la vigne. Toutefois, les gelées de printemps sont fréquentes.

Le gamay domine toujours, bien qu'il régresse sensiblement au profit du pinot noir. L'assemblage de ces deux cépages produit des vins gris caractéristiques, obtenus par pressurage direct. En outre, le décret précise l'obligation d'assembler au minimum 10 % de pinot noir au gamay en superficie pour la production de gris, ceci conférant au vin une plus grande rondeur. Le pinot noir seul, vinifié en rouge, donne des vins corsés et agréables, l'auxerrois d'origine locale, en progression constante, des vins blancs tendres.

La vigne couvre actuellement près de 100 ha et assurent une production de 5 436 hl en 2000.

Parfaitement fléchée au départ de Toul, une route du Vin et de la Mirabelle parcourt le vignoble.

Ce vignoble vient d'accéder à l'appellation d'origine contrôlée (décret du 31 mars 1998).

VINCENT GORNY Pinot noir 2000★★

■ 1,2 ha 7 500 ▮ 5à8€

Vincent Gorny, lauréat du coup de cœur l'an dernier, a su parfaitement maîtriser les difficultés du millésime 2000 : voyez cette admirable robe d'un rouge intense, ce nez très marqué par des arômes de fruits rouges exquis. Agées de douze ans, les vignes ont donné un vin de caractère dont le très beau palais repose sur un équilibre remarquable. (30 à 49 F)

Vincent Gorny,
50, rue des Triboulottes, 54200 Bruley,
tél. 03.83.63.80.41, fax 03.83.63.53.80,
e-mail vincentgorny@yahoo.fr ☑ Y r.-v.

DOM. DE LA LINOTTE Gris 2000★

◪ 0,83 ha 8 000 ▮ 3à5€

Marc Laroppe, après quatre années passées en Champagne, a pris ce domaine en 1993. Toutes ses vignes sont plantées en lyre. D'une belle couleur saumonée, ce vin gris offre un nez plaisant, un peu discret, fruité. Le palais, très équilibré, est long à souhait. Du même domaine, un **auxerrois 2000**, fin et équilibré par une belle acidité, obtient une citation. (20 à 29 F)

Marc Laroppe, 90, rue Victor-Hugo, 54200 Bruley, tél. 03.83.63.29.02, fax 03.83.63.00.39 t.l.j. 8h30-19h

MARCEL ET MICHEL LAROPPE
Pinot noir 1999*

	4,5 ha	20 000	5 à 8 €

Ce domaine familial est l'un des moteurs de l'AOC. Respect de l'environnement, respect du terroir, éraflage total de la vendange, élevage un an en fût : cela donne un vin à la jolie robe rouge et au très beau nez finement vanillé où le type s'exprime bien malgré la couverture du bois. D'un bon équilibre au palais, il est long et finit harmonieusement. L'**auxerrois 2000**, qui ne connaît pas le bois, a obtenu une citation pour la subtilité de ses arômes floraux. (30 à 49 F)

Marcel et Michel Laroppe, 253, rue de la République, 54200 Bruley, tél. 03.83.43.11.04, fax 03.83.43.36.92 t.l.j. sf dim. 8h-12h 13h30-19h

LES VIGNERONS DU TOULOIS
Gris 2000

	n.c.	7 000	3 à 5 €

Située sur la route de la Mirabelle - célèbre production lorraine - cette coopérative est l'une des plus jeunes caves de France ; c'est aussi l'une des plus petites puisqu'elle ne compte qu'une dizaine de viticulteurs. Ce vin gris porte une belle robe saumonée à reflets roses. Le nez fin se montre un peu discret mais agréable. Le palais est doux et plaisant. (20 à 29 F)

Les Vignerons du Toulois, 43, pl. de la Mairie, 54113 Mont-le-Vignoble, tél. 03.83.62.59.93, fax 03.83.62.59.93 t.l.j. sf lun.14h-18h

Moselle AOVDQS

Le vignoble représentant moins de 20 ha s'étend sur les coteaux qui bordent la vallée de la Moselle ; ils ont pour origine les couches sédimentaires formant la bordure orientale du Bassin parisien. L'aire délimitée se concentre autour de trois pôles principaux : le premier au sud et à l'ouest de Metz, le second dans la région de Sierck-les-Bains ; le troisième pôle se situe dans la vallée de la Seille autour de Vic-sur-Seille. La viticulture est influencée par celle du Luxembourg tout proche, avec ses vignes hautes et larges et sa dominante de vins blancs secs et fruités. En volume, cette AOVDQS reste très modeste, 1 633 hl ayant été agréés pour le millésime 2000. Son expansion est contrariée par l'extrême morcellement de la région.

GAUTHIER
Réserve de la porte des évêques
Muller-Thurgau 2000*

	0,2 ha	2 000	3 à 5 €

Claude Gauthier s'est installé ici pour le 200e anniversaire de la Révolution française. Il reste très attaché à l'histoire de sa région, car sa famille cultivait déjà la vigne sous l'Ancien Régime. Cette cuvée se présente dans une couleur fort pâle propre à ce cépage. Le nez est cependant très fin, et exhale des notes florales. Le palais aux notes fruitées offre un bel équilibre. (20 à 29 F)

Claude Gauthier, 4, pl. du Palais, 57630 Vic-sur-Seille, tél. 03.87.01.11.55, fax 03.87.01.11.55 r.-v.

MICHEL MAURICE Auxerrois 2000**

	0,67 ha	6 000	3 à 5 €

Ce vignoble d'Ancy repose sur un sol argilo-calcaire. Michel Maurice a proposé un **rosé 2000** assemblant pinot noir (70 %) et gamay. D'une ravissante couleur saumonée, ce vin a des parfums de bonbon anglais et de fleurs. Il obtient une étoile. Mais c'est cet auxerrois qui emporte le coup de cœur. Sa couleur est assez pâle avec des reflets verts. Le nez exprime le cassis, des notes citronnées et exotiques. Le palais ample est davantage porté vers les agrumes ; il présente un très bel équilibre. (20 à 29 F)

Michel Maurice, 1-3, pl. Foch, 57130 Ancy-sur-Moselle, tél. 03.87.30.90.07, fax 03.87.30.90.07, e-mail mauricem@netcourrier.com r.-v.

DOM. MUR DU CLOITRE
Muller Thurgau 2000

	0,3 ha	1 720	5 à 8 €

Situées à 6 km du château de Sierck (XIe s.), ces terres exploitées autrefois par les chartreux de Rettel ont été acquises en 1997 par Jean-Paul Paquet. Voici donc sa quatrième vinification. Très clair, pâle, ce 2000 se montre assez discret au nez, avec toutefois de belles nuances minérales. Le palais est citronné, bien sec. Un vin bien typé dans le cépage et en phase avec le terroir qui lui a donné naissance. (30 à 49 F)

Jean-Paul Paquet, chem. des Quatre-Vents, 57570 Berg-sur-Moselle, tél. 06.08.09.83.49, fax 06.87.67.44.29 r.-v.

OURY-SCHREIBER
Cuvée du Maréchal Fabert 2000

□ 0,3 ha 2 900 5à8€

Maréchal de Louis XIV, Abraham de Fabert posséda cette petite parcelle, aujourd'hui propriété de Pascal Oury dont le domaine atteint 6,18 ha. 60 % de pinot gris, 30 % de gewurztraminer et 10 % d'auxerrois composent ce millésime 2000 d'une belle couleur vert pâle. Son nez exprime des senteurs florales et des nuances de noisette. Le palais ample et gras est marqué par les 4,7 g de sucres résiduels. Deux autres vins obtiennent une citation : l'**auxerrois 2000 (20 à 29 F)**, pâle à reflets verts, finement épicé, citronné, équilibré et long ; et le **pinot noir 2000** passé en fût, au palais agréable. (30 à 49 F)

Pascal Oury, 29, rue des Côtes,
57420 Marieulles-Vezon, tél. 03.87.52.09.02,
fax 03.87.52.09.17 r.-v.

J. SIMON-HOLLERICH
Pinot blanc 2000*

□ n.c. 4 500 3à5€

Jeanne et Joseph ont la même adresse, le même téléphone, la même étiquette, et présentent chacun un pinot blanc. Chacune des cuvées a une ravissante couleur claire à reflets verdâtres. Leur nez très fin offre une belle expression d'agrumes. Le palais agréable, souple, délicatement aromatique, se montre équilibré et frais. (20 à 29 F)

Jeanne Simon-Hollerich, 16, rue du Pressoir, 57480 Contz-les-Bains, tél. 03.82.83.74.81, fax 03.82.83.69.70 t.l.j. 8h-20h

CH. DE VAUX
Les Hautes Bassières Pinot noir 2000*

■ 1,3 ha 10 200 5à8€

Jeunes œnologues, Norbert et Marie-Geneviève Molozay se sont installés en 1999 au cœur du village vigneron de Vaux, dans un château remanié en 1870 et dont les caves voûtées datent du XIII^e^s. Vendanges manuelles 100 % égrappées, élevage bourguignon traditionnel en fût de chêne ont donné cette cuvée à la robe rouge clair. Son nez très classique présente des arômes de fruits rouges et des notes boisées. Si le palais manque un peu de gras pour obtenir deux étoiles, il n'en possède pas moins un beau potentiel. La finale est marquée par des notes vanillées. Issu de l'assemblage de plusieurs cépages, le **blanc 2000** est très beau (une étoile également). A de subtils parfums d'abricot répondent des notes de fruits blancs en bouche qui annoncent un vin gras et long. Il s'agit d'une macération pelliculaire. Une bouteille digne des plus grands poissons. (30 à 49 F)

Marie-Geneviève et Norbert Molozay,
Ch. de Vaux, 4, pl. Saint-Rémi, 57130 Vaux,
tél. 03.87.60.20.64, fax 03.87.60.24.67 r.-v.

Pour tout savoir d'un vin, lisez les textes d'introduction des appellations et des régions ; ils complètent les fiches des vins.

LE BEAUJOLAIS ET LE LYONNAIS

Le Beaujolais

Officiellement - et légalement - rattachée à la Bourgogne viticole, la région du Beaujolais n'en a pas moins une spécificité largement consacrée par l'usage. Celle-ci est d'ailleurs renforcée par la promotion dynamique de ses vins, menée avec ardeur par tous ceux qui ont rendu le beaujolais célèbre dans le monde entier. Ainsi, qui pourrait ignorer, chaque troisième jeudi de novembre, la joyeuse arrivée du beaujolais nouveau ? Déjà, sur le terrain, les paysages diffèrent de ceux de l'illustre voisine ; ici, point de côte linéaire et presque régulière, mais le jeu varié de collines et de vallons, qui multiplient à plaisir les coteaux ensoleillés ; et les maisons elles-mêmes, où les tuiles romaines remplacent les tuiles plates, prennent déjà un petit air du Midi.

Extrême midi de la Bourgogne, et déjà porte du Sud, le Beaujolais s'étend sur 23 000 ha et quatre-vingt-seize communes des départements de Saône-et-Loire et du Rhône, formant une région de 50 km du nord au sud, sur une largeur moyenne d'environ 15 km. Il est plus étroit dans sa partie septentrionale. Au nord, l'Arlois semble être la limite avec le Mâconnais. A l'est, en revanche, la plaine de la Saône, où scintillent les méandres de la majestueuse rivière dont Jules César disait qu'« elle coule avec tant de lenteur que l'œil à peine peut juger de quel côté elle va », est une frontière évidente. A l'ouest, les monts du Beaujolais sont les premiers contreforts du Massif central ; leur point culminant, le mont Saint-Rigaux (1 012 m), apparaît comme une borne entre les pays de Saône et de Loire. Au sud enfin, le vignoble lyonnais prend le relais pour conduire jusqu'à la métropole, irriguée, comme chacun sait, par trois « fleuves » : le Rhône, la Saône et le... beaujolais !

Il est sûr que les vins du Beaujolais doivent beaucoup à Lyon, dont ils alimentent toujours les célèbres « bouchons », et où ils trouvèrent évidemment un marché privilégié après que le vignoble eut pris son essor au XVIIIe s. Deux siècles plus tôt, Villefranche-sur-Saône avait succédé à Beaujeu comme capitale du pays, qui en avait pris le nom. Habiles et sages, les sires de Beaujeu avaient assuré l'expansion et la prospérité de leurs domaines, stimulés en cela par la puissance de leurs illustres voisins, les comtes de Mâcon et du Forez, les abbés de Cluny et les archevêques de Lyon. L'entrée du Beaujolais dans l'étendue des cinq grosses fermes royales dispensées de certains droits pour les transports vers Paris (qui se firent longtemps par le canal de Briare) entraîna donc le développement rapide du vignoble.

Aujourd'hui, le Beaujolais produit en moyenne 1 400 000 hl de vins rouges typés (la production de blancs est extrêmement limitée), mais – et c'est là une différence essentielle avec la Bourgogne – à partir d'un cépage presque exclusif, le gamay. Cette production se répartit entre les trois appellations beaujolais, beaujolais supérieur et beaujolais-villages, ainsi qu'entre les dix « crus » : brouilly, côte de brouilly, chénas, chiroubles, fleurie, morgon, juliénas, moulin-à-vent, saint-amour et régnié. Les trois premières appellations peuvent être revendiquées pour les vins rouges, rosés ou blancs, les dix autres concernent uniquement des vins rouges, qui ont également la possibilité d'être déclarés en AOC bourgogne, à l'exception du dernier, le régnié. Géologiquement, le Beaujolais a subi successivement les effets des plissements hercyniens à l'ère primaire et alpin à l'ère tertiaire. Ce dernier a façonné le relief actuel, disloquant les couches sédimentaires du secondaire et faisant surgir les roches primaires. Plus près de nous, au quaternaire, les glaciers et les rivières s'écoulant d'ouest en est ont creusé de nombreuses vallées et modelé les terroirs, faisant apparaître des îlots de roches dures résistant à l'érosion, compartimentant le coteau viticole qui, tel un gigantesque escalier, regarde le levant et vient mourir sur les terrasses de la Saône.

De part et d'autre d'une ligne virtuelle passant par Villefranche-sur-Saône, on distingue traditionnellement le Beaujolais Nord du Beaujolais Sud. Le premier présente un relief plutôt doux, aux formes arrondies, aux fonds de vallons en partie comblés par des sables. C'est la région des roches anciennes de type granite, porphyre, schiste, diorite. La lente décomposition du granite donne des sables siliceux, ou « gore », dont l'épaisseur peut varier dans certains endroits d'une dizaine de centimètres à plusieurs mètres, sous forme d'arènes granitiques. Ce sont des sols acides, filtrants et pauvres. Ils retiennent mal les éléments fertilisants en l'absence de matière organique, sont sensibles à la sécheresse mais faciles à travailler. Avec les schistes, ce sont les terrains privilégiés des appellations locales et des beaujolais-villages. Le deuxième secteur, caractérisé par une plus grande proportion de terrains sédimentaires et argilo-calcaires, est marqué par un relief un peu plus accusé. Les sols sont plus riches en calcaire et en grès. C'est la zone des « pierres dorées », dont la couleur, qui vient des oxydes de fer, donne aux constructions un aspect chaleureux. Les sols sont plus riches et gardent mieux l'humidité. C'est la zone de l'AOC beaujolais. Ces deux entités, où la vigne prospère entre 190 et 550 m d'altitude, ont comme toile de fond le haut Beaujolais, constitué de roches métamorphiques plus dures, couvert à plus de 600 m par des forêts de résineux alternant avec des châtaigniers et des fougères. Les meilleurs terroirs, orientés sud-sud-est, sont situés entre 190 et 350 m.

La région beaujolaise jouit d'un climat tempéré, résultat de trois régimes climatiques différents : une tendance continentale, une tendance océanique et une tendance méditerranéenne. Chaque tendance peut dominer, le temps d'une saison, avec des transitions brutales faisant s'affoler baromètre et thermomètre. L'hiver peut être froid ou humide ; le printemps, humide ou sec ; les mois de juillet et août, brûlants quand souffle le vent desséchant du Midi, ou humides avec des pluies orageuses accompagnées de fréquentes chutes de grêle ; l'automne, humide ou chaud. La pluviométrie moyenne est de 750 mm, la température peut varier de -20 °C à +38 °C. Mais des microclimats modifient sensiblement ces données, favorisant l'extension de la vigne dans des situations *a priori* moins propices. Dans l'ensemble, le vignoble profite d'un bon ensoleillement et de bonnes conditions pour la maturation.

L'encépagement, en Beaujolais, est réduit à sa plus simple expression, puisque 99 % des surfaces sont plantées en gamay noir. Celui-ci est parfois désigné dans le langage courant sous le terme de « gamay beaujolais ». Banni de la Côte-d'Or par un édit de Philippe le Hardi qui, en 1395, le traitait de « très desloyault plant » (très certainement en comparaison du pinot), il s'adapte pourtant à de nombreux sols et prospère sous des climats très divers ; il couvre en France près de 33 000 ha. Remarquablement bien adapté aux sols du Beaujolais, ce cépage à port retombant doit, durant les dix premières années de sa culture, être soutenu pour se former ; d'où les parcelles avec échalas que l'on peut observer dans le nord de la région. Il est assez sensible aux gelées de printemps, ainsi qu'aux principaux parasites et maladies de la vigne. Le débourrement peut se manifester tôt (fin mars), mais le plus souvent on l'observe au cours de la deuxième semaine d'avril. Ne dit-on pas ici : « Quand la vigne brille à la

Beaujolais

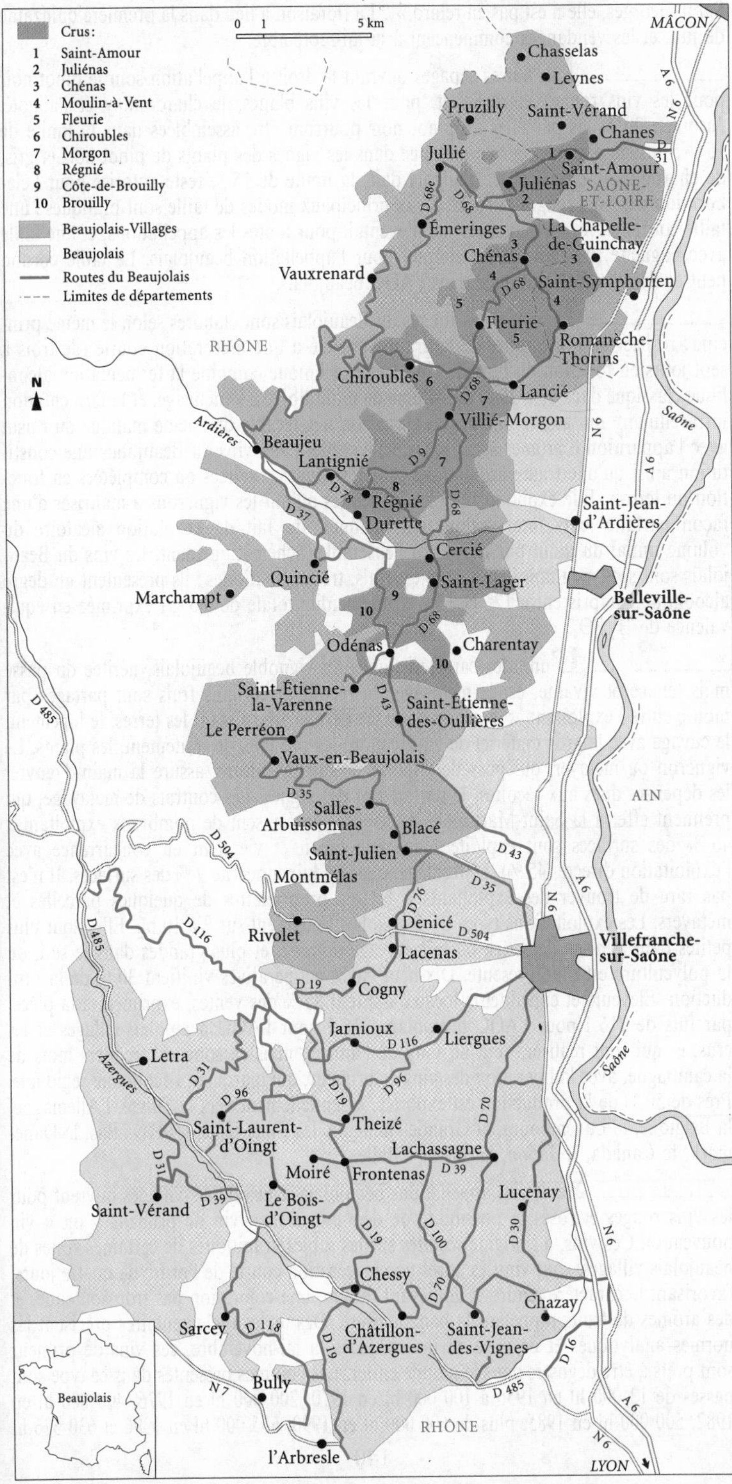

0 1 5 km
Crus :
1 Saint-Amour
2 Juliénas
3 Chénas
4 Moulin-à-Vent
5 Fleurie
6 Chiroubles
7 Morgon
8 Régnié
9 Côte-de-Brouilly
10 Brouilly
Beaujolais-Villages
Beaujolais
Routes du Beaujolais
Limites de départements
MÂCON
Chasselas
Leynes
Pruzilly
Saint-Vérand
Chanes
Jullié
Saint-Amour
SAÔNE-ET-LOIRE
Juliénas
Émeringes
La Chapelle-de-Guinchay
Chénas
Vauxrenard
Saint-Symphorien
Fleurie
Romanèche-Thorins
RHÔNE
Chiroubles
Lancié
N
Ardières
Villié-Morgon
Saône
Beaujeu
Lantignié
Régnié
Durette
Saint-Jean-d'Ardières
Cercié
Quincié
Saint-Lager
Marchampt
Belleville-sur-Saône
Odénas
Charentay
Saint-Étienne-la-Varenne
Saint-Étienne-des-Oullières
Le Perréon
Vaux-en-Beaujolais
AIN
Salles-Arbuissonnas
Blacé
Saint-Julien
Montmélas
Denicé
Rivolet
Lacenas
Villefranche-sur-Saône
Cogny
Jarnioux
Liergues
Letra
Azergues
Theizé
Saint-Laurent-d'Oingt
Lachassagne
Moiré
Frontenas
Lucenay
Saint-Vérand
Le Bois-d'Oingt
Chessy
Chazay
Sarcey
Châtillon-d'Azergues
Saint-Jean-des-Vignes
Beaujolais
Bully
RHÔNE
l'Arbresle
LYON
A6
N6
D 31
D 68e
D 68
D 9
D 78
D 37
D 43
D 35
D 504
D 76
D 116
D 485
D 19
D 96
D 70
D 39
D 100
D 30
D 118
D 16
N7

Saint-Georges, elle n'est pas en retard » ? La floraison a lieu dans la première quinzaine de juin et les vendanges commencent à la mi-septembre.

Les autres cépages ouvrant le droit à l'appellation sont le pinot noir pour les vins rouges et rosés, et, pour les vins blancs, le chardonnay et l'aligoté. Jusqu'en 2015, les parcelles de pinot noir pourront être assemblées dans la limite de 15 % ; l'usage d'incorporer en mélange dans les vignes des plants de pinot noir et gris, de chardonnay, de melon et d'aligoté dans la limite de 15 % reste autorisé pour l'élaboration des vins rouges et rosés. Deux principaux modes de taille sont pratiqués : une taille courte en forme de gobelet ou d'éventail pour toutes les appellations, et une taille avec baguette (ou taille guyot simple) pour l'appellation beaujolais. La taille cordon peut également être pratiquée dans l'AOC beaujolais.

Tous les vins rouges du Beaujolais sont élaborés selon le même principe : respect de l'intégralité de la grappe associé à une macération courte (de trois à sept jours en fonction du type de vin). Cette technique combine la fermentation alcoolique classique dans 10 à 20 % du volume de moût libéré à l'encuvage, et la fermentation intracellulaire qui assure une dégradation non négligeable de l'acide malique du raisin avec l'apparition d'arômes spécifiques. Elle confère aux vins du Beaujolais une constitution ainsi qu'une trame aromatique caractéristiques, exaltées ou complétées en fonction du terroir. Elle explique aussi les difficultés qu'ont les vignerons à maîtriser d'une façon parfaite leurs interventions œnologiques, du fait de l'évolution aléatoire du volume initial du moût par rapport à l'ensemble. Schématiquement, les vins du Beaujolais sont secs, peu tanniques, souples, frais, très aromatiques ; ils présentent un degré alcoolique compris entre 12° et 13°, et une acidité totale de 3,5 g/l exprimée en équivalence de H_2SO_4.

L'une des caractéristiques du vignoble beaujolais, héritée du passé mais tenace et vivante, est le métayage : la récolte et certains frais sont partagés par moitié entre l'exploitant et le propriétaire, ce dernier fournissant les terres, le logement, le cuvage avec le gros matériel de vinification, les produits de traitement, les plants. Le vigneron ou métayer, qui possède l'outillage pour la culture, assure la main-d'œuvre, les dépenses dues aux récoltes, le parfait état des vignes. Les contrats de métayage, qui prennent effet à la Saint-Martin (11 novembre), intéressent de nombreux exploitants ; 46 % des surfaces sont exploitées de cette façon et viennent en concurrence avec l'exploitation directe (45 %). Le fermage, quant à lui, concerne 9 % des surfaces. Il n'est pas rare de trouver des exploitants à la fois propriétaires de quelques parcelles et métayers. Les exploitations types du Beaujolais s'étendent sur 7 à 10 ha. Elles sont plus petites dans la zone des crus, où le métayage domine, et plus grandes dans le sud, où la polyculture est omniprésente. Dix-neuf caves coopératives vinifient 30 % de la production. Eleveurs et expéditeurs locaux assurent 85 % des ventes, exprimées à la pièce, par fûts de 216 l pour l'AOC beaujolais, 215 l pour l'AOC beaujolais-villages et les crus, et qui sont réalisées tout au long de l'année ; mais ce sont les premiers mois de la campagne, avec la libération des vins de primeur, qui marquent l'économie régionale. Près de 50 % de la production est exportée, essentiellement vers la Suisse, l'Allemagne, la Belgique, le Luxembourg, la Grande-Bretagne, les Etats-Unis, les Pays-Bas, le Danemark, le Canada, le Japon, la Suède, l'Italie.

Seules les appellations beaujolais et beaujolais-villages ouvrent pour les vins rouges et rosés la possibilité de dénomination « vin de primeur » ou « vin nouveau ». Ces vins, à l'origine récoltés sur les sables granitiques de certaines zones de beaujolais-villages, sont vinifiés après une macération courte de l'ordre de quatre jours, favorisant le caractère tendre et gouleyant du vin, une coloration pas trop soutenue, et des arômes de fruits rappelant la banane mûre. Des textes réglementaires précisent les normes analytiques et de mise en marché. Dès la mi-novembre, ces vins de primeur sont prêts à être dégustés dans le monde entier. Les volumes présentés dans ce type sont passés de 13 000 hl en 1956 à 100 000 hl en 1970, 200 000 hl en 1976, 400 000 hl en 1982, 500 000 hl en 1985, plus de 600 000 hl en 1990, 655 000 hl en 1996 et 630 576 hl en 2000. A partir du 15 décembre, ce sont les « crus » qui, après analyse et dégustation, commencent à être commercialisés, l'optimum de leurs ventes se situant après Pâques. Les vins du Beaujolais ne sont pas faits pour une très longue conservation ; mais si, dans la majorité des cas, ils sont appréciés au cours des deux années qui suivent leur récolte, de très belles bouteilles peuvent cependant être savourées au bout d'une décennie. L'intérêt de ces vins réside dans la fraîcheur et la finesse des parfums qui rappellent certaines fleurs - pivoine, rose, violette, iris - et aussi quelques fruits - abricot, cerise, pêche et petits fruits rouges.

Beaujolais et beaujolais supérieur

L'appellation beaujolais est celle de près de la moitié de la production. 10 480 ha, localisés en majorité au sud de Villefranche, ont fourni en 2000, 672 790 hl dont 7 086 hl de vins blancs élaborés à partir du chardonnay et récoltés pour 20 % des volumes dans le canton de La Chapelle-de-Guinchay, zone de transition entre les terrains siliceux des crus et les terrains calcaires du Mâconnais. Dans la zone des « pierres dorées », à l'est du Bois-d'Oingt et au sud de Villefranche, on trouve des vins rouges aux arômes plus fruités que floraux, parfois avec des pointes olfactives végétales ; ces vins colorés, charpentés, un peu rustiques, se conservent assez bien. Dans la partie haute de la vallée de l'Azergues, à l'ouest de la région, on retrouve des roches cristallines qui communiquent aux vins une mâche plus minérale, ce qui les fait apprécier un peu plus tardivement. Enfin, les zones plus en altitude offrent des vins vifs, plus légers en couleur, mais aussi plus frais les années chaudes. Les neuf caves coopératives implantées dans ce secteur ont fait considérablement évoluer les technologies et l'économie de cette région, dont sont issus près de 75 % des vins de primeur.

L'appellation beaujolais supérieur ne comporte pas de territoire délimité spécifique, mais une identification des vignes est réalisée chaque année. Elle peut être revendiquée pour des vins dont les moûts présentent, à la récolte, une richesse en équivalent alcool de 0,5° supérieure à ceux de l'appellation beaujolais. 4 000 hl sont ainsi déclarés chaque année, principalement sur le territoire de l'AOC beaujolais.

L'habitat est dispersé, et l'on admirera l'architecture traditionnelle des maisons vigneronnes : l'escalier extérieur donne accès à un balcon à auvent et à l'habitation, au-dessus de la cave située au niveau du sol. A la fin du XVIIIe s., on construisit de grands cuvages extérieurs à la maison de maître. Celui de Lacenas, à 6 km de Villefranche, dépendance du château de Montauzan, abrite la confrérie des Compagnons du Beaujolais, créée en 1947 pour servir les vins du Beaujolais, et qui a aujourd'hui une audience internationale. Une autre confrérie, les Grappilleurs des Pierres Dorées, anime depuis 1968 les nombreuses manifestations beaujolaises. Quant à déguster un « pot » de beaujolais, ce flacon de 46 cl à fond épais qui garnit les tables des bistrots, on le fera avec gratons, tripes, boudin, cervelas, saucisson et toute cochonnaille, ou sur un gratin de quenelles lyonnaises. Les primeurs iront sur les cardons à la moelle ou les pommes de terre gratinées avec des oignons.

Beaujolais

ANTOINE BARRIER 2000

■ 9 ha 73 000 🍷 3à5€

Elaboré à Saint-Georges-de-Reinens pour la centrale d'achat des centres Leclerc, ce vin pourpre livre des parfums développés de fleurs blanches mais aussi de cassis et de fruits rouges. La bouche ample et riche, équilibrée tout en étant corsée, s'exprime bien. On conseille de boire cette bouteille dans l'année sur son fruité initial. (20 à 29 F)

SCAMARK, 52, rue Camille-Desmoulins, 92135 Issy-les-Moulineaux, tél. 01.46.62.76.37, fax 01.46.44.38.32

CAVE DU BEAU VALLON
Au pays des pierres dorées 2000

■ 12 ha 100 000 🍷 5à8€

Ici, les pierres dorées s'empilent comme de petits lingots pour former un muret de vignes ; là, débitées géométriquement, elles composent de ravissants villages dans un écrin de pampres. Au cœur de ce pays, la cave coopérative a élaboré un vin grenat aux parfums assez intenses de fruits rouges et à noyau. Sa constitution, à la fois légère et complète, souple et fruitée, se révèle fort agréable pour une dégustation dès maintenant. (30 à 49 F)

Cave du Beau Vallon, Le Beau Vallon, 69620 Theizé, tél. 04.74.71.48.00, fax 04.74.71.84.46, e-mail info@cave-beauvallon.com r.-v.

CLAUDE BERGER 1999★★

□ 0,4 ha 2 000 🍷 5à8€

Claude Berger mène depuis dix ans le domaine de ses ancêtres. Des vignes de vingt ans ont donné ce vin or vert étincelant, aux élégants parfums de fruits et de fleurs d'aubépine et de tilleul. L'harmonieuse fraîcheur de l'acidité et la finesse du fruité à base d'amandes douces complètent la description de ce 99 persistant et plein de gaieté qui pourra être servi pendant deux ans avec un brochet. (30 à 49 F)

EARL Claude Berger, Le Chalier, 69480 Pommiers, tél. 04.74.65.07.09, fax 04.74.68.34.45 t.l.j. 10h-12h 14h-18h

CLAUDE BERNARDIN 2000

■ 2,5 ha 14 000 🍷 3à5€

Dans une cave souterraine voûtée est élevé un vin rouge violacé aux parfums moyennement intenses qui évoquent les fruits rouges et le cassis. Doté d'une solide structure, fruité et assez long, il sera apprécié pendant un an. (20 à 29 F)

Claude Bernardin, Le Genetay, 69480 Lucenay, tél. 04.74.67.02.59, fax 04.74.62.00.19 r.-v.

CH. DE BLACERET-ROY
Cuvée de l'Artiste 1999

□ 1,5 ha 8 000 🍷 3à5€

Ce domaine, qui reçoit de nombreux œnophiles, propose un vin typé aux subtiles notes florales et minérales associées aux fruits secs. La bouche équilibrée, d'une belle longueur, incite à une dégustation dans l'année. (20 à 29 F)

Thierry Canard, Ch. de Blaceret-Roy, 69460 Saint-Etienne-des-Oullières, tél. 04.74.03.45.42, fax 04.74.03.52.10 r.-v.

DOM. DU BOIS DE LA BOSSE 2000★★

■ 3 ha 5 000 🍷 3à5€

Depuis 1868, les Dumas exploitent ce domaine de 12 ha. Leur beaujolais grenat intense s'ouvre sur des parfums de fruits rouges et de fines épices qui se prolongent et s'amplifient en bouche. Remplissant totalement et harmonieusement le palais de sa chair et de ses arômes, ce vin complet et racé sera apprécié pendant deux à trois ans. (20 à 29 F)

EARL Georges Desprès, Le Vernay, 69460 Saint-Etienne-des-Oullières, tél. 04.74.03.48.98, fax 04.74.03.31.55 r.-v.

DOM. DU BOIS DE LA GORGE 2000★

■ 1,5 ha 5 000 🍷 5à8€

La propriété, qui remonte à 1620, abrite un petit musée lapidaire où sont également présentés des outils anciens. Dans l'un des deux caveaux on pourra déguster le **beaujolais blanc 2000 (50 à 69 F)** qui a obtenu une citation et cette cuvée rubis vif aux agréables senteurs fines et fraîches de fruits rouges. Sa bonne charpente est harmonieuse et n'altère pas les qualités désaltérantes de ce vin plaisant, à boire avec de la charcuterie. Il sera apprécié pendant un à deux ans. (30 à 49 F)

GFA du Bois de la Gorge, La Chanal, 69640 Jarnioux, tél. 04.74.03.82.89 r.-v.

M. Montessuy

DOM. DU BOIS DU JOUR
Bouquet de vieilles vignes 2000

■ 0,5 ha 3 500 🍷 3à5€

Des sols argilo-sablo-limoneux sont à l'origine de cette cuvée grenat foncé, aux parfums développés de groseille, de cassis et d'épices. Ce vin encore tannique mais bien constitué est d'une bonne persistance en bouche. Il sera prêt à l'automne 2001 pour accompagner quelques charcuteries au cours d'un repas de chasseurs, précise le jury. Le **beaujolais blanc 99** du domaine a également été cité par le jury. (20 à 29 F)

Gilles Carreau, Lachanal, 69640 Cogny, tél. 04.74.67.41.40, fax 04.74.67.46.24 r.-v.

LES VIGNERONS DE LA CAVE DE BULLY 2000

■ 520 ha 110 000 🍷 3à5€

Créée en 1959, c'est l'une des plus grandes caves du Beaujolais avec 38 000 hl vinifiés. Citée pour son **beaujolais blanc 2000 (30 à 49 F)** et son **beaujolais supérieur rouge 2000 (30 à 49 F)**, elle obtient également une citation pour ce beaujolais. La robe aux nuances très jeunes, associée à des parfums de raisins frais et de groseille, lui confère un caractère classique. La bouche fruitée, souple, légère mais bien équilibrée, sera appréciée dans l'année. (20 à 29 F)

Cave beaujolaise de Bully, 69210 Bully, tél. 04.74.01.27.77, fax 04.74.01.14.53 r.-v.

CH. DE BUSSY 2000

■ 5 ha 35 000 🍷 3à5€

Dans les caves du château, restauré en 1892, est élevé un vin rubis à reflets violets, qui se révèle encore fermé bien qu'on retrouve au nez et en bouche des petits fruits rouges associés à des notes de mûre et de kirsch. L'attaque sévère des tanins incite à attendre au moins un an afin que ce 2000 exprime plus aimablement son beau potentiel. (20 à 29 F)

GFA Ch. de Bussy, Bussy, 69640 Saint-Julien, tél. 04.74.09.60.08

Mme Ganem

MICHEL CARRON
Coteaux de Terre-Noire 2000

■ 1 ha 8 000 3à5€

Une nouvelle fois, le **beaujolais blanc 2000 (30 à 49 F)** de Michel Carron fait jeu égal avec cette cuvée grenat assez intense au nez très flatteur de fruits rouges et de notes amyliques. La structure assez légère de ce vin fruité et rond le prédispose à une consommation rapide. (20 à 29 F)

Michel Carron, Terre-Noire, 69620 Moiré, tél. 04.74.71.62.02, fax 04.74.71.62.02 ☑ Y r.-v.

CH. DE CERCY 2000*

■ 10 ha 10 000 3à5€

Le domaine, restauré en 1972, peut recevoir, dans une salle spécialement aménagée, jusqu'à cent personnes. Ce beaujolais, grenat brillant, offre d'intenses parfums de fruits rouges auxquels se mêlent des notes de figue fraîche, de pêche et des odeurs minérales. Fin et typé, il est très harmonieux. Sa finale et sa bonne longueur le feront apprécier pendant un à deux ans. (20 à 29 F)

Michel Picard, Cercy, 69640 Denicé, tél. 04.74.67.34.44, fax 04.74.67.32.35 ☑ Y r.-v.

CH. DE CHANZE 1999

□ 0,38 ha 3 500 3à5€

Cette cave qui vinifie 340 ha essentiellement complantés de gamay noir, a élaboré un vin jaune paille qui s'ouvre sur de fins parfums de pamplemousse. Sa chair, soutenue par une acidité bien perceptible, lui permettra d'attendre quelques mois encore. (20 à 29 F)

Cave beaujolaise de Saint-Vérand, Le Bady, 69620 Saint-Vérand, tél. 04.74.71.73.19, fax 04.74.71.83.45, e-mail c.b.s.v.@wanadoo.fr ☑ Y r.-v.

PIERRE CHARMET
Cuvée la Ronze 2000**

■ 0,3 ha 2 500 5à8€

Un joli nom pour cette cuvée toute petite par sa production, mais de qualité. Vêtue d'une robe sombre, elle développe des parfums expressifs de fruits rouges mêlés à des notes florales. L'attaque ronde et fruitée est déjà à elle seule un plaisir. Très bien équilibré, doté de tanins fondus, ce vin harmonieux et persistant est à boire au cours des deux prochaines années. (30 à 49 F)

Pierre Charmet, Le Martin, 69620 Le Breuil, tél. 04.74.71.80.67 ☑ Y r.-v.

JACQUES CHARMETANT 2000

■ 6,5 ha 6 000 3à5€

Certaines vignes ont plus de cinquante ans, mais la reconstitution de l'exploitation remonte à 1996 lorsque Jacques Charmetant choisit de se reconvertir dans le dur et beau métier de vigneron. Son beaujolais couleur rubis, aux nets parfums de fruits rouges, de violette et de pivoine, se révèle fin au palais. Cette cuvée vive, d'une ampleur mesurée, rappelle le style classique des beaujolais à boire dans l'année. (20 à 29 F)

Jacques Charmetant, pl. du 11-Novembre, 69480 Pommiers, tél. 04.74.65.12.34, fax 04.74.65.12.34, e-mail jacques.charmetant@wanadoo.fr ☑ Y r.-v.

DOM. CHATELUS DE LA ROCHE 2000

■ 2 ha n.c. 5à8€

Des vignes en coteaux exposées au sud-ouest ont donné une cuvée rubis brillant aux arômes de cassis prononcés. Doté d'une bonne matière, bien structuré, ce vin complet, aromatique et bien fait, est à boire dès à présent. (30 à 49 F)

Pascal Chatelus, La Roche, 69620 Saint-Laurent-d'Oingt, tél. 04.74.71.24.78, fax 04.74.71.28.36 ☑ Y r.-v.

DOMINIQUE CHERMETTE
Cuvée Vieilles vignes 2000

■ 2 ha 15 000 5à8€

Acquise par les parents de Dominique Chermette en 1958, cette propriété compte aujourd'hui plus de 8 ha. Née sur un sol argilo-calcaire de vignes cinquantenaires, cette cuvée rouge sombre s'ouvre sur des nuances amyliques évoluant vers la griotte ; elle révèle au palais une jolie matière, puissante et vive, puis s'achève sur une note plus tannique. Quelques mois de garde seront suffisants pour qu'elle atteigne sa juste valeur. (30 à 49 F)

Dominique Chermette, Le Barnigat, 69620 Saint-Laurent-d'Oingt, tél. 04.74.71.20.05, fax 04.74.71.20.05 ☑ Y r.-v.

CLOS DES VIEUX MARRONNIERS 2000

■ 4,5 ha 10 000 3à5€

Dans ce secteur plutôt argilo-calcaire, la vigne a donné un beaujolais rouge violacé qui s'ouvre sur des notes de cassis. Riche, équilibré et d'une bonne persistance, ce vin, complet, ne pourra que se bonifier. (20 à 29 F)

Jean-Louis Large, 69380 Charnay, tél. 04.78.47.95.28, fax 04.78.47.95.28 ☑ Y r.-v.

ROLAND CORNU Tradition 2000**

■ 1 ha 5 000 5à8€

Produit dans un secteur granitique du sud du Beaujolais, cette cuvée rubis limpide offre de riches parfums de fraise, de framboise, de cannelle évoluant vers la réglisse, le clou de girofle ; ils garnissent un palais d'une douceur de soie. Ce vin superbement long, dont la structure onctueuse et fruitée repose sur des tanins serrés et racés, est recommandé pendant deux à trois ans. Il s'accordera avec un bœuf bourguignon. (30 à 49 F)

Roland Cornu, 275, allée du Mas, 69490 Sarcey, tél. 04.74.26.86.25, fax 04.74.26.85.11, e-mail roland.cornu@wanadoo.fr r.-v.

DOM. DES COTEAUX DE LA ROCHE
2000*

□ 0,25 ha 2 300 5à8€

Cette cuvée jaune-vert, issue d'un coteau granitique, livre de frais et fins parfums qui évoquent la mangue. L'attaque acidulée compose avec une chair assez puissante, ronde et fruitée, un vin qui flattera même les palais les plus inexpérimentés. Il est prêt à être bu avec des poissons et des crustacés. Le **beaujolais rouge Vieilles vignes 2000** du domaine a obtenu une citation. (30 à 49 F)

EARL Joyet, La Roche, 69620 Létra, tél. 04.74.71.32.77, fax 04.74.71.32.77 r.-v.

DOM. DES CRETES
Cuvée des Varennes 2000*

■ 2,1 ha 17 000 5à8€

Implantée sur des crêtes qui culminent à 350 m et sur des sols argilo-siliceux, la vigne a donné une cuvée rouge lumineux aux très beaux reflets violets. La bouche structurée, bien charpentée, fruitée et d'une grande richesse, s'impose d'emblée. Ce vin persistant sera apprécié pendant deux ans sur une viande grillée. (30 à 49 F)

GAEC Brondel Père et Fils, rte des Crêtes, 69480 Graves-sur-Anse, tél. 04.74.67.11.62, fax 04.74.60.24.30, e-mail domaine.descretes@wanadoo.fr r.-v.

DOM. DE CRUIX 2000

■ 2,5 ha 15 000 5à8€

90 % des bouteilles vendues au domaine sont sérigraphiées. Cette cuvée rubis brillant s'ouvre sur des notes de fruits rouges évoluant vers les épices et se montre sérieuse en bouche. Elle dévoile une vivacité et une tannicité de bon aloi qui ne compromettent pas l'équilibre général. A attendre. (30 à 49 F)

Jean-Claude Brossette, Dom. de Cruix, 69620 Theizé, tél. 04.74.71.24.74, fax 04.74.71.29.16, e-mail jcbrossette@oreka.com r.-v.

JEAN DESCROIX Cuvée du Clos 2000

■ n.c. 5 000 3à5€

Doté d'une robe rouge vif, ce vin au nez très flatteur de fraise et de groseille se révèle assez léger en bouche. Agréable à boire, sans aspérité, il est à consommer maintenant avec un fromage sec. (20 à 29 F)

Jean et Michael Descroix, Bennevent, 69640 Denicé, tél. 04.74.67.30.74, fax 04.74.67.30.74 r.-v.

JEAN-GABRIEL DEVAY
Cuvée des Jarlotiers 2000

■ 0,77 ha 4 500 3à5€

Quatre parcelles bien exposées constituées de schistes ont donné naissance à cette cuvée rouge assez intense qui libère de complexes parfums de fruits très mûrs et des notes de kirsch ; celles-ci se prolongent en bouche. Remplissant le palais, ce vin plein et bien constitué, assez persistant, est à boire dès à présent. (20 à 29 F)

Jean-Gabriel Devay, 10, chem. du Guéret, 69210 Bully, tél. 04.74.01.01.48, fax 04.74.01.09.04 r.-v.

LES VIGNERONS DU DOURY
Cuvée Prestige 2000**

■ 2 ha 3 000 5à8€

La cave, qui vient de se doter d'un nouveau type de pressoir, a vinifié une cuvée Prestige qui porte bien son nom. Rouge grenat, elle offre des parfums complexes de mûre et de myrtille. Après une attaque franche, des tanins doux et fruités emplissent la bouche. Ce vin riche et équilibré, homogène tout au long de la dégustation, sera apprécié pendant les deux prochaines années. Le **beaujolais supérieur 2000** de la cave a obtenu une étoile. (30 à 49 F)

Cave des Vignerons du Doury, Le Doury, 69620 Létra, tél. 04.74.71.30.52, fax 04.74.71.35.28 t.l.j. sf lun. 9h-12h 14h-18h; dim. 10h-12h 15h-19h

BERNARD DUMAS 2000*

■ 1 ha 2 000 3à5€

Non loin du pittoresque village perché de Ternand a été élaborée une cuvée grenat brillant aux parfums développés de fruits rouges, de fruits à noyau et d'épices. Sa riche matière charnue aux arômes de kirsch et de bonbon anglais garnit agréablement la bouche. Des tanins souples et une finale acidulée n'altèrent pas la bonne harmonie d'ensemble. (20 à 29 F)

Bernard Dumas, Les Ronzières, 69620 Ternand, tél. 04.74.71.38.57 r.-v.

PIERRE ET PAUL DURDILLY
Les Grandes Coasses 2000*

■ 19 ha 50 000 5à8€

Sur les 20 ha du domaine, 1 ha est consacré au **beaujolais blanc** dont le **millésime 99** a obtenu une citation. Quant à ce rouge, rubis limpide, il offre d'intenses parfums amyliques et des notes de fruits rouges évoluant vers le tabac et le cacao. A l'image de ce dernier, il nappe le palais de sa rondeur et de ses fins tanins. Le bel équilibre, le fruité et l'élégance de la bouche seront appréciés avec une viande blanche dès à présent. (30 à 49 F)

Pierre et Paul Durdilly, Dom. des Grandes Coasses, 69620 Le Bois-d'Oingt, tél. 04.74.71.65.11, fax 04.74.71.82.42 r.-v.

HENRY FESSY 2000*

■ n.c. 30 000 5à8€

Se présentant dans une robe rouge profond et exhalant des parfums complexes de fruits très mûrs, ce vin structuré et assez long, bien marqué par les fruits rouges comme la cerise, sera apprécié au cours des deux prochaines années. (30 à 49 F)

🔑 Henry Fessy, Bel-Air, 69220 Saint-Jean-d'Ardières, tél. 04.74.66.00.16, fax 04.74.69.61.67, e-mail vins.fessy@wanadoo.fr ☑ 🍷 r.-v.

JEAN-FRANCOIS GARLON

Cuvée Vieilles vignes 2000

■ 3 ha 20 000 5à8€

La vigne n'a pas de secret pour la famille Garlon, installée ici depuis 1750. Dotée d'une belle robe pourpre limpide, cette cuvée, aux parfums flatteurs de fruits à noyau, offre une bonne harmonie générale ; ce vin est à boire dès l'automne. (30 à 49 F)

🔑 Jean-François Garlon, Le Bourg, 69620 Theizé, tél. 04.74.71.11.97, fax 04.74.71.23.30, e-mail jf.garlon@wanadoo.fr ☑ 🍷 r.-v.

DOM. JEAN-FELIX GERMAIN 1999*

□ 0,75 ha 6 900 5à8€

Au pays des pierres dorées, ce domaine existe depuis deux siècles. Le chardonnay, cultivé sur des sols argilo-calcaires, a donné ici un vin jaune paille aux caractères traditionnels. Des parfums frais et fondus, mêlant citron et fleurs blanches, accompagnent une bouche d'abord vive qui s'épanouit assez longuement, révélant une bonne concentration de matière. Ce millésime bien homogène sera apprécié au cours des deux prochaines années, avec du poisson. (30 à 49 F)

🔑 Dom. Jean-Félix Germain, Les Crozettes, 69380 Charnay, tél. 04.78.43.94.52, fax 04.78.43.94.52 ☑ 🍷 t.l.j. 8h-19h

HENRI ET BERNARD GIRIN

Cuvée coteaux du Razet 2000*

■ 1,5 ha 10 000 5à8€

Une extraction maximum est à la base de cette cuvée grenat profond où dominent des parfums de bourgeon de cassis et de fraise écrasée. Bien enrobés dans la chair, les tanins encore jeunes se hasardent en finale. Son beau potentiel fera apprécier ce 2000 sur de la volaille ou sur de la charcuterie pendant deux ans. (30 à 49 F)

🔑 GAEC Henri et Bernard Girin, Aucherand, 69620 Saint-Vérand, tél. 04.74.71.63.49, fax 04.74.71.85.61, e-mail beaujolais.girin@free.fr ☑ 🍷 t.l.j. sf dim. 8h-12h 14h-19h

CH. DU GRAND TALANCE 2000

□ 0,75 ha 7 000 -3€

Ce beau domaine de 42 ha appartient à la même famille depuis 1870. Jaune paille, assez soutenu, son beaujolais blanc issu d'un sol argilo-limoneux s'ouvre sur d'agréables arômes de glycine et de réglisse. L'attaque assez vive fait place à des sensations fruitées et minérales alors que la finale est onctueuse. Le **beaujolais rouge 2000** a également obtenu une citation.

🔑 Jean-Marc Truchot, GFA du Grand Talancé, 69640 Denicé, tél. 04.74.67.55.04 ☑ 🍷 r.-v.

VIGNOBLE GRANGE-NEUVE 2000

■ 2,5 ha 8 000 3à5€

Denis Carron a acquis en 1994 un nouveau domaine de 55 ha ; il a ouvert un gîte rural en 2000. Il propose une cuvée grenat violacé qui libère d'intenses parfums de cassis accompagnés de notes mentholées. La bouche, un peu rustique avec sa bonne charpente et ses tanins jeunes, doit encore s'affiner. Ce vin, expression d'une technologie moderne, pourra être dégusté pendant deux ans. (20 à 29 F)

🔑 Denis Carron, chem. des Brosses, 69620 Frontenas, tél. 04.74.71.70.31, fax 04.74.71.86.30 ☑ 🍷 r.-v.

DOM. DU GUELET 2000

■ 0,5 ha 2 000 3à5€

Dans des caves qui datent de 1791 a été élevée cette cuvée rouge limpide. De bons et fins parfums fruités accompagnent une bouche gouleyante et fraîche. Ce vin friand est à boire maintenant. (20 à 29 F)

🔑 Didier Puillat, Le Fournel, 69640 Rivolet, tél. 04.74.67.34.05, fax 04.74.67.34.05 ☑ 🍷 r.-v.

🔑 Branciard

DOM. DE LA CHAMBARDE 2000*

■ 3,44 ha 30 000 5à8€

Les vignes ont quarante ans mais ce n'est que depuis vingt ans que les vins sont vinifiés directement au domaine. Née sur sol granitique, cette cuvée rubis à reflets violets s'ouvre sur des senteurs fruitées au caractère authentique. Bien en chair et dotée d'une excellente structure, racée et persistante, elle peut tenir un à deux ans. (30 à 49 F)

🔑 Robert Peigneaux, Dom. de la Chambarde, 69620 Létra, tél. 04.74.71.32.43, fax 04.74.71.37.09, e-mail domaine.chambarde@wanadoo.fr ☑ 🍷 r.-v.

DOM. DE LA COMBE DES FEES 1999

□ 0,3 ha 2 000 5à8€

La Combe des Fées est le nom de la rivière qui borde la propriété dont le mode de culture de la vigne est la lutte raisonnée. Le chardonnay, qui prospère ici dans des sables granitiques, a donné un vin aux reflets dorés de raisins bien mûrs, agrémenté de notes florales et de miel. Harmonieux, ses arômes d'acacia sont rapidement ressentis. Ce 99 sera à boire dans l'année avec des coquillages ou des crustacés. (30 à 49 F)

🔑 Jean-Charles Perrin, La Maison Jaune, 69460 Vaux-en-Beaujolais, tél. 04.74.03.24.55, fax 04.74.03.24.55 ☑ 🍷 r.-v.

DOM. DE LA FEUILLATA

Cuvée Elégance 2000**

■ 2 ha 5 000 5à8€

Des vignes de cinquante ans implantées sur des sols granitiques ont donné naissance à cette cuvée qui porte bien son nom. En effet, la robe grenat limpide a du chic, tout comme l'équilibre des parfums complexes où se mêlent myrtille, mûre, notes de fleurs et de sous-bois ; le jury applaudit déjà. Puis la superbe charpente de fins tanins enrobés d'une chair élégante aux senteurs de fruits rouges confirme la première impression. Ce vin de plaisir sera à boire au cours des deux prochaines années. (30 à 49 F)

🔑 Dom. de La Feuillata, 69620 Saint-Vérand, tél. 04.74.71.74.53, fax 04.74.71.83.84 ☑ 🍷 r.-v.

🔑 Rollet

DOM. LAFOND 2000★★

■ 12,5 ha 20 000 🍾🌡 3à5€

Certes, ce n'est pas une découverte ! Mais la vie est aussi faite de confirmation... A côté d'un **brouilly 2000** (30 à 49 F) qui obtient une citation, le domaine se voit attribuer un coup de cœur pour cette cuvée rouge sombre aux intenses senteurs de fruits rouges. La montée en puissance de ses arômes fruités évoluant vers des notes vanillées, sa structure équilibrée par des tanins doux et sa persistance séduisent. Harmonieusement constitué, ce vin plaisant est fait pour être bu maintenant. (20 à 29 F)

🔑 EARL Dom. Lafond, Bel Air, 69220 Saint-Lager, tél. 04.74.66.04.46, fax 04.74.66.37.91 ☑ 🍷 r.-v.

DOM. DE LA GRANGE MENARD
Cuvée Vieilles vignes 2000★

■ 5 ha 30 000 🍾🌡 3à5€

Conduisant depuis 1980 ce domaine de 19 ha, Guy Pignard possède des vignes d'une moyenne d'âge de quarante-cinq ans. Celles-ci, sur sols argilo-calcaires, ont donné une cuvée grenat soutenu, qui libère d'intenses et complexes parfums de fraise et de cassis mêlés à des notes amyliques caractéristiques. L'attaque fruitée très prononcée est associée à une matière riche qui révèle en finale des tanins bien construits. A l'automne 2001, ce beau vin sera prêt. (20 à 29 F)

🔑 Guy Pignard, Dom. de La Grange Ménard, 69400 Arnas, tél. 04.74.62.87.60, fax 04.74.62.87.60 ☑ 🍷 r.-v.

DOM. DE LA GRENOUILLERE 2000

■ 2,5 ha 22 000 🍾🌡 5à8€

Les origines du vignoble, installé sur des coteaux granitiques, remontent à 1745. Cette cuvée 2000, rouge vif soutenu, libère d'intenses notes amyliques et des saveurs de fruits rouges qui s'épanouissent en bouche associées à de fins tanins. Souple et moyennement charnu, ce vin est à boire dans l'année avec de la charcuterie. (30 à 49 F)

🔑 Charles Bréchard, La Grenouillère, 69620 Chamelet, tél. 04.74.71.34.13, fax 04.74.71.36.22 ☑ 🍷 r.-v.

VIGNOBLE LA MANTELLIERE 2000

■ 1 ha n.c. 🛢 5à8€

L'élevage des vins de ce domaine de 7,70 ha, proche du village médiéval de Oingt, est réalisé pendant un an dans des foudres de bois. Ce beaujolais rouge soutenu livre d'agréables parfums fruités et floraux. Ses tanins encore présents n'altèrent pas son bon équilibre. Ce vin persistant est à boire dans l'année. (30 à 49 F)

🔑 Christophe Braymand, Le Bourg, 69620 Le Breuil, tél. 04.74.71.85.72, fax 04.74.71.85.72 ☑ 🍷 r.-v.

DOM. DE LA NOISERAIE 1999

□ 0,5 ha 2 500 🛢 8à11€

« Récolte tardive », note l'étiquette, sans en préciser la date. Mais la maturité du raisin ne fait aucun doute. Le caractère boisé de ce vin jaune paille à la belle robe vive éclate au nez comme en bouche. Les parfums vanillés qui dominent encore restent cependant dans de bonnes limites. Grâce à sa riche constitution, son mariage avec le chêne satisfera les amateurs. (50 à 69 F)

🔑 Bernard Martin, Pizay, 69220 Saint-Jean-d'Ardières, tél. 04.74.66.36.58, fax 04.74.66.15.98 ☑ 🍷 r.-v.

DOM. DE LA REVOL 2000★

■ 3 ha 5 000 🍾🌡 3à5€

Située dans le sud du Beaujolais, cette exploitation familiale a été reprise en 1982 par ses propriétaires actuels. Ils ont proposé un **beaujolais blanc 2000** qui a obtenu une citation. Quant à cette cuvée d'un pourpre très prononcé, elle est passée tout près des deux étoiles : des parfums de fruits rouges de bonne intensité accompagnent une bouche charnue, équilibrée et puissante. Ce vin harmonieux, déjà prêt, sera apprécié dans l'année. (20 à 29 F)

🔑 Bruno Debourg, La Croix, 69490 Dareizé, tél. 04.74.05.78.01, fax 04.74.05.66.40 ☑ 🍷 r.-v.

DOM. LASSALLE 1999★

□ 0,16 ha 1 500 🍾 5à8€

Implanté sur un terroir argilo-calcaire dominant la plaine de la Saône, le chardonnay a donné un vin or pâle aux parfums complexes de chèvrefeuille, d'acacia, d'agrumes, auxquels se mêlent les fruits secs. La bouche, structurée et onctueuse, ne livre que tardivement une pointe acidulée. Cet agréable 99 est à boire dans l'année avec des viandes blanches ou du poisson. Soulignons que ce domaine pratique les principes de la lutte raisonnée par respect de l'environnement. (30 à 49 F)

🔑 Jean-Pierre Lassalle, 1, chem. de Tredo, 69480 Morancé, tél. 04.78.43.63.97, fax 04.78.43.63.97, e-mail domaine.lassalle@wanadoo.fr ☑ 🍷 sam. 10h-18h

CH. DE LAVERNETTE 1999

□ 2,5 ha 6 000 🍾🌡 5à8€

Le chardonnay, cultivé sur une roche mère calcaire recouverte d'éléments argilo-siliceux, a donné un vin jaune clair marqué de reflets verts. Les très bons parfums, frais et expressifs, offrent une dominante d'agrumes. Léger, agréable et harmonieux, ce 99 est à boire maintenant. (30 à 49 F)

Bertrand de Boissieu, Ch. de Lavernette, 71570 Leynes, tél. 03.85.35.63.21, fax 03.85.35.67.32, e-mail ba.de-boissieu@wanadoo.fr ☑ Y r.-v.

CH. DE L'ECLAIR 2000★★

■ 2 ha 11 000 5 à 8 €

Pour la deuxième année consécutive, ce domaine, qui a appartenu à Victor Vermorel et qui a servi à la reconstitution du vignoble après la crise phylloxérique, se voit décerner par le Grand jury des beaujolais un coup de cœur. Cette cuvée grenat sombre libère des parfums complexes et subtils de fraise, de framboise et de mûre. Fruitée et charnue, elle se structure autour de fins tanins et pourra être conservée un an ou deux. Une cuvée de **beaujolais villages château de l'Eclair 2000** a obtenu une citation. (30 à 49 F)

SICAREX Beaujolais, Ch. de l'Eclair, 69400 Liergues, tél. 04.74.68.76.27, fax 04.74.68.76.27 ☑ Y r.-v.

LE PERE LA GROLLE 2000

■ 30 ha 260 000 3 à 5 €

Cette maison de négoce a passé contrat de partenariat avec 180 viticulteurs. Issue d'une sélection de parcelles, cette cuvée rouge léger livre des arômes fruités très fins et nets. Son excellente structure de tanins denses et parfumés se montre fort agréable. Sa finale noyau de cerise apporte une heureuse conclusion. C'est au comptoir que ce Père la Grolle sera le mieux apprécié, accompagné d'un plat de charcuterie, dans les deux années à venir. (20 à 29 F)

Ets Pellerin, 435, rte du Beaujolais, 69830 Saint-Georges-de-Reneins, tél. 04.74.09.60.00, fax 04.74.09.60.17

DOM. LES PREVELIERES 2000★★

■ 3,75 ha 30 000 3 à 5 €

Commercialisée par la maison Thorin appartenant au groupe Boisset, cette cuvée grenat violacé flatte par son bouquet de fraise et de cassis. Sa bonne chair qui a gardé de la fraîcheur est associée à des tanins assez ronds. Ce vin structuré, d'une bonne longueur, véritable beaujolais de garde, sera apprécié dès l'automne, servi bien frais, avec de la charcuterie. (20 à 29 F)

Dom. Les Prévelières, Layet de Dessous, 69220 Oingt, tél. 04.74.69.09.10, fax 04.74.69.09.28

Serge Morel

CH. DE LEYNES 1999★

□ 2 ha 10 000 5 à 8 €

A la limite du Mâconnais et du Beaujolais, cette propriété familiale dont les origines remontent à plus de deux siècles a produit un vin jaune pâle strié de reflets dorés. Un bouquet de fleurs blanches d'une belle intensité, des saveurs de miel et d'épices caractérisent ce 99 équilibré, souple et persistant. Ce beaujolais élégant est prêt à être bu avec quelques crustacés. (30 à 49 F)

Jean Bernard, Les Correaux, 71570 Leynes, tél. 03.85.35.11.59, fax 03.85.35.13.94, e-mail bernard-leynes@caramail.com ☑ Y r.-v.

CAVE DES VIGNERONS DE LIERGUES 2000★

◪ 4 ha 18 000 5 à 8 €

La plus ancienne cave coopérative du Beaujolais vinifie aujourd'hui 500 ha de vignes. Elle se distingue une nouvelle fois grâce à son rosé à la belle robe saumon brillant. Purs et élégants, ses arômes de raisin constituent, avec une bouche charnue, fruitée et fraîche, un ensemble harmonieux et agréable. Ce vin est à déguster dès à présent. Les **beaujolais blanc et rouge 2000 (20 à 29 F)** de la cave ont été également retenus par le jury, sans étoile. (30 à 49 F)

Cave des Vignerons de Liergues, 69400 Liergues, tél. 04.74.65.86.00, fax 04.74.62.81.20 ☑ Y r.-v.

DOM. MANOIR DU CARRA 2000

■ 1,5 ha 5 000 3 à 5 €

Situé non loin du château de Montmelas qui n'est pas sans évoquer celui de la Belle au bois dormant, ce domaine a élevé cette cuvée rouge pivoine au nez amylique avec des notes de cassis. Après une attaque plutôt vive, les parfums de bonbon anglais et de fruits rouges emplissent la bouche. Ce vin équilibré et fin est à boire. (20 à 29 F)

Jean-Noël Sambardier, Dom. Manoir du Carra, 69640 Denicé, tél. 04.74.67.38.24, fax 04.74.67.40.61, e-mail jfsambardier@aol.com ☑ Y r.-v.

RENE MARCHAND 2000

■ 1,5 ha 6 000 5 à 8 €

Le beau rouge profond de ce vin est associé à des senteurs de fruits rouges (framboise) et de fleurs. L'attaque assez puissante est marquée par les fruits bien mûrs qui accompagnent toute la dégustation. Prêt dès à présent, ce 2000 accompagnera une entrecôte ou une viande blanche. Le **beaujolais blanc 2000** a été jugé réussi ; il obtient une citation. (30 à 49 F)

René Marchand, Les Meules, 69640 Cogny, tél. 04.74.67.33.25, fax 04.74.67.33.94 ☑ Y t.l.j. 8h-12h 14h-19h

DOM. DU MARQUISON 2000★★

■ 5 ha 5 000 🍷 3à5€

Des vignes exposées au sud sur des coteaux argilo-calcaires sont à l'origine de ce vin grenat violacé au bouquet franc et complexe de fraise, de framboise avec des notes de cassis et de fleurs blanches. L'attaque très agréable, pleine de finesse et riche de parfums, amorce d'harmonieuses sensations évoluant entre la fraîcheur du fruité et la vinosité. Ce beaujolais typé accompagnera pendant deux ans des viandes blanches ou rouges, ainsi que des fromages assez doux. (20 à 29 F)

Christian Vivier-Merle, EARL Dom. du Marquison, Les Verjouttes, 69620 Theizé, tél. 04.74.71.26.66, fax 04.74.71.10.32 r.-v.

MEZIAT-BELOUZE 2000★

■ 2,45 ha 7 800 🍷 3à5€

Des sols argilo-granitiques sont à l'origine de ce vin rubis léger aux parfums développés et frais de groseille, de cassis, accompagnés de nuances amyliques. Friand, gouleyant et souple, ce beaujolais très agréable, à l'étoffe un peu fine mais bien typé, sera apprécié durant l'année avec des grillades, des brochettes ou des fruits de mer. (20 à 29 F)

GAEC Méziat-Belouze, Rochefort, 69115 Chiroubles, tél. 04.74.69.11.81, fax 04.74.69.11.81 r.-v.

CH. DE MONTAUZAN
Elevé en fût de chêne 2000

■ 1 ha 5 000 3à5€

Le cuvage de Lacenas, ancienne dépendance du château, témoigne de l'activité viticole du domaine depuis quatre siècles. Cette cuvée rouge vif offre un agréable mélange de senteurs florales et épicées. Tout en rondeur, ce vin équilibré et d'une bonne longueur est à boire. (20 à 29 F)

SCI Dom. de Montauzan, Ch. de Montauzan, 69640 Lacenas, tél. 04.74.66.62.03, fax 04.74.69.61.38, e-mail montauzan.com r.-v.

PIERRE MONTESSUY 2000★

■ 1,2 ha 6 000 🍷 5à8€

Dans ce très ancien village dominé par un beau château du XIIIe s. a été vinifiée à partir de vignes de plus de soixante-dix ans une cuvée à la robe pourpre attirante. Celle-ci libère des arômes de petits fruits rouges, nuancés de notes amyliques. Désaltérant et frais, ce vin bien typé est à boire dans l'année. (30 à 49 F)

Pierre Montessuy, La Chanal, 69640 Jarnioux, tél. 04.74.03.83.13 r.-v.

DOM. PEROL Cuvée Vieilles vignes 2000★

■ 3,2 ha 10 000 🍷 5à8€

Créé en 1806, ce domaine de 13 ha est entré dans la famille Pérol en 1912. Agées de soixante-dix ans, ses vignes ont donné un vin rouge violacé aux parfums de fruits rouges mêlés de notes florales. La bouche fraîche et fruitée, qui ne manque pas de charpente, est équilibrée. Agréable, cette bouteille est à boire dans l'année avec une volaille ou un fromage de chèvre. Le **Clos du Château Lassalle en blanc 99** a obtenu une citation. (30 à 49 F)

Frédéric Pérol, Colletière, 69380 Châtillon-d'Azergues, tél. 04.78.43.99.84, fax 04.78.43.99.84 t.l.j. sf dim. 14h-20h

DOM. DE PIERRE-FILANT 2000★

■ n.c. n.c. 3à5€

Entourée de vignes, de bois et de prés, cette ancienne maison forte recèle une collection d'oiseaux. Elle présente une cuvée élevée en foudres de chêne, rouge intense aux beaux reflets violets, et caractérisée par des parfums de fruits rouges très mûrs. Dotée d'une riche matière, la bouche reste équilibrée malgré quelques tanins encore jeunes. D'une jolie persistance, ce beaujolais sera à découvrir à l'automne et pourra être servi jusqu'en 2003. (20 à 29 F)

Emmanuel Fellot, Dom. de Pierre-Filant, 69640 Rivolet, tél. 04.74.67.37.75, fax 04.74.67.39.06 t.l.j. 8h-19h

RESERVE DU MAITRE DE CHAIS DE PIZAY 2000★

■ 3,8 ha 18 000 🍷 3à5€

Gilles Perez exploite en métayage des vignes du château de Pizay. Dans sa robe rouge grenat intense, cette Réserve s'ouvre sur des parfums de fraise des bois et de cerise confite. Dès l'attaque, sa bonne mâche apparaît. Bien structurée avec de beaux tanins, longue en bouche, cette bouteille sera prête à l'automne ; elle s'accordera avec une viande blanche en sauce ou grillée. On pourra l'apprécier pendant un à deux ans. (20 à 29 F)

Gilles Perez, Pizay, 69220 Saint-Jean-d'Ardières, tél. 04.74.66.26.10, fax 04.74.69.60.66

Château de Pizay

DOM. DE POUILLY-LE-CHATEL 2000

□ 0,8 ha 4 000 🍷 5à8€

Née sur argilo-calcaire, cette cuvée, limpide et brillante, s'ouvre sur des parfums complexes et expressifs de poire, de menthe avec une touche de muguet. La bouche harmonieuse, pleine et charnue, annonce un complet épanouissement pour l'automne. Ce vin pourra être consommé dans l'année. (30 à 49 F)

Sylvaine et Bruno Chevalier, Pouilly-le-Châtel, 69640 Denicé, tél. 04.74.67.41.01, fax 04.74.67.37.86, e-mail br.chevalier@free.fr r.-v.

DOM. DE ROTISSON
Cuvée Prestige Fleur de Lys Vieilles vignes 2000

■ 1,8 ha 10 000 🍷 5à8€

Didier Pouget, diplômé d'œnologie, est une nouvelle fois cité, pour cette cuvée Prestige à la robe grenat et aux puissants parfums de cassis mêlés de vanille. Les tanins, encore un peu jeunes et austères, doivent s'affiner pour que s'expriment ses qualités. Doté d'un excellent potentiel, ce vin devra être attendu deux à trois ans et peut-être plus ! (30 à 49 F)

🔑 Dom. de Rotisson, rte de Conzy,
69210 Saint-Germain-sur-l'Arbresle,
tél. 04.74.01.23.08, fax 04.74.01.55.41,
e-mail domaine-de-rotisson@wanadoo.fr
☑ Y t.l.j. sf dim. 9h-13h 14h30-19h
🔑 Didier Pouget

Beaujolais-villages

Le mot « villages » a été adopté pour remplacer la multiplicité des noms de communes qui pouvaient être ajoutés à l'appellation beaujolais pour distinguer des productions considérées comme supérieures. La quasi-totalité des producteurs a opté pour la formule beaujolais-villages.

Trente-huit communes, dont huit dans le canton de La Chapelle-de-Guinchay, ont droit à l'appellation beaujolais-villages, mais seulement trente peuvent ajouter le nom de la commune à celui de beaujolais. Si le terme de beaujolais-villages facilite la commercialisation depuis 1950, certains noms synonymes d'un cru peuvent créer des confusions. Les 6 022 ha, dont la quasi-totalité est comprise entre la zone des beaujolais et celle des crus, ont assuré en 2000 une production de 351 356 hl de rouges et 3 226 hl de blancs.

Les vins de l'appellation se rapprochent des crus et en ont les contraintes culturales (taille en gobelet ou éventail, degré initial des moûts supérieur de 0,5 ° à ceux des beaujolais). Originaires de sables granitiques, ils sont fruités, gouleyants, parés d'une robe d'un beau rouge vif : ce sont les inimitables têtes de cuvée des vins de primeur. Sur les terrains granitiques, plus en altitude, ils apportent la vivacité requise pour l'élaboration de bouteilles consommables toute l'année. Entre ces extrêmes, toutes les nuances sont représentées, alliant finesse, arôme et corps, s'accommodant aux mets les plus variés, pour la plus grande joie des convives : le brochet à la crème, les terrines, le pavé de charolais iront bien avec un beaujolais-villages plein de finesse.

DOM. DE BEL-AIR 2000

■ 6 ha n.c. 5à8€

Un pressoir ancien dit « américain » a servi à l'élaboration de cette cuvée rubis intense, au fruité développé de groseille dont la richesse onctueuse et les tanins légers sont appréciés. Ce vin très plaisant fera une jolie bouteille au cours des deux prochaines années. (30 à 49 F)

🔑 EARL Lafont, Dom. de Bel-Air, 69430 Lantignié, tél. 04.74.04.82.08, fax 04.74.04.89.33
☑ Y r.-v.

DOM. FRANCOIS BEROUJON 2000*

■ 6 ha 47 000 5à8€

Situé entre Blacé et Vaux-en-Beaujolais, ce village possède un admirable prieuré roman. Après sa visite, et comme de nombreux comédiens et chanteurs, vous ne manquerez pas de visiter les caves de ce domaine où a été élaboré ce vin pourpre intense aux fins parfums de fruits rouges. Sa belle matière, structurée et équilibrée, remplit longuement la bouche. Il sera prêt dès l'automne. (30 à 49 F)

🔑 François Beroujon, La Laveuse,
69460 Salles-Arbuissonnas, tél. 04.74.67.52.47,
fax 04.74.67.52.47 ☑ Y r.-v.

CH. DU BOST 2000

■ 5 ha 40 000 5à8€

Ce vin pourpre soutenu, mis en bouteilles par la maison Thorin, est marqué par des parfums assez puissants et agréables de fruits rouges et de kirsch. Sa très belle bouche équilibrée, fruitée et tannique le destine à la garde. (30 à 49 F)

🔑 Ch. du Bost, 69640 Blacé, tél. 04.74.69.09.10,
fax 04.74.69.09.28
🔑 de Geffrier

CH. DU CARRE 2000

■ n.c. n.c. 5à8€

D'un rouge limpide, cette sélection du négoce livre de beaux parfums de fraise, de griotte et de bonbon anglais. Sa fluidité n'altère pas son équilibre. Ce vin frais et aromatique, qui procure beaucoup de plaisir, est à boire dès maintenant avec de la rosette ou un pâté de lapereau. (30 à 49 F)

🔑 Jacques Charlet, 71570 La Chapelle-de-Guinchay, tél. 03.85.36.82.41, fax 03.85.33.83.19

PIERRE CHANAU 2000*

■ 20 ha 160 000 3à5€

C'est une cuvée fruitée et gouleyante qui a été élaborée par la maison Thorin pour le compte d'Auchan. Grenat foncé, elle livre des parfums assez intenses et complexes de fruits rouges et noirs qu'agrémentent des notes amyliques. Charnue et bien équilibrée, elle glisse agréablement en bouche, mais ne prétend pas à une longue garde. (20 à 29 F)

🔑 Auchan, 200, rue de la Recherche,
59650 Villeneuve-d'Ascq, tél. 04.74.69.09.10,
fax 04.74.69.09.28 Y r.-v.

DOM. DU CHAPITAL 2000

■ 8 ha 9 000 🍷 5à8€

Sur la D 78, entre Beaujeu et Lantignié, ce domaine dont les origines remontent à 1850 a élaboré un vin rubis qui s'ouvre peu à peu sur des notes de fleurs et de fraise très mûre. La bouche, encore dominée par les tanins, se révèle aromatique et persistante. Ce 2000 devrait être prêt pour la Sainte-Catherine 2001. (30 à 49 F)

Bernard Desperrier, Le Chapital, 69430 Lantignié, tél. 04.74.04.82.79 ☑ 🍷 r.-v.

DOM. DES CHARMEUSES 2000

■ 1,2 ha 7 000 🍷 3à5€

Situé à 2 km de Beaujeu, capitale historique et touristique du Beaujolais, ce domaine propose cette année une cuvée rubis clair aux parfums expressifs de petits fruits rouges et de fleurs associés à une bouche souple et légère qui évoque un vin nouveau. On recommande de boire cette bouteille avec un roquefort ou une tarte aux griottes. (20 à 29 F)

Bruno Jambon, Le Charnay, 69430 Lantignié, tél. 04.74.69.53.93, fax 04.74.69.53.95 ☑ 🍷 r.-v.

CH. DU CHAYLARD Emeringes 2000

■ n.c. 7 000 🍷 3à5€

Métayer du château du Chaylard, Bernard Canard a produit cette cuvée caractérisée par de fins parfums de fruits rouges. Pourpre assez intense, bien constituée mais un peu légère, elle est agréable et sera appréciée dans l'année. (20 à 29 F)

Bernard et Josiane Canard, Les Grandes Vignes, 69840 Emeringes, tél. 04.74.04.44.49, fax 04.74.04.45.16, e-mail bernard.canard@wanadoo.fr ☑ 🍷 r.-v.

RECOLTE CHERMIEUX 2000

■ 2,7 ha 3 000 🍷 5à8€

Au nord-ouest de Régnié, Lantignié donne à voir le château de la Roche-Thulon datant du XVe s. Gérard Genty pratique la lutte raisonnée dans son vignoble de près de 10 ha. Des parfums complexes, assez puissants, de fruits très mûrs marqués par la fraise caractérisent cette cuvée rubis léger agrémentée de reflets fuchsia. L'attaque franche et aromatique a du charme, puis les tanins s'imposent et persistent jusque dans la finale ; ils devraient s'amadouer cet hiver et permettre une consommation dans l'année. (30 à 49 F)

Gérard Genty, Vaugervan, 69430 Lantignié, tél. 04.74.69.23.56, fax 04.74.69.23.56 ☑ 🍷 r.-v.

DOM. DE CLAIRANDRE 2000

■ 1 ha 5 000 🍷 5à8€

Etabli sur la D 133, au sud de Saint-Etienne-la-Varenne, ce domaine de 5 ha propose un vin élaboré à partir de vignes de quarante-cinq ans. De beaux parfums de fruits rouges mêlés à des notes de cassis émanent de cette cuvée grenat brillant. Sa structure plutôt fine et ses arômes de bonbon anglais évoquent le vin nouveau. Agréable et fraîche, une bouteille à boire maintenant. (30 à 49 F)

André Chavanis, Champagne, 69460 Saint-Etienne-la-Varenne, tél. 04.74.03.51.15, fax 04.74.03.53.97 ☑ 🍷 r.-v.

DOM. DE COLETTE 2000

■ 5,5 ha 30 000 🍷 5à8€

L'exploitation, qui pratique le tri des raisins avant encuvage, a vinifié une cuvée pourpre aux intenses parfums de fruits rouges. La bouche, charnue et aromatique, est d'une bonne longueur. Ce vin souple est plutôt destiné à une consommation dans l'année. (30 à 49 F)

Jacky Gauthier, Colette, 69430 Lantignié, tél. 04.74.69.25.73, fax 04.74.69.25.14 ☑ 🍷 r.-v.

DOM. ANDRE COLONGE ET FILS 2000

■ 13 ha 60 000 🍷 3à5€

Le domaine, huit fois inscrit au palmarès du Guide, a obtenu la Grappe d'argent en 1996 ; il est cité pour la totalité de sa production dans le **millésime 2000**, pour le **fleurie (30 à 49 F)** et le beaujolais-villages. Rubis soutenu, ce dernier laisse de belles jambes sur le verre ; il se révèle cependant réservé au nez. Des notes de cassis, soutenues par une bonne pointe d'acidité, s'expriment plus franchement en bouche. Assez long et bien réussi, c'est un joli vin qui est à boire maintenant. (20 à 29 F)

Dom. André Colonge et Fils, Les Terres-Dessus, 69220 Lancié, tél. 04.74.04.11.73, fax 04.74.04.12.68 ☑ 🍷 r.-v.

DOM. DES COMBIERS 2000

■ 5 ha 3 000 🍷 5à8€

Une scène de vendanges à l'ancienne illustre l'étiquette de cette cuvée rubis soutenu aux parfums de groseille et de framboise d'une belle intensité. La bouche fraîche, fruitée, élégante et légère incite à le boire dans l'année. (30 à 49 F)

Yves Savoye, Les Combiers, 69820 Vauxrenard, tél. 04.74.69.92.69, fax 04.74.69.92.69 ☑ 🍷 r.-v.

PHILIPPE DESCHAMPS Cuvée Vieilles vignes 2000*

■ 0,6 ha 4 000 🍷 5à8€

Cette belle cuvée rouge à reflets violets est le résultat d'une vendange millerandée sévèrement triée. Ses parfums développés de fruits rouges, de cerise et de cassis, ont une belle persistance. Une bouche harmonieuse, veloutée et aromatique, caractérise ce vin typique et classique. Déjà prêt, il est apte à une garde de deux ans. (30 à 49 F)

Philippe Deschamps, Morne, 69430 Beaujeu, tél. 04.74.04.82.54, fax 04.74.69.51.04 ☑ 🍷 r.-v.

GEORGES DUBŒUF 2000**

■ n.c. 60 000 🍷 3à5€

Ce négociant à l'origine du « Hameau en Beaujolais », espace muséologique et culturel sur la vigne et le vin, a obtenu une citation pour son **moulin à vent 99 (30 à 49 F)**. Il reçoit deux étoiles pour le **régnié 2000** et pour ce vin rubis soutenu, premier coup de cœur ex-æquo du grand jury. Ses parfums intenses et complexes de fruits rouges et noirs accompagnent une très belle bouche structurée, aux agréables et persistantes saveurs de groseille et de cassis. Ce vin de caractère affirmé est prêt mais peut attendre de deux à trois ans. (20 à 29 F)

🔑 SA Les Vins Georges Dubœuf, quartier de la Gare, B.P. 12, 71570 Romanèche-Thorins, tél. 03.85.35.34.20, fax 03.85.35.34.25, e-mail mcvgd@csi.com ☑ 🍷 t.l.j. 9h-18h au Hameau en Beaujolais; f. 1er-15 jan.

DOM. DES FORTIERES 2000

■ 3,3 ha 6 000 5à8€

Elevé pendant neuf mois en foudre de chêne, ce vin rouge foncé s'ouvre sur des nuances fruitées et finement épicées. Après une attaque fraîche et agréable, il révèle une belle rondeur qui permettra de le boire dans l'année. (30 à 49 F)

🔑 Daniel Texier, Les Fortières, 69460 Blacé, tél. 04.74.67.58.57, fax 04.74.67.58.57, e-mail dtexier@vins-du-beaujolais.com ☑ 🍷 r.-v.

DOM. DES FOUDRES 2000

■ 9,3 ha 5 000 3à5€

Clochemerle, roman de Gabriel Chevallier (1934), rendit célèbre le village de Vaux, non loin duquel a été élevé ce vin rubis limpide aux parfums développés de fruits rouges mêlés de notes amyliques. Rond, équilibré et frais, ce beaujolais-villages plutôt fin est à boire maintenant. (20 à 29 F)

🔑 Roger Sanlaville, Le Plageret, 69460 Vaux-en-Beaujolais, tél. 04.74.03.24.03, fax 04.74.03.21.77 ☑ 🍷 t.l.j. 7h-19h

DOM. DE GIMELANDE 1999

□ 0,42 ha 1 800 5à8€

La robe vive, restée très jeune, montre des reflets vert pâle. Au nez, les parfums caractéristiques du chardonnay révèlent plus de maturité. La bouche franche, fraîche sans excès, est plaisante. Ce vin de soif plutôt léger est à boire dans l'année. (30 à 49 F)

🔑 Armand Large, Dom. de Gimelande, Le Clerjon, 69640 Montmelas, tél. 04.74.67.30.95, fax 04.74.67.47.34 ☑ 🍷 r.-v.

DAVID GOBET 2000

■ 1 ha 3 000 5à8€

Telle une signature identifiant la macération à chaud des raisins, les parfums de cassis, associés à des senteurs de sous-bois, s'avèrent particulièrement fins ; la bouche ronde, équilibrée et très aromatique termine sur des notes tanniques. Ce vin sympathique est à boire dans l'année sur une entrecôte grillée. (30 à 49 F)

🔑 David Gobet, L'Ermitage, 69430 Régnié-Durette, tél. 04.74.69.22.10, fax 04.74.69.22.10, e-mail dgobet@aol.fr ☑ 🍷 r.-v.

DOM. DU GRAND CHENE 2000*

■ 6,5 ha 13 330 5à8€

Distribué par l'Eventail des vignerons, ce vin d'un rubis intense et limpide développe des parfums de fruits frais associés à des nuances épicées et végétales. L'attaque un peu vive reste agréable. La structure légère, fondue mais typée, fera apprécier cette bouteille dès maintenant. (30 à 49 F)

🔑 André Jaffre, 69220 Charentay, tél. 04.74.06.10.10, fax 04.74.66.13.77 ☑ 🍷 r.-v.

DOM. DE GRY-SABLON 2000**

■ 3,8 ha 18 000 5à8€

Thermorégulation et macération préfermentaire parfaitement maîtrisées sont à la base de cette cuvée à la robe grenat violacé, confirmée premier coup de cœur ex-æquo par le grand jury. Les parfums puissants et persistants de framboise et autres fruits rouges accompagnent une bouche d'une belle ampleur et structurée d'où émergent des tanins encore jeunes. Sa superbe attaque, sa longueur et sa finale veloutée laissent présager de deux à trois ans de garde. (30 à 49 F)

🔑 Dominique Morel, Les Chavannes, 69840 Emeringes, tél. 04.74.04.45.35, fax 04.74.04.42.66, e-mail gry-sablon@wanadoo.fr ☑ 🍷 t.l.j. sf dim. 8h-18h

DOM. DES HAUTS BUYON 2000

■ 1 ha 5 000 5à8€

Implantées sur un terroir particulièrement précoce, ces vignes, vendangées le 30 août 2000, ont donné un vin grenat intense, limpide et brillant, aux parfums fins et expressifs de fruits rouges. Fruité, doté d'une structure fine et harmonieuse, c'est un ensemble agréable à boire maintenant. (30 à 49 F)

🔑 Christophe Paris, Buyon, 69460 Saint-Etienne-des-Oullières, tél. 04.74.03.52.25, fax 04.74.03.58.94 ☑ 🍷 r.-v.

DOM. DE LA BEAUCARNE
Quintessence 2000*

■ 0,6 ha 4 000 5à8€

Grenat sombre limpide, il s'ouvre sur des notes concentrées d'iris et de griotte mais aussi de foin. Son fruité imprègne totalement la bouche et rassemble tous les suffrages. Ample, doté d'une finale de kirsch et d'épices assez puissante, ce très beau vin pourra accompagner pendant deux ans un bœuf bourguignon ou un tablier de sapeur. (30 à 49 F)

Michel Nesme, 69430 Beaujeu, tél. 04.74.04.86.23, fax 04.74.04.83.41 r.-v.

CH. DE LACARELLE 2000**

■ 130 ha 100 000 5à8€

Créé en 1775, ce vignoble a toujours appartenu à la même famille. Avec 130 ha de vignes, c'est le plus grand domaine du Beaujolais. Parée d'une robe rubis brillant à reflets grenat, cette cuvée fleure la framboise, la fraise, puis évolue vers le cassis et la réglisse. Quelques nuances de pêche et de vanille viennent compléter cette palette aromatique. Le bel équilibre entre la rondeur et le corps, associé à une pointe de fraîcheur, est très agréablement ressenti. Ce vin élégant pourra être dégusté pendant deux ans avec une viande blanche. (30 à 49 F)

Louis Durieu de Lacarelle, 69460 Saint-Etienne-des-Oullières, tél. 04.74.03.40.80, fax 04.74.03.50.18, e-mail chateaudelacarelle@free.fr r.-v.

DOM. DE LA CHAPELLE DE VATRE
Cuvée Allys 2000

■ 6,2 ha 7 000 5à8€

L'histoire du domaine remonte à 1650, mais la chapelle dédiée à saint Jean date du XIIes. Cette cuvée couleur burlat très franche livre de légers parfums de groseille et de framboise mêlées au cassis bien mûr. Après une jolie attaque, les tanins très présents dominent la bouche. Vineuse, cette bouteille possède de bons atouts pour s'affiner encore. (30 à 49 F)

Dom. de La Chapelle de Vâtre, Le Bourbon, 69840 Jullié, tél. 04.74.04.43.57, fax 04.74.04.40.27, e-mail dominique.capart@libertysurf.fr r.-v.

Dominique Capart

VINCENT LACONDEMINE 2000**

■ 3 ha 20 000 5à8€

Dans la cave, rénovée en 1999, a été élevé ce vin grenat sombre au nez expressif et complexe de fruits cuits et de cassis. Une vinification bien conduite a permis une extraction optimale de la matière, qui se traduit par une belle charpente et du volume. Frais, aromatique et équilibré, ce 2000 se révèle élégant ; il pourra accompagner très agréablement pendant deux ou trois ans des viandes blanches et du fromage fort. (30 à 49 F)

Vincent Lacondemine, Le Moulin, 69430 Beaujeu, tél. 04.74.04.82.77, fax 04.74.69.27.61 r.-v.

DOM. DE LA CROIX SAUNIER
Sélection vieilles vignes 2000*

■ 3 ha 10 000 5à8€

Des vignes de soixante ans plantées sur des coteaux escarpés de sable granitique, exposés plein sud, sont à l'origine de cette très agréable sélection pourpre, limpide et brillante. Des parfums prononcés où se mêlent les fruits rouges et les épices accompagnent une bouche longue, structurée et équilibrée. Sa matière, riche sans excès, est à apprécier dans l'année. (30 à 49 F)

GAEC dom. de La Croix Saunier, Jean Dulac et Fils, 69460 Vaux-en-Beaujolais, tél. 04.74.03.22.46, fax 04.74.03.28.97 r.-v.

DOM. DE LA MADONE Le Perréon 2000

■ 20 ha 80 000 5à8€

Au temps des framboises et des fraises sauvages, les sentiers de randonnée deviennent routes gourmandes. Il faut en profiter pour faire halte dans les domaines viticoles. Ici, des vignes d'une trentaine d'années ont donné un vin rubis à reflets violets qui s'ouvre sur des parfums de fruits rouges et des senteurs des bois. Plutôt rond, aromatique et long, un millésime à goûter dès cet automne. (30 à 49 F)

Jean Bérerd et Fils, SCEA de La Madone, 69460 Le Perréon, tél. 04.74.03.21.85, fax 04.74.03.27.19 r.-v.

LA MERLATIERE 2000*

■ 16 ha 30 000 5à8€

Ce domaine familial de 20 ha a obtenu une citation pour son **moulin à vent 2000**, mais c'est la production principale du domaine qui reçoit une étoile pour sa riche robe grenat aux beaux reflets violets. Puissant dès l'attaque, ce vin aux tanins souples garnit longuement la bouche d'arômes de fruits rouges. Très bien fait, il pourra s'exprimer agréablement et avec force pendant deux ans en accompagnement d'une viande blanche en sauce ou d'une viande rouge braisée. (30 à 49 F)

Gérard Gauthier, GAEC de La Merlatière, 69220 Lancié, tél. 04.74.04.13.29, fax 04.74.69.86.84 r.-v.

CUVEE DE LA MOUTONNIERE 2000*

■ 7 ha 30 000 5à8€

La Société des vins de Pizay, qui commercialise les vins d'un groupe de producteurs (dont ceux du château de Pizay, complexe touristique et viticole dont le donjon date du XVe s.), a sélectionné une cuvée grenat soutenu au joli nez de fruits rouges mais aussi de mûre et de fin cassis. Equilibrée et chaleureuse, elle laisse en finale un bon goût de cerise. Elle sera appréciée dans l'année avec des terrines de gibier, de la charcuterie ou des fromages. (30 à 49 F)

Sté des vins de Pizay, 69910 Villié-Morgon, tél. 04.74.66.26.10, fax 04.74.69.60.66

DOM. DE LA ROCHE THULON 2000**

■ 3,5 ha 5 000 5à8€

Pour son dixième anniversaire à la tête de l'exploitation, Pascal Nigay décroche cette année le troisième coup de cœur du grand jury, pour ce vin rouge grenat aux parfums expressifs et puissants de fruits rouges. L'attaque riche et équilibrée se prolonge par des sensations harmonieuses d'une grande complexité. Remarquablement réussi et très authentique, ce millésime est là pour de nombreuses années. (30 à 49 F)

Pascal Nigay, Dom. de la Roche Thulon, 69430 Lantignié, tél. 04.74.69.23.14, fax 04.74.69.26.85 r.-v.

DOM. DE LA TOUR DES BOURRONS 2000

3,5 ha 3 000 3à5€

Issu d'une macération carbonique avec régulation de la température, ce vin rubis soutenu est très aromatique. Les nuances amyliques et les senteurs de fruits rouges restent fraîches. Gouleyant, tendre et fruité, ce beaujolais-villages facile à boire est fait pour être dégusté maintenant. (20 à 29 F)

Bernard Guignier, Les Bourrons, 69820 Vauxrenard, tél. 04.74.69.92.05, fax 04.74.69.92.05 r.-v.

DOM. DE LA TREILLE Lancié 2000

2 ha 2 500 5à8€

Cette cuvée d'un rouge vif et intense s'ouvre sur des notes fraîches et complexes de fruits rouges que l'on retrouve en bouche. On perçoit une assez riche matière et de fins tanins qui doivent encore s'arrondir. Une garde de deux ans est envisageable. (30 à 49 F)

EARL Jean-Paul et Hervé Gauthier, Les Frébouches, 69220 Lancié, tél. 04.74.04.11.03, fax 04.74.69.84.13, e-mail jean-paul.gauthier2@wanadoo.fr r.-v.

DOM. DU MARRONNIER ROSE 2000

4 ha 6 000 3à5€

Les Dory ont déjà conquis les amateurs japonais, américains et hollandais. Leur 2000 ne déplaira à personne. Paré d'une robe couleur cerise burlat, il se croque comme un fruit. L'attaque vive et douce, d'un bon équilibre, est suivie de tanins assez souples. Aromatique et bien fait, ce joli vin est à boire dans l'année. (20 à 29 F)

Sylvain et Nathalie Dory, Le Bourg, 69820 Vauxrenard, tél. 04.74.69.90.80, fax 04.74.69.90.80, e-mail natalie.dory@wanadoo.fr r.-v.

PATRICE MARTIN 2000*

2 ha 4 000 3à5€

Ce jeune viticulteur de vingt-trois ans, à la tête de l'exploitation depuis 1998, a vinifié un juliénas 2000 (30 à 49 F) cité par le jury, et cette cuvée grenat soutenu aux parfums de cassis agrémentés de nuances épicées. Sa chair et sa charpente de tanins fondus lui donnent une certaine corpulence qui conserve néanmoins beaucoup de grâce. Très long et capiteux, ce vin sera apprécié au cours des deux prochaines années. (20 à 29 F)

Patrice Martin, Les Verchères, 71570 Chanes, tél. 03.85.37.42.27, fax 03.85.37.47.43 r.-v.

CEDRIC MARTIN 2000

3,5 ha 4 500 3à5€

Installé depuis 1996, ce jeune viticulteur a élaboré une cuvée rouge sombre aux élégantes notes fruitées et florales. Assez riche, celle-ci séduit par son fruité harmonieux et persistant. Ce vin classique et de qualité est à déguster au cours des dix-huit prochains mois. (20 à 29 F)

Cédric Martin, Les Verchères, 71570 Chanes, tél. 03.85.37.46.32, fax 03.85.37.46.32 r.-v.

DOM. CHRISTIAN MIOLANE 2000*

10,5 ha 30 000 3à5€

Des vignes d'une cinquantaine d'années, vinifiées en partie selon la technique de thermorégulation, sont à l'origine d'un vin rubis soutenu, au nez expressif de fruits rouges acidulés et de mûre. L'attaque aromatique et riche se développe élégamment, avec de la rondeur. Ce vin typé, qui garnit bien la bouche, sera apprécié jeune, de préférence au cours des deux prochaines années. (20 à 29 F)

Dom. Christian Miolane, La Folie, 69460 Salles-Arbuissonnas, tél. 04.74.67.52.67, fax 04.74.67.59.95

MOMMESSIN Vieilles vignes 2000*

13,75 ha 110 000 5à8€

Cette cuvée rouge violacé offre d'excellentes senteurs de raisins frais et de fruits rouges. La très bonne bouche, charnue, aromatique et longue, est tout en finesse. Bien équilibré, ce joli vin est à déguster dans l'année. (30 à 49 F)

Mommessin, Le Pont-des-Samsons, 69430 Quincié-en-Beaujolais, tél. 04.74.69.09.30, fax 04.74.69.09.28, e-mail information@mommessin.com r.-v.

CH. DE MONVALLON 2000

2,04 ha 4 000 5à8€

Commune aux sept collines, Charentay compte de nombreux châteaux dont celui d'Arginy, remontant au XII[e]s., ancienne forteresse des Templiers. Le château de Monvallon date du XIX[e]s. ; ses vignes âgées de quarante-cinq ans ont donné un vin très dense, grenat foncé, qui s'ouvre sur de timides nuances de fruits rouges et de réglisse. Son attaque acidulée mêlée à des tanins assez présents lui confère une stature imposante. Cette bouteille doit attendre quelques mois en cave. (30 à 49 F)

Françoise et Benoît Chastel, La Grange-Bourbon, 69220 Charentay, tél. 04.74.66.86.60, fax 04.74.66.73.23 r.-v.

DOM. DES NUGUES 2000*

■ 17,5 ha 70 000 5à8€

Le millésime 2000 signe l'arrivée de Gilles qui s'associe avec son père sur ce beau domaine de 21,5 ha. Ensemble, ils ont élaboré une petite cuvée de **morgon 2000** qui obtient une citation, et ce *villages* grenat qui s'ouvre sur des parfums très puissants de fruits rouges. Après une belle attaque franche, ce vin corsé et long se révèle encore un peu en retrait pour les sensations aromatiques que quelques mois de garde devraient réveiller. Cette jolie bouteille sera à boire au cours des deux prochaines années avec une viande blanche. (30 à 49 F)

EARL Gelin, Les Pasquiers, 69220 Lancié, tél. 04.74.04.14.00, fax 04.74.04.16.73 r.-v.

DOM. DU PENLOIS Lancié 2000*

■ 10 ha 35 000 5à8€

Après la visite du château de Corcelles, n'hésitez pas à parcourir 1 km pour découvrir ce domaine viticole. Ses vignes, situées sur la commune de Lancié à 210 m d'altitude, ont donné un vin grenat foncé au très beau nez de fruits rouges dominé par le cassis. L'extraction optimale de la matière s'avère réussie. Corsé, plein et d'une bonne longueur, ce millésime s'exprimera agréablement pendant au moins deux ans sur un plat de gibier à poil. (30 à 49 F)

SCEA Besson Père et Fils, Dom. du Penlois, Cidex 558, 69220 Lancié, tél. 04.74.04.13.35, fax 04.74.69.82.07 r.-v.

DOM. DU PERRIN 2000

■ 6 ha 10 000 5à8€

Clôturant la route des cols des monts du Beaujolais, Le Perréon, situé sur la D 88, est un vrai village viticole. Roger Lacondemine mène ce domaine depuis 1974. Des parfums complexes et assez puissants de framboise et de fraise, avec des notes de violette, émanent de cette cuvée d'un rouge vif léger. L'attaque fruitée accompagne une bouche très souple à la structure fine. Ce vin gouleyant est à boire avec du fromage de tête. (30 à 49 F)

Roger Lacondemine, Le Perrin, 69460 Le Perréon, tél. 04.74.03.24.69, fax 04.74.03.27.79 r.-v.

ALAIN PEYTEL 2000

■ 0,13 ha 1000 3à5€

Plantée sur des sols silico-argileux, la vigne a donné une cuvée rouge vif aux arômes de framboise, de kirsch et d'amande. Tout d'abord souple, la bouche se révèle rapidement puissante et un peu rustique. Ce vin est bien fait, mais pour un plus grand plaisir, on attendra un an afin qu'il s'affine. (20 à 29 F)

Alain Peytel, Les Fouillouses, 69840 Juliénas, tél. 04.74.04.44.73, fax 04.74.04.48.39 r.-v.

Peiller

CAVE COOPERATIVE DE SAINT-JULIEN 2000**

■ 7 ha 5 800 5à8€

La dernière née (1988) des dix-neuf caves coopératives du Beaujolais a proposé une cuvée de **beaujolais rouge 2000** qui obtient une citation ; mais elle s'impose avec ce vin rouge grenat aux reflets violets d'une belle intensité. Plein, doté d'une riche matière équilibrée, ce millésime remarquable, très long (sa finale légèrement épicée a séduit) pourra attendre au moins deux ans. On recommande de le boire avec une daube provençale. (30 à 49 F)

Cave coopérative de Saint-Julien, Les Fournelles, 69640 Saint-Julien, tél. 04.74.67.57.46, fax 04.74.67.51.93, e-mail stjulien@vins-du-beaujolais.com r.-v.

DOM. DE SOUZONS 2000

■ n.c. n.c. 5à8€

Jeune viticulteur, Laurent Jambon vient de reprendre un domaine viticole. Voici sa première récolte. Rouge vif, ce millésime s'ouvre sur de belles nuances de fruits rouges et de cassis. La bouche corsée et fruitée reste agréable malgré une légère astringence qui aura disparu à l'automne. Le jury conseille de boire ce vin dans l'année avec un poisson grillé. (30 à 49 F)

Laurent Jambon, 69430 Lantignié, tél. 04.74.04.80.29, fax 04.74.69.29.50 r.-v.

CH. DE VARENNES 1999

□ 0,25 ha 1 100 5à8€

Si Quincié doit une grande part de sa notoriété à Bernard Pivot, la commune est depuis longtemps connue pour ses vignobles. Le château de Varennes, qui date du XVIe s., a conservé ses tours de défense. Il a fière allure. Elevé pendant dix mois en fût de chêne, ce vin blanc vêtu d'or soutenu livre au nez et en bouche des notes vanillées et grillées caractéristiques. Charnu et rond, bien typé, il sera apprécié sur un poisson à la crème. (30 à 49 F)

SCI Ch. de Varennes, 69430 Quincié-en-Beaujolais, tél. 04.74.04.31.67, fax 04.74.69.00.69 r.-v.

Charveriat

CH. DE VAUX 2000

■ 5 ha 20 000 3à5€

Vaux-en-Beaujolais ne doit pas sa célébrité au seul roman de Gabriel Chevallier, *Clochemerle*. C'est aussi un village très ancien remontant à la Préhistoire comme l'attestent les vestiges du camp de l'Auguel. Ce domaine a été acquis en 1854 par la famille de Vermont. Cette année, Yannick, le fils, a rejoint l'exploitation. Le **beaujolais blanc 2000 du château de Vaux** (30 à 49 F) a obtenu une citation, tout comme ce vin rouge vif aux parfums de fleurs et de fruits rouges. Une bonne vinosité, associée à une structure qui se montre encore un peu vive, le fera apprécier dans l'année. (20 à 29 F)

Jacques et Yannick de Vermont, rue Louis de Vermont, 69460 Vaux-en-Beaujolais, tél. 04.74.03.20.03, fax 04.74.03.24.10 r.-v.

Brouilly et côte de brouilly

Le dernier samedi d'août, le vignoble retentit de chants et de musique ; les vendanges ne sont pas commencées et pourtant une nuée de marcheurs, panier de victuailles au bras, escaladent les 484 m de la colline de Brouilly, en direction du sommet où s'élève une chapelle près de laquelle seront offerts le pain, le vin et le sel ! De là, les pèlerins découvrent le Beaujolais, le Mâconnais, la Dombes, le mont d'Or. Deux appellations sœurs se sont disputé la délimitation des terroirs environnants : brouilly et côte de brouilly.

Le vignoble de l'AOC côte de brouilly, installé sur les pentes du mont, repose sur des granites et des schistes très durs, vert-bleu, dénommés « cornes-vertes » ou diorites. Cette montagne serait un reliquat de l'activité volcanique du primaire, à défaut d'être, selon la légende, le résultat du déchargement de la hotte d'un géant ayant creusé la Saône... La production (18 800 hl pour 325 ha) est répartie sur quatre communes : Odenas, Saint-Lager, Cercié et Quincié. L'appellation brouilly, elle, ceinture la montagne en position de piémont sur 1 315 ha, et produit 75 800 hl. Outre les communes déjà citées, elle déborde sur Saint-Etienne-la-Varenne et Charentay ; sur la commune de Cercié se trouve le terroir bien connu de la « Pisse Vieille ».

Brouilly

CH. DE BAGNOLS 1999

■ 9 ha 10 000 ▮ 5à8€

Alain Ravier dirige depuis 1983 ce domaine commandé par un château du XVIII[e]s. Son 99 rouge, soutenu et franc, libère des parfums de cuir, de réglisse et de groseille. La bouche, ample et soyeuse, montre un timide fruité. Ce vin agréable et équilibré est à boire au cours des deux prochaines années. (30 à 49 F)

EARL Alain Ravier, Ch. de Bagnols, 69460 Saint-Etienne-la-Varenne, tél. 04.74.03.42.77, fax 04.74.03.42.77 ☑ Y t.l.j. 10h-12h 14h-18h

JEAN BARONNAT 2000**

■ n.c. n.c. ▮⚲ 5à8€

Cette maison de négoce située à Gleizé, commune intégrée au district de Villefranche-sur-Saône, a proposé trois vins, tous retenus : dans le même millésime le **morgon** de ce négociant est cité, le **beaujolais-villages (20 à 29 F)** reçoit une étoile, et cette sélection grenat soutenu, deux étoiles. Des parfums de framboise et de fleurs d'une bonne intensité accompagnent une bouche ronde et souple. Alliant finesse et puissance, ce vin élégant et persistant est prêt, mais il peut vieillir deux ans. (30 à 49 F)

Maison Jean Baronnat, Les Bruyères, rte de Lacenas, 69400 Gleizé, tél. 04.74.68.59.20, fax 04.74.62.19.21, e-mail info@baronnat.com ☑ Y r.-v.

CH. BEILLARD 2000

■ 12 ha 40 000 ▮⚲ 5à8€

Saint-Lager possède un château féodal très remanié ainsi que plusieurs manoirs. C'est une halte importante de la route des crus du Beaujolais. Ce domaine a élevé un brouilly rubis aux beaux reflets violets. Aux parfums développés de fraise et de cassis se mêlent des notes d'abricot sec. Sa belle matière révèle aussi de la vivacité. A consommer dans l'année. (30 à 49 F)

GFA Beillard, Briante, 69220 Saint-Lager, tél. 04.74.09.60.08 ☑

CH. DE BRIANTE Réserve 2000

■ 14,8 ha 15 000 ▮⬮ 5à8€

Briante, manoir du XVIII[e]s., appartint au fondateur de l'Union beaujolaise en 1888, en pleine crise phylloxérique. Aujourd'hui, la Réserve du château est mise en bouteilles par la société Mommessin ; elle présente une robe magnifique. De riches parfums de groseille, de cassis mais aussi des notes amyliques accompagnent une bouche pleine, dotée d'une bonne structure dont les tanins encore jeunes devront s'amadouer. On l'attendra un à deux ans. (30 à 49 F)

Ch. de Briante, 69220 Saint-Lager, tél. 04.74.66.72.34, fax 04.74.66.73.94

PIERRE CHANAU 2000

■ n.c. 300 000 ▮⚲ 5à8€

Destinée à la grande distribution, cette sélection mauve pâle au nez de framboise, de cassis et d'épices, de bonne intensité, révèle de la vivacité en attaque. Les nuances plus chaudes qui suivent lui permettront de mûrir davantage. Elle est à attendre un à deux ans. (30 à 49 F)

J. Chanut, Les Chers, 69840 Juliénas, tél. 04.74.06.78.70, fax 04.74.06.78.71, e-mail avf@free.fr Y r.-v.

DOM. DU CHATEAU DE LA VALETTE 2000

■ 2,74 ha 14 000 ▮ 5à8€

Installé à Charentay, village aux nombreux châteaux, Jean-Pierre Crespin a proposé un **côte de brouilly** qui reçoit la même note que ce brouilly rouge foncé. Ses arômes de fruits bien mûrs qui s'affirment peu à peu accompagnent une bouche où les tanins dominent. Sa solide charpente en fait un vin à garder et à découvrir dans deux ans. (30 à 49 F)

Jean-Pierre Crespin, Le Bourg, 69220 Charentay, tél. 04.74.66.81.96, fax 04.74.66.71.72 r.-v.

PAUL CINQUIN Pisse-Vieille 2000

3 ha 9 000 5 à 8 €

Récolté sur l'un des *climats* les plus populaires du Beaujolais, ce vin grenat limpide, aux fortes senteurs de pivoine évoluant vers la fraise et la framboise, garnit le palais d'impressions veloutées. Souple, frais et d'une bonne persistance, il est à boire avec une viande blanche. (30 à 49 F)

Paul Cinquin, Les Nazins, 69220 Saint-Lager, tél. 04.74.66.80.00, fax 04.74.66.70.78 r.-v.

DOM. CRET DES GARANCHES 2000*

8 ha n.c. 5 à 8 €

Huit des neuf hectares composant l'exploitation sont à l'origine de ce vin rouge profond à reflets noirs, aux arômes élégants de fruits rouges, d'épices et de fruits à noyau. Une très belle charpente, de la fraîcheur et du fruité composent un ensemble équilibré, apte à une garde de deux à trois ans. (30 à 49 F)

Yvonne Dufaitre, Dom. Crêt des Garanches, 69460 Odenas, tél. 04.74.03.41.46, fax 04.74.03.51.65 r.-v.

DOM. DIT BARRON 1999

9 ha 10 000 5 à 8 €

Au temps de la conscription, un aïeul reçut le titre de baron pour s'être enrôlé à la place du fils du baron pour lequel il travaillait. La robe rouge soutenu de ce 99 montre quelques signes d'évolution. Tout d'abord de fruits rouges et noirs, les parfums finissent sur des notes de cassis bien mûr et de kirsch. La bouche équilibrée, assez agréable, reste encore dominée par quelques tanins. Ce vin sera prêt à être consommé dans l'année 2002. (30 à 49 F)

Muriel et Gilles Aujogues, Les Bruyères, 69220 Cercié-en-Beaujolais, tél. 04.74.66.87.59, fax 04.74.66.72.55 r.-v.

FABRICE DUCROUX Vignobles des Côtes 2000

0,64 ha 5 130 5 à 8 €

Installée sur les pentes du mont Brouilly, l'exploitation a élaboré une cuvée grenat soutenu au nez de groseille et de cassis où se mêle une pointe de poivre. D'une bonne rondeur, ce vin reste plaisant malgré un caractère corsé un peu rude. Il est conseillé de le boire avec une côte salée de cochon ; on peut aussi attendre un à deux ans pour le déguster. (30 à 49 F)

Fabrice Ducroux, 69640 Saint-Julien, tél. 04.74.06.10.10, fax 04.74.66.13.77 r.-v.

HENRY FESSY Cuvée Pur Sang 1999

n.c. 4 000 8 à 11 €

La cuvée rubis foncé aux parfums développés de fruits rouges bien mûrs et d'épices révèle une chair aromatique qui conserve quelques tanins. Ce vin typé, un peu rustique et à l'évolution rapide, sera apprécié avec des rôtis ou du gibier pendant un an. (50 à 69 F)

SCI Vignoble de Bel-Air, 69220 Saint-Jean-d'Ardières, tél. 04.74.66.00.16, fax 04.74.69.61.67, e-mail vins.fessy@wanadoo.fr r.-v.

Henry Fessy

JEAN-FRANCOIS GAGET 1999*

6,2 ha 12 000 5 à 8 €

Viticulteur au château de Pierreux, Jean-François Gaget a élaboré un vin à la robe rouge profond assortie de quelques reflets roses et tuilés. Le nez, très fin et élégant, révèle des nuances de fruits à noyau et de fleurs. Une fort belle structure associant vinosité et fraîcheur s'épanouit en bouche avec des notes de fleurs et de fruits confits. A boire au cours des deux prochaines années. (30 à 49 F)

Jean-François Gaget, La Roche, 69460 Odenas, tél. 04.74.03.46.23, fax 04.74.03.51.40 r.-v.

DANIEL GUILLET 2000

1,25 ha 4 000 5 à 8 €

Daniel Guillet conduit depuis 1984 ce domaine de 7,5 ha dont 1,25 est consacré à cette cuvée très foncée et limpide aux parfums de fruits noirs, de fraise et de framboise. Sa riche matière et sa vinosité lui confèrent une belle puissance accompagnée de tanins qui devraient se fondre dans un an ou deux. (30 à 49 F)

Daniel Guillet, Les Lions, 69460 Odenas, tél. 04.74.03.48.06, fax 04.74.03.48.06 r.-v.

DOM. DE JASSERON 2000

1,26 ha 4 000 5 à 8 €

A partir de vignes de soixante ans a été élaborée une cuvée rubis profond aux très bons et complexes parfums de fraise, de framboise et de fleurs. La bouche ronde, fruitée et légèrement épicée, offre des tanins souples et harmonieux. Ce vin élégant et fort agréable est à boire dès maintenant. (30 à 49 F)

Georges Barjot, Grille-Midi, 69220 Saint-Jean-d'Ardières, tél. 04.74.66.47.34, fax 04.74.66.47.34 t.l.j. 8h-19h

ANNE-MARIE JUILLARD Cuvée Prestige 1999

1,35 ha 4 000 5 à 8 €

Notez qu'en 2000 Anne-Marie Juillard a acquis le domaine de La Sorbière. Les fines notes boisées qui émanent de son brouilly imprègnent aussi la bouche. Les tanins fondus et la douce chair vanillée destinent ce 99 à une consommation dans l'année. Le **régnié 2000** a obtenu la même note. (30 à 49 F)

Anne-Marie Juillard, Bergeron, 69220 Saint-Lager, tél. 04.74.66.82.28, fax 04.74.66.53.68 r.-v.

CH. DE LA CHAIZE 2000

96,02 ha 450 000 5 à 8 €

Doté d'un vaste domaine viticole, La Chaize, construit en 1676 sur les plans de Mansart, est l'un des plus imposants châteaux du Beaujolais. Sa réputation est internationale. Son millésime

2000, d'un beau rouge soutenu, s'ouvre sur de complexes parfums de fruits rouges mais aussi de violette. Après une attaque franche, le vin se révèle fruité et épicé. Cet élégant brouilly peut être apprécié dès maintenant. (30 à 49 F)

Marquise de Roussy de Sales, Ch. de La Chaize, 69460 Odenas, tél. 04.74.03.41.05, fax 04.74.03.52.73, e-mail chateaudelachaize@wanadoo.fr r.-v.

JEAN-MARC LAFOREST 2000*

n.c. 34 000 5à8€

Dans une cave voûtée spécialement aménagée, on dégustera ce brouilly grenat profond et limpide aux nuances de fruits rouges, de bonbon anglais et d'épices. Les beaux tanins, enrobés dans des parfums de fruits rouges, donnent du volume à ce vin qui garde de la fraîcheur et révèle un très bon équilibre général. Il est à boire dans l'année. (30 à 49 F)

Jean-Marc Laforest, Chez le Bois, 69430 Régnié-Durette, tél. 04.74.04.35.03, fax 04.74.69.01.67 t.l.j. 8h-20h

DOM. DE LA PISSEVIEILLE
Pissevieille 2000*

4 ha 15 000 5à8€

Venu lui aussi du *climat* de la Pissevieille, ce vin rouge violacé développe de très intenses parfums de fraise qui se poursuivent sur des notes minérales et torréfiées. Sa riche matière conserve beaucoup de fruité et de vivacité. Les tanins, qui apparaissent en finale, inciteront à l'attendre deux ans. (30 à 49 F)

Mme Gaillard, La Pissevieille, 435, rte du Beaujolais, 69220 Cercié-en-Beaujolais, tél. 04.74.09.60.08

DOM. DE LA ROCHE SAINT MARTIN 2000*

7 ha 25 000 5à8€

Un domaine de près de 10 ha que dirige Jean-Jacques Béréziat depuis 1989. Il vinifie la moitié de sa vendange en thermovinification. Son **côte de brouilly 2000** a obtenu une citation. Ce brouilly rouge foncé aux arômes de petits fruits rouges très mûrs reçoit une étoile. La bouche charnue et fruitée se montre assez puissante et doit encore s'arrondir. Ce vin typique, de bonne facture, est à déguster au cours des deux prochaines années. (30 à 49 F)

SCEA Jean-Jacques Béréziat, Briante, 69220 Saint-Lager, tél. 04.74.66.85.39, fax 04.74.66.70.54 r.-v.

DOM. DE LA SAIGNE 2000

0,5 ha 3 500 5à8€

Sur des coteaux granitiques accusant 25 % de pente a été récoltée cette cuvée rubis profond aux parfums discrets de fraise, de bonbon acidulé mais aussi de feuille de cassis. Encore vif, corsé et tannique, ce vin solidement structuré est à attendre un à deux ans. (30 à 49 F)

EARL Lenoir Fils, Cimes de Cherves, 69430 Quincié-en-Beaujolais, tél. 04.74.69.02.03, fax 04.74.69.01.45 r.-v.

DOM. DE LA VALETTE 2000**

4 ha 20 000 5à8€

La robe rubis limpide de cette sélection du négociant J. Pellerin est éclatante, tout comme les parfums de groseille et de framboise qui évoluent vers la réglisse et le clou de girofle. L'attaque tout en velours révèle des tanins fondus d'une grande finesse, associés à des arômes complexes où domine la cerise. Ce vin charmeur, remarquable d'équilibre et d'élégance, est déjà prêt mais il pourra être servi pendant deux ans avec un poulet de Bresse à la crème et aux morilles ou un saucisson brioché à la lyonnaise. (30 à 49 F)

Vins et Vignobles, 435, rte du Beaujolais, 69830 Saint-Georges-de-Reneins, tél. 04.74.09.60.00, fax 04.74.67.09.60, e-mail info@vinsetvignobles.com

LA VANDAME 2000

n.c. n.c. 5à8€

Ce négociant caladois a obtenu deux citations, l'une pour le **Domaine de Grand Croix 2000 en juliénas**, et l'autre pour cette sélection rouge violet. Des parfums assez fins de fruits rouges et de cassis accompagnent une bouche bien constituée, mais qui ne met pas encore en valeur toutes ses potentialités. Il faudra attendre l'automne 2001 puis boire cette bouteille dans les deux ans. (30 à 49 F)

Dupond d'Halluin, B.P. 79, 69653 Villefranche-en-Beaujolais, tél. 04.74.60.34.74, fax 04.74.68.04.14

LE JARDIN DES RAVATYS 2000

7 ha 10 000 5à8€

Au printemps, le jardin des Ravatys, reproduit sur l'étiquette, compose avec le mont Brouilly une jolie scène champêtre. Paré d'une robe rubis, ce vin, au nez fin et agréable de bonbon anglais et de cassis, se révèle un peu vif au palais. Sa bonne structure, son fruité et sa longueur en bouche lui permettent d'attendre un à deux ans. Il pourra accompagner un gibier. (30 à 49 F)

Institut Pasteur, Ch. des Ravatys, 69220 Saint-Lager, tél. 04.74.66.47.81, fax 04.74.69.61.38 r.-v.

LAURENT MARTRAY
Vieilles vignes 1999

1,5 ha 8 000 5à8€

Vinifiée dans le cuvage du château de La Chaize, cette cuvée rubis profond est marquée par des senteurs qui rappellent les épices, le clou de girofle, en particulier. Elle est corsée, avec des tanins encore très jeunes qui demanderont quelques mois de garde. Le jury recommande de le boire dans l'année 2002 avec de la charcuterie épicée. (30 à 49 F)

Laurent Martray, Combiaty, 69460 Odenas, tél. 04.74.03.51.03, fax 04.74.03.50.92 r.-v.

Roussy de Sales

DOM. DU MOULIN FAVRE

Cuvée vieilles vignes 2000★★

■ 8,5 ha 20 000 5 à 8 €

Une macération semi-carbonique soignée, avec immersion des raisins dans le jus, a donné cette cuvée typée grenat vif et soutenu, aux nuances olfactives intenses de cerise et de myrtille mêlées de café et de chocolat. La bouche, harmonieuse et persistante, est faite d'arômes de fruits rouges et d'une chair élégamment charpentée qui permettront à ce vin d'être apprécié dès maintenant et pendant deux à trois ans. (30 à 49 F)

Armand Vernus, Le Vieux-Bourg, 69460 Odenas, tél. 04.74.03.40.63, fax 04.74.03.40.76 r.-v.

DOM. DES NAZINS 1999

■ 1,4 ha 8 200 8 à 11 €

La famille est installée à Saint-Lager depuis quatre siècles, mais le domaine, lui, date de 1900. Dans ses caves a été élevé un vin rubis foncé qui s'ouvre sur des notes de framboise et de cerise. Souple, gouleyant et frais, il laisse en bouche un bon goût de fruits rouges et de confiture. Il est à boire avec de la tête de porc roulée ou un saucisson cuit au vin. (50 à 69 F)

Loïc Brac de La Perrière, Les Nazins, 69220 saint-Lager, tél. 04.74.66.82.82, fax 04.74.66.72.05 r.-v.

DOM. ROBERT PERROUD 1999

■ 5 ha 10 000 5 à 8 €

Le **côte de brouilly 2000** et ce brouilly 99, tous deux également cités confortent le slogan de l'exploitation qui affirme que ses productions « ... sont le Pérou » ! Ce vin rubis profond avec de beaux reflets bleus s'ouvre rapidement sur de complexes parfums de fruits très mûrs, de grillé et d'épices. La bouche bien constituée et équilibrée présente les caractéristiques d'une thermovinification. D'une bonne harmonie et bien fait, ce vin est déjà prêt à être bu sur des viandes rouges et du gibier, mais il peut aussi attendre deux à trois ans. (30 à 49 F)

Robert Perroud, Les Balloquets, 69460 Odenas, tél. 04.74.04.35.63, fax 04.74.04.32.46, e-mail robertperroud@wanadoo.fr r.-v.

DOM. DE PIERREFAIT 1999

■ 2 ha 10 000 5 à 8 €

Des vignes de trente ans d'âge ont donné un vin rubis aux parfums moyennement intenses de fruits rouges, de pivoine et d'épices. L'attaque agréable et ronde est suivie d'impressions plus tanniques mais franches ; on conseille de boire cette bouteille dans l'année avec un magret de canard aux épices. (30 à 49 F)

Claude Echallier, Creigne, 69460 Odenas, tél. 06.11.75.86.82 r.-v.

DOM. DE PONCHON 2000

■ 3 ha 5 000 5 à 8 €

C'est la quatrième génération installée à Régnié qui exploite cette propriété familiale. Yves Durand a élaboré un vin grenat aux senteurs complexes de confiture de cerises, d'épices, avec une pointe de vinosité. La bouche, élégante et racée, paraît assez fine. Typé et plaisant, ce 2000 est à boire avec un saucisson brioché. (30 à 49 F)

Yves Durand, Ponchon, 69430 Régnié-Durette, tél. 04.74.04.34.78, fax 04.74.04.34.78 t.l.j. 8h-20h

CAVE BEAUJOLAISE DE QUINCIE 1999★

■ 4 ha 15 000 5 à 8 €

Une étoile a été attribuée au **côte de brouilly 99** de la coopérative et à cette cuvée pourpre limpide aux élégantes senteurs de fruits rouges et de violette. La bouche charnue, souple et équilibrée, conserve beaucoup de fraîcheur. Ce vin harmonieux, bien structuré, est à déguster au cours des deux prochaines années. (30 à 49 F)

Cave beaujolaise de Quincié, Le Ribouillon, 69430 Quincié-en-Beaujolais, tél. 04.74.04.32.54, fax 04.74.69.01.30 r.-v.

DOM. RUET 2000★

■ 4 ha 20 000 5 à 8 €

Ce domaine de 16 ha, installé au pied du mont Brouilly, a été élevé un **régnié 2000** cité par le jury et cette cuvée grenat foncé aux parfums nets de fruits rouges, de cassis et de fleurs. Sa riche matière finement sculptée et sa bonne persistance sont celles d'un vin de garde à découvrir dans les mois à venir. N'oubliez pas que Jean-Paul Ruet a obtenu dans cette AOC deux coups de cœur pour les millésimes 98 et 99. (30 à 49 F)

Dom. Ruet, Voujon, 69220 Cercié-en-Beaujolais, tél. 04.74.66.85.00, fax 04.74.66.89.64, e-mail ruet.beaujolais@wanadoo.fr r.-v.

Jean-Paul Ruet

DOM. DE SAINT-ENNEMOND 2000★

■ 6 ha 30 000 5 à 8 €

Portant le nom d'un archevêque de Lyon au VIIe s., ce domaine compte 15 ha... et des chambres d'hôtes. Son 2000 rouge profond aux complexes parfums de fruits à noyau, de fraise et de cassis n'est pas exempt de nuances de bonbon anglais. Ce vin friand, très aromatique et bien réussi, évoque le vin nouveau : il est à boire maintenant. (30 à 49 F)

Christian Béréziat, Saint-Ennemond, 69220 Cercié-en-Beaujolais, tél. 04.74.69.67.17, fax 04.74.69.67.29, e-mail christian.bereziat@wanadoo.fr t.l.j. 8h-19h

DOM. DU SANCILLON 1999

■ 3,9 ha 8 000 5 à 8 €

A mi-chemin entre thermovinification et vinification plus classique, cette cuvée pourpre soutenu s'ouvre assez rapidement sur de complexes parfums de fleurs blanches et d'épices. Certains aiment son attaque un peu légère et ses arômes floraux, d'autres sont séduits par sa chair et sa bonne structure qui la feront apprécier pendant un an avec un plat de gros gibier. (30 à 49 F)

Charles Champier, Le Moulin Favre, 69460 Odenas, tél. 04.74.03.42.18, fax 04.74.03.30.62 r.-v.

Dom. Rolland

DOM. JEANNE TATOUX Garanche 2000

■ 3 ha 9 730 ⊕ 5à8€

Commercialisé par l'Eventail de vignerons producteurs, et né sur un coteau de Charentay, ce vin grenat limpide s'ouvre sur d'originales nuances de berlingot de Carpentras qui évoluent vers la fraise et la framboise. Gouleyant, souple et plaisant, ce vin de soif est à boire avec un plat de charcuterie. (30 à 49 F)

Jeanne Tatoux, 69220 Charentay, tél. 04.74.06.10.10, fax 04.74.66.13.77 Y r.-v.

GEORGES VIORNERY 2000*

■ n.c. 14 000 5à8€

C'est au lieu-dit Brouilly qu'est élevée cette cuvée rouge profond. Le nez très intense évoque les fruits rouges et noirs. Puissamment constituée, la bouche offre des notes de framboise. Ce vin au fort potentiel est à attendre deux ans. (30 à 49 F)

Georges Viornery, Brouilly, 69460 Odenas, tél. 04.74.03.41.44, fax 04.74.03.41.44 Y t.l.j. 8h-20h

DOM. DE VURIL 1999

■ 11,1 ha 35 000 5à8€

Des sols argilo-calcaires et granitiques sont à l'origine de ce brouilly rubis soutenu imprégné de notes de fruits rouges et noirs très mûrs mêlés à des épices. Rond, charnu et fruité, ce vin d'une bonne persistance révèle une matière un peu fine et cependant très agréable. Il est à boire avec une volaille de Bresse rôtie au jus de truffe. (30 à 49 F)

Gabriel Jambon, Chapoly, 69220 Charentay, tél. 04.74.66.84.98, fax 04.74.66.80.58 Y r.-v.

Côte de brouilly

DOM. BARON DE L'ECLUSE 1999*

■ 5,11 ha 10 000 5à8€

Présidente fondatrice du groupe « Etoiles en Beaujolais », Chantal Pégaz est à la tête de ce domaine qui a élaboré un 99 au nez puissant de fruits très mûrs, de cassis et de notes grillées. Ample, rond et dense, ce vin chaleureux doté de fins tanins et à la finale épicée est prêt à boire, mais a encore de beaux jours devant lui : deux années de garde sont à sa portée. (30 à 49 F)

SCI du Dom. Baron de l'Ecluse, L'Ecluse, 69460 Odenas, tél. 04.74.03.40.29, fax 04.74.03.53.50, e-mail vinbaron@aol.com Y r.-v.

CAVE DES VIGNERONS DE BEL-AIR 2000**

■ 5 ha 42 000 5à8€

Les origines de la cave remontent à 1929 lorsqu'une poignée de vignerons s'associèrent pour fonder leur cuvage. Mentionné avec le **beaujolais-villages du même millésime**, cité par le jury, ce côte de brouilly grenat foncé se révèle par de fins parfums de groseille et de raisin qui accompagnent une bouche très agréable, charnue, aux arômes de fruits rouges persistants. Sa finale plus tannique ne rompt pas la remarquable impression d'ensemble. Ce joli vin est prêt, mais il peut être gardé deux ans en cave. (30 à 49 F)

Cave des Vignerons de Bel-Air, rte de Beaujeu, 69220 Saint-Jean-d'Ardières, tél. 04.74.06.16.05, fax 04.74.06.16.09, e-mail cvba@wanadoo.fr Y t.l.j. sf dim. 9h-12h 14h-18h

M. BONNETAIN 1999

■ 3 ha 7 000 ⊕ 8à11€

La métairie de l'Institut Pasteur, exploitée par la même famille depuis 1947, a élaboré un vin rubis foncé avec quelques reflets tuilés. De fines senteurs minérales, de sous-bois et d'épices apparaissent à l'aération. Les premières impressions charnues et fruitées, fort agréables, évoluent vers une finale un peu vive, d'une bonne longueur ; ce 99 est à boire dans l'année. (50 à 69 F)

Maurice Bonnetain, Le Bourg, 69220 Saint-Lager, tél. 04.74.66.81.49, fax 04.74.66.71.95 Y r.-v.

DOM. DU CHEMIN DE RONDE 2000*

■ 3 ha n.c. 5à8€

Les vignes implantées ici au nord-est sur une des plus dures roches d'Europe ont donné un vin grenat au nez assez fin de fruits très mûrs. Garnissant avec spontanéité la bouche d'harmonieuses impressions de chair, de tanins fondus soutenus par des arômes fruités et complexes, ce sympathique représentant de l'AOC sera apprécié au cours des deux prochaines années. (30 à 49 F)

Gérard Monteil, 70, Grande rue, 69220 Cercié-en-Beaujolais, tél. 04.74.66.80.50, fax 04.74.66.70.91 Y r.-v.

DOM. CHEVALIER-METRAT 1999

■ 2 ha 8 000 ⊕ 5à8€

Cuves Inox et pièces en chêne accueillent les vins issus des vignes de quarante ans implantées sur les roches bleues des schistes anciens des côtes de brouilly. Rouge vif, ce vin livre de fins parfums de myrtille et de mûre soutenus par une pointe de minéralité. La bouche, agréable et pleine, associe le fruité à d'élégantes nuances boisées. Ce 99 sera prêt dès cet automne. Egalement sélectionné par le jury, le **beaujolais rouge 2000 (20 à 29 F)** provient d'une parcelle de 50 ares. (30 à 49 F)

Sylvain Métrat, Le Roux, 69460 Odenas, tél. 04.74.03.50.33, fax 04.74.03.37.24 Y r.-v.

DOM. DE CONROY 1999*

■ 7,8 ha 25 000 5à8€

Ce domaine d'une douzaine d'hectares date du XVIIe s. Il propose un côte de brouilly rouge foncé aux notes assez puissantes de mûre et de poire complétées de nuances minérales. Les premières impressions, franches et souples, accompagnent une chair agréable dont la finale est encore un peu tannique. Ce vin très réussi doit être aéré avant d'être servi, en 2002. (30 à 49 F)

🔑 SCE des Dom. Saint-Charles, Le Bluizard, 69460 Saint-Etienne-la-Varenne, tél. 04.74.03.30.90, fax 04.74.03.30.80, e-mail saintcharles@sofradi.com ☑ 🍷 r.-v.

🔑 Jean de Saint-Charles

VALERIE DALAIS 1999

■ 0,5 ha 2 000 🛢 5à8€

Un agréable nez de poivre, de safran et de cuir qui peut encore évoluer, caractérise cette cuvée grenat profond sortant d'un élevage de douze mois en fût. La bouche corsée et un peu rude doit s'affiner. On attendra cette bouteille un an avant de la servir avec du gibier. (30 à 49 F)

🔑 Valérie Dalais, La Grand-Raie, 69220 Saint-Lager, tél. 04.74.66.75.37, fax 04.74.66.75.77 ☑ 🍷 r.-v.

DOM. DU FOUR A PAIN 2000*

■ 2 ha 15 000 🍾🌡 5à8€

Ce côte de brouilly grenat presque violet est d'une bonne limpidité. Le nez vineux livre de fines nuances de cerise. La bouche franche et ronde se montre plus corsée en finale. Ce vin bien fait doit s'ouvrir. On l'attendra un an. (30 à 49 F)

🔑 SCI de L'Ecluse, 69220 Saint-Lager, tél. 04.74.09.60.08

CH. DU GRAND VERNAY 1999

■ n.c. 20 000 🛢 5à8€

Ce domaine créé en 1950 a obtenu un coup de cœur dans le Guide Hachette 1993. Il a récolté sur le flanc sud du mont Brouilly et élevé en foudre de chêne une cuvée grenat soutenu au nez assez concentré de griotte, de fougère et de foin. La belle attaque, un peu nerveuse, accompagne une chair fruitée et fine. Ce vin se révèlera au cours des deux prochaines années et fera l'affaire avec une terrine de sanglier. (30 à 49 F)

🔑 EARL Claude Geoffray, Ch. du Grand Vernay, 69220 Charentay, tél. 04.74.03.46.20, fax 04.74.03.47.46 ☑ 🍷 t.l.j. 9h-12h30 13h30-19h30

DOM. DE LA MADONE 2000

■ 8 ha 10 000 🍾🛢 5à8€

Situé non loin de la chapelle du mont Brouilly dédiée à Notre-Dame-du-Raisin, ce domaine d'une douzaine d'hectares a élevé un côte de brouilly sombre aux parfums développés de groseille, de sous-bois et de fougère. La bouche fortement structurée et concentrée se montre déjà assez ronde et longue. A boire au cours des deux prochaines années avec une entrecôte grillée. (30 à 49 F)

🔑 EARL Dom. de La Madone, Les Maisons-Neuves, 69220 Saint-Lager, tél. 04.74.66.84.37, fax 04.74.66.70.65 ☑

🔑 Daniel Trichard

DOM. DE LA PIERRE BLEUE 2000**

■ 4 ha n.c. 🍾🌡 5à8€

Une nouvelle fois, le **beaujolais 2000 des Sables d'Or** reçoit une étoile. C'est aussi dans le cuvage du domaine construit en 1840 et aménagé en lieu de réception et de dégustation que le lecteur pourra apprécier cette cuvée. Elle a été élue coup de cœur par le grand jury pour sa belle robe grenat à reflets pourpre, limpide et brillante, d'où émanent de très agréables parfums de fruits rouges et de violette d'une bonne intensité. Après une attaque parfaitement équilibrée, on savoure des tanins souples enrobés de notes fruitées et florales. Ce millésime harmonieux et très plaisant sera à boire pendant deux à trois ans. (30 à 49 F)

🔑 EARL Olivier Ravier, Dom. des Sables d'Or, Les Descours, 69220 Belleville, tél. 04.74.66.12.66, fax 04.74.66.57.50, e-mail olivier.ravier@wanadoo.fr ☑ 🍷 t.l.j. 8h-18h

DOM. J. LARGE 2000

■ 3,2 ha 17 330 🛢 5à8€

Ce côte de brouilly, mis en bouteilles par l'Eventail de vignerons producteurs à Corcelles, s'ouvre sur des nuances de fruits noirs et de grillé. Son fruité en bouche reste dominé par de nombreux tanins prometteurs. Sa finale minérale encore un peu rustique incite à l'attendre au moins un an. (30 à 49 F)

🔑 Michel Large, 69460 Odenas, tél. 04.74.06.10.10, fax 04.74.66.13.77 ☑ 🍷 r.-v.

DOM. DE LA VOUTE DES CROZES 2000

■ 3,5 ha 25 000 5à8€

Des vignes de quarante ans complantées sur des granites et des schistes anciens sont à l'origine de ce vin grenat qui s'ouvre sur des parfums concentrés de type pivoine. La bouche complexe et évolutive ne manque ni de tanins ni de matière. En s'affinant après quelques mois de garde, ce 2000 révèlera toute sa puissance. (30 à 49 F)

🔑 Nicole Chanrion, Les Crozes, 80, Grande-Rue, 69220 Cercié-en-Beaujolais, tél. 04.74.66.80.37, fax 04.74.66.89.60 ☑ 🍷 r.-v.

DOM. LES ROCHES BLEUES 1999*

■ 2,65 ha 17 500 🛢 5à8€

Mètre après mètre, il a fallu attaquer la roche à la dynamite pour construire la cave voûtée de

15 m de long où a été élevé ce 99 rouge soutenu, jeune, au nez flatteur de raisins frais et de fleurs. La bouche très agréable, équilibrée, offre des nuances de piment et de pierre à fusil. A boire. (30 à 49 F)

Dominique Lacondemine, Dom. Les Roches Bleues, 69460 Odenas, tél. 04.74.03.43.11, fax 04.74.03.50.06, e-mail lacondemine.dominique@wanadoo.fr t.l.j. 8h30-20h; dim. sur r.-v.

DOM. MONBRIAND 2000

n.c. 13 000 5à8€

Sélection de la maison de négoce de Juliénas, ce vin livre des parfums développés de cerise, des notes amyliques et florales. Harmonieusement équilibré, doté d'une charpente légère, cet agréable représentant de l'AOC est à boire maintenant. (30 à 49 F)

Jacques Dépagneux, Les Chers, 69840 Juliénas, tél. 04.74.06.78.70, fax 04.74.06.78.71, e-mail avf@free.fr r.-v.

DOM. ROLLAND 2000

6 ha 4 000 8à11€

Cette maison de négoce, dont les origines remontent à 1882, a élevé un vin doté d'une très belle robe grenat profond, au nez développé de kirsch, de cassis et de mûre. L'attaque souple est suivie de plus de fermeté : les tanins - cependant assez fondus - et de la vivacité sont là pour assurer un bon vieillissement. On retrouvera dans un an avec plaisir cette sélection d'une grande finesse. (50 à 69 F)

Pierre Ferraud et Fils, 31, rue du Mal-Foch, 69220 Belleville, tél. 04.74.06.47.60, fax 04.74.66.05.50 r.-v.

CELLIER DES SAINT-ETIENNE 2000

12 ha 8 000 5à8€

La cave créée en 1957 regroupe 250 coopérateurs et vinifie 25 000 hl. Grenat à reflets violets, ce 2000 révèle d'assez intenses parfums de fruits rouges associés à de la pivoine, de la jonquille, et des senteurs de sous-bois. Lorsque sa légère tannicité se sera estompée, ce vin typé, d'une bonne puissance mise en valeur par de belles notes minérales, accompagnera très agréablement un plat de charcuterie. Il sera à boire au cours des deux prochaines années. (30 à 49 F)

Cellier des Saint-Etienne, rue du Beaujolais, 69460 Saint-Etienne-des-Oullières, tél. 04.74.03.43.69, fax 04.74.03.48.29 r.-v.

DOM. DU SOULIER 2000

7 ha 6 000 5à8€

C'est dans l'une des plus grandes caves voûtées de la côte qu'a été élevé ce vin rouge sombre aux complexes parfums de griotte, de framboise, de groseille et de cassis mêlés à de l'iris. La bouche souple et assez puissante révèle en finale quelques tanins qui le pénalisent aujourd'hui. Dans un an, il fera l'unanimité et pourra être servi avec un civet de lièvre. (30 à 49 F)

Diane Julhiet, Dom. du Soulier, 69460 Odenas, tél. 04.74.03.49.01, fax 04.74.03.49.01 r.-v.

CH. THIVIN 2000*

8,3 ha 60 000 5à8€

Ruiné par le phylloxéra, ce domaine a été l'un des moteurs du renouveau du Beaujolais. Paré d'une robe intense ourlée de reflets violets, ce 2000 livre de généreux parfums de fruits rouges que dominent des notes fraîches de cerise. Ses tanins doux et aromatiques se révèlent harmonieux et persistants. Ce vin d'une puissance contenue qui exprime une grande typicité est prêt, mais il peut être dégusté pendant deux à trois ans. (30 à 49 F)

Claude Geoffray, Ch. Thivin, 69460 Odenas, tél. 04.74.03.47.53, fax 04.74.03.52.87 r.-v.

DOM. DU VADOT 1999*

2 ha 8 000 5à8€

Des vignes de soixante ans plantées sur des sols de granite et de schistes anciens sont à l'origine de cette cuvée grenat sombre aux nuances minérales, de sous-bois et de fruits rouges. Des notes musquées, chaudes, voire animales, amplifient l'intensité de sa matière. Complet et assez long, ce vin typé peut être bu au cours des trois prochaines années avec de la charcuterie ou une viande rouge. (30 à 49 F)

Jean-Pierre Gouillon, Dom. du Vadot, Pont-de-Cherves, 69430 Quincié-en-Beaujolais, tél. 04.74.04.36.19, fax 04.74.69.00.44 r.-v.

ROBERT VERGER L'Ecluse 2000*

9 ha 15 000 5à8€

Ce domaine de 10,3 ha pratique la lutte raisonnée - dite intégrée -, respectueux de l'environnement. Dans la cave, rénovée en 1996, a été élevé ce vin pourpre et limpide aux parfums développés et flatteurs de fruits rouges et de violette. Sa belle structure équilibrée repose sur des tanins souples imprégnés de senteurs un peu sauvages. Très agréable, il sera à boire dans les deux prochaines années. (30 à 49 F)

Robert Verger, L'Ecluse, 69220 Saint-Lager, tél. 04.74.66.82.09, fax 04.74.66.71.31 r.-v.

Chénas

La légende explique que ce lieu était autrefois couvert d'une immense forêt de chênes, et qu'un bûcheron, constatant le développement de la vigne plantée naturellement par quelque oiseau, à n'en pas douter divin, se mit en devoir de défricher pour introduire la noble plante ; celle-là même qui aujourd'hui s'appelle gamay noir.

L'une des plus petites appellations du Beaujolais, couvrant 285 ha aux confins du Rhône et de la Saône-et-Loire, a donné, en 2000, 16 130 hl récoltés sur les communes de Chénas et de La Chapelle-de-Guinchay. Les chénas produits sur les terrains pentus et granitiques à l'ouest sont colorés, puissants, mais sans agressivité excessive, exprimant des arômes floraux à base de rose et de violette ; ils rappellent ceux du moulin-à-vent qui occupe la plus grande partie des terroirs de la commune. Les chénas issus de vignes du secteur plus limoneux et moins accidenté de l'est, présentent une charpente plus ténue. Cette appellation, qui, sans pour autant démériter, fait figure de parent pauvre par rapport aux autres crus du Beaujolais, souffre de la petitesse de son potentiel de production. La cave coopérative du château vinifie 45 % de l'appellation et offre une belle perspective de fûts de chêne sous ses voûtes datant du XVII^e^s.

MICHEL ET REMI BENON 2000

■ 3 ha 13 000 5 à 8 €

La dixième génération au pouvoir sur ce domaine familial partage la passion de ses ancêtres pour le vignoble du Beaujolais. Ce très jeune vin rubis brillant est bâti pour la garde. Doté d'un beau potentiel tannique, il est qualifié de « masculin ». Attendons deux à trois ans pour l'apprécier à sa juste valeur autour d'un gibier. (30 à 49 F)

GAEC Michel et Rémi Benon, Les Blémonts, 71570 La Chapelle-de-Guinchay, tél. 03.85.33.84.22, fax 03.85.33.89.54, e-mail benon@vins-du-beaujolais.com t.l.j. 8h-19h

CH. BONNET Vieilles vignes 2000

■ 8 ha 30 000 5 à 8 €

Situé à 2 km du moulin à vent et à 3 km de la maison de la Dîme de Juliénas, ce domaine de 13 ha est équipé de cuves de ciment et de foudres de chêne. Des vignes de soixante ans ont donné ce vin pourpre au nez de fruits rouges très mûrs. Une pointe vanillée, associée à des tanins bien présents, rappelle qu'il devra encore vieillir en cave. Ses arômes de fraise et de framboise ainsi que son bon équilibre général sont intéressants. (30 à 49 F)

Pierre-Yves Perrachon, Ch. Bonnet, 71570 La Chapelle-de-Guinchay, tél. 03.85.36.70.41, fax 03.85.36.77.27, e-mail chbonnet@terre.net.fr r.-v.

AMEDEE DEGRANGE 1999*

■ 0,12 ha 1000 5 à 8 €

Un **moulin à vent** et un chénas du même millésime se voient attribuer chacun une étoile par le jury. Le chénas, de teinte grenat, décline d'agréables et fines nuances boisées. La bouche charnue se montre longue et franche. L'empreinte du chêne est assez bien fondue. Ce vin encore vif, structuré et puissant, accompagnera un plat de cochonnaille ou un rôti de veau aux champignons. A conserver pendant deux ou trois ans. (30 à 49 F)

Amédée Degrange, Les Vérillats, 69840 Chénas, tél. 04.74.04.48.48, fax 04.74.04.46.35 t.l.j. 8h-12h 14h-19h

JEAN GEORGES ET FILS 1999

■ 2,7 ha 5 000 5 à 8 €

Avec 20 % de sa production exportée vers les Etats-Unis, l'Allemagne et la Belgique, ce domaine familial est une valeur sûre en chénas. Sa cuvée 99 présente une très jolie robe grenat limpide restée jeune ; le nez complexe de fruits rouges bien mûrs rappelle aussi qu'elle a été élevée quatre mois dans le bois. Ce vin ample, charnu, doté d'une belle structure, est arrivé à maturité. Il peut encore attendre un à deux ans. Le **moulin à vent 99 (50 à 69 F)** du domaine a également été cité par le jury. (30 à 49 F)

GAEC Jean Georges et Fils, Le Bourg, 69840 Chénas, tél. 04.74.04.48.21, fax 04.74.04.42.77, e-mail jean-georges-et-fils@wanadoo.fr r.-v.

PASCAL GRANGER 2000

■ 0,5 ha 4 000 5 à 8 €

Deux siècles d'histoire viticole pour cette famille de Juliénas dont la **cuvée spéciale 2000 en beaujolais-villages (20 à 29 F)** a été citée, comme ce vin rubis limpide aux parfums discrets de fruits rouges. Des notes de mûre et de cassis s'affirment plus nettement au palais. Assez puissant avec une belle charpente tannique, ce vin est équilibré. Il est à attendre un à deux ans. (30 à 49 F)

Germaine Granger, Les Poupets, 69840 Juliénas, tél. 04.74.04.44.79, fax 04.74.04.41.24 r.-v.

DOM. DU GREFFEUR 1999

■ 2 ha 3 000 5 à 8 €

Les vignes du domaine, créé en 1977 à partir du vignoble paternel, ont donné un 99 resté très jeune. Le nez encore fermé évoque les fruits rouges bien mûrs. Des tanins un peu sévères masquent la rondeur initiale de la chair ; ils doivent s'assouplir. (30 à 49 F)

Jean-Claude Lespinasse, Les Marmets, 71570 La Chapelle-de-Guinchay, tél. 03.85.36.70.42, fax 03.85.33.85.49 r.-v.

HUBERT LAPIERRE
Cuvée spéciale Vieilli en fût de chêne 1999*

■ 1 ha 4 500 8 à 11 €

Née de vignes de soixante ans, cette cuvée spéciale, à la belle robe pourpre, qui sort d'un élevage de dix mois en fût de chêne, livre des parfums de fruits rouges et de boisé d'une grande finesse. Ne manquant ni de chair ni de vivacité et imprégnée de riches tanins fondus, elle a encore de la réserve. Ce vin boisé très réussi sera apprécié au cours des deux ou trois prochaines années sur des viandes en sauce. (50 à 69 F)

Hubert Lapierre, Les Gandelins, 71570 La Chapelle-de-Guinchay, tél. 03.85.36.74.89, fax 03.85.36.79.69 r.-v.

LE VIEUX DOMAINE 1999

■ 1 ha 3 000 5à8€

C'est en 1890 que fut créé Le Vieux Domaine, à l'endroit même où s'élevait un presbytère un siècle auparavant. La cuvée 99, grenat soutenu, livre de belles notes boisées et épicées sur un fond fruité. Marquée par un élevage bien maîtrisé dans le chêne, elle se montre réussie. Une structure un peu légère incitera à la déguster dès à présent et pendant un à deux ans. (30 à 49 F)

EARL M.-C. et D. Joseph, Le Vieux Bourg, 69840 Chénas, tél. 04.74.04.48.08, fax 04.74.04.47.36, e-mail le.vieux.domaine@wanadoo.fr r.-v.

DOM. DU MAUPAS 2000★

■ 0,9 ha 3 000 5à8€

H. Lespinasse a créé ce domaine en 1962, achetant des vignes afin de constituer une exploitation de 7,5 ha. Si le **juliénas 2000** du domaine a obtenu une citation, c'est ce vin rubis limpide qui décroche une étoile. Des parfums amyliques, des saveurs de framboise et de griotte, francs et généreux, accompagnent une bouche structurée. La vivacité originelle de ce chénas garde le dessus et apparaît comme un gage de bonne conservation. On l'attendra quelques mois et on l'appréciera pendant deux ou trois ans. (30 à 49 F)

H. et J. Lespinasse, Dom. du Maupas, 69840 Juliénas, tél. 03.85.36.75.86, fax 03.85.33.86.70 r.-v.

DOM. DES PINS 1999

■ 4,5 ha 4 000 5à8€

L'homogénéité de ce 99 à la robe rubis clair tient dans la délicatesse des parfums fruités associés à une bouche assez ronde mais très fine. Franc et bien tendre pour un cru, il est à boire avec des lentilles accompagnées d'un saucisson chaud. (30 à 49 F)

Pascal Aufranc, En Rémont, 69840 Chénas, tél. 04.74.04.47.95, fax 04.74.04.47.95 r.-v.

DOM. DU P'TIT PARADIS 2000

0,52 ha 3 800 5à8€

Depuis le P'tit Paradis, situé à mi-coteau au milieu des vignes, le regard peut embrasser un large panorama sur la chaîne des Alpes. Les parfums fruités de cette cuvée rouge limpide sont mêlés à des notes épicées. Sa bonne charpente et sa vivacité de bon aloi la feront apprécier dès maintenant. (30 à 49 F)

Denise et Francis Margerand, Les Pinchons, 69840 Chénas, tél. 04.74.04.48.71, fax 04.74.04.46.29 t.l.j. 8h-20h

GEORGES ROSSI
Vignoble en Guinchay 2000★

2,5 ha 9 330 5à8€

Commercialisée par l'Eventail des vignerons producteurs, cette cuvée provient d'un domaine acquis en 1962 après des décennies de métayage. Rouge bleuté, brillante et limpide, elle livre de discrets parfums de cassis et de framboise. L'attaque fruitée, souple et soyeuse, met en valeur des tanins nombreux mais harmonieux. Equilibrée et élégante, cette bouteille sera appréciée dès maintenant et pendant deux à trois ans. (30 à 49 F)

Georges Rossi, 71570 La Chapelle-de-Guinchay, tél. 04.74.06.10.10, fax 04.74.66.13.77 r.-v.

DOM. DE TREMONT
Les Gandelins 2000★

■ 2 ha 10 000 5à8€

Ce domaine de 19 ha, créé en 1989, a élaboré un vin à la robe rouge violacé soutenu. Des parfums intenses de fruits mûrs mêlés à une pointe animale composent, avec une riche matière charnue et des tanins plaisants, une cuvée digne de son grand voisin le moulin à vent. Conservant de la souplesse, elle est à boire mais peut attendre deux ans. (30 à 49 F)

Daniel et Françoise Bouchacourt, Les Jean-Loron, 71570 La Chapelle-de-Guinchay, tél. 03.85.36.77.49, fax 03.85.33.87.20 r.-v.

Chiroubles

Le plus « haut » des crus du Beaujolais. Récolté sur les 374 ha d'une seule commune perchée à près de 400 m d'altitude, dans un site en forme de cirque aux sols constitués de sable granitique léger et maigre, il produit 21 500 hl à partir du gamay noir. Le chiroubles, élégant, fin, peu chargé en tanins, gouleyant, charmeur, évoque la violette. Créée en 1996, la Confrérie des Damoiselles de Chiroubles, assistée de ses chevaliers, fait connaître avec tact ce vin quelquefois désigné comme étant le plus féminin des crus. Rapidement consommable, il a parfois un peu le caractère du fleurie ou du morgon, crus limitrophes. Il accompagne à toute heure quelque plat de charcuterie. Pour s'en convaincre, il suffit de prendre la route au-delà du bourg, en direction du Fût d'Avenas, dont le sommet, à 700 m, domine le village et abrite un « chalet de dégustation ».

Chiroubles célèbre chaque année, en avril, l'un de ses enfants, le grand savant ampélographe Victor Pulliat, né en 1827, dont les travaux consacrés à l'échelle de précocité et au greffage des espèces de vigne sont mondialement connus ; pour parfaire ses observations, il avait rassemblé dans son domaine de Tempéré plus de 2 000 variétés ! Chiroubles possède une cave coopérative qui vinifie 3 000 hl du cru.

DOM. CHAPELLE SAINT-ROCH 2000★★

■ 5 ha 3 330 🍷 5à8€

Des vignes de quarante ans implantées sur des sables granitiques ont donné un chiroubles grenat aux parfums prononcés de groseille et de bonbon acidulé où se mêlent des nuances de réglisse et d'épices. La belle attaque fruitée et fraîche, qui se prolonge longuement avec des notes de cerise et de groseille, est soutenue par des tanins puissants et ronds. Élégant, typé et gouleyant, c'est un vin que l'on croque avec plaisir comme un fruit ; il sera à boire dans les deux ans avec un cuissot de chevreuil. (30 à 49 F)

🔑 Gérard Chapuy, 69115 Chiroubles, tél. 04.74.06.10.10, fax 04.74.66.13.77 ☑ 𝐘 r.-v.

DOM. DU CLOS VERDY 1999★★

■ 5,5 ha 14 000 🍷 5à8€

Ce domaine récolte deux étoiles pour la deuxième année consécutive. Son 99, grenat limpide, libère des senteurs de kirsch et de fruits rouges, accompagnées d'une palette d'épices aux nuances de cannelle, de clou de girofle, de réglisse et de safran. La belle attaque, vive et aromatique, se poursuit harmonieusement avec de superbes tanins fondus enrobés de parfums de cerise confite. La finale de réglisse et de notes minérales est séduisante. Remarquable, ce chiroubles est à boire maintenant ou pendant un an avec un poulet à la crème et aux morilles. (30 à 49 F)

🔑 Georges Boulon, pl. Victor-Pulliat, 69115 Chiroubles, tél. 04.74.04.27.27, fax 04.74.69.13.16 ☑ 𝐘 t.l.j. 9h-12h 14h-18h; sam. dim. sur r.-v.

DOM. DU CRET DES BRUYERES 2000★

■ 1,9 ha 6 000 🍷 5à8€

Situé à 800 m du château de la Pierre datant du XIVᵉs., ce domaine a obtenu une étoile pour cette cuvée violacée que complète la production principale de **régnié 2000 (20 à 29 F)** citée par le jury. La forte intensité des parfums de cassis et de fruits rouges frais signe une technique de vinification dite de thermovinification. La bouche charnue, ample et ronde, est fraîche. Sa finale n'est pas typique mais l'ensemble reste équilibré. Les adeptes de ce style savoureront cette bouteille au cours des deux prochaines années. (30 à 49 F)

🔑 GFA Desplace Frères, Aux Bruyères, 69430 Régnié-Durette, tél. 04.74.04.30.21, fax 04.74.04.30.55 ☑ 𝐘 r.-v.

DOM. DUFOUX Cuvée réservée 1999

■ 1,65 ha 7 000 🍷 5à8€

Rouge violine, cette cuvée livre d'agréables parfums de framboise et de groseille où se mêlent la vanille et une pointe d'épices. Après une bonne attaque, les tanins prennent le dessus. Cependant les arômes de fruits confits complètent la dégustation de ce vin et invitent à le boire maintenant. (30 à 49 F)

🔑 Guy Morin, Le Bois, 69115 Chiroubles, tél. 04.74.69.13.29, fax 04.74.69.13.29 ☑ 𝐘 t.l.j. 9h-20h

🔑 Marcel Dufoux

DOM. GOBET Vieilles vignes 1999★

■ 0,85 ha 1 800 🍷 5à8€

Christophe Jeannet dirige depuis 1998 ce vignoble de 6 ha. Cette année, la cuvée 99, rubis sombre, est imprégnée de parfums de fruits rouges, de vanille et de poivre. Elle garnit avec souplesse le palais. La puissance contenue ainsi que les nuances fruitées et poivrées contribuent au charme de la dégustation de ce vin harmonieux à boire dans l'année. (30 à 49 F)

🔑 Christophe Jeannet, Le Bourg, 69115 Chiroubles, tél. 04.74.04.21.04, fax 04.74.04.23.58, e-mail domaine.gobet@wanadoo.fr ☑ 𝐘 r.-v.

DOM. DE LA CHAPELLE DES BOIS 1999★

■ 0,24 ha 1 700 🍷 5à8€

Des vignes de quarante ans ont donné cette cuvée grenat aux parfums de cerise mêlés à de la vanille. Vive et fraîche dans un premier temps, elle ne manque pas de chair. Des tanins en fin d'évolution marquent encore sa finale mais n'altèrent pas sa bonne harmonie. On attendra 2002 pour l'apprécier pleinement. (30 à 49 F)

🔑 EARL Coudert-Appert, Le Colombier, 69820 Fleurie, tél. 04.74.69.86.07, fax 04.74.04.12.66 ☑ 𝐘 t.l.j. 8h-20h; f. en janv.

DOM. DE LA COMBE AU LOUP 1999★

■ 5 ha 38 000 🍷 5à8€

Coup de cœur l'an dernier pour le millésime 98 dans cette appellation, le domaine se distingue une nouvelle fois avec le **régnié 99**, cité, et ce vin grenat qui s'ouvre sur les fruits rouges frais dont la griotte. La bouche charnue, faite de fins tanins et dotée d'un très bon potentiel aromatique de framboise et de groseille, est fort harmonieuse. Une très belle bouteille à déguster dans les trois prochaines années. (30 à 49 F)

🔑 Méziat Père et Fils, Dom. de la Combe au Loup, Le Bourg, 69115 Chiroubles, tél. 04.74.04.24.02, fax 04.74.69.14.07 ☑ 𝐘 t.l.j. sf dim. 8h30-12h 14h-18h30

VIGNOBLE LA FONTENELLE 2000★★

■ 5 ha 10 000 🍷 5à8€

Le domaine exposé au sud-sud-est a produit un vin rubis très brillant aux parfums encore discrets de fruits rouges, de réglisse et d'épices. Sa bouche bien expressive, charnue, soutenue par de fins tanins serrés, montre une belle ampleur. Les arômes de cerise bien mûre persistent longuement avec fraîcheur. Frais et agréable, ce chiroubles sera à boire au cours des deux prochaines années avec une viande blanche. (30 à 49 F)

⊶ Gobet-Jeannet, 69115 Chiroubles, tél. 04.74.06.10.10, fax 04.74.66.13.77 ☒ Y r.-v.

ERIC MORIN Vieilles vignes 1999★★

■ 1,5 ha 6 000 ⫼ 8à11€

La danse des paysans de Bruegel orne l'étiquette de cette bouteille et ne trahit pas le caractère de son vin : il se montre en effet jovial, vêtu d'une robe pourpre. Les parfums assez développés de fruits rouges, de pivoine, qu'accompagnent des notes de grillé et de café, sont relayés par une matière charnue, pleine et charpentée. Typé, ce chiroubles a du fond et pourra être dégusté pendant deux à trois ans. (50 à 69 F)

⊶ Eric Morin, Javernand, 69115 Chiroubles, tél. 04.74.69.11.70, fax 04.74.04.22.28 ☒ Y r.-v.

DOM. MORIN 2000★

■ 4 ha 20 000 ▮🌡 5à8€

Dans les caves du domaine situées au cœur du village a été vinifiée une cuvée 2000 à la robe rubis, marquée par d'élégants parfums de framboise, de groseille mais aussi de cassis. Très vite de jeunes tanins apparaissent, cachant une chair aux arômes concentrés de cassis. Ce vin corsé, au potentiel d'évolution certain, est à attendre un à deux ans. Il pourra alors accompagner un saucisson sec de Lyon. (30 à 49 F)

⊶ Guy Morin, Le Bois, 69115 Chiroubles, tél. 04.74.69.13.29, fax 04.74.69.13.29 Y t.l.j. 8h-20h

DOM. DU PETIT PUITS 2000

■ 6 ha 20 000 ▮🌡 5à8€

Un terroir de sable granitique est à l'origine de ce chiroubles rubis aux odeurs de rose fanée, de pivoine, de foin et de petits fruits rouges. Une chair un peu fine caractérise ce vin typé, franc et vif, qui est à boire dans l'année avec un saucisson cuit, par exemple. (30 à 49 F)

⊶ Gilles Méziat, Le Verdy, 69115 Chiroubles, tél. 04.74.69.15.90, fax 04.74.04.27.71 ☒ Y t.l.j. 8h-19h

Fleurie

Posée au sommet d'un mamelon totalement planté de gamay noir, une chapelle semble veiller sur le vignoble : c'est la madone de Fleurie, qui marque l'emplacement du troisième cru du Beaujolais par ordre d'importance, après le brouilly et le morgon. Les 875 ha de l'appellation ne s'échappent pas des limites communales, où l'on produit un vin issu d'un ensemble géologique assez homogène, constitué de granites à grands cristaux qui communiquent au vin une impression de finesse et de charme. La production a atteint 50 028 hl en 2000. Certains l'aiment frais, d'autres tempéré, mais tous, à la suite de la famille Chabert qui créa le célèbre plat, apprécient l'andouillette beaujolaise préparée avec du fleurie. C'est un vin qui apparaît, tel un paysage printanier, plein de promesses, de lumière, d'arômes aux tonalités d'iris et de violette.

Au cœur du village, deux caveaux (l'un près de la mairie, l'autre à la cave coopérative qui est l'une des plus importantes puisqu'elle vinifie 30 % du cru) offrent toute la gamme des vins aux noms de terroirs évocateurs : la Rochette, la Chapelle-des-Bois, les Roches, Grille-Midi, la Joie-du-Palais...

CH. DU BOURG 2000★

■ 5 ha 10 000 ▮ 5à8€

Le père et ses fils exploitent les vignes de ce château dont les origines remontent au XVIIIe s. Ils ont élaboré un vin rubis brillant qui s'ouvre sur d'agréables notes de groseille et de framboise. L'attaque franche garde de la vivacité. Corsée et dotée de jolis tanins souples, cette cuvée au fruité persistant mais encore nerveuse doit s'affiner. On lui accorde deux ans pour se montrer plus aimable. (30 à 49 F)

⊶ Bruno Matray, La Treille, 69820 Fleurie, tél. 04.74.69.81.15, fax 04.74.69.86.80, e-mail matraybruno@free.fr ☒ Y r.-v.

DOM. DU CALVAIRE DE ROCHE GRES 2000★

■ 2,1 ha 15 000 ▮🌡 5à8€

Non loin du domaine, treize pierres dressées dans les vignes en 1934 forment un calvaire aux treize stations. La cuvée 2000, grenat profond, livre de denses parfums de fruits rouges marqués par la fraise. Riche et franche, elle déploie en bouche de robustes tanins. Long et structuré, ce fleurie va s'affiner dans les trois ou quatre années à venir. (30 à 49 F)

⊶ EARL Didier Desvignes, Saint-Joseph, 69910 Villié-Morgon, tél. 04.74.69.92.29, fax 04.74.69.97.54 ☒ Y r.-v.

DOM. CHAINTREUIL
Cuvée Vieilles vignes 2000

■ 3 ha 21 000 ⫼ 5à8€

Des vignes de quatre-vingt-dix-sept ans sont à l'origine de ce vin élevé sept mois en foudre de chêne. Vêtu de pourpre, il offre d'agréables senteurs de fruits rouges mêlées à du cassis et à une pointe de pruneau. L'attaque souple est suivie d'impressions plus tanniques qui s'affineront avec l'âge. Equilibré et d'une bonne longueur, ce fleurie devra être attendu deux ans puis servi avec de la viande rouge. (30 à 49 F)

SCEA Dom. Chaintreuil, La Chapelle-des-Bois, 69820 Fleurie, tél. 04.74.04.11.35, fax 04.74.04.10.40 r.-v.

DOM. CHIGNARD Les Moriers 1999★

1 ha 7 000 5à8€

Elaboré à partir de vignes d'une cinquantaine d'années et élevé un an sous bois, ce vin rouge sombre s'ouvre peu à peu sur un fruité assez dense. Une bouche nettement plus expressive, charnue, charpentée et bien équilibrée charme les dégustateurs. A boire dans les deux ans. (30 à 49 F)

Michel Chignard, Le Point du Jour, 69820 Fleurie, tél. 04.74.04.11.87, fax 04.74.69.81.97 t.l.j. sf dim. 8h-12h 13h30-19h

CLOS DES GRANDS FERS 1999★★

0,75 ha 4 500 5à8€

Un vin élevé dix mois en foudre de chêne, grenat limpide, riche de parfums complexes de fruits rouges et de kirsch mêlés à de la vanille et à du café. La bouche très aromatique révèle dès l'attaque une belle charpente en partie composée d'un boisé de qualité. Ce vin harmonieux, à la matière épanouie, sera apprécié pendant deux à trois ans. Un **morgon Côte du Py Christian Bernard 2000** a obtenu une citation. (30 à 49 F)

SARL Christian Bernard, Les Grands Fers, 69820 Fleurie, tél. 04.74.04.11.27, fax 04.74.69.86.64, e-mail chbernard@terre-net.fr t.l.j. sf sam. dim. 9h-12h 14h-17h30

DOM. COTEAU DE BEL-AIR Cuvée Tradition 1999

1 ha n.c. 5à8€

Jean-Marie Appert possède 7 ha dont un a donné cette cuvée d'une jolie couleur grenat qui livre des notes fruitées et florales aériennes. La bouche fruitée et ronde exprime la maturité d'un passage de six mois dans le bois. Complexe, agréable et d'une bonne longueur, cette bouteille est à boire dans les deux ans. (30 à 49 F)

Jean-Marie Appert, Bel-Air, 69115 Chiroubles, tél. 04.74.04.23.77, fax 04.74.69.17.19 r.-v.

HENRY FESSY La Roilette 2000

n.c. n.c. 8à11€

Négociant-éleveur, Henry Fessy propose cette sélection rouge moyennement intense qui livre de discrets parfums floraux et fruités évoluant vers les épices. La bouche agréable, fruitée et vineuse se montre avare en tanins. Ce vin bien construit, fait pour un plaisir rapide, est à boire maintenant. (50 à 69 F)

Henry Fessy, Bel-Air, 69220 Saint-Jean-d'Ardières, tél. 04.74.66.00.16, fax 04.74.69.61.67, e-mail vins.fessy@wanadoo.fr r.-v.

DOM. DE LA COUR PROFONDE 2000

4,7 ha 14 000 5à8€

Le domaine tire son nom de sa situation en bas de la commune de Chiroubles. Ce fleurie, né de vignes cinquantenaires et de raisins triés à la vendange sur table de tri, a été élaboré en macération semi-carbonique. Rouge vermeil, il associe un fin bouquet floral à des notes de griotte et de groseille. Le grain agréable des tanins fondus se marie avec des nuances végétales. Equilibré et frais, ce vin réussi est à boire dans les trois ans. (30 à 49 F)

EARL Revollat, La Cour Profonde, 69115 Chiroubles, tél. 04.74.69.13.72, fax 04.74.04.22.84 t.l.j. 9h-19h

DOM. DE LA MADONE La Madone 2000

n.c. n.c. 5à8€

Non loin de la Chapelle de la Madone, d'où l'on découvre un très joli point de vue sur la vallée de la Saône, a été élevé ce vin rubis qui s'ouvre sur des notes fruitées et florales. Sa matière ronde et souple au fruité frais s'avère légère et permettra de le boire dans les deux ans. (30 à 49 F)

Jean-Marc Després, La Madone, 69820 Fleurie, tél. 04.74.69.81.51, fax 04.74.69.81.93, e-mail jeanmarcdespres@aol.com r.-v.

DOM. LES ROCHES DU VIVIER 2000★

8 ha 30 000 5à8€

C'est le 30 août que les vendanges ont commencé sur ce domaine de 22 ha. Elaboré en macération semi-carbonique et doté d'une belle robe grenat intense, ce 2000 flatte spontanément l'odorat de ses puissants parfums de fleurs et de fruits. Après une attaque très franche, sa matière généreuse et charnue, également tannique, tapisse le palais. Dans deux ans, ce vin exprimera toute sa richesse. (30 à 49 F)

Dom. Berrod, Le Vivier, 69820 Fleurie, tél. 04.74.69.83.83, fax 04.74.69.86.19 r.-v.

DOM. METRAT ET FILS La Roilette 1999

2 ha 12 000 8à11€

Ce domaine fut coup de cœur l'année dernière pour son fleurie 98. La cuvée 99 exprime de fines nuances de fruits rouges et des notes de beurre frais. La bouche souple et ample recèle encore en finale des tanins très présents. Ce vin réussi et apte au vieillissement est à attendre deux ans. (50 à 69 F)

Bernard Métrat, Le Brie, 69820 Fleurie, tél. 04.74.69.84.26, fax 04.74.69.84.49 r.-v.

DOM. MONROZIER Les Moriers 1999

2,15 ha 4 500 8à11€

La propriété, dans la même famille depuis deux siècles, a produit un vin né sur granite rose, de vignes cinquantenaires ; grenat, il offre au nez des notes vineuses et des parfums complexes aux nuances minérales et de fruits confits. La chair mûre et les tanins fondus témoignent d'un élevage dans le bois. Ce vin au caractère affirmé est à boire. (50 à 69 F)

SCEA du dom. Monrozier, Les Moriers, 69820 Fleurie, tél. 04.74.69.83.78, fax 04.74.04.12.17 t.l.j. 10h-19h

DOM. DE MONTGENAS 2000

■ 5,75 ha 26 660 5 à 8 €

Les parfums moyennement intenses et simples de ce vin rouge vif sont à dominante de fruits rouges. La bouche assez ample et souple présente une bonne acidité mais s'avère légère en tanins. Un fleurie à boire maintenant. (30 à 49 F)

Dom. de Montgenas, 69820 Fleurie, tél. 04.74.06.10.10, fax 04.74.66.13.77 r.-v.

DOM. PARDON 2000

■ n.c. 19 000 5 à 8 €

Le fleurie rubis du domaine de ce négociant installé à Beaujeu s'ouvre sur les fruits rouges très mûrs et des notes minérales qui se prolongent au palais. La bouche équilibrée et assez chaude conserve de la finesse. Un vin à boire dans les deux ans. (30 à 49 F)

Pardon et Fils, 39, rue du Gal-Leclerc, 69430 Beaujeu, tél. 04.74.04.86.97, fax 04.74.69.24.08, e-mail pardon-fils.vins@wanadoo.fr t.l.j. sf sam. dim. 8h-12h 14h-18h

DOM. DU POINT DU JOUR 1999*

■ 5,5 ha 20 000 8 à 11 €

En 1988, Jocelyne Depardon commence à travailler avec son père puis prend la tête de l'exploitation familiale en 1995. Ce vin grenat limpide au nez de cerise nuancé de cassis et de réglisse révèle une belle « mâche ». La noble matière de ce fleurie structuré et d'une belle longueur, soutenue par des tanins amples, est pleine de promesses. Ce 99 pourra être servi au cours des deux à trois prochaines années avec un cuissot de chevreuil ou une viande rouge. (50 à 69 F)

Dom. du Point du Jour, Le Point du Jour, 69820 Fleurie, tél. 04.74.69.82.93, fax 04.74.69.82.87 t.l.j. sf dim. 8h30-18h30

GAEC Depardon-Copéret

ANDRE VAISSE Grille-Midi 2000

■ 4 ha 12 000 5 à 8 €

Dans des locaux rationnellement aménagés a été élaboré ce vin grenat aux parfums discrets de fruits rouges, de poire et de lilas. Il garnit doucement le palais d'un fruité qui reste dominé par la vinosité. Harmonieux mais d'une structure un peu fine, il est destiné à une consommation dans l'année. (30 à 49 F)

André Vaisse, 69820 Fleurie, tél. 04.74.06.10.10, fax 04.74.66.13.77 r.-v.

Juliénas

Cru impérial d'après l'étymologie, Juliénas tiendrait en effet son nom de Jules César, de même que Jullié, l'une des quatre communes qui composent l'aire géographique de l'appellation (avec Emeringes et Pruzilly, cette dernière se trouvant en Saône-et-Loire). Occupant des terrains granitiques à l'ouest et des terrains sédimentaires avec des alluvions anciennes à l'est, les 606 ha de gamay noir ont permis en 2000 la production de 34 200 hl de vins bien charpentés, riches en couleur, appréciés au printemps après quelques mois de conservation. Gaillards et espiègles, ils sont à l'image des fresques qui ornent le caveau de la Vieille Eglise, au centre du bourg. Dans cette chapelle désaffectée, chaque année à la mi-novembre est remis le prix Victor-Peyret à l'artiste, peintre, écrivain ou journaliste qui a le mieux « tasté » les vins du cru ; celui-ci reçoit 104 bouteilles : 2 par week-end... La cave coopérative, installée dans l'enceinte de l'ancien prieuré du château du Bois de la Salle, vinifie 30 % de l'appellation.

JEAN ET BENOIT AUJAS 1999

■ 9 ha 2 000 5 à 8 €

Le père et le fils sont associés depuis 1993 pour exploiter un vignoble de 11 ha implanté sur des coteaux exposés au sud. La cuvée 99, rubis soutenu, exprime de complexes parfums de cassis, de fraise des bois mais aussi de cuir et de tabac. Ayant conservé fraîcheur et jeunesse, ce vin un peu léger mais typé s'avère déjà facile à boire. Il pourra être proposé dès maintenant avec de la charcuterie ou une viande grillée, mais une année de plus est à sa portée. (30 à 49 F)

GAEC Jean et Benoît Aujas, La Ville, 69840 Juliénas, tél. 04.74.04.41.35 r.-v.

DOM. DU BOIS DE LA SALLE 1999

■ 1,5 ha 8 000 8 à 11 €

Michel Janin dirige ce domaine de 4,5 ha depuis 1974. Le rubis de la robe de son 99 est frangé de beaux reflets grenat. Les parfums aux nuances florales et épicées accompagnent une bouche équilibrée et fraîche, faite de fins tanins. A boire dès à présent. (50 à 69 F)

Michel Janin, Bois de la Salle, 69840 Juliénas, tél. 04.74.04.44.74, fax 04.74.04.44.45 r.-v.

BERNARD BROYER 2000*

■ 2 ha 8 000 5 à 8 €

Le domaine appartenait au grand-père de l'épouse de Bernard Broyer. Cette année, le **chénas 2000** a été cité et ce juliénas reçoit une étoile : sa robe rubis foncé a été très appréciée comme ses frais parfums de raisin et de groseille mêlés à des nuances de pivoine et de poivre. Après une attaque franche sur le fruit et la chair, la bouche se montre bien structurée. L'évolution des jeunes tanins est prometteuse. Ce vin capiteux au très beau potentiel est à attendre un an. Il pourra accompagner des viandes en sauce ou des fromages de chèvre. (30 à 49 F)

🔑 Bernard Broyer, Les Bucherats, 69840 Juliénas, tél. 04.74.04.46.75, fax 04.74.04.45.18 ☑ 🍷 t.l.j. 10h-12h 14h-19h; f. 15-31 août

DOM. DU CLOS DU FIEF 2000

■ 7 ha 40 000 5à8€

La quatrième génération est à la tête de cette exploitation de 13 ha depuis 1980. Ce vin rubis violet issu d'une thermovinification livre de puissants parfums de pivoine mais aussi des senteurs plus sauvages. L'attaque très bien équilibrée, souple, évolue rapidement sur des tanins qui restent assez discrets. Deux écoles s'affrontent : l'une qui apprécie cette bouteille maintenant sur le fruit, l'autre qui suggère de l'attendre au moins deux années. (30 à 49 F)

🔑 Michel Tête, Les Gonnards, 69840 Juliénas, tél. 04.74.04.41.62, fax 04.74.04.47.09 ☑ 🍷 r.-v.

DOM. DU COTEAU DES FOUILLOUSES Cuvée Vieilles vignes 2000

■ 0,68 ha 5 000 5à8€

Le domaine appartint au poète du Beaujolais Pierre Aguetant. Il dispose de 15 ha. Elevée en foudre, cette cuvée violacée moyennement limpide offre un beau nez vineux aux senteurs de framboise et de cassis ; la bouche puissante mais encore vive se montre tannique. Il faudra attendre un à deux ans pour apprécier à sa juste valeur ce juliénas bâti pour la garde. (30 à 49 F)

🔑 Roland Lattaud, Le Bourg, 69840 Jullié, tél. 04.74.04.43.86, fax 04.74.04.43.86 ☑ 🍷 r.-v.

MAISON DESVIGNES 1999

■ n.c. 15 000 5à8€

La sélection rubis soutenu de ce négociant révèle des parfums d'une belle intensité aux nuances de fleurs et de fruits confits. La bouche suave au goût de fruits très mûrs est dotée d'une charpente de fins tanins. Ce vin bien équilibré et flatteur est prêt à boire. (30 à 49 F)

🔑 Maison Desvignes, rue Guillemet-Desvignes, 71570 La Chapelle-de-Guinchay, tél. 03.85.36.72.32, fax 03.85.36.74.02 🍷 r.-v.

CH. DE JULIENAS 1999

■ 15 ha 20 000 5à8€

Le seigneur de Beaujeu avait construit ici une maison forte au XIIIes. Reconstruit au XVIIIes., le château a fière allure. François Condemine et son fils Thierry exploitent 35 ha de vignes. Ce vin rubis, aux parfums de fruits rouges mêlés à de légères notes de sous-bois et élégamment charpenté, se révèle agréable à boire dès maintenant. (30 à 49 F)

🔑 François et Thierry Condemine, Ch. de Juliénas, 69840 Juliénas, tél. 04.74.04.41.43, fax 04.74.04.42.38 ☑

CH. DE LA BOTTIERE 2000*

■ n.c. 30 000 5à8€

L'histoire de Juliénas mentionne les Perrachon depuis 1601. Issu d'une thermovinification, ce vin pourpre intense exhale des parfums assez développés et caractéristiques de cassis associés à une pointe poivrée. La bouche abondamment fruitée reste agréable. Une extraction optimale de la matière et un élevage approprié confèrent à ce millésime les impressions « carrées » que l'on espérait. On l'attendra un an pour qu'il gagne en maturité. (30 à 49 F)

🔑 Jacques Perrachon, Dom. de La Bottière, 69840 Juliénas, tél. 03.85.36.75.42, fax 03.85.33.86.36 ☑ 🍷 r.-v.

DOM. DE LA BOTTIERE-PAVILLON 2000

■ 4 ha 28 000 5à8€

On nous dit que Peynet et Lino Ventura ont été les hôtes de ce domaine présenté par le négociant Bouchacourt. Il est retenu pour une cuvée rouge vif au nez très flatteur de fruits rouges, de pivoine et d'épices. L'attaque aromatique laisse place à une bouche que l'on souhaiterait plus ample. Ses tanins, tout d'abord souples, se révèlent plus fermes en finale. Ce vin aux parfums très agréables doit s'affiner un an ou deux en cave. (30 à 49 F)

🔑 Roland Bouchacourt, La Bottière-Pavillon, 69840 Juliénas, tél. 04.74.09.60.08

DOM. DE LA COMBE-DARROUX Cuvée Prestige Vieilles vignes 1999

■ 1,6 ha 10 000 5à8€

Installé en 1989, Pascal Guignet a sélectionné pour cette cuvée les vieilles vignes du coteau des Bucherats. Elevé huit mois en fût, ce 99 rouge sombre au nez très légèrement vanillé se révèle finement structuré. Equilibré, avec un boisé agréablement fondu, ce vin flatteur et facile à boire est prêt dès à présent. (30 à 49 F)

🔑 EARL Anne et Pascal Guignet, Dom. de La Combe-Darroux, 71570 La Chapelle-de-Guinchay, tél. 04.74.06.70.90, fax 04.74.04.45.08, e-mail domaine.guignet@wanadoo.fr ☑ 🍷 r.-v.

DOM. DE LA COTE DE BESSAY 1999

■ n.c. n.c. 5à8€

La sélection de cette maison beaunoise montre une robe légère et limpide. Le nez discret de fruits rouges, de myrtille et de cassis, associé à des notes chaudes, reste agréable. La bouche puissante révèle une charpente tannique enrobée d'arômes de fruits à noyau. D'une bonne qualité générale, ce vin est prêt. (30 à 49 F)

🔑 HDV Distribution, rue du Dr-Barolet, Z.I. Beaune Vignolles, 21200 Beaune Cedex, tél. 03.80.24.70.07, fax 03.80.22.54.31, e-mail hdv@planetb.fr 🍷 r.-v.

DOM. DE LA COTE DE CHEVENAL 2000

■ 1,25 ha 4 500 5à8€

Depuis 1996, les deux frères Bergeron se sont associés pour exploiter ce domaine de 24 ha. Leur cuvée 2000, rouge soutenu, s'ouvre sur de puissantes senteurs de fruits rouges. La bouche très aromatique avec d'agréables notes poivrées reste encore sous l'emprise de tanins moyennement fondus. Ce vin encore très jeune est à attendre au moins un an. Le **fleurie 2000** a obtenu une citation. (30 à 49 F)

GAEC Jean-François et Pierre Bergeron, Les Rougelons, 69840 Emeringes, tél. 04.74.04.41.19, fax 04.74.04.40.72 T t.l.j. 8h-12h30 13h30-19h

DOM. LE CHAPON 2000★★

■ 4,92 ha 12 000 5à8€

Coup de cœur pour le 93, Jean Buiron décroche deux étoiles pour ce millésime 2000 élevé six mois en foudre, à la très belle robe rouge cerise à reflets fuschia. Ses parfums riches et intenses de fruits rouges et de fruits à noyau mêlés d'épices ont de la complexité. La bouche se révèle consistante. Ce vin harmonieux, d'une bonne vinosité et aux tanins fins, est prêt, mais il possède un réel potentiel pour une garde de deux à trois ans. (30 à 49 F)

Jean Buiron, Le Chapon, 69840 Juliénas, tél. 04.74.04.40.39, fax 04.74.04.47.52 T r.-v.

DOM. LE COTOYON 1999★

■ 1 ha 3 000 5à8€

Situé au nord de Juliénas, ce domaine propose deux gîtes confortables agrémentés d'une piscine. Les amateurs n'oublieront pas cette élégante cuvée 99 grenat sombre qui a été élevée six mois en fût de chêne ; elle s'ouvre sur d'expressives notes vanillées. Des nuances complexes et persistantes de fruits rouges et de boisé s'expriment au palais. Sa bonne puissance et sa chair harmonieuse en font un vin typé à boire dès à présent mais pouvant attendre deux ans. (30 à 49 F)

Frédéric Bénat, Les Ravinets, 71570 Pruzilly, tél. 03.85.35.12.90, fax 03.85.35.12.90 T r.-v.

DOM. LES COTES DE LA ROCHE 1999★

■ 2 ha 6 000 5à8€

Dans la famille Descombes, on est vigneron depuis toujours ! Cette cuvée, à la superbe robe grenat à reflets violets, livre d'intenses et complexes parfums de fruits rouges, de réglisse avec une note d'anis et de sous-bois. Sa riche matière, charnue et aromatique, est marquée par des tanins encore jeunes. Ce vin, digne représentant du cru, est à déguster au cours des deux à trois prochaines années. (30 à 49 F)

EARL Joëlle et Gérard Descombes, Les Préaux, 69840 Jullié, tél. 04.74.04.42.05, fax 04.74.04.48.04 T r.-v.

DOM. JEAN-PIERRE MARGERAND 2000

■ 6,15 ha 10 000 5à8€

Elaboré en macération semi-carbonique, ce 2000 rouge soutenu fleure les fruits frais comme le raisin associés au bonbon acidulé et au réséda. Tendre dès l'attaque, d'un fruité très agréable, il présente une finale plus tannique. A consommer dans l'année avec de la charcuterie ou un coq au vin. (30 à 49 F)

Jean-Pierre Margerand, Les Crots, 69840 Juliénas, tél. 04.74.04.40.86, fax 04.74.04.46.54 T r.-v.

DOM. DES MARRANS 1999★

■ 0,8 ha 2 700 5à8€

Deux chambres d'hôtes peuvent ici accueillir les amateurs de bons vins. Ce domaine de plus de 16 ha possède de beaux foudres de chêne. A côté d'un **fleurie 99 (50 à 69 F)** cité, ce juliénas l'emporte d'une étoile. Doté d'une belle robe rubis à reflets violets, il s'ouvre sur d'intenses et complexes parfums de mûre et de framboise, associés à des nuances de pierre à fusil et de réglisse. Charnue et ronde, l'attaque se montre fort agréable. Avec sa charpente tannique bien développée, ce 99 ne manque pas de typicité et pourra encore attendre un an avant d'être servi sur une fondue bourguignonne. (30 à 49 F)

Jean-Jacques et Liliane Melinand, Les Marrans, 69820 Fleurie, tél. 04.74.04.13.21, fax 04.74.69.82.45, e-mail melinand.m@wanadoo.fr T r.-v.

DOM. MATRAY

Vieilles vignes Elevé en fût de chêne 1999

■ 1 ha 8 000 5à8€

Ce domaine de près de 10 ha a élevé dix mois en fût de chêne cette cuvée spéciale, rubis intense, qui se réveille sur des parfums de fleurs et d'épices finement boisés. L'attaque ferme est suivie d'intenses arômes de fruits très mûrs. D'une bonne vivacité, ce vin complet est déjà prêt à être dégusté. (30 à 49 F)

GAEC Daniel et Lilian Matray, Les Paquelets, 69840 Juliénas, tél. 04.74.04.45.57, fax 04.74.04.47.63, e-mail domaine.matray@wanadoo.fr T t.l.j. 8h-20h

JEAN-FRANCOIS PERRAUD 2000

■ 6,94 ha 6 000 5à8€

Avec le **beaujolais-villages rouge du même millésime (20 à 29 F)**, c'est la totalité de la production du domaine qui est citée par nos jurys. Doté d'une robe un peu légère, ce juliénas exprime des parfums assez intenses de fruits rouges, de myrtille et de torréfaction. Sa bonne chair, équilibrée et fraîche, qui garnit sans prétention le palais lui permettra d'être consommé pendant les deux prochaines années. (30 à 49 F)

Jean-François Perraud, Les Chanoriers, 69840 Jullié, tél. 04.74.04.49.09, fax 04.74.04.49.09, e-mail jean.françois.perraud@wanadoo.fr T r.-v.

BERNARD SANTE 1999★

■ 2,5 ha 18 000 5à8€

Bernard Santé a repris l'exploitation familiale en 1980. Elaboré à partir de vieilles vignes de soixante-huit ans en macération semi-carbonique, ce juliénas rubis offre un nez très ouvert sur des notes riches et chaudes de fruits bien mûrs, comme confits. L'excellent équilibre, que l'on ressent dès la mise en bouche, exprime un beau compromis entre tannicité et acidité. Doté d'une finale agréable et relevée, ce vin pourra accompagner, au cours des deux prochaines années, un civet ou une viande en sauce. (30 à 49 F)

🔑 Bernard Santé, rte de Juliénas, Les Blémonts, 71570 La Chapelle-de-Guinchay, tél. 03.85.33.82.81, fax 03.85.33.84.46 ☑ 🍷 r.-v.

Morgon

Le deuxième cru en importance après le brouilly est localisé sur une seule commune. Ses 1 115 ha revendiqués en AOC ont fourni, en 2000, 66 261 hl d'un vin robuste, généreux, fruité, évoquant la cerise, le kirsch et l'abricot. Ces caractéristiques sont dues aux sols issus de la désagrégation des schistes à prédominance basique, imprégnés d'oxyde de fer et de manganèse, que les vignerons désignent par les termes de « terre pourrie » et qui confèrent aux vins des qualités particulières ; celles qui font dire que les vins de Morgon... « morgonnent ». Cette situation est propice à l'élaboration, à partir du gamay noir, d'un vin de garde qui peut prendre des allures de bourgogne, et qui accompagne parfaitement un coq au vin. Non loin de l'ancienne voie romaine reliant Lyon à Autun, le terroir de la colline de Py, situé à 300 m d'altitude sur cette croupe aux formes parfaites, en est l'archétype.

La commune de Villié-Morgon s'enorgueillit à juste titre d'avoir été la première à se préoccuper de l'accueil des amateurs de vin de Beaujolais : son caveau, construit dans les caves du château de Fontcrenne, peut recevoir plusieurs centaines de personnes. Ce lieu privilégié, aux équipements modernes, fait le bonheur des visiteurs et des associations à la recherche d'une « ambiance vigneronne »...

DOM. AUCŒUR Cuvée Prestige 1999

■ 1 ha 5 000 5à8€

Visite des installations et initiation à la dégustation sont proposées par cette famille qui a élaboré une cuvée rubis violacé aux parfums assez intenses de cerise. Vineuse, elle présente des tanins encore austères ; on recommande d'attendre quelques mois que le boisé se fonde. (30 à 49 F)

🔑 Dom. Aucœur, Le Rochaud, 69910 Villié-Morgon, tél. 04.74.04.22.10, fax 04.74.69.16.82 ☑ 🍷 r.-v.

RAYMOND BOULAND 1999

■ 6 ha 10 000 5à8€

Des vignes de soixante ans vendangées à partir du 10 septembre 1999 ont donné un vin rubis limpide aux parfums typés de cerise bien mûre. Tout d'abord ronde, la bouche révèle des tanins encore un peu durs. Sa longueur est prometteuse ; sa structure conseille de boire ce morgon dans l'année 2002. (30 à 49 F)

🔑 Raymond Bouland, Corcelette, 69910 Villié-Morgon, tél. 04.74.04.22.25, fax 04.74.04.22.25 ☑ 🍷 r.-v.

NOEL BULLIAT
Cuvée Vieilles vignes 1999★★

■ 0,7 ha 4 000 5à8€

Cette cuvée rubis soutenu, issue de vignes de soixante-dix ans, révèle un mariage des plus réussis entre un boisé léger et des parfums de fruits noirs et de cerise très mûre. Dotée de fins tanins et d'une bonne structure équilibrée, elle affirme une mâche prometteuse que l'on retrouvera au cours des deux ou trois prochaines années. Elle pourra être servie avec une volaille rôtie ou en sauce. (30 à 49 F)

🔑 Noël Bulliat, Le Colombier, 69910 Villié-Morgon, tél. 04.74.69.13.51, fax 04.74.69.14.09 ☑ 🍷 r.-v.

JEAN-MARC BURGAUD
Côte du Py 1999★

■ 6 ha n.c. 5à8€

Une croix située au sommet de ce terroir bien connu marque le cœur de ce vignoble qui propose un vin rubis aux senteurs caractéristiques de kirsch mêlées à des nuances de torréfaction et d'épices. Frais, doté d'une structure charnue qu'accompagnent des tanins fins et persistants, ce 99 aux arômes de fruits à noyau et de pêche de vigne est à boire au cours des deux à trois prochaines années. (30 à 49 F)

🔑 Jean-Marc Burgaud, Morgon, 69910 Villié-Morgon, tél. 04.74.69.16.10, fax 04.74.69.16.10, e-mail jeanmarcburgaud@libertysurf.fr ☑ 🍷 t.l.j. 9h-12h 14h-18h

DOM. CALOT Tête de cuvée 1999

■ 1,3 ha 9 000 5à8€

Le vignoble a été créé en 1920 mais les vignes implantées sur les granites décomposés ont une quarantaine d'années. Elles ont donné un vin très parfumé où les arômes caractéristiques de kirsch sont accompagnés d'élégantes notes d'iris et de violette. Son harmonieuse structure, tout en finesse, le destine à être bu dans l'année. (30 à 49 F)

🔑 SCEA François et Jean Calot, Le Bourg, 69910 Villié-Morgon, tél. 04.74.04.20.55, fax 04.74.69.12.93 ☑ 🍷 r.-v.

🔑 GFA de Corcelette

DOM. DE CHANTEMERLE 2000★

■ 3 ha 13 000 5à8€

Ce domaine au nom évocateur a élevé un vin grenat au nez de fraise et de framboise d'une bonne intensité, évoluant sur les épices. L'attaque corsée et des tanins encore présents rappellent la jeunesse de ce millésime. Sa bonne struc-

ure lui assurera un bel avenir pour qui saura attendre deux ans. Il sera alors apprécié avec une viande rouge. (30 à 49 F)
Claude Merle, 69910 Villié-Morgon, tél. 04.74.09.60.08

FRANCK CHAVY
Cuvée vieillie en fût de chêne 1999*

n.c. 9 000 5 à 8 €

Issue d'une technologie moderne associée à un élevage de type bourguignon, cette production n'usurpe pas sa dénomination. « A bon lecteur salut ! » note un dégustateur satisfait. Ce 99 rouge profond a conservé l'éclat de la jeunesse et révèle immédiatement son élevage en fût de chêne par un boisé ponctué de notes de fruits rouges. La bouche est envahie par un subtil jeu d'équilibre entre de fins tanins et des impressions boisées. Conservant une bonne fraîcheur et assez riche, ce vin typé doit attendre au moins un an pour mûrir. Il pourra être servi avec du gibier. (30 à 49 F)
Franck Chavy, Le Chazelay, 69430 Régnié-Durette, tél. 04.74.04.80.26, fax 04.74.69.20.00 r.-v.

LOUIS CHAVY 2000

n.c. 18 000 8 à 11 €

Ce négociant de Côte-d'Or a élaboré et élevé cette sélection qui s'ouvre sur des parfums de fleurs et de kirsch évocateurs du morgon. Les jeunes tanins qui dominent encore la chair un peu fine inciteront à l'attendre quelques mois de plus. (50 à 69 F)
Louis Chavy, Caveau de la Vierge romaine, pl. des Marronniers, 21190 Puligny-Montrachet, tél. 03.80.26.33.00, fax 03.80.24.14.84, e-mail mallet.b@cva-beaune.fr t.l.j. 10h-18h; f. nov. à mars

DOM. DU CHAZELAY 1999*

3 ha 10 000 5 à 8 €

Des vignes de soixante ans, sept mois d'élevage en cuve : classique, ce vin rouge violacé aux parfums intenses et francs de fruits rouges très mûrs développe une structure tannique supportée par une chair aromatique et typée. L'ensemble est équilibré, d'une bonne puissance. Il sera dégusté dans l'année avec un coq au vin. (30 à 49 F)
Henri Chavy, Le Chazelay, 69430 Régnié-Durette, tél. 04.74.69.24.34, fax 04.74.69.20.00 r.-v.

LA MAISON DES VIGNERONS DE CHIROUBLES
Cuvée de la Chenevière 1999*

2,72 ha 20 000 5 à 8 €

Créée en 1929, cette coopérative a vinifié une cuvée pourpre soutenu aux parfums assez intenses et agréables de fruits rouges. Sa matière charnue et aromatique s'allie à des tanins doux. Equilibré et plutôt rond, ce beau vin typé sera à boire dans l'année avec un gigot d'agneau façon chevreuil. (30 à 49 F)
La Maison des Vignerons de Chiroubles, Le Bourg, 69115 Chiroubles, tél. 04.74.69.14.94, fax 04.74.69.10.59 t.l.j. 10h-12h30 14h30-18h

DOM. DE CLOS SAINT-PAUL 1999

1,3 ha 12 000 5 à 8 €

Cette cuvée grenat brillant s'ouvre sur des parfums assez puissants de fruits rouges qui se prolongent sur des notes épicées. On apprécie la structure de ses jeunes tanins et ses arômes typés. Plutôt faite pour une courte garde, cette bouteille est à boire dans l'année 2002. (30 à 49 F)
EARL Janine Chaffanjon, 210, rte de Pizay, 69220 Saint-Jean-d'Ardières, tél. 04.74.66.12.18, fax 04.74.66.09.37, e-mail st.paul@wanadoo.fr t.l.j. sf dim. 8h-12h 14h-18h

DOM. GAGET Côte du Py 1999*

5,2 ha 30 000 5 à 8 €

En 1999, le fils s'installe avec le père. Leur première récolte commune, à partir de vignes de soixante ans, est parée d'une robe grenat profond et limpide. Si le nez aux senteurs de cannelle, de clou de girofle et de réglisse n'est pas très intense, la bouche ronde, harmonieusement charpentée et charnue, révèle les caractéristiques de son terroir. Proche d'une deuxième étoile, cette production d'un grand charme pourra être dégustée au cours des trois prochaines années avec un cuissot de chevreuil. (30 à 49 F)
Dom. Gaget, La Côte du Py, 69910 Villié-Morgon, tél. 04.74.04.20.75, fax 04.74.04.21.54 r.-v.

DOM. DES GAUDETS 2000**

1 ha 10 000 5 à 8 €

Depuis 1993, le père et le fils se sont associés pour exploiter des vignes cinquantenaires implantées sur des sols schisteux. Ils ont élevé une cuvée rubis s'ouvrant sur des senteurs de kirsch. Bien équilibrée, dotée de tanins denses et parfumés évoquant la pêche de vigne et les fruits mûrs, très persistante, elle sera appréciée au cours des trois à quatre prochaines années. (30 à 49 F)
Noël et Christophe Sornay, Le Brye, 69910 Villié-Morgon, tél. 04.74.04.23.65, fax 04.74.69.10.70 r.-v.

ALAIN ET GEORGES GAUTHIER 1999

■ 1,5 ha 11 300 5à8€

Sur des sols schisteux, des vignes de quatre-vingts ans ont donné, après un élevage pour moitié en cuve et pour moitié en fût pendant cinq mois, une cuvée grenat aux parfums développés et fins de fruits rouges mêlés à des touches de jasmin. Les tanins un peu carrés de sa riche matière doivent encore s'affiner quelques mois pour rendre ce vin plus aimable. Il accompagnera alors tout un repas amical. (30 à 49 F)

Alain et Georges Gauthier, EARL des Rochauds, La Roche Pilée, 69910 Villié-Morgon, tél. 04.74.69.15.87, fax 04.74.69.15.87 r.-v.

MADAME ARTHUR GEOFFROY 2000

■ 0,58 ha 4 000 5à8€

Issue d'un terroir schisteux, cette petite production grenat livre des parfums de cerise et de fruits noirs. Sa bouche charnue et ronde, aromatique à souhait, s'exprime honnêtement avec de fins tanins. On recommande de la boire dans l'année avec une volaille ou une viande rouge. (30 à 49 F)

Louise Geoffroy, Le Pré Jourdan, B.P. 17, 69910 Villié-Morgon, tél. 04.74.04.23.57, fax 04.74.69.13.45 r.-v.

DOM. DE GRY-SABLON 2000**

■ 2,3 ha 17 000 5à8€

C'est dans le nouveau caveau de dégustation aménagé cette année que l'on pourra découvrir ce morgon d'un rubis très prononcé qui s'affirme peu à peu par des nuances de safran et de cannelle évoluant sur la myrtille et la gelée de groseille. De superbes impressions rondes et charnues enrobent des tanins d'une excellente qualité. Sa remarquable structure et sa persistance garantissent à ce millésime 2000 une belle garde. On pourra compter sur lui pour accompagner une côte de bœuf pendant trois à quatre ans. (30 à 49 F)

Dominique Morel, Les Chavannes, 69840 Emeringes, tél. 04.74.04.45.35, fax 04.74.04.42.66, e-mail gry-sablon@wanadoo.fr t.l.j. sf dim. 8h-18h

DOM. DE JAVERNIERE 2000*

■ 1 ha 6 600 5à8€

La quatrième génération, à la barre de l'exploitation depuis 1974, a vinifié une cuvée d'une couleur exceptionnelle, entre le rubis et le grenat. Des parfums puissants et nets de cassis et de violette ponctués de notes d'épices et de poivron constituent, avec une chair puissante et équilibrée, un vin viril et harmonieux, apte au vieillissement. Ce morgon typé ravira les palais pendant trois à quatre années. (30 à 49 F)

Noël Lacoque, Javernière, 69910 Villié-Morgon, tél. 04.74.04.24.26 r.-v.

DOM. DE JAVERNIERE 2000*

■ 1 ha 5 000 5à8€

Cet autre domaine de Javernière, dirigé par une cinquième génération, propose, dans le même millésime, une très belle cuvée rubis à reflets violets. Ici, les parfums développés du chêne dominent les senteurs de sous-bois, avec des notes de torréfaction et de cuir. C'est en bouche qu'apparaissent les arômes typés de kirsch et de fruits à noyau. Puissant avec des tanins denses et persistants, ce vin est structuré pour une garde de trois à quatre ans et plus. (30 à 49 F)

Hervé Lacoque, Javernière, 69910 Villié-Morgon, tél. 04.74.04.26.64 r.-v.

DOM. DE LA BECHE
Cuvée Vieilles vignes 1999

■ 2 ha 12 000 5à8€

Des vignes de soixante ans plantées sur un sol argileux et caillouteux ont donné un vin au nez flatteur et fruité. Sa belle structure, qui reste imprégnée de tanins en cours d'évolution, va encore s'affiner. A l'automne, ce vin sera prêt. (30 à 49 F)

Olivier Depardon, Dom. de La Bêche, 69910 Villié-Morgon, tél. 04.74.69.15.89, fax 04.74.04.21.88 r.-v.

DOM. DE LA CHANAISE
Côte du Py 1999*

■ 3,5 ha 20 000 8à11€

Cette propriété familiale dont les origines remontent au XVIe s. a produit un 99 grenat soutenu aux parfums complexes et intenses où se mêlent fruits à noyau, fruits secs et pivoine. La belle attaque, charnue et fruitée, est accompagnée d'une charpente tannique souple et élégante. De discrètes notes boisées nées des foudres de chêne se marient à de fins arômes de fruits très mûrs. Ce vin typé et plaisant a suffisamment de réserve pour être dégusté au cours des trois prochaines années. (50 à 69 F)

Dominique Piron, Morgon, 69910 Villié-Morgon, tél. 04.74.69.10.20, fax 04.74.69.16.65, e-mail dominique-piron@domaines-piron.fr r.-v.

DOM. DE LA COTE DES CHARMES
Les Charmes 2000

■ 6 ha 11 000 5à8€

Jacques Trichard gouverne ce domaine de 9 ha depuis 1969. Né sur les schistes du *climat* des Charmes, ce vin à la belle robe grenat parée de violet libère de fins parfums de griotte. La bouche fraîche, qui ne manque ni de chair ni de charpente, révèle d'agréables senteurs de fruits des bois. Cette production typée et complète, apte à la garde, sera prête dans un à deux ans. (30 à 49 F)

Jacques Trichard, Les Charmes, 69910 Villié-Morgon, tél. 04.74.04.20.35, fax 04.74.69.13.49 r.-v.

DOM. DE LA SERVE DES VIGNES
2000

■ n.c. n.c. 8à11€

Proposée par le négociant Pierre Dupond, une sélection réussie dont les riches parfums aux nuances minérales sont caractéristiques du terroir. Après une attaque franche, les impressions tanniques s'affirment, mais la structure va 'arrondir. Ce vin bien fait et de bonne longueur era prêt à boire à l'automne. (50 à 69 F)

Pierre Dupond, 235, rue de Thizy, 69653 Villefranche-sur-Saône, él. 04.74.65.24.32, fax 04.74.68.04.14, e-mail p.dupond@seldon.fr

DOM. DE L'HERMINETTE 1999

4 ha 20 000 5à8€

Ce négociant installé non loin du village de Vaux (« Clochemerle ») propose un vin grenat soutenu aux parfums discrets de cerise et de mûre. Le duo vivacité-tannicité qui prédomine sur sa bonne chair incite à attendre quelques mois ce 99 à la finale épicée (pointe de réglisse). Un coq au vin sera alors bienvenu. (30 à 49 F)

Maison François Paquet, B.P. 1, Le Trève, 69460 Le Perréon, tél. 04.74.02.10.10, fax 04.74.03.26.99

DOM. DU MARGUILLIER 2000

6 ha 37 000 5à8€

Des parfums d'épices comme le clou de girofle émanent de ce vin à la robe rouge cerise. Après une attaque souple et assez ronde, des impressions plus rustiques et corsées dominent. Jeune, ce morgon a de l'avenir si on lui laisse un an pour s'affiner. (30 à 49 F)

Noël et Christophe Sornay, 69830 Villié-Morgon, tél. 04.74.09.60.08

DOM. PASSOT-COLLONGE
Les Charmes 1999

n.c. 8 000 5à8€

Ce domaine familial, situé à 800 m du château de Fontcrenne et rénové en 1990, a élevé un vin grenat intense né sur granite. Doté d'une riche matière charnue et charpentée, ce morgon possède une constitution opulente et une belle puissance. Une légère aération s'impose pour l'apprécier pleinement sur un petit gibier. (30 à 49 F)

Bernard et Monique Passot, Le Colombier, rte de Fleurie, 69910 Villié-Morgon, tél. 04.74.69.10.77, fax 04.74.69.13.59 r.-v.

DOM. DES PILLETS
Vieilles vignes 1999★★

8 ha 5 000 5à8€

Cette propriété est une ancienne métairie des seigneurs de Fontcrenne de Villié ; elle est traversée par la voie romaine qui reliait Lyon à Autun. Ce morgon pourpre profond aux intenses parfums de confiture de pruneaux et de pâte de coing se révèle d'une grande richesse. Sa matière harmonieuse agrémentée d'arômes de fruits très mûrs garnit longuement et sans aspérité le palais. Ce vin remarquable est à déguster au cours de deux ou trois prochaines années. (30 à 49 F)

GFA Les Pillets, Les Pillets, 69910 Villié-Morgon, tél. 04.74.04.21.60, fax 04.74.69.15.28 t.l.j. sf dim. 9h-12h 13h30-19h ; f. 15 j. en août, 24 déc.-2 jan.

Gérard Brisson

CH. DE PIZAY 2000

19 ha 150 000 5à8€

Un donjon carré, des tourelles aux toits vernissés du XV[e]s., des bâtiments Renaissance et du XIX[e]s., une chapelle du XVIII[e]s. forment un vaste complexe hôtelier mais aussi une exploitation viticole. Outre le **beaujolais blanc 2000** cité, le domaine a élevé ce morgon rubis au nez de fleurs et de fruits. Malgré une matière un peu fine, sa bonne présence en bouche le fait recommander pour une dégustation dans l'année. (30 à 49 F)

SCEA Dom. Château de Pizay, 69220 Saint-Jean-d'Ardières, tél. 04.74.66.20.10, fax 04.74.69.60.66, r.-v.

DOM. DE ROCHE SAINT JEAN
Côte de Py 1999★

2,43 ha 5 500 5à8€

Sur ce vaste domaine de plus de 13 ha, le vignoble exposé au sud-sud-est a donné une cuvée rubis soutenu aux parfums complexes de fruits rouges très mûrs. Après une attaque riche, sa matière charnue qui « morgonne » à souhait laisse une bouche agréable qui incite à boire ce 99 dans l'année avec une viande blanche ou rouge. (30 à 49 F)

SCEA Bernard Mathon, Bellevue, dom. de Roche-Saint-Jean, 69910 Villié-Morgon, tél. 04.74.04.23.92, fax 04.74.04.23.92 r.-v.

MONIQUE ET MAURICE SORNAY
1999

n.c. 10 000 5à8€

La belle intensité des parfums (violette associés à de l'iris et à du poivron frais) de ce vin rubis violet est unanimement reconnue, tout comme la séduction de ses tanins parfumés et de sa chair, ronde et veloutée. Une production originale et élégante, à boire dans l'année. (30 à 49 F)

EARL Sornay-Aucœur, Fondlong, 69910 Villié-Morgon, tél. 04.74.04.22.97, fax 04.74.04.22.97 r.-v.

DOM. DES SOUCHONS
Cuvée Tradition 1999★

10 ha 60 000 5à8€

Créé en 1752, ce domaine a élaboré à partir de vignes d'une quarantaine d'années implantées sur argilo-calcaire ce 99 doté d'une belle robe grenat sans nuance d'évolution ; il révèle d'agréables et fins parfums floraux et fruités, puis garnit le palais de sa chair tendre. Ce vin charmeur et velouté pourra être dégusté dès cette année, mais une garde d'un à deux ans est à sa portée. (30 à 49 F)

Serge Condemine-Pillet, Morgon-le-Bas, 69910 Villié-Morgon, tél. 04.74.69.14.45, fax 04.74.69.15.43, e-mail domainesouchons@free.fr t.l.j. 8h-12h 14h-19h ; f. 23 déc.-2 jan.

Moulin à vent

Le « seigneur » des crus du Beaujolais campe ses 676 ha sur les communes de Chénas, dans le Rhône, et de Romanèche-Thorins, en Saône-et-Loire. L'appellation, symbolisée par le vénérable moulin à vent qui a retrouvé ses ailes en 1999, en présence des navigateurs Laurent et Yvan Bourgnon, se dresse à une altitude de 240 m au sommet d'un mamelon aux formes douces, de pur sable granitique, au lieu-dit Les Thorins. Elle a produit, en 2000, 38 600 hl élaborés à partir de gamay noir à jus blanc. Les sols peu profonds, riches en éléments minéraux tels que le manganèse, apportent aux vins une couleur d'un rouge profond, un arôme rappelant l'iris, du bouquet et du corps, qui, quelquefois, les font comparer à leurs cousins bourguignons de la Côte-d'Or. Selon un rite traditionnel, chaque millésime est porté aux fonts baptismaux, d'abord à Romanèche-Thorins (fin octobre), puis dans tous les villages et, début décembre, dans la « capitale ».

S'il peut être apprécié dans les premiers mois de sa naissance, le moulin à vent supporte sans problème une garde de quelques années. Ce « prince » fut l'un des premiers crus reconnus appellation d'origine contrôlée, en 1936, après qu'un jugement du tribunal civil de Mâcon en eut défini les limites. Deux caveaux permettent de le déguster, l'un au pied du moulin, l'autre au bord de la route nationale. Ici ou ailleurs, on appréciera pleinement le moulin à vent sur tous les plats généralement accompagnés de vin rouge.

CH. BONNET Vieilles vignes 2000*

■ 1,7 ha 12 000 5à8€

Ce beau domaine de 7 ha, dont l'origine remonte à 1630, est aujourd'hui en partie exploité par le fils du propriétaire. Cette cuvée grenat s'ouvre sur de fugaces nuances animales qui évoluent vers des notes de groseille et de framboise associées aux épices. C'est en bouche que l'on savoure les qualités aromatiques de ce jeune 99 encore plein d'énergie, et qui se révèle équilibré et harmonieux. Il sera à boire au cours des deux prochaines années. (30 à 49 F)

Pierre-Yves Perrachon, Ch. Bonnet, 71570 La Chapelle-de-Guinchay, tél. 03.85.36.70.41, fax 03.85.36.77.27, e-mail chbonnet@terre.net.fr r.-v.

DOM. BOURISSET 2000

■ 5 ha 35 000 8à11€

Les vignes implantées sur le gore non loin du célèbre moulin à vent sont à l'origine de cette production grenat foncé, encore timide à s'ouvrir sur de belles notes de fleurs et de cassis qui évoluent vers le minéral. Ce vin aux caractères de jeunesse évidents tapisse la bouche de tanins racés qui vont s'arrondir ; il est riche, concentré et aromatique ; on l'attendra deux à trois ans pour le déguster avec plaisir. (50 à 69 F)

Collin-Bourisset Vins Fins, av. de la Gare, 71680 Crèches-sur-Saône, tél. 03.85.36.57.25, fax 03.85.37.15.38, e-mail cbourisset@gofornet.com r.-v.

DOM. CHAMPAGNON 2000

■ 2,99 ha 19 000 5à8€

Six mois de fût pour cette cuvée rouge vif aux puissants parfums de cerise et de cassis qui se prolongent en bouche. L'attaque souple et fruitée se poursuit sur des impressions plus rudes de jeunes tanins. Ce vin de prime abord gouleyant doit s'affiner encore quelques mois. (30 à 49 F)

EARL du Dom. Champagnon, Les Brureaux, 69840 Chénas, tél. 03.85.36.71.32, fax 03.85.36.72.00, e-mail champagnon.gaec@compuserve.com t.l.j. 8h-20h

DOM. DE CHAMP DE COUR Réserve 1999*

■ 2 ha 15 000 8à11€

Ce domaine est la propriété de la famille Mommessin. Son 99 a été élevé six mois en fûts provenant du grand cru clos de tart, monopole familial. Rubis foncé, il révèle des parfums assez puissants de vanille et des nuances florales. Sa belle chair vineuse, imprégnée par le boisé, est complète et équilibrée. Un vin très réussi, à boire courant 2002. (50 à 69 F)

GFA Champ de Cour, 71570 Romanèche-Thorins, tél. 04.74.69.09.30, fax 04.74.69.09.28

PIERRE CHANAU 1999*

■ 7,75 ha 60 000 5à8€

Elaboré par la maison Thorin pour le compte d'Auchan, ce 99 rubis clair se montre expressif au nez. Les parfums complexes et de bonne intensité sont ceux de petits fruits rouges et noirs associés à des notes de fleurs et d'épices. La bouche qui révèle un bon équilibre entre le fruit et les tanins ne manque pas de vinosité. Agréable, ce vin est à boire au cours des deux prochaines années avec une viande rouge ou un poisson en matelote. (30 à 49 F)

Auchan, 200, rue de la Recherche, 59650 Villeneuve-d'Ascq, tél. 04.74.69.09.10, fax 04.74.69.09.28 r.-v.

JACQUES CHARLET Champ de Cour 2000

■ n.c. n.c. 5à8€

Le rubis clair de la robe est soutenu par de beaux reflets violets. Les fins parfums de cassis et de fruits cuits restent assez discrets. La bouche, bien composée et équilibrée, est tout d'abord dominée par des impressions végétales,

puis viennent des notes vanillées persistantes. Ce vin doit encore s'affiner. (30 à 49 F)
Jacques Charlet, 71570 La Chapelle-de-Guinchay, tél. 03.85.36.82.41, fax 03.85.33.83.19

DOM. GAY-COPERET 2000
■ 5 ha 8 000 5à8€
Un exemple parfait de parité : le domaine porte le nom des deux époux et réserve un accueil chaleureux aux amateurs. Ce vin foncé, presque violet, aux nuances de pivoine évoluant sur la réglisse, se montre corsé et doté d'une solide charpente. Encore jeune et non sophistiqué, ce moulin à vent présente un beau potentiel. On l'attendra deux à trois ans. (30 à 49 F)
Catherine et Maurice Gay, Les Vérillats, 69840 Chénas, tél. 04.74.04.48.86, fax 04.74.04.42.74 r.-v.

J. GONARD ET FILS 2000★
■ 1 ha 7 000 5à8€
Spécialisée dans les vins du Mâconnais et du Beaujolais, cette entreprise familiale propose une sélection grenat sombre au nez expressif de petits fruits rouges et de fruits à noyau mêlés à des épices. La bouche puissante, assez ronde et fruitée, est harmonieusement équilibrée. Ce vin réussi et très agréable sera à boire dans les deux prochaines années. (30 à 49 F)
J. Gonard et Fils, La Varenne, Jullie, 69840 Juliénas, tél. 04.74.04.45.20, fax 04.74.04.45.69 t.l.j. 9h-12h 14h-19h

DOM. DU HAUT-PONCIE 1999★★
■ 3,2 ha 6 800 8à11€
Un terroir riche en manganèse est à l'origine de cette cuvée rubis limpide au bouquet très fin et net de vanille et de fruits rouges confits. Ce riche 99 se révèle harmonieusement constitué et persistant. Finement boisé avec des notes de réglisse, typé, rond et bien structuré, il est prêt mais peut encore attendre deux ans. (50 à 69 F)
GAEC Tranchand, Dom. du Haut-Poncié, 69820 Fleurie, tél. 04.74.04.16.06, fax 04.74.69.89.97 t.l.j. 8h-20h; dim. sur r.-v.

CH. DES JACQUES 1999★
■ 22 ha 20 000 11à15€
La culture traditionnelle de la vigne, qui s'accompagne d'une macération longue, a donné un vin rubis intense qui s'ouvre sur des nuances de mûre sauvage et des notes minérales. Ayant conservé beaucoup de vivacité, ce 99 ample et riche, au caractère minéral affirmé, sera à savourer dans les deux ou trois prochaines années. Une décantation comme en Bourgogne pourra lui être bénéfique. (70 à 99 F)
Ch. des Jacques, 71570 Romanèche-Thorins, tél. 03.85.35.51.64, fax 03.85.35.59.15, e-mail chateau-des-jacques@wanadoo.fr r.-v.
Maison Louis Jadot

LA BRUYERE 1999
■ 1 ha 6 000 15à23€
A côté d'une vaste palette de crus de la Côte-d'Or, cette maison beaunoise propose ce moulin à vent. D'élégantes nuances vanillées, avec une dominante de pruneau, émanent de cette sélection rouge pivoine intense. La chair puissante et ronde révèle un vin déjà prêt mais qui peut encore gagner à attendre un an. (100 à 149 F)
Pierre André, Ch. de Corton-André, 21420 Aloxe-Corton, tél. 03.80.26.44.25, fax 03.80.26.43.57, e-mail pandre@axnet.fr

DOM. DE LA TEPPE 1999
■ 4,5 ha 9 000 5à8€
Situé à 500 m du musée du Compagnonnage, ce domaine, qui n'a cessé de s'agrandir depuis cinq générations, compte aujourd'hui plus de 20 ha de vignes. Cette cuvée rubis intense aux parfums complexes de fruits rouges, de fleurs séchées et de sous-bois se développe agréablement en bouche sur des notes épicées qui se mêlent à son fruit. Des tanins apparaissent encore en finale, mais devraient être fondus dès l'automne, permettant de boire ce vin dans l'année. (30 à 49 F)
EARL Robert et Pierre Bouzereau, Dom. de La Teppe, 71570 Romanèche-Thorins, tél. 03.85.35.52.47, fax 03.85.35.52.47 r.-v.

DOM. DE LA TOUR DU BIEF 1999
■ n.c. 9 800 8à11€
Siège de ce négociant, Charnay possède une église dont l'abside et le clocher sont romans. Les arômes, d'abord cachés de cette sélection rubis intense, se développent au cours de la dégustation ; ils évoquent la réglisse et les sous-bois. Ce 99 équilibré, fin et de bonne persistance, est arrivé à maturité, aussi conseille-t-on de le boire au cours des deux prochaines années. (50 à 69 F)
Trénel Fils, 33, chem. du Buéry, 71850 Charnay-lès-Mâcon, tél. 03.85.34.48.20, fax 03.85.20.55.01, e-mail info@trenel.com t.l.j. sf dim. 8h-12h 13h30-18h; lun. 13h30-18h et sam. 8h-12h

DOM. JACQUES ET ANNIE LORON La Rochelle 2000★
■ 2 ha 8 000 5à8€
Des vignes de cinquante ans sont à l'origine d'une cuvée de **chénas du même millésime** citée par le jury, ainsi que de cette production pourpre au nez flatteur de rose et de pivoine évoluant sur la cannelle et le safran. Bien charnu, ce vin ample au bon soutien tannique pourra être « croqué » comme un raisin au cours des deux ou trois prochaines années. (30 à 49 F)
EARL Jacques et Annie Loron, Les Blancs, 69840 Chénas, tél. 04.74.04.48.76, fax 04.74.04.42.14 r.-v.

DOM. DU MATINAL 2000
■ 4 ha 8 000 5à8€
Les deux appellations que revendique cette exploitation de 6,30 ha ont été citées par le jury : un **chénas 2000** élevé sept mois en cuve, et le moulin à vent qui passe huit mois en fût de

chêne. Rouge léger, celui-ci livre des parfums fins et persistants de raisins, de fruits confits et des notes boisées. La bouche jeune et souple est d'une ampleur fort convenable. Agréable et peu corsé, ce vin est à boire dans l'année. (30 à 49 F)

EARL Simone et Guy Braillon, Le Bourg, 69840 Chénas, tél. 04.74.04.48.31, fax 04.74.04.47.64 t.l.j. 9h-20h; groupes sur r.-v.; f. mi-août

CH. DES MICHAUDS 2000

■ 4 ha 6 400 5à8€

Elevée dans une des plus belles caves voûtées de la région, cette cuvée grenat aux parfums de fleurs, de fruits rouges frais et d'épices révèle encore toute sa jeunesse. Ses tanins qui restent agréables sont associés à des arômes fruités persistants. Ce vin bien constitué doit poursuivre son évolution heureusement commencée. Il est à attendre un an. (30 à 49 F)

Ch. de Chénas, 69880 Chénas, tél. 04.74.06.10.10, fax 04.74.66.13.77 r.-v.

CH. DU MOULIN A VENT 1999*

■ 29,4 ha 28 000 8à11€

Non loin de l'emblématique moulin à vent a été élevé ce vin rubis soutenu au bouquet complexe de grillé, d'épices et de fruits bien mûrs. Sa riche matière charnue et onctueuse est imprégnée d'arômes de fruits confits et d'épices. Il sera à déguster dans les deux ans avec une viande rouge ou du gibier. (Sur l'étiquette, le producteur a noté : « cuvée exceptionnelle », pour distinguer cette bouteille de la cuvée qui n'est pas élevée en fût.) (50 à 69 F)

Ch. du Moulin à Vent, 71570 Romanèche-Thorins, tél. 03.85.35.50.68, fax 03.85.35.20.06 t.l.j. 9h-12h 14h-18h; sam. dim. sur r.-v.

Flornoy-Bloud

DOM. DU MOULIN D'EOLE

Les Thorins Réserve 1999*

■ 1,72 ha 13 000 8à11€

Le 98 du domaine avait été consacré coup de cœur l'an dernier. Cette année, le 99 reçoit une étoile pour un vin à la robe rubis, limpide et brillante, qui exhale de fins parfums de fruits rouges associés à la réglisse, au poivre, à la cannelle et au clou de girofle. Avec des tanins fondus et persistants, il garnit avec onctuosité le palais. Racé, il est prêt, mais les plus patients le savoureront pendant deux ans avec un cuissot de chevreuil. (50 à 69 F)

Philippe Guérin, Le Bourg, 69840 Chénas, tél. 04.74.04.46.88, fax 04.74.04.47.29 t.l.j. sf dim. 9h-12h 14h-19h

GEORGES ET MONIQUE PERRAUD 1999

■ 1,26 ha 9 000 5à8€

La même famille exploiterait le domaine depuis 1560... Ce 99 rubis vif s'ouvre sur des nuances de fruits rouges imprégnées de vanille. Sa bonne matière qui a gardé de la fraîcheur reste cependant dominée par le boisé du fût mais ce vin pourra encore évoluer : on attendra un à deux ans qu'il arrive à maturité. (30 à 49 F)

Georges et Monique Perraud, 69820 Vauxrenard, tél. 04.74.69.90.47 r.-v.

DOM. DU POURPRE 2000*

■ 9,5 ha 20 000 5à8€

Avec le **chénas**, cité, c'est la totalité de la production 2000 du domaine qui est au palmarès du Guide ! Des parfums de pivoine et de rose, puis des nuances de cerise confite, caractérisent ce moulin à vent rubis sombre. L'attaque fraîche est suivie d'impressions de rondeur qu'apporte une chair douce et riche. Les tanins serrés et racés qui se montrent en finale inciteront à réserver sa dégustation aux deux ou trois prochaines années. (30 à 49 F)

EARL Dom. du Pourpre, Les Pinchons, 69840 Chénas, tél. 04.74.04.48.81, fax 04.74.04.49.22 t.l.j. 8h-20h

Méziat

LES VIGNERONS DU PRIEURE

Roche Gré 1999

■ n.c. n.c. 5à8€

Créée en 1960 par 83 viticulteurs, la cave vinifie aujourd'hui les 270 ha de ses 255 adhérents. Son moulin à vent 99 rouge léger, franc et limpide, au nez fruité et légèrement vanillé, persiste assez longuement en bouche. Ses tanins encore présents ont besoin de s'arrondir quelques mois. (30 à 49 F)

Les Vignerons du Prieuré, Ch. du Bois de la Salle, 69840 Juliénas, tél. 04.74.04.41.66, fax 04.74.04.47.05 r.-v.

DOM. BENOIT TRICHARD

Mortperay 1999*

■ 6,5 ha 30 000 8à11€

Pratiquant la lutte intégrée, ce producteur est régulièrement sélectionné par nos jurys. Cette année, son **brouilly 2000 (30 à 49 F)** est cité, et c'est ce vin rouge foncé aux reflets tuilés qui reçoit une étoile. Ses parfums très intenses de fruits rouges, de sous-bois et de grillé dénotent une belle évolution. Sa riche matière apparaît après une attaque jugée discrète. Equilibré et long en bouche, ce moulin à vent très harmonieux, au boisé réussi, a de la personnalité. Il est à boire au cours des deux prochaines années. (50 à 69 F)

Dom. Benoît Trichard, Le Vieux-Bourg, 69460 Odenas, tél. 04.74.03.40.87, fax 04.74.03.52.02, e-mail dbtricha@club-internet.fr r.-v.

Régnié

Officiellement reconnu en 1988, le plus jeune des crus s'insère entre le morgon au nord et le brouilly au sud, confortant ainsi la continuité des limites entre les dix appellations locales beaujolaises.

A l'exception de 5,93 ha sur la commune voisine de Lantigné, les 746 ha délimités de l'appellation sont totalement inclus dans le territoire de la commune de Régnié-Durette. Par analogie avec son aîné le morgon, seul le nom de l'une des communes fusionnées a été retenu pour le désigner. Seuls 500 ha ont été déclarés en AOC régnié en 2000 pour une production de 28 900 hl.

Le territoire de la commune est orienté nord-ouest-sud-est et s'ouvre largement au soleil levant et à son zénith, ce qui a permis au vignoble de s'implanter entre 300 et 500 m d'altitude.

Dans la majorité des cas, les racines de l'unique cépage de l'appellation, le gamay noir, explorent un sous-sol sablonneux et caillouteux ; on est ici dans le massif granitique dit de Fleurie. Mais il y a aussi quelques secteurs à tendance légèrement argileuse.

La conduite des vignes et le mode de vinification sont identiques à ceux des autres appellations locales. Toutefois, une exception d'ordre réglementaire ne permet pas la revendication en AOC bourgogne.

Au Caveau des Deux Clochers, près de l'église dont l'architecture originale symbolise le vin, les amateurs peuvent apprécier quelques échantillons des 33 880 hl de l'appellation. Les vins aux arômes développés de groseille, de framboise et de fleurs, charnus, souples, équilibrés, élégants sont qualifiés par certains de rieurs et de féminins.

DOM. DES BOIS 1999

■ 1,32 ha 11 000 5à8€

Les hôtes de passage trouveront au domaine le gîte et le couvert ; ils pourront aussi s'initier aux travaux de la vigne et du vin. Rubis très brillant, cette cuvée aux parfums assez fins de cerise et d'épices remplit avec légèreté le palais. Equilibré et resté frais, ce vin plaisant est à boire avec de la charcuterie. (30 à 49 F)

Roger et Marie-Hélène Labruyère, Les Bois, 69430 Régnié-Durette, tél. 04.74.04.24.09, fax 04.74.69.15.16, e-mail roger.labruyere@wanadoo.fr r.-v.

DOM. DES BRAVES 2000

■ 4 ha 10 000 5à8€

Issue d'une thermovinification, cette cuvée est élaborée par Franck Cinquin installé ici depuis 1989. Rubis brillant aux beaux reflets violets, elle se montre tout d'abord charmeuse. De complexes et intenses parfums d'épices et de fruits très mûrs envahissent le verre. L'attaque ronde évolue vers des notes plus vives et végétales qui contrarient les puissantes sensations olfactives initiales. Une bouteille à attendre un peu, bien qu'un dégustateur conseille de la boire dès l'automne. (30 à 49 F)

Franck Cinquin, Les Grandes Bruyères, 69430 Régnié-Durette, tél. 04.74.66.88.08, fax 04.74.66.88.08 r.-v.

DOM. DES BRAVES 2000

■ 9 ha 30 000 5à8€

Cet autre domaine, disciple également de la thermovinification, propose un vin grenat qui s'ouvre sur des parfums prononcés de bonbon anglais et de fruits noirs. L'attaque plutôt souple est rapidement suivie d'une pointe d'acidité qui renforce les arômes de ce vin encore jeune. Frais et friand, il est à boire dans l'année. (30 à 49 F)

Paul Cinquin, Les Braves, 69430 Régnié-Durette, tél. 04.74.04.31.11, fax 04.74.04.32.17 r.-v.

DOM. DES BUYATS 2000

■ 1 ha 7 000 5à8€

Dans les caves de ce domaine, dont les origines remontent à 1822, est élevée une cuvée rubis violacé aux parfums assez légers de fruits rouges, de notes florales et d'épices. La bouche nerveuse et poivrée révèle des tanins encore rustiques qui doivent s'affiner. Ce vin au nez flatteur et d'un bon équilibre est à attendre une année. (30 à 49 F)

Pierre Coillard, Dom. des Buyats, Les Bulliats, 69430 Régnié-Durette, tél. 04.74.04.35.37, fax 04.74.69.02.93 r.-v.

DOM. DE COLONAT
Cuvée Vieilles vignes 2000

■ 0,76 ha 5 600 5à8€

Héritier d'une lignée établie sur ce domaine depuis le XVIIe s., Bernard Collonge, installé depuis 1977, a déjà obtenu des coups de cœur dans le Guide. Sa cuvée 2000 rubis brillant exprime de fins parfums de fruits rouges très mûrs. Bien équilibrée, elle sera appréciée dans l'année. (30 à 49 F)

Bernard Collonge, Dom. de Colonat, Saint-Joseph, 69910 Villié-Morgon, tél. 04.74.69.91.43, fax 04.74.69.92.47 r.-v.

FRANCOIS ET MONIQUE DESIGAUD 1999*

■ 4 ha 4 000 5à8€

A égale distance de Villié-Morgon et de Régnié-Durette, proche du village de Saint-Joseph qui, à 470 m d'altitude, domine une bonne partie du vignoble, l'exploitation propose un joli 99 rubis intense aux fins parfums de raisins très mûrs et d'épices se prolongeant assez longuement en bouche. L'attaque franche et fraîche révèle aussi un vin ample et structuré avec des tanins soyeux. On l'attendra quelques mois. (30 à 49 F)

François et Monique Désigaud, Les Fûts, 69430 Régnié-Durette, tél. 04.74.69.92.68, fax 04.74.69.92.68 r.-v.

HOSPICES DE BEAUJEU
Cuvée La Plaigne 1999

n.c. 7 000 5à8€

Propriétaire et négociant en vins depuis 1820, cette maison propose une cuvée rubis limpide acquise lors de la célèbre vente aux enchères des vins des Hospices faite à la bougie. Les parfums de bonne intensité de framboise et de groseille évoluant sur la réglisse sont associés en bouche à de jolis tanins doux. Conservant une bonne fraîcheur, ce vin de soif, gouleyant, accompagnera très agréablement un plat de charcuterie, pendant un à deux ans. (30 à 49 F)

Pardon et Fils, 39, rue du Gal-Leclerc, 69430 Beaujeu, tél. 04.74.04.86.97, fax 04.74.69.24.08, e-mail pardon-fils.vins@wanadoo.fr t.l.j. sf sam. dim. 8h-12h 14h-18h; f. août

DOM. DOMINIQUE JAMBON 2000*

3 ha 4 000 5à8€

Métayer d'autres domaines jusqu'en 1995, Dominique Jambon est cité pour une cuvée du millésime **2000 en morgon** et décroche une étoile pour ce vin pourpre profond aux parfums moyennement intenses et complexes de violette et de fruits noirs comme la mûre. Après une attaque franche et charnue, ce 2000 révèle progressivement une belle structure tannique associée à des arômes fruités, laissant présager un bel avenir. Il devra être attendu un an. (30 à 49 F)

Dominique Jambon, Arnas, 69430 Lantignié, tél. 04.74.04.80.59, fax 04.74.04.80.59 r.-v.

DIDIER LAGNEAU 2000

1,8 ha n.c. 5à8€

Didier Lagneau s'est installé sur le domaine familial en 1999. Ce vin rouge vif s'ouvre sur des notes de fruits rouges et d'épices qui se prolongent en bouche. Aromatique et doté de tanins encore présents mais qui ne le déséquilibrent pas, il est à boire dans l'année. (30 à 49 F)

Didier Lagneau, Huire, 69430 Quincié-en-Beaujolais, tél. 04.74.69.20.70, fax 04.74.04.89.44 r.-v.

GERARD ET JEANNINE LAGNEAU 2000

6,5 ha 10 000 5à8€

Le domaine familial qui dispose de quatre chambres d'hôtes a été cité pour son **beaujolais villages 2000**. Le régnié du même millésime s'ouvre assez rapidement sur des parfums subtils de framboise et d'épices. La bouche fruitée, épicée, d'une bonne longueur et marquée par des tanins doux qui doivent encore s'affiner, ne déçoit pas. Ce vin doit être consommé dans les deux ans. (30 à 49 F)

Gérard et Jeannine Lagneau, Huire, 69430 Quincié-en-Beaujolais, tél. 04.74.69.20.70, fax 04.74.04.89.44 r.-v.

DOM. DE LA GRANGE CHARTON 1999

3,44 ha 25 000 5à8€

Sur l'étiquette, on reconnaît le bâtiment caractéristique où sont logées les familles des vignerons attachés au domaine. Ce 99 rubis soutenu livre de bons arômes de griotte. Après une attaque franche, les tanins qui émergent sont révélateurs d'une chair un peu fine. Ce vin plaisant est à boire dans l'année avec une viande blanche. (30 à 49 F)

Maison Thorin, Le Pont des Samsons, 69430 Quincié-en-Beaujolais, tél. 04.74.69.09.10, fax 04.74.69.09.28, e-mail information@maisonthorin.com

DOM. DE LA PLAIGNE 2000

9,5 ha 40 000 5à8€

Un judicieux assemblage entre vinification classique et thermovinification est à l'origine de ce vin rubis soutenu qui s'ouvre sur des notes de framboise, de fruits secs et de fleurs. Sa belle matière fruitée, qui mériterait plus d'ampleur, et sa charpente un peu légère le destinent à une consommation dans les deux ans. (30 à 49 F)

Gilles et Cécile Roux, La Plaigne, 69430 Régnié-Durette, tél. 04.74.04.80.86, fax 04.74.04.83.72 r.-v.

DENIS ET VALERIE MATRAY 1999

4,75 ha 4 000 3à5€

La production familiale de cette métairie des hospices de Beaujeu, rubis très jeune, révèle d'agréables parfums de fruits et d'épices. La bouche charnue, équilibrée et d'une bonne longueur se montre bien conservée. A boire dans l'année. (20 à 29 F)

Denis Matray, La Plaigne, 69430 Régnié-Durette, tél. 04.74.69.22.54, fax 04.74.69.22.54 t.l.j. sf dim. 9h-12h 14h-19h

JEAN-LUC PROLANGE 2000**

6,3 ha 10 000 3à5€

Après des débuts comme caviste au domaine des hospices de Beaujeu, ce viticulteur a repris en métayage l'exploitation familiale. D'un rouge très sombre avec des reflets bleus, ce vin livre de complexes et intenses parfums de fraise et de violette qui évoluent sur des notes minérales et des nuances de cassis et de groseille très mûrs. L'attaque charnue et ronde est particulièrement séduisante puis la bouche se montre savoureuse et aromatique à souhait ; ce n'est qu'en finale qu'apparaissent des tanins plus fermes. Les très bonnes impressions initiales et ses aptitudes au vieillissement permettront de l'attendre un à deux ans. (20 à 29 F)

Jean-Luc Prolange, Les Vergers, 69430 Régnié-Durette, tél. 04.74.69.00.22, fax 04.74.69.00.22 r.-v.
Yemeniz

DOM. DE VERNUS 1999

1,5 ha 3 500 5à8€

Situé dans le hameau dont il porte le nom, le domaine a vinifié une cuvée rouge carmin aux parfums développés de poivre, de fruits noirs et

de litchi. Une bouche ronde et très aromatique caractérise cette production originale et agréable qui est à boire maintenant. (30 à 49 F)
Alain Démule, La Roche, 69430 Quincié-en-Beaujolais, tél. 04.74.04.31.30, fax 04.74.04.31.37 r.-v.

Saint-amour

Totalement inclus dans le département de Saône-et-Loire, les 317 ha de l'appellation ont produit 18 244 hl (2000) sur des sols argilo-siliceux décalcifiés, de grès et de cailloutis granitiques, faisant la transition entre les terrains purement primaires au sud et les terrains calcaires voisins au nord, qui portent les appellations saint-véran et mâcon. Deux « tendances œnologiques » émergent pour épanouir les qualités du gamay noir : l'une favorise une cuvaison longue dans le respect des traditions beaujolaises, donnant aux vins nés sur les roches granitiques le corps et la couleur nécessaires pour faire des bouteilles de garde ; l'autre préconise un traitement de type primeur, donnant des vins consommables plus tôt pour assouvir la curiosité des amateurs. Le saint-amour accompagnera des escargots, de la friture, des grenouilles, des champignons ou une poularde à la crème.

L'appellation a conquis de nombreux consommateurs étrangers et une très grande part des volumes produits alimente le marché extérieur. Le visiteur pourra découvrir le saint-amour dans le caveau créé en 1965, au lieu-dit le Plâtre-Durand, avant de continuer sa route vers l'église et la mairie qui, au sommet d'un mamelon de 309 m d'altitude, dominent la région. A l'angle de l'église, une statuette rappelle la conversion du soldat romain qui donna son nom à la commune ; elle fait oublier les peintures, aujourd'hui disparues, d'une maison du hameau des Thévenins, qui auraient témoigné de la joyeuse vie menée pendant la Révolution dans cet « hôtel des Vierges » et qui expliqueraient, elles aussi, le nom de ce village...

CH. DE BELLEVERNE 2000

■ 4 ha 15 000 8à11€

C'est dans les caves du château, qui date de 1800, qu'a été élevé ce saint-amour rouge violacé dont les parfums assez fins se déclinent sur des notes empyreumatiques et des nuances d'épices. Remplissant le palais avec beaucoup de douceur, il livre de délicats arômes de myrtille et de cerise. Harmonieux, peu puissant, il est à boire maintenant. (50 à 69 F)
Sylvie Bataillard, Ch. de Belleverne, rue Jules Chauvet, 71570 La Chapelle-de-Guinchay, tél. 03.85.36.71.06, fax 03.85.33.86.41 t.l.j. sf dim. 8h-12h 13h30-18h

DOM. DES BILLARDS 2000

■ n.c. n.c. 5à8€

Appartenant aux héritiers Loron, le **domaine de la Vieille Eglise en juliénas 2000** a obtenu une citation, tout comme ce vin rubis limpide qui s'ouvre sur les fruits rouges et la griotte qu'accompagnent des notes complexes et minérales comme la pierre à fusil. Dès l'attaque, les belles impressions aromatiques ne sont pas démenties. Souple et équilibré, ce saint-amour un peu tendre et désaltérant sera le bienvenu pour fêter la prochaine Saint-Valentin 2002 avec une viande grillée. (30 à 49 F)
Ets Loron et Fils, Pontanevaux, 71570 La Chapelle-de-Guinchay, tél. 03.85.36.81.20, fax 03.85.33.83.19, e-mail vinloron@wanadoo.fr

DOM. DU CARJOT 2000

■ 3 ha 20 000 8à11€

Ce négociant propose un vin de domaine pourpre limpide qui s'ouvre sur des notes de fruits rouges accompagnées d'amande grillée. En bouche, l'abricot ressort, et sa souplesse, son fruité et sa légèreté invitent à une consommation dans l'année. (50 à 69 F)
La Réserve des Domaines, Les Chers, 69840 Juliénas, tél. 04.74.06.78.70, fax 04.74.06.78.71, e-mail avf@free.fr r.-v.
Gilbert Giloux

CLOS DE LA BROSSE 2000

■ 1,08 ha 10 000 8à11€

Le Clos de la Brosse, constitué d'une parcelle de 1,08 ha exposée à l'est, propose un vin grenat limpide aux délicats parfums de fruits rouges. En bouche, l'élégance du fruité et les tanins fondus participent aussi à son charme. Finement et harmonieusement construit, ce 2000 sera apprécié en 2002. Autre cru distribué par ce négociant dans l'AOC **brouilly, le domaine de la Motte 2000 (30 à 49 F)** a également obtenu une citation. (50 à 69 F)
Paul Beaudet, rue Paul-Beaudet, 71570 Pontanevaux, tél. 03.85.36.72.76, fax 03.85.36.72.02, e-mail paulbeaudet@compuserve.com
t.l.j. sf sam. dim. 8h-12h 13h30-17h30; f. août

DOM. DES DUC 2000*

■ 9,5 ha 50 000 5à8€

Le domaine, géré sous forme d'un groupement d'exploitations, n'a cessé de s'agrandir depuis 1985, atteignant aujourd'hui 27,67 ha. Le millésime 2000, pourpre cristallin, s'impose tout d'abord par des parfums de fruits rouges et d'épices intenses et complexes. Sa richesse vineuse et ses tanins fondus bien maîtrisés lui confèrent beaucoup de concentration. Ce vin complet et harmonieux est à déguster dans l'année. (30 à 49 F)

Dom. des Duc, La Piat, 71570 Saint-Amour-Bellevue, tél. 03.85.37.10.08, fax 03.85.36.55.75, e-mail duc@vins-du-beaujolais.com r.-v.

DOM. DE L'ANCIEN RELAIS
Clos de la Brosse 1999

■ 1,1 ha 8 000 5à8€

Dans la cave voûtée de cet ancien relais de poste qui remonte à 1399 sont élevés un **juliénas 99 Vieilles vignes** cité par le jury, et ce vin rubis brillant aux parfums bien présents de fruits rouges assortis de nuances épicées. L'attaque très agréable se poursuit sur des notes de kirsch et d'abricot. Des tanins viennent conforter la bonne structure. Un saint-amour à boire avec une viande rouge ou des abats. (30 à 49 F)

EARL André Poitevin, Les Chamonards, 71570 Saint-Amour-Bellevue, tél. 03.85.37.16.05, fax 03.85.37.40.87 r.-v.

GERARD ET NATHALIE MARGERAND Champs grillés 1999

■ 0,38 ha 4 000 5à8€

Faisant jeu égal avec le **juliénas 99**, qui obtient une citation, ce vin rouge intense s'ouvre sur les fruits rouges et le cassis. La bouche puissante aux arômes fruités et épicés s'avère équilibrée et très persistante. Ce saint-amour sera apprécié pendant deux à trois ans avec du gibier. (30 à 49 F)

Gérard et Nathalie Margerand, Les Capitans, 69840 Juliénas, tél. 04.74.04.46.53, fax 04.74.04.46.53 r.-v.

JEAN-JACQUES ET SYLVAINE MARTIN 2000*

■ 0,56 ha 3 500 5à8€

Présents sur ces terres depuis 1973, les Martin ont proposé deux cuvées parmi leur large production, toutes deux obtenant une étoile : un **beaujolais blanc 99**, ainsi que ce saint-amour rubis sombre aux senteurs de pivoine et de fruits rouges. Une attaque franche sur le fruit et la chair met en valeur une bouche d'une bonne puissance. Equilibré et rond, ce vin de plaisir, dont la finale persiste tout en finesse, est crédité de deux années de dégustation avec des viandes blanches ou des poissons. (30 à 49 F)

Jean-Jacques Martin, Les Verchères, 71570 Chânes, tél. 03.85.37.42.27, fax 03.85.37.47.43 r.-v.

DOM. DES PIERRES 2000

■ 6 ha 40 000 5à8€

Ce domaine, fidèle du Guide, fait connaître le Beaujolais du Japon au Danemark. Une fois encore, il fait partie des rares producteurs sélectionnés. Le millésime 2000, pourpre limpide, associe des parfums floraux et fruités à des nuances épicées. La matière assez riche et un peu acidulée de ce vin légèrement marqué par ses tanins remplit agréablement la bouche, équilibrée et persistante. On conseille de boire ce saint-amour dans l'année avec du gibier. (30 à 49 F)

Georges Trichard, rte de Juliénas, 71570 La Chapelle-de-Guinchay, tél. 03.85.36.70.70, fax 03.85.33.82.31 r.-v.

JEAN-PIERRE TEISSEDRE
Cuvée Prestige 1999

■ n.c. n.c. 8à11€

Proposé par ce négociant établi à Saint-Etienne-des-Ouillières, ce vin grenat révèle d'originales senteurs de cuir mêlées aux fruits rouges qui se prolongent au palais. Bien constitué et d'une bonne longueur, il est peu typé mais saura satisfaire le consommateur dans un à deux ans. (50 à 69 F)

Jean-Pierre Teissèdre, Les Grandes Bruyères, 69460 Saint-Etienne-des-Oullières, tél. 04.74.03.48.02, fax 04.74.03.46.33, e-mail jp-teissedre.earl@wanadoo.fr r.-v.

THOMAS LA CHEVALIERE
La Folie 2000*

■ 0,8 ha 5 000 8à11€

Une scène galante de Watteau reproduite sur l'étiquette illustre le plaisir offert par cette Folie. On aime le pourpre limpide de la robe associé aux parfums développés et complexes de fleurs blanches, de pivoine et de fruits rouges. On apprécie l'attaque « réveillée » qui accompagne des sensations charnues, rondes et fruitées. Ce vin de bonne puissance et bien structuré sera dégusté pendant deux ans avec une viande rouge en sauce, ou un brie. (50 à 69 F)

Thomas La Chevalière, 69430 Beaujeu, tél. 04.74.04.84.97, fax 04.74.69.29.87 t.l.j. sf sam. dim. 8h-12h 14h-18h

Sachez ranger votre cave : les blancs près du sol, les rouges au-dessus ; les vins de garde dans les rangées du fond, les bouteilles à boire en situation frontale. Et n'oubliez pas le livre de cave....

Au restaurant, il est conseillé de choisir un « petit » vin sur un menu préétabli, et de composer son menu à partir d'un grand vin ; mais en accordant les niveaux respectifs de qualité des mets et des vins.

Le Lyonnais

L'aire de production des vins de l'appellation coteaux du lyonnais, située sur la bordure orientale du Massif central, est limitée à l'est par le Rhône et la Saône, à l'ouest par les monts du Lyonnais, au nord et au sud par les vignobles du Beaujolais et de la vallée du Rhône. Vignoble historique de Lyon depuis l'époque romaine, il connut une période faste à la fin du XVIe s., religieux et riches bourgeois favorisant et protégeant la culture de la vigne. En 1836, le cadastre mentionnait 13 500 ha. La crise phylloxérique et l'expansion de l'agglomération lyonnaise ont réduit la zone de production. Aujourd'hui, la superficie en production s'élève à 346 ha, répartis sur quarante-neuf communes ceinturant la grande ville par l'ouest, depuis le mont d'Or, au nord, jusqu'à la vallée du Gier, au sud.

Cette zone de 40 km de long sur 30 km de large est structurée par un relief sud-ouest-nord-est qui détermine une succession de vallées à 250 m d'altitude et de collines atteignant 500 m. La nature des terrains est variée ; on y rencontre des granites, des roches métamorphiques, sédimentaires, des limons, des alluvions et du lœss. La structure perméable et légère, la faible épaisseur de certains de ces sols sont le facteur commun qui caractérise la zone viticole où prédominent les roches anciennes.

Coteaux du lyonnais

Les trois principales tendances climatiques du Beaujolais sont présentes ici, avec toutefois une influence méditerranéenne plus prononcée. Cependant, le relief, plus ouvert aux aléas climatiques de type océanique et continental, limite l'implantation de la vigne à moins de 500 m d'altitude et l'exclut des expositions nord. Les meilleures situations se trouvent au niveau du plateau. L'encépagement de cette zone est essentiellement à base de gamay noir, cépage qui, vinifié selon la méthode beaujolaise, donne les produits les plus intéressants et les plus recherchés de la clientèle lyonnaise. Les autres cépages admis dans l'appellation sont, en blanc, le chardonnay et l'aligoté. La densité requise est au minimum de 6 000 pieds/ha, les tailles autorisées étant le gobelet ou le cordon et la taille guyot. Le rendement de base est de 60 hl/ha, les degrés d'alcool minimum et maximum étant de 10° et 13° pour les vins rouges, 9,5° et 12,5° pour les vins blancs. La production est de 20 276 hl en rouge et rosé, et 2 050 hl en blanc. Vinifiant les trois quarts de la récolte, la cave coopérative de Sain-Bel est un élément moteur dans cette région de polyculture, où l'arboriculture fruitière est fortement implantée.

Consacrés AOC en 1984, les vins des coteaux du lyonnais sont fruités, gouleyants, riches en parfums, et accompagnent agréablement et simplement toutes les cochonnailles lyonnaises, saucisson, cervelas, queue de cochon, petit salé, pieds de porc, jambonneau, ainsi que les fromages de chèvre.

Trouver un producteur, un négociant ou une coopérative ? Consultez l'index en fin de volume.

DOM. DE BAPTISTE 2000*

■ 3,5 ha n.c. 3à5€

L'exploitation, outre une activité de pépinière viticole, a produit un **beaujolais rouge 2000, Domaine du Grand Lièvre**, qui obtient une citation. Mais l'étoile revient à ce vin doté d'une superbe robe rubis et dont les parfums intenses de cassis et de bonbon anglais sont associés à la complexité du musc et de la fougère. La bouche soyeuse et fraîche persiste longuement. Ce lyonnais atypique mais très réussi possède la puissance suffisante pour être bu pendant trois ans avec un bœuf bourguignon, une joue de porc ou des tripes à la lyonnaise. (20 à 29 F)

Bouteille Frères, Rotaval, 69380 Saint-Jean-des-Vignes, tél. 04.78.43.73.27, fax 04.78.43.08.94 r.-v.

CAVE DE SAIN-BEL L'Hommée 2000**

■ 30 ha 40 000 5à8€

Déjà coup de cœur dans le millésime 98, cette cuvée grenat intense, à la douceur charmeuse et aux fins et purs arômes de cassis et de framboise, révèle une belle structure en bouche. Beaucoup de chair accompagne des tanins racés et fruités qui persistent longuement. Au cours des trois prochaines années, ce millésime 2000 sera apprécié avec un saint-marcellin ou de la cervelle de canut. La cave de Sain-Bel propose également le **Domaine du Soly en beaujolais rouge 2000**, jugé très réussi - une étoile - par le jury. Deux excellentes cuvées. (30 à 49 F)

Cave de Vignerons réunis, RN 89, 69210 Sain-Bel, tél. 04.74.01.11.33, fax 04.74.01.10.27 r.-v.

DOM. DU CLOS SAINT-MARC 2000

■ 17 ha 100 000 3à5€

Né de vignes de quarante ans implantées sur un sol sablo-granitique, ce vin rubis soutenu offre d'agréables arômes de fruits rouges, résultat d'un judicieux compromis entre des techniques modernes ou plus classiques de récolte et de vinification. Assez fin et doté d'une structure élégante à base de tanins frais et fruités, il est à boire dans les deux ans. (20 à 29 F)

GAEC du Clos Saint-Marc, 60, rte des Fontaines, 69440 Taluyers, tél. 04.78.48.26.78, fax 04.78.48.77.91 r.-v.

PIERRE ET JEAN-MICHEL JOMARD 2000*

□ 1 ha 9 000 3à5€

Dans l'un des trois cuvages de cette propriété familiale qui date de 1520 ont été vinifiés un **coteaux 2000 rouge**, cité par le jury, et cette cuvée or pâle aux agréables parfums de miel et d'agrumes (citron, orange et mandarine). Ce vin souple et rond remplit avec ampleur la bouche. Persistant, bien équilibré, il est déjà prêt mais saura également vieillir deux à trois ans. (20 à 29 F)

Pierre et Jean-Michel Jomard, Le Morillon, 69210 Fleurieux-sur-l'Arbresle, tél. 04.74.01.02.27, fax 04.74.01.24.04 r.-v.

DOM. DE LA PETITE GALLEE 1999**

□ 2 ha 12 000 5à8€

Situé à 15 km au sud de Lyon, ce domaine de 11 ha est arrivé second au grand jury des coups de cœur avec ce très beau 99 né sur argilo-calcaire. Or vert assez intense, il livre de frais et complexes parfums de miel et de tilleul. Très complet et très long, ce vin fruité et harmonieux, qui procure déjà beaucoup de plaisir, sera apprécié au cours des deux prochaines années avec de la volaille cuite à la broche, un rôti de veau ou une brandade de morue. Les **Vieilles vignes du rouge 2000** ont obtenu une étoile. (30 à 49 F)

Robert et Patrice Thollet, La Petite Gallée, 69390 Millery, tél. 04.78.46.24.30, fax 04.72.30.73.48 r.-v.

ANNE MAZILLE 1999**

□ 0,3 ha 2 500 3à5€

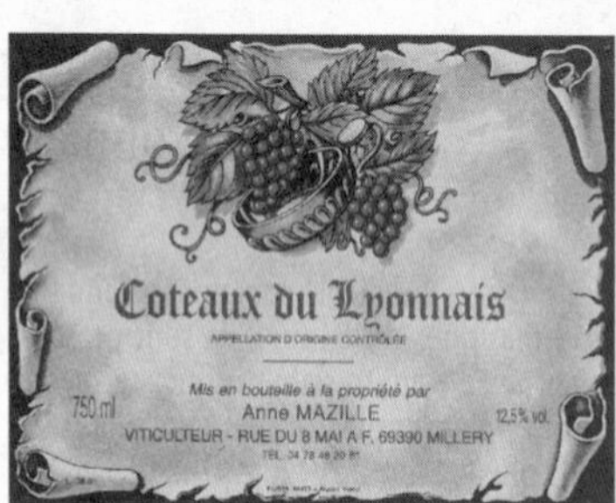

Des vignes de trente ans d'âge plantées sur des sols granitiques sont à l'origine de cette cuvée or vert intense, coup de cœur du grand jury. Le nez, très expressif, offre des parfums de citron et de miel d'une belle intensité. La bouche est impressionnante par sa richesse. Fruité et long, ce vin à la puissance maîtrisée, très harmonieux, a de la réserve pour s'épanouir encore : il pourra être gardé au moins deux ans et accompagner volailles et poissons à la crème. (20 à 29 F)

Anne Mazille, 10, rue du 8-Mai, 69390 Millery, tél. 04.72.30.14.91, fax 04.72.30.16.65 r.-v.

DOM. DE PETIT FROMENTIN
Vieilles vignes 2000

■ 2 ha 13 200 3à5€

Les vignes, implantées sur des sites viticoles historiques du Mont d'Or, ont donné un vin rouge intense avec des reflets violacés. Le nez agréable et discret de fruits rouges laisse poindre une originale note de fenouil. Doté d'une structure harmonieuse, ce 2000 est frais et sera à boire dans l'année. (20 à 29 F)

Decrenisse Père et Fils,
Le Petit Fromentin,
69380 Chasselay, tél. 04.78.47.35.11,
fax 04.78.47.35.11
t.l.j. sf dim. 17h-19h30

DOM. DE PRAPIN 2000

■ 4 ha 30 000 3à5€

Situé sur la route menant de Taluyers à Saint-Laurent-d'Agny, ce domaine jouit d'un terroir de coteaux bien orientés. La riche matière charnue et aromatique de cette cuvée grenat brillant s'exprime très longuement en bouche. Dotée de tanins encore jeunes, elle sera appréciée dans les deux à trois prochaines années avec des cochonnailles. Dans le même millésime, le **vin blanc** né du chardonnay a obtenu une citation.
(20 à 29 F)

Henri Jullian, Prapin, 69440 Taluyers,
tél. 04.78.48.24.84, fax 04.78.48.24.84
t.l.j. 9h-12h 14h30-19h

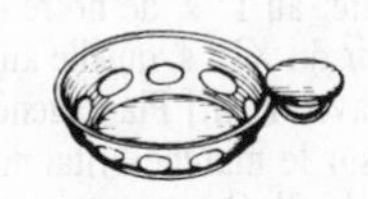

LE BORDELAIS

Partout dans le monde, Bordeaux représente l'image même du vin. Pourtant, le visiteur éprouve aujourd'hui quelques difficultés à déceler l'empreinte vinicole dans une ville délaissée par les beaux alignements de barriques sur le port et par les grands chais du négoce, partis vers les zones industrielles de la périphérie. Et les petits bars-caves où l'on venait le matin boire un verre de liquoreux ont presque tous disparu. Autres temps, autres mœurs.

Il est vrai que la longue histoire vinicole de Bordeaux n'en est pas à son premier paradoxe. Songeons qu'ici le vin fut connu avant... la vigne, quand, dans la première moitié du Ier s. av. J.-C. (avant même l'arrivée des légions romaines en Aquitaine), des négociants campaniens commençaient à vendre du vin aux Bordelais. Si bien que, d'une certaine façon, c'est par le vin que les Aquitains ont fait l'apprentissage de la romanité... Par la suite, au Ier s. de notre ère, la vigne est apparue. Mais il semble que ce soit surtout à partir du XIIe s. qu'elle ait connu une certaine extension : le mariage d'Aliénor d'Aquitaine avec Henri Plantagenêt, futur roi d'Angleterre, favorisa l'exportation des « clarets » sur le marché britannique. Les expéditions de vin de l'année se faisaient par mer, avant Noël. On ne savait pas conserver les vins ; après une année, ils étaient moins prisés parce qu'ils étaient partiellement altérés.

A la fin du XVIIe s., les « clarets » ont été concurrencés par l'introduction de nouvelles boissons (thé, café, chocolat) et par les vins plus riches de la péninsule ibérique. D'autre part, les guerres de Louis XIV entraînèrent des mesures de rétorsion économique contre les vins français. Cependant, la haute société anglaise restait attachée au goût des « clarets ». Aussi quelques négociants londoniens cherchèrent-ils, au début du XVIIIe s., à créer un nouveau style de vins plus raffinés, les « new French clarets » qu'ils achetaient jeunes pour les élever. Afin d'accroître leurs bénéfices, ils imaginèrent de les vendre en bouteilles. Bouchées et scellées, celles-ci garantissaient l'origine du vin. Insensiblement, la relation terroir-château-grand vin s'effectua, marquant l'avènement de la qualité. A partir de ce moment, les vins commencèrent à être jugés, appréciés et payés en fonction de leur qualité. Cette situation encouragea les viticulteurs à faire des efforts pour la sélection des terroirs, la limitation des rendements et l'élevage en fût ; parallèlement, ils introduisirent la protection des vins par l'anhydride sulfureux qui permit le vieillissement, ainsi que la clarification par collage et soutirage. A la fin du XVIIIe s., la hiérarchie des crus bordelais était établie. Malgré la Révolution et les guerres de l'Empire, qui fermèrent provisoirement les marchés anglais, le prestige des grands vins de Bordeaux ne cessa de croître au XIXe s., pour aboutir, en 1855, à la célèbre classification des crus du Médoc, qui est toujours en vigueur malgré les critiques que l'on peut émettre à son égard.

Après cette période faste, le vignoble fut profondément affecté par les maladies de la vigne, phylloxéra et mildiou ; et par les crises économiques et les guerres mondiales. De 1960 à la fin des années 1980, le vin de Bordeaux a connu un regain de prospérité, lié à une remarquable amélioration de la qualité et à l'intérêt que l'on porte, dans le monde entier, aux grands vins. La notion de hiérarchie des terroirs et des crus retrouve sa valeur originelle ; mais les vins rouges ont mieux bénéficié de cette évolution que les vins blancs. Au début des années 1990, le marché connaît des difficultés qui ne seront pas sans incidence sur la structure du vignoble.

Le vignoble bordelais est organisé autour de trois axes fluviaux : la Garonne, la Dordogne et leur estuaire commun, la Gironde. Ils créent des conditions de milieux (coteaux bien exposés et régulation de la température) favorables à la culture de la vigne. En outre, ils ont joué un rôle économique important en permettant le transport du vin vers les lieux de consommation. Le climat de la région bordelaise est relativement tempéré (moyennes annuelles 7,5 °C minimum, 17 °C maximum), et le vignoble protégé de l'Océan par la forêt de pins. Les gelées d'hiver sont exceptionnelles (1956, 1958, 1985), mais une température inférieure à -2 °C sur les jeunes bourgeons (avril-mai) peut entraîner leur destruction. Un temps froid et humide au moment de la floraison (juin) provoque un risque de coulure, qui correspond à un avortement des grains. Ces deux accidents entraînent des pertes de récolte et expliquent la variation de leur importance. En revanche, la qualité de la récolte suppose un temps chaud et sec de juillet à octobre, tout particulièrement pendant les quatre dernières semaines précédant les vendanges (globalement, 2 008 heures de soleil par an). Le climat bordelais est assez humide (900 mm de précipitations annuelles) ; particulièrement au printemps, où le temps n'est pas toujours très bon. Mais les automnes sont réputés, et de nombreux millésimes ont été sauvés *in extremis* par une arrière-saison exceptionnelle ; les grands vins de Bordeaux n'auraient jamais pu exister sans cette circonstance heureuse.

La vigne est cultivée en Gironde sur des sols de nature très diverse et le niveau de qualité n'est pas lié à un type de sol particulier. La plupart des grands crus de vin rouge sont établis sur des alluvions gravelo-sableuses siliceuses ; mais on trouve aussi des vignobles réputés sur les calcaires à astéries, sur les molasses et même sur des sédiments argileux. Les vins blancs secs sont produits indifféremment sur des nappes alluviales gravelo-sableuses, sur calcaire à astéries et sur limons ou molasses. Les deux premiers types se retrouvent dans les régions productrices de vins liquoreux, avec les argiles. Dans tous les cas, les mécanismes naturels ou artificiels (drainage) de régulation de l'alimentation en eau constituent une caractéristique essentielle de la production de vins de qualité. Il s'avère donc qu'il peut exister des crus ayant la même réputation de haut niveau sur des roches-mères différentes. Cependant, les caractères aromatiques et gustatifs des vins sont influencés par la nature des sols ; les vignobles du Médoc et de Saint-Emilion en fournissent de bons exemples. Par ailleurs, sur un même type de sol, on produit indifféremment des vins rouges, des vins blancs secs et des vins blancs liquoreux.

Le vignoble bordelais atteint 117 327 ha en 2000 ; à la fin du XIXe s., il s'est étendu sur plus de 150 000 ha, mais la culture de la vigne a été supprimée sur les sols les moins favorables. Les conditions de culture ayant été améliorées, la production globale est restée assez constante : elle approche les 7 millions d'hectolitres actuellement. Si la surface moyenne des exploitations est de 7 ha, on assiste à une concentration des propriétés, avec une diminution du nombre de producteurs (de 22 200 en 1983 à 16 000 en 1992, 13 358 en 1993 et 12 852 en 1996.)

Les vins de Bordeaux ont toujours été produits à partir de plusieurs cépages qui ont des caractéristiques complémentaires. En rouge, les cabernets et le merlot sont les principales variétés (90 % des surfaces). Les premiers donnent aux vins leur structure tannique, mais il faut plusieurs années pour qu'ils atteignent leur qualité optimale ; en outre, le cabernet-sauvignon est un cépage tardif, qui résiste bien à la pourriture, mais avec parfois des difficultés de maturation. Le merlot donne un vin plus souple, d'évolution plus rapide ; il est plus précoce et mûrit bien, mais il est sensible à la coulure, à la gelée et à la pourriture. Sur une longue période, l'association des deux cépages, dont les proportions varient en fonction des sols et des types de vin, donne les meilleurs résultats. Pour les vins blancs, le cépage essentiel est le sémillon (52 %), complété dans certaines zones par le colombard (11 %) et surtout par le sauvignon - qui tend à se développer - et la muscadelle (15 %), qui possèdent des arômes spécifiques très fins. L'ugni blanc est en retrait.

La vigne est conduite en rangs palissés, avec une densité de ceps à l'hectare très variable. Elle atteint 10 000 pieds dans les grands crus du Médoc et des Graves ; elle se situe à 4 000 pieds dans les plantations classiques de l'Entre-deux-Mers, pour tomber à moins de 2 500 pieds dans les vignes dites hautes et larges. Les densités élevées permettent une diminution de la récolte par pied, ce qui est favorable à la maturité ; par contre, elles entraînent des frais de plantation et de culture plus élevés et lut-

Le Bordelais

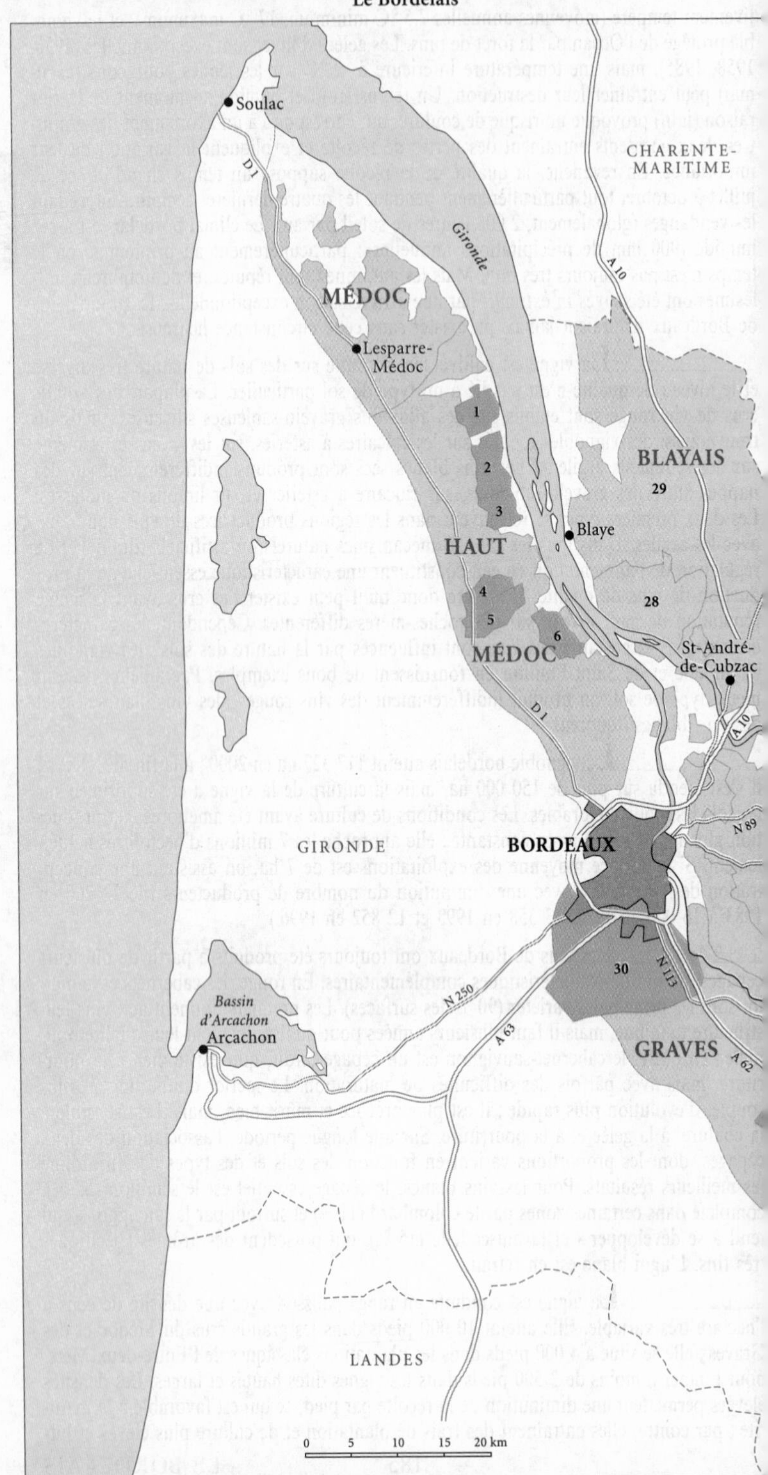

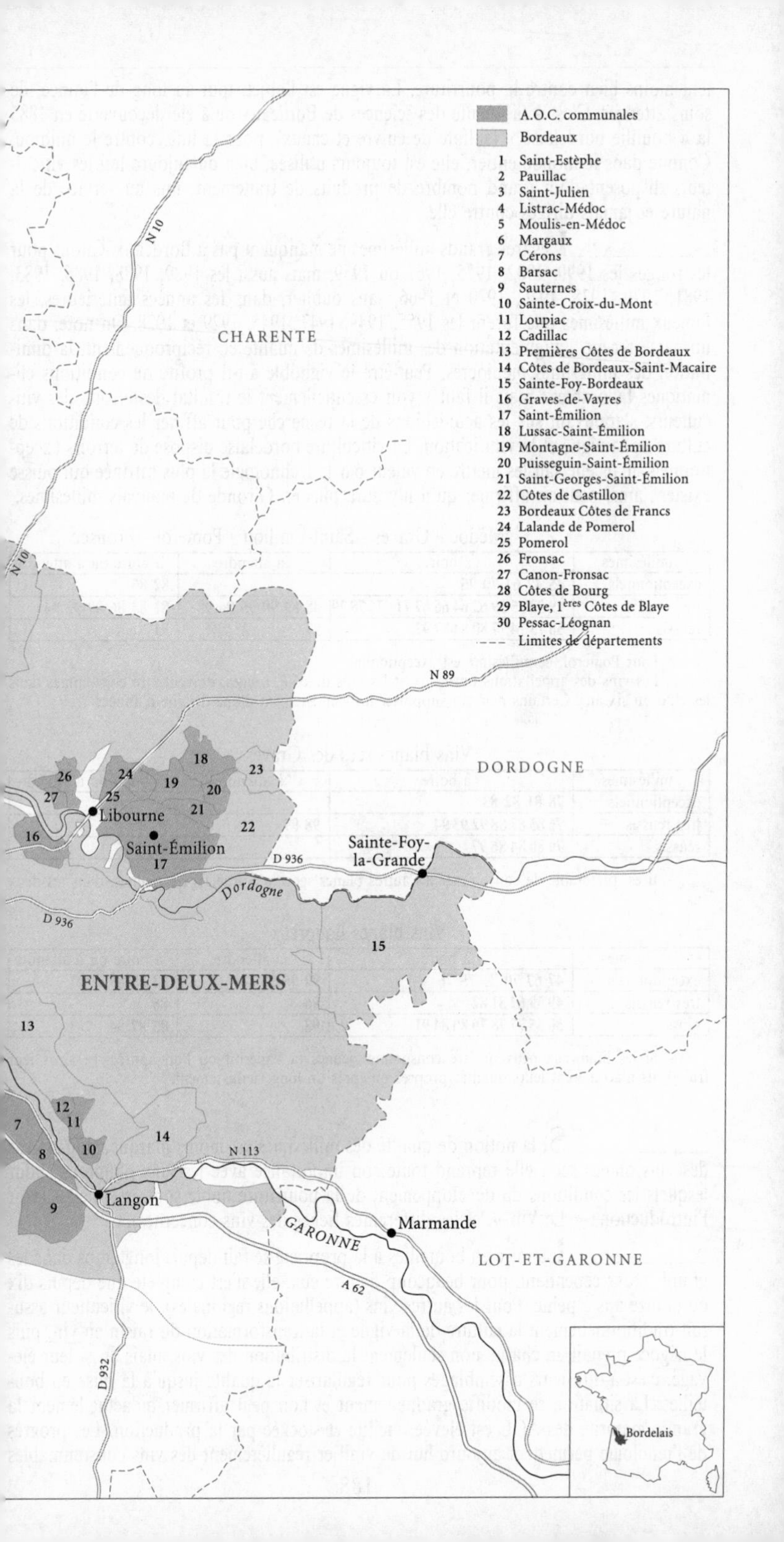
A.O.C. communales
Bordeaux
1 Saint-Estèphe
2 Pauillac
3 Saint-Julien
4 Listrac-Médoc
5 Moulis-en-Médoc
6 Margaux
7 Cérons
8 Barsac
9 Sauternes
10 Sainte-Croix-du-Mont
11 Loupiac
12 Cadillac
13 Premières Côtes de Bordeaux
14 Côtes de Bordeaux-Saint-Macaire
15 Sainte-Foy-Bordeaux
16 Graves-de-Vayres
17 Saint-Émilion
18 Lussac-Saint-Émilion
19 Montagne-Saint-Émilion
20 Puisseguin-Saint-Émilion
21 Saint-Georges-Saint-Émilion
22 Côtes de Castillon
23 Bordeaux Côtes de Francs
24 Lalande de Pomerol
25 Pomerol
26 Fronsac
27 Canon-Fronsac
28 Côtes de Bourg
29 Blaye, 1ères Côtes de Blaye
30 Pessac-Léognan
Limites de départements
CHARENTE
N 10
N 89
DORDOGNE
Libourne
Saint-Émilion
Sainte-Foy-la-Grande
D 936
Dordogne
ENTRE-DEUX-MERS
N 113
Langon
GARONNE
Marmande
LOT-ET-GARONNE
A 62
D 932
Bordelais

tent moins bien contre la pourriture. La vigne est l'objet, tout au long de l'année, de soins attentifs. C'est à la faculté des sciences de Bordeaux qu'a été découverte en 1885 la « bouillie bordelaise » (sulfate de cuivre et chaux), pour la lutte contre le mildiou. Connue dans le monde entier, elle est toujours utilisée, bien qu'aujourd'hui les viticulteurs disposent d'un grand nombre de produits de traitement, mis au service de la nature et jamais dirigés contre elle.

Les très grands millésimes ne manquent pas à Bordeaux. Citons pour les rouges les 1990, 1982, 1975, 1961 ou 1959, mais aussi les 1989, 1988, 1985, 1983, 1981, 1979, 1978, 1976, 1970 et 1966, sans oublier, dans les années antérieures, les fameux millésimes que furent les 1955, 1949, 1947, 1945, 1929 et 1928. On note, dans un passé récent, l'augmentation des millésimes de qualité et, réciproquement, la diminution des millésimes médiocres. Peut-être le vignoble a-t-il profité de conditions climatiques favorables ; mais il faut y voir essentiellement le résultat des efforts des viticulteurs, s'appuyant sur les acquisitions de la recherche pour affiner les conditions de culture de la vigne et la vinification. La viticulture bordelaise dispose de terroirs exceptionnels, mais elle sait les mettre en valeur par la technologie la plus raffinée qui puisse exister ; ainsi peut-on affirmer qu'il n'y aura plus en Gironde de mauvais millésimes.

Médoc - Graves - Saint-Émilion - Pomerol - Fronsac

millésimes	à boire	à attendre	à boire ou à attendre
exceptionnels	**45 47 61 70 75**		**82 85**
très réussis	**49 53 55 59 62 64 66 67 71* 76 78 79**	**88 89 90 95 96 98**	**81 83 86 89 93 94**
réussis	**50 73 74 77 80 84 87 92**	**97**	**91**

* Pour Pomerol, ce millésime est exceptionnel.

– Les vins des appellations bordeaux et les vins de côte, rouges, doivent être consommés dans les cinq ou six ans. Certains peuvent supporter un vieillissement d'une dizaine d'années.

Vins blancs secs des Graves

millésimes	à boire	à attendre	à boire ou à attendre
exceptionnels	**78 81 82 83**		
très réussis	**76 85 87 88 92 93 94**	**98 99**	**95 96**
réussis	**79 80 84 86 97**		**89 90**

– Il est préférable de consommer les autres blancs secs du Bordelais très jeunes, dans les deux ans.

Vins blancs liquoreux

millésimes	à boire	à attendre	à boire ou à attendre
exceptionnels	**47 67 70 71 75 76**	**90 95 97**	**83 88 89**
très réussis	**49 59 62 81 82**	**96**	**86**
réussis	**50 55 77 78 79 80 84 91**	**98**	**85 87 94**

– Si les liquoreux peuvent être consommés jeunes (à l'apéritif où l'on appréciera alors leur fruité), ils n'acquièrent leurs qualités propres qu'après un long vieillissement.

Si la notion de qualité des millésimes est moins marquée dans le cas des vins blancs secs, elle reprend toute son importance avec les vins liquoreux, pour lesquels les conditions du développement de la pourriture noble sont essentielles (voir l'introduction : « Le Vin », et les différentes fiches des vins concernés).

La mise en bouteilles à la propriété se fait depuis longtemps dans les grands crus ; cependant, pour beaucoup d'entre eux, elle n'est complète que depuis dix ou quinze ans à peine. Pour les autres vins (appellations régionales), le viticulteur assurait traditionnellement la culture de la vigne et la transformation du raisin en vin, puis le négoce prenait en charge non seulement la distribution des vins, mais aussi leur élevage, c'est-à-dire leurs assemblages pour régulariser la qualité jusqu'à la mise en bouteilles. La situation se modifie graduellement et l'on peut affirmer qu'actuellement la grande majorité des AOC est élevée, vieillie et stockée par la production. Les progrès de l'œnologie permettent aujourd'hui de vinifier régulièrement des vins consommables en l'état ; tout naturellement, les viticulteurs cherchent donc à les valoriser en les mettant eux-mêmes en bouteilles ; les caves coopératives ont joué un rôle dans cette évolution, en créant des unions qui assurent le conditionnement et la commercialisation des vins. Le négoce conserve toujours un rôle important au niveau de la distribution, en particulier à l'exportation, grâce à ses réseaux bien implantés depuis longtemps. Il n'est pas impossible cependant que, dans l'avenir, les vins de marque des négociants trouvent un regain d'intérêt auprès de la grande distribution de détail.

La commercialisation de l'importante production de vin de Bordeaux est bien sûr soumise aux aléas de la conjoncture économique, au volume et à la qualité de la récolte. Dans un passé récent, le Conseil interprofessionnel des vins de Bordeaux a pu jouer un grand rôle en matière de commercialisation, par la mise en place d'un stock régulateur, d'une mise en réserve qualitative et de mesures financières d'organisation du marché.

Les syndicats viticoles, eux, assurent la protection des différentes appellations d'origine contrôlée, en définissant les critères de la qualité. Ils effectuent sous le contrôle de l'INAO des dégustations d'agréage de tous les vins produits chaque année ; elles peuvent donner lieu à la perte du droit à l'appellation si la qualité est jugée insuffisante.

Les confréries vineuses (Jurade de Saint-Emilion, Commanderie du Bontemps du Médoc et des Graves, Connétablie de Guyenne, etc.) organisent régulièrement des manifestations à caractère folklorique dont le but est l'information en faveur des vins de Bordeaux ; leur action est coordonnée au sein du Grand Conseil du vin de Bordeaux.

Toutes ces actions de promotion, de commercialisation et de production le démontrent : le vin de Bordeaux est aujourd'hui un produit économique géré avec rigueur. Représentant plus du quart de la production AOC de France avec un volume de 6 897 946 hl en 2000, la production s'évalue en milliards de francs, dont huit à l'exportation. Son importance dans la vie régionale aussi, puisque l'on estime qu'un Girondin sur six dépend directement ou indirectement des activités viti-vinicoles. Mais qu'il soit rouge, blanc sec ou liquoreux, dans ce pays gascon qu'est le Bordelais, le vin n'est pas seulement un produit économique. C'est aussi et surtout un fait de culture. Car derrière chaque étiquette se cachent tantôt des châteaux à l'architecture de rêve, tantôt de simples maisons paysannes, mais toujours des vignes et des chais où travaillent des hommes, apportant, avec leur savoir-faire, leurs traditions et leurs souvenirs.

Les appellations régionales bordeaux

Si le public situe assez facilement les appellations communales, il lui est souvent plus difficile de se faire une idée exacte de ce que représente l'appellation bordeaux. Pourtant, la définir est apparemment simple : ont droit à cette appellation tous les vins de qualité produits dans la zone délimitée du département de la Gironde, à l'exclusion de ceux qui viendraient de la zone sablonneuse située à l'ouest et au sud (la lande, consacrée depuis le XIXe s. à la forêt de pins). Autrement dit, ce sont tous les terroirs à vocation viticole de la Gironde qui ont droit à cette appellation. Et tous les vins qui y sont produits peuvent l'utiliser, à condition qu'ils soient conformes aux règles assez strictes fixées pour son attribution (sélection des cépages, rendements à ne pas dépasser...). Mais derrière cette simplicité se cache une grande variété. Variété, tout d'abord, des types de vins. En effet, plus que d'une appellation bordeaux, il convient de parler des appellations bordeaux, celles-ci comportant des vins rouges, mais aussi des rosés et des clairets, des vins blancs (secs et liquoreux) et des mousseux (blancs ou rosés). Variété des origines ensuite, les bordeaux pouvant être de plusieurs types : pour les uns, il s'agit de vins produits dans des secteurs de la Gironde n'ayant droit qu'à la seule appellation bordeaux, comme les régions de palus (certains sols alluviaux) proches des fleuves, ou quelques zones du Libournais (communes de Saint-André-de-Cubzac, Guîtres, Coutras...). Pour les autres, il s'agit de vins provenant de régions ayant droit à une appellation spécifique (Médoc, Saint-Emilion, Pomerol, etc.). Dans certains cas, l'utilisation de l'appellation régionale s'explique alors par le fait que l'appellation locale est commercialement peu connue (comme pour les bordeaux côtes-de-francs, les bordeaux haut-benauge, les bordeaux sainte-foy ou les bordeaux saint-macaire) ; l'appellation spécifique n'est, en définitive, qu'un complément de l'appellation régionale, et, en outre, n'apporte rien de plus à la valorisation du produit. Aussi les viticulteurs préfèrent-ils se contenter de l'image de marque bordeaux. Mais il arrive également que l'on trouve des bordeaux provenant d'une propriété située dans l'aire de production d'une appellation spécifique prestigieuse, ce qui ne manque pas d'intriguer certains amateurs curieux. Mais là aussi l'explication est aisée à trouver : traditionnellement, beaucoup de propriétés en Gironde produisent plusieurs types de vins (notamment des rouges et des blancs) ; or dans de nombreux cas (médoc, saint-émilion, entre-deux-mers ou sauternes), l'appellation spécifique ne s'applique qu'à un seul type. Les autres productions sont donc commercialisées comme bordeaux ou bordeaux supérieurs.

S'ils sont moins célèbres que les grands crus, tous ces bordeaux n'en constituent pas moins quantitativement la première appellation de la Gironde, avec en 2000, en rouge, 3 309 870 hl, 517 467 hl pour les blancs et 18 925 hl pour les crémants de bordeaux.

L'importance de cette production et l'impressionnante surface du vignoble pourraient laisser penser qu'il n'existe guère de similitudes entre deux bordeaux. Pourtant, si l'on trouve une certaine diversité de caractères, il existe aussi des points communs, donnant leur unité aux différentes appellations régionales. Ainsi les bordeaux rouges sont des vins équilibrés, harmonieux, délicats ; généralement, ils doivent être fruités, mais pas trop corsés, pour pouvoir être consommés jeunes. Les bordeaux supérieurs rouges se veulent des vins plus complets. Ils utilisent les meilleurs raisins, sont vinifiés de façon à leur assurer une certaine longévité. Ils constituent en somme une sélection parmi les bordeaux.

Les bordeaux clairets et rosés, eux, sont obtenus par faible macération de raisins de cépages rouges ; les clairets ont une couleur un peu plus soutenue. Ils sont frais et fruités, mais leur production reste très limitée.

Les bordeaux blancs sont des vins secs, nerveux et fruités. Leur qualité a été récemment améliorée par les progrès réalisés dans les techniques de conduite de la vinification, mais cette appellation ne jouit pas encore de la notoriété à laquelle elle devrait pouvoir prétendre. Ce qui explique que certains vins soient « repliés » en vins de table, puisque, la différence de cotation étant parfois assez faible, il est plus avantageux commercialement de vendre du vin de table que du bordeaux blanc. Constituant une sélection, les bordeaux supérieurs blancs sont moelleux et onctueux ; leur production est limitée.

Il existe enfin une appellation crémant de bordeaux. Les vins de base doivent être produits dans l'aire d'appellation bordeaux. La deuxième fermentation (prise de mousse) doit être effectuée en bouteilles dans la région de Bordeaux.

Bordeaux

CLOS AMBRION

Vieilli en fût de chêne 1999

■ n.c. 7 000 5 à 8 €

Un pourpre intense et vigoureux où s'accrochent quelques éclats orangés annonce un vrai tempérament. Une impression que le nez ne dément pas, riche de notes de girofle, de cannelle et d'encens. La bouche ferme introduit un boisé qui se libère lentement. Un vin tonifiant,

qui s'épanouira dans l'ombre complice d'un bon cellier. (30 à 49 F)
Bernard Faure, Ambrion, 33240 Lalande-de-Fronsac, tél. 06.68.48.82.25 r.-v.

CH. ARNEAU-BOUCHER 1999*

22 ha 14 000 5à8€

Né sur une croupe argilo-calcaire de Saint-Genès-de-Fronsac, ce vin est d'un rouge profond et prometteur. Issu du seul merlot, il offre un nez puissant et concentré. Soutenue par une trame tannique en cours d'affinement, une belle bouteille à ouvrir dans les deux ans. (30 à 49 F)
EARL Jacques Sartron, 8, le Bourg, 33240 Saint-Genès-de-Fronsac, tél. 05.57.43.11.12, fax 05.57.43.56.34

DOM. DU BALLAT
L'Esprit du Ballat 1999*

3,5 ha 6 000 8à11€

Nul ne s'étonnera que l'Esprit du Ballat soit né tout près des demeures où Mauriac et Toulouse-Lautrec ont trouvé l'inspiration. Vêtu d'un pourpre aux éclats pivoine, ce vin concentre le fruit et la chair d'un merlot fort bien cultivé. Marqué par la truffe et la réglisse, il prend en bouche des apparences animales auxquelles répond le gras d'une chair généreuse. La finale au bouquet accompli laisse rivaliser le fruit (cassis) et quelques nuances épicées. Un petit séjour en cave rehaussera encore son éclat. A servir sur des cailles farcies. (50 à 69 F)
EARL Vignobles Trejaut, Dom. du Ballat, 33490 Saint-André-du-Bois, tél. 05.56.76.42.83, fax 05.56.76.45.14 r.-v.

CH. DE BEAULIEU 1999

16,91 ha 65 000 3à5€

L'antagonisme franco-anglais nous a légué la belle bastide médiévale de Sauveterre-de-Guyenne, à deux pas du château de Beaulieu. N'est-ce point aux Anglais que l'on doit, aussi, en partie le très ancien essor des vins de cette région ? Fruit d'un encépagement où les cabernets sont majoritaires, ce millésime se présente sous un épais manteau sombre. Pourtant le fruit est bien là, offert dès les premières inspirations : fruits cuits, pruneau, cerise noire. Ample et structuré, le vin avance en première ligne des tanins puissants, que seul domestiquera un bon vieillissement. La trame est vineuse et longue. Un beau produit pour amateurs éclairés... et peu pressés. (20 à 29 F)
Cellier de La Bastide, Cave coop. vinicole, 33540 Sauveterre-de-Guyenne, tél. 05.56.61.55.21, fax 05.56.71.60.11 t.l.j. sf dim. 9h-12h15 13h30-18h15; groupes sur r.-v.
GFA de Beaulieu

CH. BEAU-VAILLART 1999*

n.c. 100 000 3à5€

Sous une teinte assez sombre où scintillent quelques éclats grenat, se développe une palette aromatique empruntée au règne animal : fourrure, musc, vieux cuir... La surprise vient des tanins, assez abondants, impétueux, laissant peu d'espace à une chair légère. Il faudra attendre un à deux ans pour parvenir à un bon équilibre. Ici, les tenants de la tradition seront comblés. (20 à 29 F)
Michel Boyer, Ch. Bellevue La Mongie, 33420 Génissac, tél. 05.57.24.48.43, fax 05.57.24.48.43 t.l.j. 8h-12h 14h-19h; sam. dim. sur r.-v.; f. 15-30 août

CH. BEL AIR PERPONCHER 1999**

n.c. n.c. 5à8€

Le premier vin que vous rencontrez dans ce Guide parmi ceux qui sont proposés par l'équipe Despagne ; vous en découvrirez d'autres aux meilleures places dans les pages suivantes... Sous une robe incarnat encore très fraîche, on découvre ici des senteurs de tubéreuse et de narcisse avant que n'apparaisse le fruit. Puis vient l'opulente rondeur d'une chair rehaussée de tanins doux ouvrant sur une finale tout en longueur. Un vin de viandes rouges dont on peut déjà ouvrir les premières bouteilles tout en en gardant pour les deux ou trois ans à venir. (30 à 49 F)
GFA de Perponcher, 33420 Naujan-et-Postiac, tél. 05.57.84.55.08, fax 05.57.84.57.31, e-mail contact@vignobles-despagne.com r.-v.
J.-L. Despagne

CH. BELLE-GARDE
Cuvée élevée en fût de chêne 1999**

9 ha 60 000 5à8€

La robe d'un noir profond annonce l'abondance de la matière. Les sensations olfactives se partagent entre le domaine du fruit et celui du merrain. Cassis et pruneau se détachent sur un décor fondu. Une note chocolatée confirme un merlot très influent. La bouche réalise un joli fondu-enchaîné de ces senteurs, soutenue par des tanins élégants. Une bouteille pleine d'avenir. (30 à 49 F)
Eric Duffau, Ch. Belle-Garde, Monplaisir, 33420 Génissac, tél. 05.57.24.49.12, fax 05.57.24.41.28, e-mail eric.duffau@wanadoo.fr
t.l.j. sf dim. 8h-12h 14h-19h; f. 15-30 août

CH. BONNEMET 1999*

23,77 ha 50 000 3à5€

Une robe rubis à reflets violacés et intenses, des arômes encore pleins de jeunesse qui laissent pressentir un bouquet naissant de sous-bois, légèrement viandé. Ce vin, corsé et charnu dès l'approche, révèle peu à peu la présence de tanins sous-jacents, garants d'un vieillissement bénéfique (trois à quatre ans). (20 à 29 F)
Prodiffu, 17-19, rte des Vignerons, 33790 Landerrouat, tél. 05.56.61.33.73, fax 05.56.61.40.57, e-mail prodiffu@prodiffu.com
Bernard Chavelard

CH. BONNET
Réserve Elevé en fût de chêne 1999*

57 ha n.c. 5à8€

Les vins du château Bonnet sont de noble naissance, issus d'un domaine qui existait bien avant la Révolution française. La belle demeure du XVIII[e]s. est entourée de dépendances dotées d'un équipement viti-vinicole de premier plan, placé sous la responsabilité d'ingénieurs réputés. Les sols argilo-calcaires et argilo-siliceux ont produit là un vin de grande classe, au bouquet imprégné d'arômes de merrain grillé et de vanille, où le fruit s'exprime dans le raisiné et la mûre. A la fois corsé et charnu, marqué par un cabernet dominant aux tanins très mûrs, ce 99 s'étire longuement dans une tonalité finale épicée. (30 à 49 F)

SCEA Vignobles André Lurton, Ch. Bonnet, 33420 Grézillac, tél. 05.57.25.58.58, fax 05.57.74.98.59, e-mail andrelurton@wanadoo.fr ☑ Ɏ r.-v.

CH. BRANDEAU 1999*

■ 12 ha 92 000 5à8€

Drapé de pourpre, frangé d'éclats tuilés, ce 99 est un subtil mélange de fruits compotés, de tabac et d'effluves nés de 90 % de merlot. La bouche est à la fois tannique et dense, d'une réelle complexité. Suave dès à présent, cette bouteille restera un vin plaisir jusqu'en 2003. (30 à 49 F)

Philippe Hermouet, Clos du Roy, 33141 Saillans, tél. 05.57.55.07.41, fax 05.57.55.07.45, e-mail hermouetclosduroy@wanadoo.fr ☑ Ɏ r.-v.

CH. BUISSON-REDON 1999*

■ 3 ha 40 000 3à5€

Une robe grenat à légers reflets tuilés, un nez en demi-teinte, encore réservé, qui laisse entrevoir un arôme fruité (framboise). La bouche surprend par sa consistance et ne cache pas la trame encore solide des tanins. Une garde de un à deux ans sera bénéfique. (20 à 29 F)

SCEA du Mayne-Vieil, 33133 Galgon, tél. 05.57.74.30.06, fax 05.57.84.39.33, e-mail mayne-vieil@aol.com ☑ Ɏ r.-v.
Famille Seze

PRESTIGE DE CH. CABLANC 1999*

■ 4,6 ha 40 000 5à8€

Une teinte rouge intense et un bouquet charmeur aux notes de vanille et de grillé. Le raisin est présent, avec des arômes assez discrets mais nets, révélant un parfait état sanitaire de la vendange. La matière est riche et soyeuse, les tanins tapissent agréablement la bouche, et laissent place à une finale crémeuse. Déjà plaisant à boire, ce vin peut aussi attendre. (30 à 49 F)

Jean-Lou Debart, SCEA de Ch. Cablanc, 33350 Saint-Pey-de-Castets, tél. 05.57.40.52.20, fax 05.57.40.72.65, e-mail chcablanc@aol.com ☑ Ɏ r.-v.

CALVET RESERVE
Elevé en fût de chêne 1999*

■ 167 ha n.c. 3à5€

C'est tout le savoir-faire d'une maison de grande réputation qui s'exprime dans ce Calvet Réserve. Sélection de parcelles, cuvaison longue, respect du « style Calvet » dans l'assemblage, élevage en fût, vieillissement en bouteilles. « C'est très bien fait, très bordelais », s'exclament les jurés, impressionnés par cette cuvée grenat au nez empyreumatique où le fumé se mêle aux framboises. La bouche élégante, aux notes de sous-bois qui viennent égayer les tanins, définit un très beau vin. (20 à 29 F)

Calvet, 75, cours du Médoc, BP 11, 33028 Bordeaux Cedex, tél. 05.56.43.59.00, fax 05.56.43.17.78, e-mail calvet@calvet.com

CARREFOUR 1999*

■ n.c. 1 500 000 3à5€

Carrefour a confié à Ginestet, grande maison bordelaise, l'élaboration de son bordeaux selon un cahier des charges très strict. L'élégante étiquette précise bien le nom du metteur en bouteilles, Bernard Taillan, groupe auquel appartient Ginestet ; la mention Carrefour est sur une collerette volante. Né à partir d'une sélection de parcelles représentant 200 ha, ce vin peut être acheté les yeux fermés et servi à ses meilleurs amis. Couleur d'une belle intensité pourpre, arômes riches et puissants séduisent d'emblée. Au palais, les tanins roulent sur la langue et préparent une finale parfumée et tonique. Quelques mois suffiront à son épanouissement, mais l'amateur pressé sera récompensé par un plaisir immédiat. (20 à 29 F)

SA Maison Ginestet, 19, av. de Fontenille, 33360 Carignan-de-Bordeaux, tél. 05.56.68.81.82, fax 05.56.20.96.99, e-mail contact@ginestet.fr Ɏ r.-v.

CH. CAZALIS Cuvée CL Fin de siècle 1998

■ 6,5 ha 175 000 5à8€

Cazalis dérive d'un très ancien patronyme (*Vital de Cazalé*, seigneur et soldat du XIII[e]s.). Cette cuvée, de teinte cerise, offre une corbeille de fruits bien mûrs : mûre, myrtille et pruneau mais aussi raisin confit ; une bouche aimable, bien fondue, riche de notes confiturées. Peut-être est-ce le parfum de nostalgie « fin de siècle » ? En tout cas, à boire sans état d'âme, dans ce nouveau siècle. (30 à 49 F)

Claude Billot, SCEA Dom. de Cazalis, 33350 Pujols-sur-Dordogne, tél. 05.57.40.72.72, fax 05.57.40.72.00, e-mail chateau.cazalis@wanadoo.fr ☑ Ɏ r.-v.

CH. CAZEAU
Cuvée Prestige Vieilli en fût de chêne 1999

■ 180 ha 100 000 3à5€

Les reflets orangés de la robe trahissent un début d'évolution. Cette cuvée Prestige met en valeur un élevage sous bois très étudié. Le nez est marqué d'effluves grillés, tandis qu'une bouche gracile traduit une ample et chaude maturité des tanins. Des notes confites agrémentées de pruneau cuit accompagnent la dégustation vers une finale caressante. A déguster avec un gigot d'agneau, juste avant la visite du musée rural de la Vigne et du Vin, à Gornac. (20 à 29 F)

SCI Domaines Cazeau et Perey, 33540 Sauveterre-de-Guyenne, tél. 05.56.71.50.76, fax 05.56.71.87.70, e-mail laguyennoise@wanadoo.fr
Anne-Marie et Michel Martin

CH. CHAPELLE SAINT-SAUVEUR
Elevé en fût de chêne 1999

■ 50 ha 26 600 3 à 5 €

C'est de la réunion de cinq exploitations différentes qu'est né le château Chapelle Saint-Sauveur, au côté duquel s'élève une petite chapelle du XVIII[e]s. Vêtu d'un pourpre profond, ce 99 offre au premier nez des nuances végétales marquées de sous-bois, suivies de notes confiturées (pruneau, cerise noire), le tout sur un fond légèrement vanillé, très agréable. L'évolution au palais est toute de rondeur et d'équilibre. Les arômes grillés réapparaissent en arrière-bouche, celle-ci étant dénuée de toute agressivité. Ce vin sera à sa place aussi bien avec un filet de bœuf aux cèpes, qu'un carré d'agneau. (20 à 29 F)

SCEA des domaines Cazat-Beauchêne, 33570 Petit-Palais, tél. 05.57.69.86.92, fax 05.57.69.87.00, e-mail cazalio@aol.com
r.-v.
S. F. Carère

CH. CLOS DU BOURG 1999*

■ 4,75 ha 29 000 8 à 11 €

Ce Château Clos du Bourg 99, bel exemple d'équilibre entre les apports du cépage et ceux du merrain, exprime d'abord des senteurs fruitées (mûre, fraise des bois), puis affiche un registre de vanille et de noix de coco. Selon les avis (et les goûts), on peut le mettre à portée de table, ou bien le réserver quelques mois supplémentaires. (50 à 69 F)

Ch. Manieu, La Rivière, 33126 Fronsac, tél. 05.57.24.92.79, fax 05.57.24.92.78 t.l.j. sf sam. dim. 10h30-12h 14h30-18h
Mme Léon

CH. COURTEY Cuvée Léon 1999*

■ 4,89 ha 7 500 3 à 5 €

Au château Courtey, on cultive la vigne sur des collines proches du château Malromé où plane l'ombre de Toulouse-Lautrec. Sous une couleur grenat très dense, cette cuvée Léon aguichera par sa bouche séveuse, qui se déroule sur un lit de tanins déjà affinés. L'harmonie de sa finale en fait un vin plaisant, prêt à servir à table. (20 à 29 F)

SCEA Courtey, 33490 Saint-Martial, tél. 05.56.76.42.56, fax 05.56.76.42.56 r.-v.

CH. CRABITAN-BELLEVUE
Cuvée spéciale 1999

■ 12 ha 15 000 5 à 8 €

D'une belle teinte franche et nette, cette Cuvée spéciale de B. Solane est pourvue d'un imposant potentiel aromatique que le temps va harmoniser. Cassis, prune et cerise accompagnent une trame aux tanins aujourd'hui fougueux, mais c'est un vin de caractère qui a de belles années devant lui. (30 à 49 F)

GFA Bernard Solane et Fils, 33410 Sainte-Croix-du-Mont, tél. 05.56.62.01.53, fax 05.56.76.72.09 t.l.j. sf dim. 8h-12h 14h-18h

DOURTHE Numéro 1 1999

■ n.c. 600 000 5 à 8 €

Il a fallu attendre cinq ans après la création du célèbre Numéro 1 bordeaux blanc pour que soit lancé Numéro 1 bordeaux rouge, en 1993. Pour l'un comme pour l'autre, une sélection rigoureuse des cuvées en amont et une phase de vieillissement en barrique. A l'export, c'est un incontestable succès. Ce 99 est une belle illustration de son appellation. Une robe grenat, limpide et brillante, un nez de fruits bien mûrs et de cannelle, qui n'a pas atteint son plein développement. L'entrée en bouche est nette, un peu fraîche et roule sans heurts sur des tanins savoureux et tendres. Le vin termine sur une longue traîne où s'accrochent quelques notes balsamiques. Il est prêt. (30 à 49 F)

Dourthe, 35, rue de Bordeaux, BP 49, 33290 Parempuyre, tél. 05.56.35.53.00, fax 05.56.35.53.29, e-mail contact@cvbg.com
r.-v.

CH. DUCLA 1999*

■ 30 ha 200 000 5 à 8 €

Ce millésime réconcilie qualité et quantité. Charmeur au nez (prune, griotte), il possède un corps enveloppé de tanins soyeux s'étirant en arrière-bouche sur des notes de prune et de cerise confite. Une étoile pour la cuvée **Permanence V 99 (50 à 69 F)** vieillie un an et demi en fût. Déjà prodigue en plaisirs immédiats, elle pourra attendre trois à quatre ans. (30 à 49 F)

GFA Dom. Mau, BP 1, 33190 Gironde-sur-Dropt, tél. 05.56.61.54.54, fax 05.56.71.10.45, e-mail info@chateau-ducla.com

CH. FAURET 1999*

■ 0,25 ha 1 600 5 à 8 €

La robe pourpre frangée de violet annonce une dégustation agréable. Fruitée, élégante dans ses tanins, malgré un premier contact un peu vif, celle-ci se termine par des notes confites émanant d'un raisin très mûr. La garde est nécessaire à l'accomplissement de ce vin (de trois à cinq ans selon les conditions). (30 à 49 F)

E. et N. Zecchi, GAEC Fauret, Les Arromans, 33420 Moulon, tél. 05.57.74.98.49
r.-v.

CH. FLEUR SAINT ESPERIT
Vieilli en fût de chêne 1999*

■ 0,88 ha 7 000 3 à 5 €

Voici un produit original et attachant à tous égards, né d'une toute petite parcelle sur un terrain sableux, complanté à 100 % de cabernet franc et appartenant à un propriétaire des AOC pomerol et lalande. La robe est rouge vif aux reflets pourprés. Une belle présence fruitée en bouche se marie à des pointes vanillées. Ferme et corsé, ce 99 déroule sous le palais une suite de saveurs de poivre et de réglisse, parsemées de notes forestières (humus, girolle). La finale, enrichie de ces arômes complexes, lui donne beaucoup de charme. (20 à 29 F)

GFA V. et P. Fourreau, Chevrol, 33500 Néac, tél. 05.57.25.13.34, fax 05.57.51.91.79

DOM. FLORIMOND-LA-BREDE 1999*

■ 15 ha 60 000 3à5€

Propriété familiale restructurée par Louis Marinier qui fut, il y a quinze ans, un infatigable défenseur des vins de bordeaux, ce domaine s'étend sur des collines argilo-calcaires à une portée de bombarde de la citadelle fortifiée de Blaye. Ce 99 est un joli vin déjà pressé de passer à table, car il présente une certaine évolution. Sa robe est d'un grenat brillant. D'un merlot dominant au vignoble, on retrouve les parfums raisinés, les notes d'écorce et de chocolat. Les tanins mûrs ont de la rondeur et du velouté. Il y a de la matière, et celle-ci est à maturité. (20 à 29 F)

SCEA Vignobles Louis Marinier, Dom. Florimond-La Brède, 33390 Berson, tél. 05.57.64.39.07, fax 05.57.64.23.27, e-mail vignobleslouismarinier@wanadoo.fr t.l.j. 8h-12h 14h-18h; sam. dim. sur r.-v.; f. août

CH. FRAPPE PEYROT
Elevé en barrique 1999*

■ 15 ha 10 000 5à8€

Une aimable présentation renvoyant un rayon violine à l'agitation. Le bouquet puissant et épicé (vanille, caramel) annonce une attaque franche et nette. Encore jeune et vif, ce vin repose sur une charpente aux bons tanins qui prépare une finale plaisante, qu'un peu de garde améliorera encore. Il faut attendre que jeunesse se passe... (30 à 49 F)

Jean-Yves Arnaud, La Croix, 33410 Gabarnac, tél. 05.56.20.23.52, fax 05.56.20.23.52 r.-v.

CH. GEROME LAMBERTIE 1998*

■ 25 ha 50 000 -3€

Au retour de la septième croisade, Alphonse de France (frère de Saint-Louis) créa la belle bastide de Sainte-Foy-la-Grande (1255) qu'il faut visiter avant de goûter ce vin où le merlot se taille la part du lion (70 %). La robe est grenat, et le nez évoque le fruit, avec des notes végétales (poivron). Après une attaque élégante et fraîche, le fruit rouge s'exprime discrètement et laisse place à une finale ample et élégante. L'harmonie autorise une consommation prochaine de quelques bouteilles, le solde pouvant attendre plusieurs années. (– 20 F)

EARL Jean-François Ossard, 3, La Lambertine, 33220 Pineuilh, tél. 05.57.46.12.04, fax 05.57.46.31.28

G. DE GINESTET 1999

■ 260 ha 2 000 000 3à5€

Chacun connaît le rôle déterminant du négoce éleveur dans la réputation internationale des vins de Bordeaux. La société Ginestet, au moyen de quelques grandes marques, tient dans ce succès une place déterminante. Gracieux dans son habit d'un rubis translucide, ce vin séduit par des arômes subtils de prune et de cassis, presque « primeurs » tant ils sont l'expression même du fruit. La finale parfumée, dans la même tonalité aromatique, se fait complice de quelques réminiscences tanniques. Ce vin est prêt à boire. Autre marque de Ginestet, **Marquis de Chasse en bordeaux rouge 99** obtient la même note. (20 à 29 F)

SA Maison Ginestet, 19, av. de Fontenille, 33360 Carignan-de-Bordeaux, tél. 05.56.68.81.82, fax 05.56.20.96.99, e-mail contact@ginestet.fr r.-v.

CH. GIRUNDIA 1999**

■ 3 ha 25 000 5à8€

A partir d'une petite sélection de parcelles et en jouant sur une originale répartition des cépages (50 % merlot, 50 % malbec), ce vin venu du Blayais a conquis les membres du jury par une robe d'une belle intensité pourprée frangée de reflets rubis, et un nez de fruits confits. Il a beaucoup d'ampleur en bouche, des tanins encore puissants et savoureux laissant place en finale à un retour en fanfare de prune et de cerise confites. Une bouteille de garde que l'on pourra offrir à une bécasse. (30 à 49 F)

SCEA Ch. Ségonzac, 39, Ségonzac, 33390 Saint-Genès-de-Blaye, tél. 05.57.42.18.16, fax 05.57.42.24.80, e-mail segonzac@chateau-segonzac.com r.-v.

CH. DES GRANDS BRIANDS
Elevé en fût de chêne 1998*

■ 7,5 ha 32 000 3à5€

Les merlot et cabernet-sauvignon de ce château bénéficient d'un noble et généreux terroir de graves. Toute l'élégance et la finesse de ce 98 en découlent comme le prouvent sa forte couleur et son nez plein de charme, fait de pivoine, de rose fanée, de thé et de chèvrefeuille. Ce vin, doux à l'attaque, se montre svelte et presque caressant. La finale, simple et moelleuse, opère un retour très attachant sur le boisé vanillé. (20 à 29 F)

Ch. du Grand Briand, ZAE de l'Arbalestrier, 33220 Pineuilh, tél. 05.57.41.91.50, fax 05.57.46.42.76 r.-v.

GRAND VOYAGEUR
Elevé en fût de chêne 1998

■ 2 ha 13 200 5à8€

Cette cuvée Grand Voyageur a encore beaucoup de route devant elle ! D'une belle couleur rubis soutenu, elle possède des arômes de fruits mûrs et de noyau, d'épices légères et un bois encore présent. La bouche accueille une structure puissante aux tanins apparents. Le moka, le cèdre et une pointe poivrée constituent les ingrédients de ce vin, mais la recette demande du temps pour que ses constituants s'harmonisent. (30 à 49 F)

Benoît et Valérie Calvet, 44, rue Barreyre, 33300 Bordeaux, tél. 05.57.87.01.87, fax 05.57.87.08.08, e-mail contact@bvcbordeaux.com

CH. GROSSOMBRE 1999*

■ 7 ha n.c. 5à8€

A quelques kilomètres du vaisseau amiral que constitue le château Bonnet, Béatrice Lurton commande aux destinées du château Grossombre, bien plus modeste par ses dimensions, mais dont les vins jouissent d'une réputation très justifiée. Cette cuvée, élevée pendant un an en fût de chêne, est issue d'un assemblage dominé par le cabernet ; ce 99 offre au regard une robe majestueuse. Plein de fraîcheur dans son bouquet, rond et cacaoté, il étonne par son volume en bouche, une chair généreuse enveloppant des tanins abondants mais bien assagis. Beaucoup d'élégance finement toastée et d'ampleur dans une évolution qui ne fait que commencer. (30 à 49 F)

Béatrice Lurton, BP 10, 33420 Grézillac, tél. 05.57.25.58.58, fax 05.57.74.98.59, e-mail andrelurton@andrelurton.com

CH. HAUT-CASTENET 1999*

15 ha 120 000 5à8€

Les terres de Haut-Castenet s'étendent au cœur de ce pays de Guyenne où s'élève toujours vers le ciel « le chant de la pierre ». En témoigne, à quelques lieues, l'abbatiale fortifiée de Saint-Ferme (XIe s.), dont les chapiteaux nous content les plus belles scènes de l'Ancien et du Nouveau Testament. François Greffier vinifie et élève ici, avec les conseils de J.-M. Jacob, œnologue, un vin de caractère drapé dans une robe d'un rubis brillant. Puissant et fin, le bouquet se répand sur un palais étoffé, presque corsé, où les tanins manifestent leur belle jeunesse. Viande et gibier s'accommoderont volontiers de ce jeune premier, lorsque son austérité aura disparu. (30 à 49 F)

EARL François Greffier, Castenet, 33790 Auriolles, tél. 05.56.61.40.67, fax 05.56.61.38.82, e-mail ch.castenet@wanadoo.fr r.-v.

CH. HAUT-GAUSSENS 1999

1 ha 5 000 3à5€

Sur les 27 ha que possède ce domaine, un seul constitue cette cuvée élevée en barrique. La robe joue dans le registre de la séduction sur un joli pourpre léger. Pruneau et cassis se partagent subtilement le nez, sans occulter un boisé discret. L'entrée en bouche rassemble arômes et saveurs en un fondu élégant et persistant. Le palais se prolonge sur des notes épicées tandis que s'assagit la fougue des tanins. Quelques années de garde achèveront cette œuvre. (20 à 29 F)

Lhuillier, Guiard, 33620 Laruscade, tél. 05.57.68.50.99, fax 05.57.68.50.99 r.-v.

CH. HAUT-MAZIERES 1999

19,61 ha 164 000 5à8€

Un 99 encore dans son jeune âge. Une évolution naissante se dessine cependant dans son teint aux reflets briquetés et dans ses arômes de bouche. Les tanins sont en bonne place et se gomment d'eux-mêmes dans une finale souple, loyale, qui suscite une pleine confiance quant à l'avenir de ce vin en bouteille. (30 à 49 F)

Union de producteurs de Rauzan, 33420 Rauzan, tél. 05.57.84.13.22, fax 05.57.84.12.67 r.-v.

CH. HAUT PARABELLE 1999

4 ha 20 000 3à5€

Chaque jour le soleil fait la roue autour des coteaux de Haut Parabelle qui bénéficient d'une exposition est-ouest. Ici, même le cabernet-sauvignon parvient à maturité. A parts égales avec le merlot, il donne ici une robe rubis brillant. Le corps est souple et gras et les tanins sont déjà fondus. Le temps n'y ajoutera rien. (20 à 29 F)

SCEA vignoble Yvan Brun, Coureau, 33330 Saint-Sulpice-de-Faleyrens, tél. 05.57.24.61.62 r.-v.

CH. DE JABASTAS 1999*

2 ha 15 000 3à5€

Aimable reflet des berges riantes de la Dordogne où se mire, à quelques pas de là, le château de Vayres, ce vin étonne par l'éclat de sa robe grenat, très soutenue. Le nez intense, plein de fraîcheur (framboise, groseille), annonce une bouche avenante où la griotte surmûrie cohabite avec une matière ample. Déjà présentable sur une table bien garnie, cette bouteille peut également patienter avantageusement trois ans dans une cave fraîche. (20 à 29 F)

Jean-Marie Nadau, Ch. de Jabastas, 35, av. des Prades, 33450 Izon, tél. 05.57.84.97.13, fax 05.57.84.97.14 r.-v.

CLOS JEAN 1999

5 ha 30 000 5à8€

Le vignoble de coteaux dominant la Garonne entoure une belle demeure du XVIIIe s. Avec 80 % de merlot, ce bordeaux offre une base aromatique typée par ce cépage, riche de notes de fruits rouges et noirs (cassis, pruneau, myrtille), et une charpente très souple, ronde, sans aucune agressivité. Un vin prêt, bien dans la tradition. (30 à 49 F)

SCEA vignobles Lionel Bord, Clos Jean, 33410 Loupiac, tél. 05.56.62.99.83, fax 05.56.62.93.55, e-mail closseau@vignoblesbor.com t.l.j. 8h30-12h 14h-17h30; sam. dim. sur r.-v.

CH. JOININ 1999*

15,48 ha 65 000 3à5€

Propriétaires à Saint-Emilion (château Pipeau), les Mestreguilhem possèdent ce domaine dans l'Entre-Deux-Mers. A la cerise noire et surmûrie ce 99 emprunte la couleur et l'arôme auquel se mêlent la myrtille et la mûre de fin d'été. La bouche, toute tendue de tanins soyeux, suit un parcours bien structuré. Un vrai vin d'entrecôte bordelaise, à apprécier dans un an et pendant trois ou quatre années. (20 à 29 F)

Brigitte Mestreguilhem, 33420 Rauzan, tél. 05.57.24.72.95, fax 05.57.24.71.25, e-mail chateau.pipeau@wanadoo.fr

CH. LA BARDONNE 1999*

6 ha 48 000 3à5€

La vinification traditionnelle d'une sélection de parcelles étalées sur les hauts coteaux du Blayais a produit ce vin drapé dans un habit sombre, parfumé d'un léger boisé vanillé. Les tanins, encore en relief, se marieront vite en bouche à un raisin très mûr. Cet ensemble, qui doit attendre en bonne cave, est classique, bien structuré. (20 à 29 F)

Vignobles Alain Faure, Ch. Belair-Coubet, 33710 Saint-Ciers-de-Canesse, tél. 05.57.42.68.80, fax 05.57.42.68.81, e-mail belair-coubet@wanadoo.fr r.-v.

CH. LA BASSANNE 1999*

3 ha 4 400 3à5€

Un vin élaboré avec amour à partir d'une minutieuse sélection parcellaire. Catherine Perret a brodé cette robe incarnat ; elle a veillé sur un bouquet vineux et puissant, aux senteurs de fruits rouges et d'épices. Les tanins veloutés complètent l'ouvrage, que le temps (deux ou trois ans) s'appliquera à parfaire. (20 à 29 F)

Catherine Perret, La Grande-Côte, 33124 Aillas, tél. 05.56.65.33.17, fax 05.56.65.30.59 r.-v.

DOM. DE LA COLOMBINE 1999*

n.c. 10 000 3à5€

Ce 99 où domine largement le merlot (80 %) affiche une robe rouge grenat généreuse et des arômes d'une belle intensité fruitée. Le corps, tout en rondeur, dévoile des tanins veloutés et équilibrés, un bouquet naissant de fruits confits, de sous-bois et d'humus. Ce vin friand, à boire sans attendre, pourra accompagner tout un repas. (20 à 29 F)

Les producteurs réunis de Puisseguin et Lussac-Saint-Emilion, Durand, 33570 Puisseguin, tél. 05.57.55.50.40, fax 05.57.74.57.43 r.-v.

Jean-Louis Rabiller

CH. LA COMMANDERIE DE QUEYRET 1999*

30 ha 180 000 5à8€

La vieille et noble demeure des Templiers (XIIIe s.) a fort bien négocié le virage des temps modernes, à en juger par la haute technicité de ses installations et de ses méthodes de travail. En témoigne ce millésime drapé dans une robe carminée soutenue, aux arômes concentrés de fruits rouges et de cassis. Ronde et charnue, la bouche se révèle fruitée et conduit vers une finale soyeuse. Cette bouteille invite aux plaisirs immédiats aussi bien qu'à une garde de trois ans. (30 à 49 F)

Claude Comin, Ch. La Commanderie, 33790 Saint-Antoine-du-Queyret, tél. 05.56.61.31.98, fax 05.56.61.34.22 r.-v.

DOM. DE LA CROIX 1999

15 ha 20 000 3à5€

Une belle couleur de cerise très mûre, un nez intense, une bouche ronde où l'on croque le merlot à pleines dents, enfin une finale tonifiante et charpentée capable de faire face à l'entrecôte grillée aux sarments du week-end. Avec ce vin, c'est selon les goûts : on peut déjà se faire plaisir, on peut aussi renvoyer cela à bien plus tard. (20 à 29 F)

Jean-Yves Arnaud, La Croix, 33410 Gabarnac, tél. 05.56.20.23.52, fax 05.56.20.23.52 r.-v.

CH. LA CROIX DE NAUZE 1999*

2 ha 6 000 3à5€

Le bouquet ne brille pas encore de tous ses feux, sans doute est-il caché dans les plis d'une robe sombre, mais quelques notes florales se manifestent (iris, tubéreuses) et embaument le palais. La matière est équilibrée par un tanin encore ferme mais mûr. L'harmonie se dessine peu à peu, mais mieux vaut attendre la maturité de cette bouteille un an, voire davantage. (20 à 29 F)

Xavier Dangin, 39, Micouleau, 33330 Vignonet, tél. 05.57.84.53.01, fax 05.57.84.53.83 r.-v.

Elies-Brignet

CH. LAGARERE 1999

18,75 ha 150 000 3à5€

Au début du siècle, cette propriété était équipée d'un système d'écluses permettant de l'inonder pour lutter contre le phylloxéra. Ce millésime 99 doit tout à une audacieuse reprise en main de l'exploitation et à des équipements de chai réalisés par les nouveaux propriétaires, selon les techniques modernes. Il en résulte une extraction raisonnée. Les arômes font la part belle aux fruits rouges (prunelle, cerise) qui semblent plus évolués en bouche qu'au nez. La jeunesse des tanins suggère une consommation entre 2002 et 2005. (20 à 29 F)

Paul Gonfrier, Ch. de Marsan, 33550 Lestiac-sur-Garonne, tél. 05.56.72.14.38, fax 05.56.72.10.38, e-mail gonfier@terre-net.fr r.-v.

CH. DE LAGORCE Réserve 1999*

1 ha 2 000 8à11€

Cabernet-sauvignon et cabernet franc s'équilibrent dans un vin qui séduit par la subtilité de ses parfums. Dans une robe très soutenue, se cache un concentré aromatique aux mille nuances (groseille, mûre, cerise...) persistant longuement. La structure charpentée, consistante, donne à cet ensemble une réelle capacité à bien vieillir. (50 à 69 F)

Benjamin Mazeau, Ch. de Lagorce, 33760 Targon, tél. 05.56.23.60.73, fax 05.56.23.65.02 r.-v.

CH. LA GRAVE 1999

6,2 ha n.c. 5à8€

Virginie Tinon, jeune exploitante de ce château, a signé ici son premier millésime élaboré à partir d'une sélection de parcelles. Ayant tiré le meilleur parti des leçons de son père, elle présente un vin riche en matière phénolique, aussi dense par sa robe opulente que par ses arômes discrètement confiturés de prune et de mûre. Un support tannique raisonnable assure à l'ouvrage une durée de vie de quelques années, délai nécessaire à son plein épanouissement. (30 à 49 F)

EARL Vignoble Tinon, Ch. La Grave, 33410 Sainte-Croix-du-Mont, tél. 05.56.62.01.65, fax 05.56.62.00.04 r.-v.

CH. LAGRAVE PARAN 1999★

■ 9 ha 45 000 🍷 3à5€

Les belles croupes argilo-graveleuses de ce château, plantées de merlot (70 %) et de cabernet franc (30 %), font l'objet chaque année d'une récolte strictement manuelle (NDLR : très rare de nos jours). Ce bordeaux se présente dans une belle parure aux reflets éclatants. Charmeur au nez, gras en bouche, il développe des flaveurs intenses de fruits mûrs (raisin, pruneau) qui rehaussent une chair ronde et souple dont les tanins de velours se prolongent harmonieusement. Ce vin aimable saura vous plaire dès demain, mais il gagnera en séduction dans les trois ou quatre années à venir. (20 à 29 F)

EARL Pierre Lafon, Ch. Lagrave-Paran, 33490 Saint-André-du-Bois, tél. 05.56.76.42.74, fax 05.56.76.49.78 ☑ Y r.-v.

CH. LALANDE-LABATUT

Cuvée Prestige Elevé en fût de chêne 1999

■ 15 ha 100 000 🛢 5à8€

Un vin brillant au nez fruité, plein et agréable, s'ouvre sur un bouquet de cerise confite et de coing. La trame transparente laisse à peine deviner la présence de tanins contenus et enveloppe un corps gracile aux parfums d'épices, de cèdre et de cacao. Une sensation finale de rondeur achève le parcours, agrémenté d'un fumé délicatement boisé. (30 à 49 F)

SCEA Vignobles Falxa, 38, Labatut, 33370 Sallebœuf, tél. 05.56.21.23.18, fax 05.56.21.20.98, e-mail chateau.lalande-labatut@wanadoo.fr ☑ Y r.-v.

CH. LA MIRANDELLE 1999

■ 8,66 ha 50 000 🍷 3à5€

Installé sur une commune de vieille tradition viticole, dans un pays où les bastides guerrières répondent aux abbatiales séculaires, le château commande un petit vignoble pentu implanté sur les argilo-calcaires. Il a produit un joli vin, séduisant par sa robe grenat, son nez de fruits mûrs et sa texture de soie. Des tanins très mesurés ne sont là que pour soutenir discrètement une arrière-bouche d'arômes primaires qui prédisposent plutôt cette bouteille à une consommation dès la sortie du Guide. (20 à 29 F)

Cellier de La Bastide, Cave coop. vinicole, 33540 Sauveterre-de-Guyenne, tél. 05.56.61.55.21, fax 05.56.71.60.11 ☑ Y t.l.j. sf dim. 9h-12h15 13h30-18h15; groupes sur r.-v.

Yves Moncontier

CH. LA MOTHE DU BARRY

Cuvée Le Barry 1999★★

■ 2 ha 14 000 🛢 8à11€

Une tradition familiale de cent cinquante ans n'a pas dissuadé Joël Duffau d'entrer résolument dans l'ère du modernisme et de l'innovation. Cette cuvée Le Barry logée dans le chêne est issue d'une exigeante sélection de parcelles. Un impressionnant manteau de nuit, profond et noir, enveloppe un bouquet d'exception, de griotte à l'eau-de-vie, de cassis, de myrtille. Le tout est fondu sur un arrière-plan de café torréfié et de senteurs balsamiques. Une ample et chaude maturité se répand au palais, dont la nuance de truffe désigne infailliblement le merlot (75 %) comme source de tant de générosité. Quelques années ajouteront leur patine à cette belle œuvre. La **cuvée Design 99 (30 à 49 F)** n'a pas démérité (une étoile) et représente 35 000 bouteilles. (50 à 69 F)

Joël Duffau, Les Arromans n° 2, 33420 Moulon, tél. 05.57.74.93.98, fax 05.57.84.66.10, e-mail lamothed@club-internet.fr ☑ Y t.l.j. sf dim. 8h-12h 14h-19h

CH. LARROQUE

Vieilli en fût de chêne 1999★

■ 56 ha 224 000 🛢 5à8€

Une robe grenat intense, un joli fruité dominant au bouquet, un bois discrètement toasté, puis un parcours séveux sur un corps bien rond. C'est le vin d'une bonne vendange aux tanins encore vifs : le raisin, de grande concentration, est encore là mais il partage la finale avec le boisé. A consommer sans hâte. (30 à 49 F)

Boyer de La Giroday, 18, rte de Montignac, 33760 Ladaux, tél. 05.57.34.54.00, fax 05.56.23.48.78, e-mail vignobles-ducourt@wanadoo.fr ☑ Y r.-v.

LA VIEILLE EGLISE 1999★

■ 20 ha 133 000 🍷 -3€

Une robe grenat brillant à reflets tuilés, telle est l'engageante apparence de cette cuvée ; tout aussi encourageant, très expressif, le premier nez révèle un mariage heureux de fruits (cassis, mûre) et de nuances de sous-bois et d'humus. Une bouche très enveloppée dévoile des fragrances animales. On peut consommer ce 99 sans attendre, « sur le fruit », ou bien laisser faire le temps un an ou deux. (- 20 F)

Domainie de Sansac, Les Lèves, 33220 Sainte-Foy-la-Grande, tél. 05.57.56.02.02, fax 05.57.56.02.22 Y r.-v.

CH. LE DROT 1998★

■ 12 ha 10 000 🍷 3à5€

Ici cabernets et merlot s'unissent pour produire un vin haut en couleur, carminé et limpide. Les senteurs de fruits rouges à noyau (cerise) sautent au nez. Des arômes de fruits noirs et d'iris prennent le relais pour colorer une finale tendre et volumineuse. Ce 98 est prêt à boire mais, pour les perfectionnistes, saura aussi attendre. (20 à 29 F)

Jean-Guy Issard, 33190 Bagas, tél. 05.56.71.46.25, fax 05.56.71.46.25 ☑ Y r.-v.

CH. LE FREGNE

Vieilli en fût de chêne 1999★

■ 3 ha 7 000 🛢 3à5€

Depuis des siècles, on connaît bien à Castelviel le pêché de luxure, si joliment représenté sur l'un des chapiteaux de son église romane. Mais une dégustation au château Le Frègne procure une version moderne des plaisirs des sens. Ce millésime au teint pourpre nuancé de violine enchante l'esprit par la subtilité de ses arômes fondus de griotte, mêlés à une fine note chocolatée où se lit l'influence prédominante du merlot. Un rien de cassis vient accompagner la bouche et fait oublier la nervosité de quelques tanins

indisciplinés. Son évolution finale est savoureuse, son avenir à moyen terme ne fait aucun doute. (20 à 29 F)
EARL Le Frègne, 33540 Castelviel, tél. 05.56.61.97.56 r.-v.
Serge Rizzetto

CH. LE GRAND BESSAL 1999*

2 ha 10 000 5à8€

Saint-Germain-du-Puch est fier de la présence sur son territoire d'une vénérable et fort belle maison forte (Le Grand Puch) construite au XIVe s. à l'époque où le Prince Noir régnait sur Bordeaux tout proche. En vue des tourelles d'angle du Grand Puch, le château Le Grand Bessac est, lui, bien de notre temps ; il a produit un vin à la teinte bigarreau, au nez de cassis et de jacinthe ; sa bouche révèle des notes animales de cuir et de musc. Il faut passer la barrière un peu haute des tanins pour percevoir un retour sur le fruit ; deux à quatre ans de garde devraient leur permettre de se fondre harmonieusement. (30 à 49 F)
SCEA Echeverria, Ricard, 33750 Saint-Germain-du-Puch, tél. 05.57.24.54.96, fax 05.57.24.02.05 r.-v.

CH. LE MAYNE 1999

17 ha n.c. 5à8€

Achetée en 1987, cette vaste propriété (70 ha) est équipée d'un chai très moderne. Avec une robe moyennement intense aux reflets rubis et un nez complexe, où le fruit le dispute aux nuances épicées, ce vin charmeur et élégant accompagnera les viandes blanches. La bouche ronde, légèrement épicée, se prolonge sur une finale tout en douceur qui incite au plaisir d'une consommation prochaine. (30 à 49 F)
SCEA Ch. Le Mayne, 33220 Saint-Quentin-de-Caplong, tél. 05.57.41.00.05 t.l.j. sf sam. dim. 8h-12h 14h-18h

CH. LE MOULIN DU ROULET 1999

5 ha 20 000 3à5€

C'est une jeune femme qui a laissé son empreinte sur ce joli vin issu des trois cépages bordelais (60 % de merlot). Les vignes sont implantées établis sur une croupe argilo-calcaire, dominée par un moulin à vent. Fin et délicatement marqué par un merrain de bonne lignée, à la fois structuré et charnu, ce millésime est le résultat d'un mariage heureux entre un vin racé et les effluves vanillés du chêne. Quelques années de garde seront pour lui très bénéfiques. (20 à 29 F)
Catherine et Patrick Bonnamy, Moulin du Roulet, 33350 Sainte-Radegonde, tél. 05.57.40.58.51, fax 05.57.40.58.51 r.-v.

CH. LE NOBLE 1999*

23 ha 94 000 5à8€

D'un grenat léger et translucide, il montre pourtant vivacité et rondeur, rappelant le bigarreau très mûr et le pruneau. Consistant et charnu, son tanin est bien contenu et l'on retrouve en finale des arômes de grande maturité. Il évoluera longuement dans le temps. Un vin de gibier. Egalement présenté par ce négociant, le **château Tuilerie Rivière 99** obtient une citation. (30 à 49 F)
Maison Sichel-Coste, 8, rue de la Poste, 33210 Langon, tél. 05.56.63.50.52, fax 05.56.63.42.28

LES CHARMILLES DES HAUTS DE PALETTE Elevé en fût de chêne 1999

12 ha 50 000 3à5€

Charles Young a créé cette marque en 1999. Voici la première cuvée où les cabernets jouent à parts égales avec le merlot. La robe est légère et diffuse de beaux reflets vermillon. Des arômes primesautiers égayent un bouquet encore un peu discret (cassis, jacinthe). Le corps est léger et souple, réglissé. Cette finesse est à apprécier sans retard. (20 à 29 F)
SARL Les Hauts de Palette, 4 *bis*, chem. de Palette, 33410 Béguey, tél. 05.56.62.94.85, fax 05.56.62.18.11, e-mail les-hauts-de-palette@wanadoo.fr

DOM. DE L'ESCOUACH Elevé en fût de chêne 1999**

1 ha 6 000 5à8€

Un tout petit enclos, composé de vieux merlot implanté sur des pentes argilo-calcaires, a donné naissance à ce vin d'une couleur soutenue (rouge profond). Ses arômes aux nuances végétales (poivron, champignon) constituent ses premiers attraits. Des épices mêlées et des notes réglissées agrémentent une bouche onctueuse, d'un remarquable équilibre, aux tanins amicaux. Une conservation de quelques années peut être envisagée. (30 à 49 F)
Pierre Rabouy, 33350 Saint-Pey-de-Castets, tél. 05.57.40.51.16, fax 05.57.40.51.16 r.-v.

CH. LES VERGNES 1999*

n.c. 133 000 3à5€

Un vin tout de finesse et de discrétion. Il ne se livre qu'après agitation : quelques touches de noyau s'ouvrent peu à peu sur le cassis et un soupçon de framboise. Cette délicatesse toute calculée fait vite place à un passage en bouche charmeur et velouté. Mieux vaut ne pas laisser le temps agir sur ce subtil assemblage et en jouir sans attendre. (20 à 29 F)
Univitis, Les Lèves, 33220 Sainte-Foy-la-Grande, tél. 05.57.56.02.02, fax 05.57.56.02.22 t.l.j. sf dim. lun. 9h30-12h30 15h30-18h

LE VIEUX MOULIN
Cuvée spéciale Elevé en barrique de chêne 1999*

■ 2 ha 12 000 5à8€

Les chais de la maison Mähler-Besse, très anciennement implantée dans le quartier traditionnel du négoce bordelais (Les Chartrons) méritent une visite. Produite à partir du seul merlot (très rare en bordeaux) cette cuvée, d'un noir intense, offre au nez un véritable florilège de senteurs : gibier, truffe et figue sèche. Sur le même ton, la suite est ample et bien structurée, dévoilant le caractère suave du merlot très mûr. Vient enfin un discret retour de boisé grillé. Déjà aimable, cette bouteille peut se passer d'un long vieillissement. (30 à 49 F)

SA Mähler-Besse, 49, rue Camille-Godard, BP 23, 33026 Bordeaux, tél. 05.56.56.04.30, fax 05.56.56.04.59, e-mail france.mahler-besse@wanadoo.fr r.-v.

CH. LION BEAULIEU 1999**

■ 4 ha n.c. 5à8€

Comme il est naturel, le GFA de Lyon a déjà placé sur une voie royale ce cru plein de jeunesse. Sa présence aromatique, puissante et fruitée, signe ce vin authentique et volumineux, qui exhibe les qualités simples d'un bordeaux de race, charnu, corsé et équilibré. (30 à 49 F)

GFA de Lyon, 33420 Naujan-et-Postiac, tél. 05.57.84.55.08, fax 05.57.84.57.31, e-mail contact@vignobles-despagne.com

J. Elissalde

LES VINS DE LISENNES
Cuvée de l'Artiste 1999

■ n.c. 15 000 3à5€

Etiquette dessinée par un célèbre graveur roumain (Chirnoaga) ayant séjourné au château et précisant que « ce vin est mis en bouteille à la propriété par B. Dumas pour les vins de Lisennes ». Né d'un terroir argilo-calcaire complanté à parts égales de merlot et de cabernet, cette cuvée se pare d'une robe nette et franche, où jouent déjà quelques reflets tuilés. Le nez fruité et mûr, tout en finesse, prélude à une attaque où la matière répond à un tanin léger. Un vin fondu, à boire sans façon. (20 à 29 F)

Jean-Luc Soubie, Ch. de Lisennes, 33370 Tresses, tél. 05.57.34.13.03, fax 05.57.34.05.36, e-mail contact@lisennes.fr r.-v.

CH. DE L'ORANGERIE 1999*

■ 27,35 ha 229 000 3à5€

Depuis 1790, la famille Icard conserve jalousement cette belle propriété viticole, placée sous la garde de la vieille bastide de Sauveterre-de-Guyenne. Sur un terroir homogène de terres fortes, elle a constitué un vignoble marqué par un bon équilibre entre les trois cépages majeurs du Bordelais. Vêtu d'une fine étoffe d'un pourpre délicat, ce millésime se distingue par des notes épicées ouvrant sur une bouche franche et souple, aux tanins mesurés. Un bordeaux bien typé, sage, qui peut se découvrir sans attendre, ou se garder deux ou trois ans. (20 à 29 F)

Jean-Christophe Icard, Ch. de l'Orangerie, 33540 Saint-Félix-de-Foncaude, tél. 05.56.71.53.67, fax 05.56.71.59.11, e-mail orangerie@quaternet.fr r.-v.

CH. MAISON NOBLE
Cuvée Prestige Vieilli en fût de chêne 1999

■ 1,7 ha 13 000 5à8€

C'est une toute petite sélection de parcelles au sol argilo-siliceux, plantées à 90 % de merlot, qui a produit cette cuvée. Une robe pourpre, éclatante, un nez de cacao annoncent une bouche ample qui fait donner à fond le cépage maître. Un bon équilibre entre un boisé mesuré et des saveurs sauvages de sous-bois suggèrent une consommation prochaine ou une petite garde. (30 à 49 F)

Bernard Sartron, Maison Noble, 33230 Maransin, tél. 05.57.69.19.36, fax 05.57.69.17.78 r.-v.

CH. MAURINE 1999**

■ 16,7 ha 138 400 5à8€

L'étoffe chatoyante de ce millésime, son bouquet de petits fruits rouges (myrtille, groseille) nuancé d'effluves grillés le rend dès le premier abord très attachant. Vineux, ce 99 se montre gras en bouche autour d'une matière dense, bien extraite, parfumée de cannelle et de pain grillé. L'ensemble est doté d'une fine et longue charpente. A boire, pouvant attendre. (30 à 49 F)

Union de producteurs de Rauzan, 33420 Rauzan, tél. 05.57.84.13.22, fax 05.57.84.12.67 r.-v.

Jacques Chandes

CH. MERLIN FRONTENAC 1999

■ 3 ha 10 000 3à5€

Frontenac est célèbre par la qualité de la pierre blonde extraite de ses carrières séculaires. Vêtu d'un rubis aux nuances violettes, ce millésime charme la première olfaction par des arômes de fruits rouges et de sous-bois en automne. Les effluves passent du champignon à la feuille séchée, puis au fruit confit. Sa chair fondante, souple et gouleyante, permettra à ce 99 d'être servi dès maintenant. (20 à 29 F)

SA La Croix Merlin, 16, rte de Guibert, 33760 Frontenac, tél. 05.56.23.98.49, fax 05.56.23.97.22 r.-v.

CH. DU MONT 1998**

■ 6 ha 30 000 5à8€

Les vins blancs liquoreux n'ont pas le monopole des coteaux de Sainte-Croix-du-Mont, on y fait aussi mûrir un beau raisin noir, vendangé à la main comme au château du Mont. La robe de ce 98 très intense, sombre, est frangée de violine. Le nez complexe évoque le caramel, avec de légères épices, un peu de rancio et des notes balsamiques. Les tanins s'imposent mais sans évincer le moelleux. Puissant et concentré, ce bordeaux est prêt à boire pour certains, apte à vieillir longuement pour d'autres. Mais au fait, où est la contradiction ? (30 à 49 F)

Vignobles Hervé Chouvac, Ch. du Mont, 33410 Sainte-Croix-du-Mont, tél. 05.56.62.07.65, fax 05.56.62.07.58 r.-v.

BORDELAIS

CH. MOTTE MAUCOURT
Vieilli en fût de chêne 1999

■ 5 ha 10 000 5à8€

Les peintures murales de l'église médiévale de Saint-Genis-du-Bois attirent les touristes tout comme devrait le faire cette cuvée pourpre, vrai sentier de découverte. Son extrême concentration apparaît dans des saveurs confites, dans l'exact prolongement d'un joli nez marqué par son élevage. La myrtille souligne la tonalité fruitée dominante de ce vin. La bouche est longue mais devra patienter deux ou trois ans afin d'oublier ses tanins. (30 à 49 F)

GAEC Villeneuve et Fils, Ch. Motte Maucourt, 33760 Saint-Genis-du-Bois, tél. 05.56.71.54.77, fax 05.56.71.64.23 t.l.j. sf dim. 9h-12h 14h-19h

CH. PEYRILLAC 1999

■ n.c. 20 000 5à8€

Il joue encore dans les arômes primaires (cassis, fraise). Après avoir passé le flot roulant des tanins, la bouche découvre peu à peu la savante alchimie des arômes en pleine évolution. Pivoine et œillet s'épanouissent doucement, et le palais s'enchante à la recherche de ce bouquet naissant. Ce vin demande du temps pour atteindre sa pleine expression. Il faudra lui accorder un an ou deux de garde. (30 à 49 F)

Jean-Pierre Roussille, 97, rte de Terrefort, 33240 Saint-André-de-Cubzac, tél. 05.57.43.27.00, fax 05.57.43.69.95 r.-v.

CH. PIERROUSSELLE 1999**

■ 25 ha 150 000 3à5€

Vinifié par Hélène Desplat, œnologue distinguée de la maison Ginestet, ce Château Pierrousselle a séduit par son nez de fruits rouges et de raisin mûr. Le merlot dominant apporte une rondeur agréable à une bouche dans laquelle le gras est en harmonie avec des tanins souples et persistants. Une cuvée *specially selected for the CO-CP*, indique l'étiquette par ailleurs rédigée en français. (20 à 29 F)

SA Maison Ginestet, 19, av. de Fontenille, 33360 Carignan-de-Bordeaux, tél. 05.56.68.81.82, fax 05.56.20.96.99, e-mail contact@ginestet.fr r.-v.

M. Lafon

CH. PONCHEMIN 1999*

■ 12,98 ha 50 000 3à5€

Ce bordeaux aux reflets grenat soutenu est né d'un vignoble où le merlot (45 %) est associé aux deux cabernets ; il jouit d'une bonne vinosité agrémentée de senteurs de fruits cuits et de pruneau. Ronde, charnue, structurée, la bouche se révèle animale et musquée. Quelques années de garde dans un bon cellier lui seront bénéfiques. (20 à 29 F)

Prodiffu, 17-19, rte des Vignerons, 33790 Landerrouat, tél. 05.56.61.33.73, fax 05.56.61.40.57, e-mail prodiffu@prodiffu.com

Christophe Betin

PREMIUS Elevé en fût de chêne 1999

■ 12,09 ha 100 000 5à8€

Finement boisé et épicé, ce vin à la robe carminée annonce une bouche séductrice toute imprégnée de cassis et de myrtille écrasée. La bouche est structurée par des tanins bondissants mais savoureux qui devront s'assagir un an ou deux. Sous cette même étiquette, le **bordeaux sec 2000** obtient une citation. Tendre et rafraîchissant, il s'invite d'emblée sur les viandes blanches. (30 à 49 F)

SA Yvon Mau, BP 01, 33190 Gironde-sur-Dropt Cedex, tél. 05.56.61.54.54, fax 05.56.61.54.61

CH. PREVOST 1999*

■ 30 ha 225 000 3à5€

A quelques arpents de l'impressionnante abbaye bénédictine de La Sauve Majeure (1079), la famille Garzaro exploite depuis plusieurs générations les pentes argilo-calcaires de Baron. Assemblage traditionnel de merlot, de cabernet-sauvignon et de cabernet franc, leur 99 est vêtu d'un joli velours rubis orné de reflets pourpres. Encore plein de son fruité initial, il est tout en devenir ; une matière bien étoffée et un corps puissant sont de bon augure. (20 à 29 F)

EARL Vignobles Elisabeth Garzaro, Ch. Le Prieur, 33750 Baron, tél. 05.56.30.16.16, fax 05.56.30.12.63, e-mail garzaro@vingarzaro.com r.-v.

CH. RAUZAN DESPAGNE 1999**

■ n.c. n.c. 5à8€

Grâce à une équipe exigeante, les Vignobles Despagne emportent chaque année de nombreux lauriers dans ce Guide. Le grand jury a accordé à ce Château Rauzan Despagne un coup de cœur, tout comme au Tour de Mirambeau en AOC bordeaux. Selon la règle (pas plus d'une étiquette par producteur dans une même appellation), Rauzan Despagne l'emporte. La violette et l'iris qui composent un bouquet déjà affirmé rendent plus belle encore l'étoffe rubis aux reflets violines de sa robe. Caressant aux papilles, le palais révèle des arômes de cannelle et de girofle, sur la trame de tanins encore présents qui gagneront en raffinement après trois à cinq ans de garde. (30 à 49 F)

GFA de Landeron, 33420 Naujan-et-Postiac, tél. 05.57.84.55.08, fax 05.57.84.57.31, e-mail contact@vignobles-despagne.com r.-v.

J.-L. Despagne

CH. RAUZAN DESPAGNE
Cuvée Passion 1999★★

■ n.c. n.c. 🛢 11 à 15 €

Très grand classique, régulièrement retenue, la cuvée Passion des Vignobles Despagne n'a pas failli à ses habitudes. C'est un vin plus que sombre, un vin noir, d'une densité extraordinaire, et pourtant limpide. Le fruit très mûr, le boisé, des parfums épicés de cannelle et de tabac s'entremêlent. Ce bouquet intense explose dans la chaleur du palais. Cette plénitude aromatique s'étire longuement dans une finale odorante et moelleuse. Ici, une longue et vertueuse attente s'impose. (70 à 99 F)

GFA de Landeron, 33420 Naujan-et-Postiac, tél. 05.57.84.55.08, fax 05.57.84.57.31, e-mail contact@vignobles-despagne.com
Y r.-v.

CH. DE RIBEBON 1999★

■ 25 ha 150 000 3 à 5 €

Un vin haut en couleur, très avenant à l'œil. Ample, la bouche révèle des tanins fondus dans une bonne vinosité. Encore dans l'adolescence, ce 99 ne jouera pas les prolongations aromatiques, mais il gagnera en expression avec le temps. (20 à 29 F)

Alain Aubert, 57 bis, av. de l'Europe, 33350 Saint-Magne-de-Castillon, tél. 05.57.40.04.30, fax 05.57.40.27.02 Y r.-v.

CH. SAINT-ANTOINE
Réserve du Château 1999★

■ 80 ha 400 000 🛢 5 à 8 €

Ce vaste domaine, implanté autour d'une fort belle demeure du XIXᵉs., consacre la plus grande partie de son vignoble à la production de ce bordeaux. Rouge grenat à reflets rubis, ce 99 enchante le nez par un ensemble floral intense. Sa présence volumineuse emplit bien la bouche où le gras s'accompagne de notes épicées et torréfiées. Très souple, facile à boire et d'une matière riche, ce vin saura plaire longtemps. (30 à 49 F)

Vignobles Aubert, Ch. La Couspaude, 33330 Saint-Emilion, tél. 05.57.40.15.76, fax 05.57.40.10.14 Y r.-v.

CH. SAINT-FLORIN 1999

■ n.c. 450 000 3 à 5 €

Etabli sur les pentes argilo-calcaires de Soussac, ce vignoble a donné naissance à un 99 bien équilibré. Sur une belle trame profonde révélant la prédominance du merlot, se libèrent des arômes à la fois fleuris et fruités. Le vin tient bien en bouche, volumineux, sans cacher des tanins encore jeunes. Un ensemble authentique, « campagnard », dit un juré qui propose de le servir sur un jambon au chou. (20 à 29 F)

Jean-Marc Jolivet, Ch. Saint-Florin, 33790 Soussac, tél. 05.56.61.31.61, fax 05.56.61.34.87 ✉ Y r.-v.

CH. DES SEIGNEURS DE POMMYERS 1999

■ 9 ha 25 700 5 à 8 €

Le vin des Seigneurs de Pommyers est fier de son histoire remontant au XIIIᵉs. et, bien qu'issu du concept moderne d'agriculture biologique, il chante les vertus de la tradition. Dans une robe aux nuances violines, il offre un joli nez d'iris et de violette, plein de fraîcheur printanière. La montée aromatique en bouche se révèle dans un registre voisin (rose fanée, pivoine), sur une trame finement étoffée. Les tanins ne s'imposent pas et laissent la finale s'alanguir en de douces senteurs mentholées. (30 à 49 F)

Jean-Luc Piva, Ch. des Seigneurs de Pommyers, 33540 Saint-Félix-de-Foncaude, tél. 05.56.71.65.16, fax 05.56.71.65.16 ✉ Y r.-v.

SIRIUS Elevé en fût de chêne 1998★

■ n.c. 330 000 🛢 5 à 8 €

Au firmament, Sirius. Sur terre, plusieurs centaines de milliers de bouteilles. Un nez plein de mystère, très complexe, où des senteurs animales se mêlent à des effluves épicés de tabac noir et d'encens, introduit une bouche fondue où la réglisse compose une voûte parfumée au palais. Le fruit revient en finale en un bouquet odorant et frais. Un accompagnement de choix pour un lapereau rôti. (30 à 49 F)

Maison Sichel-Coste, 8, rue de la Poste, 33210 Langon, tél. 05.56.63.50.52, fax 05.56.63.42.28

CH. TALMONT 1999★★

■ 77,53 ha 330 000 3 à 5 €

Ce 99 a emporté l'adhésion unanime du jury, en premier lieu par l'intensité de sa robe grenat frangée de notes carminées. Son bouquet très mûr de cassis et de cerise à l'eau-de-vie est encore en devenir. La violette et les épices confèrent à la bouche une belle complexité. La structure se renforce d'une trame tannique généreuse et ronde, autorisant un bon vieillissement. (20 à 29 F)

Prodiffu, 17-19, rte des Vignerons, 33790 Landerrouat, tél. 05.56.61.33.73, fax 05.56.61.40.57, e-mail prodiffu@prodiffu.com
Patrick Mourgues

CH. THIEULEY
Elevé en fût de chêne 1999★

■ n.c. 100 000 5à8€

Fondée à l'aube du deuxième millénaire par saint Gérard, l'abbaye de La Sauve Majeure fut une puissante seigneurie foncière et un centre spirituel qui étendit son influence jusqu'en Angleterre. De nos jours, le château Thieuley est également connu en Angleterre, mais pour de tout autres raisons. D'un beau rouge cramoisi, ce millésime s'épanouit d'emblée dans des notes de fruits cuits et de mûre, tout en présentant un caractère de cuir et de musc qui peut surprendre. La bouche est tendue d'une belle matière dense enveloppant un fond tannique. Un merlot très mûr lui confère une finale truffée, ample et soyeuse. (30 à 49 F)

Sté des Vignobles Francis Courselle, Ch. Thieuley, 33670 La Sauve, tél. 05.56.23.00.01, fax 05.56.23.34.37 r.-v.

CH. TOUDENAC
Elevé en fût de chêne 1999★

■ 25 ha 120 000 5à8€

Une fois admirée l'abbaye de Blasimon, haut-lieu de l'art roman, il faut voir le moulin hydraulique fortifié de Labarthe, construit au XIVe s. par les moines bénédictins. Puis une visite au château Toudenac vous ramènera au plaisir des sens. Très marqué par des notes empyreumatiques - la noix de coco et un grillé délicat -, ce vin se montre vineux et puissant en bouche, puis finit sur un retour boisé des plus élégants. (30 à 49 F)

Vignobles Aubert, Ch. La Couspaude, 33330 Saint-Emilion, tél. 05.57.40.15.76, fax 05.57.40.10.14 r.-v.

CH. TOUR DE BIOT
Cuvée Vieilles vignes 1999★

■ 3 ha 20 000 5à8€

Nul ne saurait reprocher à Gilles Gremen de vinifier séparément ces 3 ha de vignobles complantés d'une majorité de merlot (70 %) pour élaborer cette cuvée. La robe d'un pourpre profond prévient l'amateur: ce vin a de la consistance et ses arômes riches, puissants et complexes évoquent la pleine maturité du raisin. La concentration en bouche, le velouté des tanins bien présents et une saveur finement fruitée confèrent à l'ensemble une bonne longueur et un potentiel de vieillissement de deux à trois ans. (30 à 49 F)

Gilles Gremen, EARL La Tour Rouge, 33220 La Roquille, tél. 05.57.41.26.49, fax 05.57.41.29.84 r.-v.

CH. TOUR DE MIRAMBEAU 1999★★

■ n.c. n.c. 5à8€

Les honneurs pleuvent cette année non plus sur une sélection très limitée à quelques hectares mais sur la totalité du cru, ce qui témoigne de la maîtrise technique de l'équipe Despagne. La robe dense, d'un pourpre profond, annonce un nez délicieux. Le passage en bouche révèle une belle harmonie entre la soie des tanins et le fruit. La chair a des rondeurs confiturées où le cassis, la prune le disputent à la mûre sauvage. La finale chatoyante et longue vous laissera un souvenir impérissable. (30 à 49 F)

SCEA Vignobles Despagne, 33420 Naujan-et-Postiac, tél. 05.57.84.55.08, fax 05.57.84.57.31, e-mail contact@vignobles-despagne.com r.-v.

J. L. Despagne

CH. VALROSE 1998★

■ 8 ha 5 000 8à11€

Une intense couleur bordeaux aux reflets bleutés, un nez séducteur: du raisin très mûr, concentré, une sensation de douceur due au cacao, au caramel, à la vanille. Fort consistant en attaque, gras et charnu, il offre des tanins accomplis. L'ensemble est volumineux, élégant. Ce bel équilibre est le gage d'un long vieillissement. (50 à 69 F)

SCEA Michel Barthe, 18, Girolatte, 33420 Naujan-et-Postiac, tél. 05.57.84.55.23, fax 05.57.84.57.37 r.-v.

CH. VERMONT
Cuvée Prestige Elevé en fût 1998

■ 30 ha 20 000 5à8€

Une demeure du XIXe s. comportant une chapelle et environnée d'un vignoble conduit dans la plus pure tradition, vendangé à la main. Sa cuvée Prestige, d'un beau rouge velouté et riche, offre un nez au fruité évocateur (cerise, pruneau). Ses tanins soyeux, son corps souple et frais ouvrant sur un joli retour du boisé grillé en font un vin aimable. (30 à 49 F)

Vignobles Dufourg, Ch. Haut-Marchand, 33760 Targon, tél. 05.56.23.90.16, fax 05.56.23.45.30 r.-v.

VIEUX CHATEAU RENAISSANCE
Vieilli en fût de chêne 1998★

■ 5 ha 8 000 3à5€

Une très longue macération pelliculaire traduit bien la recherche du fruit par le vinificateur. Pourpre sombre et intense comme un raisin noir à maturité, ce bordeaux sent la baie écrasée et le raisiné. Moelleux et tendre en première bouche, le corps semble un peu plus sévère lorsque les tanins se révèlent, mais l'harmonie se dessine dans une belle longueur doucement vanillée. Le fruit revient en finale et prépare un vieillissement déjà engagé. (20 à 29 F)

Patrice Turtaut, Cousteau, 33540 St-Sulpice-de-Pommiers, tél. 05.56.71.59.54, fax 05.56.71.63.81 r.-v.

CH. VIEUX LIRON
Vieilli en fût de chêne 1998

■ 5 ha n.c. 5à8€

Le couple merlot-cabernet à parts égales est établi sur les graves d'Escoussans (au nord-est de Cadillac). La robe de ce 98 a la fraîcheur de la cerise, et le nez rappelle la fleur de vigne, simple mais net. La bouche manifeste une robuste charpente tannique, un corps solide qui se prolonge en une finale balsamique. Le fumet d'un grand lièvre en civet adoucira cette belle vigueur. (30 à 49 F)

Mallard,
Ch. Naudonnet-Plaisance, 33760 Escoussans,
tél. 05.56.23.93.04, fax 05.57.34.40.78,
e-mail mallard@net-courrier.com ☑ Y r.-v.

Bordeaux clairet

CH. BRAS D'ARGENT 2000★

◪ 1 ha 8 000 5à8€

Du haut de ses 100 m d'altitude (une cime en Gironde !), ce château assis sur des graves contemple le cours du Beuve, charmant affluent de la Garonne. Le clairet qui en est issu sait d'emblée se faire aimer : une fine robe aux reflets grenat, et une bouche veloutée, soulignée d'une légère trame tannique, juste ce qu'il faut pour éviter toute confusion avec un simple rosé. Des arômes fleuris rappellent le pétale de rose. Une étoffe vanillée et réglissée décore l'arrière-bouche. (30 à 49 F)

EARL Vignobles Belloc-Rochet, Ch. Brondelle, 33210 Langon, tél. 05.56.62.38.14, fax 05.56.62.23.14, e-mail chateau.brondelle@wanadoo.fr ☑ Y r.-v.

CH. DARZAC 2000★

◪ 10 ha 80 000 5à8€

Le château Darzac connaît avec son clairet un franc succès, comme en témoignent les 10 ha de merlot et de cabernet qui lui sont affectés. Réconciliant ainsi qualité et quantité, il est une référence au clairet typé : un nez très fin et délicat, aux senteurs estivales, fraîches et harmonieuses ; un corps souple et glissant, légèrement épicé, réglissé, qui s'estompe lentement en laissant un souvenir apaisé. (30 à 49 F)

SCA Vignobles Claude Barthe,
22, rte de Bordeaux, 33420 Naujan-et-Postiac,
tél. 05.57.84.55.04, fax 05.57.84.60.23,
e-mail chateau.fondarzac@wanadoo.fr
☑ Y r.-v.

CH. DE FONTENILLE 2000★

◪ 6 ha 50 000 3à5€

Le château de Fontenille, tout proche de l'abbaye de la Sauve-Majeure, est une belle gentilhommière du XVIIIe s. qui réserve au visiteur un accueil des plus aimables. D'un rose un peu clair, légèrement orangé, il offre un nez tout de fruit : du cassis et une pointe de pamplemousse. Frais en bouche, il est racé et élégant ; un léger perlant lui confère une agréable vivacité, fort bien mariée à une finale marquée d'une note de bonbon anglais. (20 à 29 F)

SC Ch. de Fontenille, 33670 La Sauve,
tél. 05.56.23.03.26, fax 05.56.23.30.03,
e-mail defraine@chateau-fontenille.com
☑ Y r.-v.
Defraine

CH. LA BRETONNIERE 2000★

◪ 2 ha 16 000 5à8€

Le château de la Bretonnière présente ici un clairet de bonne extraction à la teinte rubis assez soutenue, fleurant le fruit rouge mûr, aromatique comme un coulis de framboise maison. L'ensemble développe en bouche une belle structure et un volume harmonieux, aux saveurs persistantes. Ce vin est déjà dans ses plus beaux atours : à boire sans plus tergiverser. (30 à 49 F)

Stéphane Heurlier, EARL La Bretonnière, 33390 Mazion, tél. 05.57.64.59.23, fax 05.57.64.59.23 ☑ Y r.-v.

CH. LANDEREAU 2000★

◪ 8 ha 50 000 5à8€

Ce clairet a le teint un peu pâle, mais ses arômes ont l'exubérance d'un printemps embaumé par la fleur de sureau. La bergamote s'en mêle et anime une chair ronde et vive. Idéal pour un barbecue. (30 à 49 F)

SC Vignobles Michel Baylet,
Ch. Landereau, 33670 Sadirac,
tél. 05.56.30.64.28, fax 05.56.30.63.90 ☑ Y r.-v.

CH. MALROME Aristide Bruant 2000★

◪ 0,7 ha 6 600 5à8€

Une magnifique demeure à cour intérieure remontant au Moyen Age, des « locataires » célèbres : un ministre de Napoléon III, le peintre Toulouse-Lautrec, qui a inspiré cette belle cuvée Aristide Bruant, si bien habillée d'un tableau du grand maître. Une robe brillante, rose pâle aux nuances saumonées, un bouquet des plus fins, riche en fruits exotiques, très élégant, légèrement vanillé ; une bouche ronde et équilibrée, dotée d'un plaisant retour olfactif sur le bois et la noisette. (30 à 49 F)

Ch. Malromé, 33490 Saint-André-du-Bois,
tél. 05.56.76.44.92, fax 05.56.76.46.18,
e-mail v.lartigue@malromé.com ☑ Y r.-v.

CH. DE MARSAN 2000★

◪ n.c. 46 000 3à5€

Vêtu comme il se doit d'un joli rouge assez intense, ce clairet se distingue par l'élégance d'une matière à la fois ronde et dense, et par une infinie délicatesse aromatique (la fleur de vigne et le cassis). Une finale bien enlevée, svelte et harmonieuse prolonge le plaisir et laisse une bouche nette et parfumée. (20 à 29 F)

SCEA Gonfrier Frères, Ch. de Marsan,
33550 Lestiac-sur-Garonne, tél. 05.56.72.14.38,
fax 05.56.72.10.38, e-mail gonfrier@terre-net.fr
☑ Y r.-v.

CH. MOULIN DE PONCET 2000★

◪ 2,5 ha 20 000 5à8€

Les pentes argilo-calcaires de Daignac (entre La Sauve et Branne, en Entre-Deux-Mers) portent un vignoble de cabernet-sauvignon entièrement dévolu à ce clairet. Son nez d'une grande fraîcheur dément un début d'évolution visible dans sa robe légèrement tuilée. La fraise des bois et la framboise dominent la dégustation, avivée par une pointe à peine perceptible de gaz. La bouche nette et friande conduit à une belle finale fruitée et persistante. (30 à 49 F)

🔑 Vignobles Ph. Barthe, Peyrefus, 33420 Daignac, tél. 05.57.84.55.90, fax 05.57.74.96.57, e-mail vbarthe@club-internet.fr ☑ 🍷 r.-v.

LES VIGNERONS DE SAINT-MARTIN 2000*

◪ 0,85 ha 7 400 3à5€

Tel leur saint patron sur son cheval, les Vignerons de Saint-Martin ont tranché dans leur vignoble pour donner une belle parcelle de pur merlot à ce clairet gouleyant et agréable. Son bouquet très généreux exprime une forte personnalité, heureusement assagie par la finesse de ses arômes en bouche, elle-même agrémentée d'une longue traîne odorante de groseille et de cassis. (20 à 29 F)

🔑 Cave coop. vinicole de Génissac, 54, le Bourg, 33420 Génissac, tél. 05.57.55.55.65, fax 05.57.55.11.61 ☑ 🍷 t.l.j. sf dim. 9h-12h 14h-18h; sam. 9h-12h

Bordeaux sec

CH. DES ANTONINS 2000**

☐ 2 ha 8 000 3à5€

Au XIII[e]s. les moines de Saint-Antoine occupaient ces lieux et guérissaient le mal des ardents avec un « Saint-Vinage » de leur composition. Il doit rester quelque chose de ce baume miraculeux dans cette cuvée dont la générosité et l'harmonie ont séduit nos jurés. Elle célèbre allègrement le mariage du sauvignon et du sémillon (65-35 %) et fleure le raisin bien doré. N'en doutons pas, ce vin est une vraie bénédiction ! (20 à 29 F)

🔑 Geoffroy de Roquefeuil, Le Couvent, 33190 Pondaurat, tél. 05.56.61.00.08, fax 05.56.71.22.07 ☑ 🍷 r.-v.

BARTON ET GUESTIER
1725 Réserve du Fondateur 2000*

☐ n.c. n.c. 5à8€

Le fondateur de Barton et Guestier s'émerveillerait sûrement de l'excellence de ce blanc 2000 placé sous son patronage. D'un or brillant, ce vin embaume les fruits de l'été (poire, pêche) et lance une charmante pointe acide sur un grain velouté, presque capitonné. La finale « sauvignonne » gentiment, faisant comme une révérence au cépage maître de l'assemblage (20 % de sémillon). (30 à 49 F)

🔑 Barton et Guestier, Ch. Magnol, 87, rue du Dehez, 33292 Blanquefort Cedex, tél. 05.56.95.48.00, fax 05.56.95.48.01, e-mail barton-e-guestier@seagram.com

CH. BAUDUC 2000**

☐ 5,48 ha 4 000 5à8€

Une belle et ancienne demeure, dans un écrin de parc boisé (70 ha) et de vignoble (30 ha), un chai où l'on peut se rafraîchir de cet excellent bordeaux sec. Ce millésime, d'un jaune pâle brillant, offre un bouquet concentré de fruits très mûrs et d'amande. La bouche est légère, d'une extrême finesse, et ses accents floraux, nuancés de menthe et de fruit de la Passion, sont en plein accord avec le gras d'un raisin surmûri. De l'équilibre, du nez et du corps : ce vin est fort en tout... Il passe très près du coup de cœur. (30 à 49 F)

🔑 SCEA Vignobles Quinney, Ch. Bauduc, 33670 Créon, tél. 05.56.23.22.22, fax 05.56.23.06.05, e-mail team@bauduc.com ☑ 🍷 r.-v.

BEAU MAYNE 2000*

☐ n.c. n.c. 3à5€

Négociant-éleveur, Dourthe propose cette cuvée jaune paille assez clair et d'une belle brillance dans le verre. Le vin se pare d'un nez délicat et complexe, riche de notes de fenouil et de rose blanche qui se maintiennent dans une bouche onctueuse et fine. Quelques saveurs exotiques (ananas, pamplemousse) agrémentent et prolongent une finale toute de fraîcheur. (20 à 29 F)

🔑 Dourthe, 35, rue de Bordeaux, 33290 Parempuyre, tél. 05.56.35.53.00, fax 05.56.35.53.29, e-mail contact@cvbg.com ☑ 🍷 r.-v.

CAVE BEL-AIR 2000*

☐ n.c. 30 000 3à5€

La maison Sichel s'honore de vinifier ellemême les vins de sa gamme. Son savoir-faire est fort bien illustré par cette cuvée 100 % sauvignon, au nez de miel, d'abricot et de melon. Au palais, cette richesse aromatique s'intensifie dans un registre plein de fraîcheur. Un joli bordeaux sec, bien équilibré et subtil. (20 à 29 F)

🔑 Maison Sichel-Coste, 8, rue de la Poste, 33210 Langon, tél. 05.56.63.50.52, fax 05.56.63.42.28

CH. BEL AIR PERPONCHER 2000**

☐ n.c. n.c. 5à8€

Vêtu d'une somptueuse robe paille, ce bordeaux sec allie puissance et finesse aromatique : genêt, sureau et un buis discret composent le premier nez tandis que les notes citronnées assorties d'écorce de pamplemousse annoncent une bouche fraîche et un peu nerveuse. Un juste dosage entre sauvignon, sémillon et muscadelle (60-20-20 %) assure une trame souple et fondue, longue et distinguée. (30 à 49 F)

🔑 GFA de Perponcher, 33420 Naujan-et-Postiac, tél. 05.57.84.55.08, fax 05.57.84.57.31, e-mail contact@vignobles-despagne.com ☑ 🍷 r.-v.

🔑 J.-L. Despagne

CH. BELLE-GARDE 2000*

☐ 3 ha n.c. 3à5€

Vin brillant, d'une belle transparence dorée, riche d'un nez doux de beurre frais avec des effluves vanillés. Une bouche ronde, très mûre et fleurie (genêt, pétale de rose) embaume le palais de saveurs veloutées et fondues, où le miel et la noisette courtisent plaisamment les papilles. Un joli produit, fort élégant, à l'avenir assuré. (20 à 29 F)

🔑 Eric Duffau, Ch. Belle-Garde, Monplaisir, 33420 Génissac, tél. 05.57.24.49.12, fax 05.57.24.41.28, e-mail eric.duffau@wanadoo.fr
☑ Y t.l.j. sf dim. 8h-12h 14h-19h; f. 15-30 août

CH. BOIS-MALOT 2000*

☐ 0,6 ha 5 000 5à8€

Une vigne implantée sur un sol argilo-graveleux et sur un sous-sol de graves, composée à parts égales de sémillon et de sauvignon. Or à reflets verts, ce vin offre un nez de fruits exotiques et de genêt. Un bon équilibre s'installe en bouche, marquée par une certaine corpulence et une agréable longueur. A boire à petites gorgées, bien frais. (30 à 49 F)

🔑 SCEA Meynard et Fils, 133, rte des Valentons, 33450 Saint-Loubès, tél. 05.56.38.94.18, fax 05.56.38.92.47 ☑ Y t.l.j. sf dim. 8h30-12h 14h-19h; f. sam. a-m.

CH. DE BONHOSTE 2000**

☐ 6,87 ha 20 000 5à8€

L'harmonie des lieux et l'affabilité des hôtes ne sont pas le moindre charme de ce bien nommé château Bonhoste. Les produits du domaine ajoutent encore au plaisir de la rencontre. Le style de ce bordeaux blanc s'impose d'emblée : finement citronnés, avec un zeste d'orange et de l'ananas, ses arômes sont délicats et méritent une analyse attentive. La pêche et le coing survolent une bouche tendre et soyeuse. Une finale douce et réfléchie étire longuement ces flaveurs. (30 à 49 F)

🔑 SCEA Vignobles Fournier, Ch. de Bonhoste, 33420 Saint-Jean-de-Blaignac, tél. 05.57.84.12.18, fax 05.57.84.15.36 ☑ Y r.-v.

CHAI DE BORDES 2000*

☐ n.c. 100 000 3à5€

La robe est jaune pâle à reflets verts. Le nez, un peu timide, dévoile à l'agitation des senteurs d'agrumes : citron, écorce d'orange. De nouvelles saveurs apparaissent en bouche ; la fleur d'acacia et la cire d'abeille tapissent le palais et apportent leur charme à un corps svelte. La finale doit au sauvignon sa note vive, élégante et longue. (20 à 29 F)

🔑 Cheval-Quancard, La Mouline, 4, rue du Carbouney, 33560 Carbon-Blanc, tél. 05.57.77.88.88, fax 05.57.77.88.99, e-mail chevalquancard@chevalquancard.com
Y r.-v.

CH. BOURDICOTTE 2000*

☐ 3 ha 30 000 3à5€

Un mélange assez rare de 90 % de sauvignon et de 10 % de muscadelle est à la source de ce vin. La robe et les arômes évoquent ensemble le charme enivrant du foin frais et la nostalgie des fleurs séchées. Une impression automnale que l'on retrouve dans une bouche assez évoluée. Là se déclinent la figue, les fruits secs et le noyau de cerise, dans une harmonie agréablement persistante. (20 à 29 F)

🔑 SCEA Rolet Jarbin, Dom. de Bourdicotte, 33790 Cazaugitat, tél. 05.56.61.32.55, fax 05.56.61.38.26

CALVET RESERVE 2000

☐ n.c. 33 000 3à5€

Habillé d'une robe jaune pâle, ce Calvet Réserve tire son élégance fruitée d'un sémillon très majoritaire (80 %) et une pointe de vivacité minérale du sauvignon. Un corps dense et séveux met en valeur l'alliance réussie du raisin et du merrain. Harmonieux et long, ce vin accompagnera fruits de mer et poisson grillé. (20 à 29 F)

🔑 Calvet, 75, cours du Médoc, BP 11, 33028 Bordeaux Cedex, tél. 05.56.43.59.00, fax 05.56.43.17.78, e-mail calvet@calvet.com

CHORUS Elevé en fût de chêne 1999

☐ n.c. 12 000 3à5€

Ce Chorus à la robe jaune citron assez intense révèle à l'agitation de délicats arômes floraux (églantine, chèvrefeuille). Un grillé très fin s'exprime davantage au palais sur une trame d'une bonne acidité et un fruité discret. Assez nerveux, ce vin développe une agréable persistance et laisse la bouche très nette. Il accompagnera fruits de mer et crustacés. (20 à 29 F)

🔑 J.J. Mortier et Cie, 62, bd Pierre-1er, 33000 Bordeaux, tél. 05.56.51.13.13, fax 05.57.85.92.77, e-mail mortier@mortier.com
Y t.l.j. sf sam. dim. 8h-18h30

CLOS DES CAPUCINS 2000**

☐ 1,2 ha 9 000 3à5€

Paré d'une robe or gris légèrement perlée, ce millésime est doté d'un bouquet de fruits à bonne maturité et d'agrumes confits, mêlés de notes minérales (pierre à fusil) et d'amande. Friande, bien équilibrée, la bouche offre des saveurs fruitées persistant dans un fourreau consistant, presque crémeux ; l'harmonie générale en prolonge le plaisir. (20 à 29 F)

🔑 SCEA Jean Médeville et Fils, Ch. Fayau, 33410 Cadillac, tél. 05.57.98.08.08, fax 05.56.62.18.22, e-mail medeville-jeanetfils@wanadoo.fr
☑ Y t.l.j. sf sam. dim. 8h30-12h30 14h-18h

CH. CRABITAN BELLEVUE 2000*

☐ 1 ha 8 000 3à5€

A côté de ses liquoreux, Bernard Solane exerce son art dans le domaine des blancs secs. Cette cuvée 2000 procure une fraîcheur sans aspérité, animée d'arômes printaniers : acacia, muguet, citronnelle. Très droite en bouche, nette, d'un retour aromatique fondu, elle se porte volontaire pour accompagner toute viande blanche en sauce. (20 à 29 F)

🔑 GFA Bernard Solane et Fils, 33410 Sainte-Croix-du-Mont, tél. 05.56.62.01.53, fax 05.56.76.72.09 ☑ Y t.l.j. sf dim. 8h-12h 14h-18h

CH. DOISY-DAENE 2000*

☐ 6 ha 25 000 11à15€

Vinifié par deux maîtres reconnus de l'œnologie bordelaise, en l'occurrence Denis Dubourdieu et son père, propriétaires de ce cru classé de sauternes, ce bordeaux sec à la robe or pâle est une œuvre d'une grande complexité aromatique où se mêlent le litchi, l'ananas et la mangue. Il traduit bien la noblesse du chêne dans lequel il a été élaboré par un boisé grillé des plus fins et laisse une bouche légère, vive et comblée. (70 à 99 F)

EARL Vignobles P. et D. Dubourdieu, 10, quartier Gravas, 33720 Barsac, tél. 05.56.27.15.84, fax 05.56.27.18.99 r.-v.

CH. FONREAUD Le Cygne 2000*

□ 1,9 ha 14 000 8 à 11 €

Il y a plus de dix ans, le château Fonréaud a renoué avec la tradition ancienne des vins blancs en Médoc. Au début du XXᵉs., il se produisait ici un vin blanc sec réputé, baptisé « le Cygne ». Cette dernière édition du siècle finissant provient d'un assemblage où le sauvignon (60 %) est suivi à parts égales par la muscadelle et le sémillon (20 % chacun). Sa robe est jaune pâle à reflets verts, son bouquet évoque la chair juteuse du brugnon et le « rôti » de l'abricot surmûri. Le raisin doré emplit une bouche généreuse où les notes toastées sont comme une voix de fond à cette mélodie fruitée. La séduction vient en plus. (50 à 69 F)

Ch. Fonréaud, 33480 Listrac-Médoc, tél. 05.56.58.02.43, fax 05.56.58.04.33 t.l.j. sf sam. dim. 9h-11h30 14h-17h30

Héritiers Chanfreau

CH. FRANC-PERAT 2000**

□ 6 ha 30 000 8 à 11 €

Un beau terroir argilo-siliceux planté de sauvignon et de sémillon est dédié à ce blanc sec à la robe jaune d'or lumineux. Le nez est un pur enchantement : vanille, confiture de coing, fleurs blanches... La bouche prolonge cette impression avec une attaque vive, fraîche et une remarquable longueur. Un tel plaisir ne se diffère pas ! (50 à 69 F)

SCEA de Mont-Pérat, 33550 Capian, tél. 05.57.84.55.08, fax 05.57.84.57.31, e-mail contact@vignobles-despagne.com r.-v.

J.-L. Despagne

CH. GAYON 2000**

□ 1,72 ha 8 000 3 à 5 €

Ce beau et très ancien domaine appartenait sous la Révolution à une famille dont un membre fut la première victime bordelaise de la Terreur. De nos jours, la douceur des collines de Caudrot inspire la sérénité, tout comme l'ambre léger de cette cuvée au doux parfum de miel et d'acacia. Une jolie structure, avec assez de gras pour flatter les papilles, laisse percer une finale mentholée rafraîchissante. Une réussite, à déguster plus qu'à boire, par exemple en apéritif. Elégant et racé, ce vin est à son apogée. (20 à 29 F)

Jean Crampes, Ch. Gayon, 33490 Caudrot, tél. 05.56.62.81.19, fax 05.56.62.71.24, e-mail jcrampes@chateau-gayon.com t.l.j. 8h-12h 14h-18h; sam. dim. sur r.-v.

GINESTET
Vinifié et élevé en fût de chêne 2000*

□ n.c. 100 000 3 à 5 €

Il faut rendre hommage aux grandes maisons bordelaises de négoce qui démontrent que la quantité de vin mis sur le marché n'exclut pas la qualité. Sa teinte paille fraîche, ses arômes de figue sèche et de raisin confit séduisent. Un corps gras et rond donne naissance à des saveurs d'écorce d'orange et glisse doucement vers une finale de vanille et de miel. (20 à 29 F)

SA Maison Ginestet, 19, av. de Fontenille, 33360 Carignan-de-Bordeaux, tél. 05.56.68.81.82, fax 05.56.20.96.99, e-mail contact@ginestet.fr r.-v.

CH. DU GRAND-MOUEYS 2000*

□ 17 ha n.c. 3 à 5 €

Une ancienne villa gallo-romaine du VIᵉs., puis un château dont l'histoire moyenâgeuse est à creuser avec précaution, car elle sent le soufre et l'odeur âcre du bûcher érigé pour les Templiers. Beaucoup plus reposante est l'élégante fraîcheur de cette cuvée 2000, suave en bouche autant qu'au nez, avec un retour au palais de fruits confits, de pêche et d'abricot. La finale est ronde, riche de notes doucement miellées. (20 à 29 F)

SCA Les Trois Collines, Ch. du Grand-Mouëys, 33550 Capian, tél. 05.57.97.04.44, fax 05.57.97.04.60, e-mail cavif.gm@ifrance.com r.-v.

CH. DU GRAND PLANTIER 2000**

□ 1,5 ha 8 000 5 à 8 €

Disons-le sans ambages : cette cuvée est superbe, proche de l'excellence et, de plus, bien élevée (sur lies fines, s'entend). Son coup de cœur, elle le doit à la blondeur juvénile de sa robe et à la complexité de son bouquet puissant et attachant. Fleurs blanches, tilleul, églantine, autant d'impressions vaporeuses sur un palais envoûté. Racé jusqu'en finale, ce vin sera en toute occasion une inépuisable source de bonheur. (30 à 49 F)

GAEC des Vignobles Albucher, Ch. du Grand Plantier, 33410 Monprimblanc, tél. 05.56.62.99.03, fax 05.56.76.91.35 r.-v.

CH. GUILLAUME BLANC
Elevé en fût 2000*

☐ 2,31 ha n.c. 3 à 5 €

Il fut coup de cœur dans le Guide 2000 pour un 98. Le millésime 2000 est un vin attachant, d'un jaune d'or soutenu ; sa brillance rappelle les dorures des liquoreux. Les arômes sont marqués par un fruit surmûri, presque rôti. Une bouche bien riche, puissante et grasse évoque le fruit sec (amande) et l'abricot confit. Une finale très douce et vanillée signe ce vin plein de sève, digne d'un parterre de langoustines au cognac. (20 à 29 F)

SCEA Ch. Guillaume, lieu-dit Guillaume-Blanc, 33220 Saint-Philippe-du-Seignal, tél. 05.57.41.91.50, fax 05.57.46.42.76 r.-v.

CH. HAUT-GARRIGA 2000*

☐ 2 ha 10 000 3 à 5 €

Le château Haut-Garriga exploite 2 ha de sémillon affectés à cette cuvée qui se prévaut d'un nez riche d'écorces d'agrumes (orange, mandarine) et de flaveurs très douces, miellées, légèrement vanillées. Ici, la fraîcheur est dans les arômes de bouche, verveine, bergamote, et non dans l'acidité. La rondeur est du plus bel effet. (20 à 29 F)

EARL Vignobles C. Barreau et Fils, Garriga, 33420 Grézillac, tél. 05.57.74.90.06, fax 05.57.74.96.63 r.-v.

CH. HAUT RIAN Cuvée Excellence 1999*

☐ 2 ha 12 000 5 à 8 €

L'audacieuse dénomination de cette cuvée n'est pas un vain mot pour Michel Dietrich qui s'est investi sans réserve pour l'élaborer à partir d'un vieux sémillon d'au moins trente-cinq ans. L'ananas et le pamplemousse inondent la bouche de leurs arômes ensoleillés pour laisser place à un joli boisé, un peu grillé, dans une belle longueur vanillée. Le **bordeaux sec 2000 (20 à 29 F)** qui ne connaît pas le bois obtient la même note. C'est un ensemble délicat et tendre, plus aimable par son équilibre que par sa puissance. (30 à 49 F)

Michel Dietrich, La Bastide, 33410 Rions, tél. 05.56.76.95.01, fax 05.56.76.93.51 t.l.j. sf dim. 9h-12h 14h-17h30; f. 10-31 août

CH. DU JUGE 2000*

☐ 8 ha 65 000 5 à 8 €

Une robe d'or pâle laissant deviner quelques perles gazeuses annonce un nez intense de fruit de la Passion et de mandarine. La bouche, tendre et riche, lance des notes muscatées et se prolonge dans des saveurs inédites de coing et de rhubarbe. Un vin de découverte, pour esprits curieux, finalement très attachant. (30 à 49 F)

Pierre Dupleich, Ch. du Juge, rte de Branne, 33410 Cadillac, tél. 05.56.62.17.77, fax 05.56.62.17.59, e-mail pierre.dupleich@wanadoo.fr r.-v.
David

LABOTTIERE 2000*

☐ n.c. n.c. 3 à 5 €

Ce vin s'honore d'un nom prestigieux, celui d'un très bel hôtel particulier dans l'ancien faubourg Saint-Seurin à Bordeaux, chef-d'œuvre de délicatesse décorative dans le droit fil du grand goût français. Sa jolie robe pâle est limpide et brillante ; son bouquet s'inspire du fruit très mûr, du raisin de Corinthe, de l'abricot sec, de la banane. Les arômes de bouche confirment cette première approche. Ici le sauvignon se suffit à lui-même, très doré, gras et chaud. Une finale colorée et moelleuse (fruit de la Passion, litchi) appelle de ses vœux un sandre au beurre blanc ou un chapon rôti. (20 à 29 F)

Cordier-Mestrezat et Domaines, 109, rue Achard, 33000 Bordeaux, tél. 05.56.11.29.00, fax 05.56.11.29.01

CH. LA CADERIE 2000*

☐ 2,09 ha 5 000 5 à 8 €

Les archives attestent que La Caderie produisait déjà du vin sous la Révolution. La tradition s'est perpétuée jusqu'à nos jours en intégrant au passage tous les acquis des techniques modernes. Ce vin a été tiré d'une vendange récoltée à la main sur une parcelle qui porte de la vigne depuis plus d'un siècle. Il séduit par l'élégance d'un nez des plus fins, toasté au début, puis rappelant le citron et la verveine par la suite. Le bouquet est présent sur une bouche ronde et fraîche. L'élevage sur lies lui a donné une consistance moelleuse et longue. (30 à 49 F)

François Landais, Ch. La Caderie, 33910 Saint-Martin-du-Bois, tél. 05.57.49.41.32, fax 05.57.49.41.32 r.-v.

LAITHWAITE 2000**

☐ n.c. 132 300 -3 €

Le marché anglais appréciera beaucoup l'élégance de ce sauvignon d'une parfaite finition, tant dans l'éclat de sa robe paille que dans son nez plein de fraîcheur mêlant citronnelle, verveine et fleur d'oranger. Nerveux et séveux au départ, ce vin étale un corps souple et tendre sans lourdeur, très légèrement beurré, grillé. Alerte jusqu'à la fin, il pourra être servi sur une alose grillée aux aubergines poêlées, ou des asperges au beurre blanc. (– 20 F)

SARL Direct Wines Ch. La Clarière Laithwaite, Les Confrères de La Clarière, 33350 Sainte-Colombe, tél. 05.57.47.95.14, fax 05.57.47.94.47 r.-v.

CH. LAMOTHE DE HAUX 2000*

☐ 20 ha 200 000 5 à 8 €

Produire 200 000 bouteilles d'un tel vin n'est pas chose commune. C'est pourtant ce que l'on pratique ici à partir d'un assemblage de sauvignon et de sémillon à parts égales, le reste en muscadelle (20 %). Au moins est-on sûr de ne pas manquer de ce bordeaux sec opulent et riche, à l'acidité très contenue, à l'arôme automnal de pomme sauvage et de coing. Sous son étoile, la plus modeste des tables devient lieu de festin. Cette bouteille est déjà à boire, pour le plaisir, sans plus attendre. (30 à 49 F)

Néel et Chombart,
Ch. Lamothe de Haux, 33550 Haux,
tél. 05.57.34.53.00, fax 05.56.23.24.49,
e-mail neel-chombart@chateau-lamothe.com
t.l.j. sf sam. dim. 9h-18h

LEGENDE R 2000*

n.c. n.c. 8 à 11 €

Signé par l'équipe de Lafite mais distribué par les caves Nicolas, mais distribué par les caves Nicolas, ce bordeaux provient de sémillon et de sauvignon plantés dans l'Entre-Deux-Mers et les Côtes. C'est donc un vin de négoce. Il a été conçu pour être bu jeune. Frais, bouqueté avec de belles notes de citron, fin et élégant, il a parfaitement atteint son objectif. (50 à 69 F)

Domaines Barons de Rothschild Lafite Distribution, 33, rue de la Baume, 75008 Paris,
tél. 01.53.89.78.00, fax 01.53.89.78.01

CH. DE L'ENCLOS 2000**

1,2 ha 6 000 3 à 5 €

Cette cuvée élaborée à partir d'un sauvignon pur est un bel exemple du potentiel qualitatif de ce cépage. Une grande finesse au nez (pâte de coing, pêche blanche) et une bouche nette et fruitée lui confèrent un style aérien, léger, finalement très séduisant. Consommé dans sa fraîcheur, ce vin s'accommodera au mieux d'un plateau de fruits de mer, ou d'une alose grillée au feu de bois. (20 à 29 F)

Vignerons de Guyenne, Union des producteurs de Blasimon, 33540 Blasimon,
tél. 05.56.71.55.28, fax 05.56.71.59.32 r.-v.
Farges et Fils

CH. DE L'ESPERANCE 2000*

5 ha 40 000 3 à 5 €

Le domaine de Cazalis a réservé 5 ha de bonnes terres argilo-calcaires pour élaborer ce vin issu de sauvignon exclusivement. Cela donne un blanc au caractère un peu surprenant, aux senteurs exotiques (kiwi) nuancées de tabac blond et de réglisse. La bouche, fort plaisante, douce, légèrement biscuitée, se prolonge en notes épicées et persistantes. (20 à 29 F)

SCEA Dom. de Cazalis, 33350 Pujols,
tél. 05.57.40.72.72, fax 05.57.40.72.00,
e-mail chateau-cazalis@wanadoo.fr r.-v.
Claude Billot

CH. DE LOS 2000*

3 ha 30 000 3 à 5 €

Ce millésime 2000 a la pâleur du miel d'acacia mais un bouquet très enlevé de genêt et de buis, auxquels se joignent des notes plus complexes de goudron et d'encens. Tendre et soyeux au palais, il se montre jusqu'au bout harmonieux et d'une étonnante fraîcheur. (20 à 29 F)

SCEA Vignobles Signé,
505, Petit-Moulin-Sud, 33760 Arbis,
tél. 05.56.23.93.22, fax 05.56.23.45.75,
e-mail signevignobles@wanadoo.fr r.-v.

JACQUES ET FRANCOIS LURTON 2000*

11 ha 109 000 3 à 5 €

Jacques et François Lurton mettent leur dynamisme commercial au service de cette importante cuvée de sauvignon élaborée avec minutie en macération pelliculaire à partir d'une vendange bien sélectionnée. Brillante, d'une pâle teinte dorée, la robe annonce un nez fin mais puissant où la fleur de troène voisine avec des notes minérales. L'attaque est vive, et laisse deviner un raisin doré et concentré. La noisette ajoute à l'harmonie finale et l'ensemble manifeste une belle persistance aromatique. (20 à 29 F)

Jacques et François Lurton,
Dom. de Poumeyrade, 33870 Vayres,
tél. 05.57.74.72.74, fax 05.57.74.70.73,
e-mail jflurton@jflurton.com

FLEUR DE LUZE 2000*

n.c. 27 000 5 à 8 €

Depuis 1820, la maison Luze exerce son activité de négociant-éleveur. Séductrice dans sa robe d'un bel or translucide, cette Fleur de Luze offre au nez une belle composition de parfums printaniers, où l'aubépine, le lilas et le genêt s'entremêlent dans une harmonie savante. Une matière concentrée de fruits secs (raisin de Corinthe) tapisse agréablement la bouche. Le gras et la fraîcheur trouvent ici un accord parfait. (30 à 49 F)

A. de Luze et Fils, Dom. du Ribet, BP 59, 33451 Saint-Loubès Cedex, tél. 05.57.97.07.20, fax 05.57.97.07.27, e-mail deluze@gvg.fr
r.-v.

MICHEL LYNCH 2000*

n.c. 200 000 5 à 8 €

Michel Lynch était, il y a près de deux cents ans, une figure illustre du Médoc, excellent vinificateur et propriétaire de Lynch-Bages. C'est aujourd'hui le nom de la marque de négoce de Jean-Michel Cazes. Cette cuvée 2000 séduit par son nez intense aux nuances florales (jasmin, rose) et aux senteurs exotiques (ananas). Une attaque souple laisse place à un corps ample et gras. Des saveurs fruitées agrémentent une finale ronde et nerveuse. Les jurés ont aimé ce joli vin mûr. (30 à 49 F)

SNC Michel Lynch, BP 66, 33250 Pauillac,
tél. 05.56.73.24.15, fax 05.56.59.26.42
J.-M. Cazes

BLANC DE LYNCH-BAGES 2000*

4,5 ha 36 000 23 à 30 €

Ces nouveaux blancs du Médoc sont décidément de redoutables compétiteurs, dont le savoir-faire s'affirme chaque année davantage. Ce Blanc de Lynch-Bages, à la robe brillante et pâle, offre un nez sans arrogance, avivé par son bouquet de fleurs blanches et de buis. Des notes fraîches envahissent la bouche (poivron vert, agaric, citronnelle) et assurent une finale parfumée et souple. Vif et désaltérant, ce vin décuplera le plaisir d'un colin froid. (150 à 199 F)

Jean-Michel Cazes,
Ch. Lynch-Bages, 33250 Pauillac,
tél. 05.56.73.24.00, fax 05.56.59.26.42,
e-mail infochato@lynchbages.com ☑
Famille Cazes

MAYNE D'OLIVET 1999★★

☐ 2 ha 12 000 8à11€

Orfèvre en matière viti-vinicole, la famille Boidron ouvre ici une voie nouvelle en élaborant un bordeaux sec de grande classe issu d'un assemblage innovant : sauvignon blanc, muscadelle, sémillon et surtout sauvignon gris se marient pour le meilleur. Litchi, citron, abricot confit sont présents, harmonieusement fondus dans une bouche drapée d'un fin voile vanillé. Un bouquet complexe et volumineux autorise une excellente persistance aromatique.
(50 à 69 F)

Jean-Noël Boidron, Ch. Corbin Michotte,
33330 Saint-Emilion, tél. 05.57.51.64.88,
fax 05.57.51.56.30 ☑ Y r.-v.

MAYNE SANSAC 2000★

☐ 5 ha 33 000 3à5€

D'un bel or pâle à reflets verts, il offre un nez hardi, insistant (citronnelle, menthe, fleurs blanches) sur un fond finement beurré. Un corps ample, équilibré, d'une acidité mesurée, s'installe dans le fruit mûr et le miel, puis évolue sur des saveurs satinées et douces. Un vin délicat, à boire seul, en apéritif, ou sur une viande blanche. (20 à 29 F)

Domainie de Sansac, Les Lèves,
33220 Sainte-Foy-la-Grande,
tél. 05.57.56.02.02, fax 05.57.56.02.22 Y r.-v.

CH. MOULIN DE PILLARDOT 2000

☐ 3 ha 20 000 5à8€

Ce château de Pillardot est un lieu où l'on prend le temps de vinifier et d'opérer un élevage prolongé sur lies bâtonnées. Le bouquet est très floral : l'acacia, la fleur de vigne et le genêt font comme une guirlande parfumée à une bouche printanière et vive, à la finale mentholée et de bonne longueur. (30 à 49 F)

Ch. Bourdicotte, Le Bourg, 33790 Cazaugitat, tél. 06.08.71.60.06, fax 05.56.61.38.26

PAVILLON BLANC DU CHATEAU MARGAUX 1999★★★

☐ n.c. n.c. 46à76€

Depuis quelques années le Pavillon blanc du Château Margaux s'est taillé une place de choix parmi les plus grands bordeaux secs. Il ne déroge pas avec ce superbe 99 d'une engageante teinte cuivrée. Complexe à souhait, le bouquet marie les frais parfums d'agrumes aux notes plus chaudes de fruit surmûri. Riche, dense et goûteux, le palais joue lui aussi sur une belle palette de saveurs, du beurre de noisette à la compote de poire. Croquant comme un raisin et puissant, ce vin méritera un poisson fin en sauce.
(300 à 499 F)

SC du Ch. Margaux, 33460 Margaux,
tél. 05.57.88.83.83, fax 05.57.88.83.32

CH. PENIN 2000★

☐ 2 ha 16 500 5à8€

Patrick Carteyron a introduit 15 % de sauvignon gris dans l'encépagement traditionnel de son bordeaux blanc. Plein de ressource, celui-ci compose un ensemble aromatique riche et complexe, d'où émerge particulièrement le pamplemousse. Grasse et charnue, la bouche laisse le fruit mûr se diversifier : mandarine, abricot sec. « Enfin du vin et des raisins mûrs ! » s'exclame un dégustateur heureux. Existe-t-il plus beau compliment ? (30 à 49 F)

SCEA Patrick Carteyron, Ch. Penin,
33420 Génissac, tél. 05.57.24.46.98,
fax 05.57.24.41.99 ☑ Y r.-v.

CH. PIERRAIL 2000★★

☐ 10 ha 53 700 5à8€

Une fois encore, le château Pierrail a sorti un haut de gamme avec ce 2000. D'une belle brillance jaune paille, celui-ci réunit dans une heureuse confrontation le pain grillé, et l'explosion florale du chèvrefeuille, de la fleur de magnolia. L'élégance et l'équilibre sont en bouche, laquelle reproduit ce même bouquet complexe et s'allonge dans une finale persistante. Un très joli vin, à accorder à un repas de la même classe.
(30 à 49 F)

EARL Ch. Pierrail, 33220 Margueron,
tél. 05.57.41.21.75, fax 05.57.41.23.77,
e-mail pierrail@chateau-pierrail.com ☑ Y r.-v.

CH. PIERRON 2000★

☐ 8 ha 55 000 3à5€

Ce grand domaine d'une centaine d'hectares est maintenant conduit par la troisième génération. Elle exploite 8 ha de sauvignon plantés sur un sol sablo-limoneux. Les jurés ont apprécié l'expression puissante de ce vin, à la fois florale (genêt) et fruitée (fruits à chair blanche et pomme verte). La bouche, malgré une attaque un peu perlée, s'affirme onctueuse et vive à la fois. L'arôme printanier de fleur blanche se retrouve en finale, intense et d'une bonne longueur. (20 à 29 F)

GAEC Cardarelli, Laborne Nord,
33790 Massugas, tél. 05.56.61.48.13,
fax 05.56.61.32.38 ☑

LE BLANC DU CHATEAU PRIEURE-LICHINE 2000★★

☐ 1,6 ha 7 000 15à23€

Heureux moines de l'ancien Prieuré, auxquels était réservé un vin de messe propre à faire tomber à genoux le diable en personne ! Ce bor-

deaux blanc a fait sombrer nos jurés dans une adoration profane. Jaune citron irisé de touches vert pomme, il offre au nez un vrai feu d'artifice d'oranges confites, de pamplemousse et d'effluves du verger : pêche, fraise des bois, abricot. Onctueux et vif au palais, il s'enrichit de nuances grillées et balsamiques. (100 à 149 F)
Ch. Prieuré-Lichine, 34, av. de la 5e-République, 33460 Cantenac, tél. 05.57.88.36.28, fax 05.57.88.78.93, e-mail prieure.lichine@wanadoo.fr r.-v.
M. Ballande

CH. REYNON Vieilles vignes 1999*

n.c. 72 000 8à11€

Les vieilles vignes du château Reynon ont leurs lettres de noblesse et manifestent chaque année l'efficacité du propriétaire des lieux, éminent promoteur des nouvelles méthodes de vinification en blanc. A signaler, une cueillette manuelle par tries successives et la recherche obstinée de la meilleure extraction aromatique. Objectif atteint tant le potentiel qualitatif du sauvignon est là, dans sa typicité et sa complexité. Le côté floral (genêt, pétales de rose) s'allie très bien à un soupçon végétal, sans masquer le gras et le velours d'une bouche opulente et longue. (50 à 69 F)
Denis et Florence Dubourdieu, Ch. Reynon, 33410 Béguey, tél. 05.56.62.96.51, fax 05.56.62.14.89, e-mail reynon@gofornet.com r.-v.

DOM. DE RICAUD 2000*

4,5 ha 36 000 5à8€

Une équipe très en pointe dirige maintenant ce domaine, à savoir Régis Chaigne (un concentré d'idées neuves...) et son conseiller œnologue Jean-Louis. Une technicité de haut niveau leur assure depuis plusieurs années une présence dans le Guide. Cette cuvée 2000 allie le fruit du sauvignon à la rondeur consistante du sémillon, tandis qu'une pointe de fantaisie (œillet, muscaris) pourrait bien être attribuée à ce 5 % de muscadelle, qui n'est pas là par hasard. A boire maintenant, cela va de soi. (30 à 49 F)
Vignobles Chaigne et Fils, Ch. Ballan-Larquette, 33540 Saint-Laurent-du-Bois, tél. 05.56.76.46.02, fax 05.56.76.40.90, e-mail rchaigne@vins-bordeaux.fr r.-v.

CH. DES ROCS 2000*

4,34 ha 20 000 5à8€

Une œuvre joliment ciselée que ce sauvignon sec. Doré comme miel d'acacia, il emprunte encore à la ruche son nez de cire et révèle son élevage sur lies fines par une bouche bien en chair, aux riches effluves de fleur de vigne. La finale offre ampleur et gras et se réserve pour faire cortège à un plateau de fruits de mer. (30 à 49 F)
SCEA Vignobles Michel Bergey, Ch. Damis, 33490 Sainte-Foy-la-Longue, tél. 05.56.76.41.42, fax 05.56.76.46.42 r.-v.

CH. ROQUEFORT Tradition 2000*

32 ha 200 000 5à8€

En matière de bordeaux blanc, le château de Roquefort est une référence de qualité. Très floral (muguet, aubépine, lilas), son Tradition jouit d'une attaque franche, nette, puissante. Le gras et la rondeur vont bien avec un côté minéral, au service d'un retour final sur la fleur. (30 à 49 F)
SCE du Ch. Roquefort, 33760 Lugasson, tél. 05.56.23.97.48, fax 05.56.23.51.44, e-mail chateau-roquefort@wanadoo.fr r.-v.
F. Bellanger

CH. TOUR DE MIRAMBEAU 2000**

n.c. n.c. 5à8€

Chez J.-L. Despagne, on a l'art de vous mettre le bon raisin en bouche. Il en est ainsi de ce Tour de Mirambeau 2000, vêtu d'or vert perlé, où la fleur de vigne commence à vous attendrir, aidée par une savante combinaison de senteurs florales (acacia, sureau). Souple et gras, le palais poursuit son œuvre de séduction dans une suite moelleuse, parsemée de cannelle et d'amande grillée. (30 à 49 F)
SCEA Vignobles Despagne, 33420 Naujan-et-Postiac, tél. 05.57.84.55.08, fax 05.57.84.57.31, e-mail contact@vignobles-despagne.com r.-v.

CH. TURCAUD 1999*

2,4 ha 9 900 5à8€

Situé au cœur de l'Entre-Deux-Mers, tout proche de l'illustre abbaye de La Sauve Majeure, ce château Turcaud produit des bordeaux blancs à la réputation assurée de longue date. Ce 99 est d'une belle brillance jaune pâle à reflets verts et son arôme très sauvignon est subtilement relevé par une fine note boisée. Une attaque franche et vive révèle rapidement une évolution pleine de rondeur où voisinent vanille et citron confit. Un vin à boire entre amis. (30 à 49 F)
EARL Vignobles Robert, Ch. Turcaud, 33670 La Sauve, tél. 05.56.23.04.41, fax 05.56.23.35.85 r.-v.

CH. VIEUX CARREFOUR 2000*

0,7 ha 4 000 3à5€

François Gabard, propriétaire de ce château, ne compte plus les générations le séparant de son ancêtre qui s'installa le premier sur cette propriété, en 1745 ! Son bordeaux blanc est des plus élégants par son nez de pêche et de litchi. Avivée par quelques bulles de gaz, sa chair est ronde, fondante à souhait et associe le miel à l'amande et à la vanille. Une arrière-bouche onctueuse prédispose cette bouteille au foie gras ou à un gibier en sauce claire. (20 à 29 F)
EARL François Gabard, Le Carrefour, 33133 Galgon, tél. 05.57.74.30.77, fax 05.57.84.35.73 r.-v.

Bordeaux rosé

CH. BELLEVUE LA MONGIE 2000*

◪ 0,6 ha 5 000 ■🌡 3à5€

Ce rosé orne le verre d'un joli disque framboise. Son parfum vif, presque acidulé d'aubépine et de pivoine, laisse percer quelques nuances d'amande fraîche. Le corps est volumineux, fruité, et sa fraîcheur s'appuie sur un léger perlant. Ce vin introduira en beauté le repas, mais il se pourrait qu'il arrose encore le dessert, jusqu'à Noël. (20 à 29 F)

🔑 Michel Boyer, Ch. Bellevue La Mongie, 33420 Génissac, tél. 05.57.24.48.43, fax 05.57.24.48.43 ☑ Y t.l.j. 8h-12h 14h-19h; sam. dim. sur r.-v.; f. 15-30 août

CH. DE BONHOSTE 2000*

◪ 6 ha 13 000 ■🌡 5à8€

Une teinte légère, pâle, mais brillante comme de l'eau de roche, des arômes délicats de pétale de rose. L'entrée en bouche est plutôt nerveuse mais d'une grande élégance. Un léger perlant apporte un piquant plein de saveur, bien équilibré par une finale mentholée et douce. Ce vin se porte volontaire pour accompagner tout poisson à chair blanche. (30 à 49 F)

🔑 SCEA Vignobles Fournier, Ch. de Bonhoste, 33420 Saint-Jean-de-Blaignac, tél. 05.57.84.12.18, fax 05.57.84.15.36 ☑ Y r.-v.

FEILLON FRERES ET FILS 2000*

◪ 0,33 ha 2 500 ■🌡 5à8€

Fruit d'une parfaite collaboration familiale où chacun apporte sa compétence, ce rosé à la teinte groseille présente un nez intense (fraise, framboise) agrémenté d'une pointe d'exotisme. L'attaque est un peu fraîche, très nette, et donne envie de poursuivre. La bouche se transforme, prend du gras et devient presque chaleureuse. Un certain moelleux tapisse le palais et laisse une impression de bien-être général. (30 à 49 F)

🔑 Feillon Frères et Fils, Ch. Les Rocques, 33710 Saint-Seurin-de-Bourg, tél. 05.57.68.42.82, fax 05.57.68.36.25, e-mail feillon.vins.de.bordeaux@wanadoo.fr ☑ Y t.l.j. 9h-12h 14h-18h; sam. dim. sur r.-v.

GRANDES VERSANNES 2000*

◪ 4 ha 35 000 ■🌡 3à5€

Une étoile au firmament de ce rosé récompense les efforts des producteurs de Lugon qui lui ont réservé quelques parcelles bien exposées et une technicité des mieux adaptées. Une robe brillante et saumonée, des arômes marqués de pêche et de gelée de coing. La bouche réalise un parfait compromis entre une fraîcheur citronnée et le charme exotique du pamplemousse et d'un zeste d'orange. La finale s'étire en une belle langueur parfumée. (20 à 29 F)

🔑 Union de producteurs de Lugon, 6, rue Louis-Pasteur, 33240 Lugon, tél. 05.57.55.00.88, fax 05.57.84.83.16 ☑ Y t.l.j. sf dim. 8h30-12h30 14h-18h; groupes sur r.-v.

GRANGENEUVE 2000*

◪ 10 ha 13 000 ■🌡 3à5€

Les meilleures techniques de vinification, en particulier celles qui font intervenir les basses températures avant début de fermentation, ont présidé à l'élaboration de ce rosé à la teinte fraîche et tendre. Un nez aux flaveurs estivales (brugnon, abricot) prélude aux douceurs d'une bouche harmonieuse, soutenue par une longueur acidulée où la fraise des bois apporte une note légère. (20 à 29 F)

🔑 Cave coop. de Grangeneuve, 33760 Romagne, tél. 05.57.97.09.40, fax 05.57.97.09.41 ☑ Y t.l.j. sf sam. dim. lun. 8h-12h 14h-17h

CH. DE LABORDE 2000*

◪ 4,69 ha 14 000 ■🌡 3à5€

Ce rosé est issu d'un assemblage où le cabernet franc a la part du lion (80 %) et donne son cachet à cette teinte violacée et tendre, de même qu'à ce nez où la fraise et le bonbon anglais apportent leur douceur. La bouche, tendue d'une dentelle tannique, présente un bel équilibre entre l'amande grillée et une longue pointe citronnée. (20 à 29 F)

🔑 Union de producteurs Baron d'Espiet, Lieu-dit La Fourcade, 33420 Espiet, tél. 05.57.24.24.08, fax 05.57.24.18.91, e-mail baron-espiet@dial.oleane.com ☑ Y r.-v.

🔑 Alain Duc

DOM. DE LA CROIX 2000**

◪ 2 ha 7 000 ■ 3à5€

Les trois cépages bordelais, plantés sur boulbènes et argilo-calcaires sont assemblés pour produire ce rosé de belle présentation aux reflets rubis étincelants. Le nez est d'une grande finesse : on se perd sans cesse dans ses effluves de jacinthe et de rose. Une finale longue, caressante et voluptueuse, a laissé les jurés sous le charme. (20 à 29 F)

🔑 Jean-Yves Arnaud, La Croix, 33410 Gabarnac, tél. 05.56.20.23.52, fax 05.56.20.23.52 ☑ Y r.-v.

CH. LA MICHELIERE 2000*

◪ 1,28 ha 11 200 ■🌡 3à5€

Un rosé très pâle bordé de teintes diaphanes. Des arômes tout en nuances hésitent entre pivoine et groseille. La séduction vient en bouche, d'une chair dénuée de toute réserve, à la rondeur avenante et inattendue. L'évolution souple et fraîche en fait un vin plaisir, le plus naturel des apéritifs. (20 à 29 F)

🔑 SCEA Tobler et Fils, Ch. La Michelière, Lieu-dit Le Bourdieu, 33240 Saint-Romain-la-Virvée, tél. 05.57.58.16.39, fax 05.57.58.15.16 ☑ Y r.-v.

CH. LA RIVALERIE 2000*

◪ 0,75 ha 7 000 ■🌡 5à8€

Pour le plaisir, ce château s'est réservé une toute petite cuvée pour esquisser ce rosé aux tons pastel, couleur framboise. Il faut un peu le secouer pour lui faire exprimer un nez juvénile de cassis et de grenadine. Très extraite en bouche, cette saignée présente un bon équilibre entre saveurs acidulées et fruitées. Sa finale épicée lui confère assez d'agrément pour accompagner un repas automnal dans toute sa longueur. (30 à 49 F)

SCEA La Rivalerie, 33390 Saint-Paul-de-Blaye, tél. 05.57.42.18.84, fax 05.57.42.14.27, e-mail info@la-rivalerie.fr r.-v.

LA ROSE CASTENET 2000★★

4 ha 34 000 5à8€

Il faut respirer les arômes beurrés de cette Rose Castenet, sous les ombrages bienfaiteurs d'un parc planté à la Belle Epoque. Les flaveurs grillées (noisette) et épicées ainsi qu'une grande douceur en bouche font tout le charme de ce rosé qui a conquis les jurés. Une touche de fraise des bois vient colorer une finale enjôleuse. (30 à 49 F)

EARL François Greffier, Castenet, 33790 Auriolles, tél. 05.56.61.40.67, fax 05.56.61.38.82, e-mail ch.castenet@wanadoo.fr r.-v.

LA ROSE DE LOUDENNE 2000★

1 ha 6 000 5à8€

A Loudenne, les sources d'inspiration pour un rosé de grande classe ne manquent pas : par exemple le vieux rose des murs de cette chartreuse du XVII[e]s., ou les innombrables parfums d'une superbe collection de roses anciennes, sans compter les mille combinaisons offertes par 60 ha de cépages divers. La robe de cette Rose de Loudenne est un écrin aux nuances complexes où se mélangent l'orangé, le rose et le mauve. Tout aussi complexe est son nez de groseille où une pointe végétale rappelle la feuille de tomate. La pivoine et l'iris sont en bouche, et le retour aromatique s'opère en une finale fruitée et fraîche. (30 à 49 F)

SCS Ch. Loudenne, 33340 Saint-Yzans-de-Médoc, tél. 05.56.73.17.80, fax 05.56.09.02.87, e-mail chateau.loudenne@wanadoo.fr
t.l.j. sf sam. dim. 9h30-12h 14h-17h
Dom. Lafragette

CH. MAISON NOBLE SAINT-MARTIN 2000★

3,5 ha 27 000 5à8€

Cette Maison Noble construite tout près de Sauveterre-de-Guyenne est bâtie sur les restes d'un ancien château féodal du XIV[e]s. Son vignoble fut établi vers la même époque. Son rosé 2000, quant à lui, nous est bien contemporain, plein de fraîcheur, exprimant intensément le parfum de la fleur de vigne. Une petite pointe de perlant renforce sa jeunesse, sans atténuer pour autant une certaine rondeur en bouche, un arôme suave de miel gras finissant sur une belle longueur réglissée. (30 à 49 F)

Michel Pelissie, Ch. Maison-Noble-Saint-Martin, 33540 Saint-Martin-du-Puy, tél. 05.56.71.86.53, fax 05.56.71.86.12, e-mail maison-noble@wanadoo.fr r.-v.

CH. MONTAUNOIR 2000★

1 ha 7 500 3à5€

Cette saignée de cabernet et de merlot a donné un jus rose aux reflets framboise, un vrai sang de vie, brillant, vif, qui chante en coulant dans le verre. « Très fruits rouges », selon nos dégustateurs, avec une touche de vanille ; sa bouche est fraîche, pétillante de jeunesse et s'offre une fantaisie exotique, dans la nuance d'ananas. Un partenaire tout désigné pour un amical déjeuner sur l'herbe. (20 à 29 F)

SCEA des Vignobles Ricard, Ch. de Vertheuil, 33410 Sainte-Croix-du-Mont, tél. 05.56.62.02.70, fax 05.56.76.73.23 t.l.j. sf dim. 9h-12h 14h-18h

CH. NAUDONNET PLAISANCE Perle rose d'avril 2000★

1 ha n.c. 5à8€

Peu de vins sont l'objet d'autant de soins attentifs que ces rosés lors de leur élaboration : vendange manuelle, macération des raisins avant foulage, fermentation en barrique... A Naudonnet Plaisance rien n'est trop beau pour cette Perle rose d'avril puissamment bouquetée, où mirabelle et cerise composent un nez envoûtant, sur un fond de miel finement marqué par la bruyère. Un vin satiné et délicat pour aller avec sauces aux fines herbes ou tarte Tatin. (30 à 49 F)

Danièle Mallard, Ch. Naudonnet-Plaisance, 33760 Escoussans, tél. 05.56.23.93.04, fax 05.57.34.40.78, e-mail mallard@aol.com r.-v.

CH. PERAYNE 2000★

1,5 ha 10 000 3à5€

Tout proche de Sauveterre, le château Perayne jouissait autrefois d'une grande renommée que ses propriétaires actuels, installés depuis 1994, s'attachent à lui redonner. A preuve ce joli rosé dont la brillance framboise séduit le regard. L'arôme de pomme verte et de cassis domine la dégustation, jusqu'à la trame finale qui s'enrichit au passage d'effluves de fraise des bois. A boire au retour d'une visite des environs : Malagar, Malromé, Saint-Macaire... (20 à 29 F)

Henri Lüddecke, Ch. Perayne, 33490 Saint-André-du-Bois, tél. 05.57.98.16.20, fax 05.56.76.45.71, e-mail chateau.perayne@wanadoo.fr r.-v.

CH. SEGONZAC LA FORET 2000★

17 ha 15 000 5à8€

Sous une robe d'un beau rose franc et intense, se cachent des arômes de fruits du plein été (pêche blanche) qui se prolongent en une bouche agréable, légèrement fruitée. Cette harmonie, dénuée de toute agressivité, enchante encore les papilles longtemps après que l'on a redéposé le verre. Une finale soyeuse et très dense semble attendre un partenaire à la hauteur, par exemple une blanquette de veau bien moelleuse. (30 à 49 F)

Grands Vins de Gironde, Dom du Ribet, 33450 Saint-Loubès, tél. 05.57.97.07.20, fax 05.57.97.07.27, e-mail jm.alige@gvg.fr r.-v.
Jeanine Segonzac

Bordeaux supérieur

CH. BARREYRE 1999

■ 6,5 ha 45 000 5 à 8 €

Le cépage petit verdot se montre indispensable à l'extrême délicatesse d'un cabernet-sauvignon en lui apportant sa vivacité épicée, avec une touche si particulière de violette. Un fruité de griotte et de myrtille vient parfumer une charpente sans excès, et permet une consommation prochaine. (30 à 49 F)

SC Ch. Barreyre, 33460 Macau, tél. 05.57.88.07.64, fax 05.57.88.07.00 r.-v.

Giron

CH. BAULOS LA VERGNE 1999*

■ 11 ha n.c. 5 à 8 €

Saint-Germain-la-Rivière est une jolie bourgade qui se mire dans les méandres gracieux de la Dordogne, non loin de Libourne. Ce 99 jettera longtemps des éclats pourpres dans les verres. Ses arômes empruntent au floral (iris, jacinthe) et plus encore aux essences capiteuses des fruits de plein été : framboise écrasée, prune... D'une belle constitution, corsé, il laisse apparaître l'architecture savante de ses tanins, confirmant son aptitude à vieillir. (30 à 49 F)

Maison Yvan Dinand, Dom. de Baulos, 33240 Saint-Germain-la-Rivière, tél. 05.57.84.46.01, fax 05.57.84.81.36 r.-v.

CH. BEL AIR PERPONCHER

Grande Cuvée 1999**

■ n.c. n.c. 11 à 15 €

Cette Grande Cuvée a suscité un bel enthousiasme. Son nez a une étonnante tonalité florale. Les senteurs d'iris, de violette et de sureau embaument tout autant le palais et viennent fleurir une chair un peu austère en attaque. Un retour sur le fruit cuit, le pruneau, apparaît en arrière-bouche, et confirme l'avenir d'un vin de classe. (70 à 99 F)

GFA de Perponcher, 33420 Naujan-et-Postiac, tél. 05.57.84.55.08, fax 05.57.84.57.31, e-mail contact@vignobles-despagne.com r.-v.

J.-L. Despagne

CH. BELLEVUE LA MONGIE

Cuvée vieillie en fût de chêne 1999*

■ 2,5 ha 18 000 5 à 8 €

Génissac est situé au sud de Libourne sur la rive gauche de la Dordogne. Les vins de ce château ne laissent jamais indifférent. Ce millésime à l'aspect pourpre et profond présente une solide charpente rehaussée d'une pointe poivrée, parcourue par des notes animales et musquées. La chair et le gras habitent une bouche où les tanins ont perdu de leur vigueur ; ils contribueront à l'épanouissement de ce joli vin si on lui donne le temps de vieillir. Ce 99 formera un beau couple avec un brie bien coulant. (30 à 49 F)

Michel Boyer, Ch. Bellevue La Mongie, 33420 Génissac, tél. 05.57.24.48.43, fax 05.57.24.48.43 t.l.j. 8h-12h 14h-19h; sam. dim. sur r.-v.; f. 15-30 août

CH. DE BLASSAN

Cuvée spéciale Vieilli en fût de chêne 1999

■ 5 ha 30 000 5 à 8 €

Un domaine de 31 ha situé dans le Fronsadais. Son bordeaux supérieur, dans une robe à reflets grenat et mauves, offre un nez de musc, de cuir, aux nuances sauvages de fourrure et de civette. Tout l'art de cette cuvée est de ne ressembler qu'à elle-même. Il y a comme un parfum de forêt après la pluie dans cette chair à la saveur puissante, aux tanins loyaux, où le merrain et la girolle persistent longuement. A réserver aux mets campagnards : pâté de lièvre, terrine de foie blond, gigot froid mayonnaise. (30 à 49 F)

Guy Cenni, 33240 Lugon, tél. 05.57.84.40.91, fax 05.57.84.82.93 r.-v.

CH. BOIS-MALOT

Tradition Elevé en fût de chêne neuf 1998*

■ 7 ha 33 500 8 à 11 €

Au château Bois-Malot, on est pour la tradition comme l'indique si bien cette cuvée : vendanges manuelles, table de tri manuel, cuvaison longue. Pourpre aux reflets légèrement carminés, ce vin offre une corbeille de fruits odorants « aux nuances verlainiennes », selon un dégustateur. Sa séduction réside davantage dans la délicatesse que dans la puissance ; l'évolution est soyeuse, pleine de charme, et finit sur une longue note vanillée. (50 à 69 F)

SCEA Meynard et Fils, 133, rte des Valentons, 33450 Saint-Loubès, tél. 05.56.38.94.18, fax 05.56.38.92.47 t.l.j. sf dim. 8h30-12h 14h-19h; f. sam. a-m.

CH. DE BONHOSTE Cuvée Prestige 1999*

■ n.c. n.c. 8 à 11 €

Son rouge tendre et brillant se laisse traverser par la lumière. Des arômes grillés, généreusement vanillés, se dégagent d'un bouquet en formation. Loin d'en imposer, la matière séduit plutôt par le charme et la délicatesse d'une étoffe à peine marquée par des tanins disciplinés. Le fût encore très perceptible inciterait à une garde de deux ou trois ans. La **cuvée principale 99 (30 à 49 F)** du même château est un classique. Elle est citée. (50 à 69 F)

SCEA Vignobles Fournier, Ch. de Bonhoste, 33420 Saint-Jean-de-Blaignac, tél. 05.57.84.12.18, fax 05.57.84.15.36 r.-v.

Fournier Bern

CH. BOUTILLON 1998*

■ 13 ha 28 000 5 à 8 €

Dans ce domaine, on fait le vin en esthète, en artiste, mais on ne parle pas de cinéma... sauf lorsque Claude Chabrol vient y tourner un film (*Dr Popaul*). Avec son nez aux senteurs de musc et de venaison, son corps souple et ferme aux tanins encore sauvages, ce 98 témoigne d'une vigueur suffisante pour faire face, par exemple, à un pintadeau à l'armagnac suivi d'une mimolette demi-étuvée. (30 à 49 F)

SCEA Filippi-Gillet, Ch. Boutillon, 33540 Mesterrieux, tél. 05.56.71.41.47, fax 05.56.71.32.21 r.-v.

LES SENS DE BRANDA 1998★

■ n.c. 150 000 ▮ 5à8€

Place forte moyenâgeuse, acteur et témoin des tribulations de la guerre de Cent Ans, Branda vient d'être somptueusement restauré et complété par un merveilleux jardin des sens. A visiter absolument. Et à goûter, ce 98, à la teinte grenat frangée de reflets orangés. Discrètement mentholé, le nez de fruits rouges à l'eau-de-vie et de pruneau fondant annonce la richesse de la bouche charpentée qui se plaira en compagnie d'une viande en sauce ou d'un poulet sauté aux girolles. (30 à 49 F)

SA Leda, Ch. Branda, 33240 Cadillac-en-Fronsadais, tél. 05.57.94.09.20, fax 05.57.94.09.30

CH. BRANDE-BERGERE 1999

■ 4,5 ha 26 000 ▮ 5à8€

Créée en 1780 par un Irlandais, cette chartreuse n'est devenue viticole qu'en 1850. Authentique et aimable jusqu'en arrière-bouche, son 99 se signale par une couleur d'un rouge intense, et des arômes complexes de petits fruits (prunelle, myrtille). Son harmonieuse présence en bouche en fera le compagnon tout désigné d'un bon repas en famille. (30 à 49 F)

EARL Ch. Brande-Bergère, 33230 Les Eglisottes, tél. 05.57.49.58.46, fax 05.57.49.51.52 ☑ 🍷 r.-v.

GFA Dalibot

CH. BROWN-LAMARTINE 1999★

■ 11 ha 80 000 ◐ 8à11€

C'est encore un millésime Jean-Michel Cazes mais, depuis, Christian Seely a pris la tête des domaines d'Axa-Millésimes que Jean-Michel Cazes a menés à un niveau d'excellence en constituant une équipe exigeante. Né sur les terres argilo-graveleuses de Cantenac-en-Médoc, d'un assemblage largement dominé par le cabernet-sauvignon, ce 99 d'un grenat foncé attire l'attention par son nez très particulier, framboisé et boisé. Ample et charnu en attaque, il marie avec bonheur une constitution tannique un peu sévère à une rondeur cacaotée dominante. Son fruit croquant le rend apte à une consommation prochaine. (50 à 69 F)

Christian Seely, Ch. Brown-Lamartine, 33460 Cantenac, tél. 05.57.88.81.81, fax 05.57.88.81.90, e-mail infochato@cantenacbrown.com ☑ 🍷 r.-v.

Axa-Millésimes

CH. DE CAMARSAC

Sélection Elevé en barrique 1999

■ 9 ha 68 000 ◐ 5à8€

Bâti sur l'emplacement d'une ancienne forteresse occupée un temps par le Prince Noir, l'actuel château de Camarsac à la charmante silhouette perchée sur son promontoire fêtera bientôt ses six cents ans d'existence. Son bordeaux supérieur se présente dans une robe grenat à reflets mordorés. Un nez charmeur (fruits rouges, réglisse, pain grillé) prépare à une attaque franche et douce. Un joli grain tapisse aimablement le palais et le fleurit de notes variées : rose fanée, violette, iris. L'ensemble se prolonge dans une finale grillée et longue. A servir sur un rôti dès à présent. (30 à 49 F)

Bérénice Lurton, Ch. de Camarsac, 33750 Camarsac, tél. 05.56.30.11.02, fax 05.56.30.11.02 ☑ 🍷 r.-v.

CH. CANEVAULT 1998★

■ 4,5 ha 24 000 ▮ 🌡 5à8€

La robe vermillon et le nez très doux de griotte annoncent une bouche onctueuse, riche d'une chair aux tanins lisses et savoureux, parfumée de cassis et framboise. Très belle harmonie d'ensemble. (30 à 49 F)

SCEA Jean-Pierre Chaudet, Caneveau, 33240 Lugon, tél. 05.57.84.49.10, fax 05.57.84.42.07, e-mail scea-chaudet-j.p@wanadoo.fr ☑ 🍷 t.l.j. sf dim. 9h-12h 13h30-18h

Sylvie Chaudet

DOM. DE CANTEMERLE

Cuvée Prestige Vieilli en fût de chêne 1999

■ 10 ha 270 000 ▮ ◐ 🌡 5à8€

La jeunesse des deux nouveaux propriétaires n'exclut pas le respect de la tradition. On emploie les levures du terroir, mais, concession à la technologie, on pratique une longue macération préfermentaire. En résulte une cuvée haute en couleur et en arômes : épices variées et venaison. Ce vin se place agréablement en bouche, solide et charpenté. Le merrain bien chauffé promet un bel épanouissement. (30 à 49 F)

Vignobles Mabille, Dom. de Cantemerle, 33240 Saint-Gervais, tél. 05.57.43.11.39, fax 05.57.43.11.39, e-mail contact@domaine-cantemerle.com ☑ 🍷 r.-v.

CH. DE CAZENOVE 1999

■ 4 ha 25 000 ▮ ◐ 🌡 5à8€

« Sine labore nihil », telle est la devise de ce domaine médocain. La robe de ce 99 est d'un beau rouge carmin, mais son nez ne se livre que lentement à l'agitation. Une structure ample et assez ferme, faite de jolis tanins, côtoie la chair sans s'y fondre encore. C'est un vrai vin de garde, égayé par un merrain bien grillé et un retour sur le fruit et l'épice. Une mâche persistante suggère un séjour en cave de quelques années. (30 à 49 F)

Louis de Cazenove, Ch. de Cazenove, 33460 Macau-en-Médoc, tél. 05.57.88.79.98, fax 05.57.88.79.98, e-mail cazessen@club-internet.fr ☑ 🍷 r.-v.

CHAPELLE DE BARBE 1999★

■ 8,3 ha 66 500 ▮ 🌡 5à8€

A l'image de la vieille chapelle de Barbe construite en 1636, qui servait de repère aux marins louvoyant sur l'estuaire, ce 99 est « la référence du bordeaux rouge supérieur », ainsi que l'a noté l'un des jurés. Est-ce à cette longue antériorité que l'on doit un tel raffinement dans le bouquet délicat et complexe, balsamique et doucement praliné ? La bouche ronde, aux tanins amples et fondus, porte l'empreinte de vieilles vignes dont la sève assagie apporte ici puissance et concentration. Quelques années de garde lui donneront une inimitable patine. (30 à 49 F)

SC villeneuvoise, Ch. de Barbe, 33710 Villeneuve, tél. 05.57.42.64.00, fax 05.57.64.94.10

CH. COURONNEAU

Cuvée Pierre de Cartier Elevé en barrique 1999

5 ha 20 000 8à11€

Ce superbe château du XV^e^s., flanqué de quatre tours d'angle et ceint de larges fossés, a été habité par les descendants de Jacques Cartier. Cette cuvée Pierre de Cartier est tout de pourpre vêtue. Le nez soutenu joue de nuances épicées et florales (jacinthe et menthe) et fait la part belle à un merrain finement grillé. Du gras, de la longueur et de la concentration : les tanins sont fondus dans une matière dense. Un vin mûr et déjà charmeur. (50 à 69 F)

Piat, Ch. de Couronneau, 33220 Ligueux, tél. 05.57.41.26.55, fax 05.57.41.27.58, e-mail chateau-couronneau@wanadoo.fr r.-v.

DOM. DE COURTEILLAC 1999★★

18,95 ha 96 000 8à11€

Dominique Méneret a racheté ce domaine en 1998. Une robe pourpre et dense, frangée de violine pare ce joli vin. Un nez intense mêle fruits rouges (groseille, cerise) et cassis à un bois délicat et réservé. Riche et grasse à souhait, la bouche révèle dans son évolution les épices les plus douces. Quelques tanins encore un peu carrés s'expriment avec autorité et donnent à l'ensemble une constitution ferme et persistante. (50 à 69 F)

Dom. de Courteillac, 33350 Ruch, tél. 05.57.40.79.48, fax 05.57.40.57.05 r.-v.

D. Méneret

CH. COURTEY Cuvée Margo 1998★

3 ha 9 000 5à8€

Accorte comme son nom le laisse supposer, la cuvée Margo a le pourpre aux joues, et son approche embaume de senteurs vanillées et réglissées. Souple et frais, assez vif, le corps exhibe des tanins un peu brusques, rehaussés par une pointe poivrée. La matière semble finalement reprendre le dessus. Un vin à conserver deux ans en cave. (30 à 49 F)

SCEA Courtey, 33490 Saint-Martial, tél. 05.56.76.42.56, fax 05.56.76.42.56 r.-v.

CH. DE CUGAT

Cuvée Francis Meyer 1999★

3 ha 10 000 8à11€

Cette cuvée d'un beau velours grenat offre un nez complexe où le cèdre et la bergamote résistent à un boisé conquérant. Plein de corps, elle semble demander du temps pour atteindre sa plénitude. La **Cuvée première 99 du même cru (30 à 49 F)** a séduit par son fruité et par sa bouche d'épices et de cannelle. Très souple, elle passera sans façon à table, dans les prochains mois. (50 à 69 F)

Benoît Meyer, Ch. de Cugat, 33540 Blasimon, tél. 05.56.71.52.08, fax 05.56.71.60.29 r.-v.

CH. DAMASE 1999★

10 ha 80 000 5à8€

Les coteaux argilo-graveleux inclinés vers un méandre de l'Isle font bon ménage avec leur unique locataire : le merlot, qui se passe ici très bien de tout autre cépage. La robe pourpre profond est la caractéristique de cette variété, de même que la palette aromatique : pruneau, raisiné, écorce, truffe... Douze mois de barrique y ajoutent les senteurs balsamiques et vanillées d'un chêne de bonne souche. Un vin séveux et racé dont les tanins civilisés assurent l'équilibre et la longévité. (30 à 49 F)

Xavier Milhade, Ch. Damase, 33910 Savignac-de-l'Isle, tél. 05.57.55.48.90, fax 05.57.84.31.27, e-mail milhadeg@aol.com

CH. DEGAS Elevé en fût de chêne 1999★

1,2 ha 8 000 5à8€

Marie-José Degas entretient un vignoble d'une très grande rareté. Une petite vigne plus que centenaire, un vrai jardin botanique viticole. C'est le *nec plus ultra* de la « doctrine » bordelaise recommandant la pluralité des cépages. La complexité est bien sûr le maître mot de cette dégustation, s'exprimant dans un bouquet aux multiples résonances. Souple et ronde, la matière généreuse emplit le palais de notes fruitées (mûre, cerise) et de douces saveurs réglissées. La finale harmonieuse laisse les tanins ajouter de la consistance. Pour viandes grillées. (30 à 49 F)

Marie-José Degas, Ch. Degas, 33750 Saint-Germain-du-Puch, tél. 05.57.24.52.32, fax 05.57.24.03.72 r.-v.

CH. FAYAU 1998★★

25 ha 150 000 5à8€

La famille Médeville produit du vin au château Fayau depuis sept générations sur un terroir privilégié, constitué de grave, d'argile et de sable. Ce bordeaux supérieur est un bel exemple de ce que peut donner une si longue tradition. La robe carmin aux reflets mordorés est l'écrin d'un bouquet d'arômes aux mille nuances épicées, florales et fruitées (violette et mûre). Tout de rondeur au palais, ce vin déroule sur un fond de tanins fondus des saveurs de fruits rouges. Excellente dès aujourd'hui, une bouteille qui saura se conserver. (30 à 49 F)

SCEA Jean Médeville et Fils, Ch. Fayau, 33410 Cadillac, tél. 05.57.98.08.08, fax 05.56.62.18.22, e-mail medeville-jeanetfils@wanadoo.fr t.l.j. sf sam. dim. 8h30-12h30 14h-18h

CH. FONCHEREAU 1998★

20,05 ha 50 000 3à5€

Ce beau vignoble, situé à deux pas de Bordeaux sur la route de Libourne, présente un équilibre traditionnel entre les trois cépages maîtres du Bordelais, avec une majorité pour le merlot (60 %). Il a produit un vin à l'habit grenat brillant, au nez très ouvert, au net caractère fruité de cerise, de mûre et de cassis. Les saveurs gourmandes, épicées et confites, emplissent la bouche sur un décor de tanins fins et élégants.

Un talent précoce, qui ne pourra que s'affirmer avec l'âge. (20 à 29 F)

SCA Ch. Fonchereau, BP 9, 33450 Montussan, tél. 05.56.72.96.12, fax 05.56.72.44.91, e-mail courrier@fonchereau.com r.-v.

Madar

CH. FREYNEAU 1998★

4,5 ha 30 000 5à8€

Ce millésime ne manque pas d'attraits dans son fourreau rubis irisé de reflets mauves ; le nez, fin, racé, épicé, n'est pas en reste. Sa chair est riche en tanins et d'une belle fermeté. Ce 98 accompagnera bientôt les viandes en sauce. (30 à 49 F)

GAEC Maulin et Fils, Ch. Freyneau, 33450 Montussan, tél. 05.56.72.95.46, fax 05.56.72.84.29, e-mail accueil@chateau-freyneau.com r.-v.

CH. DE FUSSIGNAC 1999

13 ha 75 000 5à8€

La belle église de Petit-Palais était une halte fréquentée sur l'un des chemins de Compostelle. Au château de Fussignac, on conserve la traditionnelle complémentarité entre l'élevage et la viticulture, où l'on s'applique encore à vendanger à la main. D'une teinte vive et puissante, ce 99 se signale par un bouquet complexe de fruits secs et de miel. Un corps ample et gras s'épanouit en libérant un arôme de gelée de cassis, et se développe longuement, onctueux et puissant. Un vrai plaisir, à saisir sans attendre. (30 à 49 F)

Jean-François Carrille, pl. du Marcadieu, 33330 Saint-Emilion, tél. 05.57.24.74.46, fax 05.57.24.64.40, e-mail paul.carrille@worldonline.fr r.-v.

CH. GALAND Elevé en fût de chêne 1999★

3,58 ha 9 000 8à11€

Ici la rigueur est de mise dans tous les domaines : pas de désherbant mais des labours ; vendanges manuelles en cagettes, tri du raisin, etc. De vieilles vignes (environ soixante ans) ont produit un 99 à la robe rubis légèrement carminée, au bouquet très expressif et fin avec des notes fruitées et toastées. Elégant en bouche, ce vin offre des saveurs bien liées au bouquet. Cette belle harmonie conviendra aux mets riches, tels que le canard farci et autres salmis de palombe. (50 à 69 F)

Jean Galand, La Malatie, 33126 Fronsac, tél. 05.57.58.23.04, fax 05.57.58.20.81 r.-v.

CH. GENLAIRE 1999

6,45 ha 114 000 3à5€

Le château Genlaire est une aimable gentilhommière implantée au milieu de ses quelques hectares de vignes, lesquelles présentent la particularité de comporter une nette majorité (63 %) de cabernet franc et un petit 20 % de merlot, le solde étant constitué de cabernet-sauvignon. De là découlent sans doute la finesse d'une robe à la teinte framboise et la délicatesse d'un bouquet aux tendres effluves de pêche confite et de raisin passerillé. Une bouche aux épices denses s'allonge sur une finale légère qui doit cependant encore se fondre. Un vin à marier aux mets délicats : viandes en sauce blanche, girolles et fromages crémeux. (20 à 29 F)

Prodiffu, 17-19, rte des Vignerons, 33790 Landerrouat, tél. 05.56.61.33.73, fax 05.56.61.40.57, e-mail prodiffu@prodiffu.com

Jeanne Chauvel

CH. GRAND MONTEIL
Elevé en fût de chêne 1999

40 ha 320 700 5à8€

Plein de charme et de discrétion, le château pourrait s'enorgueillir d'avoir appartenu à Gustave Eiffel et de regrouper, autour d'une admirable demeure, un parc de cèdres et de magnolias centenaires, et un important domaine viticole. Ce vin aguiche par une jolie robe d'un rouge éclatant et par un nez puissant, pimenté et légèrement truffé. Des saveurs de sous-bois et d'agaric prennent le pas sur une matière en dentelle, et laissent saillir une jeune ossature tannique. Volailles, petits gibiers en jardinière pourront sous peu s'honorer de sa compagnie. (30 à 49 F)

Jean Téchenet, Ch. Grand Monteil, 33370 Sallebœuf, tél. 05.56.21.29.70, fax 05.56.78.39.91 r.-v.

CH. GREE-LAROQUE 1998★★

1,6 ha 7 000 5à8€

Ce jeune viticulteur, venu à la vigne un peu par hasard, s'est découvert une âme d'œnophile. On ne saurait en douter à en juger par ce 98 plein de fraîcheur et d'allant, souple et harmonieux, aux arômes de framboise et de cassis. Facile d'accès malgré ses tanins impétueux, ce vin termine en beauté, sur une longue note boisée. (30 à 49 F)

Benoît de Nyvenheim, Arnaud Laroque, 33910 Saint-Ciers-d'Abzac, tél. 05.57.49.45.42, fax 05.57.49.45.42 r.-v.

CH. HAUT NADEAU 1999★★

6 ha 45 000 5à8€

Orfèvre en la matière, Patrick Audouit, œnologue, a mis tout son savoir-faire dans l'élaboration de ce 99 issu d'un domaine appartenant à sa famille. Le velours noir et profond de la robe est dû à une longue macération, de même que l'harmonie du bouquet de mûre et de cassis. L'ampleur en bouche est soutenue par une bonne présence tannique. Hymne au travail bien

fait, ce vin déjà superbe ne pourra que grandir avec le temps. (30 à 49 F)
SCEA Ch. Haut-Nadeau, 3, chem. d'Estéve-nadeau, 33760 Targon, tél. 05.56.20.44.07, fax 05.56.20.44.07
Audouit

CH. HAUT NIVELLE
Cuvée Prestige Vieilli en fût de chêne 1999★

■ 18 ha 70 000 5à8€

Les vins de Haut Nivelle, particulièrement cette cuvée Prestige, ajoutent au plaisir de la découverte des merveilles d'art roman qui jalonnent les routes de Saint-Sauveur, Petit-Palais, Cornemps... Se présentant dans une belle robe rouge cerise, et doté d'un joli bouquet épicé et fumé, ce 99 nous met en bouche des arômes très doux où fleurissent quelques notes de vanille, puis des tons de réglisse et de cuir. Les tanins sont jeunes et vifs, mais une nature enveloppante saura les domestiquer. A suivre de près. (30 à 49 F)
SCEA Les Ducs d'Aquitaine, Favereau, 33660 Saint-Sauveur-de-Puynormand, tél. 05.57.69.69.69, fax 05.57.69.62.84, e-mail vignobles@lepottier.com Y r.-v.
Le Pottier

CH. DES HUGUETS 1998★

■ 5 ha 30 000 3à5€

Les graves riches en silice des Artigues-de-Lussac font bon ménage avec ce vignoble aux trois cépages (70 % de merlot) vendangé à la main. Pour preuve ce 98 aussi réussi par sa parure intense que par les notes confiturées de son nez et ses effluves épicés. Bien structurée, la bouche tendre et ronde s'étire en une finale élégante. (20 à 29 F)
Vignobles Paul Bordes, Faize, 33570 Les Artigues-de-Lussac, tél. 05.57.24.33.66, fax 05.57.24.30.42, e-mail vignobles.bordes.paul@wanadoo.fr Y r.-v.

CH. LA BASTIDE MONGIRON
Cuvée noire 1999★

■ 1 ha 6 000 5à8€

Cette Cuvée noire justifie son nom : elle se révèle en effet très sombre, presque épaisse. Une tonalité animale, très fauve, cuir, un peu « civet » annonce une forte constitution en bouche. Le vin a un joli grain, corsé et charpenté, de beaux tanins de raisin. Les arômes de bois accompagnent une chair pulpeuse. La vraie tradition bordelaise. Un bel avenir lui est promis. (30 à 49 F)
Jean-Michel Queyron, Dom. de Mongiron, 33750 Nérigean, tél. 05.57.24.53.16, fax 05.57.24.06.36 Y r.-v.

CH. LA COMMANDERIE DE QUEYRET 1999★

■ 20 ha 120 000 5à8€

Claude et Simone Comin exploitent un terroir déjà reconnu il y a sept cents ans par les chevaliers de Saint-Jean de Jérusalem, pour y produire ce vin pourpre dont le bouquet se révèle complexe. L'agitation libère une succession de senteurs chaudes que la bouche va amplifier. La chair, suave, paraît épicée jusque dans une finale voluptueuse et persistante. Un rappel tannique incite à respecter quelque délai de conservation. (30 à 49 F)
Claude Comin, Ch. La Commanderie, 33790 Saint-Antoine-du-Queyret, tél. 05.56.61.31.98, fax 05.56.61.34.22 Y r.-v.

DOM. DE LA GRAVE
Cuvée Tradition 1999★

■ 9 ha 60 000 3à5€

Les terres argilo-graveleuses de la propriété, complantées d'un merlot très dominant (80 %), entourent une belle chartreuse du XVIIIe s. Riche et complexe, ce 99 présente des notes florales qui peu à peu laissent place aux impressions vanillées. Une présence onctueuse et grasse en bouche, un développement mesuré de tanins bien mûrs sur une trame veloutée : une classe certaine, qui ne fera que s'affirmer avec l'âge (20 à 29 F)
SCEA Roche, Perriche, 33750 Beychac-et-Caillau, tél. 05.56.72.41.28, fax 05.56.72.41.28 Y t.l.j. 8h-19h

DOM. DE LA GRAVE
R - Cuvée Prestige 1999★★

■ 3 ha 10 000 5à8€

Il y a plus de cent ans, la famille Roche rachetait ce domaine au bon curé de la paroisse ; elle continue d'y produire un vin solide et dense comme une bure de moine, au nez puissant et empyreumatique ; les notes torréfiées donnent la réplique à des arômes de prune et de pêche confiturées. L'étoffe tannique est en cours d'affinement ; le cèdre et la muscade donnent de la longueur à une finale pleine de panache. Ce 99 est à réserver aux agapes festives. (30 à 49 F)
SCEA Roche, Perriche, 33750 Beychac-et-Caillau, tél. 05.56.72.41.28, fax 05.56.72.41.28 Y t.l.j. 8h-19h

CH. LAGRAVE PARAN
Elevé en fût de chêne 1999★

■ 2 ha 12 000 5à8€

Le cabernet-sauvignon règne en maître ici, très bien adapté aux sols riches en graves de ce domaine. Il en exprime toutes les caractéristiques : fines senteurs de résine, muscade, cèdre et enfin notes vanillées conférées par un merrain savamment brûlé. L'attaque est encore un peu muselée, mais l'harmonie se réalise, et l'évolution profitera d'un aussi riche potentiel. (30 à 49 F)
EARL Pierre Lafon, Ch. Lagrave-Paran, 33490 Saint-André-du-Bois, tél. 05.56.76.42.74, fax 05.56.76.49.78 Y r.-v.

CH. LA MALATIE 1999★

■ 1,49 ha 11 500 5à8€

Deux jeunes viticulteurs voient leurs efforts récompensés car leur toute petite exploitation, cultivée selon les méthodes traditionnelles, a été retenue pour un vin couleur bordeaux à reflets grenat. Le sous-bois et l'humus côtoient le fruit très mûr ; la bouche se montre pleine de saveurs épicées et évoque la truffe. Les tanins sont

BORDELAIS

encore un peu serrés, mais la sève est là, accompagnant une bonne longueur. (30 à 49 F)
🔑 Sautanier-Goumard, Lamarche, 33126 Fronsac, tél. 06.81.42.24.56, fax 05.57.25.32.32, e-mail chateau.la.malatie@wanadoo.fr
☑ 🍷 r.-v.

CH. LA MARECHALE 1998**

■ 1,75 ha 10 000 🍾 5à8€

D'un seul mouvement, tous les membres de ce jury ont salué les formes pleines de ce 98. Une carnation somptueuse, cramoisie, aussi fraîche et vive que le parfum d'œillet et de jacinthe. Un vin charnu et velouté, gras, né d'un raisin surmûri. Elégant en tout, il offre une finale aux tanins policés, garants d'un bel avenir. (30 à 49 F)
🔑 SCEA Pierre Dumeynieu, Roumagnac, 33126 La Rivière, tél. 05.57.24.98.48, fax 05.57.24.90.44 ☑ 🍷 r.-v.

CH. LA MAZETTE
Cuvée fût de chêne 1999

■ 25 ha 120 000 🛢 3à5€

Merlot et cabernet plantés sur argile et boulbène ont produit un vin vêtu de rouge sombre au nez puissant, où un fond un peu végétal met en valeur la richesse du fruité. Corsé, parfumé, riche en épices comme en jolis tanins, ce 99 offre des notes de venaison et de cuir. La structure savoureuse lui permettra d'accompagner des mets relevés. (20 à 29 F)
🔑 Jean-Pierre Fourgadet, Ch. La Mazette, 33240 Saint-Romain-la-Virvée, tél. 05.57.58.10.67, fax 05.57.58.18.54 ☑

CH. DE LA NAUZE 1999*

■ 4 ha 10 000 🛢 3à5€

Le château de La Nauze présente ici un vin aimable venu du Saint-Emilionnais, à la teinte vermillon, au nez légèrement mentholé. Souple et tendre, ce 99 possède une chair réglissée, élégamment tapissée de tanins soyeux. Cette présence satinée, chaleureuse en finale, invite à une consommation prochaine. (20 à 29 F)
🔑 Xavier Dangin, 39, Micouleau, 33330 Vignonet, tél. 05.57.84.53.01, fax 05.57.84.53.83 ☑ 🍷 r.-v.
🔑 Elies-Brignet

CH. LANDEREAU Cuvée Prestige 1999*

■ 6 ha 30 000 🛢 11à15€

Au château Landereau, on est vigneron dans l'âme. Les Baylet font une viticulture réfléchie, c'est-à-dire traditionnelle : vendange à la main de certaines parcelles, conservation de quelques vieilles vignes, tri manuel des raisins... La cuvée Prestige a le teint pourpre vif et offre au nez un bouquet en formation aux notes fauves, presque viandées, se détachant sur un subtil mélange de vieux rhum et d'amande grillée. La bouche se décline dans le tendre et le rond. Un soupçon tannique s'intègre dans une finale suave et longue. Le **Château Lhoste blanc 99 élevé en fût de chêne (30 à 49 F)**, du même producteur, est cité : résine, sous-bois, girolle évoquent la forêt, et les effluves balsamiques viennent de la barrique. (70 à 99 F)
🔑 SC Vignobles Michel Baylet, Ch. Landereau, 33670 Sadirac, tél. 05.56.30.64.28, fax 05.56.30.63.90 ☑ 🍷 r.-v.

CH. LA SALARGUE 1999

■ 10 ha 65 000 🍾 3à5€

Une jolie cuvée 99 pleine de vigueur, dans sa livrée rouge frangée de grenat, aux arômes de fruits confits, presque caramélisés. Solide et charpenté, diversifiant ses saveurs dans le registre animal (cuir et gibier), elle enveloppe des tanins encore très jeunes dans les replis de sa chair généreuse. L'ouvrage sera accompli dans un à deux ans. (20 à 29 F)
🔑 SCEA Vignoble Bruno Le Roy, La Salargue, 33420 Moulon, tél. 05.57.24.48.44, fax 05.57.24.49.93, e-mail vignoble-bruno-le-roy@wanadoo.fr ☑ 🍷 r.-v.

CH. LAUDUC
Cuvée Prestige Elevé en fût de chêne 1999

■ 4 ha 26 500 🛢 5à8€

Le château Lauduc étale ses vignobles parmi les deux vallonnements reconquis au cours des siècles sur la forêt médiévale de l'Entre-Deux-Mers. Le sentiment de sérénité que distillent les paysages, pourtant si proches de la capitale régionale, se retrouve dans ce millésime 99. Une teinte grenat et un joli nez grillé, finement mentholé, préfigurent une bouche aimable bien équilibrée, assez typée par un merlot expressif. L'évolution tannique est assez avancée, adoucie par des senteurs de miel et de pain d'épice. Un vin à consommer sans empressement. (30 à 49 F)
🔑 GAEC Grandeau et Fils, Ch. Lauduc, 33370 Tresses, tél. 05.57.34.11.82, fax 05.57.34.08.19, e-mail maison.grandeau.lauduc@wanadoo.fr
☑ 🍷 r.-v.

CH. LA VERRIERE 1999

■ 4 ha 26 000 🍾 5à8€

Un bel assemblage de merlot (60 %) et de cabernets complantés sur les coteaux de Landerrouat a produit ce vin d'un rouge intense et brillant, agrémenté d'un bouquet d'une forte concentration fruitée (raisin surmûri, myrtille, mûre). L'attaque franche se prolonge par des notes finales de cèdre. L'ensemble est en pleine transformation ; son épanouissement nécessitera une patience de deux ou trois ans. (30 à 49 F)

🔑 EARL André Bessette, 8, La Verrière, 33790 Landerrouat, tél. 05.56.61.33.21, fax 05.56.61.44.25 ☑ 🍷 r.-v.
🔑 André et Alain Bessette

CH. DE LA VIEILLE TOUR
Réserve Tradition Elevé en fût de chêne 1998★

■ 7 ha 55 000 🛢 8 à 11 €

Tout de pourpre vêtu, ce Réserve Tradition représente bien le paysage de son terroir de naissance : le champignon y est roi, et même la truffe, dans un sous-bois très évocateur. Le merrain apparaît enfin, se retrouve dans une bouche séveuse et concentrée, exhibant des tanins qui devront se fondre. A cacher deux ou trois ans dans une bonne cave. (50 à 69 F)

🔑 Vignobles Boissonneau, 33190 Saint-Michel-de-Lapujade, tél. 05.56.61.72.14, fax 05.56.61.71.01, e-mail vignobles.boissonneau@wanadoo.fr ☑ 🍷 r.-v.

CH. LE GRAND CHEMIN
Elevé et vieilli en fût de chêne 1999★

■ 9,52 ha 20 000 🛢 5 à 8 €

C'est au merlot que l'on doit cette teinte pourpre, très soutenue, et cette fraîcheur odorante de la griotte et de la framboise écrasée qui répondent aux notes de gibier et de musc. Une bouche nette et vineuse révèle un bon équilibre entre les matières tanniques et une matière veloutée, aux nuances chocolatées. Un ensemble harmonieux, que l'on peut boire sans attendre. (30 à 49 F)

🔑 Christiane Bourseau, SCEA Le Grand-Chemin, Pradelle, 33240 Virsac, tél. 05.57.43.29.32, fax 05.57.43.39.57, e-mail christiane.bourseau@voila.fr ☑ 🍷 t.l.j. 9h-13h 14h-19h

CH. LE GRAND MOULIN
Fruit d'automne 2000★

□ 0,5 ha 4 000 🛢 8 à 11 €

Venu du nord du département, ce vin moelleux élaboré à partir du seul sauvignon gris se révèle équilibré et friand. Agréable par son expression aromatique aux notes originales de fruits mûrs, accompagnées du grillé bien marié de la barrique, ce Fruit d'automne peut être offert dès aujourd'hui. (50 à 69 F)

🔑 GAEC du Grand Moulin, La Champagne, 33820 Saint-Aubin-de-Blaye, tél. 05.57.32.62.06, fax 05.57.32.73.73, e-mail jf@grandmoulin.com ☑ 🍷 t.l.j. sf dim. 9h-12h30 14h-19h
🔑 Reaud

CH. LE GRAND VERDUS
Grande Réserve Elevé en barrique de chêne neuf 1999★

■ 7 ha 20 000 🛢 11 à 15 €

Inscrit à l'inventaire supplémentaire des Monuments historiques, le château Le Grand Verdus, gentilhommière fortifiée du XVIes., est l'une des plus prestigieuses demeures de la ceinture viticole de Bordeaux. Mais ici le présent vaut le passé, comme en témoignent les excellentes notes déjà obtenues dans le Guide. Fruit d'une recherche intransigeante de la perfection (rendements maîtrisés, vendanges manuelles), ce vin porte une robe pourpre intense ; le nez se libère sans réserve à l'agitation, prune à l'eau-de-vie, cerise noire. Ce vin dispense la sérénité, faite d'harmonie et de douceur. La **cuvée Tradition 99 (30 à 49 F)** obtient également une étoile : « ce vin a un joli coffre et le temps jouera magnifiquement pour lui », écrit un dégustateur. (70 à 99 F)

🔑 Ph. et A. Legrix de La Salle, Ch. Le Grand Verdus, 33670 Sadirac, tél. 05.56.30.50.90, fax 05.56.30.50.98, e-mail le.grand.verdus.legris.de.la.salle@wanadoo.fr ☑ 🍷 r.-v.

CH. LE PIN BEAUSOLEIL 1999★

■ 4,7 ha 18 000 🛢 11 à 15 €

Il poursuit la voie royale qu'il s'était tracée dans les deux précédents Guides. Drapé d'un grenat sombre, ce 99 offre un bouquet d'une extrême richesse où le raisin surmûri s'allie à l'eucalyptus et à la cannelle. L'arôme torréfié d'un merrain de qualité impose fortement sa marque sur cet ensemble délicat. Face à des tanins exubérants, le mariage n'est pas tout à fait consommé, mais ce n'est qu'une affaire de temps. (70 à 99 F)

🔑 Arnaud Pauchet, Le Pin, 33420 Saint-Vincent-de-Pertignas, tél. 05.57.84.02.56, fax 05.57.84.02.56, e-mail arno.pauchet@wanadoo.fr ☑ 🍷 r.-v.

CH. LESCALLE 1999

■ 20 ha 137 000 🛢 5 à 8 €

Un velours noir et profond dénotant une longue macération, des fruits cuits et confiturés, un nez enrichi de notes torréfiées : autant de prémices qui engagent à poursuivre. La bouche est concentrée, construite sur une trame solide, soutenue par un tanin vigoureux sans être dominateur. Le retour vanillé et fruité compose une finale persistante. Quelques années de garde seront bénéfiques à ce vin. (30 à 49 F)

🔑 EURL Lescalle, 33460 Macau, tél. 05.57.88.07.64, fax 05.57.88.07.00 ☑ 🍷 r.-v.

CH. L'ESCART
Cuvée Omar Khayam 1999★★

■ 0,8 ha 5 600 🛢 8 à 11 €

Cette production d'un volume confidentiel est le fruit d'une sélection au vignoble. Omar Khayam (poète persan et chantre du vin) aurait loué cette chair pulpeuse, dotée d'une robe pourpre violine. Il se serait enivré de ses senteurs de girofle, de résine et de tabac. La **cuvée Prestige Julien 99** obtient une citation. Elle dispose d'un bon potentiel d'évolution. (50 à 69 F)

🔑 SCEA Ch. L'Escart, 70, chem. Couvertaire, BP 8, 33450 Saint-Loubès, tél. 05.56.77.53.19, fax 05.56.77.68.59 ☑ 🍷 r.-v.
🔑 Gérard Laurent

CH. LES GRAVIERES DE LA BRANDILLE 1998★

■ 26,37 ha 210 000 🛢 5 à 8 €

Très estimable, ce 98 dans sa robe grenat où le temps à déjà laissé son empreinte. Un bouquet de violette s'épanouit à l'agitation dans un environnement d'humus et de feuille morte. Le poivron grillé et la truffe envahissent une bouche à l'attaque tendre, aux tanins assagis. La matière

est harmonieuse, la maturité avancée. On sent pressé ce vin de passer à table, et il ne faut pas le contrarier. (30 à 49 F)
EARL Jean-Pierre Borderie, 119, rue de la République, 33230 Saint-Médard-de-Guizières, tél. 05.57.69.83.01, fax 05.57.69.72.84 t.l.j. sf dim. 8h-12h 14h-19h

CH. LES MAUBATS
Elevé en fût de chêne 1999

3,4 ha 21 000

Le château Les Maubats vient d'un pays mis à feu et à sang pendant et après la guerre de Cent Ans. Il a été élevé près d'un hameau détruit pendant la Révolution. Le nom des Maubats évoque le souvenir de ces tribulations. Par un heureux contraste, son bordeaux supérieur nous plonge maintenant dans un bonheur paisible, dû à un corp solide, traduisant un terroir bien marqué. Des arômes de fruits confiturés parsèment une trame ample. Un vin haut en couleur dont la personnalité virile s'appréciera particulièrement sur des viandes braisées, du gibier et des fromages à pâte molle. (30 à 49 F)
Robert Armellin, Ch. Les Maubats, 33580 Roquebrune, tél. 05.56.61.68.36, fax 05.56.61.69.10, e-mail chateau.les.maubats@wanadoo.fr r.-v.

CH. LESTRILLE CAPMARTIN
Cuvée Tradition Elevé en fût de chêne 1999★★

9 ha 70 000

Jean-Louis Roumage a élaboré cette cuvée à partir de 90 % de merlot associé au cabernet-sauvignon. Douze mois de fût ont donné ce bouquet encore jeune, révélant à l'agitation des notes de pain grillé et de cannelle. La séduction se prolonge dans la plénitude soyeuse de la bouche, mélange odorant de groseille et de mûre écrasée. (30 à 49 F)
EARL Jean-Louis Roumage, Lestrille, 33750 Saint-Germain-du-Puch, tél. 05.57.24.51.02, fax 05.57.24.04.58, e-mail jean-louis.roumage@wanadoo.fr r.-v.

CH. DE L'HERMITAGE
Vieilli en fût 1998★

8,63 ha 30 000

On rapporte qu'Henri IV se serait arrêté à l'Hermitage lors de ses visites à sa mère Jeanne d'Albret... Ce domaine fort bien équipé a donné un 98 d'une jolie couleur pourpre et au nez intense et grillé, avec des notes animales de cuir et de gibier. Une attaque souple et ronde précède un rang serré de tanins, un tantinet agressifs, mais une chair opulente les contient, donnant une réelle impression d'équilibre. Une bouteille promise à un bel avenir. (30 à 49 F)
EARL Gérard Lopez, L'Hermitage, 33540 Saint-Martin-du-Puy, tél. 05.56.71.57.58, fax 05.56.71.65.00, e-mail chateau-hermitage@wanadoo.fr r.-v.

CH. DE LUGAGNAC 1998★

49 ha 140 000

C'est une véritable renaissance qu'a connue ce château, fort belle demeure médiévale dotée d'un vignoble reconstitué depuis un quart de siècle. La famille Bon y a mis toute son énergie, et produit des vins régulièrement distingués par le Guide. Ce 98 à la robe d'un noir profond et au nez de fruits rouges confits possède une bouche équilibrée, charnue qui plaît par sa rondeur et sa longue persistance aromatique. Rien ne lui ira mieux que les viandes en sauce. (30 à 49 F)
Mylène et Maurice Bon, SCEA du Ch. de Lugagnac, 33790 Pellegrue, tél. 05.56.61.30.60, fax 05.56.61.38.48, e-mail clugagnac@aol.com t.l.j. 9h-12h 14h-19h

CH. MAJUREAU-SERCILLAN
Elevé en fût de chêne 1999

10 ha 76 000

Cette cuvée se distingue autant par l'élégance de sa robe aux reflets tuilés que par son bouquet déjà riche de mille senteurs de sous-bois, de feuille sèche et de merrain bien toasté. L'approche en bouche, chaude et dense, emprunte à l'animal ses notes de venaison et de musc auxquelles répond une évolution sur le fruit et le raisin confit. Une charpente saillante prédispose ce vin à donner la réplique à des mets bien relevés et riches : agneau en carbonade, entrecôte saignante... (30 à 49 F)
Alain Vironneau, Le Majureau, 33240 Salignac, tél. 05.57.43.00.25, fax 05.57.43.91.34 r.-v.

L'ESPRIT DE MALROME
Elevé en barrique 1999★

20 ha 60 000

La silhouette de Toulouse-Lautrec est au centre de cette belle étiquette. Par conséquent l'habit chamarré de vieux grenat brillant n'étonne pas. Le peintre semble aussi avoir prêté sa palette pour composer ce bouquet chatoyant où se mêlent la violette et l'œillet, une pointe poivrée rehaussant un joli toasté en bouche. Un corps svelte, bardé de tanins exubérants, laisse voir une charpente un peu carrée. C'est le temps qui se chargera de retoucher cet aimable tableau. (30 à 49 F)
Malromé, Ch. Malromé, 33490 Saint-André-du-Bois, tél. 05.56.76.44.92, fax 05.56.76.46.18, e-mail v.lartigue@malromé.com r.-v.
Ph. Decroix

MARQUIS D'ABEYLIE
Elevé en fût de chêne 1998★

4,5 ha 33 000

La Closerie d'Estiac présente son petit marquis au teint rubicond, à la couperose un peu violacée, mais si délicatement parfumé à la pivoine et au bourgeon de cassis ! Le sujet est bien en chair et même assez charpenté. On sent la vieille noblesse terrienne, qui porte sa fleur de vigne à la boutonnière et laisse derrière elle comme une trame odorante de truffe et de tabac. Deux ou trois ans de garde. (30 à 49 F)

Closerie d'Estiac, Les Lèves, 33320 Sainte-Foy-la-Grande, tél. 05.57.56.02.02, fax 05.57.56.02.22 t.l.j. sf dim. lun. 9h30-12h30 15h30-18h

CH. MONIER LA FRAISSE 1998**

12 ha 22 000 3à5€

Entre bastides et abbayes millénaires, ce vignoble implanté sur les croupes de Sauveterre-de-Guyenne marque sa différence par une nette prééminence du robuste cabernet-sauvignon (70 %) sans lequel il est bien difficile de faire un grand bordeaux. Ce vin renferme dans un épais velours pourpre une impressionnante diversité d'arômes. La cerise écrasée, la groseille et la mûre précèdent une pointe mentholée. La muscade est présente, et laisse place à une chair soyeuse. Le cépage maître impose ses tanins d'une savoureuse astringence, comme un appel à un long vieillissement de cinq, six ans, voire davantage. (20 à 29 F)

Cellier de La Bastide, Cave coop. vinicole, 33540 Sauveterre-de-Guyenne, tél. 05.56.61.55.21, fax 05.56.71.60.11 t.l.j. sf dim. 9h-12h15 13h30-18h15; groupes sur r.-v.

Claude Laveix

DOM. DE MONREPOS 1999

10 ha n.c. 5à8€

Né d'un assemblage à très forte dominante de merlot (85 %), issu d'un sol argilo-calcaire, ce 99 offre à l'œil une robe d'un rouge intense et d'une belle brillance. L'ensemble aromatique est complexe, où le cacao se mêle à des senteurs empyreumatiques et annonce une bouche aux saveurs confiturées. Une maturité accomplie se lit dans la finale, dense et opulente, masquant une note tannique à peine sensible. Un bel avenir est promis à cette bouteille, pour qui saura attendre. (30 à 49 F)

EARL Vignobles D. et C. Devaud, Ch. de Faise, 33570 Les Artigues-de-Lussac, tél. 05.57.24.31.39, fax 05.57.24.34.17 r.-v.

CH. MOULIN DE FERRAND 1999

7 ha n.c. 5à8€

Le Moulin de Ferrand confirme avec son 99 sa place acquise dans le Guide. Une belle présentation, riche en notes chaudes et colorées, annonce un bouquet marqué par une épice finement poivrée et des effluves de fruits rouges. Rond, ce vin n'a pas encore effacé quelques aspérités tanniques, mais le temps, en ce domaine, est bienfaiteur. Sage sera celui qui l'oubliera deux ans dans sa cave. Vendu en grande distribution. (30 à 49 F)

Vignobles Boissonneau, 33190 Saint-Michel-de-Lapujade, tél. 05.56.61.72.14, fax 05.56.61.71.01, e-mail vignobles.boissonneau@wanadoo.fr r.-v.

CH. MOUTTE BLANC 1999*

2 ha 12 000 5à8€

Une quête obsessionnelle de la qualité pourrait être l'austère règle de vie que s'impose ce jeune vigneron. Son bordeaux supérieur est très attachant par un bouquet d'arômes peu courants de fruits sauvages, d'abricot confit et de raisin passerillé. Un corps charnu et consistant, un milieu de bouche gras et concentré préparent à une finale de cacao et vanille. Un vin qui fera des adeptes. (30 à 49 F)

Patrice de Bortoli, Ch. Moutte Blanc, 6, imp. de la Libération, 33460 Macau, tél. 05.57.88.40.39, fax 05.57.88.40.39 t.l.j. 9h-13h 14h-19h

CH. NAUDONNET-PLAISANCE

Vieilli en fût de chêne 1999*

20 ha n.c. 8à11€

Escoussans, situé entre Cadillac et Targon, appartient à l'Entre-Deux-Mers. Ce domaine se partage entre merlot et cabernet à parts égales. La robe chatoyante séduit, tout comme le nez fait de notes de sous-bois, de truffe et d'humus qui s'allient avec grâce à un boisé léger en se prolongeant sur un corps rond aux tanins amadoués. Déjà plaisant à boire, ce vin peut aussi être mis en réserve quelques années (50 à 69 F)

Mallard, Ch. Naudonnet-Plaisance, 33760 Escoussans, tél. 05.56.23.93.04, fax 05.57.34.40.78, e-mail mallard@net-courrier.com r.-v.

CH. PANCHILLE Cuvée Alix 1999*

3 ha 17 000 5à8€

Ce jeune viticulteur, installé sur un terroir d'argile et de limon coincé dans un méandre de la Dordogne, se fait un point d'honneur de vendanger à la main son vignoble. Joliment vêtue d'un rouge cerise profond, sa cuvée Alix développe un nez assez volubile ; le pain grillé est associé à une matière ronde et souple. Un sentiment d'équilibre se dégage d'une arrière-bouche persistante. La cuvée principale du **Château Panchille 99** obtient une citation. Cassis et fruits cuits enrobent des tanins policés. (30 à 49 F)

Pascal Sirat, 33500 Arveyres, tél. 05.57.51.57.39, fax 05.57.51.57.39 r.-v.

CH. PASCAUD Elevé en fût de chêne 1999*

3 ha 20 000 8à11€

Une sélection de vieilles vignes constitue le meilleur atout de ce 99 à la robe classique du bordeaux et aux arômes empruntés au monde végétal. Passé un premier nez de raisin passerillé et de figue sèche, les nuances évoluent vers l'amande, la noisette. Les senteurs balsamiques traduisent la noblesse du chêne. Une longue carrière est promise à ce Château Pascaud. (50 à 69 F)

SCEA Vignobles Avril, BP 12, 33133 Galgon, tél. 05.57.84.32.11, fax 05.57.74.38.62, e-mail ch.pascaud@aol.com r.-v.

CH. PENIN Grande Sélection 1999**

7,5 ha 53 000 8à11€

Patrick Carteyron est l'une des grandes vedettes de l'appellation. Œnologue, il a repris le domaine familial en 1982, et chaque édition du Guide compte ses cuvées parmi les 28 à 30 % de vins sélectionnés ! Classé juste après Les Cailloux (voir ci-dessous), ce vin a obtenu, lui aussi, un coup de cœur. Une robe bordeaux vive à reflets bleutés, un bouquet naissant mais profond, sur une base complexe de myrtille et de girofle. Le merrain a prêté ses nuances torréfiées : un ensemble très prometteur. La **cuvée Tradition de Ch. Penin 99 (30 à 49 F)**, élevée en cuve, obtient une étoile. Au nez comme en bouche, c'est une corbeille de fruits rouges gorgés de soleil. L'édifice est fait pour durer mais le bonheur pur est déjà présent en bouche. (50 à 69 F)

SCEA Patrick Carteyron, Ch. Penin, 33420 Génissac, tél. 05.57.24.46.98, fax 05.57.24.41.99 r.-v.

CH. PENIN Les Cailloux 1999**

■ 1,4 ha 6 700 8 à 11 €

La cuvée Les Cailloux, issue comme son nom l'indique d'un sol de graves, a conquis son coup de cœur dès la première approche de violette et d'iris. Cette fraîcheur printanière laisse place en bouche à des arômes de cannelle et d'amande grillée. Les vapeurs de fruits surmûris sur la grave échauffée s'estompent lentement dans une finale corsée et persistante. Encore jeunes et déjà pleins de talent, Les Cailloux progresseront en cave vers l'excellence. (50 à 69 F)

SCEA Patrick Carteyron, Ch. Penin, 33420 Génissac, tél. 05.57.24.46.98, fax 05.57.24.41.99 r.-v.

CH. PETIT-FREYLON
Excellence Lyre 1999

■ 5 ha 10 000 5 à 8 €

La conduite de la vigne « en lyre » connaît depuis quelques années un certain développement, en particulier auprès de quelques jeunes viticulteurs avides de techniques nouvelles. Dans la fraîcheur de son jeune âge, cette cuvée offre à l'œil une teinte franche et vive et se réclame de senteurs de fruits rouges et de pruneau. La chair s'épanouit en une bouche onctueuse et révèle au palais des notes de cerise et de kirsch. Puissante et racée, elle enrobe dans sa pulpe des tanins un peu nerveux, mais vaincus d'avance : l'attente ne sera pas longue. (30 à 49 F)

EARL Vignobles Lagrange, Ch. Petit-Freylon, 33760 Saint-Genis-du-Bois, tél. 05.56.71.54.79, fax 05.56.71.59.90 r.-v.

CH. PEYRON SIMON
Vieilli en fût de chêne 1998**

■ 1,5 ha 10 000 3 à 5 €

Il y a comme un soupçon de nostalgie à évoquer cette toute petite exploitation si proche de Bordeaux, où le temps s'est arrêté, pour faire honneur au travail à l'ancienne, sans désherbage. On sent bien la main du vigneron derrière cette cuvée qui a frôlé le coup de cœur. Rouge écarlate est le velours de sa robe ; son bouquet mêle des fruits noirs à des notes de café et de cuir. La finale longue et vanillée confirme la qualité d'une bouche charnue aux tanins élégants. On ne serait pas étonné d'apprendre en 2010 que ce bordeaux supérieur est toujours de ce monde. (20 à 29 F)

J. Simon, 46, rte de Peyron, 33450 Montussan, tél. 05.56.72.94.73 r.-v.

CH. PIERRAIL 1998*

■ 19 ha 115 000 8 à 11 €

Ce beau et très ancien vignoble est dominé par un superbe château du XVIII[e]s., chargé de souvenirs historiques, puisque c'est là que la duchesse de Berry, en partance pour la Vendée, cacha un temps ses extravagants projets contre Louis-Philippe (1832). Le chai, lui, est bien de notre époque ainsi qu'en témoigne ce millésime 98 d'un pourpre profond. Le bouquet de fruits (cassis et bigarreau) sur un fond plaisamment vanillé annonce un vin doté d'une solide charpente, aux tanins encore un peu vifs mais savoureux. Ceux-ci sont gage de longévité pour ce 98 qui fera honneur à des mets de caractère (gigot d'agneau, magret...) (50 à 69 F)

EARL Ch. Pierrail, 33220 Margueron, tél. 05.57.41.21.75, fax 05.57.41.23.77, e-mail pierrail@chateau-pierrail.com r.-v.

CH. PLAISANCE 1999*

■ 8 ha 57 000 5 à 8 €

La robe est dense et profonde, la palette des arômes (pruneau, griotte, abricot sec) se teinte de quelques touches de vanille puis d'effluves végétaux - champignon et truffe. Une chair ample, suave, masque bien des tanins amadoués, et se prolonge dans une harmonie persistante et finement boisée. (30 à 49 F)

SCEA Ch. Plaisance, 33460 Macau, tél. 01.53.53.35.35 r.-v.
Chollet

CH. PONCHARAC 1999

■ 15 ha 115 000 3 à 5 €

Ce vrai vin de terroir argilo-calcaire possède une belle matière concentrée, bien colorée (pourpre nuancé d'orange) ; des arômes de fruits alliés à des notes de cuir et de fourrure témoignent de toute la vigueur de sa jeunesse. Ses tanins un peu exubérants nécessitent encore une longue évolution, mais la matière est là, forte d'une richesse prometteuse. (20 à 29 F)

SA Yvon Mau, BP 1, 33193 La Réole Cedex, tél. 05.56.61.54.54, fax 05.56.71.10.45, e-mail info@chateau-ducla.com
Casasnovas

DOM. DU PONT ROUGE 1999

■ 11 ha n.c. 3 à 5 €

Ce domaine situé à Soussans est une exclusivité de la maison Cordier mais appartient au château Tayac de l'AOC margaux. D'une belle teinte carminée, ce vin possède un nez original à la fois fruité et animal, marqué par des notes appuyées de musc et de cuir. Les tanins équilibrent une chair généreuse et pleine de sève. On

peut tout aussi bien servir ce 99 que le garder pour un peu plus tard (deux ans). (20 à 29 F)
SC Ch. Tayac, Lieu-dit Tayac, BP 10, 33460 Soussans, tél. 05.57.88.33.06, fax 05.57.88.36.06 t.l.j. 9h-12h30 14h-18h

PRINCE NOIR 1999

n.c. 130 000 3à5€

Prince Noir est la signature d'une maison qui exerce sa passion depuis près de trois siècles ! Chaque année, cette expérience remise en question par les caprices d'un climat à l'humeur changeante. L'année 1999 - ô combien difficile- a consacré les bons vignerons, tels ceux qui ont veillé sur le berceau de ce Prince Noir, à la robe pourpre intense et aux arômes mêlés de raisin très mûr, de pruneau et d'épices (cannelle, réglisse). C'est un vin à l'extraction bien dosée, qui sera à sa place sur la table de tout honnête homme. (20 à 29 F)
Barton et Guestier, Ch. Magnol, 87, rue du Dehez, 33292 Blanquefort Cedex, tél. 05.56.95.48.00, fax 05.56.95.48.01, e-mail barton-e-guestier@seagram.com

CH. PUY-FAVEREAU 1999

n.c. 60 000 5à8€

Le rayons solaires du midi et du couchant inondent de lumière ce vignoble de coteaux tout proche de l'appellation lussac-saint-émilion. Voilà qui explique ce nez de fruits rouges et cette présence chaleureuse en bouche. Un vin déjà fort disposé à se livrer sans réserve. (30 à 49 F)
SCEA Les Ducs d'Aquitaine, Favereau, 33660 Saint-Sauveur-de-Puynormand, tél. 05.57.69.69.69, fax 05.57.69.62.84, e-mail vignobles@lepottier.com r.-v.
Le Pottier

CH. DE RABOUCHET
Sélection première 1998★

4 ha 20 000 5à8€

Ce sont ici 4 ha de coteaux dominant Sainte-Foy-la-Grande, remarquables par leurs affleurements calcaires, qui ont produit ce vin à partir de 70 % de merlot et des deux cabernets. D'une macération à basse température avant fermentation, il résulte une teinte rubis soutenue et surtout des arômes de fruits bien marqués, conséquence voulue de ce contact prolongé entre la pellicule et le jus du raisin écrasé. Corsé et gras au départ, plein de chair, ce 98 présente des tanins assez impétueux, presque rudes, dans un ensemble typé, aux notes de cuir, de fourrure et de gibier. Le boisé est là, encore dominant en finale. A oublier quelques années en cave. (30 à 49 F)
Fournier, GFA du Ch. de Rabouchet, 33220 Pineuilh, tél. 05.57.46.46.81, fax 05.57.46.17.19, e-mail chfournier@infonie.fr r.-v.

CH. RAMBAUD 1999★

7 ha 50 000 5à8€

Ce terroir argilo-calcaire où le merlot a reçu la part du roi (80 %) s'honore de la présence d'une superbe demeure construite par un général d'Empire, dominant du haut de son coteau un méandre de la Dordogne. La robe de ce 99 est pourpre, intense, et le nez, flatteur, fait de pain grillé, de cacao, d'épices. Les notes vanillées donnent de la grâce à une structure tannique sans fioriture. L'harmonie est en plein devenir et, bien que ce vin soit déjà aimable, il faudra attendre avant de le remonter de la cave. (30 à 49 F)
SCEA Daniel Mouty, Ch. du Barry, 33350 Sainte-Terre, tél. 05.57.84.55.88, fax 05.57.74.92.99, e-mail daniel-mouty@wanadoo.fr t.l.j. sf sam. dim. 8h-17h

CH. RECOUGNE 1999★★

50 ha 300 000 5à8€

La famille Milhade exploite ce très beau domaine sur les collines de Fronsac. Très élégant dans son fourreau grenat aux mille irisations, ce 99 étonne par la richesse de son nez de petits fruits surmûris, mêlés d'un soupçon de violette et d'agaric. Les jurés ont été sous le charme d'une bouche moelleuse au toucher soyeux. Une finale plaisamment briochée invite à des plaisirs immédiats. La nouvelle cuvée spéciale, **Terra Recognita 99 (50 à 69 F)**, obtient une étoile. Issue de vieux merlots de plus de soixante ans, elle possède de beaux tanins qui autorisent une petite garde. Enfin, le **château Tour d'Auron 99**, une étoile, se révèle riche et complet. (30 à 49 F)
SCEV Jean Milhade, Ch. Recougne, 33133 Galgon, tél. 05.57.55.48.90, fax 05.57.84.31.27

REIGNAC 1999★★

27 ha 90 000 15à23€

Une belle demeure du XVIIIe s., une serre construite par Eiffel comptent parmi les bonnes raisons de visiter ce domaine. Le vin en est une autre. La cuvée principale **Château de Reignac 99 (50 à 69 F)**, dans cette AOC, reçoit une étoile. Ce Reignac, cuvée spéciale qui n'est pas confidentielle, s'est vu décerner un coup de cœur unanime, en toute première place. Quel beau mariage entre les arômes de raisin, de cassis, de groseille et le boisé de belle finition, vanillé, aux accents de noix de coco ! Le café grillé apporte de la complexité. La bouche s'emplit d'une chair aux évocations fruitées et tendres. Les tanins ont l'élégance de se faire oublier mais soutiendront un long séjour en cave. (100 à 149 F)
SCI Ch. de Reignac, 33450 Saint-Loubès, tél. 05.56.20.41.05, fax 05.56.68.63.31 r.-v.
Yves Vatelot

BORDELAIS

CH. ROC MEYNARD 1999

■ 13 ha 55 000 5 à 8 €

Revêtu d'une robe rubis profond, limpide et brillante, ce millésime tout en puissance laisse prévoir un bon potentiel d'évolution. Une première explosion de petits fruits rouges s'impose au nez, où s'entremêlent des notes fraîches, légèrement épicées. Une étoffe veloutée, épaisse et ample envahit la bouche sans dissimuler des tanins pleins de saveurs. Une finale réglissée, légèrement épicée, imprègne longuement le palais. L'œuvre sera parachevée d'ici deux ou trois ans. (30 à 49 F)

Philippe Hermouet, Clos du Roy,
33141 Saillans, tél. 05.57.55.07.41,
fax 05.57.55.07.45,
e-mail hermouetclosduroy@wanadoo.fr
r.-v.

CH. SAINT-IGNAN 1999

■ 15 ha 80 000 5 à 8 €

Ce cru faisait autrefois partie du très beau château du Bouilh en côtes de bourg. Il propose un vin pourpre brillant au bouquet naissant encore retenu, mais plein de distinction. Le fruit est là, la truffe et l'épice également. Vineux en bouche, ce 99 a le parfum d'un madère racé et une étoffe épaisse où se cachent des tanins un peu vifs. Une œuvre en devenir, que trop d'empressement pourrait desservir. (30 à 49 F)

Feillon Frères et Fils, Ch. Les Rocques,
33710 Saint-Seurin-de-Bourg,
tél. 05.57.68.42.82, fax 05.57.68.36.25,
e-mail feillon.vins.de.bordeaux@wanadoo.fr
t.l.j. 9h-12h 14h-18h; sam. dim. sur r.-v.

CH. DE SEGUIN
Cuvée Prestige Vieilli en barrique neuve 1998*

■ 20,5 ha 150 000 8 à 11 €

Ce très vaste domaine est situé aux portes de Bordeaux. Cette bien nommée cuvée Prestige brille d'éclats rubis et séduit par ses senteurs épicées. Une grande concentration se répand en bouche, dans un environnement tannique élégant. La finale soyeuse et riche, aux nuances animales, s'accordera de préférence aux plats relevés. Ce vin saura très vite se faire aimer, mais bénéficiera aussi d'une bonne conservation en cave. (50 à 69 F)

Michael et Gert Carl,
Ch. de Seguin, 33360 Lignan-de-Bordeaux,
tél. 05.57.97.19.75, fax 05.57.97.19.72,
e-mail info@chateau-seguin.fr r.-v.

SEIGNEUR DES ORMES
Cuvée réservée Elevé en fût de chêne 1998**

■ 1,7 ha 14 000 5 à 8 €

Voici le chef-d'œuvre de l'Union des producteurs Baron d'Espiet. Il est bon en tout : une robe cramoisie, un nez intense de fruits noirs (cassis, mûre) avec un boisé très affiné et bien intégré. Avant même l'entrée en bouche, la partie était bien engagée. Toute la suite ne fut que confirmation de cette excellente impression : une attaque franche, nette, charpentée, des tanins lisses et savoureux, une finale persistante, alerte et suave, riche de notes balsamiques. (30 à 49 F)

Union de producteurs Baron d'Espiet, Lieu-dit La Fourcade, 33420 Espiet,
tél. 05.57.24.24.08, fax 05.57.24.18.91,
e-mail baron-espiet@dial.oleane.com r.-v.

CH. TERTRE CABARON
Elevé en fût de chêne 1998*

■ 1,75 ha 7 000 5 à 8 €

Une belle robe d'un rouge lumineux et un nez de fruits mûrs, d'épices et de pain grillé sont les signes immédiats d'une qualité à découvrir plus avant. De subtils parfums de moka et de torréfaction précèdent une évolution au riche décor aromatique. Les épices douces (muscade, cannelle) s'allongent en flaveurs évanescentes, pour finir sur un retour en douceur de l'amande grillée et du boisé. (30 à 49 F)

SCEA Dom. de Bastorre, 33540 Saint-Brice,
tél. 05.56.71.54.19, fax 05.56.71.50.29 r.-v.
Mme Dugrand

CH. THIEULEY
Réserve Francis Courselle 1999**

■ n.c. 50 000 11 à 15 €

Ce vignoble n'est pas réputé sans raison. Cette cuvée (90 % merlot pour 10 % de cabernet franc), née sur un sol argilo-graveleux, arrive parmi les mieux placées des bordeaux supérieurs. Elle est vêtue d'une « vraie robe de cardinal » selon un dégustateur. Imposante à l'œil elle l'est aussi par ses effluves balsamiques, de sève, d'olive noire, de cuir et d'humus. On s'étonne d'un corps si volumineux où les tanins contribuent à la saveur, où l'épice s'accommode d'un fumé délicat. Ce vin est nourrissant, « à manger tout seul » comme disait Alexis Lichine mais seulement après une pénitence de quelque années. (70 à 99 F)

Sté des Vignobles Francis Courselle,
Ch. Thieuley, 33670 La Sauve,
tél. 05.56.23.00.01, fax 05.56.23.34.37 r.-v.

CH. TOUR DE GILET 1999*

■ 3,9 ha 28 000 5 à 8 €

Venu du Médoc, un bordeaux supérieur de palus vendangé à la main. Il est aussi avenant par sa robe pimpante que par son bouquet où la cerise noire se joue de la groseille fraîche très concentré en bouche, il laisse s'exprimer les fruits rouges. Il peut se boire sans délai, mais sa qualité croîtra avec le temps. La cuvée **Les Vieilles Vignes de Tour de Gilet 99 (50 à 69 F)**, élevé seize mois en fût, obtient une étoile. A attendre deux ans. (30 à 49 F)

🔑 SC Ch. Tour de Gilet, Gilet, 33290 Ludon-Médoc, tél. 05.57.88.07.64, fax 05.57.88.07.00 ☑ 🍷 r.-v.
🔑 Bachelot

CH. TOUR DE MIRAMBEAU
Cuvée Passion Elevé en fût de chêne 1999★★

■ n.c. n.c. 🛢 11 à 15 €

Décidément la qualité va à la qualité... des hommes ! Figure de proue de l'appellation bordeaux supérieur, le château de Mirambeau a investi tout son art dans cette cuvée Passion ! Dans sa livrée couleur prune, celle-ci se pare d'un bouquet aux intenses senteurs de liqueur de cassis et de groseille écrasée. Le boisé est présent, justement dosé. Une entrée ronde et ample marque le palais, aux arômes de fruits mûrs et d'un bois très doux, comme sucré. Les tanins veloutés laissent une bouche voluptueuse, comblée. Superbe, ce vin grandira encore en cave. (70 à 99 F)

🔑 SCEA Vignobles Despagne, 33420 Naujan-et-Postiac, tél. 05.57.84.55.08, fax 05.57.84.57.31, e-mail contact@vignobles-despagne.com ☑ 🍷 r.-v.
🔑 J.-L. Despagne

CH. TROCARD Monrepos 1998★

■ 5 ha 25 000 5 à 8 €

Cinq hectares d'un bon merlot, tout seul, planté sur des terres argilo-siliceuses, tel est le creuset d'où est sorti ce Monrepos à la robe noire. Son arôme fringant a de quoi séduire (vanille, fourrure et cuir). Séveux en bouche, ce 98 mêle des notes de sous-bois aux arômes de merrain dans un bel équilibre entre l'élevage et le vin. A attendre deux ans. (30 à 49 F)

🔑 SCEA des Vignobles Trocard, 2, Les Petits-Jays-Ouest, 33570 Les Artigues-de-Lussac, tél. 05.57.55.57.90, fax 05.57.55.57.98, e-mail trocard@wanadoo.fr ☑ 🍷 t.l.j. sf sam. dim. 8h-12h 14h-17h

CH. VERRIERE BELLEVUE 1999

■ 15 ha 30 000 5 à 8 €

Son bouquet est aussi complexe que le sous-sol d'argile blanche et rouge, riche en fossiles marins et en sédiments ferreux, qui l'a vu naître. La bouche, vineuse et ample, d'une belle longueur aromatique, enchante. Le mettre bientôt sur la table ne serait pas sacrilège. (30 à 49 F)

🔑 EARL Alice et Jean-Paul Bessette, 5, La Verrière, 33790 Landerrouat, tél. 05.56.61.36.91, fax 05.56.61.41.12 ☑ 🍷 r.-v.

CH. VIEUX BELLE-RIVE
Elevé en fût de chêne 1999

■ 2 ha 16 000 5 à 8 €

Ce millésime est fils du merlot presque pur (90 %) qu'une coquetterie de bon vigneron a marié à 10 % de malbec, cépage roi de Cahors. Une robe grenat intense, parsemée de timides reflets tuilés, annonce le nez marqué lui aussi d'un début d'évolution : arômes de rose fanée, de pivoine. Assez corpulent, ce vin fond sa matière tannique dans une chair que le temps affinera. A découvrir pendant trois ans. (30 à 49 F)

🔑 Laurent Audigay, Ch. Vieux Belle-Rive, 33330 Saint-Sulpice-de-Faleyrens, tél. 05.57.21.66.77, fax 05.57.74.45.59 ☑

CH. VINCY 1998★

■ 12,9 ha 104 530 5 à 8 €

A Rauzan, l'Union des producteurs met en œuvre un équipement ultramoderne au service d'une vinification fidèle à l'orthodoxie bordelaise. Ce Château peut en témoigner : le rouge de sa robe est sans excès, comme pour faire mieux ressortir le cassis, la mûre et la cerise qui se disputent le nez. Le vin se montre rond et puissant en bouche ; il peut laisser mûrir quelques tanins un rien sauvages, mais le fruit est présent au palais : il a donc en lui tout le talent nécessaire. (30 à 49 F)

🔑 Union de producteurs de Rauzan,, l'Aiguielley, 33420 Rauzan, tél. 05.57.84.13.22, fax 05.57.84.12.67 🍷 r.-v.
🔑 G. Cresta

Crémant de bordeaux

Créé en 1990, le crémant est élaboré selon des règles très strictes communes à toutes les appellations de crémant, à partir de cépages traditionnels du Bordelais. En forte expansion, les crémants sont généralement blancs (18 228 hl en 2000) mais ils peuvent aussi être rosés (696 hl).

BROUETTE PETIT-FILS Cuvée Réserve★

○ n.c. 17 200 5 à 8 €

En matière d'effervescents, et particulièrement de crémants, la maison Brouette (d'origine champenoise) est une référence en Bordelais, depuis un bon siècle. Sa cuvée Réserve doit à un pur sémillon sa belle complexion d'un jaune franc, et son caractère brioché, miellé, rond et vanillé. C'est un vin persistant et bien fait, où le moelleux n'exclut pas une vivacité rafraîchissante. (30 à 49 F)

🔑 SA Brouette Petit-Fils, Caves du Pain de Sucre, 33710 Bourg-sur-Gironde, tél. 05.57.68.42.09, fax 05.57.68.26.48 ☑ 🍷 t.l.j. sf dim. lun. 9h-12h 14h-18h

A. CHAMVERMEIL 1999★

○ n.c. n.c. 5 à 8 €

Marque du château d'Arsac, dans le Haut-Médoc, cette cuvée est d'une belle facture, très jeune et riche d'arômes de fraîcheur : pomme, coing, seringa. Sa bouche vive fleure la cire d'abeille et la brioche grillée. L'harmonie persistante est très apaisante et donne envie de marier le sujet à une entrée de saumon fumé. (30 à 49 F)

🔑 Philippe Raoux, SA Marjolaine,
Ch. d'Arsac, 33460 Arsac, tél. 05.56.58.83.90,
fax 05.56.58.83.08 ☑

LE TREBUCHET 1999★★

○ 0,8 ha 6 000 5à8€

Le château Trébuchet doit son nom à un « lance boulet » employé pendant la guerre de Cent Ans, mais son chai abrite maintenant un matériel autrement plus pacifique... auquel pourtant cette cuvée doit la conquête de notre jury. L'élégance y est partout présente : une bulle très fine virevoltant sur une robe d'un blond étincelant ; un ensemble aromatique fumé, épicé, mais aussi fruité (poire Williams). La bouche épanouie et longue fait ranger ce vin dans l'élite du crémant de bordeaux : coup de cœur unanime. (30 à 49 F)

🔑 Bernard Berger, Ch. Le Trébuchet,
33190 Les Esseintes, tél. 05.56.71.42.28,
fax 05.56.71.30.16 ☑ Y t.l.j. sf dim. 8h-12h
14h-18h

MILADY★

◐ n.c. 20 000 5à8€

Voici un crémant controversé, jugé excellent par certains et « commercial » (mais où est le mal ?) par d'autres. D'un rose grenat à peine tuilé, il affiche un nez tout de fruits rouges (noyau de cerise, myrtille). La bouche, plus complexe, met en scène un soupçon de groseille et une pincée de cassis. Ces sensations, très fondues, se prolongent dans la même tonalité fruitée. Ce vin sera bon en toutes circonstances. (30 à 49 F)

🔑 Jean-Louis Ballarin, La Clotte, 33550 Haux,
tél. 05.56.67.11.30, fax 05.56.67.54.60,
e-mail ballarin@wanadoo.fr ☑ Y r.-v.

DU PRIEUR★

○ n.c. n.c. 8à11€

Les Garzaro comptent parmi les premiers producteurs à avoir élaboré du crémant et montrent ici le bénéfice de cette antériorité. Ce crémant du Prieur présente à l'œil une bulle abondante et fine dans un écrin d'un jaune d'or pâle et brillant. Des notes torréfiées et beurrées agrémentent un nez intense. L'agrume et la vanille embellissent une bouche alerte et vive. L'équilibre est atteint, la longueur fort plaisante. (50 à 69 F)

🔑 EARL Vignobles Garzaro,
Ch. Le Prieur, 33750 Baron,
tél. 05.56.30.16.16, fax 05.56.30.12.63,
e-mail garzaro@vingarzaro.com ☑ Y r.-v.

Le Blayais et le Bourgeais

Blayais et Bourgeais, deux petits pays aux confins charentais de la Gironde que l'on découvre toujours avec plaisir. Peut-être en raison de leurs sites historiques, de la grotte de Pair-Non-Pair (avec ses fresques préhistoriques, presque dignes de Lascaux), de la citadelle de Blaye ou de celle de Bourg, ou des petits châteaux et autres anciens pavillons de chasse. Mais plus encore parce que de cette région très vallonnée se dégage une atmosphère intimiste, apportée par de nombreuses vallées et qui contraste avec l'horizon presque marin des bords de l'estuaire. Pays de l'esturgeon et du caviar, c'est aussi celui d'un vignoble qui, depuis les temps gallo-romains, contribue à son charme particulier. Pendant longtemps, la production de vins blancs a été importante ; jusqu'au début du XXe s., ils étaient utilisés pour la distillation du cognac. Mais aujourd'hui, les vins blancs sont en très nette régression, car les rouges jouissent d'une prospérité économique beaucoup plus grande.

Blaye, premières côtes de blaye, côtes de blaye, bourg, bourgeais, côtes de bourg, rouges et blancs : il est parfois un peu difficile de se retrouver dans les appellations de cette région. Toutefois, on peut distinguer deux grands groupes : celui de Blaye, avec des sols assez diversifiés, et celui de Bourg, géologiquement plus homogène.

Côtes de blaye et premières côtes de blaye

Sous la protection, désormais toute morale, de la citadelle de Blaye due à Vauban, le vignoble blayais s'étend sur environ 5 880 ha plantés de vignes rouges et blanches. Les appellations blaye et blayais sont désormais de moins en moins utilisées, la plupart des viticulteurs préférant produire des vins à partir de cépages plus nobles qui ont droit aux appellations côtes de blaye et premières côtes de blaye. Cependant l'AOC blaye a revendiqué 12 742 hl en 2000. Les premières côtes de blaye rouges (321 239 hl en 2000) sont des vins assez colorés qui présentent une rusticité de bon aloi, avec de la puissance et du fruité. Les blancs (12 605 hl en 2000) sont aromatiques. Les côtes de blaye blancs (2 747 hl en 2000) sont en général des vins secs, d'une couleur légère, que l'on sert en début de repas, alors que les premières côtes rouges vont plutôt sur des viandes ou des fromages.

Côtes de blaye

DOM. DE LA NOUZILLETTE 2000

□ 4 ha 25 000 3à5€

Le colombard (60 %) et le sauvignon, vendangés le 19 septembre 2000 et élevés sur lies fines, ont donné ce vin qui, s'il reste un peu discret dans son expression aromatique, n'en est pas moins sympathique par ses notes florales et fruitées. (20 à 29 F)

GAEC du Moulin Borgne, 5, le Moulin Borgne, 33620 Marcenais, tél. 05.57.68.70.25, fax 05.57.68.09.12 t.l.j. 9h-20h

Catherinaud

CH. MAGDELEINE-BOUHOU 2000

□ 0,75 ha 5 700 5à8€

Etabli aux portes (à 2 km) de Blaye et de sa citadelle, ce cru propose un vin souple et savou-

Le Blayais et le Bourgeais

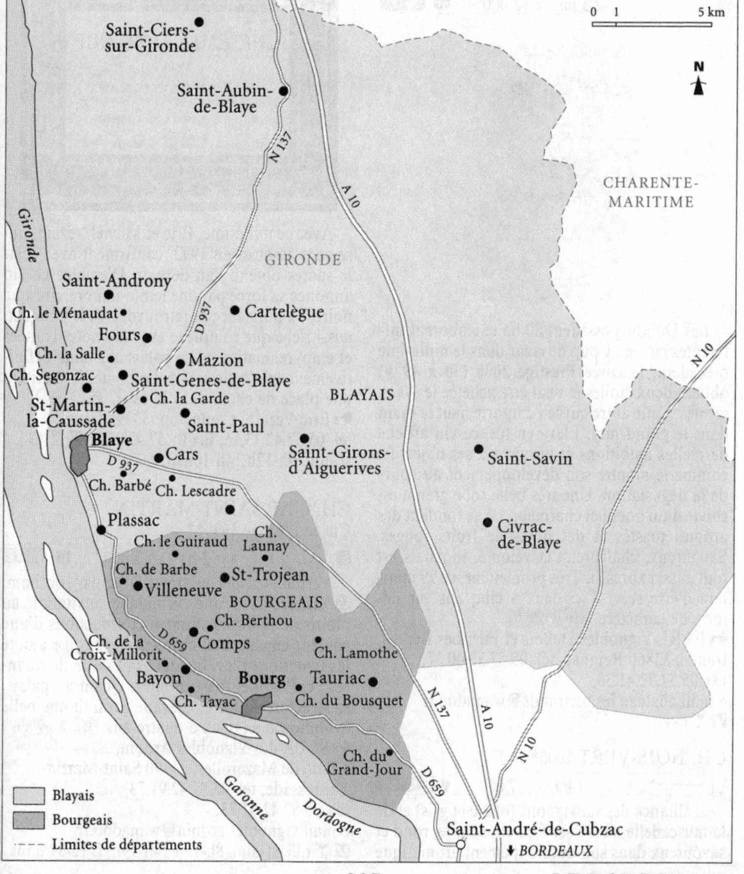

reux avec de petites notes fruitées (agrumes) et acidulées. (30 à 49 F)

Vignobles Rousseaud Père et Fils, Ch. Magdeleine-Bouhou, 33390 Cars, tél. 05.57.42.19.13, fax 05.57.42.85.27 r.-v.

Premières côtes de blaye

CH. BERTHENON 1999★

■ 14 ha 83 000 5à8€

Comme beaucoup de crus dont la renommée remonte loin dans le temps, ce château jouit d'un terroir de qualité. Ample et élégant, son 99 est bien constitué. Sa longue finale reprend les notes réglissées du bouquet pour laisser le dégustateur sur un joli souvenir. (30 à 49 F)

GFA Henri Ponz, Ch. Berthenon, Le Barrail, 33390 Saint-Paul-de-Blaye, tél. 05.57.42.52.24, fax 05.57.42.52.24 t.l.j. 8h-12h 14h-19h; sam. dim. sur r.-v.

NECTAR DES BERTRANDS 1999★★

■ 2,5 ha 12 000 11à15€

Les Dubois possèdent 80 ha et élaborent différentes cuvées. Coup de cœur dans le millésime précédent, la **cuvée Prestige 2000 (30 à 49 F)** obtient deux étoiles et peut être achetée les yeux fermés. Cette autre cuvée l'emporte haut la main dans le grand jury. Elevé en fût, ce vin affiche de réelles ambitions et parvient à ses objectifs, comme le montre son développement au cours de la dégustation. Une très belle robe grenat est suivie d'un bouquet charmeur, où se fondent des arômes toastés et des notes de fruits rouges. Savoureux, chaleureux et velouté, le palais est tout aussi expressif. Très prometteur, ce 99 méritera d'être servi d'ici deux à cinq ans sur des mets de caractère. (70 à 99 F)

EARL Vignobles Dubois et Fils, Les Bertrands, 33860 Reignac, tél. 05.57.32.40.27, fax 05.57.32.41.36, e-mail chateau.les.bertrands@wanadoo.fr r.-v.

CH. BOIS-VERT 2000★

□ 1 ha 7 000 5à8€

L'alliance des sauvignons (blanc et gris) et de la muscadelle a bien servi ce vin souple, rond et savoureux dans son développement aromatique aux notes d'agrumes, de pêche blanche et de fruits exotiques. La cuvée **rouge Prestige 99** a reçu une étoile également. (30 à 49 F)

Patrick Penaud, 12, Boisvert, 33820 Saint-Caprais-de-Blaye, tél. 05.57.32.98.10, fax 05.57.32.98.10 r.-v.

CH. CAILLETEAU BERGERON
Vieilli en fût de chêne 1999★

■ 10 ha 36 000 5à8€

La robe purpurine de ce 99, son bouquet aux parfums friands et élégants, et son palais, qui associe avec bonheur le bois et la matière, témoignent d'un vignoble bien soigné. Le **blanc 2000** a également obtenu une étoile pour son nez d'agrumes très flatteur relevé par une élégante note vanillée, preuve d'un passage en fût bien dosé. (30 à 49 F)

EARL Dartier et Fils, 33390 Mazion, tél. 05.57.42.11.10, fax 05.57.42.37.72 r.-v.

CH. CANTELOUP 1999★★

■ 4 ha 20 000 8à11€

Avec ce millésime, Eric et Michel Vezain, qui se sont associés en 1992, confirment avec éclat le succès obtenu l'an dernier. D'emblée ce vin annonce sa force par une teinte sombre, presque noire. Sa puissance se retrouve dans le bouquet, aussi riche que complexe avec des notes fruitées et empyreumatiques. Le palais convainc définitivement que cette très belle bouteille méritera une place de choix dans la cave. (50 à 69 F)

Eric Vezain, Canteloup, 33390 Fours, tél. 05.57.42.13.16, fax 05.57.42.26.28 t.l.j. sf dim. 9h-12h 14h-18h30

CH. CAP SAINT-MARTIN
Cuvée Prestige 1999★★

■ 2 ha 12 000 8à11€

Véritable appel au grand large par son nom, ce vin est aussi une formidable invitation au plaisir de la dégustation. Aux séductions d'une couleur engageante, cette cuvée Prestige ajoute les tentations d'un bouquet fait de mille nuances : café grillé, toast, prune... Quant au palais, sa structure solide et charnue garantit une belle évolution d'ici deux à quatre ans. (50 à 69 F)

SCEA des Vignobles Ardoin, 13, rte de Mazerolles, 33390 Saint-Martin-Lacaussade, tél. 05.57.42.91.73, fax 05.57.42.91.73, e-mail vignobles.ardoin@wanadoo.fr t.l.j. sf dim. 8h-12h 14h-19h; f. 15-31 août

CH. CORPS DE LOUP

Vieilli en fût de chêne 1999★

■ 8 ha 23 000 ⅡⅠ 5à8€

Né sur un cru à direction féminine, ce vin montre de bonnes dispositions, tant par son bouquet où les notes torréfiées et fruitées sont soutenues par un soupçon de réglisse, que par sa structure, longue et bien faite. (30 à 49 F)

Françoise Vidal-Leguénédal, Ch. Corps de Loup, 33390 Anglade, tél. 05.57.64.45.10, fax 05.57.64.45.10, e-mail chateau-corps-de-loup@wanadoo.fr ☑ Y t.l.j. 10h-12h 15h-18h30; sam. dim. sur r.-v.

GRAND VIN DE CH. DUBRAUD 1999

■ 2 ha 6 600 ⅡⅠ 11à15€

Petite cuvée spéciale, cette bouteille très boisée est encore un peu rustique en finale et demande à évoluer, ce que sa solide structure lui permettra de faire dans de bonnes conditions. (70 à 99 F)

Ch. Dubraud, 33920 Saint-Christoly-de-Blaye, tél. 05.57.42.45.30, fax 05.57.42.50.92, e-mail avida@terre-net.fr ☑ Y r.-v.

Alain et Céline Vidal

CH. FOUCHE 2000★

□ 1,25 ha 10 500 3à5€

Une famille installée depuis le XVIIes., mais les bâtiments ne datent que du début du XXes. Entièrement issu du sauvignon, ce vin se montre intéressant par ses notes d'agrumes très présentes au bouquet comme au palais. Equilibré et frais, il pourra être servi sur une alose grillée. (20 à 29 F)

Vignobles Jean Bonnet, Ch. Fouché, 14, rue de la Gravette, 33620 Cubnezais, tél. 05.57.68.07.71, fax 05.57.68.06.08 ☑ Y r.-v.

CH. FREDIGNAC Cuvée Prestige 1998

■ 2 ha 12 000 ⅡⅠ 5à8€

Comme beaucoup de vin du Blayais, ce 98 est issu principalement du merlot : le bouquet aux notes de fruits rouges et la structure relativement souple montrent l'influence de ce cépage sur le caractère du vin. Celui-ci devra attendre un an ou deux que le bois se fonde. (30 à 49 F)

Michel L'Amouller, 7, rue Emile-Frouard, 33390 Saint-Martin-Lacaussade, tél. 05.57.42.24.93, fax 05.57.42.00.64 ☑ Y r.-v.

CH. GAUTHIER

Elevé en fût de chêne 1999★★

■ 10,35 ha 63 300 ⅡⅠ 5à8€

Propriété vinifiée à la cave de Pugnac ; ce vin témoigne du savoir-faire des coopérateurs. L'intensité de sa robe et, surtout, la force de son bouquet, mariage réussi des fruits rouges et du bois, donnent un côté impressionnant à sa présentation. Puissant mais avec une structure fine, le palais vient parachever l'édifice et garantir une bonne évolution. (30 à 49 F)

Union de producteurs de Pugnac, Bellevue, 33710 Pugnac, tél. 05.57.68.81.01, fax 05.57.68.83.17, e-mail udep.pugnac@wanadoo.fr Y r.-v.

Michel Massé

CH. DU GRAND BARRAIL

Révélation 1999★

■ 3 ha 19 500 ⅡⅠ 8à11€

Exploitant plusieurs crus dans le Blayais, les vignobles D. Lafon proposent ici une cuvée élevée un an en barrique neuve française. Très expressif, le bouquet porte la marque de l'élevage. Soutenu par des tanins doux mais très présents, le palais révèle un bon volume avant de s'ouvrir sur une finale poivrée. (50 à 69 F)

Vignobles Denis Lafon, Bracaille 1, 33390 Cars, tél. 05.57.42.33.04, fax 05.57.42.08.92, e-mail denislafon@aol.com ☑ Y r.-v.

DOM. DES GRAVES D'ARDONNEAU

Cuvée Prestige Vieilli en fût de chêne 1999★★

■ 4 ha 25 000 ⅡⅠ 5à8€

Cette petite cuvée Prestige, née sur un vaste domaine (28 ha), a bénéficié de soins attentifs. Très élégante dans son expression aromatique bien soutenue par le bois, elle repose sur des tanins ronds et harmonieux et sur un bon équilibre des saveurs. (30 à 49 F)

Simon Rey et Fils, Dom. des Graves d'Ardonneau, 33620 Saint-Mariens, tél. 05.57.68.66.98, fax 05.57.68.19.30 ☑ Y t.l.j. sf dim. 8h-12h30 14h30-19h

CH. HAUT CANTELOUP 2000★

□ 2,5 ha 10 000 3à5€

Encépagement diversifié et macération pelliculaire, ce vin a bénéficié de soins attentifs. Son caractère expressif, avec des arômes de buis, d'agrumes et de fruits secs, accompagne agréablement une bouche équilibrée où gras et rondeur se répondent. (20 à 29 F)

Sylvain Bordenave, 1, Salvert, 33390 Fours, tél. 05.57.42.36.69, fax 05.57.42.36.69 ☑ Y t.l.j. sf dim. 8h-12h 14h-18h

CH. HAUT GRELOT 2000★

□ 140 ha 100 000 3à5€

Ce cru avait obtenu un coup de cœur l'an dernier pour une cuvée rouge **Coteau de Methez** qui, pour le **99 (30 à 49 F)**, obtient une citation, associant un joli boisé aux fruits rouges. Voici le blanc du domaine dans sa cuvée principale. Ce 2000 saura surprendre et séduire un grand nombre d'amateurs par sa belle palette aromatique (du litchi au citron). (20 à 29 F)

EARL Joël Bonneau, Au Grelot, 33820 Saint-Ciers-sur-Gironde, tél. 05.57.32.65.98, fax 05.57.32.71.81 ☑ Y t.l.j. sf dim. 9h-13h 14h-19h

CH. DU HAUT GUERIN

Vieilli en fût de chêne 1998★

■ 3,6 ha 24 000 ⅡⅠ 5à8€

Elevé douze mois en fût et vendu en bouteilles numérotées, ce vin, né sur des coteaux argilo-graveleux, demande encore à s'arrondir, mais il se montre plus que séduisant notamment par le côté chocolat amer de sa finale. Délicatement bouqueté (sous-bois, fruits et épices), il se montre rond à l'attaque avant de révéler une belle structure tannique. (30 à 49 F)

Alain Coureau, Ch. du Haut-Guérin, 33920 Saint-Savin, tél. 05.57.58.40.47, fax 05.57.58.93.09 t.l.j. 9h-21h; f. août

CH. HAUT-TERRIER

Vieilli en barrique neuve 1999*

40 ha 100 000 8à11€

A très forte proportion de merlot (95 %) ce vignoble a donné un vin nettement marqué par ce cépage avec un bouquet expressif de fruits rouges et une sympathique rondeur au palais. Cela ne veut pas dire que les tanins soient absents. Bien au contraire, la matière, ample et bien équilibrée, permettra d'attendre cette bouteille pendant les deux ou trois ans que réclame le bois pour se fondre complètement. (50 à 69 F)

Bernard Denéchaud, Ch. Haut-Terrier, 46, le Bourg, 33620 Saint-Mariens, tél. 05.57.68.53.54, fax 05.57.68.16.87, e-mail chateau-haut-terrier@wanadoo.fr r.-v.

CH. LA BRAULTERIE 2000*

1,5 ha 10 000 3à5€

Le sauvignon (80 %) et le sémillon nés sur des sols argilo-siliceux ont donné un très joli vin qui se signale par l'attrait de son bouquet, dont les notes de fruits exotiques, de litchi et de pêche jaune, s'harmonisent avec le caractère gras et charnu du palais. (20 à 29 F)

SCA La Braulterie-Morisset, Les Graves, 33390 Berson, tél. 05.57.64.39.51, fax 05.57.64.23.60, e-mail braulterie@wanadoo.fr t.l.j. sf dim. 9h-18h

CH. LACAUSSADE SAINT-MARTIN

3 Moulins 2000

3 ha 20 000 8à11€

Né sur l'un des plus anciens crus de la commune de Saint-Martin-Lacaussade, ce vin composé à 90 % de sémillon complété par le sauvignon offre une expression aromatique d'une bonne complexité (abricot, pain grillé et petits fruits confits) et un palais équilibré bien que le boisé soit présent. Attendre la Saint-Valentin 2002. (50 à 69 F)

Jacques Chardat, Ch. Labrousse, 33390 Saint-Martin-Lacaussade, tél. 05.57.42.66.66, fax 05.57.64.36.20, e-mail bordeaux@vgus.com r.-v.

CH. LA RAZ CAMAN

Elevé en fût de chêne 1998

n.c. 65 000 8à11€

Issu d'un vignoble associant quatre cépages, ce vin élevé en fût joue résolument la carte de l'expression aromatique avec des notes plaisantes de fruits bien mûrs, presque de surmaturation. Si les tanins affirment encore leur présence le 24 avril 2001, jour de la dégustation, ils devraient se fondre dès Noël. (50 à 69 F)

Jean-François Pommeraud, Ch. La Raz Caman, 33390 Anglade, tél. 05.57.64.41.82, fax 05.57.64.41.77, e-mail info@la-raz-caman.com r.-v.

CH. LA ROSE BELLEVUE

Cuvée Prestige Elevé en fût de chêne 1999*

5 ha 25 000 5à8€

Cuvée Prestige d'une vaste unité de plus de 40 ha au total, ce 99 a été marqué par le bois ; mais celui-ci a été bien dosé et ses touches de vanille savent respecter le fruit et la matière. Souple, gras, rond, bien équilibré, long et d'une grande délicatesse, c'est un vin élégant. (30 à 49 F)

EARL vignobles Eymas et Fils, 5, Les Mouriers, 33820 Saint-Palais, tél. 05.57.32.66.54, fax 05.57.32.78.78, e-mail chateau.larosebellevue@freesbee.fr t.l.j. 9h-19h; f. fin déc.

CH. DE LA SALLE 1999**

0,6 ha 4 500 8à11€

Ce domaine de 18 ha a élaboré une petite cuvée 100 % sauvignon issue d'un sol argilo-calcaire. Elevé en fût pendant onze mois avec bâtonnage sur lies, ce vin arbore une splendide livrée, jaune à reflets cuivrés. Il se distingue par la complexité de sa palette aromatique, dans laquelle les agrumes se taillent la part du lion. Long, frais, équilibré et harmonieux, il pourra être attendu deux ou trois ans, même s'il est déjà très plaisant. Digne d'un poisson en sauce blanche. (50 à 69 F)

SCEA Ch. de La Salle, 33390 Saint-Genès-de-Blaye, tél. 05.57.42.12.15, fax 05.57.42.87.11 r.-v.

Bonnin

CH. LE MENAUDAT

Cuvée réservée 1999*

5 ha 41 300 5à8€

Renommé depuis longtemps, ce cru reste fidèle à sa tradition de qualité avec cette Cuvée réservée. Amandes fraîches, cuir, fruits mûrs, le bouquet est complexe à souhait, et le palais, ample, velouté et très bien équilibré. (30 à 49 F)

SCEA FJDN Cruse, Le Menaudat, 33390 Saint-Androny, tél. 05.56.65.20.08, fax 05.57.64.40.29 t.l.j. sf dim. 8h-12h 14h-18h; sam. sur r.-v.; f. sem. du 15 août

CH. LE QUEYROUX

Le Joyau Elevé en barrique neuve 1998*

n.c. 600 23à30€

Microcuvée issue d'un petit vignoble de 1,48 ha où les labours sont effectués avec un cheval, ce vin associe merlot et cabernet-sauvignon à parts égales, élevés douze mois en fût.

Son bouquet offre des notes toastées et fumées. Sa belle charpente aux tanins élégants lui vaudra un séjour de quatre ou cinq ans en cave. (150 à 199 F)

Dominique Léandre-Chevalier, 6, lieu-dit Coulon, 33390 Anglade, tél. 05.57.64.46.54, fax 05.57.64.42.41 r.-v.

CH. LES GRAVES
Elevé en fût de chêne 1999*

■ 5 ha 25 000 5à8€

Plantés sur un sol argilo-graveleux, le merlot (60 %) et le cabernet-sauvignon vendangés à la main ont donné ce vin encore très jeune ; il demandera trois ou quatre ans pour trouver sa personnalité définitive que laissent entrevoir son bouquet aux discrets parfums de fruits mûrs, son équilibre et son ampleur. (30 à 49 F)

SCEA Jean-Pierre Pauvif, 15, rue Favereau, 33920 Saint-Vivien-de-Blaye, tél. 05.57.42.47.37, fax 05.57.42.55.89, e-mail info@chateau-les-graves.com r.-v.

CH. LES HAUTS DE FONTARABIE
1999*

■ 15 ha 110 000 5à8€

Un cru acheté en 1995 par les deux filles d'Alain Faure. Dans une belle robe bordeaux, ce vin, expressif (fruits noirs et gibier) et bien charpenté, demande à être attendu ; mais il faudra le suivre régulièrement pour en profiter quand il sera à son apogée. (30 à 49 F)

Vignobles Alain Faure, Ch. Belair-Coubet, 33710 Saint-Ciers-de-Canesse, tél. 05.57.42.68.80, fax 05.57.42.68.81, e-mail belair-coubet@wanadoo.fr r.-v.

CH. LE VIROU Les Vieilles Vignes 1999*

■ 8 ha 48 000 5à8€

Issu d'un vignoble appartenant à un vaste domaine (plus de 100 ha au total) que commande un ancien prieuré du XVIe s., ce vin tannique et bien équilibré fait preuve d'un classicisme de bon aloi. (30 à 49 F)

SC Ch. Le Virou, Le Virou, 33920 Saint-Girons-d'Aiguevives, tél. 05.57.42.44.40, fax 05.57.42.44.40

CH. LOUMEDE
Elevé en fût de chêne 1998*

■ 6 ha 44 000 5à8€

Ce domaine est situé à 800 m de la *villa* gallo-romaine de Plassac. Si l'élevage a profondément marqué ce vin aux arômes grillés et caramélisés, là ne s'arrête pas sa personnalité. Ronde avec une bonne matière tannique, la bouche révèle un bel équilibre et beaucoup de concentration. (30 à 49 F)

SCE de Loumède, Ch. Loumède, 33390 Blaye, tél. 05.57.42.16.39, fax 05.57.42.25.30 r.-v.

Raynaud

CH. DE MANON 1999**

□ 3,2 ha 20 000 8à11€

A la tête d'un bel ensemble d'une soixantaine d'hectares, les Bantégnies proposent ici un vin issu d'une parcelle cadastrée « Manon » appartenant au vignoble de Bertinerie. D'un très bel éclat, l'or brille dans le verre. Conciliant fraîcheur et gras, ce vin garde une agréable vivacité qui s'accorde heureusement avec son bouquet aux notes gourmandes de toast, de miel et de pain d'épice. Digne d'un turbot, il sera à déboucher dans l'année 2002. (50 à 69 F)

D. Bantégnies et Fils, Ch. Bertinerie, 33620 Cubnezais, tél. 05.57.68.70.74, fax 05.57.68.01.03 r.-v.

CH. DES MATARDS
Cuvée Quentin Vinifié en fût de chêne 1999*

□ 1 ha 8 000 5à8€

Né sur un vignoble appartenant à une belle unité de plus de 40 ha, ce vin, vinifié en fût, possède un charme réel avec beaucoup d'élégance, tant dans son bouquet aux fines notes de pamplemousse et d'abricot qu'au palais où il montre un parfait équilibre. (30 à 49 F)

GAEC Terrigeol et Fils, 27, av. du Pont-de-la-Grâce, Le pas d'Ozelle, 33820 Saint-Ciers-sur-Gironde, tél. 05.57.32.61.96, fax 05.57.32.79.21, e-mail info@chateau-les-matards.com r.-v.

CH. MAYNE-GUYON
Cuvée Héribert 1998*

■ 7,5 ha 33 500 8à11€

L'élevage en barrique se lit dans le bouquet mais sans le déséquilibrer. Le côté fondu se retrouve au palais. S'appuyant sur des tanins souples et doux, la structure ronde et grasse annonce de bonnes possibilités de garde et laisse le souvenir d'un ensemble harmonieux. (50 à 69 F)

Ch. Mayne-Guyon, Mazerolles, 33390 Cars, tél. 05.57.42.09.59, fax 05.57.42.27.93 r.-v.

Fréteaud

CH. MONCONSEIL GAZIN
Grande Réserve Elevé en fût de chêne 1999**

■ 2 ha 13 000 11à15€

Cette belle gentilhommière fut-elle construite vers 1500 en un lieu où Charlemagne aurait tenu un conseil ? Heureusement, il ne sera pas besoin de trouver la réponse pour apprécier ce très joli vin que son côté charmeur destine à accompagner des viandes délicates. Sur ce genre de mets, ses fins arômes de raisin mûr et de bois s'exprimeront pleinement, de même que ses tanins veloutés. (70 à 99 F)

Vignobles Michel Baudet, Ch. Monconseil Gazin, 33390 Plassac, tél. 05.57.42.16.63, fax 05.57.42.31.22, e-mail mbaudet@terre-net.fr t.l.j. sf dim. 9h-12h30 14h-19h

CH. MONTFOLLET
Vieilles vignes 1999**

■ 3 ha 18 000 5à8€

Cette cuvée se distingue par la force de son expression tant au bouquet qu'au palais : si le premier privilégie le côté torréfié, les fruits rouges prennent leur revanche dans le second où ils sont enrobés de notes grillées. Souple, gras, ample et tannique, ce vin est déjà agréable, mais il pourra aussi être attendu. (30 à 49 F)

🔑 Cave coop. du Blayais, 9, Le Piquet, 33390 Cars, tél. 05.57.42.13.15, fax 05.57.42.84.92 ▼ Y r.-v.
🔑 SCEA Raimond

CH. PEYREDOULLE

Maine Criquau 1999*

■ 4 ha 30 000 8 à 11 €

Bénéficiant d'une renommée de longue date, ce cru reste fidèle à son image avec cette cuvée qui s'annonce par une belle livrée carmin. Le bouquet, aux notes de cerise noire, de tabac et de torréfaction, et le palais puissant et bien équilibré, ne déçoivent pas. (50 à 69 F)

🔑 Vignobles Germain et Associés, Ch. Peyredoulle, 33390 Berson, tél. 05.57.42.66.66, fax 05.57.64.36.20, e-mail bordeaux@vgas.com ▼ Y r.-v.

CH. PRIEURE MALESAN

Elevé en fût de chêne 1999*

■ 53 ha 390 000 5 à 8 €

Intéressant par son volume de production, ce vin l'est aussi par son bouquet, riche de notes de fruits secs, de cacao, de vanille et de grillé. Sa complexité se confirme au palais avec en prime des arômes fruités et toastés. Soutenue par une bonne charpente aux tanins soyeux et enrobés, cette bouteille méritera un séjour en cave de quatre à cinq ans. Un vin distribué par la société William Pitters. (30 à 49 F)

🔑 SCA Ch. Prieuré Malesan, 1, Perenne, 33390 Saint-Genès-de-Blaye, tél. 05.57.42.18.25, fax 05.57.42.15.86 Y r.-v.

CH. ROLAND LA GARDE

Prestige 1999**

■ 10 ha 70 000 8 à 11 €

Rappelant par son nom la place occupée par Charlemagne et son neveu dans le légendaire blayais, ce vin est bien typé par sa structure. Tannique et grasse, celle-ci lui assurera un bon potentiel de vieillissement qu'annonce la qualité de son bouquet (cassis, grillé et fleurs). (50 à 69 F)

🔑 Ch. Roland La Garde, 8, La Garde, 33390 Saint-Seurin-de-Cursac, tél. 05.57.42.32.29, fax 05.57.42.01.86, e-mail bruno.martin30@libertysurf.fr ▼ Y t.l.j. sf dim. 8h-12h 14h-19h
🔑 Bruno Martin

DOM. DES ROSIERS

Elevé en fût de chêne 1999

■ 2,5 ha 18 600 5 à 8 €

Un domaine de 15 ha, un encépagement caractéristique du Blayais et douze mois en barrique : ce 99 simple mais bien fait, à boire jeune, se singularise par son bouquet où le café grillé se marie aux notes animales mêlées de fruits secs. Bien structuré par des tanins fins, c'est déjà un bon vin de rôti de bœuf. (30 à 49 F)

🔑 Christian Blanchet, 10, La Borderie, 33820 Saint-Ciers-sur-Gironde, tél. 05.57.32.75.97, fax 05.57.32.78.37, e-mail cblanchet@wanadoo.fr ▼ Y r.-v.

CH. SAINT-AULAYE

Harmonie Elevé en fût de chêne 1999*

■ 1 ha 7 000 5 à 8 €

Il est toujours émouvant de découvrir de vieux documents relatant l'histoire de sa famille. C'est ce qui vient d'arriver aux Berneaud qui ont retrouvé un acte d'acquisition d'une parcelle datée de 1742. C'est cela la vie de la viticulture... Cette cuvée a été entièrement élevée en fût ; souple et élégante, elle présente une bonne trame tannique qui fournira un très bel accord gourmand sur des mets fins : cailles aux raisins et pintade aux ananas, par exemple. (30 à 49 F)

🔑 SCEA vignoble J. et H. Berneaud, 4, Saint-Aulaye, 33390 Mazion, tél. 05.57.42.11.14, fax 05.57.42.11.14, e-mail cberneaud@aol.com ▼ Y r.-v.

CH. SEGONZAC Les Vieilles vignes 1998*

■ 10 ha 73 000 8 à 11 €

Belle unité tant par ses bâtiments que par sa superficie, ce cru propose avec ce 98 un vin qui ne manque pas de répondant ; autant par son bouquet, aux notes de fruits cuits, d'épices et de bois, que par sa structure, grasse et charnue, avec une solide matière qui demande encore à s'arrondir. La cuvée **Héritage 99 (70 à 89 F)** a reçu une citation. (50 à 69 F)

🔑 SCEA Ch. Ségonzac, 39, Ségonzac, 33390 Saint-Genès-de-Blaye, tél. 05.57.42.18.16, fax 05.57.42.24.80, e-mail segonzac@chateau-segonzac.com ▼ Y r.-v.

CH. TERRE-BLANQUE

Cuvée Noémie Elevé en fût de chêne 1999**

■ n.c. 6 500 11 à 15 €

Sélection numérotée, vendangée manuellement et élevée en fût, ce vin est d'une belle tenue tout au long de la dégustation. Passant des notes grillées aux parfums de fruits rouges, le bouquet fait preuve d'une réelle complexité, enrichi par l'apport du bois. Plein, riche et puissant sans être agressif, le palais, qui est du même niveau, annonce un grand potentiel de garde. (70 à 99 F)

🔑 Paul-Emmanuel Boulmé, Ch. Terre-Blanque, 33990 Saint-Genès-de-Blaye, tél. 05.57.42.18.48, fax 05.57.42.19.48, e-mail pe-boulme@chateau-terreblanque.com ▼ Y r.-v.

EXCELLENCE DE TUTIAC

Vieilli en fût de chêne 1998**

■ 10 ha 40 000 8 à 11 €

Forte de ses 1 700 ha, la cave des Hauts de Gironde peut mettre à profit ses meilleures vignes pour élaborer cette cuvée de prestige. Son bouquet développé et complexe part d'odeurs de fumée pour s'ouvrir sur des notes de fruits rouges d'une grande élégance. Bien servi par l'élevage et une bonne matière, le palais s'inscrit dans le même esprit et laisse une belle sensation d'harmonie. (50 à 69 F)

🔑 Cave des Hauts de Gironde, La Cafourche, 33860 Marcillac, tél. 05.57.32.48.33, fax 05.57.32.49.63, e-mail contact@tutiac.com ▼ Y r.-v.

Côtes de bourg

L'AOC couvre environ 3 876 ha. Avec comme cépage dominant le merlot, les rouges (226 648 hl en 2000) se distinguent souvent par une belle couleur et des arômes assez typés de fruits rouges. Assez tanniques, ils permettent dans bien des cas d'envisager favorablement un certain vieillissement. Peu nombreux, les blancs (2 752 hl) sont en général secs, avec un bouquet assez typé.

CH. BEL-AIR Vieilli en fût de chêne 1998★

■ 0,5 ha 3 640 5à8€

Elevé en fût, ce vin n'est issu que d'une petite partie de la propriété (20 ha au total). D'une belle couleur foncée, il se montre agréable, tant par sa structure souple et onctueuse que par son bouquet aux notes de fruits rouges. (30 à 49 F)

GAEC Gayet Frères, Ch. Bel-Air, 33710 Samonac, tél. 05.57.68.26.67, fax 05.57.68.26.67 r.-v.

CH. BELAIR-COUBET 1999★

■ n.c. 150 000 5à8€

Sérieux dans son volume de production, ce vin, élevé en fût et en cuve, l'est aussi dans son approche gustative, tant par son bouquet que par sa structure tannique qui demande encore à se fondre, le merrain étant encore très présent. Le **Château Tour Neuve 99** et le **Château Jansenant 99** ont également obtenu une étoile. (30 à 49 F)

Vignobles Alain Faure, Ch. Belair-Coubet, 33710 Saint-Ciers-de-Canesse, tél. 05.57.42.68.80, fax 05.57.42.68.81, e-mail belair-coubet@wanadoo.fr r.-v.

CH. BRULESECAILLE 1999★★

■ 15 ha 80 000 8à11€

Ce cru est sans doute l'un des plus connus de l'appellation. Ce n'est que justice quand on voit sa régularité, qu'illustre ce très joli 99. Rond, charnu, équilibré et bien construit, ce vin tient toutes les promesses de sa belle robe sombre. Tout annonce qu'il a un bel avenir devant lui : la profondeur de la chair, l'équilibre entre le merrain et le raisin ; une garde de trois ou quatre ans ne fera qu'augmenter sa complexité aromatique, déjà grande (fruits rouges, vanille, grillé). Le **blanc de Brulesécaille 2000 (30 à 49 F)** a obtenu une étoile. Celui-ci, élégant et bien constitué, devra attendre que le fruit l'emporte sur le grillé. (50 à 69 F)

GFA Rodet Recapet, Brulesécaille, 33710 Tauriac, tél. 05.57.68.40.31, fax 05.57.68.21.27, e-mail cht.brulesecaille@freesbee.fr r.-v.

CH. CASTEL LA ROSE Cuvée Sélection 1999★

■ 13 ha 40 000 5à8€

Comme beaucoup de crus du Bourgeais, ce château fait une large place au merlot dans l'encépagement. Ce vin souple et fruité en porte la marque. Sa belle expression aromatique confirme les possibilités de garde annoncées par sa matière et la longue persistance. (30 à 49 F)

GAEC Rémy Castel et Fils, 3, Laforêt, 33710 Villeneuve, tél. 05.57.64.86.61, fax 05.57.64.90.07 r.-v.

CH. COLBERT Cuvée Prestige Vieilli en fût de chêne 1999★

■ 2 ha 10 000 5à8€

Elevée en fût, cette cuvée met le dégustateur en confiance par sa belle teinte entre rubis et grenat. Encore marqué par le bois, le bouquet a cependant suffisamment de personnalité pour laisser apparaître des arômes de fruits mûrs, de chocolat et des notes animales. Charnu et porté par une bonne matière tannique, le palais possède un réel sens de l'équilibre. La **cuvée principale 99** a reçu une citation. C'est un vrai vin de terroir. (30 à 49 F)

Duwer, Ch. Colbert, 33710 Comps, tél. 05.57.64.95.04, fax 05.57.64.88.41 t.l.j. 9h-18h

SCA Château Colbert

CH. DE COTS Cuvée Prestige Elevé en fût de chêne 1998★★

■ n.c. 3 000 8à11€

En cours de reconversion à l'agriculture biologique, ce cru de 15 ha présente ici une très jolie petite cuvée spéciale élevée en barrique neuve. Une robe agréable, un bouquet mêlant harmonieusement les fruits mûrs et le bois, une solide constitution, tout indique que ce vin mérite un séjour en cave. (50 à 69 F)

Gilles Bergon, 3, Cots, 33710 Bayon-sur-Gironde, tél. 05.57.64.82.79, fax 05.57.64.95.82 t.l.j. 9h-12h 14h-19h

CH. COUBET 1998

■ n.c. 10 000 5à8€

Arrivé sur le domaine familial (15 ha) en 1996, Michel Migné propose un vin qui, sans tomber dans l'excès de puissance, révèle une bonne présence tannique. Le bouquet fruité et la belle couleur très vive forment un ensemble de qualité. (30 à 49 F)

Michel Migné, Ch. Coubet, 33710 Villeneuve, tél. 05.57.64.91.04 r.-v.

CH. CROUTE-CHARLUS Vieilli en fût de chêne 1998★

■ 7,44 ha 11 000 5à8€

Cédric Baudouin, en 1995, a pris la succession de son grand-père Guy Sicard. Il reste fidèle à la diversité de l'encépagement et propose ici sa cuvée en fût associant 10 % de malbec aux trois cépages bordelais. Le bois est encore présent, notamment au palais, mais sans écraser les autres composantes de l'expression aromatique.

Complexe et généreux, l'ensemble demande et mérite une garde de trois à quatre ans. (30 à 49 F)

Cédric Baudouin, Ch. Croûte-Charlus, 33710 Bourg-sur-Gironde, tél. 05.57.68.25.67, fax 05.57.68.25.77 r.-v.

CH. FOUGAS
Cuvée Prestige Elevée en barrique 1999**

■ 6 ha 40 000 5à8€

Jolie chartreuse sur la route de Bourg à Pugnac, ce cru jouit d'une solide réputation. Sa cuvée Prestige 99 ne pourra que la renforcer. Généreuse dans son expression aromatique avec de belles notes grillées empyreumatiques, elle révèle une solide structure tannique qui sait exprimer sa puissance sans perdre sa rondeur. Ample et harmonieux, ce vin gourmand méritera un séjour à la cave. Restée plus longtemps en fût et demandant à se fondre, la cuvée **Maldoror 99 (70 à 99 F)** a obtenu une étoile. Elle fut coup de cœur sur le millésime 98. (30 à 49 F)

Jean-Yves Béchet, Ch. Fougas, 33710 Lansac, tél. 05.57.68.42.15, fax 05.57.68.28.59 t.l.j. sf sam. dim. 9h-18h
GFA Fougas

CH. GALAU 1999**

■ 6,5 ha 40 000 5à8€

Du même producteur que le château Nodoz, ce vin, a lui aussi, participé au grand jury des coups de cœur. Très élégant par ses arômes de torréfaction, de fruits rouges et de cassis comme par ses tanins, il est charmeur tout en révélant une belle puissance. Il supportera une garde de six à huit ans. (30 à 49 F)

Magdeleine, Ch. Nodoz, 33710 Tauriac, tél. 05.57.68.41.03, fax 05.57.68.37.34 r.-v.

CH. GARREAU 1999

■ 2,6 ha 16 000 8à11€

Malgré une certaine austérité en finale, ce vin laisse une impression favorable, les apports du bois et du fruit s'équilibrant pour tapisser agréablement le palais. Destiné à un navarin d'agneau. (50 à 69 F)

SCEA Ch. Garreau, La Fosse, 33710 Pugnac, tél. 05.57.68.90.75, fax 05.57.68.90.84 t.l.j. sf sam. dim. 8h15-12h 13h30-17h30
Mme Guez

CH. GRAND LAUNAY
Réserve Lion noir 1999*

■ 6 ha 30 000 8à11€

Valeur sûre et régulière, ce cru reste fidèle à sa tradition avec ce vin très bien constitué. Elevé en fût, il en porte la marque dans les notes grillées de son bouquet. Mais là ne s'arrête pas sa personnalité qui s'exprime par des arômes empyreumatiques et des notes de fruits rouges. Vif et tannique, il s'ouvre sur une belle finale. (50 à 69 F)

Michel Cosyns, Ch. Grand Launay, 33710 Teuillac, tél. 05.57.64.39.03, fax 05.57.64.22.32 r.-v.

CH. GRAVETTES-SAMONAC
Prestige Vieilli en fût de chêne 1999

■ 5 ha 30 000 5à8€

Sélection des meilleures cuvées élevées en fût, ce vin rubis foncé, souple et rond, est agréable par son expression aromatique aux notes fruitées et torréfiées en finale. La **cuvée Tradition** a également reçu une citation pour son bouquet floral et fruité. (30 à 49 F)

Gérard Giresse, Le Bourg, 33710 Samonac, tél. 05.57.68.21.16, fax 05.57.68.36.43 r.-v.

CH. GUERRY 1999

■ 22,95 ha 140 000 8à11€

Si le négoce bordelais ne s'est pas beaucoup intéressé au vignoble de Bourg, ce reproche ne peut pas être fait à Bertrand de Rivoyre, propriétaire à Tauriac depuis trois décennies. Son 99, paré d'une robe rouge carmin élégante, laisse déjà les fruits s'exprimer au nez, non dominé par le bois. Après une attaque souple, la bouche ronde est d'une bonne harmonie ; un vin déjà très agréable mais qui peut être attendu. (50 à 69 F)

SC du Ch. Guerry, 33710 Tauriac, tél. 05.57.68.20.78, fax 05.57.68.41.31 r.-v.
B. de Rivoyre

CH. GUIRAUD
Vieilli en fût de chêne 1998*

■ 4 ha 21 600 8à11€

Une nouvelle fois ce cru propose une cuvée bois des plus réussies. L'élevage est encore présent, notamment en finale, mais l'équilibre entre le merrain et la matière est bon. Souple et agréablement bouqueté, déjà élégant, ce vin sera au mieux d'ici deux ou trois ans. (50 à 69 F)

Jacky Bernard, 3, Guiraud, 33710 Saint-Ciers-de-Canesse, tél. 05.57.64.91.02, fax 05.57.64.91.46 r.-v.

CH. HAUT-GUIRAUD
Péché du Roy Vieilli en fût de chêne 1999**

■ 10 ha 20 000 5à8€

Vieilli en fût de chêne, ce vin commence dans la discrétion avec un bouquet timide mais élégant par ses notes de grillé, de moka, d'épices, de paprika et de muscade. Ample, le palais s'appuie sur des tanins doux et charnus pour s'ouvrir sur une élégante et généreuse finale. Le **Château Castaing** a obtenu une étoile. Ses tanins, encore un peu abrupts demandent une petite garde. (30 à 49 F)

EARL Bonnet et Fils, Ch. Haut-Guiraud, 33710 Saint-Ciers-de-Canesse, tél. 05.57.64.91.39, fax 05.57.64.88.05 r.-v.

CH. HAUT-MACO
Cuvée Jean-Bernard 1998*

■ 8 ha 53 000 5à8€

Ce domaine a fait de gros investissements en créant en 1991 un chai à barriques en hémicycle. Appartenant à la cuvée prestige de ce cru, ce vin est bien construit. Mais c'est surtout par la qualité de ses arômes qu'il s'impose, avec des parfums élégants et harmonieux mêlant le fruit mûr au boisé. La cuvée principale **Château Haut-Macô 98** a reçu une citation ; elle est prête alors que la cuvée Jean-Bernard devra attendre deux ou trois ans. (30 à 49 F)

Jean et Bernard Mallet, Ch. Haut-Macô, 33710 Tauriac, tél. 05.57.68.81.26, fax 05.57.68.91.97 ☑ Y t.l.j. sf dim. 8h-12h 14h-18h

CH. HAUT-MONDESIR 1999★

■ 1,8 ha 12 000 11 à 15 €

Petit vignoble dépendant d'un domaine blayais (Mondésir-Gazin), ce cru offre avec ce millésime un vin d'une bonne intensité aromatique et d'un solide développement au palais, agrémenté de bons tanins et de jolies notes réglissées. Un très bel ensemble à attendre jusqu'aux vendanges 2002. (70 à 99 F)

Marc Pasquet, 10, Le Sablon, BP 7, 33390 Plassac, tél. 05.57.42.29.80, fax 05.57.42.84.46 ☑ Y r.-v.

CH. LABADIE Vieilli en fût de chêne 1999★

■ 9,2 ha 73 000 5 à 8 €

Sans égaler certains millésimes précédents, dont le 98 qui fut coup de cœur du Guide 2001, ce vin a du répondant. Sa robe d'une couleur soutenue le laisse présager tandis que son bouquet aux notes grillées et vanillées, d'une bonne intensité, et sa matière à la fois tannique et ronde, le confirment. Le **Château Laroche Joubert 99** obtient une citation. Il devra passer quelque temps en cave. (30 à 49 F)

Joël Dupuy, 1, Cagna, 33710 Mombrier, tél. 05.57.64.23.84, fax 05.57.64.23.85, e-mail vignoblesjdupuy@aol.com ☑ Y r.-v.

CH. DE LA BRUNETTE

Chêne de Brunette Elevé en fût 1999

■ 0,5 ha 3 000 5 à 8 €

Elevé en fût, ce vin est un peu aride en finale. Mais ce péché de jeunesse devrait disparaître pour donner un ensemble expressif (fruits rouges, vanille et cacao). Une belle structure assez fondue. (30 à 49 F)

SCEA Lagarde Père et Fils, Dom. de La Brunette, 33710 Prignac-et-Marcamps, tél. 05.57.43.58.23, fax 05.57.43.01.21, e-mail chateau.de.la.brunette@wanadoo.fr ☑ Y r.-v.

CH. DE LA GRAVE Nectar 1999★

■ n.c. 15 000 11 à 15 €

Commandé par un château d'allure féodale, ce cru propose ici sa cuvée spéciale. L'élevage en fût lui a laissé d'agréables arômes d'épices qui viennent s'ajouter à ceux de fraise et de fruits confits pour former un bel ensemble, long et bien équilibré. (70 à 99 F)

Philippe Bassereau, Ch. de La Grave, 33710 Bourg-sur-Gironde, tél. 05.57.68.41.49, fax 05.57.68.49.26, e-mail chateau.de.la.grave@wanadoo.fr ☑ Y r.-v.

CH. LA GROLET Tête de cuvée 1999★

■ 1,5 ha 10 000 5 à 8 €

Sur ce vaste domaine, seul 1,5 ha est consacré à cette cuvée spéciale numérotée. Issue de vieilles vignes de merlot (quarante-cinq ans), elle est marquée par l'élevage en fût et par le cépage qui lui ont apporté un bouquet des plus flatteurs. La matière semble déjà ronde, fondue, équilibrée. (30 à 49 F)

Jean-Luc Hubert, Ch. La Grolet, 33390 Cars, tél. 05.57.42.11.95, fax 05.57.42.38.15 ☑ Y r.-v.

LA PETITE CHARDONNE

Elevé en fût de chêne 1999★

■ 4 ha 30 000 8 à 11 €

Principalement implantés dans les chais mais présents aussi dans le pays bourquais, avec près de 50 ha, les vignobles Marinier commercialisent sous la marque La Petite Chardonne des sélections de leurs meilleures parcelles. Servi par un bouquet complexe (vanille, café grillé, fleurs et notes carnées) leur côtes de bourg se montre agréable par sa structure qui ne demandera qu'une petite garde (environ deux ans) pour s'arrondir. (50 à 69 F)

SCEA Vignobles Louis Marinier, Dom. Florimond-La Brède, 33390 Berson, tél. 05.57.64.39.07, fax 05.57.64.23.27, e-mail vignobleslouismarinier@wanadoo.fr ☑ Y t.l.j. 8h-12h 14h-18h; sam. dim. sur r.-v.; f. août

CH. LA TUILIERE Les Armoiries 1998★

■ 3 ha 15 000 11 à 15 €

Vitrine du cru présentée en bouteille numérotée, cette cuvée élaborée à partir de vignes de quarante-cinq ans demandera encore un peu de patience pour que le bois puisse se fondre, mais la structure est suffisamment solide et le bouquet puissant pour que cette évolution se fasse sans problème. La **cuvée principale (30 à 49 F)**, également élevée en fût mais née de vignes de vingt-cinq ans, a obtenu une citation. (70 à 99 F)

Les Vignobles Philippe Estournet, Ch. La Tuilière, 33710 Saint-Ciers-de-Canesse, tél. 05.57.64.80.90, fax 05.57.64.89.97, e-mail chateaulatuiliere@minitel.net ☑ Y r.-v.

CH. LE BREUIL

Cuvée du Dragon Elevé en fût de chêne 1998★

■ 1,5 ha 11 000 5 à 8 €

En dépit de son nom, ce vin est né dans une commune pleine d'attraits qui possède une belle église située sur la corniche de la Gironde. C'est aussi un registre paisible et harmonieux qu'a choisi cette cuvée pour s'exprimer, avec un bouquet mariant heureusement les fruits noirs et la truffe à la vanille et au caramel. Tannique et longue, la structure garantit une bonne évolution à la garde. (30 à 49 F)

GAEC Doyen et Fils, Ch. Le Breuil, 33710 Bayon-sur-Gironde, tél. 05.57.64.80.10, fax 05.57.64.93.75, e-mail chateau.le.breuil@wanadoo.fr ☑ Y t.l.j. sf sam. dim. 9h-12h 15h-19h

CH. LE SABLARD

Cuvée Prestige Elevée en fût de chêne neuf 1999

■ 6,3 ha 7 000 8 à 11 €

Elevé en fût de chêne, ce vin est encore un peu tannique en finale ; mais ce défaut de jeunesse devrait s'effacer pour laisser s'exprimer pleinement ses arômes de châtaigne grillée, de violette et de fruits rouges confits. Car le bois se marie bien à la vinosité équilibrée. (50 à 69 F)

Jacques Buratti, 7, Le Rioucreux, 33920 Saint-Christoly-de-Blaye, tél. 05.57.42.57.67, fax 05.57.42.43.06 t.l.j. 9h-12h 14h30-18h

CH. LES GRAVES DE VIAUD

Cuvée Tradition Vieilli en fût de chêne 1999

10 ha 70 000 5à8€

Repris en 1994 par de nouveaux propriétaires, le château de Viaud a proposé deux cuvées. Celle-ci n'est pas destinée à une longue garde mais le vin n'en demeure pas moins bien équilibré et harmonieux avec un bon développement aromatique mariant les notes torréfiées aux épices. La **Grande Cuvée (70 à 99 F)** élevée douze mois en barrique a reçu une citation. Elle devra attendre deux ou trois ans que le bois se fonde. (30 à 49 F)

Dom. de Viaud, 33710 Pugnac, tél. 05.57.68.94.37, fax 05.57.68.94.49 r.-v.

CH. LE TERTRE DE LEYLE

Cuvée Réserve Elevé en fût de chêne 1998★

1,1 ha 7 500 5à8€

Ce domaine de 16,55 ha s'agrandit au fil des ans par le rachat de parcelles voisines. Elevé en barrique, ce vin issu d'une petite cuvée de prestige est encore très marqué par le bois. Mais celui-ci est de qualité avec de jolies notes de vanille, et la structure ronde et tannique est suffisamment forte pour garantir une évolution favorable de l'ensemble. (30 à 49 F)

SC Vignobles Grandillon, Le Bourg, 33710 Teuillac, tél. 05.57.64.39.31, fax 05.57.64.24.18 r.-v.

CH. L'HOSPITAL Elevé en fût 1998★

0,2 ha 10 000 8à11€

Ayant repris la propriété en juillet 1997, ses exploitants actuels inaugurent leur production véritablement personnelle avec ce millésime. Celui-ci est plus qu'encourageant : jeune dans sa présentation avec une robe profonde, fin et même élégant par son bouquet au boisé bien fondu, il révèle de la souplesse et une bonne matière qui laissent percevoir le fruit mûr. (50 à 69 F)

Christine et Bruno Duhamel, Ch. L'Hospital, 33710 Saint-Trojan, tél. 05.57.64.33.60, fax 05.57.64.33.60, e-mail alvitis@wanadoo.fr r.-v.

CH. MACAY Original 1999

3 ha 18 000 11à15€

Issue d'une parcelle vendangée à la main, cette cuvée se montre assez charmeuse par son expression aromatique aux jolies notes vanillées et par sa structure d'une bonne longueur. (70 à 99 F)

Eric et Bernard Latouche, Ch. Macay, 33710 Samonac, tél. 05.57.68.41.50, fax 05.57.68.35.23 r.-v.

CH. MARTINAT

Vieilli en fût de chêne 1999★

n.c. 35 000 8à11€

Coco, vanille, fruits confits, le bouquet porte encore nettement les traces du passage en barrique. Mais, comme l'annonce la couleur foncée, presque noire, de la robe, ce vin possède une structure suffisamment forte pour pouvoir attendre que l'ensemble se fonde complètement. (50 à 69 F)

SCEV Marsaux-Donze, Ch. Martinat, 33710 Lansac, tél. 05.57.68.34.98, fax 05.57.68.35.39, e-mail donzels@aol.com r.-v.

CH. MONTAIGUT

Vieilli et élevé en fût de chêne 2000

1,8 ha 7 000 5à8€

L'un des rares vins blancs encore produits dans l'appellation côtes de bourg. Le sauvignon, assemblé à la muscadelle (20 %) et au sémillon (20 %), et la vinification ont marqué les arômes de notes de buis et d'agrumes. Le **rouge 99 élevé en fût** a également reçu une citation. Il est déjà flatteur. (30 à 49 F)

François de Pardieu, 2, Nodeau, 33710 Saint-Ciers-de-Canesse, tél. 05.57.64.92.49, fax 05.57.64.94.20 r.-v.

CH. DU MOULIN-VIEUX 1998★

15 ha 72 000 5à8€

Cette cuvée numérotée et élevée en barrique est déjà intéressante par son volume de production. Cela ne donne que plus de valeur à ses qualités : un bouquet aux délicats parfums de fruits rouges sur fond boisé ; un palais ample et gras et une matière bien équilibrée, qui témoigne d'un travail soigné. (30 à 49 F)

Jean-Pierre et Cédric Gorphe, 20 chem. du Moulin-Vieux, 33710 Tauriac, tél. 06.07.04.44.17, fax 05.57.68.29.75 r.-v.

CH. NODOZ 1999★★

10 ha 60 000 8à11€

Son beau chai et sa salle de dégustation font de ce cru une étape privilégiée sur la route des « œno-touristes ». Mais son principal attrait réside dans ses vins qui s'illustrent une fois de plus avec ce millésime. Très belle teinte grenat foncé ; bouquet complexe allant du chocolat amer aux fruits rouges ; attaque en rondeur ; structure souple, élégante et tannique : tout est réuni pour donner une grande bouteille, à boire

dans quatre à cinq ans puis jusqu'à 2010 ou 2012. (50 à 69 F)
Magdeleine, Ch. Nodoz, 33710 Tauriac, tél. 05.57.68.41.03, fax 05.57.68.37.34 r.-v.

CH. PERTHUS 1998*

■ n.c. 48 000 5à8€

Né à 300 m de l'un des hauts lieux de la préhistoire en Aquitaine, la grotte de Pair-Non-Pair, ce vin n'est pas sans évoquer ses célèbres fresques par ses odeurs animales (cuir). Mais s'il possède la puissance des chasseurs paléolithiques, il rappellerait plutôt des époques plus douces par son côté fondu et enrobé. La cave de Tauriac qui l'a élaboré a obtenu une citation pour sa marque **Etienne de Tauriac**. (30 à 49 F)
Cave de Bourg-Tauriac, 3, av. des Côtes-de-Bourg, 33710 Tauriac, tél. 05.57.94.07.07, fax 05.57.94.07.00, e-mail cave.bourg-tauriac@wanadoo.fr
t.l.j. sf dim. 9h-12h30 13h30-18h
Claire Deffarge

CH. PEYCHAUD Maisonneuve 1999*

■ 6 ha 40 000 8à11€

Les vignobles Germain proposent un joli vin, associant une bonne complexité aromatique (petits fruits rouges, réglisse et notes surmûries) à une solide constitution, tannique et charnue. A ouvrir dans deux ans et à servir quatre ans. (50 à 69 F)
Vignobles Germain et Associés, Ch. Peyredoulle, 33390 Berson, tél. 05.57.42.66.66, fax 05.57.64.36.20, e-mail bordeaux@vgas.com
r.-v.

CLOS DU PIAT Cuvée Louis 1999**

■ 3,5 ha 20 000 11à15€

Partisans pour ne pas dire apôtres de la culture raisonnée, les Chéty ont appliqué ses principes à ce petit cru qu'ils ont acquis en 1999. Avec un succès réel, comme en témoigne cette très jolie cuvée élevée en fût. Sa robe, d'un rouge brillant, son bouquet, où la réglisse vient nuancer le cassis, son attaque fruitée, ses tanins bien fondus et sa richesse lui confèrent un avenir certain. Le **Château Mercier (30 à 49 F)** a obtenu une citation. (70 à 99 F)
Philippe et Christophe Chéty, Ch. Mercier, 33710 Saint-Trojan, tél. 05.57.42.66.99, fax 05.57.42.66.96, e-mail info@chateau-mercier.fr
t.l.j. sf sam. dim. 8h-12h 14h-17h30

RELAIS DE LA POSTE 1999

■ n.c. 128 000 5à8€

Tirant son nom d'un ancien relais de poste de 1750, ce cru propose un vin encore un peu austère en finale mais bien construit et d'une belle complexité aromatique (groseille, cassis, rose fanée). (30 à 49 F)
Vignobles Drode, Relais de la Poste, 33710 Teuillac, tél. 05.57.64.37.95, fax 05.57.64.37.95 r.-v.

CH. REPIMPLET Cuvée Amélie Julien 1999**

■ 2,8 ha 18 000 8à11€

Ce cru avait fait un grand bond en avant avec le millésime 96 mais il lui fallait encore le confirmer. C'est désormais chose faite avec cette belle cuvée de prestige qui n'est pas confidentielle. S'annonçant par une robe d'un rouge sombre, celle-ci développe un bouquet complexe où la vanille vient soutenir les fruits mûrs et les épices. Riche, ferme et persistante, la structure, qui s'ouvre sur un beau retour aux notes torréfiées, amène une conclusion logique : cette bouteille mérite la cave. Expressive et riche, la **cuvée principale 99 (30 à 49 F)** a obtenu une citation. (50 à 69 F)
Michèle et Patrick Touret, 4, Repimplet, 33710 Saint-Ciers-de-Canesse, tél. 05.57.64.31.78, fax 05.57.64.31.78 r.-v.

CH. DE ROUSSELET Vieilli en fût de chêne 1998*

■ 2,5 ha 18 500 5à8€

Sans être un athlète, ce vin se montre intéressant par son équilibre et par son expression aromatique mêlant fruits et chocolat. La bouche marie heureusement le bois et le fruit. L'ensemble termine en beauté par une finale d'une bonne persistance. (30 à 49 F)
EARL du Ch. de Rousselet, 33710 Saint-Trojan, tél. 05.57.64.32.18, fax 05.57.64.32.18, e-mail chateau.de.rousselet@wanadoo.fr
r.-v.

CH. ROUSSELLE 1999*

■ n.c. n.c. 8à11€

Un joli terroir, des méthodes sérieuses de conduite de la vigne, de vendanges et de vinification, il n'en faut pas plus pour donner un vin élégant, soyeux, bien équilibré et harmonieux dont les notes florales pourront être appréciées sans avoir à attendre trop longtemps. (50 à 69 F)
Ch. Rousselle, 33710 Saint-Ciers-de-Canesse, tél. 05.57.42.16.62, fax 05.57.42.19.51, e-mail chateaurousselle@hotmail.com
t.l.j. 9h-12h 14h-18h; sam. dim. sur r.-v.

CH. DE TASTE 1998

■ 15 ha 80 000 5à8€

Né sur la commune de Lansac aux paysages vallonnés, ce vin souple et rond développe des arômes pleins de finesse et d'élégance. (30 à 49 F)

BORDELAIS

🔑 SCEA des Vignobles de Taste et Barrié, La Sablière, 33710 Lansac, tél. 05.57.68.40.34 ☑

CH. TOUR DES GRAVES
Vieilli en fût de chêne 2000*

☐ 0,3 ha 1 500 ⏸ 5 à 8 €

Bien qu'un peu oubliée aujourd'hui, la tradition de produire des côtes de bourg blancs n'est pas morte. Vinifié et élevé sur lie en barrique avec bâtonnage, ce vin au sympathique bouquet d'agrumes et de notes vanillées est là pour le rappeler. (30 à 49 F)

🔑 GAEC Arnaud Frères, Le Poteau, 33710 Teuillac, tél. 05.57.64.32.02, fax 05.57.64.23.94 ☑ 🍷 r.-v.

CH. DE VIENS 1999*

■ 23 ha 80 000 🍾🌡 8 à 11 €

Ce vin, concentré et tannique, a encore besoin de deux ou trois ans pour se fondre et s'ouvrir mais sa structure et sa matière lui permettront de le faire sans problème. (50 à 69 F)

🔑 Eric Merle, Château de Viens, 33710 Mombrier, tél. 05.57.68.24.80 ☑ 🍷 r.-v.

Le Libournais

Même s'il n'existe aucune appellation « Libourne », le Libournais est bien une réalité. Avec la ville-filleule de Bordeaux comme centre et la Dordogne comme axe, il s'individualise fortement par rapport au reste de la Gironde en dépendant moins directement de la métropole régionale. Il n'est pas rare, d'ailleurs, que l'on oppose le Libournais au Bordelais proprement dit, en invoquant par exemple l'architecture, moins ostentatoire, des « châteaux du vin », ou la place des « Corréziens » dans le négoce de Libourne. Mais ce qui individualise le plus le Libournais, c'est sans doute la concentration du vignoble, qui apparaît dès la sortie de la ville ; il recouvre presque intégralement plusieurs communes aux appellations renommées comme Fronsac, Pomerol ou Saint-Emilion, avec un morcellement en une multitude de petites ou moyennes propriétés. Les grands domaines, du type médocain, ou les grands espaces caractéristiques de l'Aquitaine étant presque d'un autre monde.

Le vignoble s'individualise également par son encépagement dans lequel domine le merlot, qui donne finesse et fruité aux vins et leur permet de bien vieillir, même s'ils sont de moins longue garde que ceux d'appellations à dominante de cabernet-sauvignon. En revanche, ils peuvent être bus un peu plus tôt, et s'accommodent de beaucoup de mets (viandes rouges ou blanches, fromages, mais aussi certains poissons, comme la lamproie).

Canon-fronsac et fronsac

Bordé par la Dordogne et l'Isle, le Fronsadais offre de beaux paysages, très tourmentés, avec deux sommets, ou « tertres », atteignant 60 et 75 mètres, d'où la vue est magnifique. Point stratégique, cette région joua un rôle important, notamment au Moyen Age et lors de la Fronde de Bordeaux, une puissante forteresse y ayant été édifiée dès l'époque de Charlemagne. Aujourd'hui, celle-ci n'existe plus, mais le Fronsadais possède de belles églises et de nombreux châteaux. Très ancien, le vignoble produit sur six communes des vins personnalisés, complets et corsés, tout en étant fins et distingués. Toutes les communes peuvent revendiquer l'appellation fronsac (46 138 hl en 2000), mais Fronsac et Saint-Michel-de-Fronsac sont les seules à avoir droit, pour les vins produits sur leurs coteaux (sols argilo-calcaires sur banc de calcaire à astéries), à l'appellation canon-fronsac (16 462 hl).

Canon-fronsac

CH. BARRABAQUE Prestige 1998**

■ n.c. n.c. ⏸ 15 à 23 €

88 |89| |90| 91 92 |94| ⑨⑤ ⑨⑥ **97 98**

Où ce château s'arrêtera-t-il ? Après trois coups de cœur d'affilée, en voilà un quatrième pour ce magnifique 98, régularité rare dans le Guide. La robe noire est somptueuse, les parfums puissants et complexes sont marqués par le fruit mûr, en harmonie parfaite avec des notes boisées de vanille et de torréfaction. C'est en bouche que se révèle le potentiel de ce vin riche, dense, éclatant en attaque et qui évolue avec équilibre et finesse. La finale très longue et aromatique laisse entrevoir toutes les possibilités de vieillissement de cette bouteille. (100 à 149 F)

SCEA Noël Père et Fils, Ch. Barrabaque, 33126 Fronsac, tél. 05.57.55.09.09, fax 05.57.55.09.00, e-mail chateaubarrabaque@yahoo.fr r.-v.

CH. BELLOY Cuvée Prestige 1998*

1 ha 6 619 11 à 15 €

Datant du Second Empire, ce château de 6,85 ha a su préserver la tradition tout en introduisant des techniques de culture raisonnée et de vinification modernes. Cette petite cuvée est très réussie : robe grenat aux reflets violets ; bouquet naissant de fruits mûrs, de sous-bois, de torréfaction ; structure tannique veloutée et équilibrée, évoluant avec longueur et finesse. Attendre deux à trois ans avant d'ouvrir cette bouteille. (70 à 99 F)

SA Travers, BP 1, 33126 Fronsac, tél. 05.57.24.98.05, fax 05.57.24.97.79 r.-v.
GAF Bardibel

CH. CANON 1998*

1,35 ha 9 400 11 à 15 €

A peine plus d'un hectare de merlot pour ce cru appartenant à la famille Moueix, qui réussit toujours d'excellents vins, à l'image de ce 98. La robe est profonde et intense ; les arômes de fruits mûrs, de réglisse et de vanille sont élégants. Les tanins veloutés se développent ensuite en bouche avec harmonie et finesse jusqu'à la finale complexe et longue. On peut espérer un vieillissement de quatre à six ans minimum. (70 à 99 F)

Ets Jean-Pierre Moueix, 54, quai du Priourat, 33500 Libourne, tél. 05.57.51.78.96

CH. CANON DE BREM 1998

4,57 ha 31 000 11 à 15 €

Avec plus de 60 % de cabernet franc, ce 98 se distingue par des parfums très élégants de menthol, de cuir et de boisé. Tendre et velouté à l'attaque, ce vin évolue ensuite avec finesse. A boire dans deux ou trois ans. (70 à 99 F)

Ets Jean-Pierre Moueix, 54, quai du Priourat, 33500 Libourne, tél. 05.57.51.78.96

CH. CANON SAINT-MICHEL 1998*

n.c. 12 500 11 à 15 €

Première vinification pour ce jeune viticulteur qui vient de reprendre en main la propriété de son grand-père. Le résultat est encourageant : robe brillante et soutenue, bouquet de tabac, de grillé, de vanille, et structure tannique bien fruitée (cerise), élégante et charpentée. La fin de bouche, concentrée, délicatement boisée et très longue, laisse présager deux à cinq ans de vieillissement au moins. (70 à 99 F)

Jean-Yves Millaire, Lamarche, 33126 Fronsac, tél. 06.08.33.81.11, fax 05.57.25.07.38 r.-v.

CH. CASSAGNE HAUT-CANON La Truffière 1998*

13 ha 39 000 11 à 15 €

86 88 **89** 90 91 |93| |94| 96 97 98

Cette cuvée tire son nom de la présence d'une truffière au cœur du vignoble sur laquelle les propriétaires récoltent chaque année quelques truffes. Le millésime 98 présente une robe foncée aux reflets grenat, des arômes fins et complexes

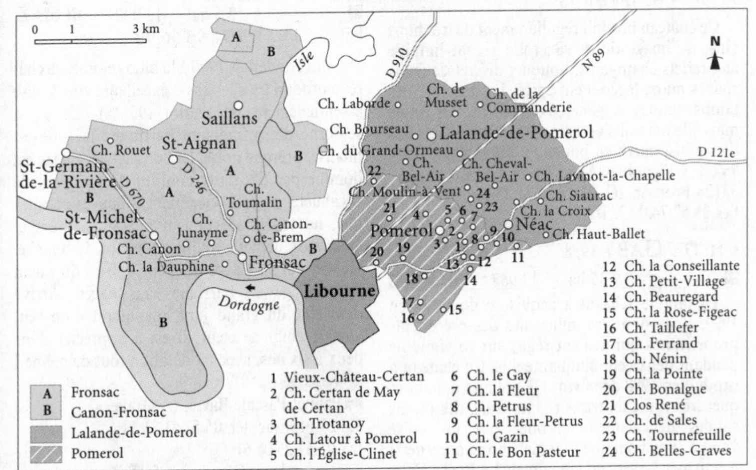

de fruits rouges confits, de sous-bois, avec une note un peu animale. En bouche, il joue sur l'harmonie entre des tanins fruités et un boisé élégant. A boire dans les cinq prochaines années. La **cuvée classique (50 à 69 F)** citée pour sa fraîcheur aromatique et son équilibre floral, est à boire dès maintenant. (70 à 99 F)

Jean-Jacques Dubois, Ch. Cassagne Haut-Canon, 33126 Saint-Michel-de-Fronsac, tél. 05.57.51.63.98, fax 05.57.51.62.20, e-mail jjdubois@club-internet.fr r.-v.

CLOS TOUMALIN 1998*

■ 4 ha 10 000 11 à 15 €

Assemblés à 50 % de merlot, les cabernets se partagent équitablement les 50 % restants pour composer ce 98 à la couleur pourpre profonde. Le bouquet naissant rappelle le caramel, le cuir, le menthol, les fruits confits. En bouche, c'est un vin de caractère, aux tanins veloutés en attaque, évoluant avec du volume et de la concentration. L'équilibre sera parfait dans deux à cinq ans, lorsque le boisé se sera intégré. (70 à 99 F)

SC Vignobles Bouyge-Barthe, Ch. Gagnard, 33126 Fronsac, tél. 05.57.51.42.99, fax 05.57.51.10.83 r.-v.

CH. COMTE 1998*

■ 3 ha 12 000 11 à 15 €

Implantées sur un sol silico-calcaire, les vignes de merlot (98 %) sont très bien exposées sur le coteau. Ce vin présente une couleur pourpre intense, des arômes de myrtille, de sous-bois, de café et de cacao. Les tanins, charpentés en attaque, voire vifs, évoluent heureusement avec plus de douceur et d'élégance, et la bouche se termine dans un très bon équilibre. Une bouteille à ouvrir dans trois à cinq ans. (70 à 99 F)

Françoise Roux, Ch. Lagüe, 33126 Fronsac, tél. 05.57.51.24.68, fax 05.57.25.98.67 r.-v.

CH. COUSTOLLE 1998*

■ 20 ha n.c. 8 à 11 €

90 93 94 |95| |96| |97| 98

Ce château produit régulièrement de très bons vins, à l'image de ce 98 : robe grenat limpide aux reflets chatoyants, bouquet discret de fruits rouges mûrs, légèrement épicé. La structure des tanins amples et généreux s'affirme en finale mais elle devrait s'assagir après deux à trois ans de vieillissement en bouteille. (50 à 69 F)

GFA Vignobles Alain Roux, Ch. Coustolle, 33126 Fronsac, tél. 05.57.51.31.25, fax 05.57.74.00.32 r.-v.

CH. DU GABY 1998

■ 9,35 ha 13 968 11 à 15 €

La famille Khayat a acquis ce domaine en 1999. Voici donc les millésimes des précédents propriétaires qui avaient régné sur ce vignoble pendant deux cent cinquante ans. Ce château a produit en 1998 deux vins : le premier a un bouquet très franc de fruits rouges frais, des tanins solides délicatement enrobés par un boisé vanillé : une bouteille typique à boire dans deux à cinq ans. Le second vin, appelé **La Roche Gaby (50 à 69 F)**, est également cité pour son caractère fruité mais il possède des tanins plus souples et se montre gouleyant ; il aura moins d'avenir que son aîné et est à boire dans les trois prochaines années. (70 à 99 F)

SCEA Vignoble famille Khayat, Ch. du Gaby, 33126 Fronsac, tél. 05.57.51.24.97, fax 05.57.25.18.99, e-mail chateau.du.gaby@wanadoo.fr r.-v.

CH. HAUT-MAZERIS 1998*

■ 6,01 ha 39 000 11 à 15 €

Un encépagement classique constitué de merlot (60 %) et de cabernets (40 %) pour ce 98 très réussi. La robe vive a de jolis reflets rubis. Le fruité domine au bouquet, avec des notes discrètes de cacao ; les tanins puissants en attaque évoluent avec finesse et sans agressivité jusqu'à une finale assez harmonieuse. A boire d'ici deux ou trois ans. (70 à 99 F)

SCEA Ch. Haut-Mazeris, 33126 Saint-Michel-de-Fronsac, tél. 05.57.24.98.14, fax 05.57.24.91.07 r.-v.

CH. LA CROIX CANON 1998*

■ 14 ha 74 000 11 à 15 €

Assemblant 81 % de merlot à 19 % de cabernet franc, F. Veyssière, maître de chai, et Jean-Claude Berrouet, œnologue, ont réussi le 98 de ce château idéalement situé. La robe grenat a des reflets pourpres ; le bouquet expressif évoque les épices, le fruit, le fumé. En bouche, c'est un vin de caractère, ample et charpenté, particulièrement velouté en finale. L'harmonie sera parfaite après deux à cinq ans de vieillissement. (70 à 99 F)

SCEA Ch. Bodet, Ets Jean-Pierre Moueix 54, quai du Priourat, 33500 Libourne, tél. 05.57.55.05.80

LA FLEUR CAILLEAU 1998**

■ 3,6 ha 12 000 11 à 15 €

85 86 88 92 |93| |94| **95 96 98**

Converti depuis 1990 à la biodynamie, ce château produit tous les ans d'excellents vins à base essentiellement de merlot (95 %). Ce 98 a séjourné douze mois en barrique : la robe est intense, presque noire. Le bouquet complexe est dominé par des notes confites de pruneau, de cacahuète, de café. Généreux et suaves en attaque, les tanins se révèlent puissants, mûrs et gras, parfaitement équilibrés en fin de bouche. Un vin qui allie avec bonheur le fruit du raisin et l'élevage en barrique sans excès. Arrivé deuxième du grand jury, manquant d'un seul vote le coup de cœur, il est à apprécier dans deux à six ans, avec modération tout de même ! (70 à 99 F)

Paul et Pascale Barre, La Grave, 33126 Fronsac, tél. 05.57.51.31.11, fax 05.57.25.08.61, e-mail p.p.barre@wanadoo.fr r.-v.

CH. LAMARCHE CANON
Candelaire 1998

■ 4 ha 25 000 8 à 11 €

|94| 95 |96| |97| 98

Provenant à 90 % du cépage merlot âgé de plus de cinquante ans, cette cuvée, élevée douze mois en fût de 400 l, se distingue par un caractère tannique agréable et fruité et par des arômes de réglisse et de boisé en fin de bouche. Une bouteille typée, à laisser vieillir deux ou trois ans. (50 à 69 F)

Eric Julien, Ch. Lamarche-Canon, 33126 Fronsac, tél. 05.57.51.28.13, fax 05.57.51.28.13, e-mail bordeaux@vgas.com t.l.j. sf dim. 8h-12h 14h-18h

CH. LARCHEVESQUE
Cuvée Prestige 1998*

■ 3,62 ha 5 900 11 à 15 €

Cette cuvée Prestige élevée en barrique se distingue par l'intensité profonde de sa robe et par ses arômes de réglisse, de fruits mûrs et de boisé torréfié. L'attaque moelleuse se prolonge avec puissance et volume, même si les tanins de l'élevage méritent de se fondre encore en finale. Un vin typé, à déguster dans deux à cinq ans. Avec le même assemblage bien libournais (70 % de merlot et 30 % de cabernet franc), ce cru propose une cuvée qui ne connaît pas le bois, **Château Larchevesque 98 (50 à 69 F)**. Elle obtient une citation. (70 à 99 F)

SARL Cave de Larchevesque, 1, rue Guadet, 33330 Saint-Emilion, tél. 05.57.24.67.78, fax 05.57.24.71.31 t.l.j. 10h-12h30 13h30-19h

Viaud

CH. MAZERIS La Part des Anges 1998**

■ 1 ha 4 000 8 à 11 €

Elaborée à partir d'une sélection de deux parcelles de merlot âgé de cinquante ans, cette cuvée porte un bien joli nom et elle est remarquable dans le millésime 98. La robe grenat est intense ; les parfums complexes de fruits mûrs, de tabac, de menthol sont en harmonie avec un boisé vanillé puissant. En bouche, la finesse et le velouté l'emportent, bien que les tanins se révèlent volumineux et très longs. A découvrir absolument dans quatre à dix ans. Une **cuvée classique** est citée pour sa finesse aromatique et le soyeux de sa structure tannique ; à boire d'ici un à trois ans. (50 à 69 F)

EARL de Cournuaud, Ch. Mazeris, 33126 Saint-Michel-de-Fronsac, tél. 05.57.24.96.93, fax 05.57.24.98.25, e-mail p.decournuaud@wanadoo.fr t.l.j. sf dim. 8h-13h 14h-19h

CH. MAZERIS-BELLEVUE 1998

■ 9,4 ha 65 000 8 à 11 €

Ce château, situé sur le coteau argilo-calcaire de l'appellation, d'où l'on peut admirer l'église de Saint-Aignan, a réussi un vin intéressant : robe pourpre foncé, bouquet floral et légèrement fruité, tanins tendres, évoluant vers plus de fermeté. Un vieillissement de deux ou trois ans en bouteille semble nécessaire. (50 à 69 F)

Jacques Bussier, Ch. Mazeris-Bellevue, 33126 Saint-Michel-de-Fronsac, tél. 05.57.24.98.19, fax 05.57.24.90.32, e-mail ch-mazeris-bellevue@wanadoo.fr t.l.j. 9h-18h

CH. ROULLET 1998*

■ 2,61 ha 10 000 8 à 11 €

Exploité de génération en génération par la même famille, ce petit cru propose d'excellents vins, à l'image de ce 98 fin et élégant, marqué par des parfums intenses de boisé. En bouche, les tanins sont gras et veloutés, ils supportent bien ce bois très présent et évoluent avec persistance et équilibre. Une bouteille déjà fort agréable à boire, mais qui devrait vieillir trois à cinq ans sans problème. (50 à 69 F)

SCEA Dorneau, Ch. La Croix, 33126 Fronsac, tél. 05.57.51.31.28, fax 05.57.74.08.88, e-mail scea-dorneau@wanadoo.fr r.-v.

CH. SAINT-BERNARD
Elevé en fût de chêne 1998*

■ 0,26 ha 2 400 5 à 8 €

Un domaine de 26 ha propose cette minuscule cuvée, vinifiée à partir du seul cépage merlot. La robe brillante a de beaux reflets violacés. Les parfums de cacao et de fruits rouges, mêlés d'une note de pruneau confit, se retrouvent au nez comme en bouche, en équilibre avec une structure tannique souple et volumineuse. Un ensemble très harmonieux qui s'ouvrira totalement dans deux ou trois ans. (30 à 49 F)

Sébastien Gaucher, 1, Nardon, 33126 Saint-Michel-de-Fronsac, tél. 05.57.24.90.24, fax 05.57.24.90.24 r.-v.

CH. TOUMALIN 1998*

■ 7,5 ha 48 000 8 à 11 €

94 95 **96** 98

Implantée à Pomerol et à Saint-Emilion, la famille d'Arfeuille ne néglige pas son canon-fronsac qui assemble 75 % de merlot au cabernet. Ce très beau vin se pare d'une robe rubis à reflets légèrement orangés. Son bouquet discret mais élégant, ses tanins souples et ronds, évoluant avec finesse et concentration, montrent une parfaite harmonie avec un boisé vanillé agréable. Une bouteille à boire dans deux ou trois ans. (50 à 69 F)

Françoise d'Arfeuille, Ch. Toumalin, 33126 Fronsac, tél. 05.57.51.02.11, fax 05.57.51.42.33 r.-v.

CH. VRAI CANON BOUCHE 1998*

■ 7 ha 40 000 11 à 15 €

|90| 91 |94| |95| 96 |97| 98

C'est sur ce plateau qui repose sur des carrières de pierre que l'armée faisait les essais de canons au XVIII[e]s. Aujourd'hui, c'est plus calmement que le vin est produit, non sans réussite comme le montre ce 98, à 90 % issu de merlot : robe pourpre intense, bouquet élégant de petits fruits rouges, de mûre et de vanille, tanins bien présents, concentrés encore, un peu fermes en finale. Une bouteille qui demande à s'épanouir avec une garde de quatre à cinq ans. (70 à 99 F)

Françoise Roux, Ch. Lagüe, 33126 Fronsac, tél. 05.57.51.24.68, fax 05.57.25.98.67 r.-v.

Fronsac

CH. BARRABAQUE 1998*

n.c. n.c. 8 à 11 €

Elaboré par l'une des vedettes de l'appellation, un joli vin issu à 70 % de merlot et à 30 % de cabernet franc. La robe pourpre est profonde. Le bouquet encore discret mêle les fruits rouges et un boisé vanillé. La structure souple et veloutée, aux notes épicées, évolue avec équilibre et une bonne persistance. Une bouteille typique de son appellation, à ouvrir dans deux ou trois ans. (50 à 69 F)

SCEA Noël Père et Fils, Ch. Barrabaque, 33126 Fronsac, tél. 05.57.55.09.09, fax 05.57.55.09.00, e-mail chateaubarrabaque@yahoo.fr r.-v.

CH. BOURDIEU LA VALADE 1998**

n.c. n.c. 8 à 11 €

Un pied en canon, l'autre en fronsac, Alain Roux domine son sujet. Ce 98 brille par sa belle robe pourpre et son bouquet élégant de fruits mûrs, d'épices et de grillé. Suave en attaque, c'est un vin qui se révèle lors de son évolution en bouche, avec puissance, maturité et un grand équilibre. Une bouteille bien typée de l'appellation, à boire dans deux à six ans. (50 à 69 F)

GFA Vignobles Alain Roux, Ch. Coustolle, 33126 Fronsac, tél. 05.57.51.31.25, fax 05.57.74.00.32 r.-v.

CLOS DU ROY Cuvée Arthur 1998*

5 ha 25 000 8 à 11 €

La cuvée Arthur, élevée un an en barrique, constitue aujourd'hui 70 % de la production du Clos du Roy. Elle présente une robe soutenue, un bouquet naissant de fruits mûrs et de vanille, et une structure tannique ample et équilibrée. La finale classique, un peu sévère mais très persistante, autorise tous les espoirs après deux à cinq ans de garde. (50 à 69 F)

Philippe Hermouet, Clos du Roy, 33141 Saillans, tél. 05.57.55.07.41, fax 05.57.55.07.45, e-mail hermouetclosduroy@wanadoo.fr r.-v.

CH. FONTENIL 1998

9 ha 55 000 11 à 15 €

|88| |89| |(90)| 92 |93| |94| **95** 96 |97| 98

Appartenant depuis quinze ans à Dany et Michel Rolland, ce château propose ce 98 à la robe profonde, pratiquement noire. Les parfums intenses sont dominés par le café, le fumé et la vanille. Les tanins puissants, corsés, très concentrés, ne permettent pas encore au fruit de s'exprimer, celui-ci étant écrasé par le bois. Attendre impérativement trois à huit ans avant d'ouvrir cette bouteille. (70 à 99 F)

Michel et Dany Rolland, Catusseau, 33500 Pomerol, tél. 05.57.51.23.05, fax 05.57.51.66.08

CH. GAGNARD 1998*

10 ha 25 000 8 à 11 €

Avec 50 % de merlot et 50 % de cabernet, ce 98 manie l'équilibre avec bonheur, tant sur le plan aromatique avec ses notes d'épices, de fruits mûrs et son boisé discret que sur le plan de la structure en bouche où les tanins veloutés et soutenus sont particulièrement bien enrobés et fondus grâce à un élevage maîtrisé. D'une grande persistance en finale, ce vin se révélera dans les cinq prochaines années. (50 à 69 F)

SC Vignobles Bouyge-Barthe, Ch. Gagnard, 33126 Fronsac, tél. 05.57.51.42.99, fax 05.57.51.10.83 r.-v.

CH. GRAND BARAIL 1998

1 ha 7 000 5 à 8 €

Né de merlot, ce vin se distingue par un bouquet fruité (framboise) et épicé. Ses tanins veloutés, bien enrobés, bien qu'un peu verts en finale, lui permettent d'être ouvert ou gardé deux ou trois ans. (30 à 49 F)

GFA Pierre Goujon, Ch. Loiseau, 33240 Lalande-de-Fronsac, tél. 05.57.58.14.02, fax 05.57.58.15.46 r.-v.

HAUT-CARLES 1998**

7 ha 22 000 15 à 23 €

GRAND VIN DE BORDEAUX
FRONSAC
HAUT-CARLES
1998
Mis en bouteille à la propriété
APPELLATION FRONSAC CONTRÔLÉE

Cette propriété marquée par l'histoire depuis le XVe s. confirme son renouveau qualitatif avec ce nouveau coup de cœur. Issu d'une sélection de parcelles idéalement exposées et essentiellement complantées de merlot, ce vin a une robe grenat intense, un bouquet complexe d'épices, de pain grillé, de moka et de fruits noirs. Les tanins ronds et veloutés sont très mûrs, remarquablement équilibrés, et ils évoluent avec beaucoup de finesse et de richesse aromatique. Une bouteille d'exception, à oublier deux à six ans en cave. L'autre cuvée, le **Château de Carles 98 (30 à 49 F)** a obtenu une étoile pour son fruit et son harmonie générale ; à boire d'ici deux ou trois ans. (100 à 149 F)

SCEV Ch. de Carles, Ch. de Carles, 33141 Saillans, tél. 05.57.84.32.03, fax 05.57.84.31.91 r.-v.

BORDELAIS

CH. HAUT LARIVEAU 1998

■ 6,5 ha 30 000 11 à 15 €

89 |90| 91 92 |93| |94| 95 96 |97| |98|

Cette propriété provient des vestiges d'un manoir du XIIᵉs. ; elle produit un vin issu uniquement du cépage merlot ; la robe rubis a des reflets tuilés ; le bouquet aérien évoque le café, le fumé, dans la tonalité de tanins vifs en attaque, qui se révèlent en fin de bouche plus gras et bien équilibrés par le boisé. A boire dans les trois ou quatre prochaines années. (70 à 99 F)

B. et G. Hubau, Ch. Haut-Lariveau, 33126 Saint-Michel-de-Fronsac, tél. 05.57.51.14.37, fax 05.57.51.53.45 r.-v.

CH. HAUT-MAZERIS 1998*

■ 4,94 ha 37 000 11 à 15 €

Il offre une robe grenat soutenu, brillante de reflets tuilés et un bouquet frais, fruité, poivré et une note de violette. En bouche, les tanins intenses et soyeux évoluent avec beaucoup de fruit (mûre) associant finesse et puissance, et rendent ce vin apte à un vieillissement de trois à cinq ans. (70 à 99 F)

SCEA Ch. Haut-Mazeris, 33126 Saint-Michel-de-Fronsac, tél. 05.57.24.98.14, fax 05.57.24.91.07 r.-v.

CH. JEANDEMAN La Chêneraie 1998*

■ 4 ha 16 000 8 à 11 €

Situé sur le point culminant de l'appellation, ce château propose une cuvée élevée douze mois en barrique. Sa robe rubis est intense, et ses arômes d'épices, d'aromates, de cassis avec une note boisée discrète, sont plaisants. Les tanins très expressifs et très mûrs sont en parfaite harmonie avec l'élevage sous bois qui ressort un peu en finale. Une bouteille à boire ou à garder deux à cinq ans. La **cuvée classique (30 à 49 F)** qui ne connait pas le bois, citée, est à apprécier dès aujourd'hui pour sa maturité et son bon équilibre. (50 à 69 F)

Roy-Trocard, Ch. Jeandeman, 33126 Fronsac, tél. 05.57.74.30.52, fax 05.57.74.39.96, e-mail roy.trocard@vnumail.com r.-v.

CH. LA BRANDE 1998*

■ 3 ha 23 000 8 à 11 €

La Brande est située à la limite des deux communes de Galgon et de Saillans. C'est là, nous dit-on, qu'aboutissaient les processions des deux villages qui se terminaient rituellement par un pugilat entre Gascons et Gabays (gens venus d'oïl). Vous trouverez non seulement cette cuvée mais aussi le **Château Moulin de Reynaud 98 (70 à 99 F)**, cité. Ce sont des vins fruités et épicés, délicatement boisés, possédant une structure franche et équilibrée, bien qu'un peu simple en finale. Deux bonnes bouteilles, à apprécier dans deux ou trois ans. (50 à 69 F)

Vignoble Béraud, La Brande, 33141 Saillans, tél. 05.57.74.36.38, fax 05.57.74.38.46 t.l.j. 9h-12h 13h30-19h; groupes sur r.-v.

CH. LA CROIX LAROQUE 1998

■ 12 ha 50 000 8 à 11 €

Cette petite propriété familiale propose un 98 agréable, aux délicats arômes de fumé, de ganache et de vanille. Vif en attaque, il évolue avec beaucoup de matière mais également une certaine austérité et une fermeté en finale qui demanderont deux à quatre ans de garde. (50 à 69 F)

Guy Morin, Ch. La Croix-Laroque, 33126 Fronsac, tél. 05.57.51.24.33, fax 05.57.51.64.23 t.l.j. 9h-20h

CH. DE LA DAUPHINE 1998*

■ 9 ha 59 000 11 à 15 €

Cette très belle chartreuse commande un vignoble où le merlot règne en maître (93 %). Ce vin à la robe rouge carminée possède des arômes intenses de cuir, de fruits rouges, de vanille et de cacao. En bouche, les tanins sont amples et volumineux, bien équilibrés par un boisé élégant. Une bouteille qui demande pour s'épanouir deux ou trois ans de vieillissement. (70 à 99 F)

Ets Jean-Pierre Moueix, 54, quai du Priourat, 33500 Libourne, tél. 05.57.51.78.96

CH. LA GARDE Elevé en fût de chêne 1998

■ 1,73 ha 6 000 8 à 11 €

Acheté en 1997, ce petit cru mérite l'attention pour son 98 : robe rubis brillante, bouquet élégant d'épices, de fleurs et de fruits rouges ; la structure souple et équilibrée est déjà agréable mais la finale montre ses tanins ! Un vin à garder un an ou deux. La **cuvée classique 98**, élevée en cuve, est également citée ; elle réjouira les amateurs de vin souple et fruité, déjà prêt à boire. (50 à 69 F)

Ronald Wilmot, La Fontenelle, 33240 Lugon, tél. 05.57.84.82.13, fax 05.57.84.84.17 r.-v.

CH. LA GRAVE 1998*

■ 3,7 ha 15 000 8 à 11 €

Le vin est issu d'un vignoble cultivé en biodynamie, ce qui est encore assez rare dans le Bordelais viticole. Le résultat est intéressant : robe cerise profond, parfums frais de framboise, de violette, de poivre, rehaussés par une légère touche boisée. Gras et intense en attaque, un vin qui évolue avec puissance et finesse à la fois mais qui a besoin de temps pour s'épanouir totalement, au moins trois à cinq ans. (50 à 69 F)

Paul et Pascale Barre, La Grave, 33126 Fronsac, tél. 05.57.51.31.11, fax 05.57.25.08.61, e-mail p.p.barre@wanadoo.fr r.-v.

CH. DE LA HUSTE 1998*

■ 5 ha 29 000 11 à 15 €

Cette propriété, dans la famille depuis 1860, a pris l'habitude de produire d'excellents vins à l'image de ce 98 à la robe rubis intense parcourue de reflets noirs. Les arômes expressifs de fruits rouges sont en harmonie avec des notes de boisé toasté. En bouche, c'est un vin volumineux et puissant, gardant cependant une finesse fruitée très élégante en finale. Une bouteille à boire dans deux à cinq ans. Du même producteur, le **Château Dalem 98 (100 à 149 F)** obtient une étoile. C'est l'une des propriétés phares du Fronsadais. (70 à 99 F)

Michel Rullier, Ch. de la Huste, 33141 Saillans, tél. 05.57.84.34.18, fax 05.57.74.39.85
r.-v.

CH. DE LA RIVIERE 1998*

59 ha 200 000 11 à 15 €

Dominant la vallée de la Dordogne, ce magnifique château, fondé au XVIe s. et remanié, mérite une visite tant pour admirer le site que pour apprécier le renouveau qualitatif de ses vins, dont témoigne ce 98 à la robe pourpre violette, aux arômes de cuir, de fruits mûrs un peu confits (cerise) et de grillé. En bouche, la souplesse de l'attaque laisse place à une structure puissante et longue, encore un peu dominée par le boisé. L'harmonie sera parfaite dans deux à cinq ans. (70 à 99 F)

SA Ch. de La Rivière, BP 50, 33126 Fronsac, tél. 05.57.55.56.56, fax 05.57.24.94.39, e-mail info@chateau-de-la-rivière.com
r.-v.
Jean Leprince

CH. LA ROUSSELLE 1998**

4,2 ha 15 200 11 à 15 €

|88| |89| |90| 91 92 |93| 94 (95) 96 |97| **98**

Après avoir connu ses heures de gloire au siècle dernier, cette propriété a bénéficié de multiples restaurations depuis trente ans, tant au vignoble qu'aux chais. Le résultat est magnifique comme en témoigne ce 98 grenat intense aux reflets violacés, aux parfums puissants d'épices (poivre, gingembre), de fruits rouges, de vanille et de cacao. En bouche, l'impression de gras, de volume est renforcée par un très bel équilibre où les tanins harmonieux se distinguent en finale. Une bouteille à n'ouvrir que dans trois à huit ans. (70 à 99 F)

Jacques et Viviane Davau, Ch. La Rousselle, 33126 La Rivière, tél. 05.57.24.96.73, fax 05.57.24.91.05 t.l.j. sf dim. 9h-12h 14h-18h

CH. LA VIEILLE CROIX
Cuvée DM 1998**

5 ha 30 000 8 à 11 €

Le chiffre « DM » est représenté sur le fronton du château ; il a donné son nom à cette cuvée issue d'un terroir d'argile et de calcaire en sous-sol, orienté plein sud. La robe intense de ce 98 brille de reflets rubis. Les parfums de café, de grillé, de vanille sont encore dominateurs. Les tanins très jeunes et un peu vifs en attaque évoluent ensuite avec plus de rondeur, de gras et de volume. En finale, le vin se révèle totalement en montrant beaucoup d'équilibre et d'ampleur. Une superbe bouteille, à boire dans trois à six ans. (50 à 69 F)

SCEA de La Vieille Croix, La Croix, 33141 Saillans, tél. 05.57.74.30.50, fax 05.57.84.30.96 r.-v.
Isabelle Dupuy

CH. LA VIEILLE CURE 1998**

20 ha 60 000 15 à 23 €

|88| |89| |90| 91 **92 93** |94| **95** |96| **97 98**

Ce château bénéficie d'un excellent terroir sur les coteaux de Saillans ; il est régulièrement distingué dans le Guide et, pour le 98, il décroche un coup de cœur. La robe pourpre intense a des reflets rubis brillants ; le bouquet puissant associe les fruits noirs, la vanille, le grillé ainsi qu'une note minérale très agréable. Tout aussi puissant, le palais charnu, gras, encore un peu fermé par son élevage boisé, laisse deviner un potentiel de vieillissement très important, au moins quatre à huit ans. Le **Château Coutreau 98 (50 à 69 F)**, second vin, est cité pour son fruit et sa rondeur ; il est prêt à boire. (100 à 149 F)

SNC Ch. La Vieille Cure, 1, Coutreau, 33141 Saillans, tél. 05.57.84.32.05, fax 05.57.74.39.83, e-mail vieillecur@aol.com
r.-v.
M. Ferenbach

CH. LES ROCHES DE FERRAND
Elevé en fût de chêne 1998

5 ha 30 000 8 à 11 €

Dans la même famille depuis de nombreuses générations, ce château se distingue dans le Guide pour la qualité de ses vins. Le 98, dans une robe grenat soutenu, rappelle la cerise noire, le musc, le gingembre. Les tanins sont gras et veloutés puis un peu amers en finale. Un vin qui demande un à trois ans de garde. (50 à 69 F)

Rémy Rousselot, Ch. Les Roches de Ferrand, Huchat, 33126 Saint-Aignan, tél. 05.57.24.95.16, fax 05.57.24.91.44 r.-v.

CH. LES TROIS CROIX 1998**

13,71 ha 72 000 15 à 23 €

Lauréat de la Grappe d'argent du Guide Hachette 2001, après deux coups de cœur consécutifs pour les 96 et 97, ce château a failli réussir la passe de trois, car il ne lui manque qu'une voix au grand jury. Ce 98 n'en est pas moins somptueux dans sa robe pourpre intense aux reflets noirs, avec ses arômes puissants et complexes de fruits confits, de cacao, de torréfaction et de cannelle. Sa structure tannique dense et veloutée témoigne d'une grande maturité des raisins. La finale harmonieuse et longue est la marque d'un très grand vin, au sommet de son appellation. (100 à 149 F)

Famille Patrick Léon, Ch. Les Trois Croix, 33126 Fronsac, tél. 05.57.84.32.09, fax 05.57.84.34.03 r.-v.

CH. MANIEU 1998★

■ 4,24 ha 27 000 11 à 15 €

Etabli sur un terroir de molasse argilo-calcaire, planté à 95 % de merlot, ce château propose un 98 intéressant : couleur rubis brillant, parfums expressifs de cassis, de prune, de boisé grillé, tanins francs et bien structurés, évoluant avec finesse et persistance. Une bouteille qui sera très agréable dans trois à cinq ans. (70 à 99 F)

Ch. Manieu, La Rivière, 33126 Fronsac, tél. 05.57.24.92.79, fax 05.57.24.92.78 t.l.j. sf sam. dim. 10h30-12h 14h30-18h

Mme Léon

CH. MAYNE-VIEIL Cuvée Aliénor 1998★

■ 3 ha 20 000 8 à 11 €

Elevée en barrique, la cuvée Aliénor est une sélection de 3 ha de merlot sur les 45 ha que comporte la propriété. Le 98 se distingue particulièrement grâce à une robe grenat profond et brillant, et à des arômes complexes de fruits, d'épices, de sous-bois et de vanille. Gras en attaque, les tanins se révèlent ensuite puissants et équilibrés, ainsi que très longs en finale. Une bouteille à apprécier dans deux à cinq ans. La **cuvée principale (30 à 49 F)** est citée sans étoile pour ses arômes de fruits mûrs et sa structure très classique ; à boire dès aujourd'hui. (50 à 69 F)

SCEA du Mayne-Vieil, 33133 Galgon, tél. 05.57.74.30.06, fax 05.57.84.39.33, e-mail mayne-vieil@aol.com r.-v.

Famille Sèze

CH. MOULIN HAUT-LAROQUE 1998★

■ 15 ha n.c. 15 à 23 €

86 |88| (89) |90| 91 92 |93| |94| 95 **96 97** 98

Dans la même famille depuis le XVI[e]s., fait suffisamment rare pour être remarqué, ce château produit avec régularité de très bons vins, grâce à son excellent terroir et au savoir-faire incontestable du propriétaire. Le bouquet complexe de ce 98 évoque les fruits très mûrs, confits, la vanille, le pain grillé. Les tanins souples et gras, bien enrobés par un boisé sans excès, persistent longuement. Equilibrée, la structure laisse entrevoir un bel avenir (au moins trois à huit ans). (100 à 149 F)

Jean-Noël Hervé, Ch. Cardeneau, 33141 Saillans, tél. 05.57.84.32.07, fax 05.57.84.31.84, e-mail hervejnoel@aol.com r.-v.

CH. PETRARQUE 1998

■ 1,5 ha 7 800 8 à 11 €

Ce château porte le nom du poète italien du XIV[e]s. qui célébra dans ses sonnets Laure de Noves. Vous y trouverez un vin de qualité à la robe dense, presque noire, au bouquet délicat de violette, de vanille, de réglisse. Amples et charnus, les tanins évoluent avec finesse mais sans grande persistance. Une bouteille à boire d'ici un à trois ans. (50 à 69 F)

GFA Chabiran, 1, av. de la Mairie, 33500 Néac, tél. 05.57.51.08.36, fax 05.57.25.93.44 r.-v.

CH. PUY GUILHEM 1998★

■ 7 ha 44 000 11 à 15 €

Ce château a été acheté en 1995 par Annie et Jean-François Enixon, qui mettent tout leur cœur et leur savoir-faire dans la remise en valeur de ce très beau terroir. Ce 98, paré d'une robe grenat intense, possède un bouquet expressif de fruits rouges, de poivre, de vanille et de grillé, et des tanins enveloppés très typés, encore un peu marqués par le bois. L'équilibre sera parfait dans deux à six ans. Le second vin, **Château Puy Saint Vincent 98 (50 à 69 F)** obtient une citation pour sa fraîcheur aromatique et sa structure harmonieuse, qui le rend déjà prêt. (70 à 99 F)

SCEA Ch. Puy Guilhem, 33141 Saillans, tél. 05.57.84.32.08, fax 05.57.74.36.45 r.-v.

M. et Mme J.-F. Enixon

CH. RENARD MONDESIR 1998★

■ 7 ha 24 000 11 à 15 €

|93| |94| |95| 96 |97| 98

Issu à 95 % de merlot, ce 98 mérite que l'on s'y intéresse pour sa robe intense et limpide, son bouquet ouvert et plaisant de cuir, d'épices, de vanille et pour sa structure puissante et équilibrée. En fin de bouche, l'expression aromatique est encore plus intense ; c'est un vin qui gagnera à vieillir deux à cinq ans. (70 à 99 F)

Xavier Chassagnoux, Ch. Renard, La Rivière, 33126 Fronsac, tél. 05.57.24.96.37, fax 05.57.24.90.18, e-mail chateau.renard.mondesir@wanadoo.fr r.-v.

CH. RICHELIEU 1998★

■ 12,5 ha 25 000 8 à 11 €

Comme l'indique son nom, ce château a appartenu à la famille de Richelieu et en particulier au maréchal de Richelieu, neveu du cardinal, appelé « Fronsac » à la cour de Louis XIV. Vous y trouverez un beau 98, concentré sur le plan aromatique (fruits rouges et vanille essentiellement) et puissant en bouche, à la finale encore marquée par le bois de chêne. Il demande pour s'assouplir et se fondre deux à cinq ans de vieillissement dans une bonne cave. (50 à 69 F)

EARL Ch. Richelieu, 1, chem. du Tertre, 33126 Fronsac, tél. 05.57.51.13.94, fax 05.57.51.13.94 t.l.j. 9h30-12h30 14h-18h

CH. ROUET 1998

■ n.c. n.c. 11 à 15 €

Appartenant à la même famille depuis la fin du XVIII[e]s., ce château a produit un 98 frais et bien fruité (groseille, framboise). Des tanins intenses, un peu « sauvages » demandent un peu de garde pour se fondre. (70 à 99 F)

Patrick Danglade, Ch. Rouet, 33240 Saint-Germain-la-Rivière, tél. 05.57.84.40.24, fax 05.56.48.14.10 r.-v.

CH. ROUMAGNAC LA MARECHALE 1998★

■ 4,93 ha 22 500 5 à 8 €

93 |94| 95 96 97 98

Idéalement située en coteaux exposés au sud-sud-est, dominant la vallée de la Dordogne, cette propriété familiale mérite une visite également pour ses vins : le 98 est marqué par des parfums de sous-bois, de boisé grillé, de poivre et par une structure tannique volumineuse, bien typée et très équilibrée. Une bouteille qui s'épanouira totalement d'ici deux à cinq ans. (30 à 49 F)

SCEA Pierre Dumeynieu, Roumagnac, 33126 La Rivière, tél. 05.57.24.98.48, fax 05.57.24.90.44 r.-v.

CH. STEVAL 1998

■ 2,04 ha 1000 8 à 11 €

Ce que l'on appelle une « cuvée de garage », car en Bordelais, contrairement à la Bourgogne, il est rare de ne produire que mille bouteilles. Issu à 100 % du cépage merlot, ce 98 mérite l'attention pour son bouquet naissant d'épices et de pain grillé et pour sa structure bien équilibrée mais encore dominée par son élevage en barrique. L'harmonie devrait être atteinte après deux ou trois ans de vieillissement. (50 à 69 F)

Sébastien Gaucher, 1, Nardon, 33126 Saint-Michel-de-Fronsac, tél. 05.57.24.90.24, fax 05.57.24.90.24 r.-v.

CH. TOUR DU MOULIN

Cuvée particulière 1998★

■ 7 ha 10 000 11 à 15 €

Cette Cuvée particulière, revêtue d'une robe grenat intense et brillante, offre un bouquet expressif de caramel, de figue, de vanille et de pruneau. En bouche, les tanins frais et concentrés évoluent avec du gras, de l'harmonie et beaucoup de longueur. C'est un vin presque prêt à boire mais qui vieillira deux à cinq ans. La **cuvée principale 98 (50 à 69 F)** se voit décerner aussi une étoile : elle est aujourd'hui plus fruitée et très typique d'un fronsac, également prête à boire. (70 à 99 F)

SCEA Ch. Tour du Moulin, Le Moulin, 33141 Saillans, tél. 05.57.74.34.26, fax 05.57.74.34.26 r.-v.

J. et V. Dupuch

CH. VILLARS 1998★

■ 20 ha 117 000 11 à 15 €

Membre fondateur d'« Expression de Fronsac », club qui regroupe quelques-unes des meilleures propriétés de l'appellation, ce château produit d'excellents vins. Ici, la robe rubis est intense ; les arômes concentrés et puissants évoquent les épices, le fruit mûr et la vanille. Les tanins veloutés et élégants sont rehaussés par un boisé présent mais bien dosé. Une bouteille de garde, à boire dans trois à huit ans. Le **Château Moulin Haut Villars 98 (50 à 69 F)** obtient une citation pour son intensité fruitée et sa structure classique de bon aloi. A boire d'ici un an ou deux. (70 à 99 F)

Jean-Claude Gaudrie, Villars, 33141 Saillans, tél. 05.57.84.32.17, fax 05.57.84.31.25, e-mail chateau.villars@wanadoo.fr r.-v.

Pomerol

Avec environ 800 ha, Pomerol est l'une des plus petites appellations girondines, et l'une des plus discrètes sur le plan architectural.

Au XIX^e^s., la mode des châteaux du vin, d'architecture éclectique, ne semble pas avoir séduit les Pomerolais, qui sont restés fidèles à leurs habitations rurales ou bourgeoises. Cela n'empêche pas l'appellation de posséder la demeure qui est sans doute l'ancêtre de toutes les chartreuses girondines, le château de Sales (XVII^e^s.), et l'une des plus charmantes constructions du XVIII^e^s., le château Beauregard, qui a été reproduit par les Guggenheim, dans leur propriété new-yorkaise de Long Island.

Cette modestie du bâti sied à une AOC dont l'une des originalités est de constituer une sorte de petite « république villageoise » où chaque habitant cherche à conserver l'harmonie et la cohésion de la communauté ; souci qui explique pourquoi les producteurs sont toujours restés plus que réservés quant au bien-fondé d'un classement des crus.

La qualité et la spécificité des terroirs auraient justifié une reconnaissance officielle du mérite des vins de l'appellation. Comme tous les grands terroirs, celui de Pomerol est né du travail d'une rivière, l'Isle, qui a commencé par démanteler la table calcaire pour y déposer en désordre des nappes de cailloux, que s'est chargée de travailler l'érosion. Le résultat est un enchevêtrement complexe de graves ou cailloux roulés, originaires du Massif central. La complexité des terrains semble inextricable : toutefois il est possible de distinguer quatre grands ensembles : au sud, vers Libourne, une zone sablonneuse ; près de Saint-Emilion, des graves sur sables ou argiles (terroir proche de celui du plateau de Figeac) ; au centre de l'AOC, des graves sur, ou parfois sous des argiles

(Petrus) ; enfin, au nord-est et au nord-ouest, des graves plus fines et plus sablonneuses.

Cette diversité n'empêche pas les pomerol de présenter une analogie de structure. Très bouquetés, ils allient la rondeur et la souplesse à une réelle puissance, ce qui leur permet d'être de longue garde tout en pouvant être bus assez jeunes. Ce caractère leur ouvre une large palette d'accords gourmands, aussi bien avec des mets sophistiqués qu'avec des plats très simples. En 2000, l'appellation a produit 36 992 hl.

CH. BEAUCHENE 1998★★

■ 4,7 ha 20 000 23 à 30 €

(95) 96 **97** **98**

Ce cru propose tous les ans une belle sélection de vieux merlot né sur un terroir argilo-graveleux avec crasse de fer, remarquablement vinifié et élevé. Avec sa belle robe noire à reflets pourpres, ce 98 exprime puissance et harmonie. Le bouquet, riche et bien ouvert, marie les arômes de fruits mûrs à un superbe boisé grillé et brûlé. La bouche est racée, avec une matière dense, charnue, charpentée et persistante. Une grande bouteille de garde. (150 à 199 F)

Charles Leymarie et Fils, SCEA Clos Mazeyres, BP 132, 33502 Libourne Cedex, tél. 05.57.51.07.83, fax 05.57.51.99.94, e-mail leymarie@ch-leymarie.com

CH. BEAUREGARD 1998★★

■ 12 ha 60 000 38 à 46 €

75 **78** **81** (82) **83** 84 **85** 86 |88| 89 |90| 92 |**93**| |**94**| **95** **96** **97** (98)

L'une des plus ravissantes chartreuses bordelaises du XVIII[e]s., Beauregard avait reçu son premier coup de cœur l'an dernier pour un millésime difficile ; le cru renouvelle cet exploit cette année avec un millésime plus classique. Ce 98 possède tout ce que l'on recherche dans un grand pomerol : une belle robe bordeaux sombre, presque noire ; une longue succession d'arômes au nez : fruits noirs mûrs, merrain fin, cannelle, vanille, cuir, truffe ; une bouche au caractère suave, gras et racé, offrant une belle harmonie entre le raisin et le bois ; ce vin s'appréciera sur une longue période (cinq à vingt ans). Le second vin, le **Benjamin de Beauregard 98 (100 à 149 F)** obtient une étoile. Ses tanins élégants deviendront de velours dans trois ou quatre ans. (250 à 299 F)

SCEA Ch. Beauregard, 33500 Pomerol, tél. 05.57.51.13.36, fax 05.57.25.09.55, e-mail beauregard@dial.oleane.com r.-v.

CH. BEAU SOLEIL 1998★

■ 3,5 ha 19 500 30 à 38 €

Ce petit cru à dominante de merlot (5 % de cabernet-sauvignon en appoint) est planté sur sables et fines graves. Le 98 s'affiche dans une robe grenat sombre montrant une frange évoluée. Le bouquet exprime les fruits surmûris, la confiture et le chocolat, agrémenté d'un joli boisé grillé. La bouche est puissante et ronde, bien équilibrée, avec des tanins présents mais fondus et une longue persistance aromatique. Attendre deux à trois ans pour plus d'épanouissement. (200 à 249 F)

Anne-Marie Audy-Arcaute, Ch. Jonqueyres, 33750 Saint-Germain-du-Puch, tél. 05.56.68.55.88, fax 05.56.68.55.77, e-mail info@chateau-beausoleil.fr

CH. BELLEGRAVE 1998★★

■ 7 ha 40 000 15 à 23 €

88 89 91 **92** |93| |94| |95| |96| |**97**| **98**

Un cru acheté en 1951 par le père de Jean-Marie Bouldy. Assemblant trois quarts de merlot et un quart de cabernet franc, ce 98 de très belle facture porte une robe grenat intense. Le nez libère à l'agitation des arômes de fruits rouges et noirs bien mûrs, agréablement unis à un boisé fin et épicé. La bouche, ample et puissante, révèle des tanins charnus et gras qui persistent longuement en finale, avec un très beau retour aromatique. (100 à 149 F)

Jean-Marie Bouldy, Lieu-dit René, 33500 Pomerol, tél. 05.57.51.20.47, fax 05.57.51.23.14 r.-v.

CH. BONALGUE 1998★

■ 5,5 ha 22 000 23 à 30 €

85 |**86**| |88| |89| |90| |93| |94| **95** 96 97 98

Essentiellement issu de merlot avec un appoint de 15 % en cabernet franc, plantés sur des sols mêlant sables, argiles et graves, ce 98 très coloré, de teinte grenat, possède un bouquet boisé et épicé, élégant et racé, d'une réelle noblesse d'arômes. Onctueux et gras en attaque, le vin évolue sur une structure tannique ferme et puissante, jusqu'à une finale longue et harmonieuse. Un très bon vin de garde. (150 à 199 F)

SA Pierre Bourotte, 62, quai du Priourat, 33500 Libourne, tél. 05.57.51.62.17, fax 05.57.51.28.28, e-mail jeanbaptiste.audy@wanadoo.fr r.-v.

CH. BOURGNEUF-VAYRON 1998

■ 9 ha 41 000 30 à 38 €

|89| |90| 91 93 94 **95** 96 97 98

Installée sur des terroirs argilo-graveleux avec du merlot et un appoint de 10 % en cabernet franc, cette propriété propose un vin de couleur grenat, au nez encore sur sa réserve où l'on ne perçoit pour l'instant que des notes animales et épicées, ainsi qu'un léger boisé. La bouche, quant à elle, est très structurée et concentrée. Des tanins un peu fermes et austères nécessiteront une longue garde pour s'assagir. (200 à 249 F)

Xavier Vayron, Ch. Bourgneuf-Vayron, 1, le Bourg-Neuf, 33500 Pomerol, tél. 05.57.51.42.03, fax 05.57.25.01.40 r.-v.

CH. CANTELAUZE 1998*

■ 1 ha 3 900 30 à 38 €

92 94 95 |96| 98

« Cantelauze », « chante l'oiseau » en occitan, c'est le nom que Jean-Noël Boidron, œnologue bien connu en Bordelais, a donné à son petit vignoble pomerolais, en pensant à l'alouette que l'on entend chanter aux vendanges. Son 98 est très réussi. La robe rappelle le bigarreau noir. Le bouquet demande un peu d'aération pour exprimer des senteurs boisées empyreumatiques et des notes de gibier. La structure monumentale, puissante, charpentée par beaucoup de tanins de bois laisse augurer un excellent pomerol de caractère dans quelques années. (200 à 249 F)

Jean-Noël Boidron, 6, pl. Joffre, 33500 Libourne, tél. 05.57.51.64.88, fax 05.57.51.56.30 r.-v.

CH. CERTAN DE MAY DE CERTAN 1998*

■ 5 ha 24 000 46 à 76 €

85 86 88 |89| |(90)| 94 95 96 97 98

La famille de May, écossaise, servit le roi de France dès le Moyen Age. Elle reçut au XVIes. le fief de Certan et y planta de la vigne. Une longue histoire au service d'un vin réputé très élégant. Cela se confirme avec ce millésime grenat sombre. Au nez, il marie les arômes de fruits rouges et le bois toasté, avec des notes épicées. En bouche, la matière est bien équilibrée, souple en attaque, tannique encore en finale mais sans excès. Une jolie bouteille qui devrait pouvoir s'apprécier dans deux ou trois ans. (300 à 499 F)

Mme Barreau-Badar, Ch. Certan de May de Certan, 33500 Pomerol, tél. 05.57.51.41.53, fax 05.57.51.88.51 r.-v.

CLOS BEAUREGARD 1998

■ 5 ha 30 000 15 à 23 €

Jean-Michel Moueix a repris cette propriété en 1991. Le terroir de sables sur crasse de fer est planté de vieilles vignes composées de 60 % de merlot, 25 % de cabernet franc et 15 % de cabernet-sauvignon. Le vin a une jolie couleur grenat intense. Le bouquet naissant est encore très frais, mentholé. L'attaque est souple et fraîche, mais les tanins, encore rustiques, demandent à mûrir un peu. Ce 98 sera ensuite à servir sur des viandes rouges ou du gibier. (100 à 149 F)

Jean-Michel Moueix, Ch. La Tour du Pin Figeac, 33330 Saint-Emilion, tél. 05.57.74.18.44, fax 05.57.51.52.87 r.-v.

CH. CLOS DE SALLES 1998

■ 1,1 ha 6 600 23 à 30 €

Ce petit vignoble a été constitué à partir d'une parcelle du château de Salles, détachée par le passage de la voie de chemin de fer lors de la création de la ligne. Planté à 60 % de merlot et à 40 % de cabernet sur sol graveleux, le vin a une belle couleur grenat foncé. Le bouquet, déjà expressif (fruité, épicé, mentholé), est encore dominé par le fût. En bouche, la saveur boisée domine et demandera plusieurs années pour s'assagir et évoluer en finesse. (150 à 199 F)

EARL du Ch. Clos de Salles, Ch. du Pintey, 33500 Libourne, tél. 05.57.51.03.04, fax 05.57.51.03.04, e-mail angeliquemerlet@hotmail.com r.-v.

CLOS DU CLOCHER 1998**

■ 4,3 ha 22 000 30 à 38 €

82 83 |85| (86) |88| |89| |90| 92 |93| |94| 95 97 **98**

Installé à l'ombre du clocher de Pomerol, tout près du bourg, sur des sols argilo-graveleux, ce cru assemble quatre cinquièmes de merlot à un cinquième de cabernet franc. Cela a produit un 98 remarquable, doté d'une magnifique robe grenat sombre, dense et très profonde. Le bouquet exprime beaucoup de race dans ses arômes de fruits rouges confits, harmonieusement mariés à un boisé élégant et vanillé. La bouche est ample et charnue, offrant une chair somptueuse d'une superbe concentration et des tanins veloutés. Une bouteille de grande classe à garder en cave quelques années. (200 à 249 F)

SC Clos du Clocher, BP 79, 33500 Libourne, tél. 05.57.51.62.17, fax 05.57.51.28.28, e-mail jeanbaptiste.audy@wanadoo.fr r.-v.

CLOS DU PELERIN 1998

■ 2,8 ha 12 000 15 à 23 €

|93| |95| 96 |97| 98

Né sur sols sableux plantés à 80 % de merlot complété par les deux cabernets, un pomerol sympathique mais encore un rien rustique. Le nez, un peu fermé, demande de l'agitation pour exprimer des notes fruitées de cassis. Puissante, la bouche est construite sur des tanins qui demandent à s'assagir un peu. (100 à 149 F)

Norbert Egreteau, Clos du Pèlerin, 3, chem. de Sales, 33500 Pomerol, tél. 05.57.74.03.66, fax 05.57.25.06.17 r.-v.

CLOS SAINT-ANDRE 1998**

■ 0,6 ha 4 000 23 à 30 €

Petit vignoble créé en 1994 par Daniel Mouty à partir de vieux merlots de trente-cinq ans plantés sur graves profondes. La robe, d'un bordeaux sombre presque noir, annonce un bouquet profond de fruits noirs et de merrain toasté. La bouche offre beaucoup de concentration et de volume, mariant la rondeur du merlot à l'élégance et à la fraîcheur des tanins. Les sensations tactiles s'ajoutent à la saveur cacaotée finale. Cette bouteille devrait réconcilier les classiques et les modernes. (150 à 199 F)

SCEA Daniel Mouty,
Ch. du Barry, 33350 Sainte-Terre,
tél. 05.57.84.55.88, fax 05.57.74.92.99,
e-mail daniel-mouty@wanadoo.fr
t.l.j. sf sam. dim. 8h-17h

CLOS TOULIFAUT 1998

■ 2 ha 12 000 15 à 23 €

A Pomerol, Jean-Michel Moueix n'utilise pas le terme « château » pour ses vignobles, mais « clos », à Toulifaut comme à Beauregard. Ici aussi, la vieille vigne composée à 60 % de merlot noir, 30 % de cabernet franc et 10 % de cabernet-sauvignon est implantée sur sables et crasse de fer. La robe rubis est bordée de reflets tuilés. Le bouquet, au caractère exotique, offre des notes de tabac, de bois toasté, de réglisse, de cuir, ainsi qu'une touche de fruits noirs. La bouche, souple, délicate, finit sur des tanins soyeux. (100 à 149 F)

Jean-Michel Moueix, Ch. La Tour du Pin Figeac, 33330 Saint-Emilion,
tél. 05.57.74.18.44, fax 05.57.51.52.87 r.-v.

CH. DELTOUR 1998

■ 1,7 ha 10 000 8 à 11 €

Petit vignoble situé sur le secteur de René, à l'ouest de l'appellation, entre les routes de Paris et de Périgueux. La vigne, plantée sur sol silico-graveleux, comporte 70 % de merlot complété par des cabernets et du pressac. Le bouquet naissant laisse poindre des arômes de fruits rouges, de menthe, d'humus. La bouche, encore jeune, offre du fruit mûr, charpentée par des tanins un peu rugueux qui demanderont quelques années pour s'affiner. (50 à 69 F)

Jeanne Thouraud, lieu-dit René n° 12,
33500 Pomerol, tél. 05.57.51.47.98,
fax 05.57.25.99.23 r.-v.

CH. ELISEE Vieilli en fût de chêne 1998*

■ 1,5 ha 10 600 15 à 23 €

Petit vignoble pomerolais acquis en 1987 par la famille Garzaro qui lui a donné le prénom de l'aïeul. Le terroir est sablo-graveleux, le merlot domine à 90 %. Le vin a une belle couleur rubis profond. Le bouquet, déjà expressif, livre des senteurs de fruits noirs confiturés, finement boisées. Ce pomerol, plein et charnu en bouche, présente une trame tannique qui permettra de l'attendre pour l'apprécier sur une viande grillée. (100 à 149 F)

EARL Vignobles Garzaro,
Ch. Le Prieur, 33750 Baron,
tél. 05.56.30.16.16, fax 05.56.30.12.63,
e-mail garzaro@vingarzaro.com r.-v.

CH. FRANC-MAILLET 1998*

■ 5,1 ha 32 000 15 à 23 €

Depuis l'acquisition de la première parcelle de vigne par Jean-Baptiste Arpin, à son retour de la guerre en 1919, trois générations se sont succédé sur cette exploitation établie sur les sols silico-graveleux du secteur de Maillet. La vigne est composée à 80 % de merlot et à 20 % de cabernet franc. Le vin, d'une belle couleur grenat intense, est encore un peu fermé au nez ; l'agitation révèle un fruité concentré et puissant. Cette puissance s'exprime en bouche avec beaucoup d'extraction de tanins qui demanderont six à sept ans de garde. A servir sur viandes rouges, gibier et fromages. La **cuvée Jean-Baptiste 98 (150 à 199 F)** devra, elle aussi, attendre que le merrain se fonde. Elle obtient une étoile. (100 à 149 F)

EARL Vignobles G. Arpin, Maillet,
33500 Pomerol, tél. 06.09.73.69.47,
fax 05.57.51.96.75,
e-mail gaelarpin@excite.com r.-v.

CH. GAZIN 1998**

■ 24,24 ha 46 908 46 à 76 €

70 75 76 78 79 80 81 82 **83** 84 **85 86 87** |88| |89| |(90)| **91** 92 |(93)| |94| (95) (96) 97 **98**

Propriété pleine de charme, habituée aux honneurs du Guide et aux coups de cœur, Gazin est l'un des crus les plus réputés et les plus anciens de Pomerol. Ce 98 est encore là pour témoigner de la grande qualité du vinificateur. Il s'annonce par une somptueuse robe grenat très sombre, d'une remarquable intensité. Le bouquet, expressif et élégant, exhale des arômes de pruneau cuit, de caramel et de vanille avec un magnifique accord entre le fruit et le bois. La bouche, corsée, riche, ample et vineuse, possède une structure puissante et racée et une finale interminable tout en harmonie. Un très grand classique, un pomerol comme on les aime. **L'Hospitalet de Gazin (100 à 149 F)**, le second vin, est cité pour ses arômes rappelant le pruneau cuit, les épices douces, le tabac et une légère pointe de violette. A ouvrir dans deux ou trois ans. (300 à 499 F)

SCEA Ch. Gazin, 33500 Pomerol,
tél. 05.57.51.07.05, fax 05.57.51.69.96,
e-mail chateau.gazin@wanadoo.fr r.-v.
Famille Bailliencourt

CH. GOMBAUDE-GUILLOT 1998*

■ 7,85 ha 24 000 30 à 38 €

86 |**89**| |90| 91 |93| |94| **95** 96 98

Le château est installé dans l'ancien bistrot qui fut construit en même temps que l'église en 1898. Composé de 85 % de merlot et de 15 % de cabernet franc, ce 98 est paré d'une superbe robe pourpre à reflets violines. Il associe des arômes de fruits rouges et noirs bien mûrs à un élégant boisé, toasté et épicé. La structure, ample et puissante, révèle des tanins charnus et veloutés et une agréable persistance. Une très belle bouteille à attendre trois à cinq ans et à servir sur un civet de canard. (200 à 249 F)

🔑 SCEA Famille Laval, 4, chem. des Grand-Vignes, 33500 Pomerol, tél. 05.57.51.17.40, fax 05.57.51.16.89 ☑ 🍷 r.-v.
🔑 Claire Laval

CH. GOUPRIE 1998

■ 4,57 ha 13 000 15 à 23 €

Un 98 plaisant, de couleur grenat bien soutenu, montrant une frange évoluée. Le nez, expressif, présente des arômes de fruits mûrs mêlés à des odeurs de pain grillé et de cacao, assortis d'une touche florale de violette. La bouche, corsée et ronde, offre des tanins équilibrés et fermes. L'ensemble est agréable et devrait être prêt à la consommation dans deux à trois ans. (100 à 149 F)
🔑 SCEA Patrick et Sylvie Moze-Berthon, Bertin, 33570 Montagne, tél. 05.57.74.66.84, fax 05.57.74.58.70, e-mail chateau.rocher-gardat@wanadoo.fr ☑ 🍷 r.-v.

CH. GRAND BEAUSEJOUR 1998★★

■ 0,65 ha 3 000 38 à 46 €

A 200 m du château Figeac, Daniel Mouty a acquis une parcelle de merlot en 1998. Le château, proche de la RN 89, est en cours de rénovation dans son style Louis XV d'origine et devrait pouvoir accueillir les amateurs dès septembre 2001. Très confidentiel, ce 98 de couleur grenat, sombre et intense a tous les charmes : son bouquet de confiture de fruits rouges révèle aussi un boisé très flatteur ; sa bouche, merveille d'équilibre, possède beaucoup de chair et de volume et des tanins onctueux et veloutés. Un grand vin, puissant et harmonieux, à attendre trois à cinq ans. (250 à 299 F)
🔑 SCEA Daniel Mouty, Ch. du Barry, 33350 Sainte-Terre, tél. 05.57.84.55.88, fax 05.57.74.92.99, e-mail daniel-mouty@wanadoo.fr
☑ 🍷 t.l.j. sf sam. dim. 8h-17h

CH. GRAND MOULINET 1998★

■ 2 ha 12 000 15 à 23 €

|94| |96| |97| 98

Ce petit cru est rattaché au château Haut-Surget en lalande de pomerol ; le merlot, implanté sur sols sableux et oxydes de fer, domine à 90 %. Le vin est pourpre sombre. Son bouquet très expressif mêle des fruits mûrs et du bois très toasté, avec une touche mentholée. Très présent en bouche, complexe avec une saveur très boisée qui plaît à certains, mais peut en surprendre d'autres, ce vin de caractère demande à s'assagir un peu. (100 à 149 F)
🔑 Ollet-Fourreau, 33500 Néac, tél. 05.57.51.28.68, fax 05.57.51.91.79 ☑ 🍷 r.-v.

CH. GRANDS SILLONS GABACHOT 1998★

■ 4 ha 18 000 15 à 23 €

Ce cru appartient à une branche de la famille Janoueix, d'origine corrézienne, établie en Libournais où elle pratique le négoce des vins et où elle possède plusieurs vignobles. Celui-ci est complanté de vieilles vignes à 70 % merlot, 20 % bouchet (cabernet franc) et 10 % pressac (cot) sur sols variés et crasse de fer. La robe présente de beaux reflets grenat intense. Le bouquet est déjà expressif, avec du fruit noir (myrtille) et un merrain épicé, bien fondu. La mise en bouche est charnue puis les tanins de bois apparaissent vite. Il faudra attendre trois à huit ans pour apprécier cette bouteille, par exemple sur un canard au sang. (100 à 149 F)
🔑 François Janoueix, 20, quai du Priourat, BP 135, 33502 Libourne Cedex, tél. 05.57.55.55.44, fax 05.57.51.83.70 ☑ 🍷 r.-v.

CH. GUILLOT 1998

■ 4,3 ha 24 000 23 à 30 €

82 83 85 86 88 |89| |93| |94| 95 96 97 98

Né de graves argilo-siliceuses, d'un encépagement équilibré (70 % de merlot pour 30 % de cabernet franc), le vin s'affiche dans une belle robe grenat sombre. Le bouquet offre un joli boisé torréfié qui laisse s'exprimer les arômes de fruits rouges mûrs. La bouche, souple et délicate, assez fine, révèle un bon équilibre entre la chair et la structure. Une bouteille qui sera agréable à boire dans deux à trois ans. (150 à 199 F)
🔑 SCEA Vignobles Luquot, 152, av. de l'Epinette, 33500 Libourne, tél. 05.57.51.18.95, fax 05.57.25.10.59 ☑ 🍷 r.-v.

CH. HAUT-FERRAND 1998

■ 4 ha 25 000 15 à 23 €

82 **83** 85 86 88 91 92 93 |94| |95| 96 98

Issu d'une sélection de 4 ha sur les 16 ha que comporte Ferrand, ce vin se pare d'une robe pourpre sombre. Le nez réclame un peu d'agitation pour s'ouvrir et exprimer des arômes de fruits confits et de cuir. La bouche aussi demande deux à trois ans pour s'affiner en bouteille. (100 à 149 F)
🔑 SCE du Ch. Ferrand, 33500 Pomerol, tél. 05.57.51.21.67, fax 05.57.25.01.41 ☑ 🍷 r.-v.
🔑 H. Gasparoux

CH. HAUT-TROPCHAUD 1998★★

■ 2 ha 15 000 23 à 30 €

88 |90| |93| |94| 95 96 |97| **98**

Acquis en 1987 par Michel Coudroy, ce cru est établi sur les très belles graves de la haute terrasse de Pomerol et planté de très vieux merlot (quatre-vingts ans). Joliment présenté dans une robe grenat, ce 98 exhale un bouquet complexe et élégant, mariant les arômes de fruits très mûrs, de pruneau cuit et de cacao à de belles odeurs vanillées, grillées et torréfiées. La bouche, d'abord ronde et charnue, évolue sur une matière riche et puissante, d'une remarquable concentration tannique, encore ferme en finale. Un très grand vin digne d'une longue garde. (150 à 199 F)
🔑 Michel Coudroy, Maison-Neuve, 33570 Montagne, tél. 05.57.74.62.23, fax 05.57.74.64.18 ☑ 🍷 r.-v.

CH. LA BASSONNERIE 1998

■ 2,07 ha 12 000 15 à 23 €

96 97 98

Des sables anciens et des graves reposant sur de l'argile, plantés à 60 % de merlot et à 40 % de cabernet, ont donné naissance à ce vin de teinte bordeaux bien franche. Les fruits rouges frais associés aux notes boisées brûlées, tirant un peu sur le goudron, accompagnent une bouche corsée et équilibrée. A attendre deux à trois ans pour pour lui permettre de gagner en expression. Du même producteur, **Mayne René 98 (150 à 199 F)** obtient la même note. 90 % de merlot une bouteille sympathique qui sera prête dans deux ans. (100 à 149 F)

SCEA La Bassonnerie, "René", 33500 Pomerol, tél. 06.09.73.12.78, fax 05.57.51.99.94, e-mail leymarie@ch-leymarie.com ☑ Y r.-v.

CH. LA CONSEILLANTE 1998*

■ 12 ha n.c. +76 €

82 85 88 |89| |90| 91 **|92| |93|** 95 96 97 98

Ce domaine viticole, archétype du cru de pomerol, est exploité par la famille Nicolas depuis cent trente ans. Etabli sur un terroir argilo-graveleux entre Petrus et Cheval Blanc, il est complanté à 80 % de merlot et à 20 % de cabernet franc. On a affaire avec ce 98 à un pomerol de garde, d'une belle couleur aux reflets grenat intense. Le bouquet complexe mêle les fleurs (violette), les fruits mûrs, le boisé épicé et empyreumatique. La saveur, à la fois élégante et corsée, signe un merlot très mûr et un merrain bien maîtrisé. A ouvrir sur un gibier à plume à partir de 2005. (+ 500 F)

SC Héritiers L. Nicolas, Ch. La Conseillante, 33500 Pomerol, tél. 05.57.51.15.32, fax 05.57.51.42.39 Y r.-v.

CH. LA CROIX 1998

■ 10 ha 60 000 30 à 38 €

86 **|89|** |90| 92 94 |95| |(96)| 97 98

La Croix étend ses vignes sur les graves et les sables de la haute terrasse de Pomerol et de son rebord méridional. Un encépagement équilibré comptant 60 % de merlot, 20 % de cabernet franc et 20 % de cabernet-sauvignon a donné un 98 à la robe rubis, vive et intense. Le bouquet est puissant et concentré, marqué par des notes de gibier, de réglisse et de violette en finale. Il devrait s'épanouir rapidement dans les années à venir. La bouche est structurée par une trame tannique serrée, encore un peu austère, mais gage d'un beau potentiel. (200 à 249 F)

SC Ch. La Croix, 37, rue Pline-Parmentier, BP 192, 33506 Libourne Cedex, tél. 05.57.51.41.86, fax 05.57.51.53.16, e-mail info@j-janoueix-bordeaux.com ☑ Y r.-v.

CH. LA CROIX DU CASSE 1998*

■ 9 ha 48 000 46 à 76 €

|96| 98

Ce vignoble implanté sur graves, sables et crasse de fer, a été reconstitué après les gelées de 1956 sur la base de 70 % de merlot et 30 % de cabernet franc. Le vin a une jolie couleur intense à reflets grenat. Le nez, encore peu fruité, évolue sur des notes épicées et surtout très boisées. La structure puissante et charnue s'appuie sur des tanins qui demandent à se fondre. A servir sur des râbles de lièvre à la crème. (300 à 499 F)

Jean-Michel Arcaute, Ch. Jonqueyres, Gam Audy, 33750 Saint-Germain-du-Puch, tél. 05.57.34.51.51, fax 05.56.30.11.45, e-mail info@gamaudy.com Y r.-v.

CH. LA CROIX SAINT GEORGES 1998*

■ 3,5 ha 21 000 30 à 38 €

(82) 83 85 86 **|88| |89|** |90| 92 **|93|** |94| **|96|** |97| 98

Le château est remarquablement restauré, et une sculpture représentant saint Georges sur la façade de l'un des chais rappelle que ce domaine appartenait jadis à l'ordre des Hospitaliers de Saint-Jean de Jérusalem, qui y avaient établi un « nosocane », hospice où ils soignaient les malades et les invalides. C'est aujourd'hui un domaine viticole qui propose un 98 issu à 95 % de merlot, de couleur grenat sombre et intense. Le bouquet, complexe et élégant, exprime des odeurs de torréfaction et de fruits rouges. La bouche ample et ronde repose sur des tanins suaves et charnus d'une belle harmonie. Grande longueur en finale. (200 à 249 F)

SC Ch. La Croix, 37, rue Pline-Parmentier, BP 192, 33506 Libourne Cedex, tél. 05.57.51.41.86, fax 05.57.51.53.16, e-mail info@j-janoueix-bordeaux.com ☑ Y r.-v.

CH. LAFLEUR 1998**

■ 3,15 ha 12 000 +76 €

|85| |86| |88| **89** |90| |92| |(93)| **94** 95 96 97 **98**

Cru très intéressant où le cabernet franc est planté à parité avec le merlot. Le terroir varié mêle graves, argiles, sables. Tout cela donne un pomerol de caractère qui avait obtenu un coup de cœur pour son 93 et qui réitère l'exploit cette année. Paré d'une magnifique robe grenat sombre, il est déjà puissant et complexe au nez, et révèle un accord remarquable entre le fruit mûr et le merrain fin. Chaleureux et d'un très beau volume avec une saveur de fruits confits et de vanille, il offre une finale sur des tanins de qualité : l'ensemble, d'une grande harmonie, constitue une bouteille de longue garde. Le second vin, **Pensées de Lafleur 98 (250 à 299 F)**, obtient une citation. (+ 500 F)

Sylvie et Jacques Guinaudeau, Grand Village, 33240 Mouillac, tél. 05.57.84.44.03, fax 05.57.84.83.31 Y r.-v.

Marie Robin

CH. LA FLEUR DE PLINCE 1998*

■ 0,28 ha n.c. 23 à 30 €

Microcuvée créée en 1998 lors de l'achat par Pierre Choukroun de cette parcelle de 28 a, complantée à 90 % de merlot et à 10 % de cabernet. Le vin grenat intense a des reflets d'évolution. Le bouquet, puissant et vineux, libère des arômes de fruits cuits et confits, mêlés d'odeurs de torréfaction. La bouche est équilibrée et bien structurée, avec des tanins gras et charnus qui évoluent longuement en finale. (150 à 199 F)

Pierre Choukroun, Le Grand Moulinet, 33500 Pomerol, tél. 05.57.74.15.26, fax 05.57.74.15.27, e-mail gvbpc@wanadoo.fr r.-v.

CH. LAFLEUR-GAZIN 1998*

■ 8,6 ha 51 000 15 à 23 €

86 88 |89| |90| 92 |96| 97 98

Issu essentiellement de merlot (92 %), inmplanté sur sables et argiles, ce 98 a été élaboré sous la houlette de Jean-Claude Berrouet. Sa robe rubis est intense et profonde. Son bouquet naissant est agréable par ses notes de fruits secs et de boisé grillé et sa touche fraîche de sous-bois. La structure est riche et bien équilibrée, avec des tanins soyeux et fondus de bien belle facture, et une finale très persistante. Sa vie sera longue... A servir sur un petit gibier ou une omelette aux truffes. (100 à 149 F)

Ets Jean-Pierre Moueix, 54, quai du Priourat, 33500 Libourne, tél. 05.57.51.78.96
Mme Delfour-Borderie

CH. LA FLEUR-PETRUS 1998**

■ 10,41 ha 48 000 46 à 76 €

82 83 |**85**| **86** |**88**| |(**89**)| **90 92** |**94**| 95 **96** 97 **98**

Les mêmes hommes élaborent et distribuent ce vin et son grand frère Petrus. On note cependant quelques nuances dans le terroir (ici, un peu plus de graves, un peu moins d'argile) et l'encépagement (un peu moins de merlot, un peu plus de cabernet franc). Si Petrus est exceptionnel, La Fleur-Petrus est un remarquable pomerol classique : une robe très sombre, des arômes très mûrs (pruneau) avec des notes de bois toasté et de cuir ; en bouche, de belles rondeurs raffermies par des tanins denses de raisin et de merrain. Ce vin gagnera à s'ouvrir encore un peu : à boire dans cinq à sept ans. (300 à 499 F)

SC du Ch. La Fleur-Pétrus, 33500 Pomerol

CH. LA GANNE 1998**

■ 3 ha 13 300 15 à 23 €

86 88 |90| |93| |94| 96 |97| **98**

Ce cru, exploité depuis quatre générations par la famille Dubois-Lachaud, est situé au sud-ouest de l'appellation et complanté à 80 % de merlot et à 20 % de cabernet franc sur terroir sablo-ferrugineux. Ce 98 est paré d'une robe somptueuse. Son bouquet, à la fois fin et complexe, exprime des notes de cerise à l'eau-de-vie, de vanille, de café, de cuir. La saveur est bien équilibrée entre puissance et élégance, et le bois respecte le raisin. Très bien fait. (100 à 149 F)

Michel Dubois, 224, av. Foch, 33500 Libourne, tél. 05.57.51.18.24, fax 05.57.51.62.20, e-mail laganne@aol.com r.-v.

CH. LA GRAVE TRIGANT DE BOISSET 1998

■ 8,68 ha 50 000 30 à 38 €

82 83 85 **86** |**88**| |**89**| |(**90**)| **92** |**94**| **95** 96 98

Ce cru de près de 9 ha, installé sur des sols argilo-graveleux (89 % de merlot et 11 % de cabernet franc), propose un 98 agréable et harmonieux, bien présenté dans une jolie robe de couleur cerise, sombre et intense. Le nez mêle des odeurs animales et des senteurs balsamiques à un boisé fin et élégant. La bouche révèle des tanins ronds et charnus, généreux et veloutés, qui persistent longuement dans une finale douce et suave. (200 à 249 F)

Ets Jean-Pierre Moueix, Ch. La Grave Trigant de Boisset, 33500 Pomerol

CH. LA POINTE 1998***

■ 22 ha 110 000 23 à 30 €

82 83 85 86 88 |89| |**93**| |94| **95** (96) |97| (98)

Gilles Pauquet conseille cette propriété commandée par une demeure Directoire qui nous étonne à nouveau avec ce 98 à la hauteur de son 96. Ce millésime présente tous les attributs d'un grand pomerol de garde : robe bordeaux à reflets noirs, bouquet puissant et complexe où violette, moka, truffe, merlot, merrain, cuir se donnent la réplique. Charnu, moelleux, ce vin à la saveur racée est charpenté par des tanins réglissés et chocolatés. La puissance respecte l'harmonie. Une bouteille impressionnante à un prix fort attrayant. (150 à 199 F)

SCE Ch. La Pointe-Pomerol, 33500 Pomerol, tél. 05.57.51.02.11, fax 05.57.51.42.33, e-mail chateau.lapointe@wanadoo.fr r.-v.

CH. LA ROSE FIGEAC 1998*

■ 3 ha 18 000 38 à 46 €

82 (**85**) **86** |**88**| |**89**| |90| 92 |**93**| |94| 95 96 **97** 98

Ce cru est installé dans le secteur de Figeac sur un terroir mêlant graves et sables anciens. Son 98 assemble 95 % de merlot, âgé de cinquante ans, à 5 % de cabernet franc. Paré d'une robe rubis, intense et jeune, il libère un bouquet élégant et complexe, associant les fruits rouges à des parfums floraux de violette, et à un beau boisé grillé aux nuances de goudron et de réglisse. Corsée, racée et nerveuse en attaque, la bouche évolue sur une structure tannique ferm

et corpulente, gage d'un bel avenir. Digne d'un gros gibier. (250 à 299 F)
🔑 Vignobles Despagne-Rapin, Maison Blanche, 33570 Montagne, tél. 05.57.74.62.18, fax 05.57.74.58.98 ☑ 🍷 r.-v.

CH. LATOUR A POMEROL 1998★

■ 7,93 ha 42 000 🛢 38 à 46 €

61 64 66 67 70 71 75 (76) **80** 81 **82 83** 85 **86** |87| **88 89 90** 92 |(93)| **94** 95 96 |97| 98

Propriété de Mme Lily Lacoste-Loubat, ce cru est proche de l'église de Pomerol. Implanté sur un sol gravelo-sableux sur argile (91 % de merlot), il donne, sous la direction de Jean-Claude Berrouet, un pomerol des plus classiques, d'un grenat sombre et très profond. Le bouquet concentré rappelle les fruits mûrs mais reste encore sur sa réserve. La bouche élégante développe une belle structure avec des tanins soyeux de grande qualité, très persistants en finale. Un vin digne d'une garde de cinq à huit ans. (250 à 299 F)
🔑 Ets Jean-Pierre Moueix, 54, quai du Priourat, 33500 Libourne, tél. 05.57.51.78.96
🔑 Lily Lacoste

CLOS DE LA VIEILLE EGLISE 1998★★★

■ 1,45 ha 9 500 🛢 23 à 30 €

92 93 |94| **95 96** (98)

Composé à 90 % de vieux merlot pour 10 % de cabernet franc, ce cru est installé sur des graves argileuses. Nos dégustateurs ont été enthousiasmés par la densité de la robe grenat, très sombre et profonde de ce 98, puis par la puissance et la distinction de son bouquet, qui marie harmonieusement arômes de fruits cuits et odeurs boisées élégantes. La bouche est concentrée, ample et riche ; les tanins charnus et veloutés persistent longuement dans une finale grandiose, très épicée. (150 à 199 F)
🔑 SCEA des Vignobles Trocard, 2, Les Petits-Jays-Ouest, 33570 Les Artigues-de-Lussac, tél. 05.57.55.57.90, fax 05.57.55.57.98, e-mail trocard@wanadoo.fr ☑ 🍷 t.l.j. sf sam. dim. 8h-12h 14h-17h

CH. LE BON PASTEUR 1998★★★

■ 7 ha 34 000 🛢 46 à 76 €

78 79 81 |(82)| **83** |85| |86| |88| |89| **90 92 93 94** (95) 96 **97** (98)

Consultant de domaines répartis sur tous les continents, Michel Rolland exerce brillamment ses talents dans son fief d'origine, comme le prouve ce superbe pomerol où 75 % de merlot sont associés au cabernet franc. Sombre, presque noir, ce 98 est doté d'une magnifique palette aromatique faite de fruits très mûrs, d'épices puissantes, de merrain bien toasté. Sa grande richesse de saveurs, sa générosité, ses tanins puissants mais maîtrisés donnent un grand vin de garde, à la fois élégant et racé. (300 à 499 F)
🔑 SCEA Fermière des domaines Rolland, Maillet, 33500 Pomerol, tél. 05.57.51.23.05, fax 05.57.51.66.08 ☑ 🍷 r.-v.

CH. LE CAILLOU 1998

■ 7 ha n.c. 🛢 15 à 23 €

|93| |94| |95| 98

Dans la même famille depuis plus d'un siècle, ce cru doit son nom à la dénomination cadastrale du lieu où se trouve le vignoble, installé sur un terroir sablo-graveleux mêlé de crasse de fer. D'une belle couleur rubis à reflets violines, ce 98 est encore très jeune : ses arômes de fruits rouges acidulés et de cuir, son léger boisé grillé et vanillé, sa structure solide aux tanins fermes et puissants, un peu austères aujourd'hui, sont garants d'un bon avenir. (100 à 149 F)
🔑 André Giraud, Ch. Le Caillou, 41, rue de Catusseau, 33500 Pomerol, tél. 05.57.51.06.10, fax 05.57.51.74.95 ☑ 🍷 r.-v.
🔑 GFA Giraud-Bélivier

CH. DU DOM. DE L'EGLISE 1998

■ 7 ha 35 000 🛢 23 à 30 €

Installé sur des sols de graves avec trois quarts de merlot et un quart de cabernet franc, ce cru a produit un 98 agréable, bien présenté dans une jolie robe grenat sombre. Le bouquet reste encore un peu sur la réserve et ne laisse percevoir que quelques arômes fruités relevés par des touches boisées fines. La structure est ferme et équilibrée, avec du charme en attaque, mais la finale est un peu austère et nécessitera plusieurs années de garde pour s'assouplir. (150 à 199 F)
🔑 Indivision Castéja-Preben-Hansen, 33330 Saint-Emilion, tél. 05.56.00.00.70, fax 05.57.87.48.61

ESPRIT DE L'EGLISE 1998★★

■ 2 ha 10 000 🛢 23 à 30 €

Second vin du Clos L'Eglise, cette bouteille est élaborée à partir de 75 % de merlot et de 25 % de cabernet franc. Le 98, d'une belle couleur bigarreau noir, offre un bouquet concentré de merlot très mûr, de violette, de vanille, de bois empyreumatique (moka). Le corps est dense, ample, charpenté par de bons tanins de bois épicés, encore un peu dominants. Un pomerol moderne très bien fait. (150 à 199 F)
🔑 Sylviane Garcin-Cathiard, SC Clos L'Eglise, 33500 Pomerol, tél. 05.56.64.05.22, fax 05.56.64.06.98, e-mail haut.bergey@wanadoo.fr

CH. L'ENCLOS 1998*

■ 9,45 ha 47 890 23 à 30 €

|85| |86| |88| **|89|** 91 |95| |96| 98

Domaine viticole classique, créé sur des graves silico-argileuses à l'ouest de l'appellation. Parmi les millésimes de référence, on note un 47 servi en 1959 à la cour royale de Hollande en l'honneur des souverains britanniques. Le 98, très réussi, sera prêt dans quelques années. Pour le moment, il se pare d'une couleur rubis intense. Le bouquet, déjà très fin, offre du fruit, des épices et des senteurs de sous-bois. La structure est bien équilibrée, ronde, pleine, avec une saveur de fruits noirs persistante. (150 à 199 F)

SCEA du Ch. L'Enclos, 20, rue du Grand-Moulinet, 33500 Pomerol, tél. 05.57.51.04.62, fax 05.57.51.43.15, e-mail chateaulenclos@wanadoo.fr r.-v.

CH. LES GRANDS SILLONS 1998

■ 2 ha 12 000 15 à 23 €

Petite propriété familiale acquise en 1925 par l'arrière-grand-père de l'actuel propriétaire, ce cru est installé sur des sables où sont plantés du merlot de quarante-cinq ans et, en appoint (15 %), du cabernet-sauvignon. Cela donne un beau 98, grenat sombre, aux arômes de fruits rouges mêlés de senteurs balsamiques et de nuances de sous-bois. La bouche, bien constituée, présente une matière ferme et vive qui demande un peu de temps pour s'arrondir. (100 à 149 F)

Philippe Dignac, Ch. Côtes de Bonde, 33570 Montagne, tél. 05.57.74.64.52, fax 05.57.74.55.88, e-mail dignac@enfrance.com

CLOS DES LITANIES 1998

■ 0,74 ha 4 500 30 à 38 €

86 **|90|** 96 |97| 98

L'étiquette, un peu désuète, montre le frère Mathieu Bossuet, nommé à la cure de Pomerol en 1514, récitant ses litanies dans ce beau clos de vignes. Exclusivement né de vieux merlot, d'une belle couleur rubis intense et profonde, ce 98 mêle au nez des arômes de fruits mûrs et un joli boisé vanillé et grillé. La bouche est souple et soyeuse, fine et élégante. Une bouteille plaisante à consommer dans deux à trois ans. (200 à 249 F)

SC Ch. La Croix, 37, rue Pline-Parmentier, BP 192, 33506 Libourne Cedex, tél. 05.57.51.41.86, fax 05.57.51.53.16, e-mail info@j-janoueix-bordeaux.com r.-v.

CH. MONTVIEL 1998*

■ 5 ha n.c. 15 à 23 €

88 89 **|90|** 91 **|93|** 94 |95| 96 97 98

Cette propriété installée sur des graves est complantée de 85 % de merlot et de 15 % de cabernet franc. Elle a produit un 98 bien réussi de couleur grenat intense. Le bouquet est ouvert sur des arômes de fruits mûrs, mêlés de notes grillées et torréfiées. La bouche ronde, ample et charnue offre une belle harmonie entre le raisin et le bois. Une bouteille qui réunit la puissance et la finesse, à attendre de trois à cinq ans. (100 à 149 F)

SCA du Ch. Montviel, Grand-Moulinet, 33500 Pomerol, tél. 05.57.51.87.92, fax 05.21.93.21.03 r.-v.

Yves et Catherine Péré-Vergé

CH. MOULINET 1998*

■ 13 ha 80 000 15 à 23 €

93 |94| |95| |96| 98

Nathalie Moueix-Guillot a repris la gestion de cet ancien et important domaine viticole lors de la disparition de son père Armand Moueix, forte personnalité appréciée dans le milieu viticole et sportif libournais. La vigne, plantée sur graves et sables, est composée de 60 % de merlot, de 30 % de cabernet-sauvignon et de 10 % de cabernet franc. Le vin présente une belle couleur rubis sombre. Le nez commence à s'ouvrir sur des arômes de fruits confits, de café et une touche empyreumatique. L'attaque est souple, ronde, vite suivie de tanins encore un peu durs. Dans quatre à cinq ans, ce 98 sera apprécié sur viandes et fromages. (100 à 149 F)

Nathalie et Marie-José Moueix, Ch. Fonplégade, BP 45, 33330 Saint-Emilion, tél. 05.57.74.43.11, fax 05.57.74.44.67, e-mail stephanyrosa@wanadoo.fr r.-v.

CH. MOULINET-LASSERRE 1998*

■ 5 ha 25 000 15 à 23 €

|89| |90| 91 92 93 94 **95 96 97 98**

Rien ne sépare Moulinet-Lasserre de Clos René. La vigne, complantée à 80 % de merlot, à 20 % de cabernet franc et à 10 % de malbec, a donné un vin à la robe d'un grenat de bonne intensité. Le bouquet joue dans le registre de la finesse : pur fruit réglissé, avec une touche de cuir. Ce 98 a beaucoup de densité et affiche sa jeunesse, mais reste bien dans l'esprit de l'appellation. (100 à 149 F)

SCEA Garde-Lasserre, Clos René, 33500 Pomerol, tél. 05.57.51.10.41, fax 05.57.51.16.28 r.-v.

J.-M. Garde

CH. PETIT VILLAGE 1998**

■ 11 ha 42 000 46 à 76 €

85 86 88 **|89| 90** 92 **93** 94 **95** 96 |97| **98**

Christian Seely dirige les domaines bordelais d'Axa depuis que Jean-Michel Cazes a pris sa retraite. Le terroir argilo-graveleux, planté à 72 % de merlot et à 28 % de cabernet, a donné un vin grenat sombre au bouquet expressif de fruits très mûrs, de vanille, de chêne grillé avec une touche animale. Chaleureux et dense, le palais est concentré, riche de tanins de raisin et de merrain. Friand, ce pomerol devrait s'épanouir dans cinq à dix ans. (300 à 499 F)

Christian Seely, Ch. Petit Village, 33500 Pomerol, tél. 05.57.51.21.08, fax 05.57.51.87.31, e-mail infochato@petit-village.com r.-v.

AXA Millésimes

PETRUS 1998★★★

■ 11,42 ha 30 000 +76 €

61 67 71 74 75 76 78 |79| |81| (82) |83| |85| |86| |87| |(88)| |89| 90 |92| 93 |94| (95) (96) 97 (98)

Un terroir régulier, une histoire récente éblouissante, des heures de gloire commencées lors du mariage d'Elisabeth, future reine d'Angleterre, et aujourd'hui des hommes remarquables qui le dirigent : Petrus est le porte-drapeau de l'appellation pomerol dont il possède tous les caractères avec plus d'opulence encore dans cette dégustation. La magnifique robe bordeaux est sombre, presque noire. Le bouquet, concentré, complexe à l'extrême, exprime le mariage parfait entre le merlot bien mûr (95 % de l'assemblage) et le merrain très fin. La saveur est chaleureuse, puissante, charnue, truffée, prolongée par des tanins à la fois denses et réglissés, prometteurs d'une longue garde. (+ 500 F)

SC du Ch. Petrus, 33500 Pomerol

CH. PLINCE 1998★★

■ 7,18 ha 45 000 15 à 23 €

6 |89| |90| 91 92 |95| 96 98

Cette belle propriété familiale de 10 ha est installée sur des sables mêlés de crasse de fer et complantée pour les trois quarts de merlot et pour un quart de cabernet. Le 98 a séduit notre jury dès l'observation visuelle qui montre une somptueuse robe pourpre, sombre et profonde, avec des reflets violines en surface. Le bouquet, déjà très ouvert et complexe, mêle les fruits rouges et noirs bien mûrs à des odeurs grillées, vanillées et épicées. La bouche ample, charnue et puissante est dotée d'un bel équilibre entre les tanins de raisins et ceux du bois de l'élevage. La finale, encore un peu ferme, demande quelques années de garde pour s'affiner. (100 à 149 F)

SCEV Moreau, Ch. Plince, 33500 Libourne, tél. 05.57.51.68.77, fax 05.57.51.43.39 ☑ ⌶ t.l.j. sf sam. dim. 8h-12h 14h30-18h30; f. ven. 17h

CLOS PLINCE 1998

■ 1,15 ha 6 000 15 à 23 €

Racheté en 1996 par la famille Laval, ce tout petit cru est constitué par 70 % de merlot et 30 % de cabernets plantés sur des sables. Ce 98, plaisant et flatteur, est paré d'une robe rubis vif. Le bouquet, dominé un peu aujourd'hui par des notes boisées vanillées, s'ouvre sur des arômes de fruits rouges cuits à l'alcool. La bouche est corsée et charnue, et ses tanins, fermes et bien présents, devraient assurer au vin une bonne évolution (trois à cinq ans de garde) (100 à 149 F)

SCEA Famille Laval, 4, chem. des Grand-Vignes, 33500 Pomerol, tél. 05.57.51.17.40, fax 05.57.51.16.89 ☑ ⌶ r.-v.

CH. POMEAUX 1998★★

■ 3,78 ha 22 000 46 à 76 €

Entrée fracassante pour ce cru dès sa première récolte ! Pur merlot planté sur argiles et graves ferrugineuses, élevé deux ans en barrique neuve, cela paraît simple. Et pourtant le résultat est impressionnant. La robe très sombre a des reflets brun noir. L'olfaction, à la fois puissante et subtile, mêle fruits rouges, cerise cuite, épices, moka, cuir, merrain toasté (encore un peu dominant). La saveur chaleureuse, grasse, dense, charpentée par des tanins au grain fin, encore frais, révèle un vin apte à une longue garde. Après une telle réussite on attend la confirmation sur les prochains millésimes. (300 à 499 F)

SCEA du Ch. Pomeaux, 6, Lieu-dit Toulifaut, 33500 Pomerol, tél. 05.57.51.98.88, fax 05.57.51.88.99, e-mail info@pomeaux.com ☑ ⌶ r.-v.

M. A.T. Powers

CH. PONT-CLOQUET 1998

■ 0,53 ha 3 600 30 à 38 €

Créé en 1996 mais élaboré à partir de vieux merlot de cinquante ans avec un appoint de 10 % de cabernet-sauvignon, ce 98 est un beau vin, de bonne typicité : la robe grenat est intense et limpide ; le bouquet exprime les fruits mûrs et des notes fines et élégantes ; la bouche souple et équilibrée, construite sur des tanins soyeux, fins et bien enrobés, offre une bonne tenue en finale. (200 à 249 F)

Stéphanie Rousseau, Petit Sorillon, 33230 Abzac, tél. 05.57.49.06.10, fax 05.57.49.38.96, e-mail vignoblerousseau@wanadoo.fr ☑ ⌶ r.-v.

CH. PRIEURS DE LA COMMANDERIE 1998★

■ 3,5 ha 6 000 23 à 30 €

86 88 |89| |90| 91 |(93)| |94| 96 97 98

Ce cru est né du regroupement d'une douzaine de parcelles disséminées sur la partie ouest de Pomerol. Il est géré par la même équipe technique que le château La Dominique, grand cru classé de Saint-Emilion, du même propriétaire. Il offre un très beau 98, de couleur grenat sombre, légèrement évoluée. Les arômes de fruits rouges cuits côtoient les odeurs de bon bois et des nuances florales très agréables. La bouche est bien équilibrée, et ses tanins, ronds et charnus, persistent joliment jusqu'à une finale savoureuse. A servir sur une bécasse. (150 à 199 F)

Clément Fayat, Ch. La Dominique, 33330 Saint-Emilion, tél. 05.57.51.31.36, fax 05.57.51.63.04, e-mail info@vignobles.fayat-group.com ☑ ⌶ r.-v.

CH. RATOUIN 1998*

■ 3,2 ha 15 000 11 à 15 €

Petite propriété dans la même famille depuis trois générations, Château Ratouin est installé sur des sols silico-graveleux et planté à 70 % de merlot et à 30 % de cabernet franc. Rouge rubis intense et profond, ce 98 dévoile un bouquet concentré et puissant, offrant une belle harmonie entre les arômes de fruits cuits, de torréfaction, de cuir et de bon bois. La bouche révèle des tanins soyeux et charnus, une structure grasse et ronde, puis une finale longue et persistante très agréable. (70 à 99 F)

SCEA Ch. Ratouin, Village de René, 33500 Pomerol, tél. 05.57.51.19.58, fax 05.57.51.47.92 r.-v.

CLOS RENE 1998*

■ 12 ha 65 000 15 à 23 €

|86| |88| |89| |90| 91 92 93 95 96 97 98

Né sur un terroir sablo-graveleux, élevé seize mois en barriques dont un quart sont neuves, ce 98 arbore une belle couleur grenat. Le nez est fin et fruité, et révèle des notes d'épices et de cuir à l'agitation. La bouche est encore jeune mais les tanins, équilibrés, devraient donner une bouteille séduisante dans trois à cinq ans. (100 à 149 F)

SCEA Garde-Lasserre, Clos René, 33500 Pomerol, tél. 05.57.51.10.41, fax 05.57.51.16.28 r.-v.

J.-M. Garde

CH. ROUGET 1998*

■ 18,5 ha 30 000 23 à 30 €

|94| |95| |96| 97 98

Un 98 né sur le plateau argilo-graveleux, paré d'une robe grenat sombre et profonde. Le nez exprime les fruits mûrs et confits (griotte), relevés par un élégant boisé grillé et torréfié. La bouche est ronde, pleine et puissante avec des tanins suaves et veloutés qui persistent longuement. Un vin d'un bel équilibre qui devrait arriver à maturité dans trois à cinq ans. (150 à 199 F)

Ch. Rouget SGVP, 33500 Pomerol, tél. 05.57.51.05.85, fax 05.57.55.22.45 r.-v.

Labruyère

CH. SAINTE-MARIE 1998

■ 4,5 ha 26 000 30 à 38 €

Cette propriété familiale est cultivée sur des sols sableux en agriculture biologique, et complantée de deux tiers de merlot pour un tiers de cabernets. Paré d'une robe rubis intense et brillante, ce 98 exhale un bouquet chaud et vineux, exprimant des arômes de fruits cuits, de café, de chocolat et de réglisse. La bouche, équilibrée et harmonieuse, offre un joli charnu, des tanins fondus et veloutés, et une belle longueur en finale. Un accord original est proposé par un juré : un poisson de rivière. (200 à 249 F)

J. Pélotier et Fille, 41, av. Georges-Pompidou, 33500 Libourne, tél. 05.57.51.12.27, fax 05.57.51.12.27 r.-v.

CH. DE SALES 1998

■ 47,5 ha 160 000 23 à 30 €

86 88 |89| |90| 92 94 |97| 98

Depuis quatre siècles dans la même famille, Sales est l'un des plus beaux châteaux du Bordelais par son architecture. Il dispose de près de 50 ha de vignes plantées sur petites graves et sables (70 % de merlot, 15 % de cabernet franc et 15 % de cabernet-sauvignon). Son 98 très plaisant, paré d'une jolie robe grenat aux reflets évolués, présente un nez encore un peu discret, mais vineux avec des arômes de fruits cuits. La bouche est équilibrée ; ses tanins, souples et ronds, compensent un léger manque de puissance par une belle élégance digne d'un petit gibier. (150 à 199 F)

Bruno de Lambert, Ch. de Sales, 33500 Pomerol, tél. 05.57.51.04.92, fax 05.57.25.23.91 r.-v.

CH. DU TAILHAS 1998

■ 11 ha 60 000 23 à 30 €

97 98

Issu principalement de merlot (70 % de l'encépagement sur un sol qui mêle sables et graves sur alios), ce 98 a été élevé vingt mois en barrique neuve. Il a une robe légère à reflets tuilés. Au nez, les arômes sont encore frais, fruités, réglissés, un peu truffés. Les tanins élégants confèrent beaucoup de fraîcheur à ce vin agréable qui pourra être servi assez rapidement sur des viandes rouges ou une lamproie à la bordelaise. (150 à 199 F)

Nebout et Fils, SC Ch. du Tailhas, 33500 Pomerol, tél. 05.57.51.26.02, fax 05.57.25.17.70 r.-v.

CH. THIBEAUD-MAILLET 1998*

■ 1 ha 6 167 15 à 23 €

88 89 |90| 92 |93| |94| 95 |96| 97 98

Ce petit cru, régulièrement retenu par nos dégustateurs, repose sur un sol argilo-graveleux complanté à 85 % de merlot et à 15 % de cabernet franc. Le vin joue sur le registre de la finesse avec une belle couleur rubis dense, du fruit confit et de la torréfaction au nez. L'attaque souple et charmeuse, se poursuit sur des tanins fins et épicés. Dans deux ou trois ans, on pourra servir ce 98 sur du gibier non faisandé. (100 à 149 F)

Roger et Andrée Duroux, Ch. Thibeaud-Maillet, 33500 Pomerol, tél. 05.57.51.82.68, fax 05.57.51.58.43 t.l.j. 9h-12h 14h-20h; f. mars

CH. TROTANOY 1998**

■ 7,16 ha 32 000 +76 €

79 **80** (82) **85 86** 87 |88| |89| |(90)| |92| |94| (95) (9
97 **98**

Ce cru que s'arrachent les grandes tables d ce monde jouit d'un sol particulier : très argileu et graveleux, il est dur par temps sec et devie glissant à la moindre pluie. Eprouvant pour vigneron, mais quel résultat ! Ce 98 exprime puissance et la race du terroir : de couleur gren très sombre et dense, il développe un bouqu élégant où le bois grillé, toasté et vanillé, exal

es arômes de fruits rouges et noirs. La structure st riche, la chair généreuse, dotée d'une très elle trame tannique qui demandera un peu de atience aux amateurs. (+ 500 F)
SC du Ch. Trotanoy, 33500 Pomerol

CH. DE VALOIS 1998

7,66 ha 50 000 15 à 23 €

Cette propriété, créée à en 1862, a pris le nom le château de Valois en 1886. Installée sur des ables éoliens parfois mêlés de graves, elle ompte plus de trois quarts de merlot dans son ncépagement. Paré d'une jolie robe grenat à eflets encore vifs, ce 98 libère un bouquet un eu marqué par le bois, fait de notes grillées et anillées, avec un soupçon de fruit sous-jacent. La bouche, bien équilibrée, a une bonne concentration, mais la fermeté des tanins en finale lemandera un peu de patience aux amateurs. (100 à 149 F)
SCEA des vignobles Leydet, Rouilledimat, 3500 Libourne, tél. 05.57.51.19.77, ax 05.57.51.00.62 r.-v.

VIEUX CHATEAU CERTAN 1998***

14 ha 38 400 +76 €

81 82 83 85 86 |88| |89| |90| 92 93 |94| 95 96 97 98

Le plus européen des crus de pomerol : créé u début du XVI[e]s. par une famille écossaise, ce hâteau est exploité avec brio depuis 1924 par ne famille belge. Le 98 a fait l'unanimité par a splendide robe bordeaux à reflets noirs. Ses rômes encore très fruités (griotte, figue, prueau) sur fond finement boisé annoncent une ouche pleine et ronde, aux tanins suaves, porant à la fois l'empreinte du merlot et du merain. En un mot, c'est un grand pomerol tradionnel, très harmonieux. (+ 500 F)
SC du Vieux Château Certan, 33500 Pomeol, tél. 05.57.51.17.33, fax 05.57.25.35.08, -mail vieuxchateaucertan@wanadoo.fr r.-v.
Thienpont

VIEUX CHATEAU FERRON 1998**

1,5 ha 10 000 23 à 30 €

89 |90| 93 |95| |96| 97 98

Une des trois vignes exploitées à Pomerol par s Garzaro, vignerons de l'Entre-Deux-Mers, omplantée à 90 % de merlot et à 10 % de cabert franc de plus de quarante ans sur terroir ablo-graveleux. Le vin présente une jolie couur grenat nuancée de reflets tuilés. Finement oisé et réglissé, le nez « merlote » d'entrée sur une note de pruneau cuit, avec un petit côté animal (gibier). Soyeux, rond et charnu, le palais est équilibré par des tanins, aujourd'hui domptés, qui permettront de boire ce 98 entre deux et huit ans sur des pièces de bœuf aux cèpes ou sur du gibier. Une même note est attribuée au **Clos des Amandiers 98**. (150 à 199 F)
EARL Vignobles Elisabeth Garzaro, Ch. Le Prieur, 33750 Baron, tél. 05.56.30.16.16, fax 05.56.30.12.63, e-mail garzaro@vingarzaro.com r.-v.

CH. VIEUX MAILLET 1998*

2,62 ha 12 500 23 à 30 €

|95| 96 97 98

Propriété de 4 ha, acquise en 1994 par Isabelle Motte, Vieux Maillet est installé sur argiles et graves (quatre cinquièmes de merlot pour un cinquième de cabernet franc). Cela donne un 98 de belle prestance, paré d'une jolie robe rubis soutenu et profond. Le nez allie puissance et finesse ; il est vanillé à souhait sur des arômes de raisins bien mûrs et révèle des odeurs grillées très élégantes. Fort bien structuré, ce vin est servi par des tanins de qualité, longs et gras, et offre l'équilibre typique d'un pomerol. (150 à 199 F)
Isabelle Motte, Ch. Vieux Maillet, 33500 Pomerol, tél. 05.57.51.04.67, fax 05.57.51.04.67, e-mail chateau.vieux.maillet@wanadoo.fr r.-v.

CH. VRAY CROIX DE GAY 1998*

3,66 ha 22 500 15 à 23 €

85 86 88 |89| |90| |93| |94| 95 |97| 98

Compagnon du général de Gaulle, Olivier Guichard fut l'un des artisans de son retour au pouvoir en 1958. Ministre, il le resta dans le cabinet de Jacques Chaban-Delmas qui lui confia, en juin 1969, le ministère de l'Education nationale. Voici son domaine viticole. La vigne comprend 90 % de merlot et 10 % de cabernet franc. Doté d'une couleur rubis encore jeune, ce 98 exprime des senteurs de fruits mûrs et d'épices douces, avec des notes de café et des nuances florales. D'abord souple et délicate, la bouche révèle ensuite des tanins veloutés, un beau volume et une grande vinosité en finale. Une bouteille à boire d'ici deux à trois ans. (100 à 149 F)
SCE Baronne Guichard, Ch. Siaurac, 33500 Néac, tél. 05.57.51.64.58, fax 05.57.51.41.56 r.-v.
Olivier Guichard

Lalande de pomerol

Créé, comme celui de pomerol dont il est voisin, par les hospitaliers de Saint-Jean (à qui l'on doit aussi la belle église de Lalande qui date du XIIe s.), ce vignoble d'environ 1 120 ha, produit, à partir des cépages classiques du Bordelais, des vins rouges colorés, puissants et bouquetés, qui jouissent d'une bonne réputation, les meilleurs pouvant rivaliser avec les pomerol et les saint-émilion. 57 520 hl ont été revendiqués en 2000.

CH. DES ANNEREAUX 1998*

■ 20 ha 100 000 8 à 11 €

Un cru idéalement placé au cœur d'un terroir argilo-graveleux et complanté à 80 % de merlot et à 20 % de cabernet. Le vin a passé dix-huit mois en barrique. Pourpre soutenu et brillant, il affiche un nez développé d'épices, de fleurs, de fruits noirs (cassis, mûre) et de cuir. En bouche, les tanins ronds et mûrs évoluent avec beaucoup d'ampleur sur des arômes de réglisse et d'épices. Une bouteille à ouvrir dans trois à cinq ans. (50 à 69 F)

SCE du Ch. des Annereaux, 33500 Lalande-de-Pomerol, tél. 05.57.55.48.90, fax 05.57.84.31.27 r.-v.
Milhade-Hessel

CH. BECHEREAU
Cuvée fût de chêne 1998

■ 2,25 ha 14 000 8 à 11 €

Des arômes de pain grillé, de cuir et de cannelle, une robe soutenue pour un vin souple et rond, à boire dans les trois ans. (50 à 69 F)

SCE Jean-Michel Bertrand, Béchereau, 33570 Les Artigues-de-Lussac, tél. 05.57.24.31.22, fax 05.57.24.34.69 t.l.j. sf dim. 8h-12h 14h-18h

CH. DE BEL-AIR 1998*

■ 16 ha n.c. 15 à 23 €

Cette vieille propriété libournaise de 20 ha appartient à Jean-Pierre Musset depuis 1962. Etablie sur un terroir de graves, avec un encépagement classique de merlot (75 %) et de cabernet, elle présente un vin à la robe profonde, presque noire. Les arômes complexes de fruits mûrs et cuits (cassis, cerise) annoncent des tanins amples et veloutés, très typés, qui évoluent avec finesse. Une certaine vivacité est gage d'une bonne longévité ; une bouteille qui donnera beaucoup de plaisir dans deux à cinq ans. (100 à 149 F)

Vignobles Jean-Pierre Musset, Ch. de Bel-Air, 33500 Lalande-de-Pomerol, tél. 05.57.51.40.07, fax 05.57.74.17.43, e-mail chateaudebelair@wanadoo.fr r.-v.

CH. BELLES-GRAVES 1998

■ 16,2 ha 90 000 11 à 15 €

Ce château fut longtemps le fournisseur « officiel » de *La Calypso*, le navire du commandant Cousteau. Son 98 est très fruité (framboise) et délicatement boisé ; les tanins sont souples et fondants, bien mûrs, équilibrés, jusque dans une finale agréable. Une bouteille à boire dans les trois prochaines années. (70 à 99 F)

GFA Theallet-Piton, SC Ch. Belles-Graves, 33500 Néac, tél. 05.57.51.09.61, fax 05.57.51.01.41 r.-v.

CH. BOUQUET DE VIOLETTES 1998*

■ 2,7 ha 8 200 15 à 23 €

Ce petit cru apporte beaucoup de soins, tant à la conduite de la vigne, qu'à l'élaboration de son vin, comme en témoigne la très belle robe pourpre aux nuances rubis de ce 98 au nez tout en fruits noirs, cerise, vanille et cacao. Les tanins ronds et puissants évoluent avec suavité et maturité. La finale, un peu sévère, demande deux ou trois ans de vieillissement pour s'arrondir, ce qui est normal dans cette AOC. (100 à 149 F)

Jean-Jacques Chollet, La Chapelle, 50210 Camprond, tél. 02.33.45.19.61, fax 02.33.45.35.54 r.-v.

CH. BOURSEAU 1998*

■ 10 ha 45 000 11 à 15 €

Située à 200 m de la magnifique église du XII[e]s. du village de Lalande, cette propriété bénéficie d'un excellent terroir d'argiles et de graves, qui a donné naissance à ce vin assemblant 10 % de bouchet aux deux cépages traditionnels. La robe est soutenue ; les parfums puissants de fruits mûrs, de violette, sont accompagnés de notes très fraîches. Les tanins assez fermes composent une bouche solide, ample et longue. Une bouteille d'avenir à ouvrir dans trois à huit ans. (70 à 99 F)

SARL Vignobles Véronique Gaboriaud-Bernard, Ch. Bourseau, 33500 Lalande-de-Pomerol, tél. 05.57.51.52.39, fax 05.57.51.70.19, e-mail matras@cavesparticulieres.com t.l.j. 9h-12h 14h-17h30

CH. CANON CHAIGNEAU 1998

■ 8 ha 24 000 11 à 15 €

Des notes de torréfaction (café, cacao) et de fruits mûrs accompagnent la dégustation de ce vin assez charnu mais encore écrasé par un boisé dominant. Tout devrait rentrer dans l'ordre dans deux ou trois ans. (70 à 99 F)

SCEA Marin Audra, 3 bis, rue Porte-Brunet, 33330 Saint-Emilion, tél. 05.57.24.69.13, fax 05.57.24.69.11, e-mail louis.marin@wanadoo.fr r.-v.

DOM. DU CHAPELAIN 1998

■ 1,02 ha 5 243 11 à 15 €

L'étiquette de ce domaine du Chapelain représente... l'église Saint-Jean de Lalande, qui rappelle celle des Hospitaliers de Saint-Jean de Jérusalem dans sa superbe façade. Ce petit cru propose un 98 agréable, marqué par des arômes élégants de fruits rouges, de mûre, de vanille et de gibier. Deux ou trois ans de garde seront nécessaires pour que les tanins se fondent. (70 à 99 F)

SCEA du Ch. L'Enclos, 20, rue du Grand-Moulinet, 33500 Pomerol, tél. 05.57.51.04.62, fax 05.57.51.43.15, e-mail chateaulenclos@wanadoo.fr r.-v.

CLOS DES TUILERIES 1998

■ 2 ha 2 500 8 à 11 €

Ce Clos présente un 98 aux reflets tuilés, au bouquet de menthol, de réglisse, de cassis, soutenu par un boisé de qualité. En bouche, on découvre un vin souple et harmonieux aux anins présents et mûrs, bien typés de l'appellation. A boire ou à garder quelques années. (50 à 69 F)

SCEA des Vignobles Francis Merlet, 46, rte de l'Europe, Goizet, 33910 Saint-Denis-de-Pile, tél. 05.57.84.25.19, fax 05.57.84.25.19 r.-v.

CLOS LES FOUGERAILLES 1998

2,25 ha 5 000 8 à 11 €

Issu à 100 % de merlot, ce vin se distingue par une robe rouge vif, des arômes agréables de fruits rouges délicatement boisés et des tanins souples et ronds, équilibrés en fin de bouche. Une bouteille réussie, à ouvrir d'ici deux ou trois ans. (50 à 69 F)

SCEA du Ch. Coudreau, 1, rte de Robin, 33910 Saint-Denis-de-Pile, tél. 06.82.17.85.28, fax 05.57.74.26.77, e-mail chateau.coudreau@laposte.net r.-v.

Vacher

CH. GRAND ORMEAU 1998**

8 ha 38 000 15 à 23 €

Jean-Claude Beton s'est passionné pour ce vignoble en 1988. Il a engagé une politique qualitative exigeante qui a conduit ce cru aux meilleures places. Son excellent terroir graveleux est mis en valeur par un rendement de seulement 35 hl/ha. C'est bien là le premier secret des grands vins. Celui-ci brille d'éclats rubis sombre, et son bouquet expressif évoque les fruits mûrs, avec un boisé empyreumatique très élégant. Les tanins au grain fin présentent une texture serrée, beaucoup de concentration et de gras. La finale, très complexe et persistante, autorise une garde importante, d'au moins cinq à huit ans. (100 à 149 F)

Ch. Grand Ormeau, 33500 Lalande-de-Pomerol, tél. 05.57.25.30.20, fax 05.57.25.22.80, e-mail grand.ormeau@wanadoo.fr r.-v.

Jean-Claude Beton

CH. GRAND ORMEAU
Cuvée Madeleine 1998***

2,5 ha 10 000 30 à 38 €

Fondateur du groupe Orangina, Jean-Claude Beton a fait de cette propriété un grand cru. Un coup de cœur unanime récompense la cuvée Madeleine, provenant de vieilles vignes implantées sur un terroir graveleux. Sous une robe très sombre et soutenue paraissent des arômes complexes mêlant épices (vanille) et fruits rouges cuits. Amples et fermes, tout en étant soyeux, les tanins donnent une impression de puissance et de longueur. Une bouteille d'exception, à ouvrir seulement dans cinq à dix ans. (200 à 249 F)

Ch. Grand Ormeau, 33500 Lalande-de-Pomerol, tél. 05.57.25.30.20, fax 05.57.25.22.80, e-mail grand.ormeau@wanadoo.fr r.-v.

CH. HAUT-CHAIGNEAU
Cuvée Prestige Elevé en fût de chêne 1998*

11 ha 50 000 15 à 23 €

Pascal Chatonnet, œnologue distingué, seconde son père sur les propriétés familiales. Tous deux proposent chaque année d'excellents vins, à l'image de ce 98 à la robe profonde et brillante. Expressif, le nez évoque les fruits rouges et noirs (cassis) associés à un boisé vanillé et toasté ; les tanins très concentrés, puissants en attaque, évoluent ensuite avec finesse jusqu'à une jolie finale aromatique. Une bouteille à garder deux à cinq ans. Le second vin, le **Château Tour Saint-André 98 (70 à 99 F)** est cité pour ses arômes fruités et chaleureux, et pour sa structure souple et équilibrée. A boire plus vite que son aîné. (100 à 149 F)

GFA J. et A. Chatonnet, Ch. Haut-Chaigneau, 33500 Néac, tél. 05.57.51.31.31, fax 05.57.25.08.93 r.-v.

CH. HAUT-CHATAIN
Cuvée Prestige 1998**

1 ha 6 000 11 à 15 €

Cette cuvée Prestige représente une sélection d'un hectare de vieilles vignes de quarante ans, sur les vingt-deux que compte la propriété. Ce 98 à la robe sombre et profonde, au bouquet intense de confiture de fruits rouges, de pain grillé, de goudron, séduit d'emblée. L'attaque est souple et dense, puis apparaissent des tanins mûrs, fermes et très fruités (framboise, fraise des bois). Une bouteille pleine de finesse, à découvrir dans deux à huit ans. La **cuvée classique**, élaborée à partir de vignes de vingt-cinq ans et avec un apport de 10 % de cabernet franc, obtient une étoile pour son équilibre entre des fruits mûrs et des tanins souples et élégants. Un vin à boire plus vite, d'ici deux à trois ans. (70 à 99 F)

Vignobles Rivière-Junquas, Ch. Haut-Châtain, 33500 Néac, tél. 05.57.25.98.48, fax 05.57.25.95.45 r.-v.

CH. HAUT-SURGET 1998

36 ha 100 000 11 à 15 €

Importante propriété, Haut-Surget présente un vin agréable : le jury a apprécié sa robe grenat aux reflets violacés, ses arômes floraux et grillés accompagnés d'une note de fruits rouges. En bouche, les tanins sont encore maîtres du jeu ; les fruits ne pourront pleinement s'exprimer qu'après deux à quatre ans de garde. (70 à 99 F)

Ollet-Fourreau, 33500 Néac, tél. 05.57.51.28.68, fax 05.57.51.91.79 r.-v.

CH. JEAN DE GUE Cuvée Prestige 1998★★

■ 6,5 ha n.c. 11 à 15 €

Après un coup de cœur et trois étoiles pour le millésime 97, ce château présente un remarquable 98 paré d'une robe grenat aux reflets rubis très brillants. Ses arômes de fruits (cassis), d'épices, de truffes se mêlent à des notes boisées plus classiques (vanille, pain grillé) pour former un bouquet très complexe. En bouche, ses tanins puissants et mûrs, particulièrement gras et élégants, offrent un retour aromatique très fruité et épicé. Une bouteille à oublier impérativement cinq à dix ans dans une bonne cave. (70 à 99 F)

Vignobles Aubert, La Couspaude, 33330 Saint-Emilion, tél. 05.57.40.15.76, fax 05.57.40.10.14 r.-v.

CH. LA BORDERIE-MONDESIR 1998★

■ 2,2 ha 13 000 11 à 15 €

Jean-Marie Rousseau, à la tête de 44 ha, consacre 2 ha à cette cuvée qui assemble, pour le millésime, 90 % de merlot au cabernet-sauvignon, nés sur un terroir graveleux possédant du mâchefer en sous-sol. Ce vin porte une robe rubis aux reflets violacés et exhale des parfums évocateurs d'épices, de fruits rouges et de cuir. Ses tanins, ronds et puissants à la fois, sont très élégants jusque dans la finale. Une bouteille d'avenir, qui s'exprimera totalement d'ici deux à cinq ans. (70 à 99 F)

Jean-Marie Rousseau, Petit-Sorillon, 33230 Abzac, tél. 05.57.49.06.10, fax 05.57.49.38.96, e-mail vignoblesrousseau@wanadoo.fr r.-v.

CH. LA CROIX SAINT-JEAN 1998

■ 1,34 ha 8 000 11 à 15 €

Ce vignoble se transmet par les femmes : il est aujourd'hui conduit par le père et la fille. Leur vin, très agréable, d'une couleur rubis brillant, offre des arômes francs de fruits rouges légèrement toastés. Ses tanins épicés présentent un bon équilibre mais aussi une légère fermeté qui devrait s'estomper après deux ou trois ans de vieillissement. (70 à 99 F)

Vignobles Raymond Tapon, Lafleur Vachon, 33330 Saint-Emilion, tél. 05.57.74.61.20, fax 05.57.74.61.19, e-mail vinstapon@aol.com r.-v.

CH. LA FAURIE MAISON NEUVE Elevé en fût de chêne 1998

■ 3,8 ha 25 000 8 à 11 €

Issu d'un bon terroir graveleux, ce 98 mérite l'attention pour son intensité aromatique marquée par les épices, les fruits noirs (cassis), le gibier, la violette et la vanille. En bouche, c'est un vin agréable, aux tanins souples. A boire pour son fruit dès maintenant ou à garder deux ou trois ans. (50 à 69 F)

Michel Coudroy, Maison-Neuve, 33570 Montagne, tél. 05.57.74.62.23, fax 05.57.74.64.18 r.-v.

LA FLEUR DE BOUARD 1998★

■ n.c. 59 000 15 à 23 €

1998 est le premier millésime du nouveau propriétaire, Hubert de Boüard, déjà copropriétaire du château Angelus et président du syndicat de Saint-Emilion. La robe grenat intense a des reflets noirs. Le bouquet expressif de raisins mûrs et de fleurs est marqué par de riches notes boisées et vanillées. En bouche, les tanins sont très présents mais bien ronds et gras, laissant une sensation de grande maturité. Il faudra attendre deux à trois ans afin que le boisé s'harmonise totalement, puis on pourra servir ce vin longtemps sur du petit gibier. (100 à 149 F)

Hubert de Boüard de Laforest, SC Ch. La Fleur Saint-Georges, BP 7, 33500 Pomerol, tél. 05.57.25.25.13, fax 05.57.51.65.14, e-mail lafleurdebouard@libertysurf.fr r.-v.

CH. LA VALLIERE 1998★

■ 1 ha 5 000 8 à 11 €

Un terroir graveleux, un encépagement classique du Libournais pour ce vin à la robe rubis à reflets légèrement tuilés. Le nez offre des parfums complexes de fruits mûrs et confits ainsi que des notes animales (cuir). Amples et volumineux, assez charnus et longs, les tanins permettront d'ouvrir cette bouteille dans deux ans. (50 à 69 F)

SARL L. Dubost, Catusseau, 33500 Pomerol, tél. 05.57.51.74.57, fax 05.57.25.99.95 r.-v.

Yvon Dubost

CH. LES CHAUMES 1998

■ 3,5 ha 20 000 8 à 11 €

Acquis en 1977 par Alain Vigier, ce cru propose un vin agréable, au bouquet d'amande et de fruits confits et aux tanins complexes, assez fermes. Plutôt chaleureux mais typé, un 98 à boire dans les trois prochaines années. Du même propriétaire, le **Château La Croix blanche 98** obtient la même note. (50 à 69 F)

Alain Vigier, La Fleur des Prés, 33500 Pomerol, tél. 05.57.74.00.16, fax 05.57.51.87.70, e-mail vigier.alain@wanadoo.fr r.-v.

CH. LES HAUTS-CONSEILLANTS 1998★

■ 9 ha 41 000 11 à 15 €

Etabli sur un terroir sablo-limoneux, ce domaine produit régulièrement d'excellents vins, à l'image de ce 98 à la robe éclatante ; les arômes fins et complexes évoquent la réglisse, les fruits confits, le boisé vanillé. En bouche, les tanins mûrs et soyeux reposent sur une belle matière. La finale alliant boisé et fruité présente beaucoup d'harmonie. Cette bouteille très typée a un avenir de cinq à dix ans. (70 à 99 F)

SA Pierre Bourotte, 62, quai du Priourat, 33500 Libourne, tél. 05.57.51.62.17, fax 05.57.51.28.28, e-mail jeanbaptiste.audy@wanadoo.fr r.-v.

CH. DE L'EVECHE 1998

■ 10 ha 24 000 8 à 11 €

Ce vin mérite d'être cité, non seulement pour sa robe profonde et son bouquet élégant de fruits mûrs et grillés, mais aussi pour ses tanins amples et veloutés en attaque, évoluant avec du charme mais aussi un peu d'amertume. « Un bon merlot grillé par le fût », note le jury. Ce cépage domine effectivement l'assemblage (60 %). On conseille de garder cette bouteille en cave deux ou trois ans. (50 à 69 F)

Vignobles Chaumet, Goujon, RN 89, 33500 Lalande-de-Pomerol, tél. 05.57.25.50.12, fax 05.57.25.51.48, e-mail vignobles.chaumet@wanadoo.fr t.l.j. sf dim. 8h-12h 14h-18h

CH. MONCETS 1998*

■ 19 ha 30 000 8 à 11 €

Cette belle propriété de 24 ha revendique une histoire très ancienne et a fort bien réussi ce 98 aux arômes concentrés (fruits noirs, pain grillé) et à la structure encore tannique. L'évolution est dominée par un équilibre élégant, suave et persistant, sur une finale très dense. Une bouteille à apprécier dans deux à cinq ans. (50 à 69 F)

de Jerphanion, Moncets, 33500 Néac, tél. 05.57.51.19.33, fax 05.57.51.56.24, e-mail bastidette@moncets.com r.-v.

CH. PERRON La Fleur 1998**

■ n.c. 10 000 15 à 23 €

Datant de 1647, le château Perron est l'un des plus anciens de la commune de Lalande et appartient à la même famille depuis trois générations. Il présente une cuvée La Fleur en tout point remarquable : sombre et profonde, dotée d'arômes puissants et complexes de fraise, de framboise, de vanille et de cacao, elle possède des tanins très présents mais veloutés, marqués par beaucoup de finesse et d'élégance en fin de bouche. Une future grande bouteille pour les consommateurs patients, car il sera nécessaire d'attendre trois à huit ans avant de l'ouvrir. (100 à 149 F)

Michel-Pierre Massonie, Ch. Perron, BP 88, 33503 Libourne Cedex, tél. 05.57.51.40.29, fax 05.57.51.13.37 r.-v.

DOM. PONT DE GUESTRES Elevé en fût de chêne 1998*

■ 2 ha 12 000 11 à 15 €

Cette exploitation familiale présente deux vins différents, notés une étoile. Le premier vin, le Domaine Pont de Guestres (100 % merlot), se caractérise par un élevage boisé intense, qui masque un peu aujourd'hui le fruit et la qualité de tanins bien présents et persistants. Le second vin, le **Château Au Pont de Guitres 98**, associe 30 % de cabernet franc au merlot mais ne passe que six mois en fût contre douze pour le précédent. Il est beaucoup plus fruité, avec des notes florales très agréables, et ses tanins sont souples et équilibrés, moyennement corsés. On pourra le boire rapidement, en tout cas avant le premier qu'il est nécessaire de laisser vieillir deux à cinq ans. (70 à 99 F)

Rémy Rousselot, Ch. Les Roches de Ferrand, 33126 Saint-Aignan, tél. 05.57.24.95.16, fax 05.57.24.91.44 r.-v.

CH. REAL-CAILLOU 1998*

■ 4,3 ha 25 000 11 à 15 €

Ce vin est élaboré par les élèves du lycée de Montagne, créé en 1969 pour former les futurs acteurs de la filière viti-vinicole. Il présente une belle robe rubis intense, un bouquet développé de fruits cuits bien mûrs et de boisé torréfié. En bouche, les tanins déjà fondants et charmeurs devraient évoluer avec finesse et équilibre d'ici deux à cinq ans. (70 à 99 F)

Lycée viticole de Libourne-Montagne, Goujon, 33570 Montagne, tél. 05.57.55.21.22, fax 05.57.51.66.13, e-mail legta.libourne@educagri.fr t.l.j. sf sam. dim. 8h30-12h 13h30-17h30

CH. TOUR DE MARCHESSEAU 1998

■ 5 ha 35 000 8 à 11 €

Né sur un joli terroir de graves, ce 98 se présente admirablement bien dans une robe brillante. Ses arômes discrets de fruits grillés et de cuir, précèdent une bouche boisée aujourd'hui, mais qui révèle un fruit bien mûr. Un vin à boire ou à garder deux ou trois ans pour que le boisé se fonde davantage. Du même propriétaire, le **Château La Croix des Moines 98 (70 à 99 F)** obtient une citation. (50 à 69 F)

SCEA des Vignobles Trocard, 2, Les Petits-Jays-Ouest, 33570 Les Artigues-de-Lussac, tél. 05.57.55.57.90, fax 05.57.55.57.98, e-mail trocard@wanadoo.fr t.l.j. sf sam. dim. 8h-12h 14h-17h

CH. DE VIAUD 1998*

■ 9 ha 54 300 11 à 15 €

Implanté sur un sol de graves profondes avec un encépagement marqué par le merlot (95 %), ce château propose un 98 à la robe grenat soutenue et brillante ; les arômes sont dominés par le fruit très mûr (cassis, mûre) et un boisé délicat. En bouche, les tanins soyeux et veloutés persistent longuement, confirmant une impression de puissance et autorisant tous les espoirs de vieillissement : au moins quatre à huit ans. Du même producteur, le **Château du Grand Chambellan 98** obtient une citation. (70 à 99 F)

SAS Ch. de Viaud, 33500 Lalande-de-Pomerol, tél. 05.57.51.17.86, fax 05.57.51.79.77

ENCLOS DE VIAUD 1998*

■ 3,82 ha 21 300 11 à 15 €

Né sur un terroir sablo-graveleux légèrement argileux, ce 98 mérite l'attention pour sa très belle robe pourpre et ses arômes de fruits rouges mûrs, de cassis et de tabac. Les tanins gras et pleins occupent une bouche persistante et non dénuée de finesse, assez épicée en finale. Une bouteille à ouvrir dans trois à cinq ans. (70 à 99 F)

SARL de La Diligence, La Patache, 33500 Pomerol, tél. 05.57.55.38.03, fax 05.57.55.38.01 r.-v.

CH. VIEUX CHEVROL 1998

■ 21 ha 100 000 8 à 11 €

Ce 98 possède un bouquet élégant et concentré de petits fruits rouges, une structure tannique agréable et classique, évoluant avec beaucoup de charme, à défaut de complexité. A boire ou à garder deux à trois ans. (50 à 69 F)

Jean-Pierre Champseix, Vieux Chevrol, 33500 Néac, tél. 05.57.51.09.80, fax 05.57.51.31.05 r.-v.

VIEUX CLOS CHAMBRUN 1998*

■ n.c. 2 400 23 à 30 €

Cette cuvée limitée a été élevée en barrique neuve ; elle assemble 50 % de merlot et les deux cabernets à parts égales. Elle se présente sous les meilleurs auspices dans une robe grenat soutenu à reflets mauves. Ses parfums élégants de vanille, de fruits noirs, de pain grillé et de violette introduisent une bouche équilibrée qui évolue avec puissance. Le fruit n'en est pas absent, mais le boisé l'emporte encore. Il s'estompera dans deux à trois ans. (150 à 199 F)

Jean-Jacques Chollet, La Chapelle, 50210 Camprond, tél. 02.33.45.19.61, fax 02.33.45.35.54 r.-v.

Saint-émilion et saint-émilion grand cru

Etalé sur les pentes d'une colline dominant la vallée de la Dordogne, Saint-Emilion (3 300 habitants) est une petite ville viticole charmante et paisible. Mais c'est aussi une cité chargée d'histoire. Etape sur le chemin de Saint-Jacques-de-Compostelle, ville forte pendant la guerre de Cent Ans et refuge des députés girondins proscrits sous la Convention, elle possède de nombreux vestiges évoquant son passé. La légende fait remonter le vignoble à l'époque romaine et attribue sa plantation à des légionnaires. Mais il semble que son véritable début, du moins sur une certaine surface, se situe au XIIIe s. Quoi qu'il en soit, Saint-Emilion est aujourd'hui le centre de l'un des plus célèbres vignobles du monde. Celui-ci, réparti sur neuf communes, comporte une riche gamme de sols. Tout autour de la ville, le plateau calcaire et la côte argilo-calcaire (d'où proviennent de nombreux crus classés) donnent des vins d'une belle couleur, corsés et charpentés. Aux confins de Pomerol, les graves produisent des vins qui se remarquent par leur très grande finesse (cette région possédant aussi de nombreux grands crus). Mais l'essentiel de l'appellation saint-émilion est représenté par les terrains d'alluvions sableuses, descendant vers la Dordogne, qui produisent de bons vins. Pour les cépages, on note une nette domination du merlot, que complètent le cabernet franc, appelé bouchet dans cette région, et, dans une moindre mesure, le cabernet-sauvignon.

L'une des originalités de la région de Saint-Emilion est son classement. Assez récent (il ne date que de 1955), il est régulièrement et systématiquement revu (la première révision a eu lieu en 1958, la dernière en 1996). L'appellation saint-émilion peut être revendiquée par tous les vins produits sur la commune et sur huit autres communes l'entourant. La seconde appellation, saint-émilion grand cru, ne correspond donc pas à un terroir défini, mais à une sélection de vins, devant satisfaire à des critères qualitatifs plus exigeants, attestés par la dégustation. Les vins doivent subir une seconde dégustation avant la mise en bouteilles. C'est parmi les saint-émilion grand cru que sont choisis les châteaux qui font l'objet d'un classement. En 1986, 74 ont été classés, dont 11 premiers grands crus. Dans le classement de 1996, 68 ont été classés dont 13 en premiers crus. Ceux-ci se répartissent en deux groupes : A pour deux d'entre eux (Ausone et Cheval Blanc) et B pour les onze autres. Il faut signaler que l'Union des producteurs de Saint-Emilion est sans nul doute la plus importante cave coopérative française située dans une zone de grande appellation. En 2000, l'AOC saint-émilion a produit 100 141 hl et saint-émilion grand cru 175 180 hl.

La dégustation Hachette n'a pas été globale au sein de l'appellation saint-émilion grand cru. Une commission a sélectionné les saint-émilion grand cru classé (sans distinction des premiers) ; une autre commission a dégusté les saint-émilion grand cru. Les étoiles correspondent donc à ces deux critères.

Saint-émilion

CH. BARBEROUSSE Cuvée Prestige 1998

■ 1 ha 3 600 11 à 15 €

Cette microcuvée est issue de vieux merlot sélectionné sur l'exploitation, vinifié avec soin et élevé quinze mois en fût de chêne neuf. La robe rubis a des reflets grenat. Au nez, les notes grillées du bois neuf dominent les arômes de fruits rouges cuits. La bouche révèle un joli volume avec des tanins ronds et gras, bien mûrs et persistants. A attendre deux ou trois ans pour une meilleure harmonie. La **cuvée principale 98 (30 à 49 F)** a obtenu une citation. (70 à 99 F)

GAEC Jean Puyol et Fils, Ch. Barberousse, 33330 Saint-Emilion, tél. 05.57.24.74.24, fax 05.57.24.62.77 r.-v.

CH. BARRAIL-DESTIEU Elevé en fût de chêne 1998

■ 1,17 ha 6 000 8 à 11 €

Conduit en biodynamie et implanté sur des sols argileux en pied de coteau, ce tout petit cru composé pour moitié de merlot et pour moitié de cabernet franc, a été acheté en 1995 par un propriétaire de l'appellation voisine des côtes de castillon. Il propose un 98 réussi, paré d'une robe grenat, limpide et brillante. Le bouquet est dominé par des odeurs grillées de bon bois et des arômes empyreumatiques. La bouche souple et équilibrée, un peu marquée par l'élevage en fût, devrait se fondre d'ici un à deux ans. (50 à 69 F)

GAEC Verger Fils, 4, chem. de Beauséjour, 33350 Saint-Magne-de-Castillon, tél. 05.57.40.13.14, fax 05.57.40.34.06 r.-v.

CH. BERTINAT LARTIGUE 1998

■ n.c. 15 000 8 à 11 €

Danielle et Richard Dubois, viticulteurs-œnologues, produisent ce saint-émilion à partir de vignes de trente-cinq ans implantées sur sol sableux et graves ferrugineuses. Le vin a une jolie couleur rubis et carmin. Le nez, encore frais, est fruité (cerise), épicé, avec une touche de violette. La bouche veloutée est structurée par des tanins poivrés qui lui donnent un caractère intéressant. A boire dans deux à quatre ans, par exemple sur un rôti de veau à la crème. (50 à 69 F)

Richard Dubois, Ch. Bertinat Lartigue, 33330 Saint-Sulpice-de-Faleyrens, tél. 05.57.24.72.75, fax 05.57.74.45.43, e-mail dubricru@aol.com t.l.j. 9h-11h30 14h30-17h30; sam. dim. sur r.-v.; f. 14 août-3 sep.

CH. BEZINEAU 1998★★

■ 1,5 ha 7 000 8 à 11 €

Le Château Bézineau est issu d'une sélection de 1,5 ha sur la dizaine que la famille Faure exploite depuis plus de six générations ; le terroir sableux est complanté à 80 % de merlot et à 20 % de bouchet. Nos experts ont apprécié la belle robe bordeaux de ce 98, son bouquet complexe et intense aux notes de fruits confits, de pain d'épice, de boisé fin et grillé. Très généreux, avec des arômes de fruits rouges, d'épices, de cannelle, le palais est structuré par des tanins de merrain de qualité qui respectent le fruit. Idéal pour un magret de canard. (50 à 69 F)

SCEA vignobles Faure, Ch. Bézineau, 33330 Saint-Emilion, tél. 05.57.24.72.50, fax 05.57.24.72.50 r.-v.

CH. BOIS CARDINAL 1998

■ 10 ha 10 000 8 à 11 €

Créé en 1990, ce cru est le second vin du château La Fleur Cardinale. Il est produit sur des sols argilo-calcaires à fond rocheux à partir de 70 % de merlot et de cabernet-sauvignon. Ce 98 a une jolie couleur rubis, fraîche et vive, bien soutenue. Les arômes de fruits rouges nuancés de notes végétales sont agrémentés d'un agréable boisé, brûlé et réglissé. La structure tannique est ferme et un peu sévère aujourd'hui, mais les tanins devraient rapidement s'affiner. A garder trois à quatre ans en cave. (50 à 69 F)

Alain et Claude Asséo, Ch. Fleur Cardinale, 33330 Saint-Etienne-de-Lisse, tél. 05.57.40.14.05, fax 05.57.40.28.62, e-mail fleurcardinale@terre-net.fr r.-v.

CH. BOIS GROULEY 1998

■ 6 ha 15 000 8 à 11 €

Né sur sables et graves de 60 % de merlot, 30 % de cabernet franc et 10 % de cabernet-sauvignon, ce 98, d'une belle couleur grenat intense et soutenue se révèle très plaisant au nez avec des arômes de fruits rouges confits mêlés à des nuances épicées et à des odeurs de cuir. La bouche souple, ronde et charnue, possède des

La région de Saint-Émilion

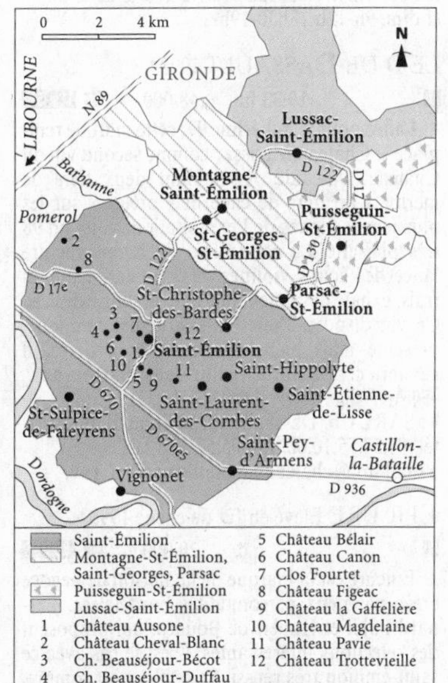

tanins veloutés et une belle structure. A conserver un an ou deux, ou à boire dès maintenant. (50 à 69 F)

Raymonde Lusseau, 276, Bois Grouley, 33330 Saint-Sulpice-de-Faleyrens, tél. 05.57.24.74.03, fax 05.57.24.67.19 r.-v.

CH. CLOS JEAN VOISIN 1998

3,05 ha 13 000 8 à 11 €

Composé pour moitié de merlot et pour moitié de cabernets implantés sur des sables anciens, ce vin se présente dans une robe grenat, limpide et légère, à reflets évolués. Le bouquet allie des arômes de fruits rouges frais et acidulés à des notes animales de cuir, avec quelques nuances végétales fraîches. La structure se révèle équilibrée, mais les tanins et la finale sont encore fermes. Il conviendra donc de laisser vieillir ce 98 deux à trois ans avant de le consommer. (50 à 69 F)

Jacques Sautarel, Ch. Clos Jean Voisin, 33330 Saint-Emilion, tél. 05.57.24.67.10, fax 05.57.24.67.12 r.-v.

CLOS LE BREGNET 1998

7 ha 10 000 5 à 8 €

Cette belle propriété de 13,5 ha produit du saint-émilion sur 7 ha, le reste étant consacré au bordeaux. L'encépagement est équilibré : 70 % de merlot pour 20 % de cabernet franc et 10 % de cabernet-sauvignon, plantés sur sables et graves. Cela donne un 98 plaisant, paré d'une jolie couleur grenat brillant avec des reflets d'évolution. Subtil et fin, le bouquet associe des arômes fruités à des odeurs animales de cuir. La bouche, bien équilibrée, repose sur des tanins souples et soyeux. Une bouteille simple et sincère, prête à la consommation. (30 à 49 F)

EARL vignobles Coureau, Le Brégnet, 33330 Saint-Sulpice-de-Faleyrens, tél. 05.57.24.76.43, fax 05.57.24.76.43 t.l.j. sf dim. 9h-12h 13h30-19h

LE D DE DASSAULT 1998*

10,33 ha 48 000 11 à 15 €

Lancé pour le millésime 97, cette marque remplace le Château Mérissac comme second vin du Château Dassault. Assemblant deux tiers de merlot à un tiers de cabernets prélevés sur les plus jeunes vignes de l'exploitation, voici un 98 très plaisant. La robe rubis de bonne facture lance des éclats violines vifs. Le nez, fruité et frais, exhale des notes épicées et un boisé discret. Ce vin dispose d'une belle structure tannique, présente mais bien enrobée. Prêt à boire, il gagnera cependant à vieillir deux ou trois ans. (70 à 99 F)

SARL Ch. Dassault, 33330 Saint-Emilion, tél. 05.57.55.10.00, fax 05.57.55.10.01, e-mail lbv@chateaudassault.com r.-v.

EPICURE Elevé en fût de chêne 1998*

n.c. 20 000 8 à 11 €

Epicure est la marque de la maison de négoce créée par deux personnalités bordelaises, Bernard Pujol et Hubert de Boüard, qui proposent des sélections intéressantes. C'est le cas avec ce saint-émilion très réussi. Sa couleur est sombre. Son bouquet, encore un peu discret, est concentré, à la fois fruité et boisé. La bouche, également concentrée par une bonne matière, finit sur des tanins un peu austères qui demandent quelques mois de garde. (50 à 69 F)

Bordeaux Vins Sélection, 27, rue Roullet, 33800 Bordeaux, tél. 05.57.35.12.35, fax 05.57.35.12.36, e-mail bus.grands.crus@wanadoo.fr

CH. FLEUR BADON 1998

4,38 ha 21 066 8 à 11 €

Ce petit vignoble, implanté sur sol siliceux à Saint-Laurent-des-Combes au sud-est de l'appellation, comporte 77 % de merlot et 23 % de cabernets. Le vin a une robe légère, de teinte brique. Expressif au nez par ses senteurs animales musquées, nuancées de sous-bois, il se montre très présent en bouche. La saveur est fruitée, épicée (poivre vert), mentholée. C'est une bouteille surprenante mais intéressante. (50 à 69 F)

Union de producteurs de Saint-Emilion, Haut-Gravet, BP 27, 33330 Saint-Emilion, tél. 05.57.24.70.71, fax 05.57.24.65.18, e-mail udp-vins.saint-emilion@gofornet.com t.l.j. sf dim. 8h-12h 14h-18h

SCEA Vignobles Bost

CH. FRANCS BORIES 1998*

9,58 ha 52 533 8 à 11 €

Ce vignoble situé à Vignonet, au sud de l'appellation, est complanté de 80 % de merlot et de 20 % de cabernets. Le vin a une jolie robe fraîche, et exprime au nez des fruits mûrs, confits, accompagnés d'une note animale. La bouche, ronde et bien équilibrée, offre un joli fruité et des tanins fins en finale. (50 à 69 F)

Union de producteurs de Saint-Emilion, Haut-Gravet, BP 27, 33330 Saint-Emilion, tél. 05.57.24.70.71, fax 05.57.24.65.18, e-mail udp-vins.saint-emilion@gofornet.com t.l.j. sf dim. 8h-12h 14h-18h

J.-Cl. Arnaud et Gilles Roux

CH. GERBAUD 1998

n.c. 5 000 8 à 11 €

Belle propriété de 15 ha, dans la famille Chabrol depuis 1956. Le vin est agréable, tant par sa couleur rubis à reflets tuilés que par ses arômes fruités et épicés. La bouche ronde présente une saveur persistante de cerise ; elle est structurée par des tanins encore un peu fermes, mais qui permettront de boire ce saint-émilion dans un an ou deux. (50 à 69 F)

Patricia Chabrol, Ch. Gerbaud, 33330 Saint-Pey-d'Armens, tél. 06.03.27.00.32, fax 05.57.47.10.53, e-mail chateaugerbaud@wanadoo.fr r.-v.

CH. HAUTES VERSANNES 1998

13,61 ha 80 000 8 à 11 €

Vignoble familial établi sur les sols sablo-graveleux de Saint-Sulpice-de-Faleyrens et vinifié par l'Union de producteurs. Dans une jolie robe rubis à reflets orangés, ce vin, souple et agréable, exprime à l'agitation des senteurs mentholées. Sa saveur épicée devrait bien accompagner des côtes de mouton grillées. (50 à 69 F)

Union de producteurs de Saint-Emilion, Haut-Gravet, BP 27, 33330 Saint-Emilion, tél. 05.57.24.70.71, fax 05.57.24.65.18, e-mail udp-vins.saint-emilion@gofornet.com t.l.j. sf dim. 8h-12h 14h-18h
J.-Pierre et J.-Paul Lacoste

CH. HAUT GROS CAILLOU 1998

6 ha 43 000 11 à 15 €

Entré dans le Guide avec le millésime 93, ce cru est installé sur des terrains sableux et argilo-calcaires et complantés de trois cinquièmes de merlot et de deux cinquièmes de cabernets. Son 98 présente des signes d'évolution dans sa couleur grenat à reflets orangés comme dans son bouquet mêlant les fruits cuits à des odeurs épicées et vanillées de bon bois. Souple, ronde et équilibrée, d'une agréable persistance aromatique, cette bouteille est prête à boire. (70 à 99 F)

SCEA Haut Gros Caillou, 33330 Saint-Sulpice-de-Faleyrens, tél. 05.56.62.66.16, fax 05.56.76.93.30 r.-v.
Alain Thiénot

CH. HAUT-RENAISSANCE 1998*

2,5 ha 16 000 8 à 11 €

Cet habitué des coups de cœur propose cette année un saint-émilion, issu de merlot planté sur argilo-calcaire et élevé dans un chai à barriques du XVIIe s. Nos dégustateurs ont aimé sa robe rubis, son nez à la fois puissant et fin, exprimant les fruits noirs et le chêne grillé. Ample et ronde, sa structure offre un bel équilibre entre le fruit et le bois. Doté d'une longue saveur vanillée, réglissée en finale, ce vin puissant pourra accompagner un coq au vin, une daube ou un gibier dans quelques années. (50 à 69 F)

SCEA des Vignobles Denis Barraud, Ch. Haut-Renaissance, 33330 Saint-Sulpice-de-Faleyrens, tél. 05.57.84.54.73, fax 05.57.84.52.07, e-mail denis.barraud@wanadoo.fr r.-v.

CH. HAUTS-MOUREAUX 1998

10,19 ha 74 666 8 à 11 €

Le vignoble situé à Saint-Etienne-de-Lisse est composé de 86 % de merlot et de 14 % de bouchet (cabernet franc), plantés sur sols argilo-siliceux. Le vin a une couleur rubis d'assez bonne intensité. Souple et fondu, il pourra se boire assez rapidement, par exemple sur une volaille rôtie. (50 à 69 F)

Union de producteurs de Saint-Emilion, Haut-Gravet, BP 27, 33330 Saint-Emilion, tél. 05.57.24.70.71, fax 05.57.24.65.18, e-mail udp-vins.saint-emilion@gofornet.com t.l.j. sf dim. 8h-12h 14h-18h
Vignobles Courrèche et Fils

CH. HAUT VEYRAC 1998*

7,5 ha 44 000 8 à 11 €

Installé sur les terroirs argilo-calcaires de Saint-Etienne-de-Lisse, ce cru est composé de trois quarts de merlot pour un quart de cabernet franc. Il propose un 98 paré d'une robe rubis vive et intense, à reflets violines très frais. Puissant et complexe, le nez exprime les fruits rouges mûrs. La dégustation révèle des tanins ronds et veloutés, bien persistants en finale. A attendre deux à trois ans pour un meilleur épanouissement. (50 à 69 F)

SCA Ch. Haut Veyrac, 33330 Saint-Etienne-de-Lisse, tél. 05.57.40.02.26, fax 05.57.40.37.09 t.l.j. sf dim. lun. 9h30-18h
G. Claverie, J. Castaing

CH. JUPILLE CARILLON Elevé en fût de chêne 1998

n.c. 10 000 8 à 11 €

Une jolie chartreuse gérée depuis 1997 par Isabelle Visage, qui propose une sélection effectuée sur les 9 ha que sa famille exploite. Le sol brun, de sable et de graves, est planté à 85 % de merlot. Le vin a une jolie robe rubis à reflets brique. Le bouquet vanillé, mentholé, est agréable. La bouche fraîche évolue sur une saveur de fruits rouges et d'épices, structurée par des tanins encore fermes. Il faudra attendre un peu pour boire ce 98 sur de l'agneau à la braise et des fromages. (50 à 69 F)

SCEA des Vignobles Visage, Jupille, 33330 Saint-Sulpice-de-Faleyrens, tél. 05.57.24.62.92, fax 05.57.24.69.40 r.-v.

CH. LA CAZE BELLEVUE 1998

9,3 ha 45 000 5 à 8 €

Exploité sur 9,3 ha de sols bruns, sableux et graveleux, constitué à 80 % de merlot et à 20 % de cabernet franc, ce cru a élaboré un 98 de bonne typicité. Le bouquet mêle les fruits rouges (cerise et framboise) à des notes épicées de muscade et florales de violette. La dégustation révèle un vin gras et charnu en attaque puis un développement tannique encore un peu ferme mais bien enveloppé. Une bouteille à attendre deux à trois ans. (30 à 49 F)

Philippe Faure, 7, rue de la Cité, 33330 Saint-Sulpice-de-Faleyrens, tél. 05.57.74.41.85, fax 05.57.74.41.85 r.-v.

CH. DE LA COUR 1998*

n.c. 23 816 8 à 11 €

Acheté en 1995 par un jeune agriculteur, Hugues Delacour, ce cru fait preuve depuis d'une grande régularité. Le nom du château est un hommage au chevalier de La Cour, ancêtre de la famille et propriétaire terrien ayant servi le roi Charles IX. Bien présenté dans une robe rubis sombre et profond, ce 98 révèle au nez des arômes de fruits rouges bien mûrs typiques du merlot qui le compose à 90 %. La structure est bien constituée, avec du gras et du volume, même si la finale, encore un peu austère, demande quelques années de vieillissement. (50 à 69 F)

EARL du Châtel Delacour, Ch. de La Cour, 33330 Vignonet, tél. 05.57.84.64.95, fax 05.57.84.65.00 r.-v.

CH. LA CROIX BONNELLE 1998

3 ha 18 000 8 à 11 €

Produit par les plus jeunes vignes de l'exploitation, voici le second vin du château La Bonnelle, né de sols argilo-siliceux, au sud-est de l'appellation. De teinte rubis vive et brillante, ce

98 constitue une bouteille agréable et fraîche. Le nez est très franc et fruité. La bouche, souple et ronde, est bien constituée. Encore un peu ferme, la finale demande une année de vieillissement. (50 à 69 F)

Vignobles Sulzer, La Bonnelle, 33330 Saint-Pey-d'Armens, tél. 05.57.47.15.12, fax 05.57.47.16.83 r.-v.

CH. LA CROIX FOURCHE MALLARD Vieilli en fût de chêne 1998

2,5 ha n.c. 11 à 15 €

Ce cru de 2,5 ha, composé de merlot avec un appoint de 10 % de cabernets implantés sur sables et graves, a été acquis dans les années 1970 par la famille Mallard, originaire de l'Entre-deux-Mers et du Sauternais. Ce 98 est d'un beau rouge vif et intense, à reflets violines. Le nez associe les arômes de fruits mûrs aux odeurs boisées de vanille, de grillé et d'épices. Souple et charnue en attaque, la bouche évolue sur des tanins un peu fermes en finale. A attendre deux à trois ans pour plus d'harmonie. (70 à 99 F)

Danièle Mallard, Ch. Naudonnet-Plaisance, 33760 Escoussans, tél. 05.56.23.93.04, fax 05.57.34.40.78, e-mail mallard@net-courrier.com r.-v.

CH. LA FLEUR GARDEROSE 1998

1,56 ha 11 000 8 à 11 €

Situé aux portes de Libourne, complanté pour deux tiers de merlot et pour un tiers de cabernets, ce cru a produit un 98 plaisant par sa jolie couleur rubis vif et son bouquet fin et subtil, déjà expressif et flatteur. Souple et soyeux en bouche, chaleureux et doté d'une bonne structure de tanins denses, encore un peu fermes, ce vin devra être attendu deux à quatre ans. (50 à 69 F)

GAEC Pueyo Frères, 15, av. de Gourinat, 33500 Libourne, tél. 05.57.51.71.12, fax 05.57.51.82.88, e-mail contact@belregard-figeac.com r.-v.

CH. LAGARDE BELLEVUE Vieilli en fût de chêne 1998*

1 ha 6 500 8 à 11 €

Un tout petit cru (1 ha) implanté sur des sables profonds mêlés de graves. Composé de 80 % de merlot et de 20 % de cabernet franc, ce 98 dispose d'une belle matière comme l'annonce sa jolie robe rubis profond. Le bouquet naissant exprime les fruits rouges, associés à des notes boisées très fines. La structure repose sur des tanins mûrs et gras qui persistent longuement sur des arômes de fruits et de réglisse. Une bouteille de bonne typicité, à laisser vieillir deux à trois ans ou plus. (50 à 69 F)

SARL SOVIFA, 36 A, rue de la Dordogne, 33330 Saint-Sulpice-de-Faleyrens, tél. 05.57.24.68.83, fax 05.57.24.63.12 r.-v.

Richard Bouvier

CH. LE MAINE 1998**

4 ha 22 000 8 à 11 €

Cette propriété familiale est installée sur les sols argilo-sableux de Saint-Pey-d'Armens, au sud-est de l'appellation, et comprend 80 % de merlot et 20 % de cabernet franc. Elle propose un remarquable 98 drapé dans une somptueuse robe grenat. Au nez, les arômes puissants de fruits rouges dominent des notes plus fraîches de réglisse et de violette. La bouche est ample et charnue, bien construite sur des tanins riches et veloutés qui persistent longuement. Une bien belle bouteille à garder deux à trois ans pour l'apprécier pleinement. (50 à 69 F)

Chantal Veyry, Ch. Maine-Reynaud, 33330 Saint-Pey-d'Armens, tél. 05.57.24.74.09, fax 05.57.24.64.81 r.-v.

CH. LE SABLE Cuvée Prestige Elevé en fût de chêne 1998*

1,06 ha 6 000 11 à 15 €

Cette petite cuvée assemble 80 % de vieux merlot et 20 % de cabernets ; elle a été vinifiée traditionnellement, puis élevée en fût de chêne. Cela donne un 98 d'une belle couleur rubis à reflets violines. Le bouquet se montre très subtil, sur des arômes de fruits rouges et des odeurs de pain grillé. La bouche est corsée et charpentée ; sa puissante structure tannique, un peu rude pour le moment, demandera quelques années de vieillissement pour s'assouplir. La **cuvée principale (50 à 69 F)** qui ne connaît pas le fût de chêne, tout en fruits rouges, obtient une citation. (70 à 99 F)

SARL Cave de Larchevesque, 1, rue Guadet, 33330 Saint-Emilion, tél. 05.57.24.67.78, fax 05.57.24.71.31 t.l.j. 10h-12h30 13h30-19h

Viaud

CH. LES MAURINS 1998*

2,5 ha 3 000 5 à 8 €

Chantal Pargade exploite le petit vignoble planté par son père en 1981. Merlot (70 %) et cabernets (30 %) donnent un vin à la couleur intense, encore jeune, au nez très fruité (cassis) et épicé. Fraîche et ronde, la bouche possède des tanins prometteurs, qui devront mûrir un peu en bouteille pour être appréciés à leur juste valeur. Un vin à consommer sur des viandes rouges ou des fromages. (30 à 49 F)

Chantal Pargade, 172, Les Maurins, 33330 Saint-Sulpice-de-Faleyrens, tél. 05.57.24.62.84, fax 05.57.24.62.84, e-mail ludovic.pargade@free.fr r.-v.

CH. LES VIEUX MAURINS Cuvée Prestige Vieilli en fût de chêne 1998**

1 ha 5 000 11 à 15 €

Coup d'essai et coup de maître pour la famille Goudal, qui a consacré 1 ha de très vieux merlot (sur les 8 ha que compte la propriété) pour élaborer cette cuvée superbement élevée en fût de chêne. Le jury a été séduit d'entrée par une robe remarquable, noire en profondeur et violine en surface, très dense et soutenue. Le bouquet, fort concentré, est encore fermé mais laisse poindre des arômes de fruits confits, de vanille et de violette qui devraient rapidement s'épanouir. Tout aussi concentré, charnu, le palais possède des tanins riches et gras, longs et savoureux. Une vraie bouteille de garde. (70 à 99 F)

Michel et Jocelyne Goudal, Les Vieux-Maurins, 33330 Saint-Sulpice-de-Faleyrens, tél. 05.57.24.62.96, fax 05.57.24.65.03, e-mail les-vieux-maurins@wanadoo.fr
r.-v.

CH. LES VIEUX MAURINS 1998★

7 ha 40 000 8 à 11 €

Implanté sur un sol sablonneux reposant sur un substrat calcaire, ce cru composé de 70 % de merlot propose un 98 très réussi. La robe est de teinte rubis. Le nez, encore un peu discret, libère des arômes de fruits rouges mûrs et confits. La bouche concentrée est dotée de tanins ronds et gras, persistants en finale, qui assureront une bonne garde. (50 à 69 F)

Michel et Jocelyne Goudal, Les Vieux-Maurins, 33330 Saint-Sulpice-de-Faleyrens, tél. 05.57.24.62.96, fax 05.57.24.65.03, e-mail les-vieux-maurins@wanadoo.fr
r.-v.

CH. MONTREMBLANT 1998

1 ha 5 000 5 à 8 €

Un 98 sans prétention mais très agréable. D'un beau grenat sombre typique, il développe des arômes de fruits confits, accompagnés de notes fumées. La bouche, équilibrée par des tanins souples et soyeux très plaisants, permet de consommer ce vin dans les trois à quatre ans à venir. (30 à 49 F)

GAEC Puyol, Ch. Montremblant, 33330 Saint-Emilion, tél. 05.57.24.74.24, fax 05.57.24.62.77 r.-v.

MOULIN DE SARPE 1998

4 ha 25 000 11 à 15 €

Le moulin de Sarpe, construit en 1732, fait partie de l'Association des moulins de France. De ce site exceptionnel, on découvre les douze clochers des paroisses voisines. La vigne couvre des terres argilo-calcaires. La jolie robe de ce 98 présente quelques reflets d'évolution. Le bouquet demande un peu d'agitation pour exprimer des senteurs de sous-bois, de fruits rouges. La bouche est à la fois souple et fraîche, épicée (muscade) et persistante. Les tanins sont présents et équilibrés. Un vin à boire dans deux à trois ans. (70 à 99 F)

Sté d'Exploitation du Ch. Haut-Sarpe, BP 192, 33506 Libourne Cedex, tél. 05.57.51.41.86, fax 05.57.51.53.16, e-mail info@j-janoueix-bordeaux.com
r.-v.

CH. MOULIN DES GRAVES 1998

9,05 ha 68 000 8 à 11 €

Vignoble situé au sud de l'appellation, près du bourg de Vignonet, sur sables ferrugineux et graves. L'encépagement est dominé par le vieux merlot avec un appoint de 10 % de cabernet franc et de 10 % de cabernet-sauvignon. Cela donne un 98 de bonne typicité, paré d'une robe rubis sombre et profond. Les arômes de fruits rouges et noirs (cerise et cassis dominants), sont frais et agréables. La bouche équilibrée révèle une bonne rondeur et une charpente tannique bien construite. Une bouteille sincère et plaisante, prête à boire ou apte à une garde de deux à trois ans. (50 à 69 F)

EARL des Vignobles J.-F. Musset, 20, d'Arthus, 33330 Vignonet, tél. 05.57.84.53.15, fax 05.57.84.53.15 r.-v.

PAVILLON DU HAUT ROCHER 1998

2 ha 14 900 8 à 11 €

Créée en 1874 par l'arrière-grand-père de Jean de Monteil, cette marque a été reprise en 1991 pour représenter le second vin du château Haut Rocher (saint-émilion grand cru). Elle propose un 98 plein de fraîcheur comme en témoigne sa jolie couleur rubis vive à reflets violines et pourpres. Le nez, très aromatique, libère des notes de petits fruits rouges acidulés, de noyau et de pruneau. Bien équilibrée par des tanins encore fermes et nerveux, la bouche demande quelques années pour s'assouplir. (50 à 69 F)

Jean de Monteil, Ch. Haut Rocher, 33330 Saint-Etienne-de-Lisse, tél. 05.57.40.18.09, fax 05.57.40.08.23, e-mail ht.rocher@vins-jean-de-monteil.com
r.-v.

CH. PEREY-GROULEY 1998

4,5 ha 30 000 5 à 8 €

Florence et Alain Xans possèdent un vignoble de 14,5 ha. Ce cru, composé à 90 % de merlot planté sur les sols sablo-graveleux du sud de l'appellation, offre un 98 de couleur grenat limpide et brillante. Au nez, les arômes de fruits rouges caractéristiques du merlot percent déjà et devraient s'épanouir pleinement dans les deux à trois ans à venir. En bouche, on découvre un vin souple, soyeux et fin, très friand et frais. Une bouteille sincère qui compense un petit manque de concentration par une remarquable expression du raisin. (30 à 49 F)

Vignobles Florence et Alain Xans, Perey, 33330 Saint-Sulpice-de-Faleyrens, tél. 06.80.72.84.87, fax 05.57.24.63.61 r.-v.

PETIT CORBIN-DESPAGNE 1998

1 ha 4 000 8 à 11 €

Second vin du château Grand Corbin-Despagne, représentant un petit lot de 4 000 bouteilles issues d'un hectare de jeunes vignes de merlot. Un saint-émilion sympathique et bien fait, à la couleur fraîche et jeune, au nez encore un peu fermé, à la saveur typique, sans boisé, et bien équilibré. A attendre encore un peu. (50 à 69 F)

SCEV Consorts Despagne, Ch. Grand Corbin Despagne, 33330 Saint-Emilion, tél. 05.57.51.08.38, fax 05.57.51.29.18, e-mail f-despagne@grand-corbin-despagne.com
r.-v.

CH. PEYROUQUET 1998

19,48 ha 91 708 8 à 11 €

Des vignes (79 % de merlot) implantées à Saint-Pey-d'Armens, au sud-est de l'appellation, sur terroir siliceux. Le vin rubis se pare de reflets orangés. Le bouquet exprime des arômes de fruits mûrs et d'épices, accompagnés d'une touche animale. Rond et équilibré, avec une saveur encore fruitée et des tanins présents, cette bouteille, déjà agréable, pourra être attendue deux à trois ans. (50 à 69 F)

Union de producteurs de Saint-Emilion, Haut-Gravet, BP 27, 33330 Saint-Emilion, tél. 05.57.24.70.71, fax 05.57.24.65.18, e-mail udp-vins.saint-emilion@gofornet.com
t.l.j. sf dim. 8h-12h 14h-18h
Maurice Cheminade

CH. QUEYRON PATARABET 1998*

9,43 ha 52 933 8 à 11 €

Une dizaine d'hectares sur sol siliceux, au sud de la commune de Saint-Emilion, exclusivement plantés de merlot. Dans une belle robe rubis, ce vin révèle des arômes confiturés et réglissés de raisins bien mûrs, à dominante de fruits rouges. La bouche, ronde et soyeuse, offre aussi une saveur de fruits mûrs et évolue sur des tanins équilibrés et persistants. Un bon saint-émilion qui pourra accompagner du gibier d'ici un à deux ans. (50 à 69 F)

Union de producteurs de Saint-Emilion, Haut-Gravet, BP 27, 33330 Saint-Emilion, tél. 05.57.24.70.71, fax 05.57.24.65.18, e-mail udp-vins.saint-emilion@gofornet.com
t.l.j. sf dim. 8h-12h 14h-18h
EARL Vignobles Itey

CH. ROCHER-FIGEAC 1998

4 ha 24 000 8 à 11 €

Installée aux portes de Libourne sur des sols graveleux mêlés de crasse de fer, cette propriété familiale fut créée vers 1880. Ce 98, d'une couleur rubis franche et vive, est encore discret au nez mais révèle une belle complexité sous-jacente avec des notes épicées, des odeurs de fumées, des arômes de prune et des parfums de violette. La bouche souple et ronde est bien structurée. Une bouteille sincère qui sera prête dans les deux ans à venir. (50 à 69 F)

Jean-Pierre Tournier, Tailhas, 194, rte de Saint-Emilion, 33500 Libourne, tél. 05.57.51.36.49, fax 05.57.51.98.70 r.-v.

DOM. DU SEME 1998*

1,44 ha 5 000 8 à 11 €

Nouveau venu dans le Guide, ce petit cru (1,44 ha) a été racheté en 1995 par la famille Mérias qui exploite un vignoble dans les appellations voisines de lussac et montagne-saint-émilion. Issu uniquement de merlot, ce 98 a bénéficié d'un très bel élevage en fût de chêne. De couleur vive et soutenue, il se révèle déjà expressif au nez avec ses arômes de fruits mûrs et confits, et son boisé très flatteur sur des notes grillées et fumées. La bouche, harmonieuse, possède des tanins souples et soyeux ; d'un bon équilibre et d'une très grande longueur, ce millésime offre une jolie fraîcheur aromatique. (50 à 69 F)

SCEA du Moulin Blanc, Le Moulin Blanc, 33570 Lussac-Saint-Emilion, tél. 05.57.74.50.27, fax 05.57.74.58.88, e-mail chateau-moulin-blanc@wanadoo.fr r.-v.
Brigitte Mérias

CH. TOINET-FOMBRAUGE 1998

6,25 ha 6 000 8 à 11 €

Il s'agit d'une propriété familiale achetée au château Fombrauge il y a une centaine d'années. Le terroir argilo-calcaire est planté à 80 % de merlot et à 20 % de bouchet. Le 98 a une belle couleur et un nez discret, encore frais et fruité. Souple et fondant en bouche sur une saveur framboisée, il possède des tanins bien présents mais qui évoluent favorablement. Un vin plaisir. (50 à 69 F)

Bernard Sierra, Ch. Toinet-Fombrauge, 33330 Saint-Christophe-des-Bardes, tél. 05.57.24.77.70, fax 05.57.24.76.49 t.l.j. 10h-12h 15h-19h

CH. VIEUX LABARTHE 1998

9,06 ha 68 266 8 à 11 €

Ce vignoble situé à Vignonet, au sud de l'appellation, appartient aux héritiers Martin. Le vin se pare d'une jolie couleur cerise de bonne intensité. Encore fermé au nez, il demande un peu d'agitation pour s'ouvrir sur des notes de fruits rouges et de sous-bois. La bouche vive présente une saveur vineuse et persistante sur des tanins encore un peu rustiques. On pourra boire ce 98 sur des viandes rouges dans quelques années. (50 à 69 F)

Union de producteurs de Saint-Emilion, Haut-Gravet, BP 27, 33330 Saint-Emilion, tél. 05.57.24.70.71, fax 05.57.24.65.18, e-mail udp-vins.saint-emilion@gofornet.com
t.l.j. sf dim. 8h-12h 14h-18h
GAEC de Labarthe

CH. VIEUX LARTIGUE 1998**

6,14 ha 25 000 11 à 15 €

Ce cru, composé de 80 % de merlot et de 20 % de cabernet franc, est installé sur des terroirs sablo-graveleux. La culture de la vigne, les vinifications et l'élevage traditionnels bien maîtrisés conduisent à ce 98 remarquable dès sa présentation par sa couleur rouge sombre et dense. Le bouquet rappelle les confitures de fruits rouges avec un boisé harmonieux distillant des arômes grillés, vanillés et épicés. Beaucoup de volume et de gras s'affirment en bouche. Les tanins riches et fermes assureront une bonne garde. (70 à 99 F)

SC du ch. Vieux Lartigue, 33330 Saint-Sulpice-de-Faleyrens, tél. 05.57.55.38.03, fax 05.57.55.38.01 r.-v.

CH. YON SAINT-CHRISTOPHE 1998*

■ 1,94 ha 13 300 8 à 11 €

Entrée remarquée pour ce petit vignoble situé sur le terroir sablo-argileux de Saint-Christophe-des-Bardes et exploité par des viticulteurs des côtes de bourg souhaitant diversifier leur production. Le vin se pare d'une belle robe rubis intense. L'agitation réveille des notes florales (violette), fruitées (mûre) et confiturées. La bouche, suave et fraîche, offre une saveur de raisins cueillis parfaitement mûrs. Dans un an ou deux, ce 98 pourra accompagner un baron d'agneau ou un magret de canard. (50 à 69 F)

GFA Rodet Recapet,
Brulesécaille, 33710 Tauriac,
tél. 05.57.68.40.31, fax 05.57.68.21.27,
e-mail cht.brulesecaille@freesbee.fr r.-v.

Saint-émilion grand cru

CH. D'ARCIE 1998

■ 6,9 ha 45 066 8 à 11 €

Situé à Saint-Pey-d'Armens, ce vignoble installé sur des sols sableux et argilo-siliceux, comprend trois quarts de merlot et un quart de cabernets ; il nous présente un 98 plaisant et élégant. Le bouquet, complexe et agréable, libère des arômes de fruits bien mûrs, de fruits secs et de sous-bois, agrémentés d'une touche vanillée. La bouche est équilibrée, de structure moyenne, mais avec de la chair, de la finesse et une bonne tenue en finale. (50 à 69 F)

Union de producteurs de Saint-Emilion,
Haut-Gravet, BP 27, 33330 Saint-Emilion,
tél. 05.57.24.70.71, fax 05.57.24.65.18,
e-mail udp-vins.saint-emilion@gofornet.com
t.l.j. sf dim. 8h-12h 14h-18h
SCEA Vignobles Soupre

CH. AUSONE 1998***

■ 1er gd cru clas A 7 ha 24 000 +76 €

61 64 **75 76 78 79** 80 **81** (82) **83 85 86** 88 |(89)| **90** 92 93 |94| (96) **97** (98)

Même dégustés à l'aveugle, les très grands vins s'imposent toujours. Ce magnifique Ausone 98 le confirme. Quel est son secret ? Des vignes de cinquante ans (50 % de merlot et 50 % de bouchet), plantées au sud de la cité sur un coteau argilo-calcaire, consacré à la vigne depuis deux millénaires. Toujours est-il que le jury lui a attribué un coup de cœur à l'unanimité en des termes dithyrambiques : somptueuse robe bordeaux éclatante, bouquet naissant déjà extrêmement complexe, richesse de bouche extraordinaire. Pour rester simple, disons que c'est l'harmonie parfaite entre le classicisme et l'originalité, entre un très bon raisin et un très bon merrain, entre la puissance et l'élégance, qui a emporté l'adhésion. Une grande bouteille d'avenir. (+ 500 F)

Famille Vauthier, Ch. Ausone, 33330 Saint-Emilion, tél. 05.57.24.70.26, fax 05.57.74.47.39

CH. BARDE-HAUT 1998*

■ 8,35 ha 38 000 38 à 46 €

|95| |96| 97 98

Racheté en septembre 2000 par Sylviane Garcin-Cathiard, ce domaine est établi sur des sols argilo-calcaires. Assemblant 85 % de merlot et 15 % de cabernet franc, ce 98 présente une belle robe rubis. Le bouquet puissant associe des arômes empyreumatiques de bon bois brûlé à des notes de fruits cuits. Bien structurée, la bouche offre des tanins denses, charnus et veloutés, et une grande longueur en finale. (250 à 299 F)

SC Ch. Barde-Haut, 33330 Saint-Christophe-des-Bardes, tél. 05.56.64.05.22, fax 05.56.64.06.98 r.-v.
S. Garcin-Cathiard

CH. DU BARRY 1998**

■ 10 ha 58 000 11 à 15 €

89 |90| 91 92 |93| **95 98**

Installé sur des graves profondes au sud de l'appellation, ce cru a été créé au début du XXe s. par le grand-père de Daniel Mouty qui était venu d'Auvergne. Celui-ci l'exploite maintenant avec sa fille Sabine. Déjà élu coup de cœur avec le millésime 95, il présente ce remarquable 98 paré d'une belle couleur rubis sombre et intense. Le bouquet marie harmonieusement un boisé fin et élégant aux arômes fruités du vin. La bouche est riche et équilibrée, savoureuse et charpentée, dotée de tanins de grande qualité, très longs et persistants en finale. Une bouteille de classe à garder quatre à cinq ans. (70 à 99 F)

SCEA Daniel Mouty,
Ch. du Barry, 33350 Sainte-Terre,
tél. 05.57.84.55.88, fax 05.57.74.92.99,
e-mail daniel-mouty@wanadoo.fr
t.l.j. sf sam. dim. 8h-17h

CLASSEMENT 1996 DES GRANDS CRUS DE SAINT-ÉMILION

SAINT-ÉMILION, PREMIERS GRANDS CRUS CLASSÉS

A Château Ausone
Château Cheval Blanc

B Château Angelus
Château Beau-Séjour (Bécot)
Château Beauséjour (Duffau-Lagarrosse)
Château Belair
Château Canon
Clos Fourtet
Château Figeac
Château La Gaffelière
Château Magdelaine
Château Pavie
Château Trottevieille

SAINT-ÉMILION, GRANDS CRUS CLASSÉS

Château Balestard La Tonnelle
Château Bellevue
Château Bergat
Château Berliquet
Château Cadet-Bon
Château Cadet-Piolat
Château Canon-La Gaffelière
Château Cap de Mourlin
Château Chauvin
Clos des Jacobins
Clos de L'Oratoire
Clos Saint-Martin
Château Corbin
Château Corbin-Michotte
Couvent des Jacobins
Château Curé Bon La Madeleine
Château Dassault
Château Faurie de Souchard
Château Fonplégade
Château Fonroque
Château Franc-Mayne
Château Grand Mayne
Château Grand-Pontet
Château Guadet Saint-Julien
Château Haut-Corbin
Château Haut-Sarpe
Château La Clotte
Château La Clusière
Château La Couspaude
Château La Dominique
Château La Marzelle
Château Laniote
Château Larcis-Ducasse
Château Larmande
Château Laroque
Château Laroze
Château L'Arrosée
Château La Serre
Château La Tour du Pin-Figeac (Giraud-Belivier)
Château La Tour du Pin-Figeac (Moueix)
Château La Tour-Figeac
Château Le Prieuré
Château Les Grandes Murailles
Château Matras
Château Moulin du Cadet
Château Pavie-Decesse
Château Pavie-Macquin
Château Petit-Faurie-de-Soutard
Château Ripeau
Château Saint-Georges Côte Pavie
Château Soutard
Château Tertre Daugay
Château Troplong-Mondot
Château Villemaurine
Château Yon-Figeac

CH. DU BASQUE 1998

■ 12,39 ha 79 989 8 à 11 €

Ce cru, établi au sud-est de l'appellation, sur des sables mêlés d'argile, est composé de merlot avec un appoint de 15 % en cabernets. Simple et plaisant, paré d'une jolie robe rubis, ce 98 offre un nez fin et vineux qui exprime les fruits rouges cuits. Souple et ronde, la bouche évolue sur une structure tannique ferme et nerveuse qui demande un peu de garde pour s'affiner. (50 à 69 F)

Union de producteurs de Saint-Emilion, Haut-Gravet, BP 27, 33330 Saint-Emilion, tél. 05.57.24.70.71, fax 05.57.24.65.18, e-mail udp-vins.saint-emilion@gofornet.com
t.l.j. sf dim. 8h-12h 14h-18h
SCEA Ch. du Basque

CH. BEAU-SEJOUR BECOT 1998*

■ 1er gd cru clas B 16,52 ha n.c. +76 €

75 78 79 81 **82** 83 |85| |86| **87** |88| |89| |90| 91 |92| |93| |94| **95 96** |97| 98

Prestigieux domaine viticole implanté sur le plateau de Saint-Martin-de-Mazerat, immédiatement à l'ouest de la vieille cité. Le terroir argilo-calcaire à astéries y est planté de vignes d'une quarantaine d'années (70 % de merlot et 30 % de cabernets). Ici aussi, les ceps sont présents depuis deux millénaires comme en témoignent les sillons gallo-romains creusés à même le rocher. En 1998, la famille Bécot y élabore toujours du vin. Celui-ci porte une magnifique couleur bigarreau, presque noire. Le bouquet naissant, déjà très puissant, mêle les nuances fruitées (cerise à l'eau-de-vie), le boisé empyreumatique, une touche d'épices et de gibier. Très corsée et charpentée, la bouche repose sur des tanins encore un peu austères mais qui garantissent une grande bouteille d'ici cinq à dix ans. (+ 500 F)

SCEA Beau-Séjour Bécot, 33330 Saint-Emilion, tél. 05.57.74.46.87, fax 05.57.24.66.88
r.-v.

CH. BELLEFONT-BELCIER 1998

■ 8 ha 42 000 15 à 23 €

95 96 |97| 98

Il s'agit ici d'une sélection de 8 ha sur les 13 ha que compte ce vignoble exposé au sud du coteau calcaire de Saint-Laurent-des-Combes, à l'est de l'appellation. L'encépagement est saint-émilionnais. Cela donne un 98 d'un grenat soutenu et vif, au bouquet complexe de fruits noirs et de boisé épicé. La bouche est encore dominée par le bois, aux accents de vanille et de noix de coco. Actuellement plus agréable au nez qu'en bouche, ce vin gagnera à s'assagir pendant trois à quatre ans. (100 à 149 F)

SCI Bellefont-Belcier, 33330 Saint-Laurent-des-Combes, tél. 05.57.24.72.16, fax 05.57.74.45.06, e-mail bellefontbelcier@aol.com r.-v.

CH. BELLISLE MONDOTTE 1998

■ 4,5 ha 19 000 15 à 23 €

D'une belle couleur rubis sombre, ce 98 est encore un peu discret ; le nez laisse percer des arômes de fruits frais et des nuances de sous-bois. Sapide et aromatique, d'une agréable nervosité en bouche, cette bouteille dispose d'une structure correcte et équilibrée. Sans prétention mais très plaisante, elle sera vite prête à boire alors que le 97, l'an dernier, avait surpris et séduit par son aptitude à la garde. En matière de vin, les millésimes se suivent et ne se ressemblent pas ! (100 à 149 F)

SCEA Héritiers Escure, 33330 Saint-Laurent-des-Combes, tél. 05.57.74.41.17
r.-v.

CH. BELREGARD-FIGEAC 1998

■ 2,83 ha 18 000 11 à 15 €

89 90 93 94 |95| |96| 98

Les vignes de trente ans, implantées sur les sols sablo-graveleux du secteur de Figeac, sont constituées à 68 % de merlot et à 32 % de cabernets. Ce 98 présente une belle couleur pourpre foncé. Le bouquet s'ouvre sur des notes florales et fruitées, nuancées d'une touche de musc. La bouche fraîche repose sur une texture ronde et veloutée au caractère un peu animal. Ce vin sera prêt dans trois à cinq ans. (70 à 99 F)

GAEC Pueyo Frères, 15, av. de Gourinat, 33500 Libourne, tél. 05.57.51.71.12, fax 05.57.51.82.88, e-mail contact@belregard-figeac.com r.-v.

CH. BERGAT 1998

■ Gd cru clas. n.c. n.c. 23 à 30 €

92 93 |95| |96| 97 98

Si le terroir argilo-calcaire est très classique à Saint-Emilion, l'encépagement de ce cru l'est moins, avec 45 % de cabernets qui contribuent au caractère particulier de ce vin. Sa belle couleur rubis est frangée de reflets grenat. Le bouquet intense aux notes de fruits mûrs et au boisé finement toasté évolue vers des nuances beurrées, aux accents de noisette. La bouche est très charpentée par des tanins boisés et persistants. Selon les goûts, ce 98 pourrait être ouvert dans deux à six ans. (150 à 199 F)

Indivision Castéja-Preben-Hansen, 33330 Saint-Emilion, tél. 05.56.00.00.70, fax 05.57.87.48.61

CH. BERLIQUET 1998**

■ Gd cru clas. n.c. 23 000 30 à 38 €

88 89 91 92 |93| |94| |95| |96| 97 **98**

Installé sur le plateau argilo-calcaire de la Magdeleine, tout proche de la cité médiévale, Berliquet jouit d'une magnifique exposition sud-sud-ouest. Les efforts réalisés depuis 1996 au vignoble et au chai ont permis d'élaborer ce remarquable 98 à la robe profonde et dense. Le bouquet, puissant et racé, recouvre les arômes de fruits mûrs d'un boisé grillé et toasté de grande élégance. Impressionnant de concentration en bouche, avec ses tanins riches et charnus, c'est un vin de grande classe promis au meilleur avenir. (200 à 249 F)

Patrick de Lesquen, SCEA Ch. Berliquet, 33330 Saint-Emilion, tél. 05.57.24.70.48, fax 05.57.24.70.24 r.-v.

BORDELAIS

CH. BERNATEAU
Elevé en fût de chêne 1998*

■ 12 ha 80 000 11 à 15 €

Beau vignoble de coteau. Le grand cru est une sélection de 12 ha sur les 18 qu'exploite la famille Lavau depuis plus de trois générations. Les argilo-calcaires sont plantés à 82 % de merlot et à 18 % de cabernets. Cela donne un 98 rubis profond à reflets pourpres. Le bouquet, au charme discret, est fin et élégant, avec du fruit frais et du bois toasté. La bouche, chaleureuse et chatoyante, monte en puissance pour finir sur des tanins fins mais qui demandent à s'adoucir pendant trois à quatre ans. Ce vin accompagnera des lamproies à la bordelaise ou un salmis de palombes. (70 à 99 F)

Lavau, Ch. Bernateau, 33330 Saint-Etienne-de-Lisse, tél. 05.57.40.18.19, fax 05.57.40.27.31 r.-v.

CH. BOUTISSE 1998*

■ 23 ha 86 000 15 à 23 €

Xavier et Gérard Milhade espèrent beaucoup de ce vignoble récemment acquis et implanté sur un sol argilo-calcaire. Ils proposent un 98 paré d'une robe rubis à reflets violines sombres. Le bouquet, expressif et élégant, mêle les fruits mûrs, le pain grillé et le caramel. La structure, équilibrée et très charmeuse, offre une belle tenue en finale. Attendre trois à quatre ans pour que le bois se fonde. (100 à 149 F)

SCE Dom. Boutisse,
33330 Saint-Christophe-des-Bardes,
tél. 05.57.55.48.90, fax 05.57.84.31.27
r.-v.
Milhade

CH. CADET-BON 1998**

■ Gd cru clas. 4,48 ha 20 800 23 à 30 €

|90| 92 93 |94| 95 (96) |97| **98**

Installé au nord de la cité médiévale sur la butte du Cadet, ce cru est implanté sur des sols argilo-calcaires ; il est constitué de 70 % de merlot pour 30 % de cabernet franc. Après dix ans de purgatoire, il a retrouvé son classement en 1996 et obtenu un coup de cœur dans le Guide 2000 ; il propose aujourd'hui un remarquable 98. D'une couleur rubis vive et intense, ce vin développe des arômes vineux et puissants de fruits rouges bien mûrs et confits, associés aux notes épicées et brûlées d'un beau boisé. La bouche est ample, charnue et bien structurée avec des tanins onctueux et savoureux, très persistants en finale. (150 à 199 F)

Loriene SA, 1, Le Cadet,
33330 Saint-Emilion,
tél. 05.57.74.43.20, fax 05.57.24.66.41,
e-mail loriene@cadet-bon.com r.-v.

CH. CADET-PEYCHEZ 1998

■ 1,2 ha 6 000 8 à 11 €

Ce petit cru est associé au cru classé Faurie de Souchard. Installé aux abords de la cité médiévale sur des terrains argilo-calcaires, il est composé de 80 % de merlot et de 20 % de cabernet franc. Paré d'une robe rubis soutenu, ce 98 développe un joli nez de fruits rouges mûrs et confits, agrémenté d'une nuance épicée. La bouche est ronde et souple, avec une structure équilibrée et une bonne vinosité. L'ensemble est élégant et devrait être prêt à boire dans deux à trois ans. (50 à 69 F)

Françoise Sciard, Ch. Faurie de Souchard, 33330 Saint-Emilion, tél. 05.57.74.43.80, fax 05.57.74.43.96 r.-v.

CH. CAILLOU D'ARTHUS
Vieilli en fût de chêne 1998

■ 2,9 ha n.c. 8 à 11 €

Vinifié et commercialisé par la société de négoce bordelaise Cordier-Mestrezat, ce 98 exprime au nez des arômes de fruits rouges au sirop, simples et suaves, très plaisants. La bouche est souple, ronde et charmeuse, compensant un certain manque de puissance par un joli fruité et des qualités d'élégance. Un vin facile, prêt à boire ou à garder deux à trois ans. (50 à 69 F)

Jean-Denis Salvert, Ch. Caillou d'Arthus, 33330 Vignonet, tél. 05.57.80.93.30 r.-v.

CH. CANON 1998**

■ 1er gd cru B 14 ha 30 000 38 à 46 €

|89| |90| |94| 96 97 **98**

Ce cru appartient à la famille Wertheimer, propriétaire de la maison Chanel, c'est dire que nous sommes ici dans le domaine du luxe. Ce que nous confirme ce 98. Le luxe comporte toujours une part de mystère. Pourtant ici, la vigne est très classique : 80 % de merlot et 20 % de cabernet franc plantés sur terroir argilo-calcaire. Le secret tiendrait-il aux 14 ha de carrières souterraines (que l'on peut visiter) ? Le vin a une robe superbe (ce qui est la moindre des choses chez Chanel !). Le bouquet est à la fois élégant et complexe : myrtille, fumet boisé, chocolaté, vanillé, pivoine. La bouche gracieuse évolue sur des tanins encore frais mais très prometteurs pour la garde. (250 à 299 F)

SC Ch. Canon, 33330 Saint-Emilion,
tél. 05.57.55.23.45, fax 05.57.24.68.00 r.-v.

CLOS CANON 1998**

■ 14 ha 35 000 15 à 23 €

Ce 98 a d'abord séduit nos dégustateurs par sa superbe robe rubis sombre, dense et profonde. Le bouquet, élégant et complexe, rappelle les confitures de petits fruits noirs associées aux épices. La bouche, ample et charnue, très harmonieuse, repose sur des tanins soyeux et veloutés qui persistent longuement en finale sur des saveurs de fruits cuits. (100 à 149 F)

SC Ch. Canon, 33330 Saint-Emilion,
tél. 05.57.55.23.45, fax 05.57.24.68.00 r.-v.

CH. CAP DE MOURLIN 1998*

■ Gd cru clas. 13,81 ha 65 000 15 à 23 €

(82) 83 85 **86** 88 |89| |90| 92 93 |94| 96 98

Le sol, argilo-siliceux et argilo-calcaire, est complanté à 65 % de merlot complété par les cabernets ; les vendanges ont débuté le 25 septembre. Paré d'une superbe robe d'un rubis dense et profond, ce 98 semble encore un peu renfermé dans sa coquille. Le nez exprime les fruits rouges surmûris et un boisé élégant. La bouche est corsée, charpentée et riche, avec des tanins gras et onctueux qui persistent longuement en finale. L'ensemble devrait s'épanouir dans trois à cinq ans. Rappelons que les Capdemourlin sont à la tête de ce cru depuis le XVIIe s. (100 à 149 F)

SCEA Capdemourlin, Ch. Roudier, 33570 Montagne, tél. 05.57.74.62.06, fax 05.57.74.59.34 r.-v.

CH. CAPET DUVERGER 1998

n.c. 36 000 8 à 11 €

Implantée à Saint-Hippolyte, sur des sols sableux et argilo-siliceux, cette propriété dispose d'un encépagement équilibré. Assemblant deux tiers de merlot et un tiers de cabernets, ce 98 d'une belle couleur rubis foncé et brillant offre un bouquet de fruits mûrs et d'épices aux notes boisées bien fondues. La structure est équilibrée et de bonne tenue avec une matière solide qui devrait évoluer favorablement dans les deux à trois ans à venir. (50 à 69 F)

Union de producteurs de Saint-Emilion, Haut-Gravet, BP 27, 33330 Saint-Emilion, tél. 05.57.24.70.71, fax 05.57.24.65.18, e-mail udp-vins.saint-emilion@gofornet.com t.l.j. sf dim. 8h-12h 14h-18h

EARL Héritiers Duverger

CH. CARDINAL-VILLEMAURINE 1998*

7 ha n.c. 11 à 15 €

Installé au cœur de la cité, le château a élevé, pour un tiers en cuve et deux tiers en barrique, un vin constitué de 70 % de merlot et de 30 % de cabernets implantés sur argilo-calcaire. D'une belle teinte bigarreau, ce 98 offre des parfums déjà intenses de fruits rouges, de griotte, de merrain grillé et vanillé. Très rond en bouche, harmonieux, d'un bon équilibre entre le fruit et le bois, il est typique de son appellation et du millésime, et on pourra le boire dans cinq à dix ans. (70 à 99 F)

Jean-François Carrille, pl. du Marcadieu, 33330 Saint-Emilion, tél. 05.57.24.74.46, fax 05.57.24.64.40, e-mail paul.carrille@worldonline.fr r.-v.

CH. CARTEAU COTES DAUGAY 1998*

14,59 ha 80 000 11 à 15 €

82 83 86 88 |89| |90| **92** 93 |94| |95| |96| |97| 98

Lorsque l'on vient de Libourne, on découvre ce cru installé sur les premières pentes de Saint-Emilion, implanté sur des argilo-calcaires et des sables profonds, composé de trois quarts de merlot et d'un quart de cabernets. Ce château obtient chaque année une ou deux étoiles dans le Guide ; voyez ce 98 paré d'une superbe robe de velours pourpre à reflets violines. Le bouquet, riche et très élégant, associe les fruits rouges et le pain d'épice avec un très joli boisé bien fondu. La bouche ample, grasse et charnue, révèle une structure puissante de vin de garde et une finale longue et savoureuse, très aromatique. Un dégustateur aurait aimé goûter cette bouteille sur une entrecôte marchand de vin. (70 à 99 F)

SCEA Vignobles Jacques Bertrand, Ch. Carteau, 33330 Saint-Emilion, tél. 05.57.24.73.94, fax 05.57.24.69.07 r.-v.

CH. DU CAUZE 1998*

20 ha 100 000 11 à 15 €

85 88 89 90 92 **93** |94| 95 97 98

Important domaine viticole de 24 ha dont 20 ha sont consacrés à ce vin. La vigne est vieille (quarante à cinquante ans), implantée sur argilo-calcaires, au nord-est de l'appellation, et constituée à 90 % de merlot. La robe est d'un grenat très sombre. Les arômes, dominés par le merlot (pruneau), sont accompagnés d'une touche de cuir et de merrain. La bouche, charnue et charpentée, possède des tanins encore un peu austères mais prometteurs (trois à neuf ans de garde). (70 à 99 F)

Bruno Laporte-Bayard, SC du Ch. du Cauze, 33330 Saint-Emilion, tél. 05.57.74.62.47, fax 05.57.74.59.12 r.-v.

CH. CHAMPION 1998

7 ha 32 000 8 à 11 €

93 94 |95| |96| 98

La famille Bourrigaud exploite deux grands crus situés au nord de la cité, depuis de nombreuses générations. Ce 98 est tendre et agréable, paré d'une jolie robe rubis de bonne intensité. Le bouquet commence à exprimer des notes de fruits rouges finement boisées. La structure est souple et ronde, encore sur le fruit, même si les tanins, un peu fermes, demandent à s'assouplir pendant deux ou trois ans. (50 à 69 F)

SCEA Bourrigaud et Fils, Ch. Champion, 33330 Saint-Christophe-des-Bardes, tél. 05.57.74.43.98, fax 05.57.74.41.07, e-mail contact@chateau-champion.com r.-v.

CH. CHANTE ALOUETTE 1998

5 ha 28 000 11 à 15 €

|96| |97| 98

Installé sur des sables et constitué de merlot (80 %) et de cabernet (20 %), ce cru de 5 ha a été repris en 1995 par Guy d'Arfeuille et il est dirigé par son fils Benoît. Elégant, ce 98 est d'une belle couleur rubis brillant. Le bouquet, à la fois fruité et floral, très plaisant et frais, offre une note mentholée. La structure équilibrée repose sur des tanins ronds et souples. Persistant en finale, un vin de bonne typicité à attendre deux à trois ans. (70 à 99 F)

Guy d'Arfeuille, Ch. Chante Alouette, 33330 Saint-Emilion, tél. 05.57.24.71.81, fax 05.57.24.74.82 t.l.j. sf dim. 9h-12h 14h-19h

DOM. CHANTE ALOUETTE CORMEIL 1998

n.c. 32 000 11 à 15 €

(82) **83 85 86 88** 89 90 91 93 94 95 98

La vigne, établie sur glacis sableux et crasse de fer, est complantée aux deux tiers de merlot pour un tiers de cabernets. Le vin a une jolie couleur rubis foncé à reflets pourpres. A l'agitation, le nez, encore un peu fermé, libère des

arômes de pruneau, de terre mouillée, accompagnés d'une touche animale. L'attaque est corsée et chaleureuse ; elle évolue vite sur des tanins solides, encore un peu rustiques, qui demanderont deux à six ans de vieillissement.
(70 à 99 F)
EARL Vignobles Yves Delol, Ch. Gueyrosse, 33500 Libourne, tél. 05.57.51.02.63, fax 05.57.51.93.39 r.-v.

CH. CHAUVIN 1998

Gd cru clas. 12,49 ha 50 000 23 à 30 €
82 85 86 **88 89** 90 93 |94| |96| 98

Installée sur des sols sablo-graveleux et constituée de quatre cinquièmes de merlot pour un cinquième de cabernet, cette propriété familiale a été acquise en 1891. Elle atteint aujourd'hui 15 ha et elle est gérée par deux sœurs. D'une belle couleur grenat intense, ce 98 révèle au nez des arômes de fruits rouges mûrs et confits, agrémentés d'un joli boisé aux notes grillées et fumées. La bouche est vive et ferme ; la structure tannique, un peu austère aujourd'hui, est le gage d'un bon avenir.
(150 à 199 F)
SCEA Ch. Chauvin, Les Cabannes-Nord, 33330 Saint-Emilion, tél. 05.57.24.76.25, fax 05.57.74.41.34 r.-v.
Mmes Ondet-Février

CH. CHEVAL BLANC 1998★★

1er gd cru clas A 35 ha 90 000 +76 €
61 64 66 69 **70 71** 72 73 74 |75| 76 77 |78| |79| 80 |81| |82| **83 85 86** 87 **88 89** (90) |92| |93| **94 95 96 97 98**

Un cru mythique, maintes fois décrit depuis 1764. Parlons plutôt des hommes, d'abord de ceux pour lesquels 1998 représente la première récolte : Albert Frère, financier belge, et Bernard Arnault, président de LVMH, qui investit aussi à Yquem. Le domaine est géré depuis dix ans par Pierre Lurton, issu d'une des plus importantes familles du monde viticole bordelais. Le 98 est un peu à leur image, à la fois puissant et raffiné. La robe bordeaux est frangée de reflets rubis. Le bouquet naissant offre un concentré de fruits et de merrain. La bouche est chaleureuse, charnue, très riche en tanins encore frais qui évolueront en finesse. Une grande bouteille, pleine de promesses. (+ 500 F)
SC du Cheval Blanc, 33330 Saint-Emilion, tél. 05.57.55.55.55, fax 05.57.55.55.50 r.-v.

CLOS DE LA CURE 1998

6,87 ha 41 000 11 à 15 €
|93| 95 96 97 98

C'est ici que les prêtres de Saint-Christophe-des-Bardes faisaient leur vin. Ces temps ne sont plus mais le clos existe toujours. Son beau terroir argilo-calcaire porte 78 % de merlot et 22 % de cabernets. La robe de ce 98 a des reflets pourpres vifs. Son nez est séveux et empyreumatique. Toujours frais au palais, ce vin évolue sur des tanins fins et fondus. Encore adolescent, il devrait s'assagir d'ici deux à trois ans pour accompagner gibier, viandes rouges et fromages.
(70 à 99 F)
Christian Bouyer, Ch. Milon, 33330 Saint-Christophe-des-Bardes, tél. 05.57.24.77.18, fax 05.57.24.64.20 r.-v.

CH. CLOS DE SARPE 1998

3,68 ha 10 711 30 à 38 €

Ancienne propriété du baron du Foussat de Bogeron, ce cru de près de 4 ha a été acheté par le grand-père de l'actuel propriétaire en 1923. Installé sur un plateau argilo-calcaire, il est constitué de merlot avec un appoint de 15 % de cabernet franc et cultivé en agriculture biologique. D'une jolie couleur grenat à reflets carminés, ce 98 libère au nez des arômes fruités mêlés de notes épicées, boisées et chocolatées. Après une attaque ferme et corsée, la dégustation évolue sur une structure un peu rude, qui demandera quelques années de vieillissement pour s'affiner. (200 à 249 F)
SCA Beyney, Ch. Clos de Sarpe, 33330 Saint-Christophe-des-Bardes, tél. 05.57.24.72.39, fax 05.57.74.47.54 r.-v.

CLOS DES MENUTS 1998★

36 ha n.c. 15 à 23 €
88 89 90 91 |95| |96| 98

Rappelons que ce vaste domaine viticole (36 ha) a le mérite de présenter l'ensemble de sa production sous le même nom. Les caves de vieillissement, creusées dans le rocher au cœur de la cité saint-émilionnaise, permettent de découvrir ce 98 de belle typicité et très prometteur. De couleur rubis vif, ce vin libère au nez des arômes fruités plaisants et des notes épicées. Souple et rond, le palais est bien équilibré et structuré par des tanins fermes, persistants en finale. (100 à 149 F)
SCEV Pierre Rivière, Clos des Menuts, 33330 Saint-Emilion, tél. 05.57.55.59.59, fax 05.57.55.59.51, e-mail mriviere@riviere-stemilion.com t.l.j. 9h-12h 14h-18h

CLOS FOURTET 1998★★

1er gd cru clas B n.c. 65 000 46 à 76 €
71 73 74 75 **76 78 79 81** 82 **83** |85| **86** 87 |88| |89| |90| |91| 92 |93| |94| (95) **96 97 98**

1998 est à la fois le cinquantième millésime et un des derniers millésimes de la famille Lurton à Clos Fourtet. En effet, elle avait acheté ce domaine en 1948 et vient de le revendre début 2001 à Philippe Cuvelier, qui prend le relais pour le troisième millénaire. Clos Fourtet est l'archétype du grand cru saint-émilionnais, situé à deux pas de l'église : 85 % de merlot implantés sur sol argilo-calcaire, trois niveaux de magnifiques caves aménagées dans d'anciennes carrières. C'est également vrai pour le vin. Paré d'une somptueuse robe pourpre à reflets pivoine, ce 98 offre un bouquet concentré et complexe, où se mêlent senteurs florales, fruitées (cassis, myrtille), bois toasté. La bouche, explosive, séveuse, charnue, généreuse, révèle un bel équilibre entre le merlot et le merrain. Les tanins frais et fins assureront un bon potentiel de garde.
(300 à 499 F)
SC Clos Fourtet, 33330 Saint-Emilion, tél. 05.57.24.70.90, fax 05.57.74.46.52 r.-v.
M. Cuvelier

CH. CLOS LA GRACE DIEU 1998*

■ 2 ha 6 000 🍷 15 à 23 €

Première récolte pour Odile Audier qui a acheté ce petit vignoble en 1997. Celui-ci jouxte la propriété familiale de La Grâce-Dieu-les-Menuts, à l'ouest de la cité. Les vignes, d'une quarantaine d'années, sont composées de 80 % de merlot et de 20 % de cabernets plantés sur sols variés : sables bruns, sables argileux, crasse de fer. Ce premier vin a été très apprécié par nos dégustateurs. Sa belle robe sombre est attrayante. Ses arômes de fruits noirs accompagnent un boisé élégant. Chaleureux en bouche, à la fois long et harmonieux, il pourra s'apprécier dans quelques années sur des viandes rouges en sauce au vin. (100 à 149 F)

🔑 Odile Audier, La Grâce Dieu, 33330 Saint-Emilion, tél. 05.57.24.73.10, fax 05.57.74.45.92 ☑ 🍷 r.-v.

CLOS LA MADELEINE 1998

■ 2 ha 10 000 🍷 23 à 30 €

Etablie sur les argilo-calcaires, au sud de la cité, la vigne trentenaire est constituée de 60 % de merlot et de 40 % de bouchet. Ce vin a une jolie présentation, encore jeune. Le bouquet naissant est fin, à la fois fruité et boisé. La bouche ronde offre une saveur réglissée. Cette bouteille sera rapidement agréable à consommer. (150 à 199 F)

🔑 SA du Clos La Madeleine, La Gaffelière Ouest, BP 78, 33330 Saint-Emilion, tél. 05.57.55.38.03, fax 05.57.55.38.01 ☑ 🍷 r.-v.

CLOS SAINT-JULIEN 1998*

■ 1,5 ha 5 000 🍷 23 à 30 €

Ce petit enclos, installé au cœur de la cité, est encore partiellement ceint de murs en moellons qui abritaient il y a quelques années une statue de Pomone, divinité romaine des fruits et jardins, qui, malheureusement, a été dérobée. Ce 98 se pare d'une robe pourpre sombre et intense, aux reflets rubis vif. Le nez puissant et élégant associe fruits confits, moka, cannelle, réglisse et odeurs grillées. La bouche riche, puissante, bien structurée par de beaux tanins veloutés offre une finale très longue et savoureuse. (150 à 199 F)

🔑 SCEA Vignobles J.-J. Nouvel, Ch. Gaillard, BP 84, 33330 Saint-Emilion, tél. 05.57.24.72.05, fax 05.57.74.40.03, e-mail chateau.gaillard@wanadoo.fr ☑ 🍷 r.-v.

CLOS SAINT-MARTIN 1998*

■ Gd cru clas. 1,33 ha 6 500 🍷 30 à 38 €

81 85 86 **88** 89 |90| 92 93 |95| |96| |97| 98

Ce petit domaine, acquis en 1850 par la famille Reiffers, était le vignoble du presbytère de la paroisse Saint-Martin. Installé sur des sols argilo-calcaires complantés à 70 % de merlot et à 30 % de cabernet franc, il propose un beau 98, drapé dans une robe grenat sombre et dense. Le nez, puissant et élégant, exhale des arômes de fruits rouges mûrs, alliés à des odeurs toastées et grillées de bon bois brûlé. La bouche, équilibrée et harmonieuse, offre une réelle fraîcheur, un boisé fin et fondu et des tanins soyeux, mais de bonne tenue, persistants en finale. (200 à 249 F)

🔑 GFA Les Grandes Murailles, Ch. Côte de Baleau, 33330 Saint-Emilion, tél. 05.57.24.71.09, fax 05.57.24.69.72, e-mail lesgrandesmurailles@wanadoo.fr 🍷 r.-v.

CLOS SAINT-VINCENT 1998

■ 4,68 ha 28 000 🍷 8 à 11 €

Dédié au patron des vignerons, ce cru est installé sur des sables graveleux au sud de l'appellation ; il propose un 98 sincère et de bonne typicité, paré d'une robe rubis limpide et vive. Les arômes de fruits rouges (fraise) se mêlent agréablement à un boisé fin, légèrement grillé. La bouche bien équilibrée, souple, ronde et fraîche, repose sur des tanins soyeux et délicats qui permettront de consommer cette bouteille rapidement. (50 à 69 F)

🔑 SC du Clos Saint-Vincent, Lansemen, 33330 Saint-Sulpice-de-Faleyrens, tél. 05.56.23.92.76, fax 05.56.23.61.65 ☑ 🍷 r.-v.

🔑 Latorse

CLOS TRIMOULET 1998

■ n.c. 52 000 🍷 11 à 15 €

Des vignes de trente-cinq ans (80 % de merlot) ont donné ce vin d'une jolie couleur rubis dense à reflets grenat. Le nez, encore discret, évoque les petits fruits rouges, avec une touche animale. La bouche est fruitée, souple, acidulée. Elle finit sur des tanins un peu rustiques qui devraient s'affiner d'ici deux à cinq ans. (70 à 99 F)

🔑 EARL Appollot, Clos Trimoulet, 33330 Saint-Emilion, tél. 05.57.24.71.96, fax 05.57.74.45.88 ☑ 🍷 r.-v.

CH. CORBIN 1998

■ Gd cru clas. 12,7 ha 80 000 🍷 23 à 30 €

64 75 79 81 ⑧② **83 85 86** |88| |89| |90| 93 94 |95| |96| 98

Etabli au nord-ouest de la cité, ce domaine possède des vignes trentenaires composées à 80 % de merlot, à 17 % de bouchet (cabernet franc) et à 3 % de malbec (cot), plantées sur sables anciens et argiles. Le vin se pare d'une belle robe rubis. Son bouquet, déjà expressif, mêle des nuances fruitées (pruneau, groseille), épicées, boisées, toastées, révélant à l'agitation un peu de venaison. A la fois fraîche et ronde, la bouche repose sur de fins tanins boisés qui respectent le fruit. (150 à 199 F)

🔑 SC Ch. Corbin, 33330 Saint-Emilion, tél. 05.57.25.20.30, fax 05.57.25.22.00, e-mail chateau.corbin@wanadoo.fr ☑ 🍷 r.-v.

CH. CORMEIL-FIGEAC 1998

■ 10 ha 50 000 🍷 15 à 23 €

82 83 86 88 **89** 90 91 92 94 95 96 98

Situé à 2,5 km à l'ouest de la cité, ce vignoble est implanté sur sables anciens et se compose de 70 % de merlot et de 30 % de cabernet franc. Ce 98 présente les caractères des vins du secteur de Figeac : une jolie robe rubis, des arômes de fruits rouges légèrement boisés, une bouche fraîche et vive finissant sur des tanins encore fermes. Solide, un peu rustique, il devra attendre deux à cinq ans pour accompagner gibier et viandes rouges. (100 à 149 F)

SCEA Cormeil-Figeac, BP 49, 33330 Saint-Emilion, tél. 05.57.24.70.53, fax 05.57.24.68.20, e-mail moreaud@cormeil-figeac.com ☑ Y r.-v.
R. Moreaud

CH. COTE DE BALEAU 1998*

■ 8 ha 40 000 11 à 15 €

88 |95| 96 |98|

Merveilleuse longévité de quelques propriétés libournaises aux mains d'une même famille depuis des siècles, ce terroir argilo-calcaire, planté pour les trois quarts de merlot et pour un quart de cabernets, est la propriété des Reiffers depuis 1643. Un record ? Leur 98 est paré d'une belle robe rubis intense à reflets grenat. Le bouquet naissant est encore sous l'emprise du bois vanillé. Ronde en attaque, la bouche possède une structure bien équilibrée. Là aussi, le bois domine un peu le fruit, mais son style contemporain permettra de boire ce vin après une garde de deux à trois ans. (70 à 99 F)

GFA Les Grandes Murailles, Ch. Côte de Baleau, 33330 Saint-Emilion, tél. 05.57.24.71.09, fax 05.57.24.69.72, e-mail lesgrandesmurailles@wanadoo.fr Y r.-v.

COTES ROCHEUSES 1998

■ 35 ha 218 527 8 à 11 €

La plus importante des marques de l'Union des producteurs de Saint-Emilion en volume. Elle est issue d'un assemblage de 60 % de merlot pour 40 % de cabernets. D'une belle présentation rubis aux reflets carminés, ce 98 mêle les arômes de fruits et d'épices à un boisé délicat. La structure n'est pas très intense, mais bien équilibrée par des tanins souples et soyeux qui permettent une consommation rapide. (50 à 69 F)

Union de producteurs de Saint-Emilion, Haut-Gravet, BP 27, 33330 Saint-Emilion, tél. 05.57.24.70.71, fax 05.57.24.65.18, e-mail udp-vins.saint-emilion@gofornet.com ☑ Y t.l.j. sf dim. 8h-12h 14h-18h

CH. COUDERT-PELLETAN

Vieilli en fût de chêne neuf 1998

■ 4 ha 24 000 11 à 15 €

86 **88** 92 |93| |94| **95** 96 97 98

Implanté sur argilo-calcaires, le vignoble comporte 60 % de merlot et 40 % de cabernets. Une belle robe rubis sombre, des notes fraîches de sous-bois, de mûre, une saveur encore fruitée évoluant sur des tanins qui demanderont à s'affiner pendant quelques années : voici le portrait de ce 98 bien typé. (70 à 99 F)

Pierre et Philippe Lavau, Ch. Coudert-Pelletan, BP 13, 33330 Saint-Christophe-des-Bardes, tél. 05.57.24.77.30, fax 05.57.24.66.24, e-mail coudert.pelletan@worldonline.fr Y t.l.j. 9h-12h30 14h-18h; sam. dim. sur r.-v.

COUVENT DES JACOBINS 1998**

■ Gd cru clas. 7 ha 30 000 46 à 76 €

Au cœur de la cité médiévale, cet ancien couvent a été édifié au XIIIe s., puis abandonné à la Révolution française. C'est aujourd'hui un site classé avec de beaux murs d'enceinte et de profondes caves souterraines. Le vignoble est composé de trois quarts de merlot et d'un quart de cabernet franc. Il a offert un superbe 98, à la robe éclatante. Le nez s'ouvre rapidement sur des arômes de fruits rouges frais, de noyau et d'amande, associés à des notes épicées. La bouche, puissante et riche, révèle des tanins bien serrés mais suaves, et offre une bonne longueur en finale. (300 à 499 F)

SCEV Joinaud-Borde, 10, rue Guadet, 33330 Saint-Emilion, tél. 05.57.24.70.66, fax 05.57.24.62.51

CH. CROIX DE VIGNOT 1998*

■ 1,45 ha 9 500 8 à 11 €

Ce tout petit cru est constitué d'une parcelle de merlot cinquantenaire, installée en pied de côte sur des sols argilo-calcaires, tout près de l'ancienne « Seigneurie de Capet ». Cela donne un 98 bien réussi, d'une jolie couleur rubis. Le bouquet, fin et complexe, mêle des arômes fruités et floraux à des odeurs vanillées et épicées. Une belle rondeur et beaucoup de volume en bouche pour ce vin bien constitué qui dispose d'un réel potentiel. (50 à 69 F)

René Micheau-Maillou, 33330 Saint-Hippolyte, tél. 05.57.24.61.99, fax 05.57.24.61.99 ☑ Y r.-v.

CH. CROQUE MICHOTTE 1998**

■ 13,67 ha 59 000 23 à 30 €

91 |95| 96 **98**

Acquis en 1906 par Samuel Geoffrion, arrière-grand-père des propriétaires actuels, ce beau domaine viticole de presque 14 ha est installé tout près de Pomerol sur des sables anciens mêlés de graves. Ce 98 est issu de merlot avec un appoint de 10 % en cabernet franc. Il se présente dans une robe rubis limpide. Le nez exprime des arômes de fruits rouges et noirs, des notes de cacao et un joli boisé épicé. La bouche révèle un vin ample et charnu dont les tanins denses et puissants persistent très longuement en finale. (150 à 199 F)

GFA Geoffrion, Ch. Croque Michotte, 33330 Saint-Emilion, tél. 05.57.51.13.64, fax 05.57.51.07.81 ☑ Y r.-v.

CH. CROS-FIGEAC 1998**

■ 2,5 ha 7 000 23 à 30 €

Dernière acquisition de la famille Querre en 1998. Les nouveaux propriétaires souhaitent relever le niveau de ce cru et élaborer d'ici cinq ans des vins de grande qualité. Avec ce 98, jugé remarquable, ils sont nettement en avance sur leur plan de marche. La robe est pourpre sombre. Concentré et racé, son bouquet associe les fruits noirs, la griotte, le cuir, la vanille, sur fond boisé. La saveur, elle aussi, est déjà complexe et longue, encore un peu dominée par un bois de qualité, elle finit sur des tanins nobles et mûrs. Un grand vin de garde. (150 à 199 F)

SCEA Ch. Cros-Figeac, Hospices de La Madeleine, 33330 Saint-Emilion, tél. 05.57.55.51.60, fax 05.57.55.51.61 ☑

CH. CRUZEAU 1998*

■ 4,4 ha 28 000 11 à 15 €

Le château aux tourelles pointues remonte au XVIe s. Acquis en 1897 par la famille Luquot,

son vignoble est installé sur des sables grossiers et constitué de trois quarts de merlot et d'un quart de cabernet franc. Bien présenté dans une robe rubis intense, ce 98 dévoile des arômes de fruits confits, de prune et de réglisse, mêlés à des notes d'épices et de torréfaction. Souple et ample à l'attaque, il évolue sur une structure tannique ferme qui devrait s'assouplir dans les trois à quatre ans à venir. (70 à 99 F)
SCEA Vignobles Luquot, 152, av. de l'Epinette, 33500 Libourne, tél. 05.57.51.18.95, fax 05.57.25.10.59 r.-v.

CH. DASSAULT 1998★

■ Gd cru clas. 14,48 ha 77 000 30 à 38 €
83 86 88 89 **|90| 92** |94| **|95|** 96 98

Capitaine d'industrie, Marcel Dassault aimait servir son vin lors des manifestations aéronautiques du groupe qu'il avait fondé. Géré aujourd'hui par son petit-fils Laurent, ce vignoble, installé sur sables anciens, est composé de 65 % de merlot, 30 % de cabernet franc et 5 % de cabernet-sauvignon. Son 98 porte une superbe robe cerise noire et brillante. Le bouquet, fin et élégant, offre de beaux arômes fruités presque confits, mêlés de notes toastées et épicées. Après une attaque souple et ronde, la bouche évolue sur des tanins denses et soyeux de très grande longueur. (200 à 249 F)
SARL Ch. Dassault, 33330 Saint-Emilion, tél. 05.57.55.10.00, fax 05.57.55.10.01, e-mail lbv@chateaudassault.com r.-v.

CH. DESTIEUX 1998★

■ 8,12 ha 32 000 15 à 23 €
85 86 |(88)| |89| |90| 92 93 |94| |95| **96 97** 98

Ce domaine de quelque 8 ha domine la vallée de la Dordogne et jouit d'un magnifique point de vue. Régulièrement retenu dans le Guide, il propose un 98 drapé dans une robe rubis intense. Le bouquet, très harmonieux, marie élégamment les fruits rouges et noirs à un agréable boisé, vanillé et grillé. La dégustation, riche, révèle une belle concentration de tanins gras et charnus et une bonne vinosité. La persistance aromatique est longue et savoureuse : un vin de garde. (100 à 149 F)
Dauriac, Ch. Destieux, 33330 Saint-Emilion, tél. 05.57.24.77.44, fax 05.57.40.37.42 r.-v.

CH. DESTIEUX BERGER 1998

■ 8,63 ha 21 333 8 à 11 €

Né sur les sables de Saint-Sulpice-de-Faleyrens plantés pour moitié de merlot et pour moitié de cabernet, ce vin d'une belle couleur rubis exhale des parfums de fruits rouges, mêlés de fines notes boisées, légèrement vanillées. La bouche révèle une structure tannique correcte, bien relevée par une agréable nervosité qui donne une finale fraîche. (50 à 69 F)
Union de producteurs de Saint-Emilion, Haut-Gravet, BP 27, 33330 Saint-Emilion, tél. 05.57.24.70.71, fax 05.57.24.65.18, e-mail udp-vins.saint-emilion@gofornet.com t.l.j. sf dim. 8h-12h 14h-18h
Alain Cazenave

CH. FAUGERES 1998★★

■ 20 ha 115 000 23 à 30 €
|93| |94| **95** |96| |97| **98**

Situé à 500 m de l'église Sainte-Colombe, ce domaine appartient aux Guisez depuis 1823. Ce 98, composé essentiellement de merlot avec un apport de 10 % de cabernet franc et de 5 % de cabernet-sauvignon, a été élevé quatorze mois en barrique. La robe rubis est sombre et très intense. Le bouquet, expressif et complexe, mêle les arômes de fruits rouges à d'agréables odeurs de bois brûlé aux nuances de goudron et de réglisse. La bouche révèle une superbe matière, charpentée et étoffée, aux tanins certes, encore fermes et un peu sévères, mais très prometteurs. (150 à 199 F)
GFA C. et P. Guisez, Ch. Faugères, 33330 Saint-Etienne-de-Lisse, tél. 05.57.40.34.99, fax 05.57.40.36.14, e-mail faugeres@club-internet.fr r.-v.

CH. DE FERRAND 1998★

■ 28 ha 160 000 11 à 15 €
82 83 85 86 **88** |90| |94| |95| 98

Remarquable château du XVIIe s. entouré d'une propriété arborée, Ferrand règne sur un domaine viticole, reposant sur argilo-calcaire qui a produit ce 98 très réussi et joliment présenté, dans une robe rubis vive et intense. Le bouquet exprime les fruits rouges confits associés à des notes épicées et vanillées très fines. La bouche dispose d'une belle structure aux tanins ronds et charnus, bien équilibrés et persistants en finale. (70 à 99 F)
Héritiers du Baron Bich, Ch. de Ferrand, 33330 Saint-Hippolyte, tél. 05.57.74.47.11, fax 05.57.24.69.08 r.-v.

CH. FERRAND-LARTIGUE 1998★

■ 5,8 ha 24 000 30 à 38 €
94 95 **|96| 97** 98

Depuis son apparition sur le Guide avec la récolte 94, ce cru est régulièrement retenu par nos experts. Le vin est produit par des vignes de quarante ans plantées sur sols variés : sables, graves, argilo-calcaires ; l'encépagement comprend 80 % de merlot et 20 % de cabernets. Le 98 a une jolie couleur bigarreau fraîche. Le nez s'ouvre sur des notes fleuries (violette), fruitées (framboise) et épicées. La bouche ronde et corsée, toujours fruitée, évolue sur des tanins un peu austères qui demanderont trois à six ans pour s'assagir. (200 à 249 F)
Ferrand, Ch. Ferrand-Lartigue, rte de Lartigue, 33330 Saint-Emilion, tél. 05.57.74.46.19, fax 05.57.74.46.19, e-mail vincent.rapin@libertysurf.fr

CH. FIGEAC 1998★★

■ 1er gd cru clas B 37,5 ha 100 000 +76 €
62 **64 66** (70) **71** 74 **75 76** 77 **78** 79 80 **|81| |82| |83| |85| |86|** 87 **88 89** 90 92 **|93|** |94| (95) 96 |97| **98**

Après un coup de cœur et une Grappe d'or pour un 95 d'anthologie, Figeac réédite cet exploit avec ce 98 remarquable. Nous sommes ici sur un grand cru viticole de caractère. Son origine remonte à une *villa* gallo-romaine, remplacée par un château. Le domaine est depuis 1892 dans la famille Manoncourt. Ce vin est un mystère : le terroir et l'encépagement sont atypiques, et pourtant, en dégustation à l'aveugle, le jury le classe parmi les meilleurs saint-émilion grands crus classés. C'est un grand charmeur, d'une présentation irréprochable (bordeaux à reflets pourpres). Son raffinement olfactif (fruits noirs, merrain torréfié), sa tenue en bouche harmonieuse et sa longue finale élégante ne peuvent laisser indifférent. (+ 500 F)

SCEA Famille Manoncourt, Ch. Figeac, 33330 Saint-Emilion, tél. 05.57.24.72.26, fax 05.57.74.45.74, e-mail chateau-figeac@chateau-figeac.com r.-v.

CH. FLEUR CARDINALE 1998*

■ 10 ha 50 000 15 à 23 €

82 83 85 86 88 89 (90) **93 94** 95 **96** 97 98

Ce terroir argilo-calcaire sur fonds rocheux est situé à l'est de l'appellation. Né de vignes d'une quarantaine d'années (70 % de merlot, 15 % de cabernet-sauvignon et 15 % de bouchet), ce vin é été bien vinifié et bien élevé. La robe grenat est frangée d'une note d'évolution. Le bouquet commence à exprimer des arômes de fruits mûrs et de vanille. La bouche harmonieuse, chaleureuse et fruitée est charpentée par des tanins encore un peu austères, ce qui est normal pour un grand cru jeune. Le bois respecte le vin qui ne demande que deux à trois ans de garde. (100 à 149 F)

Alain et Claude Asséo, Ch. Fleur Cardinale, 33330 Saint-Etienne-de-Lisse, tél. 05.57.40.14.05, fax 05.57.40.28.62, e-mail fleurcardinale@terre-net.fr r.-v.

CH. FLEUR LARTIGUE 1998*

■ 5,46 ha 34 933 8 à 11 €

Ce petit vignoble de 5,5 ha environ, établi sur des sols sablo-graveleux, comprend 80 % de merlot et 20 % de cabernet franc. D'une couleur rubis vif, ce 98 révèle des arômes de fruits mûrs et d'épices, associés à de fines nuances boisées. Souple et rond en bouche, c'est un vin équilibré, aux tanins onctueux et veloutés, qui persistent agréablement en finale. (50 à 69 F)

Union de producteurs de Saint-Emilion, Haut-Gravet, BP 27, 33330 Saint-Emilion, tél. 05.57.24.70.71, fax 05.57.24.65.18, e-mail udp-vins.saint-emilion@gofornet.com t.l.j. sf dim. 8h-12h 14h-18h

SCEA Vignobles Chantureau

CH. FOMBRAUGE 1998*

■ 52 ha 165 000 11 à 15 €

86 |88| |90| 91 92 93 (95) (96) |97| 98

Récemment acquis par le négociant Bernard Magrez, Fombrauge fut édifié en 1679 et commande un vignoble de 75 ha. 70 % de merlot et 30 % de cabernets, plantés sur des argilo-calcaires au nord-est de l'appellation, ont donné naissance à une bouteille très appréciée par les dégustateurs. Ils ont aimé sa belle robe bigarreau à reflets rubis. Son bouquet demande un peu d'aération pour libérer des nuances boisées, vanillées, minérales, mêlées de fruits cuits. Sa bouche, pleine et veloutée, s'ouvre sur une saveur de raisins mûrs et des tanins pleins d'avenir. Cette bouteille pourra accompagner dans trois à huit ans une entrecôte à la bordelaise ou du gibier. (70 à 99 F)

SA Ch. Fombrauge, 33330 Saint-Christophe-des-Bardes, tél. 05.57.24.77.12, fax 05.57.24.66.95, e-mail chateau@fombrauge.com r.-v.

B. Magrez

CH. FONPLEGADE 1998

■ Gd cru clas. 11,35 ha n.c. 23 à 30 €

82 83 85 86 **88** |90| 92 |93| |94| |95| 96 |97| 98

Les premières vignes furent plantées ici par les Romains, comme en témoignent les vestiges de sillons tracés dans le roc. Installée sur le versant sud des coteaux de saint-Emilion, la propriété y occupe une conche abritée à mi-côte. Doté d'une belle couleur rubis vif, ce 98 est encore discret au nez. L'agitation dans le verre révèle des arômes de fruits rouges, de vanille et de caramel. La structure est équilibrée, pas très puissante, mais dotée de bons tanins mûrs qui devraient bientôt se fondre. (150 à 199 F)

Nathalie et Marie-José Moueix, Ch. Fonplégade, BP 45, 33330 Saint-Emilion, tél. 05.57.74.43.11, fax 05.57.74.44.67, e-mail stephanyrosa@wanadoo.fr r.-v.

CH. FONRAZADE 1998**

■ 8,5 ha 55 000 11 à 15 €

86 |88| |90| |95| 96 **98**

Seuls 8,5 ha ont été sélectionnés pour composer le grand vin : on sait l'importance de ce travail de qualité. Le propriétaire et sa fille proposent un 98 remarquablement réussi, paré d'une robe bordeaux sombre fort attrayante. Le bouquet naissant s'ouvre à l'aération sur des notes fruitées. Fine et élégante, la bouche révèle une belle harmonie entre le fruit et le bois. Cette bouteille devrait être à son apogée entre trois et douze ans. Dans les grands bâtiments, au-dessus du chai à barriques, se trouve une grande salle de réception pouvant recevoir groupes et séminaires. (70 à 99 F)

Guy Balotte, Ch. Fonrazade, 33330 Saint-Emilion, tél. 05.57.24.71.58, fax 05.57.74.40.87, e-mail chateau-fonrazade@wanadoo.fr t.l.j. 8h-12h 14h-18h

CH. FONROQUE 1998*

Gd cru clas. 19,26 ha 78 000 15 à 23 €

81 82 83 85 86 88 89 |90| 92 93 **95** |97| 98

Un important domaine viticole d'une vingtaine d'hectares établi sur argilo-calcaires, et un vin élaboré presque exclusivement à partir du merlot (90 %), le cabernet franc faisant l'appoint. Ce 98 a une robe engageante, rubis profond. Le bouquet, encore très frais, s'ouvre sur des arômes de fruits rouges, de pruneau, de cuir, associés à des notes mentholées, boisées et réglissées. La bouche, ronde et charnue, est harmonieuse ; son beau fruité est soutenu par de bons tanins de raisins et de merrain, parfaitement équilibrés et longs. Un vin de garde de qualité. (100 à 149 F)

Ets Jean-Pierre Moueix, 54, quai du Priourat, 33500 Libourne, tél. 05.57.51.78.96

GFA Ch. Fonroque

CH. FRANC BIGAROUX 1998

6 ha 15 000 11 à 15 €

Gilles Teyssier, neveu du propriétaire de ce vignoble, exploite un domaine établi dans le petit bourg des Bigaroux sur des sables chauds et des graves profondes. Il présente un 98 simple et plaisant qui sera rapidement prêt à boire. La robe est de couleur grenat avec une frange légèrement évoluée. Le nez rappelle les fruits rouges mûrs associés à des notes grillées agréables. La bouche souple et ronde révèle des tanins très mûrs et délicats. A servir avec des perdreaux au chou. (70 à 99 F)

EARL Gilles Teyssier, 50, av. de Saint-Emilion, 33330 Saint-Sulpice-de-Faleyrens, tél. 05.57.24.64.77, fax 05.57.24.64.77, e-mail gilles.teyssier@free.fr r.-v.

Francis Fretier

CH. FRANC GRACE-DIEU 1998*

8,49 ha 36 000 11 à 15 €

La propriété tire son nom d'un ancien prieuré cistercien qui était exonéré de tout droit sous l'Ancien Régime. Son vignoble est classique, composé de 70 % de merlot et de 30 % de cabernets plantés sur sables bruns et argile bleue. Le vin se pare d'une robe pourpre soutenu. Son bouquet encore discret laisse poindre des notes florales (pivoine), fruitées (citron, cassis) finement boisées (vanille, toast). La bouche attaque sur des sensations fraîches et souples puis évolue sur des tanins serrés et élégants. D'ici deux à trois ans, ce 98 pourra accompagner gibier ou entrecôte à la bordelaise. (70 à 99 F)

SEV Fournier, Ch. Franc Grace-Dieu, 33330 Saint-Emilion, tél. 05.57.24.66.18, fax 05.56.24.98.05 r.-v.

CH. FRANC LA ROSE 1998*

3,8 ha 25 000 11 à 15 €

En 1995, Jean-Louis Trocard, responsable viticole bordelais, acquit cette petite propriété située dans le secteur de La Rose, au nord de la cité médiévale. Le terroir argilo-calcaire y est planté à 90 % de merlot et à 10 % de cabernet franc. En 1998, année de réfection des chais, il a produit un vin qui affiche aujourd'hui une robe pourpre sombre. Le bouquet demande un peu d'aération pour délivrer des nuances de fruits, de tabac, de cuir, sur fond finement boisé. Equilibré et expressif, concentré, le palais possède des tanins soyeux. Son caractère onctueux permettra à cette bouteille de paraître assez rapidement à table, pour accompagner du gibier. (70 à 99 F)

SCEA des Vignobles Trocard, 2, Les Petits-Jays-Ouest, 33570 Les Artigues-de-Lussac, tél. 05.57.55.57.90, fax 05.57.55.57.98, e-mail trocard@wanadoo.fr t.l.j. sf sam. dim. 8h-12h 14h-17h

CH. FRANC-MAYNE 1998*

Gd cru clas. 5 ha 26 000 23 à 30 €

85 86 |88| |89| |90| |92| 95 |96| |97| 98

En 1996, Georgy et Jean-Lou Fourcroy, négociants belges, se sont associés à Carlo et Hubert Clasen, à Otto Lenselink, et à Valérie et Benoît Calvet pour acheter ce beau domaine viticole au groupe AXA. Depuis, ils y font un excellent travail. Notamment avec ce 98, à la robe d'un rubis intense. Le bouquet révèle à l'agitation des arômes de fruits noirs (cassis), de noisette, de merrain toasté. La saveur très raffinée, élégante, joue sur du fruit mûr et des tanins de qualité. Une bouteille à ouvrir dans trois à quatre ans sur des plats du terroir, des daubes, du canard. Membre des Châteaux et Hôtels de France, Franc-Mayne propose cinq chambres. (150 à 199 F)

Fourcroy, SCEA Ch. Franc-Mayne, La Gomerie, 33330 Saint-Emilion, tél. 05.57.24.62.61, fax 05.57.24.68.25 r.-v.

CH. FRANC PATARABET 1998*

6 ha 26 000 8 à 11 €

86 88 89 90 91 98

Ce cru possède au cœur de Saint-Emilion une belle cave monolithe. 60 % de merlot et 40 % de cabernets plantés sur des sols argilo-siliceux ont donné naissance à cette bouteille ornée d'une belle robe rubis intense ; elle est encore un peu marquée au nez par un élégant boisé grillé et torréfié qui ne cache pas les arômes de fruits rouges. Bien équilibrée, elle est armée d'une structure suffisante pour supporter ce léger excès actuel, et devrait évoluer très favorablement dans les trois à cinq ans à venir. (50 à 69 F)

GFA Faure-Barraud, rue Guadet, BP 72, 33330 Saint-Emilion, tél. 05.57.24.65.93, fax 05.57.24.69.05, e-mail jn@franc-patarabet.com r.-v.

CH. GAILLARD 1998*

11 ha 70 000 11 à 15 €

Exploitation familiale depuis 1792, cette propriété compte aujourd'hui 19 ha dont 11 ha sont consacrés au Château Gaillard. Réparti sur trois communes, ce vignoble possède des sols variés, mêlant argiles et sables. L'encépagement est composé de quatre cinquièmes de merlot pour un cinquième de cabernet franc. Bien présenté dans sa robe pourpre intense et vive, ce 98 ne s'exprime pas encore beaucoup au nez où percent néanmoins des arômes de fruits rouges et de sous-bois agrémentés d'une pointe de vanille. La bouche ronde, grasse, onctueuse et très savoureuse, révèle des notes de fruits et de pain grillé, et une belle structure longue et solide en finale. (70 à 99 F)

SCEA Vignobles J.-J. Nouvel, Ch. Gaillard, BP 84, 33330 Saint-Emilion, tél. 05.57.24.72.05, fax 05.57.74.40.03, e-mail chateau.gaillard@wanadoo.fr r.-v.

GALIUS 1998*

10 ha 61 761 11 à 15 €

Cette marque est l'un des produits phares de la célèbre coopérative de Saint-Emilion. Elle assemble 70 % de merlot et 30 % de cabernets. Le 98 est très réussi avec sa belle robe rubis, jeune, vive et intense. Le nez exprime les fruits rouges et noirs bien mûrs, agrémenté d'un joli boisé, vanillé et grillé. Après une attaque soyeuse et ronde, la dégustation révèle une structure riche et charnue, construite sur de bons tanins encore fermes en finale mais qui assureront une garde de quatre à cinq ans. Autre cuvée, **Haut Quercus 98** obtient la même note. La marque **Royal 98 (50 à 69 F)** est citée. (70 à 99 F)

Union de producteurs de Saint-Emilion, Haut-Gravet, BP 27, 33330 Saint-Emilion, tél. 05.57.24.70.71, fax 05.57.24.65.18, e-mail udp-vins.saint-emilion@gofornet.com t.l.j. sf dim. 8h-12h 14h-18h

CH. GONTEY 1998*

2,4 ha 12 000 15 à 23 €

Petit vignoble exploité depuis 1997 par des vignerons du Blayais-Bourgeais. Le vin a une belle couleur bigarreau intense. Le bouquet est encore sous le fruit noir très mûr, accompagné d'une petite note de torréfaction. La bouche, fraîche et souple, offre une saveur fruitée et épicée et finit sur des tanins de bois assez marqués. Ce 98 devrait atteindre son apogée dans quatre à six ans. (100 à 149 F)

Laurence et Marc Pasquet, Grand Gontey, 33330 Saint-Emilion, tél. 05.57.42.29.80, fax 05.57.42.84.86 r.-v.

CH. GRAND CORBIN-DESPAGNE 1998*

Gd cru clas. 26,54 ha 101 000 15 à 23 €

|89| |90| |93| |94| 95 96 97 98

Les Despagne, implantés dans le Libournais depuis le début du XVIIe s. et propriétaires de cette belle exploitation depuis 1812, pratiquent tris à la vigne et au chai. Assemblant trois quarts de merlot et un quart de cabernet franc, ce 98, issu des sols argilo-sableux du nord de l'appellation, témoigne du succès de cette méthode. La robe affiche un rouge grenat sombre et profond. Encore un peu discret, le bouquet dévoile des arômes de fruits rouges mûrs (framboise) et d'épices, mariés à un élégant boisé, toasté et vanillé. Charnue et ample dès l'attaque, la bouche évolue sur une structure tannique dense et puissante qui devrait trouver son équilibre après quelques années de garde. (100 à 149 F)

SCEV Consorts Despagne, Ch. Grand Corbin Despagne, 33330 Saint-Emilion, tél. 05.57.51.08.38, fax 05.57.51.29.18, e-mail f-despagne@grand-corbin-despagne.com r.-v.

CH. GRAND-PONTET 1998*

Gd cru clas. 14 ha 70 000 15 à 23 €

85 86 88 |89| |90| 91 |93| |94| **95** 96 97 98

Installée aux portes de Saint-Emilion, tout près de la route de Libourne, sur un plateau argilo-calcaire, cette ancienne propriété des établissements Barton et Guestier a été rachetée il y a une vingtaine d'années par trois familles : Bécot, Berjal et Pourquet. Assemblant trois quarts de merlot et un quart de cabernet franc, ce 98 se présente dans une somptueuse robe pourpre, profonde et très dense. Le bouquet, expressif et puissant, mêle des arômes de fruits confits, de fumée et de vanille, ainsi que des odeurs de torréfaction. La bouche révèle une belle structure, ferme et intense, avec des tanins équilibrés qui assureront une bonne garde. (100 à 149 F)

Ch. Grand-Pontet, 33330 Saint-Emilion, tél. 06.85.83.08.65 r.-v.

Bécot-Pourquet

CH. GRANDS CHAMPS 1998*

2 ha 13 000 11 à 15 €

Constitué de vieilles vignes de merlot avec un appoint de 20 % en cabernets (moitié franc, moitié sauvignon), ce cru fait partie d'une exploitation de 18 ha qui produit surtout du côtes de castillon. Il présente un 98 drapé dans une superbe robe grenat sombre montrant encore une frange bien vive. Le nez, très expressif, est un peu dominé par les notes grillées et chocolatées du bois, mais agrémentées d'un joli fruité sous-jacent. La bouche révèle une structure tannique ferme et racée, très riche, et de bonnes saveurs persistantes. Un beau vin de garde à attendre de trois à cinq ans. (70 à 99 F)

Christophe Blanc, 2, av. de la Bourrée, 33350 Saint-Magne-de-Castillon, tél. 05.57.40.42.53, fax 05.53.40.42.53

Jean Blanc

CH. GUEYROSSE 1998*

4,6 ha 20 000 11 à 15 €

86 90 92 93 94 **96** |97| 98

Un des deux crus exploités par Yves Delol : celui-ci est établi aux portes de Libourne, sur sables et graves. Ce 98, pourpre sombre à reflets grenat, offre un bouquet intéressant, qui débute sur du fruit très mûr, suivi d'un boisé vanillé, qui termine sur une note tenace de gibier. La bouche, corsée et charnue, présente une saveur surmûrie, suivie de tanins denses, un peu rustiques. Un saint-émilion à l'ancienne qui pourra accompagner des plats en sauce dans trois à six ans. (70 à 99 F)

EARL Vignobles Yves Delol, Ch. Gueyrosse, 33500 Libourne, tél. 05.57.51.02.63, fax 05.57.51.93.39 r.-v.

CH. HAUT-BADETTE 1998

1,25 ha 7 500 15 à 23 €

Petit « grand cru » d'un peu plus d'un hectare sur les 21 ha qu'exploite Jean Janoueix à Saint-Émilion. 90 % de merlot complétés de 10 % de cabernet-sauvignon sont implantés sur un terroir siliceux et argilo-siliceux. Ce 98 se pare d'une robe rubis jeune. Des arômes vifs, fruités, finement boisés, des saveurs de groseille, fraîches et élégantes, des tanins frais, composent une bouteille d'une certaine simplicité qui sera à boire assez rapidement sur un magret de canard, des viandes blanches, des fromages délicats. (100 à 149 F)

Sté d'Exploitation du Ch. Haut-Sarpe, BP 192, 33506 Libourne Cedex, tél. 05.57.51.41.86, fax 05.57.51.53.16, e-mail info@j-janoueix-bordeaux.com r.-v.
J.-F. Janoueix

CH. HAUT-BRISSON 1998★★

9,38 ha 58 000 15 à 23 €

Deuxième récolte pour les nouveaux propriétaires de ce cru installé sur graves et sables mêlés de crasse de fer, et très belle réussite avec ce 98 composé de 60 % de merlot, de 30 % de cabernet-sauvignon et de 10 % de cabernet franc. La robe est très dense et sombre, avec des reflets noirs. Le bouquet, concentré et puissant, exprime les raisins mûrs, le bon bois brûlé et grillé, accompagnés de notes de fumée et de venaison. La bouche ample, charpentée et rêveuse, présente une grande mâche et des tanins solides, encore un peu austères mais très prometteurs. (100 à 149 F)

SCEA Ch. Haut-Brisson, 33330 Vignonet, tél. 05.57.84.69.57, fax 05.57.74.93.11, e-mail haut.brisson@wanadoo.fr r.-v.
Kwok

CH. HAUT-CADET 1998

1,22 ha 8 266 11 à 15 €

Une sélection parmi les nombreux vignobles que Roger Geens, négociant belge, possède en Bordelais. La vigne, à 80 % merlot, est plantée partie sur sols sablo-graveleux riches en fer, partie sur argilo-calcaires. Ce 98 montre quelques reflets d'évolution. Il demande de l'aération pour exprimer des notes fruitées et boisées. En bouche, la saveur évoque les fruits confits ; les tanins présents mais fondus permettront de boire ce vin d'ici deux à trois ans. (70 à 99 F)

SCEA Vignobles Rocher-Cap-de-Rive 1, 33350 Saint-Magne-de-Castillon, tél. 05.57.40.08.88, fax 05.57.40.19.93, e-mail vignoblesrochercaprive@wanadoo.fr

CH. HAUT-CORBIN 1998★

Gd cru clas. 6,01 ha 36 000 23 à 30 €

81 (82) 83 85 86 |88| |90| |91| 92 |93| |94| (97) 98

Remarquable coup de cœur pour le 97, ce cru proche de l'aire du pomerol a élevé douze mois en barriques (dont 40 % sont neuves) ce 98 à l'assemblage équilibré. Paré d'une jolie robe rubis intense à reflets violines, ce vin se montre élégant et expressif : il dévoile des arômes de fruits noirs, associés aux odeurs toastées et grillées d'un beau boisé, nuances de fumée et de goudron. La bouche ronde, suave et soyeuse à l'attaque, évolue longuement sur une bonne structure un peu ferme en finale ; cette bouteille demande quelques années de garde. (150 à 199 F)

SC Ch. Haut-Corbin, 33330 Saint-Emilion, tél. 05.57.51.95.54, fax 05.57.51.90.93 r.-v.

CH. HAUTE-NAUVE 1998★

8,51 ha 51 733 8 à 11 €

Né sur des sols argilo-siliceux, de 60 % de merlot et de 40 % de cabernets, ce vin porte une jolie robe rubis, brillante et vive. Le bouquet intense rappelle les fruits rouges et noirs confits, avec un boisé fin et subtil, sur des notes vanillées et épicées. La bouche, aux tanins croquants et très présents, est équilibrée et persistante. (50 à 69 F)

Union de producteurs de Saint-Emilion, Haut-Gravet, BP 27, 33330 Saint-Emilion, tél. 05.57.24.70.71, fax 05.57.24.65.18, e-mail udp-vins.saint-emilion@gofornet.com t.l.j. sf dim. 8h-12h 14h-18h
SCEA Ch. Haute-Nauve

CH. HAUT-GRAVET 1998★★

6,5 ha 44 000 15 à 23 €

Première apparition fracassante pour ce cru de 6,5 ha constitué de 50 % de merlot, 40 % de cabernet franc et 10 % de cabernet-sauvignon complantés sur la zone graveleuse de Saint-Sulpice-de-Faleyrens, au sud de l'appellation. Notre jury a été séduit par la belle concentration de ce 98, remarquablement présenté dans une robe pourpre sombre et très dense. Le bouquet, complexe et très expressif, marie les fruits mûrs aux odeurs toastées d'un boisé très élégant. La dégustation riche, ample et puissante, révèle des tanins superbes, très savoureux et persistants. Une grande bouteille à garder au moins cinq ans. (100 à 149 F)

Alain Aubert, 57 bis, rte de Libourne, 33350 Saint-Magne-de-Castillon, tél. 05.57.40.04.30, fax 05.57.40.27.02

CH. HAUT LA GRACE DIEU 1998★★

1,5 ha 5 000 15 à 23 €

Achetée en 1970 par les vignobles Saby, cette parcelle de merlot quinquagénaire bénéficie d'une belle exposition sur un coteau argilo-calcaire et mérite donc d'être vinifiée, élevée et mise en bouteilles à part. Cela donne un 98 remarquable, paré d'une robe grenat sombre. Le nez,

BORDELAIS

riche et complexe, associe des arômes de fruits rouges confits et d'épices aux odeurs empyreumatiques d'un boisé racé et élégant. La bouche, bien équilibrée par une belle matière, montre de l'ampleur et du volume. La structure tannique, un peu ferme actuellement, devrait se fondre après quelques années de garde. (100 à 149 F)

EARL Vignobles Jean-Bernard Saby et Fils, Ch. Rozier, 33330 Saint-Laurent-des-Combes, tél. 05.57.24.73.03, fax 05.57.24.67.77, e-mail jean.saby@chateau-rozier.com r.-v.

CH. HAUT-MONTIL 1998

7,22 ha 44 800 8 à 11 €

Produit sur 7 ha de sables mêlés de graves au sud de l'appellation, ce cru est élaboré à partir du merlot, épaulé par 15 % de cabernet franc. D'une jolie couleur rubis, ce 98 développe au nez des arômes frais de fruits rouges. La bouche est souple, ronde et équilibrée, avec des tanins faciles qui permettront une consommation immédiate. (50 à 69 F)

Union de producteurs de Saint-Emilion, Haut-Gravet, BP 27, 33330 Saint-Emilion, tél. 05.57.24.70.71, fax 05.57.24.65.18, e-mail udp-vins.saint-emilion@gofornet.com t.l.j. sf dim. 8h-12h 14h-18h

SCEA Famille Vimeney

CH. HAUT-SARPE 1998*

Gd cru clas. 13,25 ha 79 000 23 à 30 €

85 86 88 89 |90| 92 |93| |94| **95** **96** **98**

Situé au nord-est de la cité, sur le plateau argilo-calcaire reliant Saint-Emilion à Saint-Christophe-des-Bardes, ce château élégant propose un vin assemblant 30 % de cabernet franc au merlot. Orné d'une belle couleur rubis, vive et profonde, ce 98 exprime au nez des arômes de fruits confits, mêlés d'odeurs de vanille, de cacao et d'épices. Souple et rond, il est équilibré et harmonieux, avec des tanins fins et élégants, qui persistent longuement et savoureusement en finale. (150 à 199 F)

Sté d'Exploitation du Ch. Haut-Sarpe, BP 192, 33506 Libourne Cedex, tél. 05.57.51.41.86, fax 05.57.51.53.16, e-mail info@j-janoueix-bordeaux.com r.-v.

CH. HAUT-SEGOTTES 1998**

8,7 ha 40 000 11 à 15 €

88 89 90 92 93 94 96 **98**

La vigne travaillée sans herbicide est composée de 60 % de merlot et de 40 % de cabernets implantés sur un sol sablo-argileux sur crasse de fer. Le 98 est remarquable dans sa robe à la fois sombre et vive. Un bouquet intense de fruits mûrs et de bon bois précède une attaque ronde et veloutée. Puis s'installe une saveur de fruits rouges bien mûrs et de bois chauffé. Une finale virile mais sans agressivité achève la dégustation de cette belle bouteille qui devra attendre au moins quatre ans, voire dix ans. (70 à 99 F)

Danielle André, Ch. Haut-Segottes, 33330 Saint-Emilion, tél. 05.57.24.60.98, fax 05.57.74.47.29 t.l.j. sf dim. 9h-12h 14h-19h

CH. HAUT VILLET 1998

5 ha 31 000 15 à 23 €

Une belle couleur rubis cristalline pour ce 98 au bouquet déjà intense : fleurs (violette), fruits rouges, épices (cannelle). La bouche puissante, corsée, offre une saveur fruitée, épicée, avec des notes de venaison. Un vin à déguster dans trois à cinq ans sur du gibier en sauce. (100 à 149 F)

Eric Lenormand, Ch. Haut-Villet, 33330 Saint-Etienne-de-Lisse, tél. 05.57.47.97.60, fax 05.57.47.92.94, e-mail haut.villet@free.fr r.-v.

CH. JACQUES-BLANC

Cuvée du Maître 1998*

7 ha 40 000 11 à 15 €

89 90 |93| 95 98

Fondateur de ce cru, Jacques Blanc fut un éminent jurat de Saint-Emilion au XIVᵉs. Aujourd'hui, le vignoble de 21 ha est conduit en biodynamie, et 7 ha de vieilles vignes de merlot avec un appoint de cabernet franc (10 %) sont à l'origine de cette cuvée d'une couleur pourpre intense. Le bouquet exprime les fruits mûrs avec une belle enveloppe grillée, du bon bois et des nuances fraîches, légèrement mentholées. Corsé et séveux en attaque, ce vin se révèle très goûteux et savoureux, doté de tanins ronds, charnus et gras, bien persistants en finale. (70 à 99 F)

SCEA du Ch. Jacques-Blanc, 33330 Saint-Etienne-de-Lisse, tél. 05.57.56.02.97, fax 05.57.40.18.01 r.-v.

CH. JEAN VOISIN Cuvée Amédée 1998**

8 ha 31 589 15 à 23 €

94 (95) 96 |97| **98**

Cette cuvée Amédée, sélection de 8 ha sur les 14 ha de la propriété, est une vieille habituée du Guide. Assemblant 70 % de merlot et 30 % de cabernets nés sur sols silico-argileux, elle se comporte toujours bien. Ce 98 est remarquable dans sa belle robe pourpre sombre. Son bouquet, déjà très complexe, décline des notes de mûres confiturées, associées à des nuances florales et boisées. Son goût équilibré et harmonieux, avec de la chair, de l'étoffe, de la longueur, repose sur des tanins denses et fondus. Bonne bouteille de garde, bien dans son millésime. Le second vin, **Jean-Voisin-Fagouet 98 (70 à 99 F)**, obtient une citation. Souple et frais, il est déjà plaisant. (100 à 149 F)

SCEA du Ch. Jean Voisin, 33330 Saint-Emilion, tél. 05.57.24.70.40, fax 05.57.24.79.57, e-mail chassag@quaternet.fr r.-v.

Chassagnoux

CH. LA BONNELLE 1998

9,6 ha 60 000 11 à 15 €

93 |94| |95| 96 97 98

La demeure girondine date du début du XIXᵉs. Le domaine, exploité en coopérative jusqu'en 1990, a réalisé d'importants travaux et aménagé un nouveau chai en 2000. D'une belle couleur rubis intense, ce 98 associe au nez des arômes de fruits rouges et des odeurs animales avec quelques nuances grillées. La bouche est étoffée et corsée ; les tanins un peu sévères en

finale demanderont quelques années de garde pour s'affiner. (70 à 99 F)
Vignobles Sulzer, La Bonnelle, 33330 Saint-Pey-d'Armens, tél. 05.57.47.15.12, fax 05.57.47.16.83 r.-v.

CH. LA CHAPELLE-LESCOURS 1998*

4,18 ha 27 000 11 à 15 €

Reprise récemment en main par François Quentin, jeune œnologue, cette propriété possède des vignes d'une cinquantaine d'années sur croupe sablo-graveleuse. La robe est d'un beau rubis profond. Le bouquet naissant demande un peu d'aération pour exhaler des arômes de menthol, de fruits rouges et des nuances minérales. La bouche offre du volume et de la présence, une saveur de fruits et de sous-bois, des tanins solides. Ce vin devrait s'exprimer dans deux ans, et atteindre son apogée dans douze ans. Il accompagnera une bécasse rôtie à la ficelle ou une gigue de chevreuil sauce grand veneur. (70 à 99 F)
F. Quentin, Ch. La Chapelle-Lescours, 33330 Saint-Sulpice, tél. 05.57.74.41.22, fax 05.57.24.65.37, e-mail F.Quentin@free.fr r.-v.

CH. LA COMMANDERIE 1998

5,35 ha n.c. 11 à 15 €
82 85 88 |89| |(90)| 91 92 |93| 94 |95| 96 98

Installé sur un terroir mêlant sables et graves, ce cru est essentiellement composé de merlot avec un appoint de 10 % de cabernet franc. Il est géré par les domaines Cordier et techniquement rattaché au cru classé du Clos des Jacobins. Il propose un 98 d'une belle couleur grenat, sombre et intense. Le nez, puissant et vineux, associe les arômes de fruits cuits à des odeurs de cuir et de venaison. Corsé, rond et souple en début de bouche, ce vin a une bonne tenue ; la finale un peu ferme demandera quelques années de patience. (70 à 99 F)
Domaines Cordier, 160, cours du Médoc, 33300 Bordeaux, tél. 05.57.19.57.77, fax 05.57.19.57.87 r.-v.

CH. DE LA COUR 1998

n.c. 21 410 11 à 15 €
95| |96| |97| 98

Créé en 1995 par Hugues Delacour, jeune viticulteur venu de Champagne, ce cru de 9 ha doit son nom à un ancêtre de la famille, le chevalier de La Cour qui servit le roi Charles IX. Rubis brillant, ce 98 est encore un peu fermé au nez mais très prometteur par les notes de fruits noirs et de réglisse qui arrivent à percer. La bouche, bien équilibrée, offre beaucoup de fruit et des notes poivrées ; sa belle structure tannique rend cette bouteille apte à la garde. (70 à 99 F)
EARL du Châtel Delacour, Ch. de La Cour, 33330 Vignonet, tél. 05.57.84.64.95, fax 05.57.84.65.00 r.-v.

CH. LA COUSPAUDE 1998**

Gd cru clas. 7,01 ha 40 000 38 à 46 €
82 83 85 **86** 88 |(89)| |90| 91 92 |93| |94| **95** 96 |97| **98**

Classé depuis 1996, ce cru est très actif dans le domaine des arts puisqu'il monte des expositions de renom. Il n'en néglige pas pour autant la vigne et le vin, comme le prouve ce magnifique 98 élevé en barrique neuve. Typiquement libournais dans son assemblage, il est drapé dans une superbe robe grenat sombre et dense. Il s'exprime puissamment au nez par des arômes de fruits mûrs mariés à un élégant boisé, grillé et brûlé. La structure est riche et ample, avec de très beaux tanins charnus qui persistent longuement en finale. (250 à 299 F)
Vignobles Aubert, La Couspaude, 33330 Saint-Emilion, tél. 05.57.40.15.76, fax 05.57.40.10.14 r.-v.

CH. LA CROIZILLE 1998**

1,85 ha 4 425 38 à 46 €

Petit vignoble acheté en 1996. M. de Schepper préside désormais à ses destinées. La vigne trentenaire est implantée sur un terroir argilo-calcaire et comporte 70 % de merlot pour 30 % de cabernet-sauvignon. Le 98 est paré d'une magnifique robe pourpre sombre, presque noire. Le nez, déjà intense, est très prometteur ; il offre des arômes de fruits noirs, de vanille, de bois torréfié. Riche et complexe en bouche, savoureux, doté d'une belle structure tannique à texture serrée, ce vin de grande garde pourra encore progresser pendant six à dix ans. (250 à 299 F)
SCEA Ch. Tour Baladoz, 33330 Saint-Laurent-des-Combes, tél. 05.57.88.94.17, fax 05.57.88.39.14, e-mail gdemour@aol.com r.-v.

CH. LA DOMINIQUE 1998

Gd cru clas. 18,5 ha 55 000 46 à 76 €
(82) **86 87** 88 |89| |90| 91 92 |93| |94| 95 **96** 97 98

Située au nord-ouest de l'aire d'appellation, cette propriété de 22,5 ha date du XVIIIe s. pratique la lutte intégrée parcellaire. D'une jolie couleur rubis, vive et brillante, ce 98 est encore un peu discret au nez mais va s'épanouir, comme le laissent présager les arômes de fruits confits et de vanille qui percent déjà. La bouche, puissante et ferme, révèle une forte concentration de tanins qui demanderont plusieurs années de garde pour s'assagir. (300 à 499 F)
Clément Fayat, Ch. La Dominique, 33330 Saint-Emilion, tél. 05.57.51.31.36, fax 05.57.51.63.04, e-mail info@vignobles.fayat-group.com r.-v.

CH. LA FAGNOUSE 1998*

7 ha 40 000 11 à 15 €

La famille Coutant possède 7 ha. Ce cru est implanté à l'est de l'appellation sur argilo-calcaire. L'encépagement saint-émilionnais classique (deux tiers de merlot pour un tiers de cabernet franc) a donné un .98 rubis, typique et équilibré, au bouquet délicatement fruité (framboise). Tendre à l'attaque, il s'ouvre ensuite sur des tanins présents mais fins. Il devrait pouvoir se boire assez rapidement, mais pourra aussi se garder. (70 à 99 F)

SCE Ch. la Fagnouse, 33330 Saint-Etienne-de-Lisse, tél. 05.57.40.11.49, fax 05.57.40.46.20 r.-v.

Coutant

CH. LA FLEUR CRAVIGNAC 1998

7,75 ha 51 400 11 à 15 €

94 95 96 97 98

Régulièrement cité dans le Guide, ce cru est toujours servi au restaurant de l'Assemblée nationale. Ce 98 se pare d'une jolie couleur rubis intense. Le bouquet évoque les fruits rouges très mûrs et décline des notes beurrées, animales. La bouche, ronde et pleine, repose sur des tanins fondus. Ce vin pourra être servi dans deux à trois ans sur viandes rouges, volailles et fromages. (70 à 99 F)

SCEA Ch. Cravignac, 33330 Saint-Emilion, tél. 05.57.74.44.01, fax 05.57.84.56.70 r.-v.

L. Beaupertuis

CH. LA FLEUR DE JAUGUE 1998

3 ha 18 000 11 à 15 €

|96| 97 98

Un cru dans la famille Bigaud depuis 1930. Ce vin est une sélection de La Croix de Jaugue (90 % de merlot et 10 % de cabernet franc). Rubis très foncé, il présente un nez encore fermé, demandant un peu d'aération pour libérer des arômes de fruits cuits, d'épices (girofle, poivre), d'encens, légèrement boisés. La structure est charpentée, solide. Cette bouteille à l'ancienne devra attendre quelques années pour accompagner viandes rôties ou en sauce, et fromages. (70 à 99 F)

Georges Bigaud, 150, av. du Gal-de-Gaulle, 33500 Libourne, tél. 05.57.51.51.29, fax 05.57.51.29.70 r.-v.

CH. LA FLEUR DU CASSE 1998*

1,2 ha 7 500 11 à 15 €

Ce petit cru, essentiellement constitué de vieux merlot planté sur sols argilo-calcaires avec un appoint de 5 % en cabernet franc, a été acquis en 1996 par la famille Garzaro qui exploite également un beau vignoble en Entre-Deux-Mers et d'autres à Pomerol. D'une couleur grenat sombre, ce 98 développe au nez un bouquet intense et complexe, actuellement un peu dominé par des odeurs de bois brûlé et de réglisse, mais agrémenté d'un joli fruité sous-jacent. La bouche révèle un bel équilibre avec des tanins charnus et étoffés, beaucoup d'élégance et une longue finale, gage d'une bonne garde. (70 à 99 F)

EARL Vignobles Garzaro, Ch. Le Prieur, 33750 Baron, tél. 05.56.30.16.16, fax 05.56.30.12.63, e-mail garzaro@vingarzaro.com r.-v.

CH. LA FLEUR PEREY

Cuvée Prestige Vieillie en fût de chêne 1998

3,5 ha 24 000 11 à 15 €

93 94 |95| |96| |97| |98|

Des vignes d'une cinquantaine d'années, - 80 % de merlot et 20 % de cabernets plantés sur sols sablo-graveleux - sont à l'origine de cette cuvée spéciale rubis qui scintille de reflets carmin. Le bouquet agréable mêle des arômes de fruits rouges à des odeurs animales de fourrure et de cuir, et à des notes grillées et réglissées. Dotée de tanins déjà soyeux, la bouche offre une jolie longueur. (70 à 99 F)

Vignobles Florence et Alain Xans, Perey, 33330 Saint-Sulpice-de-Faleyrens, tél. 06.80.72.84.87, fax 05.57.24.63.61 r.-v.

CH. LA GAFFELIERE 1998

1er gd cru clas B 18 ha 70 000 38 à 46 €

75 78 79 80 81 (82) **83** 84 **85** |86| 87 **88 89** |90| 91 92 |93| |94| **95** 96 |97| 98

Ici, la présence de la vigne se compte en millénaires, la présence de la famille en siècles. Nous sommes à La Gaffelière, à l'entrée sud de la cité médiévale, entre Ausone et Pavie. Le terroir argilo-calcaire y est planté de vignes quarantenaires (70 % de merlot et 30 % de cabernets). Le 98 correspond bien à cette image aristocratique, élégante et raffinée. Le pourpre de la robe est frangé de reflets carmin. Le bouquet, encore un peu austère, s'ouvre à l'aération sur des notes fruitées (cassis, cerise), épicées (vanille, cannelle) et un boisé discret. La bouche est souple et délicate, les tanins se montrent fins et frais. Un style personnel. (250 à 299 F)

Léo de Malet Roquefort, Ch. La Gaffelière, 33330 Saint-Emilion, tél. 05.57.24.72.15, fax 05.57.24.69.06 r.-v.

CH. LA GARELLE 1998

8,35 ha 54 000 11 à 15 €

Un vignoble d'une trentaine d'années planté sur les sables situés au pied de la Côte Pavie, constitué à 80 % de merlot et à 20 % de cabernets. Le vin présente une couleur pourpre foncé, encore jeune. Les parfums sont très fruités. L'attaque est franche et structurée, mais les tanins dominent rapidement la bouche, ce qui lui donne un caractère rustique qui demandera quatre ou cinq ans pour s'affiner. Ensuite, on pourra apprécier ce 98 sur des viandes blanches. (70 à 99 F)

Jean-Luc Marette, Ch. La Garelle, 33330 Saint-Emilion, tél. 05.57.24.61.98, fax 05.57.24.75.22 r.-v.

CH. LA GOMERIE 1998**

2,52 ha n.c. +76 €

95 96 97 **98**

Les propriétaires de Beauséjour-Bécot reprirent en 1995 ce vignoble de l'ancienne abbaye de Fayze, attesté dès 1276. A la Révolution, la propriété, qui avait atteint 200 ha, fut démembrée, et les 2,5 ha qui restent aujourd'hui représentent l'ancien enclos du prieuré qui y fut construit. Pur merlot, ce 98 remarquable est paré d'une robe pourpre, sombre et profonde. Le bouquet, très prometteur, libère des arômes grillés de bon bois qui couvrent encore un joli fruité. La bouche révèle une belle matière dont les tanins riches et mûrs s'expriment longuement en finale. (+ 500 F)

G. et D. Bécot, GFA La Gomerie, 33330 Saint-Emilion, tél. 05.57.74.46.87, fax 05.57.24.66.88, e-mail contact@beausejour-becot.com

CH. LA GRACE-DIEU-LES-MENUTS 1998

■ 13,35 ha 75 000 15 à 23 €

86 88 89 91 93 94 95 |96| |97| 98

Situé près d'un ancien prieuré et relais de Saint-Jacques-de-Compostelle d'où il tire son nom, ce domaine est constitué pour deux tiers de merlot et pour un tiers de cabernets plantés sur sols argilo-calcaires et siliceux. Le vin, très coloré, se montre encore frais et fruité au nez, révélant une touche de cabernets. L'attaque est vive et élégante. Les tanins, encore un peu rugueux, demanderont trois à six ans pour s'arrondir. Ce 98 accompagnera ensuite viandes rouges ou civets. (100 à 149 F)

EARL Vignobles Pilotte-Audier, Ch. La Grâce-Dieu-les-Menuts, 33330 Saint-Emilion, tél. 05.57.24.73.10, fax 05.57.74.40.44 r.-v.

CH. LAMARTRE 1998

■ 11,58 ha 53 457 8 à 11 €

Né à Saint-Etienne-de-Lisse sur des sols argilo-siliceux et issu à 83 % de merlot, ce vin au bouquet flatteur et fin mêle des notes florales, des arômes épicés et une nuance de fumée. La bouche est équilibrée avec des tanins souples et soyeux, qui devraient donner un joli vin plaisir d'ici deux ans. (50 à 69 F)

Union de producteurs de Saint-Emilion, Haut-Gravet, BP 27, 33330 Saint-Emilion, tél. 05.57.24.70.71, fax 05.57.24.65.18, e-mail udp-vins.saint-emilion@gofornet.com t.l.j. sf dim. 8h-12h 14h-18h

SCEA Ch. Lamartre

CH. DE LA NAUVE Elevé en fût de chêne 1998

■ 3 ha 19 000 11 à 15 €

Propriété familiale, située au bord de la route menant de Libourne à Castillon, au sud-est de l'appellation. Le sol sablo-argileux y est planté à 80 % de merlot et à 20 % de cabernet franc. Le vin a une jolie présentation. L'aération dévoile un nez de caractère mêlant des senteurs florales, fruitées, minérales (pierre à fusil), boisées et des touches de cuir et de tabac... La bouche est expressive et équilibrée, et sa finale déjà harmonieuse permettra de boire ce 98 assez rapidement. (70 à 99 F)

SCEA Ch. de La Nauve, 9, Nauve-Sud, 33330 Saint-Laurent-des-Combes, tél. 05.57.24.71.89, fax 05.57.74.46.61, e-mail la-nauve@wanadoo.fr r.-v.

Richard Veyry

CH. LANIOTE 1998

■ Gd cru clas. 5 ha 30 000 15 à 23 €

89 93 |94| 95 96 98

Les jeunes propriétaires de ce cru ont hérité non seulement des vignes mais aussi de la grotte où aurait vécu le moine Emilion au VIII[e]s., de la chapelle de la Trinité (XIII[e]s.) et des catacombes. Que de responsabilités ! Ils ont fort bien réussi ce 98, orné d'une robe grenat intense et limpide. Le bouquet naissant dévoile des arômes de petits fruits rouges, des parfums floraux de violette et des notes grillées de bon bois. La structure, ferme et nerveuse, révèle une belle puissance et des tanins très présents, un peu austères aujourd'hui, mais gages d'un bon vieillissement. (100 à 149 F)

de La Filolie, Ch. Laniote, 33330 Saint-Emilion, tél. 05.57.24.70.80, fax 05.57.24.60.11, e-mail laniote@wanadoo.fr t.l.j. 8h-12h 14h-18h

CH. LAPLAGNOTTE-BELLEVUE 1998*

■ 5,54 ha 30 000 15 à 23 €

|90| |93| |94| 96 |97| 98

Cette jolie propriété, établie au nord-est de Saint-Emilion sur les sols argilo-siliceux, a été rachetée en 1990 par la famille Labarre. Ce 98 porte une belle robe rubis sombre et intense. Le bouquet mêle des arômes de fruits et de raisins bien mûrs à d'agréables notes boisées et grillées. La bouche, équilibrée et harmonieuse, repose sur des tanins ronds et charnus qui persistent longuement. Une bouteille stylée et classique. (100 à 149 F)

Claude de Labarre, Ch. Laplagnotte-Bellevue, 33330 Saint-Christophe-des-Bardes, tél. 05.57.24.78.67, fax 05.57.24.63.62, e-mail arnauddl@aol.com r.-v.

CH. L'APOLLINE 1998

■ 2,8 ha 15 000 11 à 15 €

Philippe et Perrine Genevey ont acheté ce vignoble en 1996. Leurs deux premières récoltes sont retenues par les dégustateurs. Bons débuts. Ils ont baptisé ce cru du prénom de leur troisième et avant-dernière fille. Située au sud de l'appellation, la vigne trentenaire comporte deux tiers de merlot pour un tiers de cabernet-sauvignon, établis sur terroir sablo-argileux sur graves. Le vin a une jolie couleur foncée, jeune. Le nez est fruité (figue) avec des notes de bois beurré. La bouche, encore austère et déroutante, dénote une forte extraction. Ce 98 demandera à être attendu quatre à dix ans pour s'assagir. (70 à 99 F)

Genevey, EARL Ch. L'Apolline, 33330 Saint-Sulpice-de-Faleyrens, tél. 05.57.51.26.80, fax 05.57.51.26.80

CH. LARMANDE 1998*

■ Gd cru clas. 22,4 ha 95 000 23 à 30 €

85 86 |(88)| |89| |90| 92 |93| **94 96** 97 98

Ce beau domaine viticole a appartenu à la famille Méneret-Capdemourlin installée à Saint-Emilion depuis cinq siècles. Devenu la propriété de la compagnie d'assurances La

Mondiale en 1990, il propose un bon 98, qui a assemblé deux tiers de merlot et un tiers de cabernets. La robe rubis, vive et intense, annonce la jeunesse de ce vin, confirmée par un bouquet vineux, très fruité avec quelques notes épicées et fumées. La structure, puissante et ferme, paraît un peu austère aujourd'hui mais permet d'envisager un bel avenir dans quatre à cinq ans. (150 à 199 F)

SCE du Ch. Larmande, BP 26, 33330 Saint-Emilion, tél. 05.57.24.71.41, fax 05.57.74.42.80, e-mail chateau-larmande@wanadoo.fr r.-v.

La Mondiale

CH. LAROZE 1998**

Gd cru clas. 27 ha 100 000 15 à 23 €

85 86 88 89 |90| 91 92 |93| |94| 95 96 |97| **98**

En 1610, les Gurchy sont déjà producteurs à Saint-Emilion, au lieu-dit Mazerat. Entre 1882 et 1885, ils créent le château Laroze qui est aujourd'hui exploité par Guy Meslin, l'un des descendants directs qui nous rappelle l'importance des soins portés à chaque pied de vigne ; or savez-vous que 27 ha comportent 154 000 ceps ? Remarquablement présenté dans une superbe robe pourpre, sombre et dense aux reflets violines très vifs, ce 98, puissant et complexe, exprime les fruits rouges, les épices et la réglisse. La bouche, riche et charnue, révèle des tanins puissants mais veloutés qui assureront une belle garde à ce vin de terroir. (100 à 149 F)

Guy Meslin, Ch. Laroze, 33330 Saint-Emilion, tél. 05.57.24.79.79, fax 05.57.24.79.80, e-mail ch.laroze@wanadoo.fr r.-v.

CH. LA SERRE 1998*

Gd cru clas. 6,5 ha 24 000 15 à 23 €

|90| 92 |93| |95| |96| 98

Situé à 200 m des remparts de Saint-Emilion, ce cru de 7 ha est installé sur le plateau argilo-calcaire, à l'est de la cité. Il est constitué de quatre cinquièmes de merlot et d'un cinquième de cabernet franc. Ce 98 se présente dans une jolie robe rubis, vive et profonde. Le nez libère des arômes intenses de fruits très mûrs, mariés à un boisé fort élégant. La bouche est corsée, charpentée, avec une belle structure ferme de vin de garde. (100 à 149 F)

Luc d'Arfeuille, Ch. La Serre, 33330 Saint-Emilion, tél. 05.57.24.71.38, fax 05.57.24.63.01 r.-v.

CH. LA TOUR DU PIN FIGEAC 1998

Gd cru clas. 11 ha 69 000 15 à 23 €

|88| |89| |90| 95 98

Détaché du prestigieux château Figeac en 1876, ce cru de 11 ha appartient à la famille Giraud-Bélivier depuis 1923. Etabli sur des sols graveleux et argilo-sableux, le vignoble se compose de trois quarts de merlot pour un quart de cabernet franc. La robe grenat de ce vin élégant présente un début d'évolution. Le bouquet est encore un peu fermé, mais laisse entrevoir de belles possibilités avec des notes fruitées et épicées et un fin boisé. La bouche, charpentée et équilibrée, repose sur des tanins fermes et de bonne tenue. L'ensemble devrait s'ouvrir et s'épanouir dans trois à cinq ans. (100 à 149 F)

André Giraud, Ch. Le Caillou, 33500 Pomerol, tél. 05.57.51.06.10, fax 05.57.51.74.95 r.-v.

GFA Giraud-Bélivier

CH. LA TOUR-FIGEAC 1998*

Gd cru clas. 12,5 ha 40 000 30 à 38 €

82 83 85 86 89 |90| 93 |94| |95| **96** |97| 98

Bien des crus portent le nom célèbre de Figeac. Celui-ci prit son indépendance en 1879. Le vignoble est installé sur des sols mêlant argiles, sables anciens et graves, plantés à 80 % de merlot et à 20 % de cabernet franc. Remarquablement présenté dans une robe très sombre, noire en profondeur et pourpre en surface, ce 98 est encore un peu fermé au nez, mais affiche une superbe concentration avec des tanins denses et puissants, beaucoup de gras, de chair et d'onctuosité. Encore très marquée par le fût, sa très belle matière est prometteuse. (200 à 249 F)

Otto Rettenmaier, BP 007, 33330 Saint-Emilion, tél. 05.57.51.77.62, fax 05.57.25.36.92 r.-v.

CH. DES LAUDES 1998*

2,9 ha 18 000 15 à 23 €

Nouveau cru de près de 3 ha sur les 5 ha que les associés du GFA Haut-Saint-Georges exploitent. Ces nouveaux producteurs ont en fait une longue expérience viti-vinicole. Ils présentent un 98 à la robe profonde et vive. Il faut agiter le verre pour que se révèle un nez franc et élégant, offrant une touche de cabernet. Ample, la bouche offre une saveur de griotte et finit sur des tanins encore un peu fermes. Bon vin de garde qui devrait s'exprimer dans quatre à dix ans. (100 à 149 F)

GFA du Haut-Saint-Georges, Arvouet, BP 80, 33330 Vignonet, tél. 05.57.55.38.00, fax 05.57.55.38.01 t.l.j. sf sam. dim. 9h-12h30 13h30-18h

B. Banton

CH. LAVALLADE 1998

4 ha 25 000 11 à 15 €

88 90 |95| 96 98

Propriété familiale, ce cru est une sélection des meilleures parcelles de l'exploitation et représente 4 ha sur les 12 ha du vignoble. Une majorité de merlot, 10 % de cabernet franc et 5 % de cabernet-sauvignon ont donné un 98 d'une belle robe grenat sombre. Le bouquet naissant est encore discret et ne demande qu'à s'ouvrir rapidement sur des notes fraîches et fruitées. La bouche est charpentée avec des tanins actuellement un peu durs qui nécessiteront deux à cinq ans de vieillissement. (70 à 99 F)

SCEA Gaury et Fils, Ch. Lavallade, 33330 Saint-Christophe-des-Bardes, tél. 05.57.24.77.49, fax 05.57.24.64.83 r.-v.

LE FER 1998*

■ 2 ha 6 000 ⓘ 23 à 30 €

Une curiosité : l'étiquette représente un fer à cheval. Ce 98, élaboré par la maison de négoce bordelaise Mähler-Besse, est issu de 2 ha sur les 5 ha qu'elle possède au sud de l'appellation sur sol argilo-siliceux. Du pur merlot et un petit rendement pour ce vin d'une belle couleur pourpre profond. Le bouquet est déjà expressif et complexe : floral (jacinthe), fruité (rouges) et fortement boisé et toasté. L'attaque, fraîche et élégante, annonce un développement harmonieux entre le fruit et le bois. Rondeur et volume caractérisent cette bouteille typique et bien faite. (150 à 199 F)

SA Mähler-Besse, 49, rue Camille-Godard, BP 23, 33026 Bordeaux, tél. 05.56.56.04.30, fax 05.56.56.04.59, e-mail france.mahler-besse@wanadoo.fr ☑ I r.-v.

CH. LE LOUP 1998*

■ 6,12 ha 39 829 8 à 11 €

Installé sur des sols argilo-siliceux, au nord de Saint-Christophe-des-Bardes, planté pour moitié de merlot et de cabernet franc, ce cru propose un 98 marqué au premier nez par des notes animales de cuir et de venaison ; puis à l'aération, les fruits rouges apparaissent. La bouche est bien structurée avec des tanins puissants et fermes, associés à une vinosité de qualité. Un vin à attendre deux à trois ans pour lui permettre de s'épanouir. (50 à 69 F)

Union de producteurs de Saint-Emilion, Haut-Gravet, BP 27, 33330 Saint-Emilion, tél. 05.57.24.70.71, fax 05.57.24.65.18, e-mail udp-vins.saint-emilion@gofornet.com I t.l.j. sf dim. 8h-12h 14h-18h

Patrick Garrigue

CH. LE MERLE 1998

■ 4 ha 20 000 11 à 15 €

Petite propriété située à Saint-Pey-d'Armens, au sud-est de l'appellation, récemment rattachée aux Vignobles Réunis. Elle est exclusivement plantée de merlot. Le vin a une jolie couleur rouge dense. Fines et discrètes au nez, les notes de fruits rouges se mêlent aux nuances de bois toasté. Souple et bien équilibré, ce 98 sera plaisant d'ici un à deux ans. (70 à 99 F)

SA Les Vignobles Réunis, 33330 Saint-Pey-d'Armens, tél. 05.56.81.57.86, fax 05.56.81.57.90, e-mail accueil@saint-lo-group.com ☑ I r.-v.

CH. LES CABANNES 1998

■ 0,5 ha 3 600 ⓘ 11 à 15 €

Une propriété achetée en 1997 par un œnologue canadien formé à Bordeaux. Cette microcuvée provient d'une parcelle plantée de vieux merlot sur des graves profondes. Cela donne un 98 agréable et friand, d'une couleur rubis intense et vive. Le bouquet mêle des arômes de cassis et de réglisse à des parfums floraux (œillet) et aux nuances toastées d'un joli boisé. La bouche, souple, ronde et charnue, est bien équilibrée ; elle offre une finale très fruitée. A boire dès maintenant ou à garder deux à trois ans. (70 à 99 F)

Peter Kjellberg, Les Cabannes, 33330 Saint-Sulpice-de-Faleyrens, tél. 05.57.24.62.86 ☑ I r.-v.

CH. LES GRANDES MURAILLES 1998*

■ Gd cru clas. 2 ha 7 500 ⓘ 23 à 30 €

88 |89| 94 |95| |96| 97 98

Vestiges d'un couvent jacobin du XII[e]s., ces grandes murailles sont emblématiques de l'AOC. Le petit vignoble qu'elles protègent appartient à la famille Reiffers depuis 1643. Essentiellement composé de merlot né sur sols argilo-calcaires, ce 98 se pare d'une superbe couleur rubis, vive et intense, aux reflets violines très brillants. Le nez expressif développe des arômes de fruits noirs, de pruneau et d'épices, mêlés aux odeurs grillées et vanillées d'un beau boisé. La bouche, d'abord souple et ronde, évolue sur une structure équilibrée, aux tanins fermes. Une bouteille apte à une bonne garde. (150 à 199 F)

GFA Les Grandes Murailles, Ch. Côte de Baleau, 33330 Saint-Emilion, tél. 05.57.24.71.09, fax 05.57.24.69.72, e-mail lesgrandesmurailles@wanadoo.fr I r.-v.

LES PLANTES DU MAYNE 1998*

■ n.c. 13 000 ⓘ 15 à 23 €

Voilà un second vin très intéressant même s'il est un peu cher pour un second. Elaboré et élevé au château Grand-Mayne, il bénéficie des mêmes soins que le grand vin. Sa robe bigarreau a des reflets vermillon. Son bouquet commence à exprimer des arômes de fruits rouges mûrs sur fond boisé. Sa bouche est structurée par des tanins un peu durs mais élégants. Sa densité lui permettra de bien vieillir. (100 à 149 F)

GFA Jean-Pierre Nony, Ch. Grand-Mayne, 33330 Saint-Emilion, tél. 05.57.74.42.50, fax 05.57.74.41.89, e-mail grand-mayne@grand-mayne.com ☑ I r.-v.

CH. L'ETAMPE 1998*

■ 1,82 ha 7 000 ⓘ 11 à 15 €

Première apparition dans le Guide pour ce petit cru (1,82 ha) acheté et créé en 1997. Essentiellement constitué de merlot avec un appoint de 15 % en cabernet franc, il est implanté sur sables et limons avec traces d'argile et de crasse de fer en sous-sol. D'un rouge rubis sombre, jeune et intense, ce 98 montre encore des reflets violines. Légèrement dominé par un boisé flatteur aux notes de vanille et de pain grillé, il exprime cependant d'agréables arômes de fruits mûrs. Souple et rond en attaque, il évolue sur une belle structure tannique, encore ferme en finale, qui demandera quelques années de patience. (70 à 99 F)

Ch. L'Etampe, RD 245, 33330 Saint-Emilion, tél. 05.56.44.27.71, fax 05.56.01.25.39 ☑ I r.-v.

CH. LUCIE 1998

■ 4,3 ha 25 000 ⓘ 15 à 23 €

Petit vignoble constitué à 95 % de merlot planté sur sols variés : sables, graves, argiles. La robe intense est jeune. A l'agitation, le vin libère des arômes fruités et toastés. La bouche, souple et fruitée, évolue sur des tanins fins et frais. Attendre cette bouteille deux à quatre ans pour la consommer sur viandes et gibier. (100 à 149 F)

Michel Bortolussi, 316, Grands-Champs, 33330 Saint-Sulpice-de-Faleyrens, tél. 05.57.74.44.42, fax 05.57.24.73.00

CH. LUSSEAU 1998*

■ 0,42 ha 2 700 15 à 23 €

Microcru de moins d'un demi-hectare que Laurent Lusseau a racheté à son oncle en 1993. La vigne, composée de 70 % de merlot et de 30 % de bouchet, est plantée sur un sol sablo-graveleux au sud de l'appellation. Le 98 est très sympathique, avec une jolie robe rubis sombre, un bouquet à dominante boisée (café torréfié, vanillé). Ample et gras en bouche, il évolue sur des tanins très présents mais agréables. Encore un peu sous le bois, il possède un bon potentiel qui devrait se confirmer dans cinq a six ans. (100 à 149 F)

Laurent Lusseau, 276, Perey-Nord, 33330 Saint-Sulpice-de-Faleyrens, tél. 05.57.74.46.54, fax 05.57.24.67.19 r.-v.

CH. MAGDELAINE 1998

■ 1er gd cru clas B 10,36 ha 33 000 38 à 46 €

70 75 78 79 80 82 ⑧③ **85** |86| |87| |88| |89| **90** |92| |93| |94| **95** |96| |97| 98

Magdelaine, propriété de la grande famille Moueix, est implanté sur le plateau calcaire et la côte argilo-calcaire ; des vignes de trente ans (90 % de merlot et 10 % de cabernet franc) ont donné ce beau vin élevé quatorze mois en barrique. L'œil est immédiatement séduit par la franchise de la robe bordeaux. L'apport du merrain est délicat, au nez comme en bouche. Tout est charmeur, soyeux, assez tendre bien que la finale, encore tannique, suggère trois à quatre ans de garde. (250 à 299 F)

Ets Jean-Pierre Moueix, 54, quai du Priourat, 33500 Libourne, tél. 05.57.51.78.96

CH. MAGNAN 1998

■ 10 ha 50 000 11 à 15 €

82 85 86 **88** |⑧⑨| 91 92 |94| |96| 97 98

Ce cru de 10 ha fait partie d'une propriété de 25 ha achetée par la famille Moreaud en 1979. Il se caractérise par un encépagement saint-émilionnais classique et un terroir de sables anciens. Ce 98 a une jolie robe sombre, un bouquet élégant où pointent des touches « cabernet boisé », une bouche fruitée et harmonieuse, finissant sur des tanins fondus et persistants ; il est à attendre un peu. (70 à 99 F)

SCEA Cormeil-Figeac, BP 49, 33330 Saint-Emilion, tél. 05.57.24.70.53, fax 05.57.24.68.20, e-mail moreaud@cormeil-figeac.com r.-v.

R. Moreaud

CH. MAGNAN LA GAFFELIERE 1998

■ 7,33 ha 48 000 11 à 15 €

Vignoble établi sur glacis sableux, planté à 65 % de merlot, 25 % de bouchet et 10 % de cabernet-sauvignon. Elevé pour un tiers en cuve et pour les deux tiers en barrique, ce vin se montre très jeune tout au long de la dégustation. Le nez, encore fermé, demande à être aéré et agité pour libérer des arômes de fruits et d'épices. En bouche, la première impression est franche et pleine, puis apparaissent des tanins fins mais encore austères qui demanderont deux à cinq ans pour s'affiner. (70 à 99 F)

SA du Clos La Madeleine, La Gaffelière Ouest, BP 78, 33330 Saint-Emilion, tél. 05.57.55.38.03, fax 05.57.55.38.01 r.-v.

CH. MANGOT Cuvée Quintessence 1998*

■ 2,75 ha 10 800 15 à 23 €

|96| 98

Il s'agit ici d'une cuvée sélectionnée sur les 34 ha exploités par ce cru. La vigne est constituée de pur merlot de quarante ans planté sur calcaire à astéries, à l'est de l'appellation. D'une couleur intense, présentant quelques reflets d'évolution, ce millésime, très boisé et toasté, laisse apparaître des arômes de prune à l'eau-de-vie et d'épices, avec une touche musquée. La bouche, chaleureuse, offre une saveur de merlot très mûr et des tanins fins et longs en finale. A servir d'ici deux à sept ans. (100 à 149 F)

Vignobles Jean Petit, Ch. Mangot, 33330 Saint-Etienne-de-Lisse, tél. 05.57.40.18.23, fax 05.57.40.15.97, e-mail chmangot@terre-net.fr t.l.j. 8h30-12h 14h-18h; sam. dim. sur r.-v.

CH. MATRAS 1998*

■ Gd cru clas. 8 ha 30 000 15 à 23 €

83 85 86 |**90**| 92 |93| |94| 97 98

Matras a aménagé ses chais dans une ancienne chapelle du XVIIe s. Moitié merlot et moitié cabernet franc, ce 98 affiche une belle couleur grenat aux reflets violines. Le bouquet mêle des arômes frais de fruits rouges et noirs aux notes grillées et brûlées d'un bon boisé. Ample et suave en bouche, ce vin puissant et généreux dispose de bons tanins gras et denses qui persistent longuement en finale. (100 à 149 F)

Vignobles Véronique Gaboriaud, Ch. Matras, 33330 Saint-Emilion, tél. 05.57.51.52.39, fax 05.57.51.70.19 r.-v.

CH. MAUVEZIN 1998

■ 3,5 ha 15 000 23 à 30 €

Bien présenté dans une robe rubis soutenu, ce 98 dévoile au nez des arômes de fruits rouges confits et de fruits secs, associés à d'agréables odeurs grillées et toastées. D'abord souple, la bouche révèle rapidement une forte présence tannique. Un peu ferme actuellement, elle devrait s'affiner après quelques années de garde. (150 à 199 F)

GFA P. Cassat et Fils, BP 44, 33330 Saint-Emilion, tél. 05.57.24.72.36, fax 05.57.74.48.54 r.-v.

CH. MILON 1998

■ 20 ha 43 000 8 à 11 €

La famille Bouyer-Arteau exploite près de 27 ha parmi lesquels ce beau domaine viticole. Etabli au nord de l'appellation sur sols siliceux, argileux, ferrugineux, ce cru est planté de merlot vec un appoint de 20 % de cabernets. Le vin se are d'une robe sombre. Le bouquet, encore disret, s'ouvre à l'agitation sur des notes de fleurs, uis de cannelle et de vanille. Puissant et nerеux à l'attaque, le palais affiche des tanins ncore fermes mais prometteurs. Ce 98 devrait :re bon à boire dans deux à trois ans.

50 à 69 F)

Christian Bouyer, Ch. Milon, 33330 Saint-hristophe-des-Bardes, tél. 05.57.24.77.18, ax 05.57.24.64.20 r.-v.

:H. MOINE VIEUX 1998

3,5 ha 18 000 11 à 15 €

Une petite propriété établie sur sables et grаes, au sud de l'appellation, et une vigne trennaire classique du Libournais. Ce 98 a une lie couleur rubis à reflets cerise. Le nez est déjà itense (fruits rouges, bois toasté et vanillé). La ructure, très souple, accompagne une saveur e merlot bien mûr, très agréable et persistante. es tanins discrets permettront de boire ce vin ssez rapidement, par exemple sur des volailles n sauce forestière. (70 à 99 F)

SCE Moine Vieux, Lanseman, 33330 Saint-ulpice-de-Faleyrens, tél. 05.57.74.40.54, ax 05.57.74.40.54 r.-v.

P. Dentraygues

:H. MONBOUSQUET 1998*

33 ha 80 000 46 à 76 €

3| |94| |95| 96 **97** 98

Acquis en 1993 par Gérard Perse, ce cru est stallé à l'est de Saint-Sulpice-de-Faleyrens, sur es sols argilo-graveleux ; il comprend 60 % de erlot, 30 % de cabernet franc et 10 % de caber-et-sauvignon. Cela donne un 98 paré d'une be grenat sombre. Le bouquet, puissant, est aractérisé par des odeurs de vanille et de pain illé, associées à des arômes de fruits mûrs. La ouche ronde et charnue, riche et vineuse, est ctuellement dominée par le boisé de l'élevage n barrique mais sa belle structure devrait perettre une évolution favorable dans les années venir. (300 à 499 F)

SA Ch. Monbousquet, 33330 Saint-Sulpice-e-Faleyrens, tél. 05.57.55.43.43, x 05.57.24.63.99

Gérard Perse

:H. MONLOT CAPET 1998*

7 ha 45 000 15 à 23 €

) 92 **93 94** |95| |96| |97| 98

Cru sérieux, régulièrement retenu par nos xperts, établi sur les argilo-calcaires de Saint-ippolyte, à l'est de l'appellation. La robe pourre de ce 98 présente quelques reflets d'évoluon. Le bouquet est déjà complexe: nèfle, ssis, joli boisé torréfié. La bouche est fraîche, vec des tanins fins et denses. Ce vin devrait être aisant d'ici deux à six ans. on pourra le servir r de la lamproie à la bordelaise.

00 à 149 F)

Bernard Rivals, Ch. Monlot-Capet, 330 Saint-Hippolyte, tél. 05.57.74.49.47, x 05.57.24.62.33, mail musset-rivals@belair-monlot.com r.-v.

CH. MOULIN GALHAUD 1998**

2 ha n.c. 15 à 23 €

La famille Galhaud est connue dans le milieu viticole saint-émilionnais depuis plusieurs générations, mais ce cru, dirigé depuis 1996 par une femme, est apparu pour la première fois dans le Guide l'an dernier avec son 97, millésime pourtant difficile. Le 98 confirme largement ce succès. Il est le produit de 2 ha de pur merlot planté sur graves, sélectionnés sur les 5,6 ha du domaine. Paré d'une robe rubis sombre et dense, il s'exprime déjà puissamment au nez, mêlant fruits noirs, épices, vanille, cuir, réglisse. La bouche, également très riche, ronde, chaleureuse, charnue, finit sur des tanins veloutés. Un beau mariage du merlot bien mûr et du merrain vanillé, typiquement saint-émilion.

(100 à 149 F)

SCEA Martine Galhaud, 33330 Vignonet, tél. 05.57.97.39.73, fax 05.57.97.39.74 t.l.j. 8h-12h 13h-15h

CH. MOULIN SAINT-GEORGES 1998**

7 ha 35 000 30 à 38 €

86 89 (90) 91 93 94 |95| |96| |97| **98**

Jolie propriété située à l'entrée sud de Saint-Emilion, au pied d'Ausone, également exploitée par Alain Vauthier. Vignoble saint-émilionnais classique, composé de 70 % de merlot et de 30 % de cabernets implantés sur argilo-calcaires. Le vin, classique lui aussi, se situe toujours au meilleur niveau. Voyez la belle robe rubis foncé de ce 98, sentez son bouquet intense, fruité, mais surtout boisé, vanillé, avec une note d'amande grillée très agréable. Très harmonieuse, la bouche offre un équilibre parfait entre le fruit rouge et les tanins bien fondus. (200 à 249 F)

Famille Vauthier, Ch. Ausone, 33330 Saint-Emilion, tél. 05.57.24.70.26, fax 05.57.74.47.39 t.l.j. sf dim. 8h-13h 13h30-17h30; f. janv.

CH. ORISSE DU CASSE 1998

5,35 ha 12 500 11 à 15 €

85 86 |88| |89| 92 |94| 95 96 98

Danielle et Richard Dubois, œnologues, s'attachent à élaborer des vins traditionnels, des vins d'artisans. Leur terroir de sables graveleux et de graves ferrugineuses a donné un 98 pourpre profond. Le bouquet naissant est encore sur le fruit (cassis, myrtille) et un léger boisé. Très jeune en bouche, frais, finissant sur des tanins un peu fermes, ce vin demandera quelques années pour s'affiner. (70 à 99 F)

Richard Dubois, Ch. Bertinat Lartigue, 33330 Saint-Sulpice-de-Faleyrens, tél. 05.57.24.72.75, fax 05.57.74.45.43, e-mail dubricru@aol.com t.l.j. 9h-11h30 14h30-17h30; sam. dim. sur r.-v.; f. 14 août-3 sep.

CH. PARAN JUSTICE 1998

11,02 ha 48 666 8 à 11 €

Cette propriété, installée à Saint-Etienne-de-Lisse sur des sols argilo-siliceux, comporte 68 % de merlot. Ce 98 est prêt à boire. De couleur grenat limpide et brillant, il est un peu discret au nez, sur des notes florales mêlées d'odeurs animales de cuir. La bouche, souple et équilibrée, révèle des tanins fins et chaleureux. (50 à 69 F)

Union de producteurs de Saint-Emilion, Haut-Gravet, BP 27, 33330 Saint-Emilion, tél. 05.57.24.70.71, fax 05.57.24.65.18, e-mail udp-vins.saint-emilion@gofornet.com
t.l.j. sf dim. 8h-12h 14h-18h
Marie Boutros-Toni

CH. PATRIS 1998**

■ 7,59 ha 24 000 15 à 23 €

88 |90| 92 93 95 |96| |97| **98**

Ce cru, régulièrement retenu par nos dégustateurs, est exploité par Michel Querre depuis 1967. En 1996, celui-ci a fait des investissements qui donnent de bons résultats, à en juger par un très bon 97 (année difficile) et par ce 98 remarquable. Le vin se pare d'une magnifique robe pourpre sombre. Son nez, très engageant, évoque les fruits noirs confiturés, le pain d'épice chaud. Ample, chaleureux, volumineux, le palais finit sur des tanins mûrs et fondus. Racé et sophistiqué, ce vin exprime bien les raisins de qualité vinifiés avec une excellente maîtrise technique. Déjà bon, il devrait très bien vieillir. (100 à 149 F)

Michel Querre, SCEA Ch. Patris, Les Hospices de la Madeleine, 33330 Saint-Emilion, tél. 05.57.55.51.60, fax 05.57.55.51.61 r.-v.

CH. PAVIE 1998*

■ 1er gd cru B 37 ha 80 000 +76 €

70 71 75 76 **78** 79 80 **81 82 83** |85| |86| 87 |88| |89| |90| **91 92** |93| |94| **95 96** 98

Première récolte pour Gérard Perse qui présente un 98 très réussi. C'est en effet cette année-là qu'il a acheté cet important et prestigieux domaine viticole, exposé plein sud, sur la première ligne de coteaux. Le terroir d'argilo-calcaire et de graves est planté de vignes quarantenaires (60 % de merlot et 40 % de cabernets). D'une belle couleur bordeaux sombre, presque noire, ce vin est fort expressif au nez : fruits très mûrs ou cuits, pâtisserie, amande, vanille, noix de coco. La bouche, chaleureuse, dense, savoureuse, révèle beaucoup de tanins, de raisins et de bois. Un boisé presque excessif. Un Pavie de style moderne. (+ 500 F)

Gérard Perse, SCA Ch. Pavie, 33330 Saint-Emilion, tél. 05.57.55.43.43, fax 05.57.24.63.99

CH. PAVIE DECESSE 1998*

■ Gd cru clas. 10 ha 33 000 +76 €

83 85 86 |88| |89| |90| 92 |93| |94| **96 97** 98

Cette propriété de 10 ha, installée sur les pentes argilo-calcaires de la Côte Pavie, exposée plein sud, a été achetée en 1997 par la famille Perse. Elue coup de cœur l'an passé pour le 97, elle propose cette année un 98 très réussi, essentiellement composé de merlot, avec un appoint de 10 % de cabernet franc. La superbe robe grenat, profonde et soutenue, et le bouquet puissant, alliant fruits rouges mûrs et boisé élégant, annoncent la concentration de la bouche. Certes, les tanins demandent quelques années de vieillissement, mais quelle belle structure ! (+ 500 F)

SCA Pavie-Decesse, 33330 Saint-Emilion, tél. 05.57.55.43.43, fax 05.57.24.63.99
Gérard Perse

CH. PAVIE MACQUIN 1998**

■ Gd cru clas. 11,89 ha 47 000 46 à 76 €

83 85 86 |88| |89| |90| 91 92 |93| |94| 96 (97) **98**

Tout près de la cité médiévale, ce cru domine la Côte Pavie du haut de son plateau argilo-calcaire. Il est cultivé en méthode comparative, c'est-à-dire partie en lutte raisonnée, partie en biodynamie. Coup de cœur l'an dernier pour son 97, il propose un remarquable 98, drapé dans une magnifique robe pourpre très sombre aux reflets violines. Le bouquet, intense et très expressif, associe les arômes de fruits noirs confits aux odeurs empyreumatiques d'un superbe boisé brûlé. Puissante et riche, la bouche révèle une structure dense, racée et élégante, qui persiste très longuement en finale. Une grande bouteille de garde. (300 à 499 F)

SCEA Ch. Pavie Macquin, 33330 Saint-Emilion, tél. 05.57.24.74.23, fax 05.57.24.63.78
r.-v.
Famille Corre-Macquin

CH. PETIT FOMBRAUGE 1998**

■ 2,5 ha 12 000 15 à 23 €

CHÂTEAU
PETIT FOMBRAUGE
SAINT-ÉMILION GRAND CRU
1998
Pierre Lavau
Propriétaire - 33330 St-Christophe-des-Bardes

Pierre Lavau a acheté aux enchères cette petite propriété en 1996 et a fait de gros investissements pour la remettre en état. Efforts récompensés, puisque, dès la première récolte, nos experts avaient jugé son vin très réussi. Son 98 atteint les sommets puisque les dégustateurs lui accordent un coup de cœur. Ils ont aimé sa belle robe rubis profond, son bouquet légèrement fruité, mais surtout son boisé bien toasté. Très expressif, le palais offre beaucoup de fruits rouges et des tanins jeunes mais prometteurs. Bon raisin, bon travail : dans deux à trois ans, on pourra commencer à déboucher cette bouteille et on la servira sur viandes rouges et fromages. (100 à 149 F)

Pierre Lavau, Ch. Petit Fombrauge, 33330 Saint-Christophe-des-Bardes, tél. 05.57.24.77.30, fax 05.57.24.66.24, e-mail petitfombrauge@terre-net.fr r.-v.

CH. PETIT-GRAVET 1998

■ 3 ha 14 500 11 à 15 €

Ce vin est produit par des vignes de plus de quarante ans (60 % de merlot) plantées sur sables profonds. Il a une couleur pourpre aux reflets d'évolution. Le nez, agréable, est intéressant pa a finesse. En bouche, on découvre des tanins nrobés par une chair assez grasse, une saveur le cuir et un boisé empyreumatique. La finale léjà soyeuse permettra de boire ce 98 assez rapilement. (70 à 99 F)

-SCE Ch. Petit-Gravet, 2, rue de la Madeeine, 33330 Saint-Emilion, tél. 06.82.10.64.75, ax 05.57.24.72.34,
-mail petit.gravet@wanadoo.fr ☑ Ꮖ r.-v.
Mme M.-L. Nouvel

CH. PETIT VAL 1998

■ 9,25 ha 50 000 11 à 15 €

86 88 |89| |90| |93| |95| 96 98

Installé au nord de Saint-Emilion sur un glais sableux, ce cru présente un encépagement quilibré : 70 % de merlot, 20 % de cabernet ranc et 10 % de cabernet-sauvignon. La robe ubis clair de ce 98 montre quelques reflets l'évolution. Le bouquet naissant révèle des arônes de fruits rouges à l'alcool mêlés à des notes picées et légèrement boisées. La bouche dévoile n bon équilibre avec du volume et de la chair, ne belle vinosité et des tanins bien persistants n finale. (70 à 99 F)

Michel Boutet, SC du Ch. Vieux Pourret, BP 70, 33330 Saint-Emilion, tél. 05.57.24.70.86, ax 05.57.24.68.30 ☑ Ꮖ r.-v.

CH. PIGANEAU 1998

n.c. 25 000 8 à 11 €

Ce vignoble est situé près de la Dordogne à a sortie de Libourne, là où se trouvait autrefois e port de Saint-Emilion, et tout près du menhir le Pierrefitte qui est le plus grand mégalithe de Gironde. Ce 98 affiche une belle couleur rubis, assez vive et de bonne tenue. Le bouquet très plaisant mêle des arômes fruités, épicés et boisés. La bouche, souple et ronde, compense un éger manque de structure par beaucoup de inesse et de charme. A servir sur un lapin aux irelles. (50 à 69 F)

SCEA J.-B. Brunot et Fils, 1, Jean-Melin, 3330 Saint-Emilion, tél. 05.57.55.09.99, ax 05.57.55.09.95,
-mail vignobles.brunot@wanadoo.fr ☑ Ꮖ r.-v.

CH. PIPEAU 1998

35 ha 190 000 11 à 15 €

86 88 89 92 93 |94| |95| 96 97 98

Créé au début du siècle par le grand-père des propriétaires actuels, ce cru compte aujourd'hui 5 ha complantés de merlot, avec en appoint 0 % de cabernet franc et 10 % de cabernetauvignon. Installé en pied de coteau au sud-est le saint-Emilion, il associe des terroirs argiloalcaires, sablonneux et graveleux. D'une coueur rubis sombre et intense, ce 98 est encore un eu fermé, mais laisse percer des notes de fruits ouges et de cuir. La structure, corsée et étoffée, évèle de beaux tanins un peu fermes et austères nais garants d'un bel avenir. (70 à 99 F)

GAEC Mestreguilhem, Ch. Pipeau, 3330 Saint-Laurent-des-Combes, él. 05.57.24.72.95, fax 05.57.24.71.25,
-mail chateau.pipeau@wanadoo.fr ☑ Ꮖ r.-v.

CH. PLAISANCE 1998★

■ 9 ha 54 000 11 à 15 €

Ce cru est une sélection de 9 ha, sur les 16 ha exploités depuis 1997 par Xavier Mareschal, au sud de l'appellation. Les sols y sont variés : sables, graves, argiles. La vigne comporte 80 % de merlot et 20 % de cabernets. Le 98, très réussi, se pare d'une robe rubis foncé à reflets grenat. Au nez, les notes de fruits rouges sont vite dominées par un bois torréfié, vanillé, un peu envahissant. La bouche élégante est, elle aussi, encore sous le bois. Ce vin devrait être bon entre 2003 et 2013. (70 à 99 F)

SCEA ch. Plaisance, 33330 Saint-Sulpice-de-Faleyrens, tél. 05.57.24.78.85, fax 05.57.74.44.94 ☑ Ꮖ r.-v.
Xavier Mareschal

CH. DE PRESSAC 1998★

■ 10 ha 49 000 15 à 23 €

Château doublement historique puisqu'il fut le lieu de l'acte qui mit un terme à la guerre de Cent Ans en 1453 mais aussi, au XVIIIe s., de l'implantation d'un cépage qui prit le nom de « noir de Pressac » (auxerrois). Ce domaine viticole de 40 ha a été racheté en 1997 par J.-F. et D. Quenin. Leur 98 présente une robe magnifique, presque noire et pourtant éclatante. Le bouquet complexe mêle fruits noirs et bois torréfié, vanillé. La bouche élégante et racée finit sur des tanins de superbe texture. Dans cinq à huit ans, ce vin sera parfait pour accompagner viandes rouges et gibier. (100 à 149 F)

GFA Ch. de Pressac, 33330 Saint-Etienne-de-Lisse, tél. 05.57.40.18.02, fax 05.57.40.10.07, e-mail jfetdquenin@libertysurf.fr ☑ Ꮖ r.-v.
J.-F. et D. Quenin

CH. PUY MOUTON 1998

■ 2 ha n.c. 11 à 15 €

Ce cru est implanté sur les sols argilo-siliceux de Saint-Christophe-des-Bardes, au nord de l'appellation. Le vin a une jolie couleur rubis à reflets pourpres. Le bouquet s'ouvre sur des nuances de sous-bois, de poivre vert, de pain grillé et de vanille. L'attaque, douce et ronde, offre une saveur encore fruitée, mais les tanins réglissés, très présents, devront être attendus deux à cinq ans. (70 à 99 F)

EARL Vignobles D. et C. Devaud, Ch. de Faise, 33570 Les Artigues-de-Lussac, tél. 05.57.24.31.39, fax 05.57.24.34.17 Ꮖ r.-v.

CH. QUERCY 1998★★

■ 4,5 ha 20 000 15 à 23 €

88 89 |90| 92 |93| |94| **95** 96 **98**

Paré d'une robe pourpre sombre à reflets violines, ce 98, né sur un sol sablo-graveleux, a séduit nos dégustateurs très sévères : à l'aération, le nez livre un bouquet intense, marqué par un bois de grande qualité. La bouche chaleureuse et généreuse, alliant concentration et gras, révèle des saveurs de fruits et de tabac et des tanins très raffinés. Un vin de caractère, pour amateurs avertis, qui devrait atteindre son apogée d'ici cinq à sept ans. (100 à 149 F)

GFA du Ch. Quercy, 3, Grave, 33330 Vignonet, tél. 05.57.84.56.07, fax 05.57.84.54.82, e-mail chateauquercy@wanadoo.fr ☒ Y r.-v.

CH. QUERCY Marina Carine 1998★★

■ 0,5 ha 1000 38 à 46 €

Comment célébrer dix ans à la tête de ce domaine ? Par une rareté : 1 000 bouteilles produites par un demi-hectare de graves plantées à 80 % de merlot noir et à 20 % de bouchet de quatre-vingts ans. Cela ne peut donner qu'un produit remarquable. C'est ce que nous confirment nos dégustateurs qui lui attribuent deux étoiles. La robe est somptueuse, bordeaux sombre à reflets pourpres. Le nez, puissant et complexe, offre une succession d'arômes de fleurs, de fruits et de gibier, sur fond boisé empyreumatique. Grasse étoffée, veloutée, structurée par des tanins mûrs, la bouche est une suite de saveurs puissantes. Elle est encore un peu sous le bois à ce jour, mais le fruit revient sur la finale fraîche et aromatique. Une bouteille extraordinaire d'ici cinq à dix ans. (250 à 299 F)

GFA du Ch. Quercy, 3, Grave, 33330 Vignonet, tél. 05.57.84.56.07, fax 05.57.84.54.82, e-mail chateauquercy@wanadoo.fr ☒ Y r.-v.

CH. RABY-JEAN VOISIN 1998

■ 9,5 ha 60 000 11 à 15 €

Ce cru, sur sables anciens et crasse de fer, a été acquis en 1968 par la famille Raby-Saugeon. Ici, la vigne est constituée de 80 % de merlot et de 20 % de cabernets. A l'œil, le vin présente quelques reflets saumonés d'évolution. Très complexe au nez, plus floral que fruité, il mêle une touche animale à beaucoup de bois torréfié. Souple et rond en attaque, il évolue rapidement vers des saveurs très boisées, vanillées, qui dominent la bouche mais qui devraient s'assagir d'ici deux à trois ans. (70 à 99 F)

Vignobles Raby-Saugeon, Ch. du Paradis, 33330 Saint-Emilion, tél. 05.57.55.07.20, fax 05.57.55.07.21, e-mail chateau.du.paradis@wanadoo.fr ☒ Y r.-v.

CH. RIOU DE THAILLAS 1998★★

■ 3 ha 10 000 15 à 23 €

Ce petit enclos, récemment acquis par Jean-Yves et Michèle Béchet, fait une belle entrée dans le Guide avec un 98 remarquable. Exclusivement issu de merlot, il est paré d'une robe grenat sombre et dense, et développe un bouquet concentré, mariant les arômes de fruits mûrs à un boisé élégant et racé aux notes brûlées, vanillées et cacaotées. Ample et charnue en attaque, la dégustation évolue longuement et en crescendo sur une belle trame tannique très riche et persistante. Une grande bouteille à laisser vieillir quatre à cinq ans en cave. (100 à 149 F)

Michèle Béchet, Ch. Riou de Thaillas, 33330 Saint-Emilion, tél. 05.57.68.42.15, fax 05.57.68.28.59, e-mail jean-yves.bechet@wanadoo.fr ☒ Y r.-v.

CH. ROC DE BOISSEAUX 1998★

■ 5 ha 32 000 8 à 11 €

92 |93| |94| |97| 98

Installé sur les terroirs sablo-graveleux de Saint-Sulpice-de-Faleyrens, ce cru bénéficie des conseils de l'œnologue Gilles Pauquet et de Vitigestion. Assemblant quatre cinquièmes de merlot à un cinquième de cabernet franc, son 98 s'affiche dans une robe rubis profond. Le nez dévoile un excellent élevage en fût de chêne, déclinant des notes épicées et toastées sur des arômes de fruits rouges frais. Ample et charnue, la bouche révèle un beau volume, un excellent équilibre et une grande longueur. Une bouteille classique à laisser vieillir trois à cinq ans en cave. (50 à 69 F)

SCEA du Ch. Roc de Boisseaux, Trapeau, 33330 Saint-Sulpice-de-Faleyrens, tél. 05.57.74.45.40, fax 05.57.88.07.00 ☒ Y r.-v.
GFA Mme Clowez

CH. ROCHEBELLE 1998★★

■ 2,7 ha 15 000 15 à 23 €

88 |89| |93| **96** 97 **98**

Sur un beau terroir argilo-calcaire, 15 % de cabernet franc accompagnent le merlot et donnent ce remarquable 98, très joliment présenté dans une robe rubis sombre et profonde. Le bouquet, puissant et harmonieux, marie les arômes de fruits surmûris et cuits (pruneau) à des senteurs épicées, une fraîche nuance mentholée. La bouche, ample et ronde, dispose d'une superbe trame tannique et fait preuve d'une grande persistance en finale. Un très beau vin de garde. (100 à 149 F)

SCEA Philippe Faniest, Ch. Rochebelle, 33330 Saint-Laurent-des-Combes, tél. 06.07.32.37.94, fax 05.57.51.01.99, e-mail chateaurochebelle@grand-cru-st-émilion.c ☒ Y r.-v.

CH. ROCHER BELLEVUE FIGEAC 1998★

■ 7,5 ha n.c. 11 à 15 €

86 |(88)| |89| 91 92 94 95 **96** 97 98

Sur les 10,5 ha qu'il exploite, le propriétaire réserve 7,5 ha à ce cru établi sur sables anciens et graves et planté à 70 % de merlot et à 30 % de cabernet franc. Un vignoble classique donc, qui produit un vin classique et régulier. La couleur bordeaux est profonde. Le nez séducteur révèle un fruité aimablement boisé. La bouche révèle une bonne concentration de tanins serrés et persistants. Bouteille de garde, pleine d'avenir à oublier en cave de deux à six ans. (70 à 99 F)

SC Rocher Bellevue Figeac, 14, rue d'Aviau, 33000 Bordeaux, tél. 05.56.81.19.69, fax 05.56.81.19.69 Y r.-v.
Pierre Dutruilh

CH. ROLLAND-MAILLET 1998★★

■ 3,35 ha 15 000 11 à 15 €

(82) 85 **86** |89| |90| |93| |94| 95 97 **98**

Michel Rolland, œnologue de réputation internationale, dirige ce cru complanté de trois quarts de merlot et d'un quart de cabernet franc.

La robe pourpre de ce 98 est profonde et sombre avec des reflets vifs très jeunes. Le nez, agréable et intense, est dominé par les arômes de fruits rouges et noirs très mûrs agrémentés d'une touche boisée harmonieuse. La bouche corsée, charnue, ample et charpentée, offre un superbe mariage des tanins de raisin et du bois d'élevage. Une bouteille remarquable qu'il est recommandé d'attendre trois à quatre ans. (70 à 99 F)

SCEA Fermière des domaines Rolland, Maillet, 33500 Pomerol, tél. 05.57.51.23.05, fax 05.57.51.66.08 r.-v.

CH. ROL VALENTIN 1998**

■ 3,8 ha 12 000 46 à 76 €

94 |95| 96 **98**

Eric Prissette est un passionné. Il s'est intéressé au sport de haut niveau, il s'intéresse aux vins de haut niveau. Producteur depuis 1994, il obtient un premier coup de cœur pour son 95 ; il se fait oublier pendant deux ans pour rééditer son exploit avec son 98. Celui-ci est un pur merlot né de vignes d'une quarantaine d'années plantées sur sables et graves. Le premier regard est charmé par une somptueuse robe bordeaux sombre, presque noire. Le bouquet déjà puissant, concentré, élégant mêle le merlot très mûr et le merrain réglissé. La saveur est charnue, dense, racée, avec beaucoup de tanins veloutés. Superbe ! Presque excessif, ce vin pourra surprendre certains amateurs mais résistera au temps et aux mets les plus puissants. (300 à 499 F)

Eric Prissette, Ch. Rol Valentin, 33330 Saint-Emilion, tél. 05.57.74.43.51, fax 05.57.74.45.13 r.-v.

CH. ROYLLAND 1998*

4 ha 20 000 11 à 15 €

90| 92 |93| |94| 95 96 98

Repris en 1989 par les actuels propriétaires, ce petit vignoble est installé dans l'anse de Mazerat sur le versant sud-ouest de Saint-Emilion ; il est essentiellement planté de merlot, avec un appoint d'un dixième en cabernet franc, et repose sur des sables argileux faiblement calcaires. Paré d'une robe rubis vive et intense, ce 98 mêle au nez des arômes de fruits rouges et noirs bien mûrs à un boisé subtil et élégant, finement grillé. La bouche, souple et harmonieuse, présente une belle structure, équilibrée par des tanins mûrs et puissants, garants d'une bonne garde. (70 à 99 F)

GFA Roylland, 33330 Saint-Emilion, tél. 05.57.24.68.27, fax 05.57.24.65.25 r.-v.
Pascal Oddo et Chantal Vuitton

CH. ROZIER 1998

■ n.c. 90 000 11 à 15 €

86 88 89 90 |93| |94| 96 |97| 98

Le château Rozier, créé en 1850, compte maintenant 22 ha disséminés sur cinq communes, et dispose de terroirs très variés, complantés de merlot avec un appoint de 15 % de cabernet franc et de 5 % de cabernet-sauvignon. Son 98, de bonne typicité, se présente dans une robe rubis intense. Le nez marie harmonieusement les arômes de fruits rouges aux odeurs toastées de bon bois. La bouche est équilibrée, ronde et charnue en attaque, puis charpentée et structurée ensuite. La finale, un peu sévère aujourd'hui, devrait s'assouplir dans les deux à trois prochaines années. (70 à 99 F)

EARL Vignobles Jean-Bernard Saby et Fils, Ch. Rozier, 33330 Saint-Laurent-des-Combes, tél. 05.57.24.73.03, fax 05.57.24.67.77, e-mail jean.saby@chateau-rozier.com r.-v.

SAINT DOMINGUE 1998**

■ 2,7 ha 6 000 46 à 76 €

Ce nouveau cru de 2,7 ha (100 % merlot), cultivé par l'équipe technique de La Dominique, réunit des parcelles jouxtant ce grand cru classé, achetées en 1998 par Clément Fayat. Le vin a séduit nos dégustateurs par sa richesse et sa concentration. La robe pourpre est sombre et dense, avec des reflets violines. Au nez, les arômes de fruits rouges et noirs confits se marient élégamment à des notes boisées de cacao, de fumée et d'amande grillée. La bouche, ronde, soyeuse et charnue en attaque, évolue sur une puissante structure tannique qui permettra d'assurer une longue garde. (300 à 499 F)

Clément Fayat, Ch. La Dominique, 33330 Saint-Emilion, tél. 05.57.51.31.36, fax 05.57.51.63.04, e-mail info@vignobles.fayat-group.com r.-v.

CH. SAINT-GEORGES COTE PAVIE 1998

■ Gd cru clas. 5 ha 28 000 15 à 23 €

82 83 (85) 86 88 89 |90| 92 |95| 97 98

Situé aux portes de la cité médiévale, exposé sud-sud-ouest, ce cru repose sur un beau terroir de coteau argilo-calcaire. Ce millésime assemble 75 % de merlot et 25 % de cabernet franc. Il est de bonne typicité. La robe grenat a une belle tenue, mais le nez apparaît encore un peu fermé ; il laisse cependant percevoir des nuances fruitées et florales et des notes chocolatées. La bouche, équilibrée, repose sur des tanins présents, sans agressivité, et du fruit. Sa bonne structure de garde devrait s'épanouir dans trois à quatre ans. (100 à 149 F)

Marie-Gabrielle Masson, Ch. Saint-Georges Côte Pavie, 33330 Saint-Emilion, tél. 05.57.74.44.23 r.-v.

CH. SAINT-LO 1998

■ 9 ha 50 000 11 à 15 €

Entièrement restaurée en 1992 par le consul de Thaïlande à Bordeaux, cette propriété date du XVIe s. Né de 85 % de merlot et de 15 % de cabernet franc plantés sur des sols argilo-sableux, ce 98 est paré d'une robe grenat limpide. Le bouquet, assez intense, mêle les fruits noirs et la réglisse à des odeurs animales de cuir, le tout associé à un boisé fin, bien fondu. La bouche est corsée et souple, puis charpentée par des tanins un peu fermes en finale qui demanderont trois à quatre ans de vieillissement. (70 à 99 F)

SA Les Vignobles Réunis, 33330 Saint-Pey-d'Armens, tél. 05.56.81.57.86, fax 05.56.81.57.90, e-mail accueil@saint-lo-group.com r.-v.

SANCTUS 1998

■ 3,7 ha 12 000 46 à 76 €

Premier millésime pour ce nouveau cru vinifié en collaboration avec un viticulteur chilien, Aurelio Montes. Elevé pendant vingt mois en fût de chêne neuf, issu de deux tiers de merlot et d'un tiers de cabernet franc, ce 98 se pare d'une robe rubis vif. Le bouquet, encore discret, mêle les fruits rouges cuits et le bon bois. La bouche, équilibrée, offre de la rondeur, du fruit et des tanins élégants et de belle tenue. A attendre cependant trois à quatre ans pour pouvoir l'apprécier plus épanoui. (300 à 499 F)

SA Ch. La Bienfaisance, 39, le Bourg, 33330 Saint-Emilion, tél. 05.57.24.65.83, fax 05.57.24.78.26 r.-v.

CH. SANSONNET 1998

■ 7 ha 30 000 11 à 15 €

Propriété acquise en 1999, par la famille du marquis d'Aulan, ancien propriétaire du champagne Piper-Heidsieck, Sansonnet appartint au premier ministre de Louis XVIII, Decazes. La vigne de trente-cinq ans (70 % de merlot et 30 % de cabernets) est plantée sur argilo-calcaires. Le bouquet de ce 98 mêle les fruits très mûrs, les épices et un boisé marqué. Souple à l'attaque, ce vin évolue vers une saveur de fruits mûrs boisés qui devrait permettre de le boire assez rapidement. (70 à 99 F)

Ch. Sansonnet, 33330 Saint-Emilion, tél. 03.26.88.75.81, fax 03.26.88.67.43 r.-v.

d'Aulan

CH. TERTRE DAUGAY 1998*

■ Gd cru clas. 13 ha 50 000 23 à 30 €

82 **83 86 88** |89| |90| |93| |94| 96 98

Installé sur les premières hauteurs du coteau sud de Saint-Emilion, ce cru implanté sur argilo-calcaires bénéficie d'une très belle exposition. Assemblage de merlot et de cabernet franc à parts égales, ce 98 se présente dans une agréable robe rubis, très jeune, vive et intense. Les arômes de fruits rouges dominent le bouquet puissant et chaleureux avec de fines notes boisées. La bouche, équilibrée et harmonieuse, révèle un bon volume et des tanins élégants et veloutés qui devraient être complètement fondus d'ici deux à trois ans. « Bien dans la tradition du saint-émilion. » (150 à 199 F)

Léo de Malet Roquefort, Ch. La Gaffelière, 33330 Saint-Emilion, tél. 05.57.24.72.15, fax 05.57.24.69.06 r.-v.

CH. TEYSSIER 1998

■ 15,6 ha 65 208 15 à 23 €

Achetée en 1994 par Jonathan Maltus, cette belle demeure est entourée d'un vignoble planté essentiellement de merlot avec un appoint de 15 % en cabernet franc. D'une couleur grenat chatoyante, ce 98 mêle au nez des arômes de pruneau cuit et de fruits rouges confits, des notes boisées réglissées et des nuances animales de cuir. La bouche développe un beau volume avec des tanins charnus et puissants qui deviennent un peu rudes en finale. Il faudra donc laisser ce vin vieillir quatre à cinq ans pour l'apprécier pleinement. (100 à 149 F)

Jonathan Maltus, Ch. Teyssier, 33330 Vignonet, tél. 05.57.84.64.22, fax 05.57.84.63.54, e-mail info@teyssier.fr r.-v.

CH. TOINET FOMBRAUGE 1998

■ 1,05 ha 7 000 11 à 15 €

|93| |94| |95| 96 97 98

Les plus vieilles vignes de ce domaine entrent dans cette appellation ; du merlot pour les quatre cinquièmes et du cabernet franc, plantés sur des sols argilo-calcaires. Le vin arbore une belle couleur rubis. Le nez évoque les fruits rouges frais et le noyau écrasé, accompagnés de fines nuances boisées. La bouche, corsée et charpentée, développe des tanins fermes mais prometteurs, qui devraient s'assouplir dans les années à venir. (70 à 99 F)

Bernard Sierra, Ch. Toinet-Fombrauge, 33330 Saint-Christophe-des-Bardes, tél. 05.57.24.77.70, fax 05.57.24.76.49 t.l.j. 10h-12h 15h-19h

CH. TOURANS 1998

■ 3,66 ha 24 888 11 à 15 €

Un des nombreux crus bordelais de la société Roger Geens, négociant belge. Ce 98 est né de merlot (80 %) et de cabernet-sauvignon (20 %) implantés sur argilo-calcaire. Le vin est d'une jolie couleur rubis brillante. Le nez, encore fermé, demande de l'agitation pour libérer des arômes lactés et boisés. La bouche, d'un bon volume, est rapidement dominée par des tanins un peu envahissants. Un vin de caractère, qui peut plaire ou choquer selon les goûts. (70 à 99 F)

SCEA Vignobles Rocher-Cap-de-Rive 1,
33350 Saint-Magne-de-Castillon,
tél. 05.57.40.08.88, fax 05.57.40.19.93,
e-mail vignoblesrochercaprive@wanadoo.fr

CH. TOUR BALADOZ 1998*

■ 5 ha 30 000 11 à 15 €

|93| |94| 95 96 |97| 98

Produit par des vignes trentenaires (70 % de merlot et 30 % de cabernets), implantées sur des argilo-calcaires, à l'est de l'appellation, ce 98 impressionne par une couleur presque noire. Le nez s'ouvre sur des notes confiturées et un boisé empyreumatique. La bouche, d'abord souple et charnue, est rapidement charpentée par des tanins boisés de qualité mais un peu fermes. Solide vin de garde, à attendre de trois à douze ans, selon les goûts et les conditions de conservation. (70 à 99 F)

SCEA Ch. Tour Baladoz, 33330 Saint-Laurent-des-Combes, tél. 05.57.88.94.17,
fax 05.57.88.39.14, e-mail gdemour@aol.com
r.-v.

CH. TOUR DES COMBES 1998

■ 13 ha 51 000 11 à 15 €

|90| |94| |95| |96| 98

Etabli au pied du coteau de Saint-Laurent-des-Combes, le vignoble (80 % de merlot) est installé sur des sols argilo-calcaires et sablonneux. Paré d'une jolie robe rubis, ce 98 est encore discret au nez où percent cependant des parfums frais et fruités et quelques notes épicées. La bouche est souple et ronde, avec des tanins agréables et charnus et de beaux retours aromatiques de fruits rouges en finale. (70 à 99 F)

SCE des Vignobles Darribéhaude,
1, Au Sable, 33330 Saint-Laurent-des-Combes,
tél. 05.57.24.70.04, fax 05.57.74.46.14 r.-v.

TOUR DU SEME 1998*

■ 3 ha 15 000 15 à 23 €

Un nouveau dans le Guide. Créé en mars 1998, ce domaine a déjà attiré l'attention du jury avec ce vin surprenant, sélection de 3 ha sur les 6 ha de la propriété, né de vignes âgées de vingt ans plantées sur sables profonds. L'assemblage est atypique : 60 % de cabernets pour 40 % de merlot. La couleur est d'un beau rubis sombre. A l'agitation, le bouquet, encore un peu fermé, exhale des senteurs de fruits des bois, d'épices, de tabac, de torréfaction. La bouche, fraîche et fruitée, est soutenue par des tanins fondus qui permettront de boire ce 98 assez prochainement. (100 à 149 F)

SARL Milens, Le Sème,
33330 Saint-Hippolyte, tél. 05.57.55.24.47,
fax 05.57.55.24.44 r.-v.

CH. TOUR GRAND FAURIE 1998

■ 13,8 ha 93 000 11 à 15 €

88 |90| 94 |95| |96| |97| 98

Ce cru fut acheté au début du siècle dernier par Pierre Feytit, l'arrière-grand-père de l'actuelle viticultrice. La vigne, âgée de plus de quarante ans de moyenne, est constituée de 86 % de merlot, 12 % de cabernet et d'un soupçon de malbec (cot), implantés sur des sols de sables sur crasse de fer et argilo-calcaires. Le vin, brillant, présente quelques reflets d'évolution. Le bouquet, déjà fin et complexe, mêle des notes fruitées et boisées. Souple, la bouche repose sur des tanins fondus qui devraient permettre de boire assez rapidement cette bouteille avec une grillade d'aloyau sur sarments de vignes. (70 à 99 F)

Georgette Feytit, Ch. Tour Grand-Faurie,
33330 Saint-Emilion, tél. 05.57.24.73.75,
fax 05.57.74.46.94, e-mail feytit@hotmail.com
r.-v.

CH. TOUR RENAISSANCE 1998

■ 4 ha 23 000 8 à 11 €

89 |90| 91 92 93 94 |96| |97| 98

Régulièrement retenu dans le Guide, ce cru fait partie des 48 ha exploités par Daniel Mouty et appartient à son épouse Françoise, issue, elle aussi, d'une vieille famille de vignerons. D'une superbe couleur rubis, vive et intense, ce 98 offre un bouquet expressif et riche, mêlant les arômes de raisins mûrs et de fruits confits à un boisé charmeur aux notes chocolatées. Séveux et corsé en bouche, ce vin dispose d'une structure tannique ferme et persistante qui ne demande qu'un peu de temps pour se fondre. (50 à 69 F)

SCEA Daniel Mouty, Ch. du Barry,
33350 Sainte-Terre, tél. 05.57.84.55.88,
fax 05.57.74.92.99,
e-mail daniel-mouty@wanadoo.fr
t.l.j. sf sam. dim. 8h-17h

CH. TRIMOULET 1998

■ 8 ha 48 000 11 à 15 €

94 |95| |96| |97| 98

Ce cru est constitué de 60 % de merlot et de 40 % de cabernet franc. Le 98 a une couleur bien soutenue. Au nez, les arômes de fruits frais se mêlent à des notes florales. La bouche est bien structurée sur une trame tannique dense, un peu ferme à ce jour mais prometteuse. (70 à 99 F)

Michel Jean, Ch. Trimoulet, 33330 Saint-Emilion, tél. 05.57.24.70.56, fax 05.57.74.41.69
r.-v.

CH. TROPLONG MONDOT 1998*

■ Gd cru clas. 25,32 ha 83 800 38 à 46 €

82 83 85 86 88 |**89**| |**(90)**| **92** 93 |95| |96| 97 98

Situé à Mondot, point culminant à l'est de la cité et fondé en 1745 par la famille de Sèze, bâti entre 1850 et 1870 par Raymond Troplong, président du Sénat, ce cru de 30 ha appartient depuis 1936 à la famille Valette. Son vignoble, très classique, se compose de 80 % de merlot et de 20 % de cabernets plantés sur argilo-calcaire. Classique, ce 98 l'est aussi, et à un haut niveau, à en juger par sa magnifique robe bordeaux sombre, presque noire, et par sa palette olfactive fort riche : raisin très mûr, pruneau, chocolat, café, vanille bourbon, cuir. Très savoureuse, la bouche possède du fruit, de la chair et des tanins de qualité. Un vin de garde qui pourra être servi dans trois à huit ans, par exemple sur une terrine de gibier. Le second vin, **Mondot 98 (100 à 149 F)** obtient la même note. Un bel équilibre entre le fruit et le bois, un tanin au grain fin composent

une bouteille harmonieuse, que l'on pourra déboucher plus tôt que le grand vin. (250 à 299 F)
Christine Valette, Ch. Troplong-Mondot, 33330 Saint-Emilion, tél. 05.57.55.32.05, fax 05.57.55.32.07 r.-v.

CH. TROTTEVIEILLE 1998*

1er gd cru B n.c. n.c. 38 à 46 €
82 **85 86 88 90** 93 94 |95| |96| |97| 98

Coiffé d'une chartreuse du XVIII^e^s., située à quelques centaines de mètres au nord-est de Saint-Emilion, ce domaine offre un panorama magnifique sur la vallée de la Dordogne, sur la cité médiévale, sur Pomerol, sur Fronsac, ainsi que sur le vignoble d'une quarantaine d'années, merlot et cabernets pour moitié, implantés sur argilo-calcaire. Le vin présente une robe bordeaux sombre et jeune. Le nez demande un peu d'aération pour exprimer un bouquet qui associe amande grillée, fruits noirs. De la vivacité et de la fraîcheur s'expriment en bouche, où beaucoup de tanins encore virils permettront d'attendre cinq à dix ans. Une selle de chevreuil, un marcassin lui conviendront. (250 à 299 F)
Indivision Castéja-Preben-Hansen, Ch. Trottevieille, 33330 Saint-Emilion, tél. 05.56.00.00.70, fax 05.57.87.48.61 r.-v.

CH. DU VAL D'OR 1998

12,48 ha n.c. 11 à 15 €
94 95 96 |97| 98

Ce cru tire son nom du village d'Orval, en Dordogne, d'où était originaire le grand-père de Philippe Bardet. Au XIX^e^s., un de ses ancêtres possédait des gabarres qui trasportaient des barriques vers Bordeaux. Etabli au sud de l'appellation, il a produit un vin à la robe rubis sombre. Le bouquet, fin et délicat, évoque les petits fruits (framboise) et le pain grillé. La bouche est encore très fruitée et riche en tanins fermes qui ne demandent qu'à attendre un peu pour accompagner viandes rouges et gibier. (70 à 99 F)
SCEA des Vignobles Bardet, 17, la Cale, 33330 Vignonet, tél. 05.57.84.53.16, fax 05.57.74.93.47, e-mail vignobles@vignobles-bardet.fr r.-v.

CH. VIEILLE TOUR LA ROSE 1998*

4,5 ha 32 000 8 à 11 €

Joli domaine viticole de 10 ha, exploité depuis 1946 par la famille Ybert. 4,5 ha sont consacrés au grand cru ; ils reposent sur les sables ferrugineux du secteur de La Rose au nord de la cité, et sont plantés à 80 % de merlot et à 20 % de cabernets. Le 98 a une jolie robe grenat sombre et dense. Le bouquet, déjà intense, exprime le raisin très mûr, confituré, le pruneau, accompagnés d'une touche de cuir. La bouche est charnue, dense, corsée, étoffée par de bons tanins de raisins. Saint-émilion traditionnel qui, d'ici à deux ans, pourra accompagner gibier, sauces, viandes rouges et fromages des Pyrénées. (50 à 69 F)
SCEA Vignobles Daniel Ybert, La Rose, 33330 Saint-Emilion, tél. 05.57.24.73.41, fax 05.57.74.44.83 r.-v.

VIEUX CHATEAU L'ABBAYE 1998

1,73 ha 10 000 11 à 15 €
|95| 96 97 98

Remaniée, l'église du XII^e^s. de Saint-Christophe conserve un beau portail roman. Ici, le terroir est argilo-calcaire sur rocher, planté à 85 % de merlot et à 15 % de cabernet franc. Le 98, d'une jolie couleur rubis, déjà expressif au nez, livre des senteurs florales, boisées, avec une touche de poivron. Très chaleureux à l'attaque, il débouche rapidement sur des tanins encore jeunes, qui devront s'assagir deux à trois ans avant que l'on puisse ouvrir la bouteille. (70 à 99 F)
Françoise Lladères, Vieux château l'Abbaye, BP 69, 33330 Saint-Christophe-des-Bardes, tél. 05.57.47.98.76, fax 05.57.47.93.03 r.-v.

VIEUX CHATEAU PELLETAN 1998

6,24 ha 23 300 8 à 11 €

Etabli au nord de l'appellation, sur argilo-calcaire, ce vignoble appartient à la famille Magnaudeix qui exploite aussi Vieux Larmande et Tertre de Sarpe. Ici, l'encépagement comprend 80 % de merlot et 20 % de cabernet franc. Cela donne un vin à la couleur rubis foncé, au nez de petits fruits rouges, légèrement boisé. La bouche franche évolue sur des tanins encore durs qui demanderont quelques années pour s'assagir. Un saint-émilion à l'ancienne, rustique et viril. (50 à 69 F)
SCEA Vignobles Magnaudeix, Ch. Vieux Larmande, 33330 Saint-Emilion, tél. 05.57.24.60.49, fax 05.57.24.61.91 r.-v.

CH. VIEUX GRAND FAURIE 1998

5 ha 26 000 8 à 11 €

Ce cru, situé au nord de la cité, est planté sur sables anciens et comporte 70 % de merlot. Le vin a une jolie robe à reflets rubis. Le bouquet demande un peu d'agitation pour libérer des arômes de fruits confits et un fumet chaleureux. La bouche souple, équilibrée, offre une bonne concentration et des tanins encore un peu durs. Un saint-émilion au style traditionnel qui demande à vieillir trois à quatre ans. (50 à 69 F)
SCEA Bourrigaud et Fils, Ch. Vieux Grand Faurie, 33330 Saint-Emilion, tél. 05.57.74.43.98, fax 05.57.74.41.07, e-mail contact@chateau.champion.com
Pascal

CH. VIEUX LARMANDE 1998

4,25 ha 23 400 11 à 15 €
|88| |90| 92 94 **95** |96| |98|

Petite propriété familiale, dont l'encépagement comprend trois quarts de merlot et un quart de bouchet. Les ceps, d'une trentaine d'années, sont plantés sur un terroir argilo-siliceux. Le vin a une jolie couleur grenat assez soutenu. Le nez est fruité (groseille acidulée) et fin. Ronde et élégante, la bouche offre, elle aussi, une saveur fruitée et un bon équilibre entre les tanins de bois et le raisin. Déjà harmonieux, ce 98 devrait évoluer assez rapidement. (70 à 99 F)

SCEA Vignobles Magnaudeix, Ch. Vieux Larmande, 33330 Saint-Emilion, tél. 05.57.24.60.49, fax 05.57.24.61.91 r.-v.

CH. VIEUX POURRET 1998*

■ 4,19 ha 24 000 11 à 15 €

86 88 |89| |90| |93| |94| 95 96 |97| 98

Proche de la cité, ce cru appartient à Michel Boutet depuis 1980. Le merlot est associé à 20 % de cabernet franc dans ce 98 élevé dix-huit mois en barrique. L'élevage est réussi : la robe est grenat, limpide et brillante, le nez exprime les fruits rouges cuits, le cuir et les épices. La bouche, équilibrée, repose sur des tanins souples et ronds, donnant du volume, une belle puissance, puis une agréable et savoureuse persistance aromatique en finale. (70 à 99 F)

Michel Boutet, SC du Ch. Vieux Pourret, BP 70, 33330 Saint-Emilion, tél. 05.57.24.70.86, fax 05.57.24.68.30 r.-v.

CH. VIEUX SARPE 1998*

■ 2,5 ha 15 000 15 à 23 €

On peut voir à Haut Sarpe les vestiges de sillons creusés dans le roc à l'époque romaine. La vigne est toujours là et elle a donné un 98 très réussi. Sa robe rubis intense a des reflets carminés. Le bouquet naissant demande un peu d'aération pour exprimer du fruit rouge (cerise) et des notes épicées, viandées. La bouche, souple et ronde, repose sur des tanins relativement fondus. Un vin charmeur. (100 à 149 F)

Sté d'Exploitation du Ch. Haut-Sarpe, BP 192, 33506 Libourne Cedex, tél. 05.57.51.41.86, fax 05.57.51.53.16, e-mail info@j-janoueix-bordeaux.com r.-v.

J.F. Janoueix

CH. VILLEMAURINE 1998

■ Gd cru clas. 7 ha 48 000 23 à 30 €

85 86 88 |89| |90| 93 94 97 |98|

Paré d'une robe rubis vive et intense, ce 98 libère des arômes confiturés de petits fruits rouges et des touches de figue, de vanille et de fumée. La bouche, souple et fine, possède des tanins soyeux, déjà plaisants. (150 à 199 F)

SCA Vignobles Robert Giraud, Dom. de Loiseau, BP 31, 33240 Saint-André-de-Cubzac, tél. 05.57.43.01.44, fax 05.57.43.08.75, e-mail direction@robertgiraud.com r.-v.

Les autres appellations de la région de Saint-Emilion

Plusieurs communes, limitrophes de Saint-Emilion et placées jadis sous l'autorité de sa jurade, sont autorisées à faire suivre leur nom de celui de leur célèbre voisine. Ce sont les appellations de lussac saint-émilion (1 437 ha, 84 274 hl), montagne saint-émilion (1 575 ha, 91 650 hl), puisseguin saint-émilion (742 ha, 43 037 hl), saint-georges saint-émilion (183 ha, 10 514 hl), les deux dernières correspondant d'ailleurs à des communes aujourd'hui fusionnées avec Montagne. Toutes sont situées au nord-est de la petite ville, dans une région au relief tourmenté qui en fait le charme, avec des collines dominées par nombre de prestigieuses demeures historiques. Les sols sont très variés et l'encépagement est le même qu'à Saint-Emilion ; aussi la qualité des vins est-elle proche de celle des saint-émilion.

Lussac saint-émilion

CH. DE BARBE-BLANCHE Cuvée Henri IV 1998

■ n.c. 40 000 11 à 15 €

André Lurton fit, en 2000, l'acquisition de 50 % des parts du domaine d'André Magnon. Cette cuvée Henri IV est élevée un an en barrique neuve ; sa robe grenat a des reflets rubis. Le bouquet intense évoque les fruits rouges mûrs, la vanille, le pain grillé. Les tanins présents, peu concentrés, demandent cependant deux ou trois ans de garde. (70 à 99 F)

SCE Ch. de Barbe-Blanche, 33570 Lussac, tél. 05.57.25.58.58, fax 05.57.74.98.59 r.-v.

André Lurton et André Magnon

CH. BEL-AIR 1998**

■ n.c. 140 000 8 à 11 €

Cette belle propriété de 21 ha est établie sur un terroir argileux possédant de la crasse de fer en sous-sol. Son vin est somptueux : la robe grenat intense à reflets pourpres annonce un bouquet expressif et riche, encore dominé par les notes grillées et vanillées. En bouche, l'attaque suave et généreuse évolue avec puissance mais aussi beaucoup de bois ; le fût se fond cependant très bien dans le vin. D'une grande complexité, très riche, il dispose d'un potentiel de garde important, au moins quatre à six ans. (50 à 69 F)

Jean-Noël Roi, EARL Ch. Bel-Air, 33570 Lussac, tél. 05.57.74.60.40, fax 05.57.74.52.11, e-mail jean.roi@wanadoo.fr r.-v.

CH. BEL-AIR Cuvée Jean Gabriel 1998**

■ 2 ha 12 000 11 à 15 €

Cette magnifique cuvée est issue d'une sélection de parcelles de merlot et de cabernets situées sur un terroir argileux. Elevée à 100 % en barrique neuve pendant dix-huit mois, elle charme les amateurs de vins de garde. La robe pourpre est presque noire ; les arômes de grillé toasté se marient aux notes de fruits mûrs dans une palette complexe, alors que les tanins soyeux et généreux sont fondus, gras et équilibrés, d'une grande longueur. Un ensemble remarquable, à laisser vieillir au moins quatre à dix ans, voire davantage. (70 à 99 F)

Jean-Noël Roi, EARL Ch. Bel-Air, 33570 Lussac, tél. 05.57.74.60.40, fax 05.57.74.52.11, e-mail jean.roi@wanadoo.fr r.-v.

CH. DE BELLEVUE 1998

12 ha 84 000 8 à 11 €

Une belle chartreuse du XVIII[e]s. domine le vignoble à l'origine de ce 98 souple et fruité (fraise, pêche), très élégant. En bouche, c'est un vin tannique et complexe qui demande à s'assouplir et à s'équilibrer : on l'attendra deux ou trois ans dans une bonne cave. (50 à 69 F)

Ch. Chatenoud et Fils, Ch. de Bellevue, 33570 Lussac, tél. 05.57.74.60.25, fax 05.57.74.53.69 r.-v.

CH. BONNIN 1998**

2,5 ha 15 000 8 à 11 €

Ce château récemment repris en main a obtenu une étoile l'an dernier pour son premier millésime, le 97 ; il progresse encore avec ce superbe 98. La robe pourpre et brillante a des reflets cerise noire ; le bouquet expressif évoque le grillé, la vanille et le fruit mûr. Suave et généreux en attaque, le palais possède des tanins puissants, aromatiques et fondus : l'élevage, douze mois en fût, a été bien conduit. La finale, particulièrement équilibrée et longue, laisse augurer une longue garde au moins cinq à huit ans. (50 à 69 F)

Philippe Bonnin, Pichon, 33570 Lussac-Saint-Emilion, tél. 05.57.74.53.12, fax 05.57.74.58.26 r.-v.

CH. DE BORDES B de B 1998

0,25 ha 2 100 8 à 11 €

Cette minuscule cuvée élevée un an en fût neuf présente une robe grenat soutenu, un fruit discret mais élégant de cassis, de poivre et de girofle. Onctueux en bouche, les tanins sont très présents ; ils demandent pour s'assouplir et s'équilibrer deux à quatre ans de vieillissement. (50 à 69 F)

Vignobles Paul Bordes, Faize, 33570 Les Artigues-de-Lussac, tél. 05.57.24.33.66, fax 05.57.24.30.42, e-mail vignobles.bordes.paul@wanadoo.fr r.-v.

CH. CAILLOU LES MARTINS 1998*

8 ha 40 000 5 à 8 €

Cette petite exploitation familiale produit régulièrement de très bons vins, à l'image de ce 98 paré d'une robe pourpre brillante. Son bouquet naissant de fruits et de boisé fumé a du charme. Sa structure tannique, souple en attaque, évolue avec puissance sur un bon équilibre entre les tanins du raisin et le boisé. Une bouteille à boire dans les cinq prochaines années. (30 à 49 F)

Jean-François Carrille, pl. du Marcadieu, 33330 Saint-Emilion, tél. 05.57.24.74.46, fax 05.57.24.64.40, e-mail paul.carrille@worldonline.fr r.-v.

CH. CHEREAU 1998

20 ha 60 000 5 à 8 €

Un encépagement bien libournais avec 70 % de merlot et les deux cabernets implantés sur argilo-calcaire. Ce 98 se distingue surtout par des arômes de fleurs (rose) très élégants et par une structure souple et fondue, d'une assez bonne complexité en finale. Un vin que l'on peut boire ou garder deux ou trois ans. (30 à 49 F)

SCEA Vignobles Silvestrini, 8, Chéreau, 33570 Lussac, tél. 05.57.74.50.76, fax 05.57.74.53.22 r.-v.

CH. DU COURLAT

Les raisins de la tradition Cuvée Jean-Baptiste Fût de chêne 1998*

4 ha 30 000 11 à 15 €

Issu de vieilles vignes de la propriété, cette cuvée de prédilection a été créée en hommage au grand-père de l'actuel propriétaire, qui a planté le vignoble. Le 98 est paré d'une robe grenat, chatoyante ; son bouquet expressif évoque la framboise, la violette, les épices et la vanille. En bouche, c'est un vin puissant et bien mûr qui demande trois à cinq ans de vieillissement minimum pour s'assouplir. Le **Château du Courlat 98 (50 à 69 F)** obtient une citation pour son caractère très fruité et sa structure souple et harmonieuse : cette bouteille peut être servie dès à présent et pendant deux ou trois ans. (70 à 99 F)

SA Pierre Bourotte, 62, quai du Priourat, 33500 Libourne, tél. 05.57.51.62.17, fax 05.57.51.28.28, e-mail jeanbaptiste.audy@wanadoo.fr r.-v.

CH. CROIX DE RAMBEAU 1998

6 ha 50 000 8 à 11 €

Propriété des Trocard depuis le milieu du XX[e]s., ce château a inauguré un nouveau chai d'élevage en 2001. Son 98 possède un bouquet frais et fruité de framboise et de violette, et une structure tannique intense en attaque, évoluant cependant avec une certaine austérité. Lorsque sa jeunesse aura disparu, dans un à trois ans, son harmonie s'accommodera d'un petit gibier à poil. (50 à 69 F)

SCEA des Vignobles Trocard, 2, Les Petits-Jays-Ouest, 33570 Les Artigues-de-Lussac, tél. 05.57.55.57.90, fax 05.57.55.57.98, e-mail trocard@wanadoo.fr t.l.j. sf sam. dim. 8h-12h 14h-17h

CH. DE LA GRENIERE

Cuvée de la Chartreuse Elevé en barrique de chêne merrain 1998

2,8 ha 15 000 8 à 11 €

Le château de La Grenière propose deux vins du millésime 98, notés de la même façon. La cuvée de la Chartreuse, élevée en barrique, possède un bouquet de fruits secs assez complexe et des tanins intenses et onctueux, encore jeunes en fin de bouche. La **cuvée classique 98** est plus fraîche et fruitée (groseille, cassis), légèrement épicée, et ses tanins sont déjà très agréables. Deux styles différents, à apprécier dans un à trois ans. (50 à 69 F)

EARL Vignobles Dubreuil, Ch. de La Grenière, 33570 Lussac, tél. 05.57.74.64.96, fax 05.57.74.56.28, e-mail o.jp.dubreuil@m6net.fr r.-v.

Odette Dubreuil

CH. LA HAUTE CLAYMORE 1998**

3 ha n.c. 8à11€

Remontant au XIVes. par ses origines anglaises, ce vignoble appartint à l'abbaye cistercienne de Faise. Habitué aux honneurs du Guide, il reçoit aujourd'hui un coup de cœur unanime pour cette cuvée spéciale. La robe pourpre est profonde ; le bouquet élégant mêle les fruits mûrs, le grillé ainsi que des notes balsamiques. L'attaque riche et franche sur des tanins bien fondus évolue avec puissance sur une matière très fruitée. Très typé, de grande qualité, ce 98 s'exprimera encore mieux après trois à six ans de garde. Le second vin, **Cadet du Château Claymore 98 (30 à 49 F)** obtient une étoile : une bouteille très flatteuse et typée à ouvrir dans les trois ou quatre prochaines années. (50 à 69 F)

EARL Vignobles D. et C. Devaud, Ch. de Faise, 33570 Les Artigues-de-Lussac, tél. 05.57.24.31.39, fax 05.57.24.34.17 r.-v.

CH. LA JORINE 1998*

3,55 ha 25 000 5à8€

L'étiquette de ce cru représente l'église de Cornemps. Ce château propose un 98 très intéressant, paré d'une robe grenat intense et profonde et doté d'arômes d'épices et de café déjà très expressifs. Ses tanins structurés et riches sont accompagnés d'un bon boisé. La fin de bouche équilibrée et persistante autorise deux à cinq ans de garde. (30 à 49 F)

EARL vignobles Fagard, Cornemps, 33570 Petit-Palais, tél. 05.57.69.73.19, fax 05.57.69.73.75 r.-v.

CH. DES LANDES 1998

24 ha 25 000 5à8€

Les deux cabernets accompagnent le merlot dominant (80 %). Ce 98 se caractérise par une robe déjà légèrement tuilée et une structure tannique présente et harmonieuse, encore austère en finale. L'équilibre sera atteint dans deux ou trois ans. (30 à 49 F)

EARL des vignobles des Landes, Ch. des Landes, 33570 Lussac-Saint-Emilion, tél. 05.57.74.68.05, fax 05.57.74.68.05, e-mail nicolaslassagne@aol.com t.l.j. 8h-20h

Lassagne

CH. LE GRAND BOIS 1998*

0,89 ha 70 000 8à11€

On vous a déjà dit que les caves monolithiques de ce château valent le coup d'œil. Vous pourrez également y goûter ce superbe vin issu à 100 % du cépage merlot, élevé douze mois en barrique neuve. Sa robe intense et soutenue attire le regard. Le nez mêle les fleurs, les fruits rouges et le boisé vanillé. Le palais se montre souple et épicé, puis évolue avec puissance, maturité et beaucoup d'équilibre. Une très belle bouteille à boire ou à garder trois à six ans. (50 à 69 F)

SARL Roc de Boissac, Pleniers de Boissac, 33570 Puisseguin, tél. 05.57.74.61.22, fax 05.57.74.59.54 r.-v.

SCI de Boissac

CH. LES COUZINS

Cuvée Prestige Elevé en fût de chêne neuf 1998*

3 ha 20 000 8à11€

Cette cuvée Prestige est issue de vieilles vignes de merlot (80 %) et de cabernet-sauvignon (20 %) ; elle est élevée un an en barrique. La robe pourpre a de beaux reflets rubis ; les arômes intenses évoquent les fruits rouges, le café, le cacao et la vanille. Les tanins souples et enrobés évoluent avec puissance et équilibre, même si le boisé domine encore. L'harmonie sera parfaite d'ici deux à cinq ans. La cuvée principale, **Château Les Couzins 98 (30 à 49 F)**, obtient la même note. Constitué à 90 % de merlot, très long et harmonieux, ce vin a connu le bois mais l'élevage respecte le fruit. (50 à 69 F)

Robert Seize, Ch. Les Couzins, 33570 Lussac, tél. 05.57.74.60.67, fax 05.57.74.55.60 t.l.j. 9h-12h 14h-19h, f. janv.

CH. LION PERRUCHON 1998

10,08 ha n.c. 8à11€

65 % de merlot pour ce 98 qui se distingue par une robe grenat soutenu, un bouquet net et frais de groseille, de cassis et de truffe, et une structure tannique typée et assez puissante qui demande à s'assouplir avec le temps. Une bouteille à boire dans deux ou trois ans. (50 à 69 F)

Jean-Pierre Thézard, Ch. Lion Perruchon, 33570 Lussac, tél. 05.57.74.58.21, fax 05.57.74.58.39 r.-v.

CH. LUCAS

Grand de Lucas Cuvée Prestige Vieilli en fût de chêne 1998

5,25 ha 35 000 8à11€

On raconte qu'Henri IV aurait séjourné dans ce château lors de la bataille de Coutras. On y produit aujourd'hui un bon vin à l'image de cette cuvée au nez élégant de cassis et de fruits secs et aux tanins expressifs et gras, évoluant

avec finesse mais peu de longueur. A boire d'ici deux ou trois ans. (50 à 69 F)
Frédéric Vauthier, Ch. Lucas, 33570 Lussac, tél. 05.57.74.60.21, fax 05.57.74.62.46, e-mail info@vins-lucas-vauthier.fr r.-v.

CH. DE LUSSAC 1998*

25 ha 70 000 8 à 11 €

Ce château a la particularité de porter le nom de son appellation, ce qui est assez rare en France. Ce vin arbore une robe intense aux reflets rubis. Son bouquet naissant évoque le poivron, les épices et la violette. En bouche, il se révèle ample et équilibré, déjà agréable à boire. Il se gardera deux à trois ans. (50 à 69 F)
Laviale, 15, rue de Lincent, 33570 Lussac-Saint-Emilion, tél. 05.57.74.65.55, fax 05.57.74.55.83 r.-v.

CH. LYONNAT 1998*

45 ha 250 000 8 à 11 €

Vaste propriété, Lyonnat assemble 80 % de merlot au cabernet. Elevé quatorze mois en barrique, ce 98 est superbe dans sa robe pourpre aux reflets brillants ; il séduit aussi par ses arômes élégants de boisé grillé et de fruits rouges. Les tanins suaves et bien mûrs en attaque évoluent dans un bel équilibre de vin de garde. Une bouteille à boire dans deux à six ans. (50 à 69 F)
SCEV Jean Milhade, Ch. Recougne, 33133 Galgon, tél. 05.57.55.48.90, fax 05.57.84.31.27

CH. MAYNE BLANC
Cuvée Saint-Vincent 1998*

6 ha 30 000 11 à 15 €

Habitué aux honneurs du Guide, ce château, géré par Jean Boncheau et son fils Charly, propose un excellent 98. La robe grenat est soutenue ; le bouquet naissant rappelle le rôti, la vanille, le cassis, la cannelle. La bouche révèle des tanins intenses et enveloppés, du gras et un bon équilibre. La finale encore tannique demande deux à cinq ans de vieillissement pour s'assouplir. (70 à 99 F)
EARL Jean Boncheau, Ch. Mayne-Blanc, 33570 Lussac, tél. 05.57.74.60.56, fax 05.57.74.51.77 t.l.j. sf dim. 8h-12h 14h-19h; f. janv.-fév.

CH. DU MOULIN NOIR 1998

6,8 ha 52 000 8 à 11 €

Si l'adresse désigne le Médoc c'est que ce vin du Libournais est suivi par la société Vitigestion. Le 98 se présente bien, avec une robe rubis brillant et des arômes expressifs de fruits cuits, de fumé, légèrement boisés. Souple et équilibré en bouche, il évolue avec finesse ; cependant une pointe d'amertume en finale engage à l'attendre un ou deux ans. (50 à 69 F)
SC Ch. du Moulin Noir, Lescalle, 33460 Macau, tél. 05.57.88.07.64, fax 05.57.88.07.00 r.-v.

CH. PILOT LES MARTINS 1998*

4 ha 24 000 5 à 8 €

Premier millésime pour cette nouvelle marque créée à partir d'une sélection de parcelles de merlot (70 %) et de cabernet (30 %) plantés sur un terroir argilo-graveleux. Le vin présente une robe grenat, soutenue et brillante, et des arômes discrets et élégants de fruits cuits et de fumé. Les tanins, très présents mais fondus, annoncent un élevage en barrique bien dosé. Une bonne bouteille à boire dans deux à quatre ans. (30 à 49 F)
Jean-François Carrille, pl. du Marcadieu, 33330 Saint-Emilion, tél. 05.57.24.74.46, fax 05.57.24.64.40, e-mail paul.carrille@worldonline.fr r.-v.

CH. PONT DE PIERRE 1998

12 ha 80 000 5 à 8 €

Ce vin de propriété est présenté par un négociant. Il se distingue par une couleur pourpre soutenu, un bouquet discret de fruits mûrs et cuits, une structure ronde et souple, bien équilibrée en finale. L'ensemble assez simple n'autorise pas une longue garde - au maximum deux ou trois ans. (30 à 49 F)
SA Yvon Mau, BP 01, 33190 Gironde-sur-Dropt Cedex, tél. 05.56.61.54.54, fax 05.56.71.10.45
Vergniol

ROC DE LUSSAC Cuvée des Druides 1998

n.c. 4 577 5 à 8 €

Ce vin est produit par la cave coopérative de Lussac en très petite quantité. La robe brille d'un joli pourpre. Les arômes évoquent les fruits mûrs et les fleurs. Les tanins, souples et veloutés en attaque, évoluent ensuite dans un bel équilibre. Une bouteille déjà bonne à boire. (30 à 49 F)
Les producteurs réunis de Puisseguin et Lussac-Saint-Emilion, Durand, 33570 Puisseguin, tél. 05.57.55.50.40, fax 05.57.74.57.43 r.-v.

CH. DES ROCHERS 1998*

2,78 ha 23 000 8 à 11 €

Ce château, planté à 95 % de merlot, est établi sur un terroir argilo-graveleux de qualité. Son 98, à la robe sombre presque noire, a des arômes intenses qui évoquent la vanille, la violette, la noix de coco et la cire d'abeille. Très tannique en attaque, il évolue ensuite avec harmonie et onctuosité, révélant une présence du bois importante. L'équilibre sera parfait dans deux à cinq ans. (50 à 69 F)
SCE Vignobles Rousseau, Petit Sorillon, 33230 Abzac, tél. 05.57.49.06.10, fax 05.57.49.38.96, e-mail rousseau.laurent2@wanadoo.fr r.-v.

CH. DE TABUTEAU 1998

18,8 ha 140 000 5 à 8 €

Ce château important a produit un 98 intéressant, tant par sa robe rubis brillant que par ses arômes puissants de fruits confits et de pruneau. Ses tanins, agréables en attaque, évoluent avec puissance. Il est indispensable d'attendre ce vin deux ou trois ans afin qu'il atteigne une meilleure harmonie. (30 à 49 F)

Vignobles Bessou, Ch. Durand-Laplagne, 33570 Puisseguin, tél. 05.57.74.63.07, fax 05.57.74.59.58 r.-v.

CH. VERDU 1998*

20 ha 13 500 5 à 8 €

Ce 98 possède une robe intense et brillante, un bouquet de fruits rouges, de fumé, de compote de fruits cuits, et une structure tannique souple en attaque, évoluant avec finesse dans un bel équilibre aromatique. Une bonne bouteille à boire ou à garder deux à quatre ans. (30 à 49 F)

SCEA Gaury-Dubos, 33230 Abzac, tél. 05.57.74.51.16, fax 05.57.74.61.24 r.-v.

Montagne saint-émilion

CH. D'ARVOUET 1998*

3,8 ha 18 000 8 à 11 €

Cette propriété située au sud-est de l'appellation bénéficie de techniques modernes, ce qui a profité à ce très beau 98 élevé douze mois en fûts dont un tiers de barriques neuves. Une robe grenat encore jeune, un bouquet intense de fruits rouges et de grillé, des tanins souples en attaque, évoluant avec rondeur et équilibre, composent ce vin dont la finale un peu austère demande un vieillissement de deux à cinq ans. (50 à 69 F)

EARL Moreau, Ch. d'Arvouet, 33570 Montagne, tél. 05.57.74.56.60, fax 05.57.74.58.33, e-mail moreaulavoute@aol.com r.-v.

CH. BECHEREAU 1998*

10 ha 40 000 5 à 8 €

Ce domaine idéalement installé sur un sol argilo-calcaire est planté à 75 % de merlot et à 25 % de cabernet franc. Une robe pourpre aux reflets rubis, un bouquet naissant de fruits confits, de gibier et une structure tannique soyeuse et équilibrée offrent un réel plaisir. La finale déjà très harmonieuse et persistante autorise une consommation rapide mais ce vin se gardera également quelques années. (30 à 49 F)

SCE Jean-Michel Bertrand, Béchereau, 33570 Les Artigues-de-Lussac, tél. 05.57.24.31.22, fax 05.57.24.34.69 t.l.j. sf dim. 8h-12h 14h-18h

CH. BONFORT 1998

n.c. n.c. 8 à 11 €

Ce vin présente une robe vive et un bouquet élégant de mûre, finement boisé. Ses tanins ronds et typés évoluent jusqu'en finale sur une touche aromatique agréable. A boire ou à garder deux ou trois ans. (50 à 69 F)

Cheval-Quancard, La Mouline, 4, rue du Carbouney, 33560 Carbon-Blanc, tél. 05.57.77.88.88, fax 05.57.77.88.99, e-mail chevalquancard@chevalquancard.com r.-v.

CH. CARDINAL 1998

9 ha 50 000 11 à 15 €

Appartenant à la même famille depuis 1742, ce château propose un vin bien fait et agréable par sa souplesse et son équilibre entre le fruit et le bois fumé, légèrement épicé. Sa simplicité n'autorise cependant pas une longue garde. (70 à 99 F)

SCEA Bertin et Fils, Dallau, 8, rte de Lamarche, 33910 Saint-Denis-de-Pile, tél. 05.57.84.21.17, fax 05.57.84.29.44 r.-v.

CH. CAZELON 1998

4 ha 16 000 5 à 8 €

Ce 98 possède un caractère fruité agréable, rehaussé d'une délicate touche boisée. Sa structure charnue et équilibrée évolue vers une finale encore vive qui nécessite une attente de deux ou trois ans. (30 à 49 F)

Denis Fourloubey, Cazelon, 33570 Montagne, tél. 05.57.74.58.78, fax 05.57.74.57.47 r.-v.

CH. CHEVALIER SAINT-GEORGES 1998*

n.c. 25 000 5 à 8 €

Ce château se trouve sur un bon terroir argileux planté à 80 % de merlot et à 20 % de cabernets. Son 98, d'une couleur rubis aux reflets carminés, offre un bouquet de cuir, de confit et de fleurs. Plein et rond en attaque, c'est un vin riche qui devrait s'épanouir davantage encore dans les trois prochaines années, mais qui peut déjà être servi. (30 à 49 F)

EARL Appollot, Clos Trimoulet, 33330 Saint-Emilion, tél. 05.57.24.71.96, fax 05.57.74.45.88 r.-v.

CH. COUCY 1998*

20 ha 80 000 8 à 11 €

Un château dirigé par Dominique Maurèze, comme la Grande Barde. Assemblage de 70 % de merlot, de 20 % de cabernet franc et de 10 % de cabernet-sauvignon nés sur un bon terroir argilo-calcaire, ce vin affiche une robe intense aux reflets violets. Le bouquet naissant de fruits rouges est élégant. Les tanins gras en attaque évoluent avec finesse et puissance, en parfait équilibre avec le boisé fondu. Une bouteille de classe, à boire dans deux à trois ans. (50 à 69 F)

Héritiers Maurèze, Ch. Coucy, 33570 Montagne, tél. 05.57.74.62.14, fax 05.57.74.56.07 r.-v.

CH. CROIX BEAUSEJOUR Elevé en fût 1998**

6,5 ha 19 000 5 à 8 €

Ce domaine est situé sur un terroir limoneux et argilo-calcaire et possède beaucoup de très vieilles vignes à l'origine de la magnifique réussite de ce 98. La robe intense a des éclats de rubis. Le bouquet expressif évoque les fruits confits, le pruneau, la vanille. Les tanins, pleins et séveux en attaque, évoluent avec onctuosité et beaucoup de délicatesse, sans rien perdre de leur puissance. La finale très mûre et très longue

laisse augurer un grand avenir : au moins quatre à huit ans. (30 à 49 F)
Olivier Laporte, Ch. Croix-Beauséjour, Arriailh, 33570 Montagne, tél. 05.57.74.69.62, fax 05.57.74.59.21 r.-v.

CH. FAIZEAU
Sélection Vieilles vignes 1998**

10 ha 39 000 11 à 15 €

Ce château situé sur les pentes du tertre de Calon, sur un terroir de sable, de calcaire et de molasse, a pris l'habitude de se distinguer dans le Guide. Son somptueux 98 qui se présente sous une robe noire et profonde ne déroge pas à la règle. Des arômes intenses et complexes de fruits (mûre, myrtille), de pain grillé, de fumé séduisent l'amateur. En bouche, l'attaque souple se prolonge par une sensation de puissance, de gras et d'harmonie jusque dans une finale longue et soyeuse, très mûre, qui laisse entrevoir un grand avenir. Au moins cinq à dix ans. (70 à 99 F)
SCE du Ch. Faizeau, 33570 Montagne, tél. 05.57.24.68.94, fax 05.57.24.60.37, e-mail chateau.faizeau@m6net.fr r.-v.
Chantal Lebreton

CH. GARDEROSE 1998**

10 ha 20 000 5 à 8 €

Commercialisé par le négociant Yvon Mau, ce vin est issu d'une vinification de parcelles de vignes plantées sur un terroir argilo-graveleux. Le résultat est superbe : robe sombre et éclatante à la fois ; arômes encore discrets mais prometteurs d'épices et de fruits mûrs ; tanins veloutés, concentrés et charmeurs. La finale est élégante, persistante et parfaitement équilibrée. Une bouteille à boire dans deux ou trois ans entre bons amis. (30 à 49 F)
SA Yvon Mau, BP 01, 33190 Gironde-sur-Dropt Cedex, tél. 05.56.61.54.54, fax 05.56.71.10.45
Garde et Fils

CH. GAY MOULINS 1998*

2 ha 8 000 11 à 15 €

Ce 98 a deux particularités : c'est le premier millésime mis en bouteilles au château depuis dix ans et son encépagement est dominé par le cabernet franc (75 %), ce qui est exceptionnel dans la région. La réussite est incontestable : la robe grenat est brillante ; les arômes de pruneau, de fruits mûrs sont intenses. Les tanins, amples et veloutés en attaque, évoluent avec finesse et longueur. Une bouteille à ouvrir dans deux à cinq ans. Autre vin de ce producteur, le **Château des Moines 98 (50 à 69 F)**, issu à 80 % de merlot, obtient une citation. (70 à 99 F)
Vignobles Raymond Tapon, Ch. des Moines, 33570 Montagne, tél. 05.57.74.61.20, fax 05.57.74.61.19, e-mail vinstapon@aol.com r.-v.

CH. GRAND BARAIL 1998**

9 ha n.c. 5 à 8 €

Ce 98 contient 30 % de cabernet-sauvignon associé au merlot ; il est né de vieilles vignes. Le résultat est impressionnant : robe noire très concentrée, arômes complexes et fins de fruits rouges, de grillé, de vanille. La structure tannique, souple et fondue en attaque, évolue avec puissance et élégance à la fois. On sent que les tanins proviennent d'une vendange très mûre et ils sont en équilibre avec un boisé bien intégré. Une bouteille à oublier dans sa cave pendant trois à dix ans. (30 à 49 F)
EARL Vignobles D. et C. Devaud, Ch. de Faise, 33570 Les Artigues-de-Lussac, tél. 05.57.24.31.39, fax 05.57.24.34.17 r.-v.

CH. GRAND BARIL Elevé en fût 1998

28 ha 21 210 5 à 8 €

Créé en 1969, le lycée viticole de Montagne forme les professionnels du vin de demain. Ce 98, fait par les élèves qui apprennent ici les bases de leur métier de vigneron, présente une robe rubis à reflets tuilés. Le bouquet discret rappelle le fumé et les épices. Les tanins, un peu sévères encore, seront plus équilibrés après deux ou trois ans de vieillissement. (30 à 49 F)
Lycée viticole de Libourne-Montagne, Goujon, 33570 Montagne, tél. 05.57.55.21.22, fax 05.57.51.66.13, e-mail legta-libourne@edueagri.fr
t.l.j. sf sam. dim. 8h30-12h 13h30-17h30

CH. GUADET-PLAISANCE
Cuvée Saint-Vincent Elevé en fût de chêne 1998*

2 ha 6 500 8 à 11 €

Cette cuvée provient à 90 % de vieilles vignes (quarante ans) de merlot. La robe rouge cerise brille de reflets vifs. Le bouquet, encore dominé par un fort boisé vanillé, demande à s'éveiller, alors que les tanins se révèlent plus fruités et surtout pleins de maturité. C'est un vin bien fait, qui demande trois à cinq ans de garde pour que le boisé se fonde mieux. (50 à 69 F)
SCEA Vignobles Jean-Paul Deson, 2, av. Piney, 33330 Saint-Christophe-des-Bardes, tél. 05.57.24.77.40, fax 05.57.74.46.34 r.-v.

CH. LA BASTIDETTE 1998

1,13 ha 6 000 8 à 11 €

Ce 98 est né de 70 % de merlot et de 30 % de cabernet franc. Il se distingue par un bouquet de feuilles mortes, de pêche, et par une structure tannique fraîche et équilibrée, sans trop de puissance. Un vin à boire dans deux ou trois ans après décantation. (50 à 69 F) de Jerphanion, Moncets, 33500 Néac, tél. 05.57.51.19.33, fax 05.57.51.56.24, e-mail bastidette@moncets.com ☑ Ɪ r.-v.

CH. LA CHAPELLE
Elevé en fût de chêne 1998

■ n.c. 18 000 5 à 8 €

Issu à 90 % de merlot, ce 98 apparaît très séduisant par sa robe intense et brillante et ses arômes typés et fins de petits fruits rouges, légèrement boisés. Les tanins francs et un peu vifs à l'attaque évoluent ensuite avec plus de rondeur et d'équilibre. Ce vin est à boire dans les trois prochaines années. (30 à 49 F)

SCEA du Ch. La Chapelle, Berlière, 33570 Montagne, tél. 05.57.24.78.33, fax 05.57.24.78.33 ☑ Ɪ r.-v.
Thierry Demur

CH. LA COUROLLE
Elevé en fût de chêne 1998

■ 5 ha 30 000 5 à 8 €

Ce 98 mérite le détour pour son bouquet naissant de pruneau, de boisé grillé et pour sa structure en bouche ronde mais solide, bien mûre, qui affiche un réel classicisme. La finale ne laisse cependant pas espérer une longue garde, deux à trois ans maximum. (30 à 49 F)

Claude Guimberteau, Arriailh, 33570 Montagne, tél. 05.57.74.62.38, fax 05.57.74.50.78 ☑ Ɪ r.-v.

CH. LA COURONNE 1998*

■ 11 ha 42 000 8 à 11 €

Elaboré exclusivement à partir de merlot, ce 98 a tout pour séduire d'emblée : une robe pourpre brillante et des arômes fruités fort élégants. En bouche, les tanins sont pleins et ronds puis évoluent avec du charme, une certaine vivacité et beaucoup d'harmonie en finale. Un très bon vin, à boire d'ici un à trois ans. (50 à 69 F)

EARL Thomas Thiou, Ch. La Couronne, 33570 Montagne, tél. 05.57.74.66.62, fax 05.57.74.51.65, e-mail Lacouronne@aol.com ☑ Ɪ r.-v.

CLOS LA CROIX D'ARRIAILH 1998*

■ 0,8 ha 4 500 8 à 11 €

Ce Clos est une sélection de vieilles vignes âgées de plus de cinquante ans, cultivées dans les traditions et dont les raisins sont vinifiés selon les techniques les plus modernes. Dominant au bouquet, le boisé est cependant très agréable et parfaitement fondu avec des tanins puissants et équilibrés. Un vin plaisir, à laisser vieillir deux ans. (50 à 69 F)

Olivier Laporte, Ch. Croix-Beauséjour, Arriailh, 33570 Montagne, tél. 05.57.74.69.62, fax 05.57.74.59.21 ☑ Ɪ r.-v.

CH. LA FAUCONNERIE 1998*

■ 0,88 ha 6 000 5 à 8 €

Une propriété située sur les hauts plateaux argilo-calcaires de l'appellation. La robe violacée profonde annonce des parfums complexes de fruits (cassis) et un boisé vanillé bien fondu. Les tanins sont mûrs, puissants et longs. Tout est réuni pour que ce vin atteigne sa plénitude dans deux à cinq ans. (30 à 49 F)

Bernadette Paret, 33570 Montagne, tél. 05.57.74.65.47, fax 05.57.74.65.47 ☑ Ɪ r.-v.
Simone Paret

CH. LAFLEUR GRANDS-LANDES 1998

■ 8 ha 10 660 8 à 11 €

Implantée sur un bon terroir graveleux, cette propriété a été reprise en main en 1997 par un jeune œnologue. Ce deuxième millésime s'annonce par une robe rubis brillant et un bouquet dominé par les fruits très mûrs et confits. Les tanins souples et élégants, déjà un peu évolués, permettront d'ouvrir cette bouteille dans les trois prochaines années. (50 à 69 F)

EARL Vignobles Carrère, 9, rte de Lyon, Lamarche, 33910 Saint-Denis-de-Pile, tél. 05.57.24.31.75, fax 05.57.24.30.17 ☑ Ɪ r.-v.
Isabelle Fort

CH. LA GRANDE BARDE 1998*

■ 8,5 ha 58 000 8 à 11 €

Ce 98 provient d'un assemblage de 80 % de merlot et de 18 % de cabernets complétés par 2 % de malbec. La robe rubis a de beaux reflets violets. Les parfums intenses évoquent l'amande, les fruits rouges assortis d'un bon boisé. En bouche, on découvre des tanins amples et gras, un bel équilibre final et un retour aromatique très agréable. Une bouteille à boire dans deux à cinq ans. (50 à 69 F)

SCE du Ch. La Grande-Barde, 33570 Montagne, tél. 05.57.74.64.98, fax 05.57.74.64.98 ☑ Ɪ r.-v.

CH. LA PAPETERIE 1998

■ 10 ha 44 000 8 à 11 €

Situé au bord de la Bardanne, petite rivière séparant les pays d'oïl et d'oc, ce château présente un vin agréable à la robe grenat profond. Les parfums rappellent le fumé, la réglisse. Les tanins, souples, harmonieux et peu puissants, permettront d'ouvrir cette bouteille dans deux ou trois ans. (50 à 69 F)

Jean-Pierre Estager, 33-41, rue de Montaudon, 33500 Libourne, tél. 05.57.51.04.09, fax 05.57.25.13.38, e-mail estager@estager.com ☑ Ɪ r.-v.

CH. LA TOUR CALON 1998

■ n.c. 20 000 8 à 11 €

Le pourcentage important (40 %) de cabernets dans l'assemblage de ce 98 ressort particulièrement dans le bouquet de cerise et d'épices. En bouche, c'est un vin onctueux et assez puissant ; la finale, encore ferme et boisée, demande deux ou trois ans de vieillissement pour s'assouplir. (50 à 69 F)

Claude Lateyron, BP 1, 33570 Montagne, tél. 05.57.74.50.00, fax 05.57.74.58.58 ☑ Ɪ t.l.j. sf sam. dim. 8h-12h 13h30 -17h30

L'ART DE MAISON NEUVE 1998

■ 4 ha 19 000 8 à 11 €

Un domaine familial de 71 ha que conduit Michel Coudroy depuis 1968. Des deux vins proposés dans ce millésime, L'Art, cuvée spéciale de merlot créée en 1998 et à l'étiquette très élégante, se distingue par un bouquet de caramel, de cacao et par une structure en bouche souple et plaisante, rehaussée par un bon boisé. La **cuvée classique** est plus fruitée, les tanins sont souples et élégants, sans grande ampleur cependant. Ces deux vins sont déjà prêts à boire, mais ils se garderont également deux à quatre ans. (50 à 69 F)

Michel Coudroy, Maison-Neuve, 33570 Montagne, tél. 05.57.74.62.23, fax 05.57.74.64.18 r.-v.

CH. MONTAIGUILLON 1998*

■ 25 ha 126 000 8à11€

Cette propriété ne cesse de rénover depuis 1949 son vignoble et investit régulièrement dans les chais. Le 98 est paré d'une robe intense aux reflets violines. Son bouquet complexe égrène des notes d'épices, de fleurs, de cuir et de boisé bien maîtrisé. Souples et ronds en attaque, les tanins se révèlent ensuite opulents et un peu vifs, ce qui devrait permettre un vieillissement de trois à six ans. (50 à 69 F)

Amart, Ch. Montaiguillon, 33570 Montagne, tél. 05.57.74.62.34, fax 05.57.74.59.07, e-mail chantalamart@montaiguillon.com r.-v.

CH. PLAISANCE 1998*

■ 17,44 ha 60 000 8à11€

Ce château est implanté sur un sol sableux et son 98 est très réussi ; robe vive et intense, bouquet typé de fruits rouges, délicatement boisé ; tanins souples et fins, évoluant avec ampleur et élégance. La fin de bouche est équilibrée, marquée par des arômes de noix et de pruneau. Ce vin sera parfait dans trois ou quatre ans. (50 à 69 F)

Les Celliers de Bordeaux Benauge, 18, rte de Montignac, 33760 Ladaux, tél. 05.57.34.54.00, fax 05.56.23.48.78, e-mail celliers-bxbenauge@wanadoo.fr r.-v.

CH. ROC DE CALON

Cuvée Prestige 1998**

■ 2,5 ha 14 000 8à11€

Cette cuvée Prestige correspond à une sélection de vieilles vignes de merlot (90 %) et de cabernet franc (10 %), vinifiés et élevés séparément. Le 98 est magnifique : robe profonde et chatoyante ; nez de griotte, de prune, de girofle, avec une touche boisée élégante. En bouche, il est riche et bien mûr et révèle du volume et une finale très aromatique, annonciatrice d'un vin racé et de longue garde (au moins cinq à huit ans). La **cuvée classique 98 (30 à 49 F)** est citée sans étoile pour sa fraîcheur de petits fruits rouges et sa structure souple et déjà agréable. (50 à 69 F)

Bernard Laydis, Barreau, 33570 Montagne, tél. 05.57.74.63.99, fax 05.57.74.51.47, e-mail rocdecalon@wanadoo.fr r.-v.

CH. ROCHER CALON 1998

■ 16 ha 40 000 5à8€

Ce 98 provient à 95 % de merlot, cépage qui ressort bien dans les nuances aromatiques de fruits rouges et de truffe. En bouche, les tanins sont typés et équilibrés. Une bouteille à boire dans les trois prochaines années. (30 à 49 F)

SCEV Lagardère, Négrit, 33570 Montagne, tél. 05.57.74.61.63, fax 05.57.74.59.62 r.-v.

CH. ROCHER CORBIN 1998*

■ 9,17 ha 62 000 8à11€

Ce château est situé sur le flanc ouest du tertre de Calon, promontoire calcaire dominant la vallée. Il bénéficie des techniques les plus modernes, tant à la vigne qu'aux chais, ce dont a su tirer parti ce très beau 98. La robe est éclatante ; le bouquet racé développe des notes de tabac, de torréfaction et de fruits rouges ; la structure tannique est puissante et d'une grande complexité aromatique. Ce vin sera à son apogée dans deux à cinq ans. (50 à 69 F)

SCE du Ch. Rocher Corbin, 33570 Montagne, tél. 05.57.74.55.92, fax 05.57.74.53.15 r.-v.

Philippe Durand

CH. ROCHER-GARDAT 1998

■ 5,3 ha n.c. 8à11€

C'est un vin de qualité, comme le révèlent son bouquet plaisant de fruits rouges confits et de boisé équilibré et sa structure tannique puissante et harmonieuse, bien dans le style du millésime. A boire dans deux ou trois ans. (50 à 69 F)

SCEA Patrick et Sylvie Moze-Berthon, Bertin, 33570 Montagne, tél. 05.57.74.66.84, fax 05.57.74.58.70, e-mail chateau.rocher-gardat@wanadoo.fr r.-v.

CH. SAMION

Elevé en barrique de chêne 1998**

■ 1,3 ha 12 000 8à11€

A peine plus d'un hectare situé sur un sol argilo-calcaire à astéries pour cette propriété appartenant à un groupe belge. Ce 98 se présente dans une remarquable robe pourpre, intense et brillante. Ses arômes puissants de fruits rouges et de boisé un peu goudronné, puis vanillé, annoncent la présence de tanins qui évoluent avec beaucoup de maturité et d'opulence. La finale très plaisante et équilibrée laisse imaginer un avenir de deux à cinq ans minimum. (50 à 69 F)

SCEA Vignobles Rocher Cap de Rive 1, Ch. Cap d'Or, 33570 Montagne, tél. 05.57.40.08.88, fax 05.57.40.19.93, e-mail vignoblesrochercaprive@wanadoo.fr

CH. TEYSSIER 1998*

■ 19,2 ha 68 000 8à11€

Cette grande propriété de plus de 50 ha est gérée par le négociant bordelais Dourthe avec un grand talent, comme le montre ce très beau 98 : robe pourpre soutenu ; arômes intenses encore dominés par un boisé grillé ; structure tannique souple et harmonieuse évoluant vers plus de puissance et de longueur. Attendre impé-

rativement deux à cinq ans avant d'ouvrir cette bouteille. (50 à 69 F)
Dourthe, 35, rue de Bordeaux, 33290 Parempuyre, tél. 05.56.35.53.00, fax 05.56.35.53.29, e-mail contact@cvbg.com r.-v.
GFA Durand-Teyssier

CH. VIEILLE TOUR MONTAGNE
1998*

	2,6 ha	n.c.	8à11€

Cette petite propriété de moins de 3 ha est plantée uniquement de merlot. Le vin, de bonne intensité aromatique, aux notes élégantes de figue, d'eucalyptus, de gibier, repose sur des tanins veloutés, assez puissants et surtout bien équilibrés. La fraîcheur de la finale est très agréable ; une bouteille à boire d'ici deux à cinq ans. (50 à 69 F)
Pierre et André Durand, 33570 Montagne, tél. 05.57.74.62.02 t.l.j. 9h-12h 14h-18h

VIEUX CHATEAU CALON
Sélection 1998*

	n.c.	n.c.	5à8€

Deux ou trois ans de vieillissement pour ce vin (100 % merlot) qui développe un bouquet expressif aux notes animales (cuir et gibier), qu'aiment les amateurs avertis. Le fruit n'est pas trop absent et la bouche, de belle facture, repose sur une structure dense et harmonieuse. Lorsque ses tanins se seront fondus, on pourra lui proposer un lièvre. (30 à 49 F)
SCE Gros et Fils, Calon, 33570 Montagne, tél. 05.57.51.23.03, fax 05.57.25.36.14 r.-v.

VIEUX CHATEAU DES ROCHERS
1998

	4 ha	16 000	5à8€

Jean-Claude Rocher a repris la propriété familiale en 1995. Son 98 possède une belle robe rubis, un bouquet naissant de fruits mûrs (framboise) et des tanins de bonne qualité, souples et ronds. C'est un vin à servir dans deux ans sur le rôti du dimanche. (30 à 49 F)
Jean-Claude Rocher, Mirande, 33570 Montagne, tél. 05.57.74.62.37, fax 05.57.25.18.14 r.-v.
Abel Rocher

VIEUX CHATEAU NEGRIT 1998*

	7 ha	40 000	8à11€

Situé sur une colline exposée au sud, ce château a confié son vin au négociant Yvon Mau, qui en assure la distribution. La robe pourpre de ce 98 a des reflets grenat. Le bouquet évoque les fruits confits. Les tanins, ronds et équilibrés, évoluent avec puissance mais sans agressivité. Une bonne bouteille à boire ou à garder deux ou trois ans. (50 à 69 F)
SA Yvon Mau, BP 01, 33190 Gironde-sur-Dropt Cedex, tél. 05.56.61.54.54, fax 05.56.71.10.45
Alexandre Blanc

VIEUX CHATEAU SAINT ANDRE
1998**

	10 ha	50 000	8à11€

Ce château appartient à Jean-Claude Berrouet qui vinifie de grands crus, dont Petrus et quelques autres propriétés de la famille Moueix. Il est établi sur un sol calcaire qui contient de nombreux vestiges romains. Ce vin (80 % merlot, 20 % cabernet franc) affiche une robe rouge grenat intense et livre des parfums racés de fruits, d'épices, de menthe fraîche. Sa structure veloutée et équilibrée est parfaite. Sa finale aromatique et persistante signe un bon potentiel de garde - au moins cinq à huit ans. (50 à 69 F)
Jean-Claude Berrouet, 1, Samion, 33570 Montagne

CH. VIEUX MESSILE CASSAT
Elevé en fût de chêne 1998*

	10 ha	48 000	8à11€

Ce château est complanté à 70 % de merlot et à 30 % de cabernet franc. Une robe intense et brillante habille ce très beau vin aux arômes typés de figue, de confit et au boisé élégant. En bouche, il se montre rond et généreux, bien mûr et équilibré en finale. Tout est réuni pour un vrai plaisir dans deux ou trois ans. (50 à 69 F)
Vignobles Aubert, La Couspaude, 33330 Saint-Emilion, tél. 05.57.40.15.76, fax 05.57.40.10.14 r.-v.

CH. VIEUX MOULINS DE CHEREAU
1998

	5,5 ha	30 000	5à8€

Ce 98 mérite l'attention du lecteur pour sa structure souple, animale, évoluant avec un bon équilibre et une maturité intéressante. Un vin à boire ou à garder deux à trois ans. (30 à 49 F)
SCEA Vignobles Silvestrini, 8, Chéreau, 33570 Lussac, tél. 05.57.74.50.76, fax 05.57.74.53.22 r.-v.

Puisseguin saint-émilion

CH. BEL-AIR
Cuvée de Bacchus Vieilli en fût de chêne 1998*

	5 ha	20 000	8à11€

Un domaine de 17 ha d'un seul tenant, né au XVIIIe s. Cette cuvée spéciale est particulièrement réussie. Elle porte une robe rubis légèrement tuilée et offre des arômes élégants de fruits confits et de pain grillé. Les tanins, ronds et souples à l'attaque, évoluent avec plus de puissance et de race ensuite. La finale, très onctueuse et longue, permet de lui prédire une garde de trois à cinq ans. (50 à 69 F)
SCEA Adoue Bel-Air, Bel-Air, 33570 Puisseguin, tél. 05.57.74.51.82, fax 05.57.74.59.94 t.l.j. 8h-13h 14h-19h
Adoue Frères

CH. BRANDA 1998***

■ 5,5 ha 16 800 15 à 23 €

Après une série de succès dans le Guide pour ses derniers millésimes, ce château obtient cette année trois étoiles, ce qui est très rare. La robe profonde, presque noire, brille de reflets superbes. Les arômes complexes de fruits mûrs, de poivre et de cannelle sont en harmonie avec des notes boisées agréables, telles que la vanille, le cacao et le moka. En bouche, les tanins denses et fermes, très riches, ont un volume magnifique. L'évolution est suave, encore boisée, mais l'équilibre sera parfait après cinq à dix ans de garde. Le maître de chai a bien travaillé ! (100 à 149 F)

SC Ch. du Branda, Roques, 33570 Puisseguin, tél. 05.57.74.62.55, fax 05.57.74.57.33 r.-v.

CH. CHENE-VIEUX 1998

■ n.c. 27 100 5 à 8 €

Ce 98 possède une robe grenat aux reflets déjà tuilés, un bouquet discret de fruits cuits, confiturés, des tanins pleins et ronds, bien structurés. Un vin plaisant dans l'état et à boire dans l'année. (30 à 49 F)

SCE Y. Foucard et Fils, Ch. Chêne-Vieux, 33570 Puisseguin, tél. 05.57.51.11.40, fax 05.57.25.36.45 r.-v.

CH. FAYAN Elevé en fût de chêne 1998*

■ 10,77 ha 20 000 5 à 8 €

En visitant ce château, vous pourrez voir des expositions de tableaux et de sculptures ainsi que des voitures de légende. Vous pourrez également déguster ce 98 aux délicats arômes fruités (cassis, mûre) en harmonie avec un boisé discret et élégant. Les tanins, présents et équilibrés, s'accordent avec l'élevage en barrique. Une bouteille à boire dans deux à trois ans. (30 à 49 F)

SCEA Philippe Mounet, Ch. Fayan, 33570 Puisseguin, tél. 05.57.74.63.49, fax 05.57.74.54.73 t.l.j. sf dim. 8h-12h 14h-18h

CH. FONGABAN 1998**

■ 7 ha 35 000 8 à 11 €

Complanté à 80 % de merlot et à 20 % de cabernets sur sol argilo-calcaire, ce château a donné un vin magnifique : robe profonde à reflets rubis ; arômes complexes de fruits, de noix de muscade, de vanille, de gibier. L'attaque ferme et puissante se prolonge sur un équilibre fait de tanins veloutés et aromatiques (sous-bois), particulièrement persistants. Le boisé demande encore à se fondre, ce qui impose une garde de trois à huit ans au moins. (50 à 69 F)

SARL de Fongaban, 33570 Puisseguin, tél. 05.57.74.54.07, fax 05.57.74.50.97 r.-v.

CH. GONTET 1998***

■ 2 ha 10 000 8 à 11 €

Jean-Louis Robin a réalisé ici une cuvée superbe à partir d'une sélection de 2 ha qui lui donne la première place cette année dans l'AOC. Le terroir argilo-calcaire classique est complanté à 80 % de merlot et à 20 % de cabernet. La robe grenat soutenue brille de mille feux ; le nez intense et complexe évoque le fruit noir, les épices, le confit, la vanille. En bouche, l'attaque ronde, élégante, est suivie d'une sensation de tanins puissants, bien boisés, en équilibre parfait. Un vin remarquablement fait, typé, qui s'épanouira totalement après trois à huit ans de vieillissement dans une bonne cave. (50 à 69 F)

Jean-Loup Robin, Ch. Gontet, 33570 Puisseguin, tél. 05.57.84.28.16, fax 05.57.84.29.13, e-mail chateau.gontet@wanadoo.fr r.-v.

CH. GRAND RIGAUD 1998

■ 6 ha 15 000 5 à 8 €

La famille Desplat possède ce cru depuis 1935. Le 98 se distingue surtout par la finesse de son bouquet, floral, légèrement mentholé, évoluant vers des notes de pruneau, de gibier et de cassis. Soyeux et équilibré en bouche, c'est un vin déjà agréable à boire, mais qui devrait également vieillir quelques années. (30 à 49 F)

Guy Desplat, Grand Rigaud, 33570 Puisseguin, tél. 05.57.74.61.10, fax 05.57.74.58.30 r.-v.

CH. GUIBOT LA FOURVIEILLE 1998**

■ 10 ha 60 000 8 à 11 €

Ce château appartient à une famille établie de longue date dans la région et dont l'un des membres partit avec Maximilien à la conquête du Mexique en 1863. Il est établi sur un bon terroir argilo-calcaire parfaitement mis en valeur dans ce très beau 98 assemblant 90 % de merlot au cabernet franc. La robe sombre est brillante. Le nez encore un peu fermé évoque les fleurs, les épices, le cassis, le pruneau et la vanille. En bouche, les tanins sont fermes et volumineux. Très fruités, ils s'harmonisent avec un boisé agréable. Attendre impérativement de trois à cinq ans. (50 à 69 F)

Henri Bourlon, Ch. Guibeau, 33570 Puisseguin, tél. 05.57.55.22.75, fax 05.57.74.58.52, e-mail vignobles.henri.bourlon@wanadoo.fr r.-v.

CH. HAUT-BERNAT Vieilli en fût de chêne 1998*

■ 5,65 ha 32 000 8 à 11 €

Acheté en 1990, ce château a depuis multiplié les investissements, tant au vignoble qu'aux chais pour arriver vers les sommets de l'appellation. Il a obtenu un coup de cœur l'an dernier pour son millésime 97, jugé le plus réussi de l'AOC. Voici un 98 à la robe rubis vif et brillant, aux arômes fruités, torréfiés et épicés (muscade). Les tanins ronds et charnus évoluent en finale avec une grande complexité et un boisé assez intense. Une bouteille à boire dans deux à cinq ans. (50 à 69 F)

SA Vignobles Bessineau, 8, Brousse, BP 42, 33350 Belvès-de-Castillon, tél. 05.57.56.05.55, fax 05.57.56.05.56, e-mail bessineau@cote-montpezat.com r.-v.

CH. HAUT-FAYAN 1998*

■ 7 ha n.c. 5à8€

Ce 98 présente une robe grenat intense aux reflets vifs, des arômes élégants de fruits cuits, de réglisse, de résine de pin et révèle des tanins ronds et volumineux à l'attaque. Ensuite, l'évolution fruitée, harmonieuse laisse deviner un vin racé, très droit, qui s'épanouira après deux à trois ans de garde. (30 à 49 F)

SCEA Vignobles Guy Poitou, Ch. Haut-Fayan, 33570 Puisseguin, tél. 05.57.74.67.38, fax 05.57.74.54.82 t.l.j. 8h-12h 15h-18h

CH. LA CROIX GUILLOTIN 1998*

■ 15 ha 90 000 5à8€

Ce vin, présenté par le négociant Yvon Mau, porte une robe rubis profond et libère des parfums élégants et complexes de fruits noirs et de cannelle. Sa structure, soyeuse en attaque, révèle ensuite des tanins encore jeunes qui devraient se fondre après deux à trois ans de garde. (30 à 49 F)

SA Yvon Mau, BP 01, 33190 Gironde-sur-Dropt Cedex, tél. 05.56.61.54.54, fax 05.56.71.10.45

Lorenzon Frères

CH. LAFAURIE 1998

■ 5 ha 30 000 5à8€

60 % de merlot et 40 % de cabernets pour ce 98 déjà presque agréable à boire alors qu'il a été élevé en fût neuf. La robe est vive ; les parfums de fruits rouges (cerise) sont assez puissants ; les tanins bien présents et mûrs devraient être fondus à Noël 2001. Un vin bien typé de son appellation. (30 à 49 F)

Vignobles Paul Bordes, Faize, 33570 Les Artigues-de-Lussac, tél. 05.57.24.33.66, fax 05.57.24.30.42, e-mail vignobles.bordes.paul@wanadoo.fr r.-v.

CH. DES LAURETS 1998**

■ 20 ha 113 000 8à11€

Ce château de style Napoléon III commande un vaste vignoble d'un seul tenant situé au milieu de 150 ha de terres, où vous pourrez également voir les ruines du château de Malengin, datant du XIIe s. Ce vin, somptueux dans sa robe rubis profond, offre des parfums complexes de fruits rouges et noirs, de pain grillé, de prune et de menthe. En bouche, les tanins se révèlent souples et puissants, parfaitement mûrs et d'une grande persistance. Une bouteille de classe à ouvrir dans trois à six ans. (50 à 69 F)

SA Ch. des Laurets, 33570 Puisseguin, tél. 05.57.74.63.40, fax 05.57.74.65.34, e-mail chateau-des-laurets@wanadoo.fr r.-v.

CH. DE MOLE 1998*

■ 9,35 ha 60 000 8à11€

Appartenant depuis six générations à la même famille, ce château a su progresser ces dernières années, comme le montre ce 98 très réussi dans sa robe grenat intense. Le bouquet complexe de fruits grillés et de vanille et les tanins charnus et puissants, évoluant avec une grande complexité aromatique et beaucoup de persistance, annoncent une attente de deux à trois ans minimum. (50 à 69 F)

Ginette Lenier, Ch. de Môle, 33570 Puisseguin, tél. 05.57.74.60.86, fax 05.57.74.60.86 r.-v.

CH. MOUCHET

Vieilli en fût de chêne 1998

■ 6,89 ha 8 000 5à8€

Ce millésime assemble 70 % de merlot aux deux cabernets à parts égales et a passé quatorze mois en barrique. Avec sa jolie robe grenat aux reflets encore vifs et son bouquet naissant d'épices et de petits fruits rouges, il apparaît d'emblée très séduisant. En bouche, les tanins sont fermes et légèrement boisés. Un vin à boire dans deux à trois ans. (30 à 49 F)

SCEA Ch. La Croix de Mouchet, Mouchet, 33570 Montagne, tél. 05.57.74.62.83, fax 05.57.74.59.61 r.-v.

Grando

CH. DU MOULIN 1998*

■ 8 ha 50 000 5à8€

Un beau terroir argilo-calcaire, un assemblage classique, six mois de barrique ont donné ce 98 très agréable, présentant des arômes de fruits rouges bien mûrs. En bouche, des tanins pleins et vineux et une acidité bienvenue confèrent à ce vin un potentiel de vieillissement certain. Une bouteille sans artifices, qui réjouira le consommateur dans trois à six ans. (30 à 49 F)

SCEA Chanet et Fils, n° 1 Jacques, 33570 Puisseguin, tél. 05.57.74.60.85, fax 05.57.74.59.90 r.-v.

CH. DE PUISSEGUIN CURAT 1998*

■ 3 ha 16 000 5à8€

Autrefois propriété de Jeanne d'Albret, ce château a également été géré un temps par Michel de Montaigne. Aujourd'hui, les propriétaires sont sûrement moins célèbres, mais ils produisent un vin de grande qualité. La robe de ce 98 est intense ; le bouquet de cuir, de pierre à fusil, de mûre et d'épices, s'avère très complexe. La structure tannique, riche et fruitée en attaque, évolue avec puissance et volume. Une bouteille réjouissante, à apprécier dans trois à cinq ans. (30 à 49 F)

EARL du Ch. de Puisseguin-Curat, 33570 Puisseguin, tél. 05.57.74.51.06, fax 05.57.74.54.29, e-mail chateau-de-puisseguin-curat@wanadoo.fr r.-v.

Robin

CH. RIGAUD 1998*

■ 3 ha 18 000 8 à 11 €

Ce 98 se distingue par une robe brillante à reflets rubis, par un nez puissant et complexe de gibier, de cuir et d'épices et par une structure plaisante, tout en dentelles. Il devrait être prêt entre Pâques et Noël 2002. (50 à 69 F)

J. Taïx, Rigaud, 33570 Puisseguin, tél. 05.57.74.63.35, fax 05.57.74.50.34 r.-v.

CH. ROC DE BERNON 1998

■ 14,08 ha 64 000 5 à 8 €

Régulièrement à l'honneur dans le Guide, ce château fut coup de cœur l'an dernier. Il présente un 98 au bouquet fruité et animal, délicatement épicé. En bouche, les tanins du vin, tout d'abord souples et ronds, évoluent vers une certaine fermeté. Une garde de deux à trois ans s'impose pour que cette bouteille atteigne son équilibre. (30 à 49 F)

J.-M. Lenier, Ch. Roc de Bernon, 33570 Puisseguin, tél. 05.57.74.53.42, fax 05.57.74.53.42, e-mail roc.de.bernon@wanadoo.fr r.-v.

CH. ROC DE BOISSAC 1998**

■ n.c. n.c. 8 à 11 €

Ce château a appartenu à la fin du XIXe s. au docteur Poitou, découvreur de la bouillie bordelaise bien connue des viticulteurs du monde entier. Lors de votre passage ici, vous pourrez découvrir des caves uniques dans le département et y déguster ce très beau 98 à la robe grenat profond et aux parfums délicats de fruits frais et d'épices ; les tanins, souples et gras en attaque, évoluent avec ampleur, signant une grande maturité. Bien persistante, très racée, une bouteille à ouvrir dans trois à cinq ans. (50 à 69 F)

SARL Roc de Boissac, Pleniers de Boissac, 33570 Puisseguin, tél. 05.57.74.61.22, fax 05.57.74.59.54 r.-v.

Saint-georges saint-émilion

CH. BELAIR SAINT-GEORGES 1998**

■ 4 ha 20 000 8 à 11 €

Ce petit cru est installé sur un sol argilo-calcaire et planté à 80 % de merlot et à 20 % de cabernets. Le 98 est magnifique dans sa robe brillante ; les arômes complexes évoquent le café, le pain grillé puis les fruits mûrs et délicats. Après une attaque fondue, soutenue, la bouche progresse avec puissance, équilibre et beaucoup de présence boisée. L'harmonie de la finale signe un grand vin qui devrait vieillir avec bonheur trois à six ans, voire davantage. (50 à 69 F)

Nadine Pocci-Le Menn, Ch. Belair Saint-Georges, 33570 Montagne, tél. 05.57.74.65.40, fax 05.57.74.51.64 r.-v.

CH. CAP D'OR 1998

■ 5,5 ha 44 000 8 à 11 €

Ce château est établi sur un bon terroir argilo-calcaire à astéries ; il a réussi un 98 bien typé, aux parfums de fumé, de fruits mûrs et de boisé grillé. En bouche, les tanins sont moelleux mais très présents. Ils devront se fondre dans les deux à trois prochaines années. (50 à 69 F)

SCEA Vignobles Rocher Cap de Rive 1, Ch. Cap d'Or, 33570 Montagne, tél. 05.57.40.08.88, fax 05.57.40.19.93, e-mail vignoblesrochercaprive@wanadoo.fr

CH. DIVON 1998

■ 4,75 ha n.c. 8 à 11 €

Ce château appartient depuis 1860 à la même famille ; la tradition est donc d'importance ici, à l'image de ce 98. Le bouquet naissant rappelle le poivre, les fleurs et les fruits rouges ; les tanins ronds et plaisants sont simples mais sincères, un peu astringents en fin de bouche. Ce vin sera meilleur dans un à trois ans. (50 à 69 F)

Christian Andrieu, Divon, 33570 Montagne, tél. 05.57.74.66.07 r.-v.

CH. HAUT-SAINT-GEORGES 1998*

■ 3,5 ha 20 000 11 à 15 €

Etabli sur un terroir argilo-limoneux avec crasse de fer, ce château a produit un 98 de qualité à partir de 90 % de merlot. La robe pourpre a de beaux reflets et le bouquet, vineux et frais, évoque le tabac et la truffe. Les tanins, riches et moelleux en attaque, évoluent ensuite avec plénitude et beaucoup de jeunesse. Un vin typé, à boire dans deux à cinq ans. (70 à 99 F)

SCE du Ch. La Grande-Barde, 33570 Montagne, tél. 05.57.74.64.98, fax 05.57.74.64.98 r.-v.

CH. LA CROIX DE SAINT-GEORGES 1998*

■ 6,58 ha 50 000 8 à 11 €

Autrefois partie intégrante du château Saint-Georges, cette propriété vole aujourd'hui de ses propres ailes et se distingue par son encépagement réparti à parts égales entre merlot et cabernet. Le vin, encore discret au nez (notes de fruits noirs), s'exprime mieux en bouche, révélant des tanins moelleux et puissants, traditionnels et assez persistants. Une bouteille qui s'épanouira dans trois à six ans. (50 à 69 F)

Jean de Coninck, Ch. du Pintey, 33500 Libourne, tél. 05.57.51.03.04, fax 05.57.51.03.04 r.-v.

CH. LE ROC DE TROQUARD 1998

■ 3,05 ha 3 500 5 à 8 €

Elaboré par Isabelle Visage, ce 98 présente une robe pourpre brillante, un bouquet naissant franc et vineux, très délicat, et révèle des tanins ronds et assez amples, sans grande complexité ni persistance. Cependant, c'est un vin agréable

à boire et qui vieillira également deux à trois ans. (30 à 49 F)
SCEA des Vignobles Visage, Jupille, 33330 Saint-Sulpice-de-Faleyrens, tél. 05.57.24.62.92, fax 05.57.24.69.40 r.-v.

CH. SAINT-GEORGES 1998***

45 ha 280 000 15 à 23 €

92 93 94 **95** 96 |97| (98)

Ce magnifique château du XVIII[e]s. domine toute la région du haut de ses tours mais aussi de son vin, tous les ans à l'honneur dans le Guide. Cette année, celui-ci n'a pas de coup de cœur, mais il se consolera avec ses trois étoiles au moins aussi difficiles à décrocher ! La robe intense a des reflets noirs ; les arômes puissants et élégants évoquent le fruit rouge, le cèdre, les épices avec une fine note boisée. Les tanins suaves, veloutés en attaque, sont très mûrs et bien enrobés par un élevage maîtrisé. La finale, chaleureuse et équilibrée, autorise tous les espoirs de vieillissement, au moins cinq à dix ans. (100 à 149 F)
Famille Desbois, Ch. Saint-Georges, 33570 Montagne, tél. 05.57.74.62.11, fax 05.57.74.58.62, e-mail g.desbois@chateau-saint-georges.com r.-v.

Côtes de castillon

En 1989, une nouvelle appellation est née, côtes de castillon. Elle reprend sur 3 019 ha la zone qui était dévolue à l'appellation bordeaux côtes de castillon, c'est-à-dire les neuf communes de Belvès-de-Castillon, Castillon-la-Bataille, Saint-Magne-de-Castillon, Gardegan-et-Tourtirac, Sainte-Colombe, Saint-Genès-de-Castillon, Saint-Philippe-d'Aiguilhe, Les Salles-de-Castillon et Monbadon. Néanmoins, pour quitter le groupe « bordeaux » les viticulteurs doivent respecter des normes de production plus sévères, notamment en ce qui concerne les densités de plantation, qui sont fixées à 5 000 pieds par hectare. Un délai est laissé jusqu'en 2010, pour tenir compte des vignes existantes. En 2000, la production de côtes de castillon a atteint 178 522 hl.

ARTHUS 1998*

n.c. 10 000 8 à 11 €

Danielle, œnologue, rencontre Richard dans un lieu mythique du vin, Petrus. Depuis, ils mènent ensemble leur vignes. Celles-ci, âgées de trente-cinq ans, sont implantées sur le plateau calcaire. Leur 98 présente une robe grenat et des parfums de cerise, de mûre et d'épices relevés par des notes grillées agréables. En bouche, les tanins puissants et équilibrés apportent une vinosité plaisante, jusque dans la finale très persistante. Attendre deux à cinq ans avant d'ouvrir cette bouteille. (50 à 69 F)
Richard Dubois, Ch. Bertinat Lartigue, 33330 Saint-Sulpice-de-Faleyrens, tél. 05.57.24.72.75, fax 05.57.74.45.43, e-mail dubricru@aol.com t.l.j. 9h-11h30 14h30-17h30; sam. dim. sur r.-v.; f. 14 août-3 sep.

CH. BEAUSEJOUR
Elevé en fût de chêne 1998**

5 ha 20 000 5 à 8 €

Ce château pratique la culture de la vigne en biodynamie. Dans les chais, tout est mis en œuvre pour vinifier et élever les vins avec beaucoup d'attention, comme en témoigne ce magnifique 98. La robe est intense et profonde ; les arômes de fruits très mûrs et les notes de boisé torréfié s'accordent parfaitement. Souples et équilibrés, les tanins de velours évoluent avec beaucoup de complexité et de persistance jusque dans une finale épicée garante d'un bel avenir. Une très grande bouteille. (30 à 49 F)
GAEC Verger Fils, 4, chem. de Beauséjour, 33350 Saint-Magne-de-Castillon, tél. 05.57.40.13.14, fax 05.57.40.34.06 r.-v.
Bernard et Gilles Verger

CH. BEL-AIR Elevé en fût de chêne 1998**

13 ha 50 000 8 à 11 €

On raconte que des druides pratiquaient autrefois ici des sacrifices d'animaux. Plus pacifiquement, tout est mis en œuvre aujourd'hui pour produire des vins de grande qualité. C'est le cas de ce 98 à la robe grenat sombre, au bouquet très fin et vineux, nuancé de réglisse, de fruits noirs et de pain grillé. L'attaque, un peu vive, est suivie par une sensation de gras, de plénitude et d'onctuosité. La finale longue et très épicée est le signe d'un bon potentiel de vieillissement, au moins quatre à huit ans. Second vin, **La Chapelle Monrepos 99 (30 à 49 F)**, obtient une citation : à boire dès maintenant, dans sa simplicité. (50 à 69 F)
SCEA du Dom. de Bellair, 33350 Belvès-de-Castillon, tél. 06.80.13.02.12, fax 05.56.42.44.47 r.-v.
Patrick David

LE PIN DE BELCIER 1998**

2 ha 4 000 15 à 23 €

Le Pin de Belcier est une cuvée spéciale élaborée à partir de vieilles vignes de merlot (80 %) et de cabernet franc. Le jury a été impressionné par ce vin à la robe intense aux reflets rubis et aux arômes complexes de fruits mûrs, en harmonie avec un boisé vanillé et un grillé puissant mais sans excès. En bouche, les tanins se révèlent corsés et suaves à la fois ; le retour fruité est fort agréable. La finale superbement équilibrée, très longue, laisse augurer un grand avenir, au moins cinq à dix ans. La **cuvée principale du Château de Belcier 98 (50 à 69 F)** réunit quatre cépages. Elle obtient une étoile. (100 à 149 F)

SCA Ch. de Belcier, 33350 Les Salles-de-Castillon, tél. 05.57.40.67.58, fax 05.57.40.67.58 r.-v.
MACIF

CH. BELLEVUE
Cuvée Vieilles vignes Vieilli en fût de chêne 1999**

■ 4 ha 12 000 5à8€

Cette cuvée est une sélection de vieilles vignes de merlot (90 %) et de cabernet franc vinifiées avec savoir-faire, comme en témoigne ce magnifique 99 à la robe pourpre intense, aux arômes flatteurs de fruits noirs confits, de cuir et de grillé. L'élégance de l'attaque tient à des tanins mûrs bien fondus par un élevage de qualité ; la finale est particulièrement fruitée et persistante. Un très beau vin qui n'est pas passé loin du coup de cœur. A boire dans deux à cinq ans. (30 à 49 F)

Michel Lydoire, 33350 Belvès-de-Castillon, tél. 05.57.47.94.29, fax 05.57.47.94.29 r.-v.

CH. BEYNAT Cuvée Léonard 1998**

■ 2,5 ha 6 500 8à11€

Cette cuvée est une sélection à parts égales de merlot et de cabernet-sauvignon issus de vignes âgées de trente-cinq ans. Elle présente une robe grenat profond, des parfums de cerise, de cuir et de grillé. Sa structure riche et puissante révèle du gras, puis du volume en finale. C'est un vin très équilibré, plein d'avenir, qui tiendra ses promesses dans deux à six ans. La **cuvée classique 98 (30 à 49 F)** obtient une citation pour son bouquet agréablement mentholé et épicé et pour son caractère tannique élégant et soyeux . (50 à 69 F)

Xavier Borliachon, 27, rte de Beynat, 33350 Saint-Magne-de-Castillon, tél. 05.57.40.01.14, fax 05.57.40.18.51 r.-v.

CH. BREHAT 1998*

■ 8 ha 39 000 5à8€

Appartenant depuis plusieurs siècles à la famille de Jean de Monteil, ce château présente un 98 aromatique, mêlant des nuances complexes de réglisse, de fruits rouges, de violette et de tabac blond. En bouche, c'est un vin corpulent et flatteur, doté de tanins encore fermes en finale. Un vieillissement de trois à cinq ans lui apportera une belle harmonie. (30 à 49 F)

Jean de Monteil, Ch. Haut Rocher, 33330 Saint-Etienne-de-Lisse, tél. 05.57.40.18.09, fax 05.57.40.08.23, e-mail ht.rocher@vins-jean-de-monteil.com r.-v.

CH. CANTEGRIVE 1998**

■ 16,73 ha 60 000 8à11€

Acquise en 1990, cette propriété de 23 ha apporte un soin extrême à la vinification de sa production ; le 98 en a remarquablement bénéficié. Sa robe grenat est soutenue, presque noire. Les parfums de fruits rouges bien mûrs, de cuir et de boisé se retrouvent en harmonie avec une structure tannique, vineuse, puissante, encore très jeune. La finale longue et épicée, sans artifices, laisse présager un avenir de trois à sept ans à cette bien belle bouteille, typique de l'appellation. (50 à 69 F)

SC Ch. Cantegrive, Terrasson, 33570 Monbadon, tél. 03.26.52.14.74, fax 03.26.52.24.02 r.-v.
Doyard Frères

CH. CAP DE FAUGERES 1998*

■ 27 ha 108 000 8à11€

Habitué aux honneurs du Guide - rappelons le coup de cœur pour le difficile millésime 1997 -, ce château produit tous les ans de très bons vins. C'est encore le cas avec ce 98 qui présente une robe profonde, des arômes intenses et complexes de fruits rouges bien mûrs, rehaussés par une élégante note boisée. Les tanins, puissants mais bien fondus, évoluent sur des notes de griotte et de cassis jusque dans une finale très équilibrée. Une belle bouteille à ouvrir dans trois à six ans. (50 à 69 F)

GFA C. et P. Guisez, Ch. Cap de Faugères, 33350 Sainte-Colombe, tél. 05.57.40.34.99, fax 05.57.40.36.14, e-mail faugeres@club-internet.fr r.-v.

CH. CASTEGENS
Sélection première 1998*

■ 28 ha 25 000 5à8€

Très connu - il abrite la reconstitution de la bataille de Castillon -, ce château appartient à la même famille depuis le XVe s. Le vin mérite également le détour, témoin ce 98 à la robe grenat brillante et au bouquet intense d'épices et de fruits confits. En bouche, la souplesse de l'attaque fait place à des tanins soyeux et puissants à la fois, possédant une très bonne longueur. Attendre deux ans environ avant de servir cette bouteille à table. (30 à 49 F)

J.-L. de Fontenay, Ch. Castegens, 33350 Belvès-de-Castillon, tél. 05.57.47.96.07, fax 05.57.47.91.61, e-mail jldefontenay@wanadoo.fr r.-v.

CH. COTE MONTPEZAT 1999**

■ 30 ha 150 000 8à11€

Habitué aux honneurs du Guide, ce cru est passé tout près du coup de cœur avec ce millésime 99. La robe pourpre profonde brille de jolis reflets ambrés. Le bouquet intense et expressif rappelle les fruits rouges bien mûrs, la myrtille et la vanille. Les tanins soyeux et charnus évoluent avec finesse et équilibre, enveloppés par d'élégantes notes boisées. Un très beau vin de caractère, à boire dans deux à six ans. (50 à 69 F)

SA Vignobles Bessineau, 8, Brousse, BP 42, 33350 Belvès-de-Castillon, tél. 05.57.56.05.55, fax 05.57.56.05.56, e-mail bessineau@cote-montpezat.com r.-v.

CH. DUBOIS-GRIMON 1998**

■ 1 ha 6 000 15à23€

Seulement 1 ha de merlot (80 %) et de cabernet franc (20 %) a été retenu pour servir de base à cette cuvée spéciale représentant un dizième de la propriété. La robe pourpre a des reflets

rubis brillants. Les arômes puissants et complexes évoquent la réglisse, le pruneau, la vanille. Les tanins souples et veloutés, parfaitement mûrs, sont en harmonie totale avec l'élevage boisé. La finale satinée, longue, confère un charme indiscutable à ce vin qui vieillira très bien (trois à cinq ans minimum). (100 à 149 F)
Gilbert Dubois, Ch. Grimon, 33350 Saint-Philippe-d'Aiguilhe, tél. 05.57.40.67.58, fax 05.57.40.67.58

CH. FONTBAUDE

Vieilles vignes Elevé en fût de chêne 1999

3 ha 15 000 8 à 11 €

Cette sélection de vieilles vignes a donné un 99 brillant à l'œil et aux parfums fruités encore dominés par un fort boisé vanillé. La bouche est suave et souple, bien en harmonie avec l'élevage, mais sans grand potentiel de vieillissement. A boire. (50 à 69 F)
GAEC Sabaté-Zavan, 34, rue de l'Eglise, 33350 Saint-Magne-de-Castillon, tél. 05.57.40.06.58, fax 05.57.40.26.54, e-mail chateau.fontbaude@wanadoo.fr r.-v.

CH. GERBAY Elevé en fût de chêne 1998

12,23 ha 15 000 5 à 8 €

Ce 98 se présente sous une robe grenat brillante et offre un bouquet expressif de fruits mûrs (framboise). Les tanins souples et délicatement boisés évoluent avec finesse, mais sans grande complexité. Une bouteille agréable à boire dans les deux à trois ans à venir. (30 à 49 F)
Consorts Yerles, SCEA Ch. Gerbay, 33350 Gardegan, tél. 05.57.40.63.87, fax 05.57.40.66.39, e-mail gerbay@wanadoo.fr r.-v.

CH. GERMAN 1998*

30 ha 50 000 5 à 8 €

Partagé entre merlot et cabernets à parts égales, l'encépagement de ce cru a donné un 98 riche et complexe. Le bouquet naissant de fruits mûrs et de vanille est très élégant, tout comme les tanins soyeux et épicés, charpentés et bien fondus par un élevage boisé de qualité. Une bouteille qui s'épanouira après deux à trois ans de garde dans une bonne cave. Du même producteur, le **Château Hyot 98** obtient une citation. (30 à 49 F)
Alain Aubert, 57 bis, rte de Libourne, 33350 Saint-Magne-de-Castillon, tél. 05.57.40.04.30, fax 05.57.40.27.02

CH. GRAND TUILLAC 1999*

15 ha 120 000 3 à 5 €

Situé sur le plateau calcaire de l'appellation, ce château est dans la même famille depuis sept générations. La tradition a présidé à l'élaboration de ce 99 pourpre violacé, au bouquet naissant et agréable de fruits mûrs et de boisé discret. Après une attaque puissante, la bouche évolue avec du gras et beaucoup de persistance. Un vin de caractère qui sera parfait dans les trois à cinq prochaines années. (20 à 29 F)
SCEA Lavigne, S. et L. Poitevin, Ch. Grand Tuillac, 33350 Saint-Philippe-d'Aiguilhe, tél. 05.57.40.60.09, fax 05.57.40.66.67, e-mail s.c.e.a.lavigne@wanadoo.fr r.-v.

CH. GRIMON 1998

4,5 ha 36 000 5 à 8 €

Ce 98 associe des arômes de fruits rouges, de cuir à un boisé discret. En bouche, il est souple et frais, sans grande puissance, mais bien équilibré et déjà agréable à boire. (30 à 49 F)
Gilbert Dubois, Ch. Grimon, 33350 Saint-Philippe-d'Aiguilhe, tél. 05.57.40.67.58, fax 05.57.40.67.58

CH. HAUTE TERRASSE 1999

3,08 ha 20 000 5 à 8 €

1999 est la première récolte du nouveau propriétaire qui a su présenter un vin de caractère, aux arômes de cuir et de petits fruits rouges. En bouche, ce 99 est souple et franc, un peu simple en finale. Une bouteille typée, à boire dans les trois prochaines années. (30 à 49 F)
Pascal Bourrigaud, Champion, 33330 Saint-Emilion, tél. 05.57.74.43.98, fax 05.57.74.41.07, e-mail pascal.bourrigaud@producteurs.com

CH. LA BRANDE 1999

n.c. n.c. 8 à 11 €

Belle propriété d'un seul tenant, ce château propose un 99 intéressant par sa fraîcheur aromatique (fruits rouges) et sa structure tannique souple et harmonieuse, assez persistante. Une bouteille à boire dès aujourd'hui mais qui vieillira quelques années. (50 à 69 F)
Vignobles Jean Petit, Ch. Mangot, 33330 Saint-Etienne-de-Lisse, tél. 05.57.40.18.23, fax 05.57.40.15.97, e-mail chmangot@terre-net.fr t.l.j. 8h30-12h 14h-18h; sam. dim. sur r.-v.

DOM. DE LA CARESSE 1998*

n.c. 60 000 8 à 11 €

Le plus grand soin a été apporté à l'élaboration de ce 98. La robe grenat est profonde et brillante. Les arômes de fruits rouges bien mûrs sont en harmonie avec des notes boisées discrètes. La bouche révèle des tanins pleins et ronds, épicés, et offre une finale aromatique longue et équilibrée. Une bouteille à ouvrir d'ici deux à cinq ans. (50 à 69 F)
Jean Blanc, 2, av. de la Bourrée, 33350 Saint-Magne-de-Castillon, tél. 05.57.40.07.59, fax 05.57.40.42.53

CH. LA CLARIERE LAITHWAITE 1998

4,6 ha 24 500 8 à 11 €

Situé à 1 km de l'église de Sainte-Colombe, de style gothique flamboyant, ce château produit tous les ans de très bons vins destinés à un club anglais. Quelques bouteilles sont cependant disponibles, tel ce 98 caractérisé par un bouquet bien ouvert de fruits et de vanille. Les tanins, un peu fermes en attaque, évoluent cependant avec sincérité et une bonne persistance. A boire d'ici deux ans environ. (50 à 69 F)

SARL Direct Wines Ch. La Clarière Laithwaite, Les Confrères de La Clarière, 33350 Sainte-Colombe, tél. 05.57.47.95.14, fax 05.57.47.94.47 r.-v.

CH. LA GRANDE MAYE
Elevé et vieilli en barrique de chêne 1998

12 ha 60 000 8à11€

Ce 98 possède un nez encore discret de pain grillé, mais le fruit apparaît en bouche sur des tanins souples et bien fondus avec un boisé vanillé. Un vin à boire dans les trois ans à venir. (50 à 69 F)

EARL P.L. Valade, 1, Le Plantey, 33350 Belvès-de-Castillon, tél. 05.57.47.93.92, fax 05.57.47.93.92, e-mail paul-valade@wanadoo.fr r.-v.

EXCELLENCE DE LAMARTINE 1999

2 ha 6 000 11à15€

Le château Lamartine (17,5 ha) élabore cette cuvée spéciale à partir du seul merlot. Ce 99 est dominé par des notes boisées torréfiées bien que le fruit rouge apparaisse discrètement. En bouche, il est concentré et assez équilibré. A boire ou à garder quelques années. (70 à 99 F)

EARL Gourraud, 1, la Nauze, 33350 Saint-Philippe-d'Aiguilhe, tél. 05.57.40.60.46, fax 05.57.40.66.01 t.l.j. sf dim. 9h-12h 14h-19h; f. sept.

CH. LAPEYRONIE 1998★★

4 ha 13 000 11à15€

Le château Lapeyronie est installé sur un beau terroir argilo-calcaire de Sainte-Colombe et bénéficie aujourd'hui de toutes les techniques modernes de vinification et d'élevage. Le 98 est une séduisante illustration de ces méthodes comme le révèlent sa robe grenat profond et ses arômes grillés, toastés, nuancés d'eucalyptus et de cerise au kirsch. Francs et mûrs en attaque, les tanins sont très présents, enrobés par un élevage en barrique bien maîtrisé. La finale est longue et fruitée. Après deux à cinq ans de vieillissement, ce sera un fort beau vin. Du même propriétaire, le **Château La Font du Jeu 98 (50 à 69 F)** obtient une étoile. (70 à 99 F)

SCEA Lapeyronie, 4, Castelmerle, 33350 Sainte-Colombe, tél. 05.57.40.19.27, fax 05.57.40.14.38 r.-v.

CH. LA PIERRIERE Cuvée Prestige 1998★

5 ha 32 420 5à8€

Construit entre le XIIIe et le XVI[e]s., ce très beau château entouré de douves sèches appartient à la même famille depuis 1607 ! Le respect de la tradition n'empêche pas la modernité d'entrer dans les chais, comme le prouve la qualité de cette cuvée Prestige : robe noire intense, bouquet complexe de framboise et de cerise, souplesse et harmonie des tanins composent un vin réjouissant, à apprécier dès maintenant ou à garder deux ou trois ans. La **cuvée principale Château La Pierrière 99** (150 000 bouteilles qui ne passent pas sous bois) est distribuée par Kressmann. Elle obtient une citation pour sa sincérité. (30 à 49 F)

R. et D. De Marcillac, Ch. la Pierrière, 33350 Gardegan, tél. 05.57.47.99.77, fax 05.57.47.92.58, e-mail chateau.lapierriere@free.fr r.-v.

CH. LA RONCHERAIE TERRASSON
Cuvée sereine 1998★

2 ha 6 000 5à8€

Premier millésime élevé en fût par ces jeunes vignerons installés en 1997, cette Cuvée sereine mérite le détour : robe grenat profond ; arômes complexes et intenses de fruits grillés, de café ; structure tannique serrée et harmonieuse évoluant avec du gras, du volume et beaucoup de fraîcheur. La finale, très fruitée et persistante, laisse entrevoir un bel avenir - trois à six ans au moins - à cette bouteille. (30 à 49 F)

EARL Roy-Vittaut, La Roncheraie-Terrasson, 33350 Belvès-de-Castillon, tél. 05.57.47.94.12, fax 05.57.47.94.12, e-mail la.roncheraie.terrasson@wanadoo.fr r.-v.

G. et A. Roy de Pianelli

CH. LA SENTINELLE
Elevé un an en fût de chêne 1999

4 ha 15 300 5à8€

Ce vignoble de 25 ha, créé en 1997 par une Parisienne, présente un 99 très fruité, agrémenté d'une légère note boisée. Des tanins mûrs mais puissants signent un réel potentiel de garde. (30 à 49 F)

Sté viticole du Dom. de Lézin, 11, Giraud-Arnaud, 33750 Saint-Germain-du-Puch, tél. 05.57.24.00.00, fax 05.57.24.00.98 r.-v.

Muriel Huillier

DOM. LA TUQUE BEL-AIR
Vieilli en fût de chêne neuf 1998

20 ha 45 000 5à8€

Appartenant depuis 1984 à un Saint-Emilionnais, ce domaine remonte à 1854. Il présente un 98 avec une jolie robe rubis et un bouquet naissant de petits fruits rouges. Ce vin se caractérise en bouche par des tanins souples et mûrs, bien qu'un peu sévères en finale. Sa bonne persistance aromatique autorise une garde de un à trois ans. (30 à 49 F)

GAEC Jean Lavau et Fils, Ch. Coudert Pelletan, BP 13, 33330 Saint-Christophe-des-Bardes, tél. 05.57.24.77.30, fax 05.57.24.66.24, e-mail coudert.pelletan@worldonline.fr t.l.j. 9h-18h; sam. dim. sur r.-v.

CH. LAVERGNE 1999

5 ha 22 000 3à5€

Thierry Moro a succédé à son père en 1986. Si l'étiquette parcheminée peut sembler désuète, le vin, lui, est plaisant : bien fruité (framboise, fraise), il possède une bouche tannique, souple et franche, relativement longue. Son bon équilibre général rend cette bouteille très agréable à boire dès maintenant, mais elle supportera également deux à trois ans de vieillissement. (20 à 29 F)

Thierry Moro, La Vergnasse, 33570 Saint-Cibard, tél. 05.57.40.65.75, fax 05.57.40.65.75 r.-v.

LES MOULINS DE COUSSILLON 1998

2,12 ha 8 000 3à5€

Il est aimable, ce vin au bouquet naissant d'épices, de feuilles mortes et de cassis. Les tanins, assez doux, possèdent une bonne fraîcheur et un équilibre harmonieux. A boire dans deux ou trois ans. (20 à 29 F)

Arbo, Godard, 33570 Francs,
tél. 05.57.40.65.77, fax 05.57.40.65.77 r.-v.

CH. MOULIN DE CLOTTE
Cuvée Dominique Vieilli en fût de chêne 1999*

0,5 ha 3 000 5à8€

Né sur un domaine de plus de 7 ha, cette cuvée Dominique est un tirage limité. Elle possède une couleur soutenue et brillante, des parfums de fruits rouges, de réglisse et de torréfaction, et des tanins présents et volumineux, harmonieux en finale. Bien constitués, ceux-ci devraient s'arrondir après deux ou trois ans de garde. (30 à 49 F)

SCEA Vignobles Dominique Chupin, Moulin de Clotte, 33350 Les Salles-de-Castillon,
tél. 05.57.40.60.94, fax 05.57.40.66.68 r.-v.

CH. PERVENCHE-PUY ARNAUD
1998*

8,5 ha 22 000 5à8€

Racheté en avril 2000 par Thierry Valette, ce cru a engagé des travaux importants de rénovation des chais, dont n'a pas profité bien sûr ce 98 déjà très réussi. La robe grenat est soutenue. Le bouquet naissant évoque les épices, la réglisse et les fruits mûrs. Elégants en attaque, les tanins sont généreux, puissants et en harmonie avec un boisé très agréable. Une bouteille à boire d'ici deux à cinq ans. (30 à 49 F)

EARL Thierry Valette, 7, Puy Arnaud,
33350 Belvès-de-Castillon, tél. 05.57.47.90.33,
fax 05.56.90.15.44 r.-v.

CH. PEYROU 1998**

5 ha 25 000 8à11€

Géré avec rigueur, passion et talent par une une œnologue, ce château obtient un coup de cœur unanime pour ce splendide 98. La robe profonde et très soutenue séduit d'emblée. Les arômes de fruits rouges et d'épices sont en harmonie avec un élégant boisé vanillé. Les tanins veloutés en attaque se révèlent ensuite gras et généreux. En finale, la puissance de ce vin s'accentue, dominant une sensation de jeunesse très intéressante. Une bouteille qui sort du lot, à laisser vieillir impérativement de trois à dix ans. On en redemande ! (50 à 69 F)

Catherine Papon-Nouvel, Peyrou,
33350 Saint-Magne-de-Castillon,
tél. 05.57.40.06.49, fax 05.57.74.40.03 r.-v.

CH. PILLEBOIS
Vieilles vignes Vieilli en fût de chêne 1998

5 ha 14 000 5à8€

Propriétaire de Franc Lartigue à Saint-Emilion, ce domaine a élaboré ce côtes de castillon qui mérite d'être cité pour son bouquet agréable d'épices, de vanille et de pain grillé. Les tanins sincères et ronds sont harmonieux, bien qu'un peu simples en finale. A boire ou à garder deux à trois ans. (30 à 49 F)

Vignobles Marcel Petit, 6, chem. de Pillebois, 33250 Saint-Magne-de-Castillon,
tél. 05.57.40.33.03, fax 05.57.40.06.05 r.-v.

CH. DE PITRAY 1998**

30 ha 210 000 8à11€

Cent hectares entourent le vaste château de Pitray ; ce premier vin du château - mention que l'on peut lire sur l'étiquette - est une sélection représentant moins du tiers de la récolte. Le résultat est impressionnant dans le millésime 98. La robe très soutenue, le bouquet intense et complexe de fruits rouges, de vanille et de café séduisent d'emblée. En bouche, la texture puissante, caractérisée par des tanins charnus et fruités (griotte), est en équilibre avec un boisé bien dosé. Une très belle bouteille qui donnera tout son potentiel après deux à cinq ans de vieillissement. (50 à 69 F)

SC de La Frérie, Ch. de Pitray, 33350 Gardegan, tél. 05.57.40.63.38, fax 05.57.40.66.24,
e-mail pitray@pitray.com r.-v.

Comtesse de Boigne

CH. PUY GARANCE
Elevé en fût de chêne 1999

1 ha 3 000 5à8€

Frédéric Burriel a repris en partie le domaine familial en 1997. Cette cuvée spéciale, issue à 98 % de merlot, se caractérise par un bouquet intense de boisé torréfié, un peu poivré. Les tanins, très puissants en attaque, évoluent assez vite. A boire dans les trois prochaines années. (30 à 49 F)

Frédéric Burriel, 33350 Belvès-de-Castillon,
tél. 06.81.47.90.23, fax 05.57.40.11.15 r.-v.

CH. ROBIN 1998*

12 ha 70 000 8à11€

Etabli sur des coteaux orientés au sud-est, le château Robin fait partie des fleurons de l'appellation. Le 98 présente une robe rouge cerise, des parfums complexes de cassis, de menthol et de vanille. Sa structure tannique, serrée et harmonieuse, est encore ferme en finale. L'équilibre parfait devrait être trouvé d'ici deux à trois ans et pour un certain temps...
(50 à 69 F)

Ch. Robin, 33350 Belvès-de-Castillon,
tél. 05.57.47.92.47, fax 05.57.47.94.45 r.-v.

Sté Lurckroft

CH. ROC DE JOANIN 1998★

■ 1,5 ha 12 000 5à8€

Yves Mirande acheta ce domaine en 1979. Depuis 1994, Pierre Mirande officie dans les chais. Son 98 se distingue par une robe rubis intense et des arômes complexes de fruits rouges bien mûrs, relevés par une délicate note boisée. La structure tannique concentrée évolue en finesse, et s'accorde avec un élevage en barrique bien maîtrisé. A boire dans deux ans environ. (30 à 49 F)

SCEA Vignobles Mirande, Ch. La Rose Côtes Rol, 33330 Saint-Emilion, tél. 05.57.24.71.28, fax 05.57.74.40.42 ☑ Y r.-v.

CH. ROCHER LIDEYRE 1998

■ 37 ha 130 000 5à8€

Cette très grande propriété propose un 98 aux arômes agréables (réglisse, tabac, épices). Doté de tanins souples en attaque, ce vin évolue avec un peu de vivacité. Attendre impérativement un à trois ans pour qu'il trouve une plus grande harmonie. (30 à 49 F)

SCEA vignobles Bardet - Grands Vins de Gironde, Dom. du Ribet, 33450 Saint-Loubès, tél. 05.57.97.07.20, fax 05.57.97.07.27, e-mail gvg@gvg.fr ☑

CH. ROQUE LE MAYNE

Elevé en fût de chêne 1999★★

■ 7 ha 43 000 5à8€

Vieilli douze mois en fût de chêne neuf, ce vin assemble 70 % de merlot, 25 % de cabernet-sauvignon et 5 % de cot. La robe pourpre est profonde ; les parfums complexes évoquent le fruit rouge bien mûr, la vanille et le chocolat. Après une attaque particulièrement moelleuse, la bouche évolue avec puissance et élégance. Le retour aromatique de fruits est très harmonieux. Une grande bouteille à ouvrir dans trois à six ans. Du même propriétaire, le **Château la Bourrée 99** est cité pour son caractère fruité agréable et ses tanins mûrs ; il sera prêt d'ici un an ou deux. (30 à 49 F)

SCEA des vignobles Meynard, 10, rte de La Bourrée, 33350 Saint-Magnes-de-Castillon, tél. 05.57.40.17.32, fax 05.57.40.17.32, e-mail vignobles-meynard@wanadoo.fr ☑ Y r.-v.

CH. ROQUEVIEILLE

Vieilli en fût de chêne 1998★

■ 11,41 ha 70 000 5à8€

Situé sur un terroir argilo-calcaire classique, ce cru présente un 98 à la robe soutenue et au bouquet complexe encore marqué par un boisé torréfié. La bouche souple et mûre évoque la griotte, enrobée par des tanins de barrique importants. L'équilibre général est bon, et cette bouteille se boira dans deux ou trois ans. (30 à 49 F)

SCEA Ch. Roquevieille, 33350 Saint-Philippe-d'Aiguilhe, tél. 05.57.74.47.11, fax 05.57.24.69.08 ☑ Y r.-v.

CH. DE SAINT-PHILIPPE

Cuvée Helmina 1998★

■ n.c. 6 000 8à11€

Le propriétaire, Philippe Bécheau, appartient à la septième génération présente sur cette propriété achetée en 1750. La tradition n'empêche pas l'utilisation de techniques modernes mises au service de cette cuvée Helmina. Le bouquet expressif de fruits mûrs est encore dominé par des notes boisées, torréfiées et vanillées ; les tanins demandent à se fondre, mais la fin de bouche, très élégante, autorise tous les espoirs de vieillissement. (50 à 69 F)

EARL Vignobles Bécheau, Ch. de Saint-Philippe, 33350 Saint-Philippe-d'Aiguilhe, tél. 05.57.40.60.21, fax 05.57.40.62.28, e-mail pbécheau@terre-net.fr ☑ Y r.-v.

CH. TERRASSON Cuvée Prévenche 1998

■ 2 ha 12 000 5à8€

Le château Terrasson se distingue dans le millésime 98 par deux vins différents, cités sans étoile tous les deux. La cuvée Prévenche, élevée en barrique, est marquée par des arômes de fruits noirs, de vanille et d'épices (clou de girofle), alors que le **vin classique**, élevé en cuve, est plus fruité. Dans les deux cas, les tanins sont souples et équilibrés, mais le potentiel de vieillissement est plus important pour le vin boisé. (30 à 49 F)

EARL Christophe et Marie-Jo Lavau, Ch. Terrasson, BP 9, 33570 Puisseguin, tél. 05.57.56.06.65, fax 05.57.56.06.76, e-mail clavau@terre-net.fr ☑ Y r.-v.

VALMY DUBOURDIEU LANGE 1999★

■ 4,5 ha 20 000 15à23€

Le château de Chainchon vaut le détour tant pour son architecture que pour la qualité de sa production. Son **Château de Chainchon, cuvée Prestige 99 (30 à 49 F)** est aussi bien noté que ce 99. Séduisante, la robe pourpre est brillante, le nez complexe offre des nuances de cassis, d'épices (vanille), de cacao. En bouche, c'est un vin qui possède du gras, du volume, beaucoup de longueur ; on l'appréciera pleinement dans deux à cinq ans. Rappelons que cette même cuvée fut coup de cœur pour son 98. (100 à 149 F)

Patrick Erésué, Ch. de Chainchon, 33350 Castillon-la-Bataille, tél. 05.57.40.14.78, fax 05.57.40.25.45, e-mail chateau.de.chainchon@wanadoo.fr ☑ Y r.-v.

Bordeaux côtes de francs

S'étendant, à 12 km à l'est de Saint-Emilion, sur les communes de Francs, Saint-Cibard et Tayac, le vignoble de bordeaux côtes de francs (512 ha en production pour un volume de 29 772 hl dont 576 en blanc) bénéficie d'une situation privilégiée sur des coteaux argilo-calcaires et marneux parmi les plus élevés de la Gironde. Presque intégralement consacré aux vins rouges (à l'exception d'une vingtaine d'hectares), il est exploité par quelques viticulteurs dynamiques et une cave coopérative, qui produisent de très jolis vins, riches et bouquetés.

VIGNOBLE D'ALFRED 1998

■ 2 ha n.c. 8 à 11 €

Issu à 40 % de merlot, complété par les deux cabernets à parts égales, ce vin a été élevé seize mois en barrique. Paré d'une robe chatoyante à reflets grenats, il offre un nez complexe d'épices, de fruits rouges et de vanille, et une structure tannique agréable bien qu'un peu ferme et légère en finale. Il lui faudra deux à trois ans de garde pour acquérir davantage de rondeur. (50 à 69 F)

SCEA Lapeyronie, 4, Castelmerle, 33350 Sainte-Colombe, tél. 05.57.40.19.27, fax 05.57.40.14.38 ☑ Y r.-v.
A. Charrier

CH. DE FRANCS
Les Cerisiers Vieilli en fût de chêne 1998★★

■ 5 ha 18 000 11 à 15 €

Cette cuvée spéciale du château de Francs est produite sur seulement 5 ha d'une propriété qui en compte 32, à partir de 75 % de merlot et de 25 % de cabernet franc implantés sur un beau terroir argilo-calcaire. Une robe intense et brillante l'habille. Ses arômes fins et harmonieux évoquent les fruits rouges et la vanille. La bouche se montre ample et généreuse, dotée de tanins particulièrement mûrs et fondus qui s'expriment totalement en finale : du grand art. Une bouteille à apprécier dans trois à cinq ans. Le **blanc 99 (50 à 69 F)**, assemblant à parts égales sémillon et sauvignon, élevé neuf mois en barrique neuve, tout en fruits confits (abricot), peau d'orange et vanille grillée, obtient une citation. (70 à 99 F)

SCEA Ch. de Francs, 33570 Francs, tél. 05.57.40.65.91, fax 05.57.40.63.04 ☑ Y r.-v.
Hébrard et de Boüard

CH. GODARD BELLEVUE
Elevé en fût de chêne 1998

■ 5,5 ha 13 500 5 à 8 €

Les vignes de ce château sont déjà trentenaires. Si, lors de la dégustation, le nez n'exprimait que des notes de torréfaction, le vin se distinguait par une fraîcheur et un boisé plaisants en bouche. Une bouteille aux tanins bien extraits, qui sera agréable à boire dans les trois prochaines années. (30 à 49 F)

Arbo, Godard, 33570 Francs, tél. 05.57.40.65.77, fax 05.57.40.65.77 ☑ Y r.-v.

CH. LACLAVERIE 1998

■ 9,5 ha 49 000 5 à 8 €

Ce 98 mérite d'être cité pour son bouquet intense de fruits rouges bien mûrs et de boisé torréfié, et pour ses tanins souples et équilibrés. Il est préférable, malgré tout, d'attendre deux à trois ans pour que le bois ait le temps de se fondre. (30 à 49 F)

GFA Les Charmes-Godard, Lauriol, 33570 Saint-Cibard, tél. 05.57.56.07.47, fax 05.57.56.07.48, e-mail ch.puygueraud@wanadoo.fr ☑ Y r.-v.
Nicolas Thienpont

CH. LES CHARMES-GODARD 1999★★

□ 1,65 ha 13 600 8 à 11 €

Ce château présente un blanc superbe, issu des cépages sémillon (65 %), sauvignon (20 %) et muscadelle (15 %), élevé neuf mois sur lie en barrique avec bâtonnage. D'une teinte jaune pâle brillante, ce vin séduit d'emblée. Son nez expressif aux notes minérales, poivrées, florales, est déjà fort agréable. Sa bouche se révèle flatteuse ; elle offre une belle ampleur et beaucoup de gras. L'harmonie entre le fruit (abricot) et le boisé vanillé est parfait. Cette bouteille peut déjà être bue, mais elle vieillira aussi très bien, au moins deux à cinq ans. En **rouge 98, les Charmes-Godard (30 à 49 F)** obtiennent une citation. (50 à 69 F)

GFA Les Charmes-Godard, Lauriol, 33570 Saint-Cibard, tél. 05.57.56.07.47, fax 05.57.56.07.48, e-mail ch.puygueraud@wanadoo.fr ☑ Y r.-v.
Nicolas Thienpont

CH. MARSAU 1998★★

■ 5 ha 30 000 11 à 15 €

Situé sur l'un des points les plus élevés de l'appellation, le château Marsau bénéficie d'un terroir argilo-calcaire planté exclusivement de merlot. Déjà remarqué dans nos éditions précédentes, ce cru se distingue encore avec ce 98 : robe grenat à reflets noirs ; arômes frais et élégants de groseille, de cerise, d'épices et de réglisse. En bouche, les tanins se révèlent souples et francs, évoluant avec beaucoup de gras, de soyeux et d'équilibre. La finale fruitée et persistante laisse augurer un bel avenir, au moins cinq à six ans et peut-être plus... Le vin est distribué par la maison Dourthe, présidée par Jean-Marie Chadronnier. (70 à 99 F)

Ch. Marsau, "Bernaderie", 33570 Francs, tél. 05.57.40.67.23, fax 05.57.40.67.23, e-mail contact@cobg.com Y r.-v.
S. et J.-M. Chadronnier

CH. NARDOU 1999★★

■ 3 ha 19 000 5 à 8 €

Acquise seulement en 1998 par la famille Dubard, cette propriété commence à faire parler d'elle, témoin ce superbe 99 : robe rubis profond ; bouquet complexe et intense de bois toasté et de fruits rouges ; tanins corsés et savoureux, d'une belle finesse, bien mariés avec les tanins de chêne en fin de bouche. Une très belle bouteille à ouvrir dans trois à cinq ans. Le second vin, le **Château du Bois Meney 99 rouge**, qui ne connaît pas le fût, est cité pour sa fraîcheur fruitée et sa structure charnue et élégante. (30 à 49 F)

EARL Vignobles Florent Dubard, Nardou, 33570 Tayac, tél. 05.57.40.69.60, fax 05.57.40.69.20 r.-v.

PELAN 1998**

■ 4 ha 15 000 15 à 23 €

Encore une fois élue coup de cœur, cette bouteille mérite toute l'attention du lecteur. Issue à 80 % de cabernet-sauvignon et d'un terroir de calcaire à astéries, elle se distingue par une couleur pourpre foncé, et par des arômes complexes et intenses de confiture, de vanille, d'épices et de torréfaction. Sa structure tannique est à la fois puissante et élégante. Ce vin charnu demande un vieillissement de quatre à huit ans ; il s'appréciera sur des grillades ou des viandes en sauce. (100 à 149 F)

Régis Moro, Champs-de-Mars, 33350 Saint-Philippe-d'Aiguilhe, tél. 05.57.40.63.49, fax 05.57.40.61.41 r.-v.

CH. PUYANCHE
Elevé en fût de chêne 1998

□ 1,5 ha 4 000 5 à 8 €

Ce vin blanc sec, fermenté et élevé en barrique, suscite l'intérêt par ses arômes de fleurs, de citronnelle, de cire. En bouche, il est d'une bonne longueur, mais déjà assez évolué : il faut le boire plutôt rapidement. (30 à 49 F)

Arbo, Godard, 33570 Francs, tél. 05.57.40.65.77, fax 05.57.40.65.77 r.-v.

CH. PUYGUERAUD 1998*

■ 35 ha 59 500 11 à 15 €

Cette magnifique propriété, dirigée par Nicolas Thienpont, fait toujours partie des valeurs sûres de l'appellation, comme en témoigne cet intéressant 98, élevé douze mois en barrique, issu de 50 % de merlot, 45 % de cabernets et 5 % de malbec. La robe pourpre montre de jolis reflets rubis. Les parfums élégants évoquent le poivre et la mûre. Les tanins sont charnus et bien charpentés, associés à un côté vineux très agréable. Une bouteille de charme, à ouvrir après deux à trois ans de garde dans une bonne cave. (70 à 99 F)

SC Ch. de Puygueraud, 33570 Saint-Cibard, tél. 05.57.56.07.47, fax 05.57.56.07.48, e-mail ch.puygueraud@wanadoo.fr r.-v.

Entre Garonne et Dordogne

La région géographique de l'Entre-Deux-Mers forme un vaste triangle délimité par la Garonne, la Dordogne et la frontière sud-est du département de la Gironde ; c'est sûrement l'une des plus riantes et des plus agréables de tout le Bordelais, avec ses vignes qui couvrent 23 000 ha, soit le quart de tout le vignoble. Très accidentée, elle permet de découvrir de vastes horizons comme de petits coins tranquilles qu'agrémentent de splendides monuments, souvent très caractéristiques (maisons fortes, petits châteaux nichés dans la verdure et, surtout, moulins fortifiés). C'est aussi un haut lieu de la Gironde de l'imaginaire, avec ses croyances et traditions venues de la nuit des temps.

Entre-deux-mers

L'appellation entre-deux-mers ne correspond pas exactement à l'Entre-Deux-Mers géographique, puisque, regroupant les communes situées entre les deux fleuves, elle en exclut celles qui disposent d'une appellation spécifique. Il s'agit d'une appellation de vins blancs secs dont la réglementation n'est guère plus contraignante que pour l'appellation bordeaux. Mais dans la pratique, les viticulteurs cherchent à réserver pour cette appellation leurs meilleurs vins blancs. Aussi la production est-elle volontairement limitée (1 335 ha en production, 84 377 hl en 2000), et les dégustations d'agréage sont-elles particulièrement exigeantes. Le cépage le plus important est le sauvignon qui communique aux entre-deux-mers un arôme particulier très apprécié, surtout lorsque le vin est jeune.

CH. DE BEAUREGARD-DUCOURT 2000*

☐ 2 ha n.c. 5à8€

La famille Ducourt est connue pour son esprit d'innovation (reconquête du vignoble et nouvelles vinifications en rouge des années 1970) et son originalité : elle présente ici un vin de sémillon (63 %) et de sauvignon (34 %) comportant 3 % d'un cépage d'appoint désormais un peu oublié dans la région, l'ugni blanc. Ce raisin contribue sans doute à une vivacité remarquée, qui caractérise certains « entre-deux-mers d'huîtres ». Fruits secs, fleurs blanches et buis aromatisent allègrement un corps bien campé, à la finale un peu amère : plaisir de coquillages ! (30 à 49 F)

SCEA Vignobles Ducourt, 18, rte de Montignac, 33760 Ladaux, tél. 05.57.34.54.00, fax 05.56.23.48.78, e-mail celliers-bxbenauge@wanadoo.fr
r.-v.

CH. BEL AIR 2000**

☐ n.c. n.c. 5à8€

Incontournable équipe de J.-L. Despagne ! Point d'effort pour retrouver sa signature dans cette édition et dans les précédentes (cherchez étoiles et coups de cœur). Ce maître vin assemble sauvignon, sémillon, muscadelle, par tiers. Sa puissance aromatique n'a d'égale que la complexité de sa palette qui évolue du bouquet printanier à l'exotisme du fruit de la Passion, du litchi et de l'ananas sur fond de miel d'acacia. L'attaque est explosive, la chair ronde, concentrée et soyeuse ; la finale sensuelle se teinte de réglisse. Et cette harmonie demeure légère, aérienne. Tout ici respire la vendange mûre, la caresse du pressurage, la sculpture passionnée et réfléchie du vin à travers sa vinification et son élevage. Ajoutons que dans cette AOC et ce millésime, **Rauzan d'Espagne** et **Tour de Mirambeau** ne sont pas mal du tout. (30 à 49 F)

GFA de Perponcher, 33420 Naujan-et-Postiac, tél. 05.57.84.55.08, fax 05.57.84.57.31, e-mail contact@vignobles-despagne.com
r.-v.

CH. BELLEVUE 2000

☐ 7 ha 1000 3à5€

De facture très classique, ce mariage sémillon-sauvignon à parts égales pourra servir joyeusement de base à l'amateur d'entre-deux-mers : sa complexité florale s'organise autour du genêt, et la bonhomie fraîche de sa chair est une invite au partage avec les amis au retour d'une partie de pêche. (20 à 29 F)

Entre Garonne et Dordogne

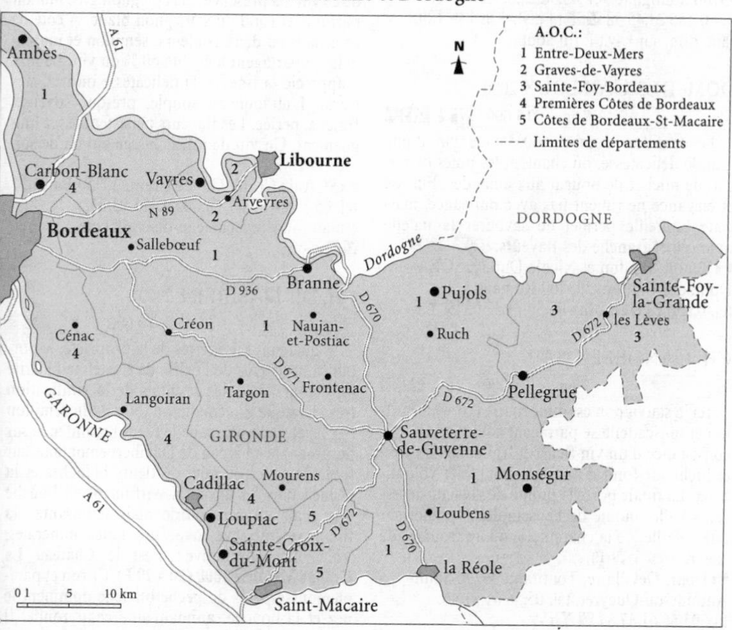

SCEA Ch. Bellevue, 33540 Sauveterre-de-Guyenne, tél. 05.56.71.54.56, fax 05.56.71.83.95, e-mail postmaster@chateau-bellevue.com
r.-v.
D'Amécourt

CH. BONNET 2000**

	n.c.	n.c.		5 à 8 €

Grâce à son propriétaire, André Lurton, Bonnet fait partie des lieux qui ont marqué l'histoire des vins de Bordeaux au cours des dernières décennies. Avec ce vin, il termine bien le XXe s. : agrumes, citron vert, pamplemousse, le bouquet s'accorde avec la robe jaune clair pour donner une belle présentation. Cachant sa vivacité derrière une attaque grasse, le palais révèle une bonne présence qui prolonge les parfums du bouquet. Bien réussi, le **Château Guibon 2000** a obtenu une citation. (30 à 49 F)
SCEA Vignobles André Lurton, Ch. Bonnet, 33420 Grézillac, tél. 05.57.25.58.58, fax 05.57.74.98.59, e-mail andrelurton@wanadoo.fr r.-v.

DOM. DU BOURDIEU 2000*

	4,93 ha	37 000		3 à 5 €

La muscadelle (50 %) est associée au sauvignon et au sémillon à parts égales. C'est elle qui domine dans ce vin d'agriculture biologique : le nez exprime une jolie complexité de fruits confits, de miel, de caramel blanc, que souligne le genêt. La chair ronde, presque grasse, développe des flaveurs riches, fraîches, délicates, enlevées en finale. Un charme certain. (20 à 29 F)
SCA Vignoble Boudon, Le Bourdieu, 33760 Soulignac, tél. 05.56.23.65.60, fax 05.56.23.45.58 t.l.j. 9h-12h 14h-18h; sam. dim. sur r.-v.; f. fin août

DOM. DES CAILLOUX 2000

	6 ha	15 000		3 à 5 €

Le sémillon domine (60 %) ce vin d'une grande délicatesse, où chantent les notes de raisin, de miel et de nougat aux amandes. Finesse et élégance ne riment pas avec puissance, mais cette bouteille permet de savourer la palette nuancée et franche des flaveurs. (20 à 29 F)
Benoît Maulun et Nicole Dupuy, SCEA Dom. des Cailloux, 33760 Romagne, tél. 05.56.23.60.17, fax 05.56.23.32.05 r.-v.

CH. CANDELEY 2000*

	7 ha	35 000		3 à 5 €

Ici le sauvignon est minoritaire (20 %). Sémillon et muscadelle se partagent à 40 % chacun la consistance d'un vin fleuri et fruité, mêlant rose et litchi sur fond d'agrumes, souple et volumineux. La finale porte la pointe de vivacité nécessaire à l'harmonie de l'ensemble. A goûter sur une volaille, de la charcuterie ou un fromage de chèvre. (20 à 29 F)
Henri Devillaire, Toutifaut, 33790 Saint-Antoine-du-Queyret, tél. 05.56.61.31.46, fax 05.56.61.37.37 r.-v.

CH. CASTENET-GREFFIER 2000*

	6 ha	44 000		5 à 8 €

La digne et sobre abbaye de Saint-Ferme est située à 5 km de ce château que les lecteurs du Guide apprécient depuis longtemps. Joli classique, ce sauvignon (75 %) mâtiné de sémillon et de muscadelle : il porte bien ses arômes exotiques et sauvages sur un corps ample, souple à la mise en bouche, puis vif, avec une finale en fleur de seringa. Pour accompagner, sans hâte, les poissons et la charcuterie. (30 à 49 F)
EARL François Greffier, Castenet, 33790 Auriolles, tél. 05.56.61.40.67, fax 05.56.61.38.82, e-mail ch.castenet@wanadoo.fr r.-v.

CH. CHANTELOUVE 2000**

	2,2 ha	19 000		3 à 5 €

Nous voici pratiquement au cœur géographique de l'Entre-Deux-Mers. 50 % de sémillon, 20 % de muscadelle, 30 % de sauvignon mûr : cet ensemble signe un nez puissant mais délicat, harmonieux, de fruits exotiques (litchi, ananas, fruit de la Passion) et de pêche blanche à peine mentholée. La bouche s'arrondit en teintes mûres et veloutées, avec des notes d'ananas savoureuses. La fraîcheur se fait discrète mais efficace. Sans doute un vin atypique, mais si agréable. (20 à 29 F)
EARL J.C. Lescoutras et Fils, Le Bourg, 33760 Faleyras, tél. 05.56.23.90.87, fax 05.56.23.61.37 r.-v.

CH. DE CRAIN 2000*

	12 ha	20 000		-3 €

Notons une originalité dans la composition de ce vin : la présence du sauvignon gris, mutant parfumé et rond du sauvignon blanc. A côté de ce cépage en deux couleurs, sémillon et muscadelle se partagent à égalité 60 % du vin. Le jury a apprécié la finesse, la délicatesse du nez, très floral. L'attaque est souple, presque soyeuse, fraîche, perlée. Les flaveurs persistent assez longuement. Un vin de rafraîchissement ou de soirée. (– 20 F)
SCA de Crain, Ch. de Crain, 33750 Baron, tél. 05.57.24.50.66, fax 05.45.25.03.73, e-mail fougere@chateau-de-crain.com r.-v.

CH. DE DAMBERT 2000*

	1,5 ha	10 000		-3 €

A quelques kilomètres de la propriété, le portail saintongeais de l'église de Castelvieil mérite un détour. Voici les résultats de la vinification très classique du sauvignon (50 %), du sémillon (25 %) et de la muscadelle (25 %) maintenus sur lies fines : le Château de Dambert embaume, sur fond de genêt, le miel de fleurs blanches et la pêche ; puis les agrumes parfument en bouche une chair un peu lourde mais séduisante ; la finale se fait vive, avec des notes minérales. Voici une alternative : c'est le **Château La Grande Métairie 2000 (20 à 29 F)**. Citron et pamplemousse parés de pêche blanche dominent le nez et la bouche, animant une chair ronde. Il sera intéressant de suivre ces vins, à servir sur du poisson, de la volaille ou du fromage. (– 20 F)

SCEA Vignobles Buffeteau, LD Dambert, 33540 Gornac, tél. 05.56.61.97.59, fax 05.56.61.97.65 r.-v.

CH. FONDARZAC 2000*

n.c. 50 000 5à8€

Cet ensemble sauvignon (60 %) et sémillon-muscadelle annonce son élégance dès l'habit, d'un blanc brillant aux reflets dorés. Le nez révèle une complexité de belle maturité : fleurs blanches, acacia, fruits exotiques. La bouche, d'un équilibre ample, soyeux, finement perlé, demande une certaine attention pour dévoiler sa subtilité. Un juré assure que ce vin peut être l'ambassadeur de son appellation ! Le **Château Darzac** du même propriétaire est retenu pour deux millésimes : le **2000**, tout en souplesse parfumée de miel et d'acacia, et la cuvée **Claude Barthe 99 (50 à 69 F)**. Cette sélection (80 % de sauvignon pour 20 % de sémillon), élevée six mois en fût de chêne, ajoute une complexité fumée aux fruits confits du bouquet et à la rondeur miellée du corps ; la finale aporte une heureuse note minérale. Elle a reçu une étoile. (30 à 49 F)

SCA Vignobles Claude Barthe, 22, rte de Bordeaux, 33420 Naujan-et-Postiac, tél. 05.57.84.55.04, fax 05.57.84.60.23, e-mail chateau.fondarzac@wanadoo.fr r.-v.

CH. GRAND-JEAN 2000

14 ha 120 000 3à5€

Domaine de 83 ha situé à 3 km de l'abbaye de La Sauve Majeure. Ce vin de sémillon (60 %), sauvignon (30 %) et muscadelle, élevé sur lies, offre une élégance fraîche et ronde, presque grasse, aux flaveurs de fruits verts, à peine briochées ; la finale contraste par sa vivacité. Cette bouteille sera à l'aise avec les crustacés et coquillages. (20 à 29 F)

Michel Dulon, Ch. Grand-Jean, 33760 Soulignac, tél. 05.56.23.69.16, fax 05.57.34.41.29, e-mail dulon.vignobles@wanadoo.fr r.-v.

CH. GROSSOMBRE 2000*

n.c. n.c. 5à8€

Bien typé entre-deux-mers, ce vin annonce son style par un bouquet où les notes florales sont rejointes par celles de citron vert. Vif à l'attaque, le palais devient ensuite plus gras tout en gardant sa fraîcheur avant de s'ouvrir sur une finale d'une bonne ampleur. (30 à 49 F)

Béatrice Lurton, BP 10, 33420 Grézillac, tél. 05.57.25.58.58, fax 05.57.74.98.59, e-mail andrelurton@andrelurton.com

CH. GUICHOT 2000*

2 ha 6 000 3à5€

Le jury a apprécié la jolie complexité aromatique de cet assemblage sauvignon (70 %)-muscadelle : sa finesse tient aux fleurs blanches, au tilleul, au pamplemousse, mais aussi à la poire et à l'abricot. Ces arômes évoquent une bonne maturité du raisin que l'on savoure en bouche. Gras, fraîcheur du corps, pointe amère de la finale sur les agrumes, tout est fait pour s'accorder avec du poisson (en croûte de sel ?) et des coquillages. (20 à 29 F)

André et Michèle Froissard, Guichot, 33790 Saint-Antoine du Queyret, tél. 05.56.61.36.99, fax 05.56.61.36.99 r.-v.

CH. HAUT D'ARZAC 2000*

2 ha 12 000 3à5€

Voici un vin un peu atypique, créé sur l'équilibre par tiers des trois cépages sauvignon-sémillon-muscadelle : le nez, puissant, est marqué par le muscat, appuyé de fleurs blanches (seringa, oranger) et de touches d'amandes fraîches. La bouche ample et grasse ne demande qu'à s'épanouir ; la finale très longue peut surprendre, mais elle est intéressante. (20 à 29 F)

Gérard Boissonneau, 33420 Naujan-et-Postiac, tél. 05.57.74.91.12, fax 05.57.74.99.60 r.-v.

CH. HAUT MAURIN 2000*

0,35 ha 2 660 -3€

Sise à quelques kilomètres de Cadillac, cette propriété propose plusieurs AOC, dont cet entre-deux-mers où se marient les trois cépages (sauvignon 40 %). La bouche ample et grasse se pare de flaveurs d'agrumes (zeste d'orange) et de miel de genêt, avivées de notes mentholées, fraîches, de belle persistance. Le temps devrait affirmer cette harmonie. (– 20 F)

EARL Vignobles Sanfourche, rue Grand-Village, 33410 Donzac, tél. 05.56.62.97.43, fax 05.56.62.16.87 r.-v.

CH. HAUT POUGNAN 2000*

7 ha 55 000 3à5€

La conduite des macérations pré et post-fermentaires (maintien contrôlé sur lies fines) signe de belle façon ce vin de sauvignon (85 %) : la palette aromatique évoque le muscat à peine citronné sur fond d'amande fraîche et parfume une bouche ronde et longue, teintée de kouglof. Un vin certes atypique mais très bon. (20 à 29 F)

Ch. Haut Pougnan, 33670 Saint-Genès de Lombaud, tél. 05.56.23.06.00, fax 05.57.95.99.84 r.-v.

Guéridon

CH. LA MIRANDELLE 2000*

4,3 ha 20 000 3à5€

Sise hors les murs d'une bastide caractéristique de la région, mais juste à côté, cette coopérative impressionne par la modernité de ses équipements. Le Château La Mirandelle est sélectionné par la cave pour la qualité de son terroir argilo-calcaire, et son vignoble très classique dont on retiendra les 30 % de muscadelle, qui apportent ici des notes exotiques intenses, associées aux flaveurs citronnées et florales des sémillon (20 %) et sauvignon (50 %). Un corps vif, frais, et une finale finement mentholée signent une belle réussite. La marque **Sauveterre** est une sélection qui comporte 60 % de sémillon et 10 % de muscadelle ; elle embaume la fleur

blanche et le litchi. Ce vin obtient une citation pour son millésime **2000.** (20 à 29 F)
Cellier de La Bastide, Cave coop. vinicole, 33540 Sauveterre-de-Guyenne,
tél. 05.56.61.55.21, fax 05.56.71.60.11 t.l.j. sf dim. 9h-12h15 13h30-18h15; groupes sur r.-v.
Moncontier

CH. LESTRILLE 2000★

☐ 1,5 ha 13 000 5à8€

La lecture du Guide sur ces dernières années explique la solide réputation de Jean-Louis Roumage, en blanc comme en rouge. Son entre-deux-mers 2000 (trois cépages dont 60 % de sauvignon) s'épanouit en harmonie fruitée (pomelo, ananas) accompagnée de fleur d'oranger et de miel d'acacia : un séducteur, à apprécier en apéritif dès cet automne. (30 à 49 F)
EARL Jean-Louis Roumage, Lestrille, 33750 Saint-Germain-du-Puch,
tél. 05.57.24.51.02, fax 05.57.24.04.58,
e-mail jean-louis.roumage@wanadoo.fr
r.-v.

LES VEYRIERS 2000★★

☐ n.c. 6 000 -3€

Un superbe classique, qui a manqué d'un souffle le coup de cœur. Tout y est, de la beauté de la robe jaune pâle aux reflets émeraude, à l'ampleur marquée, chatoyante et policée des arômes et des flaveurs, mariage harmonieux de fruits mûrs et confits et de fleurs blanches ou sauvages. « La finale est superbe », signale un juré. Un mariage remarquable sémillon-sauvignon (50 % chacun). (- 20 F)
C.C. Viticulteurs réunis de Sainte-Radegonde, 33350 Sainte-Radegonde,
tél. 05.57.40.53.82, fax 05.57.40.55.99 t.l.j. sf sam. dim. 8h30-12h30 14h-17h

CH. LES VIEILLES TUILERIES 2000★

☐ n.c. n.c. 3à5€

Arbis, entre la massive église de Targon et le gros château de Cadillac, annonce les premières côtes de Bordeaux. La muscadelle ne représente que 10 %, et ce sont le sauvignon (50 %) et le sémillon (40 %) qui affichent au nez leur puissance aromatique : genêt mentholé, pamplemousse, écorce d'orange. La bouche fraîche et souple se parfume de ces fragrances, et la vivacité s'émeut d'un joli perlant qui prolonge la finale : un vin tonique, pour les crustacés et les poissons de mer grillés. (20 à 29 F)
SCEA des Vignobles Menguin, 194, Gouas, 33760 Arbis, tél. 05.56.23.61.70,
fax 05.56.23.49.79 r.-v.

MAINE-BRILLAND 2000

☐ 10 ha 60 000 -3€

Producta présente en Maine-Brilland un très sympathique assemblage à parts égales sémillon-sauvignon relevé de 10 % de muscadelle : des perles d'ananas et de fruits mûrs tempèrent la fraîcheur aromatique du sauvignon. La bouche ronde s'avive en finale : un vin d'apéritif. Le **Château de Beaulieu** et la marque **Gamage** proposent des variations sur le thème sauvignon (qui ne participe pourtant que pour 50 % des vins) : le cépage y affiche sa vigueur, de façon très marquée genêt en Gamage, ou teintée d'agrumes pour le Château... A servir avec des coquillages. (- 20 F)
Producta SA, 21, cours Xavier-Arnozan, 33082 Bordeaux Cedex, tél. 05.57.81.18.18,
fax 05.56.81.22.12,
e-mail producta@producta.com r.-v.

CH. MARCEAU 2000★

☐ 10,2 ha 61 200 3à5€

Ce Château Marceau est bâti sur le sémillon (70 %) : ses arômes intenses d'agrumes teintés de brioche, de léger buis et de fougère, son attaque souple et perlante, son corps frais et sa finale plus nerveuse signent un type d'entre-deux-mers très réussi. Le **Château Canteloudette 2000** marie sémillon, sauvignon, et muscadelle : malgré un nez timide, il a plu par son harmonie nerveuse et distinguée, où chantent miel et buis ; le temps devrait le servir ; le plaisir commencera dès maintenant en l'accompagnant de fruits de mer. Ce vin a mérité une étoile, comme la marque **Fleur 2000**, assemblage maison, tendre, presque gouleyant, aux arômes contrastés de fleurs et de muscat hardi, à la finale discrète qui incite à « y revenir ».... sans trop attendre. (20 à 29 F)
Union de producteurs de Rauzan, 33420 Rauzan, tél. 05.57.84.13.22,
fax 05.57.84.12.67 r.-v.

CH. MARJOSSE 2000★

☐ 6 ha 50 000 3à5€

Proches, les ruines du château de Curton surveillent modestement un paysage vallonné. Pierre Lurton est l'un des grands maîtres des vinifications en rouge à Cheval Blanc. Ici, sur ses propres terres, il montre que le blanc lui réussit aussi. Les parfums frais de sauvignon (50 % du vin) sont avivés en bouche par un léger perlant, et le corps bien équilibré se prolonge en notes d'amande et en nuances fruitées : un vin d'apéritif ou de fruits de mer, charmeur en sa robe pâle à reflets or gris ! (20 à 29 F)
Pierre Lurton, Ch. Marjosse, 33420 Tizac-de-Curton, tél. 05.57.55.57.80,
fax 05.57.55.57.84 r.-v.

CH. MAYNE-CABANOT 2000★★

☐ 5,6 ha 47 300 3à5€

L'imposant château médiéval (XIVe s.) mérite une visite, comme la puissante Cave de Rauzan. Ce coup de cœur du Château Mayne-Cabanot salue le mariage du sauvignon (76 %) et du sémillon récoltés à pleine maturité, et parfaitement vinifiés après macération : le perlant met en valeur la finesse allègre des parfums de fleur blanche, de pêche et de citronnelle de l'attaque, quand les flaveurs du corps rond, enveloppé, se prolongent en teintes de pomelo mentholé et poivré. Un type exemplaire de l'AOC par sa complexité, à servir en apéritif ou au repas. A suivre dans le temps. (20 à 29 F)

Union de producteurs de Rauzan, 33420 Rauzan, tél. 05.57.84.13.22, fax 05.57.84.12.67 r.-v.

GFA Corbières

CH. MOULIN DE PONCET 2000★★

4 ha 30 000 5à8€

Une harmonie séduisante : le sauvignon (50 %), le sémillon (30 %), la muscadelle (20 %) récoltés mûrs et élevés sur lies fines se mêlent en parfums printaniers (aubépine, verger, vigne en fleur). Le corps rond, de cire et de miel, et une finale élégante et persistante enchanteront apéritifs... et certains fromages, le chèvre par exemple. (30 à 49 F)

Vignobles Ph. Barthe, Peyrefus, 33420 Daignac, tél. 05.57.84.55.90, fax 05.57.74.96.57, e-mail vbarthe@club-internet.fr r.-v.

CH. MYLORD 2000★

20 ha 150 000 3à5€

Comme le millésime précédent, ce vin des trois cépages en proportions équilibrées a plu par son harmonie complexe : parfums marqués d'agrumes, de litchi, mis en valeur par l'élevage sur lies fines, corps émoustillé par le perlant, longueur flatteuse dans sa fraîcheur. (20 à 29 F)

Michel et Alain Large, Ch. Mylord, 33420 Grézillac, tél. 05.57.84.52.19, fax 05.57.74.93.95, e-mail large@chateau-mylord.com r.-v.

CH. NARDIQUE LA GRAVIERE 2000★

13 ha 65 000 5à8€

Une pointe de muscadelle (10 %) relève le mariage à parts égales du sauvignon et du sémillon. Le nez est délicat, subtil : d'abord un peu fermé, il s'ouvre bientôt, mêlant fleurs blanches, pamplemousse et amande. La puissance aromatique des fruits mûrs se développe en bouche, et l'élégance s'affirme. Le corps friand, un peu svelte, présente un équilibre vif mais délicieux jusque dans la finale. Un vin à réserver aux fruits de mer ou à l'apéritif. (30 à 49 F)

Vignobles Thérèse, Ch. Nardique La Gravière, 33670 Saint-Genès-de-Lombaud, tél. 05.56.23.01.37, fax 05.56.23.25.89 r.-v.

CH. NINON 2000★

2,62 ha 6 000 3à5€

Une vinification élaborée et maîtrisée (stabulations pré et post-fermentaires) signe la réussite de ce vin de conception classique, où le sauvignon représente 75 % et la muscadelle 5 %, complétés par le sémillon. Des notes fines de pomme et de poire agrémentent l'agrume, et les flaveurs s'enrichissent de nuances confites suaves. Un perlé efficace avive l'harmonie du corps volumineux et prolonge une finale de fruits bien mûrs. Un compagnon des fruits de mer. (20 à 29 F)

Pierre Roubineau, 5, Tenot, 33420 Grézillac, tél. 05.57.84.62.41, fax 05.57.84.62.41 r.-v.

CH. SAINTE-MARIE Vieilles vignes 2000★

7 ha 60 000 5à8€

Voici un entre-deux-mers exemplaire : le sauvignon (50 %) y montre une générosité élégante, genêt-buis tempérés, et la chair, qui goûte la pêche, la pomme acidulée et le miel s'offre sans manières pour un vrai plaisir d'apéritif ou de rafraîchissement. La **cuvée Madlys 2000** est une sélection de sauvignon (70 %) et de sémillon (30 %) de graves élevée en fût pendant six mois : la complexité aromatique naît des accords d'agrumes, de bonbon anglais, de raisin, ainsi que du merrain donnant des notes de pain d'épice charmeuses. La qualité de la chair, où s'accompagnent rondeur boisée et fraîcheur de vendange suscite l'intérêt. (30 à 49 F)

Gilles et Stéphane Dupuch, 51, rte de Bordeaux, 33760 Targon, tél. 05.56.23.64.30, fax 05.56.23.66.80, e-mail ch.ste.marie@wanadoo.fr r.-v.

CH. VIGNOL 2000★

7 ha 40 000 5à8€

Le bâtiment principal du château présente une architecture originale, de style Louisiane, qui rappelle que les créateurs étaient des armateurs bordelais. Composé sur un sauvignon dominant très marqué, (60 % pour 30 % de sémillon), ce vin en offre toute la fraîcheur ronde et la vivacité aromatique. Jusqu'à la saturation ? Certains dégustateurs proposent d'en discuter avec les lecteurs. (30 à 49 F)

B. et D. Doublet, Ch. Vignol, 33750 Saint-Quentin-de-Baron, tél. 05.57.24.12.93, fax 05.57.24.12.83, e-mail bdoublet@club-internet.fr r.-v.

Graves de vayres

Malgré l'analogie du nom, cette région viticole située sur la rive gauche de la Dordogne, non loin de Libourne, est sans rapport avec la zone viticole des Graves. Les graves de vayres correspondent à une enclave relativement restreinte de terrains graveleux, différents de ceux de l'Entre-deux-Mers. Cette appellation a été utilisée depuis le XIXe s., avant d'être officialisée en 1931. Initialement, elle correspondait à des vins blancs secs ou moelleux, mais la conjoncture actuelle tend à augmenter la production des vins rouges qui peuvent bénéficier de la même appellation.

La superficie totale du vignoble de cette région représente, environ 360 ha de vignes rouges et 165 ha de vignes à raisins blancs ; une part importante des vins rouges est commercialisée sous l'appellation régionale bordeaux. En AOC graves de vayres, la production a atteint 39 963 hl dont 7 871 en blanc en 2000.

CUVEE DU BARON CHARLES
Elevé en fût de chêne 1998

■ 2 ha 15 000 5à8€

80 % de merlot et 20 % de cabernet franc, issus de vignes âgées de trente-cinq ans, élevés dix-huit mois en barrique : ce 98 se distingue par un bouquet de fruits cuits, d'amande grillée et par des tanins souples et généreux, déjà évolués en fin de bouche. A boire ou à garder deux ou trois ans maximum. (30 à 49 F)

Pierrette et Christian Labeille, Ch. Le Tertre, 33870 Vayres, tél. 05.57.74.76.91, fax 05.57.74.87.40 t.l.j. sf dim. 8h-19h

CH. BARRE GENTILLOT 1999

■ 11,52 ha 40 000 5à8€

Créé au XVIII[e]s., ce domaine est situé à 3 km du château de Vayres. Son 99, à base essentiellement de merlot (95 %), est dominé par des arômes de mûre et de fruit sec. En bouche, il se révèle souple et fruité, mais devra attendre un à deux ans que sa finale s'arrondisse. (30 à 49 F)

SCEA Yvette Cazenave-Mahé, Ch. de Barre, 33500 Arveyres, tél. 05.57.24.80.26, fax 05.57.24.84.54, e-mail chateau.de.barre@online.fr r.-v.

CH. BUSSAC 1999★

■ 20 ha 70 000 5à8€

Né sur un sol graveleux et constitué de 80 % de merlot, ce vin présente une couleur rubis intense, un bouquet naissant de vanille et de fruits rouges. Ses tanins souples et riches évoluent avec beaucoup de finesse, grâce à une bonne intégration du boisé. Un vin de charme, à boire dans un à trois ans. (30 à 49 F)

SCEA Vignoble Cassignard, 33870 Vayres, tél. 05.57.24.52.14, fax 05.57.24.06.00 r.-v.

CH. CANTELAUDETTE
Elevé en fût de chêne 1999★

■ 2 ha 12 000 5à8€

Cette propriété est située sur un sol argilo-sableux ; elle présente ce vin élégant et équilibré, marqué par un bouquet de fruits mûrs, de fleurs et de bois vanillé. Charnus en attaque, les tanins sont ensuite très présents et longs. Une garde de deux ou trois ans leur donnera un peu plus de fondu. (30 à 49 F)

Jean-Michel Chatelier, Ch. Cantelaudette, 33500 Arveyres, tél. 05.57.24.84.71, fax 05.57.24.83.41 r.-v.

CH. DURAND-BAYLE 2000★

□ n.c. 13 000 5à8€

Michel Gonet, vigneron champenois, a beaucoup investi en Bordelais et on ne tardera pas à voir ses vins dans une AOC prestigieuse où il vient d'acquérir un superbe château. A la tête de 260 ha, il se diversifie en graves de vayres. Les techniques de vinification en blanc les plus modernes sont mises au service de ce vin qui se révèle de grande qualité pour ce millésime 2000. La robe jaune-vert est brillante ; le nez intense évoque la fleur d'acacia et l'ananas. Souple et grasse, la bouche fait preuve de beaucoup de finesse et d'harmonie en finale. Un vrai plaisir à savourer dès maintenant ou à garder deux à trois ans. En **rouge 99**, ce cru obtient également une étoile. 80 % de merlot complété par le cabernet franc donnent ici une bouteille soyeuse et fruitée, au boisé élégant. A boire dans les trois ans. (30 à 49 F)

SCEV Michel Gonet et Fils, Ch. Lesparre, 33750 Beychac-et-Caillau, tél. 05.57.24.51.23, fax 05.57.24.03.99, e-mail vins.gonet@wanadoo.fr r.-v.

CH. FAGE Elevé en fût de chêne 1999

■ n.c. 22 000 5à8€

Ce château, récemment racheté par le négociant Joël Quancard, se décline en **deux vins** différents, **l'un boisé et l'autre non**, cités avec la même note pour le millésime 99. Souples et aromatiques, ce sont des vins bien faits, assez fruités, aux tanins équilibrés et mûrs. A boire d'ici un à trois ans. (30 à 49 F)

SA Ch. Fage, 33500 Arveyres, tél. 04.67.39.10.51, fax 04.67.39.15.33

CH. GOUDICHAUD 1999★

■ 1 ha 5 000 5à8€

Ce manoir du XVIII[e]s., construit par un élève de Gabriel, a été la résidence d'été des archevêques de Bordeaux. Il a produit un 99 agréable, original par ses arômes de cannelle et de fruits exotiques. En bouche, les tanins sont bien présents, encore jeunes, avec des notes minérales en finale. Un vrai bon vin de terroir, bien fait, à boire d'ici deux à trois ans. (30 à 49 F)

Paul Glotin, Ch. Goudichaud, 33750 Saint-Germain-du-Puch, tél. 05.57.22.27.60, fax 05.57.22.27.61 r.-v.

CH. HAUT-GAYAT 1999★

■ n.c. 105 000 5à8€

Depuis huit générations dans la même famille, ce château établi sur un terroir graveleux est planté à 50 % de merlot et à 50 % de cabernet-sauvignon. Ce 99 possède une robe rouge rubis soutenu. Le bouquet expressif évoque les épices, le boisé grillé. En bouche, les tanins sont souples et frais, déjà agréables. Une bouteille à boire d'ici deux à trois ans. (30 à 49 F)

Marie-José Degas, Ch. Degas, 33750 Saint-Germain-du-Puch, tél. 05.57.24.52.32, fax 05.57.24.03.72 r.-v.

CH. LA CHAPELLE BELLEVUE
Prestige Elevé en barrique 1998**

2 ha 9 000 8 à 11 €

Ce superbe 98 se révèle un peu atypique pour son appellation car son encépagement est dominé par le cabernet-sauvignon (60 %) ; la robe pourpre brille de mille feux ; les arômes concentrés de fruits très mûrs s'harmonisent bien avec des notes de grillé et de vanille. Les tanins étoffés, corsés et séveux évoluent avec finesse et équilibre. D'une grande longueur, une fort belle bouteille, à oublier trois à six ans dans sa cave. (50 à 69 F)

Lisette Labeille, Ch. La Chapelle Bellevue, chem. du Pin, 33870 Vayres, tél. 05.57.84.90.39, fax 05.57.74.82.40 r.-v.

GRAND VIN DU CH. LESPARRE
1999**

6 ha 30 000 15 à 23 €

Fleuron du château Lesparre, ce Grand Vin est une sélection de la plus belle parcelle de graves vinifiée et élevée avec toutes les dernières techniques modernes. Le résultat est impressionnant : robe sombre profonde, parfums intenses de fruits cuits, de bois grillé, structure tannique corsée et puissante, dominée par les tanins du bois qui demandent pour se fondre quelques années de vieillissement. Une bouteille très moderne, qui plaira aux amateurs de ce style de vin. La **cuvée classique en rouge 99 Château Lesparre (30 à 49 F)** obtient une étoile. Elle est certes moins boisée mais le chêne reste très présent et demande deux ans de garde. (100 à 149 F)

SCEV Michel Gonet et Fils, Ch. Lesparre, 33750 Beychac-et-Caillau, tél. 05.57.24.51.23, fax 05.57.24.03.99, e-mail vins.gonet@wanadoo.fr r.-v.

CH. L'HOSANNE
Elevé en fût de chêne 1999*

1 ha 5 000 5 à 8 €

Issu exclusivement du cépage sémillon planté sur des graves argileuses, ce vin vinifié en barrique séduit par sa complexité aromatique (amande, fleur d'acacia, poivre, vanille) et par son onctuosité en bouche, en équilibre parfait avec le boisé. Une bouteille tout en harmonie, à ouvrir dès aujourd'hui. (30 à 49 F)

SCEA Chastel-Labat, 124, av. de Libourne, 33870 Vayres, tél. 05.57.74.70.55, fax 05.57.74.70.36 r.-v.

CH. PICHON-BELLEVUE
Cuvée Elisée 1999*

2 ha 19 000 5 à 8 €

Pichon-Bellevue est une belle propriété de 40 ha. Cette petite cuvée assemble les trois cépages aquitains avec une dominante de merlot (75 %). Elle est élevée dix mois en barrique. Sa robe est cerise limpide. Ses arômes intenses sont boisés et sa structure en bouche, charnue et veloutée, évolue avec une bonne persistance sur les fruits des bois. Une bouteille à boire dans les trois ans. Le **Château Pichon-Bellevue 1999 rouge** ne connaît pas le bois. Il est très agréable en bouche, avec une attaque suave, un bel équilibre et des arômes de fruits mûrs. Il obtient une citation. (30 à 49 F)

Ch. Pichon-Bellevue, 33870 Vayres, tél. 05.57.74.84.08, fax 05.57.84.95.04 r.-v.
D. et L. Reclus

CH. TOUR DE GUEYRON 1999*

1 ha n.c. 5 à 8 €

Seulement 1 ha de graves planté pour moitié de merlot et de cabernet franc sont à l'origine de ce vin couleur rubis, aux arômes de fruits bien mûrs accompagnés d'un boisé intense. La structure souple et ronde évolue avec une bonne persistance, bien que le merrain soit encore très dominateur. A attendre deux à quatre ans pour obtenir une meilleure harmonie. (30 à 49 F)

Pascal Sirat, 33500 Arveyres, tél. 05.57.51.57.39, fax 05.57.51.57.39 r.-v.

Sainte-foy-bordeaux

Cité médiévale à l'intérêt touristique évident, mais aussi cité du vin entre Lot-et-Garonne et Dordogne, Sainte-Foy a produit 1 476 hl de vin blanc et 17 470 hl de vin rouge en 2000 sur les 358 ha du vignoble.

CH. DU CHAMP DES TREILLES
Sec Elevé en fût de chêne 2000*

2,25 ha 13 000 5 à 8 €

Régisseur du château Pontet-Canet, grand cru classé à Pauillac, Jean-Michel Comme a repris cette propriété familiale en 1998. Pour l'instant, il se distingue avec son blanc sec 2000 au bouquet puissant et complexe d'ananas, de banane, de vanille ; la structure équilibrée et souple est encore dominée par l'élevage boisé : l'harmonie sera meilleure d'ici un an ou deux. Une microcuvée a été réalisée en **99** sur de **vieilles vignes de sémillon (70 à 99 F)**, donnant un vin moelleux, cité pour ses arômes agréables de fruits confits abricotés et de pain d'épice, un peu nerveux en bouche. (30 à 49 F)

Corinne Comme, Pibran, 33250 Pauillac, tél. 05.56.59.15.88, fax 05.56.59.15.88 r.-v.

CH. DES CHAPELAINS 1999**

1,2 ha 9 500 5 à 8 €

Dans la même famille depuis le XVII[e]s., ce château vinifie depuis 1991. Qui pourrait croire le sainte-foy-bordeaux sec capable d'offrir tant de richesses ? Cette cuvée, parée d'une robe jaune paille brillante à reflets dorés, offre des arômes très fins et élégants de miel d'acacia, d'orange confite. Les notes boisées, vanillées et épicées, apparaissent ensuite en bouche mais sans excès, en parfait équilibre avec une structure veloutée et bien pleine. La finale possède beaucoup de gras et de charme ; elle devrait permettre un vieillissement de deux à cinq ans, ce vin pouvant cependant être bu dès à présent.

BORDELAIS

Citons le **Château des Chapelains rouge 99 (20 à 29 F)** au joli bouquet naissant, montrant un bon potentiel. (30 à 49 F)

Pierre Charlot, Les Chapelains, 33220 Saint-André-et-Appelles, tél. 05.57.41.21.74, fax 05.57.41.27.42, e-mail chateaudeschapelains@wanadoo.fr
t.l.j. 8h-12h 14h-18h; sam. dim. sur r.-v.

CH. CLAIRE ABBAYE

Elevé en fût de chêne 1999

4,5 ha 21 000 5 à 8 €

11 ha de vignes plantés sur un coteau argilo-calcaire composent ce domaine bâti sur un site gallo-romain. Après la réussite remarquable de son 98, ce château présente un 99 plus simple, au bouquet puissant dominé par des notes de cabernet type poivron. En bouche, les tanins demandent à se fondre : l'équilibre général laisse présager un bon potentiel qui devrait se révéler dans les trois ans à venir. (30 à 49 F)

Bruno Sellier de Brugière, Ch. Claire Abbaye, 33890 Gensac, tél. 05.57.47.42.04, fax 05.57.47.48.16, e-mail bruno.sellier@free.fr
r.-v.

CH. HOSTENS-PICANT

Cuvée des Demoiselles 1999

10 ha 45 000 11 à 15 €

Sainte-Foy-la-Grande, bastide du XIIIe s., a tout fait pour voir renaître un vignoble de qualité dans les années 1990. Ce domaine a joué un rôle moteur dans ce renouveau. Son vin blanc, vinifié et élevé douze mois en barrique, mérite d'être cité pour son bouquet expressif d'agrumes, d'épices poivrées et de fleurs. Souple et gras en attaque, il évolue avec vivacité sur une impression florale. (70 à 99 F)

Ch. Hostens-Picant, Grangeneuve Nord, 33220 Les Lèves-et-Thoumeyragues, tél. 05.57.46.38.11, fax 05.57.46.26.23, e-mail chateauhp@aol.com r.-v.

CH. LA CHAPELLE MAILLARD

Cuvée Prestige Elevé en fût de chêne 1999

n.c. 10 600 8 à 11 €

Un domaine de 9 ha conduit en biodynamie. Cette cuvée Prestige se caractérise par l'élégance de ses arômes fruités et épicés et par des tanins puissants et équilibrés. Il est cependant nécessaire d'attendre un à trois ans pour que le boisé se fonde. (50 à 69 F)

Ch. La Chapelle Maillard, 33220 Saint-Quentin-de-Caplong, tél. 05.57.41.26.13, fax 05.57.41.25.99, e-mail chateau@chapelle-maillard.com
r.-v.

CH. L'ENCLOS

Réserve de la Marquise Elevé en fût de chêne 1999

5,6 ha 41 000 5 à 8 €

Construit en 1758, ce château appartient à la présidente du jeune syndicat de l'AOC. On peut imaginer qu'elle est un fin cordon-bleu car elle conseille de servir ce vin sur « feuilles de vigne de l'Enclos farcies au foie gras truffé accompagnées d'une poêlée de cèpes ». Cela mérite attention. Cette Réserve de la Marquise apparaît dans une robe profonde couleur cerise ; elle délivre des arômes encore discrets d'épices, de fleurs et de boisé. Les tanins veloutés et amples en attaque évoluent certes avec simplicité mais avec une harmonie qui annonce un plaisir réel d'ici un à trois ans. (30 à 49 F)

SCEA Ch. L'Enclos, Dom. de L'Enclos, 33220 Pineuilh, tél. 05.57.46.55.97, fax 05.57.46.55.97, e-mail sceachateaulenclos@wanadoo.fr
r.-v.

CH. LES BAS-MONTS Sec 2000★★

1 ha 7 800 3 à 5 €

Ce pur sauvignon issu d'un terroir classique argilo-calcaire enchantera l'amateur de vin blanc sec authentique : la robe jaune pâle brille de reflets cuivrés. Les parfums subtils évoquent l'acacia, le sureau et le miel. En bouche, l'attaque est ample, suivie par du gras, du volume et un équilibre aromatique remarquable. Un vin très bien fait, à boire sur poisson et coquillages dès maintenant. (20 à 29 F)

GAEC Basso Frères, Au Raymond, 33220 Margueron, tél. 05.57.41.29.16, fax 05.57.41.29.16 r.-v.

CH. MARTET Réserve de Famille 1999★

6,3 ha 30 000 15 à 23 €

Après son coup de cœur pour le millésime 98, ce château présente encore un fort beau vin 100 % merlot, qui était tout proche de décrocher deux étoiles dans le millésime 99. La robe dense est presque noire, les parfums éclatants évoquent la prune, la vanille et le pain grillé. Les tanins suaves et généreux forment une bouche très fine et bien persistante. A oublier trois à six ans dans une bonne cave. Le second vin, **Les Hauts de Martet 99 (30 à 49 F)** obtient une citation pour son fruité généreux et sa structure tannique puissante et agréablement boisée. Il permettra d'attendre le grand vin. (100 à 149 F)

SCEA Ch. Martet, 33220 Eynesse, tél. 05.57.41.00.49, fax 05.57.41.09.36, e-mail pdeconinck@deconinckwine.be
r.-v.
Patrick de Coninck

CH. DES THIBEAUD 1999★★

1,5 ha 9 987 5 à 8 €

Issue d'une parcelle de vieille vigne plantée sur un sol argilo-calcaire, ce 99 dominé par le cabernet (75 % de l'assemblage) offre une agréable surprise. La robe grenat vif a des reflets pourpres. Les fruits noirs, les épices et le boisé vanillé sont en harmonie avec des tanins amples et puissants, de grand volume. Ces derniers sont marqués en finale par des arômes de prunelle et de poivre. C'est un vin qui s'affinera avec deux à cinq ans de vieillissement dans une bonne cave. (30 à 49 F)

Dom. Delaplace, Le Canton, 33220 Caplong, tél. 05.57.41.25.65, fax 05.57.41.27.84, e-mail chateau.des.thibeaud@free.fr r.-v.

CH. VERRIERE BELLEVUE
Moelleux 1999

☐ 1 ha 4 000 8 à 11 €

Alice et Jean-Paul Bessette et leurs fils Mathieu, titulaire d'un BTS de viti-œnologie, possèdent ce vignoble situé sur les coteaux de Landerrouat. Issu d'une récolte en vendanges tardives par tries successives, ce vin blanc doux, encore fermé au nez, s'exprime mieux en bouche avec du gras, du volume et une finale fruitée et miellée. Un petit vieillissement est bien sûr nécessaire. (50 à 69 F)

EARL Alice et Jean-Paul Bessette, 5, La Verrière, 33790 Landerrouat, tél. 05.56.61.36.91, fax 05.56.61.41.12 r.-v.

Premières côtes de bordeaux

La région des premières côtes de bordeaux s'étend, sur une soixantaine de kilomètres, le long de la rive droite de la Garonne, depuis les portes de Bordeaux jusqu'à Cadillac. Les vignobles sont implantés sur des coteaux qui dominent le fleuve et offrent de magnifiques points de vue. Les sols y sont très variés : en bordure de la Garonne, ils sont constitués d'alluvions récentes, et certains donnent d'excellents vins rouges ; sur les coteaux, on trouve des sols graveleux ou calcaires ; l'argile devient de plus en plus abondante au fur et à mesure que l'on s'éloigne du fleuve. L'encépagement, les conditions de culture et de vinification sont classiques. Le vignoble pouvant revendiquer cette appellation représente 2 868 ha en rouge et 470 ha en blanc doux ; une part importante des vins, surtout blancs, est commercialisée sous des appellations régionales bordeaux. Les vins rouges (198 831 hl en 2000) ont acquis depuis longtemps une réelle notoriété. Ils sont colorés, corsés, puissants ; les vins produits sur les coteaux ont en outre une certaine finesse. Les vins blancs (17 933 hl) sont des moelleux qui tendent de plus en plus à se rapprocher des liquoreux.

L'appellation côtes de bordeaux saint-macaire prolonge, vers le sud-est, celle des premières côtes de bordeaux. Elle produit des vins blancs souples et liquoreux qui ont représenté 2 321 hl en 2000.

BARON DE GRAVELINES
Vieilli en fût de chêne 1999

☐ n.c. n.c. 3 à 5 €

Commercialisé par les établissements Mau, ce vin suit la tendance actuelle avec une forte présence du bois. Mais celui-ci est de qualité et l'ensemble reste intéressant par son bouquet, entre orange et citron, sa matière et son équilibre général. (20 à 29 F)

SA Yvon Mau, BP 01, 33190 Gironde-sur-Dropt Cedex, tél. 05.56.61.54.54, fax 05.56.71.10.45

DOM. DU BARRAIL La Charmille 1999★★

■ 4 ha 24 000 8 à 11 €

S'il est surtout connu pour son vin liquoreux (Château La Rame), Yves Armand n'est pas moins talentueux en rouge. Son beau coup de cœur l'an dernier en a apporté une preuve éclatante. Ce 99 est lui aussi très éloquent. S'il demande encore à se fondre, il montre, par son bouquet aux notes fruitées et grillées comme par sa solide structure tannique, qu'il possède un réel potentiel d'évolution et promet une très belle bouteille d'ici quatre à cinq ans. (50 à 69 F)

Yves Armand, Ch. La Rame, 33410 Sainte-Croix-du-Mont, tél. 05.56.62.01.50, fax 05.56.62.01.94, e-mail chateau.larame@wanadoo.fr t.l.j. 8h30-12h 13h30-19h; sam. dim. sur r.-v.

CH. DU BIAC Elevé en barrique 1998

■ 7 ha 26 000 5 à 8 €

Encore assez jeune et austère tant au nez qu'au palais, ce vin à la robe sombre demande à évoluer. Sa bonne charpente annonce une bouteille intéressante après trois ou quatre ans de garde. (30 à 49 F)

SCEA Ch. du Biac, 19, rte de Ruasse, 33550 Langoiran, tél. 05.56.67.19.98, fax 05.56.67.32.63, e-mail palas@quaternet.fr r.-v.

Patrick Rossini

CH. DE BIROT 1998★

■ 17 ha 42 600 5 à 8 €

Une belle demeure du XVIIIe s. sur des coteaux dominant la Garonne et deux grands noms du Bordelais viticole (Fournier et Castéja) à sa tête : ce cru peut afficher des ambitions ; mais pas de vaines ambitions comme le prouve ce vin. Souple, rond et porté par des tanins bien extraits, il réussit à être déjà agréable avec de fins arômes fruités et épicés accompagnés d'une belle note animale, tout en gardant une bonne réserve d'évolution qui peut aussi inviter à l'attendre deux ou trois ans. (30 à 49 F)

Fournier-Castéja, Ch. de Birot, 33410 Béguey, tél. 05.56.62.68.16, fax 05.56.62.68.16, e-mail fournier.casteja@wanadoo.fr r.-v.

CH. BRETHOUS Cuvée Prestige 1998**

■ 12,5 ha 500 000 8 à 11 €

Chez les Verdier on est suffisamment sage pour ne pas tomber dans le piège des modes : pas question de faire des microcuvées « tendance ». Le bois est présent mais à sa place, pour accompagner la matière et non pas pour la supplanter. Le résultat est une très belle bouteille de garde, à attendre cinq ou six ans, qui annonce sa jeunesse par sa robe bordeaux et sa qualité par un bouquet déjà complexe que prolonge une structure charpentée et harmonieuse. (50 à 69 F)

Denise et Cécile Verdier, Ch. Brethous, 33360 Camblanes, tél. 05.56.20.77.76, fax 05.56.20.08.45 t.l.j. 8h30-12h 14h-18h; sam. dim. sur r.-v.

CH. CARIGNAN 1999*

■ 11 ha 40 000 15 à 23 €

Vaste unité de 145 ha dont 60 plantés en vignes, ce domaine au long passé est commandé par un beau château qui a connu des propriétaires prestigieux, de Xaintrailles à la famille Montesquieu. Equilibré et d'une bonne complexité aromatique, son 99 se montrera parfaitement à la hauteur des lieux d'ici deux ou trois ans. La **cuvée Prima 98 (50 à 69 F)** a également obtenu une étoile pour sa structure élégante. (100 à 149 F)

GFA Philippe Pieraerts, Ch. Carignan, 33360 Carignan-de-Bordeaux, tél. 05.56.21.21.30, fax 05.56.78.36.65, e-mail tt@chateau-carignan.com r.-v.

CH. CARSIN Cuvée noire 1999*

■ 21 ha 21 828 11 à 15 €

Cuvée prestige, ce vin a été choyé par son propriétaire, seul viticulteur finlandais du Bordelais. On s'en convainc en découvrant sa belle robe d'un rouge foncé brillant et son bouquet aux notes de cuir, de fruits rouges et de pain grillé. Soutenu par une charpente aux tanins harmonieux, le palais appelle une garde de deux à trois ans. (70 à 99 F)

Juha Berglund, Ch. Carsin, 33410 Rions, tél. 05.56.76.93.06, fax 05.56.62.64.80, e-mail chateau@carsin.com r.-v.

CH. DES CEDRES Elevé en fût de chêne 1999*

■ 3 ha 18 600 5 à 8 €

Un joli nom pour ce vin plaisant par son bouquet comme par son palais. Si le premier exprime sa personnalité par des notes de fruits rouges, le second trouve son identité dans une solide matière qui parviendra à son optimum d'ici deux à trois ans. (30 à 49 F)

SCEA Vignobles Larroque, Ch. des Cèdres, 33550 Paillet, tél. 05.56.72.16.02, fax 05.56.72.34.44 r.-v.

CH. CLOS DE MONS 1999

■ 1,47 ha 12 000 5 à 8 €

Acheté en 1996, ce vignoble s'est doté d'un chai en 1999. Le merlot (65 %), le cabernet-sauvignon (30 %) et les 5 % de cabernet franc ont contribué à l'équilibre de ce vin pourpre soutenu, bien construit, et qui donnera le meilleur de lui-même d'ici un à deux ans. (30 à 49 F)

SC Ch. de Mons, 37, chem. de Peybotte, 33360 Lignan-de-Bordeaux, tél. 05.56.21.00.00, fax 05.56.21.00.01 r.-v.

Monfort-Davidsen

CLOS DU MOINE 1999*

□ 0,56 ha 3 000 3 à 5 €

En 1870, le propriétaire de cette vigne choisit de rentrer dans les ordres. Il vend sa vigne qui depuis n'a pas changé de famille. Cette très petite cuvée assez confidentielle est expressive, tant par son bouquet, aux notes de fleurs et de fruits mûrs, que par son palais, souple, rond, ample et frais. (20 à 29 F)

Jean-Michel Barbot, Desclos, rte de Loupiac, 33410 Sainte-Croix-du-Mont, tél. 05.56.62.01.63, fax 05.56.62.06.09 r.-v.

CLOS SAINTE-ANNE 1999*

■ 3 ha 25 000 8 à 11 €

Bien qu'ils travaillent principalement dans l'aire de l'entre-deux-mers, les vignobles Courselle sont aussi présents ici. Avec de bons résultats, si l'on en juge d'après ce vin dont l'élégance est marquée dans le bouquet par des notes grillées et au palais par un beau développement aromatique et des tanins mûrs. Une jolie bouteille à attendre deux ou trois ans. (50 à 69 F)

Sté des Vignobles Francis Courselle, Ch. Thieuley, 33670 La Sauve, tél. 05.56.23.00.01, fax 05.56.23.34.37 r.-v.

CH. CRABITAN-BELLEVUE 1999*

□ 5 ha 9 000 5 à 8 €

Bien qu'implanté principalement en appellation sainte-croix, le GFA Solane ne néglige pas son premières côtes. Ce vin le prouve par sa souplesse, sa rondeur, son équilibre, et un gras qui contribue à le rendre agréable. Un classique de l'AOC. (30 à 49 F)

GFA Bernard Solane et Fils, 33410 Sainte-Croix-du-Mont, tél. 05.56.62.01.53, fax 05.56.76.72.09 t.l.j. sf dim. 8h-12h 14h-18h

CH. DUDON Cuvée Jean-Baptiste Dudon 1998*

■ 2 ha 16 000 5 à 8 €

Acquis par les Merlaut voilà quarante ans, ce cru poursuit tranquillement sa route avec un vin de caractère qui possède la complexité aromatique et la matière nécessaires pour donner une fort élégante bouteille dans deux ou trois ans. (30 à 49 F)

SARL Dudon, Ch. Dudon, 33880 Baurech, tél. 05.57.97.77.35, fax 05.57.97.77.39, e-mail jmdudon@alienor.fr r.-v.
Jean Merlaut

CH. FAUCHEY 1999

■ 5 ha 18 000 5à8€

Brûlé lors de la révocation de l'Edit de Nantes, ce château fort a été reconstruit en 1855 dans le style néogothique. Ce vin est un peu court vêtu, avec une robe aussi légère que limpide ; il joue résolument la carte de la souplesse et de la fraîcheur. Celles-ci viennent à point pour mettre en valeur le bouquet aux savoureux parfums de petits fruits rouges et de vanille. (30 à 49 F)

SCEA Famille Salamanca, Ch. Fauchey, 33550 Villenave-de-Rions, tél. 05.56.72.30.60, fax 05.56.72.30.09, e-mail chateaufauchey@aol.com r.-v.

CH. FRANC-PERAT 1999★★

■ n.c. n.c. 8à11€

Vous trouverez ce producteur à bien des pages de ce chapitre car, comme chaque année, ses vins sont sélectionnés aux meilleures places par nos jurys : voyez plus loin le superbe château Mont-Pérat. Ce vin est lui aussi remarquable. Intense dans son expression aromatique aux notes de fruits mûrs, de vanille et de toast – pour apporter un air de famille –, il développe un palais ample et tannique, qui garantit un très bel avenir à cette grande bouteille. (50 à 69 F)

SCEA de Mont-Pérat, 33550 Capian, tél. 05.57.84.55.08, fax 05.57.84.57.31, e-mail contact@vignobles-despagne.com r.-v.
J.-L. Despagne

CH. GALLAND-DAST 1998★

■ 2,59 ha 20 000 5à8€

Une petite propriété aussi discrète que sympathique pour un vin ne manquant pas de personnalité. Souple, bien équilibré, long et soutenu par de solides tanins, ce 98 a toutes les chances d'évoluer dans de bonnes conditions pour permettre à son bouquet de fruits rouges de s'exprimer pleinement. (30 à 49 F)

SCEA du Ch. Galland-Dast, 33880 Cambes, tél. 05.56.20.87.54, fax 05.56.20.87.54 r.-v.

CH. DU GRAND PLANTIER 1999

■ 11 ha 22 000 5à8€

Producteur dans de nombreuses appellations, les vignobles Albucher proposent ici un premières côtes simple mais bien construit et agréable par sa rondeur, qui s'accorde avec ses aimables parfums floraux et fruités. (30 à 49 F)

GAEC des Vignobles Albucher, Ch. du Grand Plantier, 33410 Monprimblanc, tél. 05.56.62.99.03, fax 05.56.76.91.35 r.-v.

CH. GRIMONT Cuvée Prestige 1999★

■ 8 ha 55 000 5à8€

Ce vin a été élevé en fût. Son bouquet en a gardé une note vanillée de bon aloi qui se retrouve au palais où elle se mêle aux fruits rouges pour donner un ensemble bien équilibré, souple, ample et aimable. D'une bonne longueur, cette bouteille pourra être attendue trois ou quatre ans. (30 à 49 F)

SCEA Pierre Yung et Fils, Ch. Grimont, 33360 Quinsac, tél. 05.56.20.86.18, fax 05.56.20.82.50 r.-v.

CH. HAUT GAUDIN
Cuvée Prestige Elevé en fût de chêne 1998★

■ 5 ha 20 000 8à11€

Elevée en fût pendant douze mois, cette cuvée Prestige a gagné des notes épicées et vanillées, qui contribuent à son élégance. De la robe, d'un scintillant rubis foncé, à la finale, tout confirme qu'il possède un bon potentiel et méritera une garde de deux ou trois ans. La **Cuvée Tradition 98 (30 à 49 F)**, qui ne passe que six mois en barrique, obtient aussi une étoile. Elle est déjà agréable et possède une bonne capacité d'évolution. (50 à 69 F)

Vignobles Dubourg, 33760 Escoussans, tél. 05.56.23.93.08, fax 05.56.23.65.77 t.l.j. sf dim. 8h-12h 14h-18h

CH. HAUT MAURIN 1999★

□ 2 ha n.c. 3à5€

Seul moelleux de la large gamme proposée par les vignobles Sanfourche, ce vin ne manque pas d'arguments. Elégant dans son expression aromatique, il développe une structure bien équilibrée qui donne un ensemble souple et mûr. (20 à 29 F)

EARL Vignobles Sanfourche, rue Grand-Village, 33410 Donzac, tél. 05.56.62.97.43, fax 05.56.62.16.87 r.-v.

CH. JONCHET Cuvée Prestige 1998★

■ 6,5 ha 10 000 5à8€

Appartenant à la cuvée Prestige, ce vin est un bon ambassadeur de son cru : à un bouquet d'une bonne complexité (pruneau, bois et fruits rouges), il ajoute un palais frais, souple, soyeux, élégant et long, qui laisse le dégustateur sur un souvenir sympathique. (30 à 49 F)

Philippe Rullaud, Ch. Jonchet, La Roberie, 33880 Cambes, tél. 05.56.21.34.16, fax 05.56.78.75.32 r.-v.

CH. JOURDAN
Elevé en fût de chêne 1999★

■ 17,86 ha 93 000 5à8€

Cette propriété est un ancien prieuré bénédictin. Aujourd'hui diffusé par la maison de Luze, ce vin sait déjà se rendre agréable par son aimable bouquet de petits fruits rouges et sa souplesse, tout en montrant qu'il possède un bon potentiel par ses fins tanins et sa longue finale. (30 à 49 F)

A. de Luze et Fils, Dom. du Ribet, BP 59, 33451 Saint-Loubès Cedex, tél. 05.57.97.07.20, fax 05.57.97.07.27, e-mail deluze@gvg.fr r.-v.

CH. LA BERTRANDE
Elevé en fût de chêne 1999★★

■ 2,5 ha 12 000 8à11€

S'il n'a pas bénéficié des importants travaux entrepris actuellement sur le cru, ce vin, appartenant à une cuvée numérotée élevée en fût, n'en affiche pas moins une belle forme. Souple, rond, soyeux en même temps que tannique, il développe un bouquet de fruits mûrs et une matière intéressante qui le rendent déjà agréable tout en lui laissant de bonnes possibilités d'évolution. (50 à 69 F)

Vignobles Anne-Marie Gillet, Ch. La Bertrande, 33410 Omet, tél. 05.56.62.19.64, fax 05.56.76.90.55, e-mail chateau.la.bertrande@wanadoo.fr r.-v.

CH. LA CHEZE
Elevé en fût de chêne 1999★

■ 9 ha 40 000 5à8€

Comme beaucoup de maisons nobles des environs, ce château passe pour avoir servi de relais de chasse au duc d'Epernon. C'est aujourd'hui un cru repris par deux œnologues jouissant d'une solide réputation. Celle-ci n'aura pas à souffrir de ce 99 dont la robe foncée et brillante annonce une belle concentration. D'une bonne complexité aromatique, ce vin marie agréablement le bois et les fruits avant de développer une structure ample et longue appuyée sur une solide charpente ; celle-ci annonce une garde intéressante de trois à cinq ans. (30 à 49 F)

SCEA Ch. La Chèze, La Chaise, 33550 Capian, tél. 05.56.72.11.77, fax 05.56.23.01.51 r.-v.

CH. LA CLYDE
Cuvée Garde de la Clyde Elevé en fût de chêne 1998★

■ 2 ha 12 000 8à11€

« Cuvée Garde », ce nom affiche clairement les ambitions de ce vin. On comprend dans cette perspective le rôle qu'a joué l'élevage toujours très présent. Mais une solide constitution laissera au bois et aux tanins le temps de se fondre. (50 à 69 F)

EARL Philippe Cathala, Ch. La Clyde, 33550 Tabanac, tél. 05.56.67.56.84, fax 05.56.67.12.06 r.-v.

CH. LA FORET
Elevé en fût de chêne 1999★

■ 2 ha 8 000 5à8€

Même si le nom du cru est un hommage aux moines qui défrichèrent les forêts et plantèrent des vignes pour les besoins du culte, ce premières côtes n'a rien d'un vin de messe. La finesse de ses parfums, aux nuances de fruits rouges, de praline et de bois, et sa bonne charpente tannique témoignent d'une extraction et d'un élevage bien maîtrisés. (30 à 49 F)

SCEA Ch. La Forêt, 33880 Cambes, tél. 05.56.21.31.25, fax 05.56.78.71.80 r.-v.
d'Herbigny

CH. LA PRIOULETTE 1998★

■ 3 ha 10 000 5à8€

Ce domaine, acheté en 1911 par Pierre Bord, est resté familial. Bénédicte et Valérie, ses petites-filles, le conduisent depuis cinq ans. Ce vin est intéressant par son bouquet expressif (fruits rouges) et sa solide structure tannique. Une jolie bouteille, déjà très agréable, mais qui peut être attendue deux ou trois ans. (30 à 49 F)

SC du Ch. La Prioulette, 33490 Saint-Maixant, tél. 05.56.62.01.97, fax 05.56.62.02.20 r.-v.

CH. LAROCHE 1999★★

■ 13,5 ha 70 000 5à8€

A l'image du château, une belle demeure du XVIII[e]s. construite autour d'une tour du XVI[e]s., ce vin est solidement bâti. D'une bonne intensité, son bouquet marie heureusement les notes de sous-bois et de fruits. Concentré et bien équilibré, le palais attaque en souplesse avant de révéler sa puissance tannique qui demande une garde de quatre à cinq ans. (30 à 49 F)

Martine Palau, Ch. Laroche, 33880 Baurech, tél. 05.56.21.31.03, fax 05.56.21.36.58, e-mail chateau.laroche@wanadoo.fr r.-v.

CH. LE DOYENNE 1999

■ 8 ha 37 000 8à11€

Un beau parc apporte un agrément réel à ce domaine. Bien qu'un peu austère en finale, ce vin est attrayant par son équilibre et par son bouquet aux jolies notes fruitées (cassis et cerise griotte). (50 à 69 F)

SCEA du Doyenné, 27, chem. de Loupes, 33880 Saint-Caprais-de-Bordeaux, tél. 05.56.78.75.75, fax 05.56.21.30.09, e-mail doyenne@vieco.com r.-v.
D. Watrin

CH. LESCURE 1998

□ 2,3 ha 7 800 3à5€

Né à Verdelais, village dont la basilique fut fréquentée par Mauriac et le café par Toulouse-Lautrec, ce vin souple et riche n'appelle pas la garde mais, bu jeune, il saura montrer un visage aimable. (20 à 29 F)

C.A.T. Ch. Lescure, 33490 Verdelais, tél. 05.57.98.04.68, fax 05.57.98.04.64, e-mail chateau.lescure@free.fr r.-v.
S.P.E.G.

CH. LES HAUTS DE PALETTE
Elevé en fût de chêne 1998★

■ 2,75 ha 20 000 5à8€

Issu d'un petit vignoble faisant part égale aux merlot et cabernets, ce vin est soutenu par une bonne structure, ample, charnue, longue et équilibrée qui permet tout aussi bien de le boire dès à présent ou de l'attendre trois ou quatre ans. (30 à 49 F)

SCEA Charles Yung et Fils, 8, chem. de Palette, 33410 Béguey, tél. 05.56.62.94.85, fax 05.56.62.18.11 r.-v.

CH. DE L'ESPINGLET 1999★

■ 26 ha 120 000 5 à 8 €

Issu d'une unité renommée depuis longtemps, ce vin, commercialisé par la grande maison Ginestet, tient les promesses de sa robe pourpre. Les fruits rouges et les épices se partagent le nez, avec en prime une note de tabac ; ce 99 développe une bonne structure, dont les tanins seront à point d'ici un à deux ans. (30 à 49 F)

SA Maison Ginestet, 19, av. de Fontenille, 33360 Carignan-de-Bordeaux, tél. 05.56.68.81.82, fax 05.56.20.96.99, e-mail contact@ginestet.fr r.-v.

EBG Raynaud

CH. DE LESTIAC

Cuvée Prestige Elevé en fût de chêne 1999★

■ 55,7 ha 80 000 5 à 8 €

Très régulière en qualité, la cuvée Prestige de ce cru joue une fois encore la carte de l'élégance. Complexe et savoureuse par son bouquet, où les notes chocolatées et grillées rejoignent les fruits mûrs et la confiture, elle se montre ample, longue, charnue et tannique au palais. Encore un an ou deux ans et l'on aura une très jolie bouteille. Le **Château de Marsan rouge 99**, qui ne connaît pas la barrique, obtient une citation. (30 à 49 F)

SCEA Gonfrier Frères, Ch. de Marsan, 33550 Lestiac-sur-Garonne, tél. 05.56.72.14.38, fax 05.56.72.10.38, e-mail gonfrier@terre-net.fr r.-v.

CH. LEZONGARS 1999★

■ 10 ha 50 000 5 à 8 €

Commandé par une belle villa d'inspiration palladienne établie au sommet d'un coteau, ce cru jouit d'un terroir de qualité. Bien qu'encore un peu austère en finale, ce vin en apporte la preuve par son bouquet aux notes de fruits rouges et d'épices, comme par sa bonne structure qui incite à l'attendre trois ou quatre ans. (30 à 49 F)

SC du Ch. Lezongars, 324, Roques-Nord, 33550 Villenave-de-Rions, tél. 05.56.72.18.06, fax 05.56.72.31.44, e-mail info@chateau-lezongars.com r.-v.

CH. MACALAN 1999★

■ 2,65 ha 21 000 5 à 8 €

Venu de Sainte-Eulalie, commune du nord de l'appellation au riche patrimoine (église du XIIIes. et ancienne abbaye), ce vin joue délibérément la carte de l'élégance, sensible dans le bouquet, fait de fruits rouges mûrs et de notes torréfiées, comme au palais, souple, équilibré et long. (30 à 49 F)

Jean-Jacques Hias, Ch. Macalan, 20, rue des Vignerons, 33560 Sainte-Eulalie, tél. 05.56.38.92.41, fax 05.56.38.92.41 r.-v.

CH. MAINE-PASCAUD

Cuvée André Vieilli en fût de chêne 1998★

■ 3 ha 20 000 5 à 8 €

Sans rivaliser avec certains millésimes antérieurs, comme le 96, coup de cœur du Guide 2000, ce vin ne manque pas de répondant. Paré d'une robe soutenue, souple et rond, bien équilibré par de bons tanins, expressif (fruits et épices), il tirera profit d'une attente de un à deux ans. (30 à 49 F)

Olivier Metzinger, SCEA du Ch. Pascaud, RD 10, 33410 Rions, tél. 05.56.62.60.58, fax 05.56.62.60.58 r.-v.

CH. MALAGAR 1999★

□ n.c. 4 000 8 à 11 €

Est-il besoin de rappeler que ce domaine fut celui de François Mauriac ? L'or habille ce vin moelleux au nez de cire d'abeille et de fruits confits. L'élégance du palais associe gras et volume à un joli boisé pour donner un ensemble intéressant dès maintenant. (50 à 69 F)

Domaines Cordier, 160, cours du Médoc, 33300 Bordeaux, tél. 05.57.19.57.77, fax 05.57.19.57.87 r.-v.

CH. MARGOTON 1998★

□ 3 ha 4 000 5 à 8 €

Sémillon et muscadelle à parts égales composent cette petite cuvée qui fait preuve de richesse, tant par son bouquet, aux fines notes fumées, que par son palais, souple, gras et ample. (30 à 49 F)

Francine et Francis Courrèges, 31, chem. des Vignes, 33880 Saint-Caprais-de-Bordeaux, tél. 05.56.21.32.87, fax 05.56.21.37.18, e-mail f.courreges@gt-sa.com t.l.j. 8h-12h 14h-18h

CH. MEMOIRES

Vieilli en fût de chêne 1999★

■ n.c. 40 000 5 à 8 €

Ne cédant pas à la mode qui privilégie le merlot, ce cru est à majorité de cabernet-sauvignon (60 %). Cela lui a réussi dans ce millésime : comme l'annonce sa robe d'une couleur soutenue, ce vin exprime sa personnalité par un bouquet mariant agréablement les fruits et la vanille avant de révéler, par sa concentration et ses tanins du bois très marqués, une bonne espérance de garde. (30 à 49 F)

SCEA Vignobles Ménard, Ch. Mémoires, 33490 Saint-Maixant, tél. 05.56.62.06.43, fax 05.56.62.04.32, e-mail memoires@aol.com r.-v.

J.-François Ménard

CH. DE MONS Elevé en fût de chêne 1998★

■ 27 ha n.c. 3 à 5 €

Belle unité familiale distribuée par les établissements Cordier, ce cru offre ici un vin rubis et franc, bien construit. Frais et corsé, avec des arômes boisés fondus, il est déjà plaisant, mais demande encore du temps pour s'arrondir. (20 à 29 F)

Ets D. Cordier, 53, rue du Dehez, 33290 Blanquefort, tél. 05.56.95.53.00, fax 05.56.95.53.01, e-mail florence.dobhels@cordier-wines.com

GAEC Subra

BORDELAIS

CH. MONT-PERAT 1999★★★

■ 10 ha 18 000 ◼ 15 à 23 €

Coup de cœur l'an dernier, ce cru renouvelle l'exploit avec son 99. Impressionnant dans sa robe sombre, ce vin est un véritable magicien qui libère tous les parfums, avec une prédilection pour les notes toastées. Bien dosé, le bois respecte la matière et lui laisse le soin d'annoncer une très belle garde. (100 à 149 F)

SCEA de Mont-Pérat, 33550 Capian, tél. 05.57.84.55.08, fax 05.57.84.57.31, e-mail contact@vignobles-despagne.com
Y r.-v.

CH. OGIER DE GOURGUE 1999★

■ 4,5 ha 36 000 ◼ 8 à 11 €

Pigeage manuel, dosage raisonné du pourcentage de barriques neuves, le choix du propriétaire œnologue est ici d'obtenir un vin de bonne garde mais sans astringence. Malgré un bouquet un peu fermé au fruité discret, l'objectif est atteint avec ce millésime d'une jolie couleur profonde à reflets pourpres ; la bouche se montre moelleuse jusque dans la finale soyeuse. (50 à 69 F)

Josette Fourès, 41, av. de Gourgues, 33880 Saint-Caprais-de-Bordeaux, tél. 05.56.78.70.99, fax 05.56.76.46.18, e-mail v.lartigue@malrome.com ☑ Y r.-v.

CH. DU PIRAS 1998★

■ 25 ha 175 000 ◼ 8 à 11 €

Né sur une vaste unité de 76 ha, ce vin demande à s'arrondir, ce qu'il pourra faire grâce à sa matière que l'on sent soutenue par une bonne présence tannique. Ses parfums intenses et complexes de sous-bois, de fruits mûrs, d'épices sont complétés par une note animale. Cette richesse aromatique s'exprimera mieux après décantation. (50 à 69 F)

SCA Les Trois Collines, Ch. du Grand-Mouëys, 33550 Capian, tél. 05.57.97.04.44, fax 05.57.97.04.60, e-mail cavif.gm@ifrance.com ☑ Y r.-v.

CH. PRIEURE CANTELOUP

Cuvée Faustine Elevé en fût de chêne 1999★

■ 9,3 ha n.c. ◼ 5 à 8 €

Elevé en fût, ce vin réussit à concilier souplesse et concentration. Si son bouquet reste encore un peu fermé, il s'annonce intéressant par son côté fruité, et la structure tannique doit lui laisser le temps de s'ouvrir (d'ici quatre à cinq ans). (30 à 49 F)

Xavier et Valérie Germe, 63, chem. du Loup, 33370 Yvrac, tél. 05.56.31.58.61, fax 05.56.56.00.00 ☑ Y r.-v.

CH. REYNON 1999★

■ 16 ha 75 000 ◼ 11 à 15 €

Pur XVIII[e]s. par son style, le château date en fait de 1848. Ce millésime est aussi un peu surprenant, pour qui connaît le cru, par son aptitude à être bu jeune, bien qu'il puisse affronter l'avenir. L'amateur qui le goûtera dès cet hiver ne sera pas déçu par son joli bouquet fruité et puissant annonçant une belle concentration, ni par sa structure, équilibrée, appuyée par un développement aromatique de fruits très mûrs et de notes grillées. L'ensemble est fort élégant. (70 à 99 F)

Denis et Florence Dubourdieu, Ch. Reynon, 33410 Béguey, tél. 05.56.62.96.51, fax 05.56.62.14.89, e-mail reynon@gofornet.com ☑ Y r.-v.

CH. ROQUEBERT

Cuvée spéciale Oanna Elevé en fût neuf 1998

■ 1 ha 6 000 ◼ 8 à 11 €

Issu d'une petite cuvée de prestige, ce vin au bouquet expressif et encore marqué par les tanins demandera une garde de deux ou trois ans avant d'être servi. (50 à 69 F)

Christian et Philippe Neys, Ch. Roquebert, 33360 Quinsac, tél. 05.56.20.84.14, fax 05.56.20.84.14 ☑ Y t.l.j. 9h-12h 14h-18h; sam. dim. sur r.-v.

CH. DE TESTE 1999★

□ 3 ha 14 000 ◼ 5 à 8 €

Appartenant à une famille bien implantée dans la région, Laurent Réglat propose ici un vin d'une belle tenue au palais. Cire d'abeille, rôti, miel, acacia, citron, confiture, son bouquet lui donne un charme réel. Le **Château Saint-Hubert rouge 99 (50 à 69 F)** a obtenu une citation. (30 à 49 F)

EARL Vignobles Laurent Réglat, Ch. de Teste, 33410 Monprimblanc, tél. 05.56.62.92.76, fax 05.56.62.98.80, e-mail laurent.reglat@worldonline.fr ☑ Y t.l.j. sf sam. dim. 9h-12h 14h30-18h; f. 15-30 août

CH. VIEILLE TOUR 1998★

■ 1,5 ha 9 000 ◼ 5 à 8 €

Belle unité de plus de 33 ha au total, ce cru propose ici un vin entièrement à base de merlot. Le cépage a marqué la personnalité du bouquet, aux fines notes fruitées et épicées, et du palais, d'une agréable souplesse. Bien construit, l'ensemble pourra être bu d'ici un à deux ans. (30 à 49 F)

Arlette Gouin, 1, Lapradiasse, 33410 Laroque, tél. 05.56.62.61.21, fax 05.56.76.94.18, e-mail chateau.vieille.tour@wanadoo.fr ☑ Y r.-v.

Côtes de bordeaux saint-macaire

CH. FAYARD 1999★

□ 2,97 ha 10 000 11 à 15 €

Saint-Macaire a conservé son enceinte fortifiée datant du Moyen Age, ses maisons du XVIe s. et l'église Saint-Sauveur aux fresques du XIIIe s. Figurant parmi les plus belles cités girondines, elle mérite votre visite, tout comme ce château du XVIIe s. Issu de vieilles vignes plantées sur un terroir graveleux, 99 présente une jolie teinte à reflets dorés, des arômes complexes de fruits jaunes, de pamplemousse, avec des notes minérales mêlées de cuir. Plein et équilibré en bouche, il sait se montrer harmonieux, avec du gras et beaucoup de persistance. A boire ou à garder deux à trois ans. (70 à 99 F)

Jacques-Charles de Musset, Ch. Fayard, 33490 Le Pian-sur-Garonne, tél. 05.56.63.33.81, fax 05.56.63.60.20, e-mail chateau.fayard@wanadoo.fr r.-v.
Saint-Michel SA

CH. PERAYNE 1999

□ 2,25 ha 1 350 5 à 8 €

Pour les amateurs de philatélie, signalons à Saint-Macaire un musée de la Poste aménagé au *Relais de poste d'Henri IV*. Cette minuscule cuvée est à retenir pour son joli bouquet de citron vert, de fleurs et de poivre. Très vif en attaque, ce vin devrait bénéficier avec bonheur d'un vieillissement de deux à trois ans et donner alors beaucoup de plaisir. (30 à 49 F)

Henri Lüddecke, Ch. Perayne, 33490 Saint-André-du-Bois, tél. 05.57.98.16.20, fax 05.56.76.45.71, e-mail chateau.perayne@wanadoo.fr r.-v.

La région des Graves

Vignoble bordelais par excellence, les graves n'ont plus à prouver leur antériorité : dès l'époque romaine, leurs rangs de vignes ont commencé à encercler la capitale de l'Aquitaine et à produire, selon l'agronome Columelle, « un vin se gardant longtemps et se bonifiant au bout de quelques années ». C'est au Moyen Age qu'apparaît le nom de « graves ». Il désigne alors tous les pays situés en amont de Bordeaux, entre la rive gauche de la Garonne et le plateau landais. Par la suite, le Sauternais s'individualise pour constituer une enclave, vouée aux liquoreux, dans la région des Graves.

Graves et graves supérieures

S'allongeant sur une cinquantaine de kilomètres, les graves doivent leur nom à la nature de leur sol : il est constitué principalement par des terrasses construites par la Garonne et ses ancêtres qui ont déposé une grande variété de débris caillouteux (galets et graviers, originaires des Pyrénées et du Massif central).

Depuis 1987, les vins qui y sont produits ne sont pas tous commercialisés comme graves, le secteur de Pessac-Léognan bénéficiant d'une appellation spécifique, tout en conservant la possibilité de préciser sur les étiquettes les mentions « vin de graves », « grand vin de graves » ou « cru classé de graves ». Concrètement, ce sont les crus du sud de la région qui revendiquent l'appellation graves.

L'une des particularités des graves réside dans l'équilibre qui s'est établi entre les superficies consacrées aux vignobles rouges (près de 2 376 ha, pessac-léognan non compris) et blancs secs (plus de 1 270 ha). Les graves rouges (137 957 hl en 2000) possèdent une structure corsée et élégante qui permet un bon vieillissement. Leur bouquet, finement fumé, est particulièrement typé. Les blancs secs (66 019 hl en 2000), élégants et charnus, sont parmi les meilleurs de la Gironde. Les plus grands, maintenant fréquemment élevés en barrique, gagnent en richesse et complexité après quelques années de vieillissement. On trouve aussi des vins moelleux qui ont conservé leurs amateurs et qui sont vendus sous l'appellation graves supérieures.

Graves

CH. D'ARCHAMBEAU 2000★

□ 10 ha n.c. 5 à 8 €

90 91 92 93 94 96 |98| |00|

Avec une jolie église romane, Illats mérite certainement un détour. Ce sera l'occasion de découvrir quelques crus intéressants, dont celui-ci. Frais et d'une agréable couleur jaune pâle, ce 2000 blanc sait se montrer fort séduisant par son bouquet aux notes de genêt et de fruit de la

Passion, avec une dominante de pamplemousse qui se retrouve au palais. (30 à 49 F)
SARL Famille Dubourdieu, Archambeau, 33720 Illats, tél. 05.56.62.51.46, fax 05.56.62.47.98 r.-v.

CH. D'ARDENNES 1999★★

25 ha 80 000 8 à 11 €

88 89 90 92 93 94 96 97 98 99

La réputation du château d'Ardennes n'est plus à faire, ce qui ne l'empêche pas de soigner toujours autant la qualité de sa production. Ce 99, assemblant 45 % de merlot, 40 % de cabernet-sauvignon, 10 % de cabernet franc et du petit verdot, est là pour le prouver. Comme l'annonce sa robe intense, il possède une jolie matière, bien soutenue par le bois et les arômes fruités et grillés sur un fond minéral d'une superbe longueur. Le **blanc 2000 (50 à 69 F)** a obtenu une citation. (50 à 69 F)
SCEA Ch. d'Ardennes, Ardennes, 33720 Illats, tél. 05.56.62.53.80, fax 05.56.62.43.67 r.-v.
François Dubrey

CH. D'ARRICAUD Cuvée Prestige 1998★

2 ha 10 600 11 à 15 €

85 88 89 90 91 93 96 98

Né sur une propriété qui offre un beau panorama sur le Sauternais et la Garonne, ce vin à majorité de merlot (60 %) est encore discret par son bouquet ; mais il s'appuie sur une belle matière, équilibrée et soutenue par un élevage bien maîtrisé. Rond et finement parfumé de fleurs d'acacia, de miel, le **blanc 99 (50 à 69 F)** a reçu une citation. (70 à 99 F)
EARL Bouyx, Ch. d'Arricaud, 33720 Landiras, tél. 05.56.62.51.29, fax 05.56.62.41.47 r.-v.

CH. BEAUREGARD-DUCASSE 1998★

23 ha 100 000 8 à 11 €

93 94 95 96 97 98

Propriété familiale, ce cru forme un bel ensemble de près d'une quarantaine d'hectares. Représentant sa principale production, cette cuvée offre un joli vin qui demande à évoluer – ses tanins étant encore très jeunes – mais qui possède suffisamment de gras et de sève pour bien le faire dans deux ou trois ans. Finement bouqueté (cassis, fruits des bois et boisé léger), il s'achève sur une finale très agréable. Egalement puissante et élégante, la **cuvée bois Albert Duran (70 à 99 F)** a obtenu elle aussi une étoile. Le **blanc 2000** s'est vu attribuer une citation tandis que la **cuvée Albertine Peyri 2000** recevait une étoile. (50 à 69 F)
Jacques Perromat, Ducasse, 33210 Mazères, tél. 05.56.76.18.97, fax 05.56.76.17.73 r.-v.
GFA de Gaillote

CH. DE BEAU-SITE 1998

5 ha 14 000 8 à 11 €

Issue d'une petite parcelle vendangée manuellement, cette cuvée joue résolument la carte aromatique avec des notes balsamiques et des touches de fruits cuits. Plaisants, les tanins sont enrobés. Le **blanc 99** a également reçu une citation pour ses parfums exotiques. (50 à 69 F)
SA Ch. de Beau-Site, Beau-Site, 33640 Portets, tél. 05.56.67.18.15, fax 05.56.67.38.12, e-mail chateaudebeausite@dial.deane.com r.-v.
Mme Dumergue

CH. BERGER 1998★★

1,64 ha 12 900 8 à 11 €

Un peu confidentiel par son volume de production, ce vin n'en est pas moins d'une très belle tenue tout au long de la dégustation. L'intensité de la robe se retrouve au bouquet, tandis que l'élégance et la complexité de ce dernier demeurent au palais pour laisser le dégustateur sur le souvenir d'un ensemble harmonieux et de bonne garde (quatre à cinq ans). (50 à 69 F)
SCA Ch. Berger, 6, chem. La Girafe, 33640 Portets, tél. 05.56.67.58.98, fax 05.56.67.04.88 r.-v.

CH. BICHON CASSIGNOLS 1998★

3 ha 20 000 8 à 11 €

Un peu plus de 12 ha pour ce cru créé en 1981 sur un sol sablo-graveleux. S'il ne parvient pas encore à s'exprimer pleinement, ce vin sait malgré tout trouver des arguments, qu'il s'agisse de l'équilibre de sa structure, très dense, ou des agréables parfums de fruits rouges et de cassis de son bouquet. Le **blanc 99** a obtenu une citation pour son très fin boisé et ses parfums exotiques. (50 à 69 F)
Jean-François Lespinasse, 50, av. Edouard-Capdeville, 33650 La Brède, tél. 05.56.20.28.20, fax 05.56.20.20.08, e-mail bichon.cassignols@wanadoo.fr r.-v.

CLOS BOURGELAT 1998

3,62 ha 28 000 5 à 8 €

Né à Cérons comme le liquoreux, ce vin où le merlot est à parité avec les cabernets ne s'exprime pas encore complètement. Mais une bonne présence tannique et une expression aromatique intéressante (noix de coco, réglisse et fumée) encouragent à l'attendre. Le **blanc 2000** (100 % sémillon) a également reçu une citation. (30 à 49 F)
Dominique Lafosse, Clos Bourgelat, 33720 Cérons, tél. 05.56.27.01.73, fax 05.56.27.13.72 t.l.j. sf dim. 9h-12h 14h-19h; groupes sur r.-v.

CH. BRONDELLE 1999★★

15 ha 80 000 8 à 11 €

Pendant longtemps ce cru n'a produit que du blanc. Même si le **blanc 2000** a obtenu une étoile, comment ne pas se réjouir de la qualité de son 99 rouge ? La complexité de son bouquet (iris, fruits rouges, framboise et bois) se retrouve intacte au palais, donnant un ensemble aux flaveurs à la fois traditionnelles et modernes. Une belle bouteille à oublier à la cave pendant cinq ou six ans. (50 à 69 F)

•ㄱ EARL Vignobles Belloc-Rochet, Ch. Brondelle, 33210 Langon, tél. 05.56.62.38.14, fax 05.56.62.23.14, e-mail chateau.brondelle@wanadoo.fr ▼ Y r.-v.

CH. CABANNIEUX
Elevé en barrique 1998★

	13 ha	n.c.	8 à 11 €

Planté sur des graves légèrement en pente, ce vignoble d'un seul tenant jouit de bonnes conditions de drainage. Expressif, bien charpenté et ample, son 98 élevé dix-huit mois en barrique méritera d'être attendu deux ou trois ans pour permettre aux tanins de se fondre. (50 à 69 F)

•ㄱ SCEA du Ch. Cabannieux, 44, rte du Courneau, 33640 Portets, tél. 05.56.67.22.01, fax 05.56.67.32.54 ▼ Y r.-v.

•ㄱ Mme Dudignac

CH. DU CAILLOU
Cuvée Saint-Cricq 1999★

□	2 ha	7 000	5 à 8 €

Elevé en barrique, ce vin tient les promesses de sa belle robe ; tant par son bouquet, aux notes de miel, de confit, de cire et d'abricot, que par sa structure, qui progresse tout au long de la dégustation pour s'ouvrir sur une finale persistante sur le fruit. La **cuvée principale**, dans ce même millésime, a obtenu une citation. (30 à 49 F)

•ㄱ SARL Ch. du Caillou, rte de Saint-Cricq, Caillou, 33720 Cérons, tél. 05.56.27.17.60, fax 05.56.27.00.31 ▼ Y r.-v.

•ㄱ Latorse

CH. CALENS 1998★

■	6 ha	7 500	5 à 8 €

Venu du nord de l'appellation, ce vin à la robe grenat brillant est intéressant par sa bonne constitution générale, encore sévère aujourd'hui, et ses arômes de fruits mûrs et d'épices. Sa finale ample et longue promet que dans deux ou trois ans ce vin sera élégant. (30 à 49 F)

•ㄱ GAEC Artaud et Fils, 6, rue des Mages, 33640 Beautiran, tél. 05.56.67.05.48, fax 05.56.67.04.72 ▼ Y r.-v.

CH. DE CALLAC 1999★

■	20 ha	120 000	11 à 15 €

Repris en mains récemment par Philippe Rivière, ce cru est appelé à évoluer dans les

La Région des Graves

Graves et Graves supérieures
Pessac-Léognan

années à venir. Mais déjà ce 99 montre qu'il possède de réels atouts. Son bouquet comme son palais marient les fruits mûrs aux notes grillées et torréfiées. Bien construit, l'ensemble peut être attendu tout en étant déjà plaisant. Le **blanc 99** a obtenu une citation. Il est destiné aux amateurs de boisé grillé. (70 à 99 F)

SCEA VM et Ph. Rivière, Ch. de Callac, 33720 Illats, tél. 05.57.55.59.59, fax 05.57.55.59.51, e-mail priviere@riviere-stemilion.com r.-v.

CH. CAMARSET 1999

1,2 ha 6 000 5à8€

Autrefois rattaché à La Brède, ce château a vinifié et élevé en fût ce vin qui porte la marque de l'élevage. Toutefois, s'il est très présent, le bois n'écrase pas les arômes de fruits ni la matière, qui reste assez fondue et agréable. (30 à 49 F)

SCEA Camarset, Ch. Camarset, 33650 Saint-Morillon, tél. 05.56.20.31.94, fax 05.56.20.31.94

CH. DE CASTRES 1999*

14 ha 41 000 11à15€

La belle chartreuse du XVIIIes. est actuellement en cours de restauration et les chais, récents, ont été conçus par le nouveau propriétaire, ingénieur-œnologue. Ce cru offre ici un vin qui sait trouver un bon point d'équilibre entre la rondeur et la force, et qui pourra être bu jeune ou après une petite garde. Son nez commence à s'ouvrir sur des notes de fruits compotés (fraise, framboise), des nuances animales et du tabac. Le **blanc 2000** n'a obtenu qu'une citation parce qu'il est trop jeune mais il devrait bien évoluer, le boisé ne cachant pas une jolie sève aux parfums exotiques. (70 à 99 F)

SARL vignobles Rodrigues-Lalande, Ch. de Castres, 33640 Castres-sur-Gironde, tél. 05.56.67.51.51, fax 05.56.67.52.22 r.-v.

CH. CAZEBONNE 1998**

12,6 ha 72 000 5à8€

S'ils ne partent plus vers le monde depuis le « port des Chais » à Langon, comme jadis, les vins de ce cru bénéficient toujours d'un terroir de choix. Mariant harmonieusement les fruits rouges, le cassis et le bois avant de révéler une structure généreuse, fine et complexe, ce vin prouve qu'il en a tiré un excellent profit. Une belle bouteille à garder en cave cinq ou six ans. Délicatement parfumé, le **blanc 99** a obtenu une citation. (30 à 49 F)

Jean-Marc et Marie-Jo Bridet, Vignobles de Bordeaux, Saint-Pierre-de-Mons, 33212 Langon Cedex, tél. 05.56.63.19.34, fax 05.56.63.21.60, e-mail lvb.sica@libertysurf.fr r.-v.

CH. DE CHANTEGRIVE 1999**

30 ha 100 000 8à11€

Belle unité de 90 ha, cette propriété bénéficie d'équipements modernes et élégants. Régulière en qualité, elle reste fidèle à sa tradition avec ce vin qui s'attache à ne pas faire mentir sa robe d'un rouge profond. Marqué par le bois, avec des notes grillées, le bouquet est sans faiblesse comme le palais aux tanins encore fougueux mais respectueux du vin. La finale, qui marie les fruits et le bois, confirme des possibilités de garde supérieures à cinq ans. En **blanc 99**, la **cuvée Caroline (70 à 99 F)** a reçu une citation. (50 à 69 F)

GFA Françoise et Henri Lévêque, Ch. de Chantegrive, 33720 Podensac, tél. 05.56.27.17.38, fax 05.56.27.29.42, e-mail courrier@chateau.chantegrive.com t.l.j. sf dim. 8h-12h30 13h30-18h

CH. CHERCHY-DESQUEYROUX 1999

0,75 ha n.c. 5à8€

Fort heureusement pour les Desqueyroux, leur propriété ne se réduit pas à ce seul vignoble puisqu'elle comporte 18,65 ha. Ce qui ne les a pas empêchés de veiller de près sur la naissance de ce vin rond et plein, fruité et minéral au premier nez puis évoluant sur une touche muscatée. (30 à 49 F)

SCEA Francis Desqueyroux et Fils, 1, rue Pourière, 33720 Budos, tél. 05.56.76.62.67, fax 05.56.76.66.92, e-mail vign.fdesqueyroux@wanadoo.fr r.-v.

CH. CHERET-PITRES 1998

6,1 ha 9 066 5à8€

Aujourd'hui un peu austère, notamment en finale, ce vin demande encore à s'assouplir pendant deux ans. Sa charpente et son bouquet, intense et complexe avec des notes animales et des nuances de fruits mûrs, lui permettront de le faire dans de bonnes conditions. (30 à 49 F)

Pascal et Caroline Dulugat, Ch. Cheret-Pitres, 33640 Portets, tél. 05.56.67.27.76, fax 05.56.67.27.76, e-mail chateau.cheret-pitres@wanadoo.fr r.-v.

CLOS DU HEZ 1998**

1 ha 5 500 5à8€

Comme beaucoup d'autres producteurs du Sauternais, les Guignard sont aussi implantés dans les Graves. Personne ne le regrettera en découvrant cet harmonieux 98, aussi expressif par son bouquet fruité et floral que par son palais. Porté par une belle charpente tannique, celui-ci assurera un bon avenir à cette bouteille de qualité. (30 à 49 F)

GAEC Philippe et Jacques Guignard, Ch. Lamothe Guignard, 33210 Sauternes, tél. 05.56.76.60.28, fax 05.56.76.69.05 t.l.j. 8h-12h 14h-18h; sam. dim. sur r.-v.

CLOS FLORIDENE 1999**

5 ha 28 500 11à15€

85 86 88 89 (90) 92 93 94 **95 96 98 99**

Grand spécialiste de la vinification des blancs, Denis Dubourdieu est un œnologue complet, qui maîtrise tout aussi bien les techniques en rouge. Après beaucoup d'autres, ce millésime en témoigne par l'harmonie qui s'établit entre les tanins et la chair pour donner un ensemble rond, élégant et chaleureux. Déjà agréable, dotée d'un nez élégant, empyreumati-

que et fruité, cette bouteille pourra être attendue quatre ou cinq ans. (70 à 99 F)
Denis et Florence Dubourdieu, Ch. Reynon, 33410 Béguey, tél. 05.56.62.96.51, fax 05.56.62.14.89, e-mail reynon@gofornet.com r.-v.

DOM. DE COUQUEREAU 1999

1,9 ha 10 000 5 à 8 €

80 % de merlot et 20 % de cabernet-sauvignon nés sur un sol graveleux ont donné ce vin d'une belle couleur rouge rubis. Son bouquet naissant ne cache pas les tanins encore austères qui sauront garantir l'avenir ce cette bouteille. Le **blanc 99**, pur sémillon – comme un dégustateur a su le découvrir –, a obtenu lui aussi une citation. (30 à 49 F)
Amalia Gipoulou, 22, av. Adolphe-Demons, 33650 La Brède, tél. 05.56.20.32.27, fax 05.56.20.24.84 r.-v.

CH. DOMS 1999

7 ha 45 000 5 à 8 €

Ce domaine s'inscrit dans l'esprit bordelais par ses bâtiments. A leur image, le bouquet de ce vin est d'un classicisme de bon aloi, avec d'élégantes notes de noisette. S'appuyant sur des tanins très souples, la structure est en harmonie avec les parfums. La **cuvée Amélie rouge 98 (50 à 69 F)** a reçu également une citation. (30 à 49 F)
SCE Vignobles Parage, Ch. Doms, 33640 Portets, tél. 05.56.67.20.12, fax 05.56.67.31.89 r.-v.

LA GRANDE CUVEE DE DOURTHE 1998★★

n.c. 50 000 5 à 8 €

Marque de la maison Dourthe, l'une des composantes du CVBG, ce vin est à la hauteur de la renommée du groupe. Très agréable à l'œil, cette cuvée assemble 60 % de cabernet au merlot. Elle sait surprendre le dégustateur par la complexité et l'originalité de son bouquet, où les notes de cerise, de cassis et de bois sont vite rejointes par celles, très fraîches, d'eucalyptus. Au palais, elle redevient classique pour révéler un beau potentiel de garde par ses tanins fins et bien équilibrés. Grasse, ronde, longue et élégante, la **Grande Cuvée en blanc 99** a obtenu une étoile. (30 à 49 F)
Dourthe, 35, rue de Bordeaux, 33290 Parempuyre, tél. 05.56.35.53.00, fax 05.56.35.53.29, e-mail contact@cvbg.com r.-v.

CH. DUVERGER Cuvée spéciale 1999★

1 ha n.c. 8 à 11 €

Cuvée prestige, ce vin 100 % sémillon planté sur argilo-calcaire a reçu des soins attentifs : derrière des notes boisées qui retiennent d'abord l'attention, se développe vite un bouquet élégant (citron et cire). Intense et aromatique, le palais s'exprime avec autant de richesse que de nuances. En **rouge, la Cuvée spéciale 98 (70 à 99 F)** s'est vu attribuer une citation. (50 à 69 F)
Yannick Zausa, Ch. Duverger, 33720 Budos, tél. 05.56.62.43.40, fax 05.56.62.43.45 r.-v.

EPICURE Elevé en fût de chêne 1998★

n.c. n.c. 11 à 15 €

Un joli nom que certains croiront antinomique pour un vin dont les qualités, très réelles, font plus dans le sérieux que dans l'hédonisme, rejoignant ainsi le sens philosophique de l'épicurisme qui prône les plaisirs de la vertu et non ceux des sens : très présent dans le bouquet, le bois l'est aussi au palais, mais la structure est suffisamment bien construite pour l'assimiler, grâce à une solide matière première tannique que prolonge une longue finale. (70 à 99 F)
Bordeaux Vins Sélection, 27, rue Roullet, 33800 Bordeaux, tél. 05.57.35.12.35, fax 05.57.35.12.36, e-mail bus.grands.crus@wanadoo.fr
B. Pujol et H. de Bouard

CH. FERRANDE 2000★

5 ha 40 000 5 à 8 €

Belle unité appartenant à la famille Castel, ce cru clôt le XXe s. par un joli vin associant sauvignon et sémillon à parts égales. On a apprécié sa robe jaune d'or et son expression aromatique aux notes d'agrumes avec une petite touche de mandarine en finale. Le **rouge 99** a également reçu une citation. Il devra attendre un an ou deux que le boisé se fonde. (30 à 49 F)
Castel Frères, 21-24, rue Georges-Guynemer, 33290 Blanquefort, tél. 05.56.95.54.00, fax 05.56.95.54.20

CH. DES FOUGERES Clos Montesquieu 1999

9 ha 23 000 11 à 15 €

Une signature prestigieuse, celle de la famille de Montesquieu, pour ce vin simple mais fort plaisant par son bouquet aux notes de citron, de miel et d'agrumes. **Les Persanes de Montesquieu 98 (50 à 69 F)**, marque appartenant aux Montesquieu qui sont aussi négociants, ont également obtenu une citation. (70 à 99 F)
SCEA des vignobles Montesquieu, Aux Fougères, BP 53, 33650 La Brède, tél. 05.56.78.45.45, fax 05.56.20.25.07, e-mail montesquieu@bordeaux-montesquieu.com r.-v.
GFA Montesquieu

CH. DU GRAND BOS 1998★★

10,2 ha 54 000 11 à 15 €

Attestée depuis le XVIIe s., la vocation viticole de ce domaine reste d'actualité, comme le montre magistralement ce très beau 98. Avec lui, le cru réalise toutes ses ambitions. La classe de la robe sombre et l'élégance du bouquet aux notes de grillé, de vanille et de cannelle forment une approche remarquable. Puis le palais impose sa personnalité, riche, charnu et bien construit, dans un mariage parfait entre le fruit et le boisé. De la même veine, la finale confirme le potentiel de cette bouteille des plus réussies. (70 à 99 F)

SCEA du Ch. du Grand Bos, 33640 Castres, tél. 05.56.67.39.20, fax 05.56.67.16.77 r.-v.

GFA de Gravesaltes

CH. GRAND MOUTA
Elevé en fût de chêne 1998*

■ 2 ha 12 000 5à8€

Né sur une belle unité dans le sud de l'appellation, ce vin évolue heureusement au cours de la dégustation avec une robe profonde, un bouquet aux parfums très boisés mais faisant aussi la part au pruneau et aux fruits confits, un palais gras et une bonne longueur. (30 à 49 F)

SCEA Dom. Latrille-Bonnin, Petit-Mouta, 33210 Mazères, tél. 05.56.63.41.70, fax 05.56.76.83.25 r.-v.

GFA du Brion

CH. GRAVEYRON
Réserve du Château 1998*

■ 6 ha 20 000 5à8€

Cuvée prestige, ce vin a tiré profit des soins qu'il a reçus. Sa couleur rouge grenat, ses parfums de fruits rouges, sa rondeur, ses tanins bien fondus et son harmonieuse finale savent le rendre déjà agréable tout en se portant garants de son avenir. La **cuvée Tradition** a également obtenu une étoile. Il s'agit du même assemblage de cépages que cette Réserve mais élevé douze mois en fût. Il faudra attendre que le boisé se fonde. (30 à 49 F)

EARL Vignobles Pierre Cante, 67, rte des Graves, 33640 Portets, tél. 05.56.67.23.69, fax 05.56.67.58.19 t.l.j. sf dim. 9h-12h 14h-19h

CH. DES GRAVIERES 1999*

■ 15 ha 80 000 5à8€

Jeunes œnologues, les Labuzan n'ignorent rien des techniques modernes, mais ils entendent les mettre au service de leur terroir. Ce vin montre que leur méthode a du bon : rouge intense, doté d'un nez animal et grillé, il est encore dominé par les tanins qui ne sont cependant pas agressifs, laissant s'exprimer une note de cerise en finale. (30 à 49 F)

Vignobles Labuzan, Ch. des Gravières, 33640 Portets, tél. 05.56.67.15.70, fax 05.56.67.07.50 r.-v.

DOM. DU HAURET LALANDE 2000**

□ 1,65 ha 12 800 5à8€

Issu du vignoble barsacais et vinifié dans les chais du château Piada, ce vin est de bonne origine. Ample et très savoureux, il se montre digne de sa naissance, notamment par la complexité et l'élégance de ses arômes, qui marient la fleur d'acacia au pamplemousse et le buis aux agrumes. (30 à 49 F)

EARL Lalande et Fils, Ch. Piada, 33720 Barsac, tél. 05.56.27.16.13, fax 05.56.27.26.30 t.l.j. 8h-12h 13h30-19h; sam. dim. sur r-v.

CH. HAUT-GRAMONS
Elevé en fût de chêne 1998

■ 12 ha 42 000 8à11€

Présents sur les deux rives de la Garonne Françoise et Frédéric Boudat offrent ici un vin limpide, au nez d'épices et de fruits rouges, équilibré et charnu. La finale tannique demande encore à s'ouvrir et à s'arrondir. (50 à 69 F)

GAEC Cigana-Boudat, Ch. de Viaut, 33410 Mourens, tél. 05.56.61.98.13, fax 05.56.61.99.46 r.-v.

CH. HAUT SELVE 1999*

□ 10 ha 50 000 11à15€

Né sur le vaste domaine de Saint-Selve, ce vin élevé dix mois en barrique assemble 60 % de sauvignon au sémillon. Il joue résolument la carte de la finesse aromatique, avec d'élégantes notes de grillé et d'agrumes, et une finale harmonieuse. (70 à 99 F)

SCA des Ch. de Branda et de Cadillac, 33240 Cadillac-en-Fronsadais, tél. 05.56.20.29.25, fax 05.56.78.47.63 r.-v.

Lesgourgues

LA CLOSIERE DE MAY 1999*

■ 1 ha 6 000 5à8€

Né sur un petit vignoble appartenant à un propriétaire de la rive droite de la Garonne, ce vin au bouquet original (chêne blanc et rancio, avec de fraîches notes mentholées), souple, élégant et soutenu par des tanins soyeux, se mariera heureusement avec la cuisine moderne. (30 à 49 F)

Pierre Dupleich, Ch. du Juge, rte de Branne, 33410 Cadillac, tél. 05.56.62.17.77, fax 05.56.62.17.59, e-mail pierre.dupleich@wanadoo.fr r.-v.

CH. LA FLEUR CLEMENCE
Elevé en fût de chêne 1999*

■ 2 ha 8 000 11à15€

Assez marqué par le bois, le **Carbon d'Artigues rouge 99 (50 à 69 F)** a reçu une citation. Il est issu de vignes de vingt-cinq ans et assemble le merlot aux deux cabernets. Un même élevage de douze mois en barrique caractérise la cuvée Clémence, mais il s'agit d'une sélection de vignes de trente-cinq ans et seul le cabernet-sauvignon est associé à 60 % de merlot. Le vin porte une belle robe couleur bordeaux. Le merrain signe le nez mais la bouche, vineuse, ronde et charnue, savoureuse, laisse la structure et les arômes exprimer pleinement leur élégance. (70 à 99 F)

Ch. Carbon d'Artigues, 33720 Landiras, tél. 05.56.62.53.24, fax 05.56.62.53.24 r.-v.

CH. LA FLEUR JONQUET 1999*

□ 1 ha 7 500 11à15€

Issu à parts égales de sémillon et de sauvignon, ce joli vin s'appuie sur une structure ronde et corsée, pour développer de très intéressants arômes mariant les épices et la vanille aux notes exotiques, citronnées et surmûries. (70 à 99 F)

Laurence Lataste, 5, rue Amélie, 33200 Bordeaux, tél. 05.56.17.08.18, fax 05.57.22.12.54, e-mail l.lataste@enfrance.com r.-v.

CH. DE LANDIRAS 1998*

■ n.c. 8 400 11 à 15 €

Maison noble et lieu de pèlerinage, ce domaine est l'un des plus chargés d'histoire de la région. C'est aussi un cru réputé, et l'on s'explique cette renommée en dégustant ce 98 à la fois très bien structuré et complexe, aux séduisantes senteurs de fruits, de vanille et de pain grillé. A attendre trois à cinq ans. Tout aussi harmonieux, le **blanc 99** (75 % sauvignon, 25 % sémillon) a également mérité une étoile pour son harmonie d'ensemble, le boisé ne masquant pas le fruit. (70 à 99 F)

SCA Dom. La Grave, Ch. de Landiras, 33720 Landiras, tél. 05.56.62.44.70, fax 05.56.62.43.78, e-mail mail@chateau-de-landiras r.-v.

CH. LANGLET 1999**

■ 2,09 ha 15 000 8 à 11 €

Présents – et de quelle manière – en pessac-léognan avec le Château Latour-Martillac, les Kressmann ne négligent pas pour autant les graves. Comment en douter avec ce vin charpenté et très prometteur qui séduira les dégustateurs les plus exigeants par la grande complexité de son bouquet. Fruits rouges et noirs, bourgeon de cassis, vanille, tabac et fumée, la promenade aromatique devient un vrai jeu de piste. Le **blanc 99 (30 à 49 F)** a obtenu une citation. « Il sauvignonne » écrit un dégustateur qui, lui, ne sait pas que ce vin est issu de ce seul cépage. (50 à 69 F)

Domaines Kressmann, Ch. Latour-Martillac, 33650 Martillac, tél. 05.57.97.71.11, fax 05.57.97.71.17, e-mail latour-martillac@latour-martillac.com r.-v.

CH. LA VIEILLE FRANCE 1998*

■ 3 ha 20 000 8 à 11 €

Né sur un vignoble se partageant équitablement entre le merlot et le cabernet-sauvignon, ce vin tapisse généreusement le palais. Il sait se rendre plaisant par son bouquet fin et complexe, intéressant par sa matière et sa longueur qui intègrent un bon boisé sur une belle structure et invitent à l'attendre quatre ou cinq ans. Aromatique, gras et bien équilibré, le **Cadet de la Vieille France blanc 2000 (30 à 49 F)** a également obtenu une étoile. Mis en bouteilles et diffusé par la maison Ginestet de Carignan, le **Château Saint-Galier blanc 99 (moins de 30 F)** est une sélection de cuves de la Vieille France ; il n'a pas une grosse structure mais plaît par son côté fleuri. Il a reçu une citation. (50 à 69 F)

Michel Dugoua, Ch. La Vieille France, 1, chem. du Malbec BP8, 33640 Portets, tél. 05.56.67.19.11, fax 05.56.67.17.54, e-mail courrier@chateau-la-vieille-france.fr r.-v.

CH. LE BOURDILLOT

Cuvée Prestige Elevé en fût de chêne 1999*

■ 0,81 ha n.c. 8 à 11 €

Dans les Graves, le nom d'Haverlan est devenu une garantie de qualité. Une réputation qui n'est pas près de tomber ; témoin, ce vin qui assemble 63 % de cabernet-sauvignon au merlot. Son équilibre n'a d'égal que son intérêt aromatique où les fruits rouges s'associent heureusement aux épices. Sans être de grande garde, cette bouteille peut être attendue pendant deux à trois ans. Les cuvées **Tentation rouge 99** (cabernet-sauvignon et merlot à parts égales) et **blanc 2000** équilibrant sauvignon et sémillon ont aussi mérité une étoile. (50 à 69 F)

Patrice Haverlan, 11, rue de l'Hospital, 33640 Portets, tél. 05.56.67.11.32, fax 05.56.67.11.32, e-mail patrice.haverlan@worldonline.fr t.l.j. sf ven. sam. dim. 8h-12h30 13h-17h30

CH. LE CHEC 1999*

□ 2,5 ha 8 000 5 à 8 €

Si l'on n'est pas obligé d'accorder un grand crédit à la légende expliquant le nom de ce cru par la défaite d'un musulman battu en combat singulier par les ancêtres de Montesquieu, on ne peut qu'apprécier ce vin or pâle à la structure élégante et au joli boisé. Le **rouge 99** a reçu une citation ; il devra patienter deux ou trois ans afin que le boisé se fonde. (30 à 49 F)

Christian Auney, La Girotte, 33650 La Brède, tél. 05.56.20.31.94, fax 05.56.20.31.94 r.-v.

CH. LEHOUL Elevé en fût de chêne 1998**

■ 5 ha 25 000 8 à 11 €

Ici on ne cède pas aux modes et à la facilité. Le cabernet reste dominant (80 %) et ce vin, superbement réussi, ne s'en porte que mieux. Riche, rond et soutenu par de très beaux tanins encore jeunes, le palais se porte garant de son avenir, tandis que le bouquet séduit par le mariage des notes chaudes de fruits mûrs et des nuances plus fraîches de thym de garrigue. Richement bouqueté, le **blanc 2000 (30 à 49 F)**, fleur de tilleul et pêche, et le **Pavillon 98 rouge**, évoluant sur des tanins mûrs avec des notes animales de musc, d'épices et de fruits (cerise), ont obtenu chacun une étoile. (50 à 69 F)

EARL Fonta et Fils, rte d'Auros, 33210 Langon, tél. 05.56.63.17.74, fax 05.56.63.06.06 r.-v.

CH. LE PAVILLON DE BOYREIN 1999

■ 13 ha 100 000 5 à 8 €

Encore assez austère en finale, ce vin est intéressant par son bouquet aux délicates notes de fruits rouges et de cuir, et par sa structure souple et franche. A boire dans les deux ans. (30 à 49 F)

SCEA Vignobles Pierre Bonnet, Le Pavillon de Boyrein, 33210 Roaillan, tél. 05.56.63.24.24, fax 05.56.62.31.59, e-mail vignobles-bonnet@wanadoo.fr r.-v.

CH. L'ETOILE 2000*

□ n.c. 26 000 5à8€

Signé par l'une des grandes figures du monde du vin à Bordeaux, Pierre Coste, ce 2000 se montre d'une réelle générosité par la puissance et l'ampleur de sa palette aromatique, où le buis vient côtoyer les agrumes. Un ensemble aussi agréable qu'équilibré. (30 à 49 F)

Maison Sichel-Coste, 8, rue de la Poste, 33210 Langon, tél. 05.56.63.50.52, fax 05.56.63.42.28

CH. LE TUQUET 1998*

■ 35 ha 100 000 8à11€

Côté tradition, une chartreuse de 1730 (façade sud de Victor Louis) et la famille du Père de Foucauld dans la liste des propriétaires. Côté modernisme, une refonte des chais dans les années 1990. Bien construit, ce vin ne dément pas les promesses de sa belle robe grenat et tire beaucoup de charme de son expression aromatique aux jolies notes de fruits rouges, de torréfaction, de fumée et de pruneau. (50 à 69 F)

GFA du Ch. Le Tuquet, Ch. Le Tuquet, 33640 Beautiran, tél. 05.56.20.21.23, fax 05.56.20.21.83 r.-v.

Paul Ragon

CH. DE L'HOSPITAL 1998**

■ 10 ha 60 000 11à15€

Sur ce cru, un grand sérieux préside tant au suivi de la vigne qu'aux vinifications. Il en résulte de remarquables vins comme ce 98 au développement aromatique imposant. L'alliance du bois et des fruits rouges mûrs est couronnée de succès. Concentrée, puissante et élégante, la structure laisse le souvenir d'un ensemble fort harmonieux qui méritera un séjour en cave de trois ou quatre ans. Témoignant également d'un beau travail de la vendange à l'élevage, le **blanc 99** a obtenu une étoile pour le subtil mariage du fruit et du fût. (70 à 99 F)

SCS Vignobles Lafragette, Darrouban, 33640 Portets, tél. 05.56.73.17.80, fax 05.56.09.02.87 r.-v.

CH. DE L'ORDONNANCE
Elevé en fût de chêne 1998*

■ 1 ha n.c. 5à8€

Appartenant à une petite production élevée en barrique, ce vin est aujourd'hui marqué par le fût mais on sent qu'ayant du répondant, il pourra évoluer dans de bonnes conditions. Sa couleur grenat, son bouquet – encore jeune – et sa bonne structure s'attachent à le montrer. (30 à 49 F)

GAEC Bélis et Fils, Tourmilot, 33210 Langon, tél. 05.56.62.22.11, fax 05.56.62.22.11 r.-v.

CH. LUDEMAN LA COTE 1999**

■ 9 ha 70 000 5à8€

En pleine expansion, ce cru a doublé de superficie en moins de dix ans. Ce très joli 99 montre que le développement ne s'est pas fait au détriment de la qualité. Gras, bien structuré mais sans agressivité, riche en arômes et intégrant parfaitement l'apport du bois, ce vin méritera d'être oublié à la cave pendant plus de cinq ans avant d'être servi sur un mets raffiné. Le **Clos les Majureaux rouge 99** a obtenu une citation. Il est simple et bien fait, non boisé, violette au nez, souple et frais. (30 à 49 F)

SCEA Chaloupin-Lambrot, Ludeman, 33210 Langon, tél. 05.56.63.07.15, fax 05.56.63.48.17, e-mail m-bellocludeman@wanadoo.fr r.-v.

CH. LUSSEAU 1998*

■ 3,37 ha 6 000 8à11€

Construit en 1805, ce château est situé à 4 km de La Brède. Douze mois d'élevage en barrique, un assemblage classique avec un peu de malbec, un sol de sable et galets sur sous-sol d'argile ont présidé à la naissance de ce millésime. Une belle robe grenat, de la chair, du gras, une bonne présence tannique et un bouquet soutenu, avec des notes fruitées et grillées : voilà un vin bien armé pour affronter l'avenir. (50 à 69 F)

Anne-Marie de Granvilliers-Quellien, Ch. Lusseau, 6, rte de Lusseau, 33640 Ayguemorte-les-Graves, tél. 05.56.67.01.67, fax 05.56.37.17.82 t.l.j. sf lun. jeu. ven. 10h-12h 14h-18h

CH. MAGNEAU Cuvée Julien 1999**

□ 4 ha 7 000 8à11€

Vinifiée en fût en macération pelliculaire et élevée sur lies, cette cuvée est le porte-drapeau des Ardurats. Fraîche et délicatement bouquetée, séveuse et pleine, elle tient son rang avec bonheur, en sachant tirer profit d'un bois qui soutient le vin sans l'écraser. Le **Château Magneau rouge 99**, souple et plaisant, a reçu une citation. (50 à 69 F)

Henri Ardurats et Fils, EARL des Cabanasses,12, chem. Maxime-Ardurats, 33650 La Brède, tél. 05.56.20.20.57, fax 05.56.20.39.95, e-mail ardurats@chateau-magneau.com t.l.j. 9h-12h 14h-18h; sam. dim. sur r.-v.

M. DE MALLE 1999**

□ n.c. n.c. 8à11€

Né sur le vignoble de graves du domaine de Malle, ce vin est de noble origine. Il s'en montre digne par sa présentation comme par son expression aromatique aux belles notes de fleurs, d'abricots et de fruits exotiques, ou par son volume. Frais et bien équilibré, il se plaira sur un brochet à la crème ou un turbot sauce mousseline. Le **Château de Cardaillan rouge 98** a obtenu une citation. (50 à 69 F)

Comtesse de Bournazel, Ch. de Malle, 33210 Preignac, tél. 05.56.62.36.86, fax 05.56.76.82.40, e-mail chateaudemalle@wanadoo.fr r.-v.

CH. MAYNE D'IMBERT 1998*

20 ha 30 000 5à8€

A l'heure des microcuvées, ce vin reste fidèle à l'esprit bordelais en offrant un volume de production sérieux. Ses qualités, élégance du bouquet et équilibre du palais, n'en sont que plus intéressantes. (30 à 49 F)

SCEA Vignobles Bouche, 23, rue François-Mauriac, BP 58, 33720 Podensac, tél. 05.56.27.18.17, fax 05.56.27.21.16 r.-v.

CH. MAYNE DU CROS

Elevé en fût de chêne 1999*

4 ha 8 000 8à11€

Né sur un vignoble de Cérons, ce vin a été vinifié en macération pelliculaire et élevé en barrique. D'un jaune soutenu, il retient très vite l'attention par la complexité de son bouquet mêlant notes de fruits exotiques, agrumes, cire d'abeille et mangue. Une belle finale conclut la dégustation d'une petite touche acidulée et fumée. Le **Mayne du Cros rouge 98**, dans lequel les cabernets ont la part belle, le merlot ne représentant que 10 % de l'assemblage, a obtenu une citation. Une jolie matière, un élevage maîtrisé, un bon équilibre. A attendre deux ans. (50 à 69 F)

SA Vignobles M. Boyer, Ch. du Cros, 33410 Loupiac, tél. 05.56.62.99.31, fax 05.56.62.12.59, e-mail contact@chateauducros.com t.l.j. 8h-12h 14h-18h; sam. dim. sur r.-v.

CLOS MOLEON

Vieilli en fût de chêne 1999

3 ha 16 000 8à11€

L'étiquette surprend et se veut un clin d'œil : on y voit Napoléon à cheval... Simple mais bien fait, ce vin est encore assez austère mais sa structure tannique devrait s'arrondir. Le nez engage bien la conversation, et développe de bons arguments fruités. (50 à 69 F)

EARL Vignobles Laurent Réglat, Ch. de Teste, 33410 Monprimblanc, tél. 05.56.62.92.76, fax 05.56.62.98.80, e-mail laurent.reglat@worldonline.fr t.l.j. sf sam. dim. 9h-12h 14h30-18h; f. 15-30 août

CH. DU MONT 1999*

1 ha 3 000 5à8€

Exploité par un producteur principalement implanté à Sainte-Croix-du-Mont, ce cru offre ici un vin frais, équilibré et aromatique. Fermenté en fût avec bâtonnage sur lies, il a des saveurs exotiques et des parfums d'agrumes. (30 à 49 F)

Vignobles Hervé Chouvac, Ch. du Mont, 33410 Sainte-Croix-du-Mont, tél. 05.56.62.07.65, fax 05.56.62.07.58 r.-v.

CH. MOULIN DE CLAIRAC 2000*

10 ha 70 000 3à5€

Ce vin vinifié par la maison Ginestet est bien construit avec une agréable rondeur qui s'accorde à la délicatesse de l'expression aromatique, faite de notes confites et grillées sur fond de pamplemousse. (20 à 29 F)

SA Maison Ginestet, 19, av. de Fontenille, 33360 Carignan-de-Bordeaux, tél. 05.56.68.81.82, fax 05.56.20.96.99, e-mail contact@ginestet.fr r.-v.

Alain Pargade

CH. DU MOURET 2000*

6 ha 53 000 3à5€

Principalement implantés à Cadillac depuis 1826, les Médeville exploitent aussi ce cru à Roaillan depuis un quart de siècle. C'est suffisant pour bien connaître le terroir et exprimer sa personnalité à travers ce vin rond, gras, vif et bien équilibré. (20 à 29 F)

SCEA Jean Médeville et Fils, Ch. Fayau, 33410 Cadillac, tél. 05.57.98.08.08, fax 05.56.62.18.22, e-mail medeville-jeanetfils@wanadoo.fr t.l.j. sf sam. dim. 8h30-12h30 14h-18h

CH. MOUTIN 2000**

1 ha 3 000 8à11€

Confirmant la bonne impression produite l'an dernier par le rouge 97, ce blanc 2000 montre qu'il a du répondant. Sa richesse, son gras et ses arômes aux accents exotiques (fruit de la Passion et mangue) laissent au dégustateur un souvenir des plus agréables. Bien construit, mais encore dominé par le bois, le **rouge 98 (70 à 99 F)** a reçu une étoile. A attendre deux ou trois ans. (50 à 69 F)

SC Jean Darriet, Ch. Dauphiné-Rondillon, 33410 Loupiac, tél. 05.56.62.61.75, fax 05.56.62.63.73, e-mail vignoblesdarriet@wanadoo.fr t.l.j. 8h-12h30 14h-18h30; sam. dim. sur r.-v.; f. 1er-15 août

CH. PERIN DE NAUDINE 1999

3 ha 10 000 5à8€

Depuis son installation en 1996, Olivier Colas a développé son vignoble qui compte aujourd'hui 12 ha. S'annonçant par une robe d'un jaune brillant, ce vin retient l'attention par l'agrément de ses arômes de citronnelle, de pêche blanche, d'épices et de vanille. La cuvée **rouge 98 Les Sphinx de Naudine** a des tanins ronds que soutiennent des notes de fruits rouges. A attendre un à deux ans. (30 à 49 F)

Ch. Périn de Naudine, 8, imp. des Domaines, 33640 Castres, tél. 05.56.67.06.65, fax 05.56.67.59.68, e-mail chateauperin@wanadoo.fr r.-v.

Olivier Colas

CH. PIRON 1998**

8 ha 30 000 5à8€

Une tradition familiale ancienne, un terroir graveleux, un assemblage mi-merlot, mi-cabernet-sauvignon, un élevage de dix-huit mois en barrique : ce vin tient toutes les promesses d'une robe grenat à reflets noirs. L'ampleur et la

concentration du bouquet boisé, nuancé de fruit noir, se retrouvent au palais et dans la longue finale aux belles notes de moka. (30 à 49 F)
Paul Boyreau, Ch. Piron, 33650 Saint-Morillon, tél. 05.56.20.25.61, fax 05.56.78.48.36 r.-v.

CH. PONT DE BRION 1999**

7 ha 35 000 8 à 11 €

Régulière en qualité, cette propriété reste fidèle à sa tradition avec ce très joli vin. Sa robe profonde, son bouquet d'une grande délicatesse, ses tanins, l'équilibre entre la matière et le bois, tout s'accorde pour lui prédire à un bel avenir. Le **Pont de Brion blanc 99** obtient une étoile. Il est boisé mais affiche aussi des notes exotiques dans un développement élégant. Le **Château Ludeman Les Cèdres blanc 99 (30 à 49 F)** reçoit une citation. Très floral, il est un peu en marge de l'AOC mais sera agréable à l'apéritif. (50 à 69 F)
SCEA Molinari et Fils, Ludeman, 33210 Langon, tél. 05.56.63.09.52, fax 05.56.63.13.47 r.-v.

CH. DE PORTETS 1998

14,12 ha 85 000 8 à 11 €

Ce château fondé au XIIIe s. comporte aujourd'hui une imposante demeure du XVIIIe s. avec une grille en fer forgé et un pavillon Renaissance. Il est donc l'héritier d'une longue histoire. Bien construit et équilibré, son 98, associant 50 % de merlot aux cabernets plantés sur un sol graveleux, présente un visage plaisant avec de jolis arômes fruités et épicés. Une garde de deux ou trois ans est envisageable. (50 à 69 F)
SCEA Théron-Portets, Ch. de Portets, 33640 Portets, tél. 05.56.67.12.30, fax 05.56.67.33.47, e-mail vignobles.theron@wanadoo.fr r.-v.
Jean-Pierre Théron

CH. PROMS-BELLEVUE 1998

7 ha 40 000 5 à 8 €

Venu du sud de l'appellation, ce vin est très cabernet-sauvignon. Il est intéressant par son fruité. S'il se montre souple en attaque et rond en milieu de bouche, il n'en possède pas moins une finale austère et ferme qui devrait s'arrondir après un an de garde. (30 à 49 F)
SA Yvon Mau, BP 01, 33190 Gironde-sur-Dropt Cedex, tél. 05.56.61.54.54, fax 05.56.71.10.45
J.-Cl. Labbe

CH. QUINCARNON 1998

5,5 ha 26 000 5 à 8 €

Né aux portes du Sauternais, ce vin (50 % merlot, 50 % cabernet-sauvignon) ne se livre pas encore complètement, mais on devine une bonne matière, ample et assez puissante, aux tanins déjà fondus. (30 à 49 F)
Carlos Asseretto, Vignobles de Bordeaux, 33211 Saint-Pierre-de-Mons, tél. 05.56.63.19.34, fax 05.56.63.21.60, e-mail lvb.sica@libertysurf.fr r.-v.

CH. RAHOUL 1998*

20 ha 80 000 11 à 15 €

Signé par l'équipe d'Alain Thiénot, Rahoul fut coup de cœur l'an dernier pour un graves blanc 98. Goûtant le rouge 98 en 2001, le jury a aimé sa robe vive et brillante, son nez très délicat et riche à la fois, fait de fruits mûrs, de notes fumées. Ample et corsé, le palais a de la mâche et des tanins mûrs et ronds de grande longueur. La note boisée finale est élégante. Du même producteur, le **Château La Garance blanc 99 (50 à 69 F)** a obtenu une étoile. Finement bouqueté (notes de fruits blancs et d'agrumes accompagnées d'un léger boisé), c'est un vin élégant. (70 à 99 F)
Alain Thiénot, Ch. Rahoul, 4, rte du Courneau, 33640 Portets, tél. 05.56.67.01.12, fax 05.56.67.02.88, e-mail chateau-rahoul@alain-thienot.fr r.-v.

CH. DE RESPIDE

Cuvée Callipyge Elevé en fût de chêne 1998*

5 ha 18 000 8 à 11 €

Elevé en fût, ce vin s'appuie sur des tanins souples et veloutés pour développer des arômes encore un peu dominés par le bois mais intéressants. Une bouteille bien travaillée, à attendre environ trois ans. Rond, franc et long, le **Château de Respide blanc 2000 (30 à 49 F)** a également obtenu une étoile. (50 à 69 F)
SCEA Vignobles Franck Bonnet, Ch. de Respide, rte d'Auros, 33210 Langon, tél. 05.56.63.24.24, fax 05.56.62.31.59 r.-v.

DAME DE RESPIDE 1998**

3,5 ha 20 000 8 à 11 €

Cru aussi renommé que son producteur, « l'Antiquaire du sauternes », le château Respide Médeville est représenté ici par sa « dame ». Il ne pouvait trouver meilleur ambassadeur : robe profonde, bouquet très présent avec de belles notes de fourrure, palais ample et charnu, tanins imposants, tout annonce une belle bouteille, à attendre quatre ou cinq ans. (50 à 69 F)
Christian Médeville, Ch. Gilette, 33210 Preignac, tél. 05.56.76.28.44, fax 05.56.76.28.43, e-mail christian.medeville@wanadoo.fr r.-v.

CH. ROQUETAILLADE LA GRANGE 1998**

23 ha 150 000 8 à 11 €

Jadis rattaché au château de Roquetaillade, l'un des plus beaux monuments girondins, ce vignoble jouit d'un terroir de qualité. Les Guignard s'attachent à en exprimer tout le caractère. Avec succès comme le montre ce vin souple, riche, aromatique, complexe (épices, fumée) et équilibré grâce à un élevage bien maîtrisé. Le **Château de Carolle rouge 99 (30 à 49 F)** a obtenu une étoile. Il faudra l'attendre trois ans. (50 à 69 F)
GAEC Guignard Frères, 33210 Mazères, tél. 05.56.76.14.23, fax 05.56.62.30.62, e-mail contact@roquetaillade.com r.-v.

CH. SAINT-AGREVES 1998

■ 11 ha n.c. 5à8€

Un peu austère en finale, ce vin est plus moelleux à l'attaque. Frais et bien équilibré, l'ensemble marie bien les arômes de fruits et d'élevage (épices). Il faudra l'attendre deux ou trois ans. (30 à 49 F)

EARL Landry, Ch. Saint-Agrèves, 17, rue Joachim-de-Chalup, 33720 Landiras, tél. 05.56.62.50.85, fax 05.56.62.42.49, e-mail saint.agreves@free.fr t.l.j. sf dim. 9h30-12h30 14h30-19h

CH. SAINT-HILAIRE Cuvée fût neuf 1999*

□ 2 ha 4 500 5à8€

Enfant de l'agriculture biologique et issu à 100 % de sémillon, ce vin rond et gras au style résolument classique évoquera avec nostalgie les vins d'autrefois notamment par son bouquet aux notes de cire d'abeille et de fleur d'acacia. (30 à 49 F)

SARL H.-G. Guérin, Ch. Saint-Hilaire, 33640 Castres-Gironde, tél. 05.56.67.12.12, fax 05.56.67.53.23 r.-v.

CH. SAINT-JEAN-DES-GRAVES 2000**

□ 10 ha n.c. 5à8€

Après un coup de cœur l'an dernier, pour son rouge 98, ce cru est à nouveau à l'honneur avec ce blanc 2000 qui clôture très heureusement le XXᵉs. Très présent dans l'assemblage, le sauvignon bien mûr l'est aussi dans le bouquet aux notes de fruit de la Passion. Fruité et gras, le palais est aussi fort harmonieux. (30 à 49 F)

J. David, Ch. Liot, 33720 Barsac, tél. 05.56.27.15.31, fax 05.56.27.14.42 r.-v.

CH. SAINT-ROBERT Cuvée Poncet-Deville 1999**

■ 4 ha n.c. 11à15€

89 90 92 93 94 |**95**| **96 97 98 99**

Vendange manuelle avec tri des grappes, à Saint-Robert, les raisins puis le moût et le vin font l'objet de soins attentifs. Aussi élégante par sa robe que par son bouquet, avec des notes d'épices et de sous-bois, cette cuvée révèle toute sa personnalité au palais : savoureuse, soyeuse, goûteuse et parfaitement équilibrée, elle promet une très grande bouteille d'ici cinq ans. Bien constituée mais à boire plus jeune, la **cuvée principale (50 à 69 F)** a obtenu une étoile, comme la **cuvée blanche Poncet-Deville 99**. (70 à 99 F)

SCEA Vignobles Bastor et Saint-Robert, Dom. de Lamontagne, 33210 Preignac, tél. 05.56.63.27.66, fax 05.56.76.87.03, e-mail bastor-lamontagne@dial.oleane.com r.-v.

Foncier-Vignobles

CH. DE SANSARIC Cuvée Valentin 1998*

■ n.c. 1000 8à11€

Assemblant 80 % de merlot, 15 % de cabernet-sauvignon et 5 % de malbec, cette cuvée a été élevée douze mois en barrique. Si elle reste assez confidentielle, elle n'en est pas moins intéressante par son bouquet que soutient bien le bois et par son corps généreux et moelleux. Ses tanins fondus lui permettront de tirer profit d'une garde de deux ou trois mois. (50 à 69 F)

D. Abadie, 33640 Castres-Gironde, tél. 05.56.67.03.17, fax 05.56.67.59.53 r.-v.

CH. DU SEUIL 1998**

■ 7 ha 35 000 8à11€

Ce vin témoigne d'un travail soigné. Elaboré à partir de 50 % de cabernet-sauvignon, 45 % de merlot et 5 % de malbec, il a été élevé quinze mois en barrique. Encore marqué par le bois avec des notes flatteuses de merrain chauffé, le nez développe de jolies odeurs de griotte, tandis qu'au palais les tanins se fondent dans l'ensemble pour donner une bouteille élégante et bien construite, « comme on aime en trouver ». Déjà agréable pour les amateurs avertis, ce 98 méritera un séjour en cave d'environ trois ans. Friand, fruité et délicatement boisé, le **blanc 2000** a obtenu une étoile. (50 à 69 F)

Ch. du Seuil, 33720 Cérons, tél. 05.56.27.11.56, fax 05.56.27.28.79, e-mail chateau-du-seuil@wanadoo.fr r.-v.

T.-R. Watts

CH. SIMON 1998**

■ 7 ha 12 000 8à11€

Une belle progression pour ce cru avec ce millésime qui assemble 70 % de merlot au cabernet-sauvignon. Très agréable dans sa présentation avec une robe pourpre et un bouquet aux notes fumées, il l'est tout autant par son développement au palais. Fort harmonieux, celui-ci joue sur les notes de sous-bois et trouve un bon point d'équilibre entre la rondeur et les tanins. (50 à 69 F)

EARL Dufour, Ch. Simon, 33720 Barsac, tél. 05.56.27.15.35, fax 05.56.27.24.79, e-mail chateau.simon@worldonline.fr r.-v.

CH. TOUR DE CALENS 2000*

□ 1,1 ha 8 700 5à8€

Depuis 1987, les Doublet s'appliquent à découvrir le potentiel de chaque parcelle de leur vignoble. Gras, vif et bien équilibré, ce vin est avantageusement mis en valeur par son bouquet aux parfums de fruits exotiques - ananas et mangue. Le **Tour de Calens rouge 98 élevé en fût de chêne** a obtenu une citation : il est parfaitement typé. (30 à 49 F)

Bernard et Dominique Doublet, Ch. Tour de Calens, 33640 Beautiran, tél. 05.57.24.12.93, fax 05.57.24.12.83, e-mail b.doublet@club-internet.fr r.-v.

CH. DU TOURTE 1999

5 ha 26 000 8 à 11 €

Acquis en 1994, ce cru comporte 10 ha de graves profondes sur sous-sol argileux. Sans être doté d'un potentiel exceptionnel, ce vin méritera d'être attendu deux ou trois ans pour laisser au bouquet le temps d'acquérir toute la complexité qu'annoncent des arômes de fruits rouges et d'épices. Le **Tourte blanc 99** a reçu une citation : le boisé l'emporte encore un peu. (50 à 69 F)

SCEA Ch. du Tourte, 33210 Toulenne, tél. 01.46.88.40.08, fax 01.46.88.01.45, e-mail hubert.arnaud@cza.fr r.-v.

CH. TOURTEAU CHOLLET 1999★

43,29 ha 249 600 5 à 8 €

Administrée depuis 1973 par la maison Mestrezat, cette propriété de 67 ha est située au cœur des graves du sud. Belle percée vinifère au milieu des pins, ce cru propose ici un vin bien bâti qui sera sans doute très agréable après une petite garde devant permettre au bois de se fondre. (30 à 49 F)

SC du Ch. Tourteau Chollet, La Croix-Bacalan, 109, rue Achard, BP 154, 33042 Bordeaux Cedex, tél. 05.56.11.29.00, fax 05.56.11.29.01 r.-v.

CH. TRIGANT Cuvée Lartigue 1998

0,7 ha 5 000 8 à 11 €

Née sur un cru bénéficiant de l'appellation pessac, cette cuvée est destinée à fournir un vin pouvant être bu jeune. Rond, équilibré et d'une agréable expression aromatique, ce 98 atteint parfaitement son objectif, tout en pouvant supporter une petite garde. (50 à 69 F)

GFA du Ch. Trigant, chem. de Couhins, 33140 Villenave-d'Ornon, tél. 05.56.75.82.49, fax 05.56.75.82.49 r.-v.

Mme Seze

VIEUX CHATEAU GAUBERT 1999★★

25 ha 60 000 11 à 15 €

83 85 86 87 |88| |**89**| |90| 91 |**93**| **94 95 97 98 99**

On frémit en pensant que cette belle demeure du XVIII[e]s. et son vignoble ont failli disparaître sous les coups des lotisseurs. Cela nous aurait privés de ce vin qui se drape dans une magnifique robe rouge sombre avant de développer un bouquet aussi intense que complexe (fruits mûrs, cassis, épices, cuir). Puissant, suave et moelleux à la fois, le palais se porte garant de l'avenir de cette bouteille superbement réussie. Gras, élégant, complexe et puissant, le **Vieux Château Gaubert blanc 2000** a obtenu une étoile, de même que les **Benjamin de Vieux Château Gaubert rouge 99 (50 à 69 F)** et **blanc 2000**. Toute une famille bien élevée ! (70 à 99 F)

Dominique Haverlan, Vieux Château Gaubert, 33640 Portets, tél. 05.56.67.52.76, fax 05.56.67.52.76 r.-v.

CH. VILLA BEL-AIR 1999★★

24 ha 144 000 8 à 11 €

S'il est difficile de se hisser au sommet, il l'est plus encore de s'y maintenir. C'est ce qu'ont réussi à faire Jean-Michel Cazes, Daniel Llose et Guy Delestrac. Une fois encore ils proposent un vin dans l'esprit du bordeaux, qui allie élégance et puissance. Séveux, souple et soutenu par de beaux tanins, ce millésime arbore un bouquet aussi fin que complexe, avec des notes de cassis, d'épices et de petits fruits confits. Une bouteille qui méritera un bon séjour en cave. Riche et élégant, le **blanc 2000** a obtenu également deux étoiles. Le bois ne domine pas, tout est à sa place. (50 à 69 F)

Jean-Michel Cazes, Ch. Villa Bel-Air, 33650 Saint-Morillon, tél. 05.56.20.29.35, fax 05.56.78.44.80, e-mail infochato@villabelair.com r.-v.

Graves supérieures

CH. CHERCHY-DESQUEYROUX 1999★★

5,45 ha 20 000 23 à 30 €

Du même producteur que le graves homonyme, ce vin se montre flatteur par son bouquet aux notes d'écorce d'orange confite. Le palais, riche et capiteux, sait retenir l'attention par la présence du rôti caractéristique des vrais liquoreux. (150 à 199 F)

SCEA Francis Desqueyroux et Fils, 1, rue Pourière, 33720 Budos, tél. 05.56.76.62.67, fax 05.56.76.66.92, e-mail vign.fdesqueyroux@wanadoo.fr r.-v.

CH. LEHOUL 1999

1,2 ha 2 800 8 à 11 €

Seize mois de barrique marquent encore ce vin issu de sémillon, à la robe assez sombre ; le nez n'est que notes grillées, mais celles-ci sont élégantes ; elles poursuivent en bouche où elles accompagnent des arômes de fruits confits. La bouche est ronde, cependant le bois devra encore se fondre. (50 à 69 F)

EARL Fonta et Fils, rte d'Auros, 33210 Langon, tél. 05.56.63.17.74, fax 05.56.63.06.06 r.-v.

DOM. DE MAREUIL 1999★

3 ha 3 000 5 à 8 €

Traditionnel dans sa conception, ce vin, d'une grande générosité aromatique, joue de façon plaisante sur les nuances, en passant des notes de mandarine confite à celles de miel et de cire d'abeille. (30 à 49 F)

René Désert, 12, rte d'Illats, 33210 Pujols-sur-Ciron, tél. 05.56.76.69.70, fax 05.56.76.69.70 r.-v.

CH. DE ROCHEFORT 1999*

□ 1,92 ha 2 000 5 à 8 €

Egalement producteur en Sauternais, ce viticulteur connaît l'exigence qualitative des liquoreux et des moelleux. Vrai vin d'apéritif par sa richesse, ce 99 en administre la preuve : rond, suave et puissant, il développe un bouquet d'une réelle finesse. (30 à 49 F)

Jean-Christophe Barbe, Ch. Laville, 33210 Preignac, tél. 05.56.63.59.45, fax 05.56.63.16.28 r.-v.

Pessac-léognan

Correspondant à la partie nord des Graves (appelée autrefois Hautes-Graves), la région de Pessac et Léognan est aujourd'hui une appellation communale, inspirée de celles du Médoc. Sa création, qui aurait pu se justifier par son rôle historique (c'est l'ancien vignoble périurbain qui produisait les clarets médiévaux), s'explique par l'originalité de son sol. Les terrasses que l'on trouve plus au sud cèdent la place à une topographie plus accidentée. Le secteur compris entre Martillac et Mérignac est constitué d'un archipel de croupes graveleuses qui présentent d'excellentes aptitudes viti-vinicoles par leurs sols, composés de galets très mélangés, et par leurs fortes pentes. Celles-ci garantissent un très bon drainage. Les pessac-léognan présentent une grande originalité ; les spécialistes l'ont d'ailleurs remarquée depuis fort longtemps, sans attendre la création de l'appellation. Ainsi, lors du classement impérial de 1855, Haut-Brion fut le seul château non médocain à être classé (premier cru). Puis, lorsque, en 1959, seize crus de graves furent classés, tous se trouvaient dans l'aire de l'actuelle appellation communale.

Les vins rouges (57 702 hl en 2000) possèdent les caractéristiques générales des graves, tout en se distinguant par leur bouquet, leur velouté et leur charpente. Quant aux blancs secs (13 561 hl), ils se prêtent tout particulièrement à l'élevage en fût et au vieillissement qui leur permet d'acquérir une très grande richesse aromatique, avec de fines notes de genêt et de tilleul.

CH. BAHANS HAUT-BRION 1998**

■ n.c. n.c. 30 à 38 €

Comme son illustre aîné, ce vin bénéficie des soins exigeants de l'équipe qui conduit vignes et vinifications. Dans une robe sombre, bordeaux à reflets violines, ce 98 est très expressif par ses arômes de chêne ciré, de cuir et de cerise à l'eau-de-vie. Ronds et mûrs, ses tanins sont savoureux et participent à l'équilibre de ce bel ensemble que conclut heureusement une élégante finale poivrée. (200 à 249 F)

SA Dom. Clarence Dillon, BP 24, 33602 Pessac Cedex, tél. 05.56.00.29.30, fax 05.56.98.75.14, e-mail info@haut-brion.com

CH. BARET 1998**

■ n.c. n.c. 8 à 11 €

Sis aux portes de Bordeaux, ce cru vient d'achever sa restauration engagée voilà vingt ans. Ample, riche et charpenté avec de solides tanins bien extraits, ce millésime montre que ces deux décennies d'efforts n'ont pas été vaines. Sa robe grenat et son bouquet de fruits noirs étant de la même trempe, cette belle bouteille s'accordera d'ici quatre à cinq ans à du gibier ou à une belle pièce de viande rouge. Le **blanc 99 (30 à 49 F)** obtient une citation. (50 à 69 F)

Héritiers André Ballande, Ch. Baret, 33140 Villenave-d'Ornon, tél. 05.56.00.00.70, fax 05.56.52.29.54 r.-v.

LES CRUS CLASSÉS DES GRAVES

NOM DU CRU CLASSÉ	VIN CLASSÉ	NOM DU CRU CLASSÉ	VIN CLASSÉ
Château Bouscaut	en rouge et en blanc	Château Laville-Haut-Brion	en blanc
Château Carbonnieux	en rouge et en blanc	Château Malartic-Lagravière	en rouge et en blanc
Domaine de Chevalier	en rouge et en blanc	Château La Mission-Haut-Brion	en rouge
Château Couhins	en blanc	Château Olivier	en rouge et en blanc
Château Couhins-Lurton	en blanc	Château Pape-Clément	en rouge
Château Fieuzal	en rouge	Château Smith-Haut-Lafitte	en rouge
Château Haut-Bailly	en rouge	Château Latour-Haut-Brion	en rouge
Château Haut-Brion	en rouge	Château La Tour-Martillac	en rouge et en blanc

CH. BOUSCAUT 1998*

■ Cru clas. n.c. 98 000 15 à 23 €

76 79 80 81 82 83 84 **85** (86) 87 |88| **89 90** 93 |94| 95 96 97

Moins poétique que l'actuel, le nom sous lequel ce cru était déjà célèbre au XVIIIe s., Haut-Truchon, disait bien qu'il bénéficie d'une situation topographique avantageuse ; celle-ci ne peut que contribuer à la qualité de sa production dont témoigne ce joli 98. Très expressif sans être jamais agressif, avec des parfums de vanille, de cassis et de cuir, ce vin s'appuie sur de solides tanins qui appellent une attente d'environ trois ans. (100 à 149 F)

Ch. Bouscaut, RN 113, 33140 Cadaujac, tél. 05.57.83.12.20, fax 05.57.83.12.21, e-mail cb@chateau-bouscaut.com r.-v.

Sophie Cogombles

CH. BOUSCAUT 1999**

□ Cru clas. 6 ha 22 000 15 à 23 €

82 83 85 86 88 89 90 93 |95| |96| 97 |98| **99**

Aussi insensible aux modes médiatiques que son père Lucien Lurton, Sophie Cogombles élabore avec son mari, Laurent, les vins qui lui plaisent. Et c'est tant mieux : cela nous vaut ce très beau 99. La richesse et la complexité de son bouquet (amande grillée, acacia en fleur, fruits exotiques, coco) mettent en appétit, et le palais, gras, chaleureux et parfaitement équilibré, ne laisse pas le dégustateur sur sa faim. Une vraie grande bouteille, harmonieuse et de garde. (100 à 149 F)

Ch. Bouscaut, RN 113, 33140 Cadaujac, tél. 05.57.83.12.20, fax 05.57.83.12.21, e-mail cb@chateau-bouscaut.com r.-v.

CH. BROWN 1999*

□ 3,81 ha 19 000 15 à 23 €

Régulier en qualité, le château Brown s'est constitué un bon capital de sympathie et d'estime avec son blanc né sur un sol sablo-graveleux. Ce vin témoigne du sérieux des méthodes de travail (vendange manuelle et tri rigoureux) par sa robe à reflets brillants, son joli bouquet d'agrumes et de fruits secs, et son palais fruité, vif et frais. Déjà très agréable, cette bouteille sera à son apogée d'ici deux à trois ans. (100 à 149 F)

Ch. Brown, allée John-Lewis-Brown, 33850 Léognan, tél. 05.56.87.08.10, fax 05.56.87.87.34, e-mail chateau.brown@wanadoo.fr

Bernard Barthe

CH. CANTELYS 1998

■ 25 ha 25 000 11 à 15 €

Ce sont des graves fines qui donnent naissance à ce cru où le cabernet-sauvignon (70 %) est associé au merlot. Elevé quatorze mois en barrique, ce vin, d'une jolie couleur rubis, développe un bouquet délicat et très près du fruit où la griotte et la groseille se marient heureusement aux épices et à une élégante note boisée. Les tanins enrobés demandent trois à cinq ans de garde. (70 à 99 F)

SARL Daniel Cathiard, Ch. Cantelys, 33650 Martillac, tél. 05.57.83.11.22, fax 05.57.83.11.21 r.-v.

CH. CARBONNIEUX 1998*

■ Cru clas. 45 ha 200 000 15 à 23 €

75 81 82 **83 85** (86) 87 |**88**| |89| |**90**| |91| |92| |93| |94| |95| **96** |97| 98

Témoin du rôle, souvent oublié, que jouèrent les moines dans la vie du vignoble bordelais, ce cru ne fait pas dans la demi-mesure avec ce très joli vin. Puissant et complexe, parfumé de notes de grillé et de griotte, le bouquet s'ouvre sur un palais aux tanins à la fois assez souples et puissants. Des tanins bien enrobés qui assureront à cette bouteille une bonne garde. (100 à 149 F)

SC des Grandes Graves, Ch. Carbonnieux, 33850 Léognan, tél. 05.57.96.56.20, fax 05.57.96.59.19, e-mail chateau.carbonnieux@wanadoo.fr r.-v.

Perrin

CH. CARBONNIEUX 1999*

□ Cru clas. 45 ha 200 000 15 à 23 €

81 82 83 85 86 87 **88** |**89**| |90| |**91**| 92 |93| |94| |95| |**96**| **97** |98| 99

Sa transparence avait valu au Carbonnieux blanc de pouvoir être exporté sur les bords du Bosphore sous l'appellation d'eau minérale de Carbonnieux. C'est pourtant un jaune franc qu'a choisi ce millésime. Il dévoile de discrets parfums floraux, avant d'attaquer avec netteté droiture, sur un boisé présent. Puis le vin s'affirme, riche et élégant, jusque dans une longue finale fumée. A ouvrir dans deux à trois ans. (100 à 149 F)

SC des Grandes Graves, Ch. Carbonnieux, 33850 Léognan, tél. 05.57.96.56.20, fax 05.57.96.59.19, e-mail chateau.carbonnieux@wanadoo.fr r.-v.

DOM. DE CHEVALIER 1998**

■ Cru clas. 13 ha 80 000 30 à 38 €

64 66 70 73 75 78 79 83 84 |**85**| |**86**| 87 **88** (89) |**90**| **91 92** |**93**| |**94**| **96 97 98**

Avec ses bâtiments clairs contrastant sur le fond vert sombre de la forêt landaise, ce cru jouit d'un très beau sol de graves sur sous-sol argilo-calcaire. Il propose un vin d'une excellente tenue. Long et porté par des tanins savoureux, ce 98 ne cache pas qu'il ambitionne un séjour prolongé en cave. Mais il saura récompenser les amateurs patients, sa structure puissante et son bouquet étant très prometteurs. La complexité de ses arômes en fait une véritable boîte à épices enrichie de quelques notes grillées et truffées. La seconde étiquette, **Esprit de Chevalier rouge 98 (100 à 149 F)**, a obtenu une citation et devra patienter deux ou trois ans. (200 à 249 F)

SC Dom. de Chevalier, 33850 Léognan, tél. 05.56.64.16.16, fax 05.56.64.18.18, e-mail domainedechevalier@domainedechevalier.com r.-v.

Famille Bernard

DOM. DE CHEVALIER 1998★★

Cru clas. 4 ha 15 000 38 à 46 €

82 83 85 86 |89| |(90)| 91 92 |93| |94| |96| |97| 98

Sa renommée n'ayant rien à voir avec la taille lu vignoble dont il est issu, le vin blanc de Che-ralier est présent sur les tables les plus presti-gieuses du monde. Comment ne pas envier les privilégiés qui pourront savourer ce 98, appré-cier la complexité de son bouquet qui marie les agrumes et le bois, la richesse de son attaque, la densité et la vivacité de son palais ? **L'Esprit de Chevalier blanc 98 (100 à 149 F)**, second vin, a reçu une citation. (250 à 299 F)

SC Dom. de Chevalier, 33850 Léognan, él. 05.56.64.16.16, fax 05.56.64.18.18, -mail domainedechevalier@domainedecheva ier.com r.-v.

CH. COUHINS-LURTON 1999★★

Cru clas. 5,5 ha n.c. 23 à 30 €

82 83 85 86 87 88 89 |90| 91 |92| 93 |94| 95 |(96)| 97 98 |99|

André Lurton s'est engagé à corps perdu dans a renaissance de Couhins. Ce 99 montre après beaucoup d'autres que son travail n'a pas été sans résultat. Drapé dans une belle robe, le vin développe un bouquet où la pêche croise les fruits exotiques et la vanille. Souple et bien construit, le palais est très aromatique (fruits, bois et miel). (150 à 199 F)

SCEA Vignobles André Lurton, Ch. Bonnet, 33420 Grézillac, tél. 05.57.25.58.58, fax 05.57.74.98.59, e-mail andrelurton@wanadoo.fr r.-v.

CH. DE CRUZEAU 1999★

12 ha n.c. 8 à 11 €

88 89 90 92 93 94 95 |96| |97| |98| |99|

Situé à Saint-Médard-d'Eyrans, ce cru béné-ficie d'une belle orientation au midi. Sans égaler Couhins-Lurton du même producteur, ce vin affiche une solide et agréable personnalité. Celle-ci s'affirme dès le bouquet, avec des notes d'amande grillée, de toast, de litchi et de résine. Frais et d'une bonne puissance, le palais est déjà rès plaisant mais gagnera sans doute à être attendu pendant deux ou trois ans. **Cruzeau rouge 98** obtient une citation : fruits rouges, épi-ces et café accompagnent une bouche encore jeune qui demande à se faire. (50 à 69 F)

SCEA Vignobles André Lurton, Ch. Bonnet, 33420 Grézillac, tél. 05.57.25.58.58, fax 05.57.74.98.59, e-mail andrelurton@wanadoo.fr r.-v.

CH. FERRAN 1998★

10 ha 60 000 8 à 11 €

83 85 88 89 |90| 94 |95| 97 98

Comme beaucoup de propriétés de Martillac, ce cru est un ancien domaine de parlementaires dont l'histoire a été liée à celle des Montesquieu. S'il suit la mode par sa présence tannique, son 98 ne manque pas de charme ; tant au palais, riche, plein et onctueux, que dans son bouquet, qu'agrémentent de puissants parfums de torré-faction et de fruits confits. Tout annonce un solide potentiel de garde qui incitera à ne pas déboucher cette bouteille avant trois ans. Le **Ferran blanc 99** obtient une étoile pour ses délicieux parfums de fleurs blanches, de laurier et de buis. (50 à 69 F)

Ch. Ferran, 33650 Martillac, tél. 06.07.41.86.00, fax 06.56.72.62.73 r.-v.

Hervé Béraud-Sudreau

CH. DE FIEUZAL 1998★★

Cru clas. 60 ha 150 000 38 à 46 €

70 75 76 77 78 79 80 81 82 83 84 |85| |86| |88| |89| |(90)| 91 92 93 94 (95) (96) 97 98

Passé dans le giron des Banques populaires en 1994, ce cru vient de changer de propriétaires cette année. On ne peut que saluer la belle régu-larité dont il a fait preuve jusqu'à présent et qu'illustrent ses deux vins. Ce 98 est paré d'une robe grenat aussi éloquente que le bouquet de fruits mûrs et de pain grillé. Quant au palais, s'il se montre flatteur et complexe, porté par de soli-des tanins carrés, il demandera cinq ou six ans avant de se fondre. A servir sur des plats de caractère, comme un civet de canard. (250 à 299 F)

SA Ch. de Fieuzal, 124, av. de Mont-de-Marsan, 33850 Léognan, tél. 05.56.64.77.86, fax 05.56.64.18.88 r.-v.

CH. DE FIEUZAL 1999★★★

18 ha 40 000 38 à 46 €

83 84 85 86 87 |88| |89| |(90)| 91 92 |93| |94| |95| |96| 97 98 (99)

Intimement lié à la renaissance des vins blancs secs de Bordeaux, ce cru s'illustre une fois encore par la qualité de sa production. D'un superbe or gris, ce 99 se montre impressionnant par sa chair et sa longueur qui savent le rendre puissant, mais en évitant toute agressivité. Son bouquet intense et des plus agréables associe rai-sins frais, notes de sauvignon mûr et épices. Une très grande bouteille, à attendre au moins trois ou quatre ans. Plus léger mais très aromatique avec de belles notes de buis, le second vin, **L'Abeille de Fieuzal blanc 99 (100 à 149 F)** obtient une étoile. (250 à 299 F)

SA Ch. de Fieuzal, 124, av. de Mont-de-Marsan, 33850 Léognan, tél. 05.56.64.77.86, fax 05.56.64.18.88 r.-v.

CH. DE FRANCE 1998★

29 ha 70 000 15 à 23 €

81 82 83 85 86 88 89 |90| 92 93 94 |95| 96 97 98

Avec ce millésime 98, Bernard Thomassin, qui fête cette année ses trente ans à la tête du cru, a réussi un vin puissamment bouqueté, avec de belles notes épicées ; le palais repose sur des tanins très présents mais soyeux, marqués par le merrain. D'une bonne longueur, il ne manque pas de sève et annonce une jolie bouteille après cinq à sept ans de garde. Le **blanc 99 du Château de France**, fin et élégant, avec des notes florales et grillées, obtient une citation. (100 à 149 F)

BORDELAIS

SA Bernard Thomassin, Ch. de France, 98, av. de Mont-de-Marsan, 33850 Léognan, tél. 05.56.64.75.39, fax 05.56.64.72.13, e-mail chateau-de-france@chateau-de-france.com r.-v.

CH. GAZIN ROCQUENCOURT 1998*

5,1 ha 34 000 11 à 15 €

Poursuivant sa progression qualitative, ce cru propose ici un vin bien construit mais cherchant plus la finesse que la puissance. Souple, bien équilibré et porté par des tanins savoureux, ce 98 développe d'élégants parfums de raisin mûr et d'épices. (70 à 99 F)

SCEA Ch. Gazin Rocquencourt, 74, av. de Cestas, 33850 Léognan, tél. 05.56.64.77.80, fax 05.56.64.77.89
Michotte

CH. HAUT-BAILLY 1998**

Cru clas. 26 ha 80 000 30 à 38 €

78 79 80 81 82 83 85 |86| 87 88 (89) |90| |92| 93 94 (95) 96 97 98

Coup de cœur l'an dernier avec son 97, ce cru est toujours l'un des plus réussis de cette appellation. D'emblée, ce vin montre ses capacités de garde par sa belle robe pourpre à reflets violines. Complexe et nuancé à souhait avec des parfums de fruits mûrs et des fragrances vanillées, le nez annonce le palais aux tanins soyeux et onctueux qui s'ouvrent sur une élégante finale réglissée. Seconde étiquette du cru, **La Parde de Haut Bailly 98 rouge (70 à 99 F)** a obtenu une citation : à découvrir l'année prochaine sur une viande blanche. (200 à 249 F)

SCA du Ch. Haut-Bailly, rte de Cadaujac, 33850 Léognan, tél. 05.56.64.75.11, fax 05.56.64.53.60, e-mail mail@chateau-haut-bailly.com r.-v.
Robert G. Wilmers

CH. HAUT-BERGEY 1998**

13 ha 55 000 23 à 30 €

91 92 93 |94| 96 97 **98**

Au XVIIIe s., ce cru, appelé « maison noble de Pontey », s'est étendu sur plus d'une centaine d'hectares. Aujourd'hui plus modeste, il compte 32 ha. Ce qui ne l'empêche pas de se montrer très ambitieux pour ce superbe vin qui a l'art de se présenter dans une robe rubis foncé, aussi intense que le bouquet. Sa riche palette va des fruits noirs au cacao en passant par les notes toastées. Suave et bien charpenté, avec des tanins soyeux et puissants, le palais témoigne d'une belle extraction, tout en invitant à attendre quatre ou cinq ans avant d'ouvrir cette grande bouteille. En **blanc 99, Haut-Bergey** obtient une citation : le sauvignon (75 %) s'affirme dans un environnement grillé. (150 à 199 F)

Sylviane Garcin-Cathiard, Ch. Haut-Bergey, BP 49, 33850 Léognan, tél. 05.56.64.05.22, fax 05.56.64.06.98, e-mail haut-bergey@wanadoo.fr r.-v.

CH. HAUT-BRION 1998***

1er cru clas. 43,2 ha n.c. +76 €

73 74 |75| 76 77 78 |79| 81 |(82)| |83| 84 |85| |86 87 **88 89** |(90)| |91| |92| |93| **94** (95) (96) **97** (98)

C'est le plus ancien château du vin en Bordelais, le seul cru non médocain à avoir été classé en 1855. Le « seigneur des graves » justifie encore une fois, avec ce 98, sa renommée et les honneurs dont il a toujours été entouré. Majestueuse, sa robe, intense et profonde, affirme sa jeunesse. Bien sûr, le nez est d'une très belle qualité : puissant, il exprime des notes de fruits mûrs, de griotte à l'eau-de-vie, sur un fond fumé et réglissé d'une grande complexité. Pourtant il paraît presque timide, comparé à l'attaque voluptueuse par sa densité. Moelleux, plein, long, le palais est monumental, porté par des tanins fins et serrés en parfait équilibre avec un fruité élégant. Jusqu'à la finale, il affirme hautement les vertus de garde exceptionnelles de ce millésime, qui devra patienter une dizaine d'années avant d'atteindre son apogée. (+ 500 F)

SA Dom. Clarence Dillon, BP 24, 33602 Pessac Cedex, tél. 05.56.00.29.30, fax 05.56.98.75.14, e-mail info@haut-brion.com

CH. HAUT-BRION 1999***

2,7 ha n.c. +76 €

(82) **83 85 87 88** |89| |90| |93| |94| |95| |96| |97| 9 (99)

Elégant manoir des XVIe et XVIIe s., Haut-Brion fut acquis en 1935 par Clarence Dillon. Aujourd'hui la duchesse de Mouchy préside aux destinées des domaines viticoles, rejointe cette année par son fils, le prince Robert de Luxembourg. S'il n'a jamais été classé en blanc, Haut-Brion ne démérite jamais. Il n'a manqué à ce 99 qu'une voix, sur les quatre dégustateurs, pour être élu coup de cœur. D'une belle complexité, son bouquet évoque tour à tour la noisette, le beurre frais, les agrumes, les fruits exotiques et la camomille. Gras et puissant, le palais est tout aussi savoureux et harmonieux. De grand style, cette bouteille est à l'évidence destinée à la garde. (+ 500 F)

SA Dom. Clarence Dillon, BP 24, 33602 Pessac Cedex, tél. 05.56.00.29.30, fax 05.56.98.75.14, e-mail info@haut-brion.com

LES PLANTIERS DU HAUT-BRION 1999★

☐ n.c. n.c. 23 à 30 €

Signé par l'équipe de Haut-Brion, ce vin offre les caractères d'un sémillon de graves par son bouquet aux notes fruitées (melon et agrumes). Rond, bien enrobé et charpenté, le palais se montre lui aussi digne de sa noble origine, comme la finale aux savoureuses fragrances d'orange confite. (150 à 199 F)

SA Dom. Clarence Dillon, BP 24, 33602 Pessac Cedex, tél. 05.56.00.29.30, fax 05.56.98.75.14, e-mail info@haut-brion.com

CH. HAUT LAGRANGE 1999★

☐ 1,7 ha 12 000 11 à 15 €

92 94 95 |96| 97 |98| |99|

Le sauvignon gris (5 %) accompagne le sauvignon (45 %) et le sémillon. Il en résulte un vin d'une jolie couleur jaune clair, aux arômes amples (fruits exotiques et litchi), à l'attaque moelleuse et au palais frais et bien équilibré. (70 à 99 F)

Francis Boutemy, SA Ch. Haut Lagrange, 31, rte de Loustalade, 33850 Léognan, tél. 05.56.64.09.93, fax 05.56.64.10.08, e-mail chateau-haut-lagrange@wanadoo.fr ☑ Y r.-v.

CH. HAUT-PLANTADE 1998

■ 5,67 ha 38 000 11 à 15 €

Un joli vin en mode mineur : le nez révèle un fin boisé marié aux fruits rouges. Cependant la bouche affiche du caractère, sur une matière assez solide pour envisager une bonne garde. (70 à 99 F)

GAEC Plantade Père et Fils, Ch. Haut-Plantade, 33850 Léognan, tél. 05.56.64.07.09, fax 05.56.64.02.24, e-mail hautplantade@wanadoo.fr ☑ Y r.-v.

CH. LAFONT MENAUT 1998★

■ 9 ha 50 000 8 à 11 €

Ayant autrefois appartenu à Montesquieu, auteur de *L'Esprit des lois*, ce vignoble bénéficie d'un beau terroir de graves. Il est reconstitué depuis dix ans par Philibert Perrin. Illustrant les progrès actuels du cru, ce vin associe une engageante robe rubis et un bouquet puissant et complexe, encore dominé par le fût, à une solide charpente sphérique. Couronnant le tout, la finale se montre prometteuse par sa longueur et son côté chaleureux. (50 à 69 F)

Philibert Perrin, Ch. Lafont Menaut, 33650 Martillac, tél. 05.57.96.56.20, fax 05.57.96.59.19 Y r.-v.

CH. LA GARDE 1998★★

■ 48 ha 117 000 15 à 23 €

|90| **91 93** 94 (95) **96** 97 **98**

Fondé en 1739, ce château a édifié des chais en 1882 ; restaurés par la maison Dourthe qui en a pris possession en 1990, ils méritent votre visite. Le vin lui aussi, qui bénéficie de soins attentifs et qui est issu de cabernet-sauvignon (60 %) et de merlot implantés sur une belle croupe de graves et sur argilo-calcaire. La robe pourpre, intense et brillante, séduit d'emblée, puis le nez affiche des notes de torréfaction, d'épices, de girofle, de gingembre et de raisin rouge : il est difficile de résister à sa complexité. Son développement au palais, ample, volumineux, qui marie le fruit et le bois jusque dans une longue finale, est tout aussi séduisant. Une remarquable bouteille à découvrir dans trois ou quatre ans, voire davantage sur un gibier à plume. En revanche, on pourra goûter dès à présent le **La Garde blanc 99**, cité. (100 à 149 F)

SC du Ch. La Garde (Dourthe), 35, rue de Bordeaux, 33290 Parempuyre, tél. 05.56.35.53.00, fax 05.56.35.53.29, e-mail contact@cvbg.com ☑ Y r.-v.

Dourthe

CH. LAGRAVE-MARTILLAC 1998★

■ 30 ha 40 000 11 à 15 €

La puissance et l'élégance du grand vin se retrouvent dans la seconde étiquette du château Latour-Martillac qui peut se flatter d'offrir un bouquet aussi riche que la structure tannique. Une très jolie bouteille à ouvrir dans quatre ou cinq ans sur une viande rouge. Le **Lagrave Martillac blanc 99** obtient une citation. Encore sur sa réserve avec des notes grillées, il affiche une grande fraîcheur. (70 à 99 F)

Domaines Kressmann, Ch. Latour-Martillac, 33650 Martillac, tél. 05.57.97.71.11, fax 05.57.97.71.17, e-mail latour-martillac@latour-martillac.com Y r.-v.

GFA Latour-Martillac

CH. LA LOUVIERE 1998

■ 35 ha n.c. 23 à 30 €

75 80 81 82 **83 85 86** |88| |89| (90) 91 92 **93 94** 95 96 **97** 98

Superbe château néo-classique, la Louvière donne à voir un escalier monumental couronné d'un porche aux colonnes à chapiteaux ioniques. Sans vraiment chercher à rivaliser avec certains millésimes antérieurs ou avec le 99 blanc, ce vin s'annonce par une robe rouge grenat intense. Il développe de jolis arômes fumés et grillés, puis, en bouche, se révèle austère, janséniste. Il faudra attendre trois ou quatre ans qu'il se confie davantage. (150 à 199 F)

SCEA Vignobles André Lurton, Ch. Bonnet, 33420 Grézillac, tél. 05.57.25.58.58, fax 05.57.74.98.59, e-mail andrelurton@wanadoo.fr ☑ Y r.-v.

CH. LA LOUVIERE 1999★★

☐ 15 ha n.c. 23 à 30 €

86 88 89 (90) **91 92 93** |94| |95| |96| |97| **98 99**

André Lurton, qui a fêté ses cinquante ans de viticulture cette année, jouit d'une longue expérience en matière de vinification en blanc. Les élégants parfums de buis, de mimosa et de citron du bouquet en témoignent dans ce millésime. Harmonieux, complexe et bien construit, ce 99 montre qu'il est d'une bonne origine et qu'il pourra être attendu deux ou trois ans. Le **L de La Louvière 99 (50 à 69 F)**, second vin du cru, a obtenu une étoile. (150 à 199 F)

🔑 SCEA Vignobles André Lurton, Ch. Bonnet, 33420 Grézillac, tél. 05.57.25.58.58, fax 05.57.74.98.59, e-mail andrelurton@wanadoo.fr ☑ Ῑ r.-v.

CH. LA MISSION HAUT-BRION 1998★★

■ Cru clas. 20,9 ha n.c. ⏸ +76 €

78 80 **81** |82| |83| **84** |85| |86| **87** |88| **89** ⑨⓪ 92 |93| **94 95** ⑨⑥ **97 98**

Hier rival, aujourd'hui frère de Haut-Brion, ce cru doit à son terroir et à la valeur de ses dirigeants successifs l'extraordinaire qualité de ses vins. D'une très belle tenue, ce 98 s'annonce par une robe grenat à reflets cramoisis ; dense et complexe au nez (fumée froide, épices et réglisse), il présente une attaque puissante et généreuse, puis un palais soutenu par de solides tanins jusque dans une finale très bordelaise par ses saveurs multiples. Une bouteille très Mission, c'est-à-dire impressionnante, et à garder dix à quinze ans en cave. Egalement de belle envergure, la seconde étiquette de La Mission, **La Chapelle de la Mission Haut-Brion**, qui a obtenu une étoile, pourra être ouverte plus jeune, d'ici quatre à cinq ans. (+ 500 F)

🔑 SA Dom. Clarence Dillon, BP 24, 33602 Pessac Cedex, tél. 05.56.00.29.30, fax 05.56.98.75.14, e-mail info@haut-brion.com

CH. LARRIVET-HAUT-BRION 1999★

□ 9 ha 25 000 ⏸ 23 à 30 €

88 89 **90** |96| 97 |98| |99|

Traversé par un petit cours d'eau, le Larrivet, ce domaine possède un parc où il fait bon vivre. Son vin séduit dès le premier regard qui découvre une robe à reflets d'or légèrement ambré. Souple et bien équilibré, il se développe progressivement en libérant de jolis arômes d'agrumes. Le mariage heureux du bois et de la matière atteste un travail soigné. Le **rouge 98** est plus discret aujourd'hui. Il obtient une citation.

(150 à 199 F)

🔑 SCEA du Ch. Larrivet-Haut-Brion, rue Haut-Brion, 33850 Léognan, tél. 05.56.64.75.51, fax 05.56.64.53.47 ☑ Ῑ r.-v.

🔑 Ph. Gervoson

DOM. DE LA SOLITUDE 1998

■ 23 ha 70 000 ⏸ 11 à 15 €

Appartenant toujours à une communauté de religieuses, ce cru rappelle le rôle tenu par les établissements ecclésiastiques dans le développement du vignoble historique de Bordeaux. Elaboré par Olivier Bernard du domaine de Chevalier, ce 98, rond et bien équilibré, est agréable par son bouquet aux délicates notes de cuir et de cerise à l'eau-de-vie. (70 à 99 F)

🔑 SC Dom. de Chevalier, Dom. de La Solitude, 33650 Martillac, tél. 05.56.72.74.74, fax 05.56.72.52.00, e-mail olivierbernard@domainedelasolitude.com ☑ Ῑ r.-v.

CH. LATOUR HAUT-BRION 1998★

■ Cru clas. 4,9 ha n.c. ⏸ 30 à 38 €

78 79 80 **81** |82| |83| **84** |85| |86| 87 |88| |89| |9

92 |93| |94| **95 96** 97 98

Appartenant aux domaines Dillon tou comme La Mission sa voisine, ce cru est entiè rement voué aux rouges. Encore un peu sévèr en milieu de dégustation, son 98 ne cache pa sa vocation à la garde : complexe, son bouque va des notes de raisin mûr, un peu confit, a cuir. Rond et massif avec une trame serrée, so palais s'ouvre sur une finale épicée.

(200 à 249 F)

🔑 SA Dom. Clarence Dillon, BP 24, 33602 Pessac Cedex, tél. 05.56.00.29.30, fax 05.56.98.75.14, e-mail info@haut-brion.cor

CH. LA TOUR LEOGNAN 1998★

■ 8 ha 40 000 ⏸ 8 à 11

96 97 98

Proche de Carbonnieux, ce cru est égalemer exploité par l'équipe d'Antony Perrin. Il n'e donc pas étonnant de constater une ressem blance entre les deux vins. Dans ce 98 o retrouve en effet des tanins équilibrés, bien for dus, et des parfums de griotte. Des notes de to réfaction et de pruneau viennent les complét pour donner un ensemble harmonieux. **La To Léognan blanc 99** obtient également une étoil Robe, parfums et structure jouent en parfa accord avec le boisé qui ne cache pas le fruit.

(50 à 69 F)

🔑 SC des Grandes Graves, Ch. Carbonnieux, 33850 Léognan, tél. 05.57.96.56.20, fax 05.57.96.59.19, e-mail chateau.carbonnieux@wanadoo.fr ☑ Ῑ r.-v.

🔑 Perrin

CH. LATOUR-MARTILLAC 1998★★

■ Cru clas. 30 ha 126 000 ⏸ 23 à 30

79 81 ⑧② **83** 84 **85 86** 87 **88** |89| **90** 91 92 9

94 95 96 97 98

Les visiteurs qui ont découvert ce cru av Tristan ou Loïc Kressmann n'ont aucun dou sur la passion qu'ils nourrissent pour le vi L'amateur qui savourera ce très beau 98 en se aussi convaincu. La puissance du bouquet a arômes de gibier se retrouve au palais et e finale avec une solide structure tannique. Ass ciée à beaucoup de gras et de longueur, celle- garantira à cette harmonieuse bouteille, enco très jeune, un heureux vieillissement.

(150 à 199 F)

🔑 Domaines Kressmann, Ch. Latour-Martillac, 33650 Martillac, tél. 05.57.97.71.11, fax 05.57.97.71.17, e-mail latour-martillac@latour-martillac.com Ῑ r.-v.

🔑 GFA Latour-Martillac

CH. LATOUR-MARTILLAC 1999★★

□ Cru clas. 10 ha 42 000 ⏸ 23 à 3

81 82 83 84 **85 86 87** ⑧⑧ **89 90 91 92** 93 |9

|95| **96** 97 |98| |99|

Depuis des décennies, la famille Kressmar s'est taillé une solide réputation en matière vins blancs. Ce superbe 99 montre que ce renommée n'est pas près de s'éteindre. S'annonçant par une robe limpide et brillante, il arbore un nez puissant qui marie les notes grillées de la barrique aux parfums d'orange. Le palais est tout aussi complexe ; il fait preuve d'un beau sens de l'équilibre et d'une fraîcheur qui le rendent déjà très agréable tout en présentant un bon potentiel de garde. (150 à 199 F)

Domaines Kressmann, Ch. Latour-Martillac, 33650 Martillac, tél. 05.57.97.71.11, fax 05.57.97.71.17, e-mail latour-martillac@latour-martillac.com Y r.-v.

CH. LAVILLE HAUT-BRION 1999★★

□ Cru clas. 3,7 ha n.c. 38 à 46 €

81 82 83 |85| 87 88 |(89)| |90| 92 **|93| |94| |95| |96| |97| |(98)| 99**

Un vignoble minuscule mais bien dans l'esprit des Graves et de Haut-Brion par son terroir exceptionnel et son encépagement à majorité de sémillon. Très élégant, scintillant dans une robe pâle à reflets verts, doté d'un nez frais et floral, ce millésime porte la marque de ce cépage. D'une belle complexité, il passe en bouche du tilleul au citron et à l'ananas mûr, tandis que sa structure, à la fois grasse et fine, suave et vive, annonce un bon potentiel de garde tout en étant déjà très agréable. (250 à 299 F)

SA Dom. Clarence Dillon, BP 24, 33602 Pessac Cedex, tél. 05.56.00.29.30, fax 05.56.98.75.14, e-mail info@haut-brion.com

CH. LE PAPE 1998★

■ 5 ha 34 000 15 à 23 €

Petite propriété située à Léognan, ce cru est commandé par une jolie chartreuse. Son vin est lui aussi d'un bel aspect, tant par sa robe rubis foncé et son bouquet aux puissantes notes de cannelle, de girofle, de gibier et de fruits rouges que par sa structure, tannique, élégante et longue. (100 à 149 F)

Patrick Monjanel, 34, chem. le Pape, 33850 Léognan, tél. 05.56.64.10.90, fax 05.56.64.17.78 ☑ Y r.-v.

CH. LE SARTRE 1999★

□ 7 ha 35 000 11 à 15 €

92 93 94 95 |96| 97 |98| |99|

Situé en bordure de la forêt landaise, Le Sartre est implanté sur les graves du Günz. Propriété des Perrin (château Carbonnieux) depuis 1981, il jouit aujourd'hui d'un équipement moderne. Ce vin se signale par sa richesse aromatique. Les notes vanillées de l'élevage en barrique viennent se joindre harmonieusement aux arômes d'agrumes et de tilleul. Gras et bien constitué, l'ensemble est intéressant. (70 à 99 F)

GFA des Ch. Le Sartre et Bois Martin, 33850 Léognan, tél. 05.57.96.56.20, fax 05.57.96.59.19, e-mail chateau.carbonnieux@wanadoo.fr ☑ Y r.-v.

Perrin

CH. LES CARMES HAUT-BRION 1998★

■ 4,36 ha 22 000 23 à 30 €

80 82 83 85 **88** |89| **90 91** 92 93 94 |95| **96** 97 |98|

Une pièce d'eau, un château du XIX[e]s., un parc arboré, ce cru est plein de charme. Créé au XVI[e]s., il fut propriété de l'ordre des Grands Carmes blancs. Encore très jeune, ce vin ne se livre pas immédiatement. Toutefois, à l'aération il révèle un bouquet complexe où les notes toastées se marient avec les fruits mûrs. Grasse, charnue et ample, la personnalité du palais annonce de bonnes possibilités d'évolution. (150 à 199 F)

Ch. Les Carmes Haut-Brion, 197, av. Jean-Cordier, 33600 Pessac, tél. 05.56.51.49.43, fax 05.56.93.10.71, e-mail chateau@les-carmes-haut-brion.com Y r.-v.

Didier Furt

CH. LESPAULT 1999

□ 1 ha 4 500 11 à 15 €

Le sauvignon seul, planté sur des graves profondes, vendangé le 31 août, fermenté en barrique et élevé sur lies avec bâtonnage, donne un joli vin. S'il n'est pas de grande ampleur, ce 99 se montre sympathique par ses saveurs d'agrumes, de chèvrefeuille et de vendanges bien mûres qui s'ouvrent sur une fraîche finale. Un vin de poisson. Le **Château Lespault rouge 98** est cité. Souple et agréable, il devrait être digne d'une entrecôte au printemps 2002. (70 à 99 F)

Domaines Kressmann, Ch. Latour-Martillac, 33650 Martillac, tél. 05.57.97.71.11, fax 05.57.97.71.17, e-mail latour-martillac@latour-martillac.com Y r.-v.

SC Bolleau

CH. LE THIL COMTE CLARY 1999★

□ n.c. 20 000 11 à 15 €

Plus que Comte Clary, c'est Comtesse Clary que devrait s'appeler ce cru, tant Jeanne Clary, qui le posséda dans la seconde moitié du XIX[e]s., a joué un rôle important dans son histoire. Les descendants de ses héritiers ont fait preuve de discernement dans le dosage du bois. Celui-ci respecte les arômes d'agrumes et de fruits jaunes. Gras, vif et frais, ce vin peut être bu ou attendu. Le **rouge 98** obtient une citation. Il est léger pour un pessac-léognan, mais agréable. (70 à 99 F)

Ch. Le Thil Comte Clary, Le Thil, 33850 Léognan, tél. 05.56.30.01.02, fax 05.56.30.04.32, e-mail jean-de-laitre@chateau.le.thil.com ☑ Y r.-v.

CH. MALARTIC-LAGRAVIERE 1998*

■ Cru clas. 23 ha 44 117 23 à 30 €

64 66 (70) 71 **75** 76 **79** 81 82 **83** |85| |86| |88| |89| |90| |91| **92** |93| **95** 96 97 98

Comme le rappelle son étiquette, ce cru, jadis propriété d'une famille d'armateurs, a participé à l'aventure des vins retour des Indes. Ce 98 n'aura besoin d'aucun voyage initiatique pour révéler ses qualités. S'exprimant discrètement au premier nez, les arômes s'affirment par la suite en soutenant les fruits par des notes de torréfaction. Plein et concentré, le palais ajoute à la palette des nuances de compote de fruits. Impressionnant, l'ensemble méritera d'être servi sur un gigot de mouton à la ficelle. Il est rare que le second vin soit aussi bien noté que le grand vin. C'est pourtant le cas de **Sillage de Malartic (70 à 99 F)**, bien charpenté et séducteur. (150 à 199 F)

Ch. Malartic-Lagravière, 43, av. de Mont-de-Marsan, 33850 Léognan, tél. 05.56.64.75.08, fax 05.56.64.99.66, e-mail malartic-lagravière@malartic-lagravière. r.-v.

A.-A. Bonnie

CH. MALARTIC-LAGRAVIERE 1999

□ Cru clas. 4 ha 12 197 23 à 30 €

97 **98** |99|

Souple et bien équilibré, ce vin associe 20 % de sémillon au sauvignon. Il est fin et délicat dans son expression aromatique qui privilégie de jolies notes d'agrumes et de peau d'orange sans négliger le grillé de la barrique. Dans cette même couleur, le second vin, **Le Sillage de Malartic 99 (70 à 99 F)**, a aussi reçu une citation. (150 à 199 F)

Ch. Malartic-Lagravière, 43, av. de Mont-de-Marsan, 33850 Léognan, tél. 05.56.64.75.08, fax 05.56.64.99.66, e-mail malartic-lagravière @malartic-lagravière. r.-v.

CLOS MARSALETTE 1999*

□ 0,7 ha 4 000 11 à 15 €

Lorsque le propriétaire de Canon La Gaffelière, celui de Haut-Lagrange et un géomètre s'associent pour créer un cru, tout est réuni pour son succès. A parts égales, sauvignon et sémillon composent ici un vin des plus réussis. Concentré et onctueux, il déploie un joli parterre d'arômes : litchi, coco et pamplemousse. (70 à 99 F)

SCEA Marsalette, 31, rte de Loustalade, 33850 Léognan, tél. 05.56.64.09.93, fax 05.56.64.10.08 r.-v.

DOM. DE MERLET 1998

■ 3 ha 15 000 8 à 11 €

Né sur une petite propriété de 4 ha replantée en 1989, ce vin est encore peu bavard au premier nez. Mais ensuite son bouquet s'ouvre, libérant de sympathiques parfums de fruits (prune), d'épices et de réglisse. Elégant et bien équilibré, le palais justifie une attente d'environ trois ans. (50 à 69 F)

Indivision Tauzin, 35, cours du Mal-Leclerc, 33850 Léognan, tél. 05.56.64.77.74, fax 05.56.64.77.74 r.-v.

CH. OLIVIER 1998*

■ Cru clas. 35 ha n.c. 15 à 23 €

82 83 |85| |86| 87 |88| |89| |90| **91** 92 **93 94** 95 96 97 98

Un château médiéval entouré de douves toujours en eau où le Prince Noir retint Du Guesclin prisonnier au XIVe s. Tout aussi solidement bâti, ce 98, paré d'une superbe robe à nuances carminées, développe un bouquet puissant, qui associe les fruits rouges et noirs à des notes épicées, vanillées, animales, comme s'il voulait réveiller le passé en invitant à des accords gourmands avec du gibier. (100 à 149 F)

Jean-Jacques de Bethmann, Ch. Olivier, 33850 Léognan, tél. 05.56.64.75.16, fax 05.56.64.54.23, e-mail chateau-olivier@wanadoo.fr r.-v.

CH. PAPE CLEMENT 1998**

■ Cru clas. 20 ha 80 000 38 à 46 €

75 78 79 80 (81) 82 83 **85** |86| 87 |88| 89 **90 91** 92 |93| |94| **95 96 97 98**

Propriété du célèbre négociant bordelais Bernard Magrez, ce cru porte le nom que son propriétaire Bertrand de Got prit en 1305 lorsqu'il fut élu pape. Il est l'un des plus renommés de l'appellation et du Bordelais. S'inscrivant dans la meilleure tradition du domaine, ce 98 a l'art de se présenter. L'élégance de sa robe aux nuances rubis et vermillon se retrouve dans le bouquet : intense et concentré, le nez joue habilement sur les notes épicées, vanillées et fruitées. Tout aussi riche, le palais réussit la synthèse du charme et d'une matière première tannique pour former un ensemble de grande classe. (250 à 299 F)

Bernard Magrez, Ch. Pape Clément, 33600 Pessac, tél. 05.57.26.38.38, fax 05.57.26.38.39, e-mail chateau@pape-clement.com r.-v.

CLEMENTIN DU PAPE CLEMENT 1999*

□ 2,5 ha n.c. 15 à 23 €

92 (93) 94 |96| |97| **98** 99

Réussir l'alliance de la douceur et de la vivacité n'est pas chose facile. Ce second vin, fin et élégant par ses arômes grillés, parvient à ce résultat tout en sachant progresser en complexité tout au long de la dégustation. En **rouge 98**, le Clémentin obtient également une étoile. Il est agréable et racé. (100 à 149 F)

Bernard Magrez, Ch. Pape Clément, 33600 Pessac, tél. 05.57.26.38.38, fax 05.57.26.38.39, e-mail chateau@pape-clement.com r.-v.

CH. PICQUE CAILLOU 1998

■ 14 ha 51 066 15 à 23 €

Si l'ENITA est en train de reconstituer un domaine viticole à Mérignac, Picque Caillou est actuellement le seul vignoble en activité subsistant sur la commune. Encore un peu sévère en finale, son 98 est bien typé du cabernet par ses arômes de poivron. Assez tannique, il devra être attendu. (100 à 149 F)

GFA Ch. Picque Caillou, av. Pierre-Mendès-France, 33700 Mérignac, tél. 05.56.47.37.98, fax 05.56.97.99.37 r.-v.
Calvet Paulin

CH. PONTAC MONPLAISIR 1998*

■ 11 ha 55 000 8 à 11 €

91 92 |94| 95 (96) 97 98

Aux portes de Bordeaux et enclavé dans l'agglomération, ce cru tient bon face à l'urbanisation. La qualité de sa production lui vaudra des partisans. Complexe, avec des arômes allant du cuir au pain grillé, suave, presque sensuel à l'attaque, ce 98 se développe très harmonieusement au palais où se mêlent sans heurt le bois et le fruit. En **blanc 99**, le vin est tout aussi réussi et attend un pavé de saumon à l'estragon. (50 à 69 F)

Jean et Alain Maufras, Ch. Pontac Monplaisir, 33140 Villenave-d'Ornon, tél. 05.56.87.08.21, fax 05.56.87.35.10 r.-v.

CH. POUMEY 1998*

■ 5 ha 20 000 15 à 23 €

Appartenant à Bernard Magrez comme Pape Clément, mais situé à Gradignan, ce cru offre un vin très expressif, tant par son bouquet aux notes animales et empyreumatiques que par son volume. Le côté soyeux des tanins s'accorde avec l'attaque onctueuse. Une longue finale conclut agréablement la dégustation et annonce de bonnes perspectives de garde. (100 à 149 F)

Bernard Magrez, Ch. Pape Clément, 33600 Pessac, tél. 05.57.26.38.38, fax 05.57.26.38.39, e-mail chateau@pape-clement.com r.-v.

CH. DE ROCHEMORIN 1998*

■ n.c. n.c. 8 à 11 €

85 86 **88 89 90** 91 92 |93| |94| 95 96 97 98

Né dans une ancienne ferme fortifiée au parfum d'aventure, ce vin est encore dominé par le bois, mais son apport est de qualité avec de beaux arômes de vanille et de grillé. Sa structure lui permettra de supporter un vieillissement de trois ou quatre ans. On pourra le servir sur des cailles accompagnées de légumes printaniers. Le **Rochemorin blanc 99**, floral et harmonieux, obtient une étoile. (50 à 69 F)

SCEA Vignobles André Lurton, Ch. Bonnet, 33420 Grézillac, tél. 05.57.25.58.58, fax 05.57.74.98.59, e-mail andrelurton@wanadoo.fr r.-v.

CH. DE ROUILLAC 1998*

■ 7,5 ha 18 000 15 à 23 €

Le baron Haussmann reçut à Rouillac Napoléon III qui avait les vins du cru sur sa table. Sans être une tête couronnée, on peut se laisser tenter par le bouquet de ce vin, associant café, résine, gingembre et clou de girofle, ou par sa structure dont les tanins à grains fins sont bien enrobés par le chêne. (100 à 149 F)

SCS Vignobles Lafragette, Ch. de Rouillac, 33610 Canéjan, tél. 05.56.89.41.68, fax 05.56.89.41.68, e-mail vincent-painturaud@free.fr r.-v.

CH. SEGUIN 1998

■ 17 ha 20 000 8 à 11 €

Depuis 1999, ce vignoble est en plein renouveau grâce à d'importants investissements. Ce millésime n'en a pas profité. Structuré, rond, mais d'une bonne présence tannique, il marie les fruits rouges aux notes torréfiées. (50 à 69 F)

SC Dom. de Seguin, chem. de la House, 33610 Canéjan, tél. 05.56.75.02.43, fax 05.56.89.35.41, e-mail chateau-seguin@wanadoo.fr r.-v.

CH. SMITH HAUT LAFITTE 1999**

□ 11 ha 45 000 30 à 38 €

88 89 90 91 **92** 93 94 |95| **96** |97| (98) **99**

Depuis des décennies, Smith Haut Lafitte s'est taillé une solide réputation en matière de vins blancs. Rappelons le superbe 98, coup de cœur l'an dernier. A très forte majorité de sauvignon appuyé par 5 % de sauvignon gris et 5 % de sémillon, le 99 offre d'élégants arômes évoquant le cépage principal à parfaite maturité, puis des notes de fruits qui apparaissent à l'aération. Ces parfums constituent un ensemble complexe comme sait les réaliser l'excellent œnologue qu'est Gabriel Vialard. Charnu et bien constitué avec beaucoup de mâche, le palais est du même niveau et s'ouvre sur une impressionnante finale qui invite à la garde. (200 à 249 F)

SARL D. Cathiard, 33650 Martillac, tél. 05.57.83.11.22, fax 05.57.83.11.21, e-mail smith-haut-lafitte@smith-haut-lafitte.com r.-v.

CH. SMITH HAUT LAFITTE 1998**

■ Cru clas. 44 ha 110 000 30 à 38 €

61 62 70 71 72 73 (75) 80 82 **83 85 86** 87 **|88|** **|89|** **|90|** **|91|** 92 **|93|** **94** **|95|** 96 97 **98**

Encore très marqué par le bois, ce vin ne se livre pas complètement. Toutefois, on devine déjà qu'il devrait offrir un visage des plus intéressants dès qu'il aura assimilé l'apport de l'élevage. Sa jeunesse, annoncée par la couleur de sa robe, est confirmée par sa belle structure, aux tanins bien extraits, longue et riche. De son côté, le nez laisse paraître des notes animales qui côtoient celles des fruits rouges mûrs. (200 à 249 F)

SARL D. Cathiard, 33650 Martillac, tél. 05.57.83.11.22, fax 05.57.83.11.21, e-mail smith-haut-lafitte@smith-haut-lafitte.com r.-v.

BORDELAIS

LES HAUTS DE SMITH 1998*

■ 55 ha 65 000 🍷 11 à 15 €

Souple et rond, le second vin de Smith a bénéficié d'une bonne extraction des tanins qui garantit son avenir sans compromettre son expression très agréable de fruits rouges et de cassis. **Les Hauts de Smith en blanc 99** obtiennent une citation. (70 à 99 F)

SARL D. Cathiard, 33650 Martillac, tél. 05.57.83.11.22, fax 05.57.83.11.21, e-mail smith-haut-lafitte@smith-haut-lafitte.com
r.-v.

Le Médoc

Dans l'ensemble girondin, le Médoc occupe une place à part. A la fois enclavés dans leur presqu'île et largement ouverts sur le monde par un profond estuaire, le Médoc et les Médocains apparaissent comme une parfaite illustration du tempérament aquitain, oscillant entre le repli sur soi et la tendance à l'universel. Et il n'est pas étonnant d'y trouver aussi bien de petites exploitations familiales presque inconnues que de grands domaines prestigieux appartenant à de puissantes sociétés françaises ou étrangères.

S'en étonner serait oublier que le vignoble médocain (qui ne représente qu'une partie du Médoc historique et géographique) s'étend sur plus de 80 km de long et 10 de large. C'est dire si le visiteur peut donc admirer non seulement les grands châteaux du vin du siècle dernier, avec leurs splendides chais-monuments, mais aussi partir à la découverte approfondie du pays. Très varié, celui-ci offre aussi bien des horizons plats et uniformes (près de Margaux) que de belles croupes (vers Pauillac), ou l'univers tout à fait original du Médoc dans sa partie nord, à la fois terrestre et maritime. La superficie des AOC du Médoc représente environ 15 408 ha.

Pour qui sait quitter les sentiers battus, le Médoc réserve de toute manière plus d'une heureuse surprise. Mais sa grande richesse, ce sont ses sols graveleux, descendant en pentes douces vers l'estuaire de la Gironde. Pauvre en éléments fertilisants, ce terroir est particulièrement favorable à la production de vins de qualité, la topographie permettant un drainage parfait des eaux.

On a pris l'habitude de distinguer le haut Médoc, de Blanquefort à Saint-Seurin-de-Cadourne, et le nord Médoc, de Saint-Germain-d'Esteuil à Saint-Vivien. Au sein de la première zone, six appellations communales produisent les vins les plus réputés. Les soixante crus classés sont essentiellement implantés sur ces appellations communales ; cependant, cinq d'entre eux portent exclusivement l'appellation haut-médoc. Les crus classés représentent approximativement 25 % de la surface totale des vignes du Médoc, 20 % de la production de vins et plus de 40 % du chiffre d'affaires. A côté des crus classés, le Médoc compte de nombreux crus bourgeois qui assurent la mise en bouteilles au château et jouissent d'une excellente réputation. Plusieurs caves coopératives existent dans les appellations médoc et haut-médoc, mais aussi dans trois appellations communales.

Le vignoble du Médoc s'étend sur 15 140 ha répartis du nord au sud entre huit appellations d'origine contrôlées. Il existe deux appellations sous-régionales médoc et haut-médoc (60 % du vignoble médocain), et six appellations communales : saint-estèphe, pauillac, saint-julien, listrac-médoc, moulis en médoc et margaux (40 % du vignoble médocain). L'appellation régionale étant bordeaux comme le reste du vignoble du Bordelais.

Cépage traditionnel en Médoc, le cabernet-sauvignon est probablement moins important qu'autrefois, mais il couvre cependant 52 % de la totalité du vignoble. Avec 34 %, le merlot vient en second ; son vin, souple, est aussi d'excellente qualité et d'évolution plus rapide, il peut être consommé plus jeune. Le cabernet franc, qui apporte de la finesse, représente 10 %. Enfin, le petit verdot et le malbec ne jouent pas un bien grand rôle.

Les vins du Médoc jouissent d'une réputation exceptionnelle ; ils sont parmi les plus prestigieux vins rouges de France et du monde. Ils se remarquent à leur couleur rubis, évoluant vers une teinte tuilée, ainsi qu'à leur bouquet fruité dans lequel les notes épicées de cabernet se mêlent souvent à celles, vanillées, qu'apporte le chêne neuf. Leur structure tannique, dense et complète en même temps qu'élégante et moelleuse, et leur parfait équilibre autorisent un excellent comportement au vieillissement ; ils s'assouplissent sans maigrir et gagnent en richesse olfactive et gustative.

Médoc

L'ensemble du vignoble médocain (15 408 ha) a droit à l'appellation médoc ; mais en pratique celle-ci n'est utilisée que dans le nord de la presqu'île, à proximité de Lesparre, les communes situées entre Blanquefort et Saint-Seurin-de-Cadourne pouvant revendiquer celle de haut-médoc ou des communales, dans le cadre de leurs zones délimitées spécifiques. Malgré cela, l'appellation médoc est la plus importante avec 5 039 ha et une production de 291 549 hl en 2000.

Les médoc se distinguent par une couleur généralement très soutenue. Avec un pourcentage de merlot plus important que dans les vins du haut Médoc et des appellations communales, ils possèdent souvent un bouquet fruité et beaucoup de rondeur en bouche. Certains, provenant de belles croupes graveleuses isolées, présentent aussi une grande finesse et une richesse tannique.

CH. BELLEGRAVE

Cuvée spéciale Vieilli en fût de chêne neuf 1998*

■ Cru bourg. 2 ha 3 000 11 à 15 €

Dans la famille depuis un siècle, cette propriété comporte 20 ha. Mi-cabernet mi-merlot, élevée en fût de chêne neuf pendant dix-huit mois, cette cuvée spéciale a tiré un bon profit de ce traitement. A un nez délicat et élégant succède une bouche d'une bonne puissance aux tanins encore jeunes, mais soyeux et savoureux. Ce vin peut déjà plaire sur un gibier ou être attendu de trois à cinq ans. Un autre **98 (30 à 49 F)** vieilli douze mois en barrique recueille une citation pour son bouquet frais et complexe et sa bonne structure. Issu d'une majorité de cabernet-sauvignon et d'un sol de graves garonnaises ; il devra lui aussi attendre. (70 à 99 F)

Christian Caussèque, 8, rue de Janton, 33340 Valeyrac, tél. 05.56.41.53.82, fax 05.56.41.50.10 r.-v.

CH. BELLERIVE 1998

■ Cru bourg. 13 ha 20 000 5 à 8 €

Elaboré à partir de 50 % de merlot, de 35 % de cabernet-sauvignon et de 15 % de cabernet franc, ce 98 ne saurait prétendre rivaliser avec certains millésimes antérieurs. Il surprend par son caractère atypique. D'une belle présentation, il reste encore jeune par sa structure. On le prendrait presque pour un vin du Nouveau Monde, mais avec peut-être davantage de complexité. A aérer avant de le servir. (30 à 49 F)

SCEA Ch. Bellerive-Perrin, 1, rte des Tourterelles, 33340 Valeyrac, tél. 05.56.41.52.13, fax 05.56.41.52.13 t.l.j. sf dim. 9h-18h

Melle Perrin

CH. BESSAN SEGUR

Elevé en fût de chêne 1998

■ Cru bourg. 38 ha 298 000 8 à 11 €

Ce vin assemble 48 % de merlot, 48 % de cabernet-sauvignon à un rien de cabernet franc. Elevé six mois en barrique, il en porte la marque dans son bouquet aux notes toastées et grillées. Mais le bois respecte le fruit, donnant un ensemble flatteur et bien fait, aux tanins enrobés. Ce 98 pourra être bu jeune sur une grillade aux sarments de vigne ou attendu deux ou trois ans. (50 à 69 F)

Rémi Lacombe, Ch. Bessan Ségur, 33340 Civrac-en-Médoc, tél. 05.56.41.56.91, fax 05.56.41.59.06 r.-v.

CH. BOIS DE ROC 1998*

■ Cru artisan 10 ha 70 000 5 à 8 €

85 **86** 89 90 **92** (93) |96| 97 98

Conseiller agricole dans les années 1960, Philippe Cazenave exploite depuis trente ans ce vignoble implanté sur argilo-calcaire dont l'encépagement n'oublie pas la carménère (3 %) et le petit verdot (2 %) : voilà qui est sympathique. Certes ce 98 est très boisé en finale et dans le bouquet ; mais, médoc oblige, la structure est là. Elle permettra à cette bouteille de bien évoluer pour donner d'ici deux à trois ans un ensemble équilibré. (30 à 49 F)

GAF du Taillanet, Ch. Bois de Roc, 2, rue des Sarments, 33340 Saint-Yzans-de-Médoc, tél. 05.56.09.09.79, fax 05.56.09.06.29, e-mail boisderoc@aol.com r.-v.

Ph. Cazenave

CH. BOURNAC

Elevé en fût de chêne 1998**

■ Cru bourg. 13,5 ha 54 000 8 à 11 €

Habitué du Guide, ce cru est l'une des valeurs sûres de l'appellation. Son terroir où les pierres calcaires abondent est de grande qualité. Promis à la cave, ce vin à attendre cinq ou six ans montre qu'il possède de solides arguments : une robe profonde, un bouquet fruité et une structure tannique issue d'une forte extraction mais restant élégante et charnue. (50 à 69 F)

Bruno Secret, 11, rte des Petites-Granges, 33340 Civrac-en-Médoc, tél. 05.56.41.51.24, fax 05.56.41.51.24 r.-v.

CH. BREUILH 1998

■ 4,2 ha 25 000 8 à 11 €

Denis Bergey propose ici un vin modeste mais agréable, tant par ses parfums de fruits rouges et de vanille que par son côté équilibré et soyeux. (50 à 69 F)

Denis Bergey, 14, rte de Breuilh, 33340 Bégadan, tél. 05.56.41.53.62, fax 05.56.41.57.35

CH. DES BROUSTERAS

Vieilli en fût de chêne 1998★

■ Cru bourg. 25 ha 190 000 8 à 11 €

Rue de l'Ancienne-Douane : l'adresse de ce cru rappelle que Saint-Yzans est bien une commune du Médoc maritime située au bord de l'estuaire. Léger bien que d'un rouge profond, d'une bonne tenue et mis en valeur par un bois dosé avec justesse, ce vin d'une belle complexité aromatique (cassis, cuir, vanille) devrait atteindre son apogée dans environ trois ans. (50 à 69 F)

SCF Ch. des Brousteras, 2, rue de l'Ancienne-Douane, 33340 Saint-Yzans-de-Médoc, tél. 05.56.09.05.44, fax 05.56.09.04.21 r.-v.

Renouil frères

CH. CANTEGRIC 1998★

■ Cru artisan 1 ha 6 000 5 à 8 €

|95| |96| |97| 98

S'il se contente du titre modeste de cru artisan, ce domaine sait se montrer ambitieux par la qualité de sa production, associant 50 % de cabernet-sauvignon et 10 % de cabernet franc au merlot. Robe profonde à reflets violacés, bouquet complexe et puissant, presque envoûtant (compote de fruits rouges et noirs), structure solide s'appuyant sur des tanins denses et veloutés : ce 98 en apporte la preuve. (30 à 49 F)

GFA du Ch. Cantegric, 10, av. Charles-de-Gaulle, 33340 Saint-Christoly-Médoc, tél. 05.56.41.57.00, fax 05.56.41.89.36, e-mail ch.cantegric@wanadoo.fr r.-v.

Joany-Feugas

CH. CASTERA 1998★

■ Cru bourg. 63 ha 250 000 11 à 15 €

|88| **89** |90| 95 96 97 98

Agrémenté d'un beau parc dominant Saint-Germain d'Esteuil, ce château ne cache pas ses origines moyenâgeuses. Né sur argilo-calcaire, ce vin, d'une belle structure encore un peu sévère, n'a pour sa part rien d'un léger *claret* médiéval. Ses tanins et son bouquet assez développé lui permettront d'être attendu le temps nécessaire pour que le bois puisse se fondre (trois ou quatre ans). (70 à 99 F)

SNC Ch. Castéra, 33340 Saint-Germain-d'Esteuil, tél. 05.56.73.20.60, fax 05.56.73.20.61, e-mail chateaucastera@compuserve.com r.-v.

CH. CHANTELYS 1998★

■ Cru bourg. 8 ha 30 000 11 à 15 €

Née Courrian, Christine Braquessac porte des noms synonymes de qualité et d'authenticité en Médoc. Témoin ce vin dont la robe annonce la jeunesse. Bien servi par un bouquet aux notes fruitées (fruits rouges, cassis et cerise noire), il développe une solide matière, qui justifiera une garde de quatre ou cinq ans, voire un peu plus en surveillant son évolution. Cité, le second vin, **Les Iris de Chantelys 98 (30 à 49 F)**, est généreux, flatteur et à boire dans les trois ans. (70 à 99 F)

Ch. Chantelys, Lafon, 33340 Prignac-en-Médoc, tél. 06.10.02.12.92, fax 05.56.09.09.07, e-mail jfbraq@aol.com r.-v.

Christine Courrian

CLOS BELLEVUE 1998

■ 2,5 ha 3 000 5 à 8 €

Situé à Vertheuil, commune au riche patrimoine, ce cru propose ici un vin associant 70 % de cabernet-sauvignon au merlot. Il ne demandera pas une longue garde, mais saura se rendre agréable pendant les cinq années à venir par son équilibre et sa finale d'une réelle élégance. (30 à 49 F)

Luc Grimbert, 8, rue des Peupliers, Le Vignan, 33180 Vertheuil, tél. 06.08.92.45.91, fax 05.56.59.37.16 r.-v.

CLOS MALABUT 1998

■ 4,15 ha 7 200 5 à 8 €

Situé dans la pointe du Médoc, pas très loin de Soulac, ce cru reçoit pleinement les influences océaniques. Conjugant souplesse et volume, son 98 est d'une bonne tenue au palais et expressif par son bouquet aux fines notes fruitées et boisées. A boire dans les deux ans sur des volailles. (30 à 49 F)

Nadine Wendling, 6, chem. des Séguelongue, Vensac, 33590 Saint-Vivien-de-Médoc, tél. 05.56.09.49.16 t.l.j. 10h30-12h30 17h-19h

COLLECTION PRIVEE D. CORDIER

Elevé en fût de chêne 1998

■ n.c. n.c. 5 à 8 €

Marque de la maison Cordier, ce vin n'est peut-être pas un maestro, mais il sait s'exprimer ; tant par son bouquet, riche de nombreux petits fruits, qu'au palais où il se montre fondu. A boire dans un an ou deux. (30 à 49 F)

Ets D. Cordier, 53, rue du Dehez, 33290 Blanquefort, tél. 05.56.95.53.00, fax 05.56.95.53.01, e-mail florence.dobhels@cordier-wines.com

CH. DAVID 1998

■ Cru bourg. 10 ha 75 000 8 à 11 €

Né à Vensac, commune où tournent toujours les ailes d'un beau moulin, sur un sol où les sables dominent les graves, ce vin aux tanins solides aura besoin de temps pour s'arrondir. Une nouvelle génération étant arrivée à la tête de l'exploitation, ce cru au chai neuf devrait être à suivre dans l'avenir. (50 à 69 F)

EARL Coutreau, Ch. David, 40, Grande-Rue, 33590 Vensac, tél. 05.56.09.44.62, fax 05.56.09.59.09, e-mail chateaudavid@online.fr
☑ 🍷 t.l.j. 9h-13h 14h-19h; f. vendanges

CH. DES DEUX MOULINS 1998*

■ Cru bourg. 6 ha 30 000 ▮▮ 11 à 15 €

Etabli sur de belles graves qui regardent l'estuaire, ce cru bénéficie d'un terroir de qualité où 60 % de merlot accompagnent les cabernets et le petit verdot. La vinification étant à la hauteur, il en résulte un vin riche et corsé, aux tanins élégants et racés. Complexe, fait de notes de fruits rouges et de cuir relevées par une touche boisée, le bouquet n'est pas en reste.

(70 à 99 F)

SCEA Vignobles Moriau, 2, rte de Lesparre, 33340 Saint-Christoly-Médoc, tél. 05.56.41.54.20, fax 05.56.41.37.63 ☑ 🍷 r.-v.

BORDELAIS

Le Médoc et le Haut-Médoc

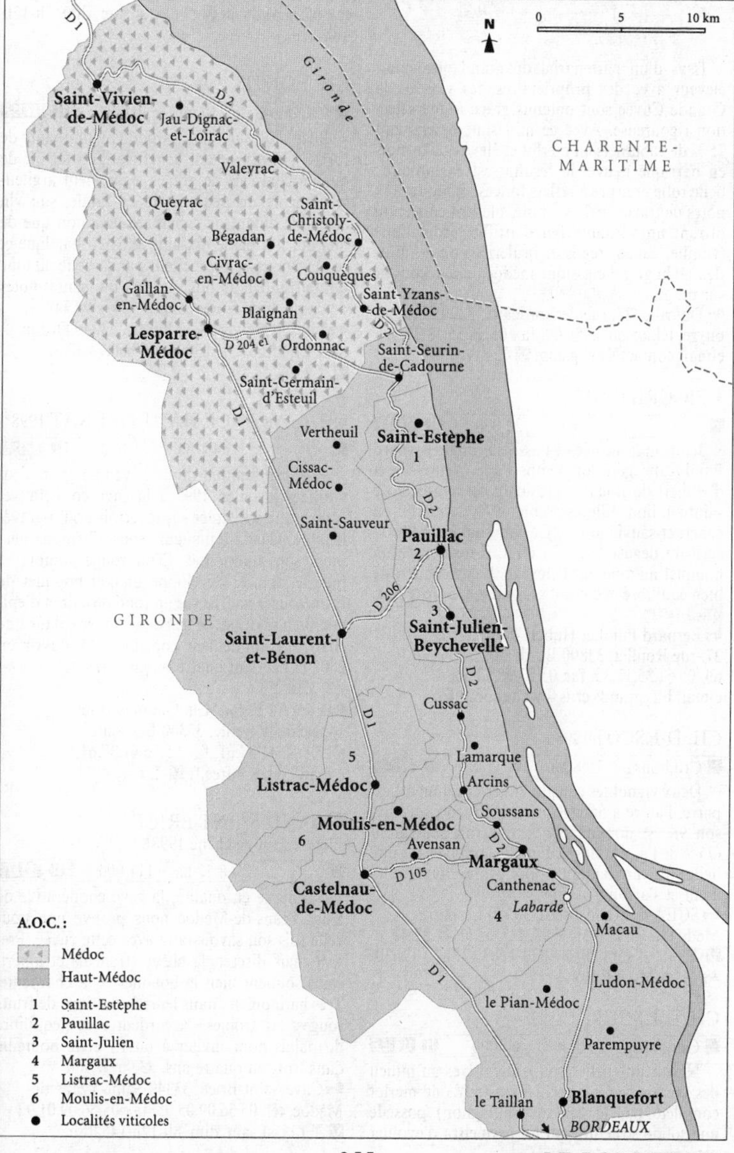

LA GRANDE CUVEE DE DOURTHE 1998★★

■ n.c. n.c. 5à8€

Issus d'un partenariat du grand négociant-éleveur avec des propriétaires, les vins de la Grande Cuvée sont obtenus grâce à une sélection rigoureuse. Avec ce millésime assemblant 75 % de cabernets au merlot et élevé douze mois en barrique neuve, le résultat est exemplaire : belle robe pourpre à reflets foncés ; bouquet aux notes de fraise ; palais ample, plein et concentré offrant un véritable feu d'artifice aromatique (vanille, cacao, réglisse, brûlerie, poivre, girofle...). Un grand classique médocain à découvrir sur du gibier. (30 à 49 F)

Dourthe, 35, rue de Bordeaux, 33290 Parempuyre, tél. 05.56.35.53.00, fax 05.56.35.53.29, e-mail contact@cvbg.com r.-v.

EPICURE 1998★

■ n.c. 20 000 11à15€

Jeune marque née de l'association de Bernard Pujol – qui géra longtemps Pape Clément – et d'Hubert de Bouard, président du Syndicat de saint-émilion. Elle assemble 60 % de merlot au cabernet-sauvignon. « Ce vin suit la mode », écrit un dégustateur. En effet, il développe un bouquet marqué par l'élevage. L'ensemble reste bien équilibré et devrait se fondre avec le temps. (70 à 99 F)

Bernard Pujol et Hubert de Bouard, 27, rue Roullet, 33800 Bordeaux, tél. 05.57.35.12.35, fax 05.57.35.12.36, e-mail bus.grands.crus@wanadoo.fr

CH. D'ESCOT 1998

■ Cru bourg. 18,8 ha 120 000 8à11€

Deux vignobles constituent ce cru, l'un à Lesparre, l'autre à Saint-Christoly. Encore austère, son 98 est dominé par le cabernet-sauvignon (75 % de l'assemblage). Il peut s'appuyer sur une belle structure tannique pour évoluer favorablement et s'arrondir. (50 à 69 F)

SCEA du Ch. d'Escot, 33340 Lesparre-Médoc, tél. 05.56.41.06.92, fax 05.56.41.82.42 t.l.j. sf sam. dim. 8h30-12h30 13h30-17h30

M. et Mme Rouy

CH. D'ESCURAC 1998

■ Cru bourg. 10 ha 60 000 11à15€

Né sur une belle croupe de graves au milieu des marais de Queyrac, ce vin (60 % de merlot complété par le cabernet-sauvignon) possède une solide structure qui lui permettra d'évoluer favorablement dans les années à venir et de trouver son expression définitive. En 2001, il offre des senteurs de fleurs, d'épices douces, de fruits rouges, de grillé et une finale chaleureuse. Le second vin, **La Chapelle d'Escurac 98** (50 à 69 F), assemble à parts égales les deux cépages du grand vin. Il trouvera sa voie plus rapidement que son aîné ; sa finesse et son élégance ont séduit le jury qui propose de le servir sur une macaronnade aux légumes fondus et aux chanterelles du Médoc associée à un foie gras poêlé. (70 à 99 F)

Jean-Marc Landureau, Ch. d'Escurac, 33340 Civrac-en-Médoc, tél. 05.56.41.50.81, fax 05.56.41.36.48 t.l.j. sf sam. dim. 9h-12h 14h-17h

CH. FONTIS 1998

■ Cru bourg. 10 ha 40 000 11à15€

Bien situé sur l'un des points culminants de l'AOC (38 m), ce cru bénéficie d'un terroir de qualité composé de graves légèrement argileuses. Encore un peu austère en finale, son vin assemble autant de cabernet-sauvignon que de merlot ; il a passé dix-huit mois en barrique et se montre assez prometteur par sa belle attaque qui fait suite à un bouquet aux puissantes notes de cacao et de fruits rouges. (70 à 99 F)

Vincent Boivert, Ch. Fontis, 33340 Ordonnac, tél. 05.56.73.30.30, fax 05.56.73.30.31 r.-v.

CH. GARANCE HAUT GRENAT 1998★

■ 4,1 ha 30 000 8à11€

Petit cru familial dont les vendanges étaient vinifiées jusqu'en 1997 à la cave coopérative, cette propriété, située sur le terroir argilo-graveleux de Bégadan, inaugure sous d'heureux auspices son autonomie. D'un rouge sombre et intense, son 98 développe un joli bouquet de fruits rouges confits sur un fond de cuir et d'épices. Bien maîtrisé, le merrain s'intègre dans une charpente solidement constituée. A ouvrir en 2002 et pendant quatre ou cinq ans. (50 à 69 F)

Laurent Rebes, Ch. Garance Haut, 14, rte de la Reille, 33340 Bégadan, tél. 05.56.41.37.61, fax 05.56.41.37.61, e-mail l.rebes@free.fr r.-v.

GRAND SAINT-BRICE
Elevé en fût de chêne 1998★

■ 68,22 ha 111 900 5à8€

Régulière en qualité, la cave coopérative de Saint-Yzans-de-Médoc nous prouve une nouvelle fois son savoir-faire avec cette cuvée. Présent mais discret, le chêne (français et américain) soutient bien le bouquet et la charpente. Très harmonieux dans leurs évocations de fruits rouges, les arômes s'accordent avec l'équilibre du palais pour inviter à ouvrir cette bouteille dans trois ou quatre ans. (30 à 49 F)

Cave Saint-Brice, 33340 Saint-Yzans-de-Médoc, tél. 05.56.09.05.05, fax 05.56.09.01.92 t.l.j. sf sam. dim. 8h-12h 14h-18h

CH. GREYSAC 1998*

■ Cru bourg. 60 ha 480 000 8 à 11 €

85 86 |88| |89| 91 93 94 |95| |96| |97| 98

Belle unité acquise en 1973 par un groupe d'amis, dont le baron François de Gunzburf et Giovanni Agnelli, ce château qui a rejoint l'Union des grands crus neuf ans plus tard tient toujours son rang. Témoin, ce vin qui ne manque pas de caractère. Sa structure s'harmonise avec la rondeur de l'attaque et les arômes de tabac, de réglisse et de grillé pour former un ensemble dense et subtil. (50 à 69 F)

SA Domaines Codem, Ch. Greysac, 33340 Bégadan, tél. 05.56.73.26.56, fax 05.56.73.26.58 r.-v.

CH. GRIVIERE 1998*

■ Cru bourg. 22 ha n.c. 11 à 15 €

93 94 95 96 |97| 98

Ancienne propriété de la famille de Rozière, dont on sait le rôle dans la renaissance de l'appellation au cours des années 1970-1980, ce cru a changé de main en 1991. Bien construit à partir de 58 % de merlot né sur argilo-calcaire, son vin joue résolument la carte du charme aromatique. Fins et sans fard, les parfums marient les notes de gibier, de grillé et d'épices pour accompagner un agréable développement au palais. (70 à 99 F)

Les Domaines CGR, rte de la Cardonne, 33340 Blaignan, tél. 05.56.73.31.51, fax 05.56.73.31.52, e-mail mguyon@domaines-cgr.com t.l.j. sf sam. dim. 8h30-12h 13h30-17h; groupes sur r.-v.

CH. HAUT-BALIRAC

Vieilli en fût de chêne 1998*

■ 2 ha 7 000 5 à 8 €

Deux hectares, sur les 8,66 que compte le domaine, ont présidé à l'élaboration de cette cuvée spéciale élevée douze mois en barrique et assemblant merlot (45 %), cabernet-sauvignon (35 %), cabernet franc (15 %), petit verdot (3 %) et malbec nés sur des graves mêlées de sables. Sa couleur intense et son bouquet complexe, aux notes fruitées et grillées, rendent sa présentation agréable. Flatteur à l'attaque puis plus strict dans son développement aujourd'hui, le palais est prometteur par sa richesse. (30 à 49 F)

SCEA Haut-Balirac, 1, rte de Lousteauneuf, 33340 Valeyrac, tél. 05.56.41.55.93 r.-v.

Cédric Chamaison

CH. HAUT BLAIGNAN

Elevage en barrique 1998

■ Cru artisan 14,88 ha 15 000 5 à 8 €

Paré du titre de cru artisan, ce vin, né sur argilo-calcaire, rappelle ses origines médocaines par une bonne structure tannique. Encore assez sévère, celle-ci s'accorde avec la puissance du bouquet, aux notes expressives de fruits très mûrs, pour inviter à attendre un peu cette bouteille. (30 à 49 F)

GAEC Brochard-Cahier, 19, rue de Verdun, 33340 Blaignan, tél. 05.56.09.04.70, fax 05.56.09.00.08 t.l.j. 9h-12h 14h-19h

CH. HAUT BRISEY 1998*

■ Cru bourg. n.c. 90 000 5 à 8 €

(86) 87 88 89 90 91 93 94 95 96 97 98

Pour les amateurs d'endroits typiques, on notera la proximité du petit port de Goulée ; et pour ceux d'archéologie celle de tombes mérovingiennes. Ce domaine est né en 1983. Associant 70 % de cabernet-sauvignon au merlot, ce 98 s'exprime avec force. Ses puissants tanins sauront intégrer un bois bien dosé. Délicatement parfumé avec de fines notes épicées, voilà un vrai vin de plaisir à attendre trois ou quatre ans. On nous dit que Christian et Corinne Denis élèvent aussi des chevaux... (30 à 49 F)

SCEA Ch. Haut Brisey, Sestignan, 33590 Jau-Dignac-et-Loirac, tél. 05.56.09.56.77, fax 05.56.73.98.36, e-mail hautbrisey@wanadoo.fr r.-v.

Christian Denis

CH. HAUT-CANTELOUP

Collection 1998**

■ Cru bourg. 11 ha 80 000 8 à 11 €

94 95 |96| |97| 98

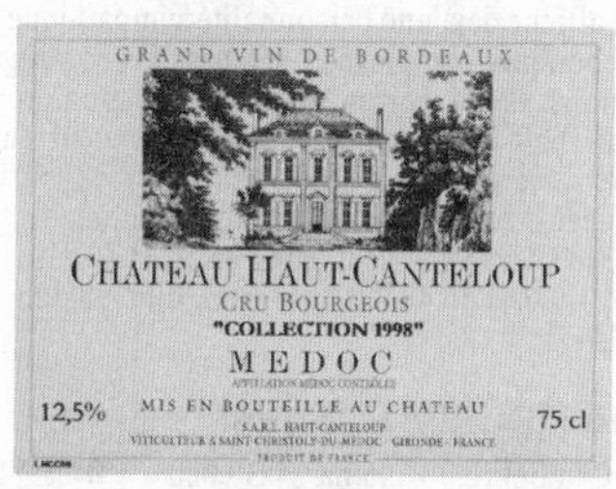

Cale inclinée, maison du douanier, autour de son « estey » (chenal) : le port de Saint-Christoly est l'un des plus charmants des bords de Gironde. C'est là que sont installés les chais où est née cette cuvée des plus réussies. Une robe à reflets violets et un bouquet expressif (fruits mûrs, vanille et noix de coco sur fond poivré) donnent beaucoup d'allure à sa présentation. Structuré avec de la mâche, le palais n'est pas en reste jusque dans sa longue finale harmonieuse. Promettant une belle garde, cette bouteille est à oublier dans le secret de la cave pendant sept ou huit ans. (50 à 69 F)

SARL du Ch. Haut-Canteloup, 33340 Saint-Christoly-Médoc, tél. 05.56.41.58.98, fax 05.56.41.36.08 r.-v.

CH. HAUT-GARIN 1998

■ Cru bourg. 6,5 ha 11 000 5 à 8 €

|93| 94 96 |97| 98

Peut-être influencé par le côté un rien nostalgique de l'étiquette, une paire de bœufs attelés à une charrette de vendanges, ce vin s'inscrit dans la ligne classique du médoc par son encépagement, les cabernets et le petit verdot atteignant 60 %, par sa structure et son potentiel de garde. Ce qui ne l'empêche pas de faire preuve de personnalité au nez, avec une fraîche note mentholée complétant les arômes de fruits noirs. (30 à 49 F)

Gilles Hue, Lafon, 33340 Prignac-en-Médoc, tél. 05.56.09.00.02 ☑ ⊥ t.l.j. 9h-12h 14h-19h; dim. sur r.-v.

CH. HAUT-GRAVAT 1998*

■ 7,68 ha 18 000 5à8€

Mariage réussi du bois et de l'Inox, le chai est si soigné qu'on y entre comme dans un salon. Rien d'étonnant d'y voir naître un vin bien fait. Cabernet-sauvignon, cabernet franc et merlot se partagent par tiers l'assemblage. Certes le bois est encore très présent, mais il est de qualité et, derrière lui, on sent un bouquet prometteur et une structure bien équilibrée par des tanins soyeux. Encore deux ou trois ans et l'on aura une bouteille des plus harmonieuses. (30 à 49 F)

Sté Alain Lanneau, Ch. Haut-Gravat, 5, chem. du Clou, 33590 Jau-Dignac-et-Loirac, tél. 05.56.09.41.20, fax 05.56.73.98.06 ☑ ⊥ r.-v.

CH. HAUT-MYLES 1998

■ Cru bourg. 12 ha 80 000 8à11€

Né sur un terroir argilo-calcaire, ce vin structuré gagnera à être attendu (quatre ans) même s'il affiche déjà une personnalité sympathique et un bouquet complexe et intense. Fruits rouges et noirs, fleurs, épices, ses arômes sont une véritable balade gourmande. Un dégustateur suggère de le servir sur un coq au vin. (50 à 69 F)

Jean-Marc Landureau, Ch. d'Escurac, 33340 Civrac-en-Médoc, tél. 05.56.41.50.81, fax 05.56.41.36.48 ⊥ t.l.j. sf sam. dim. 9h-12h 14h-17h

CH. HOURBANON 1998*

■ Cru bourg. 5 ha 30 000 5à8€

Joli domaine d'un seul tenant, cette propriété jouit d'un terroir de graves de qualité. Son 98 est bien médocain par son encépagement dans lequel le merlot ne représente que 24 %. D'une couleur soutenue, il possède par sa structure un réel potentiel de garde. Le bouquet, aujourd'hui dominé par le bois (dix-huit mois d'élevage en barrique), aura le temps de s'ouvrir. (30 à 49 F)

SC Delayat-Chemin, Ch. Hourbanon, 33340 Prignac-en-Médoc, tél. 05.56.41.02.88, fax 05.56.41.24.33, e-mail hugues.delayat@wanadoo.fr ☑ ⊥ r.-v.

CH. LABADIE 1998**

■ Cru bourg. 13,5 ha 81 000 5à8€

(90) 92 93 94 |95| 96 **97 98**

Figure marquante et sympathique de la vie locale, Y. Bibey est aussi un excellent viticulteur. Ne fut-il pas coup de cœur pour le difficile 97 l'an dernier ? Une fois encore, il prouve son talent grâce à un vin bien construit né sur argilo-calcaire et assemblant à parts égales merlot et cabernet-sauvignon. Soutenu par une matière riche et équilibrée, ce 98 promet d'évoluer très heureusement. D'autant plus que son bouquet aux notes torréfiées a autant d'attrait que le palais. Lorsque vous serez à Bégadan, n'oubliez pas d'admirer l'abside du XIe s. de l'église. (30 à 49 F)

GFA Bibey, 1, rte de Chassereau, Ch. Labadie, 33340 Bégadan, tél. 05.56.41.55.58, fax 05.56.41.39.47 ☑ ⊥ r.-v.

CH. LA CARDONNE 1998*

■ Cru bourg. 86 ha n.c. 11à15€

88 89 90 **94 95 96** |97| 98

Fort de 125 ha, ce cru est l'une des plus vastes unités du secteur. Même s'il n'entend pas rivaliser avec certains millésimes antérieurs, son 98 se singularise par sa rondeur. Les arômes fruités et épicés soulignent le caractère agréable jusqu'en finale. (70 à 99 F)

Les Domaines CGR, rte de la Cardonne, 33340 Blaignan, tél. 05.56.73.31.51, fax 05.56.73.31.52, e-mail mguyon@domaines-cgr.com ☑ ⊥ t.l.j. sf sam. dim. 8h30-12h 13h30-17h; groupes sur r.-v.

CH. LA CHANDELLIERE

Cuvée particulière Elevée en fût de chêne 1998**

■ Cru bourg. 21 ha 35 000 8à11€

Signée par un Secret, cette cuvée composée de 70 % de cabernets et de 30 % de merlot nés sur argilo-calcaire, élevée en fût, est à la hauteur de la renommée de la famille. D'une belle couleur violine, elle se montre séduisante par son bouquet, dont les jolis parfums de fruits mûrs (myrtille, groseille, griotte) sont mis en évidence par un léger boisé. Au palais se développent autour d'une riche matière des tanins soyeux qui autoriseront aussi bien d'ouvrir cette bouteille jeune sur des gibiers que de l'attendre quatre ou cinq ans, voire plus, pour la servir sur une viande rouge. (50 à 69 F)

GAEC de Cazaillan, 16, rte des Petites-Granges, 33340 Civrac-en-Médoc, tél. 05.56.41.53.51, fax 05.56.41.53.51 ☑ ⊥ r.-v.

Secret

CH. LA CLARE 1998*

■ Cru bourg. 20 ha 150 000 8à11€

90 92 94 |95| 96 |97| 98

Un beau terroir composé par tiers de graves garonnaises, de graves pyrénéennes et d'argilo-calcaire. « Est-ce un vin de l'école Boissenot ? », s'interroge un dégustateur. En effet. Ce 98 ne manque pas d'atouts. Le premier est une structure équilibrée, encore un peu tannique en finale mais qui promet de bien évoluer. Le second est le charme du bouquet. Bien qu'encore naissant, il laisse déjà entrevoir toute sa complexité avec des notes fruitées et mentholées qu'enrichit un soupçon de réglisse du meilleur aloi. (50 à 69 F)

Paul de Rozières, Ch. La Clare, 33340 Bégadan, tél. 05.56.41.50.61, fax 05.56.41.50.69 ☑ ⊥ t.l.j. 8h-18h

CH. LACOMBE NOAILLAC 1998*

■ Cru bourg. 15 ha 100 000 8à11€

Les Lapalu, qui ont appartenu au petit nombre des pionniers ayant relancé la viticulture à Jau et dans la pointe du Médoc, comptent toujours parmi les figures locomotives du secteur. Mariage heureux du fruit et du bois, leur 98 fort bien réussi laisse sur le souvenir d'une belle finale aux notes de cacao et de fumée. Robe rubis, bouquet complexe et bonne structure : cette bouteille mérite un séjour dans la quiétude de la cave. (50 à 69 F)

⊶ SC Ch. Lacombe Noaillac, Le Broustera, 33590 Jau-Dignac-et-Loirac, tél. 05.56.41.50.18, fax 05.56.41.54.65, e-mail info@les.trois.chateaux.com ☑

CH. LAFON 1998★★

■ Cru bourg. 8 ha 50 000 🛢 11 à 15 €

|93| (95) 96 **97 98**

Pour qui connaît Rémy Fauchey, sa passion pour la vigne et son application, les qualités de ce vin n'ont rien d'étonnant. De la robe, d'un rouge foncé presque noir, à la longue finale, tout est réussi dans ce 98 dont la puissance et la richesse tannique éclatent dès l'attaque. Frais et complexes, les arômes sont de la même trempe et contribuent à faire de cet ensemble un classique des vins médocains de garde : il pourra séjourner à la cave pendant plus de cinq ans. (70 à 99 F)

⊶ Rémy Fauchey, Ch. Lafon, 33340 Prignac-en-Médoc, tél. 05.56.09.02.17, fax 05.56.09.04.96 ☑ Y t.l.j. 9h-30-18h

CH. LA HOURCADE

Vieilli en fût de chêne 1998★

■ 15 ha 30 000 🛢 5 à 8 €

96 97 98

Pour trouver ce cru si vous vous rendez à Jau, demandez Gino. Ancien écuyer, passionné de chevaux, il est connu de tous les habitants de la commune. Mais son amour pour la cavalerie ne l'empêche pas de trouver son bonheur dans son métier de viticulteur ; il applique les règles de la biodynamie. S'annonçant par une robe d'une belle intensité, prometteur par son bouquet aux notes d'épices et de clou de girofle comme par son palais aux tanins bien enrobés, ce vin montre que la vocation du vigneron n'a rien d'artificiel. (30 à 49 F)

⊶ Gino et Florent Cecchini, Ch. La Hourcade, 7, rue de Noaillac , 33590 Jau-Dignac-et-Loirac, tél. 05.56.09.53.61, fax 05.56.09.57.53 ☑ Y t.l.j. 9h-12h 14h-20h

CH. LALANDE DE GRAVELONGUE

La Croix Tête de cuvée 1998★

■ 3 ha 10 000 🛢 15 à 23 €

Petite cuvée de prestige, ce vin a été élaboré avec une volonté de travailler à l'ancienne. Très coloré, il développe un bouquet s'exprimant avec force par des notes de tubéreuse. D'un bon volume, le palais s'appuie sur des tanins ronds et un bois fondu pour donner un ensemble qui pourra être bu jeune ou être attendu. Bien constituée mais plus rustique, la **cuvée principale** (50 000 bouteilles de **70 à 99 F**) a obtenu une citation. (100 à 149 F)

⊶ SCEA Lalande de Gravelongue, 19, rte de Troussas, 33340 Valeyrac, tél. 05.56.41.59.68, fax 05.88.53.08.31, e-mail gravelongue@libertysurf.fr ☑ Y r.-v.

CH. LA PIROUETTE 1998

■ Cru bourg. 4 ha 25 000 🛢 5 à 8 €

Le thème du pur-sang de l'étiquette n'a pas été choisi par hasard : Yvan Roux est un passionné de chevaux. Mais il n'en néglige pas pour autant sa vigne. D'une bonne régularité, son vin sait se montrer sous un jour favorable avec des tanins fondus qui confortent le côté gras et soyeux de l'ensemble. (30 à 49 F)

⊶ SCEA Yvan Roux, Semensan, 33590 Jau-Dignac-et-Loirac, tél. 05.56.09.42.02, fax 05.56.09.42.02 ☑ Y r.-v.

CH. L'ARGENTEYRE

Vieilles vignes Elevé en barrique 1998

■ 6 ha 38 000 🛢 5 à 8 €

Provenant d'un domaine de 27 ha situé sur des graves, cette cuvée aux arômes de cassis et de réglisse et à la jeunesse un peu austère n'est pas sans rappeler que la typicité des médoc est de demander un temps de repos avant de pouvoir s'exprimer. (30 à 49 F)

⊶ GAEC des vignobles Reich, Ch. l'Argenteyre, Courbian, 33340 Bégadan, tél. 05.56.41.52.34, fax 05.56.41.52.34 ☑ Y r.-v.

CH. LA TILLE CAMELON

Elevé en fût de chêne 1998

■ 14,38 ha 29 460 🛢 5 à 8 €

Vin de cru mais élaboré à la cave de Saint-Yzans, ce 98 simple et net est mis en valeur par son bouquet aux agréables notes de griotte. (30 à 49 F)

⊶ Cave Saint-Brice, 33340 Saint-Yzans-de-Médoc, tél. 05.56.09.05.05, fax 05.56.09.01.92 ☑ Y t.l.j. sf sam. dim. 8h-12h 14h-18h

CH. LA TOUR DE BY 1998★

■ Cru bourg. 60 ha 500 000 🛢 11 à 15 €

82 83 85 86 |88| |89| |**90**| **91** |93| |94| 95 **96** |97| 98

Si le cru doit son nom et son emblème à sa célèbre tour à feux (phare) qui domine la Gironde, il doit sa renommée viticole à la croupe de graves qui lui sert de base. Mis en valeur par Marc Pagès, qui s'apprête aujourd'hui à passer la main à son gendre, ce terroir a donné des résultats constants. Sa qualité se vérifie encore avec ce vin. Mariant les fruits au sous-bois, le bouquet apporte l'élégance, tandis que la structure corsée du palais annonce un sérieux potentiel d'évolution. Il n'est pas impossible que ce 98 gagne sa deuxième étoile dans trois ou quatre ans. (70 à 99 F)

Marc Pagès, Ch. La Tour de By,
33340 Bégadan,
tél. 05.56.41.50.03, fax 05.56.41.36.10,
e-mail la.tour.de.by@wanadoo.fr r.-v.

CH. LAULAN DUCOS 1998*

20 ha 25 000 5 à 8 €

88 |89| 90 91 92 93 **96** 97 98

Arrivée à la tête du cru en 1997, Brigitte Ducos propose un vin délicat dans son expression aromatique où le tabac se marie aux notes florales. Son 98 révèle une bonne structure où le bois n'écrase ni le gras ni la chair. L'ensemble est bien typé et d'une réelle séduction. (30 à 49 F)

SCEA Ch. Laulan Ducos, 4, rte de Vertamont, 33590 Jau-Dignac-et-Loirac,
tél. 05.56.09.42.37, fax 05.56.09.48.40 r.-v.
Brigitte Ducos

CH. LE BERNARDOT 1998

12,27 ha 26 000 5 à 8 €

Peut-être parce qu'il n'est pas issu du monde viticole mais qu'il l'a choisi, le couple nippo-écossais aime parler avec passion du vin. Et il sait de quoi il parle. Témoin, ce 98 où 70 % de cabernet-sauvignon répond au merlot. Au bouquet, ce sont des parfums de cassis et de fruits rouges ; au palais, une solide présence tannique soutient l'ensemble. Une bouteille à attendre quatre ou cinq ans. (30 à 49 F)

Fujiko et John Robertson, Ch. Gaudin,
33590 Vensac, tél. 05.56.09.57.94,
fax 05.56.73.98.87 r.-v.

CH. LE BOURDIEU 1998*

Cru bourg. 23 ha 180 000 8 à 11 €

90 91 92 93 94 |95| |96| 97 98

Personnalités attachantes, les Bailly sont de ces viticulteurs qui savent rendre sympathique l'appellation. Né sur le terroir de graves de Valeyrac, sur une croupe entourant le château, leur 98, sans chercher à jouer les athlètes, a de quoi séduire : un bouquet simple mais net et une bouche grasse, bien construite et équilibrée, finement boisée. S'il reste encore un peu fermé, ce vin devrait s'épanouir d'ici quatre à cinq ans. (50 à 69 F)

Guy Bailly, Ch. Le Bourdieu,1, rte de Troussas, 33340 Valeyrac, tél. 05.56.41.58.52,
fax 05.56.41.36.09, e-mail lebourdieu@free.fr
t.l.j. sf sam. dim. 9h-12h 14h-18h

CH. LE BREUIL RENAISSANCE
Excellence 1998*

n.c. n.c. 8 à 11 €

Situé à moins de 5 km du pittoresque petit port de Goulée, ce cru a connu un développement rapide au cours des années 1990. Encore un peu rustique, sa cuvée devra attendre deux ou trois ans pour affirmer sa personnalité. Aujourd'hui, elle offre des notes de torréfaction et un agréable côté rond et charnu. (50 à 69 F)

Philippe Bérard, 6, rte du Bana, 33340 Bégadan, tél. 05.56.41.50.67, fax 05.56.41.36.77,
e-mail phil.berard@wanadoo.fr r.-v.

CH. LE PEY 1998**

Cru bourg. 15 ha 105 000 8 à 11 €

Agrandi d'une quinzaine d'hectares à la fin de l'année 2000, ce cru est mené avec soin par Claude Compagnet et ses deux fils. Leur travail trouve ici sa récompense dans un vin pourpre à reflets rubis. Celui-ci laisse apparaître la présence du bois dans les notes vanillées et toastées du bouquet. Mais la matière est là pour assurer un bon potentiel de garde et annoncer dans quatre à cinq ans une bouteille équilibrée et bien faite. (50 à 69 F)

SCEA Claude Compagnet, Ch. Le Pey,
33340 Bégadan, tél. 05.56.41.57.75,
fax 05.56.41.53.23 t.l.j. sf dim. 9h-12h
14h-18h

CH. LES GRANDS CHENES
Cuvée Prestige 1998**

Cru bourg. 7,16 ha 25 000 11 à 15 €

86 88 **89 90** 91 92 93 **94 95** |96| |97| **98**

Un petit cru, mais avec un beau terroir de graves et des vignes âgées – constituées de 60 % de cabernet-sauvignon, de 5 % de cabernet franc et de 35 % de merlot – qui a été acheté il y a trois ans par Bernard Magrez. Continuant sa progression qualitative, il nous propose un vin flatteur, avec un fort soutien du bois. On appréciera tout particulièrement son expression aromatique où les notes toastées se marient à des senteurs de sous-bois. Elégant, son palais le rend déjà plaisant tout en invitant à le garder trois ou quatre ans. (70 à 99 F)

SARL Ch. Les Grands Chênes, rte de Lesparre, 33340 Saint-Christoly-Médoc,
tél. 05.56.41.35.69, fax 05.56.41.53.12 r.-v.
Bernard Magrez

CH. LES MOINES Prestige 1998**

Cru bourg. 18 ha 140 000 8 à 11 €

86 88 89 90 91 92 |93| 94 (95) **96** |97| **98**

Une adresse à retenir pour une visite dans le vignoble bordelais : aussi aimable que passionné et méticuleux, Claude Pourreau n'hésite jamais à montrer son domaine. Ce sera l'occasion de découvrir cette jolie cuvée Prestige bien médocaine par son encépagement (70 % de cabernet-sauvignon). Au nez, où se développent des notes fruitées, comme au palais, elle est bien soutenue par le bois. Riche d'une belle matière, ce vin pourra attendre cinq à huit ans, ce qui permettra à l'ensemble de se fondre complètement. (50 à 69 F)

SCEA Vignobles Pourreau, 9, rue Château-Plumeau, 33340 Couquèques,
tél. 05.56.41.38.06, fax 05.56.41.37.81 r.-v.

CH. LES ORMES SORBET 1998**

Cru bourg. 19 ha 100 000 11 à 15 €

78 81 83 **85 86** 88 89 |(90)| **91** 92 **93 94 95 96 97 98**

La commune de Couquèques possède un terroir si spécifique qu'elle a donné son nom à un banc de calcaire. Bien conseillé par son œnologue, Jean Boissenot, Jean Boivert a su mettre en valeur cette particularité. Une fois encore il confirme sa renommée. Majestueux dans sa robe pourpre, son 98 se distingue par son bouquet subtil et complexe, aux notes fruitées et fumées. Alliant douceur et puissance, la structure illustre l'esprit des vins du Médoc. Voilà une bouteille qui méritera d'être oubliée pendant trois ou quatre ans à la cave. (70 à 99 F)

Jean Boivert, Ch. Les Ormes-Sorbet, 33340 Couquèques, tél. 05.56.73.30.30, fax 05.56.73.30.31, e-mail ormes.sorbet@wanadoo.fr r.-v.

CH. LES TUILERIES 1998*

Cru bourg. 11 ha 80 000 8 à 11 €

90 91 92 93 |94| **96** 98

Nombreuses sont les anciennes familles de tonneliers qui ont donné naissance à des vocations de viticulteur : les Dartiguenave en font partie. Ce vin, mi-merlot, mi-cabernets, est encore très marqué par le bois mais promet d'évoluer très favorablement. Son bouquet aux notes mentholées, son attaque équilibrée et son caractère onctueux et plein lui donnent une bonne base de départ. (50 à 69 F)

Jean-Luc Dartiguenave, Ch. Les Tuileries, 33340 Saint-Yzans-de-Médoc, tél. 05.56.09.05.31, fax 05.56.09.02.43, e-mail chateau-les-tuileries@wanadoo.fr t.l.j. sf sam. dim. 9h-12h 14h-18h

CH. LE TEMPLE 1998*

Cru bourg. 14 ha 100 000 8 à 11 €

Fidèle à son habitude, ce cru a plus recherché l'équilibre que la puissance pure. Le résultat est sympathique avec un bouquet aux jolies notes de violette, d'iris et de réglisse. Bien enrobés, charnus, les tanins mènent naturellement vers une finale élégante. (50 à 69 F)

Denis Bergey, Ch. Le Temple, 33340 Valeyrac, tél. 05.56.41.53.62, fax 05.56.41.57.35, e-mail letemple@terre-net.fr t.l.j. sf dim. 8h-19h30

L'ETENDARD 1998

n.c. 15 000 5 à 8 €

Uni-Médoc possède deux chais où 2400 barriques de chêne français sont renouvelées par tiers chaque année. Le cabernet-sauvignon (55 %) est ici associé au seul merlot. Ce vin, élevé dix mois en fût, est simple et aimable avec d'agréables arômes aux nuances de cacao et de fruits mûrs. Le boisé est bien dosé. (30 à 49 F)

Uni-Médoc, 14, rte de Soulac, 33340 Gaillan, tél. 05.56.41.03.12, fax 05.56.41.00.66 r.-v.

CH. LISTRAN 1998*

Cru bourg. 10 ha 50 000 5 à 8 €

Sur une croupe de graves, en limite du marais, ce vignoble recréé de toutes pièces est très représentatif de la commune de Jau-et-Dignac. Assemblage du merlot (39 %) aux cabernets et au petit verdot, son 98 est à la hauteur de son origine. La jeunesse de sa robe pourpre se retrouve dans les arômes du bouquet : fruits rouges sur un léger brûlé. Rond à l'attaque, parfumé, plein et charnu, le palais accompagnera un civet de canard dans deux ou trois ans. (30 à 49 F)

Arnaud Crété, Ch. Listran, 33590 Jau-Dignac-et-Loirac, tél. 05.56.09.48.59, fax 05.56.09.58.70, e-mail crete@listran.com t.l.j. 9h30-12h30 14h-18h; f. 15 sep.-15 oct.

CH. LOIRAC Sélection 1998

6,54 ha 16 000 8 à 11 €

Cuvée élevée quinze mois en fût, ce vin assemble 70 % de cabernet-sauvignon au merlot. Il est agréablement bouqueté, avec des notes fruitées et épicées, puis se révèle généreux et onctueux au palais, soutenu par des tanins soyeux. A attendre deux ou trois ans. (50 à 69 F)

SCA Ch. Loirac, 1, rte de Queyrac, 33590 Jau-Dignac-et-Loirac, tél. 06.08.46.68.21, fax 05.56.58.35.17, e-mail jllchtloirac@aol.com r.-v.

J.-L. Camelot

CH. LOUDENNE 1998**

Cru bourg. 42 ha 280 000 11 à 15 €

(82) **83 85 86 88 89 90** 91 93 94 95 (96) **97 98**

Butte de graves posée tout au bord de la Gironde, Loudenne jouit d'un site exceptionnel. Britannique pendant plus de cent vingt ans, la chartreuse rose a connu une histoire peu ordinaire. Rien d'étonnant que son vin se distingue lui aussi. Composé par 60 % de merlot et 40 % de cabernet-sauvignon, remarquable par sa longueur, ce 98 a tout pour figurer en bonne place à la cave pendant huit à dix ans : une puissance, avec des tanins veloutés, un palais riche dès l'attaque, un bouquet racé, aux notes de pain d'épice, de cannelle et de grillé sur un léger fond de confiture. Une vraie gourmandise. Il ne lui a manqué qu'une voix pour être coup de cœur. (70 à 99 F)

SCS Ch. Loudenne, 33340 Saint-Yzans-de-Médoc, tél. 05.56.73.17.80, fax 05.56.09.02.87, e-mail chateau.loudenne@wanadoo.fr t.l.j. sf sam. dim. 9h30-12h 14h-17h

Domaines Lafragette

CH. LOUSTEAUNEUF Art et Tradition 1998*

Cru bourg. 10 ha 60 000 8 à 11 €

93 94 |(95)| |**96**| 97 98

Issu d'une sélection provenant des vieilles vignes de la propriété, ce vin est un peu desservi par le boisé qui domine aujourd'hui, mais l'ensemble reste de belle facture. Il saura s'exprimer avec élégance dans trois à cinq ans. (50 à 69 F)

🔑 Bruno Segond, 2, rte de Lousteauneuf, 33340 Valeyrac, tél. 05.56.41.52.11, fax 05.56.41.38.52, e-mail chateau.lousteauneuf@wanadoo.fr ☑ 🍷 r.-v.

MICHEL LYNCH 1998★

■ n.c. 42 000 🛢 8à11€

Propriétaires de crus renommés, les Cazes ont également une activité de négoce en plein développement aujourd'hui avec la construction d'un nouveau chai à Macau. Michel Lynch est leur marque, Lynch Bages étant le navire amiral. Bien équilibré et agréablement bouqueté (fruits mûrs et notes boisées), leur médoc pourra être bu jeune ou attendu deux à trois ans. (50 à 69 F)

🔑 SNC Michel Lynch, BP 66, 33250 Pauillac, tél. 05.56.73.24.15, fax 05.56.59.26.42

CH. MAREIL

Cuvée Prestige Elevé en fût de chêne 1998★

■ 15 ha 25 700 🛢 8à11€

Mené avec fermeté par une femme de caractère, ce cru a longtemps été vinifié en coopérative ; ce millésime est le premier élaboré au château. Il est prometteur, quoique simple. Bien construit autour de tanins souples et soyeux, il offre de savoureux arômes de fruits noirs. (50 à 69 F)

🔑 EARL du Ch. Mareil, 4, chem. de Mareil, 33340 Ordonnac, tél. 05.56.09.00.32, fax 05.56.09.07.33, e-mail chateau.mareil@terre-net.fr ☑ 🍷 r.-v.

🔑 M. et Mme Brun

CH. DES MOULINS 1998

■ Cru artisan 9 ha 10 000 🍾🛢 5à8€

Comme le rappelle toujours une splendide abbatiale romane (monument historique), Vertheuil abrita une importante abbaye dont les moines entretenaient plusieurs moulins. Le nom de ce vin veut leur rendre hommage. Les tanins auraient mérité un peu plus de maturité ; cependant, l'ensemble s'inscrit dans le classicisme médocain. Il gagnera à être attendu trois ou quatre ans. (30 à 49 F)

🔑 Jean-Charles Prévosteau, Le Gouat, 33180 Vertheuil, tél. 05.56.41.95.20, fax 05.56.41.97.25 ☑ 🍷 r.-v.

CH. NOAILLAC 1998

■ Cru bourg. 43 ha 203 000 🛢 8à11€

86 88 91 92 93 94 |95| **96** 97 98

Issu d'un vignoble comprenant une forte proportion de jeunes vignes implantées sur une croupe de graves, ce vin se montre encore austère à l'attaque, mais les tanins sont bien enveloppés en milieu de bouche. Il laisse sur le souvenir de parfums délicats : petits fruits rouges et touche mentholée élégante. (50 à 69 F)

🔑 Ch. Noaillac, 33590 Jau-Dignac-et-Loirac, tél. 05.56.09.52.20, fax 05.56.09.58.75, e-mail noaillac@noaillac.com ☑ 🍷 r.-v.

🔑 Xavier Pagès

CH. NOURET Elevé en fût de chêne 1998

■ 5,37 ha 29 000 🛢 5à8€

Si les bâtiments sont à Civrac, les vignes sont sur Bégadan. Encore fermé, ce vin se révèle intéressant par sa charpente et ses arômes aux notes de réglisse, de cacao et de cassis. Il faut, comme à tout vrai médoc, lui laisser le temps de marier vin et bois. (30 à 49 F)

🔑 SCEA Ch. Nouret, 33340 Civrac-en-Médoc, tél. 05.56.41.50.40, fax 05.56.41.50.40 ☑ 🍷 t.l.j. 8h-18h

🔑 Duhau

CH. PATACHE D'AUX 1998★

■ Cru bourg. 43 ha 300 000 🛢 11à15€

82 83 **85** 86 88 **89** |90| 91 92 93 |94| **95 96 97** 98

Un joli nom évoquant le temps des diligences, les « pataches d'aux ». Associant 20 % de merlot aux cabernets et à 3 % de petit verdot, ce vin, né sur argilo-calcaire, possède une belle personnalité, tant par son bouquet de fruits rouges mûrs que par son palais aux tanins soyeux et bien extraits. Il présente un bon potentiel de garde. (70 à 99 F)

🔑 SA Patache d'Aux, 1, rue du 19-Mars, 33340 Bégadan, tél. 05.56.41.50.18, fax 05.56.41.54.65, e-mail info@les-trois-chateaux.com ☑ 🍷 r.-v.

PAVILLON DE BELLEVUE 1998

■ n.c. 100 000 🛢 8à11€

Les amateurs d'architecture noteront la réfection des toitures de la coopérative qui a estompé la rigueur du béton armé des années 1950. Encore un peu austères, les tanins de la finale ont besoin de s'arrondir, mais l'ensemble est assez souple et offre de sympathiques notes aromatiques de fruits rouges et de prune. (50 à 69 F)

🔑 SCAV Pavillon de Bellevue, 1, rte de Peyressan, 33340 Ordonnac, tél. 05.56.09.04.13, fax 05.56.09.03.29 ☑ 🍷 r.-v.

CH. DU PERIER 1998★★

■ Cru bourg. 7 ha 35 000 🛢 8à11€

90 91 92 **93** 94 |95| **96** |97| **98**

Ce vin comporte 50 % de merlot ; il a passé douze mois en barriques dont 25 % sont neuves. Sa robe rubis et ses puissants parfums de cassis et de petits fruits rouges témoignent de sa jeunesse. Le palais présente une attaque suave et une structure aux tanins bien fondus. Chair, longueur, matière, richesse. Ce grand classique du médoc devra séjourner huit à dix ans en cave. (50 à 69 F)

🔑 Bruno Saintout, Cartujac, 33112 Saint-Laurent-Médoc, tél. 05.56.59.91.70, fax 05.56.59.46.13 ☑ 🍷 r.-v.

CH. PEY DE PONT

Vieilli en fût de chêne 1998★

■ Cru bourg. 1,7 ha 14 000 🛢 5à8€

Sorti du système coopératif en 1998, ce cru confirme ses ambitions grâce à ce millésime où le cabernet-sauvignon (70 %) l'emporte sur le merlot dans un assemblage bien médocain. Soutenue et éclatante, la robe charme l'œil ; harmonieux, avec de fines notes de pruneau, cassis et épices, le bouquet ne la dément pas. Quant au palais, si les tanins demandent encore du temps (de quatre à cinq ans) pour s'arrondir, ils se portent garants de l'avenir de cette bouteille, qui témoigne d'un travail de grande qualité. (30 à 49 F)

EARL Henri Reich et Fils, 3, rte du Port-de-Goulée, Trembleaux, 33340 Civrac-en-Médoc, tél. 05.56.41.52.80, fax 05.56.41.52.80 t.l.j. 8h-12h 13h30-18h

CH. PIGAUD 1998*

■ 4 ha n.c. 8 à 11 €

Du même producteur que le château Bois de Roc, ce vin porte lui aussi la marque du bois dans le bouquet avec des notes torréfiées, presque brûlées ; mais au palais, le merrain se fond dans la matière ronde que soutiennent d'agréables petits tanins. Equilibré, l'ensemble est déjà plaisant tout en pouvant être attendu deux ou trois ans. (50 à 69 F)

GAF Dom. du Taillanet, G. de Mour et Fils, 3, rue des Anciens-Combattants, 33460 Soussans, tél. 05.57.88.94.17, fax 05.57.88.39.14

CH. RAMAFORT 1998

■ Cru bourg. 17 ha n.c. 11 à 15 €

96 97 |98|

Pour être du même producteur que le château La Cardonne, ce vin n'en affiche pas moins sa propre personnalité grâce à un mariage à parts égales des deux cabernets. Le résultat est un ensemble épicé et bien concentré qui donnera le meilleur de lui-même après une légère aération et une garde de deux à trois ans. (70 à 99 F)

Les Domaines CGR, rte de la Cardonne, 33340 Blaignan, tél. 05.56.73.31.51, fax 05.56.73.31.52, e-mail mguyon@domaines-cgr.com t.l.j. sf sam. dim. 8h30-12h 13h30-17h; groupes sur r.-v.

CH. RENE GEORGES

Cuvée Prestige Elevé en fût de chêne 1998*

■ 3 ha 5 500 8 à 11 €

Boulanger venu à la viticulture pour reprendre l'exploitation familiale, René Poitevin est resté un artisan amoureux du travail bien fait. Comment en douter en admirant l'éclat de la robe de cette cuvée Prestige ou en humant son joli bouquet où la vanille se marie harmonieusement aux fruits noirs ? Dense, équilibrée et veloutée, la bouche n'est pas en reste. Elle invite à un séjour en cave de cinq ou six ans. Egalement élevé en fût, le **Château Poitevin** (50-69 F) a obtenu une citation. (50 à 69 F)

EARL Poitevin, 16, rue du 15-mars-62, 33590 Jau-Dignac-et-Loirac, tél. 05.56.09.45.32, fax 05.56.04.45.32, e-mail chateau.poitevin@voila.fr t.l.j. 8h-20h

CH. ROLLAN DE BY 1998**

■ Cru bourg. 30 ha 150 000 15 à 23 €

|89| **91** 92 **93** |94| (96) **97 98**

Fidèle à son habitude, ce cru offre une fois encore un vin bien construit. La complicité entre le merlot et les graves argileuses a bien fonctionné. D'une couleur profonde, ce 98 est encore marqué par le bois. Mais il possède la charpente nécessaire pour pouvoir assimiler son apport. L'ensemble est puissant, presque sauvage, et tout annonce que cette bouteille méritera un séjour de trois à quatre ans dans un endroit tranquille de la cave. (100 à 149 F)

Jean Guyon, Ch. Rollan de By, 33340 Bégadan, tél. 05.56.41.58.59, fax 05.56.41.37.82, e-mail info@rollandeby.com r.-v.

CH. SAINT-CHRISTOPHE 1998*

■ Cru bourg. 30 ha 50 000 11 à 15 €

94 |95| |96| 98

Portant l'ancien nom de la commune, alors paroisse, de Saint-Christoly, ce vin est bien médocain dans son assemblage ; il a été élevé quinze mois en barrique et exprime un bouquet où les notes de gibier rejoignent les fruits rouges. Encore assez fermes et nerveux, les tanins demandent à s'arrondir. Ce qu'ils feront après une garde de quelques années. (70 à 99 F)

Patrick Gillet, Ch. Saint-Christophe, 33340 Saint-Christoly-Médoc, tél. 05.56.41.57.22, fax 05.56.41.59.95 t.l.j. sf dim. 9h-18h30; sam.9h-12h

CH. SAINT-HILAIRE

Vieilli en fût de chêne 1998

■ 8 ha 60 000 5 à 8 €

Des anciens moulins à vent à l'église fortifiée, le patrimoine de Queyrac est discret mais non sans intérêt. A son image, ce vin cache un peu son potentiel actuellement, mais il n'est pas dépourvu d'arguments ; les tanins fins et bien extraits témoignent d'un travail méticuleux. (30 à 49 F)

EARL Adrien et Fabienne Uijttewaal, 13, chem. de la Rivière, 33340 Queyrac, tél. 05.56.59.80.88, fax 05.56.59.80.88 t.l.j. sf sam. dim. 9h-12h 14h-18h

CAVE SAINT-JEAN Le Grand Art 1998*

■ n.c. 50 000 5 à 8 €

La cave Saint-Jean, à Bégadan, est l'une des plus importantes et des plus dynamiques du Médoc, tant dans la recherche du contrôle de qualité que dans le suivi de la traçabilité des apports. Ce vin témoigne de son sérieux : d'une belle allure, dans sa robe rouge vif, il développe un bouquet complexe et expressif où le bois se marie aux fruits rouges et à la violette. Souple, velouté et charnu, le palais, que soutiennent des tanins riches et harmonieux, dit clairement qu'il serait dommage d'ouvrir cette bouteille avant quatre ou cinq ans. (30 à 49 F)

Cave Saint-Jean, 2, rte de Canissac, 33340 Bégadan, tél. 05.56.41.50.13, fax 05.56.41.50.78 t.l.j. sf dim. 8h30-12h30 14h-18h (ven. 17h); sam. 8h30-12h

CH. SIPIAN 1998

■ Cru bourg. 25 ha 90 000 8 à 11 €

S'étendant sur 25 ha de graves garonnaises plantées de 60 % de cabernet-sauvignon, de 35 % de merlot et de 5 % de petit verdot, ce cru propose avec ce millésime un vin brillant à reflets pourpres, et solidement charpenté. Bien qu'un

peu rugueux en finale, il laisse le souvenir d'arômes plaisants mariant les notes de poivron et de fumée aux touches de réglisse. A attendre trois à quatre ans. (50 à 69 F)
Vignobles Méhaye, SC Ch. Sipian, 28, rte du Port-de-Goulée, 33340 Valeyrac, tél. 05.56.41.56.05, fax 05.56.41.35.36, e-mail chateausipian@net-up.com r.-v.
B. et F. Méhaye

CH. TOUR BLANCHE 1998*

Cru bourg. 27 ha 167 000 8 à 11 €

Signé par une personnalité marquante du Médoc, Dominique Hessel, ce vin, né sur des graves garonnaises, est dans son rôle en s'inscrivant dans l'esprit de la presqu'île du vin. Encore un peu fermé, son bouquet laisse apparaître une bonne puissance en devenir. Charnu, avec des tanins savoureux, le palais confirme cette impression. (50 à 69 F)
SVA Ch. Tour Blanche, 15, rte du Breuil, 33340 Saint-Christoly-Médoc, tél. 05.56.58.15.79, fax 05.56.58.39.89, e-mail hessel@moulin-a-vent.com r.-v.

CH. TOUR CASTILLON 1998

Cru bourg. 10,47 ha 6 500 5 à 8 €

« Tout passe. » Il faut beaucoup d'imagination devant les quelques vestiges conservés dans cette propriété pour se rappeler qu'elle est située à l'emplacement de l'une des plus importantes forteresses de l'Aquitaine médiévale. Agréablement soutenu par un boisé discret (vanille et pain grillé) mêlé aux notes de fruits rouges, ferme bien que peu dense, son vin est typé. (30 à 49 F)
EARL Vignobles Peyruse, 3, rte du Fort-Castillon, 33340 Saint-Christoly-Médoc, tél. 05.56.41.54.98, fax 05.56.41.39.19 t.l.j. 9h-12h 13h30-18h; sam. dim. sur r.-v.

CH. TOUR HAUT-CAUSSAN 1998**

Cru bourg. 16 ha 103 015 11 à 15 €

82 83 85 86 |**89**| |(90)| **91 92 93** 94 **95** (96) **97 98**

Célèbre pour son moulin emblématique, ce cru bénéficie d'un terroir de qualité, alliance de graves et d'argilo-calcaires, et du travail passionné de Philippe Courrian. Son vin élégant offre un bouquet épanoui (raisin, groseille, pruneaux). Sa mâche et ses tanins, à la fois souples et fermes, invitent cependant à ne pas ouvrir tout de suite cette bouteille : la patience sera largement récompensée. Seconde étiquette, le **Château La Landotte 98** (30 à 49 F), cité, est de bon aloi et pourra être ouvert en 2002. (70 à 99 F)
Philippe Courrian, 33340 Blaignan, tél. 05.56.09.00.77, fax 05.56.09.06.26 r.-v.

CH. TOUR PRIGNAC 1998

Cru bourg. 135,08 ha 972 000 8 à 11 €

Issu d'une très vaste propriété (250 ha au total) appartenant au groupe Castel, ce vin élevé six mois en barrique se montre séducteur par son expression aromatique aux notes chaleureuses de bois, de fraise écrasée et de cassis. Rond et équilibré, il pourra être bu tout de suite ou attendu de deux à trois ans. (50 à 69 F)
Castel Frères, 21-24, rue Georges-Guynemer, 33290 Blanquefort, tél. 05.56.95.54.00, fax 05.56.95.54.20

TRADITION DES COLOMBIERS 1998

132,1 ha 100 000 8 à 11 €

Elevé en fût de chêne, ce vin en porte la marque, tant au nez qu'au palais. Son côté « tendance » le réservera aux amateurs de vins très boisés même lorsque le fruit aura repris sa place. (50 à 69 F)
Cave Les Vieux Colombiers, 23, rue des Colombiers, 33340 Prignac-en-Médoc, tél. 05.56.09.01.02, fax 05.56.09.03.67 t.l.j. 8h30-12h30 14h-18h

CH. VERNOUS 1998

Cru bourg. 21,85 ha 90 000 5 à 8 €

Propriété du champagne Roederer, ce cru offre avec ce 98 un vin bien constitué dont les tanins, qui progressent tout au long de la dégustation, demandent encore deux ou trois ans pour s'arrondir. (30 à 49 F)
SCA du Ch. Vernous, Saint-Trélody, 33340 Lesparre, tél. 05.56.41.13.57, fax 05.56.41.21.12 r.-v.

CH. VIEUX PREZAT 1998

n.c. 24 000 5 à 8 €

Distribué par la maison Cheval-Quancard, ce vin est simple mais bien fait. Agréablement bouqueté, avec de fines notes de fruits rouges à l'alcool, il ne demandera pas une longue attente pour donner le meilleur de lui-même. (30 à 49 F)
Cheval-Quancard, La Mouline, 4, rue du Carbouney, 33560 Carbon-Blanc, tél. 05.57.77.88.88, fax 05.57.77.88.99, e-mail chevalquancard@chevalquancard.com r.-v.

CH. VIEUX ROBIN Bois de Lunier 1998**

Cru bourg. 14,25 ha 55 000 11 à 15 €

|82| 83 |**85**| |86| 87 |**88**| |**89**| |**90**| **91** |93| **94 95 96** 97 **98**

Héritiers d'une tradition familiale forte de six générations, Maryse et Didier Roba auraient pu se contenter de maintenir le rang de leur cru. Il n'en a rien été, comme en témoigne une fois encore leur cuvée « Bois de Lunier ». Vrai vin plaisir, leur 98 annonce un sérieux potentiel de garde, avec un optimum dans huit ou dix ans. Son étonnante richesse aromatique, qui va du café et du pain grillé au coing en passant par l'abricot, la fraise et les fruits noirs, promet quelques beaux commentaires dans la mémoire gourmande du livre de cave. (70 à 99 F)
SCE Ch. Vieux Robin, 33340 Bégadan, tél. 05.56.41.50.64, fax 05.56.41.37.85, e-mail contact@chateau-vieux-robin.com r.-v.
Maryse et Didier Roba

Haut-médoc

Le territoire spécifique de l'appellation haut-médoc serpente autour des appellations communales. L'appellation haut-médoc est la seconde en importance avec 4 387 ha et une production en 2000 de 250 453 hl. Les haut-médoc jouissent d'une grande réputation, due en partie à la présence de cinq crus classés dans leur région, les autres se trouvant dans les six appellations communales enclavées dans l'aire d'appellation.

En haut-médoc, le classement des vins a été réalisé en 1855, soit près d'un siècle avant les autres régions. Cela s'explique par l'avance prise par la viticulture médocaine à partir du XVIIIe s. ; car c'est là que s'est en grande partie produit « l'avènement de la qualité », avec la découverte des notions de terroir et de cru, c'est-à-dire la prise de conscience de l'existence d'une relation entre le milieu naturel et la qualité du vin. Les haut-médoc se caractérisent par leur générosité, mais sans excès de puissance. D'une réelle finesse au nez, ils présentent généralement une bonne aptitude au vieillissement. Ils devront alors être bus chambrés et iront très bien avec des viandes blanches et des volailles ou du gibier à plume. Mais bus plus jeunes et servis frais, ils pourront aussi accompagner d'autres plats, comme certains poissons.

CH. D'AGASSAC 1998★★

■ Cru bourg. 23 ha 120 000 11 à 15 €

95 96 97 98

Entre vignes et marais, une vénérable maison forte dont les tours se reflètent dans les eaux sombres de douves aux allures d'étang. Longtemps sans rapport avec le prestigieux passé du lieu, le vin revient depuis quelques années (racheté en 1996 par Groupama) à son rang. S'il est difficile de ne pas se laisser séduire par la robe noire de ce 98, il n'est pas plus aisé de résister à la délicatesse de son bouquet, aux notes vanillées. Puissant et concentré, le palais n'est pas en reste : ses tanins, soyeux à souhait, garantissent une belle garde tout en le rendant déjà plaisant. (70 à 99 F)

SCA du Ch. d'Agassac, 15, rue du Château-d'Agassac, 33290 Ludon-Médoc, tél. 05.57.88.15.47, fax 05.57.88.17.61, e-mail contact@agassac.com r.-v.

Groupama

CH. D'ARCHE 1998★

■ Cru bourg. 9 ha n.c. 15 à 23 €

90 91 92 93 |94| |95| **96** |97| |98|

Distribué par la maison Mähler-Besse, ce vin étonnera peut-être un peu les fidèles du cru par son aptitude à être bu assez jeune. Mais ils ne seront pas déçus par sa personnalité que sa rondeur et son harmonieuse expression aromatique fruitée rendent particulièrement aimable. (100 à 149 F)

SA Mähler-Besse, 49, rue Camille-Godard, BP 23, 33026 Bordeaux, tél. 05.56.56.04.30, fax 05.56.56.04.59, e-mail france.mahler-besse@wanadoo.fr r.-v.

CH. ARNAULD 1998

■ Cru bourg. 25 ha 150 000 11 à 15 €

82 83 85 (86) |88| |89| 91 92 |93| 95 96 97 98

Si l'église actuelle du bourg d'Arcins ne remonte pas au-delà de 1840, la paroisse aurait abrité un prieuré sur le chemin de Saint-Jacques-de-Compostelle. Ce cru en serait-il un lointain héritier ? La question ne doit pas vous empêcher de profiter dans un ou deux ans de ce vin au frais bouquet mentholé et à la bonne structure, délicate mais équilibrée. (70 à 99 F)

SCEA Theil-Roggy, Ch. Arnauld, 33460 Arcins, tél. 05.57.88.89.10, fax 05.57.88.89.20 t.l.j. sf sam. dim. 8h30-12h 14h-17h30

CH. D'AURILHAC 1998★★

■ Cru bourg. 11 ha 86 000 8 à 11 €

96 97 98

Régulier en qualité et raisonnable en prix (le fait mérite d'être souligné), ce cru nous gratifie une nouvelle fois d'un vin bien construit. Porté par une solide matière, ce 98 affirme avec force sa personnalité par une belle robe et un bouquet des plus intéressants, composé de notes de cuir, de fraise et d'épices. Ample à l'attaque, puissant et aromatique, le palais promet une évolution favorable à la garde. Le **Château La Fagotte 98**, du même producteur, a obtenu une citation. (50 à 69 F)

SCEA Ch. d'Aurilhac et La Fagotte, Sénilhac, 33180 Saint-Seurin-de-Cadourne, tél. 05.56.59.35.32, fax 05.56.59.35.32 r.-v.

CH. BARATEAU 1998★

■ Cru bourg. 15 ha 90 000 8 à 11 €

85 86 |88| |89| |90| |93| |94| 95 96 |97| 98

Respectueux de l'esprit de l'appellation, ce cru n'oublie pas les cépages dits secondaires, le petit verdot et le cabernet franc (5 % chacun) venant compléter le cabernet-sauvignon et le merlot. Déjà plaisant par son bouquet aux notes de fruits confits, son 98 pourra cependant être attendu de deux à quatre ans. Sa finale demande encore à s'arrondir même si ses tanins sont déjà souples. (50 à 69 F)

Sté Fermière Ch. Barateau, 33112 Saint-Laurent-Médoc, tél. 05.56.59.42.07, fax 05.56.59.49.91, e-mail cb@hroy.com r.-v.

Famille Leroy

LE CLASSEMENT DE 1855 REVU EN 1973

PREMIERS CRUS
Château Lafite-Rothschild (Pauillac)
Château Latour (Pauillac)
Château Margaux (Margaux)
Château Mouton-Rothschild (Pauillac)
Château Haut-Brion (Pessac-Léognan)

SECONDS CRUS
Château Brane-Cantenac (Margaux)
Château Cos-d'Estournel (Saint-Estèphe)
Château Ducru-Beaucaillou (Saint-Julien)
Château Durfort-Vivens (Margaux)
Château Gruaud-Larose (Saint-Julien)
Château Lascombes (Margaux)
Château Léoville-Barton (Saint-Julien)
Château Léoville-Las-Cases (Saint-Julien)
Château Léoville-Poyferré (Saint-Julien)
Château Montrose (Saint-Estèphe)
Château Pichon-Longueville-Baron (Pauillac)
Château Pichon-Longueville
Comtesse-de-Lalande (Pauillac)
Château Rauzan-Ségla (Margaux)
Château Rauzan-Gassies (Margaux)

TROISIÈMES CRUS
Château Boyd-Cantenac (Margaux)
Château Cantenac-Brown (Margaux)
Château Calon-Ségur (Saint-Estèphe)
Château Desmirail (Margaux)
Château Ferrière (Margaux)
Château Giscours (Margaux)
Château d'Issan (Margaux)
Château Kirwan (Margaux)
Château Lagrange (Saint-Julien)
Château La Lagune (Haut-Médoc)
Château Langoa (Saint-Julien)
Château Malescot-Saint-Exupéry (Margaux)
Château Marquis d'Alesme-Becker (Margaux)
Château Palmer (Margaux)

QUATRIÈMES CRUS
Château Beychevelle (Saint-Julien)
Château Branaire-Ducru (Saint-Julien)
Château Duhart-Milon-Rothschild (Pauillac)
Château Lafon-Rochet (Saint-Estèphe)
Château Marquis de Terme (Margaux)
Château Pouget (Margaux)
Château Prieuré-Lichine (Margaux)
Château Saint-Pierre (Saint-Julien)
Château Talbot (Saint-Julien)
Château La Tour-Carnet (Haut-Médoc)

CINQUIÈMES CRUS
Château d'Armailhac (Pauillac)
Château Batailley (Pauillac)
Château Belgrave (Haut-Médoc)
Château Camensac (Haut-Médoc)
Château Cantemerle (Haut-Médoc)
Château Clerc-Milon (Pauillac)
Château Cos-Labory (Saint-Estèphe)
Château Croizet-Bages (Pauillac)
Château Dauzac (Margaux)
Château Grand-Puy-Ducasse (Pauillac)
Château Grand-Puy-Lacoste (Pauillac)
Château Haut-Bages-Libéral (Pauillac)
Château Haut-Batailley (Pauillac)
Château Lynch-Bages (Pauillac)
Château Lynch-Moussas (Pauillac)
Château Pédesclaux (Pauillac)
Château Pontet-Canet (Pauillac)
Château du Tertre (Margaux)

LES CRUS CLASSÉS DU SAUTERNAIS EN 1855

PREMIER CRU SUPÉRIEUR
Château d'Yquem

PREMIERS CRUS
Château Climens
Château Coutet
Château Guiraud
Château Lafaurie-Peyraguey
Château La Tour-Blanche
Clos Haut-Peyraguey
Château Rabaud-Promis
Château Rayne-Vigneau
Château Rieussec
Château Sigalas-Rabaud
Château Suduiraut

SECONDS CRUS
Château d'Arche
Château Broustet
Château Caillou
Château Doisy-Daëne
Château Doisy-Dubroca
Château Doisy-Védrines
Château Filhot
Château Lamothe (Despujols)
Château Lamothe (Guignard)
Château de Malle
Château Myrat
Château Nairac
Château Romer
Château Romer-Du-Hayot
Château Suau

CH. BARREYRES 1998*

■ Cru bourg. n.c. 546 300 11 à 15 €

Acquis voilà trente ans par la famille Castel, ce cru forme une unité de près de 100 ha que commande un imposant château bâti vers 1880 par le baron Dupérier de Larsan. A l'image de la propriété, le vin s'inscrit dans la meilleure tradition médocaine avec une robe dense et profonde qui annonce un ensemble bien construit. Equilibrée et ronde, sa structure est appuyée par un bois présent mais discret. (70 à 99 F)

Castel Frères, 21-24, rue Georges-Guynemer, 33290 Blanquefort, tél. 05.56.95.54.00, fax 05.56.95.54.20

CH. BEAUMONT 1998*

■ Cru bourg. 105 ha 500 000 11 à 15 €

86 88 89 **90** 93 94 |95| 96 |97| 98

Assez étonnant par son architecture, ce château l'est tout autant par certains de ses propriétaires successifs : un noble breton, un ministre du Honduras, un industriel parisien, des Milanais, un lieutenant-colonel et un sénateur vénézuélien. Charpenté et accompagné par un bouquet aux notes grillées, ce vin ne manque pas non plus de personnalité. Ses tanins mûrs aux saveurs boisées inviteront à le boire entre 2004 et 2008. (70 à 99 F)

SCE Ch. Beaumont, 33460 Cussac-Fort-Médoc, tél. 05.56.58.92.29, fax 05.56.58.90.94, e-mail chateau.beaumont@wanadoo.fr r.-v.

CH. BELGRAVE 1998**

■ 5ème cru clas. 55 ha 245 000 15 à 23 €

82 **83 84 85 86** 87 88 **89** (90) **91** 92 **93** |94| 95 **96 97 98**

Comment ne pas rapprocher le nom du cru du terroir ? Pourtant c'est au quartier londonien où résidait l'un des anciens propriétaires qu'il fait référence. Mais c'est bien la qualité des graves qui a permis une fois encore à l'équipe de Jacques Bégarie et Merete Larsen de donner naissance à ce 98. Porté par des tanins gras et puissants, celui-ci fait preuve d'une réelle distinction par son bouquet finement fruité et boisé. Le tout est d'une belle facture qui promet une très jolie bouteille dans quatre à cinq ans. **Diane de Belgrave 98 (50 à 69 F)**, second vin, ne rivalise pas avec l'aîné mais est cité pour son fruité et ses tanins fondus. (100 à 149 F)

Dourthe, Ch. Belgrave, 35, rue de Bordeaux, 33290 Parempuyre, tél. 05.56.35.53.00, fax 05.56.35.53.29, e-mail contact@cvbg.com r.-v.

CH. BEL ORME

Tronquoy de Lalande 1998

■ Cru bourg. 26 ha 150 000 11 à 15 €

|95| |96| 97 98

Si elle ne possède pas un grand monument spectaculaire, la commune de Saint-Seurin-de-Cadourne est riche de nombreux petits châteaux, dont celui-ci à l'architecture si typiquement girondine qu'on l'a parfois attribué à Victor Louis. Discrètement bouqueté et soutenu par une bonne structure tannique, son 98, encore très marqué par la barrique, pourra être ouvert dans deux à trois ans. (70 à 99 F)

Jean-Michel Quié, Ch. Bel Orme, 33180 Saint-Seurin-de-Cadourne, tél. 05.56.59.38.29, fax 05.56.59.72.83 r.-v.

CH. BERNADOTTE 1998*

■ Cru bourg. 30 ha n.c. 15 à 23 €

Si cet élégant château ne date que de 1860, la propriété doit son nom à l'un des aïeux du célèbre maréchal du Premier Empire. Bénéficiant d'un joli terroir graveleux et du savoir-faire de l'équipe de Pichon Comtesse (pauillac), ce vin aux fins arômes épicés s'appuie sur des tanins bien extraits et sur un élevage dosé avec discernement pour révéler un solide potentiel de garde. (100 à 149 F)

SC Ch. Le Fournas, Le Fournas-Nord, 33250 Saint-Sauveur, tél. 05.56.59.57.04, fax 05.56.59.57.04 r.-v.

May-Eliane de Lencquesaing

CH. BERTRAND BRANEYRE 1998

■ Cru bourg. 13,9 ha 60 000 11 à 15 €

Né à Cissac, une commune où la viticulture connaît actuellement un réel renouveau, ce vin, souple et agréable, retient l'attention par le caractère franc et aimable de son bouquet aux notes de cerise, de cassis et de noisette. Ce cru, resté deux cents ans dans la famille de son fondateur, a été acquis par Ludwig Cooreman en 1993. (70 à 99 F)

SARL Famille L. Cooreman, 13, rue de la Croix-des-Gunes, 33250 Cissac-Médoc, tél. 05.56.59.54.03, fax 05.56.59.59.46 r.-v.

LES BRULIERES DE BEYCHEVELLE 1998*

■ 13 ha 84 000 11 à 15 €

Issu d'un vignoble haut-médoc dépendant de l'important château Beychevelle, l'une des plus élégantes chartreuses bordelaises (AOC saint-julien), ce vin a de la présence. S'annonçant par une robe d'un pourpre dense, il développe un joli bouquet de raisins mûrs. Encore un peu austère, la structure révèle une bonne matière qui appellera une garde de trois à quatre ans. (70 à 99 F)

SC Ch. Beychevelle, 33250 Saint-Julien-Beychevelle, tél. 05.56.73.20.70, fax 05.56.73.20.71, e-mail beychevelle@beychevelle.com t.l.j. sf sam. dim. 10h-12h 14h-17h; groupes sur r.-v.

Grands Millésimes de France

CH. DU BREUIL 1998*

■ Cru bourg. 16 ha 60 000 8 à 11 €

Aujourd'hui en ruine, le vieux château fort reste un conservatoire du souvenir, tant est grand le nombre de récits mystérieux qu'il a engendrés. Net et puissant, son 98 n'a en revanche rien de secret : drapé dans une belle robe sombre, il annonce d'emblée ses qualités, qu'il s'agisse de son bouquet, très expressif avec des notes animales, ou de sa charpente qui promet une jolie garde. Un grand classique du haut-médoc. (50 à 69 F)

Vialard, Ch. Cissac, 33250 Cissac-Médoc, tél. 05.56.59.58.13, fax 05.56.59.55.67, e-mail marie.vialard@chateau-cissac.com r.-v.

CH. CAMBON LA PELOUSE 1998**

Cru bourg. 32 ha 210 000 8 à 11 €

Très *winery* californienne, les chais témoignent par leur modernisme de l'effort d'équipement de ce cru. Celui-ci a été positif, comme le montre ce millésime. Aucune faiblesse dans la présentation, l'intensité de la robe étant suivie par un bouquet fin et complexe, avec de jolies notes de bois et de petits fruits rouges. Ample, puissant et soutenu par des tanins fondus, le palais laisse sur le souvenir d'une réussite. A garder en cave pendant quatre ou cinq ans. (50 à 69 F)

Jean-Pierre Marie, SCEA Cambon La Pelouse, 5, chem. de Canteloup, 33460 Macau, tél. 05.57.88.40.32, fax 05.57.88.19.12 r.-v.

CH. CAMENSAC 1998**

5ème cru clas. 70 ha 285 000 23 à 30 €

85 86 |**88**| 92 **94** (**95**) (**96**) |**97**| **98**

Très beau coup de cœur avec les trois derniers millésimes, Camensac occupe une croupe de graves profondes. Sa couleur, d'un rubis profond, son bouquet, qui marie les fruits mûrs et le pruneau, et son palais aux tanins enrobés, légèrement épicés, pourraient rendre jaloux bien des crus. Incontestablement, cette bouteille méritera un séjour d'une bonne demi-dizaine d'années en cave. (150 à 199 F)

Ch. Camensac, rte de Saint-Julien, BP 9, 33112 Saint-Laurent-Médoc, tél. 05.56.59.41.69, fax 05.56.59.41.73 r.-v.

CH. CANTEMERLE 1998**

5ème cru clas. 67 ha 300 000 23 à 30 €

81 82 83 (**85**) **86** 87 |**88**| |(**89**)| |**90**| **91 92** |**93**| |**94**| 95 **96 97 98**

Même si son parc dessiné vers 1850 par L.-B. Fischer a beaucoup souffert de la tempête de 1999, ce château n'en demeure pas moins une belle propriété. Encore un peu marqué par l'élevage, son 98 montre qu'il a du répondant pour évoluer très heureusement dans les années à venir : une couleur intense ; un bouquet dont la complexité s'affirme à l'aération ; une structure très longue et soutenue par des tanins sans aspérité. (150 à 199 F)

SC Ch. Cantemerle, 1, chem. Guittot, 33460 Macau, tél. 05.57.97.02.82, fax 05.57.97.02.84, e-mail cantemerle@cantemerle.com r.-v.
groupe SMABTP

CH. DU CARTILLON 1998*

Cru bourg. 45 ha 300 000 8 à 11 €

Belle demeure à la limite de Moulis et de Cussac, ce cru possède un terroir de graves de qualité. Il en a tiré profit avec ce millésime à l'assemblage bien médocain. Séduisant par la fraîcheur de son bouquet, aux parfums de fruits rouges et de vanille, son vin est équilibré au palais. Il faudra l'attendre deux à trois ans. (50 à 69 F)

EARL Vignobles Robert Giraud, Ch. du Cartillon, 33460 Lamarque, tél. 05.57.43.01.44, fax 05.57.43.08.75, e-mail direction@robertgiraud.com

DOM. DE CARTUJAC 1998

Cru paysan 7 ha 25 000 5 à 8 €

Encore un peu rustique, ce vin fait néanmoins preuve de délicatesse dans son expression aromatique aux notes de fruits noirs et de grillé. Il se plaira sur une volaille assez grasse. (30 à 49 F)

Bruno Saintout, SCEA de Cartujac, 20, Cartujac, 33112 Saint-Laurent-Médoc, tél. 05.56.59.91.70, fax 05.56.59.46.13 r.-v.

CH. CHARMAIL 1998**

Cru bourg. 22 ha 107 000 11 à 15 €

88 89 90 91 **92** 93 |**94**| |**95**| (**96**) **97 98**

Jamais deux sans trois, une nouvelle fois Charmail obtient un coup de cœur. Il suffit de regarder sa superbe robe, d'un pourpre foncé brillant, pour comprendre pourquoi. Dotée de tanins mûrs à souhait, la structure tient ses promesses et annonce une garde de cinq à dix ans. La palette passe des tubéreuses au rôti et à la torréfaction, avant de révéler des épices au palais. L'harmonie, la puissance et l'équilibre témoignent d'un beau travail de vinification et d'une extraction bien conduite. (70 à 99 F)

Olivier Sèze, Ch. Charmail, 33180 Saint-Seurin-de-Cadourne, tél. 05.56.59.70.63, fax 05.56.59.39.20 r.-v.

CHEVALIERS DU ROI SOLEIL 1998*

5 ha 13 600 5 à 8 €

Contrôlant le chenal d'accès au port de la Lune, Cussac a été dotée par Vauban d'un fort dont les beaux frontons rendent hommage à Louis XIV. Les coopérateurs de la commune s'en sont inspirés pour baptiser leur marque. Cela n'a pas empêché ce vin, souple et agréablement fruité, de puiser son ton badin plus dans l'esprit du siècle des Lumières que dans la puissante rigueur de l'âge classique. Le **Fort du Roy Le Grand Art (50 à 69 F)**, de la même cave, a obtenu une citation. (30 à 49 F)

SCA les Viticulteurs du Fort-Médoc, 105, av. du Haut-Médoc, 33460 Cussac-Fort-Médoc, tél. 05.56.58.92.85, fax 05.56.58.92.86 r.-v.

CH. CISSAC 1998★★

Cru bourg. 36 ha 240 000 15 à 23 €

Né au XIX[e]s. du regroupement de plusieurs petits crus par un aïeul du propriétaire actuel, ce domaine familial bénéficie d'un environnement culturel intéressant avec l'abbaye de Vertheuil et le chœur de l'église de Cissac (XII[e]s.). Tout en nuances, son 98 exprime parfaitement la personnalité du vin d'assemblage médocain où le cabernet-sauvignon (75 %) est accompagné par le merlot (20 %) et le petit verdot. Puissant et élégant, le bouquet joue sur les notes de fruits et de vanille pour révéler immédiatement la noblesse de l'ensemble. Riche, gras et charpenté, le palais appelle une garde de trois à quatre ans. (100 à 149 F)

Vialard, Ch. Cissac, 33250 Cissac-Médoc, tél. 05.56.59.58.13, fax 05.56.59.55.67, e-mail marie.vialard@chateau-cissac.com r.-v.

CH. CITRAN 1998★★

Cru bourg. 90 ha 310 002 15 à 23 €

88 |**89**| (90) **91 92 93** |**94**| (95) **96 97 98**

Une demeure du XVIII[e]s. entourée de douves, héritage d'un castel médiéval, l'ancienneté du domaine n'est plus à prouver. D'une couleur très dense, discrètement bouqueté avec d'agréables notes grillées et épicées, ce vin développe une solide structure tannique. Gras, puissant et long, il demande à être attendu. (100 à 149 F)

Antoine Merlaut, SA Ch. Citran, 33480 Avensan, tél. 05.56.58.21.01, fax 05.57.88.84.60, e-mail taillan@wanadoo.fr r.-v.

CH. CLEMENT-PICHON 1998★★

Cru bourg. 25 ha 115 000 11 à 15 €

85 86 88 89 90 94 |95| 97 **98**

Si l'architecture du château, inspirée de la façade de Chenonceau, fait penser à la Loire, le vin, lui, s'inscrit dans la pure tradition médocaine. De couleur grenat, il offre un exemple de vin tannique et suave à la fois. Bien soutenu par le bois, il sait se montrer séducteur par ses arômes vanillés et grillés comme par son côté rond, souple et velouté, tout en révélant une riche matière. A attendre cinq ou six ans. (70 à 99 F)

Clément Fayat, Château Clément-Pichon, 33290 Parempuyre, tél. 05.56.35.23.79, fax 05.56.35.85.23, e-mail info@vignobles.fayat-group.com t.l.j. sf sam. dim. 9h-13h 14h-18h

CH. COLOMBE PEYLANDE

L'aïeul Léontin 1998

1 ha 5 000 11 à 15 €

Issue de vignes âgées de plus de vingt-cinq ans, cette cuvée un peu confidentielle est encore rustique. Mais son équilibre et son bouquet aux notes de poivron vert et de pruneau devraient donner une jolie bouteille d'ici trois à quatre ans. (70 à 99 F)

EARL Dedieu-Benoit, 6, chem. des Vignes, 33460 Cussac-Fort-Médoc, tél. 05.56.58.93.08, fax 05.57.88.50.81 r.-v.

CH. DE COUDOT 1998

Cru artisan 5 ha 30 000 8 à 11 €

Nouveau venu dans le Guide, ce cru offre ici un vin bien typé. S'exprimant par un bouquet aux fines notes de fruits rouges et de vanille, il développe des tanins puissants et mûrs qui donnent un ensemble de qualité. (50 à 69 F)

SC du Ch. de Coudot, 9, imp. de Coudot, 33460 Cussac-Fort-Médoc, tél. 05.56.58.90.71, fax 05.57.88.50.47 r.-v.

Blanchard

CH. COUFRAN 1998★

Cru bourg. 76 ha 500 000 11 à 15 €

82 83 85 86 88 89 **90 93** 94 |**95**| **96** 97 98

Même commune et même producteur que le château Verdignan, mais un terroir (graves sèches et sablonneuses) et un encépagement (merlot à 85 %) différents. Le résultat est un vin développant sa propre personnalité. A la trame serrée du Verdignan répond un côté rond et charmeur, qui s'exprime au palais comme au nez, même si son fruité est un peu masqué actuellement par le bois. (70 à 99 F)

SCA Ch. Coufran, 33180 Saint-Seurin-de-Cadourne, tél. 05.56.59.31.02, fax 05.56.59.32.85 r.-v.

Miailhe

CH. DILLON 1998★

Cru bourg. 38 ha 160 000 8 à 11 €

82 83 **85** (86) |88| |89| |**90**| 91 93 |94| |95| |96| |97| 98

Le château Dillon doit sans doute à son statut de lycée agricole d'être l'un des derniers crus à résister à l'urbanisation dans le secteur de Blanquefort. Bien typé par sa robe et son bouquet, son vin est un argument fort pour justifier sa résistance. Porté par des tanins souples qu'a respectés l'élevage, l'ensemble possède un bon potentiel. (50 à 69 F)

Lycée agricole de Blanquefort, Ch. Dillon, BP 113, 33290 Blanquefort, tél. 05.56.95.39.94, fax 05.56.95.36.75, e-mail chateau-dillon@chateau-dillon.com r.-v.

Ministère de l'Agriculture

CH. DE GIRONVILLE 1998★

Cru bourg. 9 ha 63 000 8 à 11 €

Héritier d'une ancienne maison forte, peut-être née d'une *villa* gallo-romaine, ce château du XVIII[e]s. est associé à d'inquiétantes légendes. Rien de redoutable en revanche dans ce vin à la

BORDELAIS

teinte fraîche et intense. Harmonieux, le bouquet joue sur des notes d'épices, de grillé et de poivron. Souple et rond, le palais n'en demeure pas moins ample et d'une bonne tenue tannique. Il conviendra d'attendre ce 98 deux ou trois ans. Le **Château Belle-Vue 98 (100 à 149 F)**, cru appartenant au même producteur, a obtenu une citation. (50 à 69 F)

SC de La Gironville, 69, rte de Louens, 33460 Macau, tél. 05.57.88.19.79, fax 05.57.88.41.79 r.-v.

CH. GRANDIS 1998*

■ Cru bourg. 9,6 ha 48 970 8à11€

88 |89| |90| 91 92 |93| |95| 96 |97| 98

Issu d'une famille présente à Saint-Seurin depuis le XVIIe s., François Vergez possède une réelle connaissance du terroir saint-seurinois. Il réussit l'alliance aromatique du bois (vanille et notes de torréfaction) et du fruit. Souple et bien construit, le palais s'appuie sur des tanins encore présents qui devront s'arrondir d'ici deux à trois ans. (50 à 69 F)

François-Joseph Vergez, Ch. Grandis, 33180 Saint-Seurin-de-Cadourne, tél. 05.56.59.31.16, fax 05.56.59.39.85 r.-v.

DOM. GRAND LAFONT 1998*

■ Cru artisan n.c. 15 000 8à11€

82 85 86 88 89 **90** 91 |93| 94 |95| |96| |97| 98

Venu de Ludon, commune du sud du haut Médoc possédant une intéressante église à tour clocher fortifiée, ce vin, né sur de belles graves, porte une robe sombre. Il ne cache pas qu'il a séjourné vingt-deux mois en barriques dont 25 % étaient neuves : son nez est riche de notes boisées qui n'occultent cependant pas le fruit. La bouche suit le même registre, solide, vineuse, avec un boisé intense mais bien marié. Tout invite à une garde de trois à quatre ans. (50 à 69 F)

M. et Mme Lavanceau, Dom. Grand Lafont, 33290 Ludon-Médoc, tél. 05.57.88.44.31, fax 05.57.88.44.31 r.-v.

CH. GUITTOT-FELLONNEAU 1998

■ Cru artisan 3,8 ha 21 000 8à11€

Ferme auberge, ce cru associe 50 % de merlot aux cabernets : le vin revêt une robe d'un profond rouge rubis. Souple et charpenté, le palais est en accord avec le bouquet fruité. (50 à 69 F)

Guy Constantin, Ch. Guittot-Fellonneau, 33460 Macau, tél. 05.57.88.47.81, fax 05.57.88.09.94 r.-v.

CH. HANTEILLAN 1998

■ Cru bourg. 55 ha 408 000 8à11€

Suivant une robe profonde, le bouquet peut sembler timide. Mais sa délicatesse se retrouve dans le caractère moelleux du palais, assez expressif, avec la complicité d'une trame presque soyeuse. Une bouteille sympathique, à boire jeune. (50 à 69 F)

SA Ch. Hanteillan, 12, rte d'Hanteillan, 33250 Cissac, tél. 05.56.59.35.31, fax 05.56.59.31.51 t.l.j. sf sam. dim. 9h-12h 14h-17h30; ven. 9h-12h

CH. HAUT-BREGA 1998*

■ 8 ha 48 000 8à11€

Né à Saint-Seurin, ce vin, constitué de 65 % de cabernets associés au merlot, est de bonne origine. On n'en doute pas en regardant sa robe rubis, en humant son bouquet aux notes fruitées et épicées ou en appréciant sa structure. Bien constitué, il affirme sa personnalité « haut-médoc » par sa solidité. (50 à 69 F)

Joseph Ambach, 16, rue des Frères-Razeau, 33180 Saint-Seurin-de-Cadourne, tél. 05.56.59.70.77, fax 05.56.59.62.50, e-mail cht.haut.brega@wanadoo.fr t.l.j. 10h-18h; hiver sur r.-v.

CH. HAUT-LOGAT 1998

■ Cru bourg. n.c. n.c. 5à8€

Marcel et Christian Quancard sont propriétaires de ce cru qui a produit un vin solidement charpenté et porté par une large palette aromatique (fruits, tabac, réglisse). Ce 98 sera à son optimum dans deux ans. Du même millésime, présentés par la même maison, le **Château La Croix Margautot** et le **Château Tour Saint-Joseph** ont obtenu une citation. (30 à 49 F)

Cheval-Quancard, La Mouline, 4, rue du Carbouney, 33560 Carbon-Blanc, tél. 05.57.77.88.88, fax 05.57.77.88.99, e-mail chevalquancard@chevalquancard.com r.-v.

CH. HENNEBELLE 1998

■ 10,5 ha 60 000 5à8€

Né sur graves et graves sableuses, ce vin est constitué de 50 % de merlot, 48 % de cabernet-sauvignon et 2 % de cabernet franc. Corsé et séveux, il possède de réels atouts, dont une bonne charpente et des arômes discrets mais intéressants (humus, sous-bois). Un vin sincère. (30 à 49 F)

Pierre Bonastre, 21, rte de Pauillac, 33460 Lamarque, tél. 05.56.58.94.07, fax 05.57.88.51.13 t.l.j. 8h-12h 15h-19h

CH. JULIEN 1998*

■ Cru bourg. 15 ha 70 000 8à11€

Du même producteur que le château Cap Léon Veyrin (listrac), ce vin porte la marque du cépage majoritaire (le merlot à 55 %) dans son bouquet. Grasse, longue et ample, sa bouche témoigne d'un bon potentiel de garde. (50 à 69 F)

SCEA Vignobles Alain Meyre, Ch. Cap Léon Veyrin, 33480 Listrac-Médoc, tél. 05.56.58.07.28, fax 05.56.58.07.50 t.l.j. sf dim. 9h-12h 14h-18h

KRESSMANN GRANDE RESERVE 1998*

■ n.c. n.c. 5à8€

Assemblage de lots issus de propriétés sélectionnées avec soin, élevé en barrique, ce vin présente un bouquet sympathique par ses notes de vanille, d'amande et de confiture. Ce côté aimable ne l'empêche pas de révéler une bonne structure avec du volume, du gras et des tanins sans rugosité. Un travail de qualité qui méritera d'être attendu de trois à cinq ans. (30 à 49 F)

Kressmann, 35, rte de Bordeaux, 33290 Parempuyre, tél. 05.56.35.53.00, fax 05.56.35.53.29, e-mail contact@cvbg.com r.-v.

CH. LACOUR JACQUET 1998

5 ha 35 000 8 à 11 €

89 90 94 |95| |96| 97 98

Issu d'un cru peut-être placé jadis sur un chemin de Saint-Jacques-de-Compostelle, ce vin assemble 60 % de cabernet-sauvignon, 35 % de merlot, 3 % de cabernet franc et 2 % de petit verdot. Il a une robe carminée attrayante mais est encore un peu sévère dans son expression tannique qui ne cache pas le fruit. « J'aime beaucoup ce vin puissant qui devrait s'arrondir d'ici trois ou quatre ans », note un dégustateur. (50 à 69 F)

GAEC Lartigue, 70, av. du Haut-Médoc, 33460 Cussac-Fort-Médoc, tél. 05.56.58.91.55, fax 05.56.58.94.82 t.l.j. 10h-18h

CH. LA FON DU BERGER 1998*

16 ha 60 000 8 à 11 €

Même si elle n'est pas très âgée, cette propriété créée en 1983 fait bonne figure avec ce vin dont la complexité est constante tout au long de la dégustation. Fruits, noix de coco, vanille, les arômes se fondent harmonieusement. Tannique et ample, ce 98 méritera d'être attendu deux ou trois ans. (50 à 69 F)

Gérard Bougès, Le Fournas, 33250 Saint-Sauveur, tél. 05.56.59.51.43, fax 05.56.73.90.61 t.l.j. 9h-12h 14h-18h

CH. LA HOURINGUE 1998

Cru bourg. 28 ha 150 000 11 à 15 €

Issu d'une vigne située derrière le terrain de polo de Giscours, domaine dont dépend ce cru, ce vin qui possède 55 % de merlot fait preuve d'originalité par les notes d'anis et de menthol qui se mêlent aux arômes de fruits rouges. Souple et agréable, il devrait arriver à son optimum d'ici deux ans. (70 à 99 F)

SAE Ch. Giscours, 10, rte de Giscours, 33460 Labarde, tél. 05.57.97.09.09, fax 05.57.97.09.00, e-mail giscours@chateau-giscours.fr r.-v.

Eric Albada Jelgersma

CH. LA LAGUNE 1998**

3ème cru clas. n.c. n.c. 15 à 23 €

75 78 |81| |82| **83 85** |86| **87 88** (89) **90 91 92** |93| **94 95 96** 97 **98**

Valeur sûre et reconnue de la presqu'île médocaine pour sa chartreuse, étape incontournable de tout *wine tour*, mais aussi pour son vin, bien médocain par son encépagement – 55 % de cabernet-sauvignon, 15 % de cabernet franc, 10 % de merlot. Elevé en fût de chêne, celui-ci est d'un rubis soutenu et brillant. Il affirme sa personnalité par son bouquet aux notes chocolatées et toastées. Solidement bâti, il s'appuie sur des tanins harmonieux et une belle matière. A garder en cave de quatre à cinq ans. (100 à 149 F)

Ch. La Lagune, 81, av. de l'Europe, 33290 Ludon-Médoc, tél. 05.57.88.82.77, fax 05.57.88.82.70 r.-v.

M. Ducellier

CH. DE LAMARQUE 1998*

Cru bourg. 35,72 ha 180 000 11 à 15 €

83 86 88 89 90 **91** 92 93 94 95 |96| 97 98

Animé par les traversées du bac de Blaye, le petit village de Lamarque peut tirer quelque fierté de son château qui dresse ses tours depuis la guerre de Cent Ans. Son 98 aura des prétentions de longévité bien moindres. Mais son élégance, son équilibre (il a du corps et est bien élevé) lui permettront d'être agréable dans deux ans et de vivre une dizaine d'années. Petit frère du château de Lamarque, le **Château Cap de Haut 98 (50 à 69 F)** obtient une citation. Il est prêt. (70 à 99 F)

Gromand d'Evry, Ch. de Lamarque, 33460 Lamarque, tél. 05.56.58.90.03, fax 05.56.58.93.43, e-mail chdelamarq@aol.com r.-v.

CH. LAMOTHE-CISSAC 1998

Cru bourg. 33 ha 200 000 8 à 11 €

85 86 89 |90| |94| **95 96** |98|

Au plus profond du Médoc mystérieux, ce cru est l'héritier d'une *villa* romaine, comme l'attestent la toponymie et l'archéologie. Bien qu'un peu dominé par le bois, ce vin devra être bu jeune, dans un an, si l'on veut profiter pleinement de son bouquet aux notes de sous-bois, de fruits à l'alcool, de grillé et de cèdre. « Bon équilibre du début à la fin », note un dégustateur. (50 à 69 F)

SC Ch. Lamothe, BP 3, 33250 Cissac-Médoc, tél. 05.56.59.58.16, fax 05.56.59.57.97, e-mail domaines.fabre@enfrance.com r.-v.

CH. LANESSAN 1998*

Cru bourg. n.c. 280 000 15 à 23 €

86 88 |90| 91 92 |93| |94| 95 96 |97| 98

Architecture du château et des chais, ancienneté de la tradition familiale – depuis 1793 –, rôle du domaine dans la naissance du tourisme viti-vinicole, terroir... Lanessan est indissociable de l'histoire du vignoble médocain et même de la viticulture française. Classique notamment par son équilibre entre finesse et puissance, ce 98 ne renie pas ses origines. Constitué de 75 % de cabernet-sauvignon, de 20 % de merlot, de 1,5 % de cabernet franc et de 3,5 % de petit verdot, il pourra être bu dans trois à quatre ans. Provenant d'une autre propriété entrée en 1962 dans cette famille, le **Château de Sainte-Gemme 98 (70 à 99 F)** a obtenu une citation. (100 à 149 F)

SCEA Delbos-Bouteiller, Ch. Lanessan, 33460 Cussac-Fort-Médoc, tél. 05.56.58.94.80, fax 05.57.88.89.92, e-mail bouteiller@bouteiller.com t.l.j. 9h-12h 14h-18h

CH. LA PEYRE 1998**

■ Cru artisan n.c. 8 000 5 à 8 €

|95| 96 |97| **98**

Issu d'un vignoble associant à parts égales merlot et cabernet-sauvignon, ce vin ne fait pas dans la demi-mesure. Un rubis intense l'habille. Le nez dense attend les trois coups pour s'éveiller. Le rideau s'ouvre néanmoins sur une bouche puissante et ample, marquée par un élevage en barrique qui masque encore le terroir. Derrière cette austérité paraissent des tanins mûrs et longs. Cette bouteille gagnera à être attendue de quatre à cinq ans. (30 à 49 F)

EARL Vignobles Rabiller, Leyssac, 33180 Saint-Estèphe, tél. 05.56.59.32.51, fax 05.56.59.70.09 t.l.j. 10h-12h 14h30-19h

CH. LAROSE-TRINTAUDON 1998*

■ Cru bourg. 53 ha 807 000 8 à 11 €

81 82 83 85 **86** 87 **88 89** |90| 91 92 93 |94| 95 96 **97** 98

L'équipe bordelaise des domaines appartenant aux AGF gère également un cru chilien, Las Casas del Toqui. Issu d'un vaste ensemble domanial, ce haut-médoc assemble 60 % de cabernet-sauvignon, 5 % de cabernet franc et 35 % de merlot. Elevé douze mois en barrique, il offre un nez chatoyant mêlant framboise et cassis à un fond fermement boisé. Le palais affiche une bonne éducation : les tanins raffinés laissent la place à une palette aromatique élégante. Obtenant une étoile, le **Château Larose Perganson 98 (70 à 99 F)** assemble 60 % de cabernet-sauvignon au seul merlot. Il est lui aussi très classique, mais de plus longue garde que son grand frère. (50 à 69 F)

SA Ch. Larose-Trintaudon, rte de Pauillac, 33112 Saint-Laurent-Médoc, tél. 05.56.59.41.72, fax 05.56.59.93.22, e-mail info@trintaudon.com r.-v.

AGF

CH. LA TOUR CARNET 1998**

■ 4ème cru clas. 48 ha 240 000 15 à 23 €

79 81 82 **83 85 86** |(88)| |89| |90| **93** 94 |(96)| **97 98**

Paul Bocuse, Francis Garcia, Pierre Troisgros et les Gravelier : en mars dernier Bernard Magrez s'est entouré de quelques « papes » de la cuisine française pour inaugurer le programme de transformation engagé à la Tour Carnet, dont le lecteur connaît l'histoire presque millénaire. Le millésime 98 n'en a pas profité, ce qui ne l'empêche d'avoir fière allure dans sa livrée sombre à reflets violines. Le bouquet, tout en finesse, offre des notes grillées et fruitées. Quant au palais, il séduit par le côté soyeux que lui apportent des tanins de qualité. (100 à 149 F)

SCEA Ch. La Tour Carnet, 33112 Saint-Laurent-Médoc, tél. 05.56.73.30.90, fax 05.56.59.48.54 r.-v.

Bernard Magrez

CH. DE LAUGA 1998*

■ Cru artisan 4,5 ha 30 000 5 à 8 €

Une vraie propriété de vignerons, où l'on sent l'attachement au terroir. Ce vin charpenté possède des arômes frais de fruits rouges et de raisin accompagnés par un boisé qui devrait bien évoluer. Séveux et corsé, encore un peu austère, il demandera un séjour en cave de quelques années avant d'être servi sur une viande grillée. (30 à 49 F)

Christian Brun, 4, rue des Capérans, 33460 Cussac-Fort-Médoc, tél. 05.56.58.92.83, fax 05.56.58.92.83 t.l.j. 8h-19h

CH. LE BOURDIEU VERTHEUIL 1998*

■ Cru bourg. 30 ha 200 000 8 à 11 €

Comme l'indique son nom, sans doute d'origine médiévale, ce domaine est voué à la vigne depuis longtemps. De belle allure dans sa robe foncée, son 98 se montre à la hauteur de ce riche héritage, tant par son expression aromatique aux notes de fruits mûrs que par sa structure aux tanins bien extraits. Complétant heureusement le tout, la finale confirme l'idée que cette bouteille méritera une bonne garde (environ cinq ans). (50 à 69 F)

SC Ch. Le Bourdieu-Vertheuil, 33180 Vertheuil, tél. 05.56.41.98.01, fax 05.56.41.99.32 r.-v.

L'ERMITAGE DE CHASSE-SPLEEN 1998*

■ 40 ha 250 000 11 à 15 €

Issu de vignes d'appellation haut-médoc appartenant au célèbre cru de moulis, ce vin associe le merlot à 65 % de cabernet-sauvignon. A l'attrait de sa robe grenat, il ajoute un joli bouquet aux notes de groseille et de cassis, et un palais plein et rond où les tanins se retrouvent en bonne compagnie avec un bois de qualité. (70 à 99 F)

Céline Villars-Foubet, SA Ch. Chasse-Spleen, Grand-Poujeaux, 33480 Moulis-en-Médoc, tél. 05.56.58.02.37, fax 05.57.88.84.40, e-mail jpfoubet@chasse-spleen.com r.-v.

CH. LIEUJEAN Cuvée prestige 1998

■ Cru bourg. 3 ha 15 000 11 à 15 €

Obtenu à partir de parcelles de vieux ceps soigneusement choisies (3 ha sur 50), ce vin porte encore la marque de ses douze mois d'élevage en fût, mais sans faire disparaître l'équilibre avec le fruit. (70 à 99 F)

Ch. Lieujean, 33250 Saint-Sauveur-Médoc, tél. 05.56.41.50.18, fax 05.56.41.54.65

CH. LIVERSAN 1998*

■ Cru bourg. 25 ha 160 000 11 à 15 €

Propriété du prince Guy de Polignac, ce cru est exploité aujourd'hui dans le cadre du GIE des Trois Châteaux. Un système qui lui convient, comme en témoigne ce vin dont la robe d'un rouge profond est à la hauteur de la suite. Développant un bouquet aux notes de raisin mûr et de grillé, il a de la tenue au palais, où se déploient des tanins enrobés. (70 à 99 F)

SCEA Ch. Liversan, 1, rte de Fonpiqueyre, 33250 Saint-Sauveur-Médoc, tél. 05.56.41.50.18, fax 05.56.41.54.65, e-mail info@les-trois-chateaux.com ☑ 🍷 r.-v.

CH. MALESCASSE 1998★

■ Cru bourg. 37 ha 160 000 11 à 15 €

82 83 84 87 |**88**| |**89**| |**90**| **91** 92 **93** |**94**| **95 96 97** 98

Représentatif du Bordelais par son architecture, ce château, construit vers 1830, atteste le souci qu'avaient les gens d'alors d'afficher leur richesse. A son image, ce 98 se montre expressif avec un bouquet aux intenses notes empyreumatiques. Ample, gras et généreux, le palais est porté par des tanins bien fondus. Second vin, **la Closerie de Malescasse 98 (50 à 69 F)** a reçu une citation. (70 à 99 F)

Ch. Malescasse, 6, rte du Moulin-Rose, 33460 Lamarque, tél. 05.56.58.90.09, fax 05.56.59.64.72, e-mail malescasse@chateau-malescasse.com ☑ 🍷 r.-v.
Alcatel Alstom

CH. DE MALLERET 1998

■ Cru bourg. 37 ha 120 000 11 à 15 €

86 87 **88 89** |(90)| 91 92 94 **95** |96| |97| |98|

Comme le rappelle toujours l'une des grandes épreuves de Longchamp, ce château a longtemps possédé des haras renommés. Simple et bien constitué, ce vin n'est pas de garde, comme le révèle sa robe rubis à frange orangée. Pourtant les tanins sont jeunes, et une note de poivron accompagne les épices et le fruit. (70 à 99 F)

SCEA du Ch. de Malleret, Dom. du Ribet, 33450 Saint-Loubès, tél. 05.57.97.07.20, fax 05.57.97.07.27 🍷 t.l.j. sf sam. dim. 9h-12h 14h-17h

CH. MAUCAMPS 1998★

■ Cru bourg. 18 ha 92 538 11 à 15 €

82 83 85 (86) **88** |**89**| |90| **93 94** |95| |96| |97| 98

Fidèle à son habitude, ce cru propose un vin solide et charpenté. L'extraction a donné un ensemble encore un peu sévère même si l'attaque est particulièrement moelleuse. Bien constitué et appelé à une bonne garde, ce 98 se montre intéressant par son bouquet aux notes chaleureuses de pruneau, de raisin mûr et de griotte. Destiné à un civet de chevreuil. Du même producteur, le **Château Dasvin Bel Air 98 (50 à 69 F)** obtient une étoile, tout comme le **Château Maurac Les vignes de Cabaleyran 98**. Il faudra leur laisser le temps de s'ouvrir. (70 à 99 F)

Ch. Maucamps, BP 11, 33460 Macau, tél. 05.57.88.07.64, fax 05.57.88.07.00 ☑ 🍷 r.-v.
Tessandier

CH. MEYRE Optima 1998★★

■ Cru bourg. 15,5 ha 15 000 11 à 15 €

88 89 90 91 93 94 |95| **96** |97| **98**

Ayant pris la succession de la cuvée Colette de l'ancienne propriétaire, l'étiquette Optima est une cuvée de tête qui ne manque pas de caractère. Ce vin s'affirme aussi bien au bouquet, avec des notes complexes de fruits rouges, de tabac et de cuir, qu'au palais, avec de puissants tanins qui demanderont une garde de cinq à six ans. (70 à 99 F)

Ch. Meyre SA, 16, rte de Castelnau, 33480 Avensan, tél. 05.56.58.10.77, fax 05.56.58.13.20, e-mail chateau.meyre@wanadoo.fr ☑ 🍷 t.l.j. sf sam. dim. 14h-17h; 1er nov.-30 mars sur r.-v.

CH. MICALET
Cuvée Réserve Elevé en fût de chêne 1998★★

■ Cru artisan 0,58 ha 3 600 11 à 15 €

S'il ne figure pas sur la liste des stars du tourisme viticole, le chai de ce petit cru garde une saveur qui replonge le visiteur dans l'ambiance des propriétés d'antan. Mais son vin, lui, est bien dans son temps. Sans faiblesse dans son expression aromatique, où l'anis se mêle aux notes torréfiées pour donner un ensemble complexe, il développe une structure puissante et ample. Les tanins ont la force nécessaire pour tirer le meilleur profit de l'apport du bois dans trois ou quatre ans. (70 à 99 F)

EARL Denis Fédieu, Ch. Micalet, 10, rue Jeanne-d'Arc, 33460 Cussac-Fort-Médoc, tél. 05.56.58.95.48, fax 05.56.58.96.85 ☑ 🍷 t.l.j. sf dim. 9h-13h 15h-19h; groupes sur r.-v.

CH. MILOUCA 1998★★

■ 1,5 ha 6 000 5 à 8 €

Petite propriété (3 ha), ce cru cherche à élaborer un vin dans la pure tradition médocaine. L'objectif est brillamment atteint avec ce 98. Robe bordeaux intense, bouquet agréable et complexe, palais équilibré, bonne espérance de garde : toutes les caractéristiques d'un vrai haut-médoc dans cette bouteille longue et élégante. (30 à 49 F)

Ind. Lartigue-Coulary, 33460 Cussac-Fort-Médoc, tél. 05.56.58.91.55, fax 05.56.58.94.82 ☑ 🍷 r.-v.

CH. MOUTTE BLANC
Marguerite Déjean 1998★★

■ Cru artisan 0,36 ha 700 11 à 15 €

A micro-vignoble, micro-production mais maxi-soins. Est-on encore dans « l'esprit du bordeaux » ou dans le concept d'un produit marketing appelé « vin de garage », que l'on pourrait comparer aux vinifications parcellaires bourguignonnes ? La question est légitime même si elle n'enlève rien aux qualités de ce vin ample, long et bien construit. De la robe, presque noire, à la finale en passant par le bouquet, complexe à souhait – cerise, cassis, résineux et cèdre –, tout indique un beau potentiel de garde. (70 à 99 F)

de Bortoli, 33, av. de la Coste, 33460 Macau, tél. 05.57.88.42.36, fax 05.57.88.42.36 ☑ 🍷 t.l.j. 10h-12h 14h-19h

CH. MURET 1998★

■ Cru bourg. 25 ha 80 000 8 à 11 €

91 **93** 94 |95| 96 97 98

Proche de l'une des curiosités culturelles du Médoc, le site archéologique de Brion, ce cru confirme une fois encore sa régularité qualitative. De teinte foncée, son 98 développe un bouquet aux généreuses notes de fruits mûrs un peu confits. Les tanins volumineux tapissent agréablement le palais. La longue finale confirme ses possibilités de garde. (50 à 69 F)

SCA de Muret, Ch. Muret, 33180 Saint-Seurin-de-Cadourne, tél. 05.56.59.38.11, fax 05.56.59.37.03 Y r.-v.

Boufflerd

CH. D'OSMOND 1998

Cru artisan 3,5 ha 20 000 5 à 8 €

Issu de l'un de ces petits crus artisans qui contribuent à donner sa personnalité au vignoble médocain, ce vin est encore un peu rustique mais suffisamment bien constitué pour pouvoir évoluer favorablement. (30 à 49 F)

Philippe Tressol, EARL des Gûnes, 36, rte des Gûnes, 33250 Cissac-Médoc, tél. 05.56.59.59.17, fax 05.56.59.59.17, e-mail chateaud'osmond@wanadoo.fr

Y r.-v.

CH. PALOUMEY 1998*

Cru bourg. 13 ha 85 000 11 à 15 €

Pour être issu de vignes encore jeunes travaillées selon les règles de la lutte raisonnée, ce vin n'en présente pas moins une belle tenue, tant par sa robe ou son bouquet aux plaisantes notes vanillées, que par sa structure, souple, fine, longue et bien équilibrée. Second vin, le **Château Haut-Carmaillet 98 (50 à 69 F)** obtient la même note. (70 à 99 F)

SA Ch. Paloumey, 50, rue Pouge-de-Beau, 33290 Ludon-Médoc, tél. 05.57.88.00.66, fax 05.57.88.00.67, e-mail chateaupaloumey@wanadoo.fr

Y r.-v.

CH. PEYRABON 1998*

Cru bourg. 40,69 ha 125 185 11 à 15 €

86 88 |89| |90| 91 92 93 |94| 96 |97| 98

Jadis berceau de la famille de Courcelles, ce cru appartient depuis 1998 à la société Millésima. Agréable dans son développement aromatique tout juste naissant, avec des notes de vanille et de caramel, son 98 est très sympathique au palais, où sa trame tannique lui donne un caractère bien typé. A attendre trois ou quatre ans. (70 à 99 F)

SARL Ch. Peyrabon, 33250 Saint-Sauveur, tél. 05.56.59.57.10, fax 05.56.59.59.45, e-mail chateau.peyrabon@wanadoo.fr

Y r.-v.

CH. PEYRE-LEBADE 1998*

Cru bourg. n.c. 250 000 11 à 15 €

Si l'encépagement de ce vaste vignoble (merlot à 60 %) peut surprendre, la dégustation reste parfaitement dans l'esprit du Médoc par la générosité et la matière du palais. Le bouquet aux notes complexes de fruits mûrs n'étant pas en reste, tout permet d'envisager une bonne garde. Autre marque, **Les Granges 98 (50 à 69 F)** est tout aussi « tendance », aimable et aromatique. Elle obtient une citation. (70 à 99 F)

Cie vinicole Edmond de Rothschild, Ch. Clarke, 33480 Listrac-Médoc, tél. 05.56.58.38.00, fax 05.56.58.26.46, e-mail chateau.clarke@wanadoo.fr

B. de Rothschild

CH. PONTOISE-CABARRUS 1998*

Cru bourg. 24 ha 180 000 8 à 11 €

85 (86) **88 89 90** 92 93 94 95 96 |97| 98

Figure marquante de la viticulture girondine, François Tereygeol s'est illustré en proposant des formules novatrices dont celle du volume substituable individuel (VSI) pour la définition des rendements autorisés. Il ne néglige pas pour autant sa propriété, comme en témoigne ce vin haut en couleur. Long et soutenu par un bois bien dosé, celui-ci se montre séduisant par son expression aromatique aux notes de fruits mûrs. (50 à 69 F)

François Tereygeol, Ch. Pontoise-Cabarrus, 33180 Saint-Seurin-de-Cadourne, tél. 05.56.59.34.92, fax 05.56.59.72.42, e-mail pontoise.cabarrus@wanadoo.fr

Y t.l.j. sf dim. 9h-12h 14h-17h30

SCIA du Haut-Médoc

CH. RAMAGE LA BATISSE 1998*

Cru bourg. 33 ha 256 350 11 à 15 €

85 86 88 89 **|90| 91** 92 94 95 96 **97** 98

Investissements financiers et implication du personnel, le sérieux du travail sur ce domaine n'est plus à prouver. Beau coup de cœur dans le difficile millésime 97, ce cru sort avec les honneurs du 98. Riche et solide, avec une structure tannique sans faiblesse, ce vin est en effet sympathique par son bouquet où se révèlent de jolies notes truffées et fruitées. Le second vin du cru, le **Château du Terrey 98 (30 à 49 F)**, a obtenu une citation. (70 à 99 F)

SCI Ch. Ramage La Batisse, 33250 Saint-Sauveur, tél. 05.56.59.57.24, fax 05.56.59.54.14

Y r.-v.

MACIF

CH. DU RAUX 1998*

Cru bourg. 16 ha 50 000 5 à 8 €

88 90 **91** 94 |95| |96| |98|

Issu d'un vignoble à forte majorité de merlot (60 %) ce vin rouge cerise développe un bouquet aux agréables notes florales (violette et jacinthe). Souple, rond et élégant, le palais est lui aussi fort bien construit par des tanins fins. (30 à 49 F)

SCI du Raux, 33460 Cussac-Fort-Médoc, tél. 05.56.58.91.07, fax 05.56.58.91.07 Y r.-v.

CH. REYSSON

Réserve Vieilli en fût de chêne 1998

Cru bourg. 67 ha 66 600 11 à 15 €

Cuvée Réserve présentée en bouteilles numérotées, ce vin est aujourd'hui marqué par le bois mais il devrait donner un ensemble plaisant d'ici un à deux ans. Rappelons que le 96 reçut le coup de cœur : il devrait être fameux maintenant. Ce château est distribué par la maison Mestrezat. (70 à 99 F)

🔑 SARL du Ch. Reysson, La Croix Bacalan, 109, rue Achard, BP 154, 33042 Bordeaux Cedex, tél. 05.56.11.29.00, fax 05.56.11.29.01 Y r.-v.

CH. SAINT-AHON 1998

■ Cru bourg. 30,5 ha 11 500 8 à 11 €

Caractéristique du style Napoléon III par son architecture, ce château propose un vin bien fait, aimable et gracile qui joue volontiers la carte de la fraîcheur et de la finesse. Notez ses bons tanins fondus qui le rendent prêt dès à présent et lui assureront une garde de cinq ans minimum. (50 à 69 F)

🔑 Comte Bernard de Colbert, Ch. Saint-Ahon, Caychac, 33290 Blanquefort, tél. 05.56.35.06.45, fax 05.56.35.87.16 Y r.-v.

CH. SAINT-PAUL 1998★★

■ Cru bourg. 20 ha 100 000 11 à 15 €

95 96 97 98

Fidèle à son habitude, ce cru propose un vin parfaitement réussi. C'est l'image d'un classicisme du meilleur aloi qui domine tout au long de la dégustation. Un bouquet complexe, aux notes de grillé, de fruits rouges, d'épices et de tubéreuses, une attaque en douceur, des tanins soyeux et imposants, de la chair, tout est là pour annoncer une grande bouteille d'ici quatre à cinq ans, voire plus. (70 à 99 F)

🔑 SC du Ch. Saint-Paul, 33180 Saint-Seurin-de-Cadourne, tél. 05.56.59.34.72, fax 05.56.59.38.35 Y r.-v.

CH. SENEJAC 1998★★

■ Cru bourg. n.c. 71 000 11 à 15 €

89 90 91 |93| 94 95 **96** 97 **98**

Dernier millésime élaboré sous l'égide de Charles de Guigné avant la reprise en 1999 par Thierry Rustmann, ce vin s'habille d'une robe grenat. La complexité du bouquet, où le pruneau et la figue rejoignent les notes grillées, et l'équilibre du palais, où la charpente tannique n'exclut pas la rondeur, sont de bon augure pour l'évolution de cette bouteille. (70 à 99 F)

🔑 M. et Mme Thierry Rustmann, Ch. Sénéjac, 33290 Le Pian-Médoc, tél. 05.56.70.20.11, fax 05.56.70.23.91 Y r.-v.

LA BASTIDE DE SIRAN 1998★★

■ 1 ha 7 200 8 à 11 €

Comme beaucoup de crus margalais, Siran possède quelques parcelles d'appellation haut-médoc. Celles-ci, entièrement plantées de cabernet-sauvignon, nous valent aujourd'hui une bouteille de garde qui n'est pas destinée aux amateurs de vins faciles. Tanins de qualité, bouquet puissant (mûre et cassis), bonne présence du bois : tout témoigne d'un travail sérieux. (50 à 69 F)

🔑 SC du Ch. Siran, Ch. Siran, 33460 Labarde, tél. 05.57.88.34.04, fax 05.57.88.70.05, e-mail chateau.siran@wanadoo.fr Y t.l.j. 10h-12h30 13h30-18h

🔑 William Alain Miailhe

CH. SOCIANDO-MALLET 1998★★★

■ 46 ha 230 000 38 à 46 €

75 76 78 80 81 |82| **83 84 85 86 87** |88| |89| |90| **91** |92| |93| **94** (95) (96) **97** (98)

S'il est difficile de parvenir au sommet, il est encore plus dur de s'y maintenir. C'est ce que réussit depuis des années Jean Gautreau. Alors ne boudons pas notre plaisir devant ce vin exceptionnel, tant par son bouquet que par sa structure. Ample, longue, tannique et parfaitement équilibrée, la bouche rivalise en excellence avec l'explosion aromatique qui marque la dégustation. Cette bouteille va enrichir la mémoire gourmande du livre de cave d'ici cinq à six ans et plus. Elle est distribuée par le négoce. Disponible à la propriété, le second vin, **la Demoiselle de Sociando-Mallet (70 à 99 F)**, a obtenu une citation : ses tanins soyeux et équilibrés permettent de le servir déjà, mais il grandira encore au cours de deux à quatre ans de garde. (250 à 299 F)

🔑 SCEA Jean Gautreau, Ch. Sociando-Mallet, 33180 Saint-Seurin-de-Cadourne, tél. 05.56.73.38.80, fax 05.56.73.38.88, e-mail scea-jean-gautreau@wanadoo.fr Y r.-v.

CH. SOUDARS 1998★

■ Cru bourg. 22 ha 170 000 11 à 15 €

82 83 **85** 86 |89| |90| 91 92 **93** 94 |95| |96| 97 98

Issu d'un vignoble où le merlot fait part égale avec le cabernet-sauvignon, ce vin a été bien travaillé. Si sa finale demande encore à s'arrondir, la densité de son bouquet (vanille, cèdre et fruits) et l'homogénéité de sa structure montrent qu'il a du répondant. (70 à 99 F)

🔑 Vignobles E. F. Miailhe, 33180 Saint-Seurin-de-Cadourne, tél. 05.56.59.31.02, fax 05.56.59.72.39 Y r.-v.

🔑 Eric Miailhe

CH. DU TAILLAN 1998★

■ Cru bourg. 24 ha 110 000 8 à 11 €

Aux portes de Bordeaux, ce cru possède l'un des plus anciens et plus beaux chais cuviers du Bordelais. Composé de 60 % de merlot, aussi profond dans sa robe que dans son expression aromatique aux notes d'épices, de torréfaction, d'anis et de menthol, son 98, né sur un terroir argilo-calcaire, a lui aussi fière allure. Rond et tannique à la fois, doté d'une structure solide mais sans agressivité, il sera flatteur sur un gibier à plume. (50 à 69 F)

⊶SCEA Ch. du Taillan, 56, av. de La Croix, 33320 Le Taillan-Médoc, tél. 05.56.57.47.00, fax 05.56.57.47.01, e-mail chateau.taillan@wanadoo.fr ☑ Ɏ r.-v.

CH. TOUR DES GRAVES 1998

■ 3 ha 20 000 8 à 11 €

Issu de 65 % de cabernet-sauvignon et de 35 % de merlot, ce vin franc et souple se montre plaisant par son expression aromatique qui procure une sensation de fraîcheur. (50 à 69 F)

⊶Balleau, G. de Mour et Fils, 3, rue des Anciens-Combattants, 33460 Soussans, tél. 05.57.88.94.17, fax 05.57.88.39.14 ☑

CH. TOUR DU HAUT-MOULIN 1998*

■ Cru bourg. 32 ha 150 000 ⦀ 11 à 15 €

78 79 81 82 ⑧③ 84 85 |86| 87 |88| |89| |90| 91 92 |93| 94 95 96 97 98

Valeur sûre et reconnue de l'appellation, ce cru reste fidèle à sa tradition avec un vin assemblant 50 % de cabernet-sauvignon, 45 % de merlot et 5 % de petit verdot. Ce 98 méritera un séjour en cave. Rubis profond, gras, charnu et soutenu par des tanins bien enrobés, il sait mettre en valeur le caractère harmonieux du bouquet mêlant un boisé toasté aux épices. (70 à 99 F)

⊶SCEA Ch. Tour du Haut-Moulin, 7, rue des Aubarèdes, 33460 Cussac-Fort-Médoc, tél. 05.56.58.91.10, fax 05.56.58.99.30 ☑ Ɏ r.-v.

⊶ Famille Poitou

CH. VERDIGNAN 1998*

■ Cru bourg. 50 ha 350 000 ⦀ 11 à 15 €

⑧⑥ 88 89 90 93 94 |95| |96| 98

50 % de cabernet-sauvignon, 5 % de cabernet franc et 45 % de merlot composent ce vin élevé quinze mois en barrique. Il s'appuie sur une trame serrée qui lui permettra de vieillir dans de bonnes conditions. Encore discret et dominé par le bois, le bouquet en profitera pour s'ouvrir sur des notes fruitées dans trois à cinq ans. (70 à 99 F)

⊶SC Ch. Verdignan, 33180 Saint-Seurin-de-Cadourne, tél. 05.56.59.31.02, fax 05.56.81.32.35 Ɏ r.-v.

CH. VIALLET-NOUHANT

Vieilli en fût de chêne 1998

■ Cru artisan 0,6 ha 4 800 ⫼⦀ 5 à 8 €

Alain Nouhant, climatologue, découvre la vigne et le Bordelais. En 1993, il choisit de devenir vigneron. Cette micro-cuvée, mi-cabernet-sauvignon mi-merlot, est assez « tendance ». Une robe sombre, un nez plutôt muet, une bouche puissante et tannique signent une forte extraction. De garde, assurément. (30 à 49 F)

⊶Alain Nouhant, 5, rue Jeanne-d'Arc, 33460 Cussac-Fort-Médoc, tél. 05.57.88.51.43, fax 05.57.88.51.43, e-mail alain.nouhant@libertysurf.fr ☑ Ɏ r.-v.

CH. VICTORIA 1998*

■ Cru bourg. 80 ha 120 000 ⦀ 11 à 15 €

Un nom bien choisi pour ce château dont le style n'est pas sans évoquer la douceur de vivre et l'élégance de l'Angleterre d'antan. Malgré l'empreinte toujours marquée du bois, le vin présente un certain moelleux dans sa structure tannique. Il faudra l'attendre deux ou trois ans au moins. (70 à 99 F)

⊶SC Ch. Le Bourdieu, 33180 Vertheuil, tél. 05.56.41.98.01, fax 05.56.41.99.32 ☑ Ɏ r.-v.

CH. DE VILLAMBIS 1998

■ Cru bourg. 38 ha n.c. ⫼⦀🌡 8 à 11 €

Issu d'une belle unité – Centre d'Aide par le Travail –, ce vin que distribue la maison Dourthe est simple mais bien fait. Son agréable expression aromatique privilégie à l'aération les fruits mûrs, notamment les cerises noires. (50 à 69 F)

⊶Ch. de Villambis, 33250 Cissac-Médoc, tél. 05.56.35.53.00, fax 05.56.35.52.29, e-mail contact@cvbg.com

⊶ CAT Cissac-Médoc

CH. DE VILLEGEORGE 1998*

■ Cru bourg. 15 ha 67 800 ⦀ 15 à 23 €

83 85 |86| 87 |89| |90| 93 94 95 96 |97| 98

Si l'encépagement du vignoble fait une part importante au merlot, c'est le cabernet-sauvignon qui domine dans l'assemblage de ce vin. Il en résulte un ensemble équilibré et bien construit, qui met en valeur les fines notes de fumée et de cerise. Cette bouteille devra attendre deux ans en cave. Elle est distribuée par les négociants bordelais. Second vin du cru, **le Reflet de Villegeorge 98 (50 à 69 F)** a obtenu une citation. Celui-ci est distribué par Lucien Lurton et Fils à Cadaujac. (100 à 149 F)

⊶SC Les Grands Crus réunis, 2036 Chalet, 33480 Moulis-en-Médoc, tél. 05.56.58.22.01, fax 05.56.58.15.10, e-mail lgcr.wanadoo.fr Ɏ r.-v.

⊶ M.-L. Lurton-Roux

Listrac-médoc

Correspondant exclusivement à la commune homonyme, l'appellation est la communale la plus éloignée de l'estuaire. C'est l'un des seuls vignobles que traverse le touriste se rendant à Soulac ou venant de la Pointe-de-Grave. Très original, son terroir correspond au dôme évidé d'un anticlinal, où l'érosion a créé une inversion de relief. A l'ouest, à la lisière de la forêt, se développent trois croupes de graves pyrénéennes, dont les pentes et le sous-sol souvent calcaire favorisent le drainage naturel des sols. Le centre de l'AOC, le dôme évidé, est occupé par la plaine de Peyrelebade, aux sols argilo-calcaires. Enfin, à l'est, s'étendent des croupes de graves garonnaises.

Le listrac est un vin vigoureux et robuste. Cependant, contrairement à ce qui se passait autrefois, sa robustesse n'implique plus aujourd'hui une certaine rudesse. Si certains vins restent un peu durs dans leur jeunesse, la plupart contrebalancent leur force tannique par leur rondeur. Tous offrent un bon potentiel de garde, entre sept et dix-huit ans selon les millésimes. En 2000, les 663 ha ont produit 37 580 hl.

CH. CAP LEON VEYRIN 1998★

■ Cru bourg. 15 ha 70 000 11 à 15 €

|90| 91 92 93 94 95 96 |97| 98

Même si le merlot domine l'encépagement avec 60 %, ce 98 est moins merlot que certains millésimes antérieurs. Elégant et racé, il sait révéler un bon potentiel par ses tanins de qualité, tout en se montrant séduisant par la complexité de son bouquet aux parfums de vanille, de truffe et de framboise. Le bois demande encore à se fondre, mais la structure lui permettra de le faire. (70 à 99 F)

SCEA Vignobles Alain Meyre, Ch. Cap Léon Veyrin, 33480 Listrac-Médoc, tél. 05.56.58.07.28, fax 05.56.58.07.50 ☒ Y t.l.j. sf dim. 9h-12h 14h-18h

CH. CLARKE 1998★★

■ Cru bourg. 54 ha 300 000 15 à 23 €

81 82 83 85 (86) 88 |89| |90| 91 92 93 |94| 95 96 |97| 98

Planté sur un terroir calcaire et argilo-calcaire, ce vignoble fait preuve d'originalité par son encépagement à forte proportion de merlot (80 % dans ce millésime) complété par le seul cabernet-sauvignon. Souple et aromatique, avec des notes de fruits rouges, son 98 en porte la marque. De même, il ne cache pas son élevage, perceptible dans les touches vanillées. Bien équilibré et charpenté, l'ensemble demandera un ou deux ans avant de se livrer pleinement. (100 à 149 F)

Cie vinicole Edmond de Rothschild, Ch. Clarke, 33480 Listrac-Médoc, tél. 05.56.58.38.00, fax 05.56.58.26.46, e-mail chateau.clarke@wanadoo.fr ☒

Benjamin de Rothschild

CH. DONISSAN 1998

■ Cru bourg. 8,53 ha 43 000 8 à 11 €

Issu d'une propriété discrète, ce vin est plaisant par son caractère souple et son bouquet aux délicates notes de fruits rouges, bien soutenues par le bois. L'ensemble sera sympathique à consommer jeune. (50 à 69 F)

Roger et Marie-Véronique Laporte, Ch. Donissan, 33480 Listrac-Médoc, tél. 05.56.58.04.77, fax 05.56.58.04.45 ☒ Y r.-v.

CH. DUCLUZEAU 1998★

■ Cru bourg. 4,5 ha 36 000 8 à 11 €

81 (82) 83 85 86 |88| |89| |90| 91 92 |94| 96 |97| 98

Déjà présent dans les guides du milieu du XIXe s., ce cru se montre à la hauteur de son passé. Son remarquable terroir de graves a donné naissance à ce vin dont le bouquet mêle les notes d'encens et de fruits mûrs. Associant le cabernet-sauvignon à 90 % de merlot, celui-ci se montre rond et charnu tout en présentant des notes tanniques et un boisé élégant. Le palais débouche sur une jolie finale caramélisée et poivrée. (50 à 69 F)

Mme J.-E. Borie, Ch. Ducluzeau, 33480 Listrac-Médoc, tél. 05.56.73.16.73, fax 05.56.59.27.37

GRAND L DU CHATEAU FONREAUD 1998

■ Cru bourg. n.c. 50 000 11 à 15 €

Proposé par une grande maison bordelaise, un assemblage de 60 % de cabernet-sauvignon, de 30 % de cabernet franc et de 10 % de merlot provenant du château Fonréaud. Dans une robe sombre, il présente un nez fin et aimable aux notes boisées et une bouche ronde et plaisante. (70 à 99 F)

SA Mähler-Besse, 49, rue Camille-Godard, BP 23, 33026 Bordeaux, tél. 05.56.56.04.30, fax 05.56.56.04.59, e-mail france.mahler-besse@wanadoo.fr Y r.-v.

CH. FONREAUD 1998

■ Cru bourg. 33,55 ha 180 000 11 à 15 €

81 82 83 85 86 88 |89| |90| 91 92 |93| 95 96 97 98

Belle unité appartenant au même propriétaire que le château Lestage, ce cru est resté bien médocain dans son encépagement avec 60 % de cabernet-sauvignon, 37 % de merlot et 3 % de petit verdot implantés sur graves reposant sur un socle calcaire. Il propose un vin au bouquet mêlant un fruité discret à la réglisse et à des

Moulis et Listrac

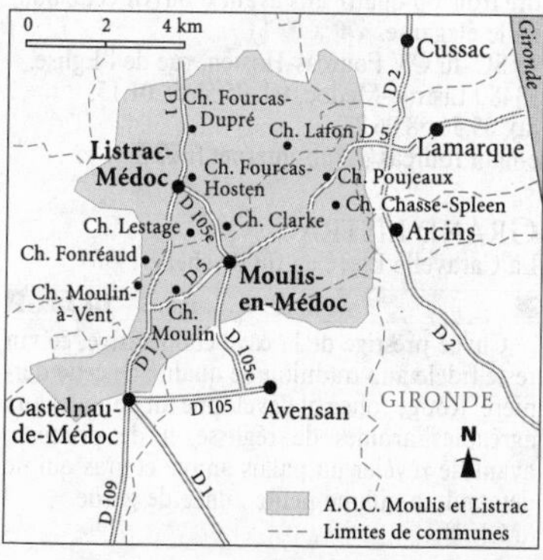

notes animales. Ses tanins demandent à s'arrondir au cours de deux à trois ans de garde. (70 à 99 F)
Ch. Fonréaud, 33480 Listrac-Médoc, tél. 05.56.58.02.43, fax 05.56.58.04.33 t.l.j. sf sam. dim. 9h-11h30 14h-17h30

CH. FOURCAS-DUMONT 1998*

■ 30 ha 30 000 11 à 15 €

Le vin de ce château a été présenté par la maison Sichel. La couleur profonde et brillante engage à poursuivre la dégustation. Le nez s'exprime aujourd'hui dans une tonalité boisée-vanillée, tout comme la bouche qui, cependant, montre une bonne matière, assez fine, et une persistance sur le fruit. A boire sur sa fraîcheur ou à attendre trois ans pour plus de fondu. (70 à 99 F)
Maison Sichel-Coste, 8, rue de la Poste, 33210 Langon, tél. 05.56.63.50.52, fax 05.56.63.42.28

CH. FOURCAS DUPRE 1998

■ Cru bourg. 44 ha 250 000 11 à 15 €

(78) **79 81** 82 83 |**85**| |**86**| |**88**| |**89**| |90| 91 **92** 93 |94| **95 96** |97| 98

L'un des crus les plus connus de l'appellation assemblant cabernet-sauvignon et merlot à parts égales, 10 % de cabernet franc et 2 % de petit verdot nés sur graves. C'est donc un vin de garde, secret lors de notre dégustation, les tanins dominant encore l'ensemble. Le laisser dormir en cave. (70 à 99 F)
Ch. Fourcas Dupré, 33480 Listrac-Médoc, tél. 05.56.58.01.07, fax 05.56.58.02.27 t.l.j. sf sam. dim. 8h-12h 14h-17h30

CH. FOURCAS HOSTEN 1998*

■ Cru bourg. 46,67 ha 265 000 11 à 15 €

75 78 81 |(82)| **83** |**85**| |**86**| |88| |89| |90| 91 92 93 94 **95 96 97** 98

Située, au cœur du village, tout près de l'église romane, cette chartreuse a conservé son vaste parc ; le fait est assez rare pour être signalé. Appuyé par une note vanillée due à l'élevage, son vin paré d'une robe profonde se développe bien, tant au bouquet qu'au palais, avec une puissance et une longueur qui inviteront à attendre trois ou quatre ans avant d'ouvrir cette bouteille élégante. (70 à 99 F)
SC du Ch. Fourcas-Hosten, rue de l'Eglise, 33480 Listrac-Médoc, tél. 05.56.58.01.15, fax 05.56.58.06.73, e-mail fourcas@club-internet.fr r.-v.

GRAND LISTRAC
La Caravelle Elevé en fût de chêne 1998*

■ n.c. n.c. 11 à 15 €

Cuvée prestige de la cave coopérative, ce vin reste fidèle à la tradition de qualité de cette dernière. Rouge foncé, il développe un bouquet aux agréables arômes de réglisse et de pruneau, avant de révéler un palais ample et gras qui ne demandera qu'une petite année de garde. (70 à 99 F)
Cave de vinification de Listrac-Médoc, 21, av. de Soulac, 33480 Listrac-Médoc, tél. 05.56.58.03.19, fax 05.56.58.07.22, e-mail grandlistrac@cave-listrac-médoc.com r.-v.

CH. JANDER 1998

■ n.c. 50 000 11 à 15 €

Né en 1998 de la réunion du vignoble du château Listrac avec une partie de celui de Sémeillan-Mazeau, ce cru propose ici sa première récolte. D'une robe sombre à reflets violines, son vin offre un bouquet net, encore dominé par le bois, et une bonne structure qui confirme par ses tanins assez austères qu'un peu de patience sera nécessaire. (70 à 99 F)
SCE Les Vignobles Jander, 41, av. de Soulac, 33480 Listrac-Médoc, tél. 05.56.58.01.12, fax 05.56.58.01.57, e-mail vignobles.jander@wanadoo.fr t.l.j. 9h-12h 14h-18h

CH. LALANDE Cuvée spéciale 1998*

■ Cru bourg. 10,12 ha 25 000 8 à 11 €

Neuf générations de présence sur la propriété, un encépagement ne dédaignant pas le petit verdot. Loin de l'agitation médiatique, ici on sait ce qu'authenticité veut dire. Robe rubis à reflets grenat, bouquet expressif (cassis, vanille et torréfaction), attaque souple et ronde, solide matière demandant encore à s'arrondir, son 98 en apporte la preuve. Autre marque du même producteur, mais commercialisée par la maison Robert Giraud à Saint-André-de-Cubzac, le **Château Larosey 98**, très proche mais entièrement élevé en fût, a également obtenu une étoile. (50 à 69 F)
EARL Darriet-Lescoutra, Ch. Lalande, 33480 Listrac-Médoc, tél. 05.56.58.19.45, fax 05.56.58.15.62 t.l.j. 9h-12h 14h-19h; dim. sur r.-v.

CH. LESTAGE 1998

■ Cru bourg. 39,73 ha 200 000 11 à 15 €

81 82 83 **85** |86| |**89**| |90| 91 92 |94| 95 96 97 98

Commandée par un château typique de l'architecture Napoléon III, cette vaste et ancienne unité propose un vin délicatement bouqueté, dont les tanins sont encore austères mais n'appellent pas à une grande garde (de trois à quatre ans). (70 à 99 F)
Ch. Lestage, 33480 Listrac-Médoc, tél. 05.56.58.02.43, fax 05.56.58.04.33 t.l.j. sf sam. dim. 9h-11h30 14h-17h30

CH. MAYNE LALANDE 1998**

■ Cru bourg. n.c. 60 000 11 à 15 €

85 86 88 |**89**| |**90**| 91 92 |94| |95| 96 **97 98**

N'allez pas croire que Bernard Lartigue se soit installé à l'orée de la forêt pour fuir le monde. C'est pour élaborer des vins plaisants, tel ce 98. Epices, pruneau, fruits mûrs et bois, le bouquet tient toutes les promesses d'une robe rubis, de même que le palais. A la fois gras, charmeur et puissant, celui-ci témoigne d'un travail soigné et annonce une grande garde. (70 à 99 F)

Bernard Lartigue, Le Mayne-de-Lalande, 33480 Listrac-Médoc, tél. 05.56.58.27.63, fax 05.56.58.22.41, e-mail b.lartigue@terre-net.fr r.-v.

CH. MOULIN DU BOURG 1998*

Cru bourg. 12 ha 80 000 8à11€

Aujourd'hui réuni au château Fourcas Dumont, ce cru propose un vin sans grande ampleur mais pourvu d'une bonne matière et agréable par son bouquet aux notes fruitées. (50 à 69 F)

SCA Ch. Fourcas-Dumont, 12, rue Odilon-Redon, 33480 Listrac-Médoc, tél. 05.56.58.03.84, fax 05.56.58.01.20, e-mail info@chateau-fourcas-dumont.com t.l.j. 9h-12h 14h-17h; sam. dim. sur r.-v.

MM. Lescoutra et Miquau

CH. PEYREDON LAGRAVETTE 1998**

Cru bourg. 6,3 ha 35 000 8à11€

81 (82) **83 85** 86 88 |**89**| |90| 91 92 93 |94| |**95**| **96 97 98**

Selon un titre de propriété du 6 novembre 1546, cette terre appartiendrait à la même famille depuis cette date. En tout cas, elle honore l'appellation par la qualité de sa production : rubis foncé, son 98 séduit par son bouquet (fruits mûrs et bois), comme par sa structure que sa puissance et sa présence tannique n'empêchent pas d'être charnue et moelleuse. (50 à 69 F)

Paul Hostein, 2062 Médrac Est, Ch. Peyredon-Lagravette, 33480 Listrac-Médoc, tél. 05.56.58.05.55, fax 05.56.58.05.50 r.-v.

CH. REVERDI Réserve personnelle 1998

Cru bourg. 15 ha n.c. 8à11€

Appartenant à une cuvée numérotée, ce vin joue résolument la carte du charme qui lui permettra de plaire dès à présent. Les fruits noirs et les notes boisées occupent le bouquet alors que la bouche, peu puissante, évolue sur un boisé élégant. Du même producteur, le **Château l'Ermitage 98** a obtenu une citation. (50 à 69 F)

SCEA Vignobles Christian Thomas, village Donissan, 33480 Listrac-Médoc, tél. 05.56.58.02.25, fax 05.56.58.06.56 t.l.j. sf dim. 9h-12h 14h-18h; f. 20 sept.-20 oct.

CH. SARANSOT-DUPRE 1998**

Cru bourg. 15 ha 70 000 11à15€

70 71 75 78 81 **82** 83 85 **86 88** |**89**| |**90**| 91 93 |94| **95** 96 97 **98**

Implanté sur un terroir majoritairement argilo-calcaire, ce vignoble privilégie le merlot (60 %). Son vin en porte la marque, tant dans son bouquet aux notes de fruits rouges que dans son palais, souple et charnu. Equilibré et bien construit, l'ensemble méritera d'être attendu trois ou quatre ans. (70 à 99 F)

Yves Raymond, Ch. Saransot-Dupré, 4, Grand-Rue, 33480 Listrac-Médoc, tél. 05.56.58.03.02, fax 05.56.58.07.64 t.l.j. sf sam. dim. 9h-12h 14h-18h

BORDELAIS

Margaux

Si Margaux est le seul nom d'appellation à être aussi un prénom féminin, ce n'est sans doute pas par pur hasard. Il suffit de goûter un vin bien typé provenant du terroir margalais pour saisir les liens subtils qui unissent les deux.

Les margaux présentent une excellente aptitude à la garde, mais ils se distinguent aussi par leur souplesse et leur délicatesse que soutiennent des arômes fruités d'une grande élégance. Ils constituent l'exemple même des bouteilles tanniques généreuses et suaves, à enregistrer sur le livre de cave dans la classe des vins de grande garde.

L'originalité des margaux tient à de nombreux facteurs. Les aspects humains ne sont pas à négliger. A l'écart des autres grandes communales médocaines, les viticulteurs margalais ont moins privilégié le cabernet-sauvignon. Ici, tout en restant minoritaire, le merlot prend une importance accrue. D'autre part, l'appellation s'étend sur le territoire de cinq communes : Margaux et Cantenac, Soussans, Labarde et Arsac. Dans chacune d'elles tous les terrains ne font pas partie de l'AOC ; seuls les sols présentant les meilleures aptitudes viti-vinicoles ont été retenus. Le résultat est un terroir homogène, qui se compose d'une série de croupes de graves.

Celles-ci s'articulent en deux ensembles : à la périphérie se développe un système faisant penser à une sorte d'archipel continental, dont les « îles » sont séparées par des vallons, ruisseaux ou marais tourbeux ; au cœur de l'appellation, dans les communes de Margaux et de Cantenac, s'étend un plateau de graves blanches, d'environ 6 km sur 2, que l'érosion a découpé en croupes. C'est dans ce secteur que sont situés nombre des dix-huit grands crus classés de l'appellation.

Remarquables par leur élégance, les margaux sont des vins qui appellent des mets raffinés, comme le chateaubriand, le canard, le perdreau ou, bordeaux oblige, l'entrecôte à la bordelaise. En 2000, 73 446 hl ont été produits sur 1 408 ha.

CH. BOYD-CANTENAC 1998**

■ 3ème cru clas. 17 ha n.c. 23 à 30 €

70 75 79 80 81 (82) **83** |85| **86** |88| |89| |90| **91** 92 94 **95** |96| |97| **98**

En bon connaisseur du terroir margalais, Lucien Guillemet a eu la sagesse de maintenir la diversité de l'encépagement. Ce vin rubis dense et profond ne peut que lui donner raison : soutenu par une bonne structure, qu'appuie une solide présence tannique, il sait séduire par sa richesse et sa persistance aromatiques aux notes gourmandes de torréfaction, de pain grillé, de brioche, d'épices (clou de girofle) qui témoignent d'un bel élevage. Une bouteille à attendre quatre à cinq ans. (150 à 199 F)

SCE Ch. Boyd-Cantenac et Pouget, Cantenac, 33460 Margaux, tél. 05.57.88.90.82, fax 05.57.88.33.27, e-mail contact@boyd-cantenac.fr ☑ Y r.-v.

CH. BRANE-CANTENAC 1998**

■ 2ème cru clas. 90 ha 110 000 38 à 46 €

70 71 75 76 78 79 81 82 **83** 84 **85** (86) 87 |88| |89| |90| 91 92 93 **94 95** (96) **97 98**

Ici, si la demeure est modeste, la propriété est une belle unité et son histoire est prestigieuse, l'un de ses propriétaires, le baron de Brane, ayant été au début du XIXᵉs. l'une des grandes figures de la viticulture. Il n'aurait pas eu à rougir de ce vin à la robe profonde, qui se situe dans la meilleure tradition médocaine par son aptitude à la garde (de huit à dix ans). Tannique et puissant à souhait, ce 98 développe aussi un bouquet qui va s'amplifiant avec des notes fumées, des accents de mûre et de cassis. Le **Baron de Brane 98 (100 à 149 F)** a obtenu une citation. Il devra attendre deux ou trois ans pour que ses tanins encore austères se fondent. (250 à 299 F)

SCEA du Ch. Brane-Cantenac, 33460 Cantenac, tél. 05.57.88.83.33, fax 05.57.88.72.51 Y r.-v.

Henri Lurton

CH. CANTENAC-BROWN 1998**

■ 3ème cru clas. 42 ha 144 000 30 à 38 €

75 76 79 80 81 **82** |83| **85** |86| |88| |89| (90) **91 92 93 94 95 96** 97 **98**

Monumentale demeure de briques et de pierres, ce château abrite un luxueux centre de formation pour les cadres de son propriétaire, le groupe Axa. Gageons qu'ils ne doivent pas rester insensibles au contenu des chais, dont ce millésime fournit un bel échantillon, tant par la puissance et la finesse de son bouquet que par la force et l'élégance de sa structure. Soutenue par des tanins de qualité, celle-ci offre un ensemble long et soyeux que tout promet à la garde. Egalement tannique, demandant à être décanté, le **Château Canuet 98 (100 à 149 F)**, second vin, a obtenu une étoile. Il propose 120 000 bouteilles d'un vin très concentré et lui aussi à mettre en cave quelque temps. (200 à 249 F)

Christian Seely, Ch. Cantenac-Brown, 33460 Cantenac, tél. 05.57.88.81.81, fax 05.57.88.81.90, e-mail infochato@cantenac-brown.com ☑ Y r.-v.

Axa Millésimes

CH. DAUZAC 1998**

■ 5ème cru clas. 25 ha 130 000 30 à 38 €

78 79 80 **81 82 83** 84 **85** |86| **87** |88| |89| (90) 91 92 |93| **95 96 97 98**

La MAIF a été bien inspirée en choisissant André Lurton pour présider aux destinées de son cru et Jacques Boissenot comme œnologue-conseil. Une nouvelle fois, ils apportent la preuve de leurs compétences avec ce vin rubis soutenu et brillant, au bouquet charmeur et au palais bien construit. Prolongeant l'harmonie des notes mêlées de fruits mûrs et de cacao, la structure développe des côtés soyeux et puissants à la fois qui laissent le souvenir d'un ensemble ayant autant de « chic » que d'avenir. A attendre de cinq à huit ans. (200 à 249 F)

Sté d'exploitation du Ch. Dauzac, 33460 Labarde-Margaux, tél. 05.57.88.32.10, fax 05.57.88.96.00 ☑ Y r.-v.

MAIF

CH. DEYREM VALENTIN 1998*

■ Cru bourg. 10 ha 65 000 15 à 23 €

75 76 81 82 **83** 85 |86| |88| |89| |90| 91 92 |93| |94| 95 97 98

Le voisinage de crus comme Lascombes et Malescot en dit long sur la qualité du terroir de Deyrem. Ses graves profondes ont communiqué leur élégance à la robe grenat et au bouquet de ce 98 charpenté. Porté par des tanins serrés mais bien mûrs et élégamment mariés au vin, celui-ci, dans trois ou quatre ans, accompagnera avec bonheur un canard rôti. (100 à 149 F)

EARL des Vignobles Jean Sorge, Ch. Deyrem Valentin, 33460 Soussans, tél. 05.57.88.35.70, fax 05.57.88.36.84 ☑ Y r.-v.

LA GRANDE CUVEE DE DOURTHE 1998

■ n.c. n.c. 11 à 15 €

Signé par l'une des maisons les plus renommées de la place de Bordeaux, ce vin, ample, équilibré et bien fondu, développe un bouquet original par ses notes de fruits confits. (70 à 99 F)

Dourthe, 35, rue de Bordeaux, 33290 Parempuyre, tél. 05.56.35.53.00, fax 05.56.35.53.29, e-mail contact@cvbg.com ☑ Y r.-v.

CH. DURFORT-VIVENS 1998*

■ 2ème cru clas. 32 ha 62 000 23 à 30 €

75 76 81 82 83 85 (86) |88| |89| |90| |93| |94| **95** (96) |97| 98

Depuis le XIIIᵉs., ce cru participe à l'histoire viticole du Médoc. A sa tête depuis 1992, Gonzague Lurton a construit un nouveau cuvier et un chai sans négliger les investissements dans la vigne. Son vin est un authentique margaux, sachant présenter une bonne aptitude à la garde tout en développant un caractère aimable. Le bois est suffisamment bien dosé pour soutenir la matière et le bouquet de fruits rouges sans les écraser. Une bouteille à attendre cinq ans. (150 à 199 F)

SCEA Ch. Durfort, Ch. Durfort-Vivens, 33460 Margaux, tél. 05.57.88.31.02, fax 05.57.88.60.60, e-mail infos@durfort-vivens.com r.-v.

Gonzague Lurton

CH. FERRIERE 1998★★

3ème cru clas. 8 ha 33 000 15 à 23 €

70 75 78 81 83 84 |(85)| |**86**| 87 |88| 89 92 **93 94 95 96** 97 **98**

Créé au XVI[e]s. par Gabriel Ferrière, courtier royal à Bordeaux, ce cru est l'un des plus anciens de Margaux. Etabli sur un terroir de choix, il est exploité avec intelligence par Claire Villars-Lurton qui produit aujourd'hui de grands vins. Sa robe grenat laisse entrevoir de belles perspectives qui prennent corps avec le bouquet et le palais. Du cuir aux fruits rouges à l'alcool, le premier a autant de complexité que de race. Soyeux, bien bâti et très long, prêt pour la garde, le second demandera de la patience (quatre à huit ans) mais saura la récompenser. Le second vin, **Les Remparts de Ferrière 98 (50 à 69 F)**, a reçu une citation. (100 à 149 F)

Claire Villars, SA Ch. Ferrière, 33460 Margaux, tél. 05.57.88.76.65, fax 05.57.88.98.33, e-mail infos@ferrière.com r.-v.

CH. GISCOURS 1998★

3ème cru clas. 80 ha 300 000 23 à 30 €

75 78 81 **82 83 85** (86) |**88**| |**89**| |90| 91 **93** 94 |97| 98

En dépit de ses 80 ha, le vignoble ne représente qu'une toute petite partie du domaine (au total 300 ha), ce qui lui vaut d'être enchâssé dans les prés, les bois et les marais. Un environnement qui convient parfaitement à la vigne et au vin. Ce millésime en témoigne par sa teinte rouge sombre, son bouquet aux notes grillées et de cassis, et son palais imposant, aux tanins soyeux, qui s'ouvre sur une ample et longue finale. Le second vin, **La Sirène de Giscours 98 (100 à 149 F)**, a reçu une citation. (150 à 199 F)

SAE Ch. Giscours, 10, rte de Giscours, 33460 Labarde, tél. 05.57.97.09.09, fax 05.57.97.09.00, e-mail giscours@chateau-giscours.fr r.-v.

Albada Jelgersma

CH. HAUT BRETON LARIGAUDIERE 1998

Cru bourg. 12,46 ha 63 000 15 à 23 €

|90| 91 92 93 |94| 95 96 |97| |98|

Même si sa charpente est un peu délicate, ce vin est bien constitué grâce à des tanins charnus mais fermes. Ceux-ci révèlent une charpente équilibrée et classique qui le rend plaisant. (100 à 149 F)

BORDELAIS

Margaux

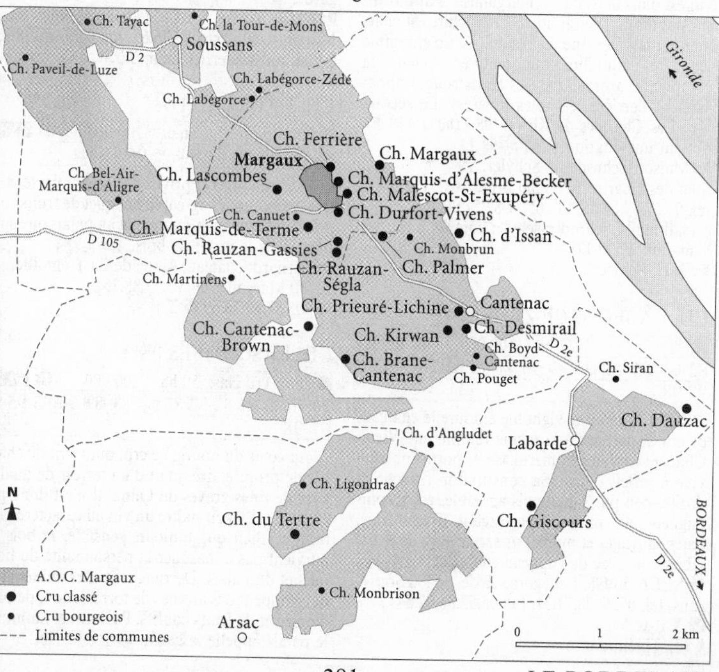

SCEA Ch. Haut Breton Larigaudière, 33460 Soussans, tél. 05.57.88.94.17, fax 05.57.88.39.14 r.-v.
de Schepper

CH. D'ISSAN 1998*

3ème cru clas. 30 ha 110 000 38 à 46 €

82 **83 85 86** 87 |88| |89| |90| 92 93 **94** 95 96 97 98

Déjà assez renommés à Londres au début du XVIII[e]s. pour être cités dans une lettre adressée au prince de Galles, les vins du château d'Issan tiennent toujours leur rang plus de deux siècles et demi après. L'intensité de la robe, à reflets cramoisis, n'a rien à envier à celle du bouquet dont la complexité associe des parfums de cassis aux notes grillées. Soyeuse et riche, la structure, que soutiennent des tanins élégants et bien fondus, s'ouvre sur une finale où l'on retrouve des notes de bourgeon de cassis qui se mêlent aux épices. (250 à 299 F)

SFV de Cantenac, Ch. d'Issan, 33460 Cantenac, tél. 05.57.88.35.91, fax 05.57.88.74.24, e-mail issan@chateau-issan.com r.-v.
Cruse

CH. KIRWAN 1998*

3ème cru clas. 35 ha 120 000 46 à 76 €

75 79 81 82 83 **85** (86) |88| **89 93** 94 **95 96** 97 98

L'un des premiers châteaux médocains à être habité de façon permanente et qui fut créé en 1780 par un Irlandais. A l'image de l'encépagement, où les cabernets (60 %) et le petit verdot (10 %) tiennent une place non négligeable, ce vin est dans la tradition margalaise. S'appuyant sur des tanins bien fondus, la structure est charpentée mais élégante. Le résultat est un ensemble jeune et équilibré qui met en valeur la complexité aromatique (les fruits rouges apparaissent derrière les notes boisées). Le second vin, **Les Charmes de Kirwan 98 (100 à 149 F)**, obtient une citation. (300 à 499 F)

Maison Schröder et Schÿler, 55, quai des Chartrons, 33000 Bordeaux, tél. 05.57.87.64.55, fax 05.57.87.57.20, e-mail mail@schroder-schyler.com t.l.j. sf sam. dim. 9h30-17h30
J. H. Schÿler

CH. LABEGORCE-ZEDE 1998*

27 ha 100 000 15 à 23 €

82 (83) |85| |86| |88| 89 90 91 **92** |93| |94| |95| 96 **97** 98

Belle unité où le vignoble entoure le château, ce cru appartient à la même famille que Vieux Château Certan à Pomerol. Ce 98 porte une robe vive à reflets cerise. Sa constitution franche et droite, peu puissante mais agréable, est accompagnée par un bouquet élégant (fruits frais, baies sauvages et mûres). A servir avec de petits gibiers ou avec de l'agneau rôti. (100 à 149 F)

SCEA du Ch. Labégorce-Zédé, 33460 Soussans, tél. 05.57.88.71.31, fax 05.57.88.72.54 r.-v.
L. Thienpont

LA BERLANDE 1998**

4 ha 20 000 11 à 15 €

Propriétaire du château Haut-Marbuzet, Henri Duboscq est aussi un négociant passé maître dans l'art de bien choisir ses vins. Il signe ici une bouteille, complexe, bien charpentée et concentrée, où s'exprime pleinement l'esprit du margaux, aussi distinguée que de garde. Un séjour à la cave d'une dizaine d'années est souhaitable pour un plaisir maximal. (70 à 99 F)

Brusina-Brandler, 3, quai de Bacalan, 33300 Bordeaux, tél. 05.56.39.26.77, fax 05.56.69.16.84 r.-v.

CH. LA GALIANE 1998

5,67 ha n.c. 11 à 15 €

Issu de l'une des dernières petites propriétés subsistant dans l'appellation, ce vin est simple mais intéressant par sa souplesse, son équilibre et son bouquet aux fines notes épicées. (70 à 99 F)

SCEA René Renon, Ch. La Galiane, 33460 Soussans, tél. 05.57.88.35.27, fax 05.57.88.70.59 r.-v.

CH. LA GURGUE 1998*

Cru bourg. 10 ha 36 500 15 à 23 €

82 83 **85 86** 88 89 |90| |95| |96| |97| |98|

Du même producteur que Château Ferrière ce vin est plus modeste dans ses ambitions, mai il n'en demeure pas moins parfaitement typé Agréable dans son expression aromatique, au notes de petits fruits rouges et de violette, ajoute un bon volume et des tanins soyeux qu donnent un ensemble à la fois rond et de bonn garde. (100 à 149 F)

Claire Villars, SA Ch. Ferrière, 33460 Margaux, tél. 05.57.88.76.65, fax 05.57.88.98.33 e-mail infos@ferrière.com r.-v.

CH. LARRUAU 1998

Cru bourg. n.c. 700 000 11 à 15

86 |88| |89| 90 |93| |94| 95 96 97 |98|

Sans renoncer à privilégier la souplesse et l finesse, ce vin à l'agréable bouquet de fruits rouges développe un bon volume au palais que soutient, sans le trahir, le bois. (70 à 99 F)

Bernard Château, 4, rue de La Trémoille, 33460 Margaux, tél. 05.57.88.35.50, fax 05.57.88.76.69 r.-v.

CH. LASCOMBES 1998*

2ème cru clas. 50 ha 200 000 30 à 38

70 76 79 81 82 83 **85** (86) |88| |89| |90| 93 **95 9** |97| 98

Au cœur du bourg, ce cru, qui vient de changer de propriétaire, jouit d'un terroir de qualit avec de fines graves du Günz. Il n'est donc pa étonnant d'y voir naître un vin au caractère bie trempé. Bien que toujours sensible, le bois n parvient pas à masquer la personnalité du bou quet et du palais. Derrière les notes animales s développent des arômes de torréfaction, de pai d'épice et de fruits confits. Puissant et tanniqu le palais appelle la garde. (200 à 249 F)

SV de Ch. Lascombes, 33460 Margaux, tél. 05.57.88.70.66, fax 05.57.88.72.17, e-mail chateaulascombes@wanadoo.fr
r.-v.

CH. LA TOUR DE MONS 1998

Cru bourg. 22,4 ha 159 000 11 à 15 €

Depuis son changement de propriétaire en 1995, ce cru a entrepris un vaste programme de rénovation. Il en a tiré les premier profits avec ce millésime fort encourageant pour l'avenir par sa sève et son élégance qui permettront de le boire rapidement comme de l'attendre de deux à trois ans. (70 à 99 F)

SCEA Ch. La Tour de Mons, 33460 Soussans, tél. 05.57.88.33.03, fax 05.57.88.32.46
r.-v.

CH. LE COTEAU 1998

10,5 ha 50 000 8 à 11 €

Ce cru propose un vin bien structuré avec une solide base tannique. Même si la finale aurait pu gagner en élégance, l'ensemble est séduisant par son corps, son moelleux et son bouquet soutenu de fruits rouges. A mettre en cave de trois à cinq ans. (50 à 69 F)

Eric Léglise, 39, av. Jean-Luc-Vonderheyden, 33460 Arsac, tél. 05.56.58.82.30, fax 05.56.58.82.30 r.-v.

CH. MALESCOT SAINT-EXUPERY 1998★★

3ème cru clas. n.c. 105 500 38 à 46 €

81 82 **83** |85| |86| **88** 89 90 |91| **92** 93 **94 95 96** **98**

Tricentenaire, ce cru est commandé par un château de style Napoléon III. C'est toute l'élégance légendaire des margaux qui se retrouve dans son vin. De la robe pourpre à la finale, la dégustation est placée sous le double signe de la puissance et de la délicatesse grâce à de beaux arômes de pain grillé et de griotte. Plein et de grande classe, ce 98 parfaitement réussi méritera d'ici cinq à dix ans un accord gourmand raffiné, par exemple avec une palombe à la goutte de sang, qui restera comme l'une des plus belles mémoires gourmandes du livre de cave. (250 à 299 F)

SCEA Ch. Malescot Saint-Exupéry, 33460 Margaux, tél. 05.57.88.97.20, fax 05.57.88.97.21 r.-v.
Roger Zuger

CH. MARGAUX 1998★★★

1er cru clas. 78 ha n.c. +76 €

79 |61| 66 **70 71** |75| 77 78 |79| 80 |81| |(82)| |83| 84 |85| |86| |87| **88 89 90 91** |92| **93 94** (95) (96) **97** (98)

Peu de crus peuvent se vanter d'avoir réalisé la parfaite harmonie entre l'architecture et le vin. Margaux est de ceux-là : à la majesté des lieux – autant du château classique que des chais – répond la noblesse de cette bouteille. S'annonçant par une profonde robe grenat, ce 98 déploie un bouquet complexe et gourmand de moka, de brioche, puis de fruits très mûrs. Les saveurs cacaotées et vanillées de l'attaque développent ensuite des notes de bois précieux et de fruits noirs sur une structure d'une grande classe par son ampleur, sa puissance et sa générosité. Nul doute que ce vin méritera d'être attendu plusieurs années. (+ 500 F)

SC du Ch. Margaux, 33460 Margaux, tél. 05.57.88.83.83, fax 05.57.88.83.32

CH. MARQUIS DE TERME 1998★★

4ème cru clas. 40 ha 165 000 23 à 30 €

75 81 82 (83) **85 86 89** 90 93 **94 95** 96 97 **98**

S'il n'est pas souvent sous les feux de la rampe, ce cru n'en constitue pas moins l'une des valeurs sûres de l'appellation. Il le prouve une fois encore. D'un beau grenat foncé, ce vin déploie un bouquet mariant les fruits cuits à la vanille avant de révéler un palais souple, riche, onctueux et tannique que vient prolonger une harmonieuse finale. Au total, une bouteille à attendre au moins cinq ans. (150 à 199 F)

SCA Ch. Marquis de Terme, 3, rte de Rauzan, BP 11, 33460 Margaux, tél. 05.57.88.30.01, fax 05.57.88.32.51, e-mail marquisterme@terre-net.fr r.-v.
Séneclauze

CH. MARSAC SEGUINEAU 1998

Cru bourg. 10,23 ha 56 000 15 à 23 €

95 |96| |97| 98

Née au XVIII[e]s. du rassemblement de quelque cent quinze parcelles, cette propriété appartient aujourd'hui au groupe présidé par Yves Barsalou. En dépit d'une certaine austérité en finale, son 98 offre un bouquet fruité et une structure corsée et charnue. L'attendre trois ans. (100 à 149 F)

SC du Ch. Marsac-Séguineau, La Croix Bacalan, 109, rue Achard, BP 154, 33042 Bordeaux Cedex, tél. 05.56.11.29.00, fax 05.56.11.29.01 r.-v.

CH. MARTINENS 1998

25 ha 120 000 11 à 15 €

Bien que construit pour deux Anglaises, ce château du XVIII[e]s. offre un beau spécimen de la maison de maître bordelaise. On retrouve sa finesse dans ce vin aux tanins discrets, mais intéressant par sa souplesse et son bouquet aux notes de fruits mûrs et de grillé. (70 à 99 F)

Sté Fermière du Ch. Martinens, 33460 Cantenac, tél. 05.57.88.71.37, fax 05.57.88.38.35
r.-v.
Mme Dulos et M. Seynat

CH. MONBRISON 1998*

■ Cru bourg. 13,2 ha 45 000 15 à 23 €

82 83 |85| |(86)| |88| |89| |90| 91 94 95 96 97 98

Sous cette maison de charme se cacherait un souterrain. Son entrée sera sans doute plus difficile à trouver que les qualités de ce vin. Sous une jolie robe profonde à reflets violets apparaît un bouquet intense aux notes grillées, torréfiées, de fumée et de fruits rouges à l'aération. Après une attaque souple, le palais évolue sur des tanins soyeux et puissants à la fois. Attendre cinq ans que le boisé se fonde. (100 à 149 F)

Laurent Vonderheyden, Ch. Monbrison, 33460 Arsac, tél. 05.56.58.80.04, fax 05.56.58.85.33 r.-v.

E. M. Davis et Fils

CH. MONGRAVEY Cuvée Prestige 1998*

■ 9 ha 12 000 15 à 23 €

Régis Bernaleau conduit ce cru depuis 1981. Appartenant à la cuvée Prestige, ce vin possède une réelle personnalité. Celle-ci s'exprime à travers sa couleur, d'un rouge sombre, son bouquet où les notes mentholées rejoignent celles de réglisse et de cassis, et sa structure riche, pleine et tannique. A attendre de quatre à cinq ans. (100 à 149 F)

Régis Bernaleau, Ch. Mongravey, 33460 Arsac, tél. 05.56.58.84.51, fax 05.56.58.83.39, e-mail chateau.mongravey@wanadoo.fr r.-v.

CH. PALMER 1998**

■ 3ème cru clas. 50 ha 120 000 +76 €

78 79 80 |81| |82| |83| 84 |85| |(86)| |88| |89| 90 |91| |92| 93 94 95 96 97 98

Si ses bâtiments et son nom datent du XIXᵉs., ce cru était déjà connu au XVIIIᵉs. sous le nom de château de Gasq. Aujourd'hui encore, il est l'une des locomotives de l'appellation grâce à des vins comme ce superbe 98. Sa robe rubis sombre est riche de promesses qui seront toutes tenues. A une belle complexité aromatique (vanille, grillé, réglisse) s'ajoute une structure tannique ample et puissante avec un boisé parfaitement maîtrisé. D'une grande longueur, la finale offre un joli mariage entre les fruits mûrs et le merrain. Il faudra attendre de cinq à huit ou dix ans l'apogée de ce millésime. (+ 500 F)

Ch. Palmer, Cantenac, 33460 Margaux, tél. 05.57.88.72.72, fax 05.57.88.37.16, e-mail chateau-palmer@chateau-palmer.com r.-v.

PAVILLON ROUGE 1998**

■ n.c. n.c. 23 à 30 €

78 81 |82| |83| |84| |85| |86| |88| |89| |90| 92 |93| 94 95 96 97 98

Le Pavillon Rouge n'est peut-être qu'un second vin, mais du château Margaux. D'où une grande bouteille. Tant par son bouquet aux notes de vanille et de cannelle que par son palais qui attaque avec beaucoup de fraîcheur avant de développer une grande matière tannique qui le rend plus « janséniste » que son aîné. Au total un 98 racé qui méritera les honneurs de la cave. (150 à 199 F)

SC du Ch. Margaux, 33460 Margaux, tél. 05.57.88.83.83, fax 05.57.88.83.32

CH. POUGET 1998

■ 4ème cru clas. 10 ha n.c. 15 à 23 €

75 85 86 88 |89| |90| 92 94 |95| |96| |97| 98

Issu d'un cru entièrement indépendant de Boyd-Cantenac, ce vin privilégie la finesse. Rond, charnu, tendre et délicatement bouqueté il possède un bon équilibre qui lui permet d'intégrer facilement l'apport du bois. D'ici deux à trois ans, il devrait être à son apogée. (100 à 149 F)

SCE Ch. Boyd-Cantenac et Pouget, Cantenac, 33460 Margaux, tél. 05.57.88.90.82, fax 05.57.88.33.27, e-mail contact@boyd-cantenac.fr r.-v.

CH. PRIEURE-LICHINE 1998***

■ 4ème cru clas. 40 ha 240 000 30 à 38 €

82 83 86 |88| |89| |90| 91 |92| |93| 96 97 (98)

La propriété ayant été rachetée en juin 1999, ce millésime est le dernier à avoir été signé par Sacha Lichine. Le moins que l'on puisse dire c'est qu'il aura terminé en beauté : complexe et original, avec même une note « ventre de lièvre », le bouquet est un modèle d'élégance. Lui succéder n'est pas chose facile, pourtant c'est ce que fait avec beaucoup de classe le palais. Il réussit en effet à concilier le vin et le merrain dans un ensemble charnu, volumineux, riche et charnu. Ce 98 sera à son apogée dans une dizaine d'années. (200 à 249 F)

Ch. Prieuré-Lichine, 34, av. de la 5e-République, 33460 Cantenac, tél. 05.57.88.36.28, fax 05.57.88.78.93, e-mail prieure.lichine@wanadoo.fr r.-v.
GPE Ballande

CH. RAUZAN-GASSIES 1998*

2ème cru clas. 30 ha 130 000 23 à 30 €
93| |94| 96 **97** 98

Sans être la plus vaste unité de l'appellation, ce cru est d'une taille respectable et comprend un nombre suffisant de parcelles pour offrir une large palette de sols. Il n'est donc pas étonnant d'y voir naître un vin au bouquet complexe, où les notes de café grillé se mêlent à celles de cassis, de groseille et de myrtille. Puissants et soyeux, les tanins se marient bien avec ceux du merrain et ne demandent que trois à quatre années de garde pour se fondre. (150 à 199 F)
SCI Ch. Rauzan-Gassies, 33460 Margaux, tél. 05.57.88.71.88, fax 05.57.88.37.49 r.-v.
J.-Michel Quié

CH. RAUZAN-SEGLA 1998***

2ème cru clas. 51 ha 95 000 46 à 76 €
81 |83| |85| |88| |89| **90** 91 **92 93 94 95** (96) |97| (98)

Propriété aujourd'hui de Chanel et hier du groupe Holt, ce cru a bénéficié d'importants investissements. Grâce à ceux-ci, il s'est doté d'équipements dont l'efficacité est largement démontrée par ce superbe 98. De la robe grenat à la finale aromatique à souhait, toute la dégustation est placée sous le double signe de l'élégance et de la puissance. Fin et séveux, le bouquet joue sur les notes toastées et fruitées (fruits rouges), tandis qu'au palais se déploient des tanins généreux et bien extraits qui donnent un ensemble charpenté et harmonieux d'une superbe longueur. Une grande bouteille qu'il serait dommage d'ouvrir avant au moins cinq ans. (300 à 499 F)
Ch. Rauzan-Ségla, BP 56, 33460 Margaux, tél. 05.57.88.82.10, fax 05.57.88.34.54 r.-v.

SEGLA 1998**

n.c. 95 000 11 à 15 €

En vrai seigneur, le premier vin de Rauzan-Ségla n'a pas tout pris. Ce qui permet au petit Ségla de jouer dans la cour des grands et même des très grands puisqu'il a été proposé au grand jury des coups de cœur, laissant la place à son aîné. Son élégance apparaît dans les notes boisées du bouquet qui évoque aussi la noisette grillée. Sans perdre sa finesse, le palais révèle un caractère ample et racé qui promet une jolie garde. Soulignons ici son remarquable rapport qualité-prix. (70 à 99 F)
Ch. Rauzan-Ségla, BP 56, 33460 Margaux, tél. 05.57.88.82.10, fax 05.57.88.34.54 r.-v.

CH. SIRAN 1998*

Cru bourg. 24 ha 90 000 23 à 30 €
66 78 79 80 81 82 83 85 86 87 88 |89| |90| 91 92 |93| **94 95 96 97 98**

A l'époque où la Gironde et la Garonne n'étaient pas calibrées, les chenaux de navigation venaient border le domaine où se situait un port d'embarquement des vins. Espérons que tous étaient du niveau de ce 98 fort réussi. Annonçant sa jeunesse par sa robe à reflets violines, il la confirme par sa structure charnue et tannique que suit une longue finale. Déjà très élégant, il se fondra pleinement après deux à trois ans d'attente. (150 à 199 F)
SC du Ch. Siran, Ch. Siran, 33460 Labarde, tél. 05.57.88.34.04, fax 05.57.88.70.05, e-mail chateau.siran@wanadoo.fr t.l.j. 10h-12h30 13h30-18h
William Alain Miailhe

CH. TAYAC 1998*

Cru bourg. 18 ha 134 000 11 à 15 €

Appartenant à une unité de près de 40 ha, ce cru peut être fier de son 98 : à l'attrait d'un bouquet complexe (torréfaction, cuir et compote de fruits), il ajoute celui d'un palais rond, ample et bien charpenté. Une bouteille à attendre de trois à cinq ans. (70 à 99 F)
SC Ch. Tayac, Lieu-dit Tayac, BP 10, 33460 Soussans, tél. 05.57.88.33.06, fax 05.57.88.36.06 t.l.j. 9h-12h30 14h-18h

CH. DU TERTRE 1998**

5ème cru clas. 50,4 ha 200 000 15 à 23 €
|90| 91 92 93 95 96 **98**

Les antiques caves voûtées qui abritent les vieux millésimes du cru recevront sans aucun doute quelques flacons de ce 98 que tout destine à la garde : sa robe sombre et profonde ; son bouquet dont les puissants parfums de cerise confite, de mûre et de myrtille sont soutenus par de délicates notes grillées apportées par le bois ; sa présence au palais où apparaît une matière dense et tannique ; sans oublier sa finale que prolonge un beau retour aromatique. (100 à 149 F)
SEV Ch. du Tertre, chem. de Ligondras, 33460 Arsac, tél. 05.57.97.09.09, fax 05.57.97.09.00 r.-v.
Albada Jelgersma

CH. DES TROIS CHARDONS 1998

2,88 ha 17 000 11 à 15 €
78 79 82 83 **85 86** 88 |89| |90| |94| |95| **96** 97 |98|

Anciens maîtres de chai et régisseurs de Palmer, les Chardon exploitent l'un des derniers petits crus artisans de l'appellation. Souple, élégant et délicatement bouqueté, leur 98 est à la fois gras et flatteur, doté d'une jolie finale. (70 à 99 F)

Claude et Yves Chardon, Issan, 33460 Cantenac, tél. 05.57.88.39.13, fax 05.57.88.33.94 r.-v.

CH. VINCENT 1998*

■ Cru bourg. 5 ha 6 500 15 à 23 €

Petite par sa taille, cette propriété l'est beaucoup moins si l'on considère son terroir, enchâssé dans ceux de grands crus classés, et son vin. Expressif et complexe, celui-ci se développe agréablement tout au long de la dégustation, faisant suivre un bouquet aux notes fruitées et réglissées d'un palais rond, ample, long et bien équilibré. (100 à 149 F)

Marthe Domec, Ch. Vincent, Issan, 33460 Cantenac, tél. 05.57.88.90.56, fax 05.44.18.02.70

Moulis-en-médoc

Etroit ruban de 12 km de long sur 300 à 400 m de large, moulis est la moins étendue des appellations communales du Médoc. Elle offre pourtant une large palette de terroirs.

Comme à Listrac, ceux-ci forment trois grands ensembles. A l'ouest, près de la route de Bordeaux à Soulac, le secteur de Bouqueyran présente une topographie variée, avec une crête calcaire et un versant de graves anciennes (pyrénéennes). Au centre, on trouve une plaine argilo-calcaire qui est le prolongement de celle de Peyrelebade (voir listrac-médoc). Enfin, à l'est et au nord-est, près de la voie ferrée, se développent de belles croupes de graves du Günz (graves garonnaises) qui constituent un terroir de choix. C'est dans ce dernier secteur que se trouvent les buttes réputées de Grand-Poujeaux, Maucaillou et Médrac.

Moelleux et charnus, les moulis se caractérisent par leur caractère suave et délicat. Tout en étant de bonne garde (de sept à huit ans), ils peuvent s'épanouir un peu plus rapidement que les vins des autres communales. Le millésime 2000 a atteint 33 860 hl sur 589 ha.

CH. ANTHONIC 1998*

■ Cru bourg. 20,54 ha 154 000 11 à 15 €

82 83 **85** (86) 88 **89** |90| 91 92 93 |94| |95| 96 |97| 98

Situé à moins de 800 m de l'église romane de Moulis, ce cru est dirigé par Pierre Cordonnier depuis 1977. Ce vin de teinte soutenue correspond bien à son assemblage où le merlot domine (55 %). Son bouquet offre d'élégantes notes de fruits confits et ses tanins mûrs permettront de le servir dans deux ou trois ans. (70 à 99 F)

SCEA Pierre Cordonnier, Ch. Anthonic, 33480 Moulis-en-Médoc, tél. 05.56.58.34.60, fax 05.56.58.72.76, e-mail chateau.anthonic@terre-net.fr t.l.j. 9h-12h 14h-17h30; sam. dim. sur r.-v.

CH. BISTON-BRILLETTE 1998*

■ Cru bourg. 21,5 ha 110 000 11 à 15 €

86 88 89 (90) 91 |93| |94| 95 **96** 97 98

Une fois encore, ce cru, assemblant à parts égales cabernet-sauvignon et merlot, confirme sa qualité. S'appuyant sur une structure tannique solide et bien enrobée, ce vin sait retenir le regard par sa robe noire à reflets rouges et l'attention par son bouquet aux notes de cassis, de tabac froid, de grillé et de clou de girofle. Tout, jusqu'à la longue finale, invite à une garde de trois ou quatre ans. (70 à 99 F)

EARL Ch. Biston-Brillette, Petit-Poujeaux, 33480 Moulis-en-Médoc, tél. 05.56.58.22.86, fax 05.56.58.13.16, e-mail contact@châteaubistonbrillette.com t.l.j. sf dim. 10h-12h 14h-18h; sam. 10h-12h

Michel Barbarin

CH. BOIS DE LA GRAVETTE 1998*

■ 3 ha 20 000 5 à 8 €

Même si le cru ne date que de 1995, la relation entre les Porcheron et la vigne remonte à loin On n'en doute pas en découvrant ce vin (52 % cabernet, 48 % merlot) à la robe intense et profonde. Si la fusion du bois et de la matière n'est pas encore achevée, on sent la présence tannique et aromatique (fruits rouges à l'eau-de-vie et cacao) nécessaire pour permettre à l'ensemble d'évoluer favorablement. Une bouteille qui mérite un séjour en cave de quatre ou cinq ans. (30 à 49 F)

EARL Bois de la Gravette, 33480 Moulis-en-Médoc, tél. 05.56.58.22.11, fax 05.56.58.22.11 t.l.j. 8h-19h

Christian Porcheron

CH. BRILLETTE 1998**

■ 40 ha 110 000 15 à 23 €

|94| 95 96 98

Belle unité, avec plus de 80 ha pour l'ensemble de la propriété, ce cru sait aussi se distinguer par la qualité de sa production. Témoin, cette bouteille bien équilibrée. On se plaît à mirer sa robe rubis foncé, à humer son bouquet où s'unissent subtilement le fruit, les épices et les notes toastées, et à découvrir son palais, que sa puissante structure appelle à une bonne garde. (100 à 149 F)

SA Ch. Brillette, 33480 Moulis-en-Médoc, tél. 05.56.58.22.09, fax 05.56.58.12.26 ☑ Ⲧ t.l.j. sf sam. dim. 9h-12h 14h-17h30

CH. CHASSE-SPLEEN 1998★★

Cru bourg. 40 ha 250 000 23 à 30 €

75 76 **78 79** 80 **81 82** |83| |85| |86| |88| |89| **90** 91 92 **93 94 95 96 97 98**

De sa naissance, par partage en 1865, à son rachat par Jacques Merlaut en 1976, on sait tout de l'histoire de ce cru hormis l'origine de son nom. Terroir et travail de qualité, aucun secret en revanche dans la réussite du domaine, qu'illustre parfaitement ce 98 aussi présent par son bouquet aux délicates notes grillées, mentholées, épicées et fruitées (fruits mûrs) que par sa structure ronde, souple et tannique. Sans nécessiter une très longue garde, c'est une belle bouteille à boire dans environ trois ans. (150 à 199 F)

Céline Villars-Foubet, SA Ch. Chasse-Spleen, Grand-Poujeaux, 33480 Moulis-en-Médoc, tél. 05.56.58.02.37, fax 05.57.88.84.40, e-mail jpfoubet@chasse-spleen.com Ⲧ r.-v.

CH. CHEMIN ROYAL 1998

Cru bourg. 9,78 ha 60 000 8 à 11 €

A forte proportion de merlot (65 %), ce vin déjà fondu pourra surprendre certains amateurs. Cependant, son bouquet aux notes empyreumatiques et aux accents de fruits mûrs, comme sa finale assez longue ne décevront pas. (50 à 69 F)

Ch. Fonréaud, 33480 Listrac-Médoc, tél. 05.56.58.02.43, fax 05.56.58.04.33 ☑ Ⲧ t.l.j. sf sam. dim. 9h-11h30 14h-17h30

CH. DUPLESSIS 1998

Cru bourg. 18 ha 63 065 11 à 15 €

Du même producteur que le Château Villegeorge (haut-médoc), ce vin associe 69 % de merlot aux trois autres cépages médocains. Très limpide, le nez relevé par un boisé discret, rond en attaque, il a du volume, mais l'évolution est ensuite tannique. Il devrait se bonifier d'ici deux à trois ans. (70 à 99 F)

SC Les Grands Crus Réunis, 2036, Chalet, 33480 Moulis-en-Médoc, tél. 05.56.58.22.01, fax 05.56.58.15.10, e-mail lgcr@wanadoo.fr Ⲧ r.-v.

Lurton-Roux

CH. DUPLESSIS FABRE 1998

Cru bourg. 2,5 ha 17 000 11 à 15 €

90 91 92 93 94 |95| **96** 98

Ancienne propriété du duc de Richelieu qui mena intrigues et grande vie sous Louis XV, ce cru, frère de Maucaillou, s'en distingue par un assemblage de 55 % merlot et de 45 % cabernet-sauvignon. Son vin présente des notes fruitées, épicées et animales. En bouche, les tanins accompagnent des notes grillées sur une structure assez linéaire. A ouvrir dans un ou deux ans. (70 à 99 F)

Ch. Maucaillou, quartier de la Gare, 33480 Moulis-en-Médoc, tél. 05.56.58.01.23, fax 05.56.58.00.88 Ⲧ t.l.j. 10h-12h 14h-18h

Philippe Dourthe

CH. DUTRUCH GRAND-POUJEAUX 1998

Cru bourg. 25 ha 170 000 11 à 15 €

81 82 83 **85** |86| |88| 89 |90| 93 |94| **95 96** |97| 98

Doté de nouveaux chais et cuviers en 1999, ce cru nous offre ici un vin simple mais agréable, notamment par son bouquet aux notes de moka. A attendre deux ans. (70 à 99 F)

EARL François Cordonnier, Ch. Dutruch Grand-Poujeaux, 33480 Moulis-en-Médoc, tél. 05.56.58.02.55, fax 05.56.58.06.22, e-mail chateau.dutruch@aquinet.net ☑ Ⲧ r.-v.

CH. GUITIGNAN 1998

Cru bourg. 6 ha 40 000 8 à 11 €

Vinifié à la cave de Listrac, ce vin est simple dans son expression aromatique au palais, mais son bouquet, aux notes de fruits rouges, et sa structure tannique plus puissante lui assurent un bon potentiel d'évolution. (50 à 69 F)

Cave de vinification de Listrac, 21, av. de Soulac, 33480 Listrac-Médoc, tél. 05.56.58.03.19, fax 05.56.58.07.22, e-mail grandlistrac@cave-listrac-médoc.com ☑ Ⲧ r.-v.

Annie Vidaller

CH. LA GARRICQ 1998★★

3 ha 20 000 23 à 30 €

93 94 |95| **96 97 98**

Si elle est également productrice dans l'appellation haut-médoc (Château Paloumey), c'est en moulis que Martine Cazeneuve exprime le mieux son savoir-faire avec ce vin surprenant. Elégant, le bois ouvre un bal de senteurs où les fruits rouges suivent la danse de la robe. Soyeuse, l'attaque prolonge la fête, comme le palais où les fruits et les tanins ronds dessinent un tableau harmonieux. (150 à 199 F)

SA Ch. Paloumey, 50, rue Pouge-de-Beau, 33290 Ludon-Médoc, tél. 05.57.88.00.66, fax 05.57.88.00.67, e-mail chateaupaloumey@wanadoo.fr ☑ Ⲧ r.-v.

CH. LALAUDEY 1998★★

6,5 ha 24 000 11 à 15 €

Comme le margaux du même producteur, le Château Mongravey, ce moulis est doté d'une solide structure. Son bouquet n'est pas en reste, dévoilant des notes bien marquées de truffe, d'humus, de cuir et de tabac froid. L'ensemble appelle une garde de quatre ou cinq ans avec un suivi régulier, car les tanins sont déjà soyeux et mûrs. (70 à 99 F)

Régis Bernaleau, Ch. Mongravey, 33460 Arsac, tél. 05.56.58.84.51, fax 05.56.58.83.39, e-mail chateau.mongravey@wanadoo.fr ☑ Ⲧ r.-v.

CH. LA MOULINE 1998

■ Cru bourg. n.c. n.c. 8 à 11 €

93 94 |95| 96 98

Né avant les transformations du cru, en 1999, ce vin possède des tanins un peu seuls au palais. Mais son bouquet présente de l'intérêt par ses notes de pruneau et d'épices. L'ensemble devrait être prêt dans un an ou deux. (50 à 69 F)

JLC Coubris, 90, rue Marcelin-Jourdan, 33200 Bordeaux, tél. 05.56.17.13.17, fax 05.56.17.13.18 t.l.j. sf sam. dim. 8h-12h 13h-17h; f. août

CH. LESTAGE-DARQUIER 1998

■ Cru bourg. 8,29 ha 60 000 8 à 11 €

Né sur une propriété forte d'une continuité familiale de six générations, ce vin à la robe claire est d'une structure simple mais savoureuse, agréablement soutenue par des notes de bourgeon de cassis. (50 à 69 F)

EARL Bernard, Grand-Poujeaux, 33480 Moulis-en-Médoc, tél. 05.56.58.18.16, fax 05.56.58.38.42 r.-v.

CH. MALMAISON 1998

■ Cru bourg. 24 ha 45 000 11 à 15 €

88 89 90 **91** 92 93 94 **95 96 97 98**

La taille du domaine de Clarke lui permet de déborder de l'aire listracaise pour offrir des vins dans d'autres appellations, comme ce moulis associant 61 % de merlot aux cabernets. La couleur répond aux canons de l'AOC. Le nez mêle les fruits rouges aux notes de l'élevage (douze mois de barrique). D'emblée, l'attaque est solide puis la bouche affiche les tanins du bois. A attendre trois ans. (70 à 99 F)

Cie vinicole Edmond de Rothschild, Ch. Clarke, 33480 Listrac-Médoc, tél. 05.56.58.38.00, fax 05.56.58.26.46, e-mail chateau.clarke@wanadoo.fr

Benjamin de Rothschild

CH. MAUCAILLOU 1998*

■ 69 ha 530 000 23 à 30 €

81 **82 83 85 86** 87 **|88| |89| |90| 91 92 93 94** |95| (96) 97 98

Propriété familiale des Dourthe, ce cru possède un musée des Métiers de la vigne et du vin, étape indispensable à tout amateur. « Je retrouve l'esprit traditionnel de l'appellation », note un dégustateur ravi de goûter un vin composé en majorité de cabernets pour 35 % de merlot et 7 % de petit verdot. Solidement bâti, ce 98 ne se montre pas encore prêt à être dégusté, mais son austérité actuelle est appelée à s'effacer dans trois ou quatre ans. Il laissera alors s'exprimer son bouquet qui présente aujourd'hui des notes fruitées, toastées et mentholées. Rappelons que le millésime 96 fut l'un des rares « trois étoiles » du Guide à obtenir un coup de cœur. (150 à 199 F)

Ch. Maucaillou, quartier de la Gare, 33480 Moulis-en-Médoc, tél. 05.56.58.01.23, fax 05.56.58.00.88 t.l.j. 10h-12h 14h-18h

Philippe Dourthe

CH. MOULIN A VENT 1998

■ Cru bourg. 25 ha n.c. 11 à 15

82 83 85 86 88 |89| |90| 91 95 |96| |97| 98

Situé sur la plus haute croupe à l'ouest d l'appellation, ce cru porte le nom du lieu-dit. propose ici un vin qui ne développe pas un structure imposante mais qui rappelle la prox mité de la forêt de pins par des notes résineuse présentes au bouquet comme dans le retour ar matique. L'attendre un à deux ans. (70 à 99 F

Dominique Hessel, Ch. Moulin à Vent, Bouqueyran, 33480 Moulis-en-Médoc, tél. 05.56.58.15.79, fax 05.56.58.39.89, e-mail hessel@moulin-a-vent.com t.l.j. sf sam. dim. 9h-12h 14h-18h

CH. MYON DE L'ENCLOS 1998

■ n.c. 20 000 8 à 11

95 |96| |97| 98

Du même producteur que le Château Mayn Lalande (listrac), ce vin est plus rustique ma intéressant par ses possibilités d'évolution dar les deux ou trois ans à venir. Sa robe sombr son nez mariant griotte et réglisse, son attaqu franche et massive suivie d'une évolution austè ne sont pas pour déplaire. (50 à 69 F)

Bernard Lartigue, Le Mayne-de-Lalande, 33480 Listrac-Médoc, tél. 05.56.58.27.63, fax 05.56.58.22.41, e-mail b.lartigue@terre-net.fr r.-v.

CH. PEY BERLAND 1998*

■ 0,85 ha 5 200 15 à 23

La taille de la propriété explique pourquoi c vin, entièrement issu de merlot, est atypique simple mais bien équilibré, avec un bouqu délicat. Notons que les vignes n'ont que huit ar d'âge. (100 à 149 F)

Jean Charpentier, Ch. Pey Berland, 33480 Moulis-en-Médoc, tél. 05.56.58.38.84, fax 05.56.58.38.84 r.-v.

CH. POUJEAUX 1998**

■ Cru bourg. 53 ha 300 000 23 à 30

81 82 83 84 **|85|** (86) **87 |88| |89| 90** |91| |92| 9 **94 95 96 97 98**

Un beau terroir, la croupe de graves du Gun de Poujeaux, une tradition familiale de hu décennies : la juste renommée dont jouit ce cr ne manque pas d'explications. Ce n'est pas c millésime qui lui nuira : robe de velours noir bouquet encore marqué par l'élevage (vanille croûte de pain) mais laissant percer son visag futur aux notes de fruits mûrs et d'épices ; atta que ronde et suave ; tanins bien enrobés ; longu finale... Tout annonce une jolie bouteille d'i quelques années. (150 à 199 F)

Jean Theil SA, Ch. Poujeaux, 33480 Moulis en-Médoc, tél. 05.56.58.02.96, fax 05.56.58.01.25, e-mail chateaupoujeaux@wanadoo.fr t.l.j. sf sam. dim. 9h-12h 14h-17h; sur r.-v. du 1er oct. au 31 juin

CH. RUAT PETIT POUJEAUX 1998

■ Cru bourg. 15 ha 45 000 11 à 15

Pierre Goffre-Viaud est l'une des fortes per sonnalités du vignoble bordelais. Il a reconstitu ce domaine il y a vingt ans. D'un rouge cerise à reflets rubis, ce vin possède un beau bouquet (notes de cuir, de raisin, de fruits confits, de framboise...). L'attaque est tendre, à la juste mesure d'une matière peu tannique mais plaisante jusqu'en finale. (70 à 99 F)

SCEA Vignobles Goffre-Viaud, Petit Poujeaux, 33480 Moulis-en-Médoc, tél. 05.56.58.25.15, fax 05.56.58.15.90 Y r.-v.

Pauillac

A peine plus peuplé qu'un gros bourg rural, Pauillac est une vraie petite ville, agrémentée, qui plus est, d'un port de plaisance sur la route du canal du Midi. C'est un endroit où il fait bon déguster les crevettes fraîchement pêchées dans l'estuaire, à la terrasse des cafés sur les quais. Mais c'est aussi, et surtout, la capitale du Médoc viticole, tant par sa situation géographique, au centre du vignoble, que par la présence de trois premiers crus classés (Lafite, Latour et Mouton) que complète une liste assez impressionnante de 18 crus classés. La coopérative assure une production importante. L'appellation a produit 64 357 hl pour 1 178 ha en 2000.

L'appellation est coupée en deux en son centre par le chenal du Gahet, petit ruisseau séparant les deux plateaux qui portent le vignoble. Celui du nord, qui doit son nom au hameau de Pouyalet, se caractérise par une altitude légèrement plus élevée (une trentaine de mètres) et par des pentes plus marquées. Détenant le privilège de posséder deux premiers crus classés (Lafite et Mouton), il se caractérise par une parfaite adéquation entre sol et sous-sol, que l'on retrouve aussi dans le plateau de Saint-Lambert. S'étendant au sud du Gahet, ce dernier s'individualise par la proximité du vallon du Juillac, petit ruisseau marquant la limite méridionale de la commune, qui assure un bon drainage, et par ses graves de grosse taille qui sont particulièrement remarquables sur le terroir du premier cru de ce secteur, Château Latour.

Venant sur des croupes graveleuses très pures, les pauillac sont des vins corsés, puissants et charpentés, mais aussi fins et élégants, avec un bouquet délicat. Comme ils évoluent très heureusement au vieillissement, il convient de les attendre. Mais ensuite, il ne faut pas avoir peur de les servir sur des plats assez forts comme, par exemple, des préparations de champignons, des viandes rouges, du gibier à chair rouge ou des foies gras.

CH. D'ARMAILHAC 1998★★

5ème cru clas. 50 ha 124 000 23 à 30 €

72 73 74 75 78 **79 80 81** |82| |83| **84** |85| |(86)| **87** |88| |89| **90** 92 **93** |94| **95** 96 97 **98**

S'annonçant par une statuette de Bacchus empruntée au musée de son voisin Mouton Rothschild, ce cru possède une réelle personnalité qu'affirme avec force ce très joli vin au délicat bouquet de fruits rouges, de cuir et de notes empyreumatiques. Bien enveloppé, il est structuré par des tanins soyeux et une ampleur qui témoignent d'une extraction remarquablement mesurée et qui lui garantissent un bon potentiel de garde. Douce et poivrée, la finale est des plus charmeuses. (150 à 199 F)

Ch. d'Armailhac, 33250 Pauillac, tél. 05.56.59.22.22, fax 05.56.73.20.44, e-mail webmaster@bpdr.com

Baronne Ph. de Rothschild GFA

CH. ARTIGUES ARNAUD 1998

39,18 ha 43 300 11 à 15 €

Ce domaine propose un vin rond, charnu et d'une texture riche ; élaboré par l'équipe de

Pauillac

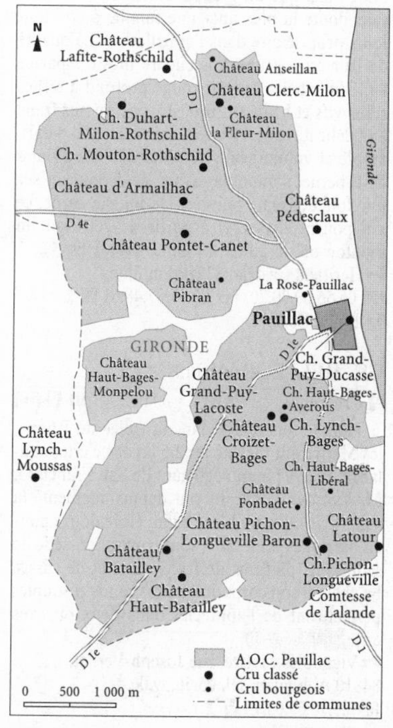

Grand-Puy Ducasse, il constitue un cru à part entière. Déjà agréable par ses arômes frais de fruits rouges, il semble facile mais saura réserver de plaisantes surprises dans quelques années. (70 à 99 F)
SC du Ch. Grand-Puy Ducasse, La Croix Bacalan, 109, rue Achard, BP 154, 33042 Bordeaux Cedex, tél. 05.56.11.29.00, fax 05.56.11.29.01 r.-v.

BARON NATHANIEL 1998**

■ n.c. n.c. 11 à 15 €

Avec cette marque, la maison de négoce Baron Philippe de Rothschild se signale par sa régularité. Riche et complexe dans son expression aromatique, où le cacao conclut une alliance réussie avec les notes vanillées et épicées, ce vin sait concilier puissance et délicatesse pour donner un ensemble bien structuré, très harmonieux, et qui s'ouvre sur une finale pleine d'élégance. (70 à 99 F)
Baron Philippe de Rothschild SA, BP 117, 33250 Pauillac, tél. 05.56.73.20.20, fax 05.56.73.20.44, e-mail webmaster@bpdr.com

CH. BATAILLEY 1998**

■ 5ème cru clas. 55 ha n.c. 23 à 30 €
70 75 76 78 79 80 81 |82| |83| |85| |86| |88| |89| |90| 91 92 93 95 (96) 97 98

Les Castéja, qui sont à la tête de cette belle unité ainsi que du groupe Borie-Manoux, sont sans doute la plus ancienne famille à être toujours propriétaire dans l'appellation. La qualité de leur cru est une fois encore illustrée par ce 98. D'une belle couleur rouge profond à reflets rubis vifs et brillants, il développe un nez franc aux délicates notes fruitées et boisées. Au palais, ample et volumineux, de remarquables arômes de cabernet s'imposent avant de déboucher sur une longue finale poivrée. De longue garde, ce vin pourra être servi à partir de 2004 sur du mouton ou du gibier à plume. (150 à 199 F)
Héritiers Castéja, 33250 Pauillac, tél. 05.56.00.00.70, fax 05.57.87.48.61 r.-v.
Emile Castéja

CH. BELLEGRAVE 1998*

■ Cru bourg. 8 ha 50 000 15 à 23 €

Famille renommée dans la vallée du Rhône, les Meffre ont racheté les 2,5 ha de ce cru pauillacais en 1997 à un négociant de San Francisco, M. Van der Voort. Ils ont depuis augmenté la superficie du vignoble. Ce vin, élevé douze mois en barriques dont 50 % sont neuves, possède de séduisants parfums de fruits mûrs et de cassis. Sa chair et son corps aux tanins ronds et souples permettront de l'apprécier dans deux ou trois ans. (100 à 149 F)
Vignobles Meffre, rue Joseph-Vernet, 84810 Aubignan, tél. 05.56.59.06.47, fax 05.90.65.03.73 r.-v.

CH. CLERC MILON 1998*

■ 5ème cru clas. 30 ha 172 000 30 à 38 €
|75| 76 78 79 |82| |83| |85| 86 87 88 89 90 |92| 93 |94| (95) 96 97 98

S'annonçant par une pièce d'orfèvrerie du XVIIᵉs. représentant un couple de bouffons, qui est conservée au musée de Mouton, ce vin, né sur un très beau terroir de graves, ne limite pas son charme au seul attrait de l'étiquette. L'œil se plaît à contempler sa robe sombre nuancée de vermillon. Si le premier nez se montre timide, il s'ouvre ensuite sur des notes empyreumatiques, tandis qu'au palais se révèlent une structure d'une solide puissance tannique, une trame généreuse et une séduisante finale réglissée. (200 à 249 F)
Ch. Clerc Milon, 33250 Pauillac, tél. 05.56.59.22.22, fax 05.56.73.20.44, e-mail webmaster@bpdr.com
Baronne Ph. de Rothschild GFA

CH. COLOMBIER-MONPELOU 1998

■ Cru bourg. 15 ha 110 000 11 à 15 €
|94| 95 96 97 98

Né sur un plateau dominant Pauillac, ce vin aux tanins déjà veloutés se montre agréable par ses arômes flatteurs de fruits mûrs, mais aussi par ses notes balsamiques. Ses flaveurs exotiques lui donnent un style aimable. (70 à 99 F)
SC Vignobles Jugla, Ch. Colombier-Monpelou, 33250 Pauillac, tél. 05.56.59.01.48, fax 05.56.59.12.01 r.-v.

CH. CORDEILLAN-BAGES 1998*

■ Cru bourg. 2 ha 12 000 30 à 38 €
|89| |91| 93 94 95 96 97 98

Château-hôtel, Cordeillan illustre la renaissance de la restauration médocaine. Il offre aussi une production de qualité, témoin ce vin dont les parfums de chocolat noir, d'épices et de fruits exotiques s'harmonisent avec la belle matière aux tanins mûrs et complexes du palais. Un ensemble équilibré, puissant et expressif. (200 à 249 F)
Jean-Michel Cazes, Ch. Cordeillan-Bages, 33250 Pauillac, tél. 05.56.73.24.00, fax 05.56.59.26.42, e-mail infochato@cordeillanbages.com r.-v.

CH. CROIZET-BAGES 1998

■ 5ème cru clas. 28 ha 160 000 15 à 23 €
93 94 |95| |96| |97| |98|

Créé au XVIᵉs. par la famille Bages, ce domaine devint propriété des Croizet à la Révolution. Cela explique son nom. Son 98 s'inscrit dans la tradition du cru par sa souplesse et sa finesse. Plus que la puissance, c'est la délicatesse et la fraîcheur que privilégient le bouquet aux notes de fruits acidulés, de menthol, de fleurs et de poivron, et le palais aux tanins simples. (100 à 149 F)
Jean-Michel Quié, Ch. Croizet-Bages, 33250 Pauillac, tél. 05.56.59.01.62, fax 05.56.59.23.39 t.l.j. sf dim. lun. 9h-13h 14h-18h

CH. DUHART-MILON 1998★★

■ 4ème cru clas. 67 ha 28 000 46 à 76 €
61 70 75 76 79 80 **81** |82| |83| |85| |86| **87 88 89 90** |91| |92| |93| |94| **95 96 97 98**

Port, Pauillac a eu ses corsaires, dont Duhart qui a laissé son nom à ce cru. Le vin privilégie la grâce, ce qui ne l'empêche pas d'être bien constitué. Sa trame gracile et ses tanins élégants s'accordent avec son expression aromatique (cassis, mûre, réglisse, fruits confits, cacao, relevés de notes empyreumatiques et boisées) pour former un ensemble de charme ayant de bonnes possibilités d'évolution. Le second vin, **Moulin de Duhart 98 (100 à 149 F)**, a obtenu une citation. Grenat brillant, discret au nez, il évolue sur une structure fine et plaisante qui permettra de le servir dans deux ans. (300 à 499 F)
Ch. Duhart-Milon, 33250 Pauillac

CH. FONBADET 1998

■ Cru bourg. n.c. 110 000 15 à 23 €
75 76 78 79 81 |82| 83 85 |86| 87 |88| |89| |90| 91 93 95 96 97 98

Fortement touché par la tempête qui dévasta le Médoc, la France et une partie de l'Europe en décembre 1999, le parc de ce cru est en cours de reconstitution. Comme c'est souvent le cas pour les vins de ce domaine, ce 98 demandera quelques années (deux ou trois) avant de se livrer complètement. Mais ses tanins, qui s'inscrivent dans la tradition pauillacaise, et son bouquet, aux discrètes notes de fruits mûrs, d'épices et de tabac, se montrent prometteurs.
(100 à 149 F)
SCEA des Domaines Peyronie,
Ch. Fonbadet, 33250 Pauillac,
tél. 05.56.59.02.11, fax 05.56.59.22.61,
e-mail pascale@chateaufonbadet.com
r.-v.

CH. GAUDIN 1998

■ 10 ha n.c. 11 à 15 €

Exclusivité des établissements Cordier, ce vin est encore un peu sévère. De discrets parfums de fruits rouges s'associent au boisé jusque dans une finale épicée lui conférant un caractère agréable. (70 à 99 F)
Linette Capdevielle, SCI du Ch. Gaudin,
BP 12, 33250 Pauillac, tél. 05.56.59.24.39,
fax 05.56.59.25.26

CH. GRAND-PUY DUCASSE 1998★

■ 5ème cru clas. 39 ha 174 000 23 à 30 €
82 **83** 84 **85** 86 **88** 89 |90| 91 92 93 94 |95| **96** 97 98

A l'image du château, belle demeure au cœur de Pauillac, ce vin est d'un classicisme de fort bon aloi par sa texture et ses tanins qui lui assureront une grande longévité. Celle-ci permettra au bouquet, encore naissant, de s'ouvrir et de développer les arômes fruités, animaux et épicés qui commencent à apparaître. Le second vin, **Prélude à Grand-Puy Ducasse 98 (100 à 149 F)**, a obtenu une citation. Les tanins du raisin et du bois bien mariés devraient lui permettre d'être servi en 2002 sur des coquelets aux petits légumes printaniers. (150 à 199 F)
SC du Ch. Grand-Puy Ducasse, La Croix Bacalan, 109, rue Achard, BP 154, 33042 Bordeaux Cedex, tél. 05.56.11.29.00,
fax 05.56.11.29.01 r.-v.

CH. GRAND-PUY-LACOSTE 1998★★

■ 5ème cru clas. 50 ha 165 000 30 à 38 €
61 66 70 71 **75** 76 **78** 81 **82** |83| |85| |(86)| 87 **88 89 90** |91| |92| |93| |94| **95 96** |97| **98**

Comme l'indique son nom (« puy », éminence), ce cru est situé sur une hauteur. Grâce à la gestion avisée de François-Xavier Borie, ce vin a pu tirer la quintessence du terroir : s'annonçant par une robe d'un grenat sombre, il déploie une large palette de parfums (fruits rouges, épices, cerise, groseille et menthol, le tout saupoudré de vanille). Généreux et mûrs, les tanins participent à l'équilibre du palais et s'associent à la longue finale pour garantir une belle évolution. Une attente de quatre ans s'impose et, pour prendre son mal en patience, on pourra déguster l'aimable second vin, le **Lacoste-Borie 98** cité par le jury.
(200 à 249 F)
Ch. Grand-Puy-Lacoste, 33250 Pauillac,
tél. 05.56.73.16.73, fax 05.56.59.27.37 r.-v.

CH. HAUT-BAGES LIBERAL 1998★★★

■ 5ème cru clas. 28 ha 117 000 15 à 23 €
75 76 78 79 80 81 |(82)| |83| 84 |85| |86| 87 88 89 **90** 91 92 |93| |94| **95 96** 97 (98)

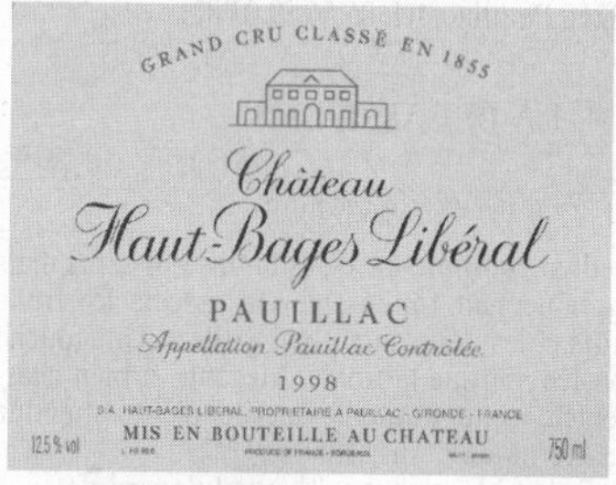

Constitué de deux parties, l'une dominant la Gironde près de Latour et l'autre sur le plateau de Bages, ce cru bénéficie d'un terroir de qualité. Il suffit d'admirer la très belle robe sombre de ce superbe 98 pour s'en convaincre. Et s'il reste le moindre doute, le bouquet aura tôt fait de le dissiper : sa palette aromatique d'une rare distinction, à dominante de fruits confiturés sur fond boisé, avec des notes très raffinées de chocolat et de café, impressionne par sa complexité. Dense, plein, riche, charnu et étoffé, le palais complète merveilleusement le tableau et s'ouvre sur une très longue finale. Une grande bouteille à oublier à la cave pendant quelques années. Plus modeste mais délicat et charmeur, le second vin, **La Chapelle de Bages 98 (50 à 69 F)**, a obtenu une étoile. Mariant les fruits rouges à un joli boisé, il évolue sur des tanins soyeux.
(100 à 149 F)
Claire Villars, Ch. Haut-Bages Libéral,
33250 Pauillac, tél. 05.56.58.76.65,
fax 05.57.88.98.33,
e-mail infos@haut-bages-liberal.com r.-v.

CH. HAUT-BATAILLEY 1998*

■ 5ème cru clas. n.c. 105 000 ◖◗ 23 à 30 €

66 71 75 78 81 82 83 84 |85| **|86| 87** 88 89 90 91 |92| |93| **94 95 96** |97| 98

Appartenant au même producteur que le château Grand-Puy-Lacoste, ce cru possède sa propre personnalité, le cabernet franc (10 %) venant compléter l'assemblage. Si l'on retrouve un air de famille dans la robe grenat et le sens de l'équilibre dont il fait lui aussi preuve, il affirme son identité par des notes toastées au bouquet et par la rondeur de ses tanins. Ceux-ci, comme sa belle finale grillée, invitent à attendre deux ou trois ans avant de le servir. Le second vin, le **Château La Tour l'Aspic 98**, a reçu une citation. « Il y a de la tendresse dans ce vin », note un juré, admirant ses tanins sages. (150 à 199 F)

SA Jean-Eugène Borie, 33250 Saint-Julien-Beychevelle, tél. 05.56.73.16.73, fax 05.56.59.27.37 Y r.-v.

Mme des Brest-Borie

DOM. IRIS DU GAYON 1998

■ Cru artisan 0,5 ha 1 500 ◖◗ 15 à 23 €

Né sur un tout petit cru - on devrait dire microvignoble -, ce vin confidentiel a été élevé seize mois en barrique. D'une belle teinte violacée, il offre un nez de fruits noirs et de fourrure sur fond de chêne. Son palais est en revanche porté par des tanins assez simples. (100 à 149 F)

Françoise Siri, Moulin du Gayon Pouyalet, 33250 Pauillac, tél. 05.56.59.03.82, fax 05.56.59.67.00 ☑ Y r.-v.

CH. LA BECASSE 1998*

■ 4 ha 30 000 ◖◗ 23 à 30 €

91 92 93 |94| 95 96 |97| 98

Bien équilibré avec des tanins puissants mais agréablement fondus, ce vin associe les fruits mûrs et les fleurs aux notes grillées. Une touche toastée marque la finale. Elégante et bien charpentée, cette bouteille mérite d'être attendue quatre ou cinq ans. (150 à 199 F)

Roland Fonteneau, 21, rue Edouard-de-Pontet, 33250 Pauillac, tél. 05.56.59.07.14, fax 05.56.59.18.44 ☑ Y r.-v.

CH. LAFITE ROTHSCHILD 1998***

■ 1er cru clas. 102 ha 260 000 ◖◗ +76 €

59 |(61)| **64** |66| 69 |70| 73 **|75| 76** 77 |78| |79| |80| **|81| |82| |83|** |84| **85 86** |87| **88 89 90 92 93 94 (95) (96) 97 (98)**

La mode du Lafite a débuté sous le règne de Louis XV, et ce cru est l'un des plus anciens vignobles médocains. L'élégante demeure commande un chai circulaire, impressionnant de majesté, réalisé par Ricardo Bofill. Marqué par une explosion d'arômes, ce vin développe de savoureuses odeurs de moka et de torréfaction avec des fruits toujours sous-jacents. L'attaque et le palais témoignent du caractère d'un grand pauillac ; la puissance s'accompagne de beaucoup d'élégance, et donne un ensemble d'une réelle plénitude. Soutenue par des tanins au grain fin, la progression tout au long de la dégustation est remarquable. Longue, aromatique et harmonieuse, la finale garantit l'avenir de cette bouteille d'exception à laisser plusieurs années en cave. (+ 500 F)

Ch. Lafite Rothschild, 33250 Pauillac, tél. 01.53.89.78.00, fax 01.53.89.78.01 Y r.-v.

CARRUADES DE LAFITE 1998*

■ n.c. 350 000 ◖◗ 30 à 38 €

|85| |86| **87 88 89** 90 91 92 |93| |94| **95 96 97** 98

Le second vin de Lafite se montrait plus sévère que son aîné lors de la dégustation. Portée par des tanins fermes mais charnus, sa solide charpente laisse présager un avenir très favorable. (200 à 249 F)

Ch. Lafite Rothschild, 33250 Pauillac, tél. 01.53.89.78.00, fax 01.53.89.78.01 Y r.-v.

CH. LA FLEUR MILON 1998**

■ Cru bourg. 12,5 ha 85 000 ▮◖◗ 15 à 23 €

94 **(95) 96** 97 **98**

Voisinant avec quelques-uns des grands noms du gotha du vin, ce cru peut nourrir de hautes ambitions. Ce 98 montre qu'il sait aussi les atteindre. Tout à la fois frais, charnu, rond, dense, il a beaucoup de relief. Il peut compter sur ses tanins pour assurer son avenir et sur son bouquet, aux belles notes florales et épicées, pour lui donner du charme. (100 à 149 F)

SCE Ch. La Fleur Milon, Le Pouyalet, 33250 Pauillac, tél. 05.56.59.29.01, fax 05.56.59.23.22 ☑ Y r.-v.

Héritiers Gimenez

CH. LA FLEUR PEYRABON 1998*

■ Cru bourg. 4,87 ha 30 841 ▮◖◗ 15 à 23 €

Acquis par la société Millesima en 1998, ce cru remonte au XVIIIe s. Patrick Bernard en tient désormais les rênes. Ce vin, dont les tanins encore un peu austères appellent la garde, se présente dans une belle robe rubis brillant. Bien maîtrisé, son élevage a respecté le fruit et les arômes qui font preuve d'une bonne complexité. (100 à 149 F)

SARL Ch. Peyrabon, 33250 Saint-Sauveur, tél. 05.56.59.57.10, fax 05.56.59.59.45, e-mail chateau.peyrabon@wanadoo.fr ☑ Y r.-v.

P. Bernard

LA ROSE PAUILLAC 1998

■ n.c. 70 000 ▮◖◗ 8 à 11 €

Marque de la cave coopérative de Pauillac, ce vin est assez simple dans son expression aromatique mais d'une architecture classique, avec de la franchise et de la puissance. (50 à 69 F)

La Rose Pauillac, 44, rue du M[al]-Joffre, BP 14, 33250 Pauillac, tél. 05.56.59.26.00, fax 05.56.59.63.58 r.-v.

CH. LATOUR 1998★★★

1er cru clas. 43 ha n.c. +76 €

61 **67 71** 73 74 75 |76| 77 |78| 79 |80| 81 |82| |83| 84 **85 86** |87| **88 89 90** |91| |92| **93** |94| 95 **96 97** 98

Si le vin est un produit de tradition, cela ne veut pas dire que les crus n'évoluent pas. Bien - ou parce - que chargé d'histoire, Latour est toujours à la pointe des mutations. Ainsi le chai est-il en cours de réfection. L'essentiel est bien que le vin garde longtemps un visage aussi noble que ce 98 qui a l'art de se présenter. Sa belle robe grenat et son bouquet aux notes de torréfaction, de cacao, d'épices et de cuir, affichent son caractère. Celui-ci se confirme au palais avec une matière mûre et opulente aux tanins soyeux et onctueux qui engagent à oublier cette bouteille en cave pendant dix à vingt ans. (+ 500 F)

SCV de Ch. Latour, Saint-Lambert, 33250 Pauillac, tél. 05.56.73.19.80, fax 05.56.73.19.81 r.-v.

François Pinault

LES FORTS DE LATOUR 1998★★

n.c. n.c. 46 à 76 €

80 **81 82 83 85 86 87** |88| **89 90** |92| |94| **95 96** 97 **98**

Le temps que vieillisse le grand vin du château Latour, il sera possible de profiter du caractère de cette bouteille de charme, au beau bouquet (fruits, cuir et notes confites). Mais il ne faudra pas être trop pressé car c'est un vrai pauillac, que sa solide charpente, ses tanins généreux et concentrés, et sa longue finale destinent à être attendu pendant trois ou quatre ans. (300 à 499 F)

SCV de Ch. Latour, Saint-Lambert, 33250 Pauillac, tél. 05.56.73.19.80, fax 05.56.73.19.81 r.-v.

CH. LA TOURETTE 1998★

3 ha 23 000 15 à 23 €

Encore un peu austère en finale, ce vin, issu d'une parcelle de pauillac appartenant au château Larose-Trintaudon (haut-médoc), demande à être attendu. La complexité de son bouquet et la qualité de sa structure qui monte bien en puissance se portent garants d'un bon vieillissement. (100 à 149 F)

SA Ch. Larose-Trintaudon, rte de Pauillac, 33112 Saint-Laurent-Médoc, tél. 05.56.59.41.72, fax 05.56.59.93.22, e-mail info@trintaudon.com r.-v.

AGF

LES TOURELLES DE LONGUEVILLE 1998★

n.c. 180 000 30 à 38 €

Seconde étiquette de Pichon Baron, ce vin a une composition inversée puisqu'il comporte 60 % de merlot alors que le grand vin reste pauillacais avec 60 % de cabernet-sauvignon. Son corps gracile est séduisant par son équilibre et son bouquet fruité. La délicatesse de ses tanins permettra de l'apprécier pleinement d'ici deux ou trois ans. (200 à 249 F)

Christian Seely, Ch. Pichon-Longueville, 33250 Pauillac, tél. 05.56.73.17.17, fax 05.56.73.17.28, e-mail infochato@pichonlongueville.com r.-v.

Axa-Millésimes

CH. LYNCH-BAGES 1998★★★

5ème cru clas. 90 ha 420 000 46 à 76 €

70 71 |75| 76 78 |79| 80 |81| |82| |83| 84 |85| |86| |87| |88| |89| **90** |91| 92 |93| **94** 95 **96** 97 98

En deux générations, André et Jean-Michel Cazes ont hissé ce vénérable cru implanté sur de belles graves garonnaises au plus haut niveau. Ce succès trouve une très belle illustration dans ce vin à l'équilibre parfait. S'annonçant par une robe noire impressionnante, il montre sa générosité par la richesse de son bouquet où le fruit est relevé de notes boisées. Au palais, il laisse exploser sa puissance tannique, mais sans la moindre agressivité ; il révèle, au contraire, beaucoup d'onctuosité. Gras, soyeux, élégant, et s'appuyant sur une trame serrée, il mérite un long séjour en cave (de cinq à dix ans). Le **Château Haut Bages Averous 98 (150 à 199 F)**, second vin du cru, a reçu une citation du jury. (300 à 499 F)

Jean-Michel Cazes, Ch. Lynch-Bages, 33250 Pauillac, tél. 05.56.73.24.00, fax 05.56.59.26.42, e-mail infochato@lynchbages.com

Famille Cazes

CH. LYNCH-MOUSSAS 1998★

5ème cru clas. n.c. n.c. 30 à 38 €

81 82 **83** 85 86 88 |89| **90** |93| 95 96 |97| 98

La famille irlandaise des Lynch a non seulement donné un maire à la ville de Bordeaux sous Napoléon Ier, mais aussi un nom aux crus qu'elle a possédés. Celui-ci, comme Batailley, appartient aujourd'hui à la famille Castéja. Son 98 présente une bonne typicité. L'ampleur du palais aux tanins bien fondus, son volume et sa longue finale sont prometteurs. Mais en vrai pauillac, ce vin se montre aussi savoureux, et même charmeur par son bouquet aux délicates notes fruitées et vanillées. (200 à 249 F)

Emile Castéja, 33250 Pauillac, tél. 05.56.00.00.70, fax 05.57.87.48.61 r.-v.

CH. MOUTON ROTHSCHILD 1998★★★

■ 1er cru clas. 78 ha 275 000 +76 €

71 72 73 74 |75| **76** 77 |78| **79** 80 81 **82 83** |84| **85** (86) |87| **88 89 90** |91| |92| **93 94** (95) **96 97** (98)

Vaste chai, musée du Vin dans l'art, étiquettes créées par les plus grands artistes, Mouton se distingue par son intérêt touristique. Mais cela ne doit pas faire oublier l'essentiel, à savoir la qualité du terroir et du travail effectué tant dans les vignes que dans les chais. Il en résulte un vin d'exception qui tient toutes les promesses de la robe cerise très sombre. Du moka aux fruits rouges mûrs, le bouquet est un bonheur. Et le palais élargit encore la palette avec des saveurs épicées (poivre noir) et des arômes de fruits confits. Ronde, ample et charnue, la matière se développe harmonieusement, montant en puissance et en délicatesse pour laisser le souvenir d'un ensemble noble, plein de charme et de très grande garde. L'archétype du pauillac. L'étiquette de ce millésime est signée par Rufino Tamayo, peintre mexicain. (+ 500 F)

Ch. Mouton Rothschild, 33250 Pauillac, tél. 05.56.59.22.22, fax 05.56.73.20.44, e-mail webmaster@bpdr.com r.-v.

Baronne Ph. de Rothschild GFA

CH. PEDESCLAUX 1998

■ 5e cru clas. 12,5 ha 80 000 15 à 23 €

C'est en 1821 qu'Urbain Pédesclaux réunit plusieurs parcelles pour créer un cru auquel il donna son nom. Souple avec des tanins assez bien enrobés, ce vin parviendra à pleine maturité d'ici deux à trois ans, ce qui permettra à son bouquet aux notes de grillé, de noyau et de réglisse de s'ouvrir complètement. (100 à 149 F)

SCEA Ch. Pédesclaux, Padarnac, 33250 Pauillac, tél. 05.56.59.22.59, fax 05.56.59.63.19 r.-v.

CH. PIBRAN 1998

■ Cru bourg. 10 ha 50 000 23 à 30 €

|88| |89| |**90**| 91 93 94 95 96 97 98

Voisin de Pichon-Longueville Baron et appartenant au même groupe, ce cru garde néanmoins sa personnalité qui s'exprime ici par des arômes encore discrets mais avec une note d'originalité (rancio). Sa structure, simple, est cependant suffisamment étoffée pour assurer un bon vieillissement. (150 à 199 F)

Christian Seely, Ch. Pibran, 33250 Pauillac, tél. 05.56.73.17.17, fax 05.56.73.17.28

Axa-Millésimes

CH. PICHON-LONGUEVILLE BARON 1998★★

■ 2ème cru clas. 70 ha 230 000 46 à 76 €

78 81 |**82**| |**83**| 84 |**85**| |**86**| **87** |**88**| |**89**| (90) **91 92 93 94 95** (96) **97 98**

Le groupe Axa-Millésimes a fait de son château sa vitrine. Mais les investissements n'ont pas porté que sur les bâtiments et l'animation. Les équipements n'ont pas été négligés. Ce vin prouve leur efficacité : intense et complexe, son développement aromatique passe des composantes fruitées à celles de l'élevage (grillé) sans que celles-ci écrasent les premières. Racé et puissant, avec des tanins bien fondus et très longs, le palais est tout à la fois charmeur et prometteur, l'âge de la maturité devant arriver d'ici cinq à sept ans. (300 à 499 F)

Christian Seely, Ch. Pichon-Longueville, 33250 Pauillac, tél. 05.56.73.17.17, fax 05.56.73.17.28, e-mail infochato@pichonlongueville.com r.-v.

Axa-Millésimes

CH. PICHON-LONGUEVILLE COMTESSE DE LALANDE 1998★★

■ 2ème cru clas. 75 ha n.c. 46 à 76 €

66 70 71 75 76 78 79 80 **81 82 83** 84 |**85**| |(86)| 87 |(88)| |**89**| |**90**| |**91**| 92 |**93**| |**94**| **95** 96 **97 98**

Peut-être parce que le château est l'un des rares à conserver des archives et que deux familles seulement se sont succédé à sa tête, May-Eliane de Lencquesaing s'est fixé comme objectif de retrouver l'esprit de la comtesse de Lalande. Aussi, même s'il est loin d'avoir atteint son expression définitive - pauillac oblige -, ce vin révèle une structure dont la force sait se montrer sans jamais devenir agressive. Remarquablement fruité et finement boisé, le bouquet est aussi prometteur que la charpente. (300 à 499 F)

SCI Ch. Pichon-Longueville Comtesse de Lalande, 33250 Pauillac, tél. 05.56.59.19.40, fax 05.56.59.26.56, e-mail pichon@pichon-lalande.com r.-v.

May-Eliane de Lencquesaing

CH. PONTET-CANET 1998★

■ 5ème cru clas. 40 ha 200 000 30 à 38 €

(61) 70 75 76 77 78 79 81 82 |**83**| 84 |**85**| 86 87 |88| |**89**| |90| 91 92 **93** |94| **95 96 97** 98

Un domaine, célèbre aujourd'hui pour avoir servi de cadre au film *J'ai épousé une ombre*, et un cru réputé depuis le XVIIIe s.. Fidèle à sa tradition et à l'appellation, il offre avec ce 98 un vin solidement constitué, qui mérite un sérieux séjour en cave. Ses tanins bien présents et très persistants lui permettront de bien évoluer, tandis que son bouquet, puissant et intense, affinera ses arômes fruités et empyreumatiques. (200 à 249 F)

Alfred Tesseron, Ch. Pontet-Canet,
33250 Pauillac, tél. 05.56.59.04.04,
fax 05.56.59.26.63,
e-mail pontet@pontet-canet.com r.-v.

RESERVE DE LA COMTESSE 1998*

■ n.c. n.c. 15 à 23 €

A Pichon Comtesse, l'usage du second vin n'est pas récent : les archives révèlent que celui de 1874 fut envoyé à Moscou pour l'exposition de 1890. Après un temps d'oubli, la pratique est réapparue en 1973. Le millésime 98 se situe parfaitement dans l'esprit du cru par son élégance que l'on retrouve aussi bien dans les tanins fondus et harmonieux que dans le bouquet, d'une belle complexité (fruits rouges, moka, grillé, etc.). Une très jolie bouteille à attendre trois ou quatre ans. (100 à 149 F)

SCI Ch. Pichon-Longueville Comtesse de Lalande, 33250 Pauillac,
tél. 05.56.59.19.40, fax 05.56.59.26.56,
e-mail pichon@pichon-lalande.com r.-v.

CH. SAINTE-ANNE 1998*

■ 2,3 ha 17 500 11 à 15 €

Issu d'un petit vignoble dépendant d'une propriété située à Saint-Estèphe, ce vin a séduit le jury par son bouquet où les parfums fruités et floraux sont bien soutenus par le bois. Riche, étoffé et équilibré, le palais s'appuie sur une bonne assise tannique qui lui permettra d'envisager l'avenir avec sérénité. (70 à 99 F)

Dom. La Croix de Pez,
Pez, 33180 Saint-Estèphe,
tél. 05.56.59.37.23, fax 05.56.59.33.97 r.-v.
Guyonnaud

CH. TOUR PIBRAN 1998

■ Cru bourg. 10 ha 65 000 11 à 15 €

Distribué par le négoce, ce vin aux arômes naissants marqués par le raisin reste sur la réserve ; ses tanins solides, où le boisé l'emporte, demandent à se fondre. (70 à 99 F)

Compagnie Médocaine des Grands Crus,
ZI, 7, rue Descartes, 33290 Blanquefort,
tél. 05.56.95.54.95, fax 05.56.95.54.85,
e-mail cmgc@medocaine.com
J. Gounel

Saint-estèphe

A quelques encablures de Pauillac et de son port, Saint-Estèphe affirme un caractère terrien avec ses rustiques hameaux pleins de charme. Correspondant (à l'exception de quelques hectares compris dans l'appellation pauillac) à la commune elle-même, l'appellation (1 231 ha déclarés en 2000 et 64 357 hl) est la plus septentrionale des six appellations communales médocaines. Ceci lui donne une typicité assez accusée, avec une altitude moyenne d'une quarantaine de mètres et des sols formés de graves légèrement plus argileuses que dans les appellations plus méridionales. L'appellation compte cinq crus classés, et les vins qui y sont produits portent la marque du terroir. Celui-ci renforce nettement leur caractère, avec, en général, une acidité des raisins plus élevée, une couleur plus intense et une richesse en tanins plus grande que pour les autres médocs. Très puissants, ce sont d'excellents vins de garde.

CH. ANDRON BLANQUET 1998*

■ Cru bourg. 16 ha 66 500 11 à 15 €

75 76 79 **81** 82 83 **85 86** 87 |88| |89| |90| 91 92 |93| |94| |95| 96 97 98

Château frère de Cos Labory, ce cru est bien dans le type de l'AOC avec ses 80 % de cabernets plantés sur de belles graves du günz. D'une très brillante couleur grenat, le vin affiche un caractère équilibré et harmonieux, avec des tanins fins et élégants qui lui permettront de supporter une bonne garde. Ses arômes intenses d'épices et ses notes florales et fruitées en font un grand classique. (70 à 99 F)

SCE Dom. Audoy, Ch. Andron Blanquet,
33180 Saint-Estèphe, tél. 05.56.59.30.22,
fax 05.56.59.73.52

Saint-Estèphe

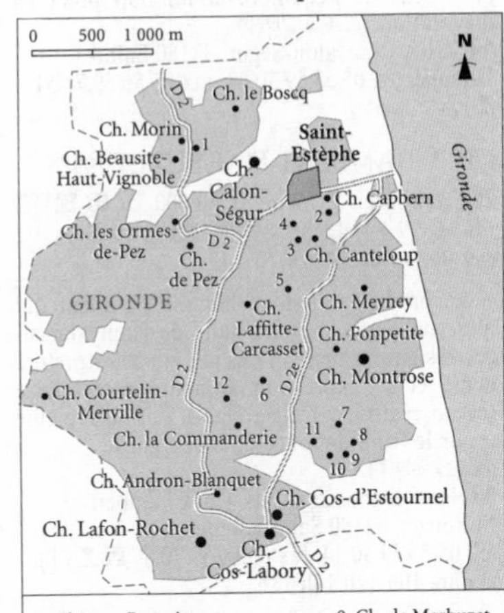

CH. BEAU-SITE 1998*

■ Cru bourg. n.c. n.c. 11 à 15 €

« Les meilleurs vignobles voient la rivière », dit-on. De la terrasse de cette demeure, la vue embrasse les vignes et l'estuaire, ce qui en dit long sur la qualité du terroir. Puissant mais bien équilibré, le vin est un bon avocat du domaine. Encore un peu dominé par le bois, il possède la richesse et la force tannique nécessaires pour pouvoir absorber le merrain avec l'âge. Sa longue finale est très élégante. (70 à 99 F)

Héritiers Castéja, 33250 Pauillac, tél. 05.56.00.00.70, fax 05.57.87.48.61 r.-v.

CH. BEL-AIR 1998*

■ 4 ha 26 000 11 à 15 €

Régulier en qualité, ce cru reste fidèle à lui-même avec ce vin d'une belle présentation. Sa robe grenat et son bouquet d'une bonne complexité, déclinant des notes de myrtille et d'épices, sont suivis d'un palais aux tanins harmonieux et longs qui demandent encore à se fondre. (70 à 99 F)

SCEA du Ch. Bel Air, 4, chem. de Fontauge, 33180 Saint-Estèphe, tél. 05.56.58.21.03, fax 05.56.58.17.20, e-mail jfbraq@aol.com r.-v.

J.-F. Braquessac

CH. CALON-SEGUR 1998*

■ 3ème cru clas. 90 ha n.c. 38 à 46 €

Calon, évêque de Poitiers, fut propriétaire de ce cru au Moyen Age. Au XVIIIes., le président de Ségur ajouta son nom à ce château dont la demeure date du XVIIes. Dans une robe d'un beau rouge rubis à reflets violacés, ce vin annonce sa personnalité tannique. Son bouquet (cassis, mûre et framboise derrière un paravent animal) confirme à l'aération son caractère. Puissant et presque séveux, le palais possède un beau sens de l'équilibre et un bon potentiel d'évolution. (250 à 299 F)

SCEA Ch. Calon-Ségur, 33180 Saint-Estèphe, tél. 05.56.59.30.08, fax 05.56.59.71.51 r.-v.

CH. CHAMBERT-MARBUZET 1998*

■ Cru bourg. 8 ha 50 000 15 à 23 €

66 76 79 81 82 83 |85| |86| **|88|** |89| |90| 91 92 **|93|** **|94|** **95** 96 97 98

Le producteur est un homme de talent qui n'est autre que le propriétaire de Haut-Marbuzet. Il signe ici aussi un très joli vin à la structure dense et à l'expression aromatique complexe (cacao, réglisse et fruits rouges). Sa finale, pleine et sur le fruit, annonce une jolie garde. (100 à 149 F)

Henri Duboscq et Fils, Ch. Chambert-Marbuzet, 33180 Saint-Estèphe, tél. 05.56.59.30.54, fax 05.56.59.70.87 t.l.j. sf dim. 10h-12h 14h-18h

CH. CLAUZET 1998

■ Cru bourg. 12 ha 73 000 11 à 15 €

Maurice Velge aime rappeler que son installation dans le vignoble concrétise un vieux rêve ; on veut bien le croire en dégustant ce vin dont la matière promet de se révéler après deux ou trois ans de garde. Sa jeunesse actuelle éclate dans une jolie présentation, tant dans la robe à reflets violets que dans les arômes naissants de fruits rouges sur fond grillé-vanillé. Du même producteur, le **Château de Côme 98 (50 à 69 F)** est également cité. (70 à 99 F)

SA Maurice Velge, Leyssac, 33180 Saint-Estèphe, tél. 05.56.59.34.16, fax 05.56.59.37.11, e-mail chateauclauzet@wanadoo.fr t.l.j. sf sam. dim. 9h-12h 14h-17h

COS D'ESTOURNEL 1998**

■ 2ème cru clas. 65 ha 285 000 46 à 76 €

75 76 78 79 80 81 **|82| 83 |85| |86|** 87 **88 |89|** |(90)| **|91| |92| |93| 94 95 96 97 98**

Véritable palais oriental, Cos, comme chacun l'appelle en Médoc, n'est qu'un chai tout entier au service du vin. Il fut vendu une première fois en 1998, avant de rechanger de mains en 2000, mais cela ne devrait rien changer à la conduite du domaine ni à la qualité du vin qui bénéficie d'un terroir exceptionnel. D'une belle couleur grenat, ce 98 est très élégant dans son expression aromatique aux fines notes toastées, mêlées de fruits mûrs (cassis) et de gibier. Bien construit, avec des tanins soyeux et de caractère, le palais se montre à la hauteur de l'ensemble que conclut une finale longue et persistante, pleine de promesses. (300 à 499 F)

Domaines Prats, 33180 Saint-Estèphe, tél. 05.56.73.15.50, fax 05.56.59.72.59, e-mail estournel@estournel.com r.-v.

LES PAGODES DE COS 1998*

■ n.c. 110 000 15 à 23 €

Seconde étiquette de Cos, ce 98 est paré d'une robe rubis à reflets violines. Sa structure, grasse, puissante, reste harmonieuse ; son expression aromatique n'est pas sans rappeler celle du grand vin par ses notes animales et épicées. Dans quatre ou cinq ans, il pourra accompagner le gibier. (100 à 149 F)

Domaines Prats, 33180 Saint-Estèphe, tél. 05.56.73.15.50, fax 05.56.59.72.59, e-mail estournel@estournel.com r.-v.

CH. COS LABORY 1998**

■ 5ème cru clas. 18 ha 68 000 23 à 30 €

64 70 75 78 79 80 **81** 82 **83** 84 **85 |86|** 87 88 |89| |(90)| 91 **92** 93 |94| 95 **96 97 98**

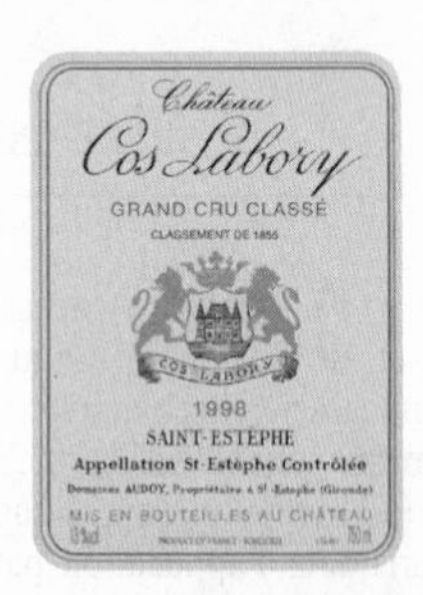

Après avoir effectué une très belle remontée qualitative au cours des années 1980-1990, ce cru

jouit aujourd'hui de la renommée que lui valent son terroir, son classement, les hommes qui le conduisent, et son vin. La belle robe de celui-ci n'est pas avare de promesses. Et la suite ne déçoit pas : expressif et complexe, le bouquet joue sur des notes de fruits mûrs (cassis, mûre), d'épices (cannelle) et de merrain grillé. Ample, puissant et élégant, le palais est harmonieux et racé. Plus simple mais également de garde, **le Charme Labory 98 (70 à 99 F)**, second vin, a obtenu une citation. (150 à 199 F)

SCE Domaines Audoy, Ch. Cos Labory, 33180 Saint-Estèphe, tél. 05.56.59.30.22, fax 05.56.59.73.52 Y r.-v.

CH. COUTELIN-MERVILLE 1998*

Cru bourg. 20,9 ha 154 000 11 à 15 €

Un encépagement diversifié et une vinification traditionnelle ont donné un vin d'une belle couleur pourpre et au bouquet intense. Si le bois demande encore à se fondre, sa structure, ample et tannique, lui permettra de le faire. (70 à 99 F)

G. Estager et Fils, Blanquet, 33180 Saint-Estèphe, tél. 05.56.59.32.10, fax 05.56.59.32.10 Y r.-v.

CH. HAUT-MARBUZET 1998***

Cru bourg. 55 ha 350 000 23 à 30 €

|61| 62 64 66 **67** 70 71 73 |75| |76| 77 **78** 79 **80 81** (82) **83 85 86 88 89 90** |92| |93| **94 95 96** 97 (98)

Depuis presque trente ans qu'il est à la tête de ce vignoble, Henri Duboscq ne l'a pas seulement agrandi, il lui a imprimé sa personnalité. Il y fait des vins qu'il aime. Et cela nous vaut l'une des plus belles réussites du millésime. Si la robe est prometteuse, le bouquet et le palais ne sont pas boudeurs. Complexe à souhait, le premier mêle les fruits très mûrs au chocolat et au pain grillé. Parfaitement bien construit, frais et fruité, tout en restant authentiquement saint-estèphe, le second laisse le dégustateur sur une impression d'harmonie qui réussirait presque à faire oublier que cette bouteille est de garde. (150 à 199 F)

Henri Duboscq et Fils, Ch. Haut-Marbuzet, 33180 Saint-Estèphe, tél. 05.56.59.30.54, fax 05.56.59.70.87 Y t.l.j. sf dim. 10h-12h 14h-18h

CH. LA COMMANDERIE 1998

Cru bourg. 9 ha 71 000 8 à 11 €

Issu d'un vignoble où le merlot représente 50 % de l'encépagement, ce vin est charmeur ; sa structure délicate est cependant suffisante pour lui assurer une bonne longévité. (50 à 69 F)

EARL Ch. La Commanderie, Leyssac, 33180 Saint-Estèphe, tél. 05.56.59.32.30, fax 05.56.90.08.78 Y r.-v.

CH. LAFON-ROCHET 1998**

4ème cru clas. 40 ha 144 000 30 à 38 €

(64) **75 76 77 78 79** 81 82 |**83**| 85 **86** |88| |89| |90| **91 92** 93 |94| (95) **96 97 98**

Régulièrement, des travaux d'amélioration des équipements sont entrepris sur ce cru. L'an 2000 a vu la naissance d'un chai à barriques. Ce millésime associe 39 % de cabernets à 61 % de merlot. Tout en nuances, son bouquet se partage équitablement entre la réglisse, les épices et les fruits noirs. On retrouve son sens de l'équilibre au palais, où une extraction bien conduite et une réelle richesse aromatique donnent un ensemble dense et complexe, que couronne une finale de grande classe. (200 à 249 F)

SCF Ch. Lafon-Rochet, 33180 Saint-Estèphe, tél. 05.56.59.32.06, fax 05.56.59.72.43, e-mail lafon@lafon-rochet.com Y r.-v.

Tesseron

CH. LA PEYRE 1998

Cru artisan 6,5 ha 40 000 11 à 15 €

Ce très jeune domaine avait réussi un exploit avec le millésime 96. Le 98, constitué de merlot et de cabernet-sauvignon à parts égales, a passé quinze mois en barrique. Il ne peut le cacher car c'est le fût qui parle le plus fort. Puissant et long, ce vin devra attendre quatre ou cinq ans. (70 à 99 F)

EARL Vignobles Rabiller, Leyssac, 33180 Saint-Estèphe, tél. 05.56.59.32.51, fax 05.56.59.70.09 Y t.l.j. 10h-12h 14h30-19h

CH. LE BOSCQ 1998**

Cru bourg. 16,62 ha 48 000 15 à 23 €

82 83 85 (86) |**88**| 89 90 |95| |96| |97| **98**

Médocaine, la maison Dourthe a toujours su choisir les crus qu'elle distribue ou exploite en fermage, comme celui-ci. Toutes les promesses d'une belle robe rubis foncé à reflets grenat sont tenues. Le bouquet impressionne par la complexité de ses arômes de fruits noirs et de torréfaction. Tout aussi expressif, le développement au palais révèle une remarquable structure. La superbe finale signe un grand saint-estèphe à attendre au moins cinq ans. (100 à 149 F)

Dourthe, 35, rue de Bordeaux, 33290 Parempuyre, tél. 05.56.35.53.00, fax 05.56.35.53.29, e-mail contact@cvbg.com Y r.-v.

GFA Le Boscq

CH. LE CROCK 1998*

Cru bourg. n.c. n.c. 11 à 15 €

90 |95| 96 97 98

Une fois encore, ce cru propose un vin bien construit et agréablement bouqueté. Bien équilibré et jouant la carte de la finesse, il déploie des arômes frais et délicats où le fruit et le boisé sont en harmonie. Une longue finale conclut la dégustation. (70 à 99 F)

Domaines Cuvelier, Ch. Le Crock, 33180 Saint-Estèphe, tél. 05.56.59.30.33, e-mail cuvelier.bordeaux@wanadoo.fr r.-v.

CH. LES ORMES DE PEZ 1998*

Cru bourg. 33 ha 204 000 23 à 30 €

81 |82| |83| 84 |85| |86| 87 |88| **89 90 91** |92| 93 94 95 96 97 98

Propriété des Cazes, comme le château Lynch-Bages à Pauillac, ce cru est l'une des valeurs sûres et reconnues de l'appellation. Paré d'une robe grenat dense et profonde, ce millésime associe 20 % de merlot aux cabernets. Bien typé, discret mais fin, le bouquet libère d'agréables parfums de cassis et de groseille. Au palais, le fruit dominant à l'attaque cède peu à peu la place à des tanins de qualité qui persistent longuement en finale. Jolie garde annoncée. (150 à 199 F)

Jean-Michel Cazes, Ch. Les Ormes de Pez, 33180 Saint-Estèphe, tél. 05.56.73.24.00, fax 05.56.59.26.42, e-mail infochato@ormesdepez.com

Famille Cazes

CH. LILIAN LADOUYS 1998*

Cru bourg. 30 ha 200 000 15 à 23 €

|89| |(90)| **91** 92 |93| |94| **95 96** 97 98

Monté assez rapidement au cours des dernières années, ce cru dispose d'un terroir composé de 61 % de sols graveleux, de 23 % d'argilo-calcaire et de 16 % de sols sablo-graveleux. Bien médocain dans son encépagement, son vin porte une robe seyante. Sur sa réserve, le nez laisse percer des notes épicées et florales complexes. Les tanins bien extraits sont encore fermes. **La Devise de Lilian 98 (50 à 69 F)** a obtenu une citation. (100 à 149 F)

Ch. Lilian Ladouys, Blanquet, 33180 Saint-Estèphe, tél. 05.56.59.71.96, fax 05.56.59.35.97 r.-v.

Natexis

CH. MARBUZET 1998*

Cru bourg. 7 ha 32 000 15 à 23 €

75 76 **78 79** 81 **82** 83 84 |85| |86| 87 |88| |89| |(90)| 92 93 |94| **95 96** |98|

Propriété des domaines Prats, ce cru bourgeois est le petit frère de Cos d'Estournel. Bien équilibré et soyeux, son vin sait exprimer sa propre personnalité par des parfums floraux et fruités d'une grande subtilité. (100 à 149 F)

Domaines Prats, 33180 Saint-Estèphe, tél. 05.56.73.15.50, fax 05.56.59.72.59, e-mail estournel@estournel.com r.-v.

MARQUIS DE SAINT-ESTEPHE Tradition Elevé en fût de chêne 1998

34 ha 270 000 11 à 15 €

Marque de la cave coopérative de Saint-Estèphe, ce vin reste encore discret dans son expression aromatique, mais sa bonne constitution et ses tanins toujours jeunes lui permettront de s'ouvrir. (70 à 99 F)

Marquis de Saint-Estèphe, 2, rte du Médoc, 33180 Saint-Estèphe, tél. 05.56.73.35.30, fax 05.56.59.70.89, e-mail marquis.st.estephe@wanadoo.fr t.l.j. sf sam. dim. 8h30-12h15 14h-18h

CH. MONTROSE 1998**

2ème cru clas. 68 ha 196 500 46 à 76 €

64 66 67 |70| |75| 76 78 |79| 81 |(82)| **83** |85| **86** 87 **88 89 90** |91| |92| |93| **94 95 96 97 98**

Le château est sans doute plus intéressant par sa vue sur l'estuaire que par son architecture : cette vaste unité possède un beau terroir qui « voit la rivière ». Son 98, encore dominé par le merrain, révèle une structure puissante et équilibrée, bien typée, qu'accompagne un bouquet mariant très agréablement le cacao, les fruits rouges et le bois. D'une grande longueur, ses tanins lui assurent un bel avenir. (300 à 499 F)

Jean-Louis Charmolüe, SCEA du Ch. Montrose, 33180 Saint-Estèphe, tél. 05.56.59.30.12, fax 05.56.59.38.48 r.-v.

CH. PETIT BOCQ 1998

7,74 ha 54 000 15 à 23 €

94 95 96 **97** 98

Issu d'un vignoble planté à 70 % de merlot, ce vin se montre agréablement bouqueté et déploie une gamme d'arômes allant des fruits aux épices en passant par les fruits à l'alcool. Rond et généreux à l'attaque, le palais se fait ensuite plus tannique avec une structure appelant une petite garde. (100 à 149 F)

SCEA Lagneaux-Blaton, 3, rue de la Croix-de-Pez, BP 33, 33180 Saint-Estèphe, tél. 05.56.59.35.69, fax 05.56.59.32.11, e-mail petitbocq@hotmail.com r.-v.

CH. PHELAN SEGUR 1998**

Cru bourg. 64 ha 180 000 30 à 38 €

81 **82** 86 |88| |89| |90| |91| 92 **93** |94| **95 96** 97 **98**

Très belle propriété dominant l'estuaire, tout à côté du bourg, ce cru a joué la carte de l'élégance avec ce millésime. Fin à l'attaque, le palais révèle des tanins dont la douceur témoigne d'une extraction de qualité et de raisins de bonne origine. Persistante sans être imposante, la finale s'inscrit dans le même registre. Le second vin, **Frank Phélan 98 (100 à 149 F)**, a obtenu une citation. (200 à 249 F)

Ch. Phélan Ségur, 33180 Saint-Estèphe, tél. 05.56.59.74.00, fax 05.56.59.74.10, e-mail phelan.segur@wanadoo.fr r.-v.

X. Gardinier

CH. PICARD 1998*

Cru bourg. 8 ha 45 000 11 à 15 €

Propriété du groupe Mähler-Besse qui l'a acheté en 1997 au Champagne Roederer, ce château est situé à moins de 100 m de l'église paroissiale néoclassique de Saint-Estèphe (belle décoration intérieure). Ce 98 assemble 15 % de merlot au cabernet-sauvignon nés sur une croupe de graves. Les tanins du bois et du vin demandent encore à se fondre, mais les deux sont de qualité,

comme le bouquet aux notes complexes de fruit, de torréfaction et de réglisse. Sa structure assure à ce vin un bon potentiel de garde, que confirme la longue finale grillée. (70 à 99 F)
SA Mähler-Besse,
49, rue Camille-Godard,
BP 23, 33026 Bordeaux,
tél. 05.56.56.04.30, fax 05.56.56.04.59,
e-mail france.mahler-besse@wanadoo.fr
r.-v.

CH. POMYS 1998

■ Cru bourg. 12 ha 65 000 11 à 15 €

Connu pour son château-hôtel trois étoiles, ce domaine est aussi une belle unité de 24 ha avec son *sister ship*, le château Saint-Estèphe. Ce 98 développe une constitution bien équilibrée avec des tanins fins et un bouquet qui passe des fruits rouges aux notes florales. Le **Château Saint-Estèphe 98** a aussi reçu une citation. (70 à 99 F)
SARL Arnaud, Ch. Pomys,
33180 Saint-Estèphe,
tél. 05.56.59.32.26, fax 05.56.59.35.24
r.-v.

CH. SEGUR DE CABANAC 1998★★

■ Cru bourg. 7,07 ha 45 000 15 à 23 €
|86| 88 **89** 90 91 92 |**93**| |94| 95 96 |**97**| **98**

Si les parlementaires bordelais qui ont écrit l'histoire du vin sont plus volontiers associés à Pessac, Pauillac ou Margaux, Saint-Estèphe est lié à la grande famille des Ségur. Ce vin leur rend un hommage mérité, non seulement par son nom mais aussi par sa structure. Très riche, celle-ci appelle une bonne garde, de cinq ans au moins ; la puissance du bouquet, aux notes de grillé, de vanille et de petits fruits rouges, permet d'envisager sereinement l'avenir. (100 à 149 F)
SCEA Guy Delon et Fils,
Ch. Ségur de Cabanac, 33180 Saint-Estèphe,
tél. 05.56.59.70.10, fax 05.56.59.73.94
r.-v.

CH. TOUR DE PEZ 1998★★

■ Cru bourg. 14 ha 80 000 15 à 23 €
91 |93| |94| (95) **96** 97 **98**

Belle unité, ce cru l'est par sa taille mais aussi par la qualité de son terroir et de son vin, témoin ce 98 qui lui donne pleine satisfaction tout au long de la dégustation. Une robe grenat, un nez puissant où les fruits rouges se marient avec des notes grillées, un palais tout aussi puissant et encore plus complexe, les arômes d'amandes venant rejoindre les fragrances du nez, tout est remarquable dans ce vin. Tannique et long, il séjournera au cellier pendant quatre ou cinq ans. Le second vin, le **Château Les Hauts de Pez 98 (50 à 69 F)**, obtient une étoile. Il saura attendre en cave. (100 à 149 F)
SA Ch. Tour de Pez, L'Hereteyre,
33180 Saint-Estèphe, tél. 05.56.59.31.60,
fax 05.56.59.71.12, e-mail chtpez@terre-net.fr
t.l.j. sf sam. dim. 9h30-12h 14h-17h; groupes sur r.-v.

CH. TOUR DES TERMES 1998★★

■ Cru bourg. 15 ha 100 000 11 à 15 €
81 82 83 84 85 **86** 88 89 92 |93| |94| 95 96 97 **98**

L'encépagement, qui fait une large place au merlot (50 %), traduit une recherche de finesse et de souplesse. L'objectif est atteint avec ce vin. Riche et complexe par ses arômes de fruits mûrs, de vanille et de grillé, il se montre charmeur tout en étant doté d'une bonne structure qu'accompagne un bois bien fondu. Il plaira sur du gibier. Du même producteur et sous une jolie étiquette, **Fleur d'Ossian 98 (150 à 199 F)** obtient une citation. Entièrement dominé par le bois, le fruit ne s'exprime pas encore. (70 à 99 F)
Vignobles Jean Anney, Saint-Corbian,
33180 Saint-Estèphe, tél. 05.56.59.32.89,
fax 05.56.59.73.74 r.-v.

CH. TRONQUOY LALANDE 1998★

■ Cru bourg. 17 ha 120 000 11 à 15 €
(82) 83 **85** |**86**| 87 |88| |89| 90 |91| |**93**| |**94**| 95 96 98

Le joli château du XVIII[e]s. commande un vignoble où le merlot représente 48 %. Très agréable à l'œil dans sa robe rubis foncé à reflets pourpres, ce vin offre un bouquet d'une réelle finesse, avec des parfums de fruits noirs rehaussés de notes boisées. Harmonieux et élégant, le palais révèle une matière riche et veloutée. Encore jeune, cette bouteille est promise à un bel avenir. (70 à 99 F)
Dourthe, 35, rue de Bordeaux, 33290 Parempuyre, tél. 05.56.35.53.00, fax 05.56.35.53.29,
e-mail contact@cvbg.com r.-v.
Mme Casteja-Texier

Saint-julien

Pour l'une « saint-julien », pour l'autre « saint-julien-beychevelle », saint-julien est la seule appellation communale du Haut-Médoc à ne pas respecter scrupuleusement l'homonymie entre les dénominations viticole et municipale. La seconde, il est vrai, a le défaut d'être un peu longue, mais elle correspond parfaitement à l'identité humaine et au terroir de la commune et de l'appellation, à cheval sur deux plateaux aux sols caillouteux et graveleux.

Situé exactement au centre du Haut-Médoc, le vignoble de Saint-Julien constitue, sur une superficie assez réduite (911 ha et 49 759 hl en 2000), une harmonieuse synthèse entre margaux et pauillac. Il n'est donc pas étonnant d'y trouver onze crus classés (dont cinq seconds). A l'image de leur terroir, les vins offrent un bon équilibre entre les qualités des margaux (notamment la finesse) et celles des pauillac (le corps). D'une manière générale, ils possèdent une belle couleur, un bouquet fin et typé, du corps, une grande richesse et une très belle sève. Mais, bien entendu, les quelque 6,6 millions de bouteilles produites en moyenne chaque année à Saint-Julien sont loin de se ressembler toutes, et les dégustateurs les plus avertis noteront les différences qui existent entre les crus situés au sud (plus proches des margaux) et ceux du nord (plus près des pauillac) ainsi qu'entre ceux qui sont à proximité de l'estuaire et ceux qui se trouvent plus à l'intérieur des terres (vers Saint-Laurent).

CH. BEYCHEVELLE 1998★★

■ 4ème cru clas. 55 ha n.c. 23 à 30 €

70 76 79 81 82 **83 85** |86| |88| |(89)| 90 91 92 93 **94 95** 96 **97 98**

Entre chartreuse et palais, Beychevelle est l'un des plus beaux châteaux du vin en Médoc. C'est aussi un cru au terroir remarquable, comme le prouve l'excellence de son 98 qui confirme celle du 97. Les parfums de la pinède viennent y côtoyer ceux des épices, qui jadis embaumaient les cales des vaisseaux s'arrêtant en face du château pour affaisser leurs voiles. Ils composent un bouquet dont la complexité est accrue par des notes gourmandes de pain grillé et de confiture de fraises. Au palais on retrouve richesse et équilibre dans un ensemble savoureux qui sait montrer son gras et son potentiel sans jamais renoncer à son élégance. Un grand saint-julien. (150 à 199 F)

SC Ch. Beychevelle, 33250 Saint-Julien-Beychevelle, tél. 05.56.73.20.70, fax 05.56.73.20.71, e-mail beychevelle@beychevelle.com ☑ Y t.l.j. sf sam. dim. 10h-12h 14h-17h; groupes sur r.-v.

AMIRAL DE BEYCHEVELLE 1998★

■ 19 ha n.c. 11 à 15 €

Seconde étiquette du château Beychevelle, ce vin n'entend sans doute pas rivaliser avec son grand frère ; mais il ne fait pas de complexes et sait montrer ce qu'il vaut : expressif par son bouquet aux notes de pruneau, puissant, gras et rond au palais, il est, lui aussi, distingué et de belle garde. (70 à 99 F)

SC Ch. Beychevelle, 33250 Saint-Julien-Beychevelle, tél. 05.56.73.20.70, fax 05.56.73.20.71, e-mail beychevelle@beychevelle.com ☑ Y t.l.j. sf sam. dim. 10h-12h 14h-17h; groupes sur r.-v.

CH. BRANAIRE Duluc-Ducru 1998★★

■ 4ème cru clas. n.c. n.c. 23 à 30 €

81 82 **83 85 86** |88| **89** |90| 93 **94** |95| 96 |97| **98**

La rénovation entreprise sur ce cru depuis dix ans a porté ses fruits avec ce millésime. Parfaitement réussi, il témoigne, par sa finesse et son potentiel de garde, d'une belle matière intelligemment exploitée. On le laissera en cave pendant quatre, cinq ou six ans en songeant aux captivants parfums - réglisse, venaison, menthol et pruneau - que laisse deviner son bouquet actuel. (150 à 199 F)

SAE du Ch. Branaire-Ducru, 33250 Saint-Julien-Beychevelle, tél. 05.56.59.25.86, fax 05.56.59.16.26 Y r.-v.

CH. DUCRU-BEAUCAILLOU 1998★★

■ 2ème cru clas. 50 ha 210 000 46 à 76 €

|61| **64 66** |70| **71** |75| 76 |78| 79 **81** |(82)| **83** 84 |85| |86| 87 **88 89 90 91** 92 |93| **94** (95) (96) |97| **98**

Superbe chartreuse encadrée de pavillons éclectiques, Ducru domine l'estuaire que regardent ses rangs de vignes bien alignés. Comme l'a noté un dégustateur - à l'aveugle, rappelons-le -, ce vin est typé par les cabernets. En effet, le cabernet-sauvignon, 65 %, et le cabernet franc, 5 %, ne sont accompagnés que de 25 % de merlot et de 5 % de petit verdot. Voilà l'excellent assemblage du saint-julien. Puissance et élégance, l'alliance de ces deux qualités qui font la typicité du cru est parfaitement réalisée ici. Avec en prime un bouquet riche et complexe à souhait, aux notes ensoleillées d'épices, de cacao et d'aromates, sans oublier quelques touches de pruneau et de vanille. (300 à 499 F)

SA Jean-Eugène Borie, Ch. Ducru-Beaucaillou, 33250 Saint-Julien-Beychevelle, tél. 05.56.73.16.73, fax 05.56.59.27.37 Y r.-v.

CH. DULUC 1998★

■ n.c. n.c. 11 à 15 €

Petit frère du Château Branaire, ce vin affiche moins d'ambitions. Toutefois ses fins tanins qui font penser à une dentelle et ses arômes de torréfaction et d'épices composent un tableau harmonieux. (70 à 99 F)

SAE du Ch. Branaire-Ducru, 33250 Saint-Julien-Beychevelle, tél. 05.56.59.25.86, fax 05.56.59.16.26 Y r.-v.

CH. GLORIA 1998★

■ n.c. 200 000 23 à 30 €

64 66 70 71 **75** 76 **78** |79| **81** 82 **83** 84 |85| |86| 87 |88| |89| |90| 93 94 |95| 96 97 98

Aidée par son mari, président du club des Girondins de Bordeaux, Françoise Triaud continue avec efficacité l'œuvre de son père Henri Martin, créateur de ce cru. Tout dans son vin montre un travail de qualité : un bouquet complexe et élégant (poivron vert et moka), une attaque sans agressivité, des tanins fins, bien extraits, soutenus par un boisé bien dosé. (150 à 199 F)

Domaines Martin, Ch. Gloria, 33250 Saint-Julien-Beychevelle, tél. 05.56.59.08.18, fax 05.56.59.16.18 r.-v.
Françoise Triaud

CH. GRUAUD-LAROSE 1998*

■ 2ème cru clas. 82 ha 254 000 38 à 46 €

70 71 75 76 77 **78 79** 80 **81 82 83** 84 |85| |86| 87 |88| |89| **90** |91| 92 **93** |94| (95) **96** 97 98

Premier millésime entièrement signé par son propriétaire actuel, le groupe Taillan, ce vin, qui gagnera à être attendu, témoigne de sa volonté de maintenir la qualité et la renommée du cru. S'il fait des promesses par sa robe d'un beau rouge grenat, il sait les tenir : par son bouquet, aux jolies notes de fruits rouges avec une légère touche animale, comme par son palais, dont la structure est équilibrée et bien extraite, même si le bois est là pour appeler à la patience. (250 à 299 F)

Ch. Gruaud-Larose, BP 6, 33250 Saint-Julien-Beychevelle, tél. 05.56.73.15.20, fax 05.56.59.64.72, e-mail contact@chateau-gruaud-larose.com r.-v.
Bernard Taillan Vins

CH. LA BRIDANE 1998*

■ Cru bourg. 15 ha n.c. 11 à 15 €

81 82 83 85 86 88 89 |90| |93| |94| |95| 96 97 98

Trois siècles de tradition familiale créent un lien solide avec le terroir. Ce cru bourgeois en apporte la preuve par ses nombreuses qualités : couleur violine ; bouquet puissant et racé, avec de belles notes de violette et de torréfaction ; attaque douce ; structure aux tanins serrés et opulente finale réglissée. Cette bouteille mérite une attente de quatre ou cinq ans. (70 à 99 F)

Bruno Saintout, SCEA de Cartujac, 20, Cartujac, 33112 Saint-Laurent-Médoc, tél. 05.56.59.91.70, fax 05.56.59.46.13 r.-v.

LA CROIX DE BEAUCAILLOU 1998*

■ n.c. 77 000 23 à 30 €

Seconde étiquette de Ducru-Beaucaillou, ce vin affiche sa jeunesse et son potentiel de garde dans sa robe d'une profonde couleur violette. Soutenue par des tanins amples et riches, sa structure s'accorde avec les parfums confits du bouquet et les arômes chocolatés du palais pour former un ensemble de qualité. (150 à 199 F)

SA Jean-Eugène Borie, 33250 Saint-Julien-Beychevelle, tél. 05.56.73.16.73, fax 05.56.59.27.37 r.-v.

CH. LAGRANGE 1998**

■ 3ème cru clas. 109 ha n.c. 23 à 30 €

79 81 82 **83 85** |86| 87 **88 89** |(90)| **91 92** |93| **94 95 96 97 98**

Belle et vaste propriété, Lagrange est aussi un cru d'une grande régularité. Une fois encore il la confirme, même si son 98 ne se livre pas d'emblée. D'abord fermé, son bouquet ne se décide à se révéler qu'après aération ; mais alors sa complexité est incontestable : cannelle, clou de girofle, poivre noir et des touches de chocolat et de fourrure pour couronner le tout. Quant au palais, il offre des flaveurs intenses. Celles-ci, comme les tanins ou le retour aromatique, ne laissent subsister aucun doute sur l'avenir de cette bouteille. (150 à 199 F)

Ch. Lagrange, 33250 Saint-Julien-Beychevelle, tél. 05.56.73.38.38, fax 05.56.59.26.09, e-mail chateau-lagrange@chateau-lagrange.com r.-v.
Suntory Ltd

LES FIEFS DE LAGRANGE 1998*

■ n.c. n.c. 15 à 23 €

Seconde étiquette de Lagrange, ce vin est sans doute plus modeste que son frère : mais il n'en demeure pas moins intéressant, tant par son bouquet mêlant notes animales et fruits mûrs que par ses tanins, qui demandent encore à s'assagir, ou par sa finale d'une belle persistance aromatique. (100 à 149 F)

Ch. Lagrange, 33250 Saint-Julien-Beychevelle, tél. 05.56.73.38.38, fax 05.56.59.26.09, e-mail chateau-lagrange@chateau-lagrange.com r.-v.

CH. LALANDE 1998

■ 30 ha 200 000 11 à 15 €

Un vin qui n'a rien de confidentiel. Ce qui ne l'empêche pas de se montrer plaisant dans sa robe violine. Après une attaque souple, le cabernet s'exprime de manière bien médocaine sur un fond boisé. Les tanins un peu rustiques devront se fondre dans trois ou quatre ans. (70 à 99 F)

Vignobles Meffre, rue Joseph-Vernet, 84810 Aubignan, tél. 05.56.59.06.47, fax 04.90.65.03.73 r.-v.

CH. LALANDE-BORIE 1998

■ 18 ha 100 000 15 à 23 €

Du même producteur que Ducru-Beaucaillou, ce vin est plus monolithique mais il ne man-

Saint-Julien

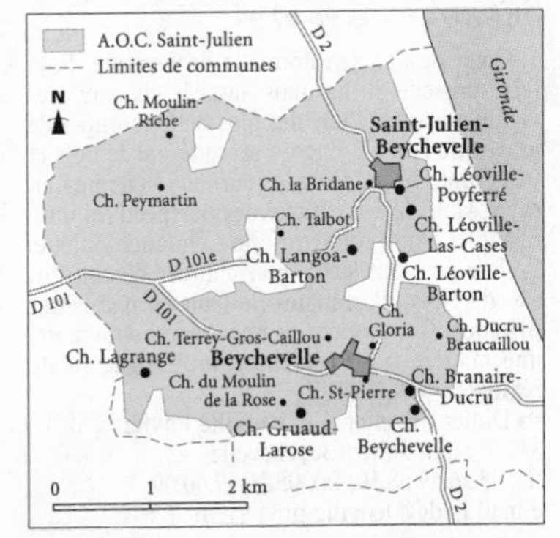

que pas de charme par sa couleur délicate, et sa bonne expression aromatique tant au nez qu'au palais. (100 à 149 F)

SA Jean-Eugène Borie, 33250 Saint-Julien-Beychevelle, tél. 05.56.73.16.73, fax 05.56.59.27.37

CH. LANGOA BARTON 1998*

3ème cru clas. 19 ha 90 000 23 à 30 €

70 75 76 78 80 **81** |**82**| **83** |**85**| **86** 88 |(89)| **90** 92 |93| **94 95 96 97 98**

Elégance et confort: Langoa est l'une des expressions les plus achevées de la chartreuse bordelaise. C'est le seul cru classé, avec Mouton, à ne pas avoir changé de propriétaire depuis le classement de 1855. C'est, depuis 1821, le fief des Barton, venus d'Irlande en 1722. Son vin, à la fois intense et complexe, s'inscrit lui aussi parfaitement dans l'esprit médocain. Il fait preuve d'une belle aptitude à la garde, équilibré par des tanins fins. Il séjournera en cave pendant cinq ou six ans. (150 à 199 F)

Anthony Barton, Ch. Langoa Barton, 33250 Saint-Julien-Beychevelle, tél. 05.56.59.06.05, fax 05.56.59.14.29 r.-v.

CH. LEOVILLE-BARTON 1998**

2ème cru clas. 46 ha 250 000 30 à 38 €

64 67 **70 71 75 76** 78 **79** 80 81 |**82**| |**83**| |**85**| **86** 87 **88 89** |(90)| |**91**| 92 |**93**| **94 95 96 97 98**

Les amateurs d'architecture pourront passer leur chemin: le château, c'est Langoa. Mais l'œnophile s'attardera longtemps sur ce 98 à l'assemblage parfait - 80 % pour les cabernets, 20 % pour le merlot - et où s'exprime le beau terroir de graves. D'un brun rouge très foncé, ce vin laisse entrevoir, dès la prise de contact, un bouquet complexe à souhait. Le palais passe d'une attaque pleine, charnue et souple, à une finale tannique mais mûre et goûteuse. Tout invite à conserver cette bouteille huit ou dix ans. (200 à 249 F)

Anthony Barton, Ch. Léoville-Barton, 33250 Saint-Julien-Beychevelle, tél. 05.56.59.06.05, fax 05.56.59.14.29, e-mail chateau@leoville-barton.com r.-v.

CH. LEOVILLE POYFERRE 1998**

2ème cru clas. n.c. n.c. 30 à 38 €

76 78 79 80 **81** |**82**| |(83)| 84 **85 86** 87 **88 89** |**90**| |**91**| |92| |93| |**94**| **95 96 97 98**

Cœur de l'ancien domaine de Léoville, Poyferré possède 80 ha mais aussi le château. Ses vignes occupent l'une des plus belles croupes de graves de l'AOC. Encore marqué par le bois et très jeune, le 98 devra séjourner longtemps en cave. Mais déjà il affiche des perspectives intéressantes par sa robe profonde à nuance violette. Le bouquet, aux notes gourmandes de confitures, d'épices, d'aromates (le fruit ne paraissant pas encore), annonce une bouche très structurée, une matière riche et dense, une longue finale réglissée. (200 à 249 F)

Didier Cuvelier, Ch. Léoville Poyferré, 33250 Saint-Julien-Beychevelle, tél. 05.56.59.08.30, fax 05.56.59.60.09, e-mail lp.dc@leoville-poyferre.fr r.-v.

CH. MOULIN DE LA ROSE 1998*

Cru bourg. 4,65 ha 30 000 15 à 23 €

|93| |94| **95 96** |97| **98**

Pour n'être issu que d'un petit vignoble morcelé, ce vin est loin de faire piètre figure au milieu des crus juliénois. Une belle couleur aux reflets violines, un joli bouquet, où les notes beurrées se mêlent à celles de grillé, de cacao, de pruneau et même de rancio sans oublier le fruit mûr, une matière bien fondue et une finale entre caramel et café forment un ensemble original. (100 à 149 F)

SCEA Guy Delon et Fils, Ch. Moulin de la Rose, 33250 Saint-Julien-Beychevelle, tél. 05.56.59.08.45, fax 05.56.59.73.94 r.-v.

CH. MOULIN RICHE 1998*

n.c. n.c. 15 à 23 €

|93| |94| **95 96 97 98**

Seconde étiquette de Léoville Poyferré, ce vin est lui aussi bien constitué. Ses tanins enrobés permettront de le boire plus tôt que le grand vin. (100 à 149 F)

Didier Cuvelier, Ch. Léoville Poyferré, 33250 Saint-Julien-Beychevelle, tél. 05.56.59.08.30, fax 05.56.59.60.09, e-mail lp.dc@leoville-poyferre.fr r.-v.

PORT CAILLAVET 1998*

4 ha 18 000 11 à 15 €

Marque du négociant Henri Duboscq, créée en hommage à sa mère, ce vin ne manque pas de complexité dans son expression aromatique où se marient les notes toastées et fruitées. Sérieux à l'attaque, porté par une belle matière aux tanins goûteux, ample, son palais laisse présager une longue garde. (70 à 99 F)

Brusina-Brandler, 3, quai de Bacalan, 33300 Bordeaux, tél. 05.56.39.26.77, fax 05.56.69.16.84 r.-v.

CH. SAINT-PIERRE 1998**

4ème cru clas. 17 ha 58 000 30 à 38 €

82 **83** 84 |**85**| |(86)| 87 |**88**| |**89**| |90| 91 92 |**93**| 94 (95) (96) 97 **98**

Si l'architecture de ce château n'est pas très aristocratique, son histoire est représentative de celle de nombre de crus médocains: créé au XVII[e]s., il a été divisé dans la deuxième moitié du XIX[e]s. et reconstitué au XX[e]s. par Henri Martin. S'annonçant toujours par sa petite étiquette au charme nostalgique, le vin est bien de son temps. Il livre de délicates notes animales avant de mêler la vanille et le grillé aux fruits mûrs, puis développe un beau volume que soutiennent des tanins soyeux avant de déboucher sur une longue finale. (200 à 249 F)

Domaines Martin, Ch. Saint-Pierre, 33250 Saint-Julien-Beychevelle, tél. 05.56.59.08.18, fax 05.56.59.16.18 r.-v.

Françoise Triaud

CH. TALBOT 1998*

■ 4ème cru clas. 102 ha 300 000 30 à 38 €

78 79 80 81 |82| 83 84 |(85)| |86| 87 |88| 89 90 93 94 95 96 97 98

Fièrement campé sur une croupe de graves dominant l'estuaire de la Gironde, Talbot n'est pas seulement un château respirant le confort et le bien vivre, c'est aussi un superbe terroir viticole. Qui en doutera après avoir découvert ce vin à la robe sombre des plus engageantes ? Café, vanille, épices et notes balsamiques, son bouquet sait flatter l'odorat. Mais c'est au palais que ce 98 se révèle pleinement, avec un caractère rond et solide. Ses tanins très bien enrobés et son harmonie presque féminine en font un très bel exemple de saint-julien. Un séjour en cave de quatre à cinq ans s'impose. (200 à 249 F)

Ch. Talbot, 33250 Saint-Julien-Beychevelle, tél. 05.56.73.21.50, fax 05.56.73.21.51, e-mail chateau-talbot@chateau-talbot.com r.-v.

Mmes Rustmann et Bignon

CH. TERREY GROS CAILLOUX 1998

■ Cru bourg. n.c. 100 000 11 à 15 €

Réunion de deux petites propriétés, ce cru reste fidèle à sa tradition avec ce vin bien constitué. A l'attrait de son bouquet aux délicates notes boisées et fruitées, il ajoute une bonne structure dont les tanins demandent encore à s'arrondir. (70 à 99 F)

SCEA du Ch. Terrey Gros Cailloux, 33250 Saint-Julien-Beychevelle, tél. 05.56.59.06.27, fax 05.56.59.29.32 r.-v.

CH. TEYNAC 1998*

■ 11,5 ha 50 000 15 à 23 €

93 94 95 96 |97| 98

Régulier en qualité, ce cru offre une fois encore un bel exemple de ce qu'il sait faire. S'il reste un peu discret dans son bouquet, on sent déjà apparaître d'élégantes touches de vanille et de réglisse. D'un classicisme du meilleur aloi, son palais repose sur des tanins imposants mais bien équilibrés et non agressifs. Une bouteille harmonieuse à attendre un peu. (100 à 149 F)

Ch. Teynac, Grand-rue, Beychevelle, 33250 Saint-Julien-Beychevelle, tél. 05.56.59.12.91, fax 05.56.59.46.12 r.-v.

F. et Ph. Pairault

Les vins blancs liquoreux

Quand on regarde une carte vinicole de la Gironde, on remarque aussitôt que toutes les appellations de liquoreux se retrouvent dans une petite région située de part et d'autre de la Garonne, autour de son confluent avec le Ciron. Simple hasard ? Assurément non, car c'est l'apport des eaux froides de la petite rivière landaise, au cours entièrement couvert d'une voûte de feuillages, qui donne naissance à un climat très particulier. Celui-ci favorise l'action du *Botrytis cinerea*, champignon de la pourriture noble. En effet, le type de temps que connaît la région en automne (humidité le matin, soleil chaud l'après-midi) permet au champignon de se développer sur un raisin parfaitement mûr sans le faire éclater : le grain se comporte comme une véritable éponge, et le jus se concentre par évaporation d'eau. On obtient ainsi des moûts très riches en sucre.

Mais, pour obtenir ce résultat, il faut accepter de nombreuses contraintes. Le développement de la pourriture noble étant irrégulier sur les différentes baies, il faut vendanger en plusieurs fois, par tries successives, en ne ramassant à chaque fois que les raisins dans l'état optimal. En outre, les rendements à l'hectare sont faibles (avec un maximum autorisé de 25 hl à Sauternes et à Barsac). Enfin, l'évolution de la surmaturation, très aléatoire, dépend des conditions climatiques et fait courir des risques aux viticulteurs.

Cadillac

Cette bastide qu'ennoblit son splendide château du XVIIe s., surnommé le « Fontainebleau girondin », est souvent considérée comme la capitale des premières côtes. Mais c'est aussi, depuis 1980, une appellation de liquoreux qui a produit 6 628 hl sur 204 ha en 2000.

CH. DES CEDRES

Cuvée Prestige Elevée en fût de chêne 1999*

□ 1 ha 4 600 5 à 8 €

Du même producteur que les premières côtes, cette cuvée à la fois souple et puissante se distingue par sa bonne présence aromatique aux saveurs de miel, de confit et de confiture d'oranges. La finale conclut d'une note élégante la dégustation. (30 à 49 F)

SCEA Vignobles Larroque, Ch. des Cèdres, 33550 Paillet, tél. 05.56.72.16.02, fax 05.56.72.34.44 r.-v.

CLOS SAINTE-ANNE 1999*

□ 1 ha 6 000 11 à 15 €

Annoncer que ce vin est signé par Francis Courselle est déjà apporter un gage de qualité. De fait, ce 99 fait belle figure tout au long de la dégustation : robe dorée, bouquet complexe (miel, ananas, fruits exotiques et confits, noisette) ; structure souple, concentrée et longue, avec ce qu'il faut de liqueur. (70 à 99 F)

Sté Vignobles Francis Courselle, Ch. Thieuley, 33670 La Sauve, tél. 05.56.23.00.01, fax 05.56.23.34.37 r.-v.

CH. FAYAU 1998**

10 ha 32 000 5 à 8 €

Négociants établis à Cadillac dans une chartreuse du XVIII[e]s., les Médeville sont les grands défenseurs de l'appellation avec ce très beau 98. Presque timide au départ, le bouquet révèle bien vite sa finesse et sa complexité. Ces deux qualités se retrouvent au palais, où s'affirment la puissance et l'intensité de cet ensemble appelé à la garde. (30 à 49 F)

SCEA Jean Médeville et Fils, Ch. Fayau, 33410 Cadillac, tél. 05.57.98.08.08, fax 05.56.62.18.22, e-mail medeville-jeanetfils@wanadoo.fr t.l.j. sf sam. dim. 8h30-12h30 14h-18h

DOM. DU FILH Cuvée réservée 1998

0,6 ha 2 000 8 à 11 €

Christine Bouyre espère fêter les cent ans de sa grand-mère, âgée aujourd'hui de 98 ans, dans les chais que celle-ci acquit en 1945. Sur les 20 ha du domaine, une toute petite cuvée spéciale : ce vin est agréable dans son expression aromatique de cire d'abeille, de genêt, de fruits confits. Il fait preuve d'un classicisme de bon aloi qui laisse le souvenir d'un ensemble équilibré et élégant. (50 à 69 F)

Christine Bouyre, Le Filh, 33410 Donzac, tél. 05.56.62.93.21, fax 05.56.62.16.84 r.-v.

CH. DU JUGE 1999*

n.c. n.c. 8 à 11 €

D'une jolie couleur jaune paille à reflets or pâle, ce vin tient les promesses de sa présentation : délicatement bouqueté avec des notes de chèvrefeuille, de mandarine, de pâte de fruits, il se révèle très agréable au palais, bien équilibré et fort élégant. Le **cru Quinette 98** a reçu une citation. (50 à 69 F)

Pierre Dupleich, Ch. du Juge, rte de Branne, 33410 Cadillac, tél. 05.56.62.17.77, fax 05.56.62.17.59, e-mail pierre.dupleich@wanadoo.fr r.-v.

CH. LA BERTRANDE 1999

5 ha 20 000 8 à 11 €

Du même producteur que le premières côtes de bordeaux, ce vin a sans doute moins de caractère, mais il n'en demeure pas moins agréable par ses délicats arômes fleuris et fruités que soutient une structure d'une bonne longueur. (50 à 69 F)

Vignobles Anne-Marie Gillet, Ch. La Bertrande, 33410 Omet, tél. 05.56.62.19.64, fax 05.56.76.90.55, e-mail chateau.la.bertrande@wanadoo.fr r.-v.

CH. MEMOIRES

Grains d'Or Elevé en fût de chêne 1999**

5,75 ha 10 000 8 à 11 €

Régulière en qualité, cette cuvée est une fois encore d'une très belle tenue. Elle est servie par un bouquet captivant où les notes de fumée, de miel et de fruits confits viennent compléter une dominante de tabac blond. Tout aussi aromatique et complexe, le palais est très bien équilibré avec autant de puissance que de souplesse. Déjà fort plaisante, cette bouteille méritera d'être attendue deux ou trois ans. (Bouteilles de 50 cl.) (50 à 69 F)

SCEA Vignobles Ménard, Ch. Mémoires, 33490 Saint-Maixant, tél. 05.56.62.06.43, fax 05.56.62.04.32, e-mail memoires@aol.com r.-v.

CH. PEYBRUN 1999**

5,93 ha 10 000 8 à 11 €

Une présence familiale de près de quatre siècles sur le même domaine crée une exigence de qualité. Avec ce superbe 99, Mme de Loze s'acquitte brillamment de sa tâche : très agréable à l'œil, ce vin développe un beau bouquet où les notes de fruits confits sont bien soutenues par le bois. Ample, équilibré, bien botrytisé avec une bonne liqueur, le palais est du même niveau. Une bouteille de caractère qui méritera d'être attendue quatre ou cinq ans. (50 à 69 F)

Catherine de Loze, 41, rue Sainte-Cécile, 33000 Bordeaux, tél. 05.56.96.10.84, fax 05.56.96.10.84

CH. REYNON 1999*

4,5 ha 16 000 15 à 23 €

Signé par Denis Dubourdieu, ce vin a su trouver un bon point d'équilibre entre la puissance et la souplesse. Cette assise permet aux arômes de développer d'agréables notes de fruits confits, de pâte de fruits, de miel, d'abricot et de pêche blanche. Une bouteille élégante, déjà plaisante, mais qui devrait devenir grande dans trois à six ans. (100 à 149 F)

Denis et Florence Dubourdieu, Ch. Reynon, 33410 Béguey, tél. 05.56.62.96.51, fax 05.56.62.14.89, e-mail reynon@gofornet.com r.-v.

DOM. DU ROC 1998

4 ha 4 500 8 à 11 €

Régulier en qualité, ce cru propose une fois encore un vin d'une belle tenue. Délicatement

bouqueté et bien équilibré, il réussit à concilier un côté pâte de fruits avec des notes florales (fleurs d'acacia). (50 à 69 F)
🔑 Gérard Opérie, Dom. du Roc, 33410 Rions, tél. 05.56.62.61.69, fax 05.56.62.17.78 ☑ 𝐘 r.-v.

CH. DE TESTE 1999

☐ 0,53 ha 2 800 8à11€

Egalement producteur dans les premières côtes, Laurent Réglat propose ici une très petite cuvée, 100 % sémillon. Ce vin est un peu discret mais sympathique dans son expression aromatique aux notes de fruits confits et d'épices. (50 à 69 F)
🔑 EARL Vignobles Laurent Réglat, Ch. de Teste, 33410 Monprimblanc, tél. 05.56.62.92.76, fax 05.56.62.98.80, e-mail laurent.reglat@worldonline.fr ☑ 𝐘 t.l.j. sf sam. dim. 9h-12h 14h30-18h; f. 15-30 août

CH. TOUR FAUGAS 1998

☐ 2,7 ha 10 000 11à15€

Ce vin ne cherche pas tant la puissance et le confit que la finesse et la délicatesse, avec des notes de fleurs blanches qui se marient harmonieusement au miel et à la cire d'abeille. (70 à 99 F)
🔑 Le Diascorn, Ch. Monteils, 33210 Preignac, tél. 05.56.76.12.12, fax 05.56.76.28.63 ☑ 𝐘 r.-v.

CH. VIEILLE TOUR
Grains nobles Elevé en fût de chêne 1998

☐ n.c. 600 11à15€

S'il est confidentiel par son volume de production, ce vin n'en demeure pas moins d'un intérêt réel : souple et flatteur, il développe de fins arômes confits et grillés. (70 à 99 F)
🔑 Arlette Gouin, 1, Lapradiasse, 33410 Laroque, tél. 05.56.62.61.21, fax 05.56.76.94.18, e-mail chateau.vieille.tour@wanadoo.fr ☑ 𝐘 r.-v.

Loupiac

Le vignoble de Loupiac, (14 549 hl déclarés en 2000 sur 401 ha) est d'une origine ancienne, son existence étant attestée depuis le XIIIe s. Par l'orientation, les terroirs et l'encépagement, cette appellation est très proche de celle de sainte-croix-du-mont. Toutefois, comme sur la rive gauche, on sent, en allant vers le nord, une subtile évolution des liquoreux proprement dits vers des vins plus moelleux.

CRU CHAMPON Crème de Tête 1998★

☐ 1,8 ha 5 000 8à11€

Ce cru est dans la même famille depuis 1793. Il propose un joli vin vendangé à la mi-septembre. Souple, frais et bien équilibré, ce 98 ajoute à l'onctuosité du palais la complexité du bouquet où les parfums de noisette, de mandarine, de confiture et de fruits secs rejoignent l'apport du botrytis. (50 à 69 F)
🔑 SCEA Yvan Réglat, Ch. Balot, 33410 Monprimblanc, tél. 05.56.62.98.96, fax 05.56.62.19.48 ☑ 𝐘 r.-v.

CH. DU CROS 1998★

☐ 37 ha 35 000 11à15€

Belle entité, le Cros a appartenu aux descendants de Montaigne, auteur des *Essais*, avant d'être racheté par le grand-père de Michel Boyer en 1921. C'est évidemment, pour ce château du XIII[e]s., une référence culturelle. La vigne y est bien traitée : si son bouquet ne lui permet pas de rivaliser avec certains millésimes antérieurs, ce 98 est cependant intéressant par son caractère franc et équilibré et ses arômes de fruits confits, de coing, bien expressifs. (70 à 99 F)
🔑 SA Vignobles M. Boyer, Ch. du Cros, 33410 Loupiac, tél. 05.56.62.99.31, fax 05.56.62.12.59, e-mail contact@chateauducros.com ☑ 𝐘 t.l.j. 8h-12h 14h-18h; sam. dim. sur r.-v.

CH. DAUPHINE RONDILLON 1998

☐ 18 ha 30 000 8à11€

Du même producteur que le Château Moutin (graves), ce vin développe de beaux arômes, mêlant les fruits cuits ou confits, le miel à la vanille de la barrique de chêne dans laquelle il a séjourné dix-huit mois. Il faudra l'attendre deux ans. (50 à 69 F)

Les vins blancs liquoreux

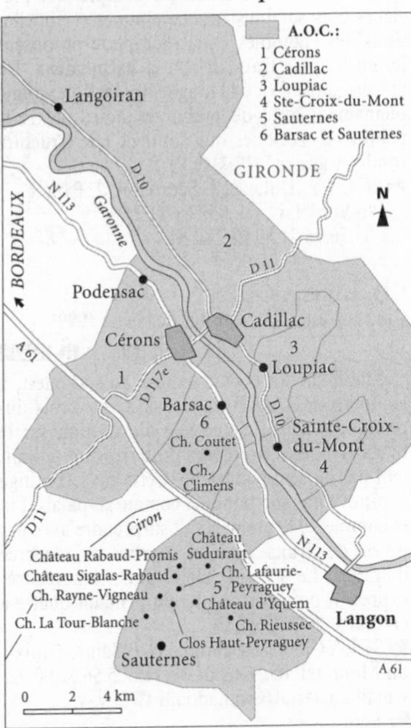

SC Jean Darriet, Ch. Dauphiné-Rondillon, 33410 Loupiac, tél. 05.56.62.61.75, fax 05.56.62.63.73, e-mail vignoblesdarriet@wanadoo.fr t.l.j. 8h-12h30 14h-18h30; sam. dim. sur r.-v.; f. 1er-15 août

CH. DU GRAND PLANTIER
Elevé en fût de chêne 1998

14 ha 4 000 8 à 11 €

Elevé en barrique et livré en bouteilles numérotées, ce vin, d'une couleur or très soutenu, développe de sympathiques arômes de fruits cuits et de miel. La bouche possède beaucoup de gras mais il faudra attendre quelques mois avant de goûter ce loupiac - et peut-être de le juger à sa juste valeur. (50 à 69 F)

GAEC des Vignobles Albucher, Ch. du Grand Plantier, 33410 Monprimblanc, tél. 05.56.62.99.03, fax 05.56.76.91.35 r.-v.

CH. LA BERTRANDE 1998

3,59 ha 15 000 8 à 11 €

A l'heure où nous mettons sous presse, les chais sont en cours de rénovation. Issu de sémillon, ce vin porte la marque du cépage dans son bouquet fruité. Il se montre frais, rond et bien construit. (50 à 69 F)

Vignobles Anne-Marie Gillet, Ch. La Bertrande, 33410 Omet, tél. 05.56.62.19.64, fax 05.56.76.90.55, e-mail chateau.la.bertrande@wanadoo.fr r.-v.

CH. LA NERE 1998*

14 ha 65 000 5 à 8 €

Formant un bel ensemble comprenant plusieurs crus sur plusieurs communes et appellations, les vignobles Dulac-Séraphon proposent ici un loupiac frais, délicat et harmonieux. De la robe jaune d'or à la longue finale, il s'exprime pleinement avec de plaisantes notes de fruits confits et exotiques que soutient une structure ronde et grasse. (30 à 49 F)

SCEA Y. Dulac et J. Séraphon, 2, Pantoc, 33490 Verdelais, tél. 05.56.62.02.08, fax 05.56.76.71.49 r.-v.

CH. LES ROQUES
Cuvée Frantz Elevé en fût de chêne 1999**

3,5 ha 2 500 15 à 23 €

Etabli sur un coteau exposé au sud-ouest, à la limite des AOC loupiac et sainte-croix-du-mont, ce cru offre une vue d'exception sur le Sauternais. Les privilèges du terroir ne se limitent pas au seul panorama. Cette cuvée prestige le prouve par son bouquet comme au palais. Fin et complexe, le premier sait surprendre avec des notes de fruits secs et confits et d'écorce d'orange. Le second, plein, gras, riche et très expressif, pourra être attendu pendant quatre à cinq ans. (100 à 149 F)

SCEA Ch. du Pavillon, 33410 Sainte-Croix-du-Mont, tél. 05.56.62.01.04, fax 05.56.62.00.92, e-mail a.v.fertal@wanadoo.fr r.-v.

Fertal

CH. DE LOUPIAC 1999*

2 ha 6 600 15 à 23 €

Situé près de l'église romane du XIIes., ce château est bien dans l'esprit bordelais par son architecture (chartreuse flanquée de deux pavillons). Il sert de porte-drapeau aux vignobles Sanfourche avec cette cuvée élevée en fût. Le bois est encore très présent, mais il est de qualité et contribue à l'élégance de l'ensemble, les notes de vanille se mêlant à celles de miel d'acacia et à une touche mentholée dans une bouche de belle facture. (100 à 149 F)

Daniel Sanfourche, Ch. Loupiac-Gaudiet, 33410 Loupiac, tél. 05.56.62.99.88, fax 05.56.62.60.13, e-mail loupiac-gaudiet@atlantic-line.fr r.-v.

Marc Ducau

CH. MEMOIRES 1999

5 ha 9 900 5 à 8 €

S'il possède des vignobles dans les autres AOC de la région, loupiac est sans doute l'appellation préférée de Jean-François Ménard. Ce vin témoigne d'un travail soigné par sa complexité aromatique et par sa matière ample et grasse. A découvrir dans trois ou quatre ans. (30 à 49 F)

SCEA Vignobles Ménard, Ch. Mémoires, 33490 Saint-Maixant, tél. 05.56.62.06.43, fax 05.56.62.04.32, e-mail memoires@aol.com r.-v.

CH. RONDILLON 1999

9,5 ha 30 000 8 à 11 €

Poursuivant une tradition familiale bicentenaire, les Bord ont une nouvelle fois su mettre à profit les qualités du terroir pour donner un vin simple mais bien équilibré, qui joue résolument la carte de la finesse et de l'élégance. (50 à 69 F)

SCEA Vignobles Bord, Ch. Rondillon, 33410 Loupiac, tél. 05.56.62.99.84, fax 05.56.62.93.55, e-mail lionelbord@vignoblesbord.com r.-v.

Sainte-croix-du-mont

Un site de coteaux abrupts dominant la Garonne, trop peu connu en dépit de son charme, et un vin ayant trop longtemps souffert (à l'égal des autres appellations de liquoreux de la rive droite) d'une réputation de vin de noces ou de banquets.

Pourtant, cette appellation (16 155 hl en 2000 sur 429 ha), située en face de Sauternes, mérite mieux : à de bons terroirs, en général calcaires, avec des zones graveleuses, elle ajoute un microclimat favorable au développement du botrytis. Quant aux cépages et aux méthodes de vinification, ils sont très proches de ceux du Sauternais. Et les vins, autant moelleux que véritablement liquoreux, offrent une plaisante impression de fruité. On les servira comme leurs homologues de la rive gauche, mais leur prix, plus abordable, pourra inciter à les utiliser pour composer de somptueux cocktails.

CH. DES ARROUCATS 1999

☐ 23 ha 40 000 5à8€

D'un bel or soutenu, ce vin est intéressant, tant par son bouquet aux notes de rôti, de grillé et de fruits confits, que par sa structure, riche, assez capiteuse, ronde et grasse. (30 à 49 F)

EARL des Vignobles Labat-Lapouge, Ch. des Arroucats, 33410 Sainte-Croix-du-Mont, tél. 05.56.62.07.37, fax 05.57.98.06.29 t.l.j. sf dim. 9h-12h 14h-18h

Annie Lapouge

CH. CRABITAN-BELLEVUE Cuvée spéciale 1998*

☐ 22 ha 13 000 8à11€

Cette propriété de 46 ha propose une Cuvée spéciale 100 % sémillon élevée vingt-quatre mois en barrique. C'est un très joli vin, même s'il est encore marqué par le bois ; celui-ci est de bonne qualité et cette bouteille conserve un bel équilibre d'ensemble. Il faudra néanmoins attendre cinq ans avant que le fruit n'affiche son identité. Ce sera encore un vin destiné aux amateurs de l'« école moderne ». (50 à 69 F)

GFA Bernard Solane et Fils, 33410 Sainte-Croix-du-Mont, tél. 05.56.62.01.53, fax 05.56.76.72.09 t.l.j. sf dim. 8h-12h 14h-18h

CH. LA GRAVE Sentiers d'automne 1998*

☐ 11 ha n.c. 8à11€

Comme l'indique sans ambages la barrique qui figure sur l'étiquette, cette cuvée a été élevée en fût. Très bien dosé, l'apport du bois respecte l'harmonie de l'ensemble. Rond, gras, ample et long, le palais s'accorde avec le bouquet pour témoigner d'une bonne botrytisation suivie d'un travail de qualité. Le **Château Grand Peyrot 98** a obtenu une citation. (50 à 69 F)

Jean-Marie Tinon, Ch. La Grave, 33410 Sainte-Croix-du-Mont, tél. 05.56.62.01.65, fax 05.56.62.00.04, e-mail tinon@terre-net.fr r.-v.

CH. LAMARQUE 1999*

☐ 15 ha 45 000 8à11€

Sur un coteau dominant la vallée de la Garonne, ce cru jouit d'un terroir bien typé comme en témoigne la présence d'un banc d'huîtres fossiles. Bien mis en valeur, cet atout donne de jolis vins, telle cette cuvée. Très bien équilibrée, elle a tiré profit d'un élevage respectueux de la personnalité de la matière et du bouquet. Fruits cuits et saveurs exotiques donnent à cette bouteille un réel cachet jusque dans la finale soyeuse. Une bouteille aussi appréciable actuellement que dans trois ou quatre ans. (50 à 69 F)

Bernard Darroman, Ch. Lamarque, 33410 Sainte-Croix-du-Mont, tél. 05.56.62.01.21, fax 05.56.76.72.10 r.-v.

CH. LA RAME Réserve du Château 1999*

☐ 20 ha 10 000 15à23€

Yves Armand a construit un nouveau chai de 1 000 m² dont ce 99 a été le premier hôte. Même s'il n'entend pas rivaliser avec les millésimes antérieurs, dont beaucoup furent légendaires, ce vin sait montrer un visage harmonieux par son côté rond et équilibré comme par ses élégants arômes - fleurs, fruits confits, miel et mangue sur un fond de cire. (100 à 149 F)

Yves Armand, Ch. La Rame, 33410 Sainte-Croix-du-Mont, tél. 05.56.62.01.50, fax 05.56.62.01.94, e-mail chateau.larame@wanadoo.fr t.l.j. 8h30-12h 13h30-19h; sam. dim. sur r.-v.

CH. LESCURE 1998

☐ 4,34 ha 11 800 5à8€

Des chais des années 1930, et un vignoble associatif depuis 1993. Assemblant 5 % de muscadelle à 85 % de sémillon et à 10 % de sauvignon, ce vin, rond et agréablement parfumé (abricot sec, miel et notes botrytisées), est d'un caractère aimable, le boisé étant bien fondu. (30 à 49 F)

C.A.T. Ch. Lescure, 33490 Verdelais, tél. 05.57.98.04.68, fax 05.57.98.04.64, e-mail chateau.lescure@free.fr r.-v.

S.P.E.G.

CH. LOUSTEAU-VIEIL Cuvée Grande Réserve 1999

☐ 15 ha 44 000 11à15€

Née d'un vignoble qui voit - ou aperçoit - de temps en temps les Pyrénées, cette cuvée prestige associe 60 % de sémillon, 25 % de muscadelle et 15 % de sauvignon. L'élevage en barrique est encore très perceptible pour ce millésime qui reste bien équilibré et séduisant par l'élégance de son bouquet aux notes d'abricot et de mirabelle. Il faudra attendre une année ou deux avant de le servir à table sur une viande blanche. (70 à 99 F)

Vignobles R. Sessacq, Ch. Lousteau-Vieil, 33410 Sainte-Croix-du-Mont, tél. 05.56.62.01.15, fax 05.56.62.01.68, e-mail me.sessacq@infonie.fr t.l.j. 9h-20h

Martine Sessacq

CH. DU MONT Cuvée Pierre 1999***

☐ 15 ha 10 000 11à15€

Si le château du Mont est un vieil habitué du Guide, avec ce 99 il inaugure sa nouvelle cuvée baptisée « Pierre ». Véritable petit bijou, et pas seulement par sa couleur d'un bel or brillant, ce vin a tout pour lui : un bouquet parfait avec des notes confites ; un authentique palais de liquoreux, surmûri et concentré ; une onctuosité, une richesse et une élégance d'exception. Une bouteille exquise, témoignant d'un travail de grande qualité. (70 à 99 F)

⊶ Vignobles Hervé Chouvac, Ch. du Mont, 33410 Sainte-Croix-du-Mont, tél. 05.56.62.07.65, fax 05.56.62.07.58 ☑ Y r.-v.
⊶ Paul Chouvac

CH. PEYROT-MARGES
Réserve du château 1999

☐ 8 ha 10 000 8 à 11 €

Cette cuvée récoltée à la mi-octobre a été élevée en fût. Elle ne le cache pas. Son développement est d'une réelle élégance qu'annonce sa robe dorée et brillante. Son bouquet aux notes de miel et d'abricot s'associe au palais, souple et soyeux, pour laisser le souvenir d'un ensemble agréable. (50 à 69 F)

⊶ GAEC Vignobles Chassagnol, Bern, 33410 Gabarnac, tél. 05.56.62.98.00, fax 05.56.62.93.23 ☑ Y t.l.j. sf dim. 8h-12h30 14h-19h; sam. sur r.-v.

Cérons

Enclavés dans les graves (appellation à laquelle ils peuvent aussi prétendre, à la différence des sauternes et barsac), les cérons (2 591 hl en 2000 sur 76 ha) assurent une liaison entre les barsac et les graves supérieures moelleux. Mais là ne s'arrête pas leur originalité, qui réside aussi dans une sève particulière et une grande finesse.

CH. DU CAILLOU 1998★

☐ 2 ha 6 000 8 à 11 €

Du même producteur que le graves, ce vin est encore marqué par l'élevage mais il éveille l'intérêt par sa constitution générale, ample et longue, comme par son bouquet aux belles notes de noisette et de grillé. Il faudra attendre de trois à cinq ans que le boisé très puissant s'estompe. (50 à 69 F)

⊶ SARL Ch. du Caillou, rte de Saint-Cricq, Caillou, 33720 Cérons, tél. 05.56.27.17.60, fax 05.56.27.00.31 ☑ Y r.-v.
⊶ Latorse

CH. HURADIN 1998★★

☐ 1,28 ha 3 000 8 à 11 €

Né sur un plateau de graves, ce vin est loin d'avoir atteint son apogée mais il révèle déjà un caractère agréable par ses arômes de noisette, d'acacia et d'orange confite comme par sa structure ronde, grasse et longue. (50 à 69 F)

⊶ SCEA Vignobles Y. Ricaud-Lafosse, Ch. Huradin, 33720 Cérons, tél. 05.56.27.09.97, fax 05.56.27.09.97 ☑ Y r.-v.

Barsac

Tous les vins de l'appellation barsac peuvent bénéficier de l'appellation sauternes. Barsac (616 ha, 13 504 hl déclarés en 2000) s'individualise cependant par rapport aux communes du Sauternais proprement dit par un moindre vallonnement et par les murs de pierre entourant souvent les exploitations. Ses vins se distinguent des sauternes par un caractère plus légèrement liquoreux. Mais, comme les sauternes, ils peuvent être servis de façon classique sur un dessert ou, comme cela se fait de plus en plus, en entrée, sur un foie gras, ou bien sur des fromages forts du type roquefort.

CH. CLIMENS 1997★

☐ 1er cru clas. 29 ha 32 000 +76 €

71 72 75 76 79 80 81 82 |**83**| |**85**| |**86**| **88 89** (90) |91| 94 95 97

Cette élégante demeure classique trouve une harmonie parfaite avec son environnement de vignes. A son image, ce vin s'exprime avec finesse et élégance : l'or brille dans le verre et les parfums fleuris séduisent. En bouche, le confit ne s'affirme pas, les notes de miel et d'abricot l'emportent encore. (+ 500 F)

⊶ S. F. du Ch. Climens, 33720 Barsac, tél. 05.56.27.15.33, fax 05.56.27.21.04, e-mail contact@chateau-climens.fr ☑ Y r.-v.
⊶ Bérénice Lurton

CH. FARLURET 1999★

☐ 9 ha 10 000 15 à 23 €

75 81 82 83 85 |**88**| |(89)| |**90**| |**91**| 94 95 |**96**| **97** 98 99

Du même producteur que le château Haut Bergeron (sauternes), ce vin joue lui aussi la carte de la finesse avec une belle expression aromatique où la liqueur et les notes de raisins secs botrytisés sont confortées par une touche de vanille qui témoigne d'un élevage bien maîtrisé. (100 à 149 F)

Hervé et Patrick Lamothe,
3, Piquey, 33210 Preignac,
tél. 05.56.63.24.76, fax 05.56.63.23.31,
e-mail haut-bergeron@wanadoo.fr
t.l.j. sf dim. 9h-12h 14h-19h

CH. NAIRAC 1997★★

2ème cru clas. 15 ha 10 840 38 à 46 €
73 74 **75 76 79** 80 **81 82** |83| 85 |86| **88 89 90** |91| |92| |93| 94 (95) **96 97**

Architecture du château, tracé du jardin, ici le goût de la perfection est partout, y compris dans les méthodes de travail. Comment expliquer autrement les qualités de ce vin qui se montre à la hauteur des millésimes précédents. D'une teinte jaune paille doré, il fait preuve d'autant de générosité dans son bouquet, aux notes d'abricot surmûri et de confiture, qu'au palais où sa richesse, sa complexité et ses côtés passerillés et botrytisés composent un ensemble d'une très belle tenue. (250 à 299 F)
Ch. Nairac, 33720 Barsac,
tél. 05.56.27.16.16, fax 05.56.27.26.50 r.-v.
Nicole Tari

CH. ROUMIEU 1998

17 ha 39 000 15 à 23 €

L'un des rares crus du Sauternais à direction féminine. Et un vin souple, léger et onctueux qui en porte la marque dans la subtilité de son expression aromatique où la cire et l'orange se marient à des notes iodées et fruitées. Mis en bouteilles et diffusé par le négociant Dourthe, CVBG à Parempuyre. (100 à 149 F)
Catherine Craveia-Goyaud, Ch. Roumieu, 33720 Barsac, tél. 05.56.27.21.01,
fax 05.56.27.01.55 r.-v.

CH. ROUMIEU-LACOSTE 1999★★★

n.c. 15 600 23 à 30 €
|90| |95| |(96)| |97| **98** (99)

Les Dubourdieu forment une grande famille où les talents ne manquent pas, comme le prouve ce superbe 99. Dès le premier contact, le bouquet apparaît dans sa majesté avec une explosion de fragrances, des fruits confits aux notes rôties, celles-ci se mêlant harmonieusement pour composer un ensemble riche, complet, fin, à la fois délicat et puissant. Tout aussi élégant, concentré et complexe, le palais s'appuie sur une fort belle matière et sur un boisé bien dosé pour donner libre cours à une débauche d'arômes (abricot, raisins secs, grillé...) et annoncer une très grande garde. (150 à 199 F)

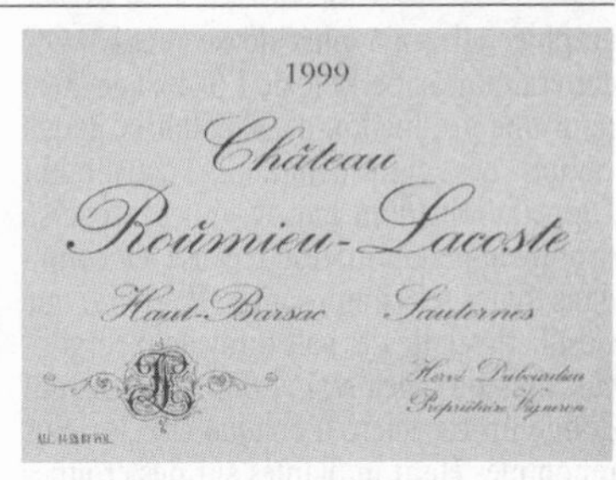

Hervé Dubourdieu, Ch. Roûmieu-Lacoste,
33720 Barsac, tél. 05.56.27.16.29,
fax 05.56.27.02.65 r.-v.

CH. SIMON 1998★

18 ha 12 000 11 à 15 €

Vieille famille barsacaise, les Dufour obtiennent un joli résultat avec ce millésime. Très agréable par son bouquet où les notes de miel et de menthe contribuent à donner un ensemble frais et élégant, ce vin l'est tout autant par son développement au palais et par sa finale avec de beaux arômes floraux rehaussés d'une touche d'acacia. (70 à 99 F)
EARL Dufour, Ch. Simon, 33720 Barsac,
tél. 05.56.27.15.35, fax 05.56.27.24.79,
e-mail chateau.simon@worldonline.fr
r.-v.

CH. SUAU 1999★

2ème cru clas. 8 ha 19 000 15 à 23 €
97 |98| |99|

Signé par une femme, Nicole Biarnès, ce vin a choisi son camp, celui de la souplesse, de la finesse et de la complexité qui s'expriment par un bouquet où se marient le litchi, le miel d'acacia et les fruits exotiques. (100 à 149 F)
Nicole Biarnès, Ch. de Navarro,
33720 Illats, tél. 05.56.27.20.27,
fax 05.56.27.26.53 r.-v.

Sauternes

Si vous visitez un château à Sauternes, vous saurez tout sur ce propriétaire qui eut un jour l'idée géniale d'arriver en retard pour les vendanges et de décider, sans doute par entêtement, de faire ramasser les raisins malgré leur état surmûri. Mais si vous en visitez cinq, vous n'y comprendrez plus rien, chacun ayant sa propre version, qui se passe évidemment chez lui. En fait, nul ne sait qui « inventa » le sauternes, ni quand, ni où.

Si en Sauternais, l'histoire se cache toujours derrière la légende, la géographie, elle, n'a plus de secret. L'AOC couvrait une superficie de 1 624 ha en 2000 pour une production de 30 550 hl. Chaque caillou des cinq communes constituant l'appellation (dont barsac, qui possède sa propre appellation) est recensé et connu dans toutes ses composantes. Il est vrai que c'est la diversité des sols (graveleux, argilo-calcaires ou calcaires) et des sous-sols qui donne un caractère à chaque cru, les plus renommés étant implantés sur des croupes graveleuses. Obtenus avec trois cépages - le sémillon (70 % à 80 %), le sauvignon (20 % à 30 %) et la muscadelle -, les vins de sauternes sont dorés, onctueux, mais aussi fins et délicats. Leur bouquet « rôti » se développe très bien au vieillissement, devenant riche et complexe, avec des notes de miel, de noisette et d'orange confite. Il est à noter que les sauternes sont les seuls vins blancs à avoir été classés en 1855.

CH. ANDOYSE DU HAYOT 1998

□ 20 ha 36 000 11 à 15 €

|90| 91 93 94 |95| **|96|** |97| 98

Le sémillon (80 %) et la muscadelle aiment les sols argilo-graveleux du Sauternais. Ce 98, or à reflet paille, se révèle tout d'abord fruité (fruits blancs), puis des notes mentholées apparaissent. Frais en même temps que moelleux, il est à servir dès maintenant. (70 à 99 F)

SCE Vignobles du Hayot, Ch. Andoyse, 33720 Barsac, tél. 05.56.27.15.37, fax 05.56.27.04.24, e-mail duhayot@usa.net
r.-v.

CRU D'ARCHE-PUGNEAU 1998★

□ 13 ha 10 000 15 à 23 €

S'ils ne sont à la tête de ce cru que depuis 1923, les Daney ont une très ancienne tradition viticole familiale remontant au XVIII^e^s. Vif, souple, ample et expressif avec un bouquet complexe où la cire d'abeille se mêle aux fleurs et aux notes d'agrumes, ce 98 montre qu'ils en ont tiré un vrai savoir-faire. (100 à 149 F)

Jean-Francis Daney, 24, le Biton, 33210 Preignac, tél. 05.56.63.50.55, fax 05.56.63.39.69, e-mail daney.francis.fr.free
r.-v.

CH. D'ARMAJAN DES ORMES 1998★

□ 7 ha 13 000 15 à 23 €

|95| |96| 97 98

D'origine fort ancienne, ce cru, créé au XV^e^s., possède un château du XVIII^e^s. Il est toujours bien tenu, comme le prouve ce vin qui évolue très heureusement tout au long de la dégustation : la richesse du bouquet (fleurs séchées, cire d'abeille et coing) est suivie d'un palais souple, ample, gras et aromatique. (100 à 149 F)

EARL Jacques et Guillaume Perromat, Ch. d'Armajan, 33210 Preignac, tél. 05.56.63.22.17, fax 05.56.63.21.55 r.-v.

CH. BARONNE MATHILDE 1994

□ n.c. n.c. 15 à 23 €

Marque de la société de négoce Baron Philippe de Rothschild, ce vin est plaisant par son bouquet aux notes de rancio, de raisins secs et d'abricot, et intéressant par son côté gras et concentré. (100 à 149 F)

Baron Philippe de Rothschild SA, BP 117, 33250 Pauillac, tél. 05.56.73.20.20, fax 05.56.73.20.44, e-mail webmaster@bpdr.com

CRU BARREJATS 1997★★

□ 2,6 ha 2 100 38 à 46 €

|90| 91 92 **|94|** |95| **|96| 97 98**

Régulier en qualité, ce 97 reste fidèle à sa tradition avec ce vin aussi agréable à regarder dans sa robe dorée qu'à humer avec un bouquet mêlant notes boisées et évocations de miel, d'abricot confit et de raisins de Corinthe. Doux et concentré, il commence déjà à être harmonieux mais il possède encore de réelles réserves. Riche, aromatique et bien équilibré, le second vin du cru, **Accabailles de Barréjats 98 (100 à 149 F)**, a obtenu une étoile. (250 à 299 F)

SCEA Barréjats, Clos de Gensac, Mareuil, 33210 Pujols-sur-Ciron, tél. 05.56.76.69.06, fax 05.56.76.69.06, e-mail mireille.daret@free.fr
r.-v.
Mireille Daret et Ph. Andurand

CH. BASTOR-LAMONTAGNE 1998★

□ 57 ha 64 000 15 à 23 €

82 83 84 **85 86** 87 |88| |89| |(90)| 94 95 **96 97** 98

Valeur sûre et reconnue du Sauternais, ce domaine, presque d'un seul tenant, propose ici un vin assemblant 80 % de sémillon et 20 % de sauvignon, issus de vignes presque quadragénaires. D'un très bel or, il ne manque pas d'originalité dans son expression aromatique où le genêt, les fruits confits et la cire se marient à un joli boisé. Bien équilibré, le palais débouche sur une finale d'une réelle élégance. (100 à 149 F)

SCEA Vignobles Bastor et Saint-Robert, Dom. de Lamontagne, 33210 Preignac, tél. 05.56.63.27.66, fax 05.56.76.87.03, e-mail bastor-lamontagne@dial.oleane.com
r.-v.
Foncier-Vignobles

CH. BECHEREAU 1998★

□ 10,63 ha 33 000 15 à 23 €

Producteurs dans de nombreuses appellations, les Vignobles Dumon ont une prédilection pour le sauternes. Frais, équilibré, bien construit et aromatique (acacia, fruits frais et confits accompagnés d'une jolie note boisée réglissée), leur 98, vêtu d'un bel or franc, montre qu'ils savent lui apporter des soins attentifs. (100 à 149 F)

Les Vignobles Dumon, Ch. Bêchereau de Ruat, 33210 Bommes, tél. 05.56.76.61.73, fax 05.56.76.67.84 t.l.j. 9h-12h 14h-17h30; sam. dim. et groupes sur r.-v.

CH. CAILLOU Private Cuvée 1999*

☐ 2ème cru clas. n.c. 2 800 🛢 38 à 46 €

Née sur un terroir argilo-calcaire du haut Barsac appartenant aux 13 ha de ce château classé en 1855, cette cuvée montre qu'elle est de bonne origine. D'emblée, sa robe d'un jaune or paille annonce ses ambitions. Son bouquet est plus discret mais aimable par ses notes de miel, de résine et d'agrumes. Quant au palais, agréable, souple, gras, fruité et épicé, il laisse le souvenir d'un ensemble de qualité. Une bouteille à ouvrir dans trois ans. (250 à 299 F)

Jean-Michel et Marie-Josée Pierre, Ch. Caillou, 33720 Barsac, tél. 05.56.27.16.38, fax 05.56.27.09.60 ☑ Y r.-v.

CH. CAPLANE 1999*

☐ 3,5 ha 5 000 🛢 11 à 15 €

La muscadelle (10 %) vient ici compléter le sémillon ; ce cru joue résolument la carte de l'élégance, notamment sur le plan aromatique avec le mariage réussi du miel et d'une large palette de frais parfums floraux : fleurs blanches, rose, aubépine... Une jolie bouteille déjà plaisante mais qui n'est pas dépourvue de ressources pour affronter l'avenir. (70 à 99 F)

Guy David, 6, Moulin de Laubes, 33410 Laroque, tél. 05.56.62.93.76 ☑ Y r.-v.
Mme Garbay

CH. DE CARLES 1999

☐ 15,17 ha 40 000 🛢 11 à 15 €

Ce cru barsacais appartient à la même famille depuis 1856. Un soupçon (5 %) de sauvignon est assemblé au sémillon pour offrir ici un vin souple et frais qui se rend attachant par ses arômes de fruits exotiques (litchi, mangue), de miel et d'abricot sec. (70 à 99 F)

Michel Pascaud, Ch. de Carles, 33720 Barsac, tél. 05.56.27.07.19, fax 05.56.27.13.18, e-mail chateaudecarles@aol.com ☑ Y r.-v.

CLOS FONTAINE 1995

☐ 10 ha 5 000 🛢 11 à 15 €

Simple mais bien construit, ce 95 fait preuve d'une bonne intensité dans son expression aromatique aux notes confites, et de fraîcheur dans son développement au palais. (70 à 99 F)

Claude Saint-Marc, Dom. du Petit de l'Eglise, 33210 Langon, tél. 05.56.62.24.78, fax 05.56.76.86.68 ☑ Y r.-v.

CH. CLOSIOT 1998**

☐ 4 ha 5 200 🛢 15 à 23 €

Un chemin de Saint-Jacques passait-il par la propriété, comme le croient certains ? Il est peu probable que vous puissiez trouver la réponse. Mais cela ne doit pas vous empêcher d'apprécier ce très joli 98. La générosité de son bouquet, aux notes de toast, d'agrumes, de miel, de cuir, de fruits secs, n'a d'égale que l'ampleur du palais et l'agrément de la finale aux petites touches d'écorce d'orange. Une bouteille qui mérite un séjour dans la cave. Mais le plaisir est déjà si grand... (100 à 149 F)

Soizeau, Ch. Closiot, 33720 Barsac, tél. 05.56.27.05.92, fax 05.56.27.11.06, e-mail closiot@vins-sauternes.com ☑ Y t.l.j. sf sam. dim. 9h-12h 14h-18h

CH. DU COY 1999**

☐ n.c. 18 000 🛢 11 à 15 €

97 **98 99**

En 1999, les Biarnès ont réussi à élaborer des vins radicalement différents à Suau et à Coy. Au côté féminin du barsac s'oppose le caractère tonique du sauternes. Ample et gras, ce dernier passe des fraîches senteurs mentholées du premier bouquet aux notes de raisin sec, d'orange confite et de miel ensuite. Encore marqué par le bois, ce millésime puissant demande une attente de quatre ou cinq ans. (70 à 99 F)

Nicole Biarnès, Ch. de Navarro, 33720 Illats, tél. 05.56.27.20.27, fax 05.56.27.26.53 ☑ Y r.-v.

CH. DOISY DAENE 1998*

☐ 2ème cru clas. 15 ha 30 000 🛢 23 à 30 €

50 71 |75| |76| |78| |79| |80| **|81|** |82| (83) 84 |85| **|86|** |88| |89| **|90|** **|91|** |94| **95 96 97** 98

Hommes de caractère, Pierre et Denis Dubourdieu font les blancs qu'ils préconisent : tout en étant ample et bien construit, ce vin d'une ravissante couleur paille à reflets dorés recherche plus la finesse que la puissance. Le résultat est un ensemble bien équilibré, aux élégantes notes florales et grillées dont on attend l'épanouissement dans trois à cinq ans, même s'il se montre déjà frais et fort plaisant. (150 à 199 F)

EARL Vignobles P. et D. Dubourdieu, 10, quartier Gravas, 33720 Barsac, tél. 05.56.27.15.84, fax 05.56.27.18.99 ☑ Y r.-v.

CH. DUDON 1998

☐ 10,8 ha 18 565 🛢 15 à 23 €

Côté tradition, une belle chartreuse du XVIIIe s. encadrée de tours et de pavillons appartenant à la famille du propriétaire actuel depuis 1868, et côté évolution, un vin moderne, fin, frais et friand, aux sympathiques arômes d'abricot mêlé de notes confites. (100 à 149 F)

SCE du Ch. Dudon, 33720 Barsac, tél. 56.27.29.38, fax 56.27.29.38, e-mail chateau.dudon.barsac@wanadoo.fr ☑ Y r.-v.
Allien

CH. DE FARGUES 1995**

☐ 13 ha 15 000 🛢 46 à 76 €

|47| |49| |53| |59| 62 (67) 71 |75| |76| |83| 84 **85** **|86|** 87 |88| |89| |90| |91| |94| |95|

Au pied de l'antique et majestueuse forteresse, la gentilhommière respire l'atmosphère paisible de la campagne langonaise. C'est un monde plus sophistiqué qu'évoque le bouquet de ce vin aux odeurs raffinées de liqueur de poire et de genêt avec des touches de coing et de pain d'épice sur fond mentholé. Rond, gras, fin et frais, le palais est de la même trempe. Après avoir attaqué en douceur, il montre sa structure et son gras tout en gardant sa finesse avec un léger côté mandarine confite. En finale,

BORDELAIS

il laisse éclater sa puissance et sa richesse aromatique. (300 à 499 F)
Comte Alexandre de Lur-Saluces, Ch. de Fargues, 33210 Fargues-de-Langon, tél. 05.57.98.04.20, fax 05.57.98.04.21, e-mail fargues@chateau-de-fargues.com
r.-v.

CH. FILHOT 1998*

2ème cru clas. 60 ha 70 000 23 à 30 €
81 82 83 85 **86 88** 89 91 92 95 97 98

Imposante demeure achevée au lendemain de la Révolution, Filhot s'est appelé pendant un temps château de Sauternes. Un titre que justifie pleinement ce vin. Se présentant dans une avenante robe jaune paille à reflets bouton d'or, il développe un bouquet généreux et complexe (confit, agrumes, rôti) avant de révéler un palais ample, puissant et expressif. (150 à 199 F)
SCEA du Ch. Filhot, 33210 Sauternes, tél. 05.56.76.61.09, fax 05.56.76.67.91, e-mail filhot@filhot.com
t.l.j. sf dim. 9h-12h 14h-18h
Famille de Vaucelles

CH. GRAVAS 1998*

10,5 ha 30 000 11 à 15 €

Très représentatif des propriétés de taille moyenne qui donnent sa personnalité au vignoble barsacais, ce cru propose ici un vin au bouquet très bien botrytisé. Ample, gras et vif, le palais est lui aussi plein d'expression, ajoutant les fleurs blanches aux fruits et au miel d'acacia de la palette aromatique. Harmonieux et séducteur, un sauternes de caractère. (70 à 99 F)
SCEA Domaines Bernard, Ch. Gravas, 33720 Barsac, tél. 05.56.27.06.91, fax 05.56.27.29.83 t.l.j. 8h-12h 14h-18h

CH. GUIRAUD 1998**

1er cru clas. 85 ha n.c. 38 à 46 €
83 85 **86 88** |89| (90) 92 |95| **96** (97) **98**

Seul 1er cru, avec Yquem, à être situé sur la commune de Sauternes, ce domaine bénéficie d'un beau terroir. Personne ne sera donc surpris d'y voir naître un vin remarquable, dont le bouquet, aussi expressif que complexe, offrait en mai 2001 des notes de pêche, de miel et d'abricot. Ample et long, ce 98 possède l'esprit d'un grand liquoreux du Bordelais, de longue garde mais agréable à découvrir dès à présent. Le jury a proposé un nouvel accord gourmand : des langoustines aux épices. (250 à 299 F)
SCA du Ch. Guiraud, 33210 Sauternes, tél. 05.56.76.61.01, fax 05.56.76.61.01, e-mail xplanty@club-internet.fr r.-v.

CH. GUITERONDE DU HAYOT 1998*

35 ha 62 000 11 à 15 €

Situés à Barsac, les vignobles du Hayot constituent un bel ensemble. Leur vin est très prometteur. Encore discret, son bouquet est suivi d'un palais beaucoup plus expressif avec des notes d'orange confite sur fond de pâte de fruits. Ample, corsée et séveuse, la structure est de bonne facture. Le **Château Mayne du Hayot 99 (70 à 99 F)** a obtenu une étoile. Vieil or, il a de merveilleux arômes d'abricot et de marmelade d'orange confite, qui persistent dans une bouche riche et puissante. (70 à 99 F)
SCE Vignobles du Hayot, Ch. Andoyse, 33720 Barsac, tél. 05.56.27.15.37, fax 05.56.27.04.24, e-mail duhayot@usa.net
r.-v.

CH. HAUT-BERGERON 1999*

16 ha 40 000 15 à 23 €
83 85 86 |**88**| |**89**| |**90**| **91** 94 95 **96** 97 98 99

Se maintenir pendant cinq générations est un signe de sérieux que confirme ce 99. Frais, vif et soutenu par une acidité dosée avec sagesse, en même temps que gras et bien botrytisé, il reste un peu timide par son bouquet qui demande encore à s'ouvrir mais s'annonce intéressant par sa diversité aromatique (pain d'épice, fruits cuits, figue sèche). Dans le même millésime, le second vin, **Château Fontebride (70 à 99 F)**, a été retenu avec une citation du jury.
(100 à 149 F)
Hervé et Patrick Lamothe, 3, Piquey, 33210 Preignac, tél. 05.56.63.24.76, fax 05.56.63.23.31, e-mail haut-bergeron@wanadoo.fr
t.l.j. sf dim. 9h-12h 14h-19h

CH. HAUT-GRILLON Cuvée spéciale 1998*

Cru bourg. 8 ha 6 000 15 à 23 €

Ce vin affiche de réelles ambitions, tant par son bouquet dont on appréciera la complexité (abricot, orange confite, miel) que par son palais. A la fois souple, gras et long, celui-ci révèle une bonne aptitude à la garde.
(100 à 149 F)
Odile Roumazeilles-Cameleyre, Ch. Grillon, 33720 Barsac, tél. 05.56.27.16.45, fax 05.56.27.12.18 t.l.j. 9h-12h30 14h-19h

CH. LAFAURIE-PEYRAGUEY 1998*

1er cru clas. 40 ha n.c. 30 à 38 €
75 |**76**| **79 80** |**81**| **82 83** 84 85 86 |**87**| (88) |**89**| |**90**| |**91**| |**92**| |**93**| |**94**| |**95**| **96 97** 98

Un porche et un mur d'enceinte du XIIIe s., un corps de logis du XVIIe s., un joli vignoble (90 % de sémillon, 8 % de sauvignon et 2 % de muscadelle), une équipe performante et un cru fort intéressant. Ce 98 fait preuve d'une réelle typicité alors que ce millésime a été très difficile pour les liquoreux. Equilibré, il exprime sa personnalité par une légère touche de botrytis perceptible dès le bouquet et une très agréable finale. Le second vin, **La Chapelle de Lafaurie-Peyraguey 99 (100 à 149 F)**, a obtenu une citation. (200 à 249 F)
Domaines Cordier, 160, cours du Médoc, 33300 Bordeaux, tél. 05.57.19.57.77, fax 05.57.19.57.87 r.-v.

CH. L'AGNET LA CARRIERE 1998**

5 ha 14 000 15 à 23 €

Implantés dans de nombreuses appellations bordelaises, les vignobles Mallard obtiennent une fois encore un joli succès avec leur sauternes. S'ouvrant au cours de la dégustation, ce 98 gagne en complexité pour décliner une large palette comprenant les fruits confits, les fleurs blanches et la vanille. La structure n'est pas en reste : riche et élégante, elle trouvera tout son charme sur une poularde à la crème, accompagnée d'un plateau de morilles. (100 à 149 F)

Mallard, Ch. Naudonnet-Plaisance, 33760 Escoussans, tél. 05.56.23.93.04, fax 05.57.34.40.78, e-mail mallard@caves.particulieres.com r.-v.

CH. LAMOTHE GUIGNARD 1998★

2ème cru clas. 18 ha 34 500 15 à 23 €

81 82 (83) 84 85 86 87 88 89 **90** 92 93 94 95 96 97 98

Une belle croupe argilo-graveleuse accueille ce cru qui associe 5 % de sauvignon et 5 % de muscadelle au sémillon. Douze mois de barrique ont donné ce 98 qui concilie la finesse du bouquet (acacia, fleurs blanches et fruits de la Passion) avec la richesse du palais rond et gras. Terminant en beauté sur des saveurs d'abricot sec, l'ensemble est d'une bonne consistance. (100 à 149 F)

GAEC Philippe et Jacques Guignard, Ch. Lamothe Guignard, 33210 Sauternes, tél. 05.56.76.60.28, fax 05.56.76.69.05 t.l.j. 8h-12h 14h-18h; sam. dim. sur r.-v.

CH. LANGE 1998★

n.c. 6 000 11 à 15 €

Né sur un terroir intéressant (graves et sols argilo-calcaires), ce vin se montre digne de son origine. Si son bouquet n'a pas encore trouvé son expression définitive, on devine déjà des perspectives originales (truffe et menthol). Ample et généreux, le palais a opté pour des notes plus fruitées, grillées et épicées. (70 à 99 F)

SCEA Daniel Picot, Ch. Lange, 33210 Bommes, tél. 05.56.76.61.69, fax 05.56.63.40.45 r.-v.

CH. LANGE-REGLAT Sélection royale 1998★

2 ha 3 000 30 à 38 €

Originale par son étiquette circulaire, cette cuvée de prestige sait aussi retenir l'attention par ses qualités. Celles-ci apparaissent au bouquet où le bois est fort présent mais sans empêcher les parfums futurs (agrumes) de faire une apparition. Très flatteurs avec des saveurs exotiques et beaucoup de jeunesse – que traduit la liqueur – le palais et la finale composent un tableau élégant. La **Cuvée spéciale 99 (100 à 149 F)** a reçu une citation. (200 à 249 F)

Bernard Réglat, Ch. de La Mazerolle, 33410 Monprimblanc, tél. 05.56.62.98.63, fax 05.56.62.17.98, e-mail reglat.bernard@wanadoo.fr r.-v.

CH. LARIBOTTE 1998★

15,5 ha 10 000 11 à 15 €

Propriété familiale comme on en trouve beaucoup à Preignac, ce cru est dans sa tradition avec ce vin au joli bouquet de fruits secs et au palais soyeux, ample, équilibré. Une bouteille de bonne harmonie. (70 à 99 F)

Jean-Pierre Lahiteau, quartier de Sanches, 33210 Preignac, tél. 05.56.63.27.88, fax 05.56.62.24.80 r.-v.

CH. LA RIVIERE 1999★

4 ha 9 000 15 à 23 €

Autre vin de la famille Réglat mais cette fois de Guillaume, ce 99 évolue avec beaucoup de délicatesse tout au long de la dégustation. Discrètement bouqueté avec de jolies notes de miel et de fleurs sur fond de cire, il révèle au palais un caractère vif et élégant. (100 à 149 F)

Guillaume Réglat, Ch. Cousteau, 33410 Monprimblanc, tél. 05.56.62.98.63, fax 05.56.62.17.98 r.-v.

CH. LA TOUR BLANCHE 1996★★

1er cru clas. 34 ha n.c. 30 à 38 €

(61) **62** 75 **79** 80 **81** **82** 83 84 85 86 88 89 **90** 91 94 **95 96 97**

N'ayant pas présenté son 96 il y a deux ans, ce cru le fait aujourd'hui. Nul doute qu'il a été bien inspiré d'attendre. D'une belle teinte jaune à reflets d'or, ce vin offre un bouquet impressionnant par sa profondeur et son élégance. Sa complexité se retrouve au palais où les notes confites se marient aux pâtes de fruits. Riche et parfaitement équilibré, l'ensemble promet une grande bouteille d'ici quatre à cinq ans. (200 à 249 F)

Ch. La Tour Blanche, 33210 Bommes, tél. 05.57.98.02.73, fax 05.57.98.02.78, e-mail tour-blanche@tour-blanche.com t.l.j. sf sam. dim. 9h-11h30 14h-17h

Ministère de l'Agriculture

CH. LATREZOTTE 1999

7,5 ha n.c. 15 à 23 €

Jaune d'or, il offre un nez de fruits exotiques. L'attaque est simple et souple, puis le vin se montre agréable par son bouquet et une bonne consistance en finale. (100 à 149 F)

Jan de Kok, Ch. Latrezotte, 33720 Barsac, tél. 05.56.27.16.50, fax 05.56.27.08.89 r.-v.

CH. LAVILLE 1999★

13 ha 12 000 11 à 15 €

92 94 95 **96** 97 **98** 99

Sans rivaliser avec le 98 du même cru, particulièrement réussi, ce vin, un rien charmeur, se montre aussi expressif au nez qu'en bouche. Le premier affiche sa richesse et sa complexité. Charnu, ample et bien équilibré, le palais mon-

tre qu'il possède de bonnes réserves. Le **Château Delmond (50 à 69 F)** qui, lui, ne connaît pas le chêne, s'est également vu attribuer une étoile. Du même producteur, le **Château Rochefort (70 à 99 F)**, toujours dans le même millésime, obtient aussi une étoile. (70 à 99 F)
EARL du Ch. Laville, 33210 Preignac, tél. 05.56.63.59.45, fax 05.56.63.16.28 t.l.j. sf sam. dim. 8h-12h30 13h30-18h30
Y. et C. Barbe

CH. LIOT 1999*

20 ha n.c. 15 à 23 €

89 90 91 93 95 96 97 98 99

Une fois de plus, la diversification de l'encépagement donne un vin harmonieux, très élégant dans son expression aromatique où les fraîches notes fruitées se mêlent aux touches surmûries pour composer un bel ensemble. (100 à 149 F)
J. David, Ch. Liot, 33720 Barsac, tél. 05.56.27.15.31, fax 05.56.27.14.42 r.-v.

CH. DE MALLE 1999**

2ème cru clas. 27 ha 30 000 30 à 38 €

71 (75) **76** 81 **83** |85| **86** 87 |88| |89| |90| **91** |94| |95| **96** 97 **98** |99|

Magnifique demeure du XVIIe s. entourée de beaux jardins à l'italienne, ce cru est l'un des meilleurs atouts touristiques du Sauternais. Et son vin affiche lui aussi une très forte personnalité : les fruits exotiques - goyave et fruit de la Passion - apportent une grande puissance au bouquet qu'enrichissent quelques notes de grillé et de liqueur. Ample et persistante, cette bouteille qui a du grain est déjà agréable mais elle méritera d'être attendue cinq à dix ans. Il ne lui a manqué qu'une voix pour être coup de cœur. (200 à 249 F)
Comtesse de Bournazel, Ch. de Malle, 33210 Preignac, tél. 05.56.62.36.86, fax 05.56.76.82.40, e-mail chateaudemalle@wanadoo.fr r.-v.

CH. MONET 1999

2,1 ha 4 700 11 à 15 €

Du même producteur que le Château Le Bourdillot (graves), ce vin, rond et délicat, se montre plaisant, avec beaucoup de finesse dans l'expression aromatique où se fondent les fruits mûrs, la vanille, le miel et les raisins secs. (70 à 99 F)
Patrice Haverlan, 11, rue de l'Hospital, 33640 Portets, tél. 05.56.67.11.32, fax 05.56.67.11.32, e-mail patrice.haverlan@worldonline.fr t.l.j. sf ven. sam. dim. 8h-12h30 13h-17h30

CH. DU MONT
Réserve du Château 1999**

0,54 ha 1 200 11 à 15 €

Du même producteur que le sainte-croix homonyme, cette Réserve est, elle aussi, très intéressante. D'un jaune nuancé d'or pâle, elle développe un bouquet d'une belle intensité, où abricot confit, pêche, fruits secs, miel et bois vont bientôt se fondre harmonieusement. Charnu et bien construit avec ce qu'il faut d'acidité pour avoir du relief, le palais confirme ces bonnes dispositions et invite à une garde de cinq à dix ans. Dommage que le volume produit ne soit pas à la hauteur de la qualité du vin ! (70 à 99 F)
Hervé Chouvac, Ch. du Mont, 33410 Sainte-Croix-du-Mont, tél. 05.56.62.07.65, fax 05.56.62.07.58 r.-v.

DOM. DE MONTEILS
Cuvée Sélection 1998*

8 ha 4 800 15 à 23 €

Cuvée de tête, ce vin a été choyé. On le devine en découvrant son bouquet complexe et élégant qui mêle les notes miellées et confites à l'abricot sec. Ample, généreux, équilibré et long, le palais est lui aussi d'une belle tenue. (100 à 149 F)
SCEA Dom. de Monteils, 3, rte de Fargues, 33210 Preignac, tél. 05.56.62.24.05, fax 05.56.62.22.30, e-mail vins.sauternes@wanadoo.fr r.-v.

CH. DE MYRAT 1998

2ème cru clas. 22 ha 34 000 23 à 30 €

Entouré d'un vaste parc, ce château évoque les grandes vacances d'antan. Il est vrai qu'il appartient toujours à la famille de Pontac dont le nom est lié à la naissance des grands crus de Bordeaux. Replanté il y a une dizaine d'années, Myrat propose ce vin d'une belle teinte ambrée ; ses notes de caramel, de cire, de fruits secs et d'épices, son côté charnu et une certaine évolution lui confèrent un charme réel. (150 à 199 F)
Jacques de Pontac, Ch. de Myrat, 33720 Barsac, tél. 05.56.27.09.06, fax 05.56.27.11.75 r.-v.

CH. CRU PEYRAGUEY 1998*

6,76 ha 19 000 15 à 23 €

75 76 79 82 83 |85| |86| |88| |89| |90| 91 |94| |95| |96| **97** 98

Toujours régulier en qualité, ce cru propose avec ce 98 un vin mêlant mille fleurs blanches à la cire d'abeille. Rond et ample, riche en sucres résiduels, le palais s'ouvre sur une finale chaleureuse. (100 à 149 F)
Vignobles Mussotte, 10, Miselle, 33210 Preignac, tél. 05.56.44.43.48, fax 05.56.44.43.48 r.-v.

CH. PIOT-DAVID 1998

4 ha 11 000 11 à 15 €

Né sur un vignoble d'un seul tenant et clos de murs, ce vin est bien équilibré, mais il demande d'être attendu pour que le bouquet s'ouvre complètement et que le merrain puisse se fondre. (70 à 99 F)
Jean-Luc David, Ch. Poncet, 33410 Omet, tél. 05.56.62.97.30, fax 05.56.62.66.76 r.-v.

PRIMO PALATUM 1998**

0,3 ha 600 46 à 76 €

Ici, avec trente ares, la viticulture tient du jardinage. Le résultat est un vin confidentiel mais très concentré, tant dans son bouquet qu'au palais. Appuyés par un bois de bonne qualité, les arômes vont des raisins très mûrs aux pâtes de fruits, et des fruits confits aux pruneaux. Ample, gras et onctueux, le palais est racé. Jeune structure de négoce née en 1996, cette marque a choisi la carte des microvinifications vendues à des prix très élevés. On aimerait la voir dans des « œuvres » plus vastes. (300 à 499 F)

Primo Palatum, 1, Cirette, 33190 Morizès, tél. 05.56.71.39.39, fax 05.56.71.39.40, e-mail primo-palatum@wanadoo.fr
Xavier Copel

CH. DE RAYNE VIGNEAU 1998★★

1er cru clas. 76,28 ha 128 000 30 à 38 €
85 **86** |**88**| |89| |90| |**91**| 92 **94** |**95**| |**96**| **97 98**

A l'origine domaine du Vigneau, ce cru changea de nom quand il devint la propriété de Catherine de Rayne, née Pontac, dans la première moitié du XIXᵉs. C'est aujourd'hui une vaste unité où l'on sait élaborer un très beau vin sur une grande échelle, témoin, ce 98. Son bouquet, aussi intense que complexe, offre des parfums allant de la pêche de vigne à l'acacia. Sa structure souple est équilibrée, soyeuse jusque dans une élégante et longue finale marquée par une note de pêche blanche. Très harmonieux, le **Clos l'Abeilley 99 (100 à 149 F)**, petite enclave située au sein de Rayne-Vigneau, a obtenu une étoile. (200 à 249 F)

SC du Ch. de Rayne Vigneau, La Croix Bacalan, 109, rue Achard, BP 154, 33042 Bordeaux Cedex, tél. 05.56.11.29.00, fax 05.56.11.29.01 r.-v.

CH. RIEUSSEC 1998★★

1er cru clas. 75 ha 90 000 46 à 76 €
62 67 70 71 |**75**| |**76**| |**78**| |79| |80| |81| 82 **83 84 85** |**86**| 87 **88 89** |**90**| **92** |**94**| **95** (96) (97) **98**

Ce cru jouit d'un terroir de choix. Parfaitement mis en valeur grâce à d'importants investissements, il donne aujourd'hui de superbes vins dont ce 98 offre une magnifique illustration : mariage réussi du miel, des fleurs blanches et de la pêche, ses parfums sont aussi expressifs que sa robe dorée. Frais en même temps que gras, imposant et moelleux, son palais aux saveurs équilibrées laisse dominer une note d'abricot sec. D'une haute tenue, cette bouteille dispose d'un remarquable potentiel de garde. (300 à 499 F)

Ch. Rieussec, 33210 Fargues-de-Langon, tél. 01.53.89.78.00, fax 01.53.89.78.01
r.-v.

CH. ROMER DU HAYOT 1998★

2ème cru clas. 16 ha 23 600 15 à 23 €
75 76 79 81 82 |**83**| |85| |**86**| **88** 89 |90| 91 |93| |95| 96 |97| 98

Une croupe argilo-graveleuse accueille ce domaine classé en 1855, qui fut en 1881 l'objet d'un partage lors d'une succession. Parée d'une belle étoffe d'or, cette bouteille révèle un nez puissant de fleurs blanches, de fruits secs et de miel. Fleurie en bouche, équilibrée, élégante, elle pourra constituer un bon « fond de cave ». (100 à 149 F)

SCE Vignobles du Hayot, Ch. Andoyse, 33720 Barsac, tél. 05.56.27.15.37, fax 05.56.27.04.24, e-mail duhayot@usa.net
r.-v.
André du Hayot

CH. ROUMIEU 1998

19,5 ha 11 500 11 à 15 €

Barsac ou sauternes ? Les deux AOC peuvent être revendiquées lorsque les vignes sont situées sur la commune de Barsac. Ce vin d'or brillant se montre flatteur, avec une très agréable expression aromatique (agrumes et vanille), du gras, du moelleux et une bonne persistance au palais. (70 à 99 F)

Olivier Bernadet, Pleguemate, 33720 Barsac, tél. 05.56.27.16.76, fax 05.56.27.05.97, e-mail olivier.bernadet@free.fr
r.-v.

CH. SAINT-VINCENT 1998★★

7 ha 12 000 15 à 23 €

Du même producteur que le Château Cherchy-Desqueyroux (graves), ce vin évolue avec bonheur tout au long de la dégustation : d'une belle teinte jaune doré, il développe un bouquet intense et complexe (confit, vanille, poire, acacia, genêt) et un palais aussi consistant qu'équilibré. Un beau sauternes, harmonieux et de garde. (100 à 149 F)

SCEA Francis Desqueyroux et Fils, 1, rue Pourière, 33720 Budos, tél. 05.56.76.62.67, fax 05.56.76.66.92, e-mail vign.fdesqueyroux@wanadoo.fr
r.-v.

CH. SIGALAS RABAUD 1999★★

1er cru clas. 13,37 ha n.c. 15 à 23 €
66 75 76 81 82 83 85 |**86**| 87 |**88**| |**89**| |90| |91| |92| |94| |(95)| 96 **97 98** |**99**|

Des sols argilo-graveleux, une orientation méridionale : Sigalas ne manque pas d'atouts. Une fois encore, Georges Pauli, le grand œnologue de Cordier, a su les exploiter avec talent. D'une très belle couleur, jaune d'or légèrement ambré, ce vin est d'une grande élégance aromatique avec des notes croisées de pêche et d'abricot mûr, sans oublier le miel d'acacia si caractéristique du sauternes. Charpenté, équilibré et persistant, le palais est lui aussi parfaitement typé. Ce 99 peut être servi sur un poulet rôti aux abricots. Quant à son étonnant second, **le Cadet de Sigalas Rabaud 99 (70 à 99 F)**, il est riche de parfums envoûtants, se montre ample et gras, et mérite lui aussi deux étoiles. (100 à 149 F)

Ch. Sigalas-Rabaud, Bommes-Sauternes, 33210 Langon, tél. 05.56.11.29.00, fax 05.56.11.29.01
de Lambert des Granges

BORDELAIS

CH. D'YQUEM 1996***

☐ 1er cru sup. n.c. n.c. +76 €

21 29 37 42 |**45**| **53 55** 59 (67) **70 71** |**75**| |**76**| 80 |**82**| |**83**| |**84**| |**85**| |**86**| |**87**| |**88**| **89 90 91 93 94** (95) (96)

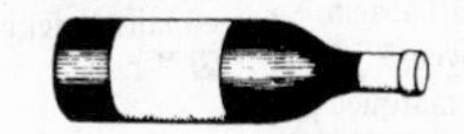

Authentique manoir fortifié, ce château abrite de nombreux trésors, dont une chapelle ornée de fresques italiennes. Mais son principal joyau reste son vin dont ce 96 offre l'illustration. Si sa robe brillante affiche sa richesse, le bouquet semble au premier nez un peu timide ; mais très vite apparaissent son caractère printanier et sa jeunesse que signent des parfums proches du raisin cueilli ainsi que des notes épicées apportées par le fût. Plein, riche, parfaitement équilibré, le palais est tout aussi harmonieux. Les fruits confits, l'écorce d'agrumes, la pâte de coing, la puissance retenue, tout est à sa place. Impressionnante par sa longueur, la finale laisse présager de remarquables possibilités de vieillissement. Un grand classique. (+ 500 F)

Comte Alexandre de Lur-Saluces,
Ch. d'Yquem, 33210 Sauternes,
tél. 05.57.98.07.07, fax 05.57.98.07.08,
e-mail info@yquem.fr r.-v.
LVMH

LA BOURGOGNE

« Aimable et vineuse Bourgogne », écrivait Michelet. Quel amateur le vin ne reprendrait à son compte une telle assertion ? Avec le Bordelais et la Champagne, la Bourgogne porte en effet à travers le monde entier la prestigieuse renommée les vins de France les plus illustres, les associant sur ses terroirs avec une gastronomie les plus riches, et trouvant dans leur diversité de quoi satisfaire tous les goûts et réussir ous les accords gourmands.

Plus encore que dans toute autre région viticole, on ne peut dissocier n Bourgogne l'univers du vin de la vie quotidienne, dans une civilisation forgée au ythme des travaux de la vigne : depuis les confins auxerrois jusqu'aux monts du Beaujolais, tout au long d'une province qui relie les deux métropoles que sont Paris et Lyon, a vigne et le vin ont, dès la plus haute Antiquité, fait vivre les hommes, et les ont fait ivre bien. Si l'on en croit Gaston Roupnel, écrivain bourguignon mais aussi vigneron Gevrey-Chambertin, auteur d'une *Histoire de la campagne française*, la vigne aurait té introduite en Gaule au VIe s. av. J.-C. « par la Suisse et les défilés du Jura », pour tre bientôt cultivée sur les pentes des vallées de la Saône et du Rhône. Même si, pour l'autres, ce sont les Grecs qui sont à l'origine de la culture de la vigne, venue du Midi, ul ne conteste l'importance qu'elle a prise très tôt sur le sol bourguignon. Certains eliefs du Musée archéologique de Dijon en témoignent. Et lorsque le rhéteur Eumène 'adresse à l'empereur Constantin, à Autun, c'est pour évoquer les vignes cultivées dans a région de Beaune et qualifiées déjà d'« admirables et anciennes ».

Modelée par les avatars glorieux ou tragiques de son histoire, sounise aux aléas des données climatiques autant qu'aux transformations des pratiques gricoles - où les moines, dans les mouvances de Cluny ou de Cîteaux, jouèrent un rôle apital -, la Bourgogne a dessiné peu à peu la palette de ses *climats* et de ses crus, voluant constamment vers la qualité et la typicité de vins incomparables. C'est sous le ègne des quatre ducs de Bourgogne (1342-1477) que furent édictées les règles destinées garantir un niveau qualitatif élevé.

Il faut cependant préciser que la Bourgogne des vins ne recouvre pas xactement la Bourgogne administrative : la Nièvre (qui se rattache administrativement la Bourgogne, avec la Côte-d'Or, l'Yonne et la Saône-et-Loire) fait partie du vignoble lu Centre et du vaste ensemble de la vallée de la Loire (vignoble de Pouilly-sur-Loire). 'andis que le Rhône (appartenant pour les autorités judiciaires et administratives à la Bourgogne lui aussi), pays du beaujolais, a acquis par l'habitude une autonomie que ustifie - outre la pratique commerciale - l'usage d'un cépage spécifique. C'est ce choix ui est retenu dans le présent guide (voir le chapitre « Le Beaujolais »), où l'on omprend donc en Bourgogne les vignobles de l'Yonne (basse Bourgogne), de la Côte-l'Or et de la Saône-et-Loire, bien que certains vins produits en Beaujolais puissent être endus en appellation régionale bourgogne.

L'unité ampélographique de la Bourgogne - à l'exclusion, donc, du Beaujolais, planté de gamay noir à jus blanc - ne fait pas de doute : le chardonnay pour es vins blancs et le pinot noir pour les vins rouges y règnent en maîtres. On rencontre ependant quelques variétés annexes, vestiges de pratiques culturales anciennes ou daptations spécifiques à des terroirs particuliers : l'aligoté, cépage blanc produisant le élèbre bourgogne aligoté, fréquemment employé dans la confection du « kir » (blanccassis) ; il atteint son sommet qualitatif dans le petit pays de Bouzeron, tout près de Chagny (Saône-et-Loire). Le césar, lui, plant « rouge », était surtout cultivé dans la région d'Auxerre ; mais il tend à disparaître. Le sacy donne du bourgogne grand ordinaire dans l'Yonne, mais il est de plus en plus remplacé par le chardonnay ; le gamay, lui, fournit du bourgogne grand ordinaire et, associé au pinot, du bourgogne passetout-grain. Enfin, le sauvignon, fameux cépage aromatique des vignobles de Sancerre et de Pouilly-sur-Loire, est cultivé dans la région de Saint-Bris-le-Vineux, dans l'Yonne, où il conduit à l'AOVDQS sauvignon de saint-bris qui devrait bientôt accéder au statut de l'AOC.

Sous une relative unité climatique, globalement semi-continentale avec l'influence océanique atteignant ici les limites du Bassin parisien, ce sont donc les sols qui vont spécifier les caractères propres des très nombreux vins produits en Bourgogne. Car si l'extrême morcellement des parcelles est la règle partout, il se fonde en grande partie sur une juxtaposition d'affleurements géologiques variés, origine de la riche palette de parfums et de saveurs des crus de Bourgogne. Et plus que des données strictement météorologiques, c'est des variations pédologiques que rend compte ici la notion de *climat* (ou terroir) précisant les caractères des vins au sein d'une même appellation, et compliquant comme à plaisir le classement et la présentation des grands vins de Bourgogne... Ces *climats*, aux noms particulièrement évocateurs (la Renarde, les Cailles, Genevrières, Clos de la Maréchale, Clos des Ormes, Montrecul...), sont les termes consacrés depuis au moins le XVIIIe s. pour désigner des surfaces de quelques hectares, parfois même quelques « ouvrées » (une ouvrée est égale à 4 ares, 28 centiares), correspondant à « une entité naturelle s'extériorisant par l'unité du caractère du vin qu'elle produit... » (A. Vedel). Et l'on peut constater en effet qu'il y a parfois moins de différences entre deux vignes séparées de plusieurs centaines de mètres mais à l'intérieur du même *climat* qu'entre deux autres voisines mais dans deux *climats* différents.

On dénombre en outre quatre niveaux d'appellations dans la hiérarchie des vins : appellation régionale (56 % de la production), *villages* (ou appellation communale) de Bourgogne, premier cru (12 % de la production) et grand cru (2 % de la production qui recouvre 33 grands crus répertoriés en Côte-d'Or et à Chablis). Et le nombre de terroirs légalement délimités ou de *climats* est très grand : on compte, par exemple, 27 dénominations différentes pour les premiers crus récoltés sur la commune de Nuits-Saint-Georges, et cela pour une centaine d'hectares seulement !

Des études récentes ont confirmé les relations (souvent constatées empiriquement) entre les sols et les lieux-dits donnant naissance aux appellations, aux crus ou aux *climats*. Ainsi, a-t-on pu déterminer dans la Côte de Nuits 59 types de sols différenciés selon leurs caractères morphologiques ou physico-chimiques (pente, pierrosité, taux d'argile, etc.) et correspondant de fait à la distinction des appellations grand cru, premier cru, villages et régionale.

Plus simplement, dans une approche géographique beaucoup plus générale, il est d'usage de distinguer, du nord au sud, quatre grandes zones au sein de la Bourgogne viticole : les vignobles de l'Yonne (ou de basse Bourgogne), de la Côte-d'Or (Côte de Nuits et Côte de Beaune), la Côte chalonnaise, le Mâconnais.

Le Chablisien est le plus connu des vignobles de l'Yonne. Son prestige fut très grand à la cour parisienne pendant tout le Moyen Age, le transport fluvial rendant facile le commerce des vins avec la capitale ; longtemps même, les vins de l'Yonne s'identifièrent tout simplement avec « les » bourgognes. Blotti dans la charmante vallée du Serein dont Noyers est le petit joyau médiéval, le vignoble de Chablis est comme un satellite isolé lancé à plus de cent kilomètres au nord-ouest du cœur de la Bourgogne viticole. Dispersé, il couvre plus de 4 000 ha de collines aux pentes d'exposition variée, sur lesquelles « une constellation de hameaux et une nuée de propriétaires se partagent les récoltes de ce vin sec, finement parfumé, léger, vif, qui sur-

La Bourgogne

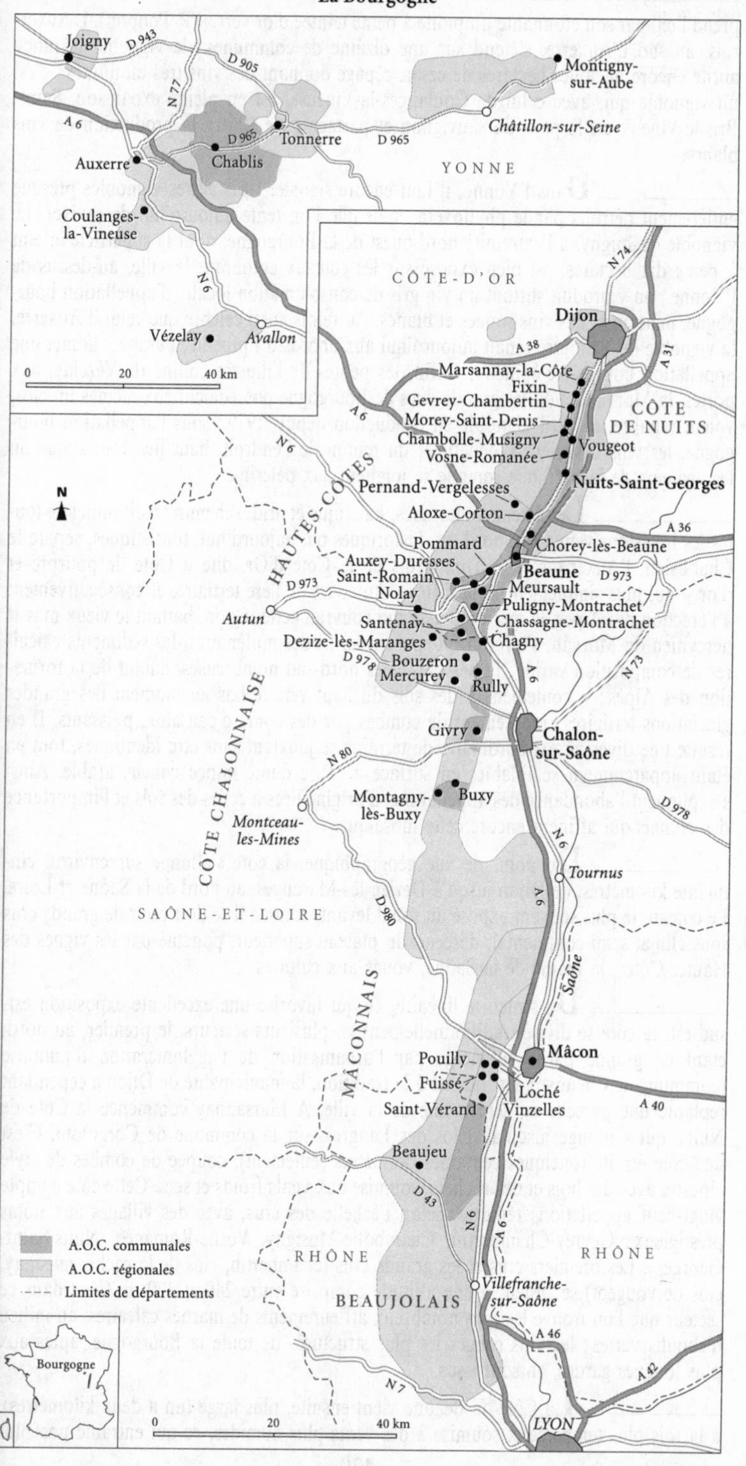

prend l'œil par son étonnante limpidité à peine teintée d'or vert » (P. Poupon). L'Auxerrois, au sud d'Auxerre, s'étend sur une dizaine de communes ; le vignoble d'Irancy abrite encore quelques hectares de césar, cépage donnant des vins très tanniques ; c'est un vignoble qui, avec celui de Coulanges-la-Vineuse, est en pleine expansion. Saint-Bris-le-Vineux est le pays du sauvignon et partage avec Chitry la production de vins blancs.

Dans l'Yonne, il faut encore signaler trois autres vignobles presque entièrement détruits par le phylloxéra, mais que l'on tente aujourd'hui de raviver. Le vignoble de Joigny, à l'extrémité nord-ouest de la Bourgogne, dont la superficie atteint à peine dix hectares, est bien exposé sur les coteaux entourant la ville, au-dessus de l'Yonne ; on y produit surtout un vin gris de consommation locale, d'appellation bourgogne, mais aussi des vins rouges et blancs. Autrefois aussi célèbre que celui d'Auxerre, le vignoble de Tonnerre renaît aujourd'hui aux abords d'Epineuil ; l'usage y admet une appellation bourgogne-épineuil. Enfin, les pentes de l'illustre colline de Vézelay, aux portes du Morvan, et où les grands-ducs de Bourgogne possédaient eux-mêmes un clos, voient renaître un petit vignoble en production depuis 1979 ; sous l'appellation bourgogne, les vins devraient y bénéficier du renom de l'endroit, haut lieu touristique où les visiteurs de la basilique romane se joignent aux pèlerins.

Le plateau de Langres, karstique et aride, chemin traditionnel de toutes les invasions venues du nord-est, historiques ou, aujourd'hui, touristiques, sépare le Chablisien, l'Auxerrois et le Tonnerrois de la Côte d'Or, dite « Côte de pourpre et d'or » ou, plus simplement, « la Côte ». Au cours de l'ère tertiaire, et consécutivement à l'érection des Alpes, la mer de Bresse qui couvrait cette région, battant le vieux massif hercynien du Morvan, s'effondra, déposant au fil des millénaires des sédiments calcaires de composition variée : failles parallèles nord-sud nombreuses, datant de la formation des Alpes ; « coulement » des sols du haut vers le bas au moment des grandes glaciations tertiaires ; creusement de combes par des cours d'eau alors puissants. Il en résulte une diversité extraordinaire de terrains se jouxtant sans être identiques, tout en étant apparemment semblables en surface à cause d'une mince couche arable. Ainsi s'expliquent l'abondance des appellations d'origine liées à celles des sols et l'importance des *climats* qui affinent encore cette mosaïque.

Du point de vue géographique, la côte s'allonge sur environ cinquante kilomètres, de Dijon jusqu'à Dezize-lès-Maranges, au nord de la Saône-et-Loire. Le coteau, le plus souvent exposé au soleil levant, comme il se doit pour de grands crus sous climat semi-continental, descend du plateau supérieur, ponctué par les vignes des Hautes-Côtes, la plaine de la Saône, vouée aux cultures.

De structure linéaire, ce qui favorise une excellente exposition est-sud-est, la côte se divise traditionnellement en plusieurs secteurs, le premier, au nord, étant en grande partie submergé par l'urbanisation de l'agglomération dijonnaise (commune de Chenôve). Par fidélité à la tradition, la municipalité de Dijon a cependant replanté une parcelle au sein même de la ville. A Marsannay commence la Côte de Nuits, qui s'allonge jusqu'au Clos des Langres, sur la commune de Corgoloin. C'est une côte étroite (quelques centaines de mètres seulement), coupée de combes de style alpestre avec des bois et des rochers, soumise aux vents froids et secs. Cette côte compte vingt-neuf appellations réparties selon l'échelle des crus, avec des villages aux noms prestigieux : Gevrey-Chambertin, Chambolle-Musigny, Vosne-Romanée, Nuits-Saint-Georges... Les premiers crus et les grands crus (chambertin, clos de la roche, musigny, clos de vougeot) se situent à une altitude comprise entre 240 et 320 m. C'est dans ce secteur que l'on trouve les plus nombreux affleurements de marnes calcaires, au milieu d'éboulis variés ; les vins rouges les plus structurés de toute la Bourgogne, aptes aux plus longues gardes, en sont issus.

La Côte de Beaune vient ensuite, plus large (un à deux kilomètres), à la fois plus tempérée et soumise à des vents plus humides, ce qui entraîne une plus grande précocité dans la maturation. Géologiquement, la Côte de Beaune est plus homogène que la Côte de Nuits, avec au bas un plateau presque horizontal, formé par les couches du bathonien supérieur recouvertes de terres fortement colorées. C'est de ces sols assez profonds que proviennent les grands vins rouges (beaune Grèves, pommard Epenots...). Au sud de la Côte de Beaune, les bancs de calcaires oolithiques avec, sous les marnes du bathonien moyen recouvertes d'éboulis, des calcaires sus-jacents donnent des sols à vigne caillouteux, graveleux, sur lesquels sont récoltés les vins blancs parmi les plus prestigieux : premiers et grands crus des communes de Meursault, Puligny-Montrachet, Chassagne-Montrachet. Si l'on parle de « côte des rouges » et de « côte des blancs », il faut citer entre les deux le vignoble de Volnay, implanté sur des terrains pierreux argilo-calcaires et donnant des vins rouges d'une grande finesse.

La culture de la vigne se poursuit jusqu'à une altitude plus élevée dans la Côte de Beaune que dans la Côte de Nuits : 400 m et parfois plus. Le coteau est coupé de larges combes, dont celle de Pernand-Vergelesses, semblant séparer la fameuse montagne de Corton du reste de la côte.

C'est depuis une trentaine d'années que l'on replante peu à peu les secteurs des hautes-côtes, où sont produites les appellations régionales bourgogne hautes-côtes-de-nuits et bourgogne hautes-côtes-de-beaune. L'aligoté y trouve son terrain de prédilection, qui met bien en valeur sa fraîcheur. Quelques terroirs y donnent d'excellents vins rouges issus de pinot noir, présentant souvent des odeurs de petits fruits rouges (framboise, cassis), spécialités de la Bourgogne, cultivées là aussi.

Le paysage s'épanouit quelque peu dans la Côte chalonnaise (4 500 ha) ; la structure linéaire du relief s'y élargit en collines de faible altitude s'étendant plus à l'ouest de la vallée de la Saône. La structure géologique est beaucoup moins homogène que celle du vignoble de la Côte d'Or ; les sols reposent sur les calcaires du jurassique, mais aussi sur des marnes de même origine ou d'origine plus ancienne, lias ou trias. Des vins rouges sont produits à partir du pinot noir à Mercurey, Givry et Rully, mais ces mêmes communes proposent aussi des blancs de chardonnay, tout comme Montagny ; c'est aussi là que se trouve Bouzeron, à l'aligoté réputé. Il faut enfin signaler un bon vignoble aux abords de Couches, que domine le château médiéval. D'églises romanes en demeures anciennes, chaque itinéraire touristique peut d'ailleurs se confondre ici avec une route des Vins.

Jeu de collines découvrant souvent de vastes horizons, où les bœufs charolais ponctuent de blanc le vert des prairies, le Mâconnais (5 700 ha en production), cher à Lamartine - Milly, son village, est vinicole, et lui-même possédait des vignes - est géologiquement plus simple que le Chalonnais. Les terrains sédimentaires du triasique au jurassique y sont coupés de failles ouest-est. 20 % des appellations sont communales, 80 % régionales (mâcon blanc et mâcon rouge). Sur des sols bruns calcaires, les blancs les plus réputés, issus de chardonnay, naissent sur les versants particulièrement bien exposés et très ensoleillés de Pouilly, Solutré et Vergisson ; ils sont remarquables par leur aspect et leur aptitude à une longue garde. Les rouges et rosés proviennent du pinot noir pour les vins d'appellation bourgogne et de gamay noir à jus blanc pour les mâcons issus de terrains à plus basse altitude et moins bien exposés, aux sols souvent limoneux où des rognons siliceux facilitent le drainage.

Pour essentielles que soient les données pédologiques et climatiques, on ne peut présenter la Bourgogne vinicole sans aborder les aspects humains du travail de la vigne et des vins : les hommes attachés à leur terroir le sont souvent ici depuis des siècles. Ainsi, les noms de nombreuses familles ont traversé cinq siècles. De même, la fondation de certaines maisons de négoce remonte parfois au XVIIIe s.

Morcelé, le vignoble est constitué d'exploitations familiales de faible superficie. C'est ainsi qu'un domaine de quatre à cinq hectares suffit, en appellation communale (nuits-saint-georges, par exemple), à faire vivre un ménage occupant un ouvrier. Rares sont les producteurs qui possèdent et cultivent plus de dix hectares :

l'illustre Clos-Vougeot, par exemple, qui couvre cinquante hectares, est partagé entre plus de soixante-dix propriétaires ! Ce morcellement des *climats* du point de vue de la propriété augmente encore la diversité des vins produits et crée une saine émulation chez les vignerons ; une dégustation consistera souvent, en Bourgogne, à comparer deux vins de même cépage et de même appellation, mais provenant chacun d'un *climat* différent ; ou encore, à juger deux vins de même cépage et de même *climat*, mais d'années différentes. Ainsi, en Bourgogne, deux notions reviennent en permanence en matière de dégustation : le cru, ou *climat*, et le millésime, auxquels s'ajoute bien sûr la « touche » personnelle du propriétaire qui les présente. Du point de vue technique, le vigneron bourguignon est très attaché au maintien des usages et traditions, ce qui ne signifie pas un refus absolu de la modernisation. C'est ainsi que la mécanisation de la viticulture se développe et que de nombreux vinificateurs ont su tirer profit de nouveaux matériels ou de nouvelles techniques. Il est toutefois des traditions qui ne sauraient être remises en cause aussi bien par les viticulteurs que par les négociants : l'un des meilleurs exemples en est l'élevage des vins en fût de chêne.

On recense environ 3 500 domaines vivant uniquement de la vigne. Ils exploitent les deux tiers des 24 000 ha de vignes plantées en appellation d'origine. Dix-neuf coopératives sont répertoriées ; le mouvement est très actif en Chablisien, en Côte chalonnaise et surtout dans le Mâconnais (13 caves). Elles produisent environ 25 % des volumes de vin. Les négociants-éleveurs jouent un grand rôle depuis le XVIII^e^s. Ils commercialisent plus de 60 % de la production et détiennent plus de 35 % de la surface totale des grands crus de la Côte de Beaune. Avec ses domaines, le négoce produit 8 % de la récolte totale bourguignonne. Celle-ci représente en moyenne 180 millions de bouteilles (105 en blanc, 75 en rouge) qui génèrent 5 milliards de chiffre d'affaires, dont 2,6 à l'exportation. Le volume global des appellations représente environ 3 000 000 hl.

L'importance de l'élevage (conduite d'un vin depuis sa prime jeunesse jusqu'à son optimal qualitatif avant la mise en bouteilles) met en évidence le rôle du négociant-éleveur : outre sa responsabilité commerciale, il assume une responsabilité technique. On comprend donc qu'une relation professionnelle harmonieuse se soit créée entre la viticulture et le négoce.

Le Bureau interprofessionnel des vins de Bourgogne (BIVB) possède trois « antennes » : Mâcon, Beaune et Chablis. Le BIVB met en œuvre des actions dans les domaines technique, économique et promotionnel. L'université de Bourgogne a été le premier établissement en France, du moins au niveau universitaire, à dispenser des enseignements d'œnologie et à créer un diplôme de technicien, en 1934, en même temps qu'était fondée la prestigieuse confrérie des Chevaliers du Tastevin, qui fait tant pour le rayonnement et le prestige universel des vins de Bourgogne. Siégeant au château du Clos-Vougeot, elle contribue avec d'autres confréries locales à maintenir vivaces les traditions. L'une des plus brillantes est sans conteste la vente des hospices de Beaune, créée en 1851, rendez-vous de l'élite internationale du vin et « Bourse » des cours de référence des grands crus ; avec le chapitre de la confrérie et la « Paulée » de Meursault, la vente est l'une des « Trois Glorieuses ». Mais c'est à travers toute la Bourgogne que l'on sait fêter joyeusement le vin, devant quelque « pièce » (228 litres) ou bouteille. Il n'en faut d'ailleurs pas tant pour aimer la Bourgogne et ses vins : n'est-elle pas tout simplement « un pays que l'on peut emporter dans son verre » ?

Sachez ranger votre cave : les blancs près du sol, les rouges au-dessus ; les vins de garde dans les rangées du fond, les bouteilles à boire en situation frontale. Et n'oubliez pas le livre de cave....

Au restaurant, il est conseillé de choisir un « petit » vin sur un menu préétabli, et de composer son menu à partir d'un grand vin ; mais en accordant les niveaux respectifs de qualité des mets et des vins.

Les appellations régionales bourgogne

Les appellations régionales bourgogne, bourgogne grand ordinaire et leurs satellites ou homologues couvrent l'aire de production la plus vaste de la Bourgogne viticole. Elles peuvent être produites dans les communes traditionnellement viticoles des départements de l'Yonne, de la Côte-d'Or, de la Saône-et-Loire, et dans le canton de Villefranche-sur-Saône, dans le Rhône. En 2000, elles ont représenté un volume de 361 917 hl.

La codification des usages, et plus particulièrement la définition des terroirs par la délimitation parcellaire, a conduit à une hiérarchie au sein des appellations régionales. L'appellation bourgogne grand ordinaire est l'appellation la plus générale, la plus extensive par l'aire délimitée. Avec un encépagement plus spécifique, on récolte dans les mêmes lieux le bourgogne aligoté, le bourgogne passetoutgrain et le crémant de bourgogne.

Bourgogne

L'aire de production de cette appellation est assez vaste, si l'on considère les adjonctions possibles de différents noms de sous-régions (Hautes-Côtes, Côte chalonnaise) ou de villages (Irancy, Chitry, Epineuil) qui constituent chacun une entité à part, et sont présentés ici comme tels. Il n'est pas étonnant qu'en raison de l'étendue de cette appellation les producteurs aient cherché à personnaliser leurs vins et à convaincre le législateur d'en préciser l'origine. Dans le Châtillonnais, en Côte-d'Or, le nom de Massingy a été utilisé, mais ce vignoble a quasiment disparu. Plus récemment, et de manière continue, les viticulteurs utilisent le nom de village et l'ont ajouté à l'appellation bourgogne, sur les coteaux de l'Yonne. C'est le cas de Saint-Bris, de Côtes d'Auxerre, sur la rive droite, et de Coulanges-la-Vineuse, sur la rive gauche.

Les volumes de l'appellation bourgogne sont en année moyenne d'environ 155 000 hl. En blanc, 78 726 hl ont été produits à partir du cépage chardonnay, encore appelé beaunois dans l'Yonne. Le pinot blanc, bien que cité dans le texte de définition et autrefois un peu plus cultivé dans les hautes côtes de la Bourgogne, a pratiquement disparu. Il est d'ailleurs très souvent confondu, du moins par le nom, avec le chardonnay.

En rouge et rosé, la production à partir de pinot noir est de l'ordre de 125 à 130 000 hl en année moyenne. Le pinot beurot a malheureusement presque disparu en raison de sa carence en matières colorantes ; il apportait aux vins rouges une finesse remarquable. Certaines années, les volumes déclarés peuvent être augmentés de volumes issus du « repli » des appellations communales du Beaujolais : brouilly, côte-de-brouilly, chénas, chiroubles, fleurie, juliénas, morgon, moulin à vent et saint-amour. Ces vins sont alors issus du cépage gamay noir seul, et ont ainsi un caractère différent. Les vins rosés, dont les volumes augmentent un peu les années de maturité difficile ou de fort développement de la pourriture grise, peuvent être déclarés sous l'appellation bourgogne rosé ou bourgogne clairet.

Pour ajouter à la difficulté, on trouvera des étiquettes portant, en plus de l'appellation bourgogne, le nom du lieu-dit sur lequel a été produit le vin. Quelques vignobles anciens et réputés justifient aujourd'hui cette pratique ; c'est le cas du Chapitre à Chenôve, des Montreculs, vestiges du vignoble dijonnais envahi par l'urbanisation, ainsi que de la Chapelle-Notre-Dame à Serrigny. Pour les autres, ils créent souvent une confusion avec les premiers crus et ne se justifient pas toujours.

DOM. ALEXANDRE 1999

■ 1,8 ha 3 000 ▮ 5 à 8 €

Les arômes de café et de framboise font équipe pour réussir un bouquet intense. En bouche, le fruit frais reste présent. Beau et bon vin que l'on dégustera dans un an au maximum. (30 à 49 F)

Dom. Alexandre Père et Fils, pl. de la Mairie, 71150 Remigny, tél. 03.85.87.22.61, fax 03.85.87.22.61, e-mail domaine.alexandre @roonoo.net ☑ Y r.-v.

BERTRAND AMBROISE 1999★

□ n.c. n.c. 5à8€

Choisissez-vous le **rouge 99 Vieilles vignes (50 à 69 F)** ? Il chante la griotte d'un air heureux et persistant. Ou ce blanc ? Jaune à reflets dorés, il a du nerf et de la rondeur. Bien vinifié sur un potentiel intéressant et à savourer maintenant. Son bouquet ? Un vrai bonheur, entre l'iris et la noisette. L'un et l'autre vins peuvent être associés au repas dominical. (30 à 49 F)

Maison Bertrand Ambroise, rue de l'Eglise, 21700 Premeaux-Prissey, tél. 03.80.62.30.19, fax 03.80.62.38.69, e-mail bertrand.ambroise@wanadoo.fr ☑ Y r.-v.

MICHEL ARCELAIN 1999★

□ 0,16 ha 1 400 5à8€

Un blanc venu de Pommard, pays du rouge : superbe en ce moment, il pourrait se maintenir un ou deux ans. L'or de sa robe rayonne. Déjà bien offert, le nez joue sur le fruit et le miel. La bouche généreuse, très fruitée et longue, affiche une élégance digne d'un bon poisson. (30 à 49 F)

Michel Arcelain, rue Mareau, 21630 Pommard, tél. 03.80.22.13.50, fax 03.80.22.13.50 ☑ Y r.-v.

CHRISTOPHE AUGUSTE

Coulanges-la-Vineuse 1999★

■ 11 ha 70 000 5à8€

Coulanges n'est pas la Vineuse pour rien. Couleur griotte, ce vin riche et chaud après une entame à l'inverse assez fraîche, se montre plaisant et léger ; il est bien fait et typé de l'Auxerrois. A boire jusqu'en 2003. (30 à 49 F)

Christophe Auguste, 55, rue André-Vildieu, 89580 Coulanges-la-Vineuse, tél. 03.86.42.35.04, fax 03.86.42.51.81 ☑ Y r.-v.

DOM. BERNAERT 1999★★

□ 5,92 ha 30 000 5à8€

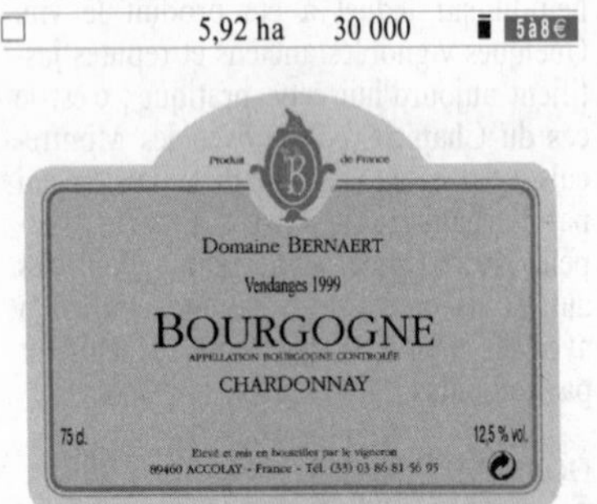

On connaissait les potiers d'Accolay, mais l'autoroute, il est vrai, a supprimé cette étape obligée sur la RN 6. Voici un vigneron d'Accolay, et son chardonnay remporte le coup de cœur numéro 1 de l'Yonne. Un vignoble de reconquête depuis 1988. Jaune clair à reflets argentés, le nez frais de citron vert et de fleurs, ce 99 chaleureux affiche une belle matière équilibrée, riche et longue qui fait l'unanimité. (30 à 49 F)

Philippe Bernaert, 6, rte Nationale, 89460 Accolay, tél. 03.86.81.56.95, fax 03.86.81.69.33 ☑ Y r.-v.

DOM. BORGNAT

Coulanges-la-Vineuse 1999★

□ 1 ha 2 000 5à8€

Si vous faites du tourisme, il y a ici un pigeonnier transformé en gîte rural et une cave devenue auberge. Très beau lieu historique. Et si vous ne connaissez pas le Coulanges blanc, celui-ci se fera un plaisir de vous le faire découvrir. Quoique peu brillante, sa robe est engageante. Son joli nez évoque l'ananas et la vanille. Vif à l'attaque, le palais témoigne rapidement d'une vinosité expressive et chaleureuse. (30 à 49 F)

EARL Dom. Benjamin Borgnat, 1, rue de l'Eglise, 89290 Escolives-Sainte-Camille, tél. 03.86.53.35.28, fax 03.86.53.65.00, e-mail domaineborgnat@wanadoo.fr ☑ Y r.-v.

PASCAL BOUCHARD

Côtes d'Auxerre Les Pierres blanches 1999★

□ n.c. 24 000 5à8€

L'acte I est boisé, et l'acte II fruité. Retour du fût, retour du fruit sur fond minéral, nous en sommes à l'acte V qui célèbre le mariage des deux. On ne peut rêver mieux. Jaune franc, peu aromatique, cette mise en scène plus moderne que classique a de quoi plaire à un large public. Une certaine complexité. N'est-on pas en plein théâtre ? (30 à 49 F)

Pascal Bouchard, 5 bis, rue Porte-Noël, 89800 Chablis, tél. 03.86.42.18.64, fax 03.86.42.48.11, e-mail pascal.bouchard@wanadoo.fr ☑ Y t.l.j. 10h-12h30 14h-19h; f. janv.

CELINE BOUDARD-COTE 1999★

■ 0,65 ha 5 000 5à8€

Céline Boudard-Coté fait ses études à Bordeaux puis revient en 1999 reprendre seule le domaine familial. Premier millésime. On a envie de la féliciter. La robe est soutenue, le nez expressif, la bouche riche encore en développement. Ce 99 pourrait même accompagner une gigue de chevreuil ! (30 à 49 F)

Céline Boudard-Coté, Les Noirots, Vauliemeres, 89700 Molosmes, tél. 03.86.55.08.91, fax 03.86.55.13.47 ☑ Y t.l.j. 10h-20h

DOM. DENIS BOUSSEY

Vieilles vignes 1999★

□ 0,6 ha 3 600 5à8€

Monthélie possède une église du XII^{e}s. dont il reste des témoignages du style clunisien. C'est peut-être dans cette commune qu'ont été plantées les premières vignes avant l'époque romaine. Cette cuvée mérite votre visite. Or vert, elle demande un peu d'aération aujourd'hui pour exprimer un bouquet fruité (citron, pamplemousse) au-delà de la vanille du fût. La bouche donne d'emblée des notes d'amande, de pêche blanche, d'abricot, complétées d'une pointe mentholée. Du gras, de l'élégance, de la maturité : cette bouteille a une longue vie devant elle. On propose de la servir avec un poisson d'eau douce à la crème. (30 à 49 F)

🔑 Dom. Denis Boussey, 1, rue du Pied-de-la-Vallée, 21190 Monthélie, tél. 03.80.21.21.23, fax 03.80.21.62.46 ☑ Y t.l.j. sf dim. 8h-12h 13h30-18h30; f. 5-25 août

DOM. REGIS BOUVIER
Montre-Cul 1999**

■ 0,63 ha 2 500 5à8€

Le fameux Montre-Cul, *climat* tout proche de Dijon et qui est l'un des rares en Bourgogne, dans cette appellation, à avoir officiellement le droit d'afficher son nom. Dense du début à la fin, il est puissant. Ses arômes se fixent sur la myrtille, la mûre. Ce 99 a un très bon potentiel de garde : on peut sans problème l'oublier un peu en cave. (30 à 49 F)

🔑 Régis Bouvier, 52, rue de Mazy, 21160 Marsannay-la-Côte, tél. 03.80.51.33.93, fax 03.80.58.75.07 ☑ Y r.-v.

MICHEL BOUZEREAU ET FILS 1999*

□ 1 ha n.c. 8à11€

Bien enrobé, plaisant à boire, un bourgogne blanc venu d'un grand terroir de chardonnay, Meursault. Brillant dans un or pâle limpide traversé de reflets verts, il offre un nez puissant où dominent les notes miellées. La bouche est ample, grasse, équilibrée, élégante. (50 à 69 F)

🔑 Michel Bouzereau et Fils, 3, rue de la Planche-Meunière, 21190 Meursault, tél. 03.80.21.20.74, fax 03.80.21.66.41 ☑ Y r.-v.

BROSSOLETTE 1999

■ 2 ha 8 500 5à8€

La renaissance du vignoble tonnerrois est toute récente ; aussi les vignes ont-elles encore à vieillir. Mais les hommes et les femmes qui croient en son devenir manifestent un réel savoir-faire. Bien à l'image du millésime, ce vin a passé cinq mois sous bois. Le fruit est bien respecté et, si le volume n'est pas imposant - les ceps n'ont que neuf ans -, la bouche est plaisante et invite à un déjeuner sur l'herbe par les beaux jours d'automne. (30 à 49 F)

🔑 J.-J. et A.-C. Brossolette, 6, Grande-Rue, 89700 Molosmes, tél. 03.25.70.02.94, fax 03.25.70.59.81 ☑ Y t.l.j. 8h-20h

CHRISTOPHE BUISSON
Les Châtaigniers 1999**

■ n.c. n.c. 5à8€

Christophe Buisson part de... 0 ha en 1990. Il s'intéresse à l'histoire de sa commune, Saint-Romain en Côte-d'Or, loue et achète des parcelles, puis une cuverie. Il propose ce vin à la couleur profonde, grenat à nuances violettes et à reflets minéraux. Très étoffé, le nez évoque les fruits mûrs ou surmaturés. Finesse et puissance jouent à égalité sur une note finale épicée. Ce 99 vivra bien trois ou quatre ans. (30 à 49 F)

🔑 Christophe Buisson, 21190 Saint-Romain, tél. 03.80.21.63.92, fax 03.80.21.67.03 ☑ Y r.-v.

LES VIGNERONS DE BUXY 1999**

□ 11 ha 35 000 5à8€

Pour un dos de sandre rôti, voire une blanquette, ce vin d'un jaune appuyé certes, et dont la mise en scène aromatique relève du festival de Cannes. Agrumes liquoreux et giroflée dialoguent. L'équilibre acidité-alcool est superbe. Quelle puissance ! Longueur remarquable avec une persistance aromatique impressionnante. Typicité parfaite. (30 à 49 F)

🔑 SICA Les Vignerons réunis à Buxy, rte de Chalon-sur-Saône, 71390 Buxy, tél. 03.85.92.03.80, fax 03.85.92.08.06

DOM. CAILLOT Les Herbeux 1998**

□ 1 ha 7 000 5à8€

Les Herbeux ? Un lieu-dit de Meursault côté pampres et non herbes folles. Voici un bourgogne, fils naturel des meilleurs vins de la prestigieuse appellation. Dès le premier coup d'œil, on sent le vin gras. L'amande grillée évolue sur le croissant beurré, la petite fleur blanche. Ce 98 est onctueux, avec des arômes de fruits secs en bouche. La perfection plus meursault que bourgogne, mais à ce prix... il faut courir vite ! (30 à 49 F)

🔑 GAEC Dom. Caillot, 14, rue du Cromin, 21190 Meursault, tél. 03.80.21.21.70, fax 03.80.21.69.58 ☑ Y r.-v.

MARIE-THERESE CANARD ET JEAN-MICHEL AUBINEL 1999*

□ 0,16 ha 1 500 5à8€

Pourquoi le plaisir serait-il interdit ? Défendu ? Légèrement doré, ouvert sur le minéral et sur l'ananas, un vin qui vous prend dans ses bras et ne vous lâche plus. D'une longueur étonnante. On prend goût à ses arômes secondaires de poire, de coing. Le temps d'en parler, il est déjà sur table. Le boire maintenant. (30 à 49 F)

🔑 SCEV Canard-Aubinel, Mouhy, 71960 Prissé, tél. 03.85.20.21.43, fax 03.85.20.21.43 ☑ Y r.-v.

DOM. CAPUANO-FERRERI ET FILS 1999*

■ n.c. n.c. 5à8€

Une blanquette de veau devrait mettre en valeur ce 99 qu'il ne faut pas déguster trop vite. Nuance pivoine foncé, il résulte d'une extraction assez poussée. D'où ce côté rustique, les tanins masquant la rondeur. Cela étant, c'est un vin bien « balancé ». (30 à 49 F)

🔑 John Capuano, 14, rue Chauchien, 21590 Santenay, tél. 03.80.20.64.12, fax 03.80.20.65.75 ☑ Y r.-v.

MADAME EDMOND CHALMEAU
Chitry 1999*

□ 1,8 ha 12 800 5à8€

Chitry-le-Fort se consacre surtout au blanc. Aux blancs, devrait-on dire, car l'aligoté y fait parfois des merveilles. On est ici en chardonnay. Tout en simplicité et franchise, un de nos anciens coups de cœur : il montre qu'il ne perd pas la main. Il dispose d'un potentiel à demi exploité jusqu'à présent, où l'acidité et l'alcool s'équilibrent et les arômes de pêche blanche sont très plaisants. (30 à 49 F)

🔑 Mme Edmond Chalmeau, 20, rue du Ruisseau, 89530 Chitry-le-Fort, tél. 03.86.41.42.09, fax 03.86.41.46.84 ☑ 🍷 r.-v.

CHAMPY PERE ET CIE 1999★★

■ n.c. 40 000 🍾🌡 8à11€

Ce pinot noir honore l'appellation. Un joli vin, vraiment. La robe tient bon. Le nez y va de bon cœur sur un cocktail de fruits rouges. Même la légère agressivité tannique ne modifie pas l'harmonie générale. Il est rare par ailleurs de trouver autant de complexité dans une AOC régionale. (50 à 69 F)

🔑 Maison Champy, 5, rue du Grenier-à-Sel, 21200 Beaune, tél. 03.80.25.09.99, fax 03.80.25.09.95, e-mail champyprost@aol.com ☑ 🍷 r.-v.

🔑 Pierre Meurgey

CHARLES DE FRANCE 1998★

□ n.c. 50 000 🛢 5à8€

Charles figure parmi les prénoms du fils de Jean-Claude Boisset. Est-ce l'origine de la marque Charles de France ? Peu importe : on fait volontiers sa cour à ce chardonnay doré, tendre et aux notes de fougère. Son corps est sculptural et mis en valeur par un rien de pain d'épice. Un vin agréable dès à présent mais également de garde. (30 à 49 F)

🔑 Jean-Claude Boisset, 5, quai Dumorey, 21700 Nuits-Saint-Georges, tél. 03.80.62.62.61, fax 03.80.62.37.38

DOM. PHILIPPE CHARLOPIN
Cuvée Prestige 1998★★

■ n.c. n.c. 🛢 8à11€

Ce vin fait une entrée remarquée. Tous les regards se tournent vers lui. Il est vrai qu'on tient l'oiseau rare : remarquable pour un 98, remarquable pour une appellation régionale... Philippe Charlopin figurant souvent sur notre Guide, disons simplement que tout lui réussit. Un bon conseil : précipitez-vous sur votre portable et appelez Gevrey... (50 à 69 F)

🔑 Philippe Charlopin, 18, rte de Dijon, 21220 Gevrey-Chambertin, tél. 03.80.51.81.18, fax 03.80.51.81.18 ☑ 🍷 r.-v.

JEAN-PIERRE CHARTON 1999★

■ 3 ha 11 000 🛢 5à8€

Ce pinot noir chante avec entrain sa fierté d'être bourguignon. Il présente en effet un caractère typé, sympathique, un peu rugueux mais spontané, bien vivant. Sa robe pivoine constitue une excellente introduction à un bouquet fin et racé. (30 à 49 F)

🔑 Jean-Pierre Charton, 29, Grande-Rue, 71640 Mercurey, tél. 03.85.45.22.39, fax 03.85.45.22.39 ☑ 🍷 r.-v.

CLOS DU CHATEAU 1999★

□ 4,5 ha 30 000 🛢 11à15€

Propriété du Crédit Foncier, ce château de 19 ha propose un bourgogne de caractère, même si celui-ci est encore très marqué par le bois. Toutefois, il est constitué d'une très bonne matière première, qui saura résister au fût, le vin étant plein en même temps que puissant. Une bouteille destinée aux amateurs avertis. (70 à 99 F)

🔑 SCEA Dom. du Château de Puligny-Montrachet, 21190 Puligny-Montrachet, tél. 03.80.21.39.14, fax 03.80.21.39.07, e-mail chateaupul@aol.com ☑ 🍷 r.-v.

DOM. CHAUMONT PERE ET FILS 1999★

■ 1,5 ha 1 600 🍾 5à8€

Ceci est rare mais peut-être significatif : ce domaine a passé trente années en culture biologique. Il s'engage désormais dans la lutte raisonnée. Il propose avec ce bourgogne un vol sans escale dans l'univers du pinot noir : celui-ci, d'une forte intensité colorante et d'une belle limpidité offre des arômes de cerise noire sur une note de moka. On retrouve la cerise noire en bouche, dans un contexte de sous-bois, d'humus. Très typé « terroir ». (30 à 49 F)

🔑 Dom. Chaumont Père et Fils, Le Clos Saint-Georges, 71640 Saint-Jean-de-Vaux, tél. 03.85.45.13.77, fax 03.85.45.27.77, e-mail didierchaumont@aol.com ☑ 🍷 r.-v.

DOM. DES CHAZELLES 2000★

□ n.c. 6 000 🍾🌡 5à8€

Les Chaland se sont installés en 1967, quittant alors la cave coopérative et cultivant leur 6,20 ha. « Voilà un beau bourgogne blanc », note un dégustateur : l'œil se réjouit de tous les caractères du chardonnay, une robe pâle avec beaucoup de reflets verts. L'aubépine domine le nez alors que le pamplemousse l'emporte en bouche sur une petite structure très agréable qui plaira dès à présent. (30 à 49 F)

🔑 Jean-Noël Chaland, En Jean-Large, 71260 Viré, tél. 03.85.33.11.18, fax 03.85.33.15.58 ☑ 🍷 t.l.j. sf dim. 8h-19h

DOM. HENRI CLERC ET FILS
Les Riaux 1999★

□ 2,33 ha 21 733 🍾 5à8€

Vieux domaine bourguignon pour lequel le chardonnay n'a pas de secret. Celui-ci, or brillant, offre un nez de fruits frais très agréable. Harmonieux, équilibré au palais, une fraîche finale sur le citron relevant l'ensemble, il pourra, pendant deux ou trois ans, accompagner les terrines de poisson. (30 à 49 F)

🔑 Dom. Henri Clerc et Fils, pl. des Marronniers, 21190 Puligny-Montrachet, tél. 03.80.21.32.74, fax 03.80.21.39.60 ☑ 🍷 t.l.j. 8h30-11h45 14h-17h45

🔑 Bernard Clerc

DOM. FRANCOIS COLLIN
Epineuil 1999★

■ 4,9 ha n.c. 🍾🛢 5à8€

Philippe Collin a pris la tête du domaine familial en 2000. Il a hérité ici d'un 99 très réussi : le rouge est mis et le plaisir est là. Rubis violacé, ce vin possède un bouquet en instance de maturité (fruits cuits, pruneau). En bouche, tout joue sur le fruit. Modérément boisé, le corps rond et frais donne envie d'aller plus loin. (30 à 49 F)

🔑 Philippe Collin, Les Mulots, 89700 Tonnerre, tél. 03.86.75.93.84, fax 03.86.75.94.00, e-mail françois.collin@wanadoo.fr ☑ 🍷 r.-v.

DOM. COLLOTTE 1999★

■ 1 ha 4 000 5à8€

Ici, on affiche la règle élémentaire : on ne peut faire de bons vins qu'avec un bon raisin. Celui-ci vous prend par le bras, tant il a bon caractère. Tannique sans astringence, charnu sans être épais, souple, aimable comme tout, grenat brillant, il tient plusieurs langages au nez : le cuir et les fruits rouges. Le reste, on l'a dit, relève de la plus franche camaraderie. Il est inutile de le laisser vieillir. (30 à 49 F)

🔑 Dom. Collotte, 44, rue de Mazy, 21160 Marsannay-la-Côte, tél. 03.80.52.24.34, fax 03.80.58.74.40 ☑ 🍷 r.-v.

COMTE DE MIGIEU 1999

□ n.c. n.c. 15à23€

Appartenant au groupe Max, une cuvée où les fruits mûrs jouent sur des notes miellées et résinées. Une pointe d'alcool en bouche accompagne l'impression grillée apportée par le fût qui devrait se fondre après quelques années de garde. (100 à 149 F)

🔑 Poulet Père et Fils, 6, rue de Chaux, BP 4, 21700 Nuits-Saint-Georges, tél. 03.80.62.43.02, fax 03.80.61.28.08

DOM. DE CORBETON 1999★★

□ n.c. 200 000 8à11€

La grande classe pour son appellation ! Paille assez pâle, ce vin montre sa distinction, son élégance dès les premiers instants par un fruité bien présent mais avec la retenue enseignée dans les bonnes familles. Et puis, aérien et subtil, il s'envole vers les sommets. Il s'agit de la maison A. Bichot sous un autre nom qu'elle valorise ainsi. Proposé pour le coup de cœur. (50 à 69 F)

🔑 Dom. de Corbeton, BP 47, 21202 Beaune Cedex, tél. 03.80.24.37.47, fax 03.80.24.37.38

DOM. DE COURCEL 1998★

■ 0,7 ha 1 500 8à11€

Venu de Pommard, et d'un domaine réputé, ce « simple » bourgogne est très réussi. Vanille et cassis sont aux avant-postes d'une base aromatique fortement concentrée. Une bonne extraction aboutit à un phénomène analogue en bouche, alors que le bigarreau fait suite aux arômes précédents. Un 98 typé et d'un style assez chic. (50 à 69 F)

🔑 Dom. de Courcel, pl. de l'Eglise, 21630 Pommard, tél. 03.80.22.10.64, fax 03.80.24.98.73 ☑

DOM. DARNAT 1999★

□ 1,2 ha 7 000 8à11€

Henri Darnat a repris le domaine familial en 1995. Venu lui aussi de Meursault, ce bourgogne blanc porte les couleurs de son terroir. Le nez exprime le cépage alors que la bouche révèle, au-delà des fleurs et des fruits, un boisé discret et bien mené. Un vin d'une belle tenue. (50 à 69 F)

🔑 Dom. Darnat, 20, rue des Forges, 21190 Meursault, tél. 03.80.21.23.30, fax 03.80.21.64.62, e-mail domaine.darnat@libertysurf.fr ☑ 🍷 r.-v.

RODOLPHE DEMOUGEOT 1999★

□ 0,49 ha 4 800 5à8€

Ce millésime marque la première vinification en blanc de ce domaine créé en 1992. Dix mois de fût n'ont pas gommé la belle typicité de cette bouteille couleur paille intense, aux arômes de fruits frais, d'amande et de sous-bois. Agréable au palais, le vin déroule des sensations allant du gras de l'attaque à la vivacité de la finale qui a choisi les agrumes. Déjà bien sympathique. (30 à 49 F)

🔑 Dom. Rodolphe Demougeot, 2, rue du Clos-de-Mazeray, 21190 Meursault, tél. 03.80.21.28.99, fax 03.80.21.29.18 ☑ 🍷 r.-v.

DESVIGNES 1998

□ n.c. 12 000 5à8€

Le bourgogne blanc de cette sympathique maison beaujolaise : la robe est taillée par un grand couturier. Le nez, floral, est appuyé par une note de cannelle. Equilibrée, ronde, longue, assez fruitée, la bouche plaira dès maintenant. (30 à 49 F)

🔑 Maison Desvignes, rue Guillemet-Desvignes, Pontanevaux, 71570 La Chapelle-de-Guinchay, tél. 03.85.36.72.32, fax 03.85.36.74.02 🍷 r.-v.

ANTOINE DONAT ET FILS
Côtes d'Auxerre Dessus-bon-boire 1999★★

■ 1,5 ha 7 000 5à8€

Elevage en fût de chêne mais sans recourir au bois neuf, de façon à ne pas « matraquer » le vin. Ce 99 très gourmand, rubis violine, « pinotant » sur le fruit et l'épice, est vraiment « dessus-bon-boire ». Un nom de lieu-dit qui ne s'invente pas. (30 à 49 F)

🔑 André Donat, 41, rue de Vallan, 89290 Vaux, tél. 03.86.53.89.99, fax 03.86.53.68.36 ☑ 🍷 t.l.j. 9h-12h 14h-19h; dim. sur r.-v.

DOM. DUBOIS D'ORGEVAL 1998★

■ n.c. n.c. 5à8€

Rubis foncé, une appellation régionale qui a des accents animaux assez habituels. Sa structure retient particulièrement l'attention. Sa typicité de pinot noir bourguignon aussi. Dans la bonne moyenne. (30 à 49 F)

🔑 Dom. Dubois d'Orgeval, 3, rue Joseph-Bard, 21200 Chorey-lès-Beaune, tél. 03.80.24.70.89, fax 03.80.22.45.02 ☑ 🍷 r.-v.

GILLES DURAND 2000

◩ 0,2 ha 1 650 3à5€

Constitué en 1991, ce domaine dispose de jeunes vignes (sept ans) qui ont donné un rosé intéressant même s'il est plus rond que vif. La robe saumonée annonce un nez fruité aux accents de bonbon acidulé. La bouche appelle les grillades dès cet automne. (20 à 29 F)

🔑 Gilles Durand, Ferme de l'Hermitage, 89700 Tonnerre, tél. 03.86.54.46.70, fax 03.86.55.29.00 ☑ 🍷 r.-v.

BERNARD DURY 1999*

☐	0,61 ha	2 000	🛢 5à8€

Bernard Dury cultive ses 7,45 ha depuis 1975. Cette cuvée or brillant propose un nez de tilleul et de fleurs blanches bien affirmé. Ce n'est qu'en bouche qu'apparaît le fût, avec ses notes vanillées. Mais la vivacité demeure jusqu'en finale dans une bouche équilibrée. (30 à 49 F)

🔑 Bernard Dury, rue du Château, hameau de Cissey, 21190 Meursault, tél. 03.80.21.48.44, fax 03.80.21.48.44 ☑ 🍷 r.-v.

SYLVAIN DUSSORT
Cuvée des Ormes 1999*

☐	1,3 ha	9 000	🛢 8à11€

Une cuvée très connue des lecteurs du Guide, sélection de parcelles de vignes de quarante ans. Elle brille d'un or éclatant. Le nez racé propose des fragrances florales et miellées, des fruits confits. La bouche a une attaque assez grasse puis elle évolue sur des notes boisées et une vivacité qui lui assurera deux à trois ans de garde. Poisson à la crème conseillé. (50 à 69 F)

🔑 Sylvain Dussort, 12, rue Charles-Giraud, 21190 Meursault, tél. 03.80.21.27.50, fax 03.80.21.65.91, e-mail dussvins@aol.com ☑ 🍷 r.-v.

DOM. FELIX
Côtes d'Auxerre Cuvée Saint-André 1998**

☐	0,22 ha	2 000	🛢 5à8€

Ce domaine, créé au XVII[e]s., est dirigé depuis 1987 par Hervé Félix, qui aime particulièrement son village dont l'architecture peut réjouir les amateurs de vieilles pierres. La croix de Saint-André était jadis le signe de ralliement des Bourguignons. Cette cuvée dédiée au même saint a tout du bon apôtre et rallie tous les suffrages. Un 98 jaune profond, encore très vanillé certes mais dont la richesse et la puissance, en même temps que l'élégance, sont rares dans l'appellation. Il est digne de coquilles Saint-Jacques au beurre blanc. Le **rosé 99** est tout simplement bon (une étoile) ; il offre de fines notes d'agrumes et de fruits rouges. (30 à 49 F)

🔑 Dom. Hervé Félix, 17, rue de Paris, 89530 Saint-Bris-le-Vineux, tél. 03.86.53.33.87, fax 03.86.53.61.64, e-mail felix@caves-particulieres.com ☑ 🍷 t.l.j. sf dim. 9h-11h30 14h-18h30

DOM. DE FISSEY 1999*

■	1,5 ha	800	5à8€

Produit en Côte chalonnaise, ce 99 revient de loin. Yves vivait en effet à Paris avant son installation ici en 1993 et il ne veillait pas sur la vigne de Montmartre ! Le résultat est tout à fait satisfaisant si l'on en juge d'après cette bouteille agréable, vineuse. Ses tanins savent rester à leur place. Couleur affirmée, arômes classiques en éveil. Un vin bien typé. (30 à 49 F)

🔑 Yves et Catherine Léveillé, Dom. de Fissey, 71390 Moroges, tél. 03.85.47.98.70, fax 03.85.47.99.40 ☑ 🍷 r.-v.

DOM. FONTAINE DE LA VIERGE
Chitry 1999**

☐	2 ha	5 000	5à8€

Ce domaine est situé à 300 m de la belle église fortifiée de Chitry-le-Fort. Il ne faut manquer ni l'un ni l'autre. Qui voudra retrouver le parfum de la pêche de vigne se laissera tenter par cette bouteille aux ardeurs aromatiques. Une véritable personnalité, fraîche et très agréable. La bouche, légèrement citronnée, apparaît plus fine que concentrée, mais ce très joli vin peut passer tout de suite à table. (30 à 49 F)

🔑 Jean-Claude Biot, 5, chem. des Fossés, 89530 Chitry-le-Fort, tél. 03.86.41.42.79, fax 03.86.41.46.72 ☑ 🍷 r.-v.

DOM. DES FROMANGES 1999*

☐	n.c.	n.c.	5à8€

L'appellation douterait-elle d'elle-même ? Cette bouteille or pâle, conjuguant le miel et le silex comme une agrégée de grammaire aromatique, aurait tôt fait de vous convaincre des qualités et des vertus d'un excellent bourgogne blanc. Vif et gras, c'est le bonheur qui sonne à la porte. (30 à 49 F)

🔑 F. Protheau et Fils, Ch. d'Etroyes, 71640 Mercurey, tél. 03.85.98.99.10, fax 03.85.98.99.00, e-mail commercial@protheau.com 🍷 t.l.j. sf dim. lun. 8h-12h 14h-18h

GILBERT ET PHILIPPE GERMAIN
1999*

◪	0,2 ha	1000	🛢 3à5€

Installé en 1995 sur la propriété de ses parents, ce vigneron propose un rosé qui ne descend pas « tout debout » en bouche. Il y prend ses aises, sa vivacité naturelle étant enrobée dans une rondeur agréable. Son originalité provient d'un léger vanillé qui s'associe au fruit. Il sollicitera l'appétit en début de repas. (20 à 29 F)

🔑 Philippe Germain, 21190 Nantoux, tél. 03.80.26.05.63, fax 03.80.26.05.12 ☑ 🍷 r.-v.

DOM. ANNE-MARIE GILLE 1999**

■	0,24 ha	1 700	🛢 5à8€

Anne-Marie Gille appartient à une vieille famille installée à Comblanchien depuis le XVI[e]s. ; elle dirige cette exploitation depuis 1983 et a hérité d'une cave de vieux millésimes spectaculaires. Rouge violacé comme s'il sortait de la palette d'un impressionniste, ce vin décline une gamme aromatique très classique (sous-bois, mûre) selon une vinosité satisfaisante. En

bouche, il offre un vrai parcours de santé : ses composants sont bien équilibrés, par exemple les tanins très présents mais dépourvus d'agressivité, et la matière aussi riche que possible. Coup de cœur dans deux ans ? Un petit salé aux lentilles aura sans doute eu raison de sa patience bien avant décembre 2004 ! (30 à 49 F)
Dom. Anne-Marie Gille, 34, RN 74, 21700 Comblanchien, tél. 03.80.62.94.13, fax 03.80.62.99.88, e-mail gille@burgundywines.net ☑ Y r.-v.

GHISLAINE ET JEAN-HUGUES GOISOT Côtes d'Auxerre 1999★★

■ 4 ha 20 000 5à8€

C'est dans un ancien corps de garde du XIe s. qu'est installée cette exploitation régulièrement récompensée par nos dégustateurs. Le style de vinification a privilégié l'extraction. On pense à une cuvaison très longue. Ce vin très sophistiqué a énormément de couleur, beaucoup de fruits noirs et se montre assez impressionnant en bouche. Le **Corps de garde 99 rouge (50 à 69 F)** ressemble beaucoup au précédent. Cette **même cuvée en blanc 99** est citée : très boisée elle devra attendre deux ans. (30 à 49 F)
Ghislaine et Jean-Hugues Goisot, 30, rue Bienvenu-Martin, 89530 Saint-Bris-le-Vineux, tél. 03.86.53.35.15, fax 03.86.53.62.03 ☑ Y r.-v.

DOM. GRAND ROCHE
Côtes d'Auxerre 1999★★

■ 4 ha 18 000 5à8€

Erick Lavallée était comptable. En 1981, il se passionne pour les céréales. En 1987, il devient viticulteur. Personne ne s'en plaindra au vu de ce millésime. Ce 99 possède bien les caractéristiques d'un Côtes d'Auxerre, sauvage mais dépourvu d'agressivité. Le miracle du vin ! Rouge cerise, il attaque fraîchement et se conduit en bouche selon les règles de la civilité. Ses tanins ne dressent pas le dos et on aime bien cet arrière-goût de noyau. (30 à 49 F)
Erick Lavallée, Dom. Grand Roche, 6, rte de Chitry, 89530 Saint-Bris-le-Vineux, tél. 03.86.53.84.07, fax 03.86.53.88.36 ☑ Y r.-v.

GRIFFE Côtes d'Auxerre 2000

■ 1,07 ha 5 000 5à8€

David Griffe exploite le domaine familial depuis 1992. Chitry, où le domaine a son siège, possède une église classée du XIVe s. Que dire de ce millésime 2000 ? Il offre un intéressant bouquet de prunelle et de fruits rouges, un thème aromatique qui se poursuit en bouche. Léger et assez flatteur, il pourra être servi cet hiver sur un rôti accompagné d'un gratin dauphinois. Le **bourgogne Chitry blanc 2000** obtient la même note, il devra attendre un à deux ans.
(30 à 49 F)
EARL Griffe, 15, rue du Beugnon, 89530 Chitry-le-Fort, tél. 03.86.41.41.06, fax 03.86.41.47.36 ☑ Y r.-v.

DOM. PATRICK GUILLOT 1999★★

■ 1,5 ha 5 000 3à5€

On en a tiré toute la couleur concevable. La mûre, bien sûr, se trouve en figure de proue d'un nez de haut bord. En bouche, les petits fruits rouges sont très sages, les tanins pleins de tact. Peut-être un peu carré en l'état actuel, mais c'est un vin encore éloigné de son optimum et à garder trois à quatre ans. Le meilleur rapport qualité-prix de la série. (20 à 29 F)
Dom. Patrick Guillot, 9 A, rue de Vaugeailles, 71640 Mercurey, tél. 03.85.45.27.40, fax 03.85.45.28.57 ☑ Y r.-v.

DOM. HARMAND-GEOFFROY 1999★

■ 0,63 ha 5 700 8à11€

Venue d'un joli domaine de Gevrey-Chambertin, cette bouteille est diffusée sur quatre continents. D'une teinte légèrement grenat, elle s'y prend à deux fois pour définir son bouquet : d'abord sur la framboise, puis sur des arômes plus évolués comme le sous-bois, la fourrure. Le fût est bien fondu, la matière amplement suffisante. Le peu d'acidité, en revanche, fait penser que ce vin ne sera probablement pas de longue garde : sa finale onctueuse et longue est à saisir dans les deux à trois ans. (50 à 69 F)
Dom. Harmand-Geoffroy, 1, pl. des Lois, 21220 Gevrey-Chambertin, tél. 03.80.34.10.65, fax 03.80.34.13.72, e-mail harmand-geoffroy@wanadoo.fr ☑ Y r.-v.

CUVEE HENRY DE VEZELAY
Vézelay 1999★★

□ 32,93 ha 150 000 5à8€

Vézelay n'est pas seulement « cette barque qui a jeté l'ancre sur l'horizon » (Paul Claudel), mais aussi une cave à bon vin. Créée en 1989, la coopérative signe ici un chardonnay dans l'esprit du pays, généreux et charnu. Un pèlerin assez gras, pour tout dire, et discret si l'on en croit son nez. Belle robe. Sous le même nom en **rouge 99**, le vin reçoit une étoile. A boire en 2002 sur un magret. **La Vézelienne 2000** obtient une étoile. A attendre un an ou deux. (30 à 49 F)
Cave Henry de Vézelay, 89450 Saint-Père, tél. 03.86.33.29.62, fax 03.86.33.35.03 ☑ Y t.l.j. 10h-12h 14h30-18h

HENRY FRERES 1999★★

□ 5 ha 10 000 5à8€

Pascal et Didier sont frères et se sont associés il y a plus de dix ans. Ce 99 était présent au grand jury du coup de cœur. Sa couleur ne fait pas trop d'effets, son nez est sur la réserve (mais suggérant déjà le miel, le citron et la pierre à

fusil) et puis sa bouche se révèle, adorable, fine et structurée. (30 à 49 F)
GAEC Henry Frères, 89800 Saint-Cyr-les-Colons, tél. 03.86.41.44.87, fax 03.86.41.41.48 r.-v.

JOEL HUDELOT-BAILLET 1999*

0,93 ha 3 000 5à8€

Bourgogne générique ? Bourgogne régional, doit-on dire. Sa forte intensité colorante lui ouvre toutes les portes. Son bouquet réunit les épices et les fruits mûrs. Riche, conquérant, presque sauvage en fin de bouche, il est sûr de son affaire et disposé à attendre un peu. (30 à 49 F)
Joël Hudelot-Baillet, 21, rue Basse, 21220 Chambolle-Musigny, tél. 03.80.62.85.88, fax 03.80.62.49.83 r.-v.

PATRICK HUGOT 1998**

3,5 ha 5 000 5à8€

Le Tonnerrois est un vignoble à suivre de près. Géologiquement très proche du Chablisien et s'y confondant parfois, il réussit - comme c'est le cas ici - un chardonnay mis en bague comme un petit bijou. Or blanc et floral, sous-bois poivré, vif et long, ce 98 bien élevé figure parmi les meilleurs. Qui y aurait pensé il y a quelques années ? (30 à 49 F)
Patrick Hugot, Le Grand Virey, 89700 Molosmes, tél. 03.86.55.16.11, fax 03.86.55.16.11 t.l.j. sf dim. 8h-12h 14h-19h

LES VIGNERONS D' IGE
Elevé en fût de chêne 1999*

3,5 ha 30 000 5à8€

Douze mois de fût pour cette cuvée de la coopérative qui vinifie 280 ha. Elle a la beauté du diable : une robe feu, violacée. Un souffle sauvage : mûre, myrtille. Un fût plus perceptible en bouche qu'au nez. De typicité moyenne, ce vin nous vient du Mâconnais où le pinot noir s'exprime de façon particulière. Souple et harmonieux, il révèle des qualités très intéressantes. (30 à 49 F)
Cave coop. des vignerons d'Igé, 71960 Igé, tél. 03.85.33.33.56, fax 03.85.33.41.85, e-mail lesvigneronsdige@lesvigneronsdige.com t.l.j. sf dim. 8h-12h 14h-18h

DOM. GUY-PIERRE JEAN ET FILS
Les Champs Pourras 1999*

n.c. n.c. 5à8€

Ce 99 n'y va pas par quatre chemins. D'une teinte violet soutenu, il a la couleur d'un vin de l'an 2000. Groseille, framboise, il dispose d'arômes expansifs. En bouche, il n'est pas facile à dérider tant il paraît sévère. La rigueur de son élevage en fût, associée à sa structure ainsi qu'à de la puissance, le destine à l'époisses ou au soumaintrain. (30 à 49 F)
Dom. Guy-Pierre Jean et Fils, rue des Cras, 21420 Aloxe-Corton, tél. 03.80.26.44.72, fax 03.80.26.45.36 r.-v.

PHILIPPE ET FRANCOISE JOUBY
Côtes d'Auxerre 1998*

n.c. n.c. 5à8€

Un 98 qui ne lésine pas sur la mâche. On peut appeler cela un vin de terroir, costaud sous sa robe rubis violine, bien mûr et encore tannique. Assez caractéristique de l'appellation et de moyenne garde. Le **blanc 99** a du tonus. Il obtient une citation. Achetez-le sans le déboucher tout de suite. (30 à 49 F)
Cave Françoise et Philippe Jouby, 8 bis, rte de Paris, 89530 Saint-Bris-Le-Vineux, tél. 03.86.53.30.58, fax 03.86.53.30.58 r.-v.

JULIUS CAESAR
Cuvée du Maître de poste 1998*

0,5 ha 3 000 8à11€

Julius Caesar ! Le nom de la cuvée. Il faut le faire en Bourgogne où l'on n'aime guère le Jules, préférant le Vercingétorix. Laissons cela de côté, considérant ce 98 sous tous ses aspects. Rubis intense, fruits rouges bien mûrs, devenant noirs sous l'influence du cassis, il réunit charpente tannique et chair fruitée. *Tu quoque*... A boire avant les Ides de Mars. (50 à 69 F)
Marylène et Philippe Sorin, 12, rue de Paris, 89530 Saint-Bris-le-Vineux, tél. 03.86.53.60.76, fax 03.86.53.62.60, e-mail philippe.sorin@libertysurf.fr r.-v.

DOM. DANIEL JUNOT
Elevé en fût de chêne 1999

0,4 ha 4 000 5à8€

A 3 km de Tonnerre, le village de Junay possédait au XVIIe s. des parcelles de vigne appartenant à Boileau, auteur de *L'Art poétique*. Ce très jeune vignoble fait beaucoup parler de lui. Cette petite cuvée n'est pas construite sur une grosse matière, mais elle est bien faite, assez marquée par le fût qui ne cache cependant pas les arômes de fruit. (30 à 49 F)
Daniel Junot, 7, Grande-Rue, 89700 Junay, tél. 03.86.54.40.93, fax 03.86.54.40.93 r.-v.

DOM. DE L'ABBAYE DU PETIT QUINCY Epineuil 2000*

1 ha 8 000 5à8€

Domaine repris en 1990 par la famille Gruhier ; Madame Gruhier est une Delaunay (ancienne maison de négoce-éleveur à Dijon puis L'Etang-Vergy). Son rosé de saignée est un beau cadeau de l'an 2000. Couleur groseille, il est épicé et d'une bonne complexité aromatique (bonbon anglais). Quelques notes d'agrumes. A boire sans souci et dans les mois qui viennent. (30 à 49 F)
Dominique Gruhier, rue du Clos-de-Quincy, 89700 Epineuil, tél. 03.86.55.32.51, fax 03.86.55.32.50 t.l.j. sf dim. 9h-12h 14h-18h; sam. sur r.-v.

CH. DE LA BRUYERE
Elevé en fût de chêne 1999*

0,5 ha 3 000 5à8€

Propriété Borie depuis 1995, ce château fondé au Moyen Age a été fortement remanié en 1881. Il dispose de 8,60 ha de vignes. Implanté sur argilo-calcaire, le chardonnay a donné un bourgogne équilibré, structuré et floral. Les neuf mois d'élevage en fût n'ont pas gâché le grand potentiel de cette bouteille à ouvrir dans un à deux ans. (30 à 49 F)

Paul-Henry Borie, Ch. de La Bruyère, 71960 Igé, tél. 03.85.33.30.72, fax 03.85.33.40.65, e-mail mph.borie@wanadoo.fr
t.l.j. 8h-12h 14h-19h

DOM. DE LA GALOPIERE 1999*

■ 7 ha 6 000 5à8€

Claire et Gabriel Fournier ont décidé en 1982 de se consacrer exclusivement à la vigne et au vin. Aujourd'hui ils travaillent sans désherbant. Leur bourgogne doit être gardé en cave encore un an. C'est un fameux gaillard, porté sur le fruit mûr et les épices, sur la groseille en bouche. Une belle mâche s'impose sur des tanins fondus mais encore présents. Les viandes rouges rôties lui conviendront. (30 à 49 F)

Claire et Gabriel Fournier, 6, rue de l'Eglise, 21200 Bligny-lès-Beaune, tél. 03.80.21.46.50, fax 03.80.21.49.93, e-mail c.g.fournier@wanadoo.fr r.-v.

DOM. DE LA PERRIERE

Clos de La Perrière Monopole 1999**

□ 1 ha 6 000 5à8€

Si vous cherchez vraiment les meilleurs parmi les milliers de bouteilles de l'AOC, prenez ce 99 légèrement toasté sous sa robe claire. Il faut bien sûr apprécier ce boisé d'épices douces. Mais la bouche apporte un surcroît de fraîcheur et de finesse s'accordant peu à peu à des notes mentholées, citronnées qui vous font une belle révérence. Provient de la Côte d'Or méridionale. (30 à 49 F)

Dom. de La Perrière, La Cave de Pommard, 1 rte de Beaune, 21630 Pommard, tél. 03.80.24.62.25, fax 03.80.24.62.42, e-mail cecile.chenu@wanadoo.fr t.l.j. 10h-18h

L DE MICHEL LAROCHE

Cuvée Prestige 1999*

□ 13 ha 106 000 5à8€

Michel Laroche préside sa société et a passé des contrats-qualité avec ses « apporteurs », les vignerons qui lui cèdent leur récolte. De plain-pied dans la typicité, ce bourgogne éveille un miel discret sur une robe jaune pâle. Le fruit en compote lui donne du caractère. Un élevage bien conduit pour un vin de bonne qualité, équilibré et persistant. (30 à 49 F)

Michel Laroche, 22, rue Louis-Bro, BP 33, 89800 Chablis, tél. 03.86.42.89.28, fax 03.86.42.89.29, e-mail info@michellaroche.com r.-v.

DOM. DE LA TOUR BAJOLE

Vieilles vignes 1998*

■ 1,5 ha 9 000 5à8€

Avec plusieurs viticulteurs d'Auxey-Duresses, ce domaine a joué un rôle de pionnier dans les vignes en lyre actuellement expérimentées dans les Hautes-Côtes. Cerise noire, le nez en accord parfait avec le cépage (bigarreau), ce vin offre fraîcheur, acidité, charpente. Il aimera les viandes blanches rôties ou grillées. (30 à 49 F)

M.-A. et J.-C. Dessendre, Dom. de La Tour-Bajole, Les Ombrots, 71490 Saint-Maurice-lès-Couches, tél. 03.85.45.52.90, fax 03.85.45.52.90, e-mail domaine-de-la-tour-bajole@wanadoo.fr
r.-v.

CH. DE LA TOUR DE L'ANGE 1999

■ 1,7 ha 10 000 5à8€

Ces vignes passent pour avoir appartenu jadis à un héros de la mythologie mâconnaise, le fameux Claude Brosse qui se rendit à Versailles pour faire goûter son vin au roi Louis XIV. Ici un pinot noir mâconnais au pays du gamay. Rubis clair et brillant, ce 99 exprime sa finesse, sa netteté avec bonne volonté. Pour le repas quotidien. (30 à 49 F)

SCE Ch. de La Tour de l'Ange, chem. du Bourg, 71850 Charnay-lès-Mâcon, tél. 03.85.34.96.67, fax 03.85.34.97.98, e-mail ml.debryas@latourdelange.com
r.-v.

LATOUR-MABILLE 1999

□ 0,8 ha 3 000 5à8€

Vincent Latour a vingt-trois ans lorsqu'il reprend le domaine familial en 1998. Il bénéficie de vignes de quarante-cinq ans et du très beau terroir de Meursault. D'une grande fraîcheur florale, ce vin est d'une droiture immédiate : sa matière est bien équilibrée et dégage une impression de sincérité. A attendre une petite année. (30 à 49 F)

Jean Latour-Labille et Fils, 6, rue du 8-Mai, 21190 Meursault, tél. 03.80.21.22.49, fax 03.80.21.67.86 r.-v.

Vincent Latour

CH. DE LA VELLE 1999*

□ 0,3 ha 3 000 5à8€

Il faut parfois oser des accords mets-vins qui relanceront la conversation si elle faiblit un peu. Encore doit-on disposer de la bouteille adéquate. Essayez ce 99 sur un dessert très doux à base de banane, et même de banane flambée. Notre Guide a plein d'idées ! Un chardonnay jaune citron, restant au nez sur les agrumes (avec un peu de noix fraîche), très gras et révélant une gentille finale sur les agrumes elle aussi. (30 à 49 F)

Bertrand Darviot, Ch. de La Velle, 17, rue de La Velle, 21190 Meursault, tél. 03.80.21.22.83, fax 03.80.21.65.60, e-mail chateaudelavelle@infonie.fr r.-v.

LES CAVES DE LA VERVELLE

Cuvée 1369 1999**

■ 2 ha 12 400 8à11€

Cuvée 1369 ? L'année de naissance du château de Bligny-lès-Beaune, construit par Philibert Paillard, chancelier de Bourgogne. Brillance et éclat de la robe, parfum de vanille : une très belle bouteille. Un peu de gras en plus, et elle allait à la perfection, au coup de cœur. (50 à 69 F)

Ch. de Bligny-lès-Beaune, Caves de la Vervelle, le Château, 21200 Bligny-lès-Beaune, tél. 03.80.21.47.38, fax 03.80.21.40.27 t.l.j. 8h-12h 14h-18h

JACQUES LEMAIGRE 1999★★

■ 0,2 ha 1 400 5à8€

Voici un vin qui sprinte au bon moment, celui du coup de cœur, et qui finit placé à l'arrivée. Très bon exemple des découvertes du Guide. Qui connaît cette minuscule exploitation ? Eh bien ! c'est dit : ce vin rouge cerise au nez fin et complexe, à l'acidité plaisante et à la structure irréprochable fait partie du peloton de tête. Peu de bouteilles, mais elles sont bonnes. (30 à 49 F)

Jacques Lemaigre, 2, rte de Paris-Genève, 89700 Dannemoine, tél. 03.86.55.54.84 r.-v.

SERGE LEPAGE Côte Saint-Jacques 1999

■ 0,48 ha 3 900 5à8€

Un demi-hectare de pinot noir et cette bouteille tient bien le flambeau du vin de Joigny, le plus septentrional de Bourgogne. Rubis grenat, ce 99 a le nez assez fin (note minérale de qualité). Ses tanins sont comme ils doivent être, enveloppés d'arômes de fruits rouges et laissant espérer deux ou trois ans de garde. Un **vin gris 99**, issu de l'assemblage de 70 % de pinot gris et de 30 % de pinot noir pressé dès l'arrivée de la vendange, ne manque pas d'originalité ; il va de l'églantine à l'aubépine. Il est cité comme vin de soif. (30 à 49 F)

Serge Lepage, 9, rue Principale, Grand Longueron, 89300 Champlay, tél. 03.86.62.05.58, fax 03.86.62.20.08 r.-v.

LES PIERRELEES Vieilles vignes 1999★

■ 7,5 ha 6 000 5à8€

Laurent Verot s'installe en 1996 et offre ici une belle prestation ! D'un rouge puissant, son vin est très marqué par des arômes de cerise et de sous-bois. Il a beaucoup de coffre pour un « simple » bourgogne. Il emplit toute la bouche et n'est pas pressé de la quitter. (30 à 49 F)

Laurent Verot, imp. des Petite-Chaumes, 71640 Germolles, tél. 03.85.45.15.07 r.-v.

MICHEL LORAIN 1999

□ 5 ha 40 000 5à8€

Occupée dès l'Antiquité, Joigny est une jolie ville d'art et d'histoire dominant l'Yonne. Vigneron depuis moins de dix ans, Michel Lorain est un chef étoilé dans ses œuvres vineuses. Fleurs blanches et nuances exotiques, amande et menthe : on retrouve avec plaisir ces sensations subtiles au nez comme en bouche. Celle-ci monte bien en puissance et s'avère persistante. A attendre un peu car ce 99 est prometteur : n'en va-t-il pas ainsi de la grande cuisine ? (30 à 49 F)

SCEV Michel Lorain, 12, fg de Paris, 89300 Joigny, tél. 03.86.62.06.70, fax 03.86.91.49.70 r.-v.

DOM. NICOLAS MAILLET 2000★

■ 0,4 ha 2 600 5à8€

En 1999, Nicolas Maillet sort de la coopérative pour vinifier lui-même. Bien lui en a pris au regard de cette bouteille pleine de grâce et assurément bien conçue. Sous sa robe mauve, le nez est déjà très éloquent : cerise bien mûre. La bouche est d'une grande franchise. Un vin complet sur un mode léger. (30 à 49 F)

Dom. Nicolas Maillet, La Cure, 71960 Verzé, tél. 03.85.33.46.76, fax 03.85.33.46.76 r.-v.

MALTOFF

Coulanges-la-Vineuse Cuvée Prestige 1999★★

■ 0,5 ha 5 400 5à8€

Cuvée Prestige en effet, ce 99 a de la personnalité, une certaine originalité. Rouge pivoine, il laisse le fruit rouge prendre doucement le pas sur le vanillé. Souple et net, il vit en bouche dans l'harmonie. Rien ne dépasse. Le style de Coulanges. (30 à 49 F)

Dom. Jean-Pierre Maltoff, 20, rue d'Aguesseau, 89580 Coulanges-la-Vineuse, tél. 03.86.42.32.48, fax 03.86.42.24.92, e-mail domainej-p.maltoff@wanadoo.fr r.-v.

CAVE DES VIGNERONS DE MANCEY 1999★

■ n.c. 15 000 5à8€

Mancey est ce village proche de Tournus où l'on découvrit pour la première fois la présence du phylloxéra en Bourgogne. On s'est beaucoup battu pour y faire renaître la vigne et le vin. Celui-ci est brillant, limpide. Son nez accrocheur se promène dans un sous-bois assez fruité. Son corps n'est pas démesuré, mais sa jeunesse, sa présence incitent à la patience. La **cuvée fût de chêne 99** a été également très appréciée. (30 à 49 F)

Cave des vignerons de Mancey, RN 6, En Velnoux, 71700 Tournus, tél. 03.85.51.00.83, fax 03.85.51.71.20 r.-v.

CATHERINE ET CLAUDE MARECHAL Cuvée Gravel 1999★

■ 3,42 ha 15 300 8à11€

Pourquoi cuvée Gravel ? Parce que le sous-sol ici, à l'est de Beaune, est surtout constitué de graviers. De beaux reflets cerise rendent sa couleur très cordiale. Son bouquet affiche des préférences pour les petits fruits noirs comme le cassis ou la mûre. Réellement longue, sa bouche assure une continuité avec le nez. Grâce à cette bouteille, le cépage dispose d'une bonne avocate. (50 à 69 F)

EARL Catherine et Claude Maréchal, 6, rte de Chalon, 21200 Bligny-lès-Beaune, tél. 03.80.21.44.37, fax 03.80.26.85.01 r.-v.

DOM. DES MARRONNIERS 2000**

1,08 ha 10 000 5à8€

Ce viticulteur très accueillant se met en quatre pour vous faire visiter le vignoble. Son bourgogne blanc partage cette aménité. Paille brillante, floral et empyreumatique, il laisse la bouche pleine et pénétrée de jeunesse. Tout est bien maîtrisé. (30 à 49 F)

Bernard Légland, Grande-Rue de Chablis, 89800 Préhy, tél. 03.86.41.42.70, fax 03.86.41.45.82 t.l.j. 9h30-12h 13h30-19h; f. 15 août-3 sept.

DOM. DE MARSOIF 1999**

2,45 ha 15 000 5à8€

Domaine fondé en 1991, première cuvée en 1994. Des liens avec le domaine de Maison Rouge en Tonnerrois, et le caveau de dégustation dans le... Loir-et-Cher. Tout cela nous ramène un coup de cœur, car la Bourgogne est accueillante et sait partager. Un bourgogne blanc superbe, brillant et intense, d'un minéral à faire naître la flamme du silex poli. Ces 2,5 ha ont rendez-vous avec les dieux. (30 à 49 F)

SCEA de Marsoif, 1, rte de Verdes, 41160 Semerville, tél. 02.54.80.44.31, fax 02.54.80.43.26, e-mail rmarsoif@terre-net.fr r.-v.

Martine Masson

DOM. MATHIAS Epineuil 1999*

7 ha 30 000 5à8€

Ouvrier viticole, Alain Mathias s'est établi à son compte il y a vingt ans en mettant à profit le renouveau du vignoble tonnerrois. Sa bouteille est agréable à regarder avec ses teintes framboisées ; fruits rouges au nez, vive et fraîche au palais, elle conduit l'affaire de façon assez ronde. Là encore, elle joue sur des notes de cerise. (30 à 49 F)

Alain Mathias, rte de Troyes, 89700 Epineuil, tél. 03.86.54.43.90, fax 03.86.54.47.75, e-mail domaine.alain.mathias@wanadoo.fr r.-v.

DOM. DE MAUPERTHUIS Les Truffières 1999

1,35 ha 9 600 5à8€

Domaine de 4,55 ha créé en 1992. Issu de très jeunes vignes (cinq ans), ce vin « franc et loyal » laisse une bonne impression. Il affiche, au nez comme en bouche, des notes citronnées et minérales de bon aloi. (30 à 49 F)

Laurent Ternynck, EARL de Mauperthuis, Civry, 89440 Massangis, tél. 03.86.33.86.24, fax 03.86.33.86.24, e-mail ternynck@hotmail.com r.-v.

DOM. MOISSENET-BONNARD Les Maisons Dieu 1999*

0,29 ha 2 400 5à8€

Très recherché par les parfumeurs, le bourgeon de cassis domine son bouquet. Ce pinot pourpre foncé, au corps un peu raide, est en train de s'affiner. Ce *climat* se situe sur Pommard et il n'est guère éloigné d'une appellation communale. Notez aussi la **cuvée de l'Oncle Paul 99**, cité, pour ceux qui ont la nostalgie du journal *Spirou* des années 1950 et des histoires de l'Oncle Paul... (30 à 49 F)

Dom. Moissenet-Bonnard, rte d'Autun, 21630 Pommard, tél. 03.80.24.62.34, fax 03.80.22.30.04 r.-v.

MOMMESSIN La Clé Saint-Pierre 1999*

3,4 ha 20 000 8à11€

Il pratique l'escalade du fruit : cerise à l'œil, mûre au nez, cassis et sous-bois en bouche. Peu d'acidité mais un fort élan et des espoirs raisonnables pour l'avenir. Les clés de saint Pierre figurent depuis longtemps sur le blason de cette maison. Le **blanc 99 (30 à 49 F)** mérite les mêmes compliments. (50 à 69 F)

Mommessin, Le Pont-des-Samsons, 69430 Quincié-en-Beaujolais, tél. 04.74.69.09.30, fax 04.74.69.09.28, e-mail information@mommessin.com r.-v.

DOM. DE MONTPIERREUX 1998*

3 ha 21 000 5à8€

Montpierreux renoue avec son riche passé viticole. En apporte la preuve ce 98 sans trop d'intensité mais très limpide, au bouquet franc et élégant. Rond, minéral, équilibré et persistant, il est digne d'un poisson en sauce. (30 à 49 F)

François Choné, Dom. de Montpierreux, rte de Chablis, 89290 Venoy, tél. 03.86.40.20.91, fax 03.86.40.28.00 t.l.j. 9h-19h

MICHEL MOREY-COFFINET 1999**

1,2 ha 4 500 5à8€

Thibault, l'un des deux fils, s'installe au domaine. Cette bouteille lui fait fête. Rouge foncé, d'un bel éclat, elle allie la framboise, la cerise et le moka, c'est-à-dire le fruit rouge et le fût. Le palais, franc et net, fait preuve d'un tempérament relativement souple, ses tanins solides étant bien fondus. Ample et long, ce vin sera très agréable de 2003 à 2006. (30 à 49 F)

🔑 Dom. Michel Morey-Coffinet,
6, pl. du Grand-Four,
21190 Chassagne-Montrachet,
tél. 03.80.21.31.71, fax 03.80.21.90.81,
e-mail morey.coffinet@wanadoo.fr ☑ 🍷 r.-v.

OLIVIER MORIN Chitry 1999*

☐ 3 ha 20 000 🍾🌡 5 à 8 €

Joli village entouré de vignes, niché au creux d'un vallon, Chitry est riche de vieilles caves rappelant l'ancienneté de ce vignoble. C'est là que fut planté l'un des premiers chardonnays dans la vallée de l'Yonne (Chablis, c'est le Serein). Ce vin a encore peu de nez mais une bonne tenue en bouche. Assez boisé, il doit encore se fondre. On pourra suggérer un brochet au chitry pour lui tenir compagnie. (30 à 49 F)

🔑 Olivier Morin, 2, chem. de Vaudu,
89530 Chitry-le-Fort, tél. 03.86.41.47.20,
fax 03.86.41.47.20 ☑ 🍷 r.-v.

ANDRE ET JEAN-RENE NUDANT La Chapelle Notre-Dame 1998*

■ 0,3 ha 2 700 🛢 5 à 8 €

Quelle est la particularité de ce vin ? C'est l'un des seuls bourgognes (AOC régionale) à avoir officiellement le droit de porter son nom de *climat.* Il s'agit de Notre-Dame-du-Chemin, au bord de la route nationale, à Ladoix. Rubis à reflets brique, ce pinot léger et frais, au boisé présent offre une gentille note de cassis. Bien typé, un vin de rôti. (30 à 49 F)

🔑 Dom. Nudant, 11, RN 74, 21550 Ladoix-Serrigny, tél. 03.80.26.40.48, fax 03.80.26.47.13,
e-mail domaine.nudant@wanadoo.fr ☑ 🍷 r.-v.

PINQUIER-BROVELLI 1999

■ 0,92 ha 7 650 🍾🛢 5 à 8 €

Thierry Pinquier gouverne ce domaine depuis 1994. Une belle robe grenat habille une palette aromatique où l'on identifie sans peine vanille et réglisse. La bouche très ouverte, le développement d'une persistance appuyée, donnent un vin que l'on peut boire maintenant, représentatif de son millésime. (30 à 49 F)

🔑 Thierry Pinquier, 5, rue Pierre-Mouchoux,
21190 Meursault, tél. 03.80.21.24.87,
fax 03.80.21.61.09 ☑ 🍷 t.l.j. 8h-12h30 13h-19h

REBOURGEON-MURE 1999**

■ 1,6 ha 10 000 🛢 5 à 8 €

Un jour, Jean Bourgogne s'installa à Pommard. C'était en 1552. Ainsi est née cette lignée familiale. Celle-ci fête donc avec ce 99 son 450e anniversaire. Grenat bleuté, le nez charmeur et gourmand, ce vin a de bons tanins ; un soupçon de fût qui paraît neuf au nez. La suite en bouche est excellente : équilibre, palette aromatique, tanins soyeux, pour 34 F départ cave : il ne faut pas s'en priver. (30 à 49 F)

🔑 Daniel Rebourgeon-Mure, Grande-Rue,
21630 Pommard, tél. 03.80.22.75.39,
fax 03.80.22.71.00 ☑ 🍷 r.-v.

ARMELLE ET BERNARD RION 1999**

■ 1 ha 7 000 🛢 5 à 8 €

Eleveurs de chiens aristocratiques (le colley barbu), apôtres de la truffe de Bourgogne (*Tuber uncinatum*), ces viticulteurs ont plusieurs belles cordes à leur arc. Pourpre violacé, porteur d'arômes complexes et fruités, ce vin est sans doute encore sur la réserve mais esquisse avec vigueur les contours d'un grand bourgogne. Haut de gamme pour l'appellation. (30 à 49 F)

🔑 Dom. Armelle et Bernard Rion, 8, rte Nationale, 21700 Vosne-Romanée,
tél. 03.80.61.05.31, fax 03.80.61.24.60,
e-mail rion@webiwine.com ☑ 🍷 r.-v.

DOM. SAINTE-CLAIRE Côtes d'Auxerre 1999*

■ n.c. n.c. 🍾🛢🌡 5 à 8 €

« On a plutôt envie de l'acheter », note sur sa fiche l'un de nos jurés. Un pinot noir 99 rouge cerise pâle, au nez fruité mais discret, un peu minéral en bouche où l'on retrouve le fruit. Bien fait, mais assez simple, un tout petit peu évolué, il est prêt à boire au repas familial du soir. Sous une étiquette **Jean-Marc Brocard, Kimméridgien 99, un bourgogne blanc** minéral et persistant obtient une étoile. (30 à 49 F)

🔑 Jean-Marc Brocard, 3, rte de Chablis,
89800 Préhy, tél. 03.86.41.49.00,
fax 03.86.41.49.09, e-mail brocard@brocard.fr
☑ 🍷 r.-v.

SAINT-HUBERT 1999

■ n.c. n.c. 🍾🌡 11 à 15 €

Sous le patronage du saint patron des chasseurs, un vin aux nuances en cours d'évolution dont le bouquet rappelle la confiture de fraises. Encore jeune en bouche, assez élégant, il plaira aux amateurs de bouteilles simples et qui n'exigent pas une interminable attente. Débouchez-la. (70 à 99 F)

🔑 Boisseaux-Estivant, 38, fg Saint-Nicolas,
BP 107, 21200 Beaune, tél. 03.80.22.00.05,
fax 03.80.24.19.73

DOM. SAINT-PANCRACE Côtes d'Auxerre 2000*

☐ 0,36 ha 3 000 🍾🛢🌡 5 à 8 €

Un vin signé par un petit domaine sur Auxerre (moins de 1 ha) dont c'est ici le deuxième millésime. Son caractère exotique le destine à un poulet à l'ananas. En robe claire et limpide, cette bouteille provoque par ses senteurs de banane et de mangue. Cela dit, ce jeune fils de l'an 2000, encore un peu vif, peu porté sur la vanille, est gouleyant à souhait. Agréable maturité du fruit. (30 à 49 F)

🔑 Xavier Julien, Dom. Saint-Pancrace,
6, rue Lebeuf, 89000 Auxerre,
tél. 03.86.51.69.71, fax 03.86.51.69.71 ☑ 🍷 r.-v.

DOM. SAINT-PRIX Côtes d'Auxerre 1999**

☐ 2 ha 12 000 🍾🛢🌡 5 à 8 €

Vaste propriété familiale depuis la nuit des temps (XVe s.), ce domaine se retrouve toujours aux meilleures places du Guide. Ce vin ne déroge pas à la règle : ses arômes sont si subtils qu'on les croirait assemblés à Grasse, qu'on dirait un parfum de femme... Nous n'inventons rien. C'est écrit sur la fiche d'un de nos dégustateurs et il s'y connaît. En vin, bien sûr. Il ressent d'ailleurs un coup de cœur pour cette bouteille très scintillante, rappelant le jasmin, le chèvrefeuille des personnages de Colette. Le **Bersan et Fils bourgogne côtes d'Auxerre 99 rouge** suscite pratiquement le même enthousiasme, coup de cœur en moins. (30 à 49 F)

Dom. Bersan et Fils, 20, rue du Dr-Tardieux, 89530 Saint-Bris-le-Vineux, tél. 03.86.53.33.73, fax 03.86.53.38.45 r.-v.

DOM. SAINT-PRIX
Côtes d'Auxerre 1999★★

5 ha 30 000 5à8€

Rouge cerise, comme pour rappeler que l'Auxerrois était jadis couvert de cerisiers qui peignaient le printemps en rose. Toujours sur la cerise au nez. Variété marmotte ? Probablement. « Enfin un vrai vin ! », écrit sur sa fiche l'un de nos dégustateurs. Ce 99 donne envie d'en reboire tant il se consacre encore à sa dévotion : la cerise. A choisir sans hésitation. (30 à 49 F)

Dom. Bersan et Fils, 20, rue du Dr-Tardieux, 89530 Saint-Bris-le-Vineux, tél. 03.86.53.33.73, fax 03.86.53.38.45 r.-v.

DOM. VINCENT SAUVESTRE 1999★

1,7 ha 13 500 5à8€

Ses pôles d'intérêt : la cerise noire qui influence la couleur de la robe ; la fraise des bois qui charme le nez ; le poivre qui met un point final à une bouche plus qu'honnête. L'attaque est affectueuse. Volume et corps sont parfaits. Notez aussi ce délicieux goût de raisin frais qui - curieusement - devient rare dans le vin... (30 à 49 F)

Dom. Vincent Sauvestre, rte de Monthélie, 21190 Meursault, tél. 03.80.21.22.45, fax 03.80.21.28.05 r.-v.

CLAUDE ET THOMAS SEGUIN
Côtes d'Auxerre 1999★

1,6 ha 11 000 5à8€

On prend son temps à Saint-Bris. Commencée au XIIIᵉs., l'église fut terminée trois cents ans plus tard. Faut-il s'étonner si ce 99 doit s'affirmer dans le temps (deux à trois ans) ? Rubis soutenu, il évoque un peu la surmaturation et le terroir. Les tanins sont assez fondus, l'acidité modeste, le fruit rouge à sa place. (30 à 49 F)

Claude et Thomas Seguin, 3 bis, rue Haute, 89530 Saint-Bris-le-Vineux, tél. 03.86.53.37.39, fax 03.86.53.61.12 r.-v.

PAUL ET COLETTE SIMON 1999★

1 ha 4 000 5à8€

Les Hautes-Côtes de Nuits à pleins poumons. Presque les Alpes tant il y a du montant et du souffle ! Des arômes de brugnon, de menthol, d'acacia sous une robe très claire ; élégante et racée, la bouche y mêle le fruit exotique et le pamplemousse jusque dans la finale persistante. Très joli et plein de promesses. (30 à 49 F)

Paul et Colette Simon, 21700 Marey-lès-Fussey, tél. 03.80.62.93.35, fax 03.80.62.71.54, e-mail domaine@paul-simon.fr r.-v.

CHRISTINE ET PASCAL SORIN
Côtes d'Auxerre 1999★★

1,5 ha 4 600 5à8€

En 1989, Pascal Sorin a repris l'exploitation de ses grands-parents et navigue depuis lors de succès en succès. Ce vin ? L'ouverture en bouche ressemble à un chœur d'opéra. Jaune clair à reflets verts, ce chardonnay présente un joli grain. Ses arômes de brioche, de pain grillé, illustrent le cépage selon les règles habituelles, relevés en finale par une pointe minérale. Sa finesse et sa constitution, équilibrée, fraîche, lui permettront d'affronter les poissons. (30 à 49 F)

Sorin-Coquard, 25, rue de Grisy, 89530 Saint-Bris-le-Vineux, tél. 03.86.53.37.76, fax 03.86.53.37.76 t.l.j. 8h-20h30; dim. 8h-12h30

Pascal Sorin

JEAN-PIERRE SORIN
Côtes d'Auxerre 1999★

0,65 ha 4 000 5à8€

Une vinification rigoureuse et sûrement de beaux raisins. Rares sont les vins de la série présentant autant de corps et de densité. On le juge très complet et doté des capacités de durer quelques années. Sachez toutefois que son acidité - gage de bonne garde - est pour le moment assez forte sur un fruit estimable et des tanins discrets. Oubliez-le un à deux ans au fond de votre cave. (30 à 49 F)

Madame Jean-Pierre Sorin, 6, rue de Grisy, 89530 Saint-Bris-le-Vineux, tél. 03.86.53.32.44, fax 03.86.53.37.76 t.l.j. 8h-20h30; dim 8h-12h30

MARYLENE ET PHILIPPE SORIN
Côtes d'Auxerre Réserve du Maître de poste Fût de chêne 1998★

5,5 ha 15 000 5à8€

Cet ancien relais de poste du XVIIIᵉs. commande un domaine de 20 ha. Ce 98 montre quelques reflets ambrés sous le couvert d'un rubis vif. Au nez, il fait d'une pierre deux coups, tirant sur le cuir, l'animal mais aussi sur la cerise, le kirsch. Boisé et tanins nécessitent une certaine patience. (30 à 49 F)

🔑 Marylène et Philippe Sorin, 12, rue de Paris, 89530 Saint-Bris-le-Vineux, tél. 03.86.53.60.76, fax 03.86.53.62.60, e-mail philippe.sorin@libertysurf.fr ☑ 🍷 r.-v.

JEAN-BAPTISTE THIBAUT
Chitry 1999★

■ 1,1 ha 4 000 5à8€

Ici, vous visiterez un petit écomusée avant - ou après - avoir compris ce vin. Le caractère du chitry est bien respecté par cette bouteille intense à l'œil (pas mal pour un 99) et au nez animal (cuir). Les jeunes tanins parlent encore mais la bouche est déjà intéressante. Tout évolue correctement vers un à deux ans de garde. (30 à 49 F)

🔑 Jean-Baptiste Thibaut, 3, rue du Château, 89290 Quenne, tél. 03.86.40.35.76, fax 03.86.40.27.70, e-mail domaine-thibaut@wanadoo.fr ☑ 🍷 r.-v.

DOM. THOMAS 1999★

■ 0,88 ha 7 500 8à11€

Il s'agit du domaine familial de la maison Moillard. Ce pinot noir rouge sang offre une belle corbeille de fruits légèrement vanillés. Adorable au palais, ce vin est le standard même de l'appellation. Si les tanins dominent quelque peu la situation, ils ne sont pas malvenus. Un buffet de fromages sera une bonne idée d'accompagnement. (50 à 69 F)

🔑 Dom. Thomas, chem. rural n° 29, 21700 Nuits-Saint-Georges, tél. 03.80.62.42.00, fax 03.80.61.28.13, e-mail nuicave@wanadoo.fr ☑ 🍷 t.l.j. 10h-18h; f. jan.

CH. DU VAL DE MERCY
Coulanges-la-Vineuse Réserve du Château 2000

■ 0,73 ha 4 000 5à8€

Créé il y a tout juste dix ans, ce domaine est propriétaire de 18 ha en Chablisien et de 10 ha en Auxerrois. Le millésime 2000 est sa première prestation devant notre jury. Ce vin rouge pourpre, au bouquet framboisé, est issu d'une extraction suffisante. La bouche chaleureuse est bien typée. (30 à 49 F)

🔑 Dom. du Ch. du Val de Mercy, 8, promenade du Tertre, 89530 Chitry, tél. 03.86.41.48.00, fax 03.86.41.45.80, e-mail chateauduval@aol.com ☑ 🍷 r.-v.
🔑 Rudolf Mezoni

ALAIN VIGNOT Côte Saint-Jacques 1999★

■ 4,16 ha 22 000 5à8€

L'un des artisans de la renaissance de la Côte Saint-Jacques - terroir qui aurait fort bien pu disparaître et c'eût été dommage. Ce 99 le montre à l'évidence. Rouge à reflets cassis, il offre un nez assez sauvage, animal, avec une coquetterie : une nuance de violette. Un vin de soif, frais et convivial et d'une grande authenticité, à cent lieues des produits technologiques. (30 à 49 F)

🔑 Alain Vignot, 16, rue des Prés, 89300 Paroy-sur-Tholon, tél. 03.86.91.03.06, fax 03.86.91.09.37 ☑ 🍷 r.-v.

DOM. ELISE VILLIERS 1999★

■ 0,5 ha 3 000 5à8€

Etre vigneron à Vézelay, c'est côtoyer le temporel et le spirituel, l'esprit et le cœur, l'histoire et la littérature. C'est aussi retrouver les vignes des ducs de Bourgogne et participer à la renaissance des anciens domaines monastiques. Ce 99 ? Un fromage affiné fera l'affaire, du genre soumaintrain, tant ce vin rouge intense et épanoui se montre entreprenant. Tannique mais droit, il attaque en trompette, possède un fond à en revendre, et fait en définitive une bouteille peu typée mais intéressante. Cité par le jury, le **bourgogne Vézelay Le Clos 99**, miellé et beurré, gras et vif, atteste lui aussi les progrès réalisés par ce domaine depuis dix ans. (30 à 49 F)

🔑 Elise Villiers, Précy-le-Moult, Pierre-Perthuis, 89450 Vézelay, tél. 03.86.33.27.62, fax 03.86.33.27.62 ☑ 🍷 r.-v.

Bourgogne grand ordinaire

En réalité, les appellations bourgogne ordinaire et bourgogne grand ordinaire sont très peu usitées. Lorsqu'on les utilise, on néglige le plus souvent celle de bourgogne grand ordinaire. Ce nom n'évoque-t-il pas une certaine banalité ? Certains terroirs un peu en marge du grand vignoble peuvent toutefois y produire d'excellents vins à des prix très abordables. Pratiquement tous les cépages de la Bourgogne peuvent contribuer à la production de ce vin, qui peut se trouver en blanc, en rouge et en rosé ou clairet.

En blanc, les cépages seront le chardonnay ou le melon, dont il n'existe plus que quelques vestiges de vignes : ce dernier a conquis ses lettres de noblesse beaucoup plus à l'ouest de la France, pour produire le muscadet réputé dans la région nantaise ; quant à l'aligoté, il est presque toujours déclaré sous l'appellation bourgogne aligoté ; le sacy (uniquement dans le département de l'Yonne) était essentiellement cultivé dans tout le Chablisien et dans la vallée de l'Yonne, pour produire des vins destinés à la prise de mousse et exportés ; depuis l'avènement du crémant de Bourgogne, il est utilisé pour cette appellation.

En rouge et rosé, les cépages bourguignons traditionnels, gamay noir et pinot noir, sont les principaux. Dans l'Yonne encore, on peut utiliser le césar, qui est réservé au bourgogne, surtout à Irancy, et le tressot, qui ne figure que dans les textes mais plus jamais sur le terrain... C'est dans l'Yonne, et plus particulièrement à Coulanges-la-Vineuse, que l'on rencontre les meilleurs vins de gamay, sous cette appellation. La production de cette AOC a atteint 10 300 hl en 2000.

CAVE DES VIGNERONS DE GENOUILLY 1999

■ 4 ha 10 000 3à5€

Les coopérateurs de Genouilly (Saône-et-Loire) tirent leur bourgogne grand ordinaire du gamay. Grenat très légèrement ambré, un vin plein et charnu, charpenté, et dont l'astringence n'est pas pour surprendre. A boire courant 2002. (20 à 29 F)

Cave des vignerons de Genouilly, 71460 Genouilly, tél. 03.85.49.23.72, fax 03.85.49.23.58 t.l.j. sf dim. 8h-12h 14h-18h

OLIVIER MORIN 1999*

■ 0,5 ha 2 000 5à8€

Un pur produit local trop oublié, comme le melon de Bourgogne maintenu à Vézelay ou encore le sacy de l'Auxerrois. Ici, du gamay de l'Auxerrois donnant un vin fauve, un peu foxé et qui garde deux à trois ans son caractère de vin de primeur. Du bourgogne grand ordinaire à l'ancienne, sympathique et croquant. (30 à 49 F)

Olivier Morin, 2, chem. de Vaudu, 89530 Chitry-le-Fort, tél. 03.86.41.47.20, fax 03.86.41.47.20 r.-v.

DOM. SYLVAIN PATAILLE 1999

■ 0,4 ha 450 3à5€

Première récolte pour ce gamay de Marsannay-la-Côte. Jadis, ce cépage débonnaire et généreux faisait la fortune des vignerons du village qui le débitaient à Dijon comme vin de comptoir. Le pinot a pris le relais mais le gamay réussit bien. Rouge cerise, cette bouteille sans agressivité tannique est d'une nature assez tendre, mais il faut lui laisser le temps de s'affiner (un ou deux ans). Ce jeune viticulteur est œnologue, et il se jette à l'eau en plantant à son tour. (20 à 29 F)

Sylvain Pataille, 14, rue Neuve, 21160 Marsannay-La-Côte, tél. 03.80.52.49.49, fax 03.80.52.49.49 r.-v.

DOM. ARMELLE ET BERNARD RION 1999

■ 1 ha 7 000 3à5€

Quand un domaine de Vosne-Romanée inscrit le bourgogne grand ordinaire sur sa carte, c'est un peu le peuple pénétrant à Versailles en 1789. Le prix est, il est vrai, à la portée de tous. D'une très belle robe, ce 99 n'a pas le nez dans sa poche : à la cerise confiturée succède une bouche classique pour l'appellation, un peu rude sur une matière fruitée. Prévoyez un an d'attente. (20 à 29 F)

Dom. Armelle et Bernard Rion, 8, rte Nationale, 21700 Vosne-Romanée, tél. 03.80.61.05.31, fax 03.80.61.24.60, e-mail rion@webiwine.com r.-v.

Bourgogne aligoté

C'est le « muscadet de la Bourgogne », dit-on. Excellent vin de carafe que l'on boit jeune, il exprime bien les arômes du cépage ; il est un peu vif et, surtout, régionalement, il permet d'attendre les vins de chardonnay. Remplacé par ce dernier dans la Côte, il est un peu « descendu » dans l'aire de production lui étant réservée, alors qu'autrefois il était cultivé en coteaux. Mais le terroir influe sur lui autant que sur les autres cépages et il y a autant de types d'aligotés que de régions où on les élabore. Les aligotés de Pernand étaient connus pour leur souplesse et leur nez fruité (avant de céder la place au chardonnay) ; les aligotés des Hautes-Côtes sont recherchés pour leur fraîcheur et leur vivacité ; ceux de Saint-Bris dans l'Yonne semblent emprunter au sauvignon quelques traces de fleur de sureau, sur des saveurs légères et coulantes.

BERTRAND AMBROISE 1999*

□ n.c. n.c. 5à8€

Un bel or d'intensité moyenne mais bien net et très brillant. L'étape olfactive est plus discrète. Juste un peu de minéral, de raisin mûr. Un certain gras à l'attaque, puis une évolution vers la vivacité de bon aloi. L'harmonie est assurée par la fraîcheur. (30 à 49 F)

Maison Bertrand Ambroise, rue de l'Eglise, 21700 Premeaux-Prissey, tél. 03.80.62.30.19, fax 03.80.62.38.69, e-mail bertrand.ambroise@wanadoo.fr r.-v.

CH. BADER-MIMEUR 1998*

□ 0,15 ha 1000 5à8€

Un dégustateur - à l'aveugle, nous le rappelons, c'est-à-dire que la bouteille porte seulement un numéro d'anonymat - note sur sa fiche : « vin vinifié à la manière d'un chardonnay ». Bravo, Monsieur. Cet aligoté vient de Chassagne-Montrachet, a été élevé neuf mois en fût et, forcément, a de la personnalité. Allez donc le lui reprocher ! Jaune paille à reflets dorés, il possède une palette aromatique remarquable : beurre, menthol, amande. Plus gras que vif, il

affiche une petite pointe d'acidité en fin de course qui assure sa fraîcheur. (30 à 49 F)
Bader-Mimeur, 1, chem. du Château, 21190 Chassagne-Montrachet, tél. 03.80.21.30.22, fax 03.80.21.33.29 r.-v.

CAVES DE BAILLY 2000**

60 ha 50 000 5à8€

On ne s'étonnera pas de sa minéralité. Il a été élevé, en effet, dans les anciennes carrières de Bailly à Saint-Bris-le-Vineux : une cathédrale souterraine de plusieurs hectares ! Jolis reflets, le citron vert en appel olfactif, ce vin de l'an 2000 réunit toutes les qualités requises. N'a-t-il pas, d'ailleurs, concouru pour un coup de cœur ? (30 à 49 F)
SICA du Vignoble Auxerrois, Caves de Bailly, 89530 Saint-Bris-le-Vineux, tél. 03.86.53.77.77, fax 03.86.53.80.94 t.l.j. 8h-12h 14h-18h

DOM. BELIN-RAPET
Vieilles vignes 1998*

0,5 ha 3 500 5à8€

Très pâle à reflets argentés, il s'ouvre à l'agitation sur de superbes arômes de fleurs blanches et de foin coupé. Sa concentration produit une impression de force continue. Des notes florales et miellées accompagnent une persistance significative. C'est un vin qu'on peut encore attendre quelques mois : il n'est pas terriblement pressé. (30 à 49 F)
Dom. Belin-Rapet, imp. des Combottes, 21420 Pernand-Vergelesses, tél. 03.80.22.77.51, fax 03.80.22.76.59, e-mail domaine.belin.rapet@wanadoo.fr t.l.j. 8h-20h
Ludovic Belin

JEAN-CLAUDE BOISSET 1999*

n.c. 40 000 5à8€

Nul doute qu'un vin aussi réussi ferait sortir de sa coquille un escargot de Bourgogne, pour passer directement à table. Sa robe est très attirante. Ses arômes d'aubépine, de chèvrefeuille, légèrement minéraux, précèdent une attaque charmante offrant un plaisir immédiat. « Un aligoté comme on les aime », note sur sa fiche un de nos dégustateurs. Du même groupe, la **maison Morin Père et Fils 2000** obtient également une étoile pour son élégance fleurie. (30 à 49 F)
Jean-Claude Boisset, 5, quai Dumorey, 21700 Nuits-Saint-Georges, tél. 03.80.62.62.61, fax 03.80.62.37.38

JEAN-CLAUDE BOUHEY ET FILS 1999*

12 ha 16 000 3à5€

Villers-la-Faye est un haut lieu de l'aligoté des Hautes-Côtes de Nuits. On se trouve ici en présence d'un produit bien typé, au fort potentiel. La robe est pâle à reflets verts ; le nez mi-floral et mi-minéral, la bouche assez riche et pleine. (20 à 29 F)
GAEC Jean-Claude Bouhey et Fils, 7, rte de Magny, 21700 Villers-la-Faye, tél. 03.80.62.92.62, fax 03.80.62.74.07 r.-v.

DOM. CAPUANO-FERRERI ET FILS 1999*

n.c. n.c. 5à8€

Un domaine qui reçut dans l'édition 1993 un coup de cœur pour son santenay Gravières 90. C'était le vin de Gino, père de John, qui élabore aujourd'hui ses propres cuvées, comme celle-ci, d'une étonnante richesse pour un aligoté. Jaune or soutenu, le nez puissant (boisé vert, verveine, acacia), ce 99 est floral à l'attaque puis porté sur le fruit en compote. Ample, chaleureux, durable, il ne lui manque rien sinon l'insolence du cépage. Il est vrai qu'il est élevé en fût. (30 à 49 F)
John Capuano, 14, rue Chauchien, 21590 Santenay, tél. 03.80.20.64.12, fax 03.80.20.65.75 r.-v.

MADAME EDMOND CHALMEAU 1999*

3 ha 18 000 3à5€

Viticultrice à Chitry-le-Fort, Madame Chalmeau consacre à l'aligoté 3 de ses 8 ha. De teinte claire, ce 99 n'a pas encore le nez très expressif. Il se montre assez vineux, fruité et généreux, mettant le maximum de son effort dans une attaque souple et fleurie. (20 à 29 F)
Mme Edmond Chalmeau, 20, rue du Ruisseau, 89530 Chitry-le-Fort, tél. 03.86.41.42.09, fax 03.86.41.46.84 r.-v.

DOM. CHARACHE-BERGERET
Vieilles vignes 1999*

4,3 ha 10 000 8à11€

Ce viticulteur de Bouze (sur les hauteurs de Beaune) présente un 99 intéressant, élégant et aimable. Cannelle et acacia, voilà un joli petit nez d'aligoté sous une couleur appuyée. (50 à 69 F)
Charache-Bergeret, 21200 Bouze-lès-Beaune, tél. 03.80.26.00.86, fax 03.80.26.00.86 r.-v.

DOM. JEAN CHARTRON
Clos de la Combe 1999

0,5 ha 4 000 5à8€

Citron vert et pomme verte, les deux font la paire. Si l'on explore plus profondément les arômes, on y découvre peut-être un parfum léger de poire cuite ainsi qu'un début d'expression florale. Ce 99 se goûte bien et aimera une andouillette. (30 à 49 F)
Dom. Jean Chartron, 13, Grande-Rue, 21190 Puligny-Montrachet, tél. 03.80.21.32.85, fax 03.80.21.36.35 t.l.j. 10h-12h 14h-18h; f. mi-nov. à mars

PHILIPPE CHAVY 1998*

0,52 ha 2 000 3à5€

Elevage sur lie en cuve et un millésime 98 à tendance herbacée : c'est un vin explosif en bouche. Tant pour ce qui est de l'expression gustative que du message aromatique. Quelques nuances florales et miellées. On est à Puligny ! L'un des vins plaisants de cette série. (20 à 29 F)

🗝 Philippe Chavy, 22, Grande-Rue,
21190 Puligny-Montrachet, tél. 03.80.21.92.41,
fax 03.80.21.93.15, e-mail chavyp@aol.com
☑ Y r.-v.
🗝 Pierre Thomas

LA CAVE DU CONNAISSEUR 1999★★

☐ 1 ha 6 000 ▮ 5à8€

Disputer la finale du coup de cœur n'est pas à la portée de n'importe quelle bouteille. Celle-ci y a réussi. Elle a sa place sur le podium. Or vert, d'une belle minéralité citronnée, bien vive, elle sait à merveille équilibrer son gras et son acidité. (30 à 49 F)

🗝 La Cave du Connaisseur,
rue des Moulins, BP 78, 89800 Chablis,
tél. 03.86.42.87.15, fax 03.86.42.49.84,
e-mail connaisseur@chablis.net
☑ Y t.l.j. 10h-18h

DOM. DARNAT 1999★

☐ 0,18 ha 1 500 ▮ 5à8€

Ce 99 se montre vif et fruité, harmonieux, avec une nuance de noisette. Le fût est là bien sûr : on est à Meursault, et il faut comprendre qu'à Meursault on fait - même l'aligoté - comme à Meursault. (30 à 49 F)

🗝 Dom. Darnat, 20, rue des Forges,
21190 Meursault, tél. 03.80.21.23.30,
fax 03.80.21.64.62,
e-mail domaine.darnat@libertysurf.fr ☑ Y r.-v.

JOCELYNE ET PHILIPPE DEFRANCE 1999★

☐ 5,39 ha 12 000 ▮ 5à8€

Il vaut mieux faire envie que pitié, n'est-ce pas ? Or blanc, très intense au nez, un vin souple et fruité. Un peu de gras n'est pas fait pour nous déplaire. Sa persistance ? Très satisfaisante. A servir à l'apéritif avec des gougères bien dorées. (30 à 49 F)

🗝 Philippe Defrance, 5, rue du Four,
89530 Saint-Bris-le-Vineux, tél. 03.86.53.39.04,
fax 03.86.53.66.46 ☑ Y r.-v.

DOM. DENIS PERE ET FILS 1999★

☐ 0,8 ha 3 000 ▮ 5à8€

Un jambon persillé s'accordera bien avec cette bouteille capable de mettre en équilibre le fruit et la fraîcheur, donnant du relief à cet aligoté typé mais peu nerveux. Sa robe est dorée, sans excès ; son nez réservé mais il pourra s'épanouir sur des accents floraux. (30 à 49 F)

🗝 Dom. Denis Père et Fils, chem. des Vignes-Blanches, 21420 Pernand-Vergelesses,
tél. 03.80.21.50.91, fax 03.80.26.10.32 ☑ Y r.-v.

DOM. DENIZOT 1999★

☐ 5,3 ha 4 130 ▮ 5à8€

A Bissey-sous-Cruchaud, village sympathique du nord de la Saône-et-Loire, l'aligoté est considéré comme un enfant du pays. Ce n'est pas Bouzeron mais presque ! Celui-ci joue sa partition sur un mode assez frais. Tendre et léger, il sait faire vibrer la corde sensible. Son acidité est adroitement maîtrisée. (30 à 49 F)

🗝 Dom. Christian et Bruno Denizot,
71390 Bissey-sous-Cruchaud,
tél. 03.85.92.13.34, fax 03.85.92.12.87,
e-mail denizot@caves-particulières.com
☑ Y t.l.j. sf dim. 8h-19h

DOM. DESSUS BON BOIRE 1999

☐ 0,5 ha 4 500 ▮ 3à5€

Si Antoine Donat a relancé naguère le vignoble auxerrois avec le pinot noir et le chardonnay, André a replanté un demi-hectare en aligoté. Cette bouteille lui donne raison. Peu de couleur mais ce cépage porte habituellement une robe discrète. Agrumes et fruits secs composent un bouquet sympathique. Fraîcheur et vivacité. (20 à 29 F)

🗝 André Donat, 41, rue de Vallan,
89290 Vaux, tél. 03.86.53.89.99,
fax 03.86.53.68.36 Y t.l.j. 9h-12h 14h-19h; dim. sur r.-v.

JEAN-FRANCOIS DICONNE 1999

☐ 2,3 ha 2 700 ▮ 5à8€

« Si l'on retrouve sur les registres paroissiaux de 1626 trace de nos ancêtres, ceux-ci devaient être tâcherons car la désignation de "propriétaire" ne date que de la Révolution », nous dit modestement Jean-François Diconne. Cela fait tout de même plus de deux siècles ! Jaune citron, jaune soutenu, son vin au nez friand (frais, aromatique : pomme, clémentine...), un tantinet perlant, fera un bon début de repas sur des moules farcies par exemple. Assez mûr et long en effet. (30 à 49 F)

🗝 Jean-François Diconne, rue du Bourg,
71150 Remigny, tél. 03.85.87.20.01,
fax 03.85.87.23.98 ☑ Y r.-v.

GERARD DOREAU 1998

☐ 0,39 ha 3 000 ▮ 5à8€

Paille à reflets verts, ce vin laisse son bouquet signaler son élevage en fût. Des arômes capiteux : miel, pain grillé et épices douces. On se trouve ici dans la lignée des aligotés mis au monde en plein pays de chardonnay. Un style. (30 à 49 F)

🗝 Gérard Doreau, rue du Dessous,
21190 Monthélie, tél. 03.80.21.27.89,
fax 03.80.21.62.19 ☑ Y r.-v.

DOM. YVAN DUFOULEUR 1999★

☐ 1 ha 7 000 ▮ 5à8€

Venu de Nuits, pays du rouge, un très joli aligoté, délicatement doré. Il a un bouquet assez développé sur des notes citronnées avec un soupçon de chèvrefeuille. Excellente bouteille, peu typée mais qui a du corps et de la longueur. (30 à 49 F)

🗝 Dom. Yvan Dufouleur, 18, rue Thurot,
21700 Nuits-Saint-Georges, tél. 03.80.62.31.00,
fax 03.80.62.31.00 ☑ Y r.-v.

DOM. FONTAINE DE LA VIERGE 1999★

☐ 7 ha 30 000 ▮ 3à5€

Celui-là ne peut pas mentir sur ses origines. Clair et brillant, il sent bon la pierre à fusil et

la fleur des champs. Netteté et franchise sont indiscutables. (20 à 29 F)
Jean-Claude Biot, 5, chem. des Fossés, 89530 Chitry-le-Fort, tél. 03.86.41.42.79, fax 03.86.41.46.72 r.-v.

DIDIER FORNEROL 1999

0,2 ha 1 800 3à5€

Ses reflets sont plaisants sur une teinte à laquelle on est habitué. Le nez ? De fusain. De silex. Explosif. Très gras en bouche, très fondu, il se rattrape sur la fin par sa pointe vive. Sur des escargots. (20 à 29 F)
Didier Fornerol, 15, pl. de la Mairie, 21700 Corgoloin, tél. 03.80.62.93.09, fax 03.80.62.93.09 r.-v.

GACHOT-MONOT 1999*

0,52 ha 4 700 3à5€

Un ancien curé de Corgoloin avait passé quinze ans de sa vie missionnaire chez les Esquimaux. Cet aligoté l'aurait ravigoté dans son igloo par moins quarante degrés. Or paille, il distille quelques agrumes au nez puis s'affirme dans la juste gamme de son appellation. Un vin plaisant, jeune et d'entrée de bouche désaltérant. (20 à 29 F)
Dom. Gachot-Monot, 13, rue Humbert-de-Gillens, 21700 Gerland, tél. 03.80.62.50.95, fax 03.80.62.53.85 t.l.j. sf sam. dim. 8h-12h 14h-18h

JEAN-HUGUES ET GHISLAINE GOISOT 1999**

7,68 ha 56 000 5à8€

Le meilleur aligoté de l'Yonne est devant vous. Sa typicité émerveille dès le premier regard, sitôt qu'on y pose le nez. Du fruit, un peu de fleur, puis une bouche friande, homogène jusqu'à la finale, minérale, classique et, on l'a dit, dans le pur esprit du cépage et du vignoble icaunais. (30 à 49 F)
Ghislaine et Jean-Hugues Goisot, 30, rue Bienvenu-Martin, 89530 Saint-Bris-le-Vineux, tél. 03.86.53.35.15, fax 03.86.53.62.03 r.-v.

DOM. GOUFFIER
Clos de Butte Soleil 1999*

2,5 ha 9 000 5à8€

Fontaines se situe en Côte chalonnaise. On aimerait que ce viticulteur nous en dise un peu plus sur ce Clos de Butte Soleil... Un peu fermé, ce 99 paille limpide se présente sous des traits équilibrés et austères. Il s'exprimera pleinement d'ici deux ans. Une réussite dans une typicité devenue très rare. (30 à 49 F)
Dom. Gouffier, 11, Grande-Rue, 71150 Fontaines, tél. 03.85.91.49.66, fax 03.85.91.46.98, e-mail jerome.gouffier@wanadoo.fr r.-v.

DOM. GRAND ROCHE 2000*

3 ha 18 000 5à8€

La comptabilité mène à tout, et même à la vigne. Erick Lavallée exerçait en effet son métier parmi les chiffres quand il a choisi, en 1987, une autre vie. L'actif donne ici un bon bilan. Assez pâle, il exprime des tendances végétales très intenses. Il sauvignonne un peu. Sa rondeur, sa souplesse le rendent très agréable, d'autant qu'une acidité bien mesurée apporte une touche citronnée. (30 à 49 F)
Dom. Grand Roche, rte de Chitry, 89530 Saint-Bris-le-Vineux, tél. 03.86.53.84.07, fax 03.86.53.88.36 r.-v.
Erick Lavallée

BLANCHE ET HENRI GROS 1999*

n.c. 3 000 5à8€

Voilà un bon aligoté qui vous donnera le coup de fouet au casse-croûte. Très clair et limpide, quelque peu exotique (mandarine), il coule en bouche comme un torrent de montagne rapide, frais et vif. A boire dès à présent. Chambœuf est ce village des Hautes-Côtes où l'on arrive en montant la combe de Lavaux depuis Gevrey. (30 à 49 F)
Henri Gros, 21220 Chambœuf, tél. 03.80.51.81.20, fax 03.80.49.71.75 r.-v.

DOM. JEAN GUITON 1999*

0,44 ha 3 000 5à8€

Bonne attaque, bonne acidité, bonne intensité... On peut voir les aligotés un peu plus vifs, mais celui-ci tient très bien sa place ici. Végétale puis florale, une bouteille qui va pouvoir garder ses qualités pendant un à deux ans. A servir avec des huîtres. (30 à 49 F)
Dom. Jean Guiton, 4, rte de Pommard, 21200 Bligny-lès-Beaune, tél. 03.80.26.82.88, fax 03.80.26.85.05, e-mail guillaume-guiton@wanadoo.fr r.-v.

JEAN-LUC HOUBLIN 1998*

0,59 ha 3 500 5à8€

Si vous passez par Migé, ne manquez pas de visiter le moulin à vent entièrement restauré il y a quelques années. Et puis, cette cave propose un aligoté aux senteurs minérales sous ses reflets verts. Richesse du gras, saveurs de fruits verts, la concentration est très réussie. (30 à 49 F)
Dom. Jean-Luc Houblin, 1, passage des Vignes, 89580 Migé, tél. 03.86.41.69.87, fax 03.86.41.71.95 t.l.j. 8h-20h; dim. 8h-12h30; groupes sur r.-v.

FREDERIC JACOB 1999*

3 ha 6 000 3à5€

Frédéric Jacob a pris possession du domaine Jacob-Frerebeau en 1996. Jaune paille clair, son aligoté descend des Hautes-Côtes avec des accents sauvages, chauds et puissants. Ample et riche en arômes, évoluant vers l'abricot bien mûr, il est particulier et d'un style original, nerveux sans excès. (20 à 29 F)
Frédéric Jacob, 50, Grande-Rue, 21420 Changey-Echevronne, tél. 03.80.21.55.58 r.-v.

HUBERT JACOB-MAUCLAIR 1999

1,3 ha 4 000 5à8€

Légèrement perlant mais cela lui donne de la vigueur. D'une couleur soutenue et brillante, ce 99 provient des Hautes-Côtes de Beaune. Floral et subtil, son bouquet élégant est embelli par une

touche de fougère. L'attaque est bien menée, l'équilibre assuré. (30 à 49 F)
⊶ Hubert Jacob-Mauclair, 56, Grande-Rue, Changey, 21420 Echevronne, tél. 03.80.21.57.07, fax 03.80.21.57.07 ☑ Y r.-v.

DOM. REMI JOBARD 1999★★

☐ 1,5 ha 3 000 ▮ 5à8€

Transparent et jaune clair, il ne s'est pas trompé de tailleur. Son nez fruité signale quelques ambitions. La bouche tourne autour de ces qualificatifs : souple, tendre, ronde ; ses contours sont tracés d'une main à la fois sûre et fine : elle dispose d'un joli corps. Son caractère citronné destine cet aligoté aux fruits de mer, et on aurait grand tort de s'en priver. (30 à 49 F)
⊶ Dom. Rémi Jobard, 12, rue Sudot, 21190 Meursault, tél. 03.80.21.20.23, fax 03.80.21.67.69, e-mail remi.jobard@libertysurf.fr ☑ Y r.-v.

JEAN-LUC JOILLOT 1999★

☐ 0,6 ha 6 000 ▮ 5à8€

Citron vert, très minéral, frais, vif comme une truite, il possède aussi une charpente ferme et épicée, tirant sur le fruit mûr qui lui confère longueur et puissance. (30 à 49 F)
⊶ Jean-Luc Joillot, rue Marey-Monge, 21630 Pommard, tél. 03.80.24.20.26, fax 03.80.24.67.54 ☑ Y r.-v.

GILLES JOURDAN 1999★

☐ 0,3 ha 2 400 ▮ 5à8€

Très 99, cet aligoté possède une nervosité de bon aloi. Tout à fait le caractère de l'aligoté, franc, minéral, superbement typé. Même les moules vont s'animer en sa présence. (30 à 49 F)
⊶ Gilles Jourdan, Grande-Rue, 21700 Corgoloin, tél. 03.80.62.76.31, fax 03.80.62.98.55 ☑ Y r.-v.

DOM. LAMY-PILLOT 1999★★

☐ 1,64 ha 9 400 ▮ 5à8€

Or vert assez soutenu, il s'impose d'entrée de jeu. Son nez d'amande verte ne dégage pas beaucoup mais donne envie d'aller plus loin. Gouleyant, impulsif, il envahit le paysage d'une présence indéniable. Vraiment superbe, il peut se passer de crème de cassis et assurer à lui seul un bel apéritif. (30 à 49 F)
⊶ Dom. Lamy-Pillot, 31, rte de Santenay, 21190 Chassagne-Montrachet, tél. 03.80.21.30.52, fax 03.80.21.30.02, e-mail lamy.pillot@wanadoo.fr ☑ Y r.-v.

DANIEL LARGEOT 2000★

☐ 0,4 ha 3 600 ▮ 3à5€

Sa robe cristalline s'accompagne de quelques reflets. Son nez va de l'avant, convoquant la pomme, la fleur blanche et même le beurre. L'acidité est bien englobée, l'attaque pleine de jus, et l'on appréciera ce pain d'épice en retour d'arôme. Il nous invite à visiter Dijon. (20 à 29 F)
⊶ Daniel Largeot, 5, rue des Brenôts, 21200 Chorey-lès-Beaune, tél. 03.80.22.15.10, fax 03.80.22.60.62 ☑ Y r.-v.

DOM. LARUE 1999★

☐ 1,56 ha 5 200 ▮ 5à8€

Bien typé et sans fioritures, un vin or pâle à reflets verts, très frais, sur des arômes de fruits verts et d'agrumes avec une pointe d'amande. La bouche a du nerf mais aussi se montre friande et persistante. Les crustacés lui tiendront conversation. (30 à 49 F)
⊶ Dom. Larue, Gamay, 21190 Saint-Aubin, tél. 03.80.21.30.74, fax 03.80.21.91.36 ☑ Y r.-v.

DOM. MAILLARD PERE ET FILS 1999★

☐ 0,4 ha n.c. ▮ 5à8€

Till l'Espiègle ! Jeune, enthousiaste, plein d'allant, ne se prenant surtout pas au sérieux, comblant l'esprit et le corps, le voici : paré d'or, parfumé d'aubépine fraîchement cueillie, il a un goût de pierre à feu et cette touche d'élégance qui révèle les vins bien nés. Offrez-lui une cuisine à sa mesure, comme la tourte Henri Colin qui fit longtemps les beaux soirs du Pré aux Clercs à Dijon. (30 à 49 F)
⊶ Dom. Maillard, 2, rue Joseph-Bard, 21200 Chorey-lès-Beaune, tél. 03.80.22.10.67, fax 03.80.24.00.42 ☑ Y r.-v.

DOM. MAREY 1998

☐ 1 ha 5 000 ▮ 5à8€

Domaine sans rapport avec la famille Marey-Monge jadis flamboyante dans la Côte et les Hautes-Côtes. Cet aligoté présente une robe si claire qu'elle apparaît presque blanche. La fougère et la menthe orientent son nez dans le bon sens, et la bouche persiste et signe. Cet environnement aromatique accompagne une dégustation plaisante, assez ample, puissante. Meuilley, près de Vergy, illustre bien la reconquête des Hautes-Côtes dans les années 1960 et 1970. (30 à 49 F)
⊶ Dom. Marey, rue Bachot, 21700 Meuilley, tél. 03.80.61.12.44, fax 03.80.61.11.31, e-mail dommarey@aol.com ☑ Y r.-v.

PASCAL MELLENOTTE 1999

☐ 1 ha 2 000 ▮ 3à5€

Citron pâle, pomme verte sur mie de pain, lies fines, il part en voyage avec tous les visas. Et c'est agréable en bouche, vivifiant. Jolie croisière ! Au long cours, peut-être pas mais on profitera des premières escales pour prendre tout le bon temps possible, sur des fruits de mer, bien sûr. (20 à 29 F)
⊶ Pascal Mellenotte, Le Martray, 71640 Mellecey, tél. 03.85.45.15.64, fax 03.85.45.15.64 ☑ Y t.l.j. sf dim. 10h-19h

ARMELLE ET JEAN-MICHEL MOLIN 1999★

☐ 0,3 ha 2 800 ▮ 3à5€

Prêt à servir dès 2002, un 99 *nec plus ultra*. Coloré avec soin, aromatique, il est clairement d'un caractère pierre à fusil. Tendre et directe à l'attaque, la bouche évolue sur la même minéralité pour s'équilibrer en finale. N'en faites pas un kir : il mérite le brochet ! (20 à 29 F)

🔑 EARL Armelle et Jean-Michel Molin, 54, rte des Grands-Crus, 21220 Fixin, tél. 03.80.52.21.28, fax 03.80.59.96.99 ☑ 🍷 r.-v.

DOM. HENRI NAUDIN-FERRAND 1999

☐ 1,81 ha 16 526 🍾🌡 3à5€

Les Hautes-Côtes de Nuits sont pour ce cépage un lieu de prédilection, une terre bénie. Celui-ci ? Peu de robe, mais des arômes de printemps toute l'année (floraux bien sûr). De l'attaque à la fin de bouche, on ne s'ennuie pas. Vous pourrez le boire dans les prochains mois. (20 à 29 F)

🔑 Dom. Henri Naudin-Ferrand, rue du Meix-Grenot, 21700 Magny-lès-Villers, tél. 03.80.62.91.50, fax 03.80.62.91.77, e-mail dnaudin@ipac.fr ☑ 🍷 r.-v.

NICOLAS PERE ET FILS 1999*

☐ 0,9 ha 5 000 🍾🌡 3à5€

Or pâle à reflets verts, minéral au nez, il se montre tendre et vif à la fois, mentholé en bouche, persistant sur la fraîcheur. Le jury lui est nettement favorable et le juge de belle tenue, suggérant une cuisine aigre-douce à l'indienne et un peu pimentée. (20 à 29 F)

🔑 EARL du dom. Nicolas Père et Fils, 38, rte de Cirey, 21340 Nolay, tél. 03.80.21.82.92, fax 03.80.21.85.47 ☑ 🍷 t.l.j. 9h-12h 13h30-19h

ERIC PANSIOT 1999*

☐ 3 ha 10 000 🍾 5à8€

Jaune d'or clair, il décline une intéressante gamme aromatique, du bourgeon de cassis au chèvrefeuille. Son acidité fruitée (citron) correspond bien à l'attente du public pour ce type de vin. Une certaine ampleur l'escorte tout au long d'une bouche persistante. Un jambon persillé lui conviendrait-il ? (30 à 49 F)

🔑 Eric Pansiot, Ch. de la Chaume, 21700 Corgoloin, tél. 03.80.62.94.32, fax 03.80.62.73.14 ☑ 🍷 r.-v.

DOM. PAVELOT 1999*

☐ 0,9 ha 2 500 🍾 5à8€

On dit Pavelot comme on dit Pernand, tant cette famille fait corps avec le village depuis des siècles. Son aligoté est instructif pour qui veut connaître l'appellation. Or pâle, il se présente sous des traits délicats et floraux. Aucune agressivité mais un côté friand qui s'allie à une vitalité efficace. Bien constitué et très typé. (30 à 49 F)

🔑 EARL Dom. Régis et Luc Pavelot, rue du Paulant, 21420 Pernand-Vergelesses, tél. 03.80.26.13.65, fax 03.80.26.13.65 ☑ 🍷 r.-v.

GEORGES ET THIERRY PINTE 1998

☐ 0,73 ha 2 600 🍾 5à8€

Jaune clair, ce 98 a eu le loisir de composer un bouquet de fleurs blanches et de menthe, bien intense. Petite note d'amertume en finale. Un vin net et propre, selon les termes mêmes de nos dégustateurs. (30 à 49 F)

🔑 GAEC Georges et Thierry Pinte, 11, rue du Jarron, 21420 Savigny-lès-Beaune, tél. 03.80.21.51.59, fax 03.80.21.51.59 ☑ 🍷 r.-v.

DOM. JACKY RENARD 1999

☐ 4,86 ha n.c. 🍾🌡 5à8€

Assez caractéristique des aligotés de l'Yonne, sa couleur a du feu, de l'éclat. Frais et floral, son nez est très mignon. On aime sa spontanéité de jeunesse, même si la longueur est moyenne. A boire dans les temps qui viennent. (30 à 49 F)

🔑 Jacky Renard, La Côte-de-Chaussan, 89530 Saint-Bris-le-Vineux, tél. 03.86.53.38.58, fax 03.86.53.33.50 ☑ 🍷 r.-v.

CH. DE ROUGEON 1999*

☐ 8 ha n.c. 🍾 5à8€

Bouchard Père et Fils occupe les caves aménagées dans les bastions de la forteresse de Beaune qui date du XV[e]s. Leur aligoté donne une très bonne bouteille mais peu typée. D'un bel or gris brillant, elle a de l'allure, et on se laissera séduire par son parfum de tilleul et le retour d'arôme sur la fougère. Tout cela, c'est parfait. La bouche n'a pas la vivacité du cépage : elle se montre ronde. (30 à 49 F)

🔑 Bouchard Père et Fils, Ch. de Beaune, 21200 Beaune, tél. 03.80.24.80.24, fax 03.80.22.55.88, e-mail france@bouchard-pereetfils.com 🍷 r.-v.

PASCAL SORIN 1999*

☐ 2,2 ha 4 500 🍾 3à5€

Bel éclat de la robe. Les choses s'annoncent bien, d'autant que le bouquet mi-végétal mi-floral s'accompagne d'une jolie touche de noisette. Le fût n'en est pas responsable (élevage en cuve). Un vin assez complet, très rond au premier abord puis plein de saveurs qui éclatent (pamplemousse notamment). Peu d'acidité. (20 à 29 F)

🔑 Sorin-Coquard, 25, rue de Grisy, 89530 Saint-Bris-le-Vineux, tél. 03.86.53.37.76, fax 03.86.53.37.76 ☑ 🍷 t.l.j. 8h-20h30; dim. 8h-12h30

🔑 Pascal Sorin

PIERRE TAUPENOT 1998

☐ 0,3 ha 2 780 🍾🛢 5à8€

Rien dans sa robe ne trouble le regard. Joli mouvement dans le verre. Nez moyen de citronnelle et d'aubépine, un peu herbacé. Le gras domine l'acidité, mais le vin conserve une certaine fraîcheur. Assurément un vin fin dans l'esprit de la Côte de Beaune. (30 à 49 F)

🔑 Pierre Taupenot, rue du Chevrotin, 21190 Saint-Romain, tél. 03.80.21.24.37, fax 03.80.21.68.42 ☑ 🍷 r.-v.

VENOT 1999*

☐ 3 ha 3 000 🍾 5à8€

Arrivant de la Côte chalonnaise, ce 99 fait penser à la maxime d'autrefois : « vin vert, riche Bourgogne ». Lui ne chardonne pas et, d'un tempérament très vif, il est acidulé à souhait, complexe et complet, le citron se mêlant à de gentilles fleurs printanières. Touchera à la perfection fin 2002-début 2003. (30 à 49 F)

🔑 GAEC Venot, "La Corvée", 71390 Moroges, tél. 03.85.47.90.20, fax 03.85.47.90.20 ☑ 🍷 r.-v.

DOM. VERRET 2000**

☐ 12,74 ha 110 000 🍷 5à8€

Un pionnier de la vente directe dans le Chablisien. Sur ses 300 000 bouteilles commercialisées dans l'année, celle-ci ne vous laissera pas de regrets. L'œil est net, le nez odorant et floral, la bouche flatteuse et printanière. Sa petite nuance exotique ajoute à son charme à la vérité très prenant. A saisir sans attendre longtemps. (30 à 49 F)

Dom. Verret, 7, rte de Champs, BP 4, 89530 Saint-Bris-le-Vineux, tél. 03.86.53.31.81, fax 03.86.53.89.61, e-mail bruno.verret@wanadoo.fr ☑ Y r.-v.

VEUVE HENRI MORONI 1999*

☐ 2 ha 6 500 🍷 5à8€

Dans un décor jaune pâle et limpide, les acteurs entrent en scène : le citron, le pamplemousse, quelques fleurs discrètes. Très frais, très bon, il est aligoté jusqu'au bout des ongles. Voici ce qu'on attend précisément d'un tel vin. Certes, l'ensemble n'est pas d'une vivacité extrême, mais nullement endormi non plus. (30 à 49 F)

Veuve Henri Moroni, 1, rue de l'Abreuvoir, 21190 Puligny-Montrachet, tél. 03.80.21.30.48, fax 03.80.21.33.08, e-mail veuve.moroni@wanadoo.fr ☑ Y r.-v.

Bourgogne passetoutgrain

Appellation réservée aux vins rouges et rosés à l'intérieur de l'aire de production du bourgogne grand ordinaire, ou d'une appellation plus restrictive à condition que les vins proviennent de l'assemblage de raisins issus de pinot noir et gamay noir ; le pinot noir doit représenter au minimum le tiers de l'ensemble. Il est courant de constater que les meilleurs vins contiennent des quantités identiques de raisin de chacun des deux cépages, voire davantage de pinot noir.

Les vins rosés sont obligatoirement obtenus par saignée : ce sont donc des rosés œnologiques, par opposition aux « gris » obtenus par pressurage direct de raisins noirs et vinifiés comme des vins blancs. Dans la saignée, le tirage des jus est effectué lorsque le vigneron a obtenu, lors de la macération, la couleur désirée, ce qui peut très bien arriver en plein milieu de la nuit ! La production de passetoutgrain rosé est très faible ; c'est surtout en rouge que cette appellation est connue. Elle est produite essentiellement en Saône-et-Loire (environ les deux tiers), le reste en Côte-d'Or et dans la vallée de l'Yonne. Elle représente 71 708 hl en 1999 et 61 090 hl en 2000. Les vins sont légers et friands, et doivent être consommés jeunes.

DOM. BOUZERAND-DUJARDIN 1999**

■ 0,43 ha 2 700 🛢 5à8€

A vos marques... Prêts ? Partez ! Précipitez-vous en direction d'un vin qui manque d'un souffle le coup de cœur et qui est le n ° 1. Il connaît la meilleure façon de vous plaire. Grenat profond, délivrant des arômes de cassis et de cerise avec une pointe de kirsch, ce passetoutgrain est superbement relevé en bouche : vif, frais, un peu chaleureux mais ferme, il s'éveille du bon pied. (30 à 49 F)

Dom. Bouzerand-Dujardin, pl. de l'Eglise, 21190 Monthélie, tél. 03.80.21.20.08, fax 03.80.21.28.16 ☑ Y r.-v.

JEAN BROCARD-GRIVOT 1999*

■ 0,26 ha 1 370 🛢 3à5€

50/50 pinot et gamay. A Reulle-Vergy, on a le sens de l'équilibre. Ce 99 est un vin sincère et authentique, couleur groseille, au nez profond et méticuleux (cassis, mie de pain, épices). Plutôt souple de caractère et agréable avec les brochettes d'un barbecue. (20 à 29 F)

Jean Brocard-Grivot, rue Basse, 21220 Reulle-Vergy, tél. 03.80.61.42.14 ☑ Y r.-v.

PIERRE CHANAU 1999

■ n.c. 156 977 🍷 3à5€

Marque de la grande distribution qui fait élaborer ses vins par différents négociants, ici Philippe d'Argenval - c'est inscrit sur l'étiquette -, filiale d'Antonin Rodet. Il est réussi et on peut le boire aux anges, comme on disait jadis. Rouge rubis, il est surtout porté sur le sous-bois. Tanins un peu griffus, mais sa légèreté de bon aloi convient au sujet à traiter. Accompagnera une potée cet hiver. (20 à 29 F)

Pierre Chanau, 71640 Mercurey, tél. 03.85.98.12.12, fax 03.85.45.25.49

GUY FONTAINE ET JACKY VION 1999*

■ 0,6 ha 5 200 5à8€

A mi-parcours entre Beaune et Chalon-sur-Saône, ce domaine familial est conduit depuis 1982 par deux beaux-frères, régulièrement retenus par les jurys Hachette. Leur passetoutgrain ? Rouge sang, olé ! On est en effet dans les arènes. Planté sur ses tanins, le vin avance avec force et détermination. Il a de la persistance. Un 99 à boire dans l'année sur un rôti de porc pommes boulangères. (30 à 49 F)

GAEC des Vignerons, rue du Bourg, 71150 Remigny, tél. 03.85.87.03.35, fax 03.85.87.03.35 ☑ Y r.-v.

DOM. PIERRE GELIN 1999

■ 1,78 ha 10 000 ▮ 3à5€

Rouge feu, intense et soutenu, ce passetoutgrain a le nez net et franc. Très typé et à 70 % gamay, il a la bouche bien structurée et poivrée. Ses tanins, cependant, gagneront à s'assagir un peu. (20 à 29 F)

Dom. Pierre Gelin, 2, rue du Chapitre, 21220 Fixin, tél. 03.80.52.45.24, fax 03.80.51.47.80 ☑ Y t.l.j. sf dim. 9h-12h 14h-17h; sam. sur r.-v.

Stéphen Gelin

GILBERT ET PHILIPPE GERMAIN 1999

■ 1,5 ha 5 000 ▮🌡 3à5€

Si jamais vous vous interrogez sur le compagnon idéal d'une paire d'œufs en meurette, choisissez donc ce passetoutgrain des Hautes-Côtes de Beaune. Le rapport est de 70 % gamay et de 30 % pinot. Il fonctionne bien, dans un esprit souple et tendre qui ne se prolonge pas beaucoup tout en remplissant son contrat. (20 à 29 F)

Philippe Germain, 21190 Nantoux, tél. 03.80.26.05.63, fax 03.80.26.05.12 ☑ Y r.-v.

ROBERT GROFFIER ET FILS 1999

■ n.c. 5 000 ⦀ 5à8€

On s'en fait sans difficulté un ami. Plus rouge que rouge, il semble revenir d'un voyage aux Antilles, avec des parfums émoustillants dans sa valise (grenade, orange amère). Boisé assez sensible, mais il y a de la jeunesse et du tempérament dans ce vin-là. (30 à 49 F)

SARL Robert Groffier Père et Fils, 3-5, rte des Grands-Crus, 21220 Morey-Saint-Denis, tél. 03.80.34.31.53, fax 03.80.34.31.53 ☑ Y r.-v.

DOM. REMI JOBARD 1999*

■ 1 ha 2 500 ▮🌡 3à5€

Venu du village du blanc, un vin rouge qui annonce franchement la couleur, rubis violacé. Il met le nez dehors sur un discret fruit frais. Il attaque avec vivacité mais se révèle vite rond ; franc, net, il trouve sans difficulté le consensus. Légère note de chaleur épicée en fin de bouche. C'est ainsi qu'on le quitte. (20 à 29 F)

Dom. Rémi Jobard, 12, rue Sudot, 21190 Meursault, tél. 03.80.21.20.23, fax 03.80.21.67.69, e-mail rémi.jobard@libertysurf.fr ☑ Y r.-v.

DOM. DE LA CHAPELLE 1999

■ 3,5 ha 5 000 ▮ 3à5€

Ce vieux domaine de 25 ha a vinifié ce passetoutgrain comme un beaujolais, les grappes entières ont été mises en cuve. Cela donne ici un vin qui se présente bien dans sa robe rubis à reflets clairs, ouvert sur les fruits rouges ; ses 65 % de gamay ne laissent pas indifférent. (20 à 29 F)

Bouthenet Père et Fils, Dom. de la Chapelle, Eguilly, 71490 Couches, tél. 03.85.45.54.76, fax 03.85.45.56.51 ☑ Y r.-v.

DOM. DE LA FEUILLARDE 2000

■ 0,3 ha 2 600 ▮🌡 5à8€

Un passetoutgrain qui nous prend par l'épaule. Très primeur, son gamay (50 % pourtant) tire de son côté la couverture et se montre tendre et friand. Sous sa robe pas trop intense, le nez et la bouche parlent d'une même voix. A boire entre copains d'ici six mois. Un vin qui porte le millésime 2000 et qui nous vient de la Bourgogne du Sud. (30 à 49 F)

Lucien Thomas, Dom. de La Feuillarde, 71960 Prissé, tél. 03.85.34.54.45, fax 03.85.34.31.50, e-mail contact@domaine-feuillarde.com ☑ Y t.l.j. 8h-12h 13h-19h

LES CHAMPS DE L'ABBAYE 1999*

■ 1 ha 5 500 ⦀ 5à8€

Ce jeune domaine fondé en 1996 vient de se convertir à la biodynamie. Il propose un vin à 45 % pinot et à 55 % gamay aux traditionnels arômes fruités. Goûteux en bouche avec de la mâche, une bonne charpente, pas mal de fond, il a un réel potentiel. (30 à 49 F)

Alain Hasard, Les Champs de l'Abbaye, 3, pl. de l'Abbaye, 71510 Saint-Sernin-du-Plain, tél. 03.85.45.59.32, fax 03.85.45.59.32 ☑ Y r.-v.

GHISLAINE ET BERNARD MARECHAL-CAILLOT 1999*

■ 3,13 ha 8 000 ▮⦀🌡 5à8€

Issu de 75 % de gamay et de 25 % de pinot noir, ce vin est plaisant. Souple, bon comme le bon pain, le cœur tendre, il sait se faire des amis : son habit pourpre est un tantinet évolué. Il est excellent dans sa catégorie en raison d'un fruit tendre sur des tanins fondus qui le rendront agréable, dès à présent, sur une côte de veau à la crème accompagnée de carottes glacées. (30 à 49 F)

Bernard Maréchal-Caillot, 10, rte de Chalon, 21200 Bligny-lès-Beaune, tél. 03.80.21.44.55, fax 03.80.26.88.21 ☑ Y r.-v.

DOM. DU MERLE 1999*

■ 1 ha 2 500 ⦀ 5à8€

65 % gamay, on reste dans la tradition. Cerise brillante et transparente, un vin aux arômes confiturés, très gras en bouche, robuste sur des tanins néanmoins assez fins. Généreux, il évolue ; on conseille de déboucher maintenant la bouteille. (30 à 49 F)

Michel Morin, Sens, 71240 Sennecey-le-Grand, tél. 03.85.44.75.38, fax 03.85.44.73.63, e-mail domainemerle@yahoo.com ☑ Y t.l.j. 9h30-19h30

PASCAL 1999*

■ 2 ha 15 000 ▮🌡 5à8€

Situés à Chenôve, les pressoirs des ducs de Bourgogne, du XIIIes., appartiennent à cette maison fondée en 1852. Ce négociant de Gevrey a bien négocié son affaire. Un passetoutgrain de qualité et qui, 60 % gamay et 40 % pinot, mérite toute votre estime. Rien de plus foncé que ce rubis. Un nez sauvage, sur le cassis. La structure, la matière, l'harmonie sont au rendez-vous. (30 à 49 F)

Pascal, Clos des Noirets, 21220 Gevrey-Chambertin, tél. 03.80.34.37.82, fax 03.80.51.88.05 r.-v.

Cheron

ROBERT SIRUGUE 1998*

■ 2,5 ha 15 000 3à5€

Robert Sirugue et ses enfants Marie-France et Jean-Louis travaillent ensemble sur ce domaine de 11 ha. Il y a mille façons d'écrire passetoutgrain mais celle-ci est la bonne. Il y a plusieurs façons de le composer : ici 30 % de gamay et 70 % de pinot ; il y a une bonne façon de l'apprécier. Avec un pot-au-feu. Joliment coloré, ce 98 verse une goutte de cassis sur un bouquet assez évolué (cuir, fumée). Le fond tannique ne quitte à aucun moment le terrain. Il est prêt. (20 à 29 F)

Robert Sirugue, 3, av. du Monument, 21700 Vosne-Romanée, tél. 03.80.61.00.64, fax 03.80.61.27.57 r.-v.

DOM. TAUPENOT-MERME 1998

■ n.c. 10 000 5à8€

Jean Taupenot s'allie à Denise Merme ; quelque vingt ans plus tard leurs enfants Virginie et Romain travaillent sur le domaine. Pinot 30 %, gamay 70 % : la balance penche évidemment de ce côté-là et l'on ne s'en plaint pas. La robe, vous l'imaginez sans peine. Baie de cassis, fraise des bois, pruneau cuit, le bouquet n'est pas d'artifice. Frais en attaque, rustique bien comme il faut, le palais garde de la nervosité et un fond tannique qui souligne son caractère. (30 à 49 F)

Jean Taupenot-Merme, 33, rte des Grands-Crus, 21220 Morey-Saint-Denis, tél. 03.80.34.35.24, fax 03.80.51.83.41, e-mail domainetaupenot-merme@wanadoo.fr r.-v.

JEAN-PIERRE TRUCHETET 1999*

■ 0,63 ha 5 600 3à5€

Il a de la couleur, à la limite du violacé. Il ne marchande pas sur le bouquet : le fruit est bien placé avec une touche épicée et - ce qui est peu fréquent mais remarqué - la ronce. La matière est très enveloppée sans rusticité. Tout ce qu'il faut. (20 à 29 F)

Jean-Pierre Truchetet, rue des Masers, 21700 Premeaux-Prissey, tél. 03.80.61.07.22, fax 03.80.61.34.35 t.l.j. sf sam. dim. 9h-12h 14h-19h; f. 15-31 août

DOM. VERRET 2000**

■ 2,5 ha 12 000 5à8€

Un vin venu d'un vaste domaine (52 ha) auxerrois, deux tiers de gamay, un tiers de pinot, le compte est bon. Sa rougeur violacée mène à un nez encourageant, porté sur le bourgeon de cassis. Gouleyant et fruité, plus vif que tannique, il donne des envies de saucisson et de camembert... (30 à 49 F)

Dom. Verret, 7, rte de Champs, BP 4, 89530 Saint-Bris-le-Vineux, tél. 03.86.53.31.81, fax 03.86.53.89.61, e-mail bruno.verret@wanadoo.fr r.-v.

DOM. VOARICK 1999*

■ 8,25 ha 70 000 5à8€

Pour une tourte forestière, ce vin à la robe légèrement mauve sur un fond rouge cerise, portant au nez le vague au cœur comme un personnage de Françoise Sagan ; sa bouche framboisée sur tanins fins est plus optimiste, jouant la souplesse en prime et en finale. (30 à 49 F)

Emile Voarick, 71640 Saint-Martin-sous-Montaigu, tél. 03.85.45.23.23, fax 03.85.45.16.37 t.l.j. 8h-12h 14h-18h

Bourgogne hautes-côtes de nuits

Dans le langage courant et sur les étiquettes, on utilise le plus fréquemment « bourgogne hautes-côtes de nuits » pour les vins rouges, rosés et blancs produits sur seize communes de l'arrière-pays, ainsi que sur les parties de communes situées au-dessus des appellations communales et des crus de la Côte de Nuits. Ces vignobles ont produit 29 717 hl en 2000, dont 5 291 hl en blanc. Cette production a augmenté de manière importante depuis 1970, date avant laquelle le vignoble se limitait à la production de vins plus régionaux, bourgogne aligoté essentiellement. Le vignoble s'est reconverti à ce moment-là et des terrains, plantés avant le phylloxéra, ont été reconquis.

Les coteaux les mieux exposés donnent certaines années des vins qui peuvent rivaliser avec des parcelles de la Côte ; les résultats sont d'ailleurs souvent meilleurs en blanc, et il est bien dommage que les plantations ne se soient pas faites davantage avec le chardonnay qui, sans nul doute, réussirait mieux, le plus souvent. A l'effort de reconstitution du vignoble a été associé un effort touristique qu'il faut souligner, avec en particulier la construction d'une maison des Hautes-Côtes où sont exposées les productions locales que l'on peut déguster avec la cuisine régionale.

DOM. BARBIER ET FILS
Corvée de Villy 1998★

■ 1,92 ha 12 000 11 à 15 €

Le domaine Barbier et Fils a été acquis par Dufouleur Père et Fils en 1995 : on reste entre Nuitons. Le rubis est ici bien bourguignon. Une touche de cacao, d'épices traduit un élevage en fût bien maîtrisé. La bouche, équilibrée par des tanins solides, permettra une petite garde (un à deux ans). (70 à 99 F)

Dom. Barbier et Fils, 15, rue Thurot, BP 27, 21700 Nuits-Saint-Georges, tél. 03.80.61.21.21, fax 03.80.61.10.65 Y r.-v.

Guy et Xavier Dufouleur

JEAN BOUCHARD 1999★

■ n.c. 34 500 11 à 15 €

C'et un vin très réussi. Son drapé tire sur le grenat, avec une nuance de rose au bord du disque. Myrtille, mûre, le fruit noir est en tête d'affiche. Des tanins sans outrance, de la matière et du fruit. (70 à 99 F)

Jean Bouchard, BP 47, 21202 Beaune Cedex, tél. 03.80.24.37.27, fax 03.80.24.37.38

DOM. CACHAT-OCQUIDANT ET FILS 1999★

■ 61,91 ha 3 600 5 à 8 €

Grenat à reflets bleutés, doté d'arômes fruités mais discrets, il laisse à l'élevage en cave le soin de jouer toute la partition. Plus ample que long, rond et structuré, il conclut sur une pointe réglissée du plus bel effet. C'est à la hauteur de Ladoix que se situe la « frontière » entre Hautes-Côtes de Nuits et Hautes-Côtes de Beaune. (30 à 49 F)

Dom. Cachat-Ocquidant et Fils, 3, pl. du Souvenir, 21550 Ladoix-Serrigny, tél. 03.80.26.45.30, fax 03.80.26.48.16 Y r.-v.

F. CHAUVENET
Les Hauts de Charmont 1998★

■ n.c. 60 000 8 à 11 €

Robe d'un beau rubis bourguignon. Son nez eût enthousiasmé Colette, tant il est floral, fleuri, subtil, féminin en diable. D'ailleurs Colette n'a-t-elle pas signé naguère un reportage sur cette maison qui compte parmi les plus anciennes de Nuits (J-Cl. Boisset de nos jours) ? Ce qu'on appelle un vin gourmand, riche et généreux, tannique sans excès, désaltérant en un mot. (50 à 69 F)

F. Chauvenet, 9, quai Fleury, 21700 Nuits-Saint-Georges, tél. 03.80.62.61.43, fax 03.80.62.37.38

RAOUL CLERGET 1999★

■ n.c. 30 000 5 à 8 €

Reprise par la famille alsacienne Tresch, la maison Clerget signe un vin des Hautes-Côtes encore fermé en début de bouche et qui s'emplit ensuite d'une aménité agréable. Rouge grenat, il a un nez de sous-bois et de champignon. La bouche retrouve cette même note associée à un fruité classique. A servir au repas familial du dimanche sur une volaille. (30 à 49 F)

Raoul Clerget, chem. de la Pierre-qui-Vire, 21200 Montagny-lès-Beaune, tél. 03.80.26.37.37, fax 03.80.24.14.81, e-mail contacts@tresch.fr

Tresch SA

DOM. YVAN DUFOULEUR
Les Dames Huguette 1998★

■ 1,3 ha 6 000 8 à 11 €

Les Dames Huguette sont médiatiques : plantées sous les pylones de la télévision, elles peuvent être rouges ou blanches ! Ce domaine reçoit une étoile pour chacune de ces couleurs : Le rouge, grenat soutenu, est fin et bien fait, répondant aux critères de l'AOC même s'il est très flatté par le fût. Offrez-lui un canard. Dans ce même *climat*, le **blanc 98** montre un boisé fin. Le **village rouge 99** est très harmonieux. Tous deux obtiennent une étoile. (50 à 69 F)

Dom. Yvan Dufouleur, 18, rue Thurot, 21700 Nuits-Saint-Georges, tél. 03.80.62.31.00, fax 03.80.62.31.00 Y r.-v.

GEISWEILER 1999

■ n.c. 10 000 5 à 8 €

La maison Geisweiler joua naguère un rôle de pionnier dans la reconquête des Hautes-Côtes, créant notamment le vaste vignoble de Bévy. Elle fait désormais partie de la maison Picard à Chagny. Quant à ce 99, il a de jolies nuances rubis, un bouquet en devenir (fruits noirs, épices) et une bouche carrée à l'attaque. Il évolue dans le sens de la longueur sous des tanins encore austères. (30 à 49 F)

Geisweiler, 4, rte de Dijon, 21700 Nuits-Saint-Georges, tél. 03.85.87.51.21, fax 03.85.87.51.11

M. Picard

DOM. GLANTENET 1999★★

□ 2,05 ha 8 000 5 à 8 €

Vignerons depuis le XVIIIᵉs., les Glantenet élèvent leurs vins en fût de chêne français. Celui-ci a passé douze mois sous bois. D'une teinte fraîche, il sait tirer les meilleures cartes : des arômes d'amande, d'agrumes, de menthe. Complexe et expressif, il est équilibré et flatteur. Un gratin de fruits de mer le contentera. (30 à 49 F)

Dom. Glantenet Père et Fils, rue de l'Aye, 21700 Magny-lès-Villers, tél. 03.80.62.91.61, fax 03.80.62.74.79, e-mail domaine.glantenet@wanadoo.fr
Y t.l.j. sf dim. 8h-12h 14h-18h

BLANCHE ET HENRI GROS
Cuvée de garde Vieilles vignes 1999★★

■ 2,5 ha 4 500 8 à 11 €

Chambœuf est le village le plus « septentrional » des Hautes-Côtes de Nuits. Il nous réserve ici une excellente surprise. Elégance et puissance, peut-on rêver mieux ? Ce 99 tire sur la framboise. Il a de l'avenir et constitue un joli produit : rondeur en bouche, tanins discrets... (50 à 69 F)

Henri Gros, 21220 Chambœuf, tél. 03.80.51.81.20, fax 03.80.49.71.75 Y r.-v.

DOM. GROS FRERE ET SŒUR 1999**

■ 6,5 ha 43 500 8 à 11 €

Le coup de cœur n'est pas passé loin... C'est dire si ce 99, signé par un prestigieux domaine de Vosne-Romanée, figure parmi les meilleurs. Excellente intensité colorante, arômes très flatteurs (fraise, moka), bonne longueur assez tannique : il présente une remarquable typicité. A ne pas déboucher trop vite. En **blanc 99 (70 à 99 F)**, ce domaine obtient une étoile. Ample, persistant sur la fleur et le fruit, le vin a cette note minérale des grands. (50 à 69 F)

SCE Gros Frère et Sœur, 6, rue des Grands-Crus, 21700 Vosne-Romanée, tél. 03.80.61.12.43, fax 03.80.61.34.05 r.-v.

Bernard Gros

FREDERIC JACOB 1999

■ 1 ha 3 000 5 à 8 €

Installé en 1996, Frédéric Jacob propose un vin plaisant, bien fait, sans trop de caractère mais intéressant. Peu coloré, le nez partagé entre l'épice et le fruit, friand, il est destiné à une assiette de charcuterie et à être bu pour le bonheur de l'instant sans se poser de questions. (30 à 49 F)

Frédéric Jacob, 50, Grande-Rue, 21420 Changey-Echevronne, tél. 03.80.21.55.58 r.-v.

JEAN-PHILIPPE MARCHAND
Cuvée Prestige Vieilli en fût de chêne 1999*

■ n.c. n.c. 5 à 8 €

Un vieux pressoir est à admirer sur ce domaine né au XVIIe s. et qui dispose de chambres d'hôte. Pour son 95, Jean-Philippe Marchand a obtenu le coup de cœur dans le Guide 1998. La robe du 99 suggère la cerise bien mûre. Son bouquet offre une grande diversité, puisqu'on y trouve la fougère, le cassis... Concentré, charpenté, équilibré et typé, ce vin est long et agréable ; une blanquette le mettra en joie. On oubliait : les tanins sont pleins d'aménité. (30 à 49 F)

Maison Jean-Philippe Marchand, 4, rue Souvert, 21220 Gevrey-Chambertin, tél. 03.80.34.33.60, fax 03.80.34.12.77, e-mail marchand@axnet.com r.-v.

DOM. MOILLARD 1999

□ 7,4 ha 40 000 8 à 11 €

Pour un filet mignon de porc aux pruneaux, ce vin limpide, très expressif au nez (vanille, poire) et en bouche, joue sur la pêche et finit sur une note minérale. (50 à 69 F)

Dom. Moillard, chem. rural 29, 2, rue François-Mignotte, 21700 Nuits-Saint-Georges, tél. 03.80.62.42.22, fax 03.80.61.28.13, e-mail nuicave@wanadoo.fr t.l.j. 10h-18h; f. janv.

DOM. DE MONTMAIN
Les Genevrières 1998

■ 6 ha 32 000 15 à 23 €

Par un très grand spécialiste du sujet, coup de cœur dans les éditions 1990 et en 1995 notamment, ce rouge fermé à l'attaque et qui se réveille à l'aération sur des notes épicées. La finale est marquée par des tanins costauds, insuffisamment enrobés pour l'instant. Fruits noirs confits pour l'essentiel. A attendre deux à trois ans. (100 à 149 F)

Dom. de Montmain, 21700 Villars-Fontaine, tél. 03.80.62.31.94, fax 03.80.61.02.31 t.l.j. sf dim. 8h30-12h 13h30-18h; sam. sur r.-v.

Hudelot

DOM. HENRI NAUDIN-FERRAND
Elevé en fût de chêne 1999

□ 1,17 ha 9 310 5 à 8 €

Vous savez qu'au domaine les femmes sont à la barre. Bonnes cuisinières, choisissez un filet de sandre en croûte de pain d'épice (Dijon n'est pas loin) pour faire escorte à ce 99 jaune paille, un tantinet floral et que l'acidité équilibre bien. Peu de matière mais de l'élan. (30 à 49 F)

Dom. Henri Naudin-Ferrand, rue du Meix-Grenot, 21700 Magny-lès-Villers, tél. 03.80.62.91.50, fax 03.80.62.91.77, e-mail dnaudin@ipac.fr r.-v.

OLIVIER-GARD Cuvée Tradition 1999*

■ 1 ha 6 000 5 à 8 €

Vin produit à Corboin, un hameau de Nuits-Saints-Georges niché sur le plateau. Il se signale à notre attention par une harmonie très féminine : robe étincelante, parfum fruité (l'aération est nécessaire). Beaucoup de plaisir à venir tant par la qualité de la bouche que par le charme de la finale. (30 à 49 F)

Dom. Olivier-Gard, Concœur-et-Corboin, 21700 Nuits-Saint-Georges, tél. 03.80.61.00.43, fax 03.80.61.38.45 r.-v.

Manuel Olivier

ERIC PANSIOT Le Lieu Dieu 1999**

□ 0,6 ha 4 000 5 à 8 €

Climat Le Lieu Dieu : une ancienne abbaye de femmes tout près de Marey-lès-Fussey, un haut lieu des Hautes-Côtes. Ce vin est un modèle des Hautes-Côtes de Nuits. Un juré l'a d'ailleurs jugé digne du coup de cœur, c'est dire ! Sa touche de miel sous sa robe claire et brillante a tout pour plaire. Structure capable d'attendre deux à trois ans. (30 à 49 F)

Eric Pansiot, Ch. de la Chaume, 21700 Corgoloin, tél. 03.80.62.94.32, fax 03.80.62.73.14 r.-v.

CH. DE PREMEAUX 1999*

■ 2,1 ha 8 000 8 à 11 €

Le grand-père de M. Pelletier acheta ce château en 1933 ; lui-même tient la barre depuis 1982, fort de 12,50 ha. Voici un vin qui ne lâche pas prise dès sa présence dans le verre : des reflets violacés dans une robe très intense d'un grenat éclatant. Son bouquet est vineux, porté sur le cassis. Rien ne déçoit en bouche : matière assez riche, rondeur agréable, mais le fruit est encore réservé à cette étape de la dégustation. Expressif et typique. A ouvrir dans un an et peut se garder trois ou quatre ans. (50 à 69 F)

Dom. du Ch. de Premeaux, 21700 Premeaux-Prissey, tél. 03.80.62.30.64, fax 03.80.62.39.28, e-mail chateau.de.premeaux@wanadoo.fr r.-v.
Pelletier

DOM. SAINT-SATURNIN 1999★

4 ha 26 000 11 à 15 €

Saint-Saturnin, ou l'église de Vergy fondée au XII[e]s ; on est au cœur des Hautes-Côtes pour déguster un 99 satin grenat à reflets rosés, au bouquet assez ouvert et droit, d'une réelle complexité. Sur la langue, il est tout de soie, avec un soutien acide bien dosé et une longueur satisfaisante. Un vin craquant, gourmand. (70 à 99 F)

Vieilles Caves de Bourgogne et de Bordeaux, 6 bis, bd Jacques-Copeau, 21200 Beaune, tél. 03.80.24.37.47, fax 03.80.24.37.38

PAUL ET COLETTE SIMON
Les Dames Huguette Vieilli en fût de chêne 1998★

1 ha 6 000 8 à 11 €

Toujours les Dames Huguette, fleuron de l'appellation et sur les hauts de Nuits-Saint-Georges. On se trouve ici en présence d'un exemple de bonne extraction, avec une pointe de terroir authentique. Son rouge velours rappelle la griotte. Réglisse en ouverture car il a passé dix-huit mois en fûts, dont 30 % neufs. C'est un vin un peu particulier. (50 à 69 F)

Paul et Colette Simon, 21700 Marey-lès-Fussey, tél. 03.80.62.93.35, fax 03.80.62.71.54, e-mail domaine@paul-simon.fr r.-v.

GUY SIMON ET FILS
Vieilli en fût de chêne 1999★

2 ha 6 000 8 à 11 €

Le fils de Guy Simon, titulaire d'un BTS d'œnologie obtenu au lycée viticole de Beaune, est désormais installé sur le domaine. Elevé en fût dont un tiers est neuf, ce 99 de teinte cerise burlat et aux accents épicés est impressionnant par sa persistance aromatique, sa plénitude en bouche. Boisé bien tempéré, fruit très présent. Autre 99 obtenant une citation : la **cuvée des Dames Huguette** (un *climat* réputé et situé sur les hauteurs de Nuits-Saint-Georges). (50 à 69 F)

Guy Simon et Fils, 21700 Marey-lès-Fussey, tél. 03.80.62.91.85, fax 03.80.62.71.82 r.-v.

DOM. THEVENOT-LE BRUN ET FILS 1999★

3,4 ha 14 400 5 à 8 €

Quand il n'est pas dans ses vignes, le papa joue du Shakespeare au *off* d'Avignon. Cette bouteille, cependant, ne se demande pas *to be or not to be.* Or pâle à reflets gris, légèrement toasté, ce chardonnay exprime son terroir avec l'accent des Hautes-Côtes. Inutile de le garder en cave, savourez-le dès à présent. Le **Clos du Vignon blanc 99 (50 à 69 F)** obtient aussi une étoile. (30 à 49 F)

Dom. Thévenot-Le Brun et Fils, 21700 Marey-lès-Fussey, tél. 03.80.62.91.64, fax 03.80.62.99.81, e-mail thevenot-le-brun@wanadoo.fr r.-v.

JEAN-PIERRE TRUCHETET 1998★★

0,66 ha 5 700 5 à 8 €

Etabli à Premeaux-Prissey, le village aux deux églises, (celle de Premeaux et celle de Prissey), toutes deux fondées au XIII[e]s., ce domaine de 8,5 ha produit ici un bien joli vin, élevé dix mois en fût, que le grand jury a plébiscité : coup de cœur unanime pour sa robe très typée, pâle à reflets verts, et pour ses arômes juvéniles partagés entre le minéral et le floral. Rond et gras, il du corps mais laisse partir en bouche ce côté minéral déjà perçu au nez. Rien de plus charmeur dans l'appellation. (30 à 49 F)

Jean-Pierre Truchetet, rue des Masers, 21700 Premeaux-Prissey, tél. 03.80.61.07.22, fax 03.80.61.34.35 t.l.j. sf sam. dim. 9h-12h 14h-19h; f. 15-31 août

DOM. ALAIN VERDET
Vieilles vignes 1998★★

1,6 ha 5 000 11 à 15 €

En agriculture biologique depuis 1971, ce domaine a vinifié et élevé dix-huit mois ce vin en fût neuf. Ce 98 a tout pour plaire : le nez confirme l'œil, et la bouche le nez, sur une ligne florale, un peu nerveuse à cet âge mais en finesse. La finale est superbe, un vrai feu d'artifice. Dans les deux à trois ans il tiendra compagnie aux crustacés. Coup de cœur de l'édition 2000 pour son 96 rouge. (70 à 99 F)

Alain Verdet, rue Combe A.-Naudon, 21700 Arcenant, tél. 03.80.61.08.10, fax 03.80.61.08.10 r.-v.

CH. DE VILLERS-LA-FAYE 1999

8 ha 13 000 8 à 11 €

Serge Valot a installé son fils Samuel sur l'exploitation tout en étant vigneron des Hospices de Beaune - brevet de noblesse en Bourgogne. Pourpre carminé, un 99 refusant de choisir présentement entre le bois et le fruit noir, attaquant tout en délicatesse et laissant parler de jolis tanins en conclusion. Sandrine Bonnaire a tourné ici une scène du film de Rivette dédié à Jeanne d'Arc. (50 à 69 F)

Ch. de Villers-la-Faye, rue du Château, 21700 Villers-la-Faye, tél. 03.80.62.91.57, fax 03.80.62.71.32 r.-v.
Valot Père et Fils

Bourgogne hautes-côtes de beaune

Située sur une aire géographique plus étendue (une vingtaine de communes, et débordant sur le nord de la Saône-et-Loire), la production des vins d'appellation bourgogne hautes-côtes-de beaune représente un volume supérieur à celui des hautes-côtes de nuits, 39 574 hl dont 7 250 en blanc en 2000. Les situations sont plus hétérogènes et des surfaces importantes sont encore occupées par les cépages aligoté et gamay.

La coopérative des Hautes-Côtes, qui a fait ses débuts à Orches, hameau de Baubigny, est maintenant installée au « Guidon » de Pommard, à l'intersection des D 973 et RN 74, au sud de Beaune. Elle vinifie un volume important de bourgogne hautes-côtes de beaune. De même que plus au nord, le vignoble s'est essentiellement développé depuis les années 1970-1975.

Le paysage est plus pittoresque que dans les Hautes-Côtes de Nuits, et de nombreux sites doivent faire l'objet d'une visite, comme Orches, La Rochepot et son château, et Nolay, petit village bourguignon. Il faut enfin ajouter que les Hautes-Côtes, qui autrefois étaient le siège d'exploitations de polyculture, sont restées des régions productrices de petits fruits destinés à alimenter les liquoristes de Nuits-Saint-Georges et Dijon, et qu'on y rencontre encore, sous différents états, des cassis, framboises ou liqueurs et eaux-de-vie de ces fruits, d'excellente qualité. L'eau-de-vie de poire des Monts-de-Côte-d'Or, bénéficiant d'une appellation simple, trouve également ici son origine.

DOM. BACHEY-LEGROS ET FILS 1999*

■ 0,5 ha 600 8à11€

Empruntez la rue la plus ancienne du village de Santenay-le-Haut. Une chapelle rurale datant de 1703 fait face à ce domaine à l'architecture bourguignonne. Grenat sombre à reflets bleutés, ce 99 offre un nez discret où les fruits rouges côtoient une légère note balsamique. Riche, élégant, équilibré par des tanins fermes sans excès, ce vin devra attendre deux ans en cave avant d'être proposé à des œufs en meurette. (50 à 69 F)

Christiane Bachey-Legros, 12, rue de la Charrière, 21590 Santenay, tél. 03.80.20.64.14 r.-v.

DOM. BERGER-RIVE Au Paradis 1999

■ 3 ha 4 000 5à8€

Il y a le Château de Mercey (Antonin Rodet). Il y a aussi le Manoir de Mercey. Pour éviter toute confusion, on dira Domaine Berger-Rive pour le Manoir. Vignes hautes et larges, autorisées par l'INAO dans les Hautes-Côtes. Et joli nom de *climat* : Au Paradis ! Comme l'indique sa robe noir violacé, un vin très concentré, fruits rouges confiturés, massif et tannique. Il mérite d'être attendu avant d'être servi sur une pièce de charolais ou/et des fromages puissants. (30 à 49 F)

Dom. Gérard Berger-Rive et Fils, Manoir de Mercey, 71150 Cheilly-lès-Maranges, tél. 03.85.91.13.81, fax 03.85.91.17.06 r.-v.

DANIEL BILLARD 1998*

□ 0,44 ha 1 682 5à8€

L'étoffe d'un grand vin sous une certaine réserve. On pense à ce mot de Van Gogh : « La peinture, c'est la réalité plus le tempérament. » Ici maturité et concentration complètent une robe délicate et un bouquet de beurre et de noisette. Ce vin peut aussi bien être bu qu'attendu. Signé par un vigneron des Maranges. (30 à 49 F)

Daniel Billard, rue de Borgy, 71150 Dezize-lès-Maranges, tél. 03.85.91.15.60, fax 03.85.91.10.59 r.-v.

DOM. DU BOIS GUILLAUME Les Champs Perdrix 1999*

□ 2,11 ha 12 000 5à8€

Or jaune pâle, ce vin encore jeune et sans défaut offre un grain intéressant, associé en bouche à une minéralité très plaisante. Jolie longueur. (30 à 49 F)

Jean-Yves Devevey, Dom. du Bois Guillaume, rue de Breuil, 71150 Demigny, tél. 03.85.49.91.11, fax 03.85.49.91.59, e-mail devevey-bois-guillaume@wanadoo.fr r.-v.

PASCAL BOULEY 1998

■ 0,73 ha 2 400 5à8€

Si vous voulez savoir à quoi ressemble un rouge grenat soutenu, prenez contact avec cette bouteille. Fruité (fruits mûrs et cuits), accompagné d'une note grillée, ce vin possède de la structure, même si on en attend un peu plus de gras. Le boisé est de qualité. (30 à 49 F)

Pascal Bouley, pl. de l'Eglise, 21190 Volnay, tél. 03.80.21.61.69, fax 03.80.21.66.44 r.-v.

G. BRZEZINSKI 1999

■ n.c. 3 000 8à11€

Ancienne maison Rivot, cette marque propose, sous le couvert d'une nuance légèrement briquée sur fond rubis, ce 99, intéressant en ouverture dans le registre fruité, puis animal et sauvage. La texture est assez fine, les tanins dépourvus de mauvaises intentions. Son évolu-

BOURGOGNE

tion incite à une consommation pas trop tardive. (50 à 69 F)

G. Brzezinski, rte d'Autun, 21630 Pommard, tél. 03.80.22.23.99, fax 03.80.22.28.33 t.l.j. sf dim. 8h-12h 14h-18h; f. 23 déc.-6 janv.

CHRISTOPHE BUISSON
Les Pierres percées 1999*

■ n.c. n.c. 5à8€

Domaine créé en 1990 à partir de rien... sinon de l'enthousiasme et du cœur au ventre. Vignes louées, puis achetées petit à petit, et en 1999 acquisition d'une cuverie à Beaune. Cette bouteille grenat bleuté imprime au nez des senteurs de petits fruits rouges avant de manifester franchise et plénitude. De bons tanins, une structure solide sans excès, riche, longue : dans la très bonne moyenne. (30 à 49 F)

Christophe Buisson, 21190 Saint-Romain, tél. 03.80.21.63.92, fax 03.80.21.67.03 r.-v.

CAPITAIN-GAGNEROT
Les Gueulottes 1998*

□ 1,05 ha 7 000 5à8€

Depuis 1802, les Capitain arborent une fière devise : « Loyauté fait ma force ». On ne peut que vous inviter à découvrir leur cave creusée dans la montagne de Corton. De prime abord, ce vin à la robe encore vive et jeune présente quelques odeurs discrètes de mie de pain, de pain grillé. Il se plaît au palais, gras, très dense, long et restant longtemps après la finale. Inutile de l'oublier en cave, il est bon pour le service. (30 à 49 F)

Maison Capitain-Gagnerot, 38, rte de Dijon, 21550 Ladoix-Serrigny, tél. 03.80.26.41.36, fax 03.80.26.46.29 r.-v.

DENIS CARRE 1999**

■ n.c. n.c. 5à8€

Son dernier coup de cœur dans cette appellation date du Guide 1991 pour un 88 rouge. Son 99 jeune, très jeune, a des couleurs typées, violacées. Son bouquet met en valeur la fraise, la framboise, sur un léger boisé. Charpenté, tannique, carré en un mot, il est encore un peu austère mais prometteur et bien travaillé. Le **99 blanc** obtient une citation : il est très ludique et à boire en chantant. (30 à 49 F)

Denis Carré, rue du Puits-Bouret, 21190 Meloisey, tél. 03.80.26.02.21, fax 03.80.26.04.64 r.-v.

DOM. FRANCOIS CHARLES ET FILS 1999*

□ 1,5 ha 9 000 5à8€

Il y a une dizaine d'années, Nantoux inaugurait son château... d'eau. Il faut bien mettre de temps en temps de l'eau dans son vin. Car ce village a retrouvé goût à la vigne. D'une teinte assez dense, ce 99 aux parfums de mirabelle, de miel et de pain grillé fait honneur à son appellation. S'il paraît légèrement évolué, c'est dû à sa grande maturité. Coup de cœur dans le Guide 1997 pour son 94 rouge. (30 à 49 F)

EARL François Charles et Fils, 21190 Nantoux, tél. 03.80.26.01.20, fax 03.80.26.04.84 r.-v.

DOM. CHEVROT 1999*

■ 2 ha 13 000 5à8€

Un carré d'agneau pour ce pinot noir souple et rond bien qu'un peu ferme, offrant une bonne tenue en bouche. Grenat intense, le nez légèrement vanillé, il incarne le style « féminin ». Ce qui, soit dit en passant, est très agréable et nous change des tanins excessifs, des vins à attendre indéfiniment. (30 à 49 F)

Catherine et Fernand Chevrot, Dom. Chevrot, 19, rte de Couches, 71150 Cheilly-lès-Maranges, tél. 03.85.91.10.55, fax 03.85.91.13.24, e-mail domaine.chevrot@wanadoo.fr t.l.j. 9h-12h 14h-18h; dim. 9h-12h

RAOUL CLERGET 1999*

■ n.c. 50 000 5à8€

Intense ! Cela se voit du premier coup d'œil. Cela se respire, avec des nuances de baies rouges acides, cornouilles pour être plus précis. L'attaque est assez ferme, les tanins nets, l'acidité marquée, la longueur moyenne. Sa structure n'est pas considérable mais le vin est typé. Raoul Clerget est une maison reprise par la famille alsacienne Tresch, et agrandie récemment. (30 à 49 F)

Raoul Clerget, chem. de la Pierre-qui-Vire, 21200 Montagny-lès-Beaune, tél. 03.80.26.37.37, fax 03.80.24.14.81, e-mail contacts@tresch.fr

Tresch SA

Y. ET C. CONTAT-GRANGE 1999*

■ 2 ha 4 000 5à8€

La Gazette, le fabuleux personnage des romans d'Henri Vincenot, parcourait souvent les chemins des Hautes-Côtes de Beaune. Il aurait fait volontiers un brin de causette avec cette bouteille gentiment vêtue de cerise noire et fleurant bon le sous-bois, le fruit mûr. Une grande fille toute simple, pas farouche mais se tenant sur ses gardes, au corps solide de Bourguignonne habituée à aller aux vignes. (30 à 49 F)

EARL Yvon Contat-Grangé, Grande-Rue, 71150 Dezize-lès-Maranges, tél. 03.85.91.15.87, fax 03.85.91.12.54 r.-v.

RODOLPHE DEMOUGEOT
Vieilles vignes 1999*

■ 1 ha 6 000 5à8€

« Ce n'est pas vilain du tout », note un juré sur sa fiche. Les Bourguignons ont le sens de la litote. Lisez : voilà un vrai bon vin. Couleur de griotte, c'est extrait ! Le nez tend vers des notes animales de cuir, après un temps de cerise noire. L'attaque est discrète mais très vite se révèlent une belle constitution et une mâche phénoménale. Deux à trois ans de garde, puis à présenter sur un canard rôti. (30 à 49 F)

Dom. Rodolphe Demougeot, 2, rue du Clos-de-Mazeray, 21190 Meursault, tél. 03.80.21.28.99, fax 03.80.21.29.18 r.-v.

DOUDET-NAUDIN 1999★★

■ 2,4 ha 18 000 5à8€

Il sait s'y prendre, celui-ci. L'une des meilleures bouteilles de la dégustation. De la couleur à en revendre, du poivre et du cassis pour le bonheur de respirer vraiment du pinot, et ce corps, cette chair et ce fruit. Un fruit qui n'est pas défendu, mais on vous conseille un à deux ans de garde avant de le découvrir. (30 à 49 F)

Doudet-Naudin, 3, rue Henri-Cyrot, BP 1, 21420 Savigny-lès-Beaune, tél. 03.80.21.51.74, fax 03.80.21.50.69 r.-v.

DOM. R. DUBOIS ET FILS
Les Monts Battois 1999★

□ 0,9 ha 6 000 5à8€

Les Monts Battois sont un *climat* réputé à juste titre. N'est-ce pas ici que l'on a constitué un vignoble d'expérimentation à l'intention de la viticulture bourguignonne, sur les hauteurs de Beaune-Savigny ? Jaune à la limite du vert, un chardonnay très friand aux arômes toastés, abricotés. Un joli raisin, un joli vin. Il se situe en plein dans son appellation. (30 à 49 F)

Dom. R. Dubois et Fils, rte de Nuits-Saint-Georges, 21700 Premeaux-Prissey, tél. 03.80.62.30.61, fax 03.80.61.24.07, e-mail rdubois@wanadoo.fr t.l.j. 8h-11h30 14h-18h; sam. dim. sur r.-v.

DOM. C. ET J.-M. DURAND 1999

■ 2,5 ha 8 000 5à8€

Alexandre Dumas nous a laissé une page très émouvante sur sa visite dans les Hautes-Côtes. On ressent cette émotion à l'approche de cette bouteille d'un bon rubis, épicée, ronde et charnue. Du corps et des tanins, sans doute, mais un fondu agréable où l'on pense au cassis ainsi qu'à la vanille. (30 à 49 F)

Dom. Christine et Jean-Marc Durand, 1, rue de l'Eglise, 21200 Bouze-lès-Beaune, tél. 03.80.22.75.31, fax 03.80.26.02.57 r.-v.

DOM. GLANTENET 1999★

□ 3,17 ha 5 500 5à8€

Si ce domaine plonge ses racines jusqu'au XVIIIᵉs., il ne met lui-même en bouteilles que depuis 1997. Son chardonnay n'a pas beaucoup de robe, mais celle-ci est fraîche. Un joli nez l'habille davantage : pain de la dernière fournée, mie de pain, puis agrumes, fruits blancs. L'attaque ne retombe pas. Elle reste sur des accents citronnés, vifs, et dont le support acide autorise un à trois ans de garde. (30 à 49 F)

Dom. Glantenet Père et Fils, rue de l'Aye, 21700 Magny-lès-Villers, tél. 03.80.62.91.61, fax 03.80.62.74.79, e-mail domaine.glantenet@wanadoo.fr t.l.j. sf dim. 8h-12h 14h-18h

LES CAVES DES HAUTES-COTES
La Dalignière Elevé en fût de chêne 1999

■ n.c. 21 000 8à11€

La coopérative a beaucoup contribué à la reconquête du vignoble des Hautes-Côtes. Cette cuvée fût de chêne est très marquée par le boisé. Pourpre étincelant, fruité et poivré, un vin chaleureux et de bonne compagnie, aux tanins enrobés, difficile à juger pleinement à ce stade. (50 à 69 F)

Les Caves des Hautes-Côtes, rte de Pommard, 21200 Beaune, tél. 03.80.25.01.00, fax 03.80.22.87.05, e-mail vinchc@wanadoo.fr r.-v.

HOSPICES DE DIJON
Chenovre Ermitage 1999★

□ 10,12 ha 69 000 8à11€

Le CHU de Dijon a entrepris en 1984 de mieux valoriser son patrimoine, faisant renaître le domaine de Chenovre-Ermitage entre Pernand et Savigny sur une dizaine d'hectares cultivés par le Centre d'assistance pour le travail de Beaune et vinifiés par le château de Meursault (groupe Boisseaux). Ce 99 des Hospices... de Dijon est d'un discret or vert, floral et beurré, pas très long mais vif et frais en finale. Une matière traitée avec soin. (50 à 69 F)

Hospices de Dijon, 5, rue du Collège, 21200 Beaune, tél. 03.80.24.53.01, fax 03.80.24.53.03 t.l.j. 9h-12h 14h-18h

DOM. A. ET B. LABRY 1999★

□ 1,3 ha 2 500 8à11€

Domaine de 15,5 ha situé dans la Côte et les Hautes-Côtes de Beaune. *Carpe diem* : n'attendez pas demain pour jouir du bonheur de ce beau bourgogne finement toasté, très bien élevé, souple et rond. Sa couleur est assez pâle, son nez légèrement réglissé. (50 à 69 F)

Dom. André et Bernard Labry, Melin, 21190 Auxey-Duresses, tél. 03.80.21.21.60, fax 03.80.21.64.15, e-mail domaine-labry@wanadoo.fr r.-v.

LYCEE VITICOLE DE BEAUNE 1998★

□ 1,03 ha 3 586 5à8€

Le lycée viticole de Beaune avait remporté le prix d'excellence dans l'édition 1998 pour son 95 coup de cœur. Son 98 obtient les félicitations du jury et ce n'est déjà pas si mal. Il est jaune d'or, beurre et noisette, minéral et fruité, équilibré. Le bois ne s'impose pas. Il semble cependant que ce vin ait passé quelque temps en fût, ces derniers étant fabriqués par l'école de tonnellerie. Le ministre de l'Agriculture devrait le servir quelquefois à sa table. (30 à 49 F)

Dom. du Lycée viticole de Beaune, 16, av. Charles-Jaffelin, 21200 Beaune, tél. 03.80.26.35.81, fax 03.80.22.76.69 t.l.j. sf dim. 8h-11h30 14h-17h; sam. 8h-11h30

CH. MOROT-GAUDRY 1999★

□ 0,2 ha 1 700 5à8€

Un vieux moulin situé dans les gorges de la Cozanne, la petite rivière du pays, entre les Maranges et les Hautes-Côtes. Ce moulin ne s'occupe plus du grain : il fait du bon vin. Celui-ci est limpide, pâle sous ses reflets verts, tourné vers le silex, la pierre à fusil. Rond et fin, il n'est pas très long, mais se révèle très plaisant. Pensez-y pour une pauchouse, cette matelote de poissons de la Saône et du Doubs. (30 à 49 F)

Morot-Gaudry, Moulin Pignot, 71150 Paris-l'Hôpital, tél. 03.85.91.11.09, fax 03.85.91.11.09 r.-v.

DOM. HENRI NAUDIN-FERRAND 1999*

□ 1,5 ha 13 532 5à8€

Magny-lès-Villers a un pied en Hautes-Côtes de Nuits et l'autre en Hautes-Côtes de Beaune. Nous sommes ici dans ce second sabot, goûtant un vin qui fut coup de cœur dans le Guide 1992 (millésime 89) et s'exprimant cette fois-ci dans une robe classique. Une petite note végétale, un bouquet très chardonnay et une attaque ample suivie d'une bouche moelleuse agrémentée d'agrumes sur une pointe de lies fines. Une structure sérieuse. Notez aussi la **cuvée Orchis 98 rouge (50 à 69 F)**, si vous aimez le boisé. (30 à 49 F)

Dom. Henri Naudin-Ferrand, rue du Meix-Grenot, 21700 Magny-lès-Villers, tél. 03.80.62.91.50, fax 03.80.62.91.77, e-mail dnaudin@ipac.fr r.-v.

DOM. PARIGOT PERE ET FILS 1999*

■ 2 ha 10 000 8à11€

Ce domaine vit ici comme un poisson dans l'eau. Coup de cœur dans les éditions 1996 et 1992 pour ses millésimes 93 et 89, il connaît à merveille son sujet. On a affaire cette fois à un 99 en tout point réussi. Bigarreau soutenu, il a le nez très long, torréfié puis fruité. Bien bâti, charpenté, corsé, déjà soyeux, il possède beaucoup de caractère et d'harmonie. (50 à 69 F)

Dom. Parigot Père et Fils, rte de Pommard, 21190 Meloisey, tél. 03.80.26.01.70, fax 03.80.26.04.32 r.-v.

CH. PHILIPPE-LE-HARDI Clos de La Chaise Dieu 1999*

□ 10,77 ha 100 000 5à8€

La Chaise Dieu ? On imagine volontiers Dieu le Père assis sur les Hautes-Côtes le septième jour de la Création, pour se reposer un peu et prendre le temps de goûter son œuvre. De goûter aussi ce vin or luisant, un peu ouvert sur la noisette, d'un tempérament assez minéral et agréable au palais, laissant les papilles très fraîches. (30 à 49 F)

Ch. de Santenay, BP 18, 21590 Santenay, tél. 03.80.20.61.87, fax 03.80.20.63.66 r.-v.

DOM. PONSARD-CHEVALIER 1999

■ 1,79 ha 2 000 5à8€

Par monts et par vaux, le paysage des Hautes-Côtes va de collines en vallées. Ainsi de ce pinot noir, calme à l'attaque, rappelant la framboise fraîche puis escaladant des tanins vigoureux et mordants. Il porte la robe presque violette d'un chanoine rêvant de l'évêché. Quant à ses arômes, ils sont dans l'esprit du cépage et du terroir. (30 à 49 F)

Ponsard-Chevalier, 2, Les Tilles, 21590 Santenay, tél. 03.80.20.60.87, fax 03.80.20.61.10 r.-v.

DOM. ROSSIGNOL-FEVRIER PERE ET FILS 1999*

■ 0,24 ha 1 800 5à8€

La rondeur et le gras sont les premières impressions produites par ce pinot noir qui mène l'affaire tout en finesse. A l'œil, cerise noire. Au nez, une légère évocation de réglisse et de kirsch. Ce vin est naturellement trop jeune pour tirer aujourd'hui ses dernières cartouches. Mais ses tanins s'arrondissent déjà, et sa finale est prometteuse. (30 à 49 F)

EARL Rossignol-Février, rue du Mont, 21190 Volnay, tél. 03.80.21.64.23, fax 03.80.21.67.74 r.-v.

Frédéric Rossignol

DOM. SAINT-ANTOINE DES ECHARDS 1999*

□ 0,41 ha 2 300 5à8€

Au cœur de la jolie vallée de la Cozanne, à la limite de la Côte-d'Or et de la Saône-et-Loire, ce domaine propose ce 99 à la robe charmante et au nez subtil, légèrement floral puis appuyé sur la framboise. Très flatteur. Dès lors voilà une bouteille que l'on aimera décoiffer, tant elle a joli minois. En bouche, du corps et une certaine nervosité, des arômes intéressants et originaux, un caractère complet. (30 à 49 F)

Franck Guérin, Dom. Saint-Antoine des Echards, rue Santenay, 21340 Change, tél. 03.85.91.10.40, fax 03.85.91.17.29 r.-v.

CAVE DE SAINTE-MARIE-LA-BLANCHE 1999

□ 1 ha 5 700 8à11€

Cette coopérative a de l'ardeur. Elle gère 70 ha dont un seul pour ce vin. Minéral et gouleyant, celui-ci remplit pleinement son rôle. Noisette et pain beurré sous une couleur jaune doré, un peu fermé, il plaît car sa bouche est pleine, agréable, authentique. (50 à 69 F)

Cave de Sainte-Marie-la-Blanche, rte de Verdun, 21200 Sainte-Marie-la-Blanche, tél. 03.80.26.60.60, fax 03.80.26.54.47 t.l.j. sf dim. 8h-12h 14h-19h

MICHEL SERVEAU 1999*

■ 3,19 ha 5 000 5à8€

A La Rochepot, on sait ce que couleur veut dire. Il suffit de lever la tête et d'admirer les toits du château. Ce vin a donc une robe rouge grenat, vernissée dans le style du pays. Une pointe de groseille : elle appartient également au paysage. Plein et équilibré, un 99 qui déjà se goûte bien ; sa charpente permettra de miser sur trois à quatre ans de garde. (30 à 49 F)

Michel Serveau, rte de Beaune, 21340 La Rochepot, tél. 03.80.21.70.24, fax 03.80.21.71.87 r.-v.

VAUCHER PERE ET FILS 1999*

■ n.c. n.c. 5à8€

Ancienne maison de négoce-éleveur dijonnaise devenue une marque du groupe Cottin à Nuits (Labouré-Roi), Vaucher signe un 99 plus intense que brillant, épicé et généreux en petits fruits rouges, gardant au palais ce complexe aromatique. Peu de corps mais de la chair et du charme. (30 à 49 F)

Vaucher Père et Fils, rue Lavoisier, 21700 Nuits-Saint-Georges, tél. 03.80.62.64.00, fax 03.80.62.64.10 r.-v.

DOM. DES VIGNES BLANCHES 1998

■ 0,64 ha 3 350 5à8€

Comment les appelle-t-on, les habitants de Paris-l'Hôpital, l'une des communes de Saône-et-Loire à bénéficier de cette appellation ? Les Lhôpitaux ! C'est ainsi que vous devrez dire en allant saluer la famille Léger et voir ce qu'il en retourne dans sa cave. Assez profonde dans son cœur, la robe de ce 98 est une bonne introduction à un bouquet de fraise, de feuille de cassissier. Pas encore ouvert à 100 % mais tendre. (30 à 49 F)

Les Vignes Blanches, rue des Bayards, 71150 Paris-l'Hôpital, tél. 03.85.91.14.56 r.-v.

DOM. DES VIGNES DES DEMOISELLES
Cuvée Amandine Poinsot 1999*

■ 1,1 ha 6 400 8à11€

L'appellation, le millésime, tout est au rendez-vous. Cerise foncé, partagé entre le fruit rouge et la vanille, un pinot noir assez tannique qui va « à sauts et à gambades » comme disait Montaigne. Les Hautes-Côtes sont bien ainsi, pleines de raidillons et de descentes aimables. Ce vin leur ressemble et il a du souffle. (50 à 69 F)

Gabriel Demangeot et Fils, rue de Berfey, 21340 Change, tél. 03.85.91.11.10, fax 03.85.91.16.83 r.-v.

Crémant de bourgogne

Comme toutes les régions viticoles françaises ou presque, la Bourgogne avait son appellation pour les vins mousseux produits et élaborés sur l'ensemble de son aire géographique. Sans vouloir critiquer cette production, il faut bien reconnaître que la qualité n'était pas très homogène et ne correspondait pas, la plupart du temps, à la réputation de la région, sans doute parce que les mousseux se faisaient à partir de vins trop lourds. Un groupe de travail constitué en 1974 jeta les bases du crémant en lui imposant des conditions de production aussi strictes que celles de la région champenoise et calquées sur celles-ci. Un décret de 1975 consacra officiellement ce projet, auquel se sont ralliés finalement tous les élaborateurs (bon gré mal gré), puisque l'appellation bourgogne mousseux a été supprimée en 1984. Après un départ difficile, cette appellation connaît un bon développement et a produit 74 130 hl en 2000.

BAILLY-LAPIERRE Chardonnay 1998*

○ n.c. 50 000 5à8€

Le **blanc de blancs 98 brut** associant chardonnay (70 %) et aligoté présente une bonne structure. Sa vivacité permet de le garder un à deux ans. Tout aussi réussi, ce crémant mis en valeur par une bulle régulière et fine, des accents de fleurs blanches et de pomme verte. Onctueux et délicat, sans trop de longueur, il n'est pas chardonnay pour rien. Cette marque nouvelle remplace Meurgis après trente ans de bons et loyaux services dans les fameuses caves de Bailly (Saint-Bris-le-Vineux). (30 à 49 F)

SICA du Vignoble Auxerrois, Caves de Bailly, 89530 Saint-Bris-le-Vineux, tél. 03.86.53.77.77, fax 03.86.53.80.94 t.l.j. 8h-12h 14h-18h

DOM. BERGER-RIVE
Cuvée Saint-Hugues

○ 0,98 ha 3 000 5à8€

Pourquoi une cuvée Saint-Hugues ? C'est le prénom du fils aîné du maître de maison, en l'honneur de ce grand abbé de Cluny à l'origine de l'expression « aller à Canossa ». Inutile de se rendre si loin pour se concilier les bonnes grâces du crémant : cette bouteille fera l'affaire. De belle tenue, avec un cordon très fin, une robe paille claire, elle est vive, spontanée et riche en mousse. (30 à 49 F)

Dom. Gérard Berger-Rive et Fils, Manoir de Mercey, 71150 Cheilly-lès-Maranges, tél. 03.85.91.13.81, fax 03.85.91.17.06 r.-v.

DOM. BILLARD ET FILS

○ n.c. n.c. 5à8€

Souple, sans agressivité et d'une bonne finition, ce crémant, fils de pinot noir, est l'œuvre de Vitteaut-Alberti à Rully. Bon nombre de viticulteurs confient en effet à un praticien l'effervescence de leur vin. Jolie mousse abondante et fine, l'œil nous fait fête. Un petit nez et une bouche équilibrée. (30 à 49 F)

Dom. Billard et Fils, 21340 La Rochepot, tél. 03.80.21.87.94, fax 03.80.21.72.17 r.-v.

CAVE DES VIGNERONS DE BISSEY
Blanc de blancs 1999**

○ 1,82 ha 19 000 5à8€

Bouqueté comme pas deux, 50 % de chardonnay et autant d'aligoté, un produit superbe, tout en fraîcheur et en finesse, le nez assez floral et le corps bien dessiné, équilibré. Cette petite coopérative du nord de la Saône-et-Loire en remontrerait à beaucoup. Extrêmement séduisant et d'une simplicité candide : le **rosé 99 brut**. Aligoté, pinot, gamay, quand ces trois-là font la fête ici, ils obtiennent également deux étoiles. (30 à 49 F)

Cave de Vignerons de Bissey, 71390 Bissey-sous-Cruchaud, tél. 03.85.92.05.00, fax 03.85.92.08.73 r.-v.

BOURGOGNE

DOM. ALBERT BOILLOT
Blanc de noirs 1999★

○ 0,22 ha 2 200 5à8€

Domaine établi à Volnay à la fin du XVIIe s. Son blanc de noirs 99 laisse une bonne impression. Sa couleur est blanc-vert, ses bulles fines et durables, sa bouche sans superlatif mais agréable et bien dosée. (30 à 49 F)

SCE du Dom. Albert Boillot, ruelle Saint-Etienne, 21190 Volnay, tél. 03.80.21.61.21, fax 03.80.21.61.21, e-mail dom.albert.boillot@wanadoo.fr r.-v.

SYLVAIN BOUHELIER 1998★

○ 4 ha 9 000 8à11€

Première vinification en 1993 pour ce jeune viticulteur du Châtillonnais. Ses résultats sont à saluer avec une particulière sympathie. Mi-blanc, mi-noir, un crémant au très joli cordon et à la belle poussée de mousse, puis au bouquet de torréfaction et de fruits confits. Bon début de bouche fruité, qui se poursuit sur la complexité d'une maturité aromatique (pêche, raisin sec) hors du commun. (50 à 69 F)

Sylvain Bouhélier, pl. Saint-Martin, 21400 Chaumont-le-Bois, tél. 03.80.81.95.97, fax 03.80.81.95.97 r.-v.

DOM. JEAN-MARIE BOUZEREAU
Blanc de blancs 1997★

○ 0,25 ha 2 000 5à8€

Chardonnay de pied en cap, car on est à Meursault, ce crémant ne fait pas de la figuration. Clair et limpide, il occupe toute sa place. Sa fraîcheur, ses arômes (crème, biscuit) le portent, mais il trouve surtout dans sa vinosité les moyens de s'imposer. Au point qu'on se demanderait, s'il n'y avait un beau cordon, s'il est effervescent ou... tranquille ! Excellent exemple de la méthode traditionnelle au cœur des grands blancs. (30 à 49 F)

Dom. Jean-Marie Bouzereau, 7, rue Labbé, 21190 Meursault, tél. 03.80.21.62.41, fax 03.80.21.24.39 r.-v.

DOM. JEAN CHARTRON
Blanc de blancs★

○ n.c. 1 500 8à11€

A Puligny bien sûr, du blanc de blancs. Jaune paille légèrement soutenu, ce vin subtil au nez de citron et de pamplemousse puis au palais vineux, rond sans être mou, un peu léger sans doute mais convivial et d'une agréable longueur. (50 à 69 F)

Dom. Jean Chartron, 13, Grande-Rue, 21190 Puligny-Montrachet, tél. 03.80.21.32.85, fax 03.80.21.36.35 t.l.j. 10h-12h 14h-18h; f. mi-nov. à mars

CHEVALIER Prestige★★

○ n.c. 75 000 5à8€

Avec de chaleureux supporters, il a pris part à la finale. Sa bulle est fine et de cristal, le cordon très aimable, la robe paille, le nez beurré. Il lui manque peut-être un peu de longueur pour être exceptionnel, mais il se détache nettement de la catégorie des « vins d'apéritif » pour accéder au monde des « vins de repas ». Une touche de pomme verte anime un gras savoureux qui l'enveloppe bien. (30 à 49 F)

Chevalier, 5, quai Dumorey, 21700 Nuits-Saint-Georges, tél. 03.80.62.61.47, fax 03.80.62.37.38

DOM. CHEVROT 1999★

○ 0,6 ha 4 000 5à8€

Casse-croûte, paulée, on vous conseille d'aller vendanger chez les Chevrot pour prendre du bon temps. Et puis, on débouchera sans doute ce crémant pinot noir (60 %) et chardonnay (40 %), d'une belle mousse blanche intense et au cordon tenace. Le beurre et le citron sont à leur affaire. La bouche est fraîche et le retour aromatique très agréable. (30 à 49 F)

Catherine et Fernand Chevrot, Dom. Chevrot, 19, rte de Couches, 71150 Cheilly-lès-Maranges, tél. 03.85.91.10.55, fax 03.85.91.13.24, e-mail domaine.chevrot@wanadoo.fr t.l.j. 9h-12h 14h-18h; dim. 9h-12h

DOM. DES COLOMBIERS 1999

○ 0,8 ha 2 000 5à8€

Il nous arrive du sud de la Saône-et-Loire, ce chardonnay 100 %. Bon train de bulles sous bel or clair. Toute petite pointe d'oxydation (?) sur fond de pomme et d'aubépine. Un vin à ne pas garder longtemps en cave, mais dont la complexité aromatique est plaisante et qui affiche une réelle personnalité. (30 à 49 F)

EARL Dom. des Colombiers, Le Bourg, 71570 Saint-Vérand, tél. 03.85.37.45.65, fax 03.85.37.45.65 t.l.j. 14h-18h

M. Berthelémy

DOM. CORNU 1997★

○ 0,2 ha n.c. 5à8€

Elaboré par l'excellente maison Delorme, à Rully, un crémant classique qui pousse de façon suffisante. Citronnelle de l'œil au nez, selon une progression mûre et typée. Un corps traditionnel et serein. A déboucher dès maintenant. (30 à 49 F)

Dom. Cornu, rue du Meix-Grenot, 21700 Magny-lès-Villers, tél. 03.80.62.92.05, fax 03.80.62.72.22 r.-v.

DELIANCE PERE ET FILS Ruban vert★

○ 5 ha 22 000 5à8€

Chardonnay pour 85 %, pinot noir pour la suite, un vin très effervescent. Doré à reflets verts, floral et persistant, il est encore jeune et n'a pas tout donné. Ses notes d'agrumes, sa légère pointe d'amertume en finale, son entrain en font une bouteille qui sort de l'ordinaire. (30 à 49 F)

Dom. Deliance, 71640 Dracy-le-Fort, tél. 03.85.44.40.59, fax 03.85.44.36.13 t.l.j. sf dim. 9h-12h 14h-19h

ANDRE DELORME Blanc de noirs★★

○ n.c. 67 000 5à8€

Pape du crémant de Bourgogne et souvent coup de cœur, Jean-François Delorme reçoit une pluie d'étoiles. Ce blanc de noirs ne recherche aucun effet de manche, mais s'applique à la typicité parfaite et y réussit. Un peu exotique, convivial, pour finir la soirée en beauté. Le **blanc de blancs** reçoit la même note : c'est le vin d'apéritif par excellence. Le **rosé** obtient une étoile : sa robe est d'une jolie couleur brillante et ses arômes sont fort séduisants. Pour une viande blanche. (30 à 49 F)

André Delorme, Dom. de la Renarde, 2, rue de la République, 71150 Rully, tél. 03.85.87.10.12, fax 03.85.87.04.60, e-mail andre-delorme@wanadoo.fr t.l.j. sf dim. 9h-12h 14h-19h, sam. 18h, groupes sur r.-v.

DOM. DENIS PERE ET FILS*

○ 0,2 ha 1 200 5à8€

Un beau cordon traverse ce crémant plus or qu'or vert et qui chante la fleur des champs. La bouche est très complète et apte à une certaine garde. Miel et citron : on se régale en finale. (30 à 49 F)

Dom. Denis Père et Fils, chem. des Vignes-Blanches, 21420 Pernand-Vergelesses, tél. 03.80.21.50.91, fax 03.80.26.10.32 r.-v.

DOM. DENIZOT**

◐ n.c. 3 400 8à11€

Denizot... Difficile de trouver un nom plus bourguignon, et il figure souvent dans les romans d'Henri Vincenot. Sur notre guide aussi (coup de cœur de l'édition 2000). Un crémant sorti d'un tel berceau est forcément bon. Là, il est superbe. Nos dégustateurs insistent sur sa personnalité, sa typicité, son harmonie. « Pour faire plaisir », note l'un d'entre eux. Assemblage de 10 % de gamay contre 90 % de pinot des millésimes 98 et 99. (50 à 69 F)

Dom. Christian et Bruno Denizot, 71390 Bissey-sous-Cruchaud, tél. 03.85.92.13.34, fax 03.85.92.12.87, e-mail denizot@caves-particulières.com t.l.j. sf dim. 8h-19h

CHARLES DURET

○ n.c. 60 000 8à11€

Maison nuitonne gérée longtemps par Bernard Barbier, figure flamboyante du vignoble, appartenant de nos jours au groupe allemand G. Reh et dirigée par un Bourguignon d'adoption. Un pinot pour moitié, chardonnay et aligoté se partageant le reste. Son effervescence est dynamique, son jaune légèrement ambré. Notes exotiques (mangue). A boire car en cours d'évolution. (50 à 69 F)

Moingeon, 4, rte de Dijon, 21700 Nuits-Saint-Georges, tél. 03.80.61.08.62, fax 03.80.62.36.38, e-mail cremantmoingeon@wanadoo.fr t.l.j. sf dim. 8h-12h 13h30-18h

BERNARD DURY Blanc de blancs

○ n.c. n.c. 5à8€

Beaucoup de chardonnay, un soupçon d'aligoté (10 %), l'équation est assez réussie. Jaune et pétillant, sa bulle a de l'allant. Son nez ? Pain de seigle, abricot sec. Sa bouche ? Assez vineuse, pleine, peu dosée semble-t-il. (30 à 49 F)

Bernard Dury, rue du Château, hameau de Cissey, 21190 Meursault, tél. 03.80.21.48.44, fax 03.80.21.48.44 r.-v.

LES VIGNERONS DE HAUTE BOURGOGNE 1998*

○ n.c. 18 000 8à11€

Ce crémant revient de loin. Il témoigne en effet de la courageuse renaissance du vignoble du Châtillonnais (trente-quatre vignerons coopérateurs sur 35 ha). Pinot noir (60 %) et chardonnay donnent ce brut à la mousse joyeuse, au cordon persistant, au bouquet de noisette et d'abricot, à la fraîcheur attendue et à la longueur espérée. Ces deux cépages entrent également dans une autre bouteille, dite **Les Caves du Bois de Langres** mais avec 90 % de pinot. Une étoile également. (50 à 69 F)

SICA des Vignerons de Haute-Bourgogne, Les caves du Bois de Langres, 21400 Prusly-sur-Ource, tél. 03.80.91.07.60, fax 03.80.91.24.76 t.l.j. sf lun. 9h-12h 14h-19h

LES CAVES DES HAUTES-COTES

○ n.c. 3 700 5à8€

Que de chemin parcouru depuis les vignerons d'Orches lançant leur rosé... La coopérative des Hautes-Côtes a pignon sur vigne dans la Côte. Son crémant offre une bulle fine et persistante, un cordon agréable. Floral et surtout grillé, son nez est honnête, nouvelle façon. Belle attaque sur le fruit. Un tantinet d'évolution. A boire, donc. (30 à 49 F)

Les Caves des Hautes-Côtes, rte de Pommard, 21200 Beaune, tél. 03.80.25.01.00, fax 03.80.22.87.05, e-mail vinchc@wanadoo.fr r.-v.

LES VIGNERONS D'IGE*

○ n.c. 150 000 5à8€

La coopérative d'Igé, fondée en 1927, regroupe 280 ha. Elle propose ce crémant (20 % de pinot noir associé au chardonnay). Son côté miellé, cire d'abeille, fleur d'acacia, est très agréable. A la première fête, profitez-en car ce vin n'est pas fait pour une longue attente. (30 à 49 F)

Cave coop. des vignerons d'Igé, 71960 Igé, tél. 03.85.33.33.56, fax 03.85.33.41.85, e-mail lesvigneronsdige@lesvigneronsdige.com t.l.j. sf dim. 8h-12h 14h-18h

PIERRE JANNY La Maison bleue**

○ n.c. n.c. 5à8€

Assemblage de chardonnay provenant de la Grande Bourgogne par un négociant de Saône-et-Loire. Il est d'un or vert distingué. La jeunesse emplit son nez d'acacia, de fleur d'acacia. Typé par son cépage, il chardonne évidemment. Et sa langue maternelle, il la parle ! Le fruit frais persiste au palais, sous une bonne vivacité. Bouteille à déguster dans l'année qui vient. Sur un vacherin au cassis ? Ce serait bien. (30 à 49 F)

Sté Pierre Janny, La Condemine, Cidex 1556, 71260 Péronne, tél. 03.85.23.96.20, fax 03.85.36.96.58, e-mail pierre-janny@wanadoo.fr

JEAN-HERVE JONNIER 1998★

○ 1 ha 8 000 8à11€

Savez-vous que l'on a défini dans la préhistoire une civilisation chasséenne ? Ici même, à Chassey-le-Camp, il y a quelque 5 000 ans. C'est dire si les racines vont loin dans le sous-sol. Ce 98 a une mousse légère et un léger cordon. Ses arômes de pêche et de noisette sont gentils comme tout. Cette ligne aromatique se poursuit dans la fraîcheur et l'équilibre acidité-gras. Belle image de l'appellation. (50 à 69 F)

Jean-Hervé Jonnier, Bercully, 71150 Chassey-le-Camp, tél. 03.85.87.21.90, fax 03.85.87.23.63 t.l.j. 8h-12h 14h-20h

LES CAVES DE LA VERVELLE★

○ 1,15 ha 13 680 5à8€

Pour qui cherche le fruit, c'est un vin à conseiller. D'une teinte agréable et classique, il tire un peu sur l'exotique tout en gardant la pomme verte entre les dents. La bouche est structurée, robuste, constituée à 60 % par le pinot noir que complètent le chardonnay (30 %) et l'aligoté. (30 à 49 F)

Cave de Sainte-Marie-la-Blanche, rte de Verdun, 21200 Sainte-Marie-la-Blanche, tél. 03.80.26.60.60, fax 03.80.26.54.47 t.l.j. sf dim. 8h-12h 14h-19h

CELLIER DE LA VIEILLE GRANGE 1999★

○ 0,71 ha 7 000 5à8€

Joaquim Carlos a commencé comme ouvrier viticole en 1969. Il a entrepris d'acheter des bouts de vignes à partir de 1980 et, maintenant, il est à son compte à Beaune. Chardonnay pour l'essentiel (un peu d'aligoté), ce 99 offre une mousse assez fugace, une robe pâle, des arômes de pâtisserie, une bouche ronde que nuance la pierre à fusil. Et ça sent le raisin ! (30 à 49 F)

Cellier de La Vieille Grange, 27, bd Clemenceau, 21200 Beaune, tél. 03.80.22.40.06, fax 03.80.24.12.31 t.l.j. 9h-12h 14h-19h

Joaquim Carlos

LOUIS LORON
Cuvée Prestige Blanc de blancs★

○ n.c. 32 000 5à8€

Cette maison du Beaujolais a été créée en 1932. Elle propose des journées portes ouvertes en novembre, lors de la sortie des primeurs. Pur chardonnay, son crémant a de la bulle, un nez de caramel en ouverture puis très blanc de blancs, de l'ampleur et de la durée en bouche. Typé chardonnay en effet. (30 à 49 F)

SA Louis Loron et Fils, Le Vivier, 69820 Fleurie, tél. 04.74.04.10.22, fax 04.74.69.84.19, e-mail infos@loron-et-fils.com t.l.j. sf dim. 8h-12h 13h30-18h; sam. 8h30-12h

CAVE DE LUGNY★★

○ 30 ha 300 000 5à8€

Conquérante et coup de cœur dans le Guide 1998, cette cave coopérative, qui vinifie 1 470 ha de vignes, signe l'un des plus beaux crémants de la dégustation. La mousse et les bulles ne recherchent pas l'exploit, mais le chèvrefeuille suscite une émotion, et tout change. Une bouche si jeune, si friande, si fraîche, si florale, si soyeuse, cela vous marque. Pas pour la vie, mais pour un bon moment. Le **crémant rosé** obtient une citation. (30 à 49 F)

SCV Cave de Lugny, rue des Charmes, 71260 Lugny, tél. 03.85.33.22.85, fax 03.85.33.26.46, e-mail commercial@cave-lugny.com r.-v.

DOM. DU MERLE Blanc de blancs

○ 0,3 ha 2 500 5à8€

Le merle blanc ! Le domaine du Merle nous propose en effet ce crémant né du chardonnay à 100 %. Jaune d'or, il regorge de bulles fines et bien vivaces. Son bouquet délicatement floral chardonne du mieux qu'il peut. Frais et sec, il a le style Côte châlonnaise. (30 à 49 F)

Michel Morin, Sens, 71240 Sennecey-le-Grand, tél. 03.85.44.75.38, fax 03.85.44.73.63, e-mail domainemerle@yahoo.com t.l.j. 9h30-19h30

PICAMELOT 1999★★

◐ n.c. 4 684 8à11€

Louis Picamelot, vigneron, et son père Joseph, tonnelier, fondent leur vignoble en 1926. Voici un très bon crémant rosé d'apéritif, qui mettra en joie tous les amis. Ses bulles sont légion, son cordon considérable, sous un rose pâle dans le ton. Les arômes de framboise ouvrent sur une bouche fruitée et de grande harmonie. La longue finale joue elle aussi sur le fruit rouge. C'est un pur pinot noir. (50 à 69 F)

Louis Picamelot, 12, pl. de la Croix-Blanche, BP 2, 71150 Rully, tél. 03.85.87.13.60, fax 03.85.87.63.81 r.-v.

CAVE DE PRISSE-SOLOGNY-VERZE

○ 35,74 ha 120 000 5à8€

Au cœur du val lamartinien, la coopérative vinifie 900 ha de vignes. Pur chardonnay, ce crémant suggère l'effervescence sans appuyer, empli de bulles fines et discrètes. Bouquet aimable, beurré, vanillé, crème et biscuit. En bouche, de l'ardeur, de la fermeté, de la solidité. (30 à 49 F)

Cave de Prissé-Sologny-Verzé, 71960 Prissé, tél. 03.85.37.88.06, fax 03.85.37.61.76, e-mail cave.prisse@wanadoo.fr r.-v.

DOM. MICHEL PRUNIER 1998★

○ 0,8 ha 5 000 5à8€

Diplômé de l'école d'Avize dans la Marne (lycée viticole de Champagne), Michel Prunier sait ce qu'effervescence veut dire. Aligoté et pinot noir moitié-moitié donnent un 98 qu'il faut boire sans trop attendre car il est à son apogée. Bon dégagement de bulles, léger cordon, nez beurré et brioché, il est parfait en bouche et mérite mieux qu'un banal apéritif. Goûtez-le sur une soupe d'huîtres, ou des œufs en meurette... blanche. (30 à 49 F)

Michel Prunier, rte de Beaune, 21190 Auxey-Duresses, tél. 03.80.21.21.05, fax 03.80.21.64.73 r.-v.

ALBERT SOUNIT Cuvée Prestige★★★

○ n.c. 34 000 5à8€

C'est la joie à Copenhague ! Même la Petite Sirène frétille de plaisir. Rachetée en effet il y a près de dix ans par son importateur danois, cette maison reçoit le coup de cœur une deuxième fois (déjà dans le Guide 1998). Pinot noir à 60 %, chardonnay à 40 %, cette cuvée est d'un classicisme parfait. Tout est fin, équilibré, spontané, typé, jusqu'au parfum du raisin. Le vin ne se laisse pas oublier, et c'est son plus grand mérite. (30 à 49 F)

Albert Sounit, 5, pl. du Champ-de-Foire, 71150 Rully, tél. 03.85.87.20.71, fax 03.85.87.09.71, e-mail albert-sounit@wanadoo.fr
t.l.j. 8h-12h 14h30-18h; sam. dim. sur r.-v.

DOM. THEVENOT-LE BRUN ET FILS★★

○ 0,4 ha 4 000 5à8€

On connaît bien ce domaine de Marey-lès-Fussey dans les Hautes-Côtes de Nuits. Quand il vous dit 11 % de pinot gris (devenu une curiosité) parmi pinot, chardonnay et aligoté, on peut le croire. Dès lors ? L'assemblage relève de l'alchimie, et on pourrait y trouver le nombre d'or. Un vin très propre, net, d'un fruité jeune et léger, frais, élégant, en un mot bien typé. (30 à 49 F)

Dom. Thévenot-Le Brun et Fils, 21700 Marey-lès-Fussey, tél. 03.80.62.91.64, fax 03.80.62.99.81, e-mail thevenot-le-brun@wanadoo.fr r.-v.

CECILE ET LAURENT TRIPOZ 1999★

○ 1,2 ha 1 100 8à11€

Sa mousse est paisible, son or légèrement soutenu, ses parfums évoquent le pamplemousse et peut-être l'abricot sec, si l'on en croit l'un de nos dégustateurs. Il n'a sans doute pas tort car cette sensation apparaît pour tous en bouche. Equilibré et long, un crémant pour volaille à la crème. Si vous montez dans le TGV en gare de Mâcon-Loché, prenez le temps de visiter cette cave, œuvre d'un couple passionné (coup de cœur dans le Guide 1995). (50 à 69 F)

Céline et Laurent Tripoz, pl. de la Mairie, 71000 Loché-Mâcon, tél. 03.85.35.66.09, fax 03.85.35.64.23, e-mail celine-laurent.tripoz@libertysurf.fr
r.-v.

VEUVE AMBAL Carte noire★

○ n.c. 150 000 5à8€

La Bourgogne possède aussi ses veuves effervescentes. Et il est bien vrai que Marie Ambal, veuve authentique, fonda cette maison en 1898. Celle-ci a été reprise il y a quelques années par un membre de la famille Piffaut. Cette Carte noire est élaborée à partir de pinot (60 %) et de chardonnay pour le reste. Des bulles pleines de punch, une robe d'un jaune légèrement rosé, un nez exubérant qui annonce une bouche assez sage. (30 à 49 F)

SA Veuve Ambal, BP 1, 71150 Rully, tél. 03.85.87.15.05, fax 03.85.87.30.15, e-mail vveambal@aol.com r.-v.

DOM. DES VIGNES DES DEMOISELLES 1999★

○ 0,35 ha 3 600 8à11€

Pour un kir vraiment royal ! Le père de ce vigneron n'a-t-il pas été baptisé naguère par le chanoine en personne, alors curé de Nolay ? Elaboré par Vitteaut-Alberti à Rully, ce 99 est issu des noces du pinot noir (70 %) et de l'aligoté (30 %). Sur or pâle, une bulle friande et bien répartie. Ce crémant réjouit l'odorat : noisette, pain grillé, un peu de floral. Il se montre vif et frais en bouche, que soutient le fruit vert. (50 à 69 F)

Gabriel Demangeot et Fils, rue de Berfey, 21340 Change, tél. 03.85.91.11.10, fax 03.85.91.16.83 r.-v.

L. VITTEAUT-ALBERTI 1999★★

○ 8,5 ha 50 000 5à8€

Créée il y a cinquante ans, cette maison restée familiale justifie ici sa réputation. Son **Blanc de blancs brut 98** est très apprécié par notre jury et reçoit deux étoiles, tout comme cette bouteille, issue de pinot (40 %), de chardonnay (40 %) et d'aligoté, qui se situe à proximité immédiate du coup de cœur. Sa mousse abondante et crémeuse invite à bénéficier d'arômes choisis (aubépine, chèvrefeuille, fruits exotiques). Redondance exotique au palais qui témoigne d'une vraie personnalité équilibrée et persistante. (30 à 49 F)

Gérard Vitteaut-Alberti, 20, rue du Pont-d'Arrot, 71150 Rully, tél. 03.85.87.23.97, fax 03.85.87.16.24 r.-v.

Le Chablisien

Malgré une célébrité séculaire qui lui a valu d'être imité de la façon la plus fantaisiste dans le monde entier, le vignoble de Chablis a bien failli disparaître. Deux gelées tardives, catastrophiques, en 1957 et en 1961, ajoutées aux difficultés du travail de la vigne sur des sols rocailleux et terriblement pentus, avaient conduit à l'abandon progressif de la culture de la vigne ; le prix des terrains en grands crus

BOURGOGNE

atteignait un niveau dérisoire, et bien avisés furent les acheteurs du moment. L'apparition de nouveaux systèmes de protection contre le gel et le développement de la mécanisation ont rendu ce vignoble à la vie.

L'aire d'appellation couvre 6 834 ha sur les territoires de la commune de Chablis et de dix-neuf communes voisines, dont 4 274 sont actuellement plantés. La récolte a atteint 255 921,58 hl en 2000. Les vignes dévalent les fortes pentes des coteaux qui longent les deux rives du Serein, modeste affluent de l'Yonne. Une exposition sud-sud-est favorise à cette latitude une bonne maturation du raisin, mais on trouvera plantés en vigne des « envers » aussi bien que des « adroits » dans certains secteurs privilégiés. Le sol est constitué de marnes jurassiques (kimméridgien, portlandien). Il convient admirablement à la culture de la vigne blanche, comme s'en étaient déjà rendu compte au XIIe s. les moines cisterciens de la toute proche abbaye de Pontigny, qui y implantèrent sans doute le chardonnay, appelé localement beaunois. Celui-ci exprime ici plus qu'ailleurs ses qualités de finesse et d'élégance, qui font merveille sur les fruits de mer, les escargots, la charcuterie. Premiers et grands crus méritent d'être associés aux mets de choix : poissons, charcuterie fine, volailles ou viandes blanches, qui pourront d'ailleurs être accommodés avec le vin lui-même.

Petit chablis

Cette appellation constitue la base de la hiérarchie bourguignonne dans le chablisien. Elle a produit 33 023 hl en 2000. Moins complexe que le chablis du point de vue aromatique, le petit chablis possède une acidité un peu plus élevée qui lui confère une certaine verdeur. Autrefois consommé en carafe, dans l'année, il est maintenant mis en bouteilles. Victime de son nom, il a eu de la peine à se développer, mais il semble qu'aujourd'hui le consommateur ne lui tienne plus rigueur de son adjectif dévalorisant.

DOM. BILLAUD-SIMON 1999★

☐ 0,3 ha 2 400 5à8€

Une charmante étiquette orne les bouteilles de ce domaine de qualité qui a réussi un bon 99. Jaune pâle à l'œil, citronné au nez, il va sa vie sur un mode vif et charnu. Il est simple et direct, parfait avec les fruits de mer. (30 à 49 F)

Dom. Billaud-Simon, 1, quai de Reugny, BP 46, 89800 Chablis, tél. 03.86.42.10.33, fax 03.86.42.48.77 ☑ t.l.j. sf sam. dim. 9h-18h; f. 15 août-1er sept.

PASCAL BOUCHARD 2000★

☐ 3 ha 24 000 5à8€

Jaune d'aquarelle, un tantinet évolué, il s'exprime vraiment en bouche et c'est l'essentiel. L'églantine et la rose sont au coude à coude en retour d'arômes. De la jeunesse, de la vigueur et du caractère, de l'originalité. Oui, et tous n'en ont pas. A essayer sur un poisson cru. (30 à 49 F)

Pascal Bouchard, 5 bis, rue Porte-Noël, 89800 Chablis, tél. 03.86.42.18.64, fax 03.86.42.48.11, e-mail pascal.bouchard@wanadoo.fr ☑ t.l.j. 10h-12h30 14h-19h; f. janv.

DOM. CHEVALLIER 1999★

☐ 0,75 ha 2 400 5à8€

La « lutte raisonnée », c'est l'agriculture raisonnable ! On cherche à la pratiquer ici. 99, année de garde ? Sans doute pas, sauf exception. Mais pourquoi bouder un plaisir immédiat ? Or vert brillant, ce chardonnay fait la part égale entre végétal et minéral. Il se montre souple en bouche et d'une bonne acidité. (30 à 49 F)

Dom. Chevallier, 6, rue de l'Ecole, 89290 Montallery-Venoy, tél. 03.86.40.27.04, fax 03.86.40.27.05 ☑ r.-v.

DOM. JEAN COLLET ET FILS 1999★

☐ 0,9 ha 7 300 5à8€

Aucune extravagance, mais un produit bien cadré, jaune d'or, au nez frais et original (groseille à maquereau). Attaque d'agrumes, de silex, dans le style de l'appellation. Dans le ton. La vivacité domine cet ensemble très agréable qui tirera de leur coquille une douzaine d'escargots. (30 à 49 F)

Dom. Jean Collet et Fils, 15, av. de la Liberté, 89800 Chablis, tél. 03.86.42.11.93, fax 03.86.42.47.43, e-mail collet.chablis@wanadoo.fr ☑ t.l.j. sf dim. 9h-12h 14h-17h30; f. août

Gilles Collet

DOM. JEAN-CLAUDE COURTAULT 1999★

☐ 5,6 ha 5 100 5à8€

Exploitation créée en 1984 par un achat et une location. Tout cela était bien modeste à l'époque. Et cela fait aujourd'hui un domaine de 14,3 ha. Vive le vin ! Ce vin mignon comme tout, souple et frais, se goûte bien. Entre le fruit et la minéralité, il plaît. Entier et franc, à déguster dans les deux ans sur un plateau de coquillages. (30 à 49 F)

Jean-Claude Courtault, 1, rte de Montfort, 89800 Lignorelles, tél. 03.86.47.50.59, fax 03.86.47.50.74 r.-v.

DOM. ERIC DAMPT Vieilles vignes 1999

3 ha 21 000 5à8€

Vieilles vignes et petit chablis font bon ménage ici, et forcément l'enfant en profite : il est dense, structuré, persistant. Riche bien sûr ; mais ayant besoin d'un peu d'aération (à carafer peut-être). C'est bon, à l'appui d'un poisson en sauce en milieu de repas. (30 à 49 F)

Eric Dampt, 16, rue de l'Ancien-Presbytère, 89700 Collan, tél. 03.86.55.36.28, fax 03.86.54.49.89, e-mail eric.dampt@liberty-surf.fr r.-v.

DOM. HERVE DAMPT Cuvée Louis de Beaumont 1999★★

1 ha 7 000 5à8€

Rien d'équivoque dans ce vin pourtant dédié à la mémoire de Louis de Beaumont, le fameux chevalier d'Eon, tantôt homme, tantôt femme. Celui-ci était du Tonnerrois, d'où cette cuvée. Or blanc, cire d'abeille et acacia, elle attaque comme personne. Sa typicité est réelle dans une ambiance miellée et fleurie. Du gras mais aussi de la finesse, de la subtilité et de la longueur : une belle bouteille. Finaliste du coup de cœur. (30 à 49 F)

EARL Hervé Dampt, rue de Fleys, 89700 Collan, tél. 03.86.55.29.55, fax 03.86.54.49.89 r.-v.

AGNES ET DIDIER DAUVISSAT 1999★

2,3 ha 2 000 5à8€

A 5 km au nord de Beine, vous trouverez les vestiges d'un établissement gallo-romain. Puis vous irez découvrir ce vin bien sous tous rapports. Relève-t-il de l'œnologie ou de la minéralogie ? On peut se poser la question tant il évoque le silex. Très agréable en bouche, très consistant, un vrai petit chablis. (30 à 49 F)

EARL Agnès et Didier Dauvissat, chem. de Beauroy, 89800 Beine, tél. 03.86.42.46.40, fax 03.86.42.80.82 t.l.j. 9h-12h 14h-19h

RENE ET VINCENT DAUVISSAT 1999★

0,4 ha 3 500 5à8€

« C'est tout simple, c'est une histoire de continuité », répondent les Dauvissat, lorsqu'on les interroge sur leur histoire. Leur vin ressemble à

Le Chablisien

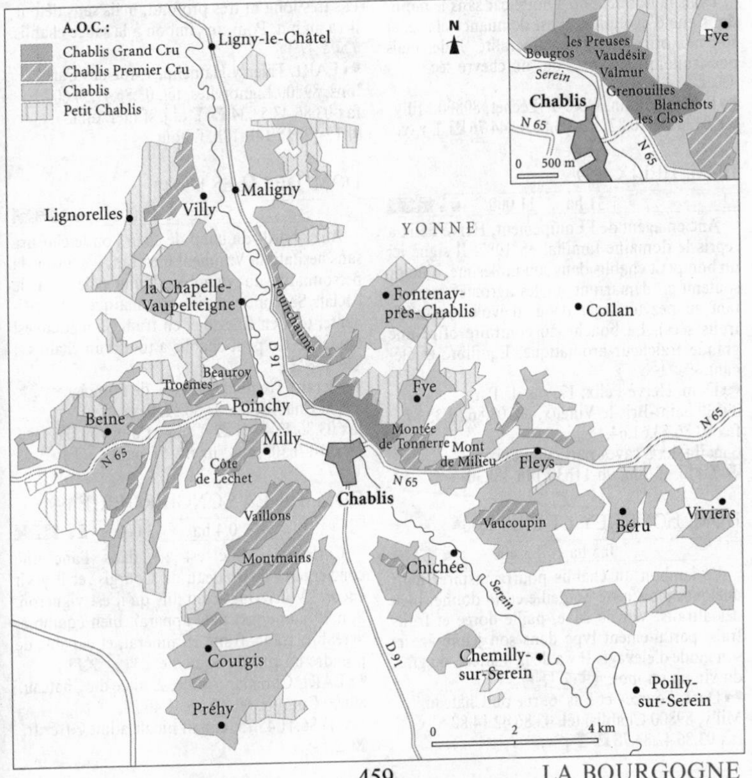

BOURGOGNE

cette allégation. Limpide, intense, floral. Le télégramme est vite envoyé. Ce n'est pas un vin à soulever les montagnes, mais il est souple, d'accès commode, assez vif et – pour tout dire – très aimable. Populaire. D'une identité kimméridgienne telle qu'on la raconte dans les livres. Un dégustateur conseille un feuilleté de poireau sauce à l'estragon, l'un des accords les plus rares. (30 à 49 F)

GAEC René et Vincent Dauvissat, 8, rue Emile-Zola, 89800 Chablis, tél. 03.86.42.11.58, fax 03.86.42.85.32

JEAN-PAUL DROIN 1999*

□ 1,3 ha 10 000 8à11€

Représentant la treizième génération connue en Chablisien autour de la vigne et du vin, Benoît Droin a vinifié sa première récolte en 1999. Bienvenue au Guide. Il a de qui tenir puisque les racines familiales connues remontent presque certainement à 1547. La couleur de ce vin est bien typée. Le complexe aromatique iodé, minéral, tirant vers la poire, se montre délicat et subtil. Jolie bouteille d'une tonalité vive. (50 à 69 F)

Dom. Jean-Paul Droin, 14 bis, rue Jean-Jaurès, 89800 Chablis, tél. 03.86.42.16.78, fax 03.86.42.42.09 r.-v.

DOM. D'ELISE 1999*

□ 7,02 ha 10 000 5à8€

Dans la norme, bon à boire car sans le moindre signe d'évolution, il est de nuance claire, et son nez offre une jolie minéralité. Iodé, mais peu fruité, il est typé. Pour un chèvre sec. (30 à 49 F)

Frédéric Prain, Côte de Léchet, 89800 Milly, tél. 03.86.42.40.82, fax 03.86.42.44.76 r.-v.

DOM. FELIX 1999

□ 1,31 ha 11 000 5à8€

Ancien agent de l'Equipement, Hervé Félix a repris le domaine familial en 1987. Il signe ici un bon petit chablis dans son millésime, d'un or soutenu et, démarrant sur les agrumes, présentant au nez un léger début d'évolution (miel, fruits secs). La bouche au contraire offre une grande fraîcheur aromatique. Equilibré et élégant. (30 à 49 F)

Dom. Hervé Félix, 17, rue de Paris, 89530 Saint-Bris-le-Vineux, tél. 03.86.53.33.87, fax 03.86.53.61.64, e-mail felix@caves-particulieres.com t.l.j. sf dim. 9h-11h30 14h-18h30

DOM. FOURREY ET FILS 2000*

□ 0,5 ha 3 400 5à8€

Le jambon au chablis pourra inspirer dans quelques mois cette bouteille et lui donner bien des attraits. Vin de cuve, paille dorée et fruits frais, parfaitement typé dans son jeune âge et son mode d'élevage. Il y a de la matière, du gras, du vin en un mot. (30 à 49 F)

Dom. Fourrey et Fils, 6, rue du Château, Milly, 89800 Chablis, tél. 03.86.42.14.80, fax 03.86.42.84.78 r.-v.

MAISON JEAN-CLAUDE FROMONT 1999*

□ n.c. 25 000 5à8€

Edifié jadis par un négociant en vins établi à Bercy, le château de Ligny appartient à la famille Fromont depuis 1994. Une belle maison bourgeoise dans le goût 1900. Ce petit chablis a ce style confortable, installé, bien marié... D'un doré assez riche, il s'entoure d'arômes beurrés et enjôleurs, flatteurs. Il illustre bien son année dans une discrétion ronde et harmonieuse. Un dégustateur suggère de le servir avec des asperges vertes sur lit de pleurotes à l'huile de noisette. (30 à 49 F)

Maison Jean-Claude Fromont, Ch. de Ligny, 7, av. de Chablis, 89144 Ligny-le-Châtel, tél. 03.86.98.20.40, fax 03.86.47.40.72, e-mail accueil@chateau-de-ligny.com r.-v.

DOM. HAMELIN 1999*

□ 5,73 ha 44 000 5à8€

En vous promenant parmi les vignes de Lignorelles, vous pourrez découvrir un vieux four à chaux. Puis vous rendrez visite à Thierry Hamelin et goûterez ce petit chablis. Sa personnalité résistera au temps, du moins raisonnablement (deux à trois ans sans difficulté) car il est franc, direct, minéral à souhait et plein de caractère. Il ne laisse pas indifférent, et c'est le genre de vin qu'on tourne et retourne dans le verre. Pas très long ni très profond, mais sans détour, il va au but. Pour un jambon à la sauce chablis. (30 à 49 F)

EARL Thierry Hamelin, 1, rue des Carillons, 89800 Lignorelles, tél. 03.86.47.54.60, fax 03.86.47.53.34 t.l.j. sf mer. dim. 9h15-12h15 14h-18h; f. août

DOM. DES ILES 1999**

□ 5,5 ha 45 000 5à8€

Aux abords du coup de cœur : on le choisira sans hésitation. Vraiment bien fait, il exprime la personnalité du vignoble. Jaune pâle, il a de l'éclat. Sa concentration aromatique est pertinente, tout en finesse et en fruit. Sa matière est opulente. Ce petit chablis a tout d'un chablis. (30 à 49 F)

Gérard Tremblay, 12, rue de Poinchy, 89800 Chablis, tél. 03.86.42.40.98, fax 03.86.42.40.41 t.l.j. sf dim. 8h-12h 13h30-17h30; sam. sur r.-v.; f. août

DOM. DE LA CONCIERGERIE 1999

□ 0,4 ha 3 000 5à8€

Christian Adine est né dans l'ancienne conciergerie du château de Courgis, et il y vit encore. Voici vingt-cinq ans qu'il est vigneron. Son 99 jaune-vert pâle apparaît bien équilibré, agréable, franc, fruité et minéral, et capable de prendre un peu de bouteille. (30 à 49 F)

EARL Christian Adine, 2, allée du Château, 89800 Courgis, tél. 03.86.41.40.28, fax 03.86.41.45.75, e-mail nicole.adine@free.fr r.-v.

DOM. DE LA MOTTE 2000*

☐ 2 ha 10 000 5à8€

Beine conserve son église classée du XIIIe s. Non loin du village se situe le lac artificiel de 15 ha qui permet de lutter contre le gel par aspersion des vignes. C'est l'évidence même, ce vin est dans l'appellation jusqu'au ras des yeux (or blanc) et selon des senteurs développées à l'aération : chèvrefeuille et agrumes. Le meilleur accueil est réservé en bouche où le vin se montre minéral et relativement long. Il se conservera sans peine deux à trois ans. (30 à 49 F)

SCEA Dom. de La Motte, 41, rue du Ruisseau, 89800 Beine, tél. 03.86.42.43.71, fax 03.86.42.49.63 t.l.j. sf mer. 8h-12h 14h-18h

Michaut - Robin

DOM. DE L'ORME 1999

☐ 1,3 ha 10 000 5à8€

Jaune clair, brillant, limpide, l'œil est séduisant. Les arômes d'abord assez timides se précisent peu à peu sur le végétal. La bouche, aux accents de terroir et de maturité, est chaleureuse, persistante. (30 à 49 F)

Dom. de L'Orme, 16, rue de Chablis, 89800 Lignorelles, tél. 03.86.47.41.60, fax 03.86.47.56.66 r.-v.

DOM. DES MALANDES 1999*

☐ 1,2 ha 10 200 5à8€

Un domaine dont on ne compte plus les coups de cœur dans les millésimes précédents sur toutes les AOC du Chablisien. Ici, on note une belle amorce de couleur et un nez assez gai, floral puis plus puissant. L'attaque est volumineuse et riche. C'est de bonne convenance, plus chablis que petit chablis. Ira-t-on s'en plaindre ? Un poisson cuisiné l'adoptera. (30 à 49 F)

Dom. des Malandes, 63, rue Auxerroise, 89800 Chablis, tél. 03.86.42.41.37, fax 03.86.42.41.97, e-mail contact@domainedesmalandes.com r.-v.

Marchive

DOM. DES MARRONNIERS 2000

☐ 2,5 ha n.c. 5à8€

Coup de cœur dans l'édition 1999 (millésime 96), ce domaine offre un beau point de vue sur le vignoble chablisien. Expressive au nez, vive en bouche, cette bouteille laisse parler le fruit exotique, la fleur blanche et le pamplemousse. Elle mérite d'être dégustée sur sa fraîcheur. (30 à 49 F)

Bernard Légland, Grande-Rue de Chablis, 89800 Préhy, tél. 03.86.41.42.70, fax 03.86.41.45.82 t.l.j. 9h30-12h 13h30-19h; f. 15 août-3 sept.

SYLVAIN MOSNIER 1999

☐ 0,75 ha 6 000 5à8€

Assez évolué et donc à déboucher dans les temps à venir, ce vin est onctueux et fruité, mûr ; cela se voit même dans la robe, au bout d'un nez de fruits confits. La bouche attaque dans l'ampleur et s'achève sur une finale plus vive. (30 à 49 F)

Sylvain Mosnier, 4, rue Derrière-les-Murs, 89800 Beine, tél. 03.86.42.43.96, fax 03.86.42.42.88 r.-v.

DE OLIVEIRA LECESTRE 2000

☐ 6,95 ha 30 000 5à8€

Jacky Chatelain a rejoint en 1978 le domaine Lucien De Oliveira qui comprend aujourd'hui quelque 40 ha dont 7 ha dans cette appellation. Il offre ici un vin de l'an 2000 jaune très clair, très aromatique et discret en bouche tout en restant sur les agrumes. Les huîtres seront satisfaites. (30 à 49 F)

GAEC De Oliveira Lecestre, 11, Grand-Rue, 89800 Fontenay-près-Chablis, tél. 03.86.42.40.78, fax 03.86.42.83.72 t.l.j. sf dim. 10h-12h 14h-19h; f. 15-30 août

Jacky Chatelain

DOM. DE PISSE-LOUP 1999**

☐ 2,13 ha 10 000 5à8€

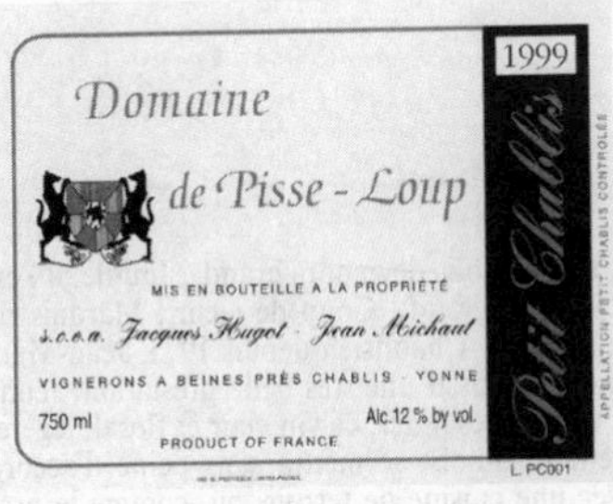

Le fromage de comté, le tartare de saumon... Cette bouteille donne l'eau à la bouche. Nos dégustateurs trouvent mille idées pour l'accompagner. Enfin, le chardonnay le plus pur ! Doré intense, le bouquet élégant à notes florales, ce 99 vit sur un bon canapé minéral et ne manque pas de gras. « S'il n'en tenait qu'à moi, il aurait le coup de cœur », écrit l'un des jurés. Voyez comme son avis est partagé par le grand jury. (30 à 49 F)

SCEA Jacques Hugot et Jean Michaut, 1, rue de la Poterne, 89800 Beine, tél. 03.80.97.04.67, fax 03.80.97.04.67 r.-v.

DENIS POMMIER 1999*

☐ 3,5 ha 16 000 5à8€

Pas si petit que ça, ce petit chablis. Il est à la hauteur de ce qu'on appellerait ailleurs chablis-village ou côte de chablis. C'est gentil, il est vrai. Très doux et mesuré, celui-ci est or pâle, signe de sa jeunesse ; son bouquet de pierre à briquet, sa bouche pleine, fraîche et vineuse à la fois, et sa longueur fruitée sont de bon ton. (30 à 49 F)

Denis Pommier, 31, rue de Poinchy, 89800 Chablis, tél. 03.86.42.83.04, fax 03.86.42.17.80, e-mail denis.pommier@libertysurf.fr t.l.j. 9h-12h 14h-20h; dim. sur r.-v.; f. 24 août-1er sept.

DOM. JACKY RENARD 1999

☐ 1,67 ha n.c. 5 à 8 €

Un vin sans impatience et que l'on peut attendre. Jaune or à reflets paille, il se laisse tenter par la figue sèche, le raisin sec et se montre plus opulent que vif ; on devine un raisin presque surmaturé. Ce n'est donc pas un produit à rechercher pour sa fraîcheur, mais une bouteille assez imposante et destinée à une « cuisine créative ». (30 à 49 F)

Jacky Renard, La Côte-de-Chaussan, 89530 Saint-Bris-le-Vineux, tél. 03.86.53.38.58, fax 03.86.53.33.50 r.-v.

DOM. SAINTE-CLAIRE 1999★★

☐ n.c. n.c. 5 à 8 €

Petit chablis deviendra grand ? Inutile, il l'est déjà, tout grand ! Coup de cœur ! Marquis de Carabas du Chablisien depuis 1975, Jean-Marc Brocard réussit une très belle prestation. Jeune et vif, primesautier, ce vin clair et floral, légèrement sous-bois, se mettra sans peine d'accord avec une cuisine de terroir, ou, comme le propose un autre juré, avec un buisson de langoustines et d'artichauts au vinaigre balsamique ! (30 à 49 F)

Jean-Marc Brocard, 3, rte de Chablis, 89800 Préhy, tél. 03.86.41.49.00, fax 03.86.41.49.09, e-mail brocard@brocard.fr r.-v.

FRANCINE ET OLIVIER SAVARY 1999★

☐ 2,5 ha 20 000 8 à 11 €

Sous une très belle teinte or vert, c'est d'abord l'ancienne abbaye de Pontigny à l'abri de sa clôture : un nez fermé, austère, avec un soupçon de plante aromatique. Le jardin des simples de tout monastère. Frais et friand, le palais n'a pas fait, en revanche, vœu de chasteté ni de pauvreté... (50 à 69 F)

Francine et Olivier Savary, 4, chem. des Hâtes, 89800 Maligny, tél. 03.86.47.42.09, fax 03.86.45.55.80 r.-v.

SIMONNET-FEBVRE 1999★

☐ 1,2 ha 5 300 5 à 8 €

Fondée en 1840, cette maison est présidée par Laurent Simonnet. Pour ce millésime, il réalise un sans-faute du début jusqu'à la fin. Très pâle, comme les joues de Colette dans sa jeunesse, ce chardonnay part sur le fruit, aboutit au chèvrefeuille, attaque hardiment, s'équilibre sur le miel et nous laisse content. Un 99 sans peur ni reproche. (30 à 49 F)

Simonnet-Febvre, 9, av. d'Oberwesel, BP 12, 89800 Chablis, tél. 03.86.98.99.00, fax 03.86.98.99.01, e-mail simonnet@chablis.net t.l.j. 8h-11h30 14h-18h; sam. dim. sur r.-v.

Simonnet

DOM. YVON VOCORET 1999★★

☐ 3 ha 7 900 5 à 8 €

Allez signer le livre d'or du domaine, il vous attend. Car on ne vous ferait déguster que ce petit chablis, ce serait déjà beaucoup ! Rond, très vineux, il pourrait faire la cour à des chablis. D'un beau jaune d'or, minéral et fruité, il se montre très net, ample et fin à la fois, de bonne longueur. (30 à 49 F)

Dom. Yvon Vocoret, 9, chem. de Beaune, 89800 Maligny, tél. 03.86.47.51.60, fax 03.86.47.57.47 t.l.j. 8h-19h; dim. sur r.-v.

Chablis

Le chablis, qui a produit 171 309 hl en 2000, doit à son sol ses qualités inimitables de fraîcheur et de légèreté. Les années froides ou pluvieuses lui conviennent mal, son acidité devenant alors excessive. En revanche, il conserve lors des années chaudes une vertu désaltérante que n'ont pas les vins de la Côte-d'Or également issus du chardonnay. On le boit jeune (un à trois ans), mais il peut vieillir jusqu'à dix ans et plus, gagnant ainsi en complexité et en richesse de bouquet.

DOM. DES AIRELLES 1999

☐ 11 ha 5 000 5 à 8 €

L'église Saint-Martin de Chichée renferme une intéressante statue de la Vierge à l'Enfant du XVe s. Thierry et Didier Robin ont réussi ce vin classique, encore jeune et vif en avril 2001 mais suffisamment bien construit pour tenir ses promesses en 2002. Sa dominante minérale sur un fond floral est de bon ton. (30 à 49 F)

Dom. des Airelles, 40, Grande-Rue, 89800 Chichée, tél. 03.86.42.80.49, fax 03.86.42.85.40 r.-v.

Jean Robin

DOM. BACHELIER Vieilles vignes 1999★

☐ 1 ha 6 283 8 à 11 €

La vocation viticole des Bachelier remonte à 1833. Ce sont des vignes de cinquante ans qui ont donné ce vin d'une clarté brillante, celle qui tombe du soleil, ouvert sur le fruit et minéral par certains côtés. Un 99 de bonne tenue et sans fausse note avec, aussi, un style accentué, confit,

poivré : l'effet peut-être des vieilles vignes ? En tout cas, à garder. (50 à 69 F)
Dom. Bachelier, 13, rue Saint-Etienne, 89800 Villy, tél. 03.86.47.49.56, fax 03.86.47.57.96 r.-v.

DOM. BESSON 2000

□ 5,9 ha 4 500 5à8€

Dessine-moi un chablis... On pense au *Petit Prince.* La couleur ? Pas d'hésitation, celle de l'AOC. La fleur blanche, la fraîcheur, c'est dans le ton. Très dense sous une belle vivacité, avec cette pointe d'amertume qui nous vient de la nostalgie de l'enfance, un vin poétique, concis et qui - vous le voyez - vieillira sans une ride d'ici deux à trois ans. (30 à 49 F)
EARL Dom. Alain Besson, rue de Valvan, 89800 Chablis, tél. 03.86.42.19.53, fax 03.86.42.49.46 r.-v.

BLASONS DE BOURGOGNE 2000*

□ 40 ha 250 000 5à8€

La Chablisienne vinifie plus de 1 100 ha. Cette coopérative diversifie sa communication. Son nom n'apparaît pas sur cette étiquette. Cela dit, ses bouteilles ont de l'entrain. L'acidité et le gras sont déjà en concordance : ce qui est un bon départ dans la vie. Les notes minérales, miellées et fleuries ne sont pas absentes. Vivra quatre ou cinq ans. Autre marque, **Laurent Dupaquis, Le Millénium 98**, ce chablis obtient une étoile. (30 à 49 F)
La Chablisienne, 8, bd Pasteur, BP 14, 89800 Chablis, tél. 03.86.42.89.89, fax 03.86.42.89.90, e-mail chab@chablisienne.com
t.l.j. 9h-12h 14h-18h

PASCAL BOUCHARD
Grande Réserve du Domaine Vieilles vignes 1998**

□ 10 ha 80 000 8à11€

De vieilles vignes du domaine propre à cette maison si souvent présente dans le Guide et qui n'en est pas à son premier coup de cœur. Elevé huit mois en cuve et quatre mois en fût pour 30 % de la vendange, ce 98 n'est pas seulement sympathique. Il est de très grande classe. Jaune soutenu à reflet vert, il s'exprime au nez avec beaucoup de netteté : du fruit en abondance, un peu exotique. Frais en attaque, beurré par la suite, il impressionne également par sa complexité et son grand potentiel. (50 à 69 F)
Pascal Bouchard, 5 bis, rue Porte-Noël, 89800 Chablis, tél. 03.86.42.18.64, fax 03.86.42.48.11, e-mail pascal.bouchard@wanadoo.fr
t.l.j. 10h-12h30 14h-19h; f. janv.

MADAME EDMOND CHALMEAU 1999*

□ 2 ha 12 000 5à8€

Le miel et l'aubépine en lever de rideau, sur une toile de fond jaune pâle. Puis l'action devient nettement minérale, parsemée de fleurs blanches. Une bouteille très typée, exprimant son appellation sur un mode souple et léger. Sous le nom de **Franck Chalmeau** (même téléphone, même adresse, même prix, départ à 42 F), un **chablis 99** qui ressemble comme un fils au premier. (30 à 49 F)
Mme Edmond Chalmeau, 20, rue du Ruisseau, 89530 Chitry-le-Fort, tél. 03.86.41.42.09, fax 03.86.41.46.84 r.-v.

DOM. DE CHANTEMERLE 1999**

□ 11 ha 75 000 5à8€

Un domaine qui peut vivre sa vie durant sur son célébrissime Homme mort en 1er cru, mais qui réussit ce remarquable chablis : en robe claire, à reflets verts, frais et minéral, il nous raconte son terroir d'origine. En bouche ? Ce qu'on attend de lui. Il faut s'y rendre vite car son prix défie toute concurrence. Etiquette parcheminée. (30 à 49 F)
SCEA de Chantemerle, 27, rue du Serein, 89800 La Chapelle-Vaupelteigne, tél. 03.86.42.18.95, fax 03.86.42.81.60 r.-v.
Francis Boudin

DOM. DES CHENEVIERES 1999**

□ 7,5 ha 50 000 5à8€

Les Tremblay remplissent l'annuaire téléphonique en Chablisien. Ici, c'est Bernard assisté par Thierry Mothe, autre nom bien connu au pays. Ce 99 est d'un bel or limpide. On appréciera particulièrement la minéralité du bouquet (la fraîcheur d'un marbre antique) et le plaisir produit en bouche. A la fois sérieux, fin et distingué, un vin qui réveillera l'escargot « bouché » ou « dormeur ». (30 à 49 F)
Bernard Tremblay, Dom. des Chenevières, 1, rue des Vignes, 89800 La Chapelle-Vaupelteigne, tél. 03.86.42.41.00, fax 03.86.42.48.08 r.-v.

DOM. CHRISTOPHE ET FILS 1999**

□ 0,33 ha 1 500 5à8€

Son nom a été prononcé à l'heure des coups de cœur. La présentation est en effet discrète et de bon goût (nuances claires), le bouquet floral et minéral à la fois. Au palais, il est serein comme la rivière du pays, calme, un peu imposant, intéressant en tout cas. Pas mal pour une première vinification ! Retenez bien ce nom, car sa cuvée **chablis Vieilles vignes 99** obtient une étoile avec, en conclusion, un commentaire sans appel : « J'aime ce vin ! » (30 à 49 F)
Dom. Christophe et Fils, Ferme des Carrières, Fyé, 89800 Chablis, tél. 03.86.55.23.10, fax 03.86.55.23.10 r.-v.

LA CAVE DU CONNAISSEUR 1999*

□ 7 ha 40 000 5à8€

Bis dat qui cito dedit, celui-là donne deux fois qui donne vite. Celui-ci pratique ainsi. Très vif, très franc, il jongle avec les agrumes et la pomme verte. Jaune paille un brin verdâtre, il semble garant d'une bonne évolution, disposant déjà d'un fond aromatique riche de fruits jaunes, de fleurs blanches et de fougère. Cette maison récente (1989) s'est installée dans des caves des XII et XIII^{e}s. (30 à 49 F)

La Cave du Connaisseur, rue des Moulins, BP 78, 89800 Chablis, tél. 03.86.42.87.15, fax 03.86.42.49.84, e-mail connaisseur@chablis.net t.l.j. 10h-18h

DOM. BERNARD DEFAIX 1999**

□ 12 ha 80 000 8à11€

Ce 99 nous offre ici la quasi-perfection dans son millésime. La pâleur ? On aime mieux cela que l'extraction sommaire et abusive. Le nez encore confidentiel est joliment beurré et minéral à l'aération. La bouche est fine, élégante ; un vin franc et superbe pour longtemps ! (50 à 69 F)

Dom. Bernard Defaix , 17, rue du Château, Milly, 89800 Chablis, tél. 03.86.42.40.75, fax 03.86.42.40.28, e-mail didier@bernard-defaix.com r.-v.

DOM. JOSEPH ET XAVIER GARNIER 1999**

□ 2,5 ha 20 000 5à8€

Un vin d'apéritif, à boire pour lui-même. D'une bonne vivacité, il ne s'endort pas dans le verre. Ce côté turbulent ne l'empêche pas de décliner les notes classiques du bouquet chablisien : le silex, la fleur blanche, l'amande grillée. Très régulier, il est déjà plaisant et pourra durer jusqu'au milieu de la décennie. (30 à 49 F)

Dom. Garnier et Fils, chem. de Méré, 89144 Ligny-le-Châtel, tél. 03.86.47.42.12, fax 03.86.98.09.95, e-mail domainegarnier@terre-net.fr r.-v.

DOM. DES GENEVES Vieilles vignes 1999*

□ 0,6 ha 4 800 5à8€

On lui donnerait presque une étoile de plus, tant il nous fait de l'œil. Jaune pâle, or léger, comme il se doit. Pomme verte ou citron ? En tout cas, c'est un 99 dont la prestation en bouche est irréprochable. Le jambon au chablis paraît fortement adapté à cette bouteille qui a beaucoup de corps et de personnalité. (30 à 49 F)

EARL Dom. des Genèves, 3, rte des Fourneaux, 89800 Fleys, tél. 03.86.42.10.15, fax 03.86.42.47.34 r.-v.

Dominique Aufrère et Fils

DOM. GRAND ROCHE 2000*

□ 6,5 ha 40 000 5à8€

Couleur... chablis. La sincérité n'est-elle pas une ouverture de cœur ? Très fruits mûrs au nez, d'annonce florale puis de légère surmaturation. Sa vivacité est gentiment associée à un gras convivial, ce qui préserve sa longévité. (30 à 49 F)

Erick Lavallée, Dom. Grand Roche, 6, rte de Chitry, 89530 Saint-Bris-le-Vineux, tél. 03.86.53.84.07, fax 03.86.53.88.36 r.-v.

THIERRY HAMELIN Vieilles vignes 1999***

□ 1,2 ha 7 130 8à11€

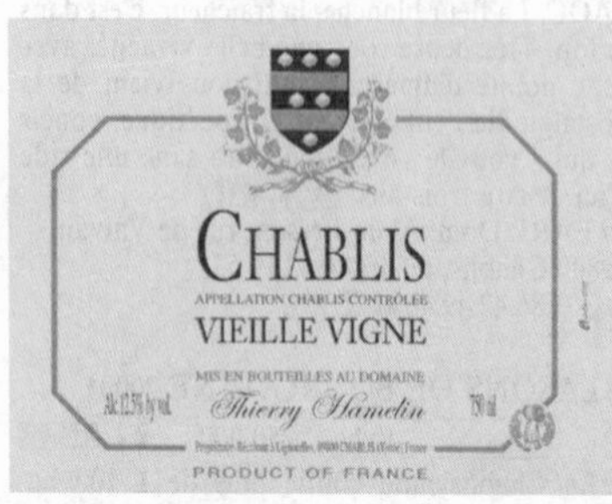

Primus inter pares, il remporte la finale des coups de cœur, et son frère, **Domaine Hamelin 99** dit cuvée « normale », arrive en troisième position : Thierry Hamelin, dont la cave est située à quelques kilomètres à l'ouest de Maligny, mérite toute votre attention. Que dire de ces deux vins ? Le premier, déjà assez coloré, offre le bouquet le plus complexe jouant sur la fleur blanche, les fruits secs et la minéralité, qualités que l'on retrouve dans une bouche riche et fraîche à la fois. Une bouteille de caractère à réserver à une cuisine élaborée. Le second ? Il est éblouissant dans une robe or vert typée. Ses caractères gustatifs en font un très grand ambassadeur des vins de Chablis. (50 à 69 F)

Dom. Thierry Hamelin, 1, imp. de la Grappe, 89800 Lignorelles, tél. 03.86.47.52.79, fax 03.86.47.53.41 r.-v.

DOM. DES HERITIERES 1999

□ 4,5 ha 36 000 8à11€

On le dit assez généreux pour que vous l'invitiez avec vos amis autour d'un rôti de veau aux morilles. Car s'il n'est pas typé (on ne retrouve pas de note minérale), il est assez subtil, équilibré, charnu et persistant pour être un bon convive. (50 à 69 F)

Olivier Tricon, 15, rue de Chichée, 89800 Chablis, tél. 03.86.42.10.37, fax 03.86.42.49.13

DOM. DES ILES 1999*

□ 16 ha 125 000 5à8€

Bel œil, bon nez, bon pied, cela permet-il de partir pour des îles ? A vrai dire, ce n'est pas un vin très exotique ; il répond davantage aux canons chablisiens de minéralité. Un vin puissant à ouvrir dans un an ou deux. (30 à 49 F)

Gérard Tremblay, 12, rue de Poinchy, 89800 Chablis, tél. 03.86.42.40.98, fax 03.86.42.40.41 t.l.j. sf dim. 8h-12h 13h30-17h30; sam. sur r.-v.; f. août

PIERRE JANNY 1999★

☐ n.c. 10 000 8 à 11 €

De Lyon à Chablis, ce négociant-éleveur du Mâconnais s'attache aux vins de la Bourgogne et du Beaujolais. S'il se trouve ici assez loin de ses bases, il a du flair, sachant nous faire partager la joie d'un 99 très présent du début à la fin, dont la pierre à fusil anime la conclusion. Plus brillant que coloré, ouvert aux agrumes, il laisse le palais satisfait. Une bouteille pouvant patienter deux ou trois ans. (50 à 69 F)

Sté Pierre Janny, La Condemine, Cidex 1556, 71260 Péronne, tél. 03.85.23.96.20, fax 03.85.36.96.58, e-mail pierre-janny@wanadoo.fr

DOM. DE LA MEULIERE 1999★★

☐ 8 ha 36 000 5 à 8 €

Quelques exercices d'assouplissement, et il sera parfait. Pas plus tard qu'en 2002. Doré vert, il va droit au but : un fruit très direct, une minéralité subtile. Bonne acidité, joli équilibre. Les caudalies sont là, sur du fruit frais et mûr. (30 à 49 F)

Chantal et Claude Laroche, Dom. de La Meulière,18, rte de Mont-de-Milieu, 89800 Fleys, tél. 03.86.42.13.56, fax 03.86.42.19.32 r.-v.

DOM. DE LA MOTTE
Vieilles vignes 1999★

☐ 1,3 ha 10 000 8 à 11 €

L'époisses pourrait bien aimer ce vin qui chardonne comme il faut sans pouvoir gommer le terroir qui lui a donné naissance (note minérale du nez jusqu'en finale de bouche). Sa fraîcheur donne envie de le boire. (50 à 69 F)

SCEA Dom. de La Motte, 41, rue du Ruisseau, 89800 Beine, tél. 03.86.42.43.71, fax 03.86.42.49.63 t.l.j. sf mer. 8h-12h 14h-18h

Michaut-Robin

DOM. LAROCHE Saint-Martin 1999★

☐ 61,57 ha 3 000 11 à 15 €

Négociant et producteur, Michel Laroche est l'une des figures du Chablisien. Il a proposé trois vins de ses propres domaines, tous retenus avec une étoile dans cette AOC. Le **Château de Chemilly 99** pour sa cuvée normale et sa cuvée **Vieilles vignes (50 à 69 F)**, la première bien typée, la seconde minérale et dans les tons d'églantine, plus riche, moins « terroir ». Quant à ce Saint-Martin, il est or blanc traversé d'un reflet vert, subtil et persistant dans ses arômes, bien vinifié, bien dans son appellation. (70 à 99 F)

Michel Laroche, 22, rue Louis-Bro, BP 33, 89800 Chablis, tél. 03.86.42.89.28, fax 03.86.42.89.29, e-mail info@michellaroche.com r.-v.

LES CAVES DE LA VERVELLE 1999★★

☐ 0,4 ha 2 700 8 à 11 €

L'exploit : les coopérateurs de Bligny-lès-Beaune parviennent à la deuxième place sur le podium, prophètes en Chablisien ! Harmonieux et très ouvert, ce 99 est la beauté même. Une petite touche boisée met en valeur sa pureté soyeuse. Richesse rime avec finesse, sur une fleur blanche très soutenue. Idéal pour un saumon grillé en sauce à l'aneth. (50 à 69 F)

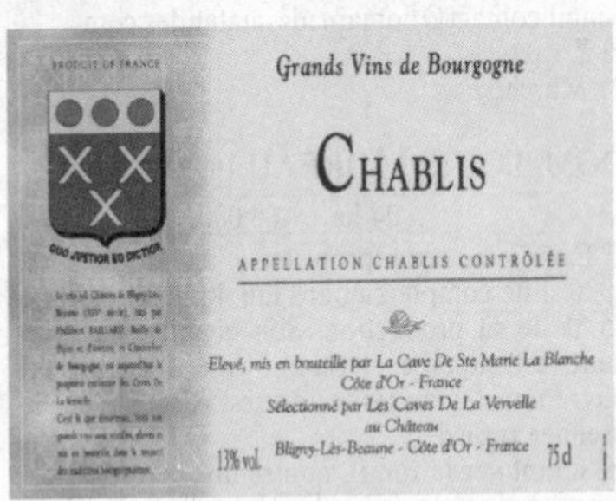

Ch. de Bligny-lès-Beaune, Caves de la Vervelle, le Château, 21200 Bligny-lès-Beaune, tél. 03.80.21.47.38, fax 03.80.21.40.27 t.l.j. 8h-12h 14h-18h

DOM. DE L'EGLANTIERE 1999

☐ 50 ha 270 000 8 à 11 €

Personnalité en vue des vignobles chablisiens, Jean Durup a joué un rôle moteur dans leur développement. Propriétaire de 170 ha, il propose ici un vin bien typé, jaune-vert comme il se doit, au nez d'agrumes, de fleurs blanches et de silex. La bouche est moins vive mais flatteuse. (50 à 69 F)

SA Jean Durup Père et Fils, 4, Grande-Rue, 89800 Maligny, tél. 03.86.47.44.49, fax 03.86.47.55.49, e-mail durup@club-internet.fr r.-v.

DOM. LONG-DEPAQUIT 1999★

☐ 22 ha 150 000 8 à 11 €

Né sur un vignoble qui appartenait à l'abbaye cistercienne de Pontigny, ce vin est bien issu du kimméridgien. Ici, le reflet est d'or dans un contexte jaune pâle, limpide et brillant. Le nez indique qu'il faudra attendre quelques mois le bon mariage des notes minérales puissantes et de la vivacité. L'équilibre en bouche promet alors trois à quatre ans de bonheur. (50 à 69 F)

Ch. Long-Depaquit, 45, rue Auxerroise, 89800 Chablis, tél. 03.86.42.11.13, fax 03.86.42.81.89, e-mail longdepaquit@wanadoo.fr t.l.j. sf dim. 9h-12h30 13h-18h

Albert Bichot

DOM. DES MALANDES
Cuvée Tour du Roy Vieilles vignes 1999★

☐ 1,5 ha 9 000 8 à 11 €

Titulaire de plusieurs coups de cœur ces dernières années, ce domaine fait partie des valeurs sûres du Chablisien. Cette fois-ci, la robe est assez pâle mais brillante. Au nez, ce 99 exprime du fruit et du minéral. Il a de bonnes proportions en bouche. C'est un *village* très réussi, bien typé. En **chablis 99 (30 à 49 F)** sans nom de cuvée, ce domaine obtient une citation. (50 à 69 F)

BOURGOGNE

🔑 Dom. des Malandes, 63, rue Auxerroise, 89800 Chablis, tél. 03.86.42.41.37, fax 03.86.42.41.97, e-mail contact@domainedesmalandes.com ☑ 🍷 r.-v.
🔑 Marchive

DOM. LOUIS MOREAU 1999★★

☐ 24 ha 60 000 8 à 11 €

Familiale, cette propriété a été fondée en 1970. Elle compte aujourd'hui 40 ha et exporte 85 % de sa production. Son chablis, pavillon haut, est superbe et flamboyant. L'avenir lui ouvre toutes grandes ses portes. Aimable dès le premier regard,
rassurant sur la fin, il montre une certaine nervosité mais reste de bout en bout dans une harmonie typée. (50 à 69 F)

🔑 Louis Moreau, 10, Grande-Rue, 89800 Beine, tél. 03.86.42.87.20, fax 03.86.42.45.59, e-mail domaine.louismoreau@wanadoo.fr ☑ 🍷 t.l.j. 8h-12h 13h30-18h; sam. dim. sur r.-v.

DE OLIVEIRA LECESTRE 2000★

☐ 26,75 ha 80 000 5 à 8 €

L'andouillette est bientôt prête. Un 2000 qui fera l'affaire. Une teinte de rêve, un bouquet entreprenant et qui ne cache pas son jeu. Riche, moyennement long, le corps lui non plus ne cherche pas à parler d'autre chose. Mais c'est distingué et à savourer dans les deux ans à venir. (30 à 49 F)

🔑 GAEC De Oliveira Lecestre, 11, Grand-Rue, 89800 Fontenay-près-Chablis, tél. 03.86.42.40.78, fax 03.86.42.83.72 ☑ 🍷 t.l.j. sf dim. 10h-12h 14h-19h; f. 15-30 août
🔑 Jacky Chatelain

DOM. ALAIN PAUTRE 1999★

☐ 10 ha 40 000 5 à 8 €

Une touche d'originalité n'est pas pour nous déplaire. Car, comme le disait Delacroix, il faut être profond pour réussir, avec art, à quitter ses habitudes. Ce vin n'est pas le premier venu, et il se situe sur la gamme du fruit exotique assez vert. Pamplemousse. Le tout est donc constamment animé par une trame vive qui s'inspire ensuite de l'orange, de la menthe. Original, on vous l'a dit. Idéal pour passionner des connaisseurs. (30 à 49 F)

🔑 Alain Pautré, SCEA de Ronsien, 23, rue de Chablis, 89800 Lignorelles, tél. 03.86.47.43.04, fax 03.86.47.46.54 ☑ 🍷 r.-v.

DOM. DE PERDRYCOURT
Cuvée Prestige 1999★

☐ 1 ha 8 000 8 à 11 €

Créé en 1987, ce domaine est cogéré par deux femmes, Arlette Courty et sa fille Virginie. L'œil, le nez, la bouche... tout va bien, comme on écrit sur une carte postale. Cette fraîcheur fruitée ne nuit en rien à l'équilibre du corps. Parcours complet, dans un souci constant de respecter le caractère de l'appellation (fleurs, fruits blancs, note minérale et *pale green gold*, comme l'écrit un dégustateur britannique). (50 à 69 F)

🔑 EARL Arlette et Virginie Courty, Dom. de Perdrycourt, 9, voie Romaine, 89230 Montigny-la-Resle, tél. 03.86.41.82.07, fax 03.86.41.87.89, e-mail domainecourty@wanadoo.fr ☑ 🍷 t.l.j. 8h-20h

DOM. DE PISSE-LOUP 1999★

☐ 2,1 ha 2 000 5 à 8 €

Romuald Hugot a réussi un joli vin or clair. Le premier nez est ouvert sur le raisin mûr et la pierre à fusil. Puis acacia et agrumes s'imposent dans un contexte frais et équilibré. Pour tous les poissons grillés. (30 à 49 F)

🔑 Romuald Hugot, 30, rte Nationale, 89800 Beine, tél. 03.86.42.85.11, fax 03.86.42.85.11 ☑ 🍷 r.-v.

REGNARD 1998★

☐ 15 ha 100 000 11 à 15 €

Maison chablisienne reprise en 1984 par Patrick de Ladoucette. Or pâle à reflet doré, ce vin demeure tout au long de la dégustation sur des notes florales et minérales. Vif et équilibré, il respecte la typicité chablisienne. (70 à 99 F)

🔑 Régnard, 28, bd Tacussel, 89800 Chablis, tél. 03.86.42.10.45, fax 03.86.42.48.67 ☑ 🍷 r.-v.

FRANCINE ET OLIVIER SAVARY
Sélection Vieilles vignes 1999★

☐ 1 ha 8 000 8 à 11 €

Si vous n'êtes pas venu ici depuis quelques années, vous y découvrirez la nouvelle cave en pierre, voûtée et « à l'ancienne ». Tout est discret en ce 99 : la robe de teinte claire, le nez de fruits jaunes et d'agrumes. Dès l'entrée en bouche, c'est une autre histoire. Porté par une bonne acidité, un vin qui a beaucoup de répondant, plein et équilibré ; six mois de fût n'ont pas caché la belle minéralité du chablis. (50 à 69 F)

🔑 Francine et Olivier Savary, 4, chem. des Hâtes, 89800 Maligny, tél. 03.86.47.42.09, fax 03.86.45.55.80 ☑ 🍷 r.-v.

DOM. SEGUINOT-BORDET
Vieilles vignes 1999★★

☐ 10,5 ha 3 000 8 à 11 €

Le petit-fils a repris en 1998 le domaine du grand-père. Eh bien ! Il sait y faire. Son 99 figure dans le peloton de tête de notre dégustation. L'or de sa robe s'accompagne d'un bouquet où l'on sent le tilleul, le silex. Cette minéralité caractéristique au pays des *Exogyra virgula* inspire une bouche souple et ample, concentrée et radieuse. Le viticulteur a su bien équilibrer l'acidité naturelle et la maturité du raisin. Une bouteille digne des escargots de Bourgogne. (50 à 69 F)

🔑 Roger Séguinot-Bordet, 4, rue de Méré, 89800 Maligny, tél. 03.86.47.44.42, fax 03.86.47.54.94, e-mail jf.bordet@wanadoo.fr ☑ 🍷 t.l.j. sf dim. 8h-18h; sam. 8h-12h; f. 15 août-1er sept.

DOM. DE VAUDON 1999★

☐ 6,9 ha 36 000 11 à 15 €

La maison beaunoise de la rue d'Enfer n'est plus à présenter. Elle possède 35 ha en Chablisien. Ce vin provient de ses propres domaines.

Or clair, il a un nez très pur, floral, minéral, avec une pointe de miel. Equilibré, assez charnu et riche, enveloppé d'arômes délicats, de belle longueur, il est déjà agréable mais saura patienter. (70 à 99 F)

Joseph Drouhin, 7, rue d'Enfer, 21200 Beaune, tél. 03.80.24.68.88, fax 03.80.22.43.14, e-mail maisondrouhin@drouhin.com r.-v.

DOM. DE VAUROUX
Vieilles vignes 1999★★

☐ 3 ha 25 000 8 à 11 €

S'il pratiquait le patinage sur glace, il aurait des notes superbes en figures imposées : l'or doré, l'aubépine et la pêche, le minéral. Il ne manquerait pas d'aplomb en figures libres, avec un programme comportant toutes les difficultés et les surmontant de l'attaque au salut final. Racé, manquant d'un rien de vivacité, il représente bien son drapeau. La cuvée « normale » en **village 99 (30 à 49 F)** obtient une simple citation. (50 à 69 F)

SCEA Dom. de Vauroux, rte d'Avallon, BP 56, 89800 Chablis, tél. 03.86.42.10.37, fax 03.86.42.49.13 r.-v.

DOM. VERRET 1999★★

☐ 2,4 ha 12 000 8 à 11 €

Quand le nez sera à la hauteur de la bouche, on tiendra une très belle bouteille. Sa complexité est déjà remarquable, esquissant la pistache, le citron. Sa matière, sa persistance s'appuient, pour bien vieillir, sur une acidité aimable mais décidée. Comme le disait Rabelais, « lever matine n'est point bonheur, boire matin est le meilleur ». Et voilà justement un vin à boire avant déjeuner pour se faire plaisir.
(50 à 69 F)

Dom. Verret, 7, rte de Champs, BP 4, 89530 Saint-Bris-le-Vineux, tél. 03.86.53.31.81, fax 03.86.53.89.61, e-mail bruno.verret@wanadoo.fr r.-v.

DOM. VOCORET ET FILS 1999★

☐ 28 ha 140 000 5 à 8 €

Cristalline, la robe séduit d'emblée. Puis le nez surprend par ses notes très mûres de fruits exotiques, la bouche reprend ses marques, vive, franche, encore en développement. « Dans un an ou deux, cette bouteille pourra être inscrite sur une carte des vins », note un dégustateur par ailleurs excellent caviste. (30 à 49 F)

Dom. Vocoret et Fils, 40, rte d'Auxerre, 89800 Chablis, tél. 03.86.42.12.53, fax 03.86.42.10.39, e-mail domainevocoret@wanadoo.fr r.-v.

Chablis premier cru

Il provient d'une trentaine de lieux-dits sélectionnés pour leur situation et la qualité de leurs produits (45 968 hl en 2000). Il diffère du précédent moins par une maturité supérieure du raisin que par un bouquet plus complexe et plus persistant, où se mêlent des arômes de miel d'acacia, un soupçon d'iode et des nuances végétales. Le rendement est limité à 50 hl à l'hectare. Tous les vignerons s'accordent à situer son apogée vers la cinquième année, lorsqu'il « noisette ». Les *climats* les plus complets sont la Montée de Tonnerre, Fourchaume, Mont de Milieu, Forêt ou Butteaux, et Côte de Léchet.

DOM. DES AIRELLES Vaucoupin 1999

☐ 1,2 ha 3 660 8 à 11 €

Bien fait mais sur sa réserve, il s'habille d'un or jaune cristallin. Le nez est fugace, sur quelques notes beurrées nuancées d'acacia en fleur. L'attaque nous fait croire au miracle, sur une densité minérale et fruitée qui se termine sur une pointe d'alcool et d'amertume, Thierry et Didier Robin ont repris en 1996 les vignes de leur père, et ils ont créé la même année le domaine des Airelles ; on est ici sur Chichée, rive droite néanmoins. (50 à 69 F)

Dom. des Airelles, 40, Grande-Rue, 89800 Chichée, tél. 03.86.42.80.49, fax 03.86.42.85.40 r.-v.

Jean Robin

DOM. BARAT Vaillons 1999★★

☐ 3 ha 15 000 11 à 15 €

Ce domaine nous fait découvrir un large panorama des 1ers crus, puisque nous citons chaleureusement **Les Fourneaux**, **Mont de Milieu** et **Côte de Léchet 99**. Il s'y ajoute Vaillons à qui le jury donne une étoile de plus... et le coup de cœur. Très intense, tout en finesse, minéral comme le veut la tradition. On a vraiment affaire à l'un des meilleurs *climats* de la rive gauche (sur Milly). (70 à 99 F)

EARL Dom. Barat, 6, rue de Léchet, Milly, 89800 Chablis, tél. 03.86.42.40.07, fax 03.86.42.47.88 r.-v.

DOM. BILLAUD-SIMON
Fourchaume 1999★★★

☐ 0,25 ha 2 000 11 à 15 €

Il est n° 1 de la dégustation, coup de cœur unanime. Tout le jury le place en tête. Qu'ajouter de plus ? Ce Fourchaume d'anthologie possède toutes les qualités. Ce 1er cru vient largement devant beaucoup de bouteilles de grand cru. La **Montée de Tonnerre 99** obtient deux étoiles ; **Les Vaillons** et **Mont de Milieu** gagnent chacun leur étoile. (70 à 99 F)

Dom. Billaud-Simon, 1, quai de Reugny, BP 46, 89800 Chablis, tél. 03.86.42.10.33, fax 03.86.42.48.77 t.l.j. sf sam. dim. 9h-18h; f. 15 août-1er sept.

PASCAL BOUCHARD Beauroy 1999★

☐ n.c. 75 000 11 à 15 €

Jadis très prisée, un peu moins connue de nos jours, la dénomination Beauroy signale un 1er cru historique. Ce 99 est or. Son nez est assez ouvert (fruits mûrs), et il fait bonne impression au palais. Notez sa persistance très au-dessus des normes. (70 à 99 F)

Pascal Bouchard, 5 bis, rue Porte-Noël, 89800 Chablis, tél. 03.86.42.18.64, fax 03.86.42.48.11, e-mail pascal.bouchard@wanadoo.fr t.l.j. 10h-12h30 14h-19h; f. janv.

DOM. DU CHARDONNAY
Mont de Milieu 1999★

☐ 0,41 ha 2 400 11 à 15 €

Il nous étonnera toujours. Réussir à s'appeler Domaine du Chardonnay ! Il fallait y penser... Cela dit ce Mont de Milieu justifie sa place parmi les grands 1ers crus. Une pointe de vert dans son jaune doux, le nez citronné et pierreux, de l'impulsion dès l'entrée et du gras pour arrondir l'acidité : le terroir parle sans être dominé par le fût. (70 à 99 F)

Dom. du Chardonnay, Moulin du Patis, 89800 Chablis, tél. 03.86.42.48.03, fax 03.86.42.16.49, e-mail domaine.chardonnay@free.fr r.-v.

DOM. DU COLOMBIER
Fourchaume 1999★★

☐ 2,3 ha 15 000 8 à 11 €

Exact prolongement vers le nord de la côte du grand cru, Fourchaume est peut-être le prince des 1ers crus. Jaune pâle soutenu par de beaux reflets verts, il s'ouvre sur la pierre à fusil, sur une minéralité « caillouteuse ». Vin de cuve et pas de bois, bien fait et caractéristique : franchise et vigueur donnent lieu à une harmonie impressionnante. On vous suggère des filets de rouget. Le **Vaucoupin 99** obtient également deux étoiles. (50 à 69 F)

Dom. du Colombier, Guy Mothe et ses Fils, 42, Grand-Rue, 89800 Fontenay-près-Chablis, tél. 03.86.42.15.04, fax 03.86.42.49.67 r.-v.

LA CAVE DU CONNAISSEUR
Montmains 1999★

☐ 0,9 ha 3 500 11 à 15 €

Pourquoi ne pas faire le choix d'Henri IV et savourer ce Montmains avec une poule au pot ? Un autre dégustateur propose des noix de pétoncles à la crème... En fait, une bouteille idéale pour tout un repas. Jaune soutenu, ce 99 déborde d'arômes (pamplemousse, pain grillé) et de volume en bouche. (70 à 99 F)

La Cave du Connaisseur, rue des Moulins, BP 78, 89800 Chablis, tél. 03.86.42.87.15, fax 03.86.42.49.84, e-mail connaisseur@chablis.net t.l.j. 10h-18h

DOM. DANIEL DAMPT
Les Vaillons 1999★

☐ 5 ha 25 000 11 à 15 €

« Vin de Chablis et de Beaune, un vin qui n'est pas trop jaune ». Henri d'Andely versifiait ainsi en 1214 pour sa fameuse *Bataille des vins.* Pas trop jaune, en effet, ce 99 est d'un minéral un peu austère mais il s'enveloppe gentiment de fleur blanche. Il devrait s'ouvrir rapidement. Parfait pour compenser le côté iodé du poisson de mer. (70 à 99 F)

Dom. Daniel Dampt, 1, rue des Violettes, 89800 Milly-Chablis, tél. 03.86.42.47.23, fax 03.86.42.46.41, e-mail domaine.dampt.defaix@wanadoo.fr r.-v.

JEAN DAUVISSAT Montmains 1998★★

☐ 1,22 ha 10 000 11 à 15 €

D'un superbe chablis, on disait autrefois : « Il a de l'amour ! » C'est ce qu'on pense de ce Montmains 98 qui conviendra fort bien à un poisson de rivière. Jaune clair, il ne craint pas de vagabonder au loin. Son bouquet est en effet un tantinet exotique (fruit de la Passion notamment), très minéral aussi. La bouche prolonge le nez, avec infiniment de fraîcheur et de charme. (70 à 99 F)

Caves Jean Dauvissat, 3, rue de Chichée, 89800 Chablis, tél. 03.86.42.14.62, fax 03.86.42.45.54, e-mail jean.dauvissat@terre-net.fr r.-v.

RENE ET VINCENT DAUVISSAT
Vaillons 1999★

☐ 1,3 ha 11 000 11 à 15 €

Si vous êtes pressés, choisissez **Séchet 99** qui obtient une citation et qui est à déboucher maintenant. Si vous avez un peu plus de temps, prenez celui-ci aux arômes de mousseron et de fruits. Sa structure élégante, assez vive, fraîche, laisse percer les caractères de l'appellation qui devraient mieux s'exprimer dans deux ans. (70 à 99 F)

GAEC René et Vincent Dauvissat, 8, rue Emile-Zola, 89800 Chablis, tél. 03.86.42.11.58, fax 03.86.42.85.32

DOM. DANIEL-ETIENNE DEFAIX-AU VIEUX CHATEAU
Vaillon 1997**

☐ 3 ha 9 000 15 à 23 €

Rare domaine à commercialiser des vins de quatre à huit ans d'âge. Il met une coquetterie à nous faire déguster un Vaillon 97. Belle année, s'exprimant ici avec beaucoup de maturité. Ses petites notes de miel et d'orange confite s'associent aux arômes de mousseron ; la bouche très minérale exprime un beau terroir bien fondu, ayant parfaitement évolué et susceptible de profiter d'une heureuse vieillesse si vous résistez à la tentation. (100 à 149 F)

Daniel-Etienne Defaix, Au Vieux-Château,14, rue Auxerroise, BP 50, 89800 Chablis, tél. 03.86.42.42.05, fax 03.86.42.48.56, e-mail chateau@chablisdefaix.com t.l.j. 9h-12h 14h-18h; f. 1er jan.-15 fév.

JEAN-PAUL DROIN Vaillons 1999**

☐ 4,8 ha 38 000 11 à 15 €

Coup de cœur naguère pour une Montée de Tonnerre, ce domaine ne fait jamais les choses à moitié. Dans ce millésime, **Montmain, Montée de Tonnerre, Vaucoupin, Vosgros**, obtiennent chacun une étoile. Croyez-nous, c'est rare. Celui-ci est arrivé troisième au grand jury des coups de cœur. D'ailleurs, il pourrait servir d'affiche publicitaire pour le Chablisien tant il réunit de qualités. Cuve et fût se complètent bien. Il a une présence magnifique tant au nez, aromatique, concentré mais élégant, qu'en bouche où l'on retrouve les caractères précédents sur une structure très prometteuse. (70 à 99 F)

Dom. Jean-Paul Droin, 14 bis, rue Jean-Jaurès, 89800 Chablis, tél. 03.86.42.16.78, fax 03.86.42.42.09 r.-v.

JOSEPH DROUHIN Vaillons 1999**

☐ 2,2 ha 15 000 15 à 23 €

Relisez Jules Guyot (1868): il chante la « blancheur » des vins de Chablis ! Celui-ci répond à cette description. La pêche, la fleur, le miel composent son bouquet. Son attaque nette et franche aboutit à un équilibre entre la richesse et une belle acidité. Il est probable que sa minéralité apparaîtra dans deux ou trois ans, voire davantage. (100 à 149 F)

Joseph Drouhin, 7, rue d'Enfer, 21200 Beaune, tél. 03.80.24.68.88, fax 03.80.22.43.14, e-mail maisondrouhin@drouhin.com r.-v.

GERARD DUPLESSIS
Montée de Tonnerre 1999**

☐ 1,2 ha 6 000 8 à 11 €

On vous laisse le choix entre deux bouteilles : rond, atypique, fruits confits, le **Vaillon 98 (70 à 99 F)** qui obtient une étoile ; et cette Montée de Tonnerre plus jeune. Elle possède le classique rayon vert dans sa lumière dorée ; un nez considérable, très prenant (genêt et agrumes), puis une bouche souple à l'attaque, qui prend de l'ampleur au cours de la dégustation et finit en beauté sur un léger boisé. (50 à 69 F)

EARL Caves Duplessis, 5, quai de Reugny, 89800 Chablis, tél. 03.86.42.10.35, fax 03.86.42.11.11 r.-v.

DOM. D'ELISE Côte de Léchet 1999*

☐ 0,1 ha 700 11 à 15 €

Ce Côte de Léchet a la couleur de l'emploi et un nez distingué, une expression minérale typique. Structuré et long, un 99 à garder trois à quatre ans. (70 à 99 F)

Frédéric Prain, Côte de Léchet, 89800 Milly, tél. 03.86.42.40.82, fax 03.86.42.44.76 r.-v.

WILLIAM FEVRE Beauroy 1999**

☐ n.c. n.c. 15 à 23 €

William Fèvre est à Chablis une véritable institution et le demeure sous l'autorité de J. Henriot. Cette bouteille honore son étiquette. Dorée à reflets verts comme il se doit, florale puis minérale, elle possède tout le gras voulu et conclut sur une jolie touche grillée. La **Montée de Tonnerre 99** et le **Vignoble de Vaulorent, Fourchaume 99** obtiennent chacun une étoile. Mariages réussis du vin et du bois. (100 à 149 F)

Dom. William Fèvre, 21, av. d'Oberwesel, 89800 Chablis, tél. 03.86.98.98.98, fax 03.86.98.98.99, e-mail france@williamfevre.com t.l.j. sf dim. 9h-12h 14h-18h

JEAN-CLAUDE FROMONT
Vaillons 1999

☐ n.c. 7 000 8 à 11 €

L'œil est sans défaut sur une tonalité assez claire. Le nez frémit sous des arômes d'acacia. Rond, tendre, léger, ici Vaillons rime avec papillon. Mais c'est aussi un vin sérieux qui donne beaucoup de lui-même. (50 à 69 F)

Maison Jean-Claude Fromont, Ch. de Ligny, 7, av. de Chablis, 89144 Ligny-le-Châtel, tél. 03.86.98.20.40, fax 03.86.47.40.72, e-mail accueil@chateau-de-ligny.com r.-v.

DOM. ALAIN GAUTHERON
Les Fourneaux 1999**

☐ 2,8 ha 20 000 8 à 11 €

Petit *climat* sur Fleys. Les amateurs vont volontiers à sa rencontre car il est élitiste. Limpide et minéral, orienté ensuite sur le noyau, un vin concentré et structuré à la finale très fraîche et mentholée. Un beau crescendo. Le terroir apparaît dans toute sa profondeur. Très droit, très retenu ; rien ne dépasse. Coup de cœur pour toutes ces vertus. Deux étoiles ont couronné le **Vaucoupin 99** sous une autre étiquette représentant la maison du vigneron dans ses vignes. (50 à 69 F)

BOURGOGNE

Alain Gautheron, 18, rue des Prégirots, 89800 Fleys, tél. 03.86.42.44.34, fax 03.86.42.44.50 r.-v.

JEAN-PIERRE GROSSOT

Mont de Milieu 1999**

0,65 ha 5 000 11 à 15 €

Une étoile récompense le **Vaucoupin 99**. Le Mont de Milieu, parfaitement équilibré, a subi un double élevage en fût et en cuve, offrant un boisé fin qui accompagne une admirable typicité, tant dans la couleur qu'au nez et en bouche. Ce que l'on peut nommer élégance. (70 à 99 F)

Corinne et Jean-Pierre Grossot, 4, rte de Mont-de-Milieu, 89800 Fleys, tél. 03.86.42.44.64, fax 03.86.42.13.31 r.-v.

DOM. HAMELIN Beauroy 1999*

3,89 ha 32 800 11 à 15 €

Un nez fleuri au premier abord, puis un palais souple en attaque, un peu plus vif ensuite mais sans la moindre violence ; il ne manque pas d'offrir une petite touche d'amertume en finale. Chemin faisant, découvrez Lignorelles et son four à chaux médiéval. (70 à 99 F)

EARL Thierry Hamelin, 1, rue des Carillons, 89800 Lignorelles, tél. 03.86.47.54.60, fax 03.86.47.53.34 t.l.j. sf mer. dim. 9h15-12h15 14h-18h; f. août

DOM. DES ILES Côte de Léchet 1999**

3 ha 24 000 8 à 11 €

Sous sa robe mordorée, cette Côte de Léchet est née entre Poinchy et Milly ; ce remarquable 1er cru fait souvent des prodiges. Très aromatique, charnu, ce 99 possède une véritable volonté. Comme il est bien constitué, le mieux est de le mettre de côté pour le milieu de la décennie qui commence. (50 à 69 F)

Gérard Tremblay, 12, rue de Poinchy, 89800 Chablis, tél. 03.86.42.40.98, fax 03.86.42.40.41 t.l.j. sf dim. 8h-12h 13h30-17h30; sam. sur r.-v.; f. août

LES DOMAINES LA CHABLISIENNE

Mont de Milieu 1999*

6 ha 40 000 15 à 23 €

Les Lys 99 sont d'excellente compagnie pour qui sait attendre. Mont de Milieu aussi. Ce qu'on apprécie surtout ? Sa couleur dans la tradition, ses parfums d'aubépine, de sous-bois et de pierre à fusil. Le général Basile Gras, inventeur du fusil du même nom, n'était-il pas enfant du pays ? Vin riche et de terroir évoquant la mousse, le lichen. (100 à 149 F)

La Chablisienne, 8, bd Pasteur, BP 14, 89800 Chablis, tél. 03.86.42.89.89, fax 03.86.42.89.90, e-mail chab@chablisienne.com t.l.j. 9h-12h 14h-18h

DOM. DE LA CONCIERGERIE

Butteaux 1999*

1,1 ha 8 000 8 à 11 €

Ce *climat* ne figure pas très souvent sur les étiquettes, et il est relativement peu connu. Il s'épanouit cependant sur la même côte que Forêt. De teinte pâle, ce 99 se montre charmeur et racé, particulièrement typé. Le potentiel est important : vous pouvez laisser vieillir cette bouteille un à deux ans. (50 à 69 F)

EARL Christian Adine, 2, allée du Château, 89800 Courgis, tél. 03.86.41.40.28, fax 03.86.41.45.75, e-mail nicole.adine@free.fr r.-v.

LAMBLIN ET FILS Fourchaumes 1999**

3,5 ha 24 000 11 à 15 €

Trônant au centre de la grande côte au sud-ouest de Chablis, **Vaillon 99** fait partie des meilleurs 1ers crus. Enracinée ici depuis 1690, la famille Lamblin en tire un vin une étoile qui a du tonus. Ces Fourchaumes vous apporteront toute satisfaction. Cristalline, la robe est dans la typicité, le nez aussi, tout entier sur le fruit, la minéralité, à l'image de la bouche élégante, persistante. Vin de garde. (70 à 99 F)

Lamblin et Fils, Maligny, 89800 Chablis, tél. 03.86.98.22.00, fax 03.86.47.50.12, e-mail infovin@lamblin.com t.l.j. sf dim. 8h-12h-30 14h-17h; sam. 8h-12h30

DOM. DE LA TOUR Côte de Cuissy 1999*

0,18 ha 1 500 11 à 15 €

Quel casting ! Le sous-bois, la fleur sauvage, des notes beurrées et grillées, sous un or pâle limpide. Très souple, il est sympathique et même distingué ; il n'est pas très vif, mais assez direct. Cette propriété familiale a été reprise en 1992 par M. Fabrici. Et de Chitry-le-Fort, elle s'est implantée à Lignorelles. (70 à 99 F)

SCEA Dom. de La Tour, 3, rte de Montfort, 89800 Lignorelles, tél. 03.86.47.55.68, fax 03.86.47.55.86 r.-v.

Fabrici

DOM. LONG-DEPAQUIT Les Lys 1999

1,69 ha 12 000 15 à 23 €

Jadis partie du domaine royal, Les Lys ont un charme d'Ancien Régime. Et, aujourd'hui, le Savoyard Gérard Vullien gère admirablement les vignobles Bichot du Chablisien. Du coup, ce vin a de la particule tout en restant démocrate. Or léger, il étincelle au bouquet, passant de l'écorce d'orange au miel. Dominante moelleuse au palais. (100 à 149 F)

Ch. Long-Depaquit, 45, rue Auxerroise, 89800 Chablis, tél. 03.86.42.11.13, fax 03.86.42.81.89, e-mail longdepaquit@wanadoo.fr t.l.j. sf dim. 9h-12h30 13h-18h

Albert Bichot

DOM. DES MALANDES
Vau de Vey 1999★★

☐ 3,5 ha 29 800 8 à 11 €

Coup de cœur l'an dernier et déjà dans le Guide 1990, ce domaine présente un Vau de Vey. Situé sur Beine (ou Beines, on n'a pas fini d'en discuter), c'est l'un des *climats* admis le plus récemment dans le cercle des 1ers crus. Senteurs de bourgeon, de fruits frais, et robe claire. Au palais, où l'acidité est bien négociée, on devine une complexité intéressante. Très bonne persistance aromatique. (50 à 69 F)

Dom. des Malandes, 63, rue Auxerroise, 89800 Chablis, tél. 03.86.42.41.37, fax 03.86.42.41.97, e-mail contact@domainedesmalandes.com r.-v.
Marchive

CH. DE MALIGNY
L'Homme mort 1999★★

☐ 5 ha 32 000 11 à 15 €

On raconte ici que ce *climat*, l'Homme mort, évoque un soldat anglais victime de la guerre de Cent Ans. Ce vin que recherchent les amateurs est ici un *must*. La famille Durup peut allumer les lampions au château de Maligny : ce 99 est dans la mouvance des coups de cœur. Un peu minéral, il porte la robe des chablis. Longue et équilibrée, la bouche est nichée dans l'amande et le miel. (70 à 99 F)

SA Jean Durup Père et Fils, 4, Grande-Rue, 89800 Maligny, tél. 03.86.47.44.49, fax 03.86.47.55.49, e-mail durup@club-internet.fr r.-v.

DOM. JEAN-CLAUDE MARTIN
Beauregards 1999★

☐ n.c. 12 000 8 à 11 €

Climat sur Courgis, prolongeant la Côte de Cuissy vers le sud-ouest et le plus éloigné du cœur du vignoble. Jaune clair, ce vin présente une bouche d'une très belle harmonie (gras, finesse, retour de fruits frais). On se fera plaisir sur un fromage à pâte cuite. (50 à 69 F)

Jean-Claude Martin, 5, rue de Chante-Merle, 89800 Courgis, tél. 03.86.41.40.33, fax 03.86.41.47.10 t.l.j. 9h-12h 14h-19h; sam. dim. sur r.-v.; f. 15-31 août

J. MOREAU ET FILS Vaucoupin 1998★★

☐ 3 ha 24 000 8 à 11 €

Cette bouteille tient bon sur ses jambes. D'une belle brillance, le bouquet réparti entre le beurre et le coing, elle attaque en souplesse, en rondeur sur l'agrume (pamplemousse) et la noisette fraîche. Un 1er cru à son niveau de longueur et de complexité. (50 à 69 F)

J. Moreau et Fils, La Croix Saint-Joseph, rte d'Auxerre, 89800 Chablis, tél. 03.86.42.88.00, fax 03.86.42.88.08, e-mail moreau@jmoreau-fils.com

MOREAU-NAUDET ET FILS
Vaillons 1999★★

☐ 1,7 ha 9 000 11 à 15 €

« Chablis, Chablis, ô pays que j'acclame... » Qui chantait cela ? Aristide Bruand, et c'était de sa composition. Cette bouteille jaune d'or pourrait servir de refrain. Quelques notes végétales bien fondues, une certaine complexité, une bouche assez dense et suave : la dégustation est agréable et ornée d'une touche minérale. (70 à 99 F)

GAEC Moreau-Naudet et Fils, 5, rue des Fossés, 89800 Chablis, tél. 03.86.42.14.83, fax 03.86.42.85.04 r.-v.

DE OLIVEIRA LECESTRE
Côte de Fontenay Vieilles vignes 1999

☐ 0,5 ha 3 340 8 à 11 €

Rive droite, bien exposé au sud-est, ce *climat* flirte avec les grands 1ers crus. Préparez les filets de sole, car voici un 99 bien réussi, qui sera facile à aborder dans deux ans. Fleur d'aubépine et vivacité se conjuguent agréablement. (50 à 69 F)

GAEC De Oliveira Lecestre, 11, Grand-Rue, 89800 Fontenay-près-Chablis, tél. 03.86.42.40.78, fax 03.86.42.83.72 t.l.j. sf dim. 10h-12h 14h-19h; f. 15-30 août
Jacky Chatelain

CHRISTIANE ET JEAN-CLAUDE OUDIN Vaucoupins 1999★

☐ 0,4 ha 3 200 11 à 15 €

Cristallin à reflets verts, il connaît son rôle par cœur. Minéral et iodé, il est océanique. Beaucoup de volume et des notes végétales, il n'emprunte à personne son personnage. Il est lui-même et de pied ferme. Plaisant, il réveille les papilles. Il pourrait aujourd'hui affronter les huîtres. (70 à 99 F)

Dom. Oudin, 5, rue du Pont, 89800 Chichée, tél. 03.86.42.44.29, fax 03.86.42.10.59 r.-v.

DOM. PINSON Vaugiraut 1999★

☐ 0,34 ha 2 900 11 à 15 €

La Forêt 99 passe la barre, **Montmain 99** obtient une étoile, tout comme ce Vaugiraut situé rive gauche et sur Chichée : ce lieu-dit est d'une superficie assez modeste mais il est qualitativement élevé, témoin ce 99 d'une limpidité parfaite, aux délicieux arômes d'abricot sec et d'angélique confite. Il fait en bouche ses gammes sur des notes de sous-bois et de silex. De la mâche, six mois de fût et six mois de cuve. (70 à 99 F)

SCEA Dom. Pinson, 5, quai Voltaire, 89800 Chablis, tél. 03.86.42.10.26, fax 03.86.42.49.94, e-mail contact@domaine-pinson.com r.-v.

DENIS RACE Montmains 1999★

☐ 5,22 ha 24 500 8 à 11 €

Le domaine fut notre coup de cœur de l'an 2000. Les jurys ont placé **Vaillon** et **Mont de Milieu 99** au rang de celui-ci. Pourquoi aime-t-on ce Montmains ? Parce qu'il en a la classe, les notes citronnées et minérales ; à servir sur un fromage de chèvre. (50 à 69 F)

Denis Race, 5 A, rue de Chichée, 89800 Chablis, tél. 03.86.42.45.87, fax 03.86.42.81.23, e-mail domaine@chablisrace.com r.-v.

BOURGOGNE

REGNARD Mont de Milieu 1998*

☐ 3 ha 25 000 ■ 🌡 23 à 30 €

Fondée par Zéphyr Régnard en 1860, cette maison a été reprise en 1984 par le baron Patrick de Ladoucette. Il signe ainsi un Mont de Milieu qui, comme le souhaitait Raymond Dumay, se montre sec, limpide, parfumé, vif et léger. Richesse en prime ! Un millésime bien vinifié, évoluant vers le raisin mûr et la minéralité. (150 à 199 F)

Régnard, 28, bd Tacussel, 89800 Chablis, tél. 03.86.42.10.45, fax 03.86.42.48.67 ☑ Y r.-v.

DOM. GUY ROBIN ET FILS
Montmains Vieilles vignes 1998**

☐ 2 ha n.c. 8 à 11 €

Belle réussite et beaucoup d'avenir. Ces simples mots résument les appréciations recueillies par cette bouteille dite de « vieilles vignes » et qui est de 98. Un chardonnay ample et plein, dont la vivacité a quelque chose de spontané, de sincère. Le nez est réellement complexe, la robe dans le ton. **Mont de milieu 98**, vin de garde également, d'un grand style, obtient une étoile. (50 à 69 F)

Guy Robin et Fils, 13, rue Berthelot, 89800 Chablis, tél. 03.86.42.12.63, fax 03.86.42.49.57 ☑ Y t.l.j. 8h-19h

FRANCINE ET OLIVIER SAVARY
Fourchaume 1999*

☐ 0,7 ha 5 600 ■ 🌡 8 à 11 €

Une cave voûtée et en belles pierres accueille depuis 1999 les visiteurs du domaine. Or pâle à reflets verts, ce Fourchaume montre une bonne nature. Citron, pamplemousse, pomme verte accompagnent une pointe minérale. Savez-vous ce que conseille un dégustateur ? Des filets de lisette au jus de caviar servis avec des tomates confites ! (50 à 69 F)

Francine et Olivier Savary, 4, chem. des Hâtes, 89800 Maligny, tél. 03.86.47.42.09, fax 03.86.45.55.80 ☑ Y r.-v.

DANIEL SEGUINOT Fourchaume 1999**

☐ 3,8 ha 7 000 ■ 🌡 11 à 15 €

Sa brillance fait oublier sa relative pâleur, mais les vins de Chablis doivent demeurer raisonnables en couleur. Abricot, pêche de vigne, le nez semble bien disposé. Au palais, les agrumes font la fête, et l'acidité n'a rien d'excessif tout en étant présente. Imaginez-le avec un jambon au chablis et fermez les yeux... (70 à 99 F)

Daniel Seguinot, rte de Tonnerre, 89800 Maligny, tél. 03.86.47.51.40, fax 03.86.47.43.37 ☑ Y t.l.j. 9h-12h 14h-18h

DOM. SERVIN Les Forêts 1999*

☐ 0,37 ha 2 800 ■ 8 à 11 €

Jaune clair, il a le nez fin. On s'enfonce avec plaisir dans ces Forêts profondes, aux allées assez longues, minérales et au parfum de poire. Le fruit arbitre un débat pacifique entre l'acidité et le moelleux. La fin de bouche n'a rien de banal. (50 à 69 F)

SCE Dom. Servin, 20, av. d'Oberwesel, 89800 Chablis, tél. 03.86.18.90.00, fax 03.86.18.90.01, e-mail servin@domaine-servin.fr ☑ Y t.l.j. sf dim. 8h-12h 13h30-17h30

SIMONNET-FEBVRE Vaillons 1999*

☐ 2,1 ha 17 000 ■ 🌡 11 à 15 €

Jadis fournisseur exclusif du tsar Nicolas II à Saint-Pétersbourg, ce négociant devrait proposer cette bouteille au nouveau Kremlin car elle pourrait briller de tout l'or du monde sur la place Rouge. Arômes végétaux, de coing à l'aération, et le corps mêlé à l'aubépine. Joli potentiel et typicité que l'on cherche à Chablis sans toujours y réussir. (70 à 99 F)

Simonnet-Febvre, 9, av. d'Oberwesel, BP 12, 89800 Chablis, tél. 03.86.98.99.00, fax 03.86.98.99.01, e-mail simonnet@chablis.net ☑ Y t.l.j. 8h-11h30 14h-18h; sam. dim. sur r.-v.

DOM. DE VAUROUX
Montée de Tonnerre 1999*

☐ 1,11 ha 9 000 ■ 🌡 11 à 15 €

En pierres sèches, le domaine possède la plus ancienne *cabotte* (le mot est de la Côte-d'Or) de vigneron. Son image figure sur l'étiquette. Quant à sa Montée de Tonnerre, elle a du montant ! Vert doré, ce 99 au nez d'eucalyptus, de citron et d'acacia se révèle souple et juvénile. Vin plaisir pour l'année 2002. Du même producteur, le **Domaine des Héritières, Montmains 99** obtient aussi une étoile. (70 à 99 F)

SCEA Dom. de Vauroux, rte d'Avallon, BP 56, 89800 Chablis, tél. 03.86.42.10.37, fax 03.86.42.49.13 ☑ Y r.-v.

Olivier Tricon

DOM. VOCORET ET FILS
La Forêt 1999**

☐ 4,7 ha 35 000 ■ 🌡 8 à 11 €

Nous vous recommandons **Vaillon 99**, gourmand et prometteur, tout autant que celui-ci, issu d'un des meilleurs *climats* de la rive gauche du Serein. Or blanc, il nous fait penser à l'amande grillée, au pain beurré. Son élégance et son excellente tenue en bouche s'adapteront aux meilleures situations culinaires. (50 à 69 F)

Dom. Vocoret et Fils, 40, rte d'Auxerre, 89800 Chablis, tél. 03.86.42.12.53, fax 03.86.42.10.39, e-mail domainevocoret@wanadoo.fr ☑ Y r.-v.

DOM. VRIGNAUD Fourchaume 1999*

☐ 5,4 ha 5 000 ■ 🌡 8 à 11 €

Ce domaine vendait sa production en raisins. Depuis l'arrivée de Guillaume Vrignaud au début des années 1990, il vinifie et commercialise lui-même. Son Fourchaume est de bonne stature. Ses arômes évoquent la surmaturité avec une note de fumé. Très agréable passage en bouche dans une atmosphère de sous-bois, de champignons, de fruits confits et d'amande grillée. (50 à 69 F)

🔑 Dom. Vrignaud, 10, rue de Beauvoir,
89800 Fontenay-près-Chablis,
tél. 03.86.42.15.69, fax 03.86.42.40.06,
e-mail guillaume.vrignaud@wanadoo.fr
☑ Y r.-v.

Chablis grand cru

Issu des coteaux les mieux exposés de la rive droite, divisés en sept lieux-dits (Blanchot, Bougros, les Clos, Grenouille, Preuses, Valmur, Vaudésir), le chablis grand cru possède à un degré plus élevé toutes les qualités des précédents, la vigne se nourrissant d'un sol enrichi par des colluvions argilo-pierreuses. Quand la vinification est réussie, un chablis grand cru est un vin complet, à grande persistance aromatique, auquel le terroir confère un tranchant qui le distingue de ses rivaux du sud. Sa capacité de vieillissement stupéfie, car il exige huit à quinze ans pour s'apaiser, s'harmoniser et acquérir un inoubliable bouquet de pierre à fusil, voire, pour les clos, de poudre à canon !

JEAN-CLAUDE BESSIN Valmur 1999

☐ 1,28 ha 5 000 15 à 23 €

Net à l'œil, il offre des arômes intenses pour un 99, rappelant le fruit mûr. Il présente le même caractère en bouche, sans montrer une grande persistance. Valmur passe pour le plus romantique des vins issus du grand cru. Sans doute en raison de la grande diversité de ses sentiments (altitudes et expositions diffèrent beaucoup). (100 à 149 F)

🔑 Jean-Claude Bessin, 3, rue de la Planchotte,
89800 Chablis, tél. 03.86.42.46.77,
fax 03.86.42.85.30 ☑ Y r.-v.

DOM. BESSON Vaudésir 1999★★

☐ 1,43 ha 1 200 15 à 23 €

Un vin à fort potentiel, et cependant très ouvert déjà pour un grand cru sortant tout juste de son berceau. Jaune pâle, pomme verte, la noisette signalant un boisé aimable, il exprime une forte minéralité en finale. Il reflète bien le millésime et l'appellation dans ce style d'ouverture généreuse. (100 à 149 F)

🔑 EARL Dom. Alain Besson, rue de Valvan,
89800 Chablis, tél. 03.86.42.19.53,
fax 03.86.42.49.46 ☑ Y r.-v.

DOM. BILLAUD-SIMON Les Preuses 1999★

☐ n.c. 2 500 23 à 30 €

Comme dans l'édition 1996, le jury choisit Les Preuses (coup de cœur cette année-là dans le millésime 92). L'an dernier, c'était Vaudésir (également coup de cœur, millésime 98). Toujours l'embarras du choix dans cette cave. Disons que **Vaudésir 99** est cité alors que **Les Clos 99** obtiennent une étoile et vous conviendront très bien. S'il reste des Preuses, accordez-leur aussi toute votre attention : tenace sur le fruit frais, d'une présence minérale, c'est un vin élégant et prometteur, qui tient son rang de grand cru. (150 à 199 F)

🔑 Dom. Billaud-Simon, 1, quai de Reugny,
BP 46, 89800 Chablis, tél. 03.86.42.10.33,
fax 03.86.42.48.77 ☑ Y t.l.j. sf sam. dim.
9h-18h; f. 15 août-1er sept.

JEAN-MARC BROCARD Vaudésir 1999

☐ n.c. n.c. 15 à 23 €

Souvent présent à l'AJ Auxerre, Jean-Marc Brocard n'a pas recours ici aux tirs au but pour gagner le match. Sous maillot vieil or, il joue la fleur blanche et le fruit sec au sein d'une attaque aromatique de belle intensité. Un jeu à la Guy Roux, efficace et montant en puissance en fin de saison. A attendre en effet, et n'oubliez pas : il a besoin pour s'exprimer d'un bon plat d'accompagnement, un poisson cuisiné, par exemple. (100 à 149 F)

🔑 Jean-Marc Brocard, 3, rte de Chablis,
89800 Préhy, tél. 03.86.41.49.00,
fax 03.86.41.49.09, e-mail brocard@brocard.fr
☑ Y r.-v.

DOM. JEAN COLLET ET FILS Valmur 1999★

☐ 0,51 ha 3 500 15 à 23 €

D'une belle nuance classique, son nez est long à venir. Un soupçon de fruit et d'amande consent enfin à se livrer. C'est délicat, très fin, grâce à un fût bien fondu. Intense et vif en attaque, pourvu d'un gras légèrement miellé, il balance entre une pointe de fraîcheur et une pointe d'alcool. Il est bien fait et très intéressant. (100 à 149 F)

🔑 Dom. Jean Collet et Fils,
15, av. de la Liberté, 89800 Chablis,
tél. 03.86.42.11.93, fax 03.86.42.47.43,
e-mail collet.chablis@wanadoo.fr ☑ Y t.l.j. sf dim. 9h-12h 14h-17h30; f. août

DOM. DU COLOMBIER Bougros 1999★★

☐ 1,2 ha n.c. 11 à 15 €

Ce *climat* clôt la côte du grand cru en direction de Maligny. Entreprenant, enveloppeur, robuste à l'occasion, il ne se fait pas oublier. Ce 99 répond à 100 % au portrait-robot. D'une typicité hors de pair, il touche à la perfection. Discret à l'approche (or pâle), il révèle très vite ses ambitions aromatiques et gustatives jusque dans une finale très enlevée (fruits exotiques, fruits mûrs). C'est un très grand. (70 à 99 F)

🔑 Dom. du Colombier, Guy Mothe et ses Fils,
42, Grand-Rue, 89800 Fontenay-près-Chablis,
tél. 03.86.42.15.04, fax 03.86.42.49.67 ☑ Y r.-v.
🔑 Mothe frères

BOURGOGNE

RENE ET VINCENT DAUVISSAT
Les Preuses 1999*

☐ 0,96 ha 6 000 15 à 23 €

« Les Preuses de Dauvissat », dit-on souvent comme la Vénus de Milo ou la Victoire de Samothrace. Les coups de cœur ont été nombreux dans le passé. Voici le 99 aux arômes de sous-bois et de truffe, offrant de la richesse et du volume sous un discret boisé. On lui fait confiance pour l'avenir tant il est bien fait. Notez aussi **Les Clos 99**, un vin vif et très minéral, avec également une étoile, toujours très jeune et plein d'avenir. (100 à 149 F)

GAEC René et Vincent Dauvissat,
8, rue Emile-Zola, 89800 Chablis,
tél. 03.86.42.11.58, fax 03.86.42.85.32

JEAN-PAUL DROIN Les Clos 1999***

☐ 1 ha 7 000 15 à 23 €

Ils sont tous bons, et meilleurs que bons, **Grenouille et Vaudésir 99**, classés une étoile et **Blanchot 99**, vrai grand cru par son nez et sa bouche harmonieuse. On n'en finirait jamais de citer les coups de cœur obtenus par ce domaine, millésimés 84, 87, 88, 93, 98. Hors-concours absolu, ce domaine éclatant nous fait l'honneur de ses Clos superbes du début à la fin, tout en subtilité et en élégance, parfaitement typés sous une note boisée mesurée. L'émotion éblouissante d'un grand cru, grand comme l'Everest. Tout est parfait. (100 à 149 F)

Dom. Jean-Paul Droin, 14 bis, rue Jean-Jaurès, 89800 Chablis, tél. 03.86.42.16.78,
fax 03.86.42.42.09 r.-v.

JOSEPH DROUHIN Vaudésir 1999*

☐ 1,4 ha n.c. 30 à 38 €

Joseph Drouin fait partie de ces maisons beaunoises qui s'intéressent depuis longtemps à ce vignoble et y ont pris pied. Son Vaudésir rime avec désir : une bouteille à laisser tranquille plusieurs années avant d'en tirer l'optimum. Or blanc, vanille et poire, l'équilibre est certain. On apprécie sa fraîcheur, sa persistance aromatique, son boisé bien contrôlé. A déguster dans trois ans. Avec un chapon ? (200 à 249 F)

Joseph Drouhin, 7, rue d'Enfer,
21200 Beaune, tél. 03.80.24.68.88,
fax 03.80.22.43.14,
e-mail maisondrouhin@drouhin.com r.-v.

DOM. WILLIAM FEVRE
Les Preuses 1999***

☐ 2,55 ha n.c. 30 à 38 €

Le domaine William Fèvre (acquis par la famille champenoise Henriot, propriétaire de Bouchard Père et Fils) se montre en effet grand seigneur en nous invitant à déguster les sept *climats* du grand cru dans le millésime 99. Et ils sont tous sélectionnés. Le grand jury (sept dégustateurs) a élu celui-ci coup de cœur (les Preuses 98 furent déjà coup de cœur l'an dernier). D'un or réservé à reflet vert, fruit frais au nez, il évoque le mousseron et le silex dans la plus pure tradition. Rien de mieux pour un grand plat de crustacés. Ce domaine possède 15,5 % de la superficie totale de ce grand cru. **Blanchot 99 (150 à 199 F)** obtient deux étoiles. Sa typicité est également exemplaire. (200 à 249 F)

Dom. William Fèvre, 21, av. d'Oberwesel,
89800 Chablis, tél. 03.86.98.98.98,
fax 03.86.98.98.99,
e-mail france@williamfevre.com
t.l.j. sf dim. 9h-12h 14h-18h

DOM. WILLIAM FEVRE
Grenouilles 1999**

☐ 0,57 ha n.c. 30 à 38 €

Voici donc les autres grands crus Fèvre-Henriot, tous des 99, tous dans la même fourchette de prix. Cité sans étoile, le **Bougros côte Bouguerots**, encore très boisé. Obtiennent une étoile : **Les Clos**, où le fût ne masque pas le terroir s'exprimant sur un ton minéral, et **Valmur** où l'on retrouve également « un grand cru dans le bois » ; il est floral, frais, racé. Deux étoiles sont attribuées au **Vaudésir**, « très beau vin de dentelle où les agrumes sont appuyés par une note boisée du plus grand effet » ; enfin à celui-ci, floral, minéral et finement boisé, bien élevé et, bien sûr, de garde. (200 à 249 F)

Dom. William Fèvre, 21, av. d'Oberwesel,
89800 Chablis, tél. 03.86.98.98.98,
fax 03.86.98.98.99,
e-mail france@williamfevre.com
t.l.j. sf dim. 9h-12h 14h-18h

DOM. DES ILES Vaudésir 1999

☐ 0,63 ha 3 500 23 à 30 €

Un 99 qu'on aimerait revoir dans quelque temps. Sa jeunesse lui donne en effet un côté un peu vif. Nul doute que ce tempérament s'estompera avec l'âge ; parmi ses atouts, outre sa limpidité brillante, on notera un bouquet aux senteurs de violette et surtout d'aubépine et de réglisse, un corps bien construit, une incontestable présence. (150 à 199 F)

Gérard Tremblay, 12, rue de Poinchy,
89800 Chablis, tél. 03.86.42.40.98,
fax 03.86.42.40.41 t.l.j. sf dim. 8h-12h
13h30-17h30; sam. sur r.-v.; f. août

LA CHABLISIENNE Les Preuses 1999*

☐ 3,9 ha 23 000 23 à 30 €

Récent successeur de Jacques Fèvre à la présidence de la coopérative, Jean-Luc Balacey (de Viviers) présente des Preuses fraîches et vives, élégantes, faisant assaut de finesse. L'amande et la fleur d'acacia s'en donnent à cœur joie. La robe est irréprochable, le bouquet très chablisien, minéral et citronné. (150 à 199 F)

La Chablisienne, 8, bd Pasteur, BP 14, 89800 Chablis, tél. 03.86.42.89.89, fax 03.86.42.89.90, e-mail chab@chablisienne.com t.l.j. 9h-12h 14h-18h

L DE LAROCHE Les Bouguerots 1999*

n.c. n.c. 30 à 38 €

Lisant l'étiquette, on se demande tout d'abord si on ne rêve pas. Les Bouguerots ? Et puis on réfléchit et on y voit Les Bougros qui, il est vrai, n'ont pas d'orthographe bien définie. Voici une bouteille dont le bouquet retient l'attention : sauge et chèvrefeuille. Très rond au palais, le vin attaque avec panache et n'est pas forcément destiné à une longue garde (trois ou quatre ans). (200 à 249 F)

Michel Laroche, 22, rue Louis-Bro, BP 33, 89800 Chablis, tél. 03.86.42.89.28, fax 03.86.42.89.29, e-mail info@michellaroche.com r.-v.

DOM. LONG-DEPAQUIT Moutonne Monopole 1998*

2,35 ha 15 000 23 à 30 €

On ne raconte plus l'histoire de La Moutonne, principauté chablisienne à cheval sur Les Preuses et Vaudésir. Mais savez-vous que le domaine Long-Depaquit (propriété de la maison Bichot) détient ce fleuron depuis plus de deux cents ans ? Une bouteille reine, 98 notez-le, d'un or blanc lumineux et conforme à la robe chablisienne du siècle dernier. Genêt, noisette, menthol, elle a le nez fécond et le palais de pêche, plus souple que concentré mais charmant et plein d'avenir. (150 à 199 F)

Dom. de La Moutonne, 45, rue Auxerroise, 89800 Chablis, tél. 03.86.42.11.13, fax 03.86.42.81.89, e-mail longdepaquit@wanadoo.fr t.l.j. sf dim. 9h-12h30 13h-18h
Albert Bichot

DOM. DES MALANDES Vaudésir 1999*

0,9 ha 6 300 15 à 23 €

Son millésime 92 en Clos lui a valu le coup de cœur dans l'édition 1996. Nous abordons le sujet en tombant d'accord, déjà, sur un point : ce vin est encore trop jeune et il ne peut pas s'exprimer complètement. Cela dit, il se présente bien limpide, le silex marié à la résine de pin, puis assez exotique en bouche (litchi, mangue). Vif pour l'instant, bien construit. (100 à 149 F)

Dom. des Malandes, 63, rue Auxerroise, 89800 Chablis, tél. 03.86.42.41.37, fax 03.86.42.41.97, e-mail contact@domainedesmalandes.com r.-v.

MOREAU-NAUDET ET FILS Valmur 1999

0,6 ha 3 500 15 à 23 €

Alfred Naudet fut entre les deux guerres une personnalité marquante de l'INAO et l'un des artisans des délimitations en Chablisien. Stéphane est son arrière-petit-fils, un mariage ayant uni en 1950 les familles Naudet et Moreau (60 a en Valmur, 15 ha en tout). Ce 99 correctement boisé a des aspects dorés, floraux, évoluant vers le miel, la cire d'abeille. Peu typé dans l'immédiat et à laisser vieillir trois à quatre ans. (100 à 149 F)

GAEC Moreau-Naudet et Fils, 5, rue des Fossés, 89800 Chablis, tél. 03.86.42.14.83, fax 03.86.42.85.04 r.-v.

DOM. PINSON Les Clos 1999**

2,57 ha 12 000 15 à 23 €

Les Clos seraient le plus ancien *climat* de Chablis dédié à la vigne. Ils donnent souvent un vin d'une fermeté légendaire et qui mérite d'être attendu quelques années. On en a avec ce 99 la confirmation. Ses reflets émeraude s'accordent à merveille à l'or de sa robe. Agrumes et vanille, un bouquet discret. Au palais ? L'apothéose, sur une note de coing. Quel beau 99, suffisamment acide pour durer, magnifique de concentration et de maturité naissante ! (100 à 149 F)

SCEA Dom. Pinson, 5, quai Voltaire, 89800 Chablis, tél. 03.86.42.10.26, fax 03.86.42.49.94, e-mail contact@domaine-pinson.com r.-v.

DENIS RACE Blanchot 1999*

0,3 ha 1 873 8 à 11 €

Coup de cœur dans le Guide 1996 pour ses Blanchots 93, ce producteur reste fidèle au même *climat* présenté ici sous un or limpide et scintillant. Expressif et complexe, son bouquet suggère un peu le fruit mûr. Ronde et plaisante, sa bouche est assez minérale, kimméridgienne en un mot. Un tout petit peu plus de vivacité ne nous déplairait pas. Mais un poisson à la crème s'en réjouira. (50 à 69 F)

Denis Race, 5 A, rue de Chichée, 89800 Chablis, tél. 03.86.42.45.87, fax 03.86.42.81.23, e-mail domaine@chablisrace.com r.-v.

REGNARD Les Preuses 1998

0,4 ha 2 000 38 à 46 €

Or à reflets verts, très chablisien, ce vin offre un nez intense où le fruit côtoie la minéralité (note de goudron). L'attaque est généreuse, puis le corps se montre plus carré mais déjà prêt. Une note d'écorce de fruit apparaît en finale. (250 à 299 F)

Régnard, 28, bd Tacussel, 89800 Chablis, tél. 03.86.42.10.45, fax 03.86.42.48.67 r.-v.

DOM. SERVIN Blanchot 1999*

0,91 ha 4 000 15 à 23 €

Visiter le grand cru en compagnie de ce domaine est un plaisir dans ce millésime. **Les Clos** (une étoile) et **Bougros** (une citation) figurent parmi les vins retenus par nos dégustateurs ; on peut les acquérir en confiance. Le meilleur est le Blanchot doré et fleuri, de style exotique comme c'est aujourd'hui permis, souple et plaisant et qui, en fin de compte, peut aller loin. Cela n'a pas une folle longueur, mais c'est original. (100 à 149 F)

SCE Dom. Servin, 20, av. d'Oberwesel, 89800 Chablis, tél. 03.86.18.90.00, fax 03.86.18.90.01, e-mail servin@domaine-servin.fr t.l.j. sf dim. 8h-12h 13h30-17h30

DOM. SIMONNET Les Preuses 1999*

□ 0,33 ha 700 23 à 30 €

Or à reflets verts, ce 99 a le nez subtilement évolué sur une tonalité beurrée, fruitée bien mûre. La bouche est pleine, riche et ample, assez toastée : la matière est bien maîtrisée. Une bouteille à goûter dès maintenant - et pendant deux ou trois ans - avec un homard à l'armoricaine. Autre grand cru élevé également en fût, **Valmur 99** est cité : le bois domine encore, rendant le jugement très difficile. (150 à 199 F)

Simonnet-Febvre, 9, av. d'Oberwesel, BP 12, 89800 Chablis, tél. 03.86.98.99.00, fax 03.86.98.99.01, e-mail simonnet@chablis.net

t.l.j. 8h-11h30 14h-18h; sam. dim. sur r.-v.

DOM. VOCORET ET FILS
Les Clos 1999*

□ 1,62 ha 10 000 15 à 23 €

Vocoret est un nom que l'on connaît bien parmi les handballeuses de l'équipe de Dijon. Un nom connu également de nos lecteurs : coup de cœur dans le Guide 1998 pour ses Blanchots 95. Nous sommes ici dans Les Clos, et en présence d'un vin tourné vers l'avenir : il exige trois à quatre ans de garde. Nez à nuances florales (chèvrefeuille) et minérales. Il recèle une puissance potentielle qui va exploser. (100 à 149 F)

Dom. Vocoret et Fils, 40, rte d'Auxerre, 89800 Chablis, tél. 03.86.42.12.53, fax 03.86.42.10.39, e-mail domainevocoret@wanadoo.fr r.-v.

Irancy

Ce petit vignoble situé à une quinzaine de kilomètres au sud d'Auxerre a vu sa notoriété confirmée, devenant AOC communale.

Les vins d'Irancy ont acquis une réputation en rouge, grâce au césar ou romain, cépage local datant peut-être du temps des Gaules. Ce dernier, assez capricieux, est capable du pire et du meilleur ; lorsqu'il a une production faible à normale, il imprime un caractère particulier au vin et, surtout, lui apporte un tanin permettant une très longue conservation. Au contraire, lorsqu'il produit trop, le césar donne difficilement des vins de qualité ; c'est la raison pour laquelle il n'a pas fait l'objet d'une obligation dans les cuvées.

Le cépage pinot noir, qui est le principal cépage de l'appellation, donne sur les coteaux d'Irancy un vin de qualité, très fruité, coloré. Les caractéristiques du terroir sont surtout liées à la situation topographique du vignoble, qui occupe essentiellement les pentes formant une cuvette au creux de laquelle se trouve le village. Le terroir débordait d'ailleurs sur les deux communes voisines de Vincelotte et de Cravant, où les vins de la Côte de Palotte étaient particulièrement réputés. La production a été de 6 935 hl en 2000.

CAVES BIENVENU 1999*

■ 12 ha 72 000 8 à 11 €

Les Bienvenu seraient chez eux depuis deux mille ans, comme bien des vignerons de l'AOC. Ils proposent un irancy sans césar, le vieux cépage qui maintenait ici l'une de ses dernières légions et qui est fort menacé aujourd'hui. On se régale pourtant en dégustant ce 99 rouge foncé au nez très expressif de petits fruits rouges. Ses tanins soyeux en font un vin avenant, fin et gourmand. (50 à 69 F)

EARL Caves Bienvenu, rue Soufflot, 89290 Irancy, tél. 03.86.42.22.51, fax 03.86.42.37.12 r.-v.

BERNARD CANTIN
Elevé en fût de chêne 1998

■ 7,8 ha 25 000 5 à 8 €

Bernard Cantin est là depuis quarante ans. 100 % pinot noir, ce vin rond en bouche et d'un boisé agréable joue ses cartes avec un certain bonheur. D'un rouge cerise fraîche, il continue au nez par la griotte. La bouche, encore marquée par le bois et les tanins, demande une petite garde. (30 à 49 F)

Bernard Cantin, 35, chem. des Fossés, 89290 Irancy, tél. 03.86.42.21.96, fax 03.86.42.21.96 t.l.j. 8h-12h 13h30-20h

ANITA ET JEAN-PIERRE COLINOT
1999*

■ n.c. n.c. 8 à 11 €

Germain Soufflot, l'architecte du Panthéon à Paris, est né à deux pas de cette cave. On s'intéresse donc à la structure de cet irancy issu des meilleurs *climats* comme Palotte, Mazelots, Les Cailles. Rouge grenat, un vin de tradition aux tanins profonds et à l'acidité marquée qui garantissent son avenir. Ne rien espérer avant deux à trois ans. Pinot noir 100 %. (50 à 69 F)

Anita et Jean-Pierre Colinot, 1, rue des Chariats, 89290 Irancy, tél. 03.86.42.33.25, fax 03.86.42.33.25 r.-v.

ROGER DELALOGE 1999*

■ 3 ha 20 000 5 à 8 €

Grenat, il a un nez grillé, boisé sur fond de petits fruits. Une intensité aromatique somme toute normale et assez fraîche. On retrouve en bouche le fruité du nez. La matière est ample, le vin intéressant. Ses tanins sont plutôt cordiaux. A laisser vieillir un peu. Pinot noir à 99,9 %, césar à 0,1 %. (30 à 49 F)

Roger Delaloge, 1, ruelle du Milieu, 89290 Irancy, tél. 03.86.42.20.94, fax 03.86.42.33.40 r.-v.

FRANCK GIVAUDIN 1999★★

■ 5 ha 15 000 ▮ 8à11€

Franck Givaudin a repris l'exploitation familiale en 1998. Admiratif des superbes paysages du Morvan et de la Puisaye, il propose un beau vin bien vinifié et produit de rendements maîtrisés. Ce 99 exprime le terroir d'Irancy avec une larme de césar dans un océan de pinot noir. Rubis moyen, peu aromatique en l'état présent, il concilie à merveille le fruit et les tanins. Conseillé pour un canard au sang. (50 à 69 F)

Franck Givaudin, sentier de la Bergère, 89290 Irancy, tél. 03.86.42.20.67, fax 03.86.42.54.33 ☑ Y r.-v.

DOM. GRAND ROCHE 1998★

■ 0,5 ha 2 600 ▮▮ 5à8€

Situé en plein cœur du vignoble auxerrois, ce jeune domaine - il est né en 1987 - propose un vin rouge vif, rubis foncé, qui ne lésine pas sur la couleur. Le nez commence à poindre sur la mûre, la myrtille. S'il voit tout en noir, la bouche voit la vie en rose avec une note d'alcool, de fruit mûr presque confit. L'attaque est solide et la concentration assez notable. Pinot noir 100 %. « Un onglet à l'échalote », dit un dégustateur ; « fromages forts », dit un autre. (30 à 49 F)

Dom. Grand Roche, rte de Chitry, 89530 Saint-Bris-le-Vineux, tél. 03.86.53.84.07, fax 03.86.53.88.36 ☑ Y r.-v.

Erick Lavallée

DOM. HEIMBOURGER 1999

■ 2 ha 10 000 ▮▮▮ 5à8€

Olivier est le successeur de Pierre, depuis 1994. De père en fils, comme presque partout ici où l'on vit dans une stabilité étonnante à notre époque. Rouge violacé, cet irancy évoque le cassis et demeure sur cette note intense déclinée du bourgeon à la baie. Vin pinot noir 100 % aux tanins déjà fondus et donc à boire. (30 à 49 F)

Heimbourger Père et Fils, 5, rue de la Porte-de-Cravant, 89800 Saint-Cyr-les-Colons, tél. 03.86.41.40.88, fax 03.86.41.48.33 ☑ Y r.-v.

ROBERT MESLIN 1999★

■ n.c. 15 000 ▮▮▮ 5à8€

Ce 99 nuance pivoine et au nez de framboise peut s'ouvrir davantage... Ses tanins sont fondus, son acidité honorable, son harmonie générale très satisfaisante. Vin à boire dans sa jeunesse, mais qu'on peut laisser vieillir un peu. Pinot noir à 100 %. (30 à 49 F)

Robert Meslin, 35, rue Soufflot, 89290 Irancy, tél. 03.86.42.31.43, fax 03.86.42.51.28 ☑ Y r.-v.

DOM. DES REMPARTS 1999

■ 3 ha 20 000 ▮▮ 8à11€

On se réjouit de la présence du césar (8 %) dans cet assemblage. Tannique, un peu austère mais bien bâti et structuré, rouge grenat, ce 99 se présente tel quel et gagnera à prendre deux à trois ans de bouteille. (50 à 69 F)

Dom. des Remparts, 6, rte de Champs, 89530 Saint-Bris-le-Vineux, tél. 03.86.53.33.59, fax 03.86.53.62.12 ☑ Y r.-v.

Sorin

THIERRY RICHOUX
Elevage en fût 1999★

■ 4 ha 20 000 ▮▮▮ ⌀ 8à11€

Le rouge est mis. Le fruit noir complète le paysage. Cela a de l'allure et témoigne d'un travail bien fait. Le boisé reste fin, le fruit monte en puissance et il y a du potentiel. Nos dégustateurs lui accordent cinq ans de vie épanouie et conseillent, si les pouvoirs publics le permettent, de le servir sur des rognons de veau. (50 à 69 F)

Thierry Richoux, 73, rue Soufflot, 89290 Irancy, tél. 03.86.42.21.60, fax 03.86.42.34.95 Y r.-v.

DOM. SAINT-GERMAIN 1999★

■ 6,5 ha 30 000 ▮▮▮ ⌀ 8à11€

La passion du vin est une histoire récente pour Christophe Ferrari, mais elle est concluante à en juger par ce beau vin. Rouge clair, le bouquet entre réglisse et cannelle, ce 99 ouvre une bouche pas très longue, mais superbement aromatique. Ses tanins prennent la finale à rebrousse-poil mais c'est spontané, fidèle au millésime. Un lapin à la moutarde l'accompagnera avec plaisir. Pinot noir 100 %. (50 à 69 F)

Christophe Ferrari, 7, chem. des Fossés, 89290 Irancy, tél. 03.86.42.33.43, fax 03.86.42.39.30 ☑ Y r.-v.

HUBERT ET JEAN-PAUL TABIT
Haut Champreux 1999

■ 1 ha 6 000 ▮▮▮ ⌀ 8à11€

Un irancy issu à 100 % du pinot noir. Son rubis clair, ses arômes de groseille ont quelque chose de chantant, de gouleyant. Profitez-en et, si vous passez par ici, ne manquez pas de visiter, au domaine, le musée de l'Usage vigneron rassemblant 400 outils de la vigne et du vin. A voir ! (50 à 69 F)

Hubert et Jean-Paul Tabit, 2, rue Dorée, 89530 Saint-Bris-le-Vineux, tél. 03.86.53.33.83, fax 03.86.53.67.97, e-mail tabit@wanadoo.fr ☑ Y t.l.j. 8h-12h 14h-20h; dim. sur r.-v.

Sauvignon de saint-bris AOVDQS

Autrefois déclaré en appellation simple, ce vin de qualité supérieure, issu, comme l'appellation l'indique, du cépage sauvignon, est produit sur les communes de Saint-Bris-le-Vineux, Chitry, Irancy et une partie des communes de Quenne, Saint-Cyr-les-Colons et Cravant. Sa production est la plupart du temps limitée aux zones de plateaux calcaires où il atteint toute sa puissance aromatique.

Contrairement aux vins du même cépage de la vallée de la Loire ou du Sancerrois, le sauvignon de saint-bris fait généralement sa fermentation malolactique, ce qui ne l'empêche pas d'être très parfumé et lui confère une certaine souplesse. Celle-ci s'extériorise le mieux lorsque la richesse alcoolique avoisine 12°. Saint-Bris devrait très prochainement accéder à l'AOC.

PHILIPPE DEFRANCE 1999★

□ 3,6 ha 8 000 ■ 5 à 8 €

Les Anglais adorent le sauvignon. Celui-ci devrait traverser la Manche sans difficulté. Ses reflets bien verts mettent en valeur un bouquet « bon végétal » fait de violette et de feuilles de cassissier. Discret, plus aimable que nerveux, il laisse le palais dans une sensation de fraîcheur parfumée. (30 à 49 F)

Philippe Defrance, 5, rue du Four, 89530 Saint-Bris-le-Vineux, tél. 03.86.53.39.04, fax 03.86.53.66.46 ☑ Y r.-v.

DOM. FELIX 1999

□ 2,17 ha 20 000 ■ 5 à 8 €

Les Félix travaillent la vigne depuis au moins 1690. Ces ceps ont plus de trente ans d'âge. On sait que le sauvignon n'est plus un cépage en péril du côté de Saint-Bris-le-Vineux. On en a pas mal replanté ces dernières années. Celui-ci présente une couleur moyennement intense et un nez tirant sur le fruit mûr. Sa persistance n'est pas considérable mais c'est un vin agréable qu'on boira sans état d'âme. (30 à 49 F)

Dom. Hervé Félix, 17, rue de Paris, 89530 Saint-Bris-le-Vineux, tél. 03.86.53.33.87, fax 03.86.53.61.64, e-mail felix@caves-particulieres.com ☑ Y t.l.j. sf dim. 9h-11h30 14h-18h30

GHISLAINE ET JEAN-HUGUES GOISOT 1999★★★

□ 5,43 ha 39 000 ■ 5 à 8 €

L'une des plus anciennes caves de Bourgogne, remontant au XVe s., a donné naissance à ce 99 superbe et digne de tous les éloges. Fines herbes au cumin, curry léger, fruits frais, il sauvignonne sur une robe pas très intense mais joliment colorée. Fraîcheur et maturité entretiennent en bouche un dialogue passionnant. Remarquable pour l'appellation, et à déboucher en 2002. La **cuvée du Corps de garde gourmand 99 (50 à 69 F)** obtient une étoile. Ses notes de fruits exotiques légèrement confits ont étonné. (30 à 49 F)

Ghislaine et Jean-Hugues Goisot, 30, rue Bienvenu-Martin, 89530 Saint-Bris-le-Vineux, tél. 03.86.53.35.15, fax 03.86.53.62.03 ☑ Y r.-v.

DOM. GRAND ROCHE 2000

□ 5 ha 35 000 ■ 5 à 8 €

Erick Lavallée était comptable. A la fin des années 1980, il choisit la terre. Et la vigne. Son 2000 ? Or paille, ou or rose, c'est selon... Le nez ? Bourgeon de cassis. Donnant une impression d'équilibre, sa bouche est souple, animée par une belle acidité teintée d'agrumes. Durée de vie : de un à deux ans. A servir sur des crustacés. (30 à 49 F)

Erick Lavallée, Dom. Grand Roche, 6, rte de Chitry, 89530 Saint-Bris-le-Vineux, tél. 03.86.53.84.07, fax 03.86.53.88.36 ☑ Y r.-v.

J. MOREAU ET FILS 2000★★

□ 12 ha 115 200 ■ 3 à 5 €

Importé de la Loire, le sauvignon est tombé amoureux de l'Auxerrois. Et cette bouteille est un enfant de l'amour ! Or gris, elle a le nez assez exotique mais on y rencontre aussi le lilas et la rose. Ample, riche et plein, égayé par une note citronnée qui doit être un effet de jeunesse, « un vin pour se faire vraiment plaisir », note l'un de nos dégustateurs. Cette maison chablisienne a gardé sa personnalité tout en entrant au sein des Vins J.-Cl. Boisset. (20 à 29 F)

J. Moreau et Fils, La Croix Saint-Joseph, rte d'Auxerre, 89800 Chablis, tél. 03.86.42.88.00, fax 03.86.42.88.08, e-mail moreau@jmoreau-fils.com

DOM. JACKY RENARD 1999★★

□ 5,5 ha n.c. ■ 5 à 8 €

On n'aura aucune peine à le marier avec une viande blanche tant il est convivial. Or intense, il offre les arômes caractéristiques du cépage. L'entame est fraîche, parfumée, le corps prenant bientôt le relais avec une forte concentration. Remarquable pour le millésime et à déguster maintenant (petit début d'évolution). En apéritif, ou sur les poissons. (30 à 49 F)

Jacky Renard, La Côte-de-Chaussan, 89530 Saint-Bris-le-Vineux, tél. 03.86.53.38.58, fax 03.86.53.33.50 ☑ Y r.-v.

DOM. SAINTE CLAIRE 2000★

□ n.c. n.c. ■ 3 à 5 €

Jean-Marie Brocard a construit ce domaine depuis 1975. Il propose un 2000 d'une extrême jeunesse dont le nez s'éveille peu à peu sur des notes florales et fruitées évoluant vers des nuances exotiques. L'attaque n'est pas agressive ; la bouche équilibrée reste discrète et élégante. Elle devrait s'éveiller cet automne. (20 à 29 F)

Jean-Marc Brocard, 3, rte de Chablis, 89800 Préhy, tél. 03.86.41.49.00, fax 03.86.41.49.09, e-mail brocard@brocard.fr ☑ Y r.-v.

DOM. SORIN DE FRANCE
La Cuvée 2000

□ 13 ha 105 000 3à5€

Important domaine de 39 ha, dont 13 pour ce VDQS. Ses accents exotiques (mangue) et plus classiques (abricot) forment un complexe aromatique très puissant. Ce caractère s'atténue en bouche pour devenir simple et léger. Robe à tendance or. (20 à 29 F)

Dom. Sorin de France, 11*bis*, rue de Paris, 89530 Saint-Bris-le-Vineux, tél. 03.86.53.32.99, fax 03.86.53.34.44 t.l.j. 8h-12h 14h-19h

La Côte de Nuits

Marsannay

Les géographes discutent encore sur les limites nord de la Côte de Nuits car, au siècle dernier, un vignoble florissant faisait, des communes situées de part et d'autre de Dijon, la Côte dijonnaise. Aujourd'hui, à l'exception de quelques vignes vestiges comme les Marcs d'Or et les Montreculs, l'urbanisation a cantonné le vignoble au sud de Dijon, et même Chenôve a du mal à conserver en vigne son joli coteau.

Marsannay, puis Couchey ont, encore il y a une cinquantaine d'années, approvisionné la ville de grands ordinaires et manqué en 1935 le coche des AOC communales. Petit à petit, les viticulteurs ont replanté ces terroirs en pinot et la tradition du rosé s'est développée sous l'appellation locale « bourgogne rosé de Marsannay ». Puis, on a retrouvé les vins rouges et les vins blancs d'avant le phylloxéra et, après plus de vingt-cinq ans d'efforts et d'enquêtes, l'AOC marsannay a été reconnue en 1987 pour les trois couleurs. Une particularité cependant, encore une en Bourgogne : le « marsannay rosé », dont les deux mots sont indissociables, peut être produit sur une aire plus extensive, dans le piémont sur les graves, que le marsannay (vins rouges et vins blancs) délimité uniquement dans le coteau des trois communes de Chenôve, Marsannay-la-Côte et Couchey.

Les vins rouges sont charnus, un peu sévères dans leur jeunesse et il faut les attendre quelques années. Pas courants dans la Côte de Nuits, les vins blancs sont ici particulièrement recherchés pour leur finesse et leur solidité. Il est vrai que le chardonnay, mais aussi le pinot blanc, trouvent dans des niveaux marneux propices leur terroir d'élection.

Le vignoble a produit 6 002 hl en rouge et rosé et 1 603 hl en blanc en 2000. Les coteaux sont en cours de reconquête.

DOM. CHARLES AUDOIN 1999*

◪ 2,5 ha 20 000 5à8€

Ce rosé a longtemps rivalisé avec le tavel pour la palme suprême. Comme l'écrivait H.W. Yoxall, il montre « une gentille frivolité ». De teinte pâle, ce 99 a des accents minéraux qui vont bien dans le tableau. Corps généreux, de longueur moyenne. **Les Favières en rouge 99 (50 à 69 F)**, tout en fruits rouges, ont l'élégance du pinot et obtiennent une citation. (30 à 49 F)

Dom. Charles Audoin, 7, rue de la Boulotte, 21160 Marsannay-la-Côte, tél. 03.80.52.34.24, fax 03.80.58.74.34 r.-v.

DOM. BART Les Champs-Salomon 1998*

■ 1,4 ha 6 500 8à11€

Sous des traits d'un rouge franc, il a le nez ouvert sur la mûre, le cuir, le poivre. Cette note subsiste par la suite, alliée à des petits fruits rouges confiturés. Assez bel ensemble à mettre de côté pour le laisser s'affiner davantage. (50 à 69 F)

Dom. Bart, 23, rue Moreau, 21160 Marsannay-la-Côte, tél. 03.80.51.49.76, fax 03.80.51.23.43 r.-v.

REGIS BOUVIER Clos du Roy 1999

■ 2,07 ha 12 000 8à11€

Situé sur Chenôve et ayant par bonheur échappé à l'urbanisation de cette ville, le Clos du Roy est réputé depuis des siècles : c'est l'un des meilleurs crus de l'appellation. Sous sa robe mauve, ce 99 évoque ici la mûre de façon réservée, avant d'exprimer un bon volume autour de tanins fondus. Citées également les **Longeroies Vieilles vignes 99** sont bien jeunes, mais susceptibles de développer du fruit et de l'élégance dans deux à trois ans. (50 à 69 F)

Régis Bouvier, 52, rue de Mazy, 21160 Marsannay-la-Côte, tél. 03.80.51.33.93, fax 03.80.58.75.07 r.-v.

RENE BOUVIER Le Clos 1999**

□ 2,03 ha 10 000 11à15€

Marsannay est le seul vin « tricolore » de Bourgogne puisqu'il se décline en rouge, en rosé et en blanc. Doré et adorable, ce 99 laisse des impressions vanillées, mentholées. Une belle nervosité ainsi que la persistance d'une note d'abricot participent au remarquable équilibre entre l'acidité et le moelleux de la structure. Pensez aussi à la cuvée **Vieilles vignes 99**, une étoile. (70 à 99 F)

EARL René Bouvier, 2, rue Neuve, 21160 Marsannay-la-Côte, tél. 03.80.52.21.37, fax 03.80.59.95.96 r.-v.

BOURGOGNE

MARC BROCOT Les Echézeaux 1999

■ 0,75 ha 5 100 8 à 11 €

Rubis brillant, un marsannay au joli nez fruité et fleuri. Les fruits rouges se retrouvent en bouche du début à la fin. « Enfin un pinot », s'exclame une dégustatrice qui conseille d'attendre un an avant d'offrir cette bouteille au repas dominical. (50 à 69 F)

Marc Brocot, 34, rue du Carré, 21160 Marsannay-la-Côte, tél. 03.80.52.19.99, fax 03.80.59.84.39 r.-v.

DOM. PHILIPPE CHARLOPIN-PARIZOT

En Montchenevoy 1998★★

■ n.c. n.c. 11 à 15 €

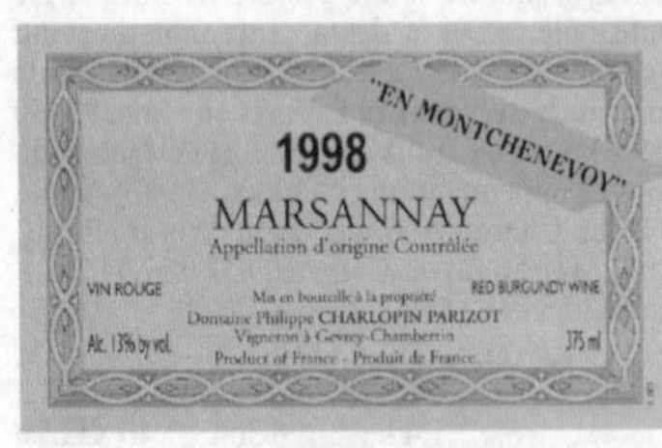

Déjà coup de cœur dans l'édition 1998 pour son 95 rouge, Philippe Charlopin renouvelle l'exploit cette année avec cette belle et grande bouteille, d'un éclat rouge violacé. Le fruit rouge s'exprime bien sur fond d'épices. C'est un vin au fût merveilleusement maîtrisé, harmonieux, long et de garde. (70 à 99 F)

Philippe Charlopin, 18, rte de Dijon, 21220 Gevrey-Chambertin, tél. 03.80.51.81.18, fax 03.80.51.81.18 r.-v.

BERNARD COILLOT PERE ET FILS

Les Grasses Têtes 1999★

■ 0,5 ha 5 000 11 à 15 €

André Coillot était considéré comme le pape du rosé. Ici, on se situe en rouge et en blanc. Ce *climat* est établi tout en haut du coteau. D'un rouge soutenu, ce pinot noir est bien constitué. Friand, assez souple, discrètement vanillé, il ne se préoccupe pas trop de ses tanins. Un vin à boire sans se casser la... tête. Notez aussi que **Les Boivins en rouge 99** obtiennent la même note. Ils gagneront en vieillissant. En **blanc 99 (50 à 69 F)**, le marsannay obtient une citation. (70 à 99 F)

Bernard Coillot Père et Fils, 31, rue du Château, 21160 Marsannay-la-Côte, tél. 03.80.52.17.59, fax 03.80.52.12.75, e-mail domcoil@aol.com r.-v.

DOM. JEAN FOURNIER

Les Echezeaux 1999★

■ 0,9 ha 6 000 8 à 11 €

A 200 m d'un colombier du XIIIe s., vous trouverez ce domaine qui existait déjà sous Louis XIII, connu aussi bien au Japon qu'aux Etats-Unis. Son marsannay est bien représentatif (oui, il existe aussi des Echezeaux dans cette AOC). On aimera son rubis brillant, sa jolie cerise, sa bouche d'ampleur moyenne mais équilibrée. Celle-ci offre l'élégance d'une belle finale sur des tanins très fins, aucunement agressifs. Le **blanc 99** semble avoir du potentiel : il obtient une citation. (50 à 69 F)

Dom. Jean Fournier, 29-34, rue du Château, 21160 Marsannay-la-Côte, tél. 03.80.52.24.38, fax 03.80.52.77.40 r.-v.

ALAIN GUYARD Les Etales 1998

□ 1 ha 4 000 5 à 8 €

Elevé dix-huit mois en fût de chêne, doré sous le regard, il développe des arômes de sous-bois et de champignon de façon assez intense. L'attaque franche met en valeur un bon gras accompagné de quelques notes boisées et du style beurré-croissant chaud. « Peut vieillir, mais il est bon : il faut le boire ! », décrète un dégustateur. (30 à 49 F)

Alain Guyard, 10, rue du Puits-de-Têt, 21160 Marsannay-la-Côte, tél. 03.80.52.14.46, fax 03.80.52.67.36 r.-v.

DOM. HUGUENOT PERE ET FILS

1999★

◪ 2,5 ha 20 000 5 à 8 €

Le rosé fit naguère la gloire de Marsannay. La tradition demeure, fort heureusement. Saumon vif, le nez frais et légèrement sur la groseille, ce 99 se montre agréable au palais, bien en bouche, assez ample. **Les Echezeaux 98 en marsannay rouge (50 à 69 F)** sont de toute confiance et obtiennent une citation. (30 à 49 F)

Huguenot Père et Fils, 7, ruelle du Carron, 21160 Marsannay-la-Côte, tél. 03.80.52.11.56, fax 03.80.52.60.47, e-mail domaine.huguenot@wanadoo.fr r.-v.

CH. DE MARSANNAY 1999★

◪ 6,27 ha 30 000 5 à 8 €

Sur les fondations du vieux château détruit en 1513 fut édifiée au XVIIIe s. une grande maison qui retrouva le nom de château de Marsannay. Ce rosé d'une teinte claire présente un bouquet fin et floral. Un peu acidulé en bouche, il est destiné à un mâchon campagnard. Réussi et bien fait, il est issu d'un des domaines créés par André Boisseaux. **Echezeaux 98 en rouge (70 à 99 F)** ? Un vin souple et rond, paraissant de bonne garde, cité. En **blanc Les Champs Perdrix 98 (50 à 69 F)** obtiennent une étoile. Ce *climat* est situé dans la commune de Couchey, en haut du coteau ; le vin sera à boire sur sa fraîcheur lorsque vous lirez ces lignes. (30 à 49 F)

Ch. de Marsannay, rte des Grands-Crus, BP 78, 21160 Marsannay-la-Côte, tél. 03.80.51.71.11, fax 03.80.51.71.12 t.l.j. 10h-12h 14h-18h30

DOM. TRAPET PERE ET FILS 1999★

□ 0,3 ha n.c. 11 à 15 €

Faute de pouvoir s'étendre à Gevrey, Jean Trapet a pris pied sur Marsannay où il exploite 1,6 ha. Du rouge surtout, un peu de blanc. Celui-ci est déjà fort agréable : robe jeune, parfum de rose éclose à l'aube (comme disait Roupnel dans ses livres), un 99 très typé, homogène, de belle race et qui peut attendre. (70 à 99 F)

🔑 Dom. Trapet Père et Fils, 53, rte de Beaune, 21220 Gevrey-Chambertin, tél. 03.80.34.30.40, fax 03.80.51.86.34, e-mail message@domaine-trapet.com ☑ Y r.-v.

Fixin

Après avoir visité les pressoirs des ducs de Bourgogne à Chenôve, dégusté le marsannay, vous rencontrez Fixin, première d'une série de communes donnant leur nom à une appellation d'origine contrôlée, où l'on produit surtout des vins rouges (3 722 hl de rouge et 100 hl en blanc). Ils sont solides, charpentés, souvent tanniques et de bonne garde. Ils peuvent également revendiquer, au choix, à la récolte, l'appellation côte-de-nuits-villages.

Les *climats* Hervelets, Arvelets, Clos du Chapitre et Clos Napoléon, tous classés en premiers crus, sont parmi les plus réputés, mais c'est le Clos de la Perrière qui en est le chef de file puisqu'il a

La côte de Nuits (Nord-1)

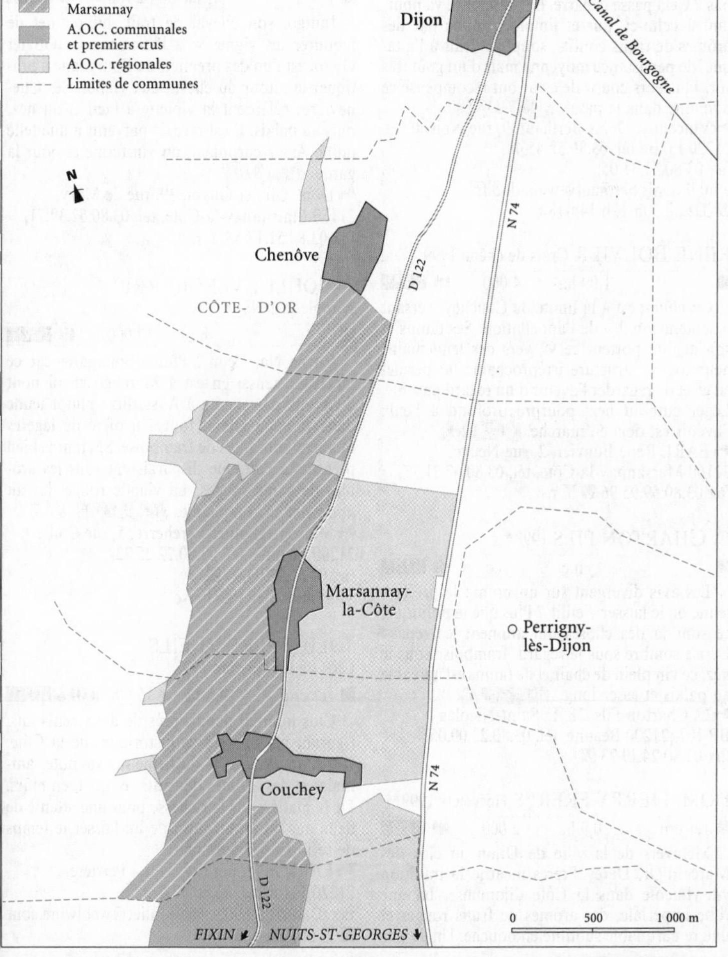

même été qualifié de « cuvée hors classe » par d'éminents écrivains bourguignons et comparé au chambertin ; ce clos déborde un tout petit peu sur la commune de Brochon. Autre lieu-dit : le Meix-Bas.

DOM. BART Hervelets 1998

■ 1er cru 1,42 ha 5 000 11 à 15 €

Il s'annonce d'intensité colorante moyenne, balsamique et grillé au nez, puis assez boisé en bouche après une attaque tendre et souple. D'une simplicité évangélique, un vin à boire sans se poser de questions. (70 à 99 F)

Dom. Bart, 23, rue Moreau, 21160 Marsannay-la-Côte, tél. 03.80.51.49.76, fax 03.80.51.23.43 r.-v.

VINCENT ET DENIS BERTHAUT Les Arvelets 1999*

■ 1er cru 1 ha 5 000 15 à 23 €

Les Crais 99 (70 à 99 F) en rouge ? Pourquoi pas ? Cela passe la barre. La préférence va pourtant à celui-ci, pur et limpide, animé par des arômes de fruits confits, souple et frais à l'attaque, de persistance moyenne mais d'un goût très sûr. Plusieurs coups de cœur ont récompensé ce domaine dans le passé. (100 à 149 F)

Vincent et Denis Berthaut, 9, rue Noisot, 21220 Fixin, tél. 03.80.52.45.48, fax 03.80.51.31.05, e-mail denis.berthaut@wanadoo.fr t.l.j. 10h-12h 14h-18h

RENE BOUVIER Crais de chêne 1999

■ 1,09 ha 4 000 11 à 15 €

Ce *climat* est à la limite de Couchey, versant « septentrional » de l'appellation. Ses tanins et son acidité portent ce 99 vers des lendemains heureux. Sa structure irréprochable lui permet en effet de regarder l'avenir d'un regard paisible. Léger cuir au nez, pourpre profond à l'œil : l'avenir est déjà en marche. (70 à 99 F)

EARL René Bouvier, 2, rue Neuve, 21160 Marsannay-la-Côte, tél. 03.80.52.21.37, fax 03.80.59.95.96 r.-v.

C. CHARTON FILS 1998*

■ n.c. n.c. 15 à 23 €

Les avis divergent sur un point : le préférer jeune ou le laisser vieillir ? Plus que la politique, ce sont là des choses qui animent les repas ! Cerise sombre sous le regard, framboise sous le nez, ce vin plein de chair et de tanins est agréable au palais et assez long. (100 à 149 F)

C. Charton Fils, 38, fg Saint-Nicolas, BP 107, 21200 Beaune, tél. 03.80.22.00.05, fax 03.80.24.19.73

DOM. DEREY FRERES Hervelets 1999*

■ 1er cru 0,9 ha 2 000 11 à 15 €

Métayers de la ville de Dijon au clos des Marcs d'Or, Derey Frères incarne la tradition viti-vinicole dans la Côte dijonnaise. Ici une robe impériale, des arômes de fruits rouges et une remarquable subtilité en bouche. Un 99 très prometteur, bien soutenu par d'aimables tanins. (70 à 99 F)

Derey Frères, 1, rue Jules-Ferry, 21160 Couchey, tél. 03.80.52.15.04, fax 03.80.58.76.70 t.l.j. 9h-12h 13h30-19h

DOM. PIERRE GELIN 1998*

■ 2,2 ha 11 000 8 à 11 €

Dix-huit mois en fût pour ce vin à la robe pourpre un peu ambré et aux notes de fruits (raisin, fruits cuits) mêlées au boisé vanillé. Charnue, persistante, vinifiée à merveille, cette bouteille a tout pour plaire. (50 à 69 F)

Dom. Pierre Gelin, 2, rue du Chapitre, 21220 Fixin, tél. 03.80.52.45.24, fax 03.80.51.47.80 t.l.j. sf dim. 9h-12h 14h-17h; sam. sur r.-v.

Stéphen Gelin

DOM. OLIVIER GUYOT Les Chenevières Vieilles vignes 1999

■ 1 ha 2 700 11 à 15 €

Indigo, son cheval de trait, lui permet de labourer les vignes « à l'ancienne » : Olivier Guyot est l'un des premiers en Bourgogne à pratiquer le retour du cheval aux vignes. Ses Chenevières célèbrent la violette à l'œil et au nez, puis au palais. Il est rare de parvenir à une telle unité. Assez corpulent, un vin ferme et pour la garde. (70 à 99 F)

Dom. Olivier Guyot, 39, rue de Mazy, 21160 Marsannay-la-Côte, tél. 03.80.52.39.71, fax 03.80.51.17.58 r.-v.

JABOULET-VERCHERRE Napoléon 1998

■ n.c. 12 000 15 à 23 €

Cuvée Napoléon ? Plutôt Bonaparte car ce vin assez réussi en est à Marengo et au pont d'Arcole, pas encore à Austerlitz : plutôt jeune dans sa robe grenat foncé, il offre de légères nuances odorantes de framboise. Ses tanins bien présents à l'attaque disparaissent sous les arômes de fruits rouges. La viande rouge devrait apprécier sa compagnie. (100 à 149 F)

Maison Jaboulet-Vercherre, 5, rue Colbert, 21200 Beaune, tél. 03.80.22.25.22, fax 03.80.22.03.94

P. Jaboulet-Vercherre

JOLIET PERE ET FILS Clos de La Perrière 1998

■ 1er cru 4,5 ha 15 000 11 à 15 €

Clos familial depuis près de deux cents ans, figurant parmi les plus historiques de la Côte. Rubis limpide, ce 98 s'affirme sur des notes animales et des arômes de fruits rouges bien mûrs. De la matière, de la richesse pour une attente de deux ans au moins, afin de lui laisser le temps de se faire. (70 à 99 F)

EARL Joliet père et fils, La Perrière, 21220 Fixin, tél. 03.80.52.47.85, fax 03.80.51.99.90, e-mail joliet@webiwine.com t.l.j. 8h-18h

ARMELLE ET JEAN-MICHEL MOLIN 1999*

■ 3 ha 7 000 8 à 11 €

Ici vint finir ses jours Claude Noisot, compagnon de Napoléon à qui il consacra un monument, *Le Réveil de l'Empereur*, sculpté par François Rude. Lauréats du coup de cœur du Guide 2000 pour des Hervelets 97, Armelle et Jean-Michel Molin obtiennent ici une juste récompense pour leur *village* à la robe superbe, au nez conquérant et à la bouche sympathique. Les tanins pèsent encore un peu dans l'âge ingrat. A attendre trois ans. (50 à 69 F)

EARL Armelle et Jean-Michel Molin, 54, rte des Grands-Crus, 21220 Fixin, tél. 03.80.52.21.28, fax 03.80.59.96.99 r.-v.

DOM. MONGEARD-MUGNERET 1998*

■ 1,2 ha 5 500 11 à 15 €

Fixin est réputé comme « vin d'hiver », réclamant le gibier. On ne s'étonnera donc pas ici d'une petite impression de chaleur pour réchauffer les cœurs. D'un grenat prononcé, marqué par un sous-bois dominant, ce 98 est assez caractéristique par ses fruits rouges et son boisé bien fondu et discret. Equilibré et harmonieux jusque dans sa jolie finale, c'est un vin à déguster assez jeune. (70 à 99 F)

Dom. Mongeard-Mugneret, 14, rue de la Fontaine, 21700 Vosne-Romanée, tél. 03.80.61.11.95, fax 03.80.62.35.75, e-mail mongeard@axnet.fr r.-v.

Vincent Mongeard

GILLES VAILLARD Hervelets 1999

■ 1er cru 0,7 ha 1 200 11 à 15 €

D'un rouge moyennement intense, floral en même temps que porté sur le fruit rouge, un 99 « fin de siècle » qui compense une certaine amertume en bouche par un élan sincère, élégant et fondu. Il faut l'attendre deux à trois ans car tout cela est en devenir. (70 à 99 F)

Gilles Vaillard, 42, rte de Beaune, 21220 Gevrey-Chambertin, tél. 03.80.51.80.30 r.-v.

DOM. DU VIEUX COLLEGE 1998

■ 1,6 ha 4 000 8 à 11 €

Le coq au vin, voilà une suggestion heureuse pour passer à l'étape suivante, la vôtre. Pourpre un peu passé, légèrement ambré, ce vin de sous-bois quelque peu minéral se présente charpenté, costaud, encore austère. De garde, à coup sûr. Ce 98 ne doit pas être tiré trop vite de son berceau. (50 à 69 F)

Jean-Pierre et Eric Guyard, 4, rue du Vieux-Collège, 21160 Marsannay-la-Côte, tél. 03.80.52.12.43, fax 03.80.52.95.85 r.-v.

Les vins mentionnés en caractère gras dans les notices sont également recommandés par les jurys.

Gevrey-chambertin

Au nord de Gevrey, trois appellations communales sont produites sur la commune de Brochon : fixin sur une petite partie du Clos de la Perrière, côtes de nuits-villages sur la partie nord (lieux-dits Préau et Queue-de-Hareng) et gevrey-chambertin sur la partie sud.

En même temps qu'elle constitue l'appellation communale la plus importante en volume (19 034 hl en 2000), la commune de Gevrey-Chambertin abrite des premiers crus tous plus grands les uns que les autres ayant donné moins de 3 890 hl en 2000. La combe de Lavaux sépare la commune en deux parties. Au nord, nous trouvons, entre autres *climats*, les Evocelles (sur Brochon), les Champeaux, la combe aux Moines (où allaient en promenade les moines de l'abbaye de Cluny qui furent au XIIIe s. les plus importants propriétaires de Gevrey), les Cazetiers, le clos Saint-Jacques, les Varoilles, etc. Au sud, les crus sont moins nombreux, presque tout le coteau étant en grand cru ; on peut citer les *climats* de Fonteny, Petite-Chapelle, Clos-Prieur, etc.

Les vins de cette appellation sont solides et puissants dans le coteau, élégants et subtils dans le piémont. A ce propos, il convient de répondre à une rumeur erronée selon laquelle l'appellation gevrey-chambertin s'étend jusqu'à la ligne de chemin de fer Dijon-Beaune, dans des terrains qui ne le mériteraient pas. Cette information, qui fait fi de la sagesse des vignerons de Gevrey, nous donnera l'occasion d'apporter une petite explication : la côte a été le siège de nombreux phénomènes géologiques, et certains de ses sols sont constitués d'apports de couverture, dont une partie a pour origine les phénomènes glaciaires du quaternaire. La combe de Lavaux a servi de « canal », et à son pied s'est constitué un immense cône de déjection dont les matériaux sont identiques ou semblables à ceux du coteau. Dans certaines situations, ils sont simplement plus épais, donc plus éloignés du substratum. Essentiellement constitués de graviers calcaires plus ou moins décarbonatés, ils don-

BOURGOGNE

nent ces vins élégants et subtils dont nous parlions précédemment.

PIERRE ANDRE
Les Vignes d'Isabelle 1999*

■ 0,8 ha 3 500 🛢 38 à 46 €

Pourquoi le Moyen Age aurait-il en Bourgogne tous les droits ? Les Vignes d'Isabelle sont un *climat* (au bord de la RN 74) dédié à l'une des filles de Gabriel Logier d'Ardhuy (La Reine Pédauque et Pierre André). Voici un vin d'une jolie couleur foncée, déclinant son bouquet sur des notes concentrées de cerise, de kirsch et de chocolat, développant une attaque très progressive ; aucune agressivité en dépit de tanins solides, et toujours ces nuances de cerise croquante. (250 à 299 F)

🔑 Pierre André, Ch. de Corton-André, 21420 Aloxe-Corton, tél. 03.80.26.44.25, fax 03.80.26.43.57, e-mail pandre@axnet.fr
Y t.l.j. 10h-18h

DOM. ARLAUD PERE ET FILS 1999*

■ 0,8 ha n.c. 🛢 15 à 23 €

Tannique mais pas trop. Puissant mais pas trop. Sous une robe rubis soutenu, un vin au bouquet fait de vanille et de mousse, de sous-bois, ouvrant sur le cassis. Ses tanins fins en font une bouteille harmonieuse promise à une garde d'une dizaine d'années. (100 à 149 F)

🔑 SCEA Dom. Arlaud Père et Fils, 43, rte des Grands-Crus, 21220 Morey-Saint-Denis, tél. 03.80.34.32.65, fax 03.80.58.52.09, e-mail cyprien.arlaud@wanadoo.fr ☑ Y r.-v.

DOM. DES BEAUMONT
Les Cherbaudes 1999**

■ 1er cru 0,4 ha 2 400 🛢 23 à 30 €

A côté de vraies **Vieilles vignes en gevrey village 99 (100 à 149 F)** - « vraies » car elles ont plus de cinquante ans, « vraies » car elles obtiennent une étoile et adoreront dans trois ou quatre ans une pièce de charolais -, le jury a apprécié ce 1er cru, « vrai » vin plaisir. Profonde et intense, la robe annonce le nez fruité (fruits rouges et noirs) accompagné de fines épices. Elégante jusqu'en finale, la bouche est bien construite. Si vous aimez les vins jeunes, celui-ci accompagnera une viande truffée. Si vous voulez le voir vieillir, gardez-le dans une bonne cave pendant huit à dix ans. (150 à 199 F)

🔑 Dom. des Beaumont, 9, rue Ribordot, 21220 Morey-Saint-Denis, tél. 03.80.51.87.89, fax 03.80.51.87.89 ☑ Y r.-v.

JEAN-CLAUDE BOISSET 1998*

■ n.c. 45 000 🛢 15 à 23 €

C'est à Gevrey-Chambertin que Jean-Claude Boisset a planté sa première vigne : dans le *climat* de Bel-Air. Il connaît donc le pays. Ce *village* en est la meilleure preuve. Pourpre brillant, vif et fin, il s'accorde à la cerise pour s'affirmer classique et de bonne garde. Le coq au vin sera pour lui un compagnon apprécié. (100 à 149 F)

🔑 Jean-Claude Boisset, 5, quai Dumorey, 21700 Nuits-Saint-Georges, tél. 03.80.62.62.61, fax 03.80.62.37.38

RENE BOUVIER 1999

■ 1,02 ha 4 000 🛢 15 à 23 €

La couleur bien accrochée au tissu de la robe, le nez offert à l'animal ainsi qu'au fruit sur boisé assez tempéré, un *village* tout en agrément. Sans doute un peu cistercien à la prise d'habit, mais sa chaleur et sa mâche ont une ardeur communicative. Une viande marinée lui conviendra si vous avez le courage de patienter le temps qu'il faut (deux à cinq ans). (100 à 149 F)

🔑 EARL René Bouvier, 2, rue Neuve, 21160 Marsannay-la-Côte, tél. 03.80.52.21.37, fax 03.80.59.95.96 ☑ Y r.-v.

DOM. PHILIPPE CHARLOPIN-PARIZOT
Vieilles vignes 1998***

■ n.c. n.c. 🛢 23 à 30 €

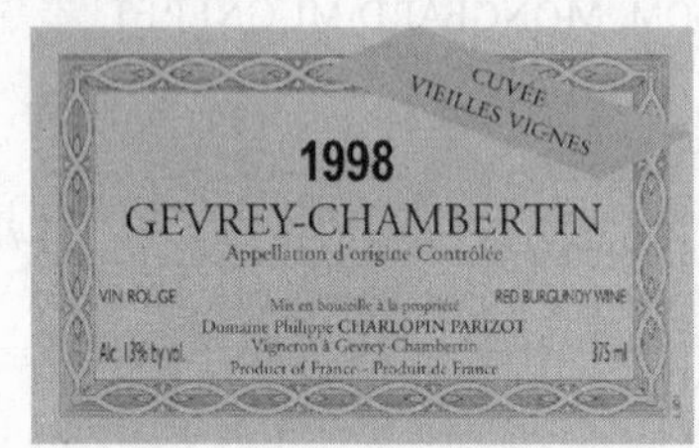

Philippe Charlopin a réservé deux belles surprises aux dégustateurs en gevrey-chambertin : voyez celle-ci pour laquelle le grand jury s'est unanimement prononcé, estimant qu'elle a atteint « la perfection ». Grenat foncé avec de jolis reflets violets, ce vin s'est mis sur son trente et un. Le fût épouse le pinot noir au terme d'un contrat de mariage très équilibré. Texture, concentration, tout est superbe en lui. L'ancien président de l'association du Roi Chambertin a élaboré ici un vin à la hauteur d'un grand cru. Le *climat* **La Justice 98** obtient deux étoiles. (150 à 199 F)

🔑 Philippe Charlopin, 18, rte de Dijon, 21220 Gevrey-Chambertin, tél. 03.80.51.81.18, fax 03.80.51.81.18 Y r.-v.

DOM. PIERRE DAMOY
Clos Tamisot 1999*

■ 1,45 ha 5 400 🛢 23 à 30 €

Le Tamisot constitue en quelque sorte le jardin de la famille Damoy. A Gevrey on ne laisse pas pousser l'herbe là où la vigne est disposée à bien faire. Cerise noire, un vin mêlant des notes de poivre grillé, de myrtille et de kirsch, montrant déjà sa maturité. On aimerait des tanins plus à découvert, mais l'ensemble est gras, souple et fondu. Sa note finale de fruits rouges lui vaut une tendresse particulière. (150 à 199 F)

🔑 Dom. Pierre Damoy, 11, rue du Mal-de-Lattre-de-Tassigny, 21220 Gevrey-Chambertin, tél. 03.80.34.30.47, fax 03.80.58.54.79

DOM. DROUHIN-LAROZE 1999**

■ 1er cru 0,67 ha 3 000 🛢 15 à 23 €

C'est en 1850 que Jean-Baptiste Laroze crée ici un domaine viticole. Au lendemain de la Première Guerre mondiale, Antoinette Laroze épouse Alexandre Drouhin : vous savez tout désormais. Et le vin mérite votre intérêt : de couleur cassis et d'un éclat remarquable, il reste au nez sur cette note, avec une certaine retenue. Quelques fines épices complètent le tout. Puis la bouche, jeune, reste irréprochable du début à la fin. Ce domaine très célèbre montre qu'il faudra encore compter sur lui pendant longtemps. (100 à 149 F)

Dom. Drouhin-Laroze, 2, rue du Chambertin, 21220 Gevrey-Chambertin, tél. 03.80.34.31.49, fax 03.80.51.83.70 r.-v.

Bernard-Philippe Drouhin

DOM. DUPONT-TISSERANDOT Lavaux Saint-Jacques 1999★

1er cru 0,98 ha n.c. 15 à 23 €

La météo est au beau fixe. Elle annonce un ciel clair et ensoleillé durant de longues années. Beaucoup d'extraction certes (couleur très prononcée, nez de baies sauvages, de sous-bois, d'épices variées comme le curry - *madra mild !*), mais ce 99 repose sur des tanins nobles. Déjà ample et cependant jeune de caractère, un vin qui va profiter de cette météo favorable pour devenir tout simplement somptueux. Le **village 99 (70 à 99 F)** peut également compléter votre cave : il obtient une citation. (100 à 149 F)

GAEC Dupont-Tisserandot, 2, pl. des Marronniers, 21220 Gevrey-Chambertin, tél. 03.80.34.10.50, fax 03.80.58.50.71 r.-v.

FAIVELEY Les Marchais 1998★

1,08 ha 3 700 23 à 30 €

On se rappelle encore Gabriel Tortochot dire : « Marchais ! Je vais les vendre où avec un nom comme ça ? A la fête de l'Huma ? » En réalité, ce bon vin cerise foncé a l'esprit large. Toasté, il penche également vers des arômes de mûre et de réglisse. Ferme sur ses tanins, il est net, structuré, bien typé. De garde, évidemment. Egalement « étoilé », le **1er cru Combe aux Moi-**

La côte de Nuits (Nord-2)

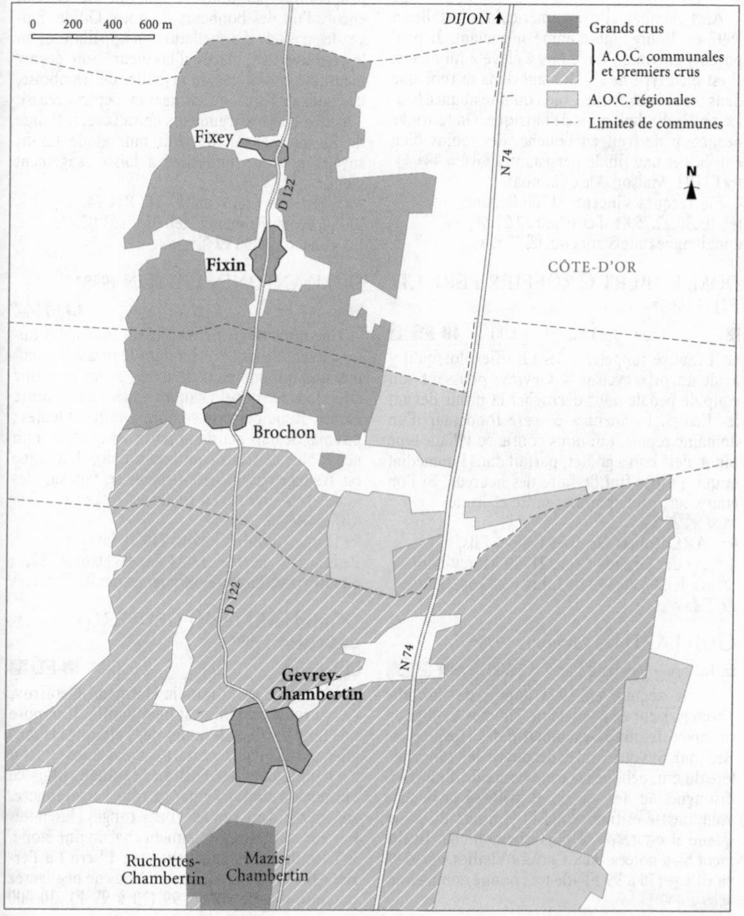

nes 98 (250 à 299 F), qui se profile bien (quatre à cinq ans de garde). (150 à 199 F)

Dom. Faiveley, 8, rue du Tribourg, 21701 Nuits-Saint-Georges Cedex, tél. 03.80.61.04.55, fax 03.80.62.33.37, e-mail bourgognes-faiveley@wanadoo.fr r.-v.

DOM. JEAN FOURNIER 1999*

■ 0,55 ha 3 000 11 à 15 €

Superbe au regard, fruits rouges écrasés, coulis de framboise au nez, cette cuvée séduit dès l'approche. Ce sont les tanins qui bloquent ensuite un peu. Rien d'étonnant à cet âge. La structure finale impressionne par sa netteté. Attendre au moins dix-huit mois après la sortie du Guide pour ouvrir la première bouteille et voir s'il ne faut pas de plus longues années de garde. (70 à 99 F)

Dom. Jean Fournier, 29-34, rue du Château, 21160 Marsannay-la-Côte, tél. 03.80.52.24.38, fax 03.80.52.77.40 r.-v.

ALEX GAMBAL Vieilles vignes 1998

■ n.c. 1 200 15 à 23 €

Alex Gambal, citoyen américain, s'installe en 1997 en Bourgogne comme négociant. Il propose ici un vin qu'il n'a pas « élevé » lui-même. Il est bien typé de l'AOC tant dans sa robe que dans ses arômes fruités, bien qu'une nuance brûlée révèle dix-huit mois de barrique. On retrouve beaucoup de fruit en bouche, des tanins bien enrobés et une finale persistante. (100 à 149 F)

EURL Maison Alex Gambal, 4, rue Jacques-Vincent, 21200 Beaune, tél. 03.80.22.75.81, fax 03.80.22.21.66, e-mail agbeaune@aol.com r.-v.

DOM. ROBERT GROFFIER PERE ET FILS 1999*

■ 0,85 ha 4 800 15 à 23 €

Il faut se rappeler Jules Groffier, lorsqu'il y avait un prix cycliste à Gevrey, poussant son coup de pédale pour décrocher la prime devant les Ecoles. Honneur à ce père fondateur d'un domaine réputé, qui nous confie ce *village* typé pinot, déjà bon à goûter, parfait dans l'immédiat et qui n'a pas fini de faire des heureux. Si l'on était vous, on le boirait tendre et jeune. (100 à 149 F)

SARL Robert Groffier Père et Fils, 3-5, rte des Grands-Crus, 21220 Morey-Saint-Denis, tél. 03.80.34.31.53, fax 03.80.34.31.53 r.-v.

GUILLARD Les Corbeaux 1998*

■ 1er cru 0,48 ha 2 800 15 à 23 €

Vigne acquise en 1993 auprès de Suzanne Thomas, sœur de Madeleine Thomas-Collignon (la cuvée des mazis-chambertin des Hospices de Beaune). Si vous voulez découvrir le vrai caractère du cru, débouchez cette bouteille d'un rubis distingué, au nez vineux et grillé, à la bouche voluptueuse et fine. Voici la féminité du pinot quand il est respecté plus que sollicité. Egalement bien notées, **Aux Corvées Vieilles vignes 98 en village (70 à 99 F)** : de très bonne compagnie. (100 à 149 F)

SC Guillard, 3, rue des Halles, 21220 Gevrey-Chambertin, tél. 03.80.34.32.44 r.-v.

JEAN-MICHEL GUILLON Les Champonnets 1999*

■ 1er cru 1,1 ha 5 700 15 à 23 €

Le domaine a vingt ans. Mais il y a longtemps qu'il est majeur. Si son **village Vieilles vignes 99 (70 à 99 F)** est fortement conseillé, celui-ci l'est avec davantage de chaleur encore. Sa robe est sauvage, à peine teintée de violet. Groseille et vanille sont en harmonie au nez. Dès l'approche des lèvres, l'attaque est pulpeuse, sensuelle, avec un certain relief et une excellente enveloppe matricielle. (100 à 149 F)

Jean-Michel Guillon, 33, rte de Beaune, 21220 Gevrey-Chambertin, tél. 03.80.51.83.98, fax 03.80.51.85.59, e-mail eurlguillon@aol.com r.-v.

DOM. GUYON 1999**

■ 0,4 ha 2 900 15 à 23 €

Un exemple des petits domaines vignerons, peu connus par ailleurs, qui ont été et sont encore l'un des bonheurs de notre Guide. Suivez-le en effet : d'appellation en appellation, on le retrouve aux places d'honneur. Son gevrey bleu-noir, aux notes de myrtille, de framboise, de coulis de fruits, de sarment et d'épices réussit à mettre tous les arguments en sa faveur. Pointe de fût sans excès, de fruit mûr et de tanins soyeux pour un millésime à laisser sagement vieillir. (100 à 149 F)

EARL Dom. Guyon, 11-16, RN 74, 21700 Vosne-Romanée, tél. 03.80.61.02.46, fax 03.80.62.36.56 r.-v.

DOM. ANTONIN GUYON 1998**

■ 2,4 ha 15 000 15 à 23 €

Une table de tri permet ici de choisir les raisins, avant de les déverser dans le pressoir pneumatique qui équipe cette cave ; et un domaine que l'on retrouve chaque année dans notre Guide. Robe pourpre sombre à reflets bleutés ; pas mal de bois mais il apporte ses qualités à un nez évolué de fruits confits et d'épice. L'attaque est franche. Le développement se fait sur des tanins très soyeux. La finale est élégante. (100 à 149 F)

Dom. Antonin Guyon, 21420 Savigny-lès-Beaune, tél. 03.80.67.13.24, fax 03.80.66.85.87, e-mail vins@guyon-bourgogne.com r.-v.

DOM. HARMAND-GEOFFROY La Bossière 1999*

■ 1er cru 0,29 ha 2 000 23 à 30 €

Monopole de la famille Harmand-Geoffroy, ce cru rubis cristallin est bien vinifié. Il impose une forte barrière de tanins dès l'attaque : le sanglier qui lui fera escorte n'est pas encore venu au monde dans les bois de Mantuan. Mais ce vin inspire confiance par sa robe cerise foncée, son nez ouvert sur les fruits rouges, les notes boisées et épicées. Obtiennent chacun une étoile, le **Clos Prieur 99 en village** et le **1er cru La Perrière 99 (100 à 149 F chacun)**. Vous ne négligerez pas non plus le **village 99 (70 à 99 F)**, 30 000 bouteilles citées qui devront attendre que leurs tanins se fondent pour les offrir à un coq au vin. (150 à 199 F)

Dom. Harmand-Geoffroy, 1, pl. des Lois, 21220 Gevrey-Chambertin, tél. 03.80.34.10.65, fax 03.80.34.13.72, e-mail harmand-geoffroy@wanadoo.fr r.-v.

DOM. HERESZTYN

Les Corbeaux 1999★★

■ 1er cru 0,19 ha 1 100 23 à 30 €

Domaine coup de cœur dans l'édition 1999 pour une Perrière 96 ; voici les Corbeaux. Qu'il soit permis un instant d'émotion personnelle : cette vigne a appartenu naguère à l'auteur de ces lignes (qui reste parfaitement fidèle aux fiches des dégustateurs, NDLR). D'une couleur très pure, légèrement baigné de cassis et d'épices, ce vin donne envie de le partager avec ses fidèles amis. Un joli fruit, des tanins mesurés, un solide potentiel, tout cela traduit une belle origine (les ceps ont soixante ans). A signaler aussi le **1er cru Les Champonnets 99** très charpenté, assez carré, avec des tanins très extraits. Un style qui lui vaut une étoile. (150 à 199 F)

Dom. Heresztyn, 27, rue Richebourg, 21220 Gevrey-Chambertin, tél. 03.80.34.13.99, fax 03.80.34.13.99, e-mail domaine.heresztyn@wanadoo.fr r.-v.

DOM. HUMBERT FRERES

Craipillot 1999★★

■ 1er cru 0,21 ha 1 100 23 à 30 €

Patron du village, saint Aignan veille, du haut de son clocher roman, sur un 1er cru à la hauteur de son appellation. Du gevrey comme on les aime, très haut en couleur, évoquant légèrement le cassis. Il fait en bouche le saut de l'ange. Puissance et élégance, richesse nourrie de tanins parfaitement civilisés, une belle plénitude en somme. (150 à 199 F)

Dom. Humbert Frères, rue de Planteligone, 21220 Gevrey-Chambertin, tél. 03.80.51.80.14, fax 03.80.51.80.14 r.-v.

DOM. LOUIS JADOT

Clos Saint-Jacques 1998★★

■ 1er cru 1 ha 4 300 46 à 76 €

Entouré de murs, comportant un petit oratoire en son sein, c'est l'un des plus anciens clos de Bourgogne. Seuls les hasards de l'histoire expliquent son absence parmi les grands crus dont il a le rang. On en a ici le meilleur exemple. Grenat foncé, ce 98 est gorgé des parfums de la cerise très mûre. Riche et complexe, le gras bien présent, le fût bien intégré et d'une longue persistance, il vous invite à un beau pélerinage à Saint-Jacques. (300 à 499 F)

Maison Louis Jadot, 21, rue Eugène-Spuller, 21200 Beaune, tél. 03.80.22.10.57, fax 03.80.22.56.03, e-mail contact@louisjadot.com r.-v.

JANE ET SYLVAIN 1999

■ n.c. 2 500 11 à 15 €

L'une des rares étiquettes, sinon la seule en Bourgogne, à se contenter des prénoms des viticulteurs. Comme Roméo et Juliette, Jane et Sylvain se contentent d'exister. Leur 99 est un peu poussé sur le grillé mais bien habillé, profond et gras en bouche. A attendre quelques années. Jane appartient à la famille Bernollin. (70 à 99 F)

EARL Jane et Sylvain, 9, rue du Chêne, 21220 Gevrey-Chambertin, tél. 03.90.34.16.83, fax 03.80.34.16.83 r.-v.

LIGNIER-MICHELOT 1999★

■ 0,5 ha 2 500 11 à 15 €

Si Nono, le personnage du roman de Gaston Roupnel, revenait à Gevrey, nul doute qu'il ne se ferait pas prier pour vider entre amis cette bouteille ni très intense ni très concentrée, mais d'un bouquet délicieux, un peu cerise confite. La bouche est au diapason, ronde et attirante sur un décor de raisin bien mûr. D'ici un an, ce sera au point. Ce vin a passé treize mois en fûts, dont 30 % sont neufs, et cela a été bien mené car tout est en place ! (70 à 99 F)

Dom. Lignier-Michelot, 11, rue Haute, 21220 Morey-Saint-Denis, tél. 03.80.34.31.13, fax 03.80.58.52.16 r.-v.

DOM. MICHEL MAGNIEN ET FILS

Les Seuvrées Vieilles vignes 1999★★

■ 1,26 ha 9 200 15 à 23 €

Ce domaine produit des grands crus mais aussi ce *village* remarquable à la robe profonde et jeune. Le nez, légèrement fumé (boisé bien maîtrisé), offre des nuances délicates de mûre et de cassis. La bouche joue sur le même registre : le fût accompagne avec élégance - et mesure - le fruit ; ce dernier est constitué d'une matière riche aux tanins très longs. Dans deux ou trois ans, ce vin révèlera tout son charme et vivra bien dix ans dans une bonne cave. (100 à 149 F)

EARL Michel Magnien et Fils, 4, rue Ribordot, 21220 Morey-Saint-Denis, tél. 03.80.51.82.98, fax 03.80.58.51.76 r.-v.

DOM. MICHEL MAGNIEN ET FILS

Les Cazetiers 1999★★

■ 1er cru 0,25 ha 1 800 23 à 30 €

Numéro deux au palmarès 2002, voici des Cazetiers enflammés. Paré d'une robe extrêmement sombre, un vin d'abord discret, qui laisse ensuite s'exprimer des notes sauvages accompagnant griotte, mûre et épices. Il explose littéralement en bouche : la matière pressentie est bien là, enveloppée de tanins sans rudesse. Un style velouté. On reste émerveillé par le goût si typé de ce 1er cru. (150 à 199 F)

EARL Michel Magnien et Fils, 4, rue Ribordot, 21220 Morey-Saint-Denis,
tél. 03.80.51.82.98, fax 03.80.58.51.76 r.-v.

DOM. MARCHAND FRERES
En Songe 1999*

■ 0,2 ha 1 200 15 à 23 €

En Songe... N'est-ce pas le plus joli nom de *climat* bourguignon ? Il ne doit rien au rêve, mais à la dure réalité d'autrefois : une terre seigneuriale, proche du château des abbés de Cluny et à travailler pour eux... Cela dit, nous sommes en république et ce 99 très brillant incarne les valeurs démocratiques du fût neuf et de la crème de cassis. Un gevrey carré, solide, les pieds sur terre. (100 à 149 F)

Dom. Marchand Frères, 1, pl. du Monument, 21220 Gevrey-Chambertin,
tél. 03.80.62.10.97, fax 03.80.62.11.01,
e-mail dmarc2000@aol.com t.l.j. sf dim. lun. 9h-12h 14h-19h

DOM. THIERRY MORTET 1999**

■ 3 ha 14 000 15 à 23 €

Ce n'est pas pour rien que Gevrey a épousé le nom de Chambertin. Car un *village* comme celui-ci peut nourrir l'espoir de regarder dans les yeux des crus plus illustres. La couleur ? Le technicolor d'Hollywood dans ses grandes années, coucher de soleil sur longue finale. Quelle belle fraise au nez tout de fraîcheur ! La chair n'est pas faible et le volume n'a rien d'étroit. Il devra être servi dans deux ou trois ans. (100 à 149 F)

Dom. Thierry Mortet, 16, pl. des Marronniers, 21220 Gevrey-Chambertin,
tél. 03.80.51.85.07, fax 03.80.34.16.80 r.-v.

PIERRE NAIGEON Les Fontenys 1999*

■ 1er cru 0,09 ha 300 30 à 38 €

L'enseigne se trouve sur le bel hôtel Jobert de Chambertin à Gevrey. Assisté par Pascal Roblet, viticulteur à Bligny-lès-Beaune, Pierre Naigeon a pris la succession de Jean-Pierre, son père trop tôt disparu. Ses Fontenys 99 sont passionnants comme un roman. D'une teinte très soutenue, ils glorifient la jeunesse tout en étant prometteurs dans tous les domaines. Vinosité et équilibre tannique de premier plan. (200 à 249 F)

Pierre Naigeon, BP 59, 21220 Gevrey-Chambertin, tél. 03.80.34.14.87,
fax 03.80.58.51.18, e-mail naigeon@aol.com
r.-v.

GERARD QUIVY Les Corbeaux 1999

■ 1er cru 0,16 ha 1000 23 à 30 €

Les Corbeaux sont très en verve cette année. Quant à ce domaine, c'est la très belle maison ancienne située entre la mairie et la poste. Ce vin, à la robe légère et printanière, bouqueté (cerise, framboise), survole le sujet dès son entrée en bouche. D'une texture fine, il papillonne aimablement, laissant ses tanins s'exprimer librement. A attendre un peu.
(150 à 199 F)

Gérard Quivy, 7, rue Gaston-Roupnel, 21220 Gevrey-Chambertin, tél. 03.80.34.31.02, fax 03.80.34.31.02 t.l.j. sf ven. 9h-12h 14h-18h30; f. jan.

DOM. HENRI REBOURSEAU 1998*

■ 7,02 ha 14 511 15 à 23 €

Voici vingt ans que Régis de Surrel a succédé à son grand-père, haute figure de la vigne et du vin au Clos de Vougeot comme à Chambertin. Son 98 est d'un rouge soutenu, net et franc. La cerise fraîche y fait assez bon ménage avec la vanille du fût. Typé gevrey, il est en train de se fondre et il garde longtemps ses arômes en arrière-bouche. Le genre de vin qu'on verrait bien avec un jambon à la Nuitonne.
(100 à 149 F)

NSE Dom. Henri Rebourseau,
10, pl. du Monument, 21220 Gevrey-Chambertin, tél. 03.80.51.88.94,
fax 03.80.34.12.82, e-mail rebourseal@aol.com
r.-v.

DOM. HENRI RICHARD 1998

■ 2,07 ha n.c. 11 à 15 €

Rouge cerise un peu noir, chocolaté et s'ouvrant sur le cassis ou la mûre, animal, un vin bien dimensionné, assez structuré et prometteur. Ses tanins nécessitent un avis d'attente.
(70 à 99 F)

SCE Henri Richard, 75, rte de Beaune, 21220 Gevrey-Chambertin, tél. 03.80.34.35.81, fax 03.80.34.35.81 t.l.j. 9h-12h 14h-18h; dim. sur r.-v.; f. 15-31 août

CAVE PRIVEE D'ANTONIN RODET
Les Estournelles Saint-Jacques 1998*

■ 1er cru n.c. 866 38 à 46 €

« La parole est aux terroirs... » Ecrivain du vin à Gevrey-Chambertin, Jacky Rigaud commence ainsi son livre sur les vins du pays. On mesure ici à quel point il faut se référer constamment à cette bible quand on déguste. Ces Estournelles sont d'un rubis classique tirant sur la brique ; le nez terroite et cueille une cerise à l'eau-de-vie. Velours, chair en bouche, un 98 bien construit à saisir dès à présent.
(250 à 299 F)

Antonin Rodet, 71640 Mercurey,
tél. 03.85.98.12.12, fax 03.85.45.25.49,
e-mail rodet@rodet.com t.l.j. sf sam. dim. 9h-12h 14h-18h

GERARD SEGUIN Vieilles vignes 1998*

■ 1,25 ha 6 000 11 à 15 €

Un ancien maire de la commune dans cette famille profondément gibriacoise. Vaillant petit domaine vigneron. Vanille et fruits confits sous une robe d'intensité moyenne, bouche de belle tenue avec assez d'acidité, tanins radicaux (politiquement s'entend, ouverts à toute proposition intéressante), une structure convenable et une persistance satisfaisante. Typique de l'AOC dans son année. (70 à 99 F)

Gérard Seguin, 11-15, rue de l'Aumônerie, 21220 Gevrey-Chambertin, tél. 03.80.34.38.72, fax 03.80.34.17.41 r.-v.

DOM. TAUPENOT-MERME
Bel Air 1998*

■ 1er cru n.c. 2 700 23 à 30 €

Bel Air le bien nommé. Un *climat* qui, juste au-dessus des grands crus, domine la grande armée des ceps et voit de temps en temps le mont Blanc. Coup de cœur dans le Guide 1992 pour son 88, ce domaine présente un vin imposant, presque fascinant de hauteur sous des arômes qui pinotent à merveille. Typicité et terroir sont magnifiques. Une face nord à gravir dans cinq à dix ans sur un lapin en papillote aux petits légumes. (150 à 199 F)

Jean Taupenot-Merme, 33, rte des Grands-Crus, 21220 Morey-Saint-Denis, tél. 03.80.34.35.24, fax 03.80.51.83.41, e-mail domainetaupenot-merme@wanadoo.fr r.-v.

DOM. TORTOCHOT Les Corvées 1998

■ 0,86 ha 6 000 11 à 15 €

Lecteur, sachez que la rue de l'Eglise ne conduit pas à l'église Saint-Aignan, fondée au XIIe s. Un édifice à découvrir lorsque vous aurez rendu visite à ce domaine. Parti il y a quelques mois vendanger les vignes célestes, Gaby nous quitte sur cette bouteille vinifiée par sa fille Chantal. Un vin tout en finesse, rouge rubis, parfumé à la griotte, à la fraise. Un *village* discret mais franc, tout entier sur les fruits rouges. (70 à 99 F)

Dom. Tortochot, 12, rue de l'Eglise, 21220 Gevrey-Chambertin, tél. 03.80.34.30.68, fax 03.80.34.18.80 r.-v.

Chantal et Michel Tortochot

DOM. DES VAROILLES
La Romanée 1998

■ 1er cru n.c. n.c. 23 à 30 €

La Bourgogne viticole est très complexe et on a souvent besoin d'un bon guide pour se reconnaître. En effet, il existe une Romanée à Gevrey, et plusieurs autres ailleurs... Celle-ci, située à l'entrée de la combe de Lavaux côté droit, possède une jolie « maison de quatre heures » (où l'on rangeait les outils et faisait griller des marrons) en plein milieu. D'un léger tuilé à l'œil, excellent par son nez de fruits noirs et de fines épices, ce 98 nous rappelle que « les Bourguignons ont des boyaux de soie », comme disait Curnonski. Soyeux en effet, les tanins sont-ils suffisants pour affronter une longue garde ? Le jury en discute. (150 à 199 F)

SCI Dom. des Varoilles, rue de l'Ancien-Hôpital, 21220 Gevrey-Chambertin, tél. 03.80.34.30.30, fax 03.80.51.88.99 r.-v.

DOM. DU VIEUX COLLEGE
Les Champeaux 1999

■ 1er cru 0,3 ha 1 300 15 à 23 €

Un pinot noir rubis tirant sur le grenat, au bouquet discret de bigarreau et de cassis. Sa personnalité se dessine tout doucement sur une impression bourgeon de cassis : bouche serrée, caractère animal, un vin à attendre quatre ou cinq ans. (100 à 149 F)

Jean-Pierre et Eric Guyard, 4, rue du Vieux-Collège, 21160 Marsannay-la-Côte, tél. 03.80.52.12.43, fax 03.80.52.95.85 r.-v.

Chambertin

Bertin, vigneron à Gevrey, possédant une parcelle voisine du Clos de Bèze et fort de l'expérience qualitative des moines, planta les mêmes plants, et obtint un vin similaire : c'était le « champ de Bertin », d'où Chambertin. En 1999, l'AOC a produit 506 hl et en 2000, 495 hl.

DOM. HUBERT CAMUS 1998*

■ Gd cru 1,69 ha n.c. 30 à 38 €

Hubert Camus a pris beaucoup de responsabilités professionnelles au sein du vignoble bourguignon. Son chambertin 98 montre qu'il demeure fidèle au style Camus : des vins élégants et assez légers, onctueux, soyeux. Ce sont en effet les jugements portés par nos dégustateurs. Même le rouge de sa robe n'a pas recours à des effets violacés, restant d'un ton cerise. Son nez suggère le cassis sous un peu de vanille réglissée. (200 à 249 F)

SCEA Dom. Camus Père et Fils, 21, rue du Mal-de-Lattre-de-Tassigny, 21220 Gevrey-Chambertin, tél. 03.80.34.30.64, fax 03.80.51.87.93 r.-v.

Hubert Camus

PHILIPPE CHARLOPIN POUR MADAME BARON 1999*

■ Gd cru n.c. n.c. 46 à 76 €

On apprécie l'étiquette qui précise le nom de la propriétaire, Jocelyne Baron, ainsi que celui du viticulteur chargé de cette vigne et de ce vin, Philippe Charlopin. Voilà de l'information et on l'aimerait plus fréquente. Philippe Charlopin pratique une vinification qui tire le maximum du raisin, en couleur et en arômes (le floral équilibrant le toasté). La bouche tourne rond sur des tanins très fins et s'achève sur une fraîcheur qui est la bienvenue. Grande harmonie de l'ensemble. (300 à 499 F)

Philippe Charlopin-Baron, 18, rte de Dijon, 21220 Gevrey-Chambertin, tél. 03.80.51.81.18, fax 03.80.51.81.27 r.-v.

DOM. PIERRE DAMOY 1999**

■ Gd cru 0,47 ha 2 100 46 à 76 €

Tout petit épicier d'Yvetot, Julien Damoy monta à Paris et y créa une multitude d'épiceries. Fortune faite, il se passionna pour le vin de Bourgogne et fonda à Gevrey le domaine du Tamisot. Son chambertin 99 est un superbe puzzle dont les pièces seront complètement assemblées d'ici une dizaine d'années. La robe très foncée témoigne d'une extraction vigoureuse, perceptible également au palais. Nuances de

myrtille et boisé racé. A attendre au moins cinq ans. (300 à 499 F)
Dom. Pierre Damoy, 11, rue du Mal-de-Lattre-de-Tassigny, 21220 Gevrey-Chambertin, tél. 03.80.34.30.47, fax 03.80.58.54.79

CH. DE MARSANNAY 1998

■ Gd cru 0,09 ha 448 46 à 76 €

Rubis vif, un vrai soleil d'Austerlitz ! Son bouquet n'a pas encore fait donner la cavalerie. Kirsch et cacao en avant-garde. Acide dans la fraîcheur, il attaque avec panache, bien soutenu par l'appui de ses tanins serrés. Cette bouteille présentée par le groupe Boisseaux (Château de Meursault, notamment) devra attendre trois ou quatre ans en cave. (300 à 499 F)
Ch. de Marsannay, rte des Grands-Crus, BP 78, 21160 Marsannay-la-Côte, tél. 03.80.51.71.11, fax 03.80.51.71.12 t.l.j. 10h-12h 14h-18h30

DOM. HENRI REBOURSEAU 1998*

■ Gd cru 0,79 ha 2 049 +76 €

La chair est faible parfois. Ce n'est pas le cas ici. Gras, ce vin paraît structuré sur des tanins fermes. Constant sur les trois paramètres, l'œil, le nez, la bouche, il n'exclut ni l'élégance ni la finesse pour se faire entendre, sachant toutefois que le fond assurera vraiment son avenir. Le grand-père de Jean de Surrel, qui conduit aujourd'hui les presque 14 ha du domaine, présida le Syndicat du chambertin et celui du clos de vougeot. (+ 500 F)
NSE Dom. Henri Rebourseau, 10, pl. du Monument, 21220 Gevrey-Chambertin, tél. 03.80.51.88.94, fax 03.80.34.12.82, e-mail rebourseal@aol.com r.-v.

DOM. LOUIS REMY 1999

■ Gd cru 0,35 ha 800 46 à 76 €

|93| 96 97 98 99

Dans la famille depuis 1820, ce domaine possède des caves voûtées sur deux étages des XVIIe et XVIIIes. D'une teinte grenat, appuyée, il délivre peu de messages aromatiques. L'extraction du moût est assez réussie, dans un cadre tannique. Bon vin en devenir qui a des qualités. La preuve ? Il est mentionné. Tant d'autres ne le sont pas ! (300 à 499 F)
Dom. Louis Remy, 1, pl. du Monument, 21220 Morey-Saint-Denis, tél. 03.80.34.32.59, fax 03.80.34.32.59 r.-v.

DOM. ROSSIGNOL-TRAPET 1998*

■ Gd cru 1,6 ha 4 200 38 à 46 €

Ce 98 revêtu d'une parure rubis sombre est un vin complexe. Il a déjà atteint l'étape nécessaire des arômes de maturité, de cassis et de cuir, de pruneau et de gibier. Mais sa puissance en bouche, son acidité, ses tanins bien présents annoncent un millésime de garde dont le gras, le moelleux apparaîtront plus tard. Dans combien de temps ? Dans quatre à cinq ans environ. (250 à 299 F)
Dom. Rossignol-Trapet, 3, rue de la Petite-Issue, 21220 Gevrey-Chambertin, tél. 03.80.51.87.26, fax 03.80.34.31.63, e-mail info@rossignol-trapet.com r.-v.

DOM. ARMAND ROUSSEAU PERE ET FILS 1999**

■ Gd cru 2,15 ha 10 600 46 à 76 €

Serena Sutcliffe voit en Charles Rousseau « le personnage le plus haut en couleur et le plus généreux de Bourgogne ». Il a de qui tenir : son père Armand fut la grande figure de Gevrey durant la première moitié du XXes. Son chambertin ressemble en effet à ce viticulteur : la robe, haute en couleur et attirante ; le bouquet, inspiré par le cuir, la cerise noire, les épices réglissées. Et un corps, une grâce d'archange ! Respect du terroir, d'une vinification traditionnelle et d'une conscience absolue : « il ne faut pas chercher à faire différemment », écrit un dégustateur. Notez que sur les six jurés, quatre attribuent un coup de cœur : il fallait l'unanimité... (300 à 499 F)
Dom. Armand Rousseau, 1, rue de l'Aumônerie, 21220 Gevrey-Chambertin, tél. 03.80.34.30.55, fax 03.80.58.50.25, e-mail contact@domaine-rousseau.com

DOM. TRAPET PERE ET FILS 1999*

■ Gd cru n.c. n.c. 46 à 76 €

96 **98** 99

Gaston Roupnel voyait dans le chambertin le « miracle de la nature ». Heureusement porté par une main d'homme et chez les Trapet on connaît le métier ! Nul doute que ce 99 extrêmement concentré, tel le chevalier Bayard dans son armure, se prépare pour des victoires fulgurantes et lointaines. Il a fait l'unanimité. Presque noir, il délivre déjà un bouquet aux arômes fruités très prononcés. Ses tanins mûrs et persistants longuement ont fait dire : « Enfin un grand chambertin en devenir. » Le style de vinification de la maison. (300 à 499 F)
Dom. Trapet Père et Fils, 53, rte de Beaune, 21220 Gevrey-Chambertin, tél. 03.80.34.30.40, fax 03.80.51.86.34, e-mail message@domaine-trapet.com r.-v.

Chambertin-clos de bèze

Les religieux de l'abbaye de Bèze plantèrent en 630 une vigne dans une parcelle de terre qui donna un vin particulièrement réputé : ce fut l'origine de l'appellation, qui couvre une quinzaine d'hectares ; les vins peuvent également s'appeler chambertin. La production a atteint 462 hl en 2000.

DOM. PIERRE DAMOY 1999*

■ Gd cru 5,36 ha 13 000 46 à 76 €

Ce clos de bèze a reçu le ruban rouge dans l'édition 1997 pour le comportement de son 93 : le coup de cœur qui, à Gevrey, fait presque autant plaisir que la Légion d'honneur. Pourpre foncé, très profond et très sombre, ce vin offre des arômes de bourgeon de cassis, de pruneau qui persistent en bouche sur des tanins fondus et légèrement boisés. Ces 5,35 ha 96 ca ont été acquis par Julien Damoy vers 1920 (ancien domaine Serre, de Meursault). (300 à 499 F)

Dom. Pierre Damoy, 11, rue du Mal-de-Lattre-de-Tassigny, 21220 Gevrey-Chambertin, tél. 03.80.34.30.47, fax 03.80.58.54.79

DOM. DROUHIN-LAROZE 1999

■ Gd cru 1,5 ha 4 000 46 à 76 €

Ce très ancien domaine, fondé l'année où Alexandre Dumas publia *La Tulipe noire*, propose un vin qui sera agréable à boire... dans quelque temps. Il est aujourd'hui tout entier sur le bois, mais sa franchise et sa structure sont prometteuses ; quelques notes de fruits rouges percent déjà sous la carapace tannique. (300 à 499 F)

Dom. Drouhin-Laroze, 2, rue du Chambertin, 21220 Gevrey-Chambertin, tél. 03.80.34.31.49, fax 03.80.51.83.70 r.-v.

Bernard et Philippe Drouhin

DOM. GROFFIER PERE ET FILS 1999*

■ Gd cru n.c. 1 500 46 à 76 €

93 95 96 97 (98) 99

Coup de cœur l'an passé pour son 98, ce domaine ne reste pas inaperçu cette fois-ci encore. Une intensité du feu de Dieu, il faut l'admettre. Un nez chaste, avec une note de framboise qui en dit long sur ses aspirations. L'acidité est présente comme il faut et se confond avec les tanins. Pas trop de fût, retour de cerise burlat ; tout sera bien intégré dans deux, trois, voire quatre ans. (300 à 499 F)

Dom. Robert et Serge Groffier, 3-5, rte des Grands-Crus, 21220 Morey-Saint-Denis, tél. 03.80.34.31.53, fax 03.80.34.31.53 r.-v.

Autres grands crus de Gevrey-Chambertin

Autour des deux précédents, il y a une foule de crus qui, sans les égaler, restent de la même famille. Les conditions de production sont un peu moins exigeantes, mais les vins y ont les mêmes caractères de solidité, de puissance, de plénitude, où domine la réglisse, qui permet généralement de différencier les vins de Gevrey de ceux des appellations voisines : les Latricières (environ 7 ha) ; les Charmes (31 ha, 61 a, 30 ca) ; les Mazoyères, qui peuvent également s'appeler Charmes (l'inverse n'est pas possible) ; les Mazis, comprenant les Mazis-Haut (environ 8 ha) et les Mazis-Bas (4 ha, 59 a, 25 ca) ; les Ruchottes (venant de roichot, lieu où il y a des roches), toutes petites par la surface, comprenant les Ruchottes-du-Dessus (1 ha, 91 a, 95 ca) et les Ruchottes-du-Bas (1 ha, 27 a, 15 ca) ; les Griottes, où auraient poussé des cerisiers sauvages (5 ha, 48 a, 5 ca) ; et enfin, les Chapelles (5 ha, 38 a, 70 ca), nom donné par une chapelle bâtie en 1155 par les religieux de l'abbaye de Bèze, rasée lors de la Révolution.

Latricières-chambertin

DOM. LOUIS REMY 1999*

■ Gd cru 0,6 ha 2 000 46 à 76 €

Lamartine publia ses *Méditations poétiques* en 1820, année de création de ce domaine de Morey-Saint-Denis. Voici leur grand cru venu du nord, juste au-dessus du clos de la Roche. D'un beau violet soutenu, il évolue sur le bourgeon de cassis. Parcours classique, mené d'un bon pied. Pour un 99, il a du chien, une plénitude assez ronde, un boisé bien dosé, bien qu'encore présent en finale. Il sera agréable dans un délai de quatre à cinq ans. (300 à 499 F)

Dom. Louis Remy, 1, pl. du Monument, 21220 Morey-Saint-Denis, tél. 03.80.34.32.59, fax 03.80.34.32.59 r.-v.

DOM. ROSSIGNOL-TRAPET 1998

■ Gd cru 0,75 ha 2 600 30 à 38 €

Gevrey est le premier village à avoir obtenu, en 1847, le droit d'accoler à son nom celui de son terroir viticole Chambertin. Il faut visiter le vieux Gevrey avant de se rendre dans les meilleurs domaines comme celui-ci. Rubis + cerise + soie = ce vin millésimé 98. Il reste actuellement fermé à triple tour, mais rien ne vous empêche de fonder quelques espoirs sur lui. Le pari de Pascal était plus difficile, car si la bouche reste ferme elle n'en possède pas moins des tanins qui seront soyeux à souhait dans cinq ou six ans. (200 à 249 F)

Dom. Rossignol-Trapet, 3, rue de la Petite-Issue, 21220 Gevrey-Chambertin, tél. 03.80.51.87.26, fax 03.80.34.31.63, e-mail info@rossignol-trapet.com r.-v.

DOM. TRAPET 1999*

■ Gd cru n.c. n.c. 46 à 76 €

Henry Miller gardait sur son bureau, à Big Sur, une étiquette de latricières. Il en confie l'émotion dans *Souvenir, souvenirs*. Il eût sans doute aimé cette bouteille à la robe profonde. Le fruit noir explose à l'aération. Puissant et friand sur des tanins mûrs, dépourvu d'agressivité, un vin qu'un sanglier en sauce portera au septième ciel dans trois ou quatre ans. Il faudra alors le carafer. Le lecteur sait déjà que Jean et Jean-Louis Trapet ont plus de sept générations de vignerons avant eux et qu'ils exportent plus de 60 % des quelque 60 000 bouteilles qu'ils produisent chaque année. (300 à 499 F)

Dom. Trapet Père et Fils, 53, rte de Beaune, 21220 Gevrey-Chambertin, tél. 03.80.34.30.40, fax 03.80.51.86.34, e-mail message@domaine-trapet.com ☑ Y r.-v.

Chapelle-chambertin

DOM. PIERRE DAMOY 1999★★

■ Gd cru 2,22 ha 7 200 46 à 76 €

Cette chapelle bâtie en 1155, reconstruite en 1547 par l'évêque de Bethléem rapatrié à Clamecy, a disparu, hélas ! vers 1830. Il en subsiste un vin adorable et limpide comme tout. Cerise noire à l'œil, cerise noire au nez, il n'a qu'une religion. L'ensemble résulte de raisins épanouis et bien vinifiés : plus riche que pauvre, pour tout dire, mais cela n'interdit pas le paradis dans cinq à huit ans. (300 à 499 F)

Dom. Pierre Damoy, 11, rue du Mal-de-Lattre-de-Tassigny, 21220 Gevrey-Chambertin, tél. 03.80.34.30.47, fax 03.80.58.54.79

DOM. ROSSIGNOL-TRAPET 1998

■ Gd cru 0,54 ha 2 200 30 à 38 €

|92| |(93)| 97 98

Conforme à ce qu'on attend d'un grand cru, assez animal mais avec mesure, avec du corps, un beau fruit volumineux sur une armature tannique que deux ou trois ans de repos en cave amadoueront. Un dégustateur note : « Il est bien dans ses baskets ! » Un peu cavalier pour un grand cru, mais, aujourd'hui, cela veut bien dire quelque chose ! (200 à 249 F)

Dom. Rossignol-Trapet, 3, rue de la Petite-Issue, 21220 Gevrey-Chambertin, tél. 03.80.51.87.26, fax 03.80.34.31.63, e-mail info@rossignol-trapet.com ☑ Y r.-v.

DOM. TRAPET PERE ET FILS 1999

■ Gd cru n.c. n.c. 46 à 76 €

91 |94| 95 96 **98** 99

Une chapelle ? Un reposoir. Grenat très sombre. Ses arômes grillés, fumés, s'emparent du premier nez et vont de l'avant sur l'animal. Derrière tout ça, un peu de fruit que l'on devine. Un ensemble bien constitué, avec du fond sous le boisé. (300 à 499 F)

Dom. Trapet Père et Fils, 53, rte de Beaune, 21220 Gevrey-Chambertin, tél. 03.80.34.30.40, fax 03.80.51.86.34, e-mail message@domaine-trapet.com ☑ Y r.-v.

Charmes-chambertin

DOM. ARLAUD 1999★

■ Gd cru n.c. n.c. 23 à 30 €

Ce domaine a la double expérience de la pleine propriété et du métayage dans ce grand cru. Il offre ici un 99 qui se présente bien, tant au regard qu'au nez où s'expriment un boisé élégant et une corbeille de fruits mûrs. Si l'acidité est marquée en finale, cette vivacité ainsi que l'appui tannique bien construit constituent une belle réserve pour la garde. (150 à 199 F)

SCEA Dom. Arlaud Père et Fils, 43, rte des Grands-Crus, 21220 Morey-Saint-Denis, tél. 03.80.34.32.65, fax 03.80.58.52.09, e-mail cyprien.arlaud@wanadoo.fr ☑ Y r.-v.

DOM. PHILIPPE CHARLOPIN 1999★

■ Gd cru n.c. n.c. 38 à 46 €

(85) **88** |89| **91** 92 **94** 95 |97| 99

Portrait précis d'un grand cru tout en promesses. Une robe profonde, cerise noire, brillante ; un nez ouvert de fruits rouges mûrs et de réglisse (joli boisé) ; puis une attaque élégante révèle une belle matière ; la suite se déroule sur des tanins présents mais fondus, d'une persistance intéressante. Attendre cinq ans pour une maturité glorieuse. (250 à 299 F)

Philippe Charlopin, 18, rte de Dijon, 21220 Gevrey-Chambertin, tél. 03.80.51.81.18, fax 03.80.51.81.18 Y r.-v.

F. CHAUVENET 1998

■ Gd cru n.c. 3 000 46 à 76 €

Un charmes qui n'en manque pas. Pourpre ou grenat sur ses reflets et la lumière, il s'exprime sur la cerise griotte avec une certaine délicatesse, avant de passer aux affaires sérieuses (le noyau, le pruneau). Assez fin, sur un léger fruit rouge, il est encore tannique. Ce qui conduit à le boire vers 2005. Sur une omelette aux truffes ? Cette maison fait partie de la famille des vins Jean-Claude Boisset. (300 à 499 F)

F. Chauvenet, 9, quai Fleury, 21700 Nuits-Saint-Georges, tél. 03.80.62.61.43, fax 03.80.62.37.38

DOM. DUJAC 1999★

■ Gd cru 0,78 ha 4 000 38 à 46 €

Assez représentatif de l'appellation (les pieds de vignes proviennent initialement d'une vente Alfred Jacquot en 1977, et ils sont en bordure de Morey), ce 99 au nez expressif sur le fruit, un peu balsamique. Il n'est pas concentré à l'extrême mais il se montre goûteux, construit sur des tanins assez présents mais relativement ronds. Ayant préféré la viticulture à la direction des biscuits Belin, Jacques Seysses a récemment acheté avec son épouse américaine Rosalind le domaine de Triennes à Nans-les-Pins (vin de pays du Var). (250 à 299 F)

Dom. Dujac, 7, rue de la Bussière, 21220 Morey-Saint-Denis, tél. 03.80.34.01.00, fax 03.80.34.01.09, e-mail dujac@dujac.com ☑

Seysses

DOM. DOMINIQUE GALLOIS 1999★★

■ Gd cru 0,3 ha 1 800 30 à 38 €

96 97 98 **99**

Restaurateur à Dijon, Dominique Gallois a repris le domaine familial en 1989. Il vient d'offrir à un chercheur californien les matériaux d'archives d'une thèse phénoménale sur Gaston Roupnel, grâce aux papiers trouvés dans son grenier. Mais passons à la cave. Un charmes splendide, parmi les plus beaux de la dynastie chambertine qui emplit cette année nos verres. Sombre et limpide, il évoque la griotte confite et conjugue richesse, puissance et finesse. « Au niveau d'un chambertin », écrit sur sa fiche un des meilleurs œnologues bourguignons. (200 à 249 F)

Dominique Gallois, 9, rue Mal-de-Lattre-de-Tassigny, 21220 Gevrey-Chambertin, tél. 03.80.34.11.99, fax 03.80.34.38.62 r.-v.

DOM. HUMBERT FRERES 1999★

■ Gd cru 0,21 ha 1 100 38 à 46 €

|96| 98 99

Une belle robe cerise noire l'habille. Café, cuir, pain grillé et cerise sauvage s'associent au nez. Le fût parle. La matière est en place, bien concentrée, puissante et riche. A ouvrir dans trois ou quatre ans. (250 à 299 F)

Dom. Humbert Frères, rue de Planteligone, 21220 Gevrey-Chambertin, tél. 03.80.51.80.14, fax 03.80.51.80.14 r.-v.

DOM. HENRI PERROT-MINOT 1998★

■ Gd cru 0,7 ha 4 000 30 à 38 €

Ce qu'on en attend. Allez espérer mieux ! Empourpré jusqu'au grenat, le bouquet marqué encore par le fût mais qui montre sa sincérité et offre la « pointe de noyau » du millésime. Ample et chaud, réglissé, très long, ce 98 doit à l'évidence calmer ses ardeurs et pénétrera sur le tard (quatre ou cinq ans) dans le vif du sujet. Il en est à la hauteur, et on ne s'inquiète pas. (200 à 249 F)

Henri Perrot-Minot, 54, rte des Grands-Crus, 21220 Morey-Saint-Denis, tél. 03.80.34.32.51, fax 03.80.34.13.57 r.-v.

CAVE PRIVEE D'ANTONIN RODET 1998★

■ Gd cru n.c. 608 46 à 76 €

Cette « cave privée » sera bonne à boire plus tard, si l'on se précipite pour l'acquérir car peu de bouteilles sont produites, en effet ; espérons qu'il en restera pour la sortie du Guide. Ce charmes joue l'affabilité et l'harmonie, et y réussit. Le nez de fruits rouges (cerise) est bien ouvert. La bouche, de bonne puissance, est d'un volume très honorable, construite sur des tanins droits, encore un peu austères. A l'œil, un rubis à reflets légèrement bleutés sur le disque annonce la jeunesse de ce vin. A attendre trois à quatre ans. (300 à 499 F)

Antonin Rodet, 71640 Mercurey, tél. 03.85.98.12.12, fax 03.85.45.25.49, e-mail rodet@rodet.com t.l.j. sf sam. dim. 9h-12h 14h-18h

DOM. TAUPENOT-MERME 1998★

■ Gd cru n.c. 6 900 38 à 46 €

96 97 98

« Féminin », si l'on excepte ses arômes de cannelle, d'épice, de gibier. Là, il fait fort avec l'enthousiasme d'une jeunesse qui passe à l'âge mûr. La robe est magnifique, théâtrale. En bouche, un récital torréfié, réglissé, sans excès de tempérament mais tenant la distance. (250 à 299 F)

Jean Taupenot-Merme, 33, rte des Grands-Crus, 21220 Morey-Saint-Denis, tél. 03.80.34.35.24, fax 03.80.51.83.41, e-mail domainetaupenot-merme@wanadoo.fr r.-v.

DOM. TORTOCHOT 1998

■ Gd cru 0,57 ha 2 000 30 à 38 €

91 |92| **93** |94| 95 96 98

Une pensée pour Gaby Tortochot, monté récemment gérer les Vignes du Seigneur avec les vieux copains de sa génération, déjà disparus. Il a eu le temps de déguster au berceau ce 98, tout en ayant bien assuré sa succession. Rubis foncé, un joli vin au nez de sous-bois et de fruit bien mûr : on est dans un registre classique. Des tanins un peu austères ferment la marche, mais l'attaque est souple, le corps onctueux. A déboucher dans deux à trois ans. (200 à 249 F)

Dom. Tortochot, 12, rue de l'Eglise, 21220 Gevrey-Chambertin, tél. 03.80.34.30.68, fax 03.80.34.18.80 r.-v.

Chantal Michel-Tortochot

Griotte-chambertin

DOM. MARCHAND FRERES 1999

■ Gd cru 0,12 ha 900 30 à 38 €

On ne trouve pas le griotte si facilement que ça. La production du grand cru ne dépasse pas, en tout, les 10 000 bouteilles qui partent aux quatre coins du monde. Ici 900 bouteilles issues de trois heureuses ouvrées. D'un grenat limpide, ce vin possède déjà un bouquet de maturité (cuir, pruneau) lié encore au fût (cannelle, pain grillé). Les amateurs savent que cette AOC griotte est portée par ses tanins et non par son acidité. Un 99 à mettre de côté au minimum cinq ans. (200 à 249 F)

Dom. Marchand Frères, 1, pl. du Monument, 21220 Gevrey-Chambertin, tél. 03.80.62.10.97, fax 03.80.62.11.01, e-mail dmarc2000@aol.com t.l.j. sf dim. lun. 9h-12h 14h-19h

DOM. PONSOT 1998★★

■ Gd cru 1 ha 1 653 +76 €

Les Ponsot père et fils font les beaux soirs du *Tastevin* sur l'estrade vineuse du Clos de Vougeot. On battra donc un ban bourguignon en l'honneur de cette bouteille à la robe superbe d'un grenat très dense. Son nez est bien droit, avisé : le fruit noir commence à évoluer vers le

BOURGOGNE

sous-bois. Cassis et cerise côtoient la réglisse. « Vin vert, riche Bourgogne », comme on disait jadis : dur, mais de grand avenir et néanmoins très charnu. Sa longueur aromatique séduit le jury. Mettez cette bouteille en cave. Ouvrez-la dans trois ans et elle vivra huit à quinze ans. (+ 500 F)

Dom. Ponsot, 21, rue de la Montagne, BP 11, 21220 Morey-Saint-Denis, tél. 03.80.34.32.46, fax 03.80.58.51.70, e-mail info@domaine-ponsot.com

Mazis-chambertin

DOM. PHILIPPE CHARLOPIN 1999*

Gd cru n.c. n.c. 46 à 76 €

Un nom cité pour la première fois en 1420. Si on n'a pas cinq siècles de bouteille, on ne vous prend pas au sérieux, en Bourgogne tout au moins... Ce vin reste encore sur le fût et doit faire son purgatoire avant de se présenter à table vers 2010. Nous ne nous trouvons pas ici au rayon des primeurs ! Intense et concentré (couleur), généreux et ouvert, cassis fraîchement cueilli (bouquet), il est encore un peu austère en bouche, mais capable de dominer entièrement son sujet tant la matière est présente et prometteuse. (300 à 499 F)

Philippe Charlopin, 18, rte de Dijon, 21220 Gevrey-Chambertin, tél. 03.80.51.81.18, fax 03.80.51.81.18 r.-v.

FAIVELEY 1998

1,2 ha 4 300 46 à 76 €

Le domaine Faiveley a pignon sur vigne à Gevrey (l'ancienne propriété de Grésigny). Il présente un 98 pourpre à reflets cerise, assez aromatique (kirsch) mais en phase d'éveil. On rencontre cette tonalité en bouche, accompagnée de notes de myrtille et de cassis. Les tanins sont serrés, encore un peu cisterciens. Attendre deux à trois ans que ce vin s'ouvre au monde. (300 à 499 F)

Bourgognes Faiveley, 8, rue du Tribourg, 21701 Nuits-Saint-Georges, tél. 03.80.61.04.55, fax 03.80.62.33.37, e-mail bourgognes.faiveley@wanadoo.fr

JEAN-MICHEL GUILLON 1999

Gd cru 0,16 ha 1 090 30 à 38 €

Quand on passe à Gevrey sur la route, « devant chez Guillon » comme on dit ici, on voit affichées sur le mur les innombrables couvertures de notre Guide. Car il en a reçu, des étoiles ! Après un 98 deux étoiles, son mazis 99 mérite d'être cité. Violacé, net et brillant, le nez sur le pruneau cuit, il est d'une matière honnête avec une petite domination du bois. Il n'est, bien sûr, pas encore prêt et devra laisser parler le fruit. Cela dit, il passe la barre, contrairement à beaucoup. (200 à 249 F)

Jean-Michel Guillon, 33, rte de Beaune, 21220 Gevrey-Chambertin, tél. 03.80.51.83.98, fax 03.80.51.85.59, e-mail eurlguillon@aol.com r.-v.

DOM. HARMAND-GEOFFROY 1999*

Gd cru 0,7 ha 4 200 30 à 38 €

Ce domaine de 9 ha fait partie des fleurons de la Bourgogne. Si l'attaque de son 99 est un peu réservée, si le vin ne s'exprime pas entièrement, c'est à coup sûr un mazis de très bonne venue. Rien de plus vif au regard. Le nez est assez torréfié mais le fruit prend bientôt le dessus. Tout le vin est présent en bouche, franc et consistant. Il faut attendre quatre à cinq ans que le gras se développe car on se trouve ici bien au-dessus de la moyenne. (200 à 249 F)

Dom. Harmand-Geoffroy, 1, pl. des Lois, 21220 Gevrey-Chambertin, tél. 03.80.34.10.65, fax 03.80.34.13.72, e-mail harmand-geoffroy@wanadoo.fr r.-v.

DOM. HENRI REBOURSEAU 1998

Gd cru 0,96 ha 3 042 38 à 46 €

Lorsque l'on emprunte la D122, mazis-chambertin est le premier grand cru que l'on rencontre en venant de Gevrey. Il a donné ici un vin élevé dix-huit mois en fût comme ne le cachent pas ses tanins serrés. Sa robe intense, son nez qui mêle des notes minérales, des fruits un peu cuits à des nuances boisées sont de bon augure. Il faudra attendre le retour du gras et du fondu dans deux ou trois ans. (250 à 299 F)

NSE Dom. Henri Rebourseau, 10, pl. du Monument, 21220 Gevrey-Chambertin, tél. 03.80.51.88.94, fax 03.80.34.12.82, e-mail rebourseal@aol.com r.-v.

Mazoyères-chambertin

DOM. HENRI PERROT-MINOT 1998**

Gd cru 0,8 ha 4 000 30 à 38 €

Naguère un peu négligées, les mazoyères reviennent en lice et c'est très bien. Dieu sait si ce vin a de la fougue. Impétueux, il s'affiche sous un violet tenace et développe des arômes primaires de vin très jeune et boisé, sur la framboise ou la mûre. Beaucoup de vin en bouche, et cela fait la différence. Tout le reste est d'un niveau très élevé. (200 à 249 F)

Henri Perrot-Minot, 54, rte des Grands-Crus, 21220 Morey-Saint-Denis, tél. 03.80.34.32.51, fax 03.80.34.13.57 r.-v.

DOM. HENRI RICHARD 1999**

Gd cru 1,11 ha 5 500 30 à 38 €

Gaston serait content. Gaston Roupnel, bien sûr. Le grand écrivain bourguignon qui vivait à Gevrey et céda cette vigne en 1938 à la famille Richard. Oui, Gaston serait content en lisant sur une fiche de dégustation : « Un vin qui fait honneur à son appellation. » Rares sont les mazoyères sur le marché. Celles-ci ont le style 99 : un

vin très présent, plein de vie, pas très long, balançant entre la fraise et des accents plus sauvages. Le fût ne déborde pas et soutient intelligemment le fruit. (200 à 249 F)
SCE Henri Richard, 75, rte de Beaune, 21220 Gevrey-Chambertin, tél. 03.80.34.35.81, fax 03.80.34.35.81 t.l.j. 9h-12h 14h-18h; dim. sur r.-v.; f. 15-31 août

Ruchottes-chambertin

CH. DE MARSANNAY 1998

■ Gd cru 0,1 ha 448 46 à 76 €

L'étiquette rappelle le « tournoi de l'Arbre Charlemagne » qui vit s'affronter à Marsannay, au Moyen Age, toutes les « têtes de série » de l'époque. Cette bouteille de ruchottes s'inscrit dans la lignée. Fermée sous l'armure, austère et intraitable, elle attaque à l'épée, et sa longueur semble un atout... car l'épreuve sera longue. De l'allure en tout cas. (300 à 499 F)
Ch. de Marsannay, rte des Grands-Crus, BP 78, 21160 Marsannay-la-Côte, tél. 03.80.51.71.11, fax 03.80.51.71.12 t.l.j. 10h-12h 14h-18h30

DOM. ARMAND ROUSSEAU
Clos des Ruchottes 1999★★

■ Gd cru 1,06 ha 6 400 38 à 46 €

Monopole du domaine, ce clos doit son portail et ses murs à la maison Thomas-Bassot qui le possédait au XIXᵉs. Il représente le tiers du grand cru. Celui-ci donne des moûts admirables. Nous avons ici affaire à un 99 sachant maîtriser le rubis de sa robe, tendant vers le sous-bois, le végétal, la prune. Fermeté, puissance et persistance, c'est un grand vin qui a de la chair et du volume, à déguster dans quatre à cinq ans. (250 à 299 F)
Dom. Armand Rousseau, 1, rue de l'Aumônerie, 21220 Gevrey-Chambertin, tél. 03.80.34.30.55, fax 03.80.58.50.25, e-mail contact@domaine-rousseau.com
Ch. Rousseau

Morey-saint-denis

Morey-Saint-Denis constitue, avec un peu plus de 100 ha, une des plus petites appellations communales de la Côte de Nuits. On y trouve d'excellents premiers crus et cinq grands crus ayant une appellation d'origine contrôlée particulière : clos de Tart, clos Saint-Denis, Bonnes-Mares (en partie), clos de la Roche et clos des Lambrays.

L'appellation est coincée entre Gevrey et Chambolle, et l'on pourrait dire que ses vins (4 324 hl en 2000, dont 188 en blanc) sont, avec leurs caractères propres, intermédiaires entre la puissance des premiers et la finesse des seconds. Les vignerons présentent au public les morey-saint-denis, et uniquement ceux-ci, le vendredi précédant la vente des Hospices de Nuits (3ᵉ semaine de mars) en un « Carrefour de Dionysos », à la salle des fêtes communale.

DOM. PIERRE AMIOT ET FILS 1999★

■ 2 ha 4 500 11 à 15 €

Didier a succédé en 1993 à Jean-Louis, et Jean-Louis à Pierre. Ainsi vont les Amiot comme beaucoup de familles vigneronnes devenues des dynasties. Rouge « pinot », leur 99 se tourne déjà vers le kirsch, la cerise à l'eau-de-vie sur fond de léger boisé. Les tanins naturels du vin ont ici une présence intéressante, et c'est un gage de longévité. Toute petite pointe de chaleur sur fond épicé : à attendre deux ou trois ans. Tout comme le **1ᵉʳ cru Aux Charmes 99 (100 à 149 F)**, qui obtient une citation. (70 à 99 F)
Dom. Pierre Amiot et Fils, 27, Grande-Rue, 21220 Morey-Saint-Denis, tél. 03.80.34.34.28, fax 03.80.58.51.17 r.-v.

DOM. ARLAUD PERE ET FILS
Les Ruchots 1999★

■ 1er cru 0,7 ha n.c. 15 à 23 €

Situé à la limite de Chambolle, ce *climat* confirme la formule de Gaston Roupnel : « Morey n'est pas un croquant de pays. » Car s'il faut lui laisser le temps d'absorber les tanins et le fût, il se montre déjà affable. Rubis foncé : la cuvaison a été importante pour extraire cette couleur. Très belles jambes et larmes abondantes. Parfum de cassis. Une harmonie charmante. Autres bonnes bouteilles, le **village 99 (70 à 99 F)** intense et concentré, ainsi que le **1ᵉʳ cru Aux Chezeaux 99 (100 à 149 F)**. Tous ont une étoile. (100 à 149 F)
SCEA Dom. Arlaud Père et Fils, 43, rte des Grands-Crus, 21220 Morey-Saint-Denis, tél. 03.80.34.32.65, fax 03.80.58.52.09, e-mail cyprien.arlaud@wanadoo.fr r.-v.

DOM. DES BEAUMONT 1999

■ 1 ha 6 000 11 à 15 €

Domaine de 5 ha créé en 1991 et qui exporte déjà 60 % de sa production. Ce vin reste dans le cadre d'un *village* en développant des arômes assez végétaux, évoluant vers l'épice et le tabac. Boisé assez présent sur une structure qui devra se fondre. Egalement cité : le **1ᵉʳ cru rouge 99 (150 à 199 F)** qui devrait monter en puissance, déjà riche en arômes (cassis, fraise, framboise, coing...) sur un boisé dense. (70 à 99 F)
Dom. des Beaumont, 9, rue Ribordot, 21220 Morey-Saint-Denis, tél. 03.80.51.87.89, fax 03.80.51.87.89 r.-v.

BOURGOGNE

REGIS BOUVIER En la Rue de Vergy 1999

■ 0,53 ha 3 000 11 à 15 €

Comme son nom l'indique, ce *climat* se trouve sur le chemin des Hautes-Côtes, en direction de l'ancien château de Vergy. Pour un 99 qui ne peut pas nier son millésime. Rouge cerise sombre, net et franc au nez, il demande à s'ouvrir. D'une longueur moyenne, il est très porté sur le fruit... Et ce n'est pas le fruit défendu. (70 à 99 F)

Régis Bouvier, 52, rue de Mazy, 21160 Marsannay-la-Côte, tél. 03.80.51.33.93, fax 03.80.58.75.07 Y r.-v.

DOM. PHILIPPE CHARLOPIN 1998★★

■ n.c. n.c. 15 à 23 €

Philippe Charlopin deviendrait-il le marquis de Carabas ? On le rencontre partout en Côte de Nuits. Et, ma foi, ce sont des rencontres dont on ne se plaint pas ! Ce 98 d'un rouge profond offre un nez racé : pain grillé, pain d'épice avec une note de raisin frais. Il s'y prend ensuite en deux temps : début charnu et rond, puis les tanins font sentir leur présence sans nuire à l'équilibre ni à une longueur mêlant un boisé élégant à la cerise à l'eau-de-vie. Superbe vin traditionnel. (100 à 149 F)

Philippe Charlopin, 18, rte de Dijon, 21220 Gevrey-Chambertin, tél. 03.80.51.81.18, fax 03.80.51.81.18 Y r.-v.

DOM. DROUHIN-LAROZE 1999★

■ 0,2 ha 1000 15 à 23 €

Des 12 ha possédés par cette famille, ce vin ne représente que 20 ares ! C'est ça la Bourgogne. Le vin arbore une robe rubis brillant avec une touche de mauve ; le fruit rouge évolue sur une légère note boisée. Vive à l'attaque, la bouche s'emplit bientôt de gras pour devenir presque onctueuse. « Belle vinification », note un dégustateur qui appartient à l'un des meilleurs domaines de la Côte. (100 à 149 F)

Dom. Drouhin-Laroze, 2, rue du Chambertin, 21220 Gevrey-Chambertin, tél. 03.80.34.31.49, fax 03.80.51.83.70 Y r.-v.

Bernard et Philippe Drouhin

DUFOULEUR PERE ET FILS
Monts-Luisants 1998★

■ 1er cru n.c. 3 100 23 à 30 €

Les Monts-Luisants sont ce haut de coteau où les feuilles de la vigne brillent, dit-on, même la nuit. Ce *climat* produit du blanc et du rouge. Version pinot noir, il porte la robe typée 98 et développe un bouquet expressif de kirsch et de musc. Sa bouche charnue semble peinte par Rubens. Petite pointe d'alcool, mais on n'y prête guère attention. (150 à 199 F)

Dufouleur Père et Fils, 15, rue Thurot, BP 27, 21700 Nuits-Saint-Georges, tél. 03.80.61.21.21, fax 03.80.61.10.65 Y r.-v.

DOM. JEAN FERY ET FILS 1998

■ 0,5 ha 3 000 11 à 15 €

Sa carte de visite : un rubis moyennement intense mais pourvu de beaux reflets. L'entrée en matière : un mélange de cerise, de sous-bois et de cacao. Un 98 resté très frais et léger, représentant bien l'appellation en *village*, moins robuste que ne le voudrait l'image traditionnelle de ce vin, plus accessible aussi. (70 à 99 F)

Dom. Jean Fery et Fils, 21420 Echevronne, tél. 03.80.21.59.60, fax 03.80.21.59.59 Y r.-v.

FORGEOT 1999★★

■ n.c. n.c. 15 à 23 €

Présenté par une marque de Bouchard Père et Fils, voici l'une des belles bouteilles de cette dégustation. Vinification très classique pour ce vin charpenté, réglissé et dont le boisé, les tanins se confortent bien. Grenat soutenu, bouqueté (griotte en attaque, fruit mûr par la suite), c'est une forte nature. A mettre de côté pour un fameux rôti. (100 à 149 F)

Grands Vins Forgeot, 15, rue du Château, 21200 Beaune, tél. 03.80.24.80.50

DOM. HERESZTYN Les Millandes 1999★

■ 1er cru 0,37 ha 1 800 38 à 46 €

Coup de cœur dans l'édition 1996 pour le même *climat* (millésime 93), ce domaine gibriacois ne lésine pas sur les moyens. Une réelle intensité au nez et à l'œil. En toile de fond, le rouge violacé du soleil couchant. Des arômes de mûre, de cassis, de fruits à l'eau-de-vie. Quelle complexité ! Quant à la structure, elle est assez charpentée pour une longue existence, puissante, bien travaillée. De l'extraction certes, mais aussi de la distinction. (250 à 299 F)

Dom. Heresztyn, 27, rue Richebourg, 21220 Gevrey-Chambertin, tél. 03.80.34.13.99, fax 03.80.34.13.99, e-mail domaine.heresztyn@wanadoo.fr Y r.-v.

LIGNIER-MICHELOT
Aux Charmes 1999★

■ 1er cru 0,24 ha 1 300 15 à 23 €

« Il ne leur manque rien », écrit le Dr Jules Lavalle (1855) au chapitre des vins de Morey. Si l'on en croit cette bouteille, l'observation est justifiée. Rubis pinot, elle a le nez très vineux, assez sauvage, déjà ouvert. Elégance et vivacité se partagent les compliments inspirés par une belle constitution. Pour une *gruotte* à la Vincenot, si l'on rapporte un sanglier de la chasse. Signalons aussi un **En la Rue de Vergy 99 (70 à 99 F)** qui obtient une étoile. (100 à 149 F)

Dom. Lignier-Michelot, 11, rue Haute, 21220 Morey-Saint-Denis, tél. 03.80.34.31.13, fax 03.80.58.52.16 Y r.-v.

DOM. MICHEL MAGNIEN ET FILS
Le Très Girard 1999★

■ 0,49 ha 3 400 15 à 23 €

Ce nom de *climat* est devenu assez connu en raison d'un restaurant qui a pris cette enseigne. D'une robe peu dense, ce 99 peuple son bouquet de réglisse, de fourrure, de mûre... Ce fruit est confirmé en bouche sur un boisé fondu. Un vin qui sera bientôt facile à boire, ses tanins n'étant pas trop robustes et la bouche parfaitement charnue. On peut aussi aimer le **village 99 rouge** tout à fait honnête et classique, à attendre deux ou trois ans. (100 à 149 F)

EARL Michel Magnien et Fils, 4, rue Ribordot, 21220 Morey-Saint-Denis, tél. 03.80.51.82.98, fax 03.80.58.51.76 r.-v.

DOM. MICHEL NOELLAT ET FILS 1999*

■ 1,3 ha 3 600 15 à 23 €

Il faut toujours revenir à ses classiques. Rondeur, gras et volume : la règle par trois. L'alcool et l'acidité s'équilibrant mutuellement : la règle par deux. Cette bouteille n'est pas très structurée mais elle répond à ces règles classiques. Ajoutez-y sous un joli rubis l'humus et le fruit frais (framboise) sur le toasté du bois. (100 à 149 F)

SCEA Dom. Michel Noëllat et Fils, 5, rue de la Fontaine, 21700 Vosne-Romanée, tél. 03.80.61.36.87, fax 03.80.61.18.10 r.-v.

DOM. HERVE SIGAUT Les Charrières 1999*

■ 1er cru n.c. 4 000 15 à 23 €

Séparés du Clos de la Roche par la route des Grands Crus, Les Charrières ont donné ce 99 associant réglisse, framboise, griotte, cacao, fourrure. Ce vin est encore très loin de tout nous dire, mais il tiendra ses promesses. De la chair et du fruit mûr en l'état actuel. Il devrait convenir à un gigot d'agneau. (100 à 149 F)

Hervé Sigaut, 12, rue des Champs, 21220 Chambolle-Musigny, tél. 03.80.62.80.28, fax 03.80.62.84.40 r.-v.

Clos de la roche, clos de tart, clos saint-denis, clos des lambrays

Le clos de la Roche – qui n'est pas un clos – est le plus important en surface (16 ha environ), et comprend plusieurs lieux-dits ; il a produit 486 hl en 1998, 700 hl en 1999 et 652 hl en 2000 ; le clos Saint-Denis, d'environ 6,5 ha, n'est pas non plus un clos, et regroupe aussi plusieurs lieux-dits (270 hl). Ces deux crus, assez morcelés, sont exploités par de nombreux propriétaires. Le clos de Tart est, lui, entièrement ceint de murs et exploité en monopole. Il fait un peu plus de 7 ha et les vins sont vinifiés et élevés sur place (220 hl) ; la cave de deux niveaux mérite une visite. Le clos des Lambrays est également d'un seul tenant ; mais il regroupe plusieurs parcelles et lieux-dits : les Bouchots, les Larrêts ou clos des Lambrays, le Meix-Rentier. Il représente un peu moins de 9 ha, dont 8,5 sont exploités par le même propriétaire. Il a produit 383 hl en 1999 et 331 hl en 2000.

Clos de la roche

DOM. ARLAUD 1999*

■ Gd cru n.c. n.c. 23 à 30 €

De passage à Morey pendant la guerre, le soldat ardéchois Joseph Arlaud tomba amoureux de Renée Amiot. C'est grâce aux hasards de l'histoire que naquirent ce domaine et leur fils Hervé. Ce 99 bénéficie d'une très belle présentation. Myrtille confiturée, son bouquet offre aussi quelques nuances de torréfaction avant d'évoluer vers le cuir. Du corps, de l'acidité et une vraie structure de grand cru en poste restante. (150 à 199 F)

SCEA Dom. Arlaud Père et Fils, 43, rte des Grands-Crus, 21220 Morey-Saint-Denis, tél. 03.80.34.32.65, fax 03.80.58.52.09, e-mail cyprien.arlaud@wanadoo.fr r.-v.

DOM. DUJAC 1999*

■ Gd cru 1,95 ha 10 200 46 à 76 €

Jacques Seysses possède ce domaine magnifique depuis 1968. Soucieux de la qualité du raisin, il conduit vigne et vinification pour en extraire le meilleur. Le Clos de La Roche, dit-on souvent, est le plus charpenté des grands crus de Morey. Celui-ci ne déroge pas à son appellation : la robe est irréprochable, violine. Le nez - framboise, mûre, cassis et tabac blond - se montre aussi sauvage et animal. Tannique pour le moment, doté de ce qu'il faut d'acidité et de tanins bien élevés et longs, le palais annonce une grande bouteille dans cinq à huit ans. (300 à 499 F)

Dom. Dujac, 7, rue de la Bussière, 21220 Morey-Saint-Denis, tél. 03.80.34.01.00, fax 03.80.34.01.09, e-mail dujac@dujac.com

Jacques Seysses

DOM. PONSOT Cuvée vieilles vignes 1998

■ Gd cru 3,2 ha 6 779 +76 €

Trente-six pays se partagent cette très petite production, célèbre pour son élaboration selon les principes les plus naturels : élevage sur lie, mise en bouteilles sans collage ni filtration « au dernier quartier de lune avec un ciel clair », dit l'étiquette. Piliers des chapitres de la confrérie des Chevaliers du Tastevin, le père et le fils présentent un 98 rouge comme la robe du grand maître. Son bouquet est assez fauve, sur les fruits cuits et les épices. La bouche reste réservée et, bien sûr, à attendre comme à espérer. (+ 500 F)

Dom. Ponsot, 21, rue de la Montagne, BP 11, 21220 Morey-Saint-Denis, tél. 03.80.34.32.46, fax 03.80.58.51.70, e-mail info@domaine-ponsot.com

BOURGOGNE

POULET PERE ET FILS 1999

■ Gd cru n.c. n.c. 46 à 76 €

Rouge cerise plus intense que brillant, celui-ci a le nez un peu « Nouveau Monde ». Fruits à l'eau-de-vie, une tonalité forte et affirmée. Franc et net à l'attaque, il n'a pas une structure considérable mais sa fraîche acidité, son moelleux discret, sa touche d'élégance racée lui valent assez de bons points pour figurer ici. Disons un style « féminin », mais il va falloir revoir ces clichés. (300 à 499 F)

Poulet Père et Fils, 6, rue de Chaux, BP 4, 21700 Nuits-Saint-Georges, tél. 03.80.62.43.02, fax 03.80.61.28.08

REINE PEDAUQUE 1999

■ Gd cru n.c. n.c. 46 à 76 €

Contrairement à son saint patron décapité, ce saint-denis a bien la tête sur les épaules. Et il descend des Hautes-Côtes, de la collégiale de Vergy : rouge grenat vif, il est animal et sauvage, porté sur les épices, puis il se montre assez mordant. Son attaque franche et massive oriente le débat vers une charpente assez charnue. (300 à 499 F)

Reine Pédauque, Le Village, 21420 Aloxe-Corton, tél. 03.80.25.00.00, fax 03.80.26.42.00, e-mail rpedauque@axnet.fr r.-v.

Clos saint-denis

DOM. ARLAUD 1999

■ Gd cru n.c. n.c. 23 à 30 €

Coup de cœur dans le Guide 1996 pour son 92, ce domaine ne nous fait pas un *remake* de *La Grande Illusion*. Au contraire, ce vin est démonstratif du premier coup d'œil, à nuances violacées, jusqu'à la finale assez chaude. Ses senteurs et saveurs animales enveloppent des tanins importants. S'il n'était pas grand cru, on le dirait carré : un roi-paysan, qui ne perd pas sa couronne. (150 à 199 F)

SCEA Dom. Arlaud Père et Fils, 43, rte des Grands-Crus, 21220 Morey-Saint-Denis, tél. 03.80.34.32.65, fax 03.80.58.52.09, e-mail cyprien.arlaud@wanadoo.fr r.-v.

DOM. PHILIPPE CHARLOPIN 1999*

■ Gd cru n.c. n.c. 38 à 46 €

On dit de ce clos qu'il est le « Mozart de la Côte de Nuits ». C'est le cas ici. Une partition souple et tendre, revêtue de rouge sombre et offrant des sensations olfactives délicates, des accords floraux et vanillés. Ce vin de soie et de dentelle, très aromatique, est parfaitement conforme à l'idée qu'on s'en fait. (250 à 299 F)

Philippe Charlopin, 18, rte de Dijon, 21220 Gevrey-Chambertin, tél. 03.80.51.81.18, fax 03.80.51.81.18 r.-v.

DOM. HERESZTYN 1999*

■ Gd cru 0,23 ha 1 400 46 à 76 €

Sa bouche, pleine et profonde, complète une robe pourpre violacé ainsi qu'un nez de cerise conservée dans l'alcool. La bouche repose sur un bon boisé, équilibrée et plaisante : le fruit et les tanins sont au rendez-vous d'un 99 en pleine construction, en devenir. Son frère aîné 97 n'a-t-il pas reçu le coup de cœur dans le Guide 2000 ? (300 à 499 F)

Dom. Heresztyn, 27, rue Richebourg, 21220 Gevrey-Chambertin, tél. 03.80.34.13.99, fax 03.80.34.13.99, e-mail domaine.heresztyn@wanadoo.fr r.-v.

Clos de tart

MOMMESSIN 1999**

■ Gd cru 7,53 ha 20 000 46 à 76 €

64 69 76 **78 82 83** 84 |**85**| **86** |**88**| |89| |90| |93| (95) 96 97 **98 99**

Les Hospitaliers de Brochon offrent cette vigne en 1141 à l'abbaye Notre-Dame de Tart, fille de Cluny. Elle ne porte pas encore le nom de Clos de Tart, qui sera probablement formé au XVe s. Acquise en 1932 par la famille Mommessin, elle est conduite aujourd'hui par Sylvain Pitiot, auteur de plusieurs livres essentiels sur le vin de Bourgogne. Le 99 est d'un beau rouge sombre. Le nez très boisé, empyreumatique, laisse néanmoins s'exprimer la griotte et la framboise. La bouche reste dans le même registre, franche, charpentée, évoluant sur des tanins bien mesurés. Sa finale – austère bien sûr à cet âge – est longue et prometteuse : cinq à huit ans. (300 à 499 F)

Mommessin, Dom. du Clos de Tart, 7, rte des Grands-Crus, 21220 Morey-Saint-Denis, tél. 03.80.34.30.91, fax 03.80.24.60.01 r.-v.

Clos des lambrays

DOM. DES LAMBRAYS 1998**

■ Gd cru 8,66 ha 30 000 46 à 76 €

79 81 **82** 83 **85** 88 **89** |**90**| 92 |93| 94 **95** 96 97 **98**

Niché entre le clos de tart et le clos saint-denis, ce grand cru est assez récent puisqu'il résulte d'un remembrement de parcelles opéré au milieu du XIXe s. Ceint de murs, montant haut sur le coteau, le clos doit sa renaissance à son directeur œnologue Thierry Brouin, présent depuis 1980. Ici, le 98, rouge grenat à reflets violines – on ne s'en étonnera pas –, montre le bout d'un nez riche, complexe, cerise, mûre et prune, un peu vanillé comme il se doit. Fruité et velouté, accompagnant le fruit par une élégante note de moka, il peut affronter une garde

de cinq à huit ans minimum. « Digne de son rang », comme l'écrit un dégustateur enthousiaste. (300 à 499 F)
Dom. des Lambrays, 31, rue Basse, 21220 Morey-Saint-Denis, tél. 03.80.51.84.33, fax 03.80.51.81.97 r.-v.
Freund

Chambolle-musigny

Le nom de Musigny à lui seul suffit à situer le pupitre dans la composition de l'orchestre. Commune de grande renommée malgré sa petite étendue, elle doit sa réputation à la qualité de ses vins et à la notoriété de ses premiers crus, dont le plus connu est le *climat* des Amoureuses. Tout un programme ! Mais Chambolle a aussi ses Charmes, Chabiots, Cras, Fousselottes, Groseilles et autres Lavrottes... Le petit village aux rues étroites et aux arbres séculaires abrite des caves magnifiques (domaine des Musigny). La production a atteint 6 793 hl en 2000 dont 2 385 en premier cru.

Les vins de Chambolle sont élégants, subtils, féminins. Ils allient la force des bonnes-mares à la finesse des musigny ; c'est un pays de transition dans la Côte de Nuits.

DOM. ARLAUD PERE ET FILS 1999**

■ 0,7 ha n.c. 11 à 15 €

D'un noir d'encre, il est pinot noir dans l'âme. Un peu lent à venir. Patience... Quelle diversité ensuite ! Epices, vanille, cassis... Son tempérament tannique est très marqué mais le potentiel sous-jacent est d'une exceptionnelle richesse. Un régal et un grand vin de garde. (70 à 99 F)
SCEA Dom. Arlaud Père et Fils, 43, rte des Grands-Crus, 21220 Morey-Saint-Denis, tél. 03.80.34.32.65, fax 03.80.58.52.09, e-mail cyprien.arlaud@wanadoo.fr r.-v.

ALBERT BICHOT 1998*

■ n.c. 10 000 23 à 30 €

« Il faut encore que l'œil soit séduit et flatté », lit-on sur un vieux manuel de dégustation. On tient ici l'oiseau rare, nuance cœur de pigeon. Vanille et cassis, le nez connaît ses classiques. La charpente rappelle celle du château du Clos de Vougeot. Il faut donc attendre que l'arrière-plan se dessine. De deux à trois ans de cave au minimum. (150 à 199 F)
Maison Albert Bichot, 6 *bis*, bd Jacques-Copeau, 21200 Beaune, tél. 03.80.24.37.37, fax 03.80.24.37.38

SYLVAIN CATHIARD
Les Clos de l'Orme 1999*

■ 0,43 ha 2 500 15 à 23 €

Notation très homogène pour ce vin qui fut coup de cœur il y a deux ans pour le millésime 97. Brillant à reflets violacés, celui-ci demeure actuellement assez fermé et surtout porteur d'allusions à son élevage en fût. On s'accorde cependant à lui reconnaître des qualités profondes car le fruité n'est pas loin, et le « fond est bon ». On mise sur lui. (100 à 149 F)
Sylvain Cathiard, 20, rue de la Goillotte, 21700 Vosne-Romanée, tél. 03.80.62.36.01, fax 03.80.61.18.21 r.-v.

DOM. PHILIPPE CHARLOPIN-PARIZOT 1998**

■ n.c. n.c. 15 à 23 €

Coup de cœur bien mérité. Ce simple *village* est largement au niveau d'un 1er cru. Robe grenat très sombre à reflets bleutés. Passionnant bouquet de mûre et de cassis, à l'entrée d'une approche mesurée et constructive. Rien ne trouble l'harmonie exemplaire de ce vin qui, tout simplement, est grand même si, pour tout dire, un dégustateur - qui lui accorde ce coup de cœur - signale que la finale est encore dominée par le fût. Cela passera avec quatre ans de garde. (100 à 149 F)
Philippe Charlopin, 18, rte de Dijon, 21220 Gevrey-Chambertin, tél. 03.80.51.81.18, fax 03.80.51.81.18 r.-v.

F. CHAUVENET 1998*

■ n.c. 9 000 23 à 30 €

Françoise Chauvenet reste célèbre à Nuits-Saint-Georges. « Elle goûte comme un homme », disait-on d'elle avec respect. C'était au XIXe s. et la condition féminine a évolué depuis... Elle eût aimé ce pinot noir à la robe irréprochable. Franchise du bouquet (bourgeon de cassis), fraîcheur du fruit (mûre), tanins charmants. Capable d'une longue garde, il est au niveau d'un 1er cru. Cette maison fait partie des Vins J.-Cl. Boisset. (150 à 199 F)
F. Chauvenet, 9, quai Fleury, 21700 Nuits-Saint-Georges, tél. 03.80.62.61.43, fax 03.80.62.37.38

GUY COQUARD 1999

■ 1er cru 0,49 ha 3 200 15 à 23 €

Bon vin d'approche de cette appellation car son fruit, sa rondeur et sa chair sont typés. Assez forte concentration, précédant une légère dureté en fin de course, que les années atténueront. D'un rouge sombre plutôt mat, ce 99 impressionne par son bouquet où l'on rencontre l'écorce d'orange, la pêche de vigne au sirop... Millésime prometteur et qui peut prendre son envol grâce à un pigeon rôti. (100 à 149 F)

Guy Coquard, 55, rte des Grands-Crus, 21220 Morey-Saint-Denis, tél. 03.80.34.38.88, fax 03.80.51.58.66 r.-v.

HENRI FELETTIG 1999*

■ 2,6 ha 9 000 11 à 15 €

Un vin *glamour.* Sa robe peu intense mais nuance « retour à la nature » est de celle qu'on voit sur les magazines imprimés sur papier glacé. Parfum de framboise, de bourgeon de cassis, très faubourg Saint-Honoré. Bouche flatteuse et souple : on y perçoit un support réglissé qui fait tilt. Ne pas trop attendre : la jeunesse n'est pas toujours éternelle. (70 à 99 F)

GAEC Henri Felettig, rue du Tilleul, 21220 Chambolle-Musigny, tél. 03.80.62.85.09, fax 03.80.62.86.41 r.-v.

DOM. FOUGERAY DE BEAUCLAIR
Les Veroilles 1999**

■ 0,08 ha 500 23 à 30 €

Sur la réserve, un très beau 99 évitant tout excès et illustrant son appellation, son millésime. Ses merveilleux arômes primaires donnent l'impression du vin saisi sur fût. Une attaque comme celle-ci relève des plus belles victoires. Quelle astuce de changer soudain de tonalité (de nuances épicées, poivrées et du pin au cassis ou à la myrtille) pour s'imposer en bouche ! Du grand art et un avenir assuré. Pas très loin du coup de cœur. (150 à 199 F)

Dom. Fougeray de Beauclair, 44, rue de Mazy, 21160 Marsannay-la-Côte, tél. 03.80.52.21.12, fax 03.80.58.73.83, e-mail fougeraydebeauclair@wanadoo.fr t.l.j. 8h-12h 14h-18h

ROBERT GROFFIER PERE ET FILS
Les Hauts-Doix 1999**

■ 1er cru 1 ha 4 500 30 à 38 €

Ce domaine flirte toujours avec le succès. *Climat* voisin des Amoureuses, les Hauts-Doix ne sont pas loin ici du coup de cœur. Sous une couleur dense et sombre, s'éveille un bouquet où la cannelle et des notes empyreumatiques débouchent sur le cassis. Gorgé de fruit et d'un équilibre sans défaut, un vin qui paraît assis à vous attendre pour un siècle au moins. Très typé chambolle, le **1er cru Les Sentiers 99** a été élevé dans du bon bois, présent sans envahir la bouche. On l'aime tout autant. (200 à 249 F)

SARL Robert Groffier Père et Fils, 3-5, rte des Grands-Crus, 21220 Morey-Saint-Denis, tél. 03.80.34.31.53, fax 03.80.34.31.53 r.-v.

DOM. A.-F. GROS 1999*

■ 0,39 ha 2 600 15 à 23 €

Vin de bon caractère, viril, costaud, carré. Chambolle à sa façon. Issu de plusieurs parcelles réparties çà et là : Fremières, Derrière le Four, Le Pas de Chat, Les Athets si vous connaissez bien le pays. Sous une allure rouge intense, des accents de framboise assez entreprenants puis la bouche dont on a parlé. Le bois n'est pas trop présent. Conviendra à un gibier ou à un maroilles. (100 à 149 F)

Dom. A.-F. Gros, La Garelle, 21630 Pommard, tél. 03.80.22.61.85, fax 03.80.24.03.16, e-mail gros.anne-françoise@wanadoo.fr r.-v.

DOM. HERESZTYN 1999**

■ 0,37 ha 2 500 15 à 23 €

Le vin du futur. Plus rouge que moi, tu meurs ! A la limite du noir d'encre. Framboise et fougère se disputent un bouquet complexe. Superbe en bouche, il a les pieds un peu pesants mais glorieux et conquérants. Un tel vin peut parvenir à l'accord invraisemblable du fromage de vache de l'abbaye de La Pierre-qui-Vire et du gâteau au chocolat. Oui. Mûre, cassis, d'une concentration phénoménale et, bien sûr, coup de cœur. (100 à 149 F)

Dom. Heresztyn, 27, rue Richebourg, 21220 Gevrey-Chambertin, tél. 03.80.34.13.99, fax 03.80.34.13.99, e-mail domaine.heresztyn@wanadoo.fr r.-v.

LIGNIER-MICHELOT 1999*

■ 1,4 ha 3 500 11 à 15 €

Quelques reflets violets dans un univers rouge assez foncé, puis les arômes jouent franc jeu. L'impression est particulièrement racée sur le tabac, les épices, la mûre. Riche, chaleureux, bien constitué, ce 99 fait honneur à son village. (70 à 99 F)

Dom. Lignier-Michelot, 11, rue Haute, 21220 Morey-Saint-Denis, tél. 03.80.34.31.13, fax 03.80.58.52.16 r.-v.

DOM. MACHARD DE GRAMONT
Les Nazoires 1998**

■ 0,25 ha 1 300 15 à 23 €

Rouge encore cerise, une robe haute couture. Elégant, le nez commence sur des notes fumées avant de s'ouvrir sur des senteurs florales, toujours accompagnées de nuances de torréfaction. La bouche n'est pas très puissante mais reflète bien la délicatesse des vins de cette commune. Une belle bouteille tout en finesse et subtilité, à boire bientôt (deux à cinq ans). (100 à 149 F)

SCE Dom. Machard de Gramont, Le Clos, rue Pique, BP 105, 21703 Prémeaux-Prissey, tél. 03.80.61.15.25, fax 03.80.61.06.39 r.-v.

La côte de Nuits (Centre)

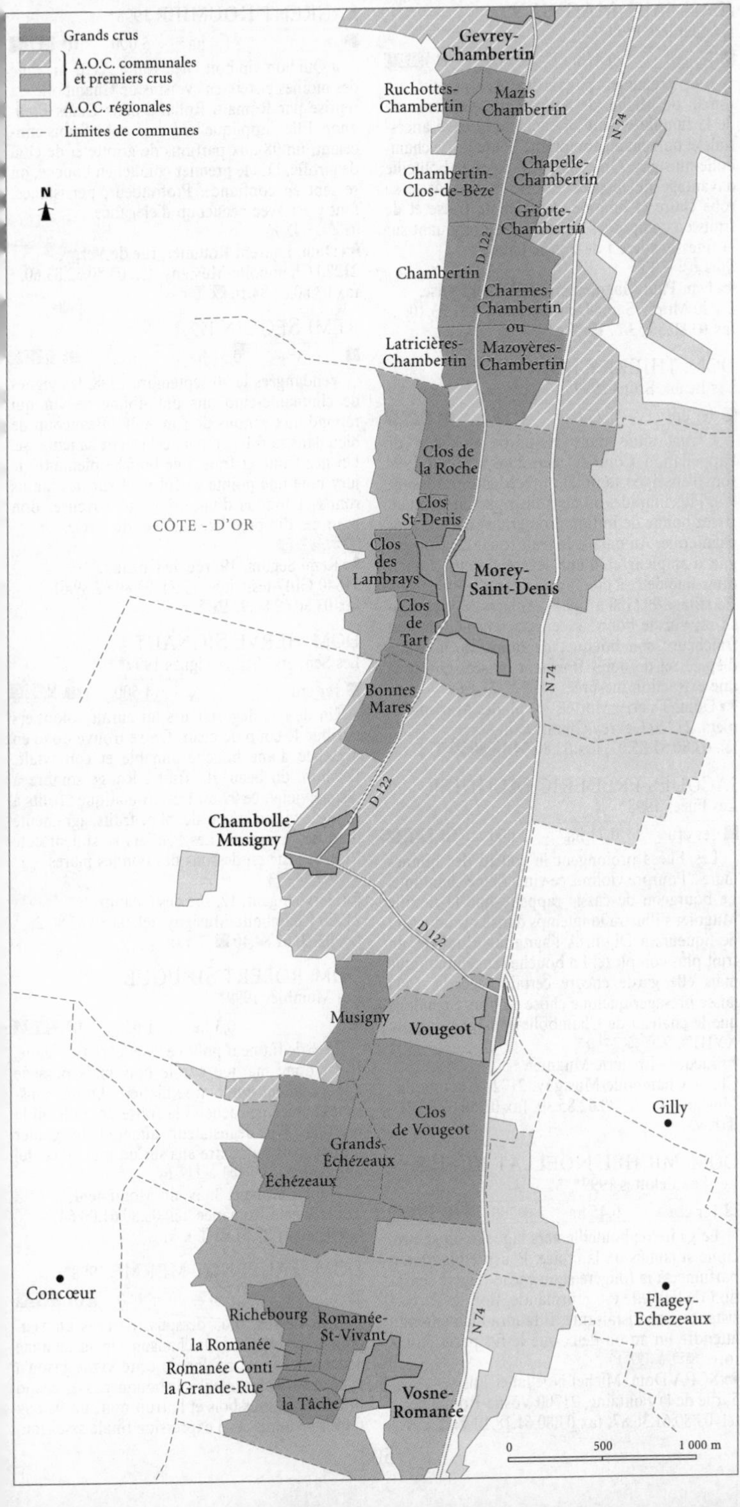

Grands crus
A.O.C. communales et premiers crus
A.O.C. régionales
Limites de communes

N

Gevrey-Chambertin
Ruchottes-Chambertin
Mazis Chambertin
N 74
Chapelle-Chambertin
Chambertin-Clos-de-Bèze
Griotte-Chambertin
D 122
Chambertin
Charmes-Chambertin ou Mazoyères-Chambertin
Latricières-Chambertin
Clos de la Roche
Clos St-Denis
CÔTE - D'OR
Clos des Lambrays
Morey-Saint-Denis
Clos de Tart
N 74
Bonnes Mares
D 122
Chambolle-Musigny
D 122
Musigny
Vougeot
Gilly
Clos de Vougeot
Grands-Échézeaux
Échézeaux
Concœur
Flagey-Echezeaux
Richebourg
Romanée-St-Vivant
N 74
la Romanée
Romanée Conti
la Grande-Rue
la Tâche
Vosne-Romanée
0 500 1 000 m

JEAN-PAUL MAGNIEN
Les Sentiers 1999

■ 1er cru 0,41 ha 2 000 15 à 23 €

Aux premières pages des *Aristocrates*, un roman de Michel de Saint-Pierre, les jumeaux de la famille vident en cachette la cave ancestrale et boivent au goulot une bouteille de chambolle-musigny. On conseille pour cette bouteille davantage de respect. Elle le mérite. Avec sa robe claire et limpide, son nez de fraise et de fruits en compote, son bon équilibre jouant sur la finesse, elle est de bonne tenue. (100 à 149 F)

Jean-Paul Magnien, 5, ruelle de l'Eglise, 21220 Morey-Saint-Denis, tél. 03.80.51.83.10, fax 03.80.58.53.27 r.-v.

DOM. THIERRY MORTET
Les Beaux Bruns 1999

■ 1er cru 0,25 ha 1 500 23 à 30 €

Climat situé dans la partie médiane de l'appellation. Coup de cœur dans le Guide 1994 sous l'enseigne familiale précédente (millésime 91). Plus limpide, on ne trouve pas sur la place. Assez bonne définition aromatique dans le type chambolle. Au palais, le fruit rouge s'accompagne d'ampleur et d'une légère pointe d'amertume que deux à cinq ans de garde gommeront. En **village 99 (100 à 149 F)**, Thierry Mortet réussit un vin de bonne race associant équilibre et fraîcheur ; son bouquet de mûre, de myrtille, d'épices et de notes finement boisées confirme une extraction mesurée. (150 à 199 F)

Dom. Thierry Mortet, 16, pl. des Marronniers, 21220 Gevrey-Chambertin, tél. 03.80.51.85.07, fax 03.80.34.16.80 r.-v.

JACQUES-FREDERIC MUGNIER
Les Fuées 1998*

■ 1er cru 0,71 ha 2 000 30 à 38 €

Les Fuées prolongent le coteau des bonnes mares. Pourpre violine, ce vin a l'âme chantante. Le bourgeon de cassis rappelle que la famille Mugnier s'illustra longtemps dans la production de liqueurs à Dijon. A l'agitation s'impose un fruit plus complexe. La bouche est sympathique mais elle garde encore certains secrets. Cela laisse présager quelque chose de bon. Signalons que le château de Chambolle-Musigny date du XVIIIᵉs. (200 à 249 F)

Jacques-Frédéric Mugnier, Ch. de Chambolle-Musigny, 21220 Chambolle-Musigny, tél. 03.80.62.85.39, fax 03.80.62.87.36 r.-v.

DOM. MICHEL NOELLAT ET FILS
Les Feuillelottes 1999*

■ 1er cru 0,45 ha 1 200 23 à 30 €

Le genre de bouteille vers laquelle on se précipite si jamais on la croise. Pourpre bigarreau, parfumée à la fougère et au cacao (légère sensation de lie), elle est gourmande, florale. Sa persistance est satisfaisante. Il faudra bien entendu attendre un an ou deux que le fût parle moins fort. (150 à 199 F)

SCEA Dom. Michel Noëllat et Fils, 5, rue de la Fontaine, 21700 Vosne-Romanée, tél. 03.80.61.36.87, fax 03.80.61.18.10 r.-v.

LAURENT ROUMIER 1998*

■ 1,4 ha 5 000 15 à 23 €

« Qui bon vin boit Dieu voit » : cette maxime des moines cisterciens voisins de Chambolle est reprise par Romain Rolland dans *Colas Breugnon*. Elle s'applique ici à merveille. Rubis étincelant, un 98 aux parfums de griotte et de clou de girofle. Dès le premier contact en bouche, on se sent en confiance. Profondeur, persistance, tout y est avec beaucoup d'élégance. (100 à 149 F)

Dom. Laurent Roumier, rue de Vergy, 21220 Chambolle-Musigny, tél. 03.80.62.83.60, fax 03.80.62.84.10 r.-v.

REMI SEGUIN 1998*

■ 0,51 ha n.c. 11 à 15 €

Vendangées le 20 septembre 1998, les vignes de cinquante-cinq ans ont donné ce vin qui répond aux canons de son AOC. Beaucoup de bleu dans sa robe grenat : cela signe sa jeunesse. Un nez fruité et frais, une bouche pleine où le jury note une pointe de fût neuf sur des tanins ronds et fondus d'une longueur soyeuse. Bon pour ces dix premières années du siècle. (70 à 99 F)

Rémi Seguin, 19, rue de Cîteaux, 21640 Gilly-lès-Cîteaux, tél. 03.80.62.89.61, fax 03.80.62.80.92 r.-v.

DOM. HERVE SIGNAUT
Les Sentiers Vieilles vignes 1999**

■ 1er cru n.c. 4 500 15 à 23 €

Un de nos dégustateurs lui aurait volontiers attribué le coup de cœur. On se trouve donc en présence d'une bouche aimable et conviviale. Du bon, du beau, du fruit... Rouge sombre à disque violet, ce 99 est très aromatique : fruits à l'eau-de-vie ou même alcool de fruits, agrémenté d'un boisé mesuré. Les Sentiers se situent côté Morey, juste en dessous des bonnes mares. (100 à 149 F)

Hervé Sigaut, 12, rue des Champs, 21220 Chambolle-Musigny, tél. 03.80.62.80.28, fax 03.80.62.84.40 r.-v.

DOM. ROBERT SIRUGUE
Les Mombies 1999*

■ 0,3 ha 1 650 15 à 23 €

25 % de fût neuf pour ce 99 encore très jeune. Il est donc marqué par le bois mais possède apparemment une bonne matière. Le nez puissant et épicé ne cache ni la fraise des bois, ni la myrtille. Un dégustateur aimerait le goûter « dans trois ou quatre ans sur un plat épicé, tel une tagine... » (100 à 149 F)

Robert Sirugue, 3, av. du Monument, 21700 Vosne-Romanée, tél. 03.80.61.00.64, fax 03.80.61.27.57 r.-v.

DOM. TAUPENOT-MERME 1998*

■ n.c. 5 000 15 à 23 €

Bras dessus, bras dessous, partons en vendange... comme le dit la chanson. On aurait aimé accompagner les raisins de cette vigne jusqu'à la cuverie. Rubis intense, le bouquet assez chaud porté sur le sous-bois et le fruit noir, un 98 aux tanins arrondis et à l'expression finale assez longue. Son charme durera dix ans au moins. Pour un canard aux truffes ou un simple filet mignon. Le **1er cru La Combe d'Orveau 98 (150 à 199 F)** devra attendre que le fût se fonde. Il obtient une citation. Rappelons le coup de cœur obtenu dans le Guide 1990 pour son 86. (100 à 149 F)

Jean Taupenot-Merme, 33, rte des Grands-Crus, 21220 Morey-Saint-Denis, tél. 03.80.34.35.24, fax 03.80.51.83.41, e-mail domainetaupenot-merme@wanadoo.fr r.-v.

HENRI DE VILLAMONT

Les Groseilles 1998★★

■ 1er cru 0,67 ha 2 500 23 à 30 €

Reprise naguère par le groupe helvétique Schenk, cette maison obtint un coup de cœur dans le Guide 1989 pour son 85. Pourpre grenat au disque frotté de vermillon, ce vin que l'on hume longuement (cassis, cuir) a vraiment de l'étoffe. Riche, solide et goûteux, ce que l'on fait de mieux. Un bel avenir est assuré. (150 à 199 F)

SA Henri de Villamont, rue du Dr-Guyot, 21420 Savigny-lès-Beaune, tél. 03.80.24.70.07, fax 03.80.22.54.31, e-mail hdv@planetb.fr t.l.j. sf mar. 10h30-18h; f. 15 nov.-15 mars

Bonnes-mares

Cette appellation, qui a produit 613 hl en 1999 et 559 hl en 2000, déborde sur la commune de Morey le long du mur du clos de Tart, mais la plus grande partie est située sur Chambolle. C'est le grand cru par excellence. Les vins de bonnes-mares, pleins, vineux, riches, ont une bonne aptitude à la garde et accompagnent allégrement le civet ou la bécasse au bout de quelques années de vieillissement.

JEAN-LUC AEGERTER 1999

■ Gd cru 0,12 ha 600 46 à 76 €

Un négociant-éleveur n'a pas toujours la possibilité de se procurer une pièce de bonnes « bonnes mares ». Coup de cœur dans le Guide 1998 pour le millésime 95, Jean-Luc Aegerter y réussit fréquemment, et cette année de nouveau. Pourpre foncé à reflets roses au bord du disque, le nez encore un peu vert, ce vin repose sur des bases solides et sérieuses, mais il est encore trop jeune pour être apprécié à sa juste valeur. (300 à 499 F)

Jean-Luc Aegerter, 49, rue Henri-Challand, 21700 Nuits-Saint-Georges, tél. 03.80.61.02.88, fax 03.80.62.37.99 r.-v.

DOM. ARLAUD 1999★

■ Gd cru 0,2 ha n.c. 30 à 38 €

91 92 (93) |95| |96| |97| 99

Un 99 à la robe éclatante, écarlate, au nez fin, long, marqué par le bois mais laissant paraître les fruits rouges. Un peu de mâche, une acidité assez présente, un rien d'amertume en finale ; il est tannique et austère, comme il se doit à son âge. Ce fut notre coup de cœur dans le Guide 1997 (millésime 93). Parcelle de 20 ares achetée à la famille Valby, de Morey, au début des années 1940. (200 à 249 F)

SCEA Dom. Arlaud Père et Fils, 43, rte des Grands-Crus, 21220 Morey-Saint-Denis, tél. 03.80.34.32.65, fax 03.80.58.52.09, e-mail cyprien.arlaud@wanadoo.fr r.-v.

DOM. BART 1999★★

■ Gd cru 1,01 ha 2 500 38 à 46 €

Presque trois étoiles. Le meilleur. Voici le *charming grand cru* dont parle Terry Robards dans son dictionnaire du vin. D'un velours rouge sombre et néanmoins brillant, il suggère la mûre, les fruits macérés. Il explose en bouche avec élégance, raffinement. La matière est dense sans être ultra-serrée, l'enveloppe sensuelle, le retour câlin. Beaucoup de classe. Une bouteille qui domine vraiment son sujet et qui « sera longtemps très bonne ». (250 à 299 F)

Dom. Bart, 23, rue Moreau, 21160 Marsannay-la-Côte, tél. 03.80.51.49.76, fax 03.80.51.23.43 r.-v.

DOM. DROUHIN-LAROZE 1999★★

■ Gd cru 1,5 ha 4 000 38 à 46 €

95 96 98 **99**

Dès 1921, Alexandre Drouhin, qui hérita de ce domaine créé en 1850, entreprit d'acquérir des parcelles dans ce grand cru. Elles se situent dans la partie médiane et il subsiste ici quelques ceps de 1928 ! Un vin haute couture, très jeune dans sa robe rubis tirant sur le pourpre, encore un peu boisé mais où l'on sent déjà la violette et la cerise noire. Au palais, ses tanins dressent encore le dos, mais il a tout d'un grand cru de longue et belle garde. Citons un dégustateur : « le fruit est bien là, offert à notre curiosité et à notre gourmandise ». (250 à 299 F)

Dom. Drouhin-Laroze, 2, rue du Chambertin, 21220 Gevrey-Chambertin, tél. 03.80.34.31.49, fax 03.80.51.83.70 r.-v.

Bernard Philippe Drouhin

DOM. FOUGERAY DE BEAUCLAIR 1999★

■ Gd cru 1,6 ha 3 000 46 à 76 €

88 89 90 **92** |93| |94| |95| 96 **97** 98 99

Pour les connaisseurs, il s'agit des bonnes-mares de la famille Clair qui se trouvent à Morey-Saint-Denis. Couleur intense, cerise noire, cette bouteille n'a pas le nez très prolixe, mais l'on perçoit de légères notes animales. Ample et tannique, concentrée, elle est bien « côté Morey ». Concentrée sur un fruit qui ne demande qu'à s'exprimer dans cinq à six ans. (300 à 499 F)

BOURGOGNE

🔑 Dom. Fougeray de Beauclair,
44, rue de Mazy, 21160 Marsannay-la-Côte,
tél. 03.80.52.21.12, fax 03.80.58.73.83,
e-mail fougeraydebeauclair@wanadoo.fr
▣ Y t.l.j. 8h-12h 14h-18h

ROBERT GROFFIER PERE ET FILS
1999★★

■ Gd cru 0,98 ha n.c. ⓫ 46 à 76 €

(93) 94 96 **97 98 99**

Acquise en 1933 sur la Maison Peloux, cette parcelle de près de 1 ha fait depuis longtemps partie de la famille. Pourpre grenat, ce vin est traversé par des lueurs rubis de vitrail. Ses arômes se partagent entre la griotte et la rose, puis s'ouvrent sur le raisin. L'attaque est soyeuse sur une matière supérieurement équilibrée. Puissance et suavité, pas mal ! Ce vin a reçu le coup de cœur dans le Guide 1996, pour son millésime 93. (300 à 499 F)

🔑 SARL Robert Groffier Père et Fils, 3-5, rte des Grands-Crus, 21220 Morey-Saint-Denis, tél. 03.80.34.31.53, fax 03.80.34.31.53
▣ Y r.-v.

LAURENT ROUMIER 1999★

■ Gd cru 0,15 ha 600 ⓫ 46 à 76 €

Créé de toutes pièces il y a dix ans avec des vignes prises en fermage, ce petit domaine s'appellerait en Californie une *boutique winery*. On y fait du cousu main. Quatre cuvées de bonnes mares donnent ici un vin rouge carmin. Son bouquet assez boisé évoque la mangue, des plantes épicées. Gourmand et généreux, flatté par sa finesse et sa persistance, il s'appuie sur une trame qui laisse au fruit sa liberté d'expression. (300 à 499 F)

🔑 Dom. Laurent Roumier, rue de Vergy, 21220 Chambolle-Musigny, tél. 03.80.62.83.60, fax 03.80.62.84.10 ▣ Y r.-v.

Vougeot

C'est la plus petite commune de la côte viticole. Si l'on ôte de ses 80 ha les 50 ha du clos, les maisons et les routes, il ne reste que quelques hectares de vignes en vougeot, dont plusieurs premiers crus, les plus connus étant le Clos blanc (vins blancs) et le Clos de la Perrière. Le volume de production s'élève à 710 hl en 2000, dont 163 en blanc.

DOM. BERTAGNA
Clos de la Perrière Monopole 1998★★

■ 1er cru 2,25 ha 8 500 ⓫ 15 à 23 €

L'ancienne carrière de pierre qui permit aux moines de Cîteaux de bâtir le château et de l'entourer de ses murs. Tout en finesse, ce vin peut être apprécié dès à présent ou prendre des années de bouteille ! La robe bien bourguignonne est profonde ; le nez un peu truffé, complexe, offre quelques accents de confiture de framboises. La bouche très structurée révèle un équilibre fort harmonieux. Le régisseur du Domaine des Hospices de Beaune vient de chez Bertagna : c'est dire à quel niveau on se situe. (100 à 149 F)

🔑 Dom. Bertagna, 16, rue du Vieux-Château, 21640 Vougeot, tél. 03.80.62.86.04, fax 03.80.62.82.58 ▣ Y r.-v.

CHRISTIAN CLERGET
Les Petits Vougeot 1998

■ 1er cru 0,47 ha 2 500 ⓫ 15 à 23 €

Quand on monte le chemin qui mène au château, ce *climat* se trouve sur la droite. Remarquable dans le millésime 97, ce domaine propose aujourd'hui sa version 98 d'un rubis soutenu. D'une approche sévère, c'est un vin fort bien fait mais encore fermé à double tour. Ses tanins équilibrés et élégants, sa longue finale permettent un pronostic favorable. (100 à 149 F)

🔑 Christian Clerget, 10, ancienne RN 74, 21640 Vougeot, tél. 03.80.62.87.37, fax 03.80.62.84.37 ▣ Y r.-v.

DOM. ROUX PERE ET FILS
Les Petits Vougeot 1998

■ 1er cru 1,2 ha 6 000 ⓫ 23 à 30 €

Ce domaine cultive une grande parcelle de l'AOC vougeot. Elevé dix-huit mois en fûts dont 30 % de neufs, ce vin porte une superbe robe grenat, profonde, brillante, limpide, en un mot prometteuse. Puis, dès le premier nez, le boisé s'impose, et cela jusqu'en finale. Il faudra attendre trois à cinq ans que ce 98 se fonde avant de porter un jugement sur son âge mûr. Il accompagnera alors gibier ou viandes en sauce. (150 à 199 F)

🔑 Dom. Roux Père et Fils, 21190 Saint-Aubin, tél. 03.80.21.32.92, fax 03.80.21.35.00 ▣ Y r.-v.

Clos de vougeot

Tout a été dit sur le Clos ! Comment ignorer que plus de soixante-dix propriétaires se partagent ses 50 ha et les 2 100 hl déclarés en 1999 et 1 896 en 2000 ? Un tel attrait n'est pas dû au hasard ; c'est bien parce qu'il est bon que tout le monde en veut ! Il faut bien sûr faire la différence entre les vins « du dessus », ceux « du milieu » et ceux « du bas », mais les moines de l'abbaye de Cîteaux, lorsqu'ils ont élevé le mur d'enceinte, avaient tout de même bien choisi leur lieu...

Fondé au début du XII[e]s., le Clos atteignit très rapidement sa dimension actuelle ; l'enceinte d'aujourd'hui est antérieure au XVe s. Plus que le Clos lui-même, dont l'attrait essentiel se mesure dans les bouteilles quelques années après leur production, le château, construit aux XIIe et XVIe s., mérite qu'on s'y attarde un peu. La partie la plus ancienne est constituée du cellier, de nos jours utilisé pour les chapitres de la confrérie des Chevaliers du Tastevin, actuel propriétaire des lieux, et de la cuverie, qui abrite à chaque angle quatre magnifiques pressoirs d'époque.

BERTRAND AMBROISE 1999*

■ Gd cru n.c. n.c. 46 à 76 €

Il possède une robe animée par une brillance parfaite. Le fût marque encore le nez, peu évolué à ce stade. L'attaque s'avère ample et puissante, le corps très concentré tout en gardant une convivialité chaleureuse, une politesse tannique qui en fera un vin plaisir dans quatre ou cinq ans. (300 à 499 F)

Maison Bertrand Ambroise, rue de l'Eglise, 21700 Premeaux-Prissey, tél. 03.80.62.30.19, fax 03.80.62.38.69, e-mail bertrand.ambroise@wanadoo.fr r.-v.

PIERRE ANDRE 1998

■ Gd cru 1,09 ha 3 300 +76 €

Cette parcelle de 1,09 ha provient de la succession Ouvrard. Située dans le haut du clos près des grands-échézeaux, elle fut acquise par les Liger-Belair en 1889 puis par Pierre André en 1933. Elle fournit un 98 rubis foncé à reflets cuivrés, aux arômes de fourrure et de fruits confits. Il a du charme, un fruit coulant en bouche, une expression directe et savoureuse, de la charpente. De plus longue garde et présenté par **Reine Pédauque, le 99 (250 à 299 F)** repose sur un bon fond tannique qui ne cache pas la grande finesse en réserve. (+ 500 F)

Pierre André, Ch. de Corton-André, 21420 Aloxe-Corton, tél. 03.80.26.44.25, fax 03.80.26.43.57, e-mail pandre@axnet.fr t.l.j. 10h-18h

CAPITAIN-GAGNEROT 1998

■ Gd cru 0,17 ha 900 38 à 46 €

Parcelle de 17 a 12 ca en partie haute. Elle est dans la famille Capitain depuis la vente Léonce Bocquet en 1920. Ce 98 n'est pas monumental car sa couleur est plutôt claire, fraîche, et son bouquet de griotte, de framboise, est tout en finesse. En bouche, on retrouve cet esprit assez plaisant. Oubliez les venaisons et choisissez une volaille. (250 à 299 F)

Maison Capitain-Gagnerot, 38, rte de Dijon, 21550 Ladoix-Serrigny, tél. 03.80.26.41.36, fax 03.80.26.46.29 r.-v.

DOM. PHILIPPE CHARLOPIN 1999*

■ Gd cru n.c. n.c. 38 à 46 €

Le colonel Bisson, on le sait, ordonna à ses soldats de présenter les armes devant le Clos de Vougeot. De même, nous pouvons rendre des honneurs civils à ce 99 assez viril, racé et gras. D'une nuance lumineuse, il est un peu végétal au premier nez puis il évolue sur le fruit rouge. De l'alcool certes, puisque l'on trouve une note d'eau-de-vie de griotte. Sa bonne structure et sa longueur lui assurent huit à dix ans de vie. (250 à 299 F)

Philippe Charlopin, 18, rte de Dijon, 21220 Gevrey-Chambertin, tél. 03.80.51.81.18, fax 03.80.51.81.18 r.-v.

DOM. HENRI CLERC ET FILS 1998*

■ Gd cru 0,3 ha 1 582 38 à 46 €

Située près de la RN 74, cette parcelle appartenait auparavant au groupe britannique IDV à travers la maison Piat. Grenat brillant très sombre à nuances mordorées, ce 98 a des accents typés de cuir, de fruits à l'eau-de-vie, de cassis. Une très légère chaleur ne perturbe pas l'équilibre d'un réel grand cru qu'exceptionnellement on peut déguster maintenant par gourmandise ou attendre cinq à six ans. (250 à 299 F)

Dom. Henri Clerc et Fils, pl. des Marronniers, 21190 Puligny-Montrachet, tél. 03.80.21.32.74, fax 03.80.21.39.60 t.l.j. 8h30-11h45 14h-17h45

DOM. DROUHIN-LAROZE 1999**

■ Gd cru 1 ha 3 000 38 à 46 €

83 86 |88| 89 91 **93 94 95 96 97** 98 **99**

Coup de cœur dans le Guide 2000 pour son millésime 97, il figure cette fois encore dans le peloton de tête. Bernard et Philippe Drouhin tirent leur clos de vougeot d'une parcelle située dans la partie haute, près du château. Grenat à reflets violines, il a un nez de gibier teinté de sous-bois. Son attaque est bien enlevée, riche en cassis. Le milieu de bouche est un peu en retrait, occupé par le fût, mais les tanins sont de qualité. Un vin à fort potentiel. (250 à 299 F)

Dom. Drouhin-Laroze, 2, rue du Chambertin, 21220 Gevrey-Chambertin, tél. 03.80.34.31.49, fax 03.80.51.83.70 r.-v.

FAIVELEY 1998**

■ Gd cru 1,28 ha 5 700 46 à 76 €

Jouant presque aux quatre coins aux extrémités du clos, trois parcelles permettent cette synthèse si réussie, ce vin superbe. D'une teinte éclatante, ce 98 décline tous les arômes classiques : de la truffe au cuir, de la myrtille au champignon. Charnu et riche, respecté par un fût bien dosé, ce vin encore tannique mérite la patience. Dans cinq ans, il donnera le meilleur de lui-même avec du petit gibier à plume. (300 à 499 F)

Bourgognes Faiveley, 8, rue du Tribourg, 21701 Nuits-Saint-Georges, tél. 03.80.61.04.55, fax 03.80.62.33.37, e-mail bourgognes.faiveley@wanadoo.fr

DOM. FOREY PERE ET FILS 1999*

■ Gd cru 0,4 ha 1 570 30 à 38 €

Violet foncé, jeune et encore très fût neuf, mais disposant déjà de notes de fruits rouges, il ne doit être dérangé sous aucun prétexte avant quatre à cinq ans. L'attaque est franche et nette, les tanins encore présents apportant une petite note d'amertume en fin de bouche, très habituelle. (200 à 249 F)

BOURGOGNE

Dom. Forey Père et Fils, 2, rue Derrière-le-Four, 21700 Vosne-Romanée, tél. 03.80.61.09.68, fax 03.80.61.12.63 r.-v.

CH. GENOT-BOULANGER 1998

Gd cru n.c. n.c. 30 à 38 €

Quelques reflets brique sur une tonalité grenat, puis des arômes dans un registre typique : l'animal, le cuir, les fruits mûrs et même confits. Au palais, il est austère, introverti, comme doit l'être un jeune grand cru. Un 98 à évolution lente, encore marqué par le fût, qui devra attendre cinq à huit ans dans une bonne cave. (200 à 249 F)

SCEV Ch. Génot-Boulanger, 25, rue de Cîteaux, 21190 Meursault, tél. 03.80.21.49.20, fax 03.80.21.49.21, e-mail genot.boulanger@wanadoo.fr r.-v.
Mme Delaby

ALAIN HUDELOT-NOELLAT 1999*

Gd cru 0,69 ha 3 800 30 à 38 €

Rubis sombre et violacé, sa robe est très jeune. Son bouquet est jeune lui aussi, et donc peu expansif, marquant ses préférences pour le cassis, le cacao, le fin tabac. Sa fraîcheur en bouche ne manque pas de nerf mais la matière est riche ; sa vinosité, son ampleur et le beau mariage du bois annoncent un vin prometteur. A boire sur des noisettes de chevreuil poêlées à partir de 2005. (200 à 249 F)

Alain Hudelot-Noëllat, Ancienne rte Nationale, 21640 Chambolle-Musigny, tél. 03.80.62.85.17, fax 03.80.62.83.13 r.-v.

LOUIS JADOT 1999

Gd cru 2,2 ha 12 000 46 à 76 €

Les propriétaires de la maison Louis Jadot sont américains, et la famille Gagey tient bon la barre. Très jeune, ce 99 n'est pas extrêmement communicatif. Sa robe est agréable, son nez frais et discret, légèrement animal, évoque aussi la feuille de cassissier. L'attaque est ronde, la bouche pleine, mais le merrain tannique devra encore se discipliner. Quatre à six ans de garde. (300 à 499 F)

Maison Louis Jadot, 21, rue Eugène-Spuller, 21200 Beaune, tél. 03.80.22.10.57, fax 03.80.22.56.03, e-mail contact@louisjadot.com r.-v.

CH. DE LA TOUR 1998**

Gd cru 5,4 ha n.c. 46 à 76 €

85 86 87 |88| |89| 90 91 93 94 95 96 97 (98)

La plus vaste propriété au sein du clos revient en force avec le coup de cœur unanime du grand jury. Pourpre à reflets noirs profonds, ce vin intéresse dès la première approche. Son bouquet balsamique et fruité témoigne d'une certaine originalité. Sa plénitude est exceptionnelle : la bouche repose sur des tanins à la fois présents et fondus, et surtout d'une persistance à vous couper le souffle. Ce très beau vin possède le fond que l'on attend d'un grand cru. (300 à 499 F)

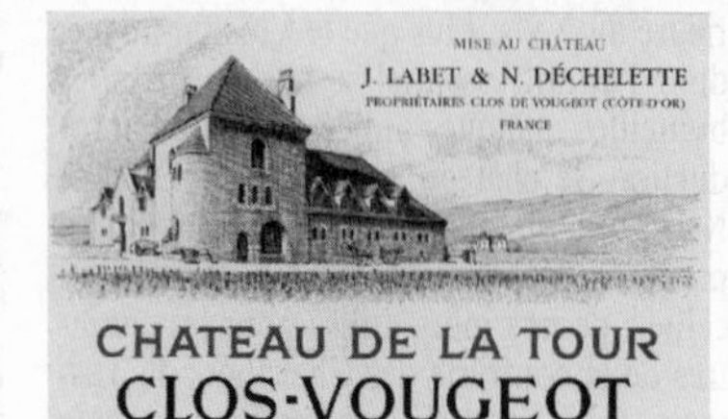

Ch. de La Tour, Clos de Vougeot, 21640 Vougeot, tél. 03.80.62.86.13, fax 03.80.62.82.72, e-mail contact@chateaudelatour.com t.l.j. sf lun. 10h30-18h30; f. 30 nov.-1er avr.
François Labet

LUPE-CHOLET 1998*

Gd cru 0,75 ha 3 800 46 à 76 €

La maison Lupé-Cholet appartient de nos jours à la maison A. Bichot. Elle signe un 98 qui ne se distingue pas des autres par la robe rubis très sombre, presque noire. Assez aromatique, il fait penser à une promenade en forêt, au sous-bois après la pluie. Au palais, ses tanins sont encore jeunes, mais sa charpente est belle. Ensemble d'un bon niveau à attendre quatre à cinq ans. (300 à 499 F)

Lupé-Cholet, 17, av. du Gal-De-Gaulle, 21700 Nuits-Saint-Georges, tél. 03.80.61.25.02, fax 03.80.24.37.38

CH. DE MARSANNAY 1998**

Gd cru 0,21 ha 1 040 46 à 76 €

A quelques voix près, il avait le coup de cœur. Grenat sombre à légers reflets ambrés, un 98 aux arômes de truffe très caractéristiques. Son acidité et ses tanins s'accordent à merveille sur des sensations de framboise, de sous-bois qui révèlent le grand vin, le grand cru. Remarqué surtout pour sa typicité. Le Château de Marsannay est lié au Château de Meursault (famille Boisseaux). (300 à 499 F)

Ch. de Marsannay, rte des Grands-Crus, BP 78, 21160 Marsannay-la-Côte, tél. 03.80.51.71.11, fax 03.80.51.71.12 t.l.j. 10h-12h 14h-18h30

LOUIS MAX 1999

Gd cru n.c. 1 300 +76 €

Bien travaillé en fût et même très boisé, ce 99 opte pour le grenat. Des arômes de réglisse, de thé noir, de baies rouges forment sa garde rapprochée. Plutôt gras, il est complexe sur fond tannique ; la finale épicée (réglisse) est associée au cassis et à la mûre. On le voit bien passer à table d'ici quatre à cinq ans sur une gigue de chevreuil. (+ 500 F)

Louis Max, 6, rue de Chaux, BP 4, 21700 Nuits-Saint-Georges, tél. 03.80.62.43.01, fax 03.80.62.43.16

DENIS MUGNERET ET FILS 1999*

■ Gd cru 0,72 ha 1 800 30 à 38 €

90 93 |94| 95 97 98 99

Cette parcelle, propriété des Liger-Belair de Nuits-Saint-Georges, est exploitée en métayage à mi-fruits par ce domaine depuis 1969. Elle borde le mur de la rue de Morland, côté Flagey, sur la partie médiane du clos. Grenat à reflets vermillon, ce 99 joue le cassis, les herbes aromatiques, le kirsch. Assez jeune en bouche, il a besoin de se lier et reste sur sa réserve quoiqu'il soit vineux et long, bien structuré. Dans cinq à huit ans, on le servira sur une pièce de bœuf au vin rouge. (200 à 249 F)

Denis et Dominique Mugneret, 9, rue de la Fontaine, 21700 Vosne-Romanée, tél. 03.80.61.00.97, fax 03.80.61.24.54 r.-v.

Liger-Belair

DOM. MICHEL NOELLAT ET FILS 1999*

■ Gd cru n.c. 2 000 38 à 46 €

On ne le boirait sans doute pas avec un civet de lièvre mais plutôt sur une viande rouge. Cependant, il ne faut rien précipiter avec ce 99. Il est pour le moment très fermé sur l'eau-de-vie de fruits, les fruits cuits. La finesse, le bouquet ne se livreront sans doute que dans huit à dix ans. Une bonne acidité en fait le vin de garde par excellence. Et si vous voulez tout savoir, on y trouve quelques notes de violette... (250 à 299 F)

SCEA Dom. Michel Noëllat et Fils, 5, rue de la Fontaine, 21700 Vosne-Romanée, tél. 03.80.61.36.87, fax 03.80.61.18.10 r.-v.

DOM. HENRI REBOURSEAU 1998*

■ Gd cru 2,21 ha 9 460 46 à 76 €

89 90 92 |93| 94 **95** 96 97 98

Petit-fils d'un ancien président du syndicat du Clos de Vougeot, ce viticulteur a la chance de veiller sur 2,21 ha en plein cœur du grand cru. Dans la famille depuis 1915 et quatre patrimoines seulement depuis les années 1110 ! Cerise noire bien brillante, un 98 dont les parfums de truffe et de sous-bois sont d'un classicisme parfait. Encore tannique et chaud, il repose sur une assise solide et devrait trouver son équilibre dans trois ans environ. (300 à 499 F)

NSE Dom. Henri Rebourseau, 10, pl. du Monument, 21220 Gevrey-Chambertin, tél. 03.80.51.88.94, fax 03.80.34.12.82, e-mail rebourseal@aol.com r.-v.

LAURENT ROUMIER 1999*

■ Gd cru 0,6 ha 900 30 à 38 €

Alexis Lichine remarquait que le clos de vougeot est un vin « qui subsiste longtemps après qu'on l'a bu ». Il en est ainsi de celui-ci, en robe rubis vermillon ; son bouquet a quelque chose du jus de mûre. De structure moyenne mais fruité, bien équilibré et probalement élevé dans un très bon merrain, ce vin pourra sans doute être apprécié dans trois à quatre ans. (200 à 249 F)

Dom. Laurent Roumier, rue de Vergy, 21220 Chambolle-Musigny, tél. 03.80.62.83.60, fax 03.80.62.84.10 r.-v.

DOM. TORTOCHOT 1998

■ Gd cru 0,21 ha 900 38 à 46 €

Achetée en 1955 à la famille Grivelet-Cusset, cette parcelle de 20,33 ha est, comme souvent dans le clos, longiligne d'est en ouest. D'un rouge nocturne, ce 98 exprime des parfums très mâles, sauvages, de gibier et de cuir. Il campe actuellement sur de puissants tanins mais sa structure n'en fait pas un vin de très longue garde. Attendre deux ans et le suivre avec intérêt. (250 à 299 F)

Dom. Tortochot, 12, rue de l'Eglise, 21220 Gevrey-Chambertin, tél. 03.80.34.30.68, fax 03.80.34.18.80 r.-v.

Chantal Michel Tortochot

BOURGOGNE

Echézeaux et grands-échézeaux

Au sud du Clos de Vougeot, la commune de Flagey-Echézeaux, dont le bourg est dans la plaine, tout comme celui de Gilly (les Cîteaux) en face du Clos de Vougeot, longe le mur de celui-ci pour faire, jusqu'à la montagne, une incursion dans le vignoble. La partie du piémont bénéficie de l'appellation vosne-romanée. Dans le coteau se succèdent deux grands crus : le grands-échézeaux et l'échézeaux. Le premier fait environ 9 ha de surface, sur plusieurs lieux-dits et n'a produit que 314 hl en 2000, alors que le second en couvre plus de 30 pour un volume de 1 363 hl.

Les vins de ces deux crus, dont les plus prestigieux sont les grands-échézeaux, sont très « bourguignons » : solides, charpentés, pleins de sève mais aussi très chers. Ils sont essentiellement exploités par les vignerons de Vosne et de Flagey.

Echézeaux

JACQUES CACHEUX ET FILS 1999**

■ Gd cru 1,07 ha 4 500 38 à 46 €

Ce domaine n'utilise pas d'insecticide dans ses vignes et a choisi la lutte raisonnée. Un remarquable grand cru bien dans son AOC.

Couleur de cerise noire, nez de mûre et de cassis sur fond vanillé, il attaque avec amabilité. Rien ne choque dans son approche. Ses tanins sont harmonieux, fort bien mariés dans une bouche équilibrée et longue où le fût n'est pas absent mais maîtrisé. Cinq à huit ans de garde. Provenance : les *climats* En Orveaux et Cruots. (250 à 299 F)

Jacques Cacheux et Fils, 58, Route Nationale, 21700 Vosne-Romanée, tél. 03.80.61.01.84, fax 03.80.61.01.84, e-mail cacheux.j.et.fils@wanadoo.fr Y r.-v.

DOM. FRANCOIS CAPITAIN ET FILS 1999**

■ Gd cru 0,32 ha 1 500 38 à 46 €

Jacques Puisais conseille le gigot d'agneau braisé aux oignons pour laisser l'échézeaux s'exprimer pleinement. On peut le croire sur parole et ce vin permettra de tenter l'aventure. Fortement coloré, classique au nez (cassis, fraise, pruneau), il bénéficie d'un boisé très discret qui met en valeur ses deux traits de caractère : élégance et puissance. Bien typé et excellent au palais, un grand vin de garde. (250 à 299 F)

Maison Capitain-Gagnerot, 38, rte de Dijon, 21550 Ladoix-Serrigny, tél. 03.80.26.41.36, fax 03.80.26.46.29 V Y r.-v.

DOM. PHILIPPE CHARLOPIN 1999

■ Gd cru n.c. n.c. 46 à 76 €

Philippe Charlopin est souvent venu à Vosne recueillir les conseils et jugements du mythique Henri Jayer. Ce vin n'a pas énormément de fond. Dès lors, il joue le charme, la tendresse, sur un décor vanillé bien fondu. Sa robe est costaude, annonçant le joli bouquet de prunelle puis de mûre. A déguster sur un cîteaux plutôt que sur un epoisses. (300 à 499 F)

Philippe Charlopin, 18, rte de Dijon, 21220 Gevrey-Chambertin, tél. 03.80.51.81.18, fax 03.80.51.81.18 Y r.-v.

CHRISTIAN CLERGET 1998**

■ Gd cru 1,1 ha 4 600 23 à 30 €

87 |89| (90) |91 92 93 |94| 95 97 **98**

1870 voit l'installation de la famille Clerget à 1 km du château du Clos de Vougeot. Rubis soutenu, ce 98 laisse poindre au nez des notes de groseille. Il s'éveille mais sa maturité reste à venir. Une sensation d'équilibre atténue l'acidité nécessaire et ses tanins sont déjà soyeux. Le retour d'arômes vient à point. (150 à 199 F)

Christian Clerget, 10, ancienne RN 74, 21640 Vougeot, tél. 03.80.62.87.37, fax 03.80.62.84.37 V Y r.-v.

DOM. DUJAC 1999*

■ Gd cru 0,7 ha 3 600 46 à 76 €

114, 115, 123 et 667 : une vigne de 68 a 72 ca dans les Champs Traversins, 100 % clonale en effet car Jacques Seysses est favorable à cette révolution dès lors qu'elle est maîtrisée. Le résultat s'affiche ici dans une robe sagement discrète (on évite les excès de l'extraction), dans un nez un peu fumé, réglissé, à nuances florales et dans une bouche plus harmonieuse que puissante. La sensualité mise en bouteille dans une perspective de deux à trois ans. (300 à 499 F)

Dom. Dujac, 7, rue de la Bussière, 21220 Morey-Saint-Denis, tél. 03.80.34.01.00, fax 03.80.34.01.09, e-mail dujac@dujac.com V

Jacques Seysses

FAIVELEY 1998

■ Gd cru 0,86 ha 3 800 46 à 76 €

Rouge violacé, ce 98 dispose d'une solide assise aromatique, comportant des notes de rose sauvage et de framboise. Encore rugueux, il attaque franchement et donne de l'ampleur à son mouvement. Mais, comme l'empreinte du fût est forte, quelques années d'élevage sont indispensables. Origine : En Orveaux. (300 à 499 F)

Bourgognes Faiveley, 8, rue du Tribourg, 21701 Nuits-Saint-Georges, tél. 03.80.61.04.55, fax 03.80.62.33.37, e-mail bourgognes.faiveley@wanadoo.fr V

DOM. FOREY PERE ET FILS 1999*

■ Gd cru 0,3 ha 1 580 30 à 38 €

Ce domaine a longtemps vinifié la romanée du chanoine Liger-Bélair. Il propose un 99 qui a de bonnes couleurs très jeunes. Son bouquet, tout d'abord boisé, s'éveille sur le cassis, la cerise confite. Une assez forte extraction marque le palais. Il faudra donc l'oublier plusieurs années en cave, où il deviendra grand. (200 à 249 F)

Dom. Forey Père et Fils, 2, rue Derrière-le-Four, 21700 Vosne-Romanée, tél. 03.80.61.09.68, fax 03.80.61.12.63 V Y r.-v.

DOM. A.-F. GROS 1999**

■ Gd cru 0,26 ha 1 400 38 à 46 €

89 **90** 94 96 97 98 **99**

Voici la première récolte du domaine de François Parent qui a joint les vignes qu'il a reçues de sa famille à celles de A.-F. Gros. Cet authentique grand cru grenat foncé rappelle la mûre, la myrtille. Sa jeunesse s'affiche par des tanins serrés, des notes de réglisse et de moka. Belle définition en bouche d'un vin de grande garde. (250 à 299 F)

Dom. A.-F. Gros, La Garelle, 21630 Pommard, tél. 03.80.22.61.85, fax 03.80.24.03.16, e-mail gros.anne-françoise@wanadoo.fr V Y r.-v.

DOM. GUYON 1999*

■ Gd cru n.c. 1 200 38 à 46 €

85 86 |**88**| |89| |90| 92 94 95 99

Provenant du *climat* En Orveaux, ce 99 cerise noire affiche une forte extraction de couleur. Son bouquet est d'abord très floral (violette) puis il explose à l'agitation sur des notes plus intenses (le cuir). De même, la première impression en bouche est aimable et ronde, puis les tanins arrivent en force, très serrés. Est-il besoin d'indiquer qu'il faut lui donner tout son temps ? (250 à 299 F)

EARL Dom. Guyon, 11-16, RN 74, 21700 Vosne-Romanée, tél. 03.80.61.02.46, fax 03.80.62.36.56 V Y r.-v.

DOM. FRANCOIS LAMARCHE 1999*

■ Gd cru 1,31 ha 6 700 38 à 46 €

A boire jeune dans deux ou trois ans pour le plaisir ou à convoquer à sa table d'ici six à sept ans ? Voilà une question qui vous passionnera. D'un beau grenat, doté de parfums de cerise noire, nuancé de moka, ce 99 rond et gras est issu des Cruots, des Champs Traversins ; ses tanins sont encore présents mais son volume permet d'espérer des bontés à venir. Il a les dimensions requises. Un gibier à plume sera l'accord parfait. (250 à 299 F)

Dom. François Lamarche,
9, rue des Communes, 21700 Vosne-Romanée,
tél. 03.80.61.07.94, fax 03.80.61.24.31 r.-v.

DOM. DE LA ROMANEE CONTI 1999***

■ Gd cru 4,67 ha 14 651 +76 €

Sa parenté avec le millésime 90 saute au nez, puis en bouche, mais il possède davantage de gras, de chair, de force, tout en jouant très finement. Très foncée, la robe évoque la tulipe noire. Démonstratif, mûr à l'extrême, le nez ouvre sur une bouche d'une rare concentration : le pinot noir dans toute sa puissance. Il s'agit de la première des deux vendanges effectuées dans les vignes du domaine en fonction de la maturité des raisins. Un peu moins concentrée, la seconde donne naissance à un vosne-romanée 1er cru dont le millésime initial est justement le 99. Le domaine renoue ainsi avec une pratique qui avait cours dans les années 1930 ; le second passage produisait alors une cuvée « Duvault-Blochet » (du nom du propriétaire de la Romanée Conti au XIXe s.) (+ 500 F)

SC du Dom. de La Romanée-Conti,
1, rue Derrière-le-Four, 21700 Vosne-Romanée,
tél. 03.80.62.48.80, fax 03.80.61.05.72

MONGEARD-MUGNERET 1999*

■ Gd cru 2,16 ha 10 500 30 à 38 €

Un beau domaine de 25 ha que nos lecteurs connaissent bien. Le jury déguste les grands crus en ne connaissant que la commune commandant plusieurs grands crus. Ici, un dégustateur a reconnu la typicité d'un échézeaux. D'une belle et vraie couleur pinot, sans effet d'extraction, ce 99 offre des arômes bien mûrs de fruits noirs, puis des parfums floraux à l'aération. La bouche élégante marie le fruit et le bois. Celui-ci domine encore - voyez son âge - mais sans déséquilibre. Cinq à huit ans de garde. (200 à 249 F)

Dom. Mongeard-Mugneret,
14, rue de la Fontaine, 21700 Vosne-Romanée,
tél. 03.80.61.11.95, fax 03.80.62.35.75,
e-mail mongeard@axnet.fr r.-v.

DENIS MUGNERET ET FILS 1999*

■ Gd cru 0,43 ha 1 800 30 à 38 €
97 98 99

Cet échézeaux grenat à reflets violets, au bouquet très complexe associant une légère touche florale aux notes classiques de fruits rouges et de boisé épicé, toasté, se tient en parfait équilibre. D'une belle et grande longueur, il repose sur des tanins bien intégrés, le boisé l'emportant encore en finale. Plutôt destiné aux viandes blanches, note le jury. (200 à 249 F)

Denis et Dominique Mugneret,
9, rue de la Fontaine, 21700 Vosne-Romanée,
tél. 03.80.61.00.97, fax 03.80.61.24.54 r.-v.

DOM. DES PERDRIX 1998*

■ Gd cru 1,15 ha 4 553 46 à 76 €

Bertrand Devillard et son épouse (Antonin Rodet) ont acquis ce domaine en 1996. Tout à fait à sa place ici, ce 98 demande évidemment un peu de temps pour s'affirmer et s'affiner. Rubis foncé, il se dessine sur le cassis, la groseille et le fût et, après la netteté de l'attaque, se montre encore un peu austère. La longueur de ses tanins serrés et réglissés est prometteuse. (300 à 499 F)

B. et C. Devillard, Dom. des Perdrix,
Ch. de Champ Renard, 71640 Mercurey,
tél. 03.85.98.12.12, fax 03.85.45.25.49 r.-v.

DOM. JACQUES PRIEUR 1998*

■ Gd cru 0,35 ha 1 150 46 à 76 €

Ce vaste domaine, souvent salué par des coups de cœur dans les appellations bourguignonnes, a fort bien réussi ce millésime difficile. En effet, violet foncé, presque nuit sans lune, il possède un nez demeuré très jeune évoquant le moût de raisin, la cerise, la mûre, la myrtille... et le fût avec suffisamment de discrétion. Fruité, sur des tanins denses et mûrs enveloppés dans une chair à la Rubens, il laisse la bouche ronde. D'une belle texture, il est à laisser reposer deux à cinq ans. (300 à 499 F)

Dom. Jacques Prieur, 6, rue des Santenots,
21190 Meursault, tél. 03.80.21.23.85,
fax 03.80.21.29.19 r.-v.

DOM. FABRICE VIGOT 1999*

■ Gd cru 0,59 ha 1 200 46 à 76 €
90 91 92 93 |94| 96 97 99

A la fois ronde et bien structurée, l'attaque conduit à une bouche pleine, distinguée et d'une jolie densité. On l'aura compris, ce vin est intéressant, voire complexe. L'acidité, les tanins, l'alcool ont des accointances marquées mais, à la fin, il reste encore du vin en bouche. Les arômes de pain d'épice, de cannelle l'emportent sur une discrète note de fruits rouges confiturés. La robe est normale en ces temps de couleur appuyée. (300 à 499 F)

Dom. Fabrice Vigot, 20, rue de la Fontaine,
21700 Vosne-Romanée, tél. 03.80.61.13.01,
fax 03.80.61.13.01 r.-v.

Grands-échézeaux

JOSEPH DROUHIN 1998**

■ Gd cru 0,47 ha 2 100 +76 €

Henri Vincenot ? C'était son vin préféré, et Dieu sait qu'il avait la papille bourguignonne ! Fruits rouges et fût neuf habitent ce 98 d'une teinte assez sombre et brillante. Généreux et franc à l'attaque, le palais équilibre bien ses saveurs de fruits mûrs autour de tanins fins et fondus. L'allonge est belle. A attendre deux ou trois ans puis à servir pendant cinq ans. (+ 500 F)

Joseph Drouhin, 7, rue d'Enfer, 21200 Beaune, tél. 03.80.24.68.88, fax 03.80.22.43.14, e-mail maisondrouhin@drouhin.com r.-v.

DOM. F. MARTENOT 1998**

■ Gd cru | n.c. | 946 | 30 à 38 €

HDV Distribution fait partie des filiales du groupe suisse Schenk (Martenot, de Villamont). Grands ces échézeaux ? Assurément. Une bouteille prouvant que le négoce-éleveur peut réaliser des merveilles. Présentation limpide, nez explicite (cerise, réglisse, vanille) et bouche éblouissante de complexité. Grand vin à fort potentiel. Le **99** se présente très bien. (200 à 249 F)

HDV Distribution, rue du Dr-Barolet, ZI Beaune-Vignolles, 21209 Beaune Cedex, tél. 03.80.24.70.07, fax 03.80.22.54.31, e-mail hdv@planetb.fr r.-v.

DOM. MONGEARD-MUGNERET 1999*

■ Gd cru | 0,9 ha | 5 000 | 46 à 76 €

Son frère aîné 91 a reçu le coup de cœur quatre ans plus tard. Les délais se resserrent : c'est un peu dommage pour la dégustation, mais plus proche du marché réel. D'une belle couleur soutenue, ce vin, assez boisé jusqu'à présent, laisse la parole aux fruits rouges. Structuré mais rond, puissant mais harmonieux, il a du fond. « Jeune sur blanquette, plus âgé sur braisé aux carottes. » Le dégustateur gourmand qui suggère ces accords est une des consciences du vignoble bourguignon. (300 à 499 F)

Dom. Mongeard-Mugneret, 14, rue de la Fontaine, 21700 Vosne-Romanée, tél. 03.80.61.11.95, fax 03.80.62.35.75, e-mail mongeard@axnet.fr r.-v.

Vosne-romanée

Là aussi, la coutume bourguignonne est respectée : le nom de romanée est plus connu que celui de Vosne. Quel beau tandem ! Comme Gevrey-Chambertin, cette commune est le siège d'une multitude de grands crus ; mais il existe à côté des *climats* réputés, tels les Suchots, les Beaux-Monts, les Malconsorts et bien d'autres. L'appellation vosne-romanée a produit 5 030 hl en 1999 et 6 860 hl en 2000.

DOM. CHARLES ALLEXANT ET FILS 1999*

■ | 0,25 ha | 1 500 | 11 à 15 €

Charles Allexant, distillateur, achète ici sa première vigne en 1957. Aujourd'hui, le domaine compte 14 ha. D'une couleur vive, puissant, son vosne tient bon sur ses deux jambes. Il semble fait pour le repas d'anniversaire d'Obélix. On passe du cuir à la cerise à l'eau-de-vie tout au long de la dégustation. La bouche est franche, structurée, pleine. Son élégance, sa finale réglissée ne laissent que de bons souvenirs et promettent un grand avenir. (70 à 99 F)

SCE Dom. Charles Allexant et Fils, rue du Château, Cissey, 21190 Merceuil, tél. 03.80.26.83.27, fax 03.80.26.84.04 t.l.j. 8h-12h 13h30-18h; sam. dim. sur r.-v.

JACQUES CACHEUX ET FILS
Les Suchots 1999**

■ 1er cru | 0,43 ha | 2 500 | 30 à 38 €

Sous ses airs grenat noir velouté, un vosne au bouquet encore fermé, un peu animal, griotte à l'aération, bourgeon de cassis. Exemple d'extraction vigoureuse (puissance, concentration), il possède aussi du volume et du gras, l'ensemble donnant une matière tannique sans dureté. Un style, mais aussi un heureux vieillissement assuré (cinq à dix ans ou plus). (200 à 249 F)

Jacques Cacheux et Fils, 58, Route Nationale, 21700 Vosne-Romanée, tél. 03.80.61.01.84, fax 03.80.61.01.84, e-mail cacheux.j.et.fils@wanadoo.fr r.-v.

SYLVAIN CATHIARD
Aux Malconsorts 1999*

■ 1er cru | 0,74 ha | 4 800 | 30 à 38 €

Lisons tout simplement l'une des fiches de dégustation, conforme au jugement général : « Vin très fin, très agréable avec des tanins bien fondus, une belle longueur en bouche, un fût neuf adroitement dosé et l'envie du revenez-y. » Les parfums de cassis et de vanille répondent à la robe d'un rouge très profond. Nous recommandons également **En Orveaux 99 (150 à 199 F)**, élégant, tout sur le fumet, consistant. (200 à 249 F)

Sylvain Cathiard, 20, rue de la Goillotte, 21700 Vosne-Romanée, tél. 03.80.62.36.01, fax 03.80.61.18.21 r.-v.

CHRISTIAN CLERGET
Les Violettes 1998

■ | 0,38 ha | 2 000 | 11 à 15 €

« Distingué, il a toutes les finesses et qualités de sa race », note un dégustateur. Ample et solide, campé sur de bons tanins, il est vêtu d'une robe très jeune qu'un autre juré qualifie de « rubis bourguignon ». Il faut le laisser sommeiller en cave deux ou trois ans, puis voir s'il doit attendre davantage. (70 à 99 F)

Christian Clerget, 10, ancienne RN 74, 21640 Vougeot, tél. 03.80.62.87.37, fax 03.80.62.84.37 r.-v.

FRANCOIS CONFURON-GINDRE
Les Chaumes Vieilles vignes 1999

■ 1er cru 0,37 ha 1 350 15 à 23 €

Les Beaumonts 99 sont, chez ce producteur, à égalité de jugement avec ces Chaumes d'un joli rubis et au nez minéral évoluant petit à petit vers le fruit rouge. L'impression au palais tourne autour du fruit cuit et de tanins qui doivent encore s'humaniser. (100 à 149 F)

François Confuron-Gindre, 21700 Vosne-Romanée, tél. 03.80.61.20.84, fax 03.80.62.31.29 r.-v.

DOM. FOUGERAY DE BEAUCLAIR
Les Damodes 1999★★

■ 0,2 ha 1000 23 à 30 €

Vosne-Romanée est bien « la perle du milieu ». On en veut pour preuve cette bouteille issue des Damodes, *climat* à la limite du nuits-saint-georges. Sa robe est très profonde avec des reflets violines. Le nez est tout entier sur le fruit, fin et agréable. La bouche, charpentée, laisse une saveur de framboise. Beau vin « nature » ponctué par la petite note d'amertume des tanins qui devraient se fondre dans deux ans. (150 à 199 F)

Dom. Fougeray de Beauclair, 44, rue de Mazy, 21160 Marsannay-la-Côte, tél. 03.80.52.21.12, fax 03.80.58.73.83, e-mail fougeraydebeauclair@wanadoo.fr t.l.j. 8h-12h 14h-18h

ALEX GAMBAL Les Suchots 1998★

■ 1er cru n.c. 900 30 à 38 €

D'origine américaine, Alex Gambal s'est installé à Beaune en 1997 et s'y est établi comme négociant-éleveur. Il vinifie lui-même depuis 1999. Il s'agit ici d'un 98 agréablement présenté, encore sur le fût mais ouvert sur le pain d'épice, la mûre. Son style, assez austère et puissant, conduit à recommander une bonne garde car c'est un vin en devenir qui n'a pas abattu toutes ses cartes. (200 à 249 F)

EURL Maison Alex Gambal, 4, rue Jacques-Vincent, 21200 Beaune, tél. 03.80.22.75.81, fax 03.80.22.21.66, e-mail agbeaune@aol.com r.-v.

BLANCHE ET HENRI GROS 1999

■ 0,49 ha 1 200 15 à 23 €

La robe du millésime l'habille. Le nez de sa jeunesse ne se confie pas, le boisé masquant les quelques notes de fruits mûrs et de violette. La bouche appartient à un univers très moderne, sur une belle assise tannique, dominée par le fût. Cinq à dix ans de garde permettront au pinot de mieux s'exprimer. (100 à 149 F)

Henri Gros, 21220 Chambœuf, tél. 03.80.51.81.20, fax 03.80.49.71.75 r.-v.

DOM. A.-F. GROS Aux Réas 1999★★

■ 1,65 ha 9 300 15 à 23 €

Coup de cœur l'an dernier en richebourg, Anne-Françoise Parent-Gros exploite les Réas, un *climat* mis en valeur par la famille Gros depuis plus d'un siècle. Rouge sombre et pourpre en périphérie, ce vin offre quelques touches de sous-bois et quelques nuances florales avant d'emplir le palais. Concentré, très entier, il a de l'éclat, de la présence sur fond de framboise. Longue garde assurée. Le **Clos de la Fontaine 99** obtient une étoile. (100 à 149 F)

Dom. A.-F. Gros, La Garelle, 21630 Pommard, tél. 03.80.22.61.85, fax 03.80.24.03.16, e-mail gros.anne-françoise@wanadoo.fr r.-v.

MICHEL GROS
Clos des Réas Monopole 1999★★

■ 1er cru 2,12 ha 13 000 30 à 38 €

Michel Gros conduit ces vignes depuis 1978 ; il a proposé ici un **village 99 (100 à 149 F)** de bonne tenue et ce Clos des Réas vêtu de grenat sombre à reflets violets. Le nez est tout entier sur le fruit noir très mûr, le tabac blond, le pain d'épice, sur fond boisé. Il signe une matière très extraite, comme l'affirment aussi l'attaque, puis l'évolution sur une structure aux tanins serrés et veloutés. Il faudra attendre ce vin quatre à cinq ans avant de lui servir un canard rôti aux griottes. (200 à 249 F)

Dom. Michel Gros, 7, rue des Communes, 21700 Vosne-Romanée, tél. 03.80.61.04.69, fax 03.80.61.22.29 r.-v.

DOM. GROS FRERE ET SŒUR 1999★

■ 3,72 ha 27 200 15 à 23 €

Un joli vin bien travaillé. Il provient de l'un des nombreux domaines Gros à Vosne-Romanée. Intense et brillante, la robe s'orne de violine. A l'aération surgissent des senteurs de sous-bois, de buisson chargé de mûres. L'animal n'est pas loin. Les tanins sont déjà très sociables. L'harmonie générale est dominée par le gras, la longueur. Prêt à boire mais sa vie sera longue. (100 à 149 F)

SCE Gros Frère et Sœur, 6, rue des Grands-Crus, 21700 Vosne-Romanée, tél. 03.80.61.12.43, fax 03.80.61.34.05 r.-v.
Bernard Gros

DOM. GUYON
Les Charmes de Mazières 1999★

■ 0,2 ha 1 200 23 à 30 €

Coup de cœur ces deux dernières années pour Les Orveaux millésimes 97 et 98, ce domaine joue dans la cour des grands. Cette cuvée spéciale est une sélection de parcelles. Le millésime 99 se présente sous des traits classiques, d'un noir rougeâtre et violet, avec des arômes de pain grillé, puis marqués par le fruit. Le fût ne se fait pas oublier, car il masque actuellement la plénitude et la richesse. Mais ce vin a un avenir assuré. (150 à 199 F)

EARL Dom. Guyon, 11-16, RN 74, 21700 Vosne-Romanée, tél. 03.80.61.02.46, fax 03.80.62.36.56 r.-v.

HUDELOT-NOELLAT
Les Malconsorts 1999★★

■ 1er cru 0,14 ha 900 23 à 30 €

Aller donc refuser le plaisir que ce vin nous offre ! Sous un rubis noir très intense, les arômes font la ronde, la violette, le cassis, en se tenant par la main. Il a un corps parfait, complet, dont l'équilibre ne nuit en rien au charme de l'émotion. Les Malconsorts ne sont-ils pas les plus proches voisins de La Tâche ? Notez aussi **Les Suchots 99**, très bien, une étoile récompensant leur exquise expression aromatique. (150 à 199 F)

Alain Hudelot-Noëllat, Ancienne rte Nationale, 21640 Chambolle-Musigny, tél. 03.80.62.85.17, fax 03.80.62.83.13 r.-v.

DOM. CHANTAL LESCURE
Les Suchots 1999*

■ 1er cru 0,4 ha 2 400 23 à 30 €

Ces Suchots témoignent d'une très belle extraction de couleur (cerise sombre à nuances violacées) et d'arômes (mûre, myrtille). Le vin porte encore l'empreinte du fût sur des notes de tabac où se mêlent les fruits noirs du début. Beaucoup de potentiel et garde nécessaire. Sanglier dans sa jeunesse, bécasse ensuite. (150 à 199 F)

Dom. Chantal Lescure, 34 A, rue Thurot, 21700 Nuits-Saint-Georges, tél. 03.80.61.16.79, fax 03.80.61.36.64, e-mail contact@domaine-lescure.com r.-v.

BERTRAND MACHARD DE GRAMONT Aux Réas 1998

■ 0,53 ha 1 800 15 à 23 €

En 2001, la cave déménage. Ce vin devra encore mûrir. Il offre à l'œil une présentation excellente. Au nez, des nuances épicées, chocolatées, assez chaudes. Par la suite, la richesse de la structure s'impose en bouche. Ses tanins sont déjà très enrobés alors que le vin garde une allure de jeunesse. (100 à 149 F)

Bertrand Machard de Gramont, 13, rue de Vergy, 21700 Nuits-Saint-Georges, tél. 03.80.61.16.96, fax 03.80.61.16.96 r.-v.

DOM. MONGEARD-MUGNERET
Les Orveaux 1999**

■ 1er cru 1,08 ha 7 000 23 à 30 €

Climat situé sur Flagey-Echézeaux et dont une partie est classée en grand cru (échézeaux). Ici, un beau vin d'avenir correspondant bien au millésime 99. Reflets rubis au sein d'une limpidité parfaite, vanillé assez prononcé dans le temps présent, bonne attaque, matière riche, élégance innée. S'il est encore un peu vif en finale, laissez-lui la possibilité de se fondre et de s'ouvrir pleinement dans une bonne cave. (150 à 199 F)

Dom. Mongeard-Mugneret, 14, rue de la Fontaine, 21700 Vosne-Romanée, tél. 03.80.61.11.95, fax 03.80.62.35.75, e-mail mongeard@axnet.fr r.-v.

DENIS MUGNERET ET FILS 1999*

■ 1,5 ha 9 000 15 à 23 €

Rubis soutenu, la robe brille de mille feux. Le nez est plus réservé ; il annonce une bouche délicate par ses notes de cassis, de sous-bois, de fruits rouges, mais bien structurée et encore jeune. Le petit gibier qui l'accompagnera n'est pas encore né. (100 à 149 F)

Denis et Dominique Mugneret, 9, rue de la Fontaine, 21700 Vosne-Romanée, tél. 03.80.61.00.97, fax 03.80.61.24.54 r.-v.

DOM. MICHEL NOELLAT ET FILS
Les Suchots 1999*

■ 1er cru 1,37 ha 3 900 23 à 30 €

Nous avons aimé **Les Beaux Monts 99** tout autant que ces Suchots. Les millésimes 92 et 93 ont d'ailleurs eu naguère le coup de cœur. On se situe donc dans une belle lignée. D'une teinte de cerise noire, ce 99 aux accents de truffe et de café présente des tanins très serrés mais déjà bien fondus et longs : le café revient en rétro-olfaction, juste avant la griotte à l'eau-de-vie. Style « Vieille France », à ne pas déboucher avant cinq ans et à servir sur un gigot de chevreuil. (150 à 199 F)

SCEA Dom. Michel Noëllat et Fils, 5, rue de la Fontaine, 21700 Vosne-Romanée, tél. 03.80.61.36.87, fax 03.80.61.18.10 r.-v.

DOM. DES PERDRIX 1998*

■ 1,05 ha 5 168 30 à 38 €

Repris par la maison Antonin Rodet en 1996, le domaine des Perdrix offre un 98 à la robe très dense, sans le moindre signe d'évolution. Le nez demeure réservé jusqu'à l'apparition de nuances florales. Rond, persistant, le corps présente une légère astringence tannique. Il irradie cependant et donnera dans quatre à cinq ans, et pour longtemps, pleine et entière satisfaction : il sera digne d'un chapon. (200 à 249 F)

B. et C. Devillard, Dom. des Perdrix, Ch. de Champ Renard, 71640 Mercurey, tél. 03.85.98.12.12, fax 03.85.45.25.49 r.-v.

DOM. ROBERT SIRUGUE
Les Petits Monts 1999*

■ 0,6 ha 3 300 23 à 30 €

Un beau vin bien construit, vêtu d'une robe rubis intense et brillante. Certes, le boisé l'emporte dans la palette aromatique, ce qui le rend un peu monolithique, mais on discerne une note de cassis et une pointe florale du meilleur effet. Ample, pleine, la bouche est déjà veloutée même si le fût domine. Celui-ci va se fondre après quatre à cinq ans de garde tout comme dans la cuvée **village 99 (100 à 149 F)**, citée pour la belle maturité de sa vendange. (150 à 199 F)

Robert Sirugue, 3, av. du Monument, 21700 Vosne-Romanée, tél. 03.80.61.00.64, fax 03.80.61.27.57 r.-v.

Richebourg, romanée, romanée-conti, romanée-saint-vivant, grande rue, tâche

Tous sont des crus plus prestigieux les uns que les autres, et il serait bien difficile d'en indiquer le plus grand... Certes, le romanée-conti jouit de la plus grande renommée, et l'on trouve dans l'histoire de nombreux témoignages de « l'exquise qualité » de ce vin. La célèbre pièce de vigne de la Romanée fut convoitée par les grands de l'Ancien Régime : ainsi madame de Pompadour ne réussit pas à l'emporter contre le prince de Conti, qui put l'acquérir en 1760. Jusqu'à la dernière guerre, la vigne de la Romanée-Conti et celle de la Tâche restèrent non greffées, traitées au sulfure de carbone contre le phylloxéra. Mais il fallut alors les arracher et la première récolte des nouveaux plants eut lieu en 1952. Ce romanée-conti, exploité en monopole sur 1,80 ha, reste l'un des vins les plus illustres et les plus chers du monde.

La romanée est plantée sur une superficie de 0,83 ha, richebourg sur 8 ha, romanée-saint-vivant sur 9,5 ha, et la tâche sur un peu plus de 6 ha. Comme dans tous les grands crus, les volumes produits sont de l'ordre de 20 à 30 hl par hectare selon les années. L'ensemble de ces grands crus n'a pas produit plus de 920 hl en 2000, dont 292 en richebourg et 284,48 hl en romanée-saint-vivant. La grande rue a été reconnue en grand cru par le décret du 2 juillet 1992.

Richebourg

DOM. A.-F. GROS 1999**

■ Gd cru 0,6 ha 3 100 +76 €

89 90 **91** 92 |93| |94| (96) 97 **98 99**

Comme ce domaine est déjà décoré quatre fois du coup de cœur en richebourg, il appartient ici à la catégorie des très grands ! Intense et vineux de la robe au bouquet, évoquant le grain de café, un vin homérique et d'une extraction impressionnante. Notez que les grands crus ne sont jamais vendus seuls, mais accompagnés. Cette pratique avait cours pour le tokay il y a deux cents ans. (+ 500 F)

Dom. A.-F. Gros, La Garelle, 21630 Pommard, tél. 03.80.22.61.85, fax 03.80.24.03.16, e-mail gros.anne-françoise@wanadoo.fr ☑ Y r.-v.

ALAIN HUDELOT-NOELLAT 1999***

■ Gd cru 0,28 ha 1 500 +76 €

Richebourg ? Un nom pareil remplit le verre à lui tout seul. Ces sept ouvrées donnent un 99 somptueux, coup de cœur à l'unanimité du grand jury. Rubis nuancé de grenat, le nez profond, complexe et suave de fruits mûrs épicés, c'est un vin chaleureux. Boisé comme il faut (c'est-à-dire de façon raisonnable) et à garder longtemps. Des reins solides et un charme fou : la grandeur en un mot. (+ 500 F)

Alain Hudelot-Noëllat, Ancienne rte Nationale, 21640 Chambolle-Musigny, tél. 03.80.62.85.17, fax 03.80.62.83.13 ☑ Y r.-v.

DENIS MUGNERET ET FILS 1999

■ Gd cru 0,52 ha 1 200 +76 €

|93| 94 95 96 97 98 99

Un vin fermé à triple tour, d'une austérité fabuleuse. Vraiment le corps de... garde. Juvénile, concentré sur lui-même, cherchant à maîtriser sa puissance. Ne pas y penser avant cinq ans au moins. Le millésime 93 fut coup de cœur. (+ 500 F)

Denis et Dominique Mugneret, 9, rue de la Fontaine, 21700 Vosne-Romanée, tél. 03.80.61.00.97, fax 03.80.61.24.54 ☑ Y r.-v.

Romanée-saint-vivant

DOM. FOLLIN-ARBELET 1998

■ Gd cru 0,4 ha 900 +76 €

Héritiers Poisot, on se situe ici dans la lignée Latour de 1898. La vigne est confiée à un domaine d'Aloxe-Corton. Pour un vin dense, grenat foncé, d'un tempérament légèrement confituré, tannique et d'une espérance de vie estimée à cinq ans. Sa robustesse suggère le civet de lièvre. (+ 500 F)

Dom. Follin-Arbelet, Les Vercots, 21420 Aloxe-Corton, tél. 03.80.26.46.73, fax 03.80.26.43.32 ☑ Y r.-v.

BOURGOGNE

CH. DES GUETTES 1999*

■ Gd cru n.c. 600 +76 €

Sous sa robe pivoine de nuance foncée, un 99 au bouquet un peu masqué, esquissant le sous-bois, les épices. L'attaque est convaincante, la matière intéressante. Mais les tanins très jeunes ne parlent aujourd'hui que le langage du fût neuf. Ne nous affolons pas. Une romanée-saint-vivant n'est vraiment vivante qu'au bout de cinq à dix ans. Celle-ci promet un bonheur futur. (+ 500 F)

François Parent, Ch. des Guettes,14 bis, rue Pierre-Joigneaux, 21200 Beaune, tél. 03.80.22.61.85, fax 03.80.24.03.16, e-mail francois@parent-pommard.com r.-v.

ALAIN HUDELOT-NOELLAT 1999**

■ Gd cru 0,48 ha 2 500 +76 €

La situation est rare. Le même domaine est coup de cœur dans deux des grands crus de Vosne-Romanée. Cette saint-vivant (un demi-hectare permet de voir les choses de haut) porte la robe du sacre, très appuyée mais dans son millésime. Ses arômes ont quelque chose d'un puits s'enfonçant très profondément dans la roche, très concentré sur la myrtille, le cassis, les épices. Tannique mais velouté et voluptueux, ce 99 est encore très jeune, mais c'est un vin à posséder dans sa cave. A goûter à partir de 2010. (+ 500 F)

Alain Hudelot-Noëllat, Ancienne rte Nationale, 21640 Chambolle-Musigny, tél. 03.80.62.85.17, fax 03.80.62.83.13 r.-v.

DOM. DE LA ROMANEE-CONTI 1999***

■ Gd cru 5,28 ha 12 855 +76 €

67 72 73 75 76 78 |79| 80 81 |82| |87| |89| |91| |92| 95 97 98 99

Grâce au domaine, l'ancienne abbaye de Saint-Vivant de Vergy, dans les Hautes-Côtes de Nuits, est en cours de restauration. Quel superbe 99 ! Encore un peu tannique certes, mais riche en mâche, ample et déjà captivant. Dès le premier coup de nez, on perçoit la maturité optimale de la vendange. La jeunesse du vin s'accompagne de l'austérité habituelle dans ce grand cru, mais révèle un millésime d'une puissance exceptionnelle. (+ 500 F)

SC du Dom. de La Romanée-Conti, 1, rue Derrière-le-Four, 21700 Vosne-Romanée, tél. 03.80.62.48.80, fax 03.80.61.05.72

LOUIS LATOUR
Les Quatre Journaux 1998

■ Gd cru 0,76 ha 2 000 +76 €

Quelle histoire ! Ce saint vendéen voit ses reliques devenir vagabondes sous la menace des Vikings, et atterrir à deux pas d'ici. Pendant six cent cinquante ans, le monastère de Saint-Vivant consacre à cette vigne ses dévotions les plus profondes. Ce clos est Latour depuis 1898 : trois propriétaires seulement en mille ans ! Ce 98 joue la finesse plus que le relief bien que ses tanins soient encore présents. Rubis étincelant, le nez porté sur l'animal avec une note fruitée, il sera bon pour une bécasse dans trois à cinq ans. (+ 500 F)

Dom. Louis Latour, 18, rue des Tonneliers, 21204 Beaune, tél. 03.80.24.81.00, fax 03.80.22.36.21, e-mail louislatour@louislatour.com r.-v.

La grande rue

DOM. FRANCOIS LAMARCHE 1999*

■ Gd cru 1,65 ha 7 000 46 à 76 €

|89| |90| |91| |92| |93| |94| 95 98 99

Nichée entre la romanée-conti et la tâche, cette vigne a tout de ses illustres voisins. Elle est un monopole du domaine François Lamarche, et constitue le dernier des grands crus, puisque reconnu seulement en 1992. Ce vin porte un rubis très foncé et de forte intensité comme le veut le millésime. Son bouquet ne surprend pas : racé, épicé, réglissé. Il est toujours un peu fauve, les amateurs le savent. De même, cette mâche puissante, épaisse et riche, est caractéristique. Sa longueur est fort appréciée par le jury qui promet une longue garde. (300 à 499 F)

Dom. François Lamarche, 9, rue des Communes, 21700 Vosne-Romanée, tél. 03.80.61.07.94, fax 03.80.61.24.31 r.-v.

La tâche

DOM. DE LA ROMANEE-CONTI 1999***

■ Gd cru 6,06 ha 16 640 +76 €

72 73 75 78 (79) |80| |81| |82| |87| |89| 91 92 (97) 98 (99)

Si le 98 ne doit s'éveiller que dans un avenir lointain, ce millésime 99 (12,5 ° à 13 ° naturels, peau très épaisse) pourra se déguster plus tôt et s'annonce comme l'un des champions de l'année. Il vise juste et la cible est atteinte. Quelle finesse ! Quelle longueur ! Quelle justesse ! Ce vin d'une rigoureuse harmonie n'est pas sans évoquer le portrait de Richelieu par Philippe de Champaigne : une autorité hiératique, la main nerveuse posée sur la garde d'une épée noyée dans un écrin d'hermine et de velours. (+ 500 F)

SC du Dom. de La Romanée-Conti, 1, rue Derrière-le-Four, 21700 Vosne-Romanée, tél. 03.80.62.48.80, fax 03.80.61.05.72

Nuits-saint-georges

Petite bourgade de 5 000 habitants, Nuits-Saint-Georges n'engendre pas de grands crus comme ses voisines du nord ; l'appellation déborde sur la commune de Premeaux, qui la jouxte au sud. Ici aussi, les très nombreux premiers crus sont à juste titre réputés, et avec l'appellation communale la plus méridionale de la Côte de Nuits, nous trouvons un type de vins différent aux caractères de *climats* très accusés, où s'affirme généralement une richesse en tanin plus élevée, assurant une grande conservation.

Les Saint-Georges, dont on dit qu'ils portaient déjà des vignes en l'an mil, les Vaucrains aux vins robustes, les Cailles, les Champs-Perdrix, les Porets, de « poirets », au caractère de poire sauvage accusé, sur la commune de Nuits, et les clos de la Maréchale, des Argillières, des Forêts-Saint-Georges, des Corvées, de l'Arlot, sur Premeaux, sont les plus connus de ces premiers crus. Les vignes ont produit 13 900 hl en 2000 dont 251 en blanc.

Petite capitale du vin de Bourgogne, Nuits-Saint-Georges a également son vignoble des Hospices, avec vente aux enchères annuelle de la production, le dimanche précédant les Rameaux. Elle est le siège de nombreux négoces de vin et de maints liquoristes qui produisent le cassis de Bourgogne, ainsi que d'élaborateurs de vins à mousse qui furent à l'origine du crémant de Bourgogne. C'est enfin ici que se trouve le siège administratif de la confrérie des Chevaliers du Tastevin.

JEAN-CLAUDE BOISSET 1998

■ n.c. 25 000 15 à 23 €

« Il n'y avait pas de vigne dans mon berceau », raconte Jean-Claude Boisset, parti de rien en 1961 et aujourd'hui à la tête d'un empire viti-vinicole. Il signe ici un 98 qui devrait faire un bon vin de garde. Son bouquet animal, bourgeon de cassis, est d'une ligne classique. De même cette jeunesse un peu tannique est-elle conforme à la tradition. Ne faites pas rôtir trop vite la poularde aux morilles. (100 à 149 F)

Jean-Claude Boisset, 5, quai Dumorey, 21700 Nuits-Saint-Georges, tél. 03.80.62.62.61, fax 03.80.62.37.38

JACQUES CACHEUX ET FILS
Au bas de Combe 1999

■ 0,52 ha 3 800 15 à 23 €

Bas de Combe ? Ce *climat*, proche de Vosne-Romanée, n'est pas si bas que ça. Et la combe de la Serrée n'est pas tout près. Dense et profond à nuances violines, ce vin adopte tout d'abord la myrtille pour discours puis parle des épices. Portail pour l'entrée en bouche. La texture tannique est encore un peu ferme, l'extraction plus forte que la complexité, mais tout ira bien après trois ou quatre ans de garde. (100 à 149 F)

Jacques Cacheux et Fils, 58, Route Nationale, 21700 Vosne-Romanée, tél. 03.80.61.01.84, fax 03.80.61.01.84, e-mail cacheux.j.et.fils@wanadoo.fr r.-v.

SYLVAIN CATHIARD Aux Murgers 1999

■ 1er cru 0,48 ha 2 800 23 à 30 €

Il nous change des nuits d'enfer, tanniques et passionnés. Rubis vif, très riche en fruit, pinotant comme il n'est pas permis, un vin relativement léger dont la bouche est beaucoup plus raisonnable que le nez, marquée par un boisé qui devra se fondre et demande trois à quatre ans de garde. Pointe de kirsch en finale. (150 à 199 F)

Sylvain Cathiard, 20, rue de la Goillotte, 21700 Vosne-Romanée, tél. 03.80.62.36.01, fax 03.80.61.18.21 r.-v.

CHARTRON ET TREBUCHET 1998*

■ n.c. 2 300 30 à 38 €

Sous la signature d'une figure du vignoble bourguignon, un vin à la robe assez légère qui n'inspire pas de commentaires, au boisé discret que soutiennent le cassis et la mûre ; on retrouve ces petits fruits en bouche. Ce *village* va-t-il s'affiner encore et s'arrondir avec un peu de garde ? (200 à 249 F)

Chartron et Trébuchet, 13, Grande-Rue, 21190 Puligny-Montrachet, tél. 03.80.21.32.85, fax 03.80.21.36.35, e-mail jmchartron@chartron-trebuchet.com t.l.j. 10h-12h 14h-18h; f. mi-nov. à mars

DOM. JEAN CHAUVENET
Les Vaucrains 1999★★

■ 1er cru 0,41 ha 2 700 (I) 30 à 38 €

Jules Verne introduit une bouteille de nuits dans son *Voyage autour de la Lune*. Celle-ci ne manque pas de panache et aurait pu l'inspirer. D'un léger violacé de jeunesse, elle a le nez nuiton : viandé frais, sous-bois, fruits rouges. Sa plénitude est pour demain, mais déjà sensible. A dominante de framboise, la bouche fait en effet de son mieux pour annoncer le printemps. Notez aussi (dans la fourchette **150 à 199 F) Rue de Chaux 99**, beaucoup plus frais et rond, cité, et le **1er cru Les Perrières 99**, de haut vol, noté deux étoiles. Que croyez-vous qu'il en soit du **village 99 (100 à 149 F)** ? Charnu et charpenté, il reçoit une étoile ! (200 à 249 F)

SCE Dom. Jean Chauvenet, 3, rue de Gilly, 21700 Nuits-Saint-Georges, tél. 03.80.61.00.72, fax 03.80.61.12.87 r.-v.

CHAUVENET-CHOPIN
Aux Thorey 1999★

■ 1er cru 0,52 ha 3 000 (I) 15 à 23 €

Coup de cœur l'an dernier pour un 98, déjà sur le podium dans l'édition 1995 (millésime 91), ce viticulteur inspiré nous donne à déguster un **village 99 (70 à 99 F)** d'une heureuse expression (une étoile) ainsi que ces Thorey, *climat* situé à droite quand on monte la combe de la Serrée. Sa robe est rouge sombre à disque violet ; son nez est un peu réservé au départ, puis il se décontracte. Ses tanins mûrs sont en attente mais paraissent bien disposés. (100 à 149 F)

Chauvenet-Chopin, 97, rue Félix-Tisserand, 21700 Nuits-Saint-Georges, tél. 03.80.61.28.11, fax 03.80.61.20.02 r.-v.

A. CHOPIN ET FILS Les Murgers 1999★★

■ 1er cru 0,39 ha 2 300 (I) 15 à 23 €

Si j'étais vous, j'y prêterais attention. Coup de cœur dans le Guide 1998 pour ce même vin 95, et cette fois-ci à deux doigts du coup de cœur. Rubis mauve soutenu, le disque à reflets nets, un 99 d'une fraîcheur éblouissante, flatteur et framboisé. Il se déguste déjà très bien mais il saura s'épanouir encore avec deux années de garde. Relevée par une note épicée, sa persistance est étonnante. L'élaboration s'efface devant le produit tel qu'il est. En *village*, le **Bas de Combes 99 (70 à 99 F)** obtient une étoile.
(100 à 149 F)

Dom. A. Chopin et Fils, RN 74, 21700 Comblanchien, tél. 03.80.62.92.60, fax 03.80.62.70.78 r.-v.

DOM. DU CLOS SAINT MARC
Clos des Argillières 1998★

■ 1er cru 1 ha n.c. (I) 30 à 38 €

Les Argillières se trouvent sur Premeaux-Prissey. C'est aussi le Clos Saint-Marc avec sa jolie petite maison au milieu de la vigne. Pour un vin aux joues bien rouges, au bouquet d'anis et de réglisse et d'un caractère assez tannique. Tout cependant est bien enveloppé, selon une complexité satisfaisante et une longueur convenable. D'ailleurs, vous pouvez aussi bien choisir son jumeau, le **1er cru Clos Saint-Marc 98** qui affiche un potentiel de longue garde.
(200 à 249 F)

Bouchard Père et Fils, Ch. de Beaune, 21200 Beaune, tél. 03.80.24.80.24, fax 03.80.22.55.88, e-mail france@bouchard-pereetfils.com r.-v.

R. DUBOIS ET FILS 1998★

■ 3,3 ha 12 000 (I) 11 à 15 €

Régis Dubois a passé la main à la jeune génération, Raphaël et Béatrice, mais sa présidence de la Viti et ses responsabilités nombreuses en font toujours un Bourguignon solide et respecté. Tannique et dense, voici un *village* dans la tradition, qu'un accent de griotte humanise bien. Rouge cerise et boisé fin : il conviendra à une terrine de sanglier, mais pas avant deux à trois ans. (70 à 99 F)

Dom. R. Dubois et Fils, rte de Nuits-Saint-Georges, 21700 Premeaux-Prissey, tél. 03.80.62.30.61, fax 03.80.61.24.07, e-mail rdubois@wanadoo.fr t.l.j. 8h-11h30 14h-18h; sam. dim. sur r.-v.

DOM. GUY DUFOULEUR
Clos des Perrières 1998★

■ 1er cru 0,93 ha 6 000 (I) 23 à 30 €

Si l'on en juge par ses bouteilles, le maire de Nuits n'a rien à craindre pour sa réélection. Le **1er cru Les Poulettes 98** passe dès le premier tour avec une étoile. Quant à ces Perrières, leur intensité s'accompagne d'une grande maîtrise. Une note minérale contribue à leur originalité. Le cassis joue les boute-en-train en milieu de terrain. Une discrétion de bon goût alliée à la robustesse, gage d'une longue vie.
(150 à 199 F)

Dom. Guy Dufouleur, 18, rue Thurot, 21700 Nuits-Saint-Georges, tél. 03.80.62.31.00, fax 03.80.62.31.00 r.-v.

Guy et Xavier Dufouleur

DOM. DUPONT-TISSERANDOT 1999

■ 0,29 ha 1 800 (I) 11 à 15 €

D'une teinte franche et soutenue, cette bouteille montre un nez encore peu ouvert ; est-il bourgeon de cassis ou feuille de cassis ? On se met d'accord sur la netteté, la finesse du parcours en bouche. La finale est assez expressive. Durée d'épanouissement : de deux à trois ans.
(70 à 99 F)

GAEC Dupont-Tisserandot, 2, pl. des Marronniers, 21220 Gevrey-Chambertin, tél. 03.80.34.10.50, fax 03.80.58.50.71 r.-v.

FAIVELEY Les Porêts Saint-Georges 1998★

■ 1er cru 1,69 ha 7 000 (I) 30 à 38 €

Qui dit Faiveley dit Nuits-Saint-Georges, Tastevin et Cie. Nous avons cité le **1er cru Aux Chaignots 98 (250 à 299 F)** bien typé mais en attente, car sa matière est imposante. Cette bouteille sera plus immédiate. Le disque est clair sur la robe limpide ; le nez est tout en fruits confiturés, mais frais ; la bouche est tendre à l'approche, souple et puissante ; ensuite, on prédit trois à huit ans de garde. (200 à 249 F)

🔑 Dom. Faiveley, 8, rue du Tribourg, 21701 Nuits-Saint-Georges Cedex, tél. 03.80.61.04.55, fax 03.80.62.33.37, e-mail bourgognes-faiveley@wanadoo.fr
Y r.-v.

CAVEAU DES FLEURIERES
Vieilles vignes 1998

■ n.c. 900 15 à 23 €

D'un rouge prononcé, très petits fruits rouges au nez et en bouche, construit sur des tanins non agressifs, c'est un vin à attendre de trois à cinq ans, et c'est normal en Bourgogne. Même et surtout pour un 98. (100 à 149 F)

🔑 Caveau des Fleurières, 50, rue du Gal-de-Gaulle, BP 63, 21702 Nuits-Saint-Georges, tél. 03.80.61.10.30, fax 03.80.61.35.76, e-mail info@javouhey.net ☑ Y t.l.j. 9h-19h

PHILIPPE GAVIGNET
Les Chaboeufs 1999*

■ 1er cru 1 ha 6 000 ⊕ 15 à 23 €

Un vin à laisser venir tranquillement. Grenat profond, entre la cerise burlat et le poivre, il n'a pas la chair d'un Rubens mais ces beautés sont passées de mode. De bonne tenue en bouche, assez caressant, dépourvu en tout cas de la moindre agressivité, il est harmonieux et bien dans son millésime. **Les Pruliers 1er cru 99** à conseiller également, dans le même ordre d'idées, et en *village*, **les Argillats 99 (70 à 99 F)** plus simples mais réussis. (100 à 149 F)

🔑 Dom. Philippe Gavignet, 36, rue Dr-Louis-Legrand, 21700 Nuits-Saint-Georges, tél. 03.80.61.09.41, fax 03.80.61.03.56 ☑ Y t.l.j. 8h-12h 14h-18h; sam. dim. sur r.-v.

DOM. ANNE-MARIE GILLE
Les Brulées 1999

■ 1,21 ha 6 500 ⊕ 11 à 15 €

Etiquette parchemin à bords roulés. On se croit dans l'ancien temps. La robe est rouge grenat, le nez fonctionne bien sur la myrtille et le poivre, dans la connivence de la vanille du fût. La bouche est vive et devra se libérer de la présence des tanins à attendre trois à quatre ans. (70 à 99 F)

🔑 Dom. Anne-Marie Gille, 34, RN 74, 21700 Comblanchien, tél. 03.80.62.94.13, fax 03.80.62.99.88, e-mail gille@burgundywines.net ☑ Y r.-v.

DOM. HENRI GOUGES
Clos des Porrets-Saint-Georges 1998**

■ 1er cru 3,5 ha 10 000 ⊕ 15 à 23 €

Le regretté Henri Gouges fut l'un d'un des fondateurs des AOC. On l'appelait le « gendarme de la Bourgogne », tant il était inflexible sur la morale du vin. Dédié à sa mémoire, ce vin est d'un carmin chaleureux. Parfaitement maîtrisé, il montre comment un grand terroir peut être vinifié contre la mode de la super-extraction. A ouvrir dans trois ans et pendant dix ans ! (100 à 149 F)

🔑 Dom. Henri Gouges, 7, rue du Moulin, 21700 Nuits-Saint-Georges, tél. 03.80.61.04.40, fax 03.80.61.32.84

DOM. GUYON Les Herbues 1999**

■ 0,22 ha 1 600 ⊕ 15 à 23 €

On se souvient du baptême d'un cratère de la lune par l'équipage d'Apollo XV, le 25 juillet 1971, avec une bouteille de nuits. Celle-ci aurait pu faire l'affaire : contigu à Vosne-Romanée, ce *climat* décroche le coup de cœur sous cette étiquette. D'un rubis intense aux délicates nuances violines, il offre un premier nez un peu sévère. A l'aération, celui-ci évolue vers le fruit frais, l'épice. Souple, l'attaque assure l'arrivée d'une solide consistance bien que la texture commence à être soyeuse. Une vivacité très vivante. Une longueur remarquable sur un boisé bien fondu. Un *village* de très grande classe. (100 à 149 F)

🔑 EARL Dom. Guyon, 11-16, RN 74, 21700 Vosne-Romanée, tél. 03.80.61.02.46, fax 03.80.62.36.56 ☑ Y r.-v.

ALAIN HUDELOT-NOELLAT
Les Murgers 1999

■ 1er cru 0,68 ha 4 500 ⊕ 23 à 30 €

Une bouteille caractéristique de l'AOC. Vive en couleur, cuir et sous-bois, puis spécifique du terroir sous influence boisée : elle a le potentiel d'un vin de longue garde mais elle est à surveiller. (150 à 199 F)

🔑 Alain Hudelot-Noëllat, Ancienne rte Nationale, 21640 Chambolle-Musigny, tél. 03.80.62.85.17, fax 03.80.62.83.13 ☑ Y r.-v.

DOM. DE L'ARLOT
Clos de l'Arlot 1998**

□ 1er cru 1 ha 3 500 ⊕ 30 à 38 €

Axa Millésimes dans ses œuvres sur ce clos Monopole. Situé sur Premeaux, il est bien visible de la route nationale, à côté d'une maison et d'un parc appartenant à l'histoire bourguignonne (Viénot). Doré intense à reflets jaune-vert profond, il offre des notes florales et grillées bien fondues. Monolithique comme les piliers du cellier du Clos de Vougeot, ce vin ample, gras et imposant devra attendre un à deux ans pour exprimer toute sa complexité. Une étoile est attribuée au **Clos des Forêts Saint-Georges 1er cru 98** ; l'attendre deux ans avant de lui offrir une volaille en sauce blanche. (200 à 249 F)

🔑 Dom. de L'Arlot, Premeaux, 21700 Nuits-Saint-Georges, tél. 03.80.61.01.92, fax 03.80.61.04.22 ☑ Y r.-v.

🔑 Axa Millésimes

BERTRAND MACHARD DE GRAMONT Les Hauts Pruliers 1998*

■ 0,58 ha 2 800 15 à 23 €

En 2001, cette cave déménage ! Avant ou après le bon à tirer de ce livre ? Lecteur, ce vin mérite votre recherche téléphonique. « Un verre de nuits prépare la vôtre », dit-on au Tastevin. Celui-ci vous permettra de vérifier la promesse. Il est en effet tout en délicatesse : finesse, équilibre, discrétion des tanins, boisé bien marié, arômes constants sur fond de cerise griotte. Faites de beaux rêves ! (100 à 149 F)

Bertrand Machard de Gramont, 13, rue de Vergy, 21700 Nuits-Saint-Georges, tél. 03.80.61.16.96, fax 03.80.61.16.96 r.-v.

DENIS MUGNERET ET FILS
Les Boudots 1999*

■ 1er cru 0,6 ha 2 400 15 à 23 €

L'honorable Compagnie des Veilleurs de Nuits pourrait choisir ce 99 pour embellir l'une de ses futures soirées. D'une bonne intensité colorante, il exprime l'animal et le cuir sur une nuance réglissée offerte par un boisé fondu. Légèrement tannique en bouche, il donne néanmoins une impression de rondeur ; sa longueur est moyenne. Coup de cœur dans l'édition 1997 pour ses Saint-Georges 94. Les **Saint-Georges 99** sont la gentillesse même et obtiennent également une étoile. (100 à 149 F)

Denis et Dominique Mugneret, 9, rue de la Fontaine, 21700 Vosne-Romanée, tél. 03.80.61.00.97, fax 03.80.61.24.54 r.-v.

DOM. MICHEL NOELLAT ET FILS
1999*

■ 1,3 ha 3 000 15 à 23 €

« Aucun vin n'est aussi terrestre », écrit Curzio Malaparte du vin de Nuits dans *Kaputt*. Impression confirmée par ce *village* couleur de nuit. Son nez, intense et complexe, ne demande qu'à s'ouvrir. Après une attaque franche et vineuse on sent une matière intéressante et réglissée, la qualité supérieure. A attendre impérativement (au moins deux ans). (100 à 149 F)

SCEA Dom. Michel Noëllat et Fils, 5, rue de la Fontaine, 21700 Vosne-Romanée, tél. 03.80.61.36.87, fax 03.80.61.18.10 r.-v.

DOM. DES PERDRIX 1998*

■ 1,16 ha 4 256 30 à 38 €

Repris par Antonin Rodet, ce domaine nous comble de ses bontés. Couleur œil-de-perdrix ? Non, cerise foncé. De gentils arômes qui font la ronde. La bouche a de la jeunesse, du gras, du nerf, de l'équilibre. Ne pas le boire trop vite, bien sûr. Le **1er cru Aux Perdrix 98** est également chaleureusement recommandé. Il a davantage de complexité. C'est un vrai 1er cru. (200 à 249 F)

B. et C. Devillard, Dom. des Perdrix, Ch. de Champ Renard, 71640 Mercurey, tél. 03.85.98.12.12, fax 03.85.45.25.49 r.-v.

CH. DE PREMEAUX
Clos des Argillières 1999*

■ 1er cru 0,5 ha 2 500 15 à 23 €

Domaine acheté en 1933 par le grand-père de l'actuel propriétaire. Elevé dix-huit mois en fût de chêne, voici un vin glorieux sous sa parure cerise noire. Cuir, croûte de pain, fruits confits, ses arômes sont particulièrement délurés. Attaque acide relayée par une bonne structure de tanins très jeunes puis par un beau fruit récupéré en rétro-olfaction. Le rythme s'accélère sur une impression de plénitude. (100 à 149 F)

Dom. du Ch. de Premeaux, 21700 Premeaux-Prissey, tél. 03.80.62.30.64, fax 03.80.62.39.28, e-mail chateau.de.premeaux@wanadoo.fr r.-v.

HENRI ET GILLES REMORIQUET
Rue de Chaux 1999*

■ 1er cru 0,4 ha 2 000 15 à 23 €

Bien présenté, il arbore une robe grenat, presque noire. Il y a de la complexité dans le décor aromatique très concentré. Le cassis et la mûre prennent le relais d'une note réglissée dans un contexte puissant, charpenté, tannique mais équilibré. Un vin typé, pour tout dire. Coup de cœur dans le Guide 1993 pour ses Damodes 90, le domaine présente aussi un *village*, **Les Allots 99**, qui obtiennent une citation. (100 à 149 F)

SCE Henri et Gilles Remoriquet, 25, rue de Charmois, 21700 Nuits-Saint-Georges, tél. 03.80.61.24.84, fax 03.80.61.36.63, e-mail domaine.remoriquet@wanadoo.fr r.-v.

DOM. ARMELLE ET BERNARD RION Les Murgers 1998

■ 1er cru 0,4 ha 2 000 15 à 23 €

Il s'installe, ce 98, en robe typique du pinot. Très oncle de la famille aux arômes divers, du café au cassis en passant par les épices. De belle tenue, il ne lui manque qu'un peu de concentration bien que sa structure dissimule encore le fruit. (100 à 149 F)

Dom. Armelle et Bernard Rion, 8, rte Nationale, 21700 Vosne-Romanée, tél. 03.80.61.05.31, fax 03.80.61.24.60, e-mail rion@webiwine.com r.-v.

DOM. DANIEL RION ET FILS
Vieilles vignes 1998*

■ 0,8 ha 5 000 15 à 23 €

On cogne à la porte. S'ouvrira-t-il enfin ? Mais oui, c'est bien sûr, mais ne le bousculez pas. Rouge profond à reflets bleutés du plus bel effet, un vin célébrant la violette et l'épice, jouant le bois et le fruit avec beaucoup d'audace et parvenant au succès. Sa structure lui permet, au-delà de sa fraîcheur, de sortir du lot. (100 à 149 F)

Dom. Daniel Rion et Fils, RN 74, 21700 Premeaux, tél. 03.80.62.31.28, fax 03.80.61.13.41, e-mail contact@domaine-daniel-rion.com

CAVE PRIVEE D'ANTONIN RODET
Les Porêts 1998*

■ 1er cru | n.c. | 912 | 38 à 46 €

Une très petite cuvée des Porêts dont on aimerait qu'il reste quelques bouteilles ! La robe fraîche est accueillante ; le nez est réservé mais élégant (note café-moka). Harmonieux mais concentré, ferme aujourd'hui, ce vin devrait merveilleusement bien évoluer dans les quatre à cinq ans. (250 à 299 F)

Antonin Rodet, 71640 Mercurey, tél. 03.85.98.12.12, fax 03.85.45.25.49, e-mail rodet@rodet.com t.l.j. sf sam. dim. 9h-12h 14h-18h

RENE TARDY Aux Argillats 1998*

■ 1er cru | 0,39 ha | 2 400 | 15 à 23 €

Ce domaine est situé à 50 m de l'église Saint-Symphorien, construite en 1280. Faisant partie des nuits côté Vosne-Romanée, les Argillats évoquent un terroir un peu argileux dont le vin, réputé austère, sourit sur le tard. Celui-ci a conservé sa robe de jeunesse et, sur un air de fruits rouges, montre un tempérament précocement convivial. Mais sa bonne acidité conseille de l'attendre trois ans. Le frère de Joël Tardy est *winemaker* en Oregon. (100 à 149 F)

Dom. René Tardy et Fils, 32, rue Caumont-Bréon, 21700 Nuits-Saint-Georges, tél. 03.80.61.20.50, fax 03.80.61.36.96, e-mail tardyrene@aol.com r.-v.

Joël Tardy

PIERRE THIBERT
Rue de Chaux Vieille vigne 1999*

■ 1er cru | 0,28 ha | 1 650 | 15 à 23 €

L'appellation est en forme. Et ces vignes familiales exploitées en fermage produisent un 1er cru à la hauteur de la situation. Rubis foncé il va sans dire, le bouquet délicat et d'une douceur vanillée, réglissée, il bénéficie d'une bonne matière. Tanins un peu mordants, mais ce n'est pas un drame car le temps les calmera. (100 à 149 F)

Pierre Thibert, 76, Grande-Rue, 21700 Corgoloin, tél. 03.80.62.73.40, fax 03.80.62.73.40 r.-v.

DOM. JEAN-PIERRE TRUCHETET
1998

■ | 1,63 ha | 2 600 | 15 à 23 €

De légers reflets bruns sur sa robe signent un début d'évolution. Ne nous affolons pas, ce sont des choses qui arrivent. Le nez intense part de la griotte, du raisin confit, au chocolat. Pour l'essentiel, la bouche est plaisante du début à la fin, associant cerise et boisé. Deux à trois ans de garde. (100 à 149 F)

Jean-Pierre Truchetet, rue des Masers, 21700 Premeaux-Prissey, tél. 03.80.61.07.22, fax 03.80.61.34.35 t.l.j. sf sam. dim. 9h-12h 14h-19h; f. 15-31 août

Côte de nuits-villages

Après Premeaux, le vignoble s'amenuise pour se réduire à une longueur de vignes d'environ 200 m à Corgoloin. C'est l'endroit où la côte est la plus étroite. La « montagne » diminue d'altitude, et la limite administrative de l'appellation côte de nuits-villages, anciennement appelée « vins fins de la Côte de Nuits », s'arrête au niveau du clos des Langres, sur Corgoloin. Entre les deux, deux communes : Prissey, associée à Premeaux, et Comblanchien, réputée pour la pierre calcaire (appelée improprement marbre) que l'on tire des carrières du coteau. Toutes deux possèdent quelques terroirs aptes à porter une appellation communale. Mais les superficies de ces trois communes étant trop petites pour avoir une appellation individuelle, Brochon et Fixin y ont été associées pour constituer cette unique appellation côte de nuits-villages, qui a produit, en 2000, 7 200 hl dont 224 hl en vin blanc. On y trouve d'excellents vins, à des prix abordables.

DOM. CHARLES ALLEXANT ET FILS
Aux Montagnes Cuvée Prestige 1999**

■ | 1,85 ha | 10 000 | 8 à 11 €

Aux Montagnes est un *climat* de Comblanchien. La pierre marbrière n'est pas loin. Aucune minéralité cependant dans ce vin de belle origine au nez floral, profond. Il est très sensuel : le gras et la chair enveloppent le palais. Cette bouteille mérite d'être appréciée en l'état mais elle n'a pas dit son dernier mot. (50 à 69 F)

SCE Dom. Charles Allexant et Fils, rue du Château, Cissey, 21190 Merceuil, tél. 03.80.26.83.27, fax 03.80.26.84.04 t.l.j. 8h-12h 13h30-18h; sam. dim. sur r.-v.

BERTRAND AMBROISE 1999*

■ | n.c. | n.c. | 11 à 15 €

N'espérez pas le prendre de court, celui-ci ! Il a besoin de quelques années de garde pour valoriser ses dons. Sa persistance, la souplesse de ses tanins montrent d'ailleurs que les choses sont en bonne voie. Sur la réserve, mais bien présent et attentif à se parfaire. (70 à 99 F)

Maison Bertrand Ambroise, rue de l'Eglise, 21700 Premeaux-Prissey, tél. 03.80.62.30.19, fax 03.80.62.38.69, e-mail bertrand.ambroise@wanadoo.fr r.-v.

RENE BOUVIER 1999*

■ 0,49 ha 2 500 11 à 15 €

Elle a tout d'une grande, cette bouteille : sa robe bien coupée, de nuance profonde et dense ; son bouquet flatteur, floral puis ancré sur la mûre ; sa bouche pleine et agréable dans un décor forcément tannique à cet âge mais ne suscitant aucune réserve. Incontestable réussite pour l'appellation. (70 à 99 F)

EARL René Bouvier, 2, rue Neuve, 21160 Marsannay-la-Côte, tél. 03.80.52.21.37, fax 03.80.59.95.96 r.-v.

CHAUVENET-CHOPIN 1999*

■ 1,5 ha 8 000 8 à 11 €

Limpide et brillante, d'un joli rubis bien soutenu, cette bouteille mérite qu'on s'y attarde : un nez profond, une charpente bien faite en accord avec le nez invitent à une garde de deux ou trois ans. (50 à 69 F)

Chauvenet-Chopin, 97, rue Félix-Tisserand, 21700 Nuits-Saint-Georges, tél. 03.80.61.28.11, fax 03.80.61.20.02 r.-v.

DOM. A. CHOPIN ET FILS
Vieilles vignes 1999**

■ 1 ha 4 500 8 à 11 €

Le marbre de Comblanchien est comparé à celui de Carrare. Ici, le vin pourrait être comparé aux plus grands par ses promesses. A l'œil, cerise noire, il a de l'éclat. Le nez intense de fruits cuits est bien dans l'esprit de l'appellation. Après une attaque souple, la bouche se révèle ample et solide jusque dans sa superbe finale. On vous conseille d'attendre un petit peu - deux ou trois ans - avant de profiter de son charme. (50 à 69 F)

Dom. A. Chopin et Fils, RN 74, 21700 Comblanchien, tél. 03.80.62.92.60, fax 03.80.62.70.78 r.-v.

BERNARD COILLOT PERE ET FILS
1999

■ 0,5 ha 3 000 11 à 15 €

Pour bien connaître l'appellation, il faut la prendre par les deux bouts. Ici, le côté septentrional (Fixin, Brochon). Ce vin s'exprime de façon pourpre, légèrement cramoisi sur le disque. Cacao discret, fruits confits, le nez n'est pas encore très loquace. Puissant et tannique en première bouche, ce 99 ne manque pas de potentiel. A ouvrir dans deux ans avec un bœuf aux carottes. (70 à 99 F)

Bernard Coillot Père et Fils, 31, rue du Château, 21160 Marsannay-la-Côte, tél. 03.80.52.17.59, fax 03.80.52.12.75, e-mail domcoil@aol.com r.-v.

DESERTAUX-FERRAND 1999

□ 1,12 ha 9 000 8 à 11 €

Cette appellation s'exprimait traditionnellement en rouge. Elle s'ouvre peu à peu au blanc. Voyez ainsi cette bouteille d'un or presque blanc, ouvert sur la poire, le coing. Une légère acidité apporte de la vivacité lors d'un parcours en bouche de type minéral et onctueux en finale. En **rouge Les Perrières 99**, puissantes et équilibrées, méritent un à deux ans de garde. (50 à 69 F)

Dom. Desertaux-Ferrand, 135, Grande-Rue, 21700 Corgoloin, tél. 03.80.62.98.40, fax 03.80.62.70.32, e-mail desertaux@erb.com r.-v.

R. DUBOIS ET FILS
Les Monts de Boncourt 1999*

□ 0,8 ha 5 000 8 à 11 €

Ce *climat* se situe sur la commune de Corgoloin. Il est l'un des plus méridionaux de la Côte de Nuits. Choisissez une tourte chaude pour accompagner un chardonnay évoquant les fruits jaunes, le miel, avec une touche vanillée. Aucune rupture d'harmonie en bouche, sur une sensation de poire, et ce qu'il faut de souplesse. A boire dans les deux ans. (50 à 69 F)

Dom. R. Dubois et Fils, rte de Nuits-Saint-Georges, 21700 Premeaux-Prissey, tél. 03.80.62.30.61, fax 03.80.61.24.07, e-mail rdubois@wanadoo.fr t.l.j. 8h-11h30 14h-18h; sam. dim. sur r.-v.

DOM. JEAN FERY ET FILS
Le Clos de Magny 1998*

■ n.c. 8 000 8 à 11 €

Très typique, cette bouteille porte une robe pivoine d'une belle transparence. Musc, fourrure au nez, fruits rouges en bouche sur des tanins bien balancés, elle procure déjà un réel plaisir. (50 à 69 F)

Dom. Jean Fery et Fils, 21420 Echevronne, tél. 03.80.21.59.60, fax 03.80.21.59.59 r.-v.

PHILIPPE GAVIGNET 1999**

■ 0,5 ha 3 000 8 à 11 €

Le gigot d'agneau devrait s'accorder à merveille avec ce 99 grenat au disque lumineux, boisé sans excès. De la rondeur, de l'alcool, un bon goût de fruit, tout ravit. Avec de tels vins, l'appellation peut dormir sur ses deux oreilles : son rapport qualité-prix assure son avenir. (50 à 69 F)

Dom. Philippe Gavignet, 36, rue Dr-Louis-Legrand, 21700 Nuits-Saint-Georges, tél. 03.80.61.09.41, fax 03.80.61.03.56 t.l.j. 8h-12h 14h-18h; sam. dim. sur r.-v.

CHRISTIAN GROS Les Vignottes 1999★

■ 0,6 ha n.c. 8 à 11 €

Naguère encore, on indiquait rarement le nom du *climat* dans cette AOC. Cela devient assez fréquent, pour personnaliser les cuvées. Les Vignottes sont sur Premeaux, juste en dessous du Clos de la Maréchale. Rubis limpide, le nez bien ouvert, la bouche de bonne composition, ce vin fruité devra attendre un à deux ans pour satisfaire une volaille. (50 à 69 F)

Christian Gros, rue de la Chaume, 21700 Premeaux-Prissey, tél. 03.80.61.29.74, fax 03.80.61.39.77 r.-v.

GILLES JOURDAN 1999★

■ 1,02 ha 4 000 8 à 11 €

Viticulteur arrivé sur le domaine familial en 1997. Son vin donne du cœur à l'ouvrage. Sa couleur pourpre intense est particulièrement attrayante. Le bouquet apparaît odorant et floral. Tout en gardant une pointe de vivacité, le palais a de la fraîcheur à l'attaque et une gentille rondeur. Parfait avec des œufs en meurette. (50 à 69 F)

Gilles Jourdan, Grande-Rue, 21700 Corgoloin, tél. 03.80.62.76.31, fax 03.80.62.98.55 r.-v.

La côte de Nuits (Sud)

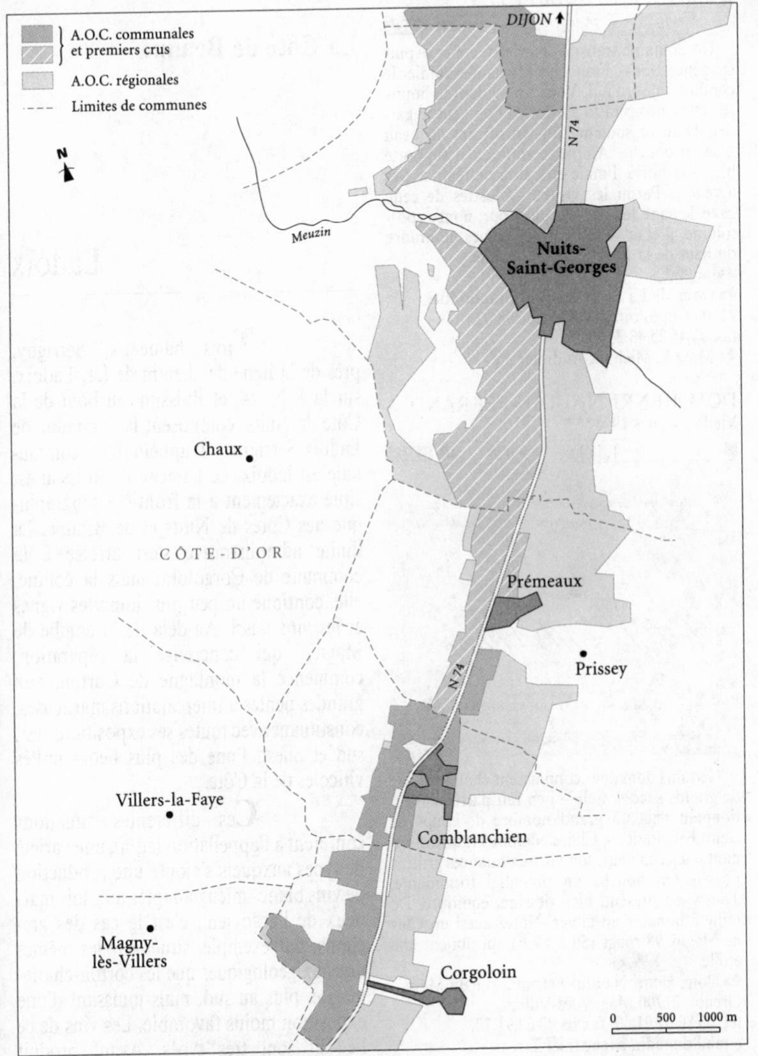

DOM. LALEURE-PIOT
Les Bellevues 1999*

■ 0,84 ha 5 700 8 à 11 €

Provenant de Comblanchien (*climat* en haut de coteau et voisin des carrières), ce vin se présente dans une robe foncée sans aucune note d'évolution. Bien dans le ton de l'appellation, il offre un nez riche et très net, franc et profond, une bouche aux beaux tanins jouant sur les fruits rouges frais et mûrs. Bonne longueur. La deuxième étoile n'est pas très loin. (50 à 69 F)

Dom. Laleure-Piot, rue de Pralot, 21420 Pernand-Vergelesses, tél. 03.80.21.52.37, fax 03.80.21.59.48, e-mail laleure.piot@wanadoo.fr
t.l.j. 8h-12h 14h-18h; sam. dim. sur r.-v.

DOM. DE LA POULETTE 1999*

□ 0,75 ha n.c. 11 à 15 €

Un domaine transmis par les femmes depuis six générations : Françoise Michaut-Audidier le conduit aujourd'hui. Voici un 99 dont la bonne structure assurera la garde... si l'on veut le garder. D'un or soutenu, un vin offrant un beau gras en bouche. Ample, complexe, il supporte bien son boisé. Finale en bâton de réglisse très agréable. Parmi les visiteurs illustres de cette cave, le pape Jean XXIII alors que, nonce apostolique, il était venu bénir les vignes de France du haut de la Montagne de Beaune.
(70 à 99 F)

Dom. de La Poulette, 103, Grande-Rue, 21700 Corgoloin, tél. 03.80.62.98.02, fax 03.45.25.43.23 r.-v.
Mme F. Michaut-Audidier

DOM. HENRI NAUDIN-FERRAND
Vieilles vignes 1998***

■ 1,55 ha 9 028 11 à 15 €

Certains domaines connaissent chaque année de grands succès. Celui-ci en fait partie, collectionnant déjà un grand nombre de coups de cœur. Félicitations, Claire Naudin ! Impressionnant par sa couleur, son vin aux nuances grillées possède en bouche un potentiel formidable. Tout y est présent, bien dessiné, équilibré. De taille à honorer un gibier. Notez aussi un **Clos de Magny 98 rouge (50 à 69 F)** qui obtient une étoile. (70 à 99 F)

Dom. Henri Naudin-Ferrand, rue du Meix-Grenot, 21700 Magny-lès-Villers, tél. 03.80.62.91.50, fax 03.80.62.91.77, e-mail dnaudin@ipac.fr r.-v.

CHARLES VIENOT
Cuvée Roi de Saxe 1998

■ n.c. 45 000 11 à 15 €

Le roi de Saxe honora jadis la famille Viénot de ses commandes. Cette cuvée lui est dédiée. Voici un 98 rouge grenat au bouquet de baies noires mariées aux épices douces. L'attaque en est fraîche, le milieu de bouche charnu, onctueux même selon les règles de l'étiquette. Son bon corps tannique accompagnera bien le gibier. (70 à 99 F)

Charles Viénot, 5, quai Dumorey, BP 102, 21703 Nuits-Saint-Georges, tél. 03.80.62.61.41, fax 03.80.62.37.38

La Côte de Beaune

Ladoix

Trois hameaux, Serrigny, près de la ligne de chemin de fer, Ladoix, sur la R.N. 74, et Buisson, au bout de la Côte de Nuits, composent la commune de Ladoix-Serrigny. L'appellation communale est ladoix. Le hameau de Buisson est situé exactement à la frontière géographique des Côtes de Nuits et de Beaune. La limite administrative s'est arrêtée à la commune de Corgoloin, mais la colline, elle, continue un peu plus loin ; les vignes et les vins aussi. Au-delà de la combe de Magny, qui concrétise la séparation, commence la montagne de Corton, aux grandes pentes à intercalations marneuses, constituant avec toutes ses expositions, est, sud et ouest, l'une des plus belles unités viticoles de la Côte.

Ces différentes situations confèrent à l'appellation ladoix une variété de types auxquels s'ajoute une production de vins blancs mieux adaptés aux sols marneux de l'argovien ; c'est le cas des gréchons, par exemple, situés sur les mêmes niveaux géologiques que les corton-charlemagne, plus au sud, mais jouissant d'une exposition moins favorable. Les vins de ce lieu-dit sont très typés. Ayant produit

3 861 hl en rouge et 776 hl en blanc en 2000, l'appellation ladoix est peu connue ; c'est dommage !

Autre particularité : bien que jouissant d'une classification favorable donnée par le Comité de viticulture de Beaune en 1860, Ladoix ne possédait pas de premiers crus : omission qui a été régularisée par l'INAO en 1978 : la Micaude, la Corvée et le Clou d'Orge, aux vins de même caractère que ceux de la Côte de Nuits, les Mourottes (basses et hautes), aux allures sauvages, le Bois-Roussot, sur la « lave », sont les principaux de ces premiers crus.

DOM. D'ARDHUY 1999*

■ 1er cru 1,5 ha 8 000 11 à 15 €

Appliquez pour ce 99 le principe de précaution. Il demande à se fondre et il sera au meilleur niveau dans deux à trois ans. N'oubliez pas qu'en langage bourguignon une *douâ* (d'où vient Ladoix) est une résurgence, une source vauclusienne. Le vin, lui aussi, aime ici disparaître puis réapparaître au grand jour. D'un rouge sombre assez lumineux, partagé entre le petit fruit rouge et le grillé, gras et riche, il est en pleine ascension. (70 à 99 F)

Dom. d'Ardhuy, Clos des Langres, 21700 Corgoloin, tél. 03.80.62.98.73, fax 03.80.62.95.15, e-mail domaine.ardhuy@wanadoo.fr
t.l.j. sf dim. 10h-12h 14h-18h

BOISSEAUX-ESTIVANT 1998*

■ n.c. n.c. 15 à 23 €

Sous son maillot cerise grenat, il pratique le jeu collectif. Il mobilise toute l'équipe : arômes et tanins bien motivés. Si ses senteurs sont assez suaves, ses saveurs se développent avec force sur le terrain. Charnu, il paraît en mesure de gagner la partie - sa concentration est superbe - mais il devra sans doute jouer les prolongations (deux à trois ans). (100 à 149 F)

Boisseaux-Estivant, 38, fg Saint-Nicolas, BP 107, 21200 Beaune, tél. 03.80.22.00.05, fax 03.80.24.19.73

DOM. CACHAT-OCQUIDANT ET FILS Les Madonnes Vieilles vignes 1999*

■ 1,2 ha 5 200 11 à 15 €

C'est au pied du coteau de Corton que vous trouverez ce bon domaine. Dans cette AOC, deux *villages* obtiennent une même réussite : un **99 rouge (50 à 69 F)** sans autre mention, et ces Madonnes couleur griotte. Un nez assez sauvage (fourrure, grillé), une matière riche, puissante, belle expression du terroir, soutenue par des tanins de bonne composition. Le fruit n'est pas absent. Deux à trois ans de garde puis un avenir intéressant. (70 à 99 F)

Dom. Cachat-Ocquidant et Fils, 3, pl. du Souvenir, 21550 Ladoix-Serrigny, tél. 03.80.26.45.30, fax 03.80.26.48.16 r.-v.

CAPITAIN-GAGNEROT La Micaude 1998*

■ 1er cru 1,64 ha 9 000 11 à 15 €

Elu coup de cœur dans nos éditions 1990 et 1995 pour ses millésimes 86 et 93, ce domaine place souvent sa Micaude comme une botte secrète. Cette fois encore. D'une teinte rouge grenat, la bouteille ne laisse pas le fût museler la framboise. Sans doute faut-il l'oublier quelques années en cave car son corps a besoin de tendresse. Mais elle a du fond et s'applique à honorer la devise de la maison : « Loyauté fait ma force. » (70 à 99 F)

Maison Capitain-Gagnerot, 38, rte de Dijon, 21550 Ladoix-Serrigny, tél. 03.80.26.41.36, fax 03.80.26.46.29 r.-v.

DOM. CHAUDAT Côte de Beaune 1998*

■ 0,15 ha 700 8 à 11 €

Une si bonne bouteille sous une étiquette parcheminée : c'est une tradition bourguignonne... Ce 98 de couleur moyennement intense, aux jolies nuances odorantes (la mûre surtout), réussit un parcours complet dès qu'il pénètre en bouche. Il passe tous les obstacles, ne fait tomber aucune barre. Typé terroir et millésime, il est à mettre précieusement de côté... ou, tout compte fait, à boire sur-le-champ si vous aimez les vins jeunes. Vous avez le choix. (50 à 69 F)

Dom. Odile Chaudat, 41, voie Romaine, 21700 Corgoloin, tél. 03.80.62.92.31, fax 03.80.62.92.31 r.-v.

CHEVALIER PERE ET FILS Les Gréchons 1998*

□ 1er cru 0,47 ha 2 500 15 à 23 €

Elle porte, cette bouteille, la robe couleur de jour offerte à Cendrillon. Un rayon de soleil. Ses parfums ? Le prince est généreux : miel, cire d'abeille, amande amère. De quoi rouler carrosse. Vive, ronde, l'entrée au palais est réussie et, vous verrez, ce conte se finira très bien. (100 à 149 F)

SCE Chevalier Père et Fils, Buisson, 21550 Ladoix-Serrigny, tél. 03.80.26.46.30, fax 03.80.26.41.47 r.-v.

DOM. CORNU 1998

■ 0,96 ha 6 000 11 à 15 €

Le millésime 90 valut à ce viticulteur le coup de cœur dans l'édition 1994. Celui-ci ne se livre pas facilement mais la matière est belle. Sa couleur d'un bon rubis se tuile légèrement. Sous-bois, terre mouillée, humus, son nez offre un intéressant exemple de cette famille aromatique. La bouche correctement structurée par des tanins encore un peu austères demande quelques années de bonne cave. (70 à 99 F)

Dom. Cornu, rue du Meix-Grenot, 21700 Magny-lès-Villers, tél. 03.80.62.92.05, fax 03.80.62.72.22 r.-v.

DOM. ESCOFFIER Les Vallozières 1998

□ 0,26 ha 2 100 8 à 11 €

Propriétaire à Serrigny, hameau de Ladoix, Franck Escoffier habite la Saône-et-Loire et confie la mise en bouteilles de son vin au Clos des Langres (La Juvinière). Cela donne un char-

BOURGOGNE

donnay brillant, fruité avec constance sur une note de pomme ; élégant, il n'a pas besoin de passer l'épreuve de rattrapage. Il est prêt à servir. (50 à 69 F)

Franck Escoffier, 16, rue du Parc, 71350 Géanges, tél. 06.11.55.80.67, fax 03.85.49.98.22, e-mail domaine.escoffier@wanadoo.fr r.-v.

CAVEAU DES FLEURIERES
Les Gréchons 1998

1er cru n.c. 900 15 à 23 €

Climat situé tout en haut de la Côte. Il produit souvent de bonnes choses. Jaune soutenu à reflets vieil or, ce 98 nous fait respirer les agrumes et les fruits secs avant de prendre ses quartiers en bouche. Bon gras, tanins fondus, il y montre de la présence. Un peu d'amertume, on connaît ça. A déboucher cette année. (100 à 149 F)

Caveau des Fleurières, 50, rue du Gal-de-Gaulle, BP 63, 21702 Nuits-Saint-Georges, tél. 03.80.61.10.30, fax 03.80.61.35.76, e-mail info@javouhey.net t.l.j. 9h-19h

Javouhey

FRANCOIS GAY 1998**

0,49 ha 3 000 8 à 11 €

Coup de cœur dans nos éditions de 1999 et 2000 (millésimes 95 et 96) : nous avons affaire à un spécialiste du sujet. Des vignes de quarante-cinq ans, un élevage en fûts de chêne (dont 25 % neufs) : empourpré, riche en fruits rouges et noirs, le 98 passe en bouche comme un e-mail dans votre ordinateur. Son charme est très prenant. Un corps largement suffisant, des tanins aimables et conviviaux, le retour du fruit. A conserver trois à quatre ans mais déjà agréable si vous aimez les vins jeunes. (50 à 69 F)

EARL François Gay, 9, rue des Fiètres, 21200 Chorey-lès-Beaune, tél. 03.80.22.69.58, fax 03.80.24.71.42 r.-v.

DOM. ROBERT ET RAYMOND JACOB 1999*

0,7 ha 5 000 8 à 11 €

Cervantès n'avait qu'un bras et pourtant, quel écrivain ! Ce ladoix n'a pas un corps considérable et pourtant, c'est un bon vin. Sa robe est légère, sa bouche très souple. Seule exception à ce panorama assez *light*, son bouquet offensif (miel, acacia, silex et pain grillé). Discret, le boisé n'annihile pas la naissance de parfums floraux durant la seconde partie de la dégustation. (50 à 69 F)

Dom. Robert et Raymond Jacob, Buisson, 21550 Ladoix-Serrigny, tél. 03.80.26.40.42, fax 03.80.26.49.34 r.-v.

DOM. RAYMOND LAUNAY
Clou d'Orge 1999*

1,89 ha 15 000 11 à 15 €

Light golden comme on dit en anglais, il a le nez astucieux. Menthol, miel, pierre à fusil, on y trouve tout cela mais pas pêle-mêle : successivement. Il ne manque pas d'atouts. Un vin agréable et ne nécessitant aucune attente. (70 à 99 F)

Dom. Raymond Launay, rue des Charmots, 21630 Pommard, tél. 03.80.24.08.03, fax 03.80.24.12.87 t.l.j. 9h-18h30

DOM. MAILLARD PERE ET FILS
Les Chaillots 1999*

0,5 ha n.c. 11 à 15 €

Composé de 18 ha répartis sur sept villages, ce domaine a été créé en 1952. Rouge comme le manteau du Père Noël, ce 99 a le nez dorloté par des arômes de fruits frais. Vif et spontané sur toute la ligne, il souligne l'esprit de son terroir. Vin à faire un peu chambrer et à servir dans un an ou deux. (70 à 99 F)

Dom. Maillard Père et Fils, 2, rue Joseph-Bard, 21200 Chorey-lès-Beaune, tél. 03.80.22.10.67, fax 03.80.24.00.42 r.-v.

DOM. MICHEL MALLARD ET FILS
Les Joyeuses 1998*

1er cru 0,36 ha n.c. 11 à 15 €

Ces Joyeuses ont le temps de profiter de la vie. Elles sont bien tentantes dans leur robe cerise. Leur parfum laisse un sillage fruité. Très charpentée, la bouche demande trois à quatre ans de garde. Nous attirons aussi votre attention sur **Le Clos Royer 98 rouge en village**, encore sur la réserve et d'un même niveau (une étoile). (70 à 99 F)

EARL Dom. Michel Mallard et Fils, 43, rte de Dijon, 21550 Ladoix-Serrigny, tél. 03.80.26.40.64, fax 03.80.26.47.49 r.-v.

CATHERINE ET CLAUDE MARECHAL Les Chaillots 1999*

n.c. 3 900 11 à 15 €

Grenat violacé, intensément jeune, un vin à servir après un passage en carafe. Ses arômes n'apportent aucune surprise : le cassis, le brûlé font en effet partie du décor. Une attaque nette et franche conduit à une structure de qualité très consistante, dont les tanins demandent à s'arrondir. Le potentiel de garde paraît réel (trois à quatre ans). (70 à 99 F)

EARL Catherine et Claude Maréchal, 6, rte de Chalon, 21200 Bligny-lès-Beaune, tél. 03.80.21.44.37, fax 03.80.26.85.01 r.-v.

GHISLAINE ET BERNARD MARECHAL-CAILLOT
Côte de Beaune 1999*

1,81 ha 4 800 8 à 11 €

Avec lui, on en a rapidement le cœur net. Rouge tendre, il vous prend par les sentiments. Le nez est d'ailleurs agréable, tout entier sur les fruits noirs et sans la moindre agressivité boisée. Souple, franc et fruité, c'est un vin aux tanins soyeux. Il est prêt et peut être servi pendant les quatre à cinq prochaines années. (50 à 69 F)

Bernard Maréchal-Caillot, 10, rte de Chalon, 21200 Bligny-lès-Beaune, tél. 03.80.21.44.55, fax 03.80.26.88.21 r.-v.

DOM. MARTIN-DUFOUR 1999

0,45 ha 3 200 8 à 11 €

Celui-ci est encore trop jeune. Il faut lui laisser le temps de calmer ses ardeurs. Il possède en effet une complexité qui donne à penser. Robe

irréprochable, nez bien cadré entre le fruit rouge et la vanille, bouche très croquante et finale sympathique : il ne devrait pas décevoir.
(50 à 69 F)
Dom. Martin-Dufour, 4a, rue des Moutots, 21200 Chorey-lès-Beaune, tél. 03.80.22.18.39, fax 03.80.22.18.39 r.-v.

DOM. NUDANT Les Gréchons 1999*

□ 1er cru 0,6 ha 3 000 15 à 23 €

Le 1er cru Les Buis 98 rouge (70 à 99 F) pourra vous satisfaire dans trois ou quatre ans. Quitte à choisir, on accordera toutefois la préférence à ce jeune chardonnay plein de verve. Jaune paille à reflets argentés, il est généreux en arômes (acacia, pain grillé) et actif en bouche. Ses tanins sont souples, son gras appréciable surtout en finale. Une idée originale suggérée par un dégustateur : l'essayer sur un mont-d'or.
(100 à 149 F)
Dom. Nudant, 11, RN 74, 21550 Ladoix-Serrigny, tél. 03.80.26.40.48, fax 03.80.26.47.13, e-mail domaine.nudant@wanadoo.fr r.-v.

DOM. PARENT La Corvée 1998*

■ 1er cru n.c. 3 600 11 à 15 €

Des vignes de trente-cinq ans menées selon une gestion parcellaire, seize mois d'élevage en fût de chêne : ce 98 d'un rouge franc, déterminé, a le nez délicatement poivré et enjolivé par une note de fraise. La bouche ne s'écarte pas des règles classiques, mais ce vin très friand s'ouvre ; il pourra être dégusté entre Pâques 2002 et Noël 2007. (70 à 99 F)
Dom. Parent, pl. de l'Eglise, 21630 Pommard, tél. 03.80.22.15.08, fax 03.80.24.19.33, e-mail parent-pommard@axnet.fr r.-v.

DOM. PRIN 1998**

■ 0,97 ha 3 000 11 à 15 €

La perle rare. Le *village* 98 tout bonnement. Notre coup de cœur salue un vin d'une couleur splendide, au nez réservé de fruits rouges, un peu confits. Bien vinifié et bien élevé, c'est le type même de la bouteille que l'on aime avoir en cave : concentrée, puissante sans démesure, tannique mais équilibrée, elle se gardera quatre à cinq ans. Le 1er cru Les Joyeuses 98 rouge peut compléter vos achats. Il obtient une étoile. De garde également. Deux valeurs sûres.
(70 à 99 F)
Dom. Prin, 12, rue de Serrigny, Cidex 10, 21550 Ladoix-Serrigny, tél. 03.80.26.40.63, fax 03.80.26.46.16 r.-v.

Aloxe-corton

Si l'on tient compte de la superficie classée en corton et corton-charlemagne, l'appellation aloxe-corton en occupe une faible part, sur la plus petite commune de la Côte de Beaune, et a produit en 2000, 5 826 hl de vin rouge et 28,8 hl en blanc. Les premiers crus y sont réputés : les Maréchaudes, les Valozières, les Lolières (grandes et petites) sont les plus connus.

La commune est le siège d'un négoce actif, et plusieurs châteaux aux magnifiques tuiles vernissées méritent le coup d'œil. La famille Latour y possède un superbe domaine dont il faut visiter la cuverie du siècle dernier, qui reste encore un modèle du genre pour les vinifications bourguignonnes.

DOM. CACHAT-OCQUIDANT ET FILS Les Maréchaudes 1999*

■ 1er cru 0,15 ha 1 148 15 à 23 €

Les Maréchaudes sont tout contre Ladoix. Ce très ancien *climat*, déjà cité en 1253 (*vinea en Mareschaut*) était autrefois un marais. La vigne y pousse à merveille et donne de bons fruits. Le nez est ici fruité, la robe dans son millésime. La bouche, pleine et entière, de belle facture. Ce qu'on appellera une bouteille facile dans deux ou trois ans. (100 à 149 F)
Dom. Cachat-Ocquidant et Fils, 3, pl. du Souvenir, 21550 Ladoix-Serrigny, tél. 03.80.26.45.30, fax 03.80.26.48.16 r.-v.

CAPITAIN-GAGNEROT 1998*

■ 0,61 ha 3 000 15 à 23 €

Michel Capitain, fin dégustateur, mène ce domaine familial créé en 1802 depuis 1987. Il propose ici un vin qui ne sera pas à honorer dans cent ans mais qui est doté d'une belle matière, fruit mûr sur des tanins présents mais ronds et fins, très longs. Son acidité mesurée assurera au moins cinq ans de garde.
(100 à 149 F)
Maison Capitain-Gagnerot, 38, rte de Dijon, 21550 Ladoix-Serrigny, tél. 03.80.26.41.36, fax 03.80.26.46.29 r.-v.

DOM. DUBOIS-CACHAT 1999

■ 0,32 ha 1 500 11 à 15 €

Grenat vif et soutenu, un 99 déjà assez ouvert sur des notes de fruits frais écrasés et de fleurs fraîches. Derrière des tanins encore très jeunes, il y a du gras et de l'équilibre, une matière dense qui s'exprimera mieux dans trois ans.
(70 à 99 F)
Jean-Pierre Dubois, 2, Grande-Rue, 21200 Chorey-lès-Beaune, tél. 03.80.22.27.83, fax 03.80.22.27.83 r.-v.

P. DUBREUIL-FONTAINE PERE ET FILS 1999

■ n.c. n.c. 11 à 15 €

Couleur moyenne et tendre, le nez grillé et doté d'arômes de fruits rouges, fondu au palais, de bonne tenue avec persistance, ce vin est assez accompli. Pas très long, mais parfait pour se faire plaisir sur une entrecôte charolaise. (70 à 99 F)

Dom. Dubreuil-Fontaine Père et Fils, 21420 Pernand-Vergelesses, tél. 03.80.21.55.43, fax 03.80.21.51.69, e-mail dubreuil.fontaine@wanadoo.fr r.-v.

DUFOULEUR PERE ET FILS 1998**

■ n.c. 2 000 30 à 38 €

Rubis vif et profond, il ne s'en laisse pas conter. Poursuivant un dessein complexe, il détaille des arômes très mûrs, offerts aux fruits et aux épices. L'attaque est un sourire, la matière charnue, la finale assez longue, les tanins gentils. Le nez et la bouche vont bien ensemble. Ce vin est déjà plaisant mais il a du potentiel. (200 à 249 F)

Dufouleur Père et Fils, 15, rue Thurot, BP 27, 21700 Nuits-Saint-Georges, tél. 03.80.61.21.21, fax 03.80.61.10.65 r.-v.

DOM. LIONEL DUFOUR Les Valozières 1999*

■ 1er cru 0,34 ha 2 800 46 à 76 €

Un beau couple fruit-fût. Souhaitons-lui bonne et heureuse vie. Le rubis est présent dans la robe. Fruit frais vanillé, le nez est très fin. C'est un vin flatteur, un peu porté sur l'alcool, rond, fruité et pourtant mordant, le fût étant assez présent. Un bon style en définitive. (300 à 499 F)

SCI Lionel Dufour, 7, rte de Monthélie, 21190 Meursault, tél. 03.80.21.67.02, fax 03.87.69.71.13

DOM. FOLLIN-ARBELET Clos du Chapitre 1999*

■ 1er cru 1 ha 5 000 15 à 23 €

Que l'on nous pardonne, mais nous sommes incapables de situer sur la carte ce Clos du Chapitre. Cela dit, c'est possible, mais où ? Grenat soutenu, vanillé sur le fruit cuit et la confiture de mûres, un vin tannique et vineux qui a du champ devant soi pour s'exprimer plus abondamment. Notez aussi le **1er cru Les Vercots 99**, un vin moderne qui obtient une étoile et qui plaira à beaucoup. (100 à 149 F)

Dom. Follin-Arbelet, Les Vercots, 21420 Aloxe-Corton, tél. 03.80.26.46.73, fax 03.80.26.43.32 r.-v.

FRANCOIS GAY 1998*

■ 0,73 ha 4 500 15 à 23 €

La cohérence résume ce 98 grenat brillant. L'intrigue est bien conduite, du début à la fin. Le fruit à noyau, le pruneau indiquent une sensibilité poivrée. Douce, l'attaque s'anime peu à peu et rencontre le vin derrière des tanins très présents. La griotte l'emporte en finale. Tout cela devrait donner une jolie bouteille dans trois ans. (100 à 149 F)

EARL François Gay, 9, rue des Fiètres, 21200 Chorey-lès-Beaune, tél. 03.80.22.69.58, fax 03.80.24.71.42 r.-v.

CHRISTIAN GROS Les Petites Lolières 1998

■ 1er cru 0,16 ha n.c. 11 à 15 €

Le rubis bourguignon ? Mais oui, il existe. Le voici doté d'un nez discret puis d'une bouche étoffée, bien charpentée, et dont il faudra raboter les angles. Le boisé est bien dosé. Il y a de la continuité. A oublier en cave pour qu'il puisse acquérir cette plénitude sereine qui fait les grands vins. (70 à 99 F)

Christian Gros, rue de la Chaume, 21700 Premeaux-Prissey, tél. 03.80.61.29.74, fax 03.80.61.39.77 r.-v.

DOM. GUYON Les Guérets 1999**

■ 1er cru 0,09 ha 690 23 à 30 €

Le millésime 96 fut coup de cœur trois ans plus tard. Ce *climat* accoudé à Pernand donne un vin haut en couleur et très ouvert sur des arômes puissants : le cuir, les épices, le pruneau. La bouche est conquérante, riche, et l'on y retrouve une pincée de poivre moulu. Une pointe d'acidité en finale montre que ce 99 a envie de durer. (150 à 199 F)

EARL Dom. Guyon, 11-16, RN 74, 21700 Vosne-Romanée, tél. 03.80.61.02.46, fax 03.80.62.36.56 r.-v.

DOM. ROBERT ET RAYMOND JACOB 1999

■ 1 ha 6 000 11 à 15 €

Robe rouge groseille, tendre comme tout, nez assez complexe mêlant petits fruits frais, amande, noisette et cuir, bouche douce et soyeuse, presque beurrée, s'achevant sur une note de cerise : on l'aura compris, ce vin ne possède pas une grande structure mais il est agréable, voire élégant. (70 à 99 F)

Dom. Robert et Raymond Jacob, Buisson, 21550 Ladoix-Serrigny, tél. 03.80.26.40.42, fax 03.80.26.49.34 r.-v.

DOM. DE LA GALOPIERE Les Valozières 1999**

■ 1er cru 0,29 ha 1 500 15 à 23 €

Superbement paré, il nous mène par le bout du nez jusqu'à la cerise, jusqu'à l'épice. La bouche veloutée, soyeuse, invite à prendre le temps de parler. C'est en effet une très belle expression du pinot, un vin racé. (100 à 149 F)

Claire et Gabriel Fournier, 6, rue de l'Eglise, 21200 Bligny-lès-Beaune, tél. 03.80.21.46.50, fax 03.80.21.49.93, e-mail c.g.fournier@wanadoo.fr r.-v.

DOM. LALEURE-PIOT 1999*

■ 0,2 ha 1 300 11 à 15 €

Aucun nuage à l'horizon. Ce 99 a le regard profond : rouge griotte, jolie robe. Le nez s'ouvre au troisième coup de sonnette, sur la torréfaction et le fruit. Viril et costaud, chaleureux en finale, ce vin n'a pas accolé pour rien le nom de corton à son aloxe. Son gras s'impose sans peine. (70 à 99 F)

Dom. Laleure-Piot, rue de Pralot, 21420 Pernand-Vergelesses,

tél. 03.80.21.52.37, fax 03.80.21.59.48, e-mail laleure.piot@wanadoo.fr
☑ 🍷 t.l.j. 8h-12h 14h-18h; sam. dim. sur r.-v.

DANIEL LARGEOT 1999*

■ 0,6 ha 4 000 🛢 11 à 15 €

Robe bleutée du plus bel effet. Mais oui, c'est une nuance appréciée du pinot. Griotte en diable, finement boisée, la bouteille tourne rond. Elle a beaucoup de fond, un peu de kirsch ; c'est le type même du vin plaisir qui, attendu, se révèlera sans doute en des proportions plus importantes, plus ambitieuses aussi. (70 à 99 F)

🔑 Daniel Largeot, 5, rue des Brenôts, 21200 Chorey-lès-Beaune, tél. 03.80.22.15.10, fax 03.80.22.60.62 ☑ 🍷 r.-v.

DOM. LOUIS LATOUR 1998*

■ 3,15 ha 15 000 🛢 15 à 23 €

Louis Latour à Aloxe-Corton, c'est comme Louis XIV à Versailles. Son domaine propre comprend aujourd'hui 50 ha dont 28 classés en AOC grand cru. Rubis clair à reflets vermillon, ce 98 s'ouvre à l'aération sur des arômes de truffe et de sous-bois. En bouche, la griotte résiste pied à pied à des tanins présents, dans l'attente de ce précieux renfort, le temps, qui ordonne chaque chose et chaque vin. (100 à 149 F)

🔑 Maison Latour, 18, rue des Tonneliers, 21200 Beaune, tél. 03.80.24.81.00, fax 03.80.22.36.21, e-mail louislatour@louislatour.com 🍷 r.-v.

DOM. MAILLARD PERE ET FILS 1999*

■ 1 ha n.c. 🛢 11 à 15 €

Carmin à pourpre, pour la robe. Cuir à cassis et une touche de violette, pour le nez. L'ensemble paraît bien dessiné. Un peu de grillé de fût, bien sûr. Dans la suite logique, il y a des tanins

BOURGOGNE

La côte de Beaune (Nord)

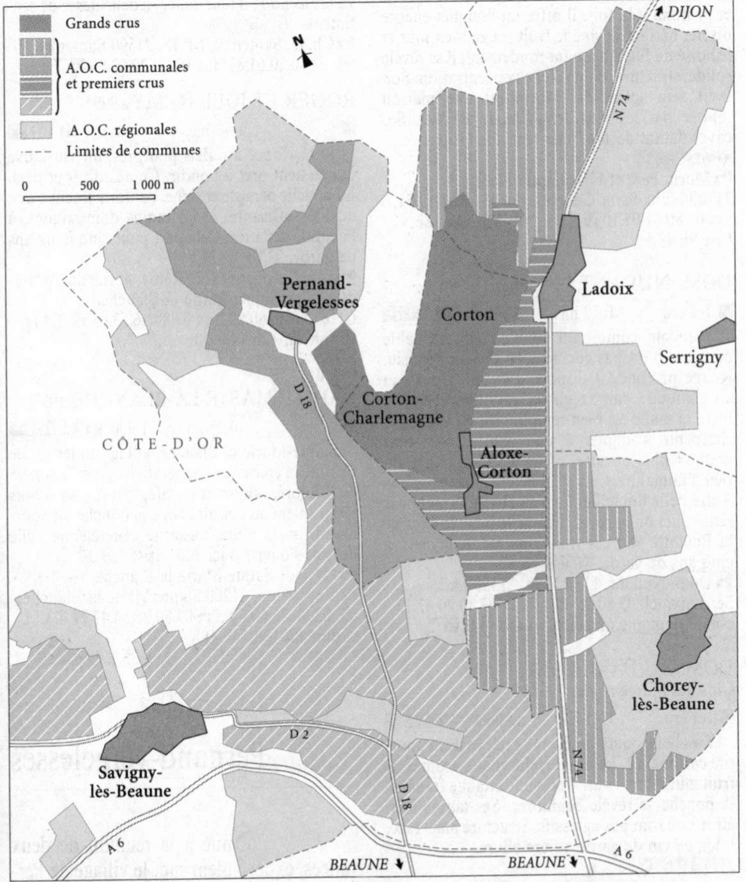

élégants, du fruit rouge ; une structure délicatement évoluée. D'une bonne typicité, ce vin peut s'ouvrir. (70 à 99 F)

Dom. Maillard Père et Fils, 2, rue Joseph-Bard, 21200 Chorey-lès-Beaune, tél. 03.80.22.10.67, fax 03.80.24.00.42 r.-v.

DOM. MICHEL MALLARD ET FILS
Les Valozières 1998*

■ 1er cru 1,2 ha 7 500 15 à 23 €

Valozières 98 ou **village 98 (70 à 99 F)** cité ? Les deux trouvent des affinités avec les cinq sens de nos dégustateurs. Ce 1er cru a une robe rubis paisible, un beau préambule. Le nez discret, agréable et pur, s'ouvre progressivement sur la cerise fraîchement cueillie. Le terroir se plaît en bouche, marqué par une chair vigoureuse. La mâche est si carrée... L'attendre absolument. (100 à 149 F)

EARL Dom. Michel Mallard et Fils, 43, rte de Dijon, 21550 Ladoix-Serrigny, tél. 03.80.26.40.64, fax 03.80.26.47.49 r.-v.

MORIN PERE ET FILS 1998*

■ n.c. 12 000 15 à 23 €

Bien vinifié, il fait de l'effet. D'un rouge vif et profond à la fois, il offre un bouquet encore discret où l'on devine le fruit rouge bien mûr et le boisé du fût. Attaquant rondement, il se révèle solide, structuré, d'une réelle concentration. Son éveil sera splendide. Morin est une maison reprise par les vins Jean-Claude Boisset. Ses caves datant de 1747 méritent une visite. (100 à 149 F)

Morin Père et Fils, 9, quai Fleury, 21700 Nuits-Saint-Georges, tél. 03.80.61.19.51, fax 03.80.61.05.10 t.l.j. 9h-12h 14h-18h; l'été 9h-19h

DOM. NUDANT La Coutière 1998*

■ 1er cru 0,79 ha 4 500 15 à 23 €

A revoir, comme on dit d'un vin estimable mais qui n'est pas encore sorti de son berceau. Rouge profond, il dispose d'un joli trousseau aromatique : cuir, réglisse, myrtille, pierre à fusil, la malle est bien remplie. Il faut laisser sa charpente s'adapter à une construction plus vaste et plus ouverte, offrir à sa puissance un rien d'humanité. Cela semble tout à fait possible. Autre belle bouteille, les **Valozières 98** à choisir sans souci ou encore, cité par le jury, le **Clos de la Boulotte 98** : ces trois vins méritent deux à cinq ans de garde. (100 à 149 F)

Dom. Nudant, 11, RN 74, 21550 Ladoix-Serrigny, tél. 03.80.26.40.48, fax 03.80.26.47.13, e-mail domaine.nudant@wanadoo.fr r.-v.

DOM. DU PAVILLON
Clos des Maréchaudes 1998**

■ 1er cru 1,41 ha 8 800 23 à 30 €

Très belle bouteille. La robe relève de la pourpre cardinalice. Le nez torréfié et aux arômes de fruit mûr est très pur. Après une attaque franche, la bouche se révèle équilibrée. Ses tanins bien étroits ne sont pas agressifs. Structuré mais racé, long, ce vin de garde a fière allure. (150 à 199 F)

Dom. du Pavillon, 6*bis*, bd Jacques-Copeau, 21200 Beaune, tél. 03.80.24.37.37, fax 03.80.24.37.38

DOM. CHRISTIAN PERRIN
Les Boutières 1999

■ 0,94 ha 5 776 11 à 15 €

Une belle couleur rubis foncé à reflets bleu-noir, un nez discret de fruits à noyau, une bouche qui se laisse désirer avant d'exprimer des petits fruits rouges sur des tanins bien présents : il mérite d'être longuement attendu. (70 à 99 F)

Christian Perrin, 14, rue de Corton, 21550 Ladoix-Serrigny, tél. 03.80.26.40.93, fax 03.80.26.48.40 t.l.j. sf dim. 8h-12h 14h-18h

CH. PHILIPPE-LE-HARDI
Les Brunettes et Planchots 1999

■ 2,14 ha 16 000 11 à 15 €

Un *climat* qui rejoint le cœur du pays. Rouge, légèrement brique, il présente un nez en marches d'escalier : dentelle tout d'abord, légèreté du fruit, puis une sensation boisée, enfin la framboise ou la fraise. En bouche ? La reine. Ce 99 va *crescendo* ; il faut aimer sa délicatesse de sentiments. (70 à 99 F)

Ch. de Santenay, BP 18, 21590 Santenay, tél. 03.80.20.61.87, fax 03.80.20.63.66 r.-v.

ROGER ET JOEL REMY 1999*

■ n.c. n.c. 11 à 15 €

Rubis foncé à reflets pourpres, un vin fauve qui se tient prêt à bondir. Ce nez dit tout déjà. La bouche persiste et signe, conformément à une acidité suffisante, à des tanins domestiqués, à l'acidulé de la fin. Cela part pour cinq à dix ans de garde. (70 à 99 F)

SCEA Roger et Joël Rémy, 4, rue du Paradis, 21200 Sainte-Marie-la-Blanche, tél. 03.80.26.60.80, fax 03.80.26.53.03 t.l.j. sf dim. 8h-12h 14h-18h

CAVE DE SAINTE-MARIE-LA-BLANCHE 1998

■ 0,25 ha 1 900 11 à 15 €

Sainte-Marie-la-Blanche, village au levant de Beaune, a créé cette coopérative en 1957. Son 98 est coloré, odorant : café, fruit, sous-bois s'expriment au nez alors que la bouche est gourmande mais d'une austérité cistercienne ; elle devrait s'ouvrir d'ici 2003. (70 à 99 F)

Cave de Sainte-Marie-la-Blanche, rte de Verdun, 21200 Sainte-Marie-la-Blanche, tél. 03.80.26.60.60, fax 03.80.26.54.47 t.l.j. sf dim. 8h-12h 14h-19h

Pernand-vergelesses

Situé à la réunion de deux vallées, exposé plein sud, le village de Pernand est sans doute le plus « vigneron » de la Côte. Rues étroites, caves profondes, vignes de coteaux, hommes de grand cœur et vins subtils lui ont fait une solide réputation, à laquelle de vieilles familles bourguignonnes ont largement contribué. En 2000, on a produit 4 015 hl de vins rouges, dont le premier cru le plus réputé, à juste titre, est l'Ile des Vergelesses, tout en finesse ; et aussi d'excellents vins blancs (2 074 hl).

DOM. CACHAT-OCQUIDANT ET FILS 1999*

☐ 0,22 ha 1 300 11 à 15 €

Or paille à reflets verts, il pointe un nez très élégant de fleurs blanches et pain brioché. La bouche, équilibrée et persistante, se développe sur des tonalités identiques. Le **rouge 99 en village (50 à 69 F)** obtient la même note. Sur fond de griotte bien mûre, il a tout ce qu'il faut de fermeté et de vigueur pour attendre trois ou quatre ans en cave. (70 à 99 F)

Dom. Cachat-Ocquidant et Fils, 3, pl. du Souvenir, 21550 Ladoix-Serrigny, tél. 03.80.26.45.30, fax 03.80.26.48.16 r.-v.

CHAMPY PERE ET CIE 1999*

☐ n.c. 3 600 15 à 23 €

Doré, d'une intensité brillante et qui sied à son âge, ce chardonnay possède un nez floral avec un cachet d'élégance. Son boisé n'est pas encore fondu. Cela viendra. En bouche, de la fraîcheur et un joli fruit niché au cœur d'un volume appréciable. De l'équilibre pour un vin qui inspire la sympathie. (100 à 149 F)

Maison Champy, 5, rue du Grenier-à-Sel, 21200 Beaune, tél. 03.80.25.09.99, fax 03.80.25.09.95, e-mail champyprost@aol.com r.-v.

DOM. CHANDON DE BRIAILLES Ile des Vergelesses 1998*

■ 1er cru 4 ha 12 000 15 à 23 €

Un jardin à la française commandé par ce château du XVIIIe s. : ce domaine décline en Bourgogne ses lettres de noblesse. Son Ile n'est pas encore ouverte, mais elle a de la brillance, de la délicatesse et ce rien d'astringence qui lui assurera deux à trois ans de garde. (100 à 149 F)

Dom. Chandon de Briailles, 1, rue Sœur-Goby, 21420 Savigny-lès-Beaune, tél. 03.80.21.52.31, fax 03.80.21.59.15 r.-v.
de Nicolay

CHARTRON ET TREBUCHET 1999*

☐ n.c. 9 000 15 à 23 €

A peine teinté d'or, ce 99 laisse généreusement découvrir des arômes de noisette et de miel sous un certain boisé. Le gras et le volume sont en juste équilibre : la bouche tient les promesses du nez, pour aboutir à un beau *village* à boire entre 2002 et 2003. (100 à 149 F)

Chartron et Trébuchet, 13, Grande-Rue, 21190 Puligny-Montrachet, tél. 03.80.21.32.85, fax 03.80.21.36.35, e-mail jmchartron@chartron-trebuchet.com t.l.j. 10h-12h 14h-18h; f. mi-nov. à mars

DOM. DENIS PERE ET FILS 1999*

■ 2 ha 6 000 8 à 11 €

Grenat sombre à reflets bleutés, ce *village* affiche sa jeunesse. Cassis et mûre s'expriment cependant déjà au nez. Puis la bouche affirme sa solidité, mais aussi sa gourmandise car les tanins respectent le fruit tout en assurant quatre à cinq ans de vie. Agréable à boire, **L'Ile des Vergelesses 99 rouge (70 à 99 F)** obtient une citation pour ses arômes de framboise, et sa fraîcheur en bouche marquée par le bois et capable de se bonifier en vieillissant. (50 à 69 F)

Dom. Denis Père et Fils, chem. des Vignes-Blanches, 21420 Pernand-Vergelesses, tél. 03.80.21.50.91, fax 03.80.26.10.32 r.-v.

DOM. P. DUBREUIL-FONTAINE PERE ET FILS Clos Berthet 1999**

☐ 1 ha 5 000 15 à 23 €

Ce Clos Berthet (monopole familial) est d'un contact immédiatement chaleureux sous une robe dorée à souhait. Il avance droit et dispense sans réserve ce qu'il possède : du gras, de la vivacité, du fruit. Signalons aussi le **village 99 en blanc (70 à 99 F)**, cité, prêt pour une andouillette grillée. (100 à 149 F)

Dom. Dubreuil-Fontaine Père et Fils, 21420 Pernand-Vergelesses, tél. 03.80.21.55.43, fax 03.80.21.51.69, e-mail dubreuil.fontaine@wanadoo.fr r.-v.

DUFOULEUR PERE ET FILS 1998*

☐ n.c. 900 15 à 23 €

Sous sa robe légèrement ambrée, d'une limpidité remarquable, il nous convie chez le boulanger tant ses arômes évoquent la brioche, le croissant chaud. L'attaque est franche sur un équilibre bien établi. Son moelleux confirme l'approche olfactive. L'élégance le caractérise. (100 à 149 F)

Dufouleur Père et Fils, 15, rue Thurot, BP 27, 21700 Nuits-Saint-Georges, tél. 03.80.61.21.21, fax 03.80.61.10.65 r.-v.

DOM. JEAN-JACQUES GIRARD Les Belles Filles 1999*

☐ 0,35 ha 2 700 11 à 15 €

S'appeler Les Belles Filles (ce nom de *climat* est authentique) donne à ce pernand des chances de vous plaire. Or vif, tendance noisette, il n'a pas besoin d'un joli nom pour s'affirmer comme l'une des meilleures bouteilles en blanc. De la chaleur, un fruit encore sur la réserve mais prêt à se fondre, un juste soutien acide. On pourra l'attendre un à deux ans. (70 à 99 F)

Dom. Jean-Jacques Girard, 16, rue de Cîteaux, 21420 Savigny-lès-Beaune, tél. 03.80.21.56.15, fax 03.80.26.10.08 r.-v.

BOURGOGNE

DOM. DOMINIQUE GUYON
Les Vergelesses 1998*

■ 1er cru 0,58 ha 3 600 15 à 23 €

Un papillon l'habite : structure légère, encore fruitée. Charnu, c'est un papillon aux ailes rouges tirant sur le grenat, aux arômes en pleine évolution, à la bouche penchant du bon côté. Un vin qui sera le bienvenu en Finlande car la famille Guyon assure ce consulat à Dijon. Présenté sous la signature **Antonin Guyon, le village 99 blanc** obtient une citation. (100 à 149 F)

Dom. Dominique Guyon, 21420 Savigny-lès-Beaune, tél. 03.80.67.13.24, fax 03.80.66.85.87, e-mail vins@guyon-bourgogne.com r.-v.

JACOB-FREREBEAU 1999*

■ 0,3 ha 2 000 5 à 8 €

Le regard se perd dans tant de reflets cramoisis et le nez exprime le fruit noir en ligne directe et le saupoudrage framboisé. La bouche, sous un air de jeunesse, offre une charpente aux tanins proportionnés ; cela fait sérieux et mérite la confiance. La chair est belle, mais à attendre deux ans au moins. (30 à 49 F)

Frédéric Jacob, 50, Grande-Rue, 21420 Changey-Echevronne, tél. 03.80.21.55.58 r.-v.

LES VILLAGES DE JAFFELIN 1998*

■ n.c. 12 000 11 à 15 €

Un rouge sombre et profond qui semble sur la toile d'un maître hollandais. Un sous-bois en ouverture, puis la complexité de la cerise et de la pivoine. Ce vin entre en bouche avec discrétion. Mais quel développement dans l'animal dès que l'affaire se corse ! Un rôti de grand'mère semble l'accord gourmand le mieux indiqué. (70 à 99 F)

Jaffelin, 2, rue Paradis, 21200 Beaune, tél. 03.80.22.12.49, fax 03.80.24.91.87

DOM. LALEURE-PIOT
Les Vergelesses 1999*

■ 1er cru 1,7 ha 12 000 11 à 15 €

Coup de cœur dans l'édition 1999 pour son 96, ce domaine signe cette année des Vergelesses d'un rouge cerise éblouissant. Noyau, champignon, fruits à l'eau-de-vie, le nez tourne autour de ces bonheurs. En bouche, le fruit est encore en retrait mais affirme son bon potentiel. **L'Ile des Vergelesses 99 rouge (100 à 149 F)** obtient une étoile tout comme le très beau **1er cru 99 blanc (70 à 99 F)** déjà prêt pour un poisson en sauce. (70 à 99 F)

Dom. Laleure-Piot, rue de Pralot, 21420 Pernand-Vergelesses, tél. 03.80.21.52.37, fax 03.80.21.59.48, e-mail laleure.piot@wanadoo.fr t.l.j. 8h-12h 14h-18h; sam. dim. sur r.-v.

PIERRE MAREY ET FILS 1999*

□ 2,45 ha 13 000 11 à 15 €

La robe est pâle, légèrement dorée avec un reflet vert. Le nez, encore discret, joue sur les fleurs blanches, les notes beurrées et la vanille. En bouche, après une belle attaque, le vin se montre nerveux puis équilibré, évoquant les agrumes. Le développement est élégant, persistant. A boire pendant trois ans sur des viandes blanches. (70 à 99 F)

EARL Pierre Marey et Fils, rue Jacques-Copeau, 21420 Pernand-Vergelesses, tél. 03.80.21.51.71, fax 03.80.26.10.48 r.-v.

DOM. PAVELOT En Caradeux 1999*

■ 1er cru 1,3 ha 7 000 8 à 11 €

« Qui voit Pernand n'est pas dedans », dit-on en Bourgogne. Niché sur sa colline, le village se voit de loin. Là, on est en plein dedans grâce à cette bouteille rouge grenat qui fleure bon le cassis et la mûre. En bouche, la confiture de fruits rouges est si goûteuse ! A ne pas boire tout de suite. Notez aussi **Les Vergelesses 98 rouge (70 à 99 F)** qui ressemblent aux bourgognes d'antan. (50 à 69 F)

EARL Dom. Régis et Luc Pavelot, rue du Paulant, 21420 Pernand-Vergelesses, tél. 03.80.26.13.65, fax 03.80.26.13.65 r.-v.

JEAN-MARC PAVELOT
Les Vergelesses 1998*

■ 1er cru 0,6 ha 3 000 11 à 15 €

Ces Vergelesses 98 sont prêtes à passer à table mais deux ou trois années de garde ne les inquiètent pas. Sous le couvert d'une couleur de cerise mûre, sur des arômes secondaires qui évoluent longtemps, un vin riche et rond, apaisé sur ses tanins. Assez boisé. (70 à 99 F)

Jean-Marc Pavelot, 1, chem. des Guettottes, 21420 Savigny-lès-Beaune, tél. 03.80.21.55.21, fax 03.80.21.59.73 r.-v.

ALBERT PONNELLE
Les Vergelesses 1998*

■ 1er cru n.c. n.c. 15 à 23 €

L'attaque est souple et pleine d'aménité. Mais quelques nuages au ciel conduisent à une bouche un peu stricte. Rien d'étonnant à cela. Les tanins à cet âge ont besoin de se fondre. Ce sera chose faite d'ailleurs quand vous lirez ces lignes. La couleur claire est engageante et les arômes tournent autour de la figue et du pruneau. (100 à 149 F)

Albert Ponnelle, Clos Saint-Nicolas, BP 107, 21200 Beaune, tél. 03.80.22.00.05, fax 03.80.24.19.73, e-mail info@albert-ponnelle.com r.-v.

DOM. RAPET PERE ET FILS
Ile des Vergelesses 1999*

■ 1er cru 0,65 ha 3 000 15 à 23 €

C'est à Pernand que Jacques Copeau travailla avec un groupe de disciples, les Copiaus, à la décentralisation du théâtre en France. Le domaine Rapet a bien connu le « temps des copiaus ». Son Ile rouge est d'un bouquet floral délicat et d'une bouche tout fruit, charnue et riche de promesses. Ont également obtenu une étoile dans cette AOC, le **village 98 blanc (70 à 99 F)**, le **1er cru 99 blanc (100 à 149 F)** et en **rouge, Les Vergelesses 1er cru 98 (70 à 99 F)**. Une jolie performance. (100 à 149 F)

Dom. Rapet Père et Fils, 21420 Pernand-Vergelesses, tél. 03.80.21.59.94, fax 03.80.21.54.01 r.-v.

DOM. ROLLIN PERE ET FILS 1999

□ 1,5 ha 9 000 11 à 15 €

L'or a de l'éclat. Le nez s'ouvre sur l'acacia et l'aubépine, tonalités de chardonnay. Après une attaque discrète, la bouche s'ouvre peu à peu jusqu'à la finale où ce sont les arômes citronnés qui dominent. Fin, équilibré, élégant, c'est un bel ensemble. (70 à 99 F)

Rollin Père et Fils, rte des Vergelesses, 21420 Pernand-Vergelesses, tél. 03.80.21.57.31, fax 03.80.26.10.38 r.-v.

DOM. NICOLAS ROSSIGNOL 1999

■ 0,4 ha 2 200 8 à 11 €

Pourpre intense, cela semble de bon augure. Arômes encore discrets. Puis une bouche concentrée et complexe qui se développe bien. Les tanins sont encore un peu raides : le mariage est pour demain. Cependant on perçoit les fruits macérés dans l'alcool, ce qui n'est pas dénué de charme. (50 à 69 F)

Nicolas Rossignol, rue de Mont, 21190 Volnay, tél. 03.80.21.62.43, fax 03.80.21.27.61 r.-v.

CH. ROSSIGNOL-JEANNIARD
Les Fichots 1999**

■ 1er cru 1,05 ha 5 000 11 à 15 €

Beau vin de bonne compagnie, grenat foncé. Du nez se dégage une impression de maturité, entre cassis et cerise. Le palais est noble. « Un lion superbe et généreux, la patte caressante et la crinière orgueilleuse. » Les tanins ne sont pas trop entreprenants. Cette plénitude doit encore monter en puissance. (70 à 99 F)

Ch. Rossignol-Jeanniard, rue de Mont, 21190 Volnay, tél. 03.80.21.62.43, fax 03.80.21.27.61 r.-v.

DOM. THIELY 1999

□ 0,6 ha 2 700 11 à 15 €

Une étiquette parchemin à bords roulés comme l'exigeait naguère la tradition bourguignonne. Pour un vin aromatique (caramel, vanille, pomme) et dont le gras bien présent ne prétend pas à l'hégémonie. La fin de bouche libère le fruit. L'architecture intérieure est de qualité. (70 à 99 F)

Dom. Thiély, rue de Vergy, 21420 Pernand-Vergelesses, tél. 03.80.21.54.86, fax 03.80.26.11.92 r.-v.

Corton

La « montagne de Corton » est constituée, du point de vue géologique et donc du point de vue des sols et des types de vins, de différents niveaux. Couronnées par le bois qui pousse sur les calcaires durs du rauracien (oxfordien supérieur), les marnes argoviennes laissent apparaître des terres blanches propices aux vins blancs (sur plusieurs dizaines de mètres). Elles recouvrent la « dalle nacrée » calcaire en plaquettes, avec de nombreuses coquilles d'huîtres de grande dimension, sur laquelle ont évolué des sols bruns propices à la production de vins rouges.

Le nom du lieu-dit est associé à l'appellation corton, qui peut être utilisée en blanc, mais est surtout connue en rouge. Les Bressandes sont produits sur des terres rouges et allient à la puissance la finesse que leur confère le sol. En revanche, dans la partie haute des Renardes, des Languettes et du Clos du Roy, les terres blanches donnent en rouge des vins charpentés qui, en vieillissant, prennent des notes animales, sauvages, que l'on retrouve dans les Mourottes de Ladoix. Le corton est le grand cru le plus important en volume : 3 776 hl en rouge et 138 hl en blanc.

BERTRAND AMBROISE
Le Rognet 1999**

■ Gd cru n.c. n.c. 46 à 76 €

Un vin dont on ne voit pas le bout. Il « cortonne » ! Jamais rouge ne s'assombrit à ce point. Passons sur un fût très volubile pour retenir des notes réglissées et fruitées. La concentration, la puissance quelque peu arrogante sont celles du grand cru. Mais cette mâche fraîche et veloutée, pénétrée de cassis, cette bouche tapissée de velours, ajoutent le plaisir. (300 à 499 F)

Maison Bertrand Ambroise, rue de l'Eglise, 21700 Premeaux-Prissey, tél. 03.80.62.30.19, fax 03.80.62.38.69, e-mail bertrand.ambroise@wanadoo.fr r.-v.

ARNOUX PERE ET FILS Rognet 1999*

■ Gd cru 0,33 ha 1 500 23 à 30 €

82 83 |89| |90| |**91**| 92 **97** 98 99

Parcelle achetée en 1984 à la maison Charles Viénot. Elle donne ce 99 haut en couleur et dont l'excellent grillé s'associe à de discrets fruits rouges. En bouche, ce vin fait patte de velours. Mais sa structure, sa concentration, son fruit révèlent un caractère décidé à convaincre. Belles perspectives. (150 à 199 F)

Arnoux Père et Fils, rue des Brenôts, 21200 Chorey-lès-Beaune, tél. 03.80.22.57.98, fax 03.80.22.16.85 r.-v.

JEAN-CLAUDE BELLAND Grèves 1999

■ Gd cru 0,55 ha 3 200 23 à 30 €

Ce millésime fête les dix ans de vinification du propriétaire. Plus noir que rouge, il est... Comment dire ? Stendhalien ? Ses arômes font songer au marc de raisin, sensation qui se poursuit durant l'étape suivante, accompagnée de griotte et de framboise. Ample, la bouche se montre à la hauteur de la robe. Ce *climat*, assez peu connu, est situé entre Bressandes et Perriè-

res. Ces dernières, **Perrières 99**, ont des tanins importants mais nobles. Une pointe de violette est soulignée par un œnologue qui aime ses arômes complexes et fins et conseille d'ouvrir cette bouteille entre 2003 et 2006. (150 à 199 F)
Jean-Claude Belland, 21590 Santenay, tél. 03.80.20.61.90, fax 03.80.20.65.60 r.-v.

BONNEAU DU MARTRAY 1998*

■ Gd cru 1,5 ha 5 000 38 à 46 €
⑧⓪ 86 87 88 |89| |90| 91 92 |93| **94** 95 **96** 97 98

L'un des rares domaines à ne comporter que des grands crus, sur une parcelle d'un seul tenant : 9,5 ha en corton-charlemagne et 1,5 ha pour ce corton. Rouge vif à reflets violacés, un 98 ferme et structuré. Son bouquet se partage entre la cerise (confiture) et les épices (vanille). Franc, structuré et ample, il « renarde » légèrement, signant une très belle bouteille. (250 à 299 F)
Dom. Bonneau du Martray, 21420 Pernand-Vergelesses, tél. 03.80.21.50.64, fax 03.80.21.57.19
de la Morinière

DOM. HENRI ET GILLES BUISSON
Le Rognet-et-Corton 1998

■ Gd cru 0,32 ha 1 800 23 à 30 €

Voici une étiquette parfaite qui note le nom exact de ce grand cru. Derrière, le vin est bien un 98, millésime difficile qui n'a pas offert une grande complexité : le boisé est très présent sur des notes de cassis, au nez comme en bouche. Là s'affiche une forte extraction. Tout devra s'arrondir dans quelques années (cinq ans ? huit ans ?). (150 à 199 F)
Dom. Henri et Gilles Buisson, imp. du Clou, 21190 Saint-Romain, tél. 03.80.21.27.91, fax 03.80.21.64.87 r.-v.
Gilles Buisson

DOM. CACHAT-OCQUIDANT ET FILS Clos des Vergennes 1999

■ Gd cru 1,42 ha 5 600 23 à 30 €
86 **87** 88 |**90**| 91 95 96 97 98 99

Entre le Rognet-et-Corton et les Maréchaudes, les Vergennes sont aristocratiques. Celles-ci sont bien structurées sur des tanins fins. Les épices (poivre et réglisse) sont associées à un beau mélange de fruits rouges. A laisser longtemps au fond de la cave. (150 à 199 F)
Dom. Cachat-Ocquidant et Fils, 3, pl. du Souvenir, 21550 Ladoix-Serrigny, tél. 03.80.26.45.30, fax 03.80.26.48.16 r.-v.

CAPITAIN-GAGNEROT
Les Renardes 1998

■ Gd cru 0,33 ha 1 500 30 à 38 €
82 83 85 86 88 ⑧⑨ **90** 91 92 96 97 98

L'une des cuvées vedettes de ce domaine dans un millésime difficile. Elle est parée d'un beau rubis bourguignon. Le nez est fort épicé, assez frais, pas très intense, encore difficile à juger. La bouche est marquée par le bois. Elle cache encore ce terroir qui devrait être mieux mis en valeur dans trois ou quatre ans car la structure est prometteuse. (200 à 249 F)
Maison Capitain-Gagnerot, 38, rte de Dijon, 21550 Ladoix-Serrigny, tél. 03.80.26.41.36, fax 03.80.26.46.29 r.-v.

DOM. CHANDON DE BRIAILLES
Les Maréchaudes 1998*

■ Gd cru 0,32 ha 1 500 30 à 38 €

Ravissant domaine fondé au XVIII[e]s. dont les habitants successifs n'ont pas cessé de s'impliquer dans la vigne et les arts. Ce *climat* situé sur Ladoix entre ici en scène dans un décor rouge sans excès, signant ainsi une extraction mesurée et élégante. Le nez pourrait évoquer un jardin à la française, bien organisé autour des fleurs et des fruits rouges. En bouche, les tanins sont présents mais sans amertume, le boisé se fait discret et respectueux de la structure. L'attendre trois ans et le servir pendant cinq à sept ans. (200 à 249 F)
Dom. Chandon de Briailles, 1, rue Sœur-Goby, 21420 Savigny-lès-Beaune, tél. 03.80.21.52.31, fax 03.80.21.59.15 r.-v.
de Nicolay

CH. CORTON GRANCEY 1998*

■ Gd cru 17 ha 36 000 30 à 38 €

C'est en 1890 que ce château fut acquis par Louis Latour, l'un des grands négociants-éleveurs de la Côte d'Or qui devint ainsi l'un des plus importants propriétaires de grands crus. La robe profonde de ce 98 a quelques reflets d'évolution. Le nez révèle un boisé assez discret mais encore peu de fruit : il est fermé. Cependant, la bouche est fine, construite sur des tanins qui commencent à se fondre mais qui demeurent assez stricts. A ouvrir dans deux ans pour voir : il peut demander beaucoup plus de garde. **Le Clos de la Vigne au Saint 98** a inspiré le jury qui lui décerne une citation. (200 à 249 F)
Dom. Louis Latour, 18, rue des Tonneliers, 21204 Beaune, tél. 03.80.24.81.00, fax 03.80.22.36.21, e-mail louislatour@louislatour.com r.-v.

JOSEPH DROUHIN Bressandes 1998*

■ Gd cru 0,25 ha 1 200 38 à 46 €

Bressandes dans un style Renardes. Pour un 98, le rubis garde toute son intensité. La fraise doit composer avec le sous-bois, l'animal dans une ambiance poivrée. Quant à la bouche, elle est ouverte ; on y retrouve le complexe aromatique du nez, avec un peu plus de fraîcheur, élégamment accompagné par de fins tanins. « Un vrai beau corton comme on les aime », note le jury dans le meilleur compliment possible. (250 à 299 F)
Joseph Drouhin, 7, rue d'Enfer, 21200 Beaune, tél. 03.80.24.68.88, fax 03.80.22.43.14, e-mail maisondrouhin@drouhin.com r.-v.

DUFOULEUR PERE ET FILS 1998

■ Gd cru n.c. 900 38 à 46 €

Ses arômes sauvages, et ses notes de fruits cuits, déjà évolués, ne l'empêchent pas de se présenter en bouche de façon assez jeune. Il attaque avec ardeur et il sait parler à ses tanins pour les rendre dociles. Un 98 tirant sur le violet et doté d'un potentiel non négligeable (deux à cinq ans). (250 à 299 F)

Dufouleur Père et Fils, 15, rue Thurot, BP 27, 21700 Nuits-Saint-Georges, tél. 03.80.61.21.21, fax 03.80.61.10.65 r.-v.

DOM. DUPONT-TISSERANDOT
Le Rognet 1999*

■ Gd cru 0,32 ha 1 800 23 à 30 €

Cette bouteille a de solides arguments ! Cerise noire, elle répartit sagement ses arômes entre le cassis et le café, le vin et son élevage en fût. Beaucoup de fond et de charme, pour une garde assurée. (150 à 199 F)

GAEC Dupont-Tisserandot, 2, pl. des Marronniers, 21220 Gevrey-Chambertin, tél. 03.80.34.10.50, fax 03.80.58.50.71 r.-v.

CLOS DES CORTONS FAIVELEY
1998**

■ Gd cru 2,97 ha 12 800 46 à 76 €

85 86 **88** 89 |90| 91 92 |94| (95) **96 97 98**

Un jugement du tribunal de Dijon décida bien avant la création des AOC que cette vigne devait porter le nom de son propriétaire pour éviter d'éventuelles confusions. Ce 98 est tout à l'honneur de la maison Faiveley. D'un rouge foncé profond, il bénéficie d'une charpente comme on les faisait jadis. Encore tannique et à attendre de bon pied, cinq à dix ans, la bouche confirme le nez au boisé de qualité. Coup de cœur dans l'édition 1999 pour le 95. (300 à 499 F)

Bourgognes Faiveley, 8, rue du Tribourg, 21701 Nuits-Saint-Georges, tél. 03.80.61.04.55, fax 03.80.62.33.37, e-mail bourgognes.faiveley@wanadoo.fr

DOM. FOLLIN-ARBELET 1999

■ Gd cru 0,4 ha 2 000 23 à 30 €

Un 99 aux idées aromatiques bien arrêtées : confiture de cerises, pain grillé, cannelle. Son style ? La fraîcheur légère, une rétro-olfaction framboisée, des tanins enrobés. Rien ne heurte ni ne trouble une atmosphère pacifique. A boire dans ces bonnes dispositions, d'ici un à deux ans. (150 à 199 F)

Dom. Follin-Arbelet, Les Vercots, 21420 Aloxe-Corton, tél. 03.80.26.46.73, fax 03.80.26.43.32 r.-v.

DOM. ANNE-MARIE GILLE
Les Renardes 1999

■ Gd cru 0,16 ha 600 23 à 30 €

Profond et jeune, le corps arbore des reflets violacés. Sous un boisé vanillé, fraise et framboise pointent le nez, avec retenue. La bouche joue sur le boisé bien marié au fruit, dans une structure honorable mais pas considérable. Deux à quatre ans de garde. (150 à 199 F)

Dom. Anne-Marie Gille, 34, RN 74, 21700 Comblanchien, tél. 03.80.62.94.13, fax 03.80.62.99.88, e-mail gille@burgundywines.net r.-v.

CHRISTIAN GROS Les Renardes 1998*

■ Gd cru 0,65 ha n.c. 23 à 30 €

La mère de Christian Gros, installée en 1973, descend d'une longue lignée vigneronne puisque le domaine existait déjà en 1750. Voici un vin qui représente bien son *climat* car pour « renarder », il « renarde » ! Rouge violacé, il est très parfumé (fruits en confiture, pruneau cuit, sous-bois, épices) ; s'il demande à s'harmoniser avec le temps, il en a les moyens : une bonne mâche sur des tanins pouvant parfaitement soutenir la concentration, tous deux montant la garde pour assurer du plaisir dans cinq à sept ans sur un canard en salmis. (150 à 199 F)

Christian Gros, rue de la Chaume, 21700 Premeaux-Prissey, tél. 03.80.61.29.74, fax 03.80.61.39.77 r.-v.

DOM. ANTONIN GUYON
Bressandes 1998

■ Gd cru 0,86 ha 4 000 30 à 38 €

La robe intense engage un réel dialogue que poursuit le nez déjà ouvert sur le fruit rouge, malgré un boisé encore très marqué. La bouche équilibrée appuie son argumentation sur des tanins assez fins pour bien évoluer et sur une longueur boisée et grillée honorable. Devrait plaire dans deux ans. (200 à 249 F)

Dom. Antonin Guyon, 21420 Savigny-lès-Beaune, tél. 03.80.67.13.24, fax 03.80.66.85.87, e-mail vins@guyon-bourgogne.com r.-v.

DOM. MICHEL ET LAURENT JUILLOT Perrières 1999

■ Gd cru n.c. 5 000 30 à 38 €

Ce corton Perrières naît à 240 m d'altitude. Il est élevé en fûts dont 30 % sont neufs. Le bois est très présent, bien sûr, laissant peu de place à la cerise - une note de kirsch. Le grillé toasté apporte beaucoup d'austérité à ce vin qui devra faire ses preuves dans trois à quatre ans. (200 à 249 F)

Dom. Michel et Laurent Juillot, 59, Grande-Rue, BP 10, 71640 Mercurey, tél. 03.85.98.99.89, fax 03.85.98.99.88, e-mail infos@domaine.michel.juillot.fr r.-v.

DOM. LALEURE-PIOT Le Rognet 1999*

■ Gd cru 0,33 ha 1 600 23 à 30 €

Deux 99 au coude à coude : **Bressandes 99** et celui-ci, un corton d'un grand classicisme, concentré, de garde. Rouge-noir, ne laissant pas le fût dominer le kirsch et la framboise, il vogue vers des escales lontaines porté par l'ampleur de sa voilure et le soutien d'une bonne acidité. Ce fut l'an dernier un de nos coups de cœur (millésime 98). (150 à 199 F)

Dom. Laleure-Piot, rue de Pralot, 21420 Pernand-Vergelesses, tél. 03.80.21.52.37, fax 03.80.21.59.48, e-mail laleure.piot@wanadoo.fr t.l.j. 8h-12h 14h-18h; sam. dim. sur r.-v.

Frédéric Laleure

BOURGOGNE

DOM. MAILLARD PERE ET FILS
1999*

☐ Gd cru 0,34 ha n.c. 23 à 30 €

97 98 99

Coup de cœur l'an dernier pour le millésime précédent, ce corton blanc est capable de réussir hors du commun. D'une bonne limpidité, le 99 correspond bien à l'appellation ainsi qu'à un rang de grand cru. Noisette, acacia et silex esquissent dès à présent sa complexité aromatique. Son tempérament est assez vif, sur une structure bien établie. Prometteur. (150 à 199 F)

Dom. Maillard Père et Fils, 2, rue Joseph-Bard, 21200 Chorey-lès-Beaune, tél. 03.80.22.10.67, fax 03.80.24.00.42 r.-v.

FRANCOISE MALDANT
Renardes 1999*

■ Gd cru 0,33 ha 800 23 à 30 €

« Fera un bon vin quand il aura apaisé son boisé. » Sa teinte est bien concentrée, d'une cerise intense. Quelques notes animales s'affichent au sein d'un univers torréfié. Ses tanins accueillants, d'un naturel assez rond, doivent se fondre. Dans quel délai ? Entre trois et cinq ans, affirment les experts. (150 à 199 F)

Françoise Maldant, 27, Grande-Rue, 21200 Chorey-lès-Beaune, tél. 03.80.22.11.94, fax 03.80.24.10.40 r.-v.

DOM. MICHEL MALLARD ET FILS
Les Maréchaudes 1998*

■ Gd cru 0,31 ha 1 600 30 à 38 €

|93| |94| **96** 98

Une attaque très enlevée sur le fruit rouge, une charpente soutenue par de forts tanins : on se prépare à l'évidence pour un long siège, de cinq à dix ans. Et une belle pièce de charolais. Teinte sombre, coucher de soleil, nez de griotte à nuances boisées, une jolie bouteille digne de son rang. (200 à 249 F)

EARL Dom. Michel Mallard et Fils, 43, rte de Dijon, 21550 Ladoix-Serrigny, tél. 03.80.26.40.64, fax 03.80.26.47.49 r.-v.

D. MEUNEVEAUX Chaumes 1999**

■ Gd cru 0,3 ha 1 300 15 à 23 €

On peut connaître le corton sur le bout des doigts et ignorer où se trouvent les Chaumes : quand vous quittez Aloxe pour monter à Pernand, vous les voyez à main gauche après la Vigne au Saint. Si ce *climat* n'est pas des plus connus, il s'impose ici par sa finesse et son élégance : le corton en dentelle ? Non : c'est un faux maigre, car sa trame est superbe. « Pinotissime ! » Grenat intense, il a une légère odeur de rose qui lui convient très bien. A attendre quatre ans. Prix très intéressant. (100 à 149 F)

Didier Meuneveaux, 9, pl. des Brunettes, 21420 Aloxe-Corton, tél. 03.80.26.42.33, fax 03.80.26.48.60 r.-v.

DOM. NUDANT Bressandes 1999

■ Gd cru 0,6 ha 2 500 30 à 38 €

Les Nudant sont installés ici depuis 1747 et sont à la tête de près de 13 ha. Ce Bressandes porte une robe parfaite, grenat intense. Le nez s'ouvre sur les fruits rouges mûrs puis le moka s'impose, signant un boisé très puissant. Ample, la bouche suit sur le même registre : le bois devra s'assagir d'ici trois à quatre ans avant que l'on puisse juger ce vin à sa juste valeur. (200 à 249 F)

Dom. Nudant, 11, RN 74, 21550 Ladoix-Serrigny, tél. 03.80.26.40.48, fax 03.80.26.47.13, e-mail domaine.nudant@wanadoo.fr r.-v.

DOM. DU PAVILLON
Clos des Maréchaudes 1998**

■ Gd cru 0,54 ha 3 000 46 à 76 €

Ce domaine de 4 ha est entouré d'un mur de pierres sèches et forme un bel ensemble avec sa maison de maître et ses caves. Depuis 1994, il appartient à la maison Albert Bichot. Ce clos est envoûtant. D'un rubis flamboyant, le nez un peu sauvage, il répond à la définition du Créateur selon saint Bernard : « Il est longueur, largeur, hauteur et profondeur. » A déguster sur un pavé de biche, et pas trop tard car on a besoin de ces vins jeunes, puissants, déjà offerts au bonheur de l'amateur averti. Mais on pourra aussi l'attendre huit à dix ans. (300 à 499 F)

Dom. du Pavillon, 6*bis*, bd Jacques-Copeau, 21200 Beaune, tél. 03.80.24.37.37, fax 03.80.24.37.38

DOM. PRIN Bressandes 1998*

■ Gd cru 0,68 ha 3 300 30 à 38 €

On dit qu'elles coulent de source, qu'elles coulent en bouche, les Bressandes : c'est un vin réputé souple et facile. Ce 98 évolue légèrement (robe) mais son nez est très fermé (épices, fruits noirs). Au palais s'élève une cathédrale : une petite astringence des tanins, utile car elle tient les arômes bien en place ; un corton expressif, vinifié pour les années 2010. Précieux investissement ! (200 à 249 F)

Dom. Prin, 12, rue de Serrigny, Cidex 10, 21550 Ladoix-Serrigny, tél. 03.80.26.40.63, fax 03.80.26.46.16 r.-v.

DOM. RAPET PERE ET FILS
Pougets 1999*

■ Gd cru n.c. 2 400 23 à 30 €

|93| 96 |97| **98** 99

Une étoile pour le **corton rouge 99**, qui évolue de façon très satisfaisante, et pour ce Pougets. Cette terre à blancs permet aux rouges de montrer en général beaucoup d'aménité. La robe est presque noire, le fruit s'annonce noir. Très consistant, ce vin de garde a sa propre personnalité. Un peu tannique aujourd'hui et à attendre avec confiance. La jeunesse n'a qu'un temps (quatre à cinq ans) mais la vie sera longue (dix à douze ans). (150 à 199 F)

Dom. Rapet Père et Fils, 21420 Pernand-Vergelesses, tél. 03.80.21.59.94, fax 03.80.21.54.01 r.-v.

COMTE SENARD
Clos des Meix Monopole 1999★★

■ Gd cru 1,6 ha 7 000 23 à 30 €

88 89 **90** 93 96 |97| **99**

Ce domaine, l'un des tout premiers de Bourgogne, a ouvert une table d'hôte en 1999, et, de mars à novembre, propose des déjeuners-dégustation. Inscrivez-vous dès à présent. Voisin de la Vigne au Saint, ce *climat*, clos en monopole, joue ici tout en finesse. Rubis très puissant, ce 99 au bouquet discret (griotte) est d'une franchise totale. Une matière bien fondue, affichant un fruit très mûr, voire confit, sur des tanins de qualité. Apogée dans quatre à six ans. (150 à 199 F)

SCE du Dom. Comte Senard, 7, rempart Saint-Jean, 21200 Beaune, tél. 03.80.24.21.65, fax 03.80.24.21.44 r.-v.

DOM. MICHEL VOARICK
Renardes 1999★★

■ Gd cru 0,5 ha 1 500 23 à 30 €

Pierre Voarick fut longtemps vigneron des Hospices de Beaune (cuvée Docteur Peste). Avec son fils Michel, il fonda ce domaine. Le **Languettes 99**, d'excellente venue, obtient une étoile et mérite votre très grand intérêt, si le Renardes n'est plus disponible. Meilleur encore, grenat profond, ce 99 commence à pas feutrés (fraise fraîche, crème de cassis), puis apparaît bien en chair et déterminé, très long. On sent une volonté de concentration : la parole est au vin. Une bouteille à attendre quatre ans. (150 à 199 F)

SCEA Michel Voarick, 2, pl. du Chapitre, 21420 Aloxe-Corton, tél. 03.80.26.40.44, fax 03.80.26.41.22, e-mail voarick.michel@aol.com r.-v.

Corton-charlemagne

L'appellation charlemagne, dans laquelle jusqu'en 1948 pouvait entrer l'aligoté, n'est pas utilisée. L'appellation corton-charlemagne représente en 2000 2 432 hl, dont la plus grande partie est produite sur les communes de Pernand-Vergelesses et d'Aloxe-Corton. Les vins de cette appellation - dont le nom est dû à l'empereur Charles le Grand qui aurait fait planter des blancs pour ne pas tacher sa barbe - sont d'un bel or vert et atteignent leur plénitude après cinq à dix ans.

JEAN-LUC AEGERTER 1999

□ Gd cru n.c. 2 400 38 à 46 €

Bien construit, dans l'honnête moyenne de l'appellation (où le jugement du jury est évidemment sévère), un 99 qui demande de la patience. Une certaine patience devrait-on dire : trois à quatre ans, car il est déjà assez ouvert et épanoui. Ses nuances ? Or blanc et un bouquet mi-floral, mi-vanillé. A hauteur d'une terrine de poisson. (250 à 299 F)

Jean-Luc Aegerter, 49, rue Henri-Challand, 21700 Nuits-Saint-Georges, tél. 03.80.61.02.88, fax 03.80.62.37.99 r.-v.

DOM. BONNEAU DU MARTRAY
1998★

□ Gd cru 9,5 ha 54 000 46 à 76 €

79 83 |90| |91| |92| 93 95 96 97 98

Quand on possède sainte Jeanne de Chantal parmi ses ancêtres, on appartient à l'histoire de la Bourgogne. Quand on possède 9,5 ha de corton-charlemagne, et depuis longtemps, on appartient à l'histoire du vin de Bourgogne. Bref, toutes les fées sont réunies autour de ce berceau. Car ce 98 or pâle s'éveillera dans cinq à dix ans. Son nez présente une complexité naissante sur la noisette, la camomille, le citron vert. Le palais se montre subtil, mais encore peu enveloppé de gras. Deux coups de cœur dans le passé (millésimes 79 et 83). (300 à 499 F)

Dom. Bonneau du Martray, 21420 Pernand-Vergelesses, tél. 03.80.21.50.64, fax 03.80.21.57.19

de La Morinière

PHILIPPE BOUCHARD 1999★

□ Gd cru n.c. n.c. 46 à 76 €

On dirait qu'il a l'éternité devant lui, ce 99 or blanc, assez vanillé dans le temps présent. Equilibré et généreux, il est vivifié par deux pointes d'acidité en entrée de bouche puis en finale. La franchise de goût est excellente. L'éternité certes, car il sera long à se faire mais ce n'est pourtant pas un moine pénitent : il est vrai que sa richesse en alcool lui est nécessaire. (300 à 499 F)

Philippe Bouchard, 21420 Aloxe-Corton, tél. 03.80.25.00.00, fax 03.80.26.42.00, e-mail vinibeaune@bourgogne.net r.-v.

DOM. BOUCHARD PERE ET FILS
1998★

□ Gd cru 3,25 ha n.c. 46 à 76 €

Bouchard Père et Fils présente un 98 jaune doré encore sur sa réserve mais dont le potentiel de garde est important. Ses notes toastées se marient à l'aubépine, à la truffe. Puis une tonalité minérale bien persistante nuance sa bouche chaleureuse. Imaginez un homard grillé au barbecue. (300 à 499 F)

Bouchard Père et Fils, Ch. de Beaune, 21200 Beaune, tél. 03.80.24.80.24, fax 03.80.22.55.88, e-mail france@bouchard-pereetfils.com r.-v.

CHAMPY 1999★

□ Gd cru n.c. 2 700 46 à 76 €

« La seule façon de surmonter un problème est de bien lui survivre », disait Talleyrand. Nul doute que ce 99 appliquera ce sage conseil et donnera un joli vin d'ici deux à trois ans. Il est d'ailleurs aussi complexe que le prince de Bénévent : en habit doré rehaussé d'émeraude, il distille avec soin des notes minérales et des agru-

BOURGOGNE

mes. Sa bouche est assez onctueuse et vive d'esprit sur le fruit à chair blanche. (300 à 499 F)

Maison Champy, 5, rue du Grenier-à-Sel, 21200 Beaune, tél. 03.80.25.09.99, fax 03.80.25.09.95, e-mail champyprost@aol.com r.-v.

MAURICE ET ANNE-MARIE CHAPUIS 1999

Gd cru 1 ha 4 000 23 à 30 €

On comprend que les fils de Charlemagne se soient chamaillés pour l'héritage paternel. Jaune pâle à reflets gris, un 99 au bouquet assez ouvert (acacia, ananas...) et à la jolie bouche ample, bien faite. Un peu de mie de pain, ce qu'il faut d'acidité. Il progressera beaucoup dans les cinq ans à venir. (150 à 199 F)

Maurice Chapuis, 21420 Aloxe-Corton, tél. 03.80.26.40.99, fax 03.80.26.40.89 r.-v.

CHEVALIER PERE ET FILS 1998*

Gd cru 0,22 ha 1 200 38 à 46 €

Un domaine créé en 1985 qui atteint aujourd'hui 11 ha. D'un jaune éclatant, ce 98 repose sur un nez de silex et d'acacia dans un environnement vanillé transmis par un boisé bien maîtrisé. Sa bouche à l'approche franche et fraîche laisse ensuite apparaître le citron vert. (250 à 299 F)

SCE Chevalier Père et Fils, Buisson, 21550 Ladoix-Serrigny, tél. 03.80.26.46.30, fax 03.80.26.41.47 r.-v.

DOM. DUBREUIL-FONTAINE PERE ET FILS 1999*

Gd cru 0,76 ha 3 800 30 à 38 €

Comme il fallait l'entendre conter, le Pierre Dubreuil ! Une figure bourguignonne qui, du haut du paradis, constate avec plaisir que son 99 est, lui aussi, sur un petit nuage. 35 % de fûts neufs, bâtonnage sur lies, un vin très riche au boisé bien mené. Belle robe, nez de cannelle et de poire, attaque franche, se tenant à égale distance de l'acidité et de l'alcool : il est de garde même si les amateurs peuvent l'apprécier dès 2003. (200 à 249 F)

Dom. Dubreuil-Fontaine Père et Fils, 21420 Pernand-Vergelesses, tél. 03.80.21.55.43, fax 03.80.21.51.69, e-mail dubreuil.fontaine@wanadoo.fr r.-v.

Bernard Dubreuil

CH. GENOT-BOULANGER 1998*

Gd cru 0,29 ha 870 46 à 76 €

Soyons patients. C'est ainsi que se conclut la dégustation. Sans doute sa robe est-elle déjà bien dorée. Mais le nez d'agrumes doit s'ouvrir davantage et honorer la fleur blanche, par exemple. Assez aérien en bouche, ce vin dispose d'un socle épicé et minéral qui doit valoriser son potentiel dans deux ans. Il s'accordera avec une langouste. (300 à 499 F)

SCEV Ch. Génot-Boulanger, 25, rue de Cîteaux, 21190 Meursault, tél. 03.80.21.49.20, fax 03.80.21.49.21, e-mail genot.boulanger@wanadoo.fr r.-v.

M. Delaby

DOM. ANTONIN GUYON 1999

Gd cru 0,55 ha 3 500 46 à 76 €

|92| |93| |94| 95 **96** 97 98 99

Or limpide et brillant, il rappelle le fût par ses arômes de noisette et de vanille mêlés à quelques notes florales. Juste assez de vivacité, rond mais puissant et concentré, voici un charlemagne qui vous reçoit chez lui sans façon, à l'américaine. Vous le boirez avec plaisir dans trois ou quatre ans car il sera vite « à point ». (300 à 499 F)

Dom. Antonin Guyon, 21420 Savigny-lès-Beaune, tél. 03.80.67.13.24, fax 03.80.66.85.87, e-mail vins@guyon-bourgogne.com r.-v.

DOM. MICHEL JUILLOT 1999

Gd cru n.c. 3 000 46 à 76 €

Les chanoines de Saulieu vont garder mille ans ce don de Charlemagne en 775. Quand on y pense... Ce 99 n'aura pas une vie aussi longue, mais on peut l'attendre quatre ou cinq ans car il dispose d'une bonne acidité. Or vert et floral (« ylang-ylang », suggère un dégustateur), il évolue ensuite sur la pomme. Longueur suffisante. (300 à 499 F)

Dom. Michel et Laurent Juillot, 59, Grande-Rue, BP 10, 71640 Mercurey, tél. 03.85.98.99.89, fax 03.85.98.99.88, e-mail infos@domaine.michel.juillot.fr r.-v.

DOM. LALEURE-PIOT 1999*

Gd cru 0,31 ha 1 500 38 à 46 €

Il a disputé la « finale » du coup de cœur et c'est un 99 magnifique. Il se suffit à lui-même, tant son architecture traduit tout à la fois l'empreinte du terroir et la qualité de la vinification. Robe parfaite, senteurs de fougère et de verveine, de noisette. Il attaque en puissance, montrant une sensibilité minérale et une complexité fascinante. De très grande garde, et pour le foie gras tant il est opulent. (250 à 299 F)

Dom. Laleure-Piot, rue de Pralot, 21420 Pernand-Vergelesses, tél. 03.80.21.52.37, fax 03.80.21.59.48, e-mail laleure.piot@wanadoo.fr t.l.j. 8h-12h 14h-18h; sam. dim. sur r.-v.

LOUIS LATOUR 1998

Gd cru 9,65 ha 45 000 46 à 76 €

La cuverie de Corton-Grancey est un des hauts lieux du vignoble. Quel honneur d'y naître, d'y être élevé ! Le style de ce 98 est léger mais nullement futile car la matière est belle. Jaune-vert de circonstance, le bouquet citronné et minéral, il porte encore un discret boisé. Cette touche vanillée adoucit une finale assez vive. Bouteille à laisser venir : elle va prendre de la hauteur avec l'âge. (300 à 499 F)

Dom. Louis Latour, 18, rue des Tonneliers, 21204 Beaune, tél. 03.80.24.81.00, fax 03.80.22.36.21, e-mail louislatour@louislatour.com r.-v.

LOUIS LEQUIN 1999★★

☐ Gd cru 0,8 ha 604 [38 à 46 €]

Le gratin de fruits de mer qui l'accompagnera ne sera pas servi avant quelques années car ce 99 très concentré, ferme et puissant, n'est pas encore tout à fait ouvert. Sa couleur est soutenue, son nez évoque la vendange mûre, son boisé se limite à de bonnes proportions. Il lui reste à s'assouplir et à se fondre. Ces deux ouvrées à peine n'ont pas chômé. (250 à 299 F)

Louis Lequin, 1, rue du Pasquier-du-Pont, 21590 Santenay, tél. 03.80.20.63.82, fax 03.80.20.67.14, e-mail louis.lequin@wanadoo.fr ☑ Y r.-v.

DOM. MARATRAY-DUBREUIL 1999

☐ Gd cru 0,4 ha 2 000 [23 à 30 €]

Sur les 14 ha du domaine, 40 a sont consacrés à ce vin d'un or léger. Ses arômes n'ont rien de dépaysant ni d'exotique : fruit typé poire, mie de pain et pierre à fusil. La structure ne soulèvera pas les montagnes, mais elle se montre agréable sur une fraîcheur acidulée qui situe ce 99 dans une garde moyenne de trois à cinq ans. (150 à 199 F)

Dom. Maratray-Dubreuil, 5, pl. du Souvenir, 21550 Ladoix-Serrigny, tél. 03.80.26.41.09, fax 03.80.26.49.07 ☑ Y r.-v.

PIERRE MAREY ET FILS 1999★★

☐ Gd cru 0,9 ha 3 000 [30 à 38 €]

Près de 1 ha dans le grand cru. Un coup de cœur dans l'édition 1994 (millésime 91). Légèrement jaune paille, ce 99 affiche un nez très classique, long et complexe, réparti entre les fruits secs, les fruits exotiques confits, le raisin très mûr. L'alcool est encore présent en bouche, en bel équilibre avec l'acidité, et ce n'est pas étonnant à cet âge. De grande garde. (200 à 249 F)

EARL Pierre Marey et Fils, rue Jacques-Copeau, 21420 Pernand-Vergelesses, tél. 03.80.21.51.71, fax 03.80.26.10.48 ☑ Y r.-v.

DOM. DU PAVILLON 1999★★★

☐ Gd cru 1,09 ha 6 600 [46 à 76 €]

Bien avant la gloire des Dumaine et des Loiseau, Saulieu reçut de Charlemagne sa vigne blanche de Corton. Coup de cœur à l'unanimité, ce 99 est réellement impérial. Or pur et scintillant, il s'accompagne d'arômes d'amande et de beurre sous l'évocation de discrètes notes minérales, de fleur blanche et d'un boisé charmeur. Au palais, l'intensité et la fraîcheur s'harmonisent à merveille jusque dans une finale racée. Un vin exigeant, bien né, fidèle à son terroir. Le domaine du Pavillon fait partie de la maison A. Bichot. (300 à 499 F)

Dom. du Pavillon, 6*bis*, bd Jacques-Copeau, 21200 Beaune, tél. 03.80.24.37.37, fax 03.80.24.37.38

DOM. RAPET PERE ET FILS 1999★★

☐ Gd cru 2,5 ha 9 000 [30 à 38 €]

Il n'est pas charlemagne pour rien ! Sous une jolie robe, le bouquet revendique la couronne et le sacre sur des notes élégantes et courtoises de pêche, de pamplemousse. La cannelle s'y associe au palais, dans une atmosphère assez ample et équilibrée. On ne fait pas attendre trop longtemps une telle bouteille (trois à quatre ans) car elle est impatiente de plaire. (200 à 249 F)

Dom. Rapet Père et Fils, 21420 Pernand-Vergelesses, tél. 03.80.21.59.94, fax 03.80.21.54.01 ☑ Y r.-v.

REINE PEDAUQUE 1999★

☐ Gd cru n.c. n.c. [46 à 76 €]

La Reine Pédauque s'inspire d'un personnage mythique sculpté sur les cathédrales, plus proche de Charlemagne que de nous. Elle produit ce vin dont le fruit intense, la belle vivacité, l'harmonie générale expliquent le succès. Ses reflets dorés sont assez marqués. Le bouquet se veut minéral avec une tendance aux fruits jaunes. A ouvrir dans deux ans et pendant huit ans... s'il en reste. (300 à 499 F)

Reine Pédauque, Le Village, 21420 Aloxe-Corton, tél. 03.80.25.00.00, fax 03.80.26.42.00, e-mail rpedauque@axnet.fr Y r.-v.

DOM. ROLLIN PERE ET FILS 1999

☐ Gd cru 0,4 ha 2 300 [30 à 38 €]

Toutes les couleurs du corton ; puis le boisé toasté l'emporte sur les agrumes, pourtant bien présents. La structure franche, d'une bonne acidité, permettra à cette bouteille d'affronter quatre à cinq ans de garde. (200 à 249 F)

Rollin Père et Fils, rte des Vergelesses, 21420 Pernand-Vergelesses, tél. 03.80.21.57.31, fax 03.80.26.10.38 ☑ Y r.-v.

DOM. DES TERREGELESSES 1999★

☐ Gd cru 0,4 ha 1 500 [38 à 46 €]

Le domaine Comte Sénard sous un autre jour mais sous la même main familiale : Philippe Sénard poursuit l'œuvre de son père, notamment au Grand conseil du tastevin. Son corton-charlemagne or fin compose un bouquet assez empyreumatique avant de se présenter comme vin de garde. Sa richesse est dominée par des arômes briochés et des saveurs d'abricots secs. Petite note d'amertume due à ses jeunes tanins que trois à cinq années rendront plus amènes... si vous avez le courage d'attendre. (250 à 299 F)

Dom. des Terregelesses, 7, rempart Saint-Jean, 21200 Beaune, tél. 03.80.24.21.65, fax 03.80.24.21.44 ☑ Y r.-v.

BOURGOGNE

Savigny-lès-beaune

Savigny est aussi un village vigneron par excellence. L'esprit du terroir y est entretenu, et la confrérie de la Cousinerie de Bourgogne est le symbole de l'hospitalité bourguignonne. Les Cousins jurent d'accueillir leurs convives « bouteilles sur table et cœur sur la main ».

Les vins de Savigny, en dehors du fait qu'ils sont « nourrissants, théologiques et morbifuges », sont souples, tout en finesse, fruités, agréables jeunes tout en vieillissant bien. En 2000, l'AOC a produit 14 614 hl de vin rouge et 1 848 hl de vin blanc.

ARNOUX PERE ET FILS

Les Vergelesses 1999*

■ 1er cru 0,28 ha 1 400 11 à 15 €

Rouge dompteur de lions, juché sur le tabouret de ses tanins, forcément un peu fermés, sa langue claquant comme un fouet sur le cassis et la framboise, il est vigilant, attentif, prêt à bondir. Une bonne longueur, une chair fruitée, c'est un beau numéro qui pourra encore plaire dans la seconde moitié de la décennie. (70 à 99 F)

Arnoux Père et Fils, rue des Brenôts, 21200 Chorey-lès-Beaune, tél. 03.80.22.57.98, fax 03.80.22.16.85 r.-v.

DOM. BARBIER ET FILS

Les Fourches 1998*

■ 0,39 ha 2 400 15 à 23 €

Domaine lié à la famille de l'actuel Grand Maître de la Confrérie des chevaliers du tastevin, racheté par Dufouleur Père et Fils en 1995. Quant à ces Fourches, *climat* côté Pernand, elles ne sont nullement patibulaires. Robe de velours grenat foncé, bouquet champêtre de mûre et de ronce. Derrière la barrière des tanins, le fruit se découvre. Un vin de garde qui a du caractère. (100 à 149 F)

Dom. Barbier et Fils, 15, rue Thurot, BP 27, 21700 Nuits-Saint-Georges, tél. 03.80.61.21.21, fax 03.80.61.10.65 r.-v.

Guy et Xavier Dufouleur

BOISSEAUX-ESTIVANT

Les Dentellières 1999*

□ n.c. n.c. 23 à 30 €

Quand c'est bon, c'est bon. Certes, ce joli nom ne figure pas parmi les *climats* sur l'atlas le plus sérieux du vignoble. *Se non e vero, e bene trovato.* Car il s'agit bien d'une fine dentelle de chardonnay, citron pâle et grisé. Toasté, fruité, le bouquet est en harmonie. L'attaque est élégante, la complexité saisissante, l'acidité suffisante. De trois à quatre ans de bouteille, et ce sera parfait. Autre marque du même négociant, **Charton Fils 98 rouge (100 à 149 F)** reçoit une étoile. (150 à 199 F)

Boisseaux-Estivant, 38, fg Saint-Nicolas, BP 107, 21200 Beaune, tél. 03.80.22.00.05, fax 03.80.24.19.73

CHRISTOPHE BUISSON

Le Mouttier Amet 1999*

■ n.c. n.c. 11 à 15 €

Christophe Buisson a deux cordes à son arc. Il est viticulteur mais aussi pilote moto du club Val-de-Vergy, vainqueur du 17e *Enduro des Vignes* à Chablis, en avril dernier. Sachant cela, on comprend mieux pourquoi S. Peterhansel est descendu dans sa cave. Faut-il préciser que son savigny n'a rien d'une Yamaha 250 ? Typé pinot et cerise noire, il possède la grâce et l'élégance du village. (70 à 99 F)

Christophe Buisson, 21190 Saint-Romain, tél. 03.80.21.63.92, fax 03.80.21.67.03 r.-v.

DOM. CAMUS-BRUCHON

Aux Grands Liards Vieilles vignes 1999**

■ 0,52 ha 2 700 11 à 15 €

Si le temps ne se rattrape jamais, il peut être utile d'investir dans la durée : voici l'idée que nous donne ce 99 rouge cerise très mûre. On lit sur une fiche : « Nuances odorantes prononcées ». Tendance cassis. Bonne attaque puis assez de souplesse et une finale tout en douceur. Déjà agréable au palais mais apte à la garde. (70 à 99 F)

Lucien Camus-Bruchon, Les Cruottes, 16, rue de Chorey, 21420 Savigny-lès-Beaune, tél. 03.80.21.51.08, fax 03.80.26.10.21 r.-v.

DENIS CARRE 1999*

■ n.c. n.c. 8 à 11 €

Air connu : attendre que le boisé se fonde. D'une nuance pain grillé, le fût est omniprésent sous un rubis grenat de belle intensité. Il y a pourtant, à l'étage en dessous, du volume, des tanins de qualité, une persistance tout à fait satisfaisante. Combien de temps faut-il l'attendre ? Au moins trois ans. (50 à 69 F)

Denis Carré, rue du Puits-Bouret, 21190 Meloisey, tél. 03.80.26.02.21, fax 03.80.26.04.64 r.-v.

DOM. CHANDON DE BRIAILLES

Les Lavières 1998*

■ 1er cru 2,5 ha 11 000 15 à 23 €

Sa robe légère, son parfum d'iris, sa démarche souple parcourent de façon très simple l'un des plus beaux jardins de Bourgogne. Outre les heureuses surprises de la cave, une visite au Domaine Chandon de Briailles permet de découvrir une « folie » d'une élégance raffinée et son décor. L'atmosphère d'une pièce de Marivaux. Ce domaine travaille en agriculture biologique depuis dix ans. (100 à 149 F)

Dom. Chandon de Briailles, 1, rue Sœur-Goby, 21420 Savigny-lès-Beaune, tél. 03.80.21.52.31, fax 03.80.21.59.15 r.-v.

de Nicolay

RODOLPHE DEMOUGEOT
Les Bourgeots 1999*

■ 0,75 ha 3 500 11 à 15 €

Rodolphe Demougeot fut coup de cœur déjà en 1998 pour ce même *climat* (version 95). Ces Bourgeots font face aux Feuillets, aux Narbantons. Ce 99 apparaît comme un vin de gourmet, avec sa bouche pleine et cylindrique, constante et d'un grain très fin. La matière colorante est traitée dans un style épique, alors que le bouquet opte pour la violette avant de pencher sur le bois précieux. (70 à 99 F)

Dom. Rodolphe Demougeot, 2, rue du Clos-de-Mazeray, 21190 Meursault, tél. 03.80.21.28.99, fax 03.80.21.29.18 r.-v.

DOUDET-NAUDIN 1999**

■ 3 ha 15 000 11 à 15 €

Une étoile pour le **1er cru Les Peuillets 99 rouge**, tout en douceur. Le *village* nous fait un peu moins patte de velours mais on lui accorde cependant la préférence. Un nez percutant et d'une grande complexité, une attaque costaude et vive. Charpenté, le fût bien marié, ce vin demande à s'assouplir encore ; il va bien évoluer dans le temps. (70 à 99 F)

Doudet-Naudin, 3, rue Henri-Cyrot, BP 1, 21420 Savigny-lès-Beaune, tél. 03.80.21.51.74, fax 03.80.21.50.69 r.-v.
Yves Doudet

BERNARD DUBOIS ET FILS
Clos des Guettes 1998*

■ 1er cru 0,81 ha 5 000 15 à 23 €

Vous avez le choix entre trois bouteilles de qualité équivalente : en **village, Les Ratausses 98 rouge (70 à 99 F) et 99 blanc**. Et puis celui-ci, un Clos des Guettes légèrement tuilé et aux parfums de pivoine, de sous-bois, d'abricot confit si l'on pousse le nez dans ses derniers retranchements. Sa fraîcheur et la finesse de ses tanins le caractérisent également. Equilibré et fondu, ce 98 offre une belle harmonie pour les deux ou trois ans à venir. (100 à 149 F)

Dom. Bernard Dubois et Fils, 8, rue des Chobins, 21200 Chorey-lès-Beaune, tél. 03.80.22.13.56, fax 03.80.24.61.43 r.-v.

PHILIPPE DUBREUIL-CORDIER 1999

□ 0,72 ha 2 400 8 à 11 €

La table en a discuté et s'est un peu divisée à son sujet. Aucun débat sur la robe, jugée par tous excellente. Noisette grillée, silex, le jury est tombé d'accord sur la richesse aromatique. Mais en bouche ? Nerveux, dit l'un. Et un autre : bon reflet de l'appellation et du millésime. Toujours est-il qu'on lui trouve quelque chose du pain d'épice de Dijon et que tous s'accordent pour lui faire confiance dans trois ou quatre ans. Coup de cœur dans l'édition 1998 pour le 95 blanc. (50 à 69 F)

Philippe Dubreuil, 4, rue Péjot, 21420 Savigny-lès-Beaune, tél. 03.80.21.53.73, fax 03.80.26.11.46 r.-v.

DOM. LOIS DUFOULEUR
Les Planchots 1998*

■ 0,33 ha 2 097 11 à 15 €

Avouons notre ignorance : nous sommes incapables de situer cette vigne. Elle a été acquise en 1997 par la SAFER et c'est ici sa deuxième mise en bouteilles. Grenat à reflets carmin, bien ouvert sur les épices (le boisé) et les petits fruits noirs, un vin tannique, corsé, persistant ; il n'a pas encore ouvert ses bras au monde. (70 à 99 F)

Dom. Loïs Dufouleur, 8, bd Bretonnière, 21200 Beaune, tél. 03.80.22.70.34, fax 03.80.24.04.28 r.-v.

MAURICE ECARD ET FILS
Les Serpentières 1998*

■ 1er cru 2,5 ha 12 000 15 à 23 €

Un vin boisé mais, comme l'écrivait Ronsard, « héritier du silence des bois ». Comme au théâtre, il porte une robe rouge sombre. Ses tanins sont présents mais civilisés dans une bouche pleine, promise à la garde. Ses arômes varient entre l'humus, le fumé du bois, et un peu plus tard la fraise, le petit fruit rouge. Le **1er cru Les Narbantons 98 rouge** mérite également votre attention. C'est un grand vin. Ici, les vignes sont labourées : on n'utilise pas de désherbants... (100 à 149 F)

Maurice Ecard et Fils, 11, rue Chanson-Maldant, 21420 Savigny-lès-Beaune, tél. 03.80.21.50.61, fax 03.80.26.11.05 r.-v.

DOM. FOUGERAY DE BEAUCLAIR
Les Golardes 1998*

□ 0,26 ha 1 500 11 à 15 €

Savez-vous où se situent ces Golardes ? Sur votre droite en montant sur Bouilland. D'un jaune assez marqué, elles sont ici en instance de nez. Au palais, un vin gras et épicé, un peu chaud, d'une approche presque charnelle. L'association de Jean-Louis Fougeray, Evelyne Beauvais et Bernard Clair a donné Fougeray de Beauclair. Il faut bien que noblesse se fasse ! (70 à 99 F)

Dom. Fougeray de Beauclair, 44, rue de Mazy, 21160 Marsannay-la-Côte, tél. 03.80.52.21.12, fax 03.80.58.73.83, e-mail fougeraydebeauclair@wanadoo.fr
t.l.j. 8h-12h 14h-18h

FRANCOIS GAY 1998*

■ 0,69 ha 4 200 11 à 15 €

Dix-huit mois en fûts de chêne (dont 25 % neufs) pour ce 98 brillant, d'une belle intensité dans sa robe grenat. Encore sur la retenue, le nez laisse percer des notes de fruits noirs et d'épices. La bouche ample repose sur de jolis tanins d'une bonne longueur. Une bouteille à attendre trois à quatre ans. (70 à 99 F)

EARL François Gay, 9, rue des Fiètres, 21200 Chorey-lès-Beaune, tél. 03.80.22.69.58, fax 03.80.24.71.42 r.-v.

MICHEL GAY Vergelesses 1999*

■ 1er cru 0,4 ha 2 200 11 à 15 €

Trop jeune, certes, pour pouvoir tout exprimer de ce qu'il porte en lui. Mais sa robe rubis

BOURGOGNE

foncé a de l'éclat ; son nez, des possibilités à exploiter ; sa bouche, un potentiel réel, tannique et fruité, persistant sur une note de maturation. Il faut donner à ce vin le temps de s'épanouir (deux à trois ans au moins). (70 à 99 F)

Michel Gay, 1b, rue des Brenôts, 21200 Chorey-lès-Beaune, tél. 03.80.22.22.73, fax 03.80.22.95.78 r.-v.

CH. GENOT-BOULANGER
Aux Vergelesses 1998*

1er cru	0,2 ha	980	15 à 23 €

Vin bien équilibré, solide, réussi dans son millésime. Ses arômes fruités et assez mûrs convolent en justes noces avec un boisé tempéré. Robe paille pâle, nez beurré, mais ce 98 manifeste un tout début d'évolution. Propriété de la famille Génot-Delaby depuis 1974, ce domaine compte dix-sept AOC blanches et seize rouges. Pas moins ! (100 à 149 F)

SCEV Ch. Génot-Boulanger, 25, rue de Citeaux, 21190 Meursault, tél. 03.80.21.49.20, fax 03.80.21.49.21, e-mail genot.boulanger@wanadoo.fr r.-v.

JEAN-MICHEL GIBOULOT 1999*

	1,3 ha	5 000	11 à 15 €

Nul besoin de longues présentations : ce vin donnera du plaisir, tant il est cordial, flatteur, de bonne tenue en bouche. Nul besoin d'être docteur en œnologie pour l'appréhender, tant il est d'accès facile. Or limpide, il a peu de puissance aromatique au premier nez mais il révèle tous ses atouts durant la seconde partie de la dégustation (notes florales). (70 à 99 F)

Jean-Michel Giboulot, 27, rue Gal-Leclerc, 21420 Savigny-lès-Beaune, tél. 03.80.21.52.30, fax 03.80.21.52.30 r.-v.

DOM. PHILIPPE GIRARD
Les Lavières Vieilles vignes 1999*

1er cru	0,34 ha	1 800	11 à 15 €

Notez sur vos tablettes les 1ers **crus Les Narbantons et Les Rouvrettes 99 rouges** qui valent le déplacement, côté beaunois. Ces Lavières occupent une bonne partie du coteau donnant sur Pernand. L'extraction est ici assez poussée. Le bouquet est en revanche plus nuancé, teinté d'aquarelle. Légèrement floral, tirant presque sur l'aubépine, ce qui n'est pas fréquent en pinot noir. En bouche, il réserve un bon goût de fruit. Il a de l'étoffe, de la matière. De la race également. Il finit de façon très agréable. (70 à 99 F)

Dom. Philippe Girard, 37, rue Gal-Leclerc, 21420 Savigny-lès-Beaune, tél. 03.80.21.57.97, fax 03.80.26.14.84 r.-v.

DOM. A.-F. GROS Clos des Guettes 1999*

1er cru	0,66 ha	5 000	15 à 23 €

Ce Clos des Guettes a été acquis en 1995 (vente par la famille Pinoteau de Rodinger). Compliments à Anne-Françoise Parent-Gros qui, sérieuse et appliquée, vinifie de la même manière que ses prédécesseurs, ayant été à bonne école. Grenat à reflets violacés, son vin aux arômes encore secrets (notes végétales et vanillées) se montre très net au palais, doté de tanins bien intégrés, harmonieux. (100 à 149 F)

Dom. A.-F. Gros, La Garelle, 21630 Pommard, tél. 03.80.22.61.85, fax 03.80.24.03.16, e-mail gros.anne-françoise@wanadoo.fr r.-v.

Anne-Françoise Parent-Gros

DOM. PIERRE GUILLEMOT
Aux Serpentières 1999*

1er cru	1,7 ha	6 000	11 à 15 €

Qui n'a pas entendu Pierre Guillemot commenter la dégustation ignore un grand bonheur... Des 97, 91, 89 du domaine ont reçu le coup de cœur et on en oublie peut-être. Cerise brillant, le 99 passe avec mention à l'écrit comme à l'oral. Mais le fût l'aide un peu et on attendra quelques années que ce vin puisse se débrouiller tout seul. Un salmis de canard accompagnera dignement ses derniers instants, mais pas avant quatre à cinq ans. Le **1er cru Les Jarrons 99 rouge**, savigny dans l'âme, obtient une étoile. (70 à 99 F)

SCE du Dom. Pierre Guillemot, 1, rue Boulanger-et-Vallée, 21420 Savigny-lès-Beaune, tél. 03.80.21.50.40, fax 03.80.21.59.98 r.-v.

DOM. JEAN GUITON 1998*

	2,48 ha	4 500	8 à 11 €

La philosophie de Jean Guiton (un seul « t ») est bourguignonne. Elle satisfait le corps. De l'hédonisme en quelque sorte. Elle ne recherche pas la folle complexité, se contentant avec raison d'une teinte claire, d'un nez fin et léger (sous-bois, amande fraîche), d'une bouche très souple et déjà agréable. Une bouteille facile à boire sans céder à la facilité. (50 à 69 F)

Dom. Jean Guiton, 4, rte de Pommard, 21200 Bligny-lès-Beaune, tél. 03.80.26.82.88, fax 03.80.26.85.05, e-mail guillaume-guiton@wanadoo.fr r.-v.

DOM. GUYON Les Peuillets 1999**

1er cru	0,25 ha	1 800	11 à 15 €

On en a parlé à l'heure du coup de cœur. Il se situe dans ces parages. D'un rouge tirant vraiment sur le noir, il reste au nez sur cette couleur : mûre, cassis, associés à des arômes empyreumatiques. Le fût et les tanins du vin mettront du temps pour se fondre mais l'extraction est solide sur une attaque franche et volontaire. Un 99 qui conviendra à un gibier à poil. (70 à 99 F)

EARL Dom. Guyon, 11-16, RN 74, 21700 Vosne-Romanée, tél. 03.80.61.02.46, fax 03.80.62.36.56 r.-v.

DOM. LUCIEN JACOB Vergelesses 1999*

1er cru	0,8 ha	4 000	11 à 15 €

Depuis 1989, le domaine est géré par Jean-Michel, Christine et Chantal Jacob. De quoi s'occuper : 19 ha de vignes ! Lucien Jacob n'est pourtant pas en retraite : conseiller général, il a été naguère député de la Côte-d'Or. Ces Vergelesses sont d'un rouge limpide et démocratique. Leur bouquet se prononce pour le cassis, la mûre. La fraîcheur compense un abord assez ferme. De garde bien sûr, mais celle-ci ne se prolongera peut-être pas au-delà de cinq ans. (70 à 99 F)

Dom. Lucien Jacob, 21420 Echevronne, tél. 03.80.21.52.15, fax 03.80.21.55.65, e-mail lucien-jacob@wanadoo.fr ☑ Y r.-v.

DOM. PATRICK JACOB-GIRARD

Aux Gravains 1998★★

■ 1er cru 1,36 ha 6 000 11 à 15 €

En quatre générations, cette famille vigneronne est passée de 4 ha à un peu plus de 8 ha. Elle prend son temps et nous fait partager le plaisir d'un vin superbe. Rien qu'un vin, tout un vin. Rubis profond, déjà complexe si l'on en croit ses arômes de fraise, de cerise, d'épices, il est sympathique à l'attaque. La fraise prend ensuite le dessus. Un peu austères au départ, ses tanins s'arrondissent, laissant apparaître la truffe. Heureuse surprise ! (70 à 99 F)

Dom. Jacob-Girard, 2, rue de Cîteaux, 21420 Savigny-lès-Beaune, tél. 03.80.21.52.29, fax 03.80.26.19.07 ☑ Y r.-v.

DOM. DE LA GALOPIERE 1999★

■ 0,8 ha 3 500 8 à 11 €

Claire et Gabriel Fournier ont abandonné la polyculture il y a vingt ans pour se consacrer uniquement à la vigne. On n'y trouve rien à redire, tant cette bouteille est belle. L'œil a du répondant, le nez, du fruit. Léger, un peu vif, fondu dans la cerise à l'eau-de-vie (kirsch) un 99 équilibré, pas trop boisé et dont la typicité est évidente. (50 à 69 F)

Claire et Gabriel Fournier, 6, rue de l'Eglise, 21200 Bligny-lès-Beaune, tél. 03.80.21.46.50, fax 03.80.21.49.93, e-mail c.g.fournier@wanadoo.fr ☑ Y r.-v.

DANIEL LARGEOT 1999★★

■ 0,6 ha 3 500 8 à 11 €

Elu coup de cœur à l'unanimité du jury, ce *village* tire remarquablement son épingle du jeu. Cerise à reflets grenat, il n'a pas encore le nez très bavard. Juste quelques notes fleuries et un peu vanillées. Aucune grandiloquence et aucun effet de manche : d'un fruit très persistant, il accorde la rondeur et le volume, l'équilibre et la puissance en de justes proportions. Et à un prix aimable. (50 à 69 F)

Daniel Largeot, 5, rue des Brenôts, 21200 Chorey-lès-Beaune, tél. 03.80.22.15.10, fax 03.80.22.60.62 ☑ Y r.-v.

DOM. LES GUETTOTTES

Aux Clous 1999★

□ 0,2 ha 1 500 11 à 15 €

Pierre Lebreuil s'est installé sur le vignoble de sa mère en 1964. Depuis 1998, son fils l'a rejoint sur un domaine de 7,5 ha. *Climat* proche de Savigny-lès-Beaune, les Clous signifient « les Clos » en vieux bourguignon. Un vin boisé mais fondu, souple et accueillant en bouche, d'une finesse florale, fumée, et qu'une touche d'amertume en finale ne rend pas différent de la plupart de ses semblables. Il est conseillé de le boire dans les trois prochaines années. (70 à 99 F)

Pierre Lebreuil, 17, rue Chanson-Maldant, Les Guettottes, 21420 Savigny-lès-Beaune, tél. 03.80.21.52.95, fax 03.80.26.10.82, e-mail jean-baptiste.lebreuil@wanadoo.fr ☑ Y t.l.j. 10h-11h30 14h-18h

DOM. MACHARD DE GRAMONT

Les Vergelesses 1999★

□ 1er cru 0,2 ha 1 400 11 à 15 €

On lèche trois fois ses lèvres et on en dit du bien, c'est ce que l'on prétend du vin de Savigny. Et ma foi... Or blanc, ce chardonnay respire le bon bois avant de chercher son chemin du côté du fruit mûr. Plaisante et bien élevée, la bouche est plutôt florale. Il s'agit d'une vigne ayant appartenu jadis à Léonce Bocquet à qui l'on doit la restauration du château du Clos de Vougeot. Coup de cœur dans l'édition 2000 pour le millésime 96. (70 à 99 F)

SCE Dom. Machard de Gramont, Le Clos, rue Pique, BP 105, 21703 Prémeaux-Prissey, tél. 03.80.61.15.25, fax 03.80.61.06.39 ☑ Y r.-v.

DOM. MAILLARD PERE ET FILS

1999★

■ 1,8 ha n.c. 11 à 15 €

« Le sol de Savigny ne manque pas de profondeur », nous dit Camille Rodier. Il en est de même pour ce 99, profond par sa couleur et son attaque aromatique. Petits fruits rouges et pain grillé, il connaît la musique. L'impression est bonne, charpentée, les tanins respectant le fruit. (70 à 99 F)

Dom. Maillard Père et Fils, 2, rue Joseph-Bard, 21200 Chorey-lès-Beaune, tél. 03.80.22.10.67, fax 03.80.24.00.42 ☑ Y r.-v.

DOM. MICHEL MALLARD ET FILS

Les Serpentières 1998★

■ 1er cru 1,1 ha 6 000 11 à 15 €

Vous n'êtes pas obligé de savoir où se cachent les Serpentières. Disons sur le versant Pernand ; les vins qui y naissent sont considérés en général comme les plus « féminins ». On le vérifie cette fois encore grâce à cette bouteille fine et légère, chantant la griotte. Vanille, café, moka, le fût donne de la voix mais comme il s'agit d'un vin de garde, pas d'inquiétude à se faire sur le fondu à venir. (70 à 99 F)

EARL Dom. Michel Mallard et Fils, 43, rte de Dijon, 21550 Ladoix-Serrigny, tél. 03.80.26.40.64, fax 03.80.26.47.49 ☑ Y r.-v.

BOURGOGNE

GHISLAINE ET BERNARD MARECHAL-CAILLOT 1999★

■ 2,22 ha 6 000 11 à 15 €

Beaucoup de gras, même à l'œil, mais un corps bien sculpté dans le cépage et le terroir. Le nez offre des fruits rouges sur une note boisée ; la bouche, sans excès tannique, se montre équilibrée. Une certaine pudeur l'empêche d'en dire davantage aujourd'hui mais cela ne saurait tarder. La finale se déroule dans une ambiance de fruits conservés dans l'alcool. (70 à 99 F)

Bernard Maréchal-Caillot, 10, rte de Chalon, 21200 Bligny-lès-Beaune, tél. 03.80.21.44.55, fax 03.80.26.88.21 r.-v.

OLIVIER PERE ET FILS
Les Peuillets 1999★

■ 1er cru 1 ha 4 000 11 à 15 €

L'œil trouve toutes les raisons de croire en son destin. Une couleur profonde, intense, chaleureuse. Le nez confirme l'impression première en exprimant des arômes de muscade, de pruneau à l'eau-de-vie. Quant à la bouche, elle est tout bonnement savoureuse, généreuse et riche en qualités. Un vin plein de terroir et de bonne garde. On rêve d'une dinde rôtie. Mais pas pour Noël prochain. Ce serait trop tôt. (70 à 99 F)

Olivier Père et Fils, 5, rue Gaudin, 21590 Santenay, tél. 03.80.20.61.35, fax 03.80.20.64.82, e-mail antoine.olivier2@wanadoo.fr r.-v.

DOM. PARIGOT PERE ET FILS
Les Peuillets 1999★

■ 1er cru 0,21 ha 1 500 11 à 15 €

Côté Beaune, ce *climat* donne un 99 qui se cache encore un peu et qui ne se livrera pas tout de suite. Il en va de même pour les hommes et cela fait parfois de longues amitiés. Cerise presque noire, il n'a pas le nez violent : un soupçon de groseille, un brin de violette. Après une attaque franche, la bouche se révèle charpentée par de bons et longs tanins. Deux à trois ans de garde. (70 à 99 F)

Dom. Parigot Père et Fils, rte de Pommard, 21190 Meloisey, tél. 03.80.26.01.70, fax 03.80.26.04.32 r.-v.

PATRIARCHE PERE ET FILS 1998

■ n.c. 5 800 5 à 8 €

Comment déguster cette bouteille sans penser au fabuleux « Caveau de l'An 2000 » où André Boisseaux avait enfermé tant de belles bouteilles savourées enfin en grande pompe et à petites gorgées ? Bref, ce 98 pourpre classique aux senteurs de cassis se borne à demeurer droit, simple, pur. Justement, cela accroche l'intérêt. Au diable la complexité, goûtons notre plaisir. (30 à 49 F)

Patriarche Père et Fils, 5, rue du Collège, 21200 Beaune, tél. 03.80.24.53.01, fax 03.80.24.53.03 t.l.j. 9h-12h 14h-18h

JEAN-MARC PAVELOT 1999★★

□ 0,75 ha 6 000 8 à 11 €

Coup de cœur pour des millésimes 85 et 93, ce viticulteur inspiré mêle dans son ouvrage le regard de l'artiste et l'acte du bâtisseur : une vocation d'architecte. La robe de ce 99 plaît, tant sa grâce est nuancée. Le nez est économe, seulement minéral. Au palais, une acidité qui doit s'estomper mais toujours cette sensation minérale : le poli du marbre. Stylé, tonique et concluant. Faites également confiance aux **1ers crus 98 rouges La Dominode**, le portrait robot de l'appellation, deux étoiles, et **Aux Guettes (70 à 99 F tous deux)**, ces dernières obtenant une étoile. (50 à 69 F)

Jean-Marc Pavelot, 1, chem. des Guettottes, 21420 Savigny-lès-Beaune, tél. 03.80.21.55.21, fax 03.80.21.59.73 r.-v.

GEORGES ET THIERRY PINTE 1998★

■ 1,13 ha 1 800 8 à 11 €

On ne choisira pas une marinade, ni une sauce trop forte pour escorter ce *village*, mais plutôt une fondue bourguignonne. Souple et élégant, cerise de la préface (sa teinte dans le verre) à la conclusion (fin de bouche assez fruitée), il est vif à l'attaque puis apaisé, vineux et long. (50 à 69 F)

GAEC Georges et Thierry Pinte, 11, rue du Jarron, 21420 Savigny-lès-Beaune, tél. 03.80.21.51.59, fax 03.80.21.51.59 r.-v.

DOM. DU PRIEURE Les Lavières 1999★

■ 1er cru 0,77 ha 4 000 11 à 15 €

Coup de cœur dans l'édition 1990 pour un 86, il a décidé cette année de nous séduire. Comment lui résister ? Sa robe est d'un beau rubis. L'essence de fruit, la framboise vanillée, marquent un nez riche et agréable. La bouche fraîche offre des rondeurs plaisantes, un tantinet charnues. Un grand moment. Pensons plutôt à un filet de bœuf ! Autre bonne bouteille : en **village Les Grands Picotins 98 rouge**. (70 à 99 F)

Jean-Michel Maurice, Dom. du Prieuré, 23, rte de Beaune, 21420 Savigny-lès-Beaune, tél. 03.80.21.54.27, fax 03.80.21.59.77, e-mail maurice.jean-michel@wanadoo.fr r.-v.

DOM. RAPET PERE ET FILS 1999★

■ n.c. n.c. 11 à 15 €

Quelle bouteille emporter sur une île déserte ? Pourquoi pas celle-ci ? A déboucher dans trois à quatre ans quand le premier bateau sera en vue... Sa jolie robe vous donnerait des distractions. Son nez fruité, mentholé vous tiendrait compagnie par la pensée. Sa plénitude, sa puissance chaleureuse, son gras, sa distinction vous permettraient de rêver... à ce village, l'un des plus beaux de la Côte. (70 à 99 F)

Dom. Rapet Père et Fils, 21420 Pernand-Vergelesses, tél. 03.80.21.59.94, fax 03.80.21.54.01 r.-v.

REINE PEDAUQUE 1999★

□ n.c. 3 000 11 à 15 €

Si brillant, si flatteur, si rond, si suave... Le laisser venir tranquillement, car il en a dans la musette et ne demande pas à vivre sa vie d'un coup d'aile. Riche matière en effet sous ces abords conviviaux. (70 à 99 F)

🔑 Reine Pédauque, Le Village, 21420 Aloxe-Corton, tél. 03.80.25.00.00, fax 03.80.26.42.00, e-mail rpedauque@axnet.fr 🍷 r.-v.

SEGUIN-MANUEL Goudelettes 1999**

☐ 0,5 ha 2 600 11 à 15 €

Les Lavières avaient reçu le coup de cœur dans l'édition 1999 (millésime 95). Voici des Goudelettes (sur le coteau en direction de Bouilland). Couleur franche à reflets dorés, bouquet ouvert sur la fleur blanche et les agrumes. Vieillissement à surveiller mais le gras est consistant, le boisé élégant, la corpulence copieuse. A signaler les caves cisterciennes du XIII[e]s. dans lesquelles sont élevés les vins. (70 à 99 F)

🔑 Dom. Seguin-Manuel, 15, rue Paul-Maldant, 21420 Savigny-lès-Beaune, tél. 03.80.21.50.42, fax 03.80.21.59.38,
e-mail seguin-manuel@worldonline.fr
☑ 🍷 t.l.j. 8h-12h 14h-17h
🔑 Pierre Seguin

DOM. THIELY Côte de Beaune 1999*

■ n.c. 1 800 11 à 15 €

Le seul domaine de la série à porter aussi la mention Côte de Beaune. C'est autorisé, mais devenu peu usité. Il est vrai que cette propriété a été créée en 1870 par les ancêtres de ce producteur. Rouge vif, ce savigny marie les arômes grillés, vanillés du fût, et ceux du vin, sur fruits habituels (cassis, cerise). La bouche, assez tannique, offre néanmoins une harmonie agréable. La finale est un peu vive, marquant une jeunesse qui ne demande qu'à s'assagir. Deux ans de garde. (70 à 99 F)

🔑 Dom. Thiély, rue de Vergy, 21420 Pernand-Vergelesses, tél. 03.80.21.54.86,
fax 03.80.26.11.92 ☑ 🍷 r.-v.

HENRI DE VILLAMONT
Clos des Guettes 1998**

■ 1er cru 1,91 ha 9 000 15 à 23 €

Cette filiale bourguignonne du groupe suisse Schenk a élu domicile dans l'ancienne et magnifique propriété de Léonce Bocquet à Savigny. Une figure fabuleuse du vignoble. En revanche, Henri de Villamont est un nom imaginaire. Cela dit, ce vin ne l'est nullement. Et il se détache du lot. Rouge un peu cuivré, aromatique (cassis, sous-bois), il est puissant, plein de sève et d'une constitution très admirée. (100 à 149 F)

🔑 SA Henri de Villamont, rue du Dr-Guyot, 21420 Savigny-lès-Beaune, tél. 03.80.24.70.07, fax 03.80.22.54.31, e-mail hdv@planetb.fr
☑ 🍷 t.l.j. sf mar. 10h30-18h; f. 15 nov.-15 mars

Chorey-lès-beaune

Situé dans la plaine, en face du cône de déjection de la combe de Bouilland, le village possède quelques lieux-dits voisins de Savigny. On y a produit, en 2000, 6 188 hl d'appellation communale rouge, et 227 hl de blanc.

DOM. CHARLES ALLEXANT ET FILS
Les Beaumonts 1999*

■ 1,04 ha 4 500 8 à 11 €

Il ne fallait pas s'endormir en 1999 pour produire cet excellent pinot noir très souple que l'on boira assez vite et sans façon. Cela vérifie la formule : « Le chorey ne parle pas, il chante. » Robe profonde, nez intense de fruits cuits, et un peu de cerise à l'eau-de-vie en milieu de bouche. (50 à 69 F)

🔑 SCE Dom. Charles Allexant et Fils, rue du Château, Cissey, 21190 Merceuil, tél. 03.80.26.83.27, fax 03.80.26.84.04 ☑ 🍷 t.l.j. 8h-12h 13h30-18h; sam. dim. sur r.-v.

ARNOUX PERE ET FILS
Les Confrelins 1999*

■ 1,8 ha 9 600 11 à 15 €

On parlait jadis du vin de Chorey comme d'un « vin médecin » : il épaulait fréquemment les cuvées un peu pâles des crus voisins. Ces qualités se constatent ici. Aucune agressivité mais un corps tannique et robuste. La chair du fruit, pourtant, ne se laisse pas oublier. Très bel aspect à l'œil, bouquet légèrement framboisé. *Climat* situé en limite de l'AOC beaune. (70 à 99 F)

🔑 Arnoux Père et Fils, rue des Brenôts, 21200 Chorey-lès-Beaune, tél. 03.80.22.57.98, fax 03.80.22.16.85 ☑ 🍷 r.-v.

DOM. BELIN-RAPET Les Bons Ores 1999

■ 0,25 ha 1 250 8 à 11 €

Très classique, la robe est à l'image du bouquet, la groseille, la framboise y trouvant leur juste place. Equilibré, frais, moyennement tannique et discrètement boisé, ce bon vin devra attendre un à deux ans pour vous satisfaire. Précisons que ce domaine fut créé en 1983. (50 à 69 F)

🔑 Dom. Belin-Rapet, imp. des Combottes, 21420 Pernand-Vergelesses, tél. 03.80.22.77.51, fax 03.80.22.76.59,
e-mail domaine.belin.rapet@wanadoo.fr
☑ 🍷 t.l.j. 8h-20h
🔑 Ludovic Belin

MAURICE CHAPUIS 1998**

☐ 1 ha 4 500 8 à 11 €

Cette bouteille aurait pu entrer dans l'histoire car plusieurs jurés l'ont jugée digne du coup de cœur. Dorée à reflets verts, le nez bien ouvert, floral avec des notes de fruits secs, elle possède de la fraîcheur, de la rondeur et du fruit. On imagine le plaisir qu'elle offrirait avec un filet de sandre aux agrumes. (50 à 69 F)

🔑 Maurice Chapuis, 21420 Aloxe-Corton, tél. 03.80.26.40.99, fax 03.80.26.40.89 ☑ 🍷 r.-v.

JOSEPH DROUHIN 1998

■ n.c. n.c. 11 à 15 €

Cette bouteille, sous sa robe rubis légèrement cuivré, s'ouvre sur l'amande et les fruits secs tandis que le corps apparaît franc et droit, offrant une sensation de cerise en milieu de bouche. Ses tanins lui assurent une bonne structure : attendre deux ans que la finale se fonde. (70 à 99 F)

Joseph Drouhin, 7, rue d'Enfer, 21200 Beaune, tél. 03.80.24.68.88, fax 03.80.22.43.14, e-mail maisondrouhin@drouhin.com r.-v.

DOM. DUBOIS-CACHAT 1999*

■ 0,5 ha 2 000 8 à 11 €

Un vin pour les poètes. Mais il risque de planer au-dessus de nos têtes, pour la plupart d'entre nous, car il n'y a que 2 000 bouteilles. Sous sa robe légère, il affirme son élevage en fût en y associant la cerise confite. Très fondu, il conviendra au brie de Meaux, au reblochon, au cîteaux. (50 à 69 F)

Dom. Dubois-Cachat, 2, Grande-Rue, 21200 Chorey-lès-Beaune, tél. 03.80.22.27.83, fax 03.80.22.27.83 r.-v.

XAVIER DUCLERT Les Beaumonts 1998

■ n.c. n.c. 11 à 15 €

Une étiquette très originale met en valeur un chorey net et brillant, de teinte claire, aux senteurs de sous-bois, de cuir, dans une atmosphère de retour de la chasse. Les tanins montent la garde et il faudra les amadouer un peu. Ce *climat* se situe en bordure du savigny. (70 à 99 F)

Xavier Duclert, 2 bis, pl. Carnot, 21200 Beaune, tél. 03.80.22.74.77, fax 03.80.22.74.77, e-mail xavier.duclert@fnac.net t.l.j. sf dim. lun. 10h-12h30 14h30-19h

FRANCOIS GAY 1998*

■ 2,75 ha 15 000 8 à 11 €

La robe est tout simplement magnifique, rubis profond et soutenu à reflets violacés, d'un très bel éclat. Le nez mêle myrtille, mûre, réglisse, vanille, avec beaucoup de délicatesse. La bouche continue sur le même registre, très jeune, posée, sûre d'elle. Dans trois ou quatre ans, ce sera certainement une grande bouteille. (50 à 69 F)

EARL François Gay, 9, rue des Fiètres, 21200 Chorey-lès-Beaune, tél. 03.80.22.69.58, fax 03.80.24.71.42 r.-v.

MICHEL GAY 1998

■ 3,6 ha 14 000 8 à 11 €

Un vin que son amant aurait pu offrir à Lady Chatterley lors d'un pique-nique champêtre. Rouge intense, il est riche de parfums d'eucalyptus, de croûte de pain chaud, de vanille. Cerise fraîche en bouche, finement poivré, il possède des tanins caressants accompagnant une rusticité adaptée au personnage de D. H. Lawrence. (50 à 69 F)

Michel Gay, 1b, rue des Brenôts, 21200 Chorey-lès-Beaune, tél. 03.80.22.22.73, fax 03.80.22.95.78 r.-v.

DOM. GUYON Les Bons Ores 1999**

■ 0,87 ha 6 400 11 à 15 €

Ce *climat* est seulement séparé d'aloxe-corton par la RN 74. La famille Guyon a quitté l'orge de brasserie pour la vigne et le vin. Ce 99 est moins dur et puissant que le millésime précédent décrit dans le Guide 2001. D'un caractère plus spontané, légèrement chaleureux (kirsch, pruneau au palais), soutenu par une bonne acidité, il est déjà prêt à la consommation. (70 à 99 F)

EARL Dom. Guyon, 11-16, RN 74, 21700 Vosne-Romanée, tél. 03.80.61.02.46, fax 03.80.62.36.56 r.-v.

DOM. LALEURE-PIOT
Les Champs longs 1999*

■ 1,92 ha 13 000 8 à 11 €

Il n'est pas pris en défaut, ce 99 généreux, riche en alcool, à la fois charnu et gras, corsé et rond. Tant de vertus dans une seule bouteille ! Sa robe brillante en rajoute. Peu de nez en revanche, sur le sous-bois. L'âge lui sera bénéfique (un à deux ans d'attente en cave). (50 à 69 F)

Dom. Laleure-Piot, rue de Pralot, 21420 Pernand-Vergelesses, tél. 03.80.21.52.37, fax 03.80.21.59.48, e-mail laleure.piot@wanadoo.fr t.l.j. 8h-12h 14h-18h; sam. dim. sur r.-v.

DANIEL LARGEOT Les Beaumonts 1999*

■ 1,5 ha 8 000 8 à 11 €

Il a la couleur rouge violacé des feuilles de vigne après les vendanges. Sa palette d'arômes va de l'animal aux fruits rouges en passant par le torréfié. La matière est fondue mais demande quelque peu à s'assouplir. Sa petite acidité lui permettra d'être gardé deux à trois ans pour que vous puissiez bénéficier de son optimum. (50 à 69 F)

Daniel Largeot, 5, rue des Brenôts, 21200 Chorey-lès-Beaune, tél. 03.80.22.15.10, fax 03.80.22.60.62 r.-v.

DOM. MAILLARD PERE ET FILS 1999

■ 6 ha n.c. 8 à 11 €

L'un des plus vastes domaines de Chorey-lès-Beaune, sept villages. Grenat, s'ouvrant peu à peu sur des arômes de maturité, ce 99 constitue l'expression typique du pinot noir dans cette partie de la Côte. Souplesse tannique, acidité modérée, bonne extraction du fruit, kirsch en finale : de l'harmonie. (50 à 69 F)

Dom. Maillard Père et Fils, 2, rue Joseph-Bard, 21200 Chorey-lès-Beaune, tél. 03.80.22.10.67, fax 03.80.24.00.42 r.-v.

ROGER ET JOEL REMY
Les Beaumonts 1999

■ 2 ha 12 000 5 à 8 €

Un dégustateur anglais a beaucoup aimé ce vin plein, équilibré, aux parfums de sous-bois et de « red berries » (il remplit sa fiche en anglais). Les autres jurés lui accordent les mêmes caractères d'honnêteté et de typicité tout en recommandant une attente de deux ou trois ans pour que les tanins encore rustiques se fondent. (30 à 49 F)

SCEA Roger et Joël Rémy, 4, rue du Paradis, 21200 Sainte-Marie-la-Blanche, tél. 03.80.26.60.80, fax 03.80.26.53.03 t.l.j. sf dim. 8h-12h 14h-18h

DOM. GEORGES ROY ET FILS 1999*

□ 0,38 ha 1 800 8à11€

Aimable et précise, son harmonie générale fait l'unanimité. Vive, frottée de citron, sa robe ouvre sur des parfums où se trouve également ce fruit marié au chèvrefeuille. Nuance vanillée avant le grand départ en bouche. Son gras, son fruit joliment dessiné accompagnent une longueur appréciable. Facile à boire. (50 à 69 F)

Dom. Georges Roy et Fils, 20, rue des Moutots, 21200 Chorey-lès-Beaune, tél. 03.80.22.16.28, fax 03.80.24.76.38 r.-v.

Beaune

En superficie, l'appellation beaune est l'une des plus importantes de la Côte. Mais Beaune, ville d'environ 20 000 habitants, est aussi et surtout la capitale viti-vinicole de la Bourgogne. Siège d'un important négoce, centre d'un nœud autoroutier très important, elle est une des cités les plus touristiques de France. La vente des vins des Hospices est devenue un événement mondial, et représente certainement l'une des ventes de charité les plus illustres.

Les vins, essentiellement rouges, sont pleins de force et de distinction. La situation géographique a permis le classement en premiers crus d'une grande partie du vignoble, et, parmi les plus prestigieux, nous pouvons retenir les Bressandes, le Clos du Roy, les Grèves, les Teurons et les Champimonts. En 2000, l'AOC a produit 16 276 hl de vin rouge et 2 020 hl de vin blanc.

BERTRAND AMBROISE
Saint-Désiré 1999*

■ n.c. n.c. 11à15€

Agréable à l'œil, avec tout ce qu'il faut de violacé et un peu de fruit au nez. Tannique, assez ferme, ce Saint-Désiré (en haut de coteau, versant Pommard) se laisse un peu désirer. Sa faible acidité incite toutefois à une consommation dans les deux à trois ans... à venir. (70 à 99 F)

Maison Bertrand Ambroise, rue de l'Eglise, 21700 Premeaux-Prissey, tél. 03.80.62.30.19, fax 03.80.62.38.69, e-mail bertrand.ambroise@wanadoo.fr r.-v.

ARNOUX PERE ET FILS
Les Cent Vignes 1999*

■ 1er cru 0,49 ha 2 500 15à23€

Vinification traditionnelle, quatorze mois d'élevage en fût : Les Cent Vignes sont en forme cette année. L'apparence est ici superbe, le nez fumé et parfumé plein de bonne volonté. La longueur n'est pas celle de la Terre à la Lune, mais le fruit rouge est en bonne place, l'équilibre puissant. Le sujet est bien traité dans toute sa complexité. (100 à 149 F)

Arnoux Père et Fils, rue des Brenôts, 21200 Chorey-lès-Beaune, tél. 03.80.22.57.98, fax 03.80.22.16.85 r.-v.

BALLOT-MILLOT ET FILS
Epenottes 1999*

■ 1er cru 0,43 ha 2 500 15à23€

L'archange saint Michel qui pèse les âmes sur le retable de Van der Weyden n'a pas un manteau plus rouge. Il rangera cette bouteille du côté des heureux élus, tant ses arômes chantent les béatitudes (cerise fraîche, délicat poivré), tant sa grâce est aimable. Ferme, équilibrée et longue, celle-ci est dépourvue d'aspérités et peu acide. En cas d'hésitation, pas plus de deux ans de garde. (100 à 149 F)

Ballot-Millot et Fils, 9, rue de la Goutte-d'Or, BP 33, 21190 Meursault, tél. 03.80.21.21.39, fax 03.80.21.65.92 r.-v.

GUILLEMETTE ET XAVIER BESSON
Les Champs Pimont 1999

■ 1er cru 0,72 ha 1 500 11à15€

C'est dans une cave du XVIIe s. qu'est élaboré ce beaune 1er cru. Noir nuancé de grenat, le nez quelque peu surmaturé, ce vin paraît apte à intéresser les amateurs de rondeur, de gras, mais il n'est pas dénué d'une certaine vivacité. Le fruit mûr conquiert le palais. (70 à 99 F)

Dom. Guillemette et Xavier Besson, 9, rue des Bois-Chevaux, 71640 Givry, tél. 03.85.44.42.44, fax 03.85.44.42.44 r.-v.

DOM. GABRIEL BILLARD
Les Epenottes 1999*

■ 1er cru 0,2 ha 900 11à15€

Ce 1er cru est situé côté Pommard. Mireille Desmonet et Laurence Jobard dans leurs œuvres familiales dans l'édition 1992. Ce vin à la robe satinée, très épicé au nez, offre en finale une touche de pivoine. Sa bouche est plus élégante que puissante, mais franche et solide. A ne pas déboucher avant deux ans. (70 à 99 F)

SCEA Dom. Gabriel Billard, imp. de la Commaraine, 21630 Pommard, tél. 03.80.22.27.82, fax 03.85.49.49.02 r.-v.

DOM. GABRIEL BOUCHARD
Clos du Roi 1999*

■ 1er cru 0,65 ha 2 300 15à23€

Ce domaine, élu coup de cœur dans les éditions 1991 et 1995 pour les millésimes 88 et 91, propose un **1er cru Cent Vignes 98 rouge (70 à 99 F)**, à égalité avec ce Clos du Roi assez monarchique. Robe du sacre, parfum de framboise cueillie dans le sous-bois. Le vin est ample, racé, encore un peu fermé mais typiquement beaunois. (100 à 149 F)

Dom. Gabriel Bouchard, 4, rue du Tribunal, 21200 Beaune, tél. 03.80.22.68.63 r.-v.

Alain Bouchard

BOURGOGNE

DOM. BOUCHARD PERE ET FILS
Grèves Vigne de l'Enfant Jésus 1998*

■ 1er cru 4 ha n.c. 38 à 46 €

Deux très beaux vins présentés par cette maison beaunoise désormais présidée par J. Henriot. Un **Clos Saint-Landry, 1er cru 98 blanc (150 à 199 F)**, superbe entrée au paradis tant il est enveloppé de parfums d'amande, de miel, et doté d'un équilibre très réussi. Impossible aussi de ne pas s'émerveiller devant l'Enfant Jésus miraculeux de Beaune, le plus célèbre en Europe avec celui de Prague ! Cette ancienne vigne des Carmélites se situe dans les Grèves. Rubis transparent, préférant la vanille et le moka à l'encens ou à la myrrhe, ce vin a la bouche fruitée, comme s'il était allé en secret poser le doigt dans un pot de confiture... C'est de son âge ! (250 à 299 F)

Bouchard Père et Fils, Ch. de Beaune, 21200 Beaune, tél. 03.80.24.80.24, fax 03.80.22.55.88, e-mail france@bouchard-pereetfils.com r.-v.

REYANE ET PASCAL BOULEY 1999**

■ 0,64 ha 3 600 8 à 11 €

Cette vigne donne un 99 d'une forte intensité colorante, sans trop d'arômes pour le moment mais beaunois de bout en bout. Sa rondeur, son ampleur, sa typicité impressionnent. Il faut cependant se faire une raison : on n'en profitera pas tout de suite, mais dans deux ou trois ans. (50 à 69 F)

Pascal Bouley, pl. de l'Eglise, 21190 Volnay, tél. 03.80.21.61.69, fax 03.80.21.66.44 r.-v.

DOM. CAUVARD
Clos de la Maladière 1998

□ 0,85 ha 4 000 11 à 15 €

Limpide et brillant, ce vin pourra se déguster tôt mais se gardera aussi en cave. Agréable, équilibré, assez gras et ample, il ne lui manque pas même cette note miellée du chardonnay vinifié quatorze mois en fût. (70 à 99 F)

Dom. Cauvard, 34 bis, rue de Savigny, 21200 Beaune, tél. 03.80.22.29.77, fax 03.80.24.06.03, e-mail domaine.cauvard@wanadoo.fr r.-v.

CHAMPY PERE ET CIE
Champs-Pimont 1999

■ 1er cru 0,65 ha 3 600 23 à 30 €

Marcel Proust évoque dans une de ses œuvres le bonheur que l'on ressent à se promener dans Beaune. Cette promenade se poursuit parmi les crus. Voisin de Montée Rouge, Champs-Pimont se trouve au milieu de l'appellation. Ce 99 a de la classe : une robe magnifique, un bouquet fruité sur fond de cuir, de la vigueur en attaque, de la longueur ensuite sur des tanins qu'il faut caresser quelque temps encore. (150 à 199 F)

Maison Champy, 5, rue du Grenier-à-Sel, 21200 Beaune, tél. 03.80.25.09.99, fax 03.80.25.09.95, e-mail champyprost@aol.com r.-v.

Pierre Meurgey, Pierre Beuchet

DOM. CHANGARNIER
Les Bélissands 1999

■ 1er cru 0,45 ha 1 400 15 à 23 €

Bélissands ? Où est-ce donc ? Vous ne voyez pas ? En pied de coteau quand le vignoble commence à regarder vers Pommard. La couleur de ce 99 est belle, le nez évoque le sous-bois, la bouche est à dominante tannique mais la griotte s'y fraie un chemin pour aboutir à une certaine rondeur. A prendre comme tel et à boire sur son fruit. (100 à 149 F)

Dom. Changarnier, pl. du Puits, 21190 Monthélie, tél. 03.80.21.22.18, fax 03.80.21.68.21, e-mail changarnier@aol.com t.l.j. sf dim. 9h-12h 14h-19h

DOM. CHARACHE-BERGERET
Les Pirolles 1999*

■ 0,24 ha 1 500 11 à 15 €

René et Jacqueline Charache ont fondé ce domaine en 1976. Aujourd'hui, leurs deux fils exploitent avec eux les 19 ha qu'ils possèdent sur douze appellations. Provenant d'un *climat* situé le long de la RN 74 en allant vers Chagny et Pommard (côté droit), ce vin abrite sous une robe éclatante un complexe aromatique très subtil : kirsch surtout, avec une pointe minérale. En bouche, il parle le pinot noir comme sa langue maternelle. A attendre un peu. (70 à 99 F)

Charache-Bergeret, 21200 Bouze-lès-Beaune, tél. 03.80.26.00.86, fax 03.80.26.00.86 r.-v.

DOM. DU CHATEAU DE MEURSAULT Cent-Vignes 1998

■ 1er cru 1,9 ha 9 000 23 à 30 €

Cent-Vignes : le nom ancien est Sanvigne (*Sinevineis*, cité dès 1295). Là se trouvait un hameau gallo-romain, près de la fontaine des Marconnets. Rouge clair à légères nuances tuilées, ce vin s'oriente vers le fruit cuit tout en laissant la fraîcheur apaiser ses tanins. (150 à 199 F)

Dom. du Château de Meursault, 21190 Meursault, tél. 03.80.26.22.75, fax 03.80.26.22.76 r.-v.

CH. DE CITEAUX Teurons 1999

■ 1er cru 0,4 ha 2 800 11 à 15 €

Un tertre, une petite éminence. D'où, peut-être, ce nom de *climat*. Ce vin en revanche ne suscite guère d'interrogations. L'exemple même d'un style : la vinification à l'ancienne. Il évolue dans le bon sens, mais la vague de l'attaque se brise encore sur le récif des tanins. Brillance superbe et bouquet au boisé fondu, suggérant le bourgeon de cassis. A attendre de trois à cinq ans. (70 à 99 F)

Dom. Philippe Bouzereau, Ch. de Cîteaux, 18-20, rue de Cîteaux, BP 25, 21190 Meursault, tél. 03.80.21.20.32, fax 03.80.21.64.34, e-mail info@domaine.bouzereau.fr r.-v.

DOM. HENRI CLERC ET FILS
Chaume Gaufriot 1998*

■ 0,3 ha 1 882 11 à 15 €

Depuis 1965, Bernard Clerc conduit ce domaine de 22 ha créé au XVIIe s. Ce *Climat* est situé tout en haut du finage, au-dessus de la Montée Rouge, sur la Montagne. Il fournit un *village* dont la couleur grenat profond nous « ravigote ». Tabac noir, noix de muscade, merrain discret s'expriment au nez. L'attaque est assez tendre, la finale encore abrupte sur des tanins peu habillés. Bonne évolution en perspective. (70 à 99 F)

🔑 Dom. Henri Clerc et Fils, pl. des Marronniers, 21190 Puligny-Montrachet, tél. 03.80.21.32.74, fax 03.80.21.39.60 ☑ 🍷 t.l.j. 8h30-11h45 14h-17h45

🔑 Bernard Clerc

COUVENT DES CORDELIERS 1998

■ 1er cru n.c. 7 800 ⓘ 23 à 30 €

Sous sa robe à reflets légèrement évolués, un bouquet mi-figue mi-raisin. Ce n'est pas façon de parler ! Au palais, ce millésime 98 très typé mise sur la finesse. Une touche de cerise pour amadouer des tanins encore vifs. Le boisé doit également se fondre. Un vin dédié à la mémoire d'André Boisseaux dont on a ouvert en l'an 2000 le caveau secret et qui mit au monde cette maison sœur de Patriarche. (150 à 199 F)

🔑 Caves du Couvent des Cordeliers, rue de l'Hôtel-Dieu, 21200 Beaune, tél. 03.80.25.08.85, fax 03.80.25.08.21 ☑ 🍷 t.l.j. 9h30-12h 14h-18h

YVES DARVIOT Clos des Mouches 1998

■ 1er cru 0,7 ha 3 800 ⓘ 15 à 23 €

Situé au cœur de Beaune, ce domaine compte 3 ha. Rubis classique, ce Clos des Mouches n'est pas dénué de charme (fraise des bois) bien que les tanins montent la garde aujourd'hui, occultant le fruit. Austérité sans doute passagère ; gageons que trois ou quatre années en cave rendront ce 98 plus amène. En *village*, le **Chaume-Gaufriot rouge 98 (70 à 99 F)** obtient la même note. Il faut l'attendre deux ans. (100 à 149 F)

🔑 Yves Darviot, 2, pl. Morimont, 21200 Beaune, tél. 03.80.24.74.87, fax 03.80.22.02.89, e-mail ydarviot@club-internet.fr ☑ 🍷 r.-v.

RODOLPHE DEMOUGEOT
Les Epenotes 1999*

■ n.c. 2 000 ⓘ 11 à 15 €

Pourpre intense à reflets carmins, ce *village* s'ouvre en fanfare. Ses parfums évoquent un peu le tabac, avec une montée en puissance des fruits rouges. Cette sensation perdure au palais. Taillé comme une armoire gothique, un vin à attendre quatre à cinq ans. (70 à 99 F)

🔑 Dom. Rodolphe Demougeot, 2, rue du Clos-de-Mazeray, 21190 Meursault, tél. 03.80.21.28.99, fax 03.80.21.29.18 ☑ 🍷 r.-v.

DOUDET-NAUDIN Les Grèves 1999*

■ 1er cru 0,35 ha 2 431 ⓘ 15 à 23 €

Pas très loin du coup de cœur, ce sujet ! Un dégustateur a fait le difficile, tandis que les autres le trouvaient parfait. Noir cassis dans le verre, assez boisé au nez, ce 99 s'annonce considérable en bouche. Toujours du fût neuf, mais également des saveurs griottées, réglissées, une matière très présente, une intensité profonde. Cette maison a soufflé en 1999 les cent cinquante bougies de son anniversaire. (100 à 149 F)

🔑 Doudet-Naudin, 3, rue Henri-Cyrot, BP 1, 21420 Savigny-lès-Beaune, tél. 03.80.21.51.74, fax 03.80.21.50.69 ☑ 🍷 r.-v.

JOSEPH DROUHIN
Clos des Mouches 1998**

■ 15 ha n.c. ⓘ 30 à 38 €

Le Clos des Mouches sous cette signature ne laisse jamais indifférent. Coup de cœur pour les millésimes 92, 91, 86 et 85, il est en quelque sorte hors concours. Marie de Bourgogne, si célébrée à Beaune, devait porter un rubis aussi flamboyant. Un bouquet très concentré (cerise confite) conduit à une attaque en douceur, enchaînant sur une chair à la fois ferme et tendre, suave. (200 à 249 F)

🔑 Joseph Drouhin, 7, rue d'Enfer, 21200 Beaune, tél. 03.80.24.68.88, fax 03.80.22.43.14, e-mail maisondrouhin@drouhin.com 🍷 r.-v.

DOM. DUBOIS D'ORGEVAL 1998**

■ n.c. 1 200 ⓘ 11 à 15 €

Encore jeune et de bonne garde, que demander de plus ? L'une des meilleures bouteilles de la série. Rubis violacé profond, cerise et myrtille comme parfums préférés, un corps de rêve, une présence... Et ces tanins girofle, muscade... Trois à cinq ans de garde et plus encore. (70 à 99 F)

🔑 Dom. Dubois d'Orgeval, 3, rue Joseph-Bard, 21200 Chorey-lès-Beaune, tél. 03.80.24.70.89, fax 03.80.22.45.02 ☑ 🍷 r.-v.

DOM. LOIS DUFOULEUR
Le Clos du Roi 1999*

■ 1er cru 0,31 ha 2 086 ⓘ 15 à 23 €

Trois *climats* présentés en rouge, tous trois sélectionnés avec une étoile. Le **Clos du Dessus des Marconnets 99 (70 à 99 F), Les Cent Vignes 1er cru 99 (100 à 149 F)** et cette bouteille d'une belle brillance qui a ici droit de cité car plusieurs dégustateurs l'ont située assez haut dans leur notation. On y perçoit le cassis, la fraise des bois. La bouche demeure dans cet esprit, sur un boisé bien fondu. Son début d'évolution conduit à une consommation dans l'année, mais n'empêche pas une garde de trois ou quatre ans. (100 à 149 F)

🔑 Dom. Loïs Dufouleur, 8, bd Bretonnière, 21200 Beaune, tél. 03.80.22.70.34, fax 03.80.24.04.28 ☑ 🍷 r.-v.

DUFOULEUR PERE ET FILS
Les Grèves 1998*

■ 1er cru n.c. 2 500 ⓘ 30 à 38 €

Un vin de garde pour un fond de cave. Sous sa belle couleur de pinot, il n'a pas encore le nez très ouvert mais cela viendra. La structure et la matière sont là, mais un peu comme le bloc de marbre dont le sculpteur esquisse la forme future. (200 à 249 F)

🔑 Dufouleur Père et Fils, 15, rue Thurot, BP 27, 21700 Nuits-Saint-Georges, tél. 03.80.61.21.21, fax 03.80.61.10.65 ☑ 🍷 r.-v.

BOURGOGNE

CH. DES GUETTES
Les Boucherottes 1999★

■ 1er cru 0,3 ha 2 300 15 à 23 €

Première récolte de François Parent qui a joint les vignes reçues de sa famille à celles de Anne-Françoise Gros. Pas mal du tout ! Une robe sombre, presque noire, pour ce 99 au bouquet très intense et fruité. L'astringence est normale, d'autant que la puissance et le gras accordent leurs violons. Etiquette inattendue à la gloire de... la truffe de Bourgogne ! (100 à 149 F)

François Parent, Ch. des Guettes,14 bis, rue Pierre-Joigneaux, 21200 Beaune, tél. 03.80.22.61.85, fax 03.80.24.03.16, e-mail gros.anne.francoise@wanadoo.fr r.-v.

DOMAINES JABOULET-VERCHERRE
Les Bressandes 1999

□ 1er cru 0,9 ha 6 415 15 à 23 €

Pour un poisson en sauce, dans deux ou trois ans. Or blanc à reflets verts, il a le nez encore peu développé, mais un bon équilibre en bouche ; gras et nervosité se conjuguent avec raison sur un fond grillé dont le fruit n'est pas absent. (100 à 149 F)

Maison Jaboulet-Vercherre, 5, rue Colbert, 21200 Beaune, tél. 03.80.22.25.22, fax 03.80.22.03.94

JEAN GAGNEROT Clos du Roi 1999

■ 1er cru n.c. 3 000 11 à 15 €

Même numéro de téléphone que La Reine Pédauque. Il s'agit d'un gentilhomme de sa cour, en habit pourpre soutenu. Complexe et toasté, il peut aussi bien vanter la groseille que la pivoine. Avec un petit côté rustique qui n'est pas pour déplaire, il est bien fait, structuré. Il se tient droit dans son millésime comme dans ses souliers. (70 à 99 F)

Jean Gagnerot, 21420 Aloxe-Corton, tél. 03.80.25.00.00, fax 03.80.26.42.00, e-mail vinibeaune@bourgogne.net r.-v.

DOM. JESSIAUME PERE ET FILS
Cent-Vignes 1999

■ 1er cru 1,16 ha 7 200 15 à 23 €

Rouge violacé, cette bouteille a la couleur des visages un jour de marché sur la place Madeleine. Le nez est framboisé. Souple et frais, le palais ne manque pas de volume. La finale est un peu chaude, mais le vin reste bien en bouche. On y croit. Apogée dans trois à quatre ans. (100 à 149 F)

Dom. Jessiaume Père et Fils, 10, rue de la Gare, 21590 Santenay, tél. 03.80.20.60.03, fax 03.80.20.62.87 r.-v.

DOM. PIERRE LABET
Clos des Monsnières 1999

□ 1 ha 5 000 15 à 23 €

Jaune d'or assez soutenu à reflets verts, ce *village* possède le plus joli nez du monde, avec des notes de grillé, de fruits mûrs et des touches mentholées. La bouche est moins complexe, mais conviendra à une sole meunière. En **rouge, le 1er cru Coucherias 99** se montre dans toute sa jeunesse. Puissance au nez, vigueur en bouche où le grillé l'emporte encore pour deux ou trois ans. Avec le temps, l'austérité fera place aux fruits déjà sous-jacents. (100 à 149 F)

Dom. Pierre Labet, Clos de Vougeot, 21640 Vougeot, tél. 03.80.62.86.13, fax 03.80.62.82.72, e-mail contact@chateaudelatour.com t.l.j. sf mar. 10h30-19h; f. 15 nov. à Pâques

François Labet

DOM. DE LA CONFRERIE 1999

■ 0,7 ha 2 000 11 à 15 €

C'est au fil des générations que s'est constitué ce domaine qui n'a pris ce nom de Confrérie qu'en 1991. Rubis violacé, légèrement fruité, ce *village* laisse sa jeunesse plaider en sa faveur. Il faut laisser au temps le soin de lisser ses tanins. (70 à 99 F)

EARL Jean Pauchard et Fils, Dom. de La Confrérie, rue Perraudin, 21340 Cirey-lès-Nolay, tél. 03.80.21.89.23, fax 03.80.21.70.27, e-mail domj.pauchard@wanadoo.fr r.-v.

DOM. DE LA CREA
Les Cent Vignes 1999★

■ 1er cru 0,5 ha 2 600 11 à 15 €

Cécile Chenu dirige ce domaine depuis 1992. Elle propose un vin intéressant dont le nez exprime à la fois un pinot léger et des parfums du terroir. La robe est tout à fait classique. Ce 99 joue le grand jeu à l'attaque, déployant toutes ses forces. Très charpenté, il a réussi à maîtriser ses tanins, devenus très coopératifs. Au sommet d'ici deux ans. (70 à 99 F)

Cécile Chenu-Repolt, La cave de Pommard, 1, rte de Beaune, 21630 Pommard, tél. 03.80.24.62.25, fax 03.80.24.62.42, e-mail cecile.chenu@wanadoo.fr t.l.j. 10h-18h

MICHEL LAHAYE
Les Bons Feuvres 1998★

■ 0,44 ha 1 200 11 à 15 €

Cet excellent *village*, d'un rouge grenat assez soutenu, évoque la noix, les épices douces. Son attaque ? Solide et jeune. L'ensemble est bien dessiné, bien proportionné, tant du côté de la plénitude que de celui de l'harmonie. Encore dans son enfance, il demande à passer quelques années en cave. (70 à 99 F)

Michel Lahaye, pl. de l'Eglise, 21630 Pommard, tél. 03.80.22.52.22 r.-v.

DANIEL LARGEOT Les Grèves 1999★

■ 1er cru 0,6 ha 3 500 15 à 23 €

Le coup de cœur, il connaît. Il l'a obtenu dans les éditions 1998 et 1999 (millésime 95 et 96). Son 99 offre des Grèves une vision bien complète, même s'il ne s'exprime pas pleinement aujourd'hui. Les reflets violacés sont de bon ton, le fin boisé ne masque pas le fruit, car les tanins sont soyeux. Cerise noire en rétro-olfaction, avec des nuances confites. A avoir dans son cellier. (100 à 149 F)

Daniel Largeot, 5, rue des Brenôts, 21200 Chorey-lès-Beaune, tél. 03.80.22.15.10, fax 03.80.22.60.62 r.-v.

CH. DE LA VELLE Cent Vignes 1998*

1er cru 0,24 ha 750 11 à 15 €

Son dernier coup de cœur ? Dans le Guide 1999 pour un 96. Grenat clair, le nez très « pinot », cette cuvée est un long métrage en bouche. Sa persistance est grande. Du générique au baiser final, l'intrigue est légère, plaisante, d'une belle vinosité. « Cela devrait plaire aux dames », note un juré sur sa fiche. Vous voilà avertie, chère lectrice ! A ne pas manquer également, en **rouge, 1er cru Les Marconnets 98 (100 à 149 F)** ils sont riches et prometteurs, dotés d'un nez animal et grillé intéressant. En **blanc, ces Marconnets 99 (100 à 149 F)** seront très bons dans deux ans, tout comme le **Clos des Monsnières 99 (70 à 99 F)**. Tous obtiennent une étoile. (70 à 99 F)

Bertrand Darviot, Ch. de La Velle, 17, rue de La Velle, 21190 Meursault, tél. 03.80.21.22.83, fax 03.80.21.65.60, e-mail chateaudelavelle@infonie.fr r.-v.

LYCEE VITICOLE DE BEAUNE
La Montée Rouge 1998*

1er cru 0,8 ha 4 104 11 à 15 €

Respiciamus atque prospiciamus, telle est la devise du lycée viticole qui a formé des générations de viticulteurs : « Nous regardons derrière nous et devant nous.» Grenat limpide, ce 98 se révèle complexe dès le premier coup de nez. Framboise, mais aussi genièvre, mousse, cuir... Soyeux, il laisse une impression de rondeur délicieuse. On lit sur son carnet scolaire : « S'il s'applique, fera mieux encore. » Honnêtes, les **Perrières 99 rouge en 1er cru** sont citées. (70 à 99 F)

Dom. du Lycée viticole de Beaune, 16, av. Charles-Jaffelin, 21200 Beaune, tél. 03.80.26.35.81, fax 03.80.22.76.69 t.l.j. sf dim. 8h-11h30 14h-17h; sam. 8h-11h30

DOM. MAILLARD PERE ET FILS
1999*

1,4 ha n.c. 11 à 15 €

Paré d'une robe rubis soutenu assez limpide, ce 99 offre un nez relativement discret qui évoque la jeunesse, le raisin. « Epices douces », comme on dit. L'attaque est fraîche puis boisée, dans un contexte de fruits noirs. Le fond est sérieux, le gras bien en place. Un vin franc et prometteur, chaleureux et que l'on peut apprécier dès à présent. (70 à 99 F)

Dom. Maillard Père et Fils, 2, rue Joseph-Bard, 21200 Chorey-lès-Beaune, tél. 03.80.22.10.67, fax 03.80.24.00.42 r.-v.

DOM. RENE MONNIER
Cent-Vignes 1999**

1er cru 1,7 ha 7 000 11 à 15 €

Ce 99 vous reçoit tout d'abord dans l'intimité olfactive d'un accueil discret. Une vieille bouteille de liqueur de cassis vous attend. L'œil a son content : une flamme rouge foncé enveloppée de reflets violacés. En bouche, le tableau s'anime, prend du volume, explose de vinosité sur les tanins les plus fins. Le **1er cru Toussaints 99 rouge** mérite de chaleureux éloges et une étoile. (70 à 99 F)

Dom. René Monnier, 6, rue du Dr-Rolland, 21190 Meursault, tél. 03.80.21.29.32, fax 03.80.21.61.79 t.l.j. 8h-12h 14h-18h

M. et Mme Bouillot

DOM. PARIGOT PERE ET FILS
Les Aigrots 1999**

1er cru 1,23 ha 8 000 11 à 15 €

Côté Pommard à la hauteur du Clos des Mouches, ce 99 possède un potentiel très important. On s'émerveille de sa robe rouge profond. On discerne le fruit mûr à l'approche du nez. Son corps est élégant, souple, délicat, réglissé. Ses tanins sont lissés. Et cependant, quelle charpente en perspective ! Pour une pintade au chou, si l'on peut vous donner ce conseil. Tout comme le **1er cru Grèves 99 rouge (100 à 149 F)**, très chaleureux dont le millésime 87 obtint le coup de cœur dans l'édition 1990. (70 à 99 F)

Dom. Parigot Père et Fils, rte de Pommard, 21190 Meloisey, tél. 03.80.26.01.70, fax 03.80.26.04.32 r.-v.

CH. PHILIPPE-LE-HARDI
Clos du Roi 1999

1er cru 0,83 ha 6 200 11 à 15 €

Il a la robe nette et franche du millésime (rouge foncé à reflets violets). Le nez riche de fruits noirs est vanillé, toasté. Bien vinifié, à la recherche de l'élégance, il révèle en bouche de bons tanins et des notes de griotte et de cassis. Il grandira encore un peu avec trois ans de garde. (70 à 99 F)

Ch. de Santenay, BP 18, 21590 Santenay, tél. 03.80.20.61.87, fax 03.80.20.63.66 r.-v.

THIERRY PINQUIER-BROVELLI
Les Chaumes Gauffriot 1999*

0,3 ha 1 600 8 à 11 €

A soixante-treize ans, le père de Thierry Pinquier travaille toujours ses vignes avec amour. Ce dernier gère le domaine depuis 1994. Il a proposé un vin que le jury aurait aimé goûter sur un canard rôti ! Rubis brillant, ce 99 ne cache pas le fût qui l'a élevé car le premier nez est torréfié. Mais « la composition générale est bonne », tranchent les dégustateurs. A attendre trois ans. (50 à 69 F)

Thierry Pinquier, 5, rue Pierre-Mouchoux, 21190 Meursault, tél. 03.80.21.24.87, fax 03.80.21.61.09 t.l.j. 8h-12h30 13h-19h

ALBERT PONNELLE Clos du Roi 1998*

1er cru n.c. n.c. 23 à 30 €

Rustique, ce Clos du Roi ? Disons démocratique. Le roi-citoyen. Grenat moyennement intense, il a le nez ouvert sur le fruit cuit. Très ouvert, même. Davantage de gras et il dominait une finale un peu ferme. Mais la structure, la texture sont de qualité. Et le cassis en point d'orgue ! (150 à 199 F)

BOURGOGNE

Albert Ponnelle, Clos Saint-Nicolas, BP 107, 21200 Beaune, tél. 03.80.22.00.05, fax 03.80.24.19.73, e-mail info@albert-ponnelle.com ☑ ♈ r.-v.
Louis Ponnelle

DOM. JACQUES PRIEUR Grèves 1998*

■ 1er cru 1,7 ha 6 000 15 à 23 €

« Beaune donne envie de tomber malade », disait Viollet-le-Duc au sortir de l'Hôtel-Dieu. Cette bouteille est pleine de réconfort. On croit voir les draperies rouges de la grande salle des Pôvres. Léger parfum de vanille, puis une atmosphère d'équilibre sur un beau fruité. « J'aimerais l'avoir fait », confesse un de nos dégustateurs qui ne peut dire mieux. Il le conseille pour un gibier à poil. Cités, en **blanc, les Champs Pimont 98 (150 à 199 F)** doivent encore attendre car le boisé est très (trop ?) présent. (100 à 149 F)

Dom. Jacques Prieur, 6, rue des Santenots, 21190 Meursault, tél. 03.80.21.23.85, fax 03.80.21.29.19 ☑ ♈ r.-v.

DOM. RAPET PERE ET FILS Grèves 1999

■ 1er cru 0,36 ha 2 000 15 à 23 €

Vincent Rapet arrive sur ce très vieux domaine familial dont on retrouve des traces au XVIIIe s. Ce 99 précède sa prise de fonction. Sa couleur est engageante, son bouquet tapissé de mousse fraîche. Ses tanins restent un peu carrés, mais un retour de groseille, la persistance et l'expression générale, en font un vin riche en promesses. (100 à 149 F)

Dom. Rapet Père et Fils, 21420 Pernand-Vergelesses, tél. 03.80.21.59.94, fax 03.80.21.54.01 ☑ ♈ r.-v.

DOM. REBOURGEON-MURE Les Vignes Franches 1999*

■ 1er cru 0,62 ha 3 000 11 à 15 €

Installé à Pommard, ce domaine remonterait au XVIe s. ; ici, en beaune, les vignes sont vénérables (soixante-dix ans). Grenat intense à reflets pourpres, voilà pour l'ouverture. Le nez est très charmeur avec du fruit en compote. L'attaque est souple, la bouche équilibrée, jouant sur des tanins qui ne gomment ni cassis, ni mûre, ni framboise. La finale est agréable. Ce que l'on appelle un vin « féminin », qu'il faudra attendre deux à quatre ans. (70 à 99 F)

Daniel Rebourgeon-Mure, Grande-Rue, 21630 Pommard, tél. 03.80.22.75.39, fax 03.80.22.71.00 ☑ ♈ r.-v.

ROGER ET JOEL REMY Les Cent Vignes 1999

■ 1er cru n.c. n.c. 11 à 15 €

Il est assez ouvert, multiple. Marqué par le fût, mais susceptible d'une évolution convenable car il a de l'ampleur, du volume et de la longueur. Du caractère, aussi. Il faut attendre que ses tanins se fondent. (70 à 99 F)

SCEA Roger et Joël Rémy, 4, rue du Paradis, 21200 Sainte-Marie-la-Blanche, tél. 03.80.26.60.80, fax 03.80.26.53.03 ☑ ♈ t.l.j. sf dim. 8h-12h 14h-18h

DOM. NICOLAS ROSSIGNOL 1999**

■ 0,45 ha 2 500 8 à 11 €

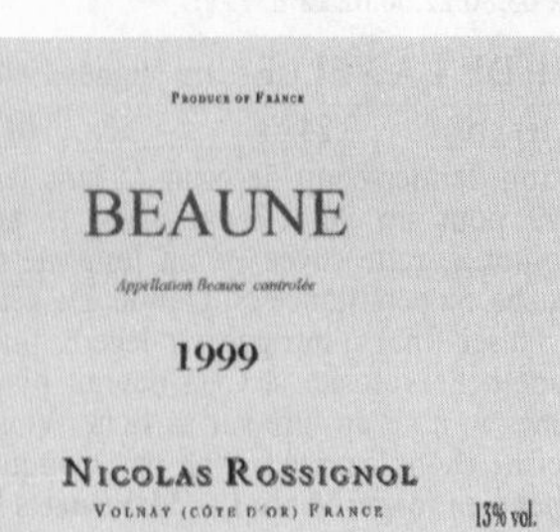

Nicolas Rossignol a pris le gouvernail de la propriété en 1997 et déjà un coup de cœur ! Nul doute que le trézeleur de l'Hôtel-Dieu carillonnera en l'honneur de ce vin réellement remarquable. D'un rouge feu, il séduit le nez grâce à de très beaux accents fruités. Au palais, il a tout pour plaire : la finesse, l'élégance, la charpente et, plus encore, une typicité parfaite. Or, c'est ce qu'on recherche de plus en plus. (50 à 69 F)

Nicolas Rossignol, rue de Mont, 21190 Volnay, tél. 03.80.21.62.43, fax 03.80.21.27.61 ☑ ♈ r.-v.

DOM. ROSSIGNOL-FEVRIER PERE ET FILS Les Chardonnereux 1998**

■ 0,46 ha 2 800 8 à 11 €

L'un de ces *climats* qui, fort utilement, arrêtent l'urbanisation de Beaune du côté du vignoble, ici à la sortie menant vers Pommard. Quant à son vin, il a tout d'un merveilleux *village*. Flatteur, il ne vit cependant pas aux dépens du consommateur. Intense au regard, bien nuancé au nez (pivoine, violette, poivre noir), il est vineux, ample, et son retour en bouche est d'une grande sensualité. Nous n'inventons rien. C'est écrit sur les fiches des dégustateurs. (50 à 69 F)

EARL Rossignol-Février, rue du Mont, 21190 Volnay, tél. 03.80.21.64.23, fax 03.80.21.67.74 ☑ ♈ r.-v.
Frédéric Rossignol

DOM. ROSSIGNOL-TRAPET Teurons 1998*

■ 1er cru 1,2 ha 7 600 15 à 23 €

Rossignol, un pied en Côte de Beaune. Trapet, un pied en Côte de Nuits. Ces deux lignées vigneronnes donnent naissance à ce Teurons pourpre foncé. Quelques notes grillées, des senteurs animales puis les fruits bien mûrs s'expriment au nez. Les tanins sont très présents mais joliment enrobés. De très belle longueur, ce vin est à laisser vieillir quelques années (quatre à six ans). Il se bonifiera encore. (100 à 149 F)

Dom. Rossignol-Trapet, 3, rue de la Petite-Issue, 21220 Gevrey-Chambertin, tél. 03.80.51.87.26, fax 03.80.34.31.63, e-mail info@rossignol-trapet.com ☑ ♈ r.-v.

OM. VOARICK Montée Rouge 1998

0,92 ha 5 800 15 à 23 €

Ce domaine a été acheté par Michel Picard. propose ici un vin limpide et rouge cerise clair, nez vagabond. On passe d'arômes floraux ose, pivoine) à des accents plus évolués, fruis. Cette finesse du fruit, cette floralité emplisnt le palais de saveurs assez douces, veloutées. ette bouteille est une ballerine, légère, rienne, le pas très long. (100 à 149 F)

Emile Voarick, 71640 Saint-Martin-sous-ontaigu, tél. 03.85.45.23.23, fax 03.85.45.16.37 t.l.j. 8h-12h 14h-18h

Côte de beaune

A ne pas confondre avec le ôte de beaune-villages, l'appellation côte e beaune ne peut être produite que sur uelques lieux-dits de la Montagne de eaune. Elle a déclaré 890 hl de vin rouge 583 hl de vin blanc en 2000.

OSEPH DROUHIN 1998*

n.c. n.c. 15 à 23 €

Il devrait s'ouvrir d'ici peu : l'œil est d'emblée éduit par la brillance de la robe cerise. Le nez exprime peu, attendant que douze mois s'écouent pour parfaire son langage. En revanche, la ouche est tout en petits fruits rouges confiturés, quilibrée sur des tanins fins qui ne demandent u'à se fondre. Une bouteille bien à son rang. 100 à 149 F)

Joseph Drouhin, 7, rue d'Enfer, 1200 Beaune, tél. 03.80.24.68.88, ax 03.80.22.43.14, -mail maisondrouhin@drouhin.com r.-v.

OM. LOIS DUFOULEUR
Les Longes 1999*

0,75 ha 5 000 11 à 15 €

D'un beau rouge soutenu, un 99 qui a de allure. Jeunesse et fraîcheur dans le bouquet, inesse et rondeur au palais, voilà un pinot qui onnaît sa chanson. De style plutôt souple et une verve légèrement confiturée à partir du milieu de bouche. (70 à 99 F)

Dom. Loïs Dufouleur, 8, bd Bretonnière, 21200 Beaune, tél. 03.80.22.70.34, fax 03.80.24.04.28 r.-v.

EMMANUEL GIBOULOT
La Grande Châtelaine 1999*

2,34 ha 3 000 8 à 11 €

De la vivacité dans l'or d'un vin citronné, assez généreusement offert, un vin, à côté duquel on n'a nullement envie de passer. Rondeur et soutien acide justement mesurés donnent au fruit tout son charme. Un petit quelque chose de la noisette en fin de bouche. Peu d'ampleur, mais une bouteille réussie dans son registre. Même note pour **Les Pierres Blanches en blanc 99**. (50 à 69 F)

Emmanuel Giboulot, Combertault, 21200 Beaune, tél. 03.80.26.52.85, fax 03.80.26.53.67 r.-v.

DOM. CHANTAL LESCURE
Le Clos des Topes Bizot 1999*

4,28 ha 3 000 8 à 11 €

Robe cerise bien mûre, nez cerise élégante, nous restons en famille. Ce vin de Beaune (haut du coteau, versant Savigny) dispose de toutes les qualités requises pour bien évoluer : matière, concentration, charpente. Touche réglissée de bon aloi en finale. (50 à 69 F)

Dom. Chantal Lescure, 34 A, rue Thurot, 21700 Nuits-Saint-Georges, tél. 03.80.61.16.79, fax 03.80.61.36.64, e-mail contact@domaine-lescure.com r.-v.

DOM. POULLEAU PERE ET FILS
Les Mondes Rondes 1999*

3,2 ha 9 000 5 à 8 €

On conseille en **blanc 99 le climat Grande Châtelaine** (une étoile) et en rouge ces Mondes Rondes dans le même millésime. On se situe ici au sommet de la Montagne de Beaune. Un vin à laisser venir, mais d'une belle concentration de couleur et d'arômes (sous-bois, fruit mûr), généreux et puissant sur des tanins rustiques qui vont s'assouplir. (30 à 49 F)

Dom. Poulleau Père et Fils, rue du Pied-de-la-Vallée, 21190 Volnay, tél. 03.80.21.26.52, fax 03.80.21.64.03 r.-v.

Pommard

C'est l'appellation bourguignonne la plus connue à l'étranger, sans doute en raison de sa facilité de prononciation... Le vignoble a produit 16 472 hl en 1999 et 14 753 hl en 2000. L'argovien marneux est ici remplacé par des calcaires tendres, et les vins produits sont solides, tanniques ; ils ont une bonne aptitude à la garde. Les meilleurs climats sont classés en premiers crus, dont les plus connus sont les Rugiens et les Epenots.

BALLOT-MILLOT ET FILS
Pézerolles 1999*

1er cru 0,7 ha 2 700 15 à 23 €

La Saint-Vincent tournante 2001 doit beaucoup à ce viticulteur très dévoué, ce qui ne l'empêche pas de soigner ses vinifications. A mi-chemin du pourpre et du grenat, ce Pézerolles est une vraie tentation. Au nez, des notes gourmandes de fruits mûrs. En bouche, un parcours complet avec de solides arguments. Même la légère amertume en finale n'a rien d'étonnant,

BOURGOGNE

ni de désagréable. Trois ans de garde au moins. (100 à 149 F)
Ballot-Millot et Fils, 9, rue de la Goutte-d'Or, BP 33, 21190 Meursault, tél. 03.80.21.21.39, fax 03.80.21.65.92 r.-v.

ROGER BELLAND Les Cras 1999★★

■ 0,98 ha 5 000 15 à 23 €

Couleur de cerise très mûre laissée sur l'arbre, ces Cras (juste en dessous des 1ers crus, côté volnay) laissent deviner une macération très portée sur les arômes (fruits noirs, pruneau). La bouche est extrêmement charnue et vineuse. Les tanins vont se marier : les bans sont déjà publiés. Réussite incontestable et fort potentiel de garde (cinq à dix ans). (100 à 149 F)
Dom. Roger Belland, 3, rue de la Chapelle, BP 13, 21590 Santenay, tél. 03.80.20.60.95, fax 03.80.20.63.93, e-mail belland.roger@wanadoo.fr r.-v.

DOM. GABRIEL BILLARD
Charmots 1998★

■ 1er cru 0,4 ha 1 800 15 à 23 €

Laurence Jobard et Mireille Desmonet jouent avec succès dans le vignoble. Elles ont déjà obtenu deux coups de cœur dans les éditions 1993 et 2001(millésime 90 et 97), et connaissent leur métier sur le bout des doigts. Rubis léger, ce vin est très fruité. Encore fougueuse, mais prometteuse, sa bouche offre une composition où le boisé est associé à des fruits rouges en marmelade et à la feuille de cassis. Une élégante finesse à convoquer dans trois à cinq ans. (100 à 149 F)
SCEA Dom. Gabriel Billard, imp. de la Commaraine, 21630 Pommard, tél. 03.80.22.27.82, fax 03.85.49.49.02 r.-v.

DOM. BILLARD-GONNET
Rugiens-Bas 1998★

■ 1er cru 0,25 ha 1 500 23 à 30 €

Un vrai vin fin. De couleur vive, il suggère le cuir, la framboise. Ses tanins ont les poings fermés, mais, comme le disait saint Bernard, « il faut laisser du temps au temps ». Ce domaine détient des parcelles dans huit 1ers crus de l'appellation. Autres vins conseillés : le **1er cru Clos de Verger 98**, une étoile pour une extraction qui met en valeur le fruit et, cité par le jury, le **1er cru Chaponnières 98** de très bonne facture (100 à 149 F pour ces deux derniers). (150 à 199 F)
Dom. Billard-Gonnet, rte d'Ivry, 21630 Pommard, tél. 03.80.22.17.33, fax 03.80.22.68.92 r.-v.

ERIC BOIGELOT 1998★

■ 0,35 ha 2 200 15 à 23 €

Beau rouge brillant à reflets pourpres. Le nez n'a pas choisi entre la cerise et les fruits noirs (myrtille), arômes auxquels s'ajoutent des notes animales. Ce 98 structuré demande deux ou trois ans de garde. (100 à 149 F)
Eric Boigelot, 21, rue des Forges, 21190 Meursault, tél. 03.80.21.65.85, fax 03.80.21.66.01 r.-v.

DOM. ALBERT BOILLOT
Les Chanlins-Bas 1999

■ 1er cru 0,25 ha 1 700 11 à 15 €

Vous pouvez vous intéresser au **1er cru En Argillière 99**, austère et de garde, ou à celui-ci, très représentatif : il a du caractère, offre un bon rendez-vous avec le fruit, et réjouit le palais sous sa robe vermillon. Harmonieux, mis en valeur par de petites épices et des tanins assez fins, il est plaisant et de garde lui aussi. (70 à 99 F)
SCE du Dom. Albert Boillot, ruelle Saint-Etienne, 21190 Volnay, tél. 03.80.21.61.21, fax 03.80.21.61.21, e-mail dom.albert.boillot@wanadoo.fr r.-v.

MICHEL BOUZEREAU ET FILS
Les Cras 1998★

■ 0,35 ha n.c. 15 à 23 €

« Enfin du pommard ! » s'exclame un de nos jurés. Grenat profond, ce 98 est déjà bien ouvert dans un registre de fruits frais. En bouche, le terroir est fortement souligné, tandis que tout s'accorde : la force et l'élégance, la puissance et la longueur. Ce vin pourrait convenir à un coq au pommard, ce vieux rival du coq au chambertin. (100 à 149 F)
Michel Bouzereau et Fils, 3, rue de la Planche-Meunière, 21190 Meursault, tél. 03.80.21.20.74, fax 03.80.21.66.41 r.-v.

DOM. CAILLOT 1998★★

■ 2 ha 5 000 15 à 23 €

La *Ola* ! du foot pour un pommard ? Oui, si l'on écoute nos arbitres : une robe pourpre sombre, un nez de cuir et d'amande grillée, une bouche ample puis vineuse, et charpentée sur la fin. Fait pour durer, un vin de tradition qui ne craint pas de montrer les dents. Le jury s'en porte garant. (100 à 149 F)
GAEC Dom. Caillot, 14, rue du Cromin, 21190 Meursault, tél. 03.80.21.21.70, fax 03.80.21.69.58 r.-v.

DENIS CARRE Les Charmots 1999★★

■ 1er cru n.c. n.c. 15 à 23 €

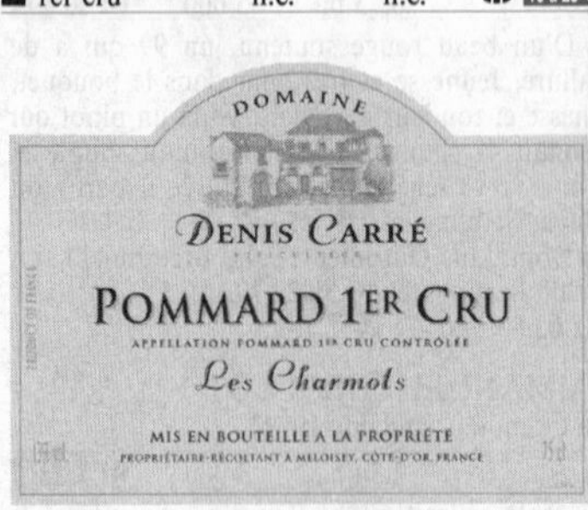

Coup de cœur en 1995 pour ses Noizons 92, ce viticulteur, rencontré souvent en bonne place dans le Guide, retrouve cette distinction dans la plus parfaite unanimité. Encre noire pourrait-on dire de sa robe. Le fût a le bon goût de ne pas nuire au fruit. Cela suggère le raisin, la griotte,

sur des tanins bien intégrés. La mâche est superbe. (100 à 149 F)
Denis Carré, rue du Puits-Bouret, 21190 Meloisey, tél. 03.80.26.02.21, fax 03.80.26.04.64 r.-v.

DOM. DU CHATEAU DE MEURSAULT Les Petits Noizons 1998*

■ 1,5 ha 7 000 23 à 30 €

Rien ne laisse indifférent. Rubis foncé, ce 98 issu d'un terrain très caillouteux sur le haut du coteau regarde le soleil droit dans les yeux quand sonnent à l'église les douze coups de midi. Très réussi, le nez a des accents de mûre et de silex ; le vin garde cette personnalité en bouche tandis que les tanins montent en puissance. Vrai pommard vineux et délicat, de longue garde assurément. (150 à 199 F)
Dom. du Château de Meursault, 21190 Meursault, tél. 03.80.26.22.75, fax 03.80.26.22.76 r.-v.

DOM. Y. CLERGET Les Rugiens 1998*

■ 1er cru 0,85 ha 4 000 23 à 30 €

Ces Rugiens s'offrent à nous sous une couleur intense. Le premier coup de nez n'apporte rien, le second (après agitation) donne naissance à un fruit qui se confirme peu à peu : la griotte, pour tout dire. D'un gros volume, la bouche a des tanins raisonnables, un boisé discret ; ne pas trop l'attendre. (150 à 199 F)
Dom. Y. Clerget, rue de la Combe, 21190 Volnay, tél. 03.80.21.61.56, fax 03.80.21.64.57 r.-v.

ALAIN COCHE-BIZOUARD La Platière 1999*

■ 0,36 ha 2 200 15 à 23 €

Certains *climats* de pommard ne figurent jamais sur une étiquette : Rue au Porc par exemple, ou La Vache... Allez donc écrire ça ! Quant à cette Platière, elle regarde le *médiot* (le Midi)

BOURGOGNE

La côte de Beaune (Centre-Nord)

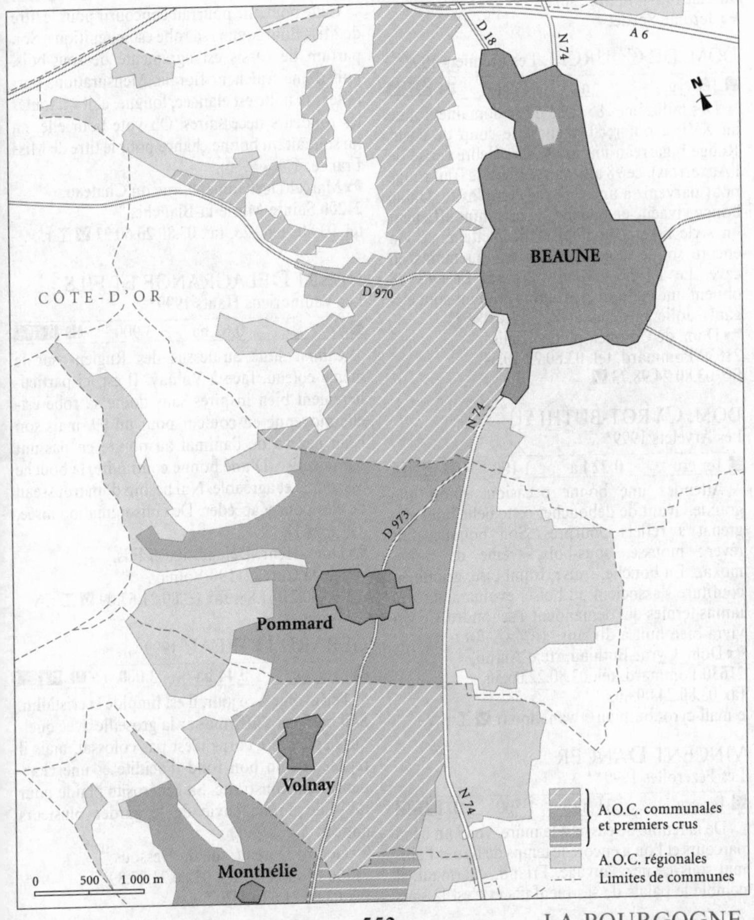

le long de la combe. Rouge à reflets brique, bien fruité et quelque peu réglissé, un vin qui évite tous les excès et laisse une impression de distinction et d'étoffe. (100 à 149 F)
EARL Alain Coche-Bizouard, 5, rue de Mazeray, 21190 Meursault, tél. 03.80.21.28.41, fax 03.80.21.22.38 r.-v.

DOM. COSTE-CAUMARTIN
Le Clos des Boucherottes 1998*

■ 1er cru 1,81 ha 10 000 15 à 23 €

Durant quelque deux cents ans, la famille Coste-Caumartin a fabriqué des poêles et des cuisinières. Puis elle s'est tournée vers la vigne et le pressoir. Son Clos des Boucherottes est un monopole situé à la limite de Beaune. Vermillon foncé, ce 98 fait défiler les fruits rouges et les épices. Ce n'est peut-être pas un vin de longue garde, et on le boira sur le fruit, tendre et velouté, pendant les trois ou quatre années à venir. (100 à 149 F)
SCE du dom. Coste-Caumartin, rue du Parc, 21630 Pommard, tél. 03.80.22.45.04, fax 03.80.22.65.22, e-mail coste.caumartin@wanadoo.fr t.l.j. 9h-12h 14h-19h; dim. sur r.-v.
Jérôme Sordet

DOM. DE COURCEL Les Frémiers 1998*

■ 1er cru n.c. 2 000 23 à 30 €

Des millésimes 85 et 88 de ce domaine, fondé au XVIe s., ont reçu naguère le coup de cœur. Rouge bigarreau marmotte (la célèbre cerise de l'Auxerrois), ce 98 allie la vanille et le fruit rouge pour parvenir à une certaine complexité. D'une bonne vivacité en bouche, où les tanins affichent un style assez convivial et prometteur, ce vin encore solide attendra deux ans au moins en cave. Le **1er cru Grand Clos des Epenots 98** obtient une citation. Ses tanins présents sont élégants. Jolie garde assurée. (150 à 199 F)
Dom. de Courcel, pl. de l'Eglise, 21630 Pommard, tél. 03.80.22.10.64, fax 03.80.24.98.73

DOM. CYROT-BUTHIAU
Les Arvelets 1999*

■ 1er cru 0,22 ha 1 100 15 à 23 €

Attendez une bonne occasion, sinon une grande, avant de déboucher cette belle bouteille grenat à reflets pourpres. Son bouquet fait rêver : mousse, sous-bois, crème de mûre, moka... En bouche, fraise, framboise, griotte en confiture s'associent au boisé, évoluant sur des tanins fermes qui demandent à se fondre. Ce vin vivra bien huit à dix ans. (100 à 149 F)
Dom. Cyrot-Buthiau, rte d'Autun, 21630 Pommard, tél. 03.80.22.06.56, fax 03.80.24.00.86, e-mail cyrot.buthiau@wanadoo.fr r.-v.

VINCENT DANCER
Les Pézerolles 1999**

■ 1er cru 31 ha 1 500 15 à 23 €

De la feuille de cassis à la mûre, voici un beau parcours et l'on a encore le temps de flairer l'animal sous ce nez sauvage. Friand, charmant, il comble le palais de ses bienfaits et c'est là sans doute qu'il décroche son coup de cœur, saluant le quatrième millésime d'un jeune viticulteur. (100 à 149 F)

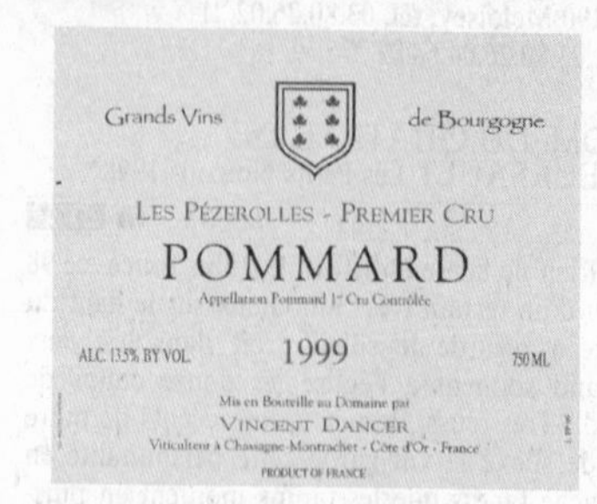

Vincent Dancer, 23, rte de Santenay, 21190 Chassagne-Montrachet, tél. 03.80.21.94.48, fax 03.80.21.94.48, e-mail vincentdancer@aol.com r.-v.

MARCEL DECHAUME 1999**

■ 0,6 ha 1 500 11 à 15 €

Cette bouteille pourrait concourir pour le titre de Miss Bourgogne : sa robe est magnifique. Son parfum de cassis est agrémenté de sous-bois, puis d'une fraîcheur florale. Mensurations parfaites : la taille est élancée, longue, et il y a toutes les rondeurs nécessaires. On vote pour elle, en lui souhaitant bonne chance pour le titre de Miss France. (70 à 99 F)
Marcel Dechaume, 9, rue du Château, 21200 Sainte-Marie-la-Blanche, tél. 03.80.26.60.23, fax 03.80.26.60.23 r.-v.

HENRI DELAGRANGE ET FILS
Les Vaumuriens Hauts 1999*

■ 0,62 ha 3 900 11 à 15 €

Climat situé au-dessus des Rugiens sur le même coteau, face à Volnay. Il est ici particulièrement bien inspiré. Sans doute sa robe est-elle moyenne en couleur pour un 99, mais son beau nez va de l'animal au poivre en passant par la cerise. D'une bonne continuité, la bouche est souple et agréable. Nul besoin d'un trousseau de clés pour y accéder. De consommation aisée. (70 à 99 F)
Dom. Henri Delagrange et Fils, rue de la Cure, 21190 Volnay, tél. 03.80.21.61.88, fax 03.80.21.67.09 r.-v.

GERARD DOREAU 1999

■ 0,44 ha 3 000 11 à 15 €

Peu évolué à ce jour, il est limpide et cristallin. Son bouquet s'affirme sur la groseille avec quelques épices. Le corps n'est pas colossal, mais il repose sur un bon fond d'acidité et une charpente bien construite. Sa générosité plaide pour lui. Elle donne envie de le garder plusieurs années. (70 à 99 F)
Gérard Doreau, rue du Dessous, 21190 Monthélie, tél. 03.80.21.27.89, fax 03.80.21.62.19 r.-v.

CH. DE DRACY 1998

■ 0,4 ha 2 000 30 à 38 €

Forteresse militaire construite en 1298, le château de Dracy a connu de nombreuses restaurations qui n'ont pas nui à sa fière allure. Mis en bouteilles par la maison Bichot, le vin que nous avons dégusté portait une belle robe pourpre mais son premier nez était fermé. A l'aération, des effluves de cassis accompagnaient le moka de la barrique. Le palais tannique révélait de la matière, de la charpente, des arômes de réglisse. Le verdict était clair : à faire vieillir deux à trois ans. (200 à 249 F)

SCA Ch. de Dracy, 71490 Dracy-lès-Couches, tél. 03.85.49.62.13 r.-v.

Benoît de Charette

DOM. CHRISTINE ET JEAN-MARC DURAND 1999*

■ 1,1 ha 3 000 11 à 15 €

Un vin qui a le goût de la liberté. Il s'envole en bouche, en équilibre entre la puissance et la finesse. Les tanins sont mis en évidence, sans agressivité cependant. Mi-rubis mi-grenat, il orne son bouquet de mûre et de violette sur fond torréfié. Ne boudons pas notre plaisir ! (70 à 99 F)

Dom. Christine et Jean-Marc Durand, 1, rue de l'Eglise, 21200 Bouze-lès-Beaune, tél. 03.80.22.75.31, fax 03.80.26.02.57 r.-v.

CH. GENOT-BOULANGER Clos Blanc 1998*

■ 1er cru 0,32 ha 1 500 23 à 30 €

Que l'on ne s'y trompe pas : le Clos Blanc (à côté des Epenots) est un vin rouge. Pourpre prononcé à reflets de cerise noire, il a le nez discret mais très net sur le sureau, la mûre, et toujours la cerise noire. En bouche il terroite un peu, riche et tannique. Une garde de dix ans de cave ne lui fait pas peur. (150 à 199 F)

SCEV Ch. Génot-Boulanger, 25, rue de Cîteaux, 21190 Meursault, tél. 03.80.21.49.20, fax 03.80.21.49.21, e-mail genot.boulanger@wanadoo.fr r.-v.

M. Delaby

CH. DES GUETTES Les Pézerolles 1999*

■ 1er cru 0,3 ha 1 300 23 à 30 €

Une petite parcelle sur ce *climat* situé juste au-dessus des Epenots et qui compte 5 ha 91 ares 18 ca. D'une belle architecture, ce vin encore bien jeune joue la finesse, l'élégance avant de plaider plus complètement sa cause. Si son grenat sombre reste très classique, le bouquet un peu balsamique, tirant sur l'épice, évoquant la venaison (« ventre de lièvre » dit-on entre spécialistes) retient déjà l'attention. Le corps est à parfaire mais de bonne construction. (150 à 199 F)

François Parent, Ch. des Guettes, 14 bis, rue Pierre-Joigneaux, 21200 Beaune, tél. 03.80.22.61.85, fax 03.80.24.03.16, e-mail gros.anne.francoise@wanadoo.fr r.-v.

HOSPICES DE BEAUNE Cuvée Dames de la Charité 1999**

■ 1er cru n.c. 600 15 à 23 €

Digne de son étiquette ? Oui, certainement, car nos dégustateurs, qui n'en ont pas connaissance, ne tarissent pas d'éloges sur ce vin exemplaire. Soutenu et profond, élégant, marqué par un merrain bien dosé, laissant s'exprimer les fruits noirs avec une pointe « eau-de-vie », très charpenté, très long, très jeune... ce vin est de belle garde. La pièce a été achetée 48 540 F (7 400 euros). Soit 162 F la bouteille (plus cher que le prix actuel...). (100 à 149 F)

Les Caves des Hautes-Côtes, rte de Pommard, 21200 Beaune, tél. 03.80.25.01.00, fax 03.80.22.87.05, e-mail vinchc@wanadoo.fr r.-v.

DOM. HUBER-VERDEREAU 1999*

■ 0,4 ha 1 600 11 à 15 €

Grenat éclatant, ce 99 encore très jeune resplendit. De la race et du panache ! Ses arômes choisissent la framboise pour cible. Soutenu par une forte charpente, un vin gras, charnu et harmonieux. Le plus sage est de ne pas le bousculer trop tôt. (70 à 99 F)

Dom. Huber-Verdereau, rue de la Cave, 21190 Volnay, tél. 03.80.22.51.50, fax 03.80.22.48.32, e-mail huber-verdereau@huber-verdereau.com r.-v.

JEAN-LUC JOILLOT Les Rugiens 1999**

■ 0,5 ha 1 800 23 à 30 €

Ame même de l'appellation, Les Rugiens sont honorés ici par un coup de cœur mettant particulièrement en valeur leur race. Il s'agit donc d'une ligne de qualité qui doit vous inciter à aller faire un tour de ce côté. Pourpre très intense, poivre et cassis, charpenté et charnu, un monument qui sera sans doute historique d'ici quatre à cinq ans. Coup de cœur déjà dans l'édition 1994, **Les Noizons (100 à 149 F)**, dans le millésime **99**, obtiennent une étoile, tout comme le **1er cru Les Petits Epenots**. (150 à 199 F)

Jean-Luc Joillot, rue Marey-Monge, 21630 Pommard, tél. 03.80.24.20.26, fax 03.80.24.67.54 r.-v.

DOM. DE LA CREA 1999*

■ 0,5 ha 2 500 15 à 23 €

D'une démarche limpide et vermillon, avec des odeurs de cassis, de sous-bois et de violette, ce vin évolue bien au palais où l'extraction du fruit est réussie. Le boisé ? Tout en délicatesse. Friand et charmeur, ce 99 pourra être dégusté dès à présent, ou tout aussi bien attendre dans une bonne cave pendant cinq ans. (100 à 149 F)

🔑 Cécile Chenu-Repolt, La cave de Pommard, 1, rte de Beaune, 21630 Pommard, tél. 03.80.24.62.25, fax 03.80.24.62.42, e-mail cecile.chenu@wanadoo.fr ☑ Y t.l.j. 10h-18h

DOM. DE LA GALOPIERE 1999*

■ 0,9 ha 5 000 ⫼ 15à23€

« Un vin fruiteux », comme disait Huysmans. Sous sa robe rubis à reflets pourpres, il répond généreusement aux appels du nez. La violette s'y exprime (arôme classique en Côte de Nuits, moins fréquent en Côte de Beaune) de même que la fraise des bois. Le fruit rouge envahit une bouche bien constituée, franche, pourvue d'une bonne acidité. Convoquez-le dans dix ans, il sera encore en pleine forme. (100 à 149 F)

🔑 Claire et Gabriel Fournier, 6, rue de l'Eglise, 21200 Bligny-lès-Beaune, tél. 03.80.21.46.50, fax 03.80.21.49.93, e-mail c.g.fournier@wanadoo.fr ☑ Y r.-v.

DOM. LAHAYE PERE ET FILS

Les Arvelets 1998*

■ 1er cru 0,52 ha 2 400 ⫼ 15à23€

Ce *climat* longe la combe conduisant aux Hautes-Côtes. Il donne un vin qui se plaira en compagnie d'un bœuf bourguignon, un vin sans complication. Rubis simple et transparent, le bouquet franc et « retour de la chasse », il dispose d'une base très ferme. Il exprime pleinement son cépage. (100 à 149 F)

🔑 Lahaye Père et Fils, pl. de l'Eglise, 21630 Pommard, tél. 03.80.24.10.47, fax 03.80.24.07.65 ☑ Y t.l.j. sf dim. 9h-12h 14h-18h

LOUIS LATOUR Epenots 1998*

■ 1er cru 0,41 ha 5 000 ⫼ 23à30€

Dans *Madame Bovary*, Flaubert offre volontiers du pommard à ses personnages. Un vin, écrit-il, qui « excite les facultés ». Il en est ainsi de celui-ci, rubis et le nez ouvert progressivement sur l'animal et le sous-bois. Type même du beau vin de garde comportant assez de gras et bien représentatif de l'appellation, ce 98 privilégie l'élégance. (150 à 199 F)

🔑 Maison Louis Latour, 18, rue des Tonneliers, 21200 Beaune, tél. 03.80.24.81.00, fax 03.80.22.36.21, e-mail louislatour@louislatour.com Y r.-v.

LA TOUR BLONDEAU 1998*

■ n.c. n.c. ⫼ 23à30€

Ce vin Bouchard Père et Fils offre un aspect rouge légèrement brique. De bonnes nuances odorantes conduisent au musc, au champignon. En bouche, la noix prend le relais. Les tanins sont fermes, la persistance honorable. C'est en définitive un 98 qui évolue bien et qui se présente de façon très naturelle. (150 à 199 F)

🔑 Grands Vins Forgeot, 15, rue du Château, 21200 Beaune, tél. 03.80.24.80.50

DOM. RAYMOND LAUNAY

Chaponnières 1998*

■ 1er cru 60 ha 2 500 ⫼ 23à30€

Raymond Launay qui a donné son nom au domaine est parti maintenant vers les vignes éternelles. Ce 1er cru grenat sombre dont le bouquet présente une forte personnalité (cassis, pruneau très concentrés) suscite mille compliments : vin ample, complet, vineux, subtil, tendre. De belle origine et d'avenir. Il évolue cependant avec force et puissance. Prévoir du gibier. (150 à 199 F)

🔑 Dom. Raymond Launay, rue des Charmots, 21630 Pommard, tél. 03.80.24.08.03, fax 03.80.24.12.87 ☑ Y t.l.j. 9h-18h30

LES CAVES DE LA VERVELLE 1999*

■ 0,85 ha 5 900 ⫼ 15à23€

Vermillon soutenu et tirant sur le bourgeon de cassis, il doit patienter un peu, le temps que ses tanins s'estompent. Son attaque est franche, son acidité suffisante. Il s'agit de l'ancien domaine du château de Bligny-lès-Beaune, repris par des viticulteurs du cru après avoir été la propriété de Suntory et de la GMF. (100 à 149 F)

🔑 Ch. de Bligny-lès-Beaune, Caves de la Vervelle, le Château, 21200 Bligny-lès-Beaune, tél. 03.80.21.47.38, fax 03.80.21.40.27 ☑ Y t.l.j. 8h-12h 14h-18h

DOM. LEJEUNE 1998

■ 0,85 ha 1 800 ⫼ 15à23€

Quand on a été professeur de viticulture, on ne craint pas de pratiquer à sa façon. Ainsi cette cuvaison originale (vingt à vingt-cinq jours, grappes entières et foulage progressif de la vendange puis pigeage quotidien). Elle donne un 98 dont la robe commence à évoluer doucement, et dont les arômes tournent autour de la fraise des bois, du bourgeon de cassis. Assez capiteux, ce vin devrait être à ouvrir dans deux ans. (100 à 149 F)

🔑 Dom. Lejeune, pl. de l'Eglise, 21630 Pommard, tél. 03.80.22.90.88, fax 03.80.22.90.88, e-mail domaine-lejeune@wanadoo.fr ☑ Y r.-v.

🔑 Famille Jullien de Pommerol

DOM. CHANTAL LESCURE

Les Bertins 1999

■ 1er cru 2 ha 3 000 ⫼ 23à30€

Niché entre Poutures et Fremiers, ce *climat* est assez peu connu. Rouge à disque grenat, ce vin au boisé agréable mais très présent possède des tanins encore vifs. Il est bien typé et on ne doute pas de ses heureux lendemains. (150 à 199 F)

🔑 Dom. Chantal Lescure, 34 A, rue Thurot, 21700 Nuits-Saint-Georges, tél. 03.80.61.16.79, fax 03.80.61.36.64, e-mail contact@domaine-lescure.com ☑ Y r.-v.

DOM. MAILLARD PERE ET FILS

La Chanière 1999*

■ n.c. n.c. ⫼ 15à23€

Le domaine fête cette année ses cinquante ans. Il a été créé en effet par Daniel Maillard en 1952. Ce vin fait mentir l'image d'un pommard

austère et robuste. Il est au contraire d'une sensualité pleine de charme. Très joli nez de fruits rouges sous une robe grenat intense. A mettre de côté durant deux à trois ans. (100 à 149 F)
Dom. Maillard, 2, rue Joseph-Bard, 21200 Chorey-lès-Beaune, tél. 03.80.22.10.67, fax 03.80.24.00.42 r.-v.

CATHERINE ET CLAUDE MARECHAL La Chanière 1999**

■ 0,87 ha 3 000 15 à 23 €

Née entre la Petite Combe et la Grande Combe, cette Chanière somptueuse, corpulente et charpentée, est parée d'une élégante robe cerise noire. Noyau et kirsch, le bouquet intense est déterminé et annonce une combinaison parfaite tout au long de la bouche. Déjà prêt à boire et capable d'attendre un an ou deux. (100 à 149 F)
EARL Catherine et Claude Maréchal, 6, rte de Chalon, 21200 Bligny-lès-Beaune, tél. 03.80.21.44.37, fax 03.80.26.85.01 r.-v.

DOM. MOISSENET-BONNARD Les Pézerolles 1999

■ 1er cru 0,26 ha 1 600 15 à 23 €

Tous les morceaux du puzzle ne sont pas encore réunis, mais cela se met peu à peu en place. Pourpre soutenu et brillant, ce vin délivre des arômes de fruits rouges indifférenciés. La bouche est actuellement d'une légèreté de plume. L'acidité, importante, constitue, semble-t-il, un atout, de même qu'une bonne structure tannique et une aimable persistance. **Les Charmots 1er cru 99**, équilibrés, mélangent fruit bien frais et tanins doux. Même citation. Tous deux sont de garde. (100 à 149 F)
Dom. Moissenet-Bonnard, rte d'Autun, 21630 Pommard, tél. 03.80.24.62.34, fax 03.80.22.30.04 r.-v.

BERTRAND DE MONCENY Vieille Racheuse 1999

■ n.c. 12 000 15 à 23 €

Ce *climat* existe-t-il sur quelque vieux cadastre ? Jean-Pierre Nié, on le sait, connaît bien son sujet et il est imaginatif. Son vin pourpre, odorant et framboisé, frais et marchand, est encore tannique mais étoffé. A faire vieillir en cave. (100 à 149 F)
Cie des Vins d'Autrefois, abbaye Saint-Martin, 53, av. de l'Aigue, 21200 Beaune, tél. 03.80.26.33.00, fax 03.80.24.14.84, e-mail mallet.b@cva-beaune.fr
Jean-Pierre Nié

DOM. RENE MONNIER Les Vignots 1999*

■ 0,77 ha 4 000 11 à 15 €

Avec un bon époisses, ce 99 fera merveille. Pas mal d'extraction et un tempérament décidé, volontaire. Rouge violacé, le nez modéré sur une note de mûre, il doit acquérir de l'aménité en lissant ses tanins, en développant son gras, au cours de trois ou quatre années de garde. (70 à 99 F)
Dom. René Monnier, 6, rue du Dr-Rolland, 21190 Meursault, tél. 03.80.21.29.32, fax 03.80.21.61.79 t.l.j. 8h-12h 14h-18h
M. et Mme Bouillot

DOM. DE MONTILLE Rugiens 1999

■ 1er cru 1,1 ha 5 000 46 à 76 €

Ce domaine dans la même famille depuis le XVIIe s., a proposé un Rugiens rouge cerise à reflets violets et brillants. Les fruits rouges écrasés, surmûris, s'expriment intensément au nez. La bouche attaque franchement, puis les tanins s'affirment avec force. Il faut laisser à cette bouteille le temps de retrouver le fruit en bouche : cinq à six ans de cave. (300 à 499 F)
Hubert de Montille, rue du Pied-de-la-Vallée, 21190 Volnay, tél. 03.80.21.62.67, fax 03.80.21.67.14

DOM. DES OBIERS Rugiens 1999*

■ 1er cru 0,45 ha 1 500 23 à 30 €

D'un caractère pommard bien marqué, ce Rugiens n'oublie rien. Ni le disque cerise autour de son grenat bien sombre. Ni d'associer animal et fruits rouges, moka et sous-bois au plus profond d'un bouquet complexe. Ni d'exprimer la richesse de sa chair sur des tanins assez fins. Le potentiel semble très important : l'avenir lui appartient. (150 à 199 F)
Dom. des Obiers, chem. rural 29, 21700 Nuits-Saint-Georges, tél. 03.80.62.42.00, fax 03.80.61.28.13, e-mail nuicave@wanadoo.fr t.l.j. 10h-18h; f. jan.

DOM. PARENT Les Rugiens 1998*

■ 1er cru n.c. 1 500 30 à 38 €

Rubis profond, d'un feu encore jeune, il récite sa leçon : parfums assez sauvages de cerise et de cuir. Un peu austère au premier abord, puis soyeux, il explose sur le fruit rouge. Ses tanins se font alors oublier. Un vin d'accès facile et qui pourra se déguster dans un an. Autre **1er cru** retenu : **Les Arvelets 99 (150 à 199 F)**, une étoile, à n'ouvrir que dans trois, cinq ou dix ans. (200 à 249 F)
Dom. Parent, pl. de l'Eglise, 21630 Pommard, tél. 03.80.22.15.08, fax 03.80.24.19.33, e-mail parent-pommard@axnet.fr r.-v.

DOM. PARIGOT PERE ET FILS Les Vignots 1999**

■ 0,5 ha 3 300 15 à 23 €

Ce domaine ne manque pas sa décennie puisqu'il élabore un remarquable millésime 99 après avoir reçu un coup de cœur dans l'édition 1993 pour son 90. Cristallin, pourpre violacé, il incarne le pommard majestueux, puissant, conquérant, mais sachant aussi manifester sa délicatesse. Une vinification de haut vol pour un vin de grande classe à servir avec un civet de lièvre ou à défaut du lapin... Nous conseillons par ailleurs le **1er cru Charmots 99**, une étoile, dont la droiture et la générosité s'imposent d'emblée. (100 à 149 F)
Dom. Parigot Père et Fils, rte de Pommard, 21190 Meloisey, tél. 03.80.26.01.70, fax 03.80.26.04.32 r.-v.

VINCENT ET MARIE-CHRISTINE PERRIN 1999*

■ 0,5 ha 3 000 🍷 15 à 23 €

Le colosse de Rhodes avec une charpente formidable, une acidité satisfaisante, des tanins bien marqués. A mettre sous clé au moins cinq ans dans votre cave. Rubis soutenu, il suggère la mousse quand il se soumet à l'épreuve du nez. (100 à 149 F)

Vincent Perrin, 21190 Volnay, tél. 03.80.21.62.18, fax 03.80.21.68.09 ☑ Y r.-v.

ALBERT PONNELLE 1999*

■ n.c. n.c. 🍷 23 à 30 €

Cerise noire, mat, très foncé, ce *village* n'est pas spectaculaire au nez, sans arômes particuliers, encore fermé. La suite est plus animée, riche et puissante, constituée de tous les éléments positifs et attendus. Patienter deux ans. (150 à 199 F)

Albert Ponnelle, Clos Saint-Nicolas, BP 107, 21200 Beaune, tél. 03.80.22.00.05, fax 03.80.24.19.73, e-mail info@albert-ponnelle.com ☑ Y r.-v.

Louis Ponnelle

MICHEL REBOURGEON Rugiens 1998*

■ 1er cru 0,17 ha 964 🍷 15 à 23 €

Ce Rugiens ne fait pas les choses à moitié. La robe très jeune, le nez net et droit orienté vers la cerise et le sous-bois, l'équilibre en bouche entre acidité et tanins, tout indique la qualité du sujet, son aptitude à une heureuse garde. Car ce vin rond et robuste est loin d'avoir tout raconté. (100 à 149 F)

Michel Rebourgeon, pl. de l'Europe, 21630 Pommard, tél. 03.80.22.22.83, fax 03.80.22.90.64 ☑ Y r.-v.

DOM. REBOURGEON-MURE 1998*

■ 1,52 ha 3 900 🍷 11 à 15 €

Etablis à Pommard depuis le XVIe s., les Rebourgeon-Mure ont proposé quatre vins, tous notés une étoile. Trois répondent à une fourchette de **100 à 149 F** : les **1ers crus Clos des Arvelets, Clos Micault** et **Grands Epenots** dans le même millésime **99** excellent. Celui-ci, un *village*, grenat à reflets mauves, confiture de mûres mariée aux épices douces, le fût déjà fondu, offre une remarquable finesse, de la fraîcheur de bout en bout, le pinot et l'appellation se confortant mutuellement pour rêver un peu. A une noisette de chevreuil ? (70 à 99 F)

Daniel Rebourgeon-Mure, Grande-Rue, 21630 Pommard, tél. 03.80.22.75.39, fax 03.80.22.71.00 ☑ Y r.-v.

DOM. NICOLAS ROSSIGNOL 1999*

■ 0,35 ha 2 000 🍷 11 à 15 €

Pourquoi Alfred Hitchcock, dans son film *Les Enchaînés* enferme-t-il des secrets d'Etat dans une bouteille de pommard ? Moins de suspense ici car l'attente sera paisible. D'une complexité épicée, ce 99 repose cependant sur un scénario bien ficelé. Petite sensation austère en raison de tanins un peu vifs à ce stade de l'intrigue ; deux ou trois ans de garde les épanouiront pour un *happy end*. (70 à 99 F)

Nicolas Rossignol, rue de Mont, 21190 Volnay, tél. 03.80.21.62.43, fax 03.80.21.27.61 ☑ Y r.-v.

DOM. VINCENT SAUVESTRE Clos de La Platière 1999*

■ 2 ha 14 000 🍷 23 à 30 €

Des tanins sveltes, coulants, onctueux, comme on n'en fait plus. Présenté de façon nette et brillante, ce 99 privilégie en effet la tenue en bouche, la qualité de l'accueil. Son nez est fin, suffisant, dans l'élégance du fruit. Il ne s'agit pas d'un vin de longue garde. (150 à 199 F)

Dom. Vincent Sauvestre, rte de Monthélie, 21190 Meursault, tél. 03.80.21.22.45, fax 03.80.21.28.05 ☑ Y r.-v.

VAUCHER PERE ET FILS 1999*

■ n.c. n.c. 🍷 15 à 23 €

Dans la bande dessinée, il existe une école de la ligne claire et pure : précision et simplicité du trait. Ce pinot noir s'apparente à cette école. Limpide et parfumé au cassis, d'une bonne acidité, d'excellente longueur, montrant de la vivacité et du gras, il est très classique et de bon ton. Ancienne maison dijonnaise reprise par les frères Cottin à Nuits (Labouré-Roi). (100 à 149 F)

Vaucher Père et Fils, rue Lavoisier, 21700 Nuits-Saint-Georges, tél. 03.80.62.64.00, fax 03.80.62.64.10 Y r.-v.

VAUDOISEY-CREUSEFOND Charmots 1998

■ 1er cru 0,25 ha 1 500 🍷 15 à 23 €

Une robe soyeuse couleur bourgogne, un nez avenant, où se côtoient les fruits rouges, le sous-bois et le fût. En bouche, les tanins sont encore jeunes mais non agressifs. On y trouve de la mûre et du cassis. Il faut prévoir un accomplissement vers 2004 ou 2005. (100 à 149 F)

Vaudoisey-Creusefond, rte d'Autun, 21630 Pommard, tél. 03.80.22.48.63, fax 03.80.24.16.81 ☑ Y r.-v.

JOSEPH VOILLOT 1999*

■ 2 ha 10 000 🍷 11 à 15 €

Guillaume Paradin écrivait il y a cinq cents ans que les pommard sont « la fleur des vins de Beaune » (c'est-à-dire du Beaunois). Cette bouteille confirme le propos. Rouge intense à reflets satinés, un peu empyreumatique et marquée par le cassis, elle possède une bouche soyeuse. Du fruit croquant sous la langue. Assez ronde pour être bue jeune dans deux ou trois ans. (70 à 99 F)

Dom. Joseph Voillot, pl. de l'Eglise, 21190 Volnay, tél. 03.80.21.62.27, fax 03.80.21.66.63, e-mail joseph.voillot@mageos.com ☑ Y r.-v.

Le tanin est une substance qui se trouve dans le raisin et qui apporte au vin certaines de ses propriétés gustatives ; il lui assure une longue conservation.

Volnay

Blotti au creux du coteau, le village de Volnay évoque une jolie carte postale bourguignonne. Moins connue que sa voisine, l'appellation n'a rien à lui envier, et les vins sont tout en finesse ; ils vont de la légèreté des Santenots, situés sur la commune voisine de Meursault, à la solidité et à la vigueur du Clos des Chênes ou des Champans. Nous ne les citerons pas tous ici de peur d'en oublier... Le Clos des Soixante Ouvrées y est également très connu et donne l'occasion de définir l'ouvrée : quatre ares et vingt-huit centiares, unité de base des terres viticoles correspondant à la surface travaillée à la pioche par un ouvrier dans sa journée, au Moyen Age.

De nombreux auteurs du siècle dernier ont cité le vin de Volnay. Nous rappellerons le vicomte de Vergnette qui, en 1845, au congrès des Vignerons français, terminait ainsi son savant rapport : « Les vins de Volnay seront encore longtemps comme ils étaient au XIVe s., sous nos ducs, qui y possédaient les vignobles de Caille-du-Roy (Cailleray, devenu Caillerets) : les premiers vins du monde. » Signalons que 11 362 hl de volnay ont été produits en 1999 et 9 885 hl en 2000.

DOM. CHARLES ALLEXANT ET FILS
Le Village 1999*

■ 0,51 ha 3 000 11 à 15 €

« Une certaine rusticité subtile », note sur sa fiche l'un de nos dégustateurs. Comme son nom l'indique, ce *climat* entoure immédiatement le village. Grenat assez clair, ce vin suggère la feuille de cassis et le bon merrain (le chêne dont on fait les fûts). La violette prend le relais en bouche dans un sentiment de douceur apaisée. Une petite pointe d'alcool réveille sur la fin. (70 à 99 F)

SCE Dom. Charles Allexant et Fils, rue du Château, Cissey, 21190 Merceuil, tél. 03.80.26.83.27, fax 03.80.26.84.04 T t.l.j. 8h-12h 13h30-18h; sam. dim. sur r.-v.

ROGER BELLAND Santenots 1999*

■ 1er cru 0,25 ha 1000 15 à 23 €

Les Santenots sont comme un coin enfoncé par Volnay dans la commune de Meursault, pour d'évidentes terres à vin rouge. Dans la tradition, ce vin plaira. Cerise noire à l'œil, kirsch au nez, merise au palais : le commun dénominateur n'est pas difficile à trouver. De belle texture, mais à laisser vieillir en raison du boisé. (100 à 149 F)

Dom. Roger Belland, 3, rue de la Chapelle, BP 13, 21590 Santenay, tél. 03.80.20.60.95, fax 03.80.20.63.93, e-mail belland.roger@wanadoo.fr T r.-v.

CHRISTIAN BELLANG
Clos des Chênes 1999*

■ 1er cru 0,7 ha 900 15 à 23 €

Christian Bellang a repris les vignes de son père en 1974. En 1999, son fils a été associé à la gestion du domaine. Son volnay ? Moyennement teinté, mais on préfère cette sincérité à des extractions herculéennes. Le grillé fait escorte à la groseille pour célébrer les noces du pinot noir et du fût. Frais à l'attaque, chaleureux en finale, le vin joue un peu sur les deux tableaux. Force est de constater qu'il s'en tire fort bien selon une élaboration assez classique. Un mariage - lui aussi classique - avec une volaille à la crème lui conviendra. (100 à 149 F)

Dom. Christian Bellang et Fils, 2, rue de Mazeray, 21190 Meursault, tél. 03.80.21.22.61, fax 03.80.21.68.50 T r.-v.

ERIC BOIGELOT Les Santenots 1998*

■ 1er cru 0,16 ha 900 15 à 23 €

Dès l'époque des ducs de Bourgogne, le volnay participait aux négociations diplomatiques. Ce vin est en effet particulièrement conciliant. C'est le cas de cette bouteille. Le rouge et le grenat ne se disputent pas. Le nez engage à poursuivre la discussion. Une note de confit témoigne de la maturité de l'affaire. L'acidité et les tanins signent enfin leur pacte d'amitié. (100 à 149 F)

Eric Boigelot, 21, rue des Forges, 21190 Meursault, tél. 03.80.21.65.85, fax 03.80.21.66.01 T r.-v.

DOM. BOUCHARD PERE ET FILS
Clos des Chênes 1998*

■ 1er cru 0,85 ha n.c. 23 à 30 €

Il correspond bien à l'idée que l'on se fait de nos jours d'un volnay. En bordure de Monthélie, le Clos des Chênes est d'ailleurs voisin du Cailleret, le *nec plus ultra*. Rouge profond, parfumé avec économie (un noyau de cerise, un soupçon de vanille), ce 98 développe en bouche des arguments constructifs. Un pinot noir ferme, structuré, tannique. Il doit corriger avec l'âge sa sévérité de jeunesse. (150 à 199 F)

Bouchard Père et Fils, Ch. de Beaune, 21200 Beaune, tél. 03.80.24.80.24, fax 03.80.22.55.88, e-mail france@bouchard-pereetfils.com T r.-v.

DOM. DENIS BOUSSEY
Taillepieds 1999*

■ 1er cru 0,21 ha 1 200 15 à 23 €

Notre coup de cœur du Guide 2000 (millésime 97) présente un 1er cru produit sur un calcaire argovien, très léger et d'aspect crayeux. Taillepieds passe pour donner des vins délicats. C'est le cas de celui-ci sous des abords limpides et brillants, parfumés de fruits rouges frais et de vanille (le bois). Il mérite un bon point en raison de sa fraîcheur et de sa rondeur. (100 à 149 F)

Dom. Denis Boussey, 1, rue du Pied-de-la-Vallée, 21190 Monthélie, tél. 03.80.21.21.23, fax 03.80.21.62.46 t.l.j. sf dim. 8h-12h 13h30-18h30; f. 5-25 août

DOM. FRANCOIS BUFFET
Champans 1998★★

1er cru	112 ha	2 200	15 à 23 €

S'il ne décroche pas le coup de cœur, il en est à deux doigts car il a été sélectionné pour la finale. Ce Champans de légende, grenat moyennement intense, puis d'une éblouissante complexité (fruits noirs, cuir, animal), attaque comme Roland à Roncevaux. Gras et charpente embellissent encore ce 98 haut de gamme. Le **Clos des Chênes 98** obtient une étoile. Ces deux vins doivent attendre deux ou trois ans en cave. (100 à 149 F)

Dom. François Buffet, petite place de l'Eglise, 21190 Volnay, tél. 03.80.21.62.74, fax 03.80.21.65.82, e-mail dfbuffet@aol.com r.-v.

DOM. FRANCOIS CHARLES ET FILS
Clos de la Cave 1999★

	0,4 ha	1 800	11 à 15 €

Le contraire d'une bouteille facile et qui se donne au premier venu. Profonde, pourpre soutenu, elle témoigne d'un caractère ferme et assez complexe. Des notes minérales se mêlent aux fruits rouges mûrs. Ample en attaque, doté de beaucoup de matière, un vin très droit, offrant une finale longue et framboisée. La cave de ce domaine est une cavité naturelle, un petit cratère formé par l'érosion des eaux. (70 à 99 F)

EARL François Charles et Fils, 21190 Nantoux, tél. 03.80.26.01.20, fax 03.80.26.04.84 r.-v.

HENRI DELAGRANGE ET FILS
Vieilles vignes 1999★

	1,9 ha	10 000	11 à 15 €

25 % de fûts neufs pour un élevage de seize mois sous bois. Le pintadeau rôti paraît tout indiqué pour ce vin d'une typicité quasiment parfaite. Ses couleurs vont du rubis au grenat. Son bouquet, de la vanille à la mûre. Son corps est volnay de la tête aux pieds : une attaque franche, des tanins souples, aucune aspérité, la finale pleine de fruit. Bouteille marchande et prête à passer à table. (70 à 99 F)

Dom. Henri Delagrange et Fils, rue de la Cure, 21190 Volnay, tél. 03.80.21.61.88, fax 03.80.21.67.09 r.-v.

DOUDET-NAUDIN 1999

	1,05 ha	1 798	15 à 23 €

Yves Doudet préside aux destinées de cette maison de négoce familiale créée en 1849. Son volnay *village* ? Robe claire, pour une fois. Le nez pinote bien. Peu de structure tannique, mais une intéressante intensité aromatique. Bonne typicité de base, dans un style facile. (100 à 149 F)

Doudet-Naudin, 3, rue Henri-Cyrot, BP 1, 21420 Savigny-lès-Beaune, tél. 03.80.21.51.74, fax 03.80.21.50.69 r.-v.
Yves Doudet

JEAN GAGNEROT 1999★

	n.c.	2 500	15 à 23 €

Pourpre foncé, un volnay de bonne souche qui balance entre des notes minérales et des fruits rouges assez mûrs. On retrouve cette ligne aromatique en bouche, où le vin apparaît alors très présent. Sur les tanins, la finale est un peu nerveuse mais offre un accent de griotte fort plaisant. Ce 99 réservera à terme d'heureuses surprises. (100 à 149 F)

Jean Gagnerot, 21420 Aloxe-Corton, tél. 03.80.25.00.00, fax 03.80.26.42.00, e-mail vinibeaune@bourgogne.net r.-v.

CH. GENOT-BOULANGER
Les Aussy 1998★★

1er cru	0,4 ha	1 650	15 à 23 €

Rendez-vous dans dix ans ! Proche du Cailleret, ce *climat* suscite un sentiment d'exaltation. Celui que l'on ressent devant une cathédrale gothique fine et élancée, tournée vers le ciel. Rouge vitrail saisi par le soleil, il a un nez encore fermé. Richesse cachée mais présente. Puissant et structuré, fin et élégant, il est capable de traverser d'un coup d'aile les années 2000-2010. Terrine de gibier ou canard rôti. (100 à 149 F)

SCEV Ch. Génot-Boulanger, 25, rue de Cîteaux, 21190 Meursault, tél. 03.80.21.49.20, fax 03.80.21.49.21, e-mail genot.boulanger@wanadoo.fr r.-v.
Mme Delaby

BERNARD ET LOUIS GLANTENAY
Les Santenots 1998★

1er cru	0,67 ha	2 072	15 à 23 €

L'église Saint-Cyr de Volnay date du XIVe s. et donne à voir un beau retable du XVIe s., l'Adoration des Mages. Ce domaine est installé dans la commune depuis des générations. Il était une fois... une bouteille rubis brillant qui rêvait à des arômes de cuir, à des accents sauvages. Pas trop ouverte. Née en 1998 et c'était un bonheur de la voir grandir. Un petit quelque chose d'écorce de pin, de résineux. De l'acidité et de la mâche. D'ici deux ou trois ans, tout le monde voudra l'ouvrir. (100 à 149 F)

SCE Bernard et Louis Glantenay, rue de Vaut, 21190 Volnay, tél. 03.80.21.62.20, fax 03.80.21.67.78, e-mail glantenay@wailea9.com r.-v.

JEAN GUITON Les Petits Poisots 1998★★

	0,35 ha	2 000	11 à 15 €

Bossuet adorait en secret le vin de Volnay et y trempait volontiers sa plume pour écrire ses oraisons. Ces Petits Poisots (le long de la RN 74 entre Pommard et Meursault) auraient pu contribuer fortement à son inspiration. Quel vin en effet ! Que de finesse et de style ! On croit respirer la cerise, mordre dans sa chair. L'élégance d'un pur rubis parfait. (70 à 99 F)

Dom. Jean Guiton, 4, rte de Pommard, 21200 Bligny-lès-Beaune, tél. 03.80.26.82.88, fax 03.80.26.85.05, e-mail guillaume-guiton@wanadoo.fr r.-v.

DOM. ANTONIN GUYON
Clos des Chênes 1998*

■ 1er cru 0,87 ha 4 800 23 à 30 €

Pourpre foncé, cette bouteille offre un bel exemple de vinification réussie sur du raisin de qualité. Ses arômes ont un côté floral qui se poivre sur la fin. La bouche est ronde et comporte assez de gras pour bien évoluer. Le tout procure une impression de richesse. (150 à 199 F)

Dom. Antonin Guyon, 21420 Savigny-lès-Beaune, tél. 03.80.67.13.24, fax 03.80.66.85.87, e-mail vins@guyon-bourgogne.com r.-v.

JAFFELIN Santenots 1998*

■ 1er cru n.c. 1 200 23 à 30 €

« A posséder dans sa vinothèque », note un de nos dégustateurs sur sa fiche. La robe pivoine de nuance foncée est charmante. Au nez, un parfum de rose, de mûre, de bois précieux. Si une légère touche de sécheresse marque sa finale, son élégance, sa distinction lui valent les éloges. La maison Jaffelin appartient à J.-Cl. Boisset, mais elle a conservé sa gestion indépendante à Beaune. (150 à 199 F)

Jaffelin, 2, rue Paradis, 21200 Beaune, tél. 03.80.22.12.49, fax 03.80.24.91.87

DOM. LA POUSSE D'OR
En Caillerets Clos des 60 Ouvrées Monopole 1998

■ 1er cru 2,39 ha n.c. 23 à 30 €

Patrick Landanger a repris en 1998 le domaine de La Pousse d'Or créé naguère par Gérard Potel qui avait notamment porté en avant ces Caillerets. Le 98 présente une robe conforme aux normes avec quelques légers reflets tuilés. Le nez est d'un bon boisé, ouvrant sur la complexité. Bien qu'il ne soit pas très long, ce vin met toute la bouche en éveil de façon harmonieuse. (150 à 199 F)

Dom. de La Pousse d'Or, rue de la Chapelle, 21190 Volnay, tél. 03.80.21.61.33, fax 03.80.21.29.97, e-mail patrick@la-pousse-d'or.fr r.-v.
Patrick Landanger

LES CAVES DE LA VERVELLE 1999

■ 1,65 ha 11 400 15 à 23 €

« Entre Pommard et Meursault, dit-on ici, c'est toujours Volnay le plus haut ! » De fait ! Ce 99 porte une robe conforme au millésime, rouge rubis à reflets jeunes. Un nez captivant, sur le fruit à noyau, l'encre (un arôme qui fascine toujours nos amis britanniques), le fumé. Au palais, des sensations soyeuses fondues. L'acidité ne dérange pas. Le style boisé ne dérange pas non plus car ce vin a bien cinq ans de potentiel. (100 à 149 F)

Ch. de Bligny-lès-Beaune, Caves de la Vervelle, le Château, 21200 Bligny-lès-Beaune, tél. 03.80.21.47.38, fax 03.80.21.40.27 t.l.j. 8h-12h 14h-18h

HUBERT DE MONTILLE Mitans 1999*

■ 1er cru 0,7 ha 4 500 38 à 46 €

Un domaine historique. Son Mitans, d'une teinte crépusculaire, violacée, envahie par les ombres de la nuit, séduit par son nez tout en dentelle, en évoquant le coulis de myrtilles. Il possède une mâche chaleureuse. Il a tout pour vous attendre au cellier. (250 à 299 F)

Hubert de Montille, rue du Pied-de-la-Vallée, 21190 Volnay, tél. 03.80.21.62.67, fax 03.80.21.67.14

DOM. ANNICK PARENT Fremiets 1998*

■ 1er cru 0,74 ha n.c. 15 à 23 €

L'un des premiers crus côté pommard. Ce vin fait bonne impression grâce à sa typicité volnay. Couleur parfaite, puis un bouquet où le kirsch veille sur ses droits. Un boisé efficace qui s'atténuera dans deux à trois ans pour laisser la cerise noire animer de sa présence le volume et la concentration. (100 à 149 F)

Dom. Annick Parent, rue du Château-Gaillard, 21190 Monthélie, tél. 03.80.21.21.98, fax 03.80.21.21.98, e-mail annick.parent@wanadoo.fr r.-v.

DOM. PARIGOT PERE ET FILS
Les Echards 1999*

■ 0,72 ha 4 800 11 à 15 €

Rubis sombre, ces Echards (*climat* situé juste en dessous des Champans et des Roncerets). Si leurs arômes sont résolus (pruneau, cerise confite), la constitution est satisfaisante : la chair est fruitée, le corps énergique. Un vin marchand, un peu « commercial », mais serait-ce un défaut que de plaire ? (70 à 99 F)

Dom. Parigot Père et Fils, rte de Pommard, 21190 Meloisey, tél. 03.80.26.01.70, fax 03.80.26.04.32 r.-v.

DOM. PONSARD-CHEVALIER
Cros Martin 1999

■ 0,39 ha 1000 11 à 15 €

Belle couleur pour un 99 dont les reflets s'habillent de jeunesse. Le bouquet est floral sur la fin, après un passage de fruits mûrs. Mais s'il y a moins de complexité en bouche, l'ensemble est bien travaillé. Finale très nette sur des tanins maîtrisés. (70 à 99 F)

Ponsard-Chevalier, 2, Les Tilles, 21590 Santenay, tél. 03.80.20.60.87, fax 03.80.20.61.10 r.-v.

DOM. POULLEAU PERE ET FILS
1999*

■ 1er cru 0,2 ha 900 15 à 23 €

Un vin qui ressemble à la fusée Ariane sur sa rampe de lancement. Le tir réussi, cette bouteille mettra sur orbite d'agréables satisfactions. Plus limpide que brillante, à égale distance de la vanille et de la cerise, elle a un goût de terroir prononcé tout en manifestant une aménité remarquable (douceur des tanins en particulier). A attendre de trois à six ans. En **village la cuvée Vieilles vignes 99 (70 à 99 F)** sera à point dans un à deux ans. (100 à 149 F)

Dom. Poulleau Père et Fils, rue du Pied-de-la-Vallée, 21190 Volnay, tél. 03.80.21.26.52, fax 03.80.21.64.03 r.-v.

BOURGOGNE

DOM. JACQUES PRIEUR
Clos des Santenots 1998*

■ 1er cru 1,19 ha 2 000 30 à 38 €

Le coup de cœur de l'an dernier. Le millésime suivant n'atteint pas cette hauteur, tout en figurant dans une excellente moyenne. On devine la framboise derrière un nez aux accents de moka. L'acidité et les tanins s'entendent bien. La bouche se concrétise de façon souple et tendre. Tout près de parvenir à son optimum. On sait que ce domaine a été repris par la maison Antonin Rodet. (200 à 249 F)

Dom. Jacques Prieur, 6, rue des Santenots, 21190 Meursault, tél. 03.80.21.23.85, fax 03.80.21.29.19 r.-v.

DOM. PRIEUR-BRUNET
Santenots 1998*

■ 1er cru n.c. n.c. 23 à 30 €

D'une brillance éclairée, rubis soutenu, un vin au bouquet suave et profond. La structure répond à ce que l'on attend d'un Santenots : ample, charnue, souple et profonde ; insuffisamment ouvert encore, un 98 à attendre deux à trois ans. (150 à 199 F)

Dom. Prieur-Brunet, rue de Narosse, 21590 Santenay, tél. 03.80.20.60.56, fax 03.80.20.64.31, e-mail uny-prieur@prieursantenay.com r.-v.

DOM. REBOURGEON-MURE
Caillerets 1999***

■ 1er cru 0,32 ha 1 800 15 à 23 €

Dieu sait si l'épreuve a été disputée ! Ce Caillerets la remporte. Sur des nuances pourpres, animales, une merveilleuse alchimie : un vin au boisé fondu, à l'équilibre tanins-fruits parfait, très fin et complexe, d'une superbe longueur et d'une extrême élégance. Quel est le plus beau compliment que peut exprimer un dégustateur ? « Un vin que j'aurais aimé élaborer. » Notez aussi des **Santenots 98 (70 à 99 F)** : d'une excellente harmonie, ce vin obtient deux étoiles. (100 à 149 F)

Daniel Rebourgeon-Mure, Grande-Rue, 21630 Pommard, tél. 03.80.22.75.39, fax 03.80.22.71.00 r.-v.

REINE PEDAUQUE Santenots 1999

■ 1er cru n.c. 4 200 15 à 23 €

L'extraction ici est très forte. La couleur, cerise noire. Au bouquet, les épices réglissées. Le tempérament apparaît plus vineux que fruité. Les tanins, un peu rudes aujourd'hui, suggèrent d'oublier ce vin en cave. La Reine Pédauque a reçu le coup de cœur dans l'édition 1992 pour son 88. Elle a donc à Volnay de fidèles sujets. (100 à 149 F)

Reine Pédauque, Le Village, 21420 Aloxe-Corton, tél. 03.80.25.00.00, fax 03.80.26.42.00, e-mail rpedauque@axnet.fr r.-v.

NICOLAS ROSSIGNOL Fremiets 1999

■ 1er cru 0,17 ha 800 15 à 23 €

Installé depuis 1997, Nicolas Rossignol a réalisé ici une microcuvée réussie, bien typée par son élégance. La robe est noire à reflets grenat - à moins que ce ne soit le contraire . Les fruits écrasés, la cerise noire, le grillé du fût, la finale sur le cacao, la structure équilibrée, tout concourt une nouvelle fois à encourager ce jeune homme. (100 à 149 F)

Nicolas Rossignol, rue de Mont, 21190 Volnay, tél. 03.80.21.62.43, fax 03.80.21.27.61 r.-v.

DOM. REGIS ROSSIGNOL-CHANGARNIER 1998*

■ 1er cru 0,8 ha 3 600 15 à 23 €

Un joli vin bien fait, d'une tonalité légère, sa couleur un peu ambrée donnant le « la » d'une expression fraîche et florale. Très aromatique tout au long de la conversation, ce vin flatteur, malgré une note tannique qui disparaîtra après un à deux ans de garde, se montre long, persistant et convaincant. Le **village 98 (70 à 99 F)** obtient la même note. Il sera plus immédiat. (100 à 149 F)

Régis Rossignol, rue d'Amour, 21190 Volnay, tél. 03.80.21.61.59, fax 03.80.21.61.59 r.-v.

DOM. ROSSIGNOL-FEVRIER PERE ET FILS 1999*

■ 1,37 ha 5 000 11 à 15 €

Notre coup de cœur dans l'édition 1993 (millésime 90) rappelle sur son étiquette que son vin a grandi, mûri et vieilli au pied de Notre-Dame des Vignes. Ce 99 apparaît dans une tenue pourpre comme un cardinal ; il est fruité comme un chanoine... Austère dans sa jeunesse, il s'exprimera pleinement dans pas mal de temps car ses tanins font figure de clôture de moustier. (70 à 99 F)

EARL Rossignol-Février, rue du Mont, 21190 Volnay, tél. 03.80.21.64.23, fax 03.80.21.67.74 r.-v.

Frédéric Rossignol

CH. ROSSIGNOL-JEANNIARD
Santenots 1999*

■ 1er cru 1,5 ha 7 000 15 à 23 €

Gras, rond, corpulent, il fait songer à Pantagruel. Sa robe est d'une intensité impressionnante. Après quelques sollicitations, son nez montre certaines bontés (confiture de myrtilles). Le verre recueille enfin une grosse concentration d'où se dégage de l'onctuosité. Faible acidité : ne pas compter trop de garde. (100 à 149 F)

Ch. Rossignol-Jeanniard, rue de Mont, 21190 Volnay, tél. 03.80.21.62.43, fax 03.80.21.27.61 r.-v.

CHRISTOPHE VAUDOISEY
Clos des Chênes 1999★

■ 1er cru n.c. n.c. 15 à 23 €

Son décor rouge grenat constitue un beau rideau de scène. Il s'ouvre au moment où des parfums un peu fauves et épicés font jeu égal avec des senteurs de cacao, de pruneau cuit. Les actes suivants voient successivement dominer la structure, la concentration, la richesse et la puissance en alcool sur un fil conducteur boisé. Il se range parmi les vins « modernes » et non parmi les « anciens ». (100 à 149 F)

Christophe Vaudoisey, pl. de l'Eglise, 21190 Volnay, tél. 03.80.21.20.14, fax 03.80.21.27.80 r.-v.

JOSEPH VOILLOT 1999★★

■ 2 ha 12 000 11 à 15 €

Foncé, intense, assez aromatique, il pinote bien. Ses tanins ont un bon grain, ce qui les rend relativement souples. L'ensemble est structuré, issu d'une approche technologique extrêmement sûre. Son charme flatteur conduit à préconiser une consommation dans l'année qui vient. (70 à 99 F)

Dom. Joseph Voillot, pl. de l'Eglise, 21190 Volnay, tél. 03.80.21.62.27, fax 03.80.21.66.63, e-mail joseph.voillot@mageos.com r.-v.

Monthélie

La combe de Saint-Romain sépare les terroirs à rouge des terroirs à blanc ; Monthélie est exposé sur le versant sud de cette combe. Dans ce petit village moins connu que ses voisins, les vins sont d'excellente qualité. 2000 a produit 4 982 hl de vin rouge et 575 hl de vin blanc.

DOM. GUY BOCARD Toisières 1999★

■ 0,12 ha 900 11 à 15 €

Si vous connaissez bien le pays, vous savez que ce *climat* est juste avant Meursault, pas très loin des Champs Fulliot. Grenat bleuté, brillant et limpide, son vin a le nez long et complexe (cuir, bonbon anglais, fruit vanillé). L'attaque est très souple, confortée par un milieu de bouche attrayant. Des tanins discrets, dépourvus d'astringence - ce qui ne gâte rien - attestent un élevage en fût respectueux du vin. (70 à 99 F)

Guy Bocard, 4, rue de Mazeray, 21190 Meursault, tél. 03.80.21.26.06, fax 03.80.21.64.92 r.-v.

JACQUES BOIGELOT
Les Champs-Fuillot 1998★★

■ 1er cru 0,39 ha 2 800 11 à 15 €

Si l'orthographe du *climat* est discutable sur l'étiquette (Fuillots au lieu de Fulliot), le vin en revanche a 10/10 en dictée. Rouge vif, le pinot épelle chaque arôme : le cassis, la mûre, la confiture de fraises, le grillé. Puis en bouche quelque chose comme du fruit à l'eau-de-vie... Un vin très goûteux, agréable, et qu'il est inutile de laisser vieillir davantage, bien que les trois années à venir ne puissent l'inquiéter. (70 à 99 F)

Jacques Boigelot, 21190 Monthélie, tél. 03.80.21.22.81, fax 03.80.21.66.01 r.-v.

ERIC BOIGELOT Sur la Velle 1998★

■ 1er cru 0,25 ha 1 500 11 à 15 €

Rappelez-vous *Le Petit Prince* : « C'est le temps que tu as perdu pour ta rose qui fait ta rose si importante.» Il en sera ainsi de ce vin de garde, encore loin de son expression maximale. Et ce ne sera pas du temps perdu ! Joli éclat visuel à nuances cerise soutenu, le nez encore fermé, boisé, toasté, ce 98 sera très harmonieux : son gras et sa longueur sont en vedette. (70 à 99 F)

Eric Boigelot, 21, rue des Forges, 21190 Meursault, tél. 03.80.21.65.85, fax 03.80.21.66.01 r.-v.

DOM. DENIS BOUSSEY
Les Hauts Brins 1999

■ 1,16 ha 6 000 8 à 11 €

Côté volnay, ce *climat* apparaît ici d'un rouge soutenu. D'une intéressante intensité aromatique nettement portée sur les fruits rouges, il est d'une texture souple et fondue sur des tanins élégants. Son harmonie générale semble bonne. Deux à trois ans de garde ne lui déplairont pas. Egalement en **rouge, le 1er cru Les Champs Fulliot 99 (70 à 99 F)** devraient très bien évoluer. L'attendre au moins trois ans. Ce viticulteur a eu le coup de cœur dans le Guide 1996 pour un 93 blanc. (50 à 69 F)

Dom. Denis Boussey, 1, rue du Pied-de-la-Vallée, 21190 Monthélie, tél. 03.80.21.21.23, fax 03.80.21.62.46 t.l.j. sf dim. 8h-12h 13h30-18h30; f. 5-25 août

DOM. BOUZERAND-DUJARDIN 1999

□ 0,8 ha 3 300 8 à 11 €

Or pâle, un 99 au nez d'agrumes, de miel, accompagné d'une touche beurrée. Le fût paraît plaisant en bouche, sur une matière ronde possédant juste ce qu'il faut d'acidité. (50 à 69 F)

Dom. Bouzerand-Dujardin, pl. de l'Eglise, 21190 Monthélie, tél. 03.80.21.20.08, fax 03.80.21.28.16 r.-v.

DOM. CHANGARNIER 1999★

□ 0,25 ha 1 800 11 à 15 €

L'église de Monthélie appartient au style roman de Cluny (XIIe s.). Elle règne sur cette AOC plus rouge que blanche. Ainsi en **rouge** le **1er cru Champs-Fulliot 99 (70 à 99 F)** et le ***village* 99 (50 à 69 F)** obtiennent l'un et l'autre une citation. En blanc, ce *village* est tout en or jaune, orienté sur la poire et le minéral. Puissant, robuste, de bonne vivacité et gardant son fruit en bouche, assez construit et concentré pour tenir deux à trois ans, il pourra accompagner une barbue à la crème. (70 à 99 F)

Dom. Changarnier, pl. du Puits, 21190 Monthélie, tél. 03.80.21.22.18, fax 03.80.21.68.21, e-mail changarnier@aol.com t.l.j. sf dim. 9h-12h 14h-19h

RODOLPHE DEMOUGEOT
La Combe Danay 1999**

■ 0,3 ha 2 000 11 à 15 €

Créé en 1992, ce domaine compte aujourd'hui 7 ha. Conseillé par l'œnologue Kinigopoulos, il élève douze mois ses vins en fûts dont un quart est neuf. Il a pratiqué ici une forte extraction de couleur. Le nez s'emplit de fruits accompagnés d'un léger boisé. La première impression est la bonne, car elle est confirmée tout au long de la dégustation. Ample et d'une très belle complexité, la bouche évolue sur des tanins présents mais ronds qui lui assurent un grand potentiel de garde. (70 à 99 F)

Dom. Rodolphe Demougeot, 2, rue du Clos-de-Mazeray, 21190 Meursault, tél. 03.80.21.28.99, fax 03.80.21.29.18 r.-v.

PAUL GARAUDET
Le Clos Gauthey 1999*

■ 1er cru 1,1 ha 5 000 11 à 15 €

Rouge grenat, légèrement toasté par un fût bien mesuré accompagné d'une note de griotte confiturée, il a du chemin à faire, et c'est normal à cet âge. Il possède une constitution solide et équilibrée, sous des traits encore un peu sévères qui vont s'amadouer. Ses arômes secondaires (bourgeon de cassis, confit) inspirent confiance. (70 à 99 F)

Paul Garaudet, imp. de l'Eglise, 21190 Monthélie, tél. 03.80.21.28.78, fax 03.80.21.66.04 r.-v.

GILBERT ET PHILIPPE GERMAIN
1999*

■ 2,5 ha 5 000 8 à 11 €

Philippe Germain a repris en 1995 le domaine de ses parents constitué de 11 ha. Le siège de son exploitation est situé à Nantoux, joli village viticole dont l'église du XVe s. possède un clocher au toit à deux versants. Il faut savourer ce pinot noir rubis soutenu et brillant, partagé entre le grillé et le fruit rouge, structuré et expressif en bouche, d'une jolie persistance. A mettre deux ou trois ans en cave avant de lui proposer un gibier. (50 à 69 F)

Philippe Germain, 21190 Nantoux, tél. 03.80.26.05.63, fax 03.80.26.05.12 r.-v.

LOUIS LATOUR 1998

□ n.c. 1000 11 à 15 €

Fondée en 1797, la maison Latour s'est installée à Beaune en 1867. Elevée douze mois en fût, cette cuvée porte une robe très claire et séduit par son nez intense où se mêlent notes de fleurs et d'écorce d'orange accompagnées d'une touche boisée. La bouche est plus simple, mais nette, ronde et prête. (70 à 99 F)

Maison Louis Latour, 18, rue des Tonneliers, 21204 Beaune Cedex, tél. 03.80.24.81.10, fax 03.80.22.36.21, e-mail louislatour@louislatour.com r.-v.

DOM. RENE MONNIER 1999**

■ 0,47 ha 2 000 8 à 11 €

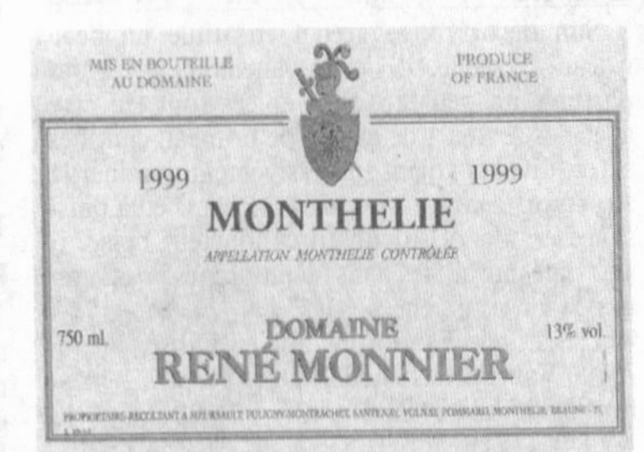

Il ne nous raconte pas d'histoires, ce 99. D'ailleurs, c'est le meilleur, notre coup de cœur ! Drapé dans une robe d'un grenat dense et violacé, il évoque la fraise très mûre, écrasée, nuancée par un boisé élégant. Après une attaque souple et pleine, la bouche très structurée évolue sur des tanins tendres et des fruits rouges. Pour un *village*, le niveau est excellent. Et puis, on nous met l'eau à la bouche en nous conseillant pour l'accord culinaire des cuisses de lapin aux choux... (50 à 69 F)

Dom. René Monnier, 6, rue du Dr-Rolland, 21190 Meursault, tél. 03.80.21.29.32, fax 03.80.21.61.79 t.l.j. 8h-12h 14h-18h

M. et Mme Bouillot

CH. DE MONTHELIE 1998**

■ 2 ha 7 750 11 à 15 €

Mise au château, et c'est un vrai château du XVIIIe s. ! La robe est attirante. Tout en finesse, le bouquet joue sur la framboise en la faisant épauler par un brin de vanille, de cannelle. Les tanins sont soyeux. C'est un régal et l'on admire sa densité. Très belle en effet pour un 98. (70 à 99 F)

EARL Eric de Suremain, rue du Pied-de-la-Vallée, 21190 Monthélie, tél. 03.80.21.23.32, fax 03.80.21.66.37 r.-v.

DOM. J. PARENT Clos Gauthey 1999*

■ 1er cru 1,13 ha 2 700 11 à 15 €

Ce domaine peut s'enorgueillir d'avoir eu Thomas Jefferson pour client. La propriété, ce clos Gauthey, offre le charme d'une maison du XVIIIe s. et d'un parc 1900 ceint de vignes. Celles-ci donnent un vin à reflets noirs, rappelant la prunelle, le bourgeon de cassis. Volume et richesse, beaucoup de corps. Nous avons également apprécié en **rouge le 1er cru Champs Fulliot 99**, qu'un cuissot de sanglier devrait mettre en valeur. (70 à 99 F)

Chantal Parent, rue du Château-Gaillard, 21190 Monthélie, tél. 03.80.21.21.98, fax 03.80.21.21.98, e-mail annick.parent@wanadoo.fr r.-v.

DOM. PINQUIER-BROVELLI 1999*

■ 1,2 ha 7 000 8 à 11 €

Ouvrier vigneron au pays, le père de Thierry Pinquier a créé son domaine à la force du poignet, réussissant à réunir 5 ha en quarante-cinq ans de travail. Magnifiquement présenté, son 99 bénéficie d'arômes vanillés en train de se fondre. Elégant et fin, presque moelleux et très confortable à la mi-bouche, il est flatté par l'alcool. Ses tanins serrés sont délicats. (50 à 69 F)

Thierry Pinquier, 5, rue Pierre-Mouchoux, 21190 Meursault, tél. 03.80.21.24.87, fax 03.80.21.61.09 t.l.j. 8h-12h30 13h-19h

VINCENT PONT Les Duresses 1999*

■ 1er cru 0,18 ha 1000 11 à 15 €

Vincent Pont achète ses premières vignes en 1979. Il est aujourd'hui à la tête de 6 ha. Il élève ses vins en fût de chêne. Monthélie possède sur son sol le bout des Duresses, dont la plus grande partie se situe sur Auxey. Un rubis profond habille ce 99. Le nez associe fruits à l'eau-de-vie et boisé toasté. Un dégustateur lui trouve une note d'anis. Possédant matière et corps, la bouche ne se plaint pas, d'autant que ses tanins ont déjà une familiarité aimable. (70 à 99 F)

Vincent Pont, rue des Etoiles, 21190 Auxey-Duresses, tél. 03.80.21.27.00, fax 03.80.21.24.49 r.-v.

DOM. JEAN-PIERRE ET LAURENT PRUNIER 1999

■ 0,41 ha 3 000 8 à 11 €

Un domaine de 9 ha, et ce monthélie, né sur une parcelle de 41 ares, élevé un an sous bois. La robe est grenat à reflets bleus ; on aime la richesse florale de son bouquet, sa souplesse, son absence d'astringence. Une pointe d'alcool le chauffe un peu. (50 à 69 F)

Dom. Jean-Pierre et Laurent Prunier, rue Traversière, 21190 Auxey-Duresses, tél. 03.80.21.27.51, fax 03.80.21.27.51 r.-v.

PRUNIER-DAMY Les Duresses 1999*

■ 1er cru 0,42 ha 2 500 11 à 15 €

Philippe Prunier propose cette année un vin franc et qui est en montée de puissance. Sa robe est très 99, son nez subtil et intense sur le fruit et le boisé. Robuste et douce, sa structure aux tanins élégants ne gomme pas le pinot et permet d'envisager l'avenir de façon positive. En appellation *village*, le **Clos de Ressi 99 rouge (50 à 69 F)** est cité. Ses tanins fondus incitent à le boire pendant les deux prochaines années. (70 à 99 F)

Philippe Prunier-Damy, rue du Pont-Boillot, 21190 Auxey-Duresses, tél. 03.80.21.60.38, fax 03.80.21.26.64 r.-v.

CAVE PRIVEE D'ANTONIN RODET 1998*

■ n.c. 1 170 15 à 23 €

Nadine Gublin, maître de chai et œnologue de la grande maison de Mercurey, a élaboré ce 98 à la robe profonde et soutenue. La belle complexité aromatique où la cerise fait cavalier seul a séduit le jury. L'évolution en bouche se fait sur des tanins encore très présents mais qui ne gênent en rien son gras, son équilibre, sa persistance. A goûter dans deux ans puis à servir pendant trois ou quatre ans sur une côte de bœuf. (100 à 149 F)

Antonin Rodet, 71640 Mercurey, tél. 03.85.98.12.12, fax 03.85.45.25.49, e-mail rodet@rodet.com t.l.j. sf sam. dim. 9h-12h 14h-18h

Auxey-duresses

Auxey possède des vignes sur les deux versants. Les premiers crus rouges des Duresses et du Val sont très réputés. Sur le versant « Meursault », on produit d'excellents vins blancs qui, sans avoir la réputation des grandes appellations, sont également très intéressants. L'appellation a produit en 2000, 1 921 hl en blanc et 4 572 hl en rouge.

CORINNE ET PASCAL ARNAUD-PONT Le Reugne 1999*

□ 1er cru 0,43 ha 1 100 11 à 15 €

La pêche ou la poire ? En tout cas, délicatement fruité. Ce *climat* fait suite aux Duresses en descendant le coteau. Il en est donc très proche. Ce 99 passe sans problème l'écrit et l'oral. D'un bel or limpide, il commence à faire partager des arômes qui vont tendre vers le fruit. Dense et opulent, il s'anime sans peine, soutenu par une bonne nervosité. (70 à 99 F)

Pascal et Corinne Arnaud-Pont, 36, av. Théophile-Gautier, 75016 Paris, tél. 01.42.24.74.80

JEAN-NOEL BAZIN 1998*

■ 0,5 ha 3 000 8 à 11 €

La robe est jeune, gaie, limpide ; le bouquet, un peu sauvage, humanisé par le bourgeon de cassis. Tendre et cerise, d'un équilibre intense et caractéristique de l'appellation, ce 98 est d'une réelle sincérité. (50 à 69 F)

Jean-Noël Bazin, Les Petits Vergers, 21340 La Rochepot, tél. 03.80.21.75.49, fax 03.80.21.83.71 r.-v.

DOM. GUY BOCARD 1999*

■ 1er cru 0,19 ha 1 180 11 à 15 €

Trois kilomètres séparent Meursault d'Auxey-Duresses, deux villages dont les églises (en partie du XVe s.) méritent votre intérêt. Guy Bocard a des vignes dans les deux AOC. Elevé douze mois en fût de chêne, ce 99 pourpre noir, très vineux, cassis et sureau, sur une matière très concentrée, est tout en promesses. Probablement une bouteille pour collectionneurs. (70 à 99 F)

Guy Bocard, 4, rue de Mazeray, 21190 Meursault, tél. 03.80.21.26.06, fax 03.80.21.64.92 r.-v.

DENIS CARRE Bas des Duresses 1999*

■ 1er cru n.c. n.c. 11 à 15 €

Un modèle du genre. Couleur cerise noire et d'une intensité profonde, ce vin, à peine ouvert, repose sur une matière solide, riche. Il a beaucoup de caractère et, s'il se cache encore, ce n'est pas derrière son petit doigt. Son gras est déjà copieux. Notez en outre, le **village 99 rouge (50 à 69 F)**, une étoile, très agréable et expansif. (70 à 99 F)

Denis Carré, rue du Puits-Bouret, 21190 Meloisey, tél. 03.80.26.02.21, fax 03.80.26.04.64 r.-v.

LOUIS CHAVY 1998*

■ n.c. 36 000 11 à 15 €

« Ah ! qu'en termes galants ces choses-là sont dites... » La robe étincelle. Bien dans son millésime, ce vin vit sur ses arômes de jeunesse, d'une façon très ouverte. Les nuances présentes sont végétales et réglissées. Sensations analogues en bouche, cohabitant pour donner beaucoup de densité, de concentration. (70 à 99 F)

Louis Chavy, Caveau la Vierge Romaine, pl. des Marronniers, 21190 Puligny-Montrachet, tél. 03.80.26.33.00, fax 03.80.24.14.84, e-mail mallet.b@cva-beaune.fr t.l.j. 10h-18h; f. nov. à mars

CHRISTIAN CHOLET-PELLETIER 1999*

□ 0,25 ha 800 8 à 11 €

De l'entrain, de la détermination pour cette bouteille qui sait quel est son but et connaît le chemin. Sous l'éclat lumineux de sa robe, elle révèle quelques sensations beurrées, vanillées, d'agrumes. L'attaque est assez charnue, le corps plaisant et ample. A déboucher maintenant si le cœur vous en dit. L'an 2000 a valu au domaine le coup de cœur pour son 97. (50 à 69 F)

Christian Cholet, 21190 Corcelles-les-Arts, tél. 03.80.21.47.76, fax 03.80.21.47.76 t.l.j. 8h-12h 14h-18h

CH. DE CITEAUX Les Duresses 1999*

■ 1er cru 0,45 ha 3 000 11 à 15 €

Les Bourguignons adoucissent tout. Ainsi disent-ils Aussey, en évitant la dureté du « X ». De même, ce vin offre une bouche pleine et entière, ronde, généreuse. Les tanins sont un peu rudes, mais « rudement » bons. La finale sonne en fanfare. Ce Duresses 99, grenat sombre, légèrement floral, vous fournira un très bon fond de cave. Philippe Bouzereau cultive, vinifie, élève et met en bouteilles le **domaine Boulard**. Ce même *climat* obtient la même note en **99**. (70 à 99 F)

Dom. Philippe Bouzereau, Ch. de Cîteaux, 18-20, rue de Cîteaux, BP 25, 21190 Meursault, tél. 03.80.21.20.32, fax 03.80.21.64.34, e-mail info@domaine.bouzereau.fr r.-v.

CLOS DU MOULIN AUX MOINES 1999

■ 2,5 ha 12 500 8 à 11 €

Etabli dans un ancien moulin de l'abbaye de Cluny, magnifiquement restauré, ce domaine offre des chambres d'hôtes. Ce vin grenat s'ouvre sur les fruits rouges mêlés à des notes boisées-grillées assez marquées. La bouche retrouve le côté aromatique du nez et repose sur un joli volume. Sa structure et sa persistance l'autorisent à vieillir deux à trois ans. (50 à 69 F)

Emile Hanique, Dom. du Moulin aux Moines, 21190 Auxey-Duresses, tél. 03.80.21.60.79, fax 03.80.21.60.79 t.l.j. 9h-12h30 14h-19h

DOM. JEAN-PIERRE DICONNE Les Grands Champs 1999*

■ 1er cru 0,65 ha 3 500 8 à 11 €

Jean-Pierre Diconne doit aimer son village et sa région car il nous décrit son église du XVe s. et nous invite à ne pas manquer l'Hôtel-Dieu de Beaune (8 km) et son polyptyque du *Jugement dernier* (Van der Weyden). Ses vins méritent votre intérêt. Noté une étoile, le **1er cru Les Duresses 99 rouge (70 à 99 F)** est à mettre au fond de votre cave, tout comme celui-ci, très bien habillé de rouge sombre (reflets grenat). S'il est concentré et puissant, il n'en affiche pas moins un joli fruité (cassis) qui permet à ce vin de se goûter déjà très bien tout en étant de garde. (50 à 69 F)

Jean-Pierre Diconne, rue de la Velle, 21190 Auxey-Duresses, tél. 03.80.21.25.60, fax 03.80.21.26.80 r.-v.

JEAN GAGNEROT 1998**

■ n.c. 4 000 11 à 15 €

On ne peut guère obtenir de meilleur 98. Auxey à l'état pur, très typé, il possède un solide potentiel. Tout est intense depuis le premier coup d'œil jusqu'au foudron (le fond de la bouteille en patois bourguignon). Brillance violacée, couleur passion. Nez de violette et de pivoine. Confiture de framboises sur des tanins très fins. Structure impeccable. (70 à 99 F)

Jean Gagnerot, 21420 Aloxe-Corton, tél. 03.80.25.00.00, fax 03.80.26.42.00, e-mail vinibeaune@bourgogne.net r.-v.

LES VILLAGES DE JAFFELIN 1998*

■ n.c. 7 000 11 à 15 €

Cerise clair, un vin animal et sauvage qui tient toute sa place dans le verre. L'aération aboutit cependant à des épices douces. Carré, il s'achève sur une longueur consistante. Typicité excellente. Jaffelin fait partie des vins Jean-Claude Boisset, sous gestion viti-vinicole autonome. (70 à 99 F)

Jaffelin, 2, rue Paradis, 21200 Beaune, tél. 03.80.22.12.49, fax 03.80.24.91.87

DOM. JESSIAUME PERE ET FILS Les Ecusseaux 1999*

□ 1er cru 0,32 ha 2 100 15 à 23 €

Notre coup de cœur dans l'édition 1994 (millésime 90) reste fidèle à ce *climat* très proche du Bas des Duresses et en pied de coteau. Ce blanc retient l'attention, sous son or pâle et environné d'aubépine. Le fût n'est pas trop violent car le fruit apparaît derrière les notes grillées. Bien constitué, ce 99 se tiendra bien à table dans deux ou trois ans. (100 à 149 F)

Dom. Jessiaume Père et Fils, 10, rue de la Gare, 21590 Santenay, tél. 03.80.20.60.03, fax 03.80.20.62.87 r.-v.

HENRI LATOUR ET FILS 1999★

■ 3,17 ha 11 000 8 à 11 €

Grenat, d'une belle intensité, ouvert sur les fruits rouges cuits et le sous-bois, ce *village* est assis sur des tanins présents mais soyeux. Friand, élégant, vanillé par le fût de chêne, il évoluera bien dans les trois ou quatre années à venir. (50 à 69 F)

Henri Latour et Fils, rte de Beaune, 21190 Auxey-Duresses, tél. 03.80.21.65.49, fax 03.80.21.63.08 r.-v.

CATHERINE ET CLAUDE MARECHAL 1999★

■ n.c. 5 400 11 à 15 €

Presque deux étoiles pour ce 99 rubis intense à disque violet, rassemblant tout son bouquet sur des notes de griotte et de léger moka, en hommage au fût. L'extraction est très poussée, et elle se manifeste surtout au palais par la puissance et la concentration de tanins en train de s'arrondir. A attendre trois à quatre ans, sans trop d'inquiétude. (70 à 99 F)

EARL Catherine et Claude Maréchal, 6, rte de Chalon, 21200 Bligny-lès-Beaune, tél. 03.80.21.44.37, fax 03.80.26.85.01 r.-v.

DOM. JEAN PASCAL ET FILS 1999★

□ 1,37 ha 5 400 11 à 15 €

L'or est pâle dans le verre. Le nez très ouvert flatte par des arômes d'agrumes et de fleurs blanches. Il y a beaucoup de fraîcheur et d'impertinence dans ce vin de bonne longueur. Pourrait être servi à l'apéritif. (70 à 99 F)

SARL Dom. Jean Pascal et Fils, 20, Grande-Rue, 21190 Puligny-Montrachet, tél. 03.80.21.34.57, fax 03.80.21.90.25 r.-v.

DOM. PIGUET-CHOUET Les Boutonniers 1999

□ 0,38 ha 1 200 8 à 11 €

Max et Anne-Marye Piguet-Chouet ont trois fils : l'avenir de leur vignoble est assuré. Connaissez-vous ce *climat*, le dernier sur Auxey lorsqu'on va vers Meursault ? Autant dire qu'il se plaît en chardonnay. Jaune citron, ce 99 n'a pas le nez banal. Ananas ? Gras et fin, sans grande persistance cependant, il est à boire dans le moment présent. A l'intention de celles et ceux qui voudraient apprécier un vin légèrement surmaturé aux arômes secondaires de mirabelle. (50 à 69 F)

Max et Anne-Marye Piguet-Chouet, rte de Beaune, 21190 Auxey-Duresses, tél. 03.80.21.25.78, fax 03.80.21.68.31 r.-v.

PIGUET-GIRARDIN Les Grands Champs 1998

■ 1er cru 5 ha 1 200 8 à 11 €

Les Grands Champs se situent en dessous du Val. D'une couleur vive, doté de parfums discrets et légèrement fruités, ce vin est souple, bien dans son millésime et dans sa catégorie. (50 à 69 F)

SCE Piguet-Girardin, rue du Meix, 21190 Auxey-Duresses, tél. 03.80.21.60.26, fax 03.80.21.66.61 r.-v.

VINCENT PONT 1999★

■ 1er cru 0,7 ha 1 800 11 à 15 €

Le **village 99 rouge (50 à 69 F)** est friand sur fond de raisin bien mûr. Un cran au-dessus et c'est normal, le 1er cru. Pourpre, d'un élan très jeune, il évoque le cassis et la griotte. La bouche comporte ce qu'il faut d'acidité et de tanins pour produire une bonne et solide bouteille de garde. (70 à 99 F)

Vincent Pont, rue des Etoiles, 21190 Auxey-Duresses, tél. 03.80.21.27.00, fax 03.80.21.24.49 r.-v.

BOURGOGNE

DOM. JEAN-PIERRE ET LAURENT PRUNIER 1999

□ 1,7 ha 5 000 8 à 11 €

Un peu de verdeur dans un océan de fraîcheur. L'habit ne fait peut-être pas le moine, mais il est sûr que cette robe lumineuse annonce un beau produit. Nez de croissant sortant du four, de vanille et de fruits exotiques, d'une indéniable complexité. Son boisé est discret et déjà bien intégré. Légère agressivité de jeunesse : un peu de verdeur, on vous l'a dit. (50 à 69 F)

Dom. Jean-Pierre et Laurent Prunier, rue Traversière, 21190 Auxey-Duresses, tél. 03.80.21.27.51, fax 03.80.21.27.51 r.-v.

PASCAL PRUNIER 1999★

■ 0,38 ha 2 400 8 à 11 €

A Auxey, tout le monde s'appelle Prunier... ou presque. Et tout le monde fait du bon vin ! Pascal Prunier n'a-t-il pas reçu un coup de cœur en 1992 pour un 1er cru 89 ? Ce *village* offre une bouche concentrée et fine à la fois. Un vin plaisir pour les amateurs qui aiment croquer le fruit. Sous sa livrée pourpre à reflets grenat, il ouvre tout grand son nez sur le kirsch, la cerise à l'eau-de-vie. (50 à 69 F)

Dom. Pascal Prunier-Bonheur, 23, rue des Plantes, 21190 Meursault, tél. 03.80.21.66.56, fax 03.80.21.67.33, e-mail pascal.prunier-bonheur@wanadoo.fr r.-v.

PRUNIER-DAMY Clos du Val 1999★

■ 1er cru 0,16 ha 1000 11 à 15 €

A Auxey, les pressoirs ont remplacé les moulins, jadis nombreux au fil de la rivière. Ne nous en plaignons pas. Ce 99 en costume cerise ne lésine pas sur les arômes d'une forte vinosité : l'animal, le cuir et jusqu'aux fruits confits. Son attaque imposante ne l'empêche pas de montrer de la souplesse. Tannique, il fait le gros dos et ronronne avec bonheur. Bœuf bourguignon ? (70 à 99 F)

Philippe Prunier-Damy, rue du Pont-Boillot, 21190 Auxey-Duresses, tél. 03.80.21.60.38, fax 03.80.21.26.64 r.-v.

PIERRE TAUPENOT Les Duresses 1998★

■ 1er cru 1,03 ha 1 389 11 à 15 €

Saint-Romain est le berceau de la famille Taupenot, que l'on rencontre aussi à Morey. Rubis brillant, ce 98 est Duresses dans l'âme. Nez en bonne ouverture mais pas encore aux derniers aveux. En bouche, le terroir s'exprime de manière classique par une petite note d'amertume. (70 à 99 F)

Pierre Taupenot, rue du Chevrotin, 21190 Saint-Romain, tél. 03.80.21.24.37, fax 03.80.21.68.42 r.-v.

Saint-romain

Le vignoble est situé dans une position intermédiaire entre la Côte et les Hautes Côtes. Les vins de Saint-Romain (4 113 hl), surtout les blancs (2 098 hl en 2000), sont fruités et gouleyants, et toujours prêts à donner plus qu'ils n'ont promis, selon les viticulteurs eux-mêmes. Le site est magnifique et mérite une petite excursion.

FRANCOIS D'ALLAINES 1998*

n.c. 6 000 11 à 15 €

Si Roland Thevenin (qui a tant chanté le saint-romain) revenait sur terre, il constaterait que son appellation chérie a fait du chemin ! Voici en effet un chardonnay or à reflets verts du plus beau panache. Elevé douze mois en fûts (dont 10 % neufs) sur lies. Silex et acacia, l'esprit du terroir. Vif, il a du coffre et pourra prendre un peu d'âge. Le citron vert, la cannelle excitent sa finale. (70 à 99 F)

François d'Allaines, La Corvée du Paquier, 71150 Demigny, tél. 03.85.49.90.16, fax 03.85.49.90.19, e-mail francois@dallaines.com r.-v.

BERTRAND AMBROISE 1999**

n.c. n.c. 11 à 15 €

Adossé à son gras comme Saint-Romain à sa falaise, un chardonnay jaune canari à la robe assez dense. Son fût s'exprime avec élégance dans un contexte miellé nuancé d'aubépine. Bien équilibré, harmonieux, il n'a pas de soucis à se faire : on lui fera fête dans les deux ans qui viennent. (70 à 99 F)

Maison Bertrand Ambroise, rue de l'Eglise, 21700 Premeaux-Prissey, tél. 03.80.62.30.19, fax 03.80.62.38.69, e-mail bertrand.ambroise@wanadoo.fr r.-v.

CHRISTOPHE BUISSON Sous le Château 1999*

n.c. n.c. 11 à 15 €

Si le **Sous le Château 99 rouge (50 à 69 F)** peut vous plaire car il obtient une citation, la même appellation et le même *climat* donnent un blanc qui évolue au grumage sur une belle complexité aromatique. Chaleureux et gras en finale, il exprime finesse et élégance. Continuité du citron et de la noisette sous une robe pleine de brillance et d'éclats d'or. (70 à 99 F)

Christophe Buisson, 21190 Saint-Romain, tél. 03.80.21.63.92, fax 03.80.21.67.03 r.-v.

DOM. HENRI ET GILLES BUISSON Sous la Velle 1998*

1,27 ha 9 000 8 à 11 €

Une robe assez pâle, pleine de bonnes intentions. Elle ne force pas le trait et c'est tout aussi bien. Caractéristique également, le nez citronné et minéral du chardonnay planté au flanc de la roche. La bouche persiste et signe en prenant à témoin ces deux arômes. Un vin très vivant qui devrait adorer les fruits de mer. (50 à 69 F)

Dom. Henri et Gilles Buisson, imp. du Clou, 21190 Saint-Romain, tél. 03.80.21.27.91, fax 03.80.21.64.87 r.-v.

Gilles Buisson

DENIS CARRE Le Jarron 1999***

n.c. n.c. 8 à 11 €

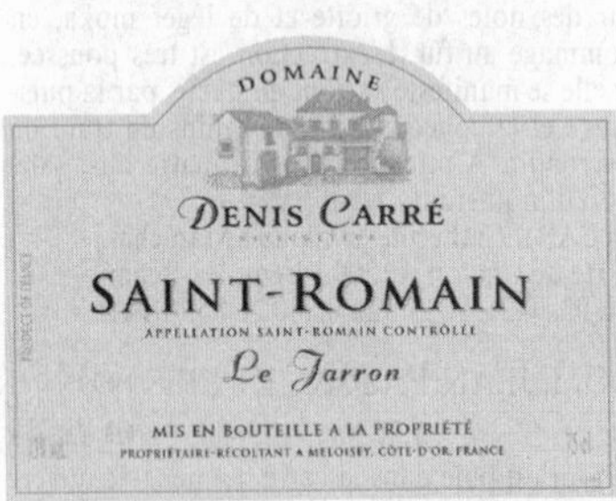

Denis Carré a déjà reçu la palme d'or dans le Guide 1997 pour son Jarron 94 rouge. Il réitère l'exploit avec l'édition 99 du même vin. Sa teinte tient le milieu entre le violet et le noir, son bouquet entre la violette et la mûre. Au palais, sa concentration et sa générosité en font un saint-romain superbe et peu courant. L'apothéose ! Le coup de cœur lui est attribué à l'unanimité du grand jury. (50 à 69 F)

Denis Carré, rue du Puits-Bouret, 21190 Meloisey, tél. 03.80.26.02.21, fax 03.80.26.04.64 r.-v.

CHAMPY PERE ET CIE 1999**

n.c. 2 400 15 à 23 €

Remarquable pour son millésime, il en est « l'homme de base ». Celui sur lequel on s'aligne. Or limpide, pain grillé (un boisé bien travaillé) et fleurs blanches, souple et vif, suffisamment acide, ce remarquable 99 réussit même à placer une touche d'amande amère quand on ne s'y attend pas. Cette vénérable maison beaunoise (fondée en 1720) reprise par la famille Meurgey remporte un beau succès. (100 à 149 F)

Maison Champy, 5, rue du Grenier-à-Sel, 21200 Beaune, tél. 03.80.25.09.99, fax 03.80.25.09.95, e-mail champyprost@aol.com r.-v.

Pierre Meurgey, Pierre Beuchet

DOM. DU CHATEAU DE PULIGNY-MONTRACHET 1999*

0,46 ha 3 000 11 à 15 €

Jaune d'or, il a le nez assez ouvert sur des notes vanillées, mais aussi végétales : l'herbe fraîche, la fleur blanche. A l'attaque, l'acidité et le moelleux éprouvent une évidente connivence tandis que le gras s'impose. Beurrée, réglissée, la bouche est bavarde. « Enfin du vin ! » lit-on en manière de conclusion sous la plume d'un de nos jurés. (70 à 99 F)

SCEA Dom. du Château de Puligny-Montrachet, 21190 Puligny-Montrachet, tél. 03.80.21.39.14, fax 03.80.21.39.07, e-mail chateaupul@aol.com r.-v.

GERMAIN PERE ET FILS
Sous le Château 1999*

■ 1,46 ha 5 000 8 à 11 €

Belle montée des couleurs jusqu'à des nuances profondes et violacées. Le nez discret permet seulement de distinguer une cerise légère et un boisé aimable. L'attaque est vineuse, marquée par une certaine rusticité qui a le mérite de la simplicité. Le fond de vin est intéressant, la cerise réapparaissant pour créer une continuité d'étape en étape. Ample et complet, très réussi. (50 à 69 F)

EARL Dom. Germain Père et Fils, rue de la Pierre-Ronde, 21190 Saint-Romain, tél. 03.80.21.60.15, fax 03.80.21.67.87 r.-v.

DOM. DE LA CREA Sous Roche 1999*

■ 1 ha 6 000 8 à 11 €

Il est encore un peu tôt pour l'apprécier dès à présent, mais il s'éveille du bon pied et le jury lui fait confiance. D'aspect cerise foncé, il fait penser à ces coureurs cyclistes qui restent dans le peloton jusqu'à 500 m de la ligne d'arrivée. De la vinosité, des arômes épicés, des tanins verrouillant l'attaque mais enrobés sur la fin : il est parfaitement typique de l'AOC. (50 à 69 F)

Cécile Chenu-Repolt, La cave de Pommard, 1, rte de Beaune, 21630 Pommard, tél. 03.80.24.62.25, fax 03.80.24.62.42, e-mail cecile.chenu@wanadoo.fr t.l.j. 10h-18h

DOM. DES MARGOTIERES 1999

■ n.c. 3 000 8 à 11 €

Monica et Gilles Buisson signent à deux leur étiquette ornée de petits anges, notant « le vin, la plus aimable des boissons, date de l'enfance du monde ». Une devise que l'histoire peut certes contester, mais que l'amateur aimera faire sienne. Rouge cerise, leur 99 respire la framboise et la mûre. De longueur moyenne, le bois bien fondu mais cependant assez tannique, pourvu d'une acidité correcte, c'est un vin agréable et léger. (50 à 69 F)

Dom. des Margotières, 21190 Saint-Romain, tél. 03.80.21.27.91, fax 03.80.21.64.87

POULET PERE ET FILS 1998**

□ n.c. 1 800 23 à 30 €

Sélectionné pour la finale du coup de cœur, ce vin commence par le mot « très ». On lit en effet sur les fiches de dégustation : très élégant, très long, très belle bouche, très beau vin, très bien fait, etc. D'un jaune légèrement laiteux, d'une fraîcheur florale et minérale, ce 98 remarquable par son gras, sincère et dépourvu d'artifices, appartient à la classe VIP. Marque de la maison Louis Max. (150 à 199 F)

Poulet Père et Fils, 6, rue de Chaux, BP 4, 21700 Nuits-Saint-Georges, tél. 03.80.62.43.02, fax 03.80.61.28.08

DOM. VINCENT PRUNIER 1999*

■ 0,82 ha 6 000 8 à 11 €

« Goûtons voir, oui, oui, oui, goûtons voir si le vin est bon... » Suivons le conseil de la chanson bourguignonne. Oui, il est bon. Pas trop de robe, mais limpide. Un nez de crème fraîche et de groseille. Les deux se marient bien. Très présent par son côté aromatique, ce vin est plaisant et déjà prêt à servir. On se souvient que Vincent Prunier n'appartient pas à une lignée vigneronne, qu'il a choisi de faire un BTS de viticœnologie au lycée de Beaune avant de s'installer en 1988 sur 3,5 ha. Aujourd'hui, il règne sur 11 ha. (50 à 69 F)

Vincent Prunier, rte de Beaune, 21190 Auxey-Duresses, tél. 03.80.21.27.77, fax 03.80.21.68.87 r.-v.

PASCAL PRUNIER 1999

□ 0,92 ha 6 000 8 à 11 €

Frère de saint Lupicin, saint Romain passa sa vie comme ermite dans une grotte du Jura. Cette bouteille l'aurait sans doute tiré de sa retraite... Son apparition jaune pâle l'eût en effet émerveillé. Il n'y a rien de diabolique dans ce bouquet d'amande et d'acacia où perce le champignon. Tout est angélique en cette vivacité jamais agressive, en ce petit goût de noisette. Il est conseillé de prendre son temps (un à deux ans de garde). (50 à 69 F)

Dom. Pascal Prunier-Bonheur, 23, rue des Plantes, 21190 Meursault, tél. 03.80.21.66.56, fax 03.80.21.67.33, e-mail pascal.prunier-bonheur@wanadoo.fr r.-v.

PRUNIER-DAMY Sous le château 1999

■ 0,19 ha 1 200 8 à 11 €

Une simplicité de bon aloi. Bien préférable à un vin au caractère emprunté. Entre cerise et pourpre, le bouquet en devenir, il trouve un juste milieu entre tanins et acidité sur un fruité léger et doucement boisé. L'ensemble doit encore s'ouvrir même si l'aération lui permet déjà de se donner plus à fond. (50 à 69 F)

Philippe Prunier-Damy, rue du Pont-Boillot, 21190 Auxey-Duresses, tél. 03.80.21.60.38, fax 03.80.21.26.64 r.-v.

PIERRE TAUPENOT
Côte de Beaune 1998

■ 2,36 ha 8 887 8 à 11 €

Sa robe prend des reflets tuilés, signe d'un vin à savourer sans trop attendre. Son nez va de long en large de la vanille aux épices en passant par le cassis. Vineux et sympathique, un vin honnête et équilibré. (50 à 69 F)

Pierre Taupenot, rue du Chevrotin, 21190 Saint-Romain, tél. 03.80.21.24.37, fax 03.80.21.68.42 r.-v.

BOURGOGNE

CHARLES VIENOT 1998★★

☐ n.c. 5 000 11 à 15 €

Figure historique de la Côte, Charles Viénot fut naguère le pilier de toutes les fêtes. La maison est aujourd'hui au sein des Vins J.-Cl. Boisset et elle garde de la flamme. On prend plaisir à s'attarder ici sur l'or liquide de sa robe, sur son bouquet de fleurs et d'agrumes, sur sa bouche souple et pleine, appelant le sandre à la crème. Ce 98 a encore de la réserve. (70 à 99 F)

Charles Viénot, 5, quai Dumorey, BP 102, 21703 Nuits-Saint-Georges, tél. 03.80.62.61.41, fax 03.80.62.37.38

Meursault

Avec Meursault commence la véritable production de grands vins blancs (19 716 hl en 2000). Certains premiers crus sont mondialement réputés : les Perrières, les Charmes, les Poruzots, les Genevrières, les Gouttes d'Or, etc. Tous allient la subtilité à la force, la fougère à l'amande grillée, l'aptitude à être consommés jeunes aux possibilités de longévité. Meursault est bien la « capitale des vins blancs de Bourgogne ». Notons une petite production de vin rouge, 500 hl.

Les « petits châteaux » qui restent à Meursault sont les témoins d'une opulence ancienne, attestant une notoriété certaine des vins produits. La Paulée, qui a pour origine le repas pris en commun à la fin des vendanges, est devenue une manifestation traditionnelle qui se déroule le troisième jour des « Trois Glorieuses ».

FRANCOIS D'ALLAINES 1998★

☐ n.c. 1 650 23 à 30 €

Jeune marque créée en 1990 qui, selon la grande tradition du négoce-éleveur, achète du raisin et vinifie ses cuvées. Voici un mousquetaire sur le pré ! Il attaque avec vivacité et, s'il n'a pas le bras très long, il sait se servir de son épée. Il porte l'uniforme doré des gardes de Monseigneur de Chardonnay et son nez s'ouvre sur des arômes de maturité (poire notamment). De la chaleur aussi, on ne s'en étonne pas, mais en bon équilibre avec l'acidité. Le mettre en réserve durant quelques saisons. (150 à 199 F)

François d'Allaines, La Corvée du Paquier, 71150 Demigny, tél. 03.85.49.90.16, fax 03.85.49.90.19, e-mail francois@dallaines.com r.-v.

BALLOT-MILLOT ET FILS
Les Narvaux 1999★

☐ 0,46 ha 2 100 15 à 23 €

Un vin qui donnerait à la Saint-Vincent tournante l'envie de faire comme en 2001, et de retourner chaque année à Meursault. Il ne montre en effet aucune ostentation et exprime surtout la délicatesse, la fraîcheur, l'équilibre des Narvaux qui, comme chacun sait, sont voisins des Genevrières. Il est doré pâle, déjà très droit ; sa complexité viendra plus tard. Egalement une étoile, le **1er cru Charmes 99 (150 à 199 F)** dispose de tout le potentiel pour se garder longtemps. Millésime 93 1er cru Charmes honoré d'un coup de cœur dans le Guide 1996. (100 à 149 F)

Ballot-Millot et Fils, 9, rue de la Goutte-d'Or, BP 33, 21190 Meursault, tél. 03.80.21.21.39, fax 03.80.21.65.92 r.-v.

DOM. GUY BOCARD Les Narvaux 1998★

☐ 0,3 ha 1 800 15 à 23 €

Visitons toute la cave et distribuons les bons points. **Village Vieilles vignes 98**, une étoile, et **1er cru Charmes 99**, cité, par exemple. Le tableau d'honneur revient à cette bouteille jaune paille à reflets dorés, en légère ouverture sur le bourgeon de cassis et friande au palais. Ne demande qu'à se révéler. Coup de cœur dans le Guide 1997 pour le 1er cru Charmes 94 et dans celui de 1995 pour Les Grands Charrons 92. (100 à 149 F)

Guy Bocard, 4, rue de Mazeray, 21190 Meursault, tél. 03.80.21.26.06, fax 03.80.21.64.92 r.-v.

BOUCHARD PERE ET FILS
Les Clous 1998

☐ 8,66 ha n.c. 23 à 30 €

Climat très haut sur le coteau, le plus élevé. Il se présente ici sous une couleur paille jaune nuancé de vert. Le nez intéressant, floral, entreprend seulement de s'exprimer. Sa bouche est plus longue que large, mais l'harmonie générale est réussie. On s'attache surtout à une petite touche personnelle qui retient l'attention. (150 à 199 F)

Bouchard Père et Fils, Ch. de Beaune, 21200 Beaune, tél. 03.80.24.80.24, fax 03.80.22.55.88, e-mail france@bouchard-pereetfils.com r.-v.

GILLES BOUTON
Blagny La Jeunelotte 1999★★

☐ 1er cru 0,44 ha 3 700 15 à 23 €

La Jeunelotte, on le sait sans doute, est un meursault-blagny, flirtant avec puligny. Elle suscite ici l'admiration. Le cépage n'est pas recouvert par le bois. La bouche n'en dit pas trop, mais présente une netteté parfaite. L'amande douce et le citron jouent leur partition. Excellente bouteille, de garde moyenne, déjà ronde et tellement bien disposée... (100 à 149 F)

Gilles Bouton, Gamay, 21190 Saint-Aubin, tél. 03.80.21.32.63, fax 03.80.21.90.74 r.-v.

MICHEL BOUZEREAU ET FILS
Les Grands Charrons 1999★★

□ n.c. 8 000 15 à 23 €

Ce domaine n'est pas inconnu de nos lecteurs. Il fut d'ailleurs coup de cœur dans cette AOC pour des 1er cru Genevrières 97 dans le Guide 2000. Ce même **1er cru** dans le millésime **99 (150 à 199 F)** reçoit deux étoiles. Mais ce sont Les Grands Charrons qui emportent la deuxième place du podium. Leur finesse aromatique (chèvrefeuille dominant), l'or vert brillant de la robe, l'équilibre immédiatement sensible sur un joli fruit, le juste dosage du bois et l'élégante persistance, tout concourt à en faire une très grande bouteille. Notez également **Les Tessons 99** qui n'ont pas dit leur dernier mot et obtiennent une étoile. (100 à 149 F)

Michel Bouzereau et Fils, 3, rue de la Planche-Meunière, 21190 Meursault, tél. 03.80.21.20.74, fax 03.80.21.66.41 r.-v.

DOM. HUBERT BOUZEREAU-GRUERE Charmes 1999★

□ 1er cru 0,65 ha 2 000 23 à 30 €

Pour une dégustation dans quatre à cinq ans, choisissez ce Charmes tout de soie et de dentelle, chèvrefeuille et fruits secs, méritant de se fondre davantage et de mûrir encore. Marie-Laure et Marie-Anne assurent la relève aux côtés d'Hubert Bouzereau, leur père. (150 à 199 F)

Hubert Bouzereau-Gruère, 22 a, rue de la Velle, 21190 Meursault, tél. 03.80.21.20.05, fax 03.80.21.68.16 r.-v.

JOSEPH DE BUCY Bouchères 1999★★

□ 1er cru n.c. 1 160 23 à 30 €

Reprise de la maison Jean Germain de Meursault en 1996, installation à Beaune sous les remparts de la ville. Ce 99 est classé parmi les meilleurs : or blanc limpide, il fait le grand jeu dès le premier coup de nez ; le beurre et l'acacia, les agrumes et le miel vont faire la fête tout au long de la dégustation. Un boisé fort bien contrôlé. Parfait et à garder pour une belle occasion. (150 à 199 F)

Maison Joseph de Bucy, 34, rue Eugène-Spuller, 21200 Beaune, tél. 03.80.24.91.60, fax 03.80.24.91.54, e-mail jodebucy@aol.com r.-v.

DOM. CAILLOT Le Limozin 1998★

□ 0,4 ha 2 500 15 à 23 €

Coup de cœur l'an dernier pour le millésime 97. S'il ne gagne pas le gros lot, le suivant est digne d'un grand meursault. Or clair brillant, il s'épanouit avec élégance et richesse sur une matière importante. Ce 98 a tout d'un 95 au tempérament déjà accentué. Crème et morilles, que le chef se prépare ! Egalement noté, le **Clos du Cromin 98**, brioche, pêche, beurre, pain grillé. Rond et gras à souhait, il est prêt. (100 à 149 F)

GAEC Dom. Caillot, 14, rue du Cromin, 21190 Meursault, tél. 03.80.21.21.70, fax 03.80.21.69.58 r.-v.

DOM. CHANGARNIER 1999

□ 0,26 ha 2 000 11 à 15 €

Dix, quinze générations, on ne sait plus. Peu importe d'ailleurs, car seul compte ce 99 à l'or étincelant, champignonnant un peu sur le fruit à chair blanche. De typicité moyenne, mais à la richesse indéniable, à la puissance bien contrôlée, il devra être ouvert dans un an ou deux. (70 à 99 F)

Dom. Changarnier, pl. du Puits, 21190 Monthélie, tél. 03.80.21.22.18, fax 03.80.21.68.21, e-mail changarnier@aol.com t.l.j. sf dim. 9h-12h 14h-19h

DOM. DU CHATEAU DE PULIGNY-MONTRACHET 1999★

□ 0,73 ha 5 000 15 à 23 €

« Vérité contre tout », telle est la fière devise de ce domaine acquis naguère par le Crédit foncier de France. Très boisé, un vin qui plaît au regard et offre un nez d'une complexité assez passionnante. Franche et riche, la bouche laisse parler les fruits blancs sur des notes grillées : le fût est donc bien marié. (100 à 149 F)

SCEA Dom. du Château de Puligny-Montrachet, 21190 Puligny-Montrachet, tél. 03.80.21.39.14, fax 03.80.21.39.07, e-mail chateaupul@aol.com r.-v.

CH. DE CITEAUX Les Narvaux 1999★

□ 0,65 ha 4 000 15 à 23 €

D'une teinte chaude et dorée à parements verts, le nez bien ouvert sur des notes grillées complétées par les agrumes, voici un 99 qui - une fois fondu - sera très représentatif. Sa richesse, sa matière bien enveloppée, sa longue persistance sont prometteuses. Ce lieu vit, en 1098, l'année même de la fondation de l'ordre, la première vigne des moines de Cîteaux. Signalons, par ailleurs, le **1er cru Perrières 99 (150 à 199 F)** cité par le jury. (100 à 149 F)

Dom. Philippe Bouzereau, Ch. de Cîteaux, 18-20, rue de Cîteaux, BP 25, 21190 Meursault, tél. 03.80.21.20.32, fax 03.80.21.64.34, e-mail info@domaine.bouzereau.fr r.-v.

ALAIN COCHE-BIZOUARD 1999★

■ 0,4 ha 2 400 8 à 11 €

Voici un meursault rouge - si rare - au boisé très bien dosé. En un mot, il est charmeur tant le fruit est présent. Au nez, c'est le cassis qui l'emporte sur les notes de gibier et de grillé. La bouche confirme le nez, structurée par d'excellents tanins. Un dégustateur enthousiaste conseille de le servir avec des cailles farcies au foie gras. Pensez aussi au **meursault blanc Goutte d'Or 98 (150 à 199 F)**, premier cru préféré de Thomas Jefferson, qui obtient une étoile pour ses arômes de chèvrefeuille légèrement réglissés et sa bouche à la fois ronde et vive, bien sur le fruit. (50 à 69 F)

EARL Alain Coche-Bizouard, 5, rue de Mazeray, 21190 Meursault, tél. 03.80.21.28.41, fax 03.80.21.22.38 r.-v.

VINCENT DANCER Perrières 1999**

1er cru 0,29 ha 1 800 15 à 23 €

Vincent Dancer est installé depuis 1996 et présent dans le Guide depuis le millésime 97. Le voici couronné de deux étoiles avec ce 99 à cajoler en cave. Pas trop longtemps : un à deux ans. Car il déborde d'initiative, de la fleur blanche au citron vert. Sous un or blanc limpide qui respecte la norme, le bois est rapidement tenu en laisse par un gras vif et subtil, aérien ou presque, qui domine la situation. Poularde de Bresse ? Oui, en y réfléchissant bien ! (100 à 149 F)

Vincent Dancer, 23, rte de Santenay, 21190 Chassagne-Montrachet, tél. 03.80.21.94.48, fax 03.80.21.94.48, e-mail vincentdancer@aol.com r.-v.

JOSEPH DROUHIN En Luraule 1999**

0,45 ha n.c. 23 à 30 €

En Luraule, *climat* situé entre Les Gouttes d'Or et Les Grands Charrons. C'est limpide et scintillant. C'est moka, nougat, pâtisserie : à Meursault on aime la brioche. Sa chair charmante, équilibrée, finement boisée, séduit. Un dégustateur écrit : « Un vin qui reste en bouche. » (150 à 199 F)

Joseph Drouhin, 7, rue d'Enfer, 21200 Beaune, tél. 03.80.24.68.88, fax 03.80.22.43.14, e-mail maisondrouhin@drouhin.com r.-v.

DOM. EMILE JOBARD Les Tillets 1999*

0,36 ha 1 900 11 à 15 €

Ce doré pâle, cet acacia naissant, cette rondeur ont une force de conviction qui incite à l'optimisme malgré un léger repli sur soi dans l'immédiat. Quelques années de bonne cave affineront l'ensemble. (70 à 99 F)

Dom. Emile Jobard, 1, rue de la Barre, 21190 Meursault, tél. 03.80.21.26.43, fax 03.80.21.60.91 r.-v.

Jobard-Morey

DOM. DE LA GALOPIERE
Les Chevalières 1999*

0,23 ha 1 500 15 à 23 €

Vers les Luchets, rendus célèbres par une pièce de théâtre signée et jouée par le viticulteur - comédien Jean-Marc Roulot -, ces Chevalières sont d'un bel or héraldique. Le cépage, le terroir et le fût vivent encore un tournoi chevaleresque, mais le vin a assez de gras pour tenir assez longtemps le choc sans perdre les éperons. (100 à 149 F)

Claire et Gabriel Fournier, 6, rue de l'Eglise, 21200 Bligny-lès-Beaune, tél. 03.80.21.46.50, fax 03.80.21.49.93, e-mail c.g.fournier@wanadoo.fr r.-v.

SYLVAIN LANGOUREAU
Blagny La Pièce sous le bois 1999*

1er cru 0,45 ha 3 600 15 à 23 €

Les Langoureau sont arrivés en Bourgogne à la fin du XIXe s. Le capitaine du domaine le conduit depuis 1988. Voici son meursault-blagny. On cousine avec puligny. Floral, ce 99 or blanc et au boisé bien tempéré est flatteur mais imposant dans sa démonstration au palais ; s'il manque peut-être un peu de mordant il est d'un excellent niveau de qualité. (100 à 149 F)

Sylvain Langoureau, Hameau de Gamay, 21190 Saint-Aubin, tél. 03.80.21.39.99, fax 03.80.21.39.99 r.-v.

LA P'TIOTE CAVE Bouchères 1998**

1er cru n.c. n.c. 23 à 30 €

Les Bouchères se situent en plein milieu de l'AOC village et dans le meilleur environnement, avec pour voisins Goutte d'Or et Poruzot. Ce 98 porte une robe très fraîche, or blanc. Ses accents sont miellés, teintés d'amande grillée. Encore un peu sur la réserve, austère, un vin à attendre car très prometteur. (150 à 199 F)

EARL La P'tiote Cave, 71150 Chassey-le-Camp, tél. 03.85.87.15.21, fax 03.85.87.28.08 t.l.j. 9h-12h 14h-18h

Mugnier Père et Fils

JEAN LATOUR-LABILLE ET FILS
1999*

0,56 ha 3 000 8 à 11 €

Vincent Latour, vingt-trois ans, a repris ce domaine en 1998. Il est donc ici dans ses premiers millésimes. Un peu perdu parmi tant de blancs, ce vin pourpre sombre défend avec panache l'honneur des rouges. Du moelleux à l'attaque, un corps structuré, de l'étoffe avec, en rétro-olfaction, des arômes de pruneau à l'eau-de-vie. Signalons également le **1er cru Les Cras rouge 99 (70 à 99 F)**, volumineux, très structuré, très marqué par le fût, ainsi qu'en **blanc Perriè-**

res 1er cru 99 (150 à 199 F) qui sera long à se confier. (50 à 69 F)

🔑 Jean Latour-Labille et Fils, 6, rue du 8-Mai, 21190 Meursault, tél. 03.80.21.22.49, fax 03.80.21.67.86 ☑ Y r.-v.

🔑 Vincent Latour

OLIVIER LEFLAIVE Charmes 1998*

☐ 1er cru	1,2 ha	7 400	⏸ 38 à 46 €

Riche, gras, puissant... Non, il ne fait vraiment pas pitié et ne réclame pas l'aumône. L'or ? Il en a plein la robe. Arômes fruités sur un soupçon d'évolution. La suite est d'un chardonnay appuyé, typé dans l'opulence et qui s'impose en bouche sans ménagement. Un grand cuisinier membre du jury écrit : « Parfait pour la restauration : envoyez une volaille de Bresse à la crème et aux morilles. » Tout simplement. (250 à 299 F)

🔑 Olivier Leflaive, pl. du Monument, 21190 Puligny-Montrachet, tél. 03.80.21.37.65, fax 03.80.21.33.94, e-mail leflaive-olivier@dial.oleane.com ☑ Y r.-v.

DOM. MAILLARD PERE ET FILS 1999*

☐	0,23 ha	n.c.	⏸ 15 à 23 €

La cuisinière vous dit : une terrine de poisson. Ne cherchez pas : voici la bouteille qu'il faut. Elle n'a pas l'ampleur du Colisée, mais un corps fin et léger, celui des frises du Parthénon. La beauté est multiple... L'acidité, le moelleux font la paire. La couleur est impeccable, le nez fait de noisette fraîche et un peu grillée. C'est un vrai *village*. (100 à 149 F)

🔑 Dom. Maillard Père et Fils, 2, rue Joseph-Bard, 21200 Chorey-lès-Beaune, tél. 03.80.22.10.67, fax 03.80.24.00.42 ☑ Y r.-v.

La côte de Beaune (Centre-Sud)

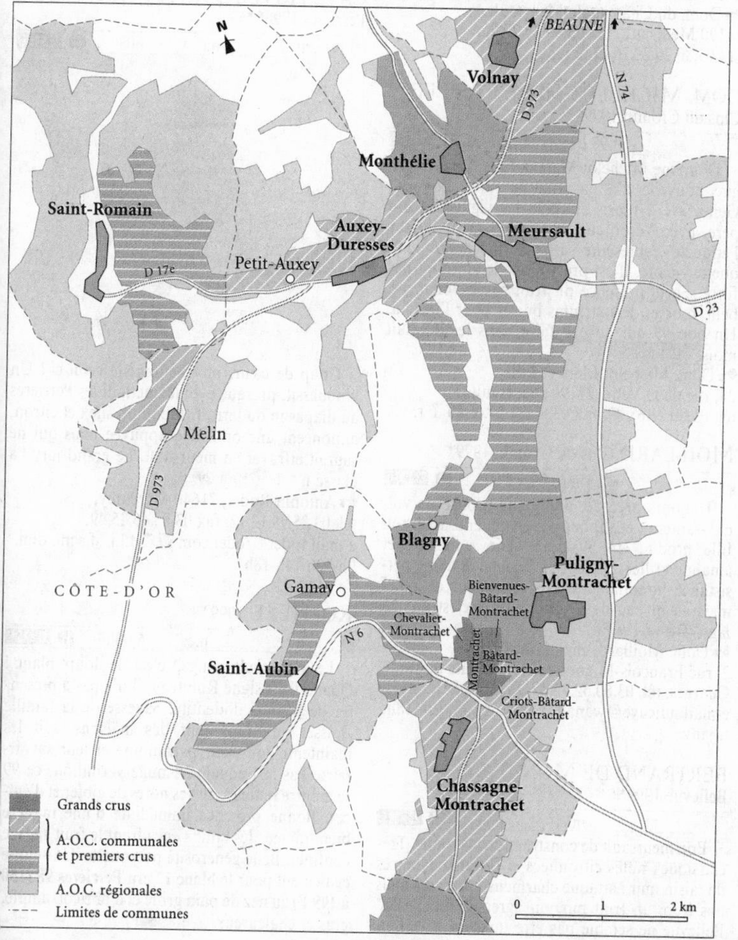

DOM. MAROSLAVAC-LEGER
Les Murgers 1999*

☐ 0,25 ha 1 700 15 à 23 €

Les Murgers s'appellent en réalité Murger de Monthélie : tout près de ce village. On sait que ce mot désigne des tas de cailloux tirés de la terre depuis des siècles. Ce 99 intense et limpide, discrètement boisé, aux arômes floraux encore peu développés, montre une bouche où le fruit est remarquablement préservé jusqu'au dernier point d'orgue. (100 à 149 F)

Dom. Maroslavac-Léger, 43, Grande-Rue, 21190 Puligny-Montrachet, tél. 03.80.21.31.23, fax 03.80.21.91.39, e-mail maroslavac.leger@wanadoo.fr r.-v.

CH. DE MEURSAULT 1998

☐ 1er cru 5 ha 30 000 30 à 38 €

Un chérubin, moelleux et tendre. Il faut aller le chercher un peu : or clair, boisé, risquant l'aubépine sur fond grillé, il est très lisse mais d'une belle cohérence qui a du poids et conduit à la viande blanche en sauce. (200 à 249 F)

Dom. du Château de Meursault, 21190 Meursault, tél. 03.80.26.22.75, fax 03.80.26.22.76 r.-v.

DOM. MICHELOT MERE ET FILLE
Clos du Cromin 1999*

☐ 0,98 ha 1 500 15 à 23 €

Domaine Michelot Mère et Fille. La Bourgogne nouvelle n'a pas fini de nous étonner ! Geneviève a repris en 1998 les vignes de son père, avec Véronique sa fille. Et la photo sur l'étiquette représente sa grand-mère. Sur l'étiquette encore, il est précisé que le vin n'est pas filtré. Forte présence du fruit sur la longueur, belle robe et des parfums boisés pour l'instant. Un bon 99 qui doit se faire dans les dix-huit mois. (100 à 149 F)

Dom. Michelot Mère et Fille, 24, rue de la Velle, 21190 Meursault, tél. 03.80.21.68.99, fax 03.80.21.27.65 r.-v.

MOILLARD Clos du Cromin 1999*

☐ 1,6 ha 7 500 23 à 30 €

Toujours précoce, une vigne proche de volnay-santenot et vendangée en général assez tôt. Elle produit un 99 doré clair, aubépine et amande grillée, flatteur en bouche et d'une persistance honorable. Pas énormément de relief mais au niveau de ses ambitions : c'est un *village*. (150 à 199 F)

Dom. Moillard, chem. rural 29, 2, rue François-Mignotte, 21700 Nuits-Saint-Georges, tél. 03.80.62.42.22, fax 03.80.61.28.13, e-mail nuicave@wanadoo.fr t.l.j. 10h-18h; f. janv.

BERTRAND DE MONCENY
Bellevue 1999*

☐ n.c. 12 000 23 à 30 €

Bon meursault de construction classique. Très classique : notes citronnées et florales, nuances de raisin mûr ; attaque charmeuse ; du gras mais pas trop, un fruit pur, un agréable moelleux... Bellevue ne semble pas être un *climat*, et Bertrand de Monceny est une marque de J.-P. Nié. (150 à 199 F)

Cie des Vins d'Autrefois, abbaye Saint-Martin, 53, av. de l'Aigue, 21200 Beaune, tél. 03.80.26.33.00, fax 03.80.24.14.84, e-mail mallet.b@cva-beaune.fr

Jean-Pierre Nié

PIGUET-GIRARDIN Vieilles vignes 1999

☐ 2 ha n.c. 11 à 15 €

Un 99 qui ne force pas la note. Or pâle limpide sans chercher à se singulariser. Un vin qui ne recherche pas l'extravagance. Nez de noisette et de beurre, pulpe d'orange. Il s'affirme de façon positive, dans la souplesse ; la structure n'est pas considérable mais on se situe au cœur d'une ambiance plaisante aux accents d'amande. (70 à 99 F)

SCE Piguet-Girardin, rue du Meix, 21190 Auxey-Duresses, tél. 03.80.21.60.26, fax 03.80.21.66.61 r.-v.

CAVE PRIVEE D'ANTONIN RODET
Perrières 1998**

☐ 1er cru n.c. 608 38 à 46 €

Coup de cœur, un phénomène celui-ci ! Un vin massif, presque évolué, mettant les Perrières au diapason du terroir. Menthol, silex et citron, annoncent une opulence appuyée mais qui ne saurait effrayer en meursault. Le grand jury l'a classé n° 1. (250 à 299 F)

Antonin Rodet, 71640 Mercurey, tél. 03.85.98.12.12, fax 03.85.45.25.49, e-mail rodet@rodet.com t.l.j. sf sam. dim. 9h-12h 14h-18h

ROPITEAU 1999*

■ n.c. 6 000 11 à 15 €

Le meursault rouge, c'est le loup blanc ! Quand il est signé Ropiteau, il n'a pas à présenter de papiers d'identité. Sagesse de la famille Boisset qui, reprenant des maisons, sait les maintenir dans leur patrimoine et leur savoir-faire. Pas si fréquent ! Rouge vermillon, ce 99 se montre flatteur par ses notes de gibier et d'épices. Bonne présence immédiate d'une matière bien tramée : les tanins encadrent le fruit sans le confiner. Belle générosité potentielle. Une étoile également pour le **blanc 1er cru Perrières 98 (150 à 199 F)** au nez de pain grillé et d'abricot, ample, gras et chaleureux. (70 à 99 F)

Ropiteau Frères, 13, rue du 11-Novembre, 21190 Meursault, tél. 03.80.21.69.20, fax 03.80.21.69.29 t.l.j. 9h-19h; f. mi-nov. à Pâques

DE SOUSA-BOULEY Les Millerans 1999*

☐ 0,51 ha 1 800 11 à 15 €

Tout en bas du village, ce *climat* a donné un vin destiné à la quenelle ou à l'écrevisse. Ses légers reflets verts enveloppent des nuances odorantes où le champignon ne passe pas inaperçu sur un boisé grillé dominant. Long, assez vif, il rappelle ces petits chemins qui sentent bon la noisette et que chantait Mireille. (70 à 99 F)

Albert de Sousa-Bouley, 25, RN 74, 21190 Meursault, tél. 03.80.21.22.79, fax 03.80.21.66.76 t.l.j. 8h-20h

HENRI DE VILLAMONT 1999

☐ n.c. 12 000 23 à 30 €

Très vert, présenté par une filiale bourguignonne du groupe helvétique Schenk, un vin dont le nez de pamplemousse et de citron a beaucoup d'allant. Gras et rond, mais de bonne acidité, il semble pouvoir être gardé sans inquiétude. Tend sur l'agrume en bouche. (150 à 199 F)

SA Henri de Villamont, rue du Dr-Guyot, 21420 Savigny-lès-Beaune, tél. 03.80.24.70.07, fax 03.80.22.54.31, e-mail hdv@planetb.fr t.l.j. sf mar. 10h30-18h; f. 15 nov.-15 mars

Blagny

Situé à cheval sur les communes de Meursault et de Puligny-Montrachet, un vignoble homogène s'est développé autour du hameau de Blagny. On y produit des vins rouges remarquables portant l'appellation blagny (256 hl en 2000), mais la plus grande superficie est plantée en chardonnay pour donner, selon la commune, du meursault 1er cru ou du puligny-montrachet 1er cru.

DOM. HENRI CLERC ET FILS
Sous le Dos d'Ane 1998*

1er cru 0,93 ha 3 906 23 à 30 €

94 95 **96** 97 98

Créé au XVI[e]s., ce domaine livrait ses vendanges au négoce jusqu'en 1965, date à laquelle Bernard Clerc a choisi de vinifier lui-même. Rouge grenat bien soutenu sur un léger fond fauve, son vin s'acquitte de ses devoirs aromatiques avec une jolie finesse : la merise, le pruneau, le buis, les feuilles mortes... Ses tanins forment une belle charpente et nécessitent quelques années de garde : le Dos d'Ane est encore rude, il faut le « raboter » ; sa matière est prometteuse (cinq à six ans en cave). (150 à 199 F)

Dom. Henri Clerc et Fils, pl. des Marronniers, 21190 Puligny-Montrachet, tél. 03.80.21.32.74, fax 03.80.21.39.60 t.l.j. 8h30-11h45 14h-17h45

Bernard Clerc

Puligny-montrachet

Centre de gravité des vins blancs de Côte-d'Or, serrée entre ses deux voisines Meursault et Chassagne, cette petite commune tranquille ne fait en surface de vignes que la moitié de Meursault, ou les deux tiers de Chassagne, mais se console de cette modestie apparente en possédant les plus grands crus blancs de Bourgogne, dont le montrachet, en partage avec Chassagne.

La position géographique de ces grands crus, selon les géologues de l'université de Dijon, correspond à une émergence de l'horizon bathonien, qui leur confère plus de finesse, plus d'harmonie et plus de subtilité aromatique qu'aux vins récoltés sur les marnes avoisinantes. L'AOC a produit 11 120 hl de vin blanc et 258 hl de vin rouge en 2000.

Les autres *climats* et premiers crus de la commune exhalent fréquemment des senteurs végétales à nuances résineuses ou terpéniques, qui leur donnent beaucoup de distinction.

DOM. CHARLES ALLEXANT ET FILS
Les Meix 1999

☐ 0,41 ha 2 500 15 à 23 €

Limpide à reflets dorés, il a le nez noisette et lilas. L'entame est agréable en raison d'une finesse baignant dans la fraîcheur. L'acidité ? Pas de problème. La finale ? Un peu réglissée. Ce *climat* se situe juste en dessous des Pucelles. Puligny typé et mention très honorable s'il s'agissait d'une thèse. (100 à 149 F)

SCE Dom. Charles Allexant et Fils, rue du Château, Cissey, 21190 Merceuil, tél. 03.80.26.83.27, fax 03.80.26.84.04 t.l.j. 8h-12h 13h30-18h; sam. dim. sur r.-v.

MICHEL BOUZEREAU
Les Champs Gains 1999*

☐ 1er cru 0,3 ha n.c. 23 à 30 €

A plus de 300 m d'altitude et sur le coteau de Blagny. Ce Champs Gains est le 1er cru le plus élevé dans l'entourage du montrachet. Sa physionomie est ici conforme au portrait-robot de l'appellation et du *climat*. Délicat et floral, il

BOURGOGNE

s'attache à séduire plutôt qu'à convaincre. Son acidité lui offre du relief. Léger sans doute mais il a de la classe. (150 à 199 F)

Michel Bouzereau et Fils, 3, rue de la Planche-Meunière, 21190 Meursault, tél. 03.80.21.20.74, fax 03.80.21.66.41 r.-v.

DOM. CAILLOT Les Pucelles 1998★★

☐ 1er cru 0,22 ha 350 38 à 46 €

Dans son livre paru en 1831, le Dr Morelot signale déjà la sensation vanillée des vins de Bourgogne. Ce n'est donc pas nouveau. Merveilleuses sous tout rapport, plus délurées que pudiques mais sachant se tenir, ces Pucelles sont encore trop grillées pour être appréciées aujourd'hui. Mais dans deux ou trois ans, elles satisferont les plus difficiles. Car là-dessous le vin est magnifique. Un trésor caché ! (250 à 299 F)

GAEC Dom. Caillot, 14, rue du Cromin, 21190 Meursault, tél. 03.80.21.21.70, fax 03.80.21.69.58 r.-v.

DOM. JEAN CHARTRON Les Folatières 1999★

☐ 1er cru 0,5 ha 3 500 46 à 76 €

Délicatesse ou légèreté ? Telle est bien la question que se posent nos dégustateurs. Cela dit, ils ne sont pas n'importe qui ; sans le savoir, l'un d'eux écrit sur sa fiche : « Vient du dessus de Puligny ». Exact, ce sont des Folatières. Robe discrète et de bon ton, traces de noisette, ce 99 se prépare au mariage : fleurs blanches et fruits blancs. Beau 1er cru, plus doux que violent. Autre idée : le **clos de la Pucelle 99**, même note. (300 à 499 F)

Dom. Jean Chartron, 13, Grande-Rue, 21190 Puligny-Montrachet, tél. 03.80.21.32.85, fax 03.80.21.36.35 t.l.j. 10h-12h 14h-18h; f. mi-nov. à mars

DOM. DU CHATEAU DE PULIGNY-MONTRACHET 1999★

☐ 1,5 ha 10 000 23 à 30 €

On se rappelle Sempé, le dessinateur, en train de déguster ici. Cette bouteille devrait lui plaire car elle évoque les senteurs du matin. Jaune intense, elle se concentre aussi sur le fût. Son complexe aromatique (cire d'abeille, girofle) s'affirme. Le verdict est quasi unanime : grand vin dans deux à quatre ans. (150 à 199 F)

SCEA Dom. du Château de Puligny-Montrachet, 21190 Puligny-Montrachet, tél. 03.80.21.39.14, fax 03.80.21.39.07, e-mail chateaupul@aol.com r.-v.

DOM. DUPONT-FAHN Les Grands Champs 1999★

☐ n.c. 1 200 11 à 15 €

Vous voyez le Clavaillon ? Les Grands Champs sont juste à côté. L'or brille ici de mille feux. La fraîcheur s'installe au premier coup de nez, puis des notes d'agrumes assez généreuses sur fond vanillé prennent le relais. Que de gras et de richesse en bouche ! Pour un poisson ? Sans doute, mais qu'il soit grand ! (70 à 99 F)

Michel Dupont-Fahn, 21190 Monthélie, tél. 03.80.21.26.78, fax 03.80.21.21.22 r.-v.

RAYMOND DUREUIL-JANTHIAL Les Champs Gains 1999★

☐ 1er cru 0,19 ha 1 200 23 à 30 €

Epouser la fille unique de vignerons de Rully a permis à ce viticulteur, natif de Puligny, d'avoir un œil en Côte de Beaune et l'autre en Côte chalonnaise. Ce 1er cru onctueux puis vif, au boisé bien fondu, est de bonne composition mais à affiner à l'élevage. Ses notes toastées nuancées d'agrumes sur l'or léger de sa robe font très bonne impression. (150 à 199 F)

Raymond Dureuil-Janthial, rue de la Buisserolle, 71150 Rully, tél. 03.85.87.02.37, fax 03.85.87.00.24 t.l.j. 9h-12h 15h-19h; dim. sur r.-v.

CH. GENOT-BOULANGER Les Nosroyes 1998★

☐ 1,1 ha 4 900 15 à 23 €

Climat proche des Perrières. Mais quel qu soit l'endroit où l'on se trouve en puligny, o touche au paradis. Or vert ? Vert tilleul. Au nez l'amateur découvre le seringat, la sève de pin e même la pierre à fusil. Le merrain ne se fait pa encore oublier et on éprouve un sentiment d jeunesse. Si on ne veut pas l'attendre trop long temps, il faudra le décanter. (100 à 149 F)

SCEV Ch. Génot-Boulanger, 25, rue de Cîteaux, 21190 Meursault, tél. 03.80.21.49.20, fax 03.80.21.49.21, e-mail genot.boulanger@wanadoo.fr r.-v.

DOM. HUBERT LAMY Les Tremblots 1999★

☐ 0,9 ha 7 900 15 à 23

Les Tremblots touchent le chassagne, juste e dessous du bâtard ou de si peu... D'un bel écla beurre de noisette au nez, il tient bien en bouch sur une bonne longueur. La diversité de ses arô mes le rend intéressant, mais son côté tranquill sa faible acidité suggèrent de ne pas l'attend plus de deux ou trois ans. (100 à 149 F)

Dom. Hubert Lamy, Paradis, 21190 Saint-Aubin, tél. 03.80.21.32.55, fax 03.80.21.38.32 r.-v.

SYLVAIN LANGOUREAU La Garenne 1999★★

☐ 1er cru 0,55 ha 4 400 15 à 23

Deux très bons vins : le **1er cru Les Chalumau 99** (une étoile) et, meilleur encore, celui-ci. I Garenne ? On la trouve en montant vers Blagn Sous des abords dorés, un vin de miel et beurre frais à confier au Petit Chaperon roug Gras et rond, il est encore un peu marqué p l'alcool, mais la maturité du raisin et complexité aromatique ont de quoi occuper temps (deux à cinq ans de garde). Pourra mêm être servi sur un tartare de saumon sans décho (100 à 149 F)

Sylvain Langoureau, Hameau de Gamay, 21190 Saint-Aubin, tél. 03.80.21.39.99, fax 03.80.21.39.99 r.-v.

DOM. LARUE Les Garennes 1999★

☐ 1er cru 0,59 ha 4 500 23 à 30 €

Cristallin et traversé de ce fameux reflet vert, ce vin semble mûr alors qu'il est tout jeune. Se mêlent chèvrefeuille et note empyreumatique avec une pointe minérale. Subtile et puissante à la fois, la bouche est presque déjà prête. (150 à 199 F)

Dom. Larue, Gamay, 21190 Saint-Aubin, tél. 03.80.21.30.74, fax 03.80.21.91.36 ☒ Y r.-v.

ROLAND MAROSLAVAC-LEGER
Les Combettes 1999

☐ 1er cru 0,16 ha 1000 23 à 30 €

Ces Combettes ont ici un parfum et un goût de noisette prononcés. Bien coloré, ce vin séduit le palais avec un petit côté meursault (c'est la porte d'en face). L'alcool soutient quelque peu l'édifice. L'aiguillon viendra dans les deux ans. (150 à 199 F)

Dom. Maroslavac-Léger, 43, Grande-Rue, 21190 Puligny-Montrachet, tél. 03.80.21.31.23, fax 03.80.21.91.39, e-mail maroslavac.leger@wanadoo.fr ☒ Y r.-v.

PROSPER MAUFOUX 1998★

☐ n.c. n.c. 23 à 30 €

Or soutenu à reflets verts, un 98 encore plein de sève. « De montant », comme on disait jadis. Léger miel floral, notes d'amandes grillées, vous aimerez le nez. La première bouche, un peu sévère, s'ouvre sur une structure charpentée gardant ce côté strict et serré. Dans deux à trois ans, ce sera bien équilibré et probablement plus rond. (150 à 199 F)

Prosper Maufoux, pl. du Jet-d'Eau, 21590 Santenay, tél. 03.80.20.60.40, fax 03.80.20.63.26, e-mail prosper.maufoux@wanadoo.fr ☒ Y r.-v.

DOM. BERNARD MILLOT 1999★

☐ 0,45 ha 1 500 11 à 15 €

Paille assez pâle, il appelle à poursuivre par son classique reflet vert. Agréablement quoique discrètement fruité (mirabelle), le nez révèle des notes florales en arrière-fond. La bouche attaque sur la fraîcheur, développe les arômes du nez et perdure sur le gras. Bien typé, un joli vin. (70 à 99 F)

EARL Bernard Millot, 27, rue de Mazeray, 21190 Meursault, tél. 03.80.21.20.91, fax 03.80.21.62.50 ☒ Y r.-v.

DOM. JEAN PASCAL ET FILS 1999★

☐ 3,3 ha 6 000 15 à 23 €

D'un or pâle traversé de reflets gris, d'une fraîcheur empreinte de citron et de fougère, un vin de profil élégant. Silhouette élancée en bouche, sans maigreur cependant. Le fruit est bien présent. Tendre et très long en finale, il se prépare un avenir. *Village* d'excellente compagnie. (100 à 149 F)

SARL Dom. Jean Pascal et Fils, 20, Grande-Rue, 21190 Puligny-Montrachet, tél. 03.80.21.34.57, fax 03.80.21.90.25 ☒ Y r.-v.

FERNAND ET LAURENT PILLOT
Noyers Brets 1999★

☐ 0,5 ha 3 400 15 à 23 €

Noyers Brets ? *Climat* situé au sud du village entre Enseignères et Tremblots. Jaune or soutenu, ce 99 offre un nez plein de qualités et prometteur. La bouche fait bonne impression. Elle a tout pour bien vieillir. Souple et aux accents d'amande, vineuse et riche, elle donne envie de se faire plaisir. On attendra plutôt, de deux à cinq ans. (100 à 149 F)

Fernand et Laurent Pillot, 13, rue des Champgains, 21190 Chassagne-Montrachet, tél. 03.80.21.33.64, fax 03.80.21.92.60, e-mail lfpillot@club-internet.fr ☒ Y r.-v.

REINE PEDAUQUE 1999

☐ n.c. 9 000 15 à 23 €

Ce vin gagnera ses galons à l'ancienneté. Car il faut le laisser venir. Il chardonne bien sous de légers arômes grillés. Il affirme une certaine opulence, doté d'une belle chair et d'un bon gras. Mais on l'a dit, il est en attente. Deux ans ? Cinq ans ? (100 à 149 F)

Reine Pédauque, Le Village, 21420 Aloxe-Corton, tél. 03.80.25.00.00, fax 03.80.26.42.00, e-mail rpedauque@axnet.fr Y r.-v.

CAVE PRIVEE D'ANTONIN RODET
Hameau de Blagny 1998

☐ 1er cru n.c. 718 46 à 76 €

On se situe ici à Blagny. Physiquement. Onctueux, soyeux et souple, un vin à savourer dans un à deux ans sur son charme un peu particulier mais prenant. (300 à 499 F)

Antonin Rodet, 71640 Mercurey, tél. 03.85.98.12.12, fax 03.85.45.25.49, e-mail rodet@rodet.com ☒ Y t.l.j. sf sam. dim. 9h-12h 14h-18h

ROPITEAU 1999★

☐ n.c. 10 000 15 à 23 €

Franc, net, il est très sec. Jaune et vert comme le veut la tradition, très odorant (fruité, vanillé), il se prépare à des jours meilleurs encore. Amande et noisette agrémentent une bouche ronde et agréable, assez longue pour que l'on puisse en parler. La maison Ropiteau est, en blanc, l'un des fleurons de la famille des vins Jean-Claude Boisset. (100 à 149 F)

Ropiteau Frères, 13, rue du 11-Novembre, 21190 Meursault, tél. 03.80.21.69.20, fax 03.80.21.69.29 ☒ Y t.l.j. 9h-19h; f. mi-nov. à Pâques

DOM. ROUX PERE ET FILS
Les Enseignères 1999★

☐ 0,33 ha 2 300 23 à 30 €

« Le caractère, voilà ce qui dure », nous enseigne Euripide. En voici la preuve par deux fois neuf. Ce 99 bénéficie d'un bel équilibre de constitution, d'une harmonie généreuse. D'un or assez léger, il construit son bouquet sur l'amande et le fruit blanc très mûr. Il peut évoluer favorablement. Ce vin millésimé 97 fut notre coup de cœur dans le Guide 2000. Cette famille entreprenante vient de s'implanter dans

BOURGOGNE

le Languedoc comme beaucoup de Bourguignons. (150 à 199 F)

🔑 Dom. Roux Père et Fils, 21190 Saint-Aubin, tél. 03.80.21.32.92, fax 03.80.21.35.00 ☑ 🍷 r.-v.

RENE TARDY ET FILS 1999*

☐ 0,39 ha 2 900 🍾 15 à 23 €

Depuis 1985, Joël Tardy dirige ce domaine. Il a acquis cette parcelle avec trente-cinq petits apporteurs de capitaux, tous amateurs de bons vins. Celui-ci devra attendre quelques années pour réaliser tout ce qu'il promet. Aujourd'hui, il est tout en fraîcheur juvénile et a séduit le jury, sauf un dégustateur qui aurait aimé plus de personnalité. A attendre deux ou trois ans pour voir. (100 à 149 F)

🔑 Dom. René Tardy et Fils, 32, rue Caumont-Bréon, 21700 Nuits-Saint-Georges, tél. 03.80.61.20.50, fax 03.80.61.36.96, e-mail tardyrene@aol.com ☑ 🍷 r.-v.

VAUCHER PERE ET FILS 1999*

☐ n.c. n.c. 🍾 23 à 30 €

Ris de veau si possible pour ce 99 chaudement coloré, or vif. Son bouquet parle de pain grillé et de fût, une complexité esquissée sur le beurre et l'acacia. Construction équilibrée, à la française, d'un vin plein, arrondi et cependant ferme, un peu évolué peut-être mais dont on attend avec espoir les nuances. Son acidité autorise ce pari. Vaucher est une maison acquise par la famille Cottin (Labouré-Roi à Nuits). (150 à 199 F)

🔑 Vaucher Père et Fils, rue Lavoisier, 21700 Nuits-Saint-Georges, tél. 03.80.62.64.00, fax 03.80.62.64.10 🍷 r.-v.

Montrachet, chevalier, bâtard, bienvenues bâtard, criots bâtard

La particularité la plus étonnante de ces grands crus, dans un passé récent, était de se faire attendre plus ou moins longtemps avant de manifester dans sa plénitude la qualité exceptionnelle que l'on attendait d'eux. Dix ans était le délai accordé au « grand » montrachet pour atteindre sa maturité, cinq ans pour le bâtard et son entourage ; seul le chevalier-montrachet semblait manifester plus rapidement une ouverture communicative.

Depuis quelques années cependant, on rencontre des cuvées de montrachet avec un bouquet d'une puissance exceptionnelle et des saveurs si élaborées que l'on peut en apprécier la qualité immédiatement, sans avoir à supputer l'avenir. Le volume de production est, là aussi, très faible : l'ensemble des grands crus de montrachet a représenté 1 512,23 hl en 2000.

Montrachet

DOM. DE LA ROMANEE-CONTI 1999***

☐ Gd cru 0,67 ha 3 590 🍾 +76 €

|83| |86| (90) |91| 93 97 98 (99)

Jasmin peut être satisfait. Il s'agit du cheval - un comtois - de Sébastien Denis, qui effectue depuis 1999 les labours en romanée-conti, en montrachet et sur une partie du richebourg, à l'intention du domaine. Car ce millésime est fort bien venu. Vendangé très tard et à maturité extrême, ce 99 conserve néanmoins sa fraîcheur. Une clé pour comprendre le montrachet : l'année à botrytis, 1998, a donné un vin opulent, tout en miel. L'année suivante, sans botrytis, a produit un vin au miellé plus discret, rigoureux, presque austère et pourtant d'une fascinante séduction. Il n'évoque pas la rondeur des beautés baroques, mais présente une ligne épurée et d'un goût parfait. Une impression de légèreté accompagne une éblouissante densité. (+ 500 F)

🔑 SC du Dom. de La Romanée-Conti, 1, rue Derrière-le-Four, 21700 Vosne-Romanée, tél. 03.80.62.48.80, fax 03.80.61.05.72

OLIVIER LEFLAIVE 1999**

☐ Gd cru n.c. n.c. 🍾 +76 €

« Ce n'est pas un vin, c'est un événement », disait Frank M. Schoonmaker du montrachet. D'une teinte chaudement dorée, ce 99 a le sexe des anges. Ni masculin ni féminin, il est gras et sec, enveloppé et svelte. Son bouquet déjà bien ouvert vante la pêche, l'églantine, l'écorce de mandarine. Au palais, beaucoup de netteté, de pureté, agrémentées par une sensation minérale, ponctuées par une longue finale. Il sera très grand dans quelques années et pour longtemps. (+ 500 F)

Olivier Leflaive, pl. du Monument, 21190 Puligny-Montrachet, tél. 03.80.21.37.65, fax 03.80.21.33.94, e-mail leflaive-olivier@dial.oleane.com ☑ Y r.-v.

Chevalier-montrachet

DOM. BOUCHARD PERE ET FILS 1998***

☐ Gd cru 2,54 ha n.c. +76 €

Vous irez bien sûr à Beaune visiter cette maison qui appartient au Champagne Henriot depuis 1995 : ses caves installées dans les bastions de la forteresse du XVᵉs. sont belles. Bouchard est la plus importante propriété de ce grand cru. Son 98 à la robe très classique propose un bouquet entreprenant qui vous entraîne vers l'ananas, la noix et même l'eau de rose. La suite affirme la race complexe d'un chevalier qui tient son rang, puissant à l'attaque, vif et très élégant, mais aussi incapable de dissimuler son opulence. (+ 500 F)

Bouchard Père et Fils, Ch. de Beaune, 21200 Beaune, tél. 03.80.24.80.24, fax 03.80.22.55.88, e-mail france@bouchard-pereetfils.com Y r.-v.

DOM. JEAN CHARTRON Clos des Chevaliers 1999*

☐ Gd cru 0,55 ha 2 000 +76 €

91 **92** 93 **94** |**95**| **96** |97| **98** 99

Fermentation et élevage en fûts (dont 40 % neufs) pendant douze mois : ce 99, encore vif, vit son âge ingrat comme tout adolescent. Cependant sa robe donne confiance : elle est déjà bien dessinée. Son bouquet se développe petit à petit sur des notes variées : verveine, citron, gingembre... Porté par son acidité, ce vin est facile à boire pour l'instant, et on conseille plutôt de profiter de ses bonnes grâces sans l'attendre trop longtemps (trois à cinq ans). (+ 500 F)

Dom. Jean Chartron, 13, Grande-Rue, 21190 Puligny-Montrachet, tél. 03.80.21.32.85, fax 03.80.21.36.35 ☑ Y t.l.j. 10h-12h 14h-18h; f. mi-nov. à mars

LOUIS LATOUR Les Demoiselles 1998

☐ Gd cru 0,59 ha 2 400 +76 €

Cette vigne a toute une histoire. Ces demoiselles sont Adèle et Julie Voillot, et cela se passe au milieu du XIXᵉs. Un épisode Léonce Bocquet, puis Louis Jadot et Louis Latour en font l'acquisition en 1913. Quant au vin ? Ces Demoiselles portent une jolie robe à reflets prononcés. Leur parfum ? La cire d'abeille, couvent des Carmélites beaunoises ; elles incarnent une autre époque, austère et réservée. Ce n'est pas le goût du jour, mais cela existe ! S'épanouiront-elles avant dix ans ? (+ 500 F)

Dom. Louis Latour, 18, rue des Tonneliers, 21204 Beaune, tél. 03.80.24.81.00, fax 03.80.22.36.21, e-mail louislatour@louislatour.com Y r.-v.

Bâtard-montrachet

DOM. BACHELET-RAMONET PERE ET FILS 1999**

☐ Gd cru 0,5 ha 1 500 46 à 76 €

Complexe et harmonieux, si lumineux, il séduit d'emblée. Les fleurs blanches, la brioche chaude, le pain grillé, le miel : on croit entendre Jean Lenoir, enfant du pays, parler du nez du vin de Chassagne. L'attaque est d'une droiture parfaite, le fût discret, la rétro-olfaction pleine de fruits mûrs, la pointe d'amertume inespérée... Ne soyez pas impatient ; il faut le laisser longtemps reposer en cave. (300 à 499 F)

Dom. Bachelet-Ramonet Père et Fils, 11, rue du Parterre, 21190 Chassagne-Montrachet, tél. 03.80.21.32.49, fax 03.80.21.91.41 ☑ Y r.-v.

LOUIS LEQUIN 1999**

☐ Gd cru 0,12 ha 810 46 à 76 €

94 (96) 98 **99**

Proche du coup de cœur et finaliste, c'est - comme on disait au siècle de la Toison d'or- le Grand Bâtard de Bourgogne, superbe dans son habit de cour à reflets cristallins. Le nez ? D'une folle générosité et d'une distinction absolue (amande, miel, chèvrefeuille), riche, dense et gras ; le fond est important. On note un fort soutien alcoolique, mais pas dérangeant et normal en montrachet. Un potentiel énorme. La parcelle, située côté chassagne, a été achetée par Jean Lequin en 1938 (ancien domaine Lequin-Roussot après partage). (300 à 499 F)

🔑 Louis Lequin, 1, rue du Pasquier-du-Pont, 21590 Santenay, tél. 03.80.20.63.82, fax 03.80.20.67.14, e-mail louis.lequin@wanadoo.fr ☑ 🍷 r.-v.

RENE LEQUIN-COLIN 1999★★

☐ Gd cru 0,12 ha 750 46 à 76 €

Née d'un partage successoral en deux moitiés, cette parcelle, située côté chassagne, est Lequin depuis 1938. Elle donne un superbe 99. Pimpante, sa robe est d'une netteté parfaite. Fleur d'acacia, noisette équilibrent le grillé de son nez. Au palais, c'est la séduction personnifiée, caressante et prodigue des bienfaits de la nature ; plein de caractère, le vin refuse pourtant tout effet facile. Il va se magnifier avec le temps. Rappelons le coup de cœur obtenu l'an dernier pour le millésime 98, trois étoiles. (300 à 499 F)

🔑 EARL René Lequin-Colin, 10, rue de Lavau, 21590 Santenay, tél. 03.80.20.66.71, fax 03.80.20.66.70, e-mail renelequin@aol.com ☑ 🍷 r.-v.

VEUVE HENRI MORONI 1999★

☐ Gd cru 0,32 ha 1 800 46 à 76 €

Fondée en 1922 par Henri Moroni, cette maison de négoce a été reprise par Marc Domain et son épouse Jacqueline, en complément de leur vignoble. Elle propose un vin mordoré et bien intense, dont le nez se révèle à l'aération (miel et toasté). Le caractère est là et il va s'affirmer d'année en année. Pour l'instant, le vin est sur la réserve et à dominante minérale. (300 à 499 F)

🔑 Veuve Henri Moroni, 1, rue de l'Abreuvoir, 21190 Puligny-Montrachet, tél. 03.80.21.30.48, fax 03.80.21.33.08, e-mail veuve.moroni@wanadoo.fr ☑ 🍷 r.-v.

Bienvenues-bâtard-montrachet

JEAN-CLAUDE BACHELET 1998★★

☐ Gd cru 0,09 ha n.c. 38 à 46 €

Parcelle de 9 a 42 ca acquise en 1960 sur la famille Dupaquier. Elle s'exprime ici sous un bel or vert très soutenu et sur des arômes de fleurs blanches d'où jaillit la confiture d'orange amère. Son acidité le destine évidemment à une longue garde. Sa finesse ? Une finale en dentelle où les dégustateurs se plaisent à découvrir la truffe, l'ambre, au milieu des caractères classiques de ce grand cru. Incontestablement une grande bouteille qui suscitera dans dix ans - et bien davantage - de vrais discours. (250 à 299 F)

🔑 Jean-Claude Bachelet, rue de la Fontaine, 21190 Saint-Aubin, tél. 03.80.21.31.01, fax 03.80.21.97.71, e-mail j.c-bachelet@aol.com ☑ 🍷 r.-v.

DOM. BACHELET-RAMONET PERE ET FILS 1999★

☐ Gd cru 0,28 ha 500 46 à 76 €

Or pâle, il a de l'éclat. Le fût reste très présent, mais tout autour un monde s'anime où l'on trouve la rose sauvage, la verveine, le citron, le fruit blanc. La bouche est d'une acidité marquée, accompagnée par les caractères aromatiques du bouquet ; elle finit sur des notes beurrées nuancées de pain grillé. A attendre cinq à dix ans ; la poularde de Bresse devrait lui convenir. (300 à 499 F)

🔑 Dom. Bachelet-Ramonet Père et Fils, 11, rue du Parterre, 21190 Chassagne-Montrachet, tél. 03.80.21.32.49, fax 03.80.21.91.41 ☑ 🍷 r.-v.

CHARTRON ET TREBUCHET 1999★★

☐ Gd cru n.c. 600 +76 €

Le président du Bureau interprofessionnel des vins de Bourgogne dans ses œuvres personnelles. La robe est or pâle à reflets verts. Le nez ne cache pas ses douze mois passés en bon fût mais s'ouvre progressivement à l'églantine, au tilleul, au miel. Son équilibre, sa finesse, la discrétion des tanins du bois, les arômes de fruits mûrs (agrumes) laissent les jurés admiratifs devant tant d'élégance. Huit à quinze ans de plaisir. (+ 500 F)

🔑 Chartron et Trébuchet, 13, Grande-Rue, 21190 Puligny-Montrachet, tél. 03.80.21.32.85, fax 03.80.21.36.35, e-mail jmchartron@chartron-trebuchet.com ☑ 🍷 t.l.j. 10h-12h 14h-18h; f. mi-nov. à mars

DOM. HENRI CLERC ET FILS 1999★★

☐ Gd cru 0,46 ha 1 646 46 à 76 €

Une petite parcelle de ce grand cru sur les 22 ha de ce vaste domaine bourguignon. La parure est d'un doré très intense à reflets verts. Le nez est particulièrement actif et prenant, fait d'agrumes confits, de fleur d'oranger mais aussi de grillé et de fumée. D'une texture serrée, le vin est ample et rond, complet, vanillé par un boisé qui doit se fondre. Mettez-le de côté pour un turbot à la crème. (300 à 499 F)

🔑 Dom. Henri Clerc et Fils, pl. des Marronniers, 21190 Puligny-Montrachet, tél. 03.80.21.32.74, fax 03.80.21.39.60 ☑ 🍷 t.l.j. 8h30-11h45 14h-17h45

🔑 Bernard Clerc

DOM. GUILLEMARD-CLERC 1999★

☐ Gd cru n.c. n.c. 38 à 46 €

Un vin bien fait, très long, robuste ; la première bouche est fraîche, le milieu de bouche charnu et la fin de bouche plutôt convaincante. Miel et acacia participent au bouquet, associés à la pierre à fusil. Son doré est très soutenu. Cette bouteille est à déboucher dans les trois à cinq ans. (250 à 299 F)

Dom. Guillemard-Clerc, 19, rue Drouhin, 21190 Puligny-Montrachet, tél. 03.80.21.34.22, fax 03.80.21.94.84, e-mail guillemard-clerc.domaine.wanadoo.fr ☒ Y r.-v.

Franck Guillemard

Criots-bâtard-montrachet

ROGER BELLAND 1999★★

☐ Gd cru 0,64 ha 3 200 46 à 76 €

89 |94| |95| 96 **98**

On en a parlé au sein du grand jury pour le coup de cœur. Or jaune brillant, cette bouteille provient d'une parcelle achetée en 1982 aux consorts Marcilly. Au nez, on sent la vendange très mûre. Elle donne un récital, de la fleur d'oranger au pain d'épice, en passant par quelques notes minérales et la vanille du fût. Jeune et riche, ce vin a de l'avenir. Dans l'immédiat, il est suave et onctueux. (300 à 499 F)

Dom. Roger Belland, 3, rue de la Chapelle, BP 13, 21590 Santenay, tél. 03.80.20.60.95, fax 03.80.20.63.93, e-mail belland.roger@wanadoo.fr ☒ Y r.-v.

Chassagne-montrachet

Une nouvelle combe, celle de Saint-Aubin, parcourue par la RN 6, forme à peu près la limite méridionale de la zone des vins blancs, suivie par celle des vins rouges ; les Ruchottes marquent la fin. Les Clos Saint-Jean et Morgeot, vins solides et vigoureux, sont les plus réputés des chassagne. Les blancs représentent 8 803 hl et les rouges 6 282 hl en 2000.

DOM. GUY AMIOT ET FILS
Les Vergers 1998

☐ 1er cru 0,6 ha 3 000 23 à 30 €

Guy Amiot a repris en 1985 le domaine familial créé en 1920. Ce chardonnay âgé de cinquante ans est le produit d'une rigoureuse sélection massale. A dominante minérale, le vin présente une robe discrète mais très nette. Son nez annonce ses intentions : l'éclat du marbre, le silex, agrémentés de fines noisettes. L'attaque est menée tambour battant sur le fruit blanc. Une acidité suffisante le porte jusqu'à une pointe réglissée. A boire dans le temps présent. (150 à 199 F)

GAEC Guy Amiot et Fils, 13, rue du Grand-Puits, 21190 Chassagne-Montrachet, tél. 03.80.21.38.62, fax 03.80.21.90.80, e-mail domaine.amiotguyetfils@wanadoo.fr ☒ Y r.-v.

DOM. BACHELET-RAMONET PERE ET FILS Caillerets 1999★

☐ 1er cru 0,45 ha 2 000 15 à 23 €

Bachelet et Ramonet, deux familles renommées au village. Et lorsqu'elles font équipe, cela produit un vin rond et gras. Sous sa robe jaune vif, on hume avec plaisir le miel, la pêche blanche, le pamplemousse : beau cachet olfactif. On retrouve le pamplemousse en bouche, émoustillant les papilles. Ne pas déboucher la bouteille avant deux ans. Il en est de même du **1er cru La Romanée 99 blanc**, véritable délice, alors que le **1er cru La Grande Montagne 99 blanc** est cité. (100 à 149 F)

Dom. Bachelet-Ramonet Père et Fils, 11, rue du Parterre, 21190 Chassagne-Montrachet, tél. 03.80.21.32.49, fax 03.80.21.91.41 ☒ Y r.-v.

DOM. BACHEY-LEGROS ET FILS
Morgeot 1999★

☐ 1er cru 1,92 ha 3 000 15 à 23 €

Situé à Santenay-le-Haut, ce domaine est établi dans une belle maison ancienne. Voulez-vous la connaître ? Elle est dessinée sur l'étiquette. Le **village 99 (70 à 99 F)**, pourpre grenat à reflets roses, est cité pour son nez de griotte et sa solide charpente qui dissimule encore l'aménité du lieu. Attendez-le donc ! Ce 1er cru devra lui aussi patienter au moins deux ans. Il est boisé mais garde la fraîcheur du fruit. (100 à 149 F)

Christiane Bachey-Legros, 12, rue de la Charrière, 21590 Santenay, tél. 03.80.20.64.14 ☒ Y r.-v.

JEAN-CLAUDE BELLAND
Morgeot Clos Charreau 1999★

■ 1er cru 0,48 ha 2 500 15 à 23 €

La Bourgogne pourrait s'appeler *Climats*, comme le roman d'André Maurois. Le Clos Charreau est en effet l'un des *climats* fédérés sous le nom de Morgeot. Un *climat* dans un *climat*. Il se situe le long de la route de Santenay. Grenat très sombre, ce 99 est déjà assez riche en arrière-plan aromatique. Typé chassagne, concentré et un peu sauvage, évoquant plus tard la prunelle et la mûre, il n'a pas encore réglé tous ses problèmes relationnels avec les tanins. Patience. (100 à 149 F)

Jean-Claude Belland, 21590 Santenay, tél. 03.80.20.61.90, fax 03.80.20.65.60 ☒ Y r.-v.

ROGER BELLAND
Morgeot Clos Pitois 1999★

■ 1er cru 1,71 ha 9 000 11 à 15 €

Notre coup de cœur de l'an dernier. Il revient à la charge avec un pinot grenat très sombre, bigarreau, à reflets bleutés. Le nez est superbe,

BOURGOGNE

évoquant la prune et le fruit confit avec un boisé sage à l'arrière-plan. Voilà qui nous plaît. La bouche n'est pas d'une longueur infinie, mais il y a de la charpente en même temps que de la souplesse, et une grande qualité aromatique. Chassagne rouge comme on les aime. Le **1er cru Clos Pitois 99 blanc (150 à 199 F)** fera lui aussi un bon vin. (70 à 99 F)

Dom. Roger Belland, 3, rue de la Chapelle, BP 13, 21590 Santenay, tél. 03.80.20.60.95, fax 03.80.20.63.93, e-mail belland.roger@wanadoo.fr r.-v.

JEAN BOUCHARD 1999*

■ n.c. 16 000 15 à 23 €

Merveilleusement paré pour le bal, ce pinot noir balance entre la vanille et le petit fruit noir avant de s'imposer. Astringent sans doute mais bourré de qualités complémentaires et offrant un potentiel considérable. L'avenir va lui sourire, n'en doutez pas. (100 à 149 F)

Jean Bouchard, BP 47, 21202 Beaune Cedex, tél. 03.80.24.37.27, fax 03.80.24.37.38

BOUCHARD AINE ET FILS

Morgeot 1999*

□ 1er cru n.c. 2 000 30 à 38 €

On vous conseille l'escalope de poulet à la crème pour escorter ce chardonnay qui n'est pas Morgeot pour rien. Clair, presque transparent, il s'éveille sur le croissant chaud et le beurre frais. La bouche ajoute une touche de minéralité, une certaine rondeur mariée au fût. C'est un bon vin qui demande à vieillir un peu mais qui, déjà, offre des satisfactions au corps et à l'esprit. (200 à 249 F)

Bouchard Aîné et Fils, Hôtel du Conseiller-du-Roy, 4, bd Mal-Foch, 21200 Beaune, tél. 03.80.24.24.00, fax 03.80.24.64.12 t.l.j. 9h30-12h30 14h-18h30

GILLES BOUTON

Les Voillenots Dessous 1999

■ 0,86 ha 6 000 8 à 11 €

N'attendez pas de cette bouteille la complexité d'un film de Bergman. Elle est simple, sincère, directe, transparente. Belle robe sans excès de brillance. Bon début de nez, autour des fruits secs. Les tanins du fût n'ont pas complètement cédé le terrain, mais pourtant le vin est assez fondu. Dans la moyenne de l'appellation. (50 à 69 F)

Gilles Bouton, Gamay, 21190 Saint-Aubin, tél. 03.80.21.32.63, fax 03.80.21.90.74 r.-v.

DOM. HUBERT BOUZEREAU-GRUERE

Les Blanchots Dessous 1999

□ 0,23 ha 1 500 15 à 23 €

On est ici voisin des criots-bâtard-montrachet. Ce Blanchots Dessous est bien limpide, intense au regard et nettement aromatique (fougère, jacinthe). C'est un cœur tendre. Le boire, et se sentir l'âme en paix. (100 à 149 F)

Hubert Bouzereau-Gruère, 22 a, rue de la Velle, 21190 Meursault, tél. 03.80.21.20.05, fax 03.80.21.68.16 r.-v.

CH. DE CITEAUX Les Pasquelles 1999

□ 1er cru 0,15 ha 1000 23 à 30 €

Jaune paille doré, il paraît sortir de chez le boulanger. Arômes de pain chaud, de croissant, de brioche que tempère une gousse de vanille. Au palais, un petit mordant témoigne d'une acidité suffisante qui accompagne le gras et l'ampleur. Ce vin provient d'un *climat* proche du puligny et du montrachet, le plus septentrional de l'appellation. (150 à 199 F)

Dom. Philippe Bouzereau, Ch. de Cîteaux, 18-20, rue de Cîteaux, BP 25, 21190 Meursault, tél. 03.80.21.20.32, fax 03.80.21.64.34, e-mail info@domaine.bouzereau.fr r.-v.

BERNARD COLIN ET FILS

Les Caillerets 1998**

□ 1er cru n.c. n.c. 15 à 23 €

Huit générations sur ce domaine de 8 ha, la dernière étant présente depuis la fondation de la Ve République. Ce viticulteur nous a déjà montré son savoir-faire. Cette année, il est jugé digne du coup de cœur pour deux vins. L'exploit est rare ! Le **1er cru Les Chenevottes 98 blanc (70 à 99 F)** obtient cette distinction *ad honorem* (3e au grand jury). Nous l'agrafons à la poitrine de ce Caillerets chaudement doré, brioché et frais, déjà complexe (poire, fruits secs) et d'une opulence parfaitement maîtrisée au palais. Sans ostentation. Du chardonnay à l'état pur. Notez également le **1er cru Clos Saint-Jean 98 blanc (100 à 149 F)**, une étoile, tout comme le **village 98 blanc (70 à 99 F)**, très typé, de grand caractère, à boire pouvant attendre. (100 à 149 F)

Bernard Colin et Fils, 22, rue Charles-Paquelin, 21190 Chassagne-Montrachet, tél. 03.80.21.32.78, fax 03.80.21.93.23 t.l.j. 8h30-12h30 14h-19h; dim. sur r.-v.

DOM. MARC COLIN ET FILS

Les Caillerets 1999*

□ 1er cru 1 ha 6 500 23 à 30 €

Seules quelques bouteilles sont encore disponibles à la propriété. Très peu. Il vaudra mieux la chercher chez un caviste - ou vous retourner vers le **village rouge 99 (70 à 99 F)**, cité. Ces Caillerets sont supérieurs. D'une couleur vive, chaude, rayonnante, un 1er cru bien à sa place, à son rang. Certes, le fût ne se fait pas le simple spectateur de la scène. Mais les accents minéraux se découvrent. De la fraîcheur en départ de bouche, enchaînant sur un fruit délicat qui persiste tout au long de la traversée. La mer est calme et on arrive à bon port sur une jolie pointe l'agrumes. Déjà gouleyant et assuré d'un bel avenir. (150 à 199 F)

Marc Colin et Fils, hameau de Gamay, 21190 Saint-Aubin, tél. 03.80.21.30.43, fax 03.80.21.90.04 ☑

DEMESSEY Morgeot 1999

☐ 1er cru n.c. 2 400 30 à 38 €

La couleur est celle de l'AOC et le nez se cache encore derrière le fût. En revanche, la bouche révèle une bonne acidité, beaucoup de gras, une certaine retenue sur un registre citron et fleurs blanches. A garder absolument. (200 à 249 F)

SARL Demessey, Ch. de Messey, 71700 Ozenay, tél. 03.85.51.33.83, fax 03.85.51.33.82, e-mail vin@demessey.com ☑ Y r.-v.

Marc Dumont

DUPERRIER-ADAM Les Caillerets 1998*

■ 0,2 ha n.c. 15 à 23 €

Grenat flamboyant, ce vin est peu enclin au discours : son nez est celui d'un pinot très jeune que ses quinze mois de fût ont respecté. C'est en bouche qu'il s'exprime. De fort bonne consistance, équilibré entre le soutien acide et la chair généreuse, il devrait donner une belle bouteille dans cinq à huit ans. (100 à 149 F)

SCA Duperrier-Adam, 3, pl. des Noyers, 21190 Chassagne-Montrachet, tél. 03.80.21.31.10, fax 03.80.21.31.10 ☑ Y t.l.j. 9h-12h 14h-17h; sam. dim. sur r.-v.; f. août

ALEX GAMBAL La Maltroie 1998

☐ 1er cru 0,16 ha 1 300 23 à 30 €

Quand un Américain tombe amoureux de la Bourgogne et installe à Beaune son enseigne de négociant-éleveur, cela donne une Maltroie pleine de fraîcheur de la tête aux pieds. Sa robe est vive, sa bouche est jeune. On ne s'étonne pas de rencontrer des arômes de pain grillé, de pomme verte dans une certaine minéralité. Un vin pas très puissant, mais fin, délicat, en accord avec la truite. (150 à 199 F)

EURL maison Alex Gambal, 4, rue Jacques-Vincent, 21200 Beaune, tél. 03.80.22.75.81, fax 03.80.22.21.66, e-mail agbeaune@aol.com ☑ Y r.-v.

VINCENT GIRARDIN La Boudriotte 1999**

■ 1er cru 0,5 ha 3 000 15 à 23 €

Coup de cœur dans l'édition 1993 pour un Morgeot 90, ce viticulteur passe cette année à deux doigts de cette distinction. Autant dire que sa Boudriotte est une parfaite réussite. D'une teinte veloutée à liseré violet, elle s'ouvre généreusement au cassis sans négliger quelques notes florales. Sa texture est serrée, mais sans dureté. Ses tanins l'enrobent avec tact. Boisé assez présent. Trois à cinq ans de garde. (100 à 149 F)

Caveau des Grands Crus, pl. de la Bascule, 21190 Chassagne-Montrachet, tél. 03.80.21.96.06, fax 03.80.21.96.23 Y t.l.j. 10h-13h 14h-18h

Vincent Girardin

DOM. VINCENT ET FRANCOIS JOUARD La Maltroie 1998*

☐ 1er cru 0,48 ha 3 000 15 à 23 €

Un amour de chardonnay or à reflets verts. Fruits à chair blanche, fleurs blanches, il compose un bouquet harmonieux et expressif. Son élégance ne nuit pas à sa complexité. Du gras, de la finesse, des arômes très persistants : on ne voit vraiment rien à lui reprocher sinon une puissance modérée. Il faut l'attendre deux ou trois ans. Bel avenir également pour les **1ers crus blancs Morgeot 99**, une étoile, et **Les Chaumées 99** (*climat* le plus élevé sur le coteau, face à saint-aubin), ce dernier cité pour ses parfums de chèvrefeuille et son équilibre. (100 à 149 F)

Dom. Vincent et François Jouard, 2, pl. de l'Eglise, 21190 Chassagne-Montrachet, tél. 03.80.21.30.25, fax 03.80.21.96.27 ☑ Y r.-v.

GABRIEL JOUARD Les Baudines 1998

☐ 1er cru 1,3 ha 3 000 11 à 15 €

Famille propriétaire-récoltante à Chassagne depuis six générations. Il est vrai qu'on n'a guère envie de s'éloigner de telles vignes ! En haut de coteau et côté santenay, ce *climat* fournit un chardonnay or soutenu, légèrement ambré et qui débouche sur un nez un peu évolué (cire, agrumes, fumé). A boire maintenant car tout est assez équilibré en bouche. (70 à 99 F)

EARL Dom. Gabriel Jouard Père et Fils, 3, rue du Petit-Puits, 21190 Chassagne-Montrachet, tél. 03.80.21.30.30, fax 03.80.21.30.30 ☑ Y r.-v.

LABOURE-ROI 1998

■ n.c. n.c. 11 à 15 €

Maison reprise par la famille Cottin à Nuits-Saint-Georges. Elle présente un *village* d'une heureuse intensité de couleur. Légèrement animal au premier nez, il évolue vers la confiture de framboises. Il attaque sur le fruit (cerise mûre), laisse ses tanins dominer la situation et apparaît un peu austère. On lui donne cependant des chances de réussite après trois à cinq ans de garde. (70 à 99 F)

Labouré-Roi, rue Lavoisier, 21700 Nuits-Saint-Georges, tél. 03.80.62.64.00, fax 03.80.62.64.10 Y r.-v.

CH. DE LA CHARRIERE Clos Saint-Jean 1999

☐ 1er cru 0,45 ha 2 400 15 à 23 €

Il faudra l'attendre car le boisé n'est pas encore fondu, mais il semble disposer de tous les atouts pour que l'âge lui apporte la sérénité : l'acidité est bonne, la puissance n'est pas absente, et il offre déjà, en bouche, une expression minérale et réglissée intéressante. A ne pas ouvrir avant deux ans. Egalement cité, le **village Les Champs de Morjot 99 rouge (50 à 69 F)**, tout en fruits noirs au nez, riche et équilibré en bouche, qui demande deux ou trois ans de garde. (100 à 149 F)

Dom. Yves Girardin, 1, rte des Maranges, 21590 Santenay, tél. 03.80.20.64.36, fax 03.80.20.66.32 ☑ Y r.-v.

BOURGOGNE

CH. DE LA MALTROYE
Clos du Château de la Maltroye Monopole 1999*

☐ 1er cru 1,18 ha 9 200 23 à 30 €

D'une nuance très claire, il n'insiste pas particulièrement sur la couleur, se contentant d'accords classiques. Ses arômes mettent en valeur la pomme de reinette sur fond floral. Le fruité s'estompe ensuite en bouche pour laisser place à des sensations vanillées, briochées. L'acidité demeure présente, mais elle va se fondre. Le poisson à la crème a encore le temps de nager deux à trois ans. En **1ers crus rouges 99, (100 à 149 F)**, reçoivent une étoile ce **même climat Monopole** et **La Boudriotte**, tous deux de garde. (150 à 199 F)

Ch. de La Maltroye, 16, rue de la Murée, 21190 Chassagne-Montrachet, tél. 03.80.21.32.45, fax 03.80.21.34.54 r.-v.

Cournut

DOM. HUBERT LAMY 1999**

☐ 0,16 ha 1 350 23 à 30 €

De bons rendez-vous. Avec **La Goujonne Vieilles vignes 99 rouge en village (70 à 99 F)**, ample et déterminée, une étoile. Avec cet autre *village* en blanc cette fois. La robe claire, brillante, fait écho à un bouquet expressif d'amande, de pain grillé, évoluant sur le fruit exotique. Gras, franc, pas trop puissant mais concentré, il est à servir dans deux à trois ans. (150 à 199 F)

Dom. Hubert Lamy, Paradis, 21190 Saint-Aubin, tél. 03.80.21.32.55, fax 03.80.21.38.32 r.-v.

DOM. LARUE 1999*

☐ 0,3 ha 1 500 11 à 15 €

Il ne fait pas partie du *Cercle des poètes disparus*, ce chardonnay lyrique et bien vivant. Jaune pâle, il s'inspire de l'acacia, des fruits exotiques. Il n'abuse pas du fût. Puissant et tout en rondeur, il arbitre en bouche tous les conflits éventuels pour trouver des solutions apaisées, consensuelles. Du volume, de la franchise, du fruit, une réussite en *village*. (70 à 99 F)

Dom. Larue, Gamay, 21190 Saint-Aubin, tél. 03.80.21.30.74, fax 03.80.21.91.36 r.-v.

OLIVIER LEFLAIVE Les Blanchots 1998*

☐ 1er cru 0,35 ha n.c. 38 à 46 €

Seul un chemin sépare les Blanchots et le montrachet. A quoi tiennent les choses... D'ailleurs ce 1er cru a bien failli devenir grand cru comme les Criots. Les amateurs connaissent ces petits secrets. D'un or jaune très dense, ce 98 possède un bouquet expressif, sur la noisette et le miel. Si l'attaque est vive, la suite est agréable, soyeuse et persistante jusqu'à une légère note d'amertume réglissée qui permet deux à trois ans de garde. Terrine de poisson recommandée. (250 à 299 F)

Olivier Leflaive, pl. du Monument, 21190 Puligny-Montrachet, tél. 03.80.21.37.65, fax 03.80.21.33.94, e-mail leflaive-olivier@dial.oleane.com r.-v.

LOUIS LEQUIN Morgeot 1999

■ 1er cru 0,13 ha 2 100 11 à 15 €

Louis Lequin fut vigneron aux Hospices de Beaune. En 1872, il créa la maison domaniale. Ici, les fûts de chêne proviennent des forêts de Tronçais et de Bertrenge. Ce vin offre une belle plénitude. Sa couleur est grenat bleuté, signe de jeunesse, son bouquet de violettes vous donne l'impression de respirer un jardin. Quelques nuances de framboise s'y ajoutent. Le fruit mûr apparaît au palais selon une attaque progressive et très aromatique. Ses tanins se manifestent en finale et demandent à se fondre (trois à cinq ans de garde). En fait, il passerait mieux sur un plat... (70 à 99 F)

Louis Lequin, 1, rue du Pasquier-du-Pont, 21590 Santenay, tél. 03.80.20.63.82, fax 03.80.20.67.14, e-mail louis.lequin@wanadoo.fr r.-v.

RENE LEQUIN-COLIN
Les Vergers 1999**

☐ 1er cru 0,45 ha 3 700 15 à 23 €

Il y a des bouteilles qui nous réconcilient avec la vie. Celle-ci par exemple. Les Vergers ne sont guère éloignés du montrachet. La parenté est évidente. Jaune à reflets or, d'une belle fraîcheur visuelle, un chardonnay légèrement grillé et aux arômes très mûrs, d'une bouche sublime. Un régal. Aucune exubérance, rien de trop, la note juste. Complet, racé. De même le **1er cru Morgeot 99 rouge (70 à 99 F)**, coulant et framboisé. (100 à 149 F)

EARL René Lequin-Colin, 10, rue de Lavau, 21590 Santenay, tél. 03.80.20.66.71, fax 03.80.20.66.70, e-mail renelequin@aol.com r.-v.

DOM. DU DUC DE MAGENTA
Morgeot Clos de La Chapelle 1998**

☐ 1er cru 2,8 ha 12 000 46 à 76 €

DOMAINE DU DUC DE MAGENTA
PREMIER CRU
CHASSAGNE-MONTRACHET
"MORGEOT"
MONOPOLE CLOS DE LA CHAPELLE
APPELLATION CONTRÔLÉE
LOUIS JADOT
NÉGOCIANT ÉLEVEUR A BEAUNE, COTE-D'OR, FRANCE
PRODUIT DE FRANCE

« J'y suis, j'y reste », semble dire cette bouteille, fille du duc de Magenta et dans la descendance du maréchal de Mac-Mahon au château de Sully. Vainqueur absolu de l'épreuve des coups de cœur, ce vin se pare d'or vert brillant. Son nez élégant mêle un boisé discret aux notes de poire et de pamplemousse. La bouche est expressive, laissant parler un joli terroir sous un fût bien intégré. Apogée d'ici quatre à cinq ans : cette bouteille a son bâton de maréchal dans sa giberne. (300 à 499 F)

Maison Louis Jadot, 21, rue Eugène-Spuller, 21200 Beaune, tél. 03.80.22.10.57, fax 03.80.22.56.03, e-mail contact@louisjadot.com ☑ Y r.-v.

MICHEL MOREY-COFFINET
Les Caillerets 1999★

☐ 1er cru 0,7 ha 4 500 ⏸ 23 à 30 €

Il conquiert le palais et il y fait flotter son étendard. Or jaune brillant, limpide, il va sans dire. Les arômes jouent la discrétion mais sans effacement. Quelques touches florales parmi les amandes grillées. Un petit côté acidulé marié à beaucoup de fraîcheur et d'équilibre sur des saveurs élégantes et fruitées. Ce vin de plaisir salue l'arrivée au domaine d'un des deux garçons, Thibault Morey. Notez aussi sur vos tablettes le **village 99 rouge (70 à 99 F)**, une étoile, à saisir sur l'éclat fruité de son jeune âge. (150 à 199 F)

Dom. Michel Morey-Coffinet, 6, pl. du Grand-Four, 21190 Chassagne-Montrachet, tél. 03.80.21.31.71, fax 03.80.21.90.81, e-mail morey.coffinet@wanadoo.fr ☑ Y r.-v.

PIGUET-GIRARDIN Morgeot 1999★★

■ 1er cru 0,5 ha 2 000 ⏸ 11 à 15 €

Né de la réunion des exploitations D. Piguet et A.-M. Girardin, le domaine signe ici un vin qui appelle l'agneau pascal. Grenat légèrement bleuté, intense et riche tant au regard qu'au nez (prune, cerise), il est d'un accès aisé. Sa petite pointe d'alcool s'atténuera. Laissez-lui en le temps. A noter : sa persistance est fantastique. Au niveau d'un 1er cru. (70 à 99 F)

SCE Piguet-Girardin, rue du Meix, 21190 Auxey-Duresses, tél. 03.80.21.60.26, fax 03.80.21.66.61 ☑ Y r.-v.

FERNAND ET LAURENT PILLOT
Les Vergers 1999★★

☐ 1er cru 0,91 ha 6 300 ⏸ 15 à 23 €

A quelques mètres d'ici se trouvent les célèbres carrières d'où l'on tire la pierre de Chassagne (le Trocadéro, Bercy, la Pyramide du Louvre). Ce superbe chardonnay, parfaite illustration de l'appellation et du millésime, est cependant plus fruité que minéral. Sa teinte très jeune, ses parfums très frais sur le grillé, l'ananas et son équilibre gras-acidité en font une bouteille à savourer sur un bar grillé au beurre blanc d'ici deux ans. Voyez aussi le **village 99 blanc**, pétillant de joie et assez fleuri. (100 à 149 F)

Fernand et Laurent Pillot, 13, rue des Champgains, 21190 Chassagne-Montrachet, tél. 03.80.21.33.64, fax 03.80.21.92.60, e-mail lfpillot@club-internet.fr ☑ Y r.-v.

DOM. VINCENT PRUNIER 1999★★

■ 0,24 ha 1 765 ⏸ 11 à 15 €

Vincent Prunier naît en viticulture, BTA vitiœnologie en poche, en 1988. Depuis, il a fait son chemin. Son vin répond aux canons modernes de l'extraction. Couleur d'encre violette sombre, très soutenue pour le cépage, et doté de belles jambes, un 99 bien ouvert sur le cassis et la mûre. Riche et charnu, offrant une touche réglissée, il a tout pour plaire. Ses tanins savent vivre en société. (70 à 99 F)

Vincent Prunier, rte de Beaune, 21190 Auxey-Duresses, tél. 03.80.21.27.77, fax 03.80.21.68.87 ☑ Y r.-v.

ANTONIN RODET 1998★★

☐ n.c. 4 473 ⏸ 38 à 46 €

« Clapper : détacher la langue du palais d'un coup sec, tandis que le vin qu'on vient de déguster envahit encore l'arrière-bouche. » Oui, on clappe en présence de ce 98 très représentatif. Jaune paille, il aime les parfums exotiques tout en faisant quelques concessions au grillé du fût. Ample et chaleureux, il est à conserver quelques années. (250 à 299 F)

Antonin Rodet, 71640 Mercurey, tél. 03.85.98.12.12, fax 03.85.45.25.49, e-mail rodet@rodet.com ☑ Y t.l.j. sf sam. dim. 9h-12h 14h-18h

ROPITEAU Morgeot 1998

☐ 1er cru n.c. 3 000 ⏸ 23 à 30 €

« Coûte que coûte, il faut que j'en goûte », lit-on sur une vieille assiette de faïence bourguignonne. C'est ce que l'on pense à la vue de ce Morgeot or pâle à reflets légèrement grisés. Approchons. La noisette et le miel ont conclu un pacte d'amitié et de secours mutuel. Il manque un peu d'ampleur, compensant cette modestie par un palais de soie. La distinction du cépage dans son plus précieux berceau. Maison reprise par les Vins J.-Cl. Boisset. (150 à 199 F)

Ropiteau Frères, 13, rue du 11-Novembre, 21190 Meursault, tél. 03.80.21.69.20, fax 03.80.21.69.29 ☑ Y t.l.j. 9h-19h; f. mi-nov. à Pâques

DOM. ROUX PERE ET FILS
Les Macherelles 1999

☐ 1er cru 0,45 ha 3 200 ⏸ 23 à 30 €

Ce 1er cru fait partie des vignes situées au nord du village. Or très clair à reflets verts, il a le nez limpide et attrayant. A respirer ainsi l'aubépine et le beurre frais, on se sent optimiste. Sa bouche est plus stricte, moins volubile, marquée par la vivacité. Le potentiel n'est pas négligeable et, à ce stade, le vin ne donne aucun signe de fatigue. Confiance. Coup de cœur dans le Guide 1998 pour un 95. (150 à 199 F)

Dom. Roux Père et Fils, 21190 Saint-Aubin, tél. 03.80.21.32.92, fax 03.80.21.35.00 ☑ Y r.-v.

Saint-aubin

Saint-Aubin est dans une position topographique voisine des Hautes-Côtes ; mais une partie de la commune joint Chassagne au sud et Puligny et Blagny à l'est. Les Murgers des Dents de Chien, premier cru de Saint-

BOURGOGNE

Aubin, se trouvent même à faible distance des chevalier-montrachet et des Caillerets. Il faut dire que les vins sont également de grande qualité. Le vignoble s'est un peu développé en rouge (2 916 hl en 2000), mais c'est en blanc (4 822 hl) qu'il atteint le meilleur.

BERTRAND AMBROISE
Murgers des Dents de Chien 1999*

☐ 1er cru n.c. n.c. 15 à 23 €

Murgers des Dents de Chien : les murgers sont des tas de cailloux retirés des vignes au fil des siècles ; les dents de chien, des parcelles étroites et longues. Ce 99 tient le juste équilibre. Droit de goût, sachant faire la part de l'acidité et du gras, profitant de son charme. D'un beau jaune, il nous fait partager la joie d'un nez minéral et fleuri. On reconnaît là toutes les qualités d'un bon saint-aubin. Superlativement terroir. (100 à 149 F)

Maison Bertrand Ambroise, rue de l'Eglise, 21700 Premeaux-Prissey, tél. 03.80.62.30.19, fax 03.80.62.38.69, e-mail bertrand.ambroise@wanadoo.fr r.-v.

JEAN-NOEL BAZIN 1999

☐ 0,5 ha 3 000 11 à 15 €

Comme Saint-Romain, Saint-Aubin a voulu se donner un peu de recul. Pour « voir à voir », comme on dit dans la Côte, se donner le temps d'examiner les choses à tête reposée. Eh bien ! Dans cet état d'esprit, voici un *village* rempli de bonnes intentions, direct à l'approche (paille, pomme confite) et d'un corps déjà affirmé. Davantage de gras que de concentration ; ces vignes encore jeunes vont « gagner » avec le temps. (70 à 99 F)

Jean-Noël Bazin, Les Petits Vergers, 21340 La Rochepot, tél. 03.80.21.75.49, fax 03.80.21.83.71 r.-v.

GILLES BOUTON Les Champlots 1999*

☐ 1er cru 0,13 ha 1000 8 à 11 €

Quand on a reçu le coup de cœur (dans l'édition 1998 pour un 95), on fait déjà partie des *happy few*, d'un cercle étroit et estimé. Disons-le, quatre vins sont ici cités par le jury : le **1er cru Les Champlots 99 rouge**, les **1ers crus Murgers des Dents de Chiens** et **En Remilly 99 blancs**. Et celui-ci, au-dessus de la mêlée. On retrouve d'ailleurs assez souvent Les Champlots aux places d'honneur. La fraîcheur du chèvrefeuille pour un vin un peu austère mais qui va exploser. (50 à 69 F)

Gilles Bouton, Gamay, 21190 Saint-Aubin, tél. 03.80.21.32.63, fax 03.80.21.90.74 r.-v.

DOM. DE BRULLY Les Cortons 1999*

☐ 1er cru 0,67 ha 4 500 15 à 23 €

Le revoici, notre coup de cœur de l'an dernier pour le millésime 98, offrant en blanc le *climat* Les Cortons, millésime 99. Il est parfait pour alimenter la conversation lors d'un repas entre connaisseurs. Un grand vin encore caché mais qui se dessine bien sur des arômes de pêche. Il a du fond et déjà de la forme. Recommandé aussi, le **1er cru Les Frionnes 99 rouge (70 à 99 F)**. Tout en élégance et rondeur, une bouteille d'avenir. (100 à 149 F)

Dom. de Brully, 21190 Saint-Aubin, tél. 03.80.21.32.92, fax 03.80.21.35.00 r.-v.

Roux

G. BRZEZINSKI
Murgers des Dents de Chiens 1999**

☐ 1er cru n.c. 1000 15 à 23 €

Il a été proposé pour le coup de cœur. Il siège donc à la droite du gagnant. Les lecteurs savent que ce *climat* se situe tout près de la fabuleuse famille du montrachet. Ce 99 d'un or justement mesuré a le nez plaisant : la pomme, les fruits secs. D'un très bel équilibre, le fruit se tenant raisonnablement à l'arrière-plan, c'est un 1er cru digne de ce nom, fin et racé, à ne pas boire tout de suite. (100 à 149 F)

G. Brzezinski, rte d'Autun, 21630 Pommard, tél. 03.80.22.23.99, fax 03.80.22.28.33 t.l.j. sf dim. 8h-12h 14h-18h; f. 23 déc.-6 janv.

DOM. JEAN CHARTRON
Les Murgers des Dents de Chien 1999

☐ 1er cru 0,55 ha 4 000 23 à 30 €

Douze mois de fûts (dont 40 % neufs) : cela n'a pas empêché de donner un vin riche et mûr, limpide et brillant sur le disque, laissant s'exprimer les agrumes et les fruits jaunes. La bouche confirme son équilibre assez orienté vers le gras, en raison certainement de la maturité des raisins, pense le jury. Cette bouteille a des réserves. (150 à 199 F)

Dom. Jean Chartron, 13, Grande-Rue, 21190 Puligny-Montrachet, tél. 03.80.21.32.85, fax 03.80.21.36.35 t.l.j. 10h-12h 14h-18h; f. mi-nov. à mars

CH. DE CHASSAGNE-MONTRACHET Le Charmois 1999*

☐ 1er cru 5,68 ha 31 000 15 à 23 €

Or vert intense, une robe comme on en voit en rêve. Au-delà de l'amande grillée au demeurant harmonieuse, on sent le minéral, la fleur blanche. L'attaque est franche, décidée, l'acidité maîtrisée, bien enveloppée. La bouche est en adéquation avec le nez. (100 à 149 F)

Ch. de Chassagne-Montrachet, 21190 Chassagne-Montrachet, tél. 03.85.87.51.00, fax 03.85.87.51.11

Michel Picard

DOM. DU CHATEAU DE PULIGNY-MONTRACHET
En Remilly 1999*

☐ 1er cru 1,34 ha 9 000 15 à 23 €

Ce vin assez boisé ne manque pas de charme, ni d'authenticité. Sous une parure classique, les fruits secs et le silex rivalisent de présence. Discrètement miellé et globalement convaincant. (100 à 149 F)

SCEA Dom. du Château de Puligny-Montrachet, 21190 Puligny-Montrachet, tél. 03.80.21.39.14, fax 03.80.21.39.07, e-mail chateaupul@aol.com r.-v.

FRANCOISE ET DENIS CLAIR
Les Murgers des Dents de Chien 1999★

☐ 1er cru 0,88 ha n.c. 11 à 15 €

Vinifié en fût dont 30 % de bois neuf, bâtonné jusqu'au printemps, un 99 d'un bel or brillant, agréablement parfumé (boisé léger, pain grillé, noisette, fleur d'acacia). La fraîcheur initiale perdure en bouche : de bonne race, une bouteille faite pour une garde de cinq à six ans. (70 à 99 F)

Françoise et Denis Clair, 14, rue de la Chapelle, 21590 Santenay, tél. 03.80.20.61.96, fax 03.80.20.65.19 r.-v.

BERNARD COLIN ET FILS
En Remilly 1998★

☐ 1er cru 0,4 ha n.c. 8 à 11 €

En robe légère mais de belle confection, ce Remilly est un beau bouquet de fleurs. On y perçoit aussi les agrumes à maturité. Friand, souple, plein de douceur, il fait encore très jeune en bouche. On peut le boire ainsi pour se faire plaisir. Le plus sage, cependant, serait de lui permettre d'acquérir, dans l'âge adulte, toute la complexité dont il est porteur. (50 à 69 F)

Bernard Colin et Fils, 22, rue Charles-Paquelin, 21190 Chassagne-Montrachet, tél. 03.80.21.32.78, fax 03.80.21.93.23 t.l.j. 8h30-12h30 14h-19h; dim. sur r.-v.

DOM. MARC COLIN ET FILS
En Remilly 1999★★

☐ 1er cru 2 ha 10 000 11 à 15 €

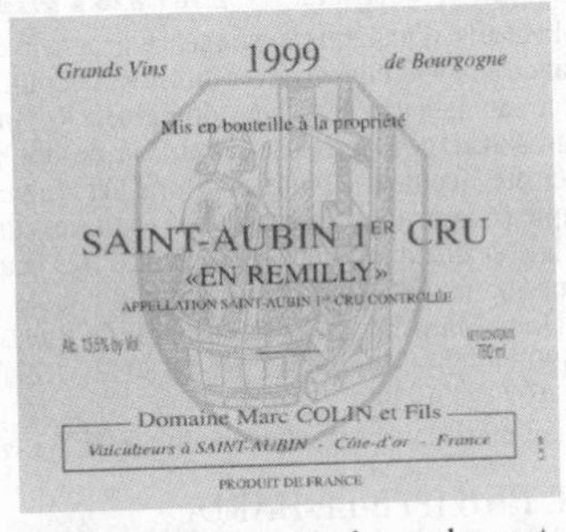

Propriétaire en montrachet, cela vaut en Bourgogne brevet de noblesse. « Vigneron exemplaire de modestie et de probité », a-t-on écrit de lui. C'est Michèle qui venait de Saint-Aubin quand il l'a épousée. Son Remilly (voisin du chevalier-montrachet) lui vaut le coup de cœur tant il est splendide. Largement à la hauteur d'un 1er cru puligny ou meursault. Le nez est intense et complexe, mêlant fruits et fleurs, amande et grillé du fût. La bouche n'est qu'équilibre ; la finale, qu'élégance. Conseillés également : le **1er cru La Châtenière 99 blanc** qui obtient une étoile, tout comme **La Fontenotte blanc 99**. (70 à 99 F)

Marc Colin et Fils, hameau de Gamay, 21190 Saint-Aubin, tél. 03.80.21.30.43, fax 03.80.21.90.04

COUVENT DES CORDELIERS 1998

☐ n.c. 4 900 11 à 15 €

C'est comme si sa robe était portée pour la première fois, tant elle est vive et chatoyante. Silex et acacia, le nez s'en tient à la plus stricte orthodoxie. Utile retour des mêmes arômes en bouche, d'où une impression d'unité qui, en dépit d'une certaine vivacité à l'attaque, permet de reposer le verre avec le sentiment de ne pas avoir perdu son temps. (70 à 99 F)

Caves du Couvent des Cordeliers, rue de l'Hôtel-Dieu, 21200 Beaune, tél. 03.80.25.08.85, fax 03.80.25.08.21 t.l.j. 9h30-12h 14h-18h

DUPERRIER-ADAM
Sur le Sentier du Clou 1999★

■ 1er cru 0,23 ha n.c. 8 à 11 €

Le Sentier du Clou ? En vieille langue bourguignonne, un clou était un clos de vigne. Ce pinot grenat très sombre présente un nez légèrement confituré. Démonstratif, sympathique mais puissant, il est structuré. Sa jeunesse conduit à recommander un séjour de trois à quatre ans dans une bonne cave. (50 à 69 F)

SCA Duperrier-Adam, 3, pl. des Noyers, 21190 Chassagne-Montrachet, tél. 03.80.21.31.10, fax 03.80.21.31.10 t.l.j. 9h-12h 14h-17h; sam. dim. sur r.-v.; f. août

ECHANSONNERIE DU GOUT'VINAGE
Les Murgers des Dents de Chien 1999

☐ 1er cru 1 ha 6 000 30 à 38 €

L'une des étiquettes les plus étonnantes du vignoble, présentée par l'Echansonnerie de l'Ordre du Goût'Vinage de France qui écrit - toujours sur l'étiquette - qu'elle est « vouée à l'excellence des vins en faveur des hommes qui lui sont recommandables ». Bizarre, bizarre... Cela dit, le vin est convenable. Son or jaune, ses senteurs de fruits jaunes (abricot) et blancs (pêche), une matière potentiellement riche de plaisir, plaident pour lui. Le **1er cru Murgers des Dents de Chien 99 rouge** mérite d'être mentionné. (200 à 249 F)

Echansonnerie du Goût'Vinage, rte de Moince, 57420 Louvigny, tél. 03.87.69.79.69, fax 03.87.69.71.13

CHRISTOPHE GUILLO
Les Murgers des Dents de Chien 1999★

■ 1er cru 0,95 ha 6 000 8 à 11 €

Les Murgers des Dents de Chien 99 blanc et leur frère jumeau en rouge obtiennent la même note. Nous optons en définitive pour ce dernier en raison de sa sensibilité (fraise des bois, myrtille) et d'un étonnant équilibre entre les tanins encore fermes et l'élégance délicate de l'ensemble. Venu d'un terroir de blanc, c'est un vin destiné à des œufs en meurette en début de repas. (50 à 69 F)

Christophe Guillo, Dom. des Meix, 21200 Combertault, tél. 03.80.26.67.05, fax 03.80.26.67.05 r.-v.

LES VILLAGES DE JAFFELIN 1999★

☐ n.c. 5 000 🍷 15 à 23 €

Abbé de Tincillac et évêque d'Angers, le bon saint Aubin faisait souvent des miracles et était très populaire. Ce chardonnay en reçoit les grâces. Pain grillé et beurre frais : on pourrait presque le conseiller au petit déjeuner. Sa structure est minérale, dans l'esprit du terroir. Jaffelin est une maison reprise par Jean-Claude Boisset, mais elle garde son autonomie de gestion. (100 à 149 F)

🔑 Jaffelin, 2, rue Paradis, 21200 Beaune, tél. 03.80.22.12.49, fax 03.80.24.91.87

MICHEL LAMANTHE 1999★

☐ 1er cru 0,7 ha 4 000 🍷 8 à 11 €

L'église romane de Saint-Aubin est un bel édifice remontant au Xᵉs. Mille ans d'histoire ! Eglise et vin ont ensemble parcouru ces temps. Ce 99, jaune pâle à reflets or, témoigne d'un bel élevage : nez au boisé fin laissant s'exprimer des nuances florales ; bouche puissante et ronde, parfumée de fruits secs et d'une touche minérale, d'une superbe longueur. Digne des grands poissons. (50 à 69 F)

🔑 Michel Lamanthe, 21190 Saint-Aubin, tél. 03.80.21.33.23, fax 03.80.21.93.96 ☑ Y r.-v.

DOM. HUBERT LAMY En Remilly 1999★

☐ 1er cru 1,1 ha 10 000 🍷 15 à 23 €

Nous avons attribué une étoile au **1er cru La Chatenière 99 blanc** (très bon grain) et au ***village* La Princée 99 blanc (70 à 99 F)**. En Remilly prend légèrement le dessus. Très fruité, souple et charmeur, d'un or vert d'anthologie et d'un joli bouquet floral. Sec et minéral, il a, lui aussi, un très bon grain. A boire si vous êtes impatient ou tout aussi bien à garder. (100 à 149 F)

🔑 Dom. Hubert Lamy, Paradis, 21190 Saint-Aubin, tél. 03.80.21.32.55, fax 03.80.21.38.32 ☑ Y r.-v.

🔑 Olivier et Hubert Lamy

DOM. LAMY-PILLOT Les Argilliers 1999

■ 0,54 ha 3 400 🍷 8 à 11 €

D'une couleur soutenue et brillante, ces Argilliers sont très fruités. Le bouquet et les saveurs rappellent le raisin. On leur trouve donc toutes les qualités d'un vin jeune en devenir. Préférez-vous le chardonnay ? **Les Pucelles 99** devraient vous contenter. Leur personnalité est réelle. (50 à 69 F)

🔑 Dom. Lamy-Pillot, 31, rte de Santenay, 21190 Chassagne-Montrachet, tél. 03.80.21.30.52, fax 03.80.21.30.02, e-mail lamy.pillot@wanadoo.fr ☑ Y r.-v.

SYLVAIN LANGOUREAU En Remilly 1999★

☐ 1er cru 1,4 ha 9 800 🍷 11 à 15 €

Son coup de cœur ne remonte pas à Mathusalem : dans l'édition 1999 pour un 96. Sylvain Langoureau a depuis construit une cave voûtée avec un compagnon maçon. Ce 99 y a séjourné. Jaune pâle avec des larmes, c'est un pur 1er cru jouant le pamplemousse avec finesse. Toujours cette sensation en bouche, alliée à l'amande amère. Un vin encore très jeune, un bloc de marbre attendant le sculpteur. La statue sera jolie dans deux ou trois ans. **Les Frionnes 1er cru 99 blanc** obtiennent la même note. (70 à 99 F)

🔑 Sylvain Langoureau, Hameau de Gamay, 21190 Saint-Aubin, tél. 03.80.21.39.99, fax 03.80.21.39.99 ☑ Y r.-v.

DOM. LARUE Murgers des Dents de Chien 1999★★

☐ 1er cru 0,93 ha 6 900 🍷 11 à 15 €

La qualité de ce millésime 99 répond à notre attente. L'or est un peu parcimonieux, mais il y a de la finesse au nez et la bouche s'avère passionnante entre le gras et la minéralité. (70 à 99 F)

🔑 Dom. Larue, Gamay, 21190 Saint-Aubin, tél. 03.80.21.30.74, fax 03.80.21.91.36 ☑ Y r.-v.

OLIVIER LEFLAIVE Le Charmois 1998★

☐ 1er cru 1,8 ha 10 000 🍷 15 à 23 €

Très éclairé, très lumineux, ce 98 floral et grillé. Ses tendances balsamiques le conduisent à une bouche bien pleine, charpentée. Il s'agit cependant d'un vin qui ne gagnera rien à une longue attente. Il faut le solliciter dès à présent. Ancien cogérant du domaine Leflaive, Olivier Leflaive vole de ses propres ailes dans la viticulture, le négoce et la restauration de tradition. (100 à 149 F)

🔑 Olivier Leflaive, pl. du Monument, 21190 Puligny-Montrachet, tél. 03.80.21.37.65, fax 03.80.21.33.94, e-mail leflaive-olivier@dial.oleane.com ☑ Y r.-v.

DOM. MAROSLAVAC-LEGER Les Murgers des Dents de Chien 1999★

☐ 1er cru 0,34 ha 2 100 🍷 15 à 23 €

Petit-fils d'un émigré yougoslave arrivé en France en 1930 pour trouver du travail et qui, à force de labeur, créa son domaine, Roland Maroslavac nous propose ici un vin de bonne intensité (couleur, bouquet floral et fumé), ample et assez long en bouche. Il est nécessaire de laisser quelques années en cave ce très beau saint-aubin. (100 à 149 F)

🔑 Dom. Maroslavac-Léger, 43, Grande-Rue, 21190 Puligny-Montrachet, tél. 03.80.21.31.23, fax 03.80.21.91.39, e-mail maroslavac.leger@wanadoo.fr ☑ Y r.-v.

CH. PHILIPPE-LE-HARDI En Vesvau 1999

☐ 0,94 ha 8 000 🍷 11 à 15 €

Paille très claire à reflets verts, il porte les couleurs de la Bourgogne blanche. Le nez laisse parler la fleur blanche sur un joli boisé. Franche, équilibrée et vive, la bouche reste dans la ligne d'un vin charmeur, élégant, encore très jeune. (70 à 99 F)

🔑 Ch. de Santenay, BP 18, 21590 Santenay, tél. 03.80.20.61.87, fax 03.80.20.63.66 ☑ Y r.-v.

BERNARD PRUDHON Les Castets 1999★

■ 1er cru 0,64 ha 1 500 🍷 8 à 11 €

On trouve Les Castets tout près du village, à côté d'un *climat* dont nul ou presque ne revendique le nom amusant (Derrière chez Edouard). Grenat à reflets rosés, ce 99 susurre le fruit rouge

et la vanille avec suavité. Des tanins bien marqués signalent un vin de caractère entier, bien fait et de garde, car un peu abrupt actuellement.
(50 à 69 F)
Bernard Prudhon, 21190 Saint-Aubin, tél. 03.80.21.35.66

HENRI PRUDHON Les Frionnes 1999*
■ 1er cru 2 ha 12 000 8 à 11 €

Le **1er cru Sur Gamay 99 blanc** est intéressant et cité ; il est toujours amusant de surprendre ses invités avec une telle étiquette. Plus réussies à notre goût : ces Frionnes bouquetées (cerise) et veloutées, déclinées avec une rare finesse.
(50 à 69 F)
Henri Prudhon et Fils, 21190 Saint-Aubin, tél. 03.80.21.36.70, fax 03.80.21.91.55 r.-v.
Gérard Prudhon

DOM. ROUX PERE ET FILS
La Pucelle 1999*
□ 2,5 ha 15 000 11 à 15 €

Une grande famille et qui fait du bon ! Coup de cœur de l'an 2000 pour le 97, cette Pucelle offre dans son millésime 99 des reflets d'émeraude bien marqués. Pêche et pomme accompagnent un joli boisé au nez. Ce vin dense et efficace, légèrement balsamique en bouche, est destiné à une consommation assez proche. Le **1er cru Les Frionnes 99 rouge** peut vous consoler si le précédent est déjà vendu. Il obtient une étoile et saura attendre trois à cinq ans dans votre cave.
(70 à 99 F)
Dom. Roux Père et Fils, 21190 Saint-Aubin, tél. 03.80.21.32.92, fax 03.80.21.35.00 r.-v.

MICHEL SERVEAU En l'Ebaupin 1999*
■ 0,15 ha 1000 8 à 11 €

Ce *climat* voisin des Pucelles est tout au bout du coteau allant sur La Rochepot. Il donne un 99 d'un grenat très soutenu, au nez d'abord fruité (cerise) puis plus intense. En bouche, il est corsé, capiteux, charnu mais encore jeune. Si ses qualités ne sont pas en cause, un délai d'attente semble indispensable (deux à trois ans).
(50 à 69 F)
Michel Serveau, rte de Beaune, 21340 La Rochepot, tél. 03.80.21.70.24, fax 03.80.21.71.87 r.-v.

GERARD THOMAS
Murgers des Dents de Chien 1998*
□ 1er cru 1,7 ha 10 800 8 à 11 €

L'éclat, la brillance, tout est au rendez-vous d'un vin vif comme le silex, environné d'amande fraîche et d'aubépine, agréable au palais. Il offre d'excellentes perspectives. Vous pouvez vous reporter sur le **1er cru La Chatenière 98 blanc** (une étoile) ou, pour changer de couleur, sur le **1er cru Les Frionnes 99 rouge** qui obtient une citation et doit être attendu deux ans.
(50 à 69 F)
Gérard Thomas, 21190 Saint-Aubin, tél. 03.80.21.32.57, fax 03.80.21.36.51 r.-v.

Santenay

Dominé par la montagne des Trois-Croix, le village de Santenay est devenu, grâce à sa « fontaine salée » aux eaux les plus lithinées d'Europe, une ville d'eau réputée... C'est donc un village polyvalent, puisque son terroir produit également d'excellents vins rouges. Les Gravières, la Comme, Beauregard en sont les crus les plus connus. Comme à Chassagne, le vignoble présente la particularité d'être souvent conduit en cordon de Royat, élément qualitatif non négligeable. Enfin, les deux appellations de chassagne et santenay débordent légèrement sur la commune de Remigny, en Saône-et-Loire, où l'on trouve aussi les appellations de cheilly, sampigny et dezize-lès-maranges, maintenant regroupées sous l'appellation maranges. L'AOC santenay a produit 1 937 hl de vin blanc et 13 982 hl de vin rouge en 2000.

DOM. ALEXANDRE
Les Champs Claude 1999**
■ 2,25 ha 2 000 8 à 11 €

Ce *climat* fait partie des quelques vignes de l'appellation situées sur Remigny en Saône-et-Loire. Les limites communales et départementales n'ont, à l'évidence, guère de sens à ce sujet. Rubis violacé, cassis, réglisse, tout répond à l'appel. Sa belle matière, sa persistance importante, sa complexité remarquable, en font un vin qui compte parmi les meilleurs. Le **1er cru Gravières 99 rouge** est rude mais quand il s'éveillera vous nous en direz des nouvelles. Une étoile.
(50 à 69 F)
Dom. Alexandre Père et Fils, pl. de la Mairie, 71150 Remigny, tél. 03.85.87.22.61, fax 03.85.87.22.61, e-mail domaine.alexandre@roonoo.net r.-v.

DOM. BACHEY-LEGROS ET FILS
Clos des Hâtes 1999
■ 0,88 ha 3 500 8 à 11 €

L'architecture typiquement bourguignonne de ce domaine est pleine de charme. Elle figure sur l'étiquette de ce vin bien représentatif du santenay d'autrefois. La robe est grenat très sombre, ses arômes de fruits mûrs entrent dans votre nez sur la pointe des pieds. Son corps char-

penté, encore fermé, porte une armure. La quittera-t-il un jour ? Oui, puisque le jury propose une garde de deux à quatre ans. (50 à 69 F)
Christiane Bachey-Legros, 12, rue de la Charrière, 21590 Santenay, tél. 03.80.20.64.14 r.-v.

DOM. BART En Bievau 1998*

■ 0,6 ha 3 200 11 à 15 €

Rouge à rouge foncé très intense et limpide, le nez encore jeune mais tourné vers la framboise et les fleurs dans un environnement vanillé, un Bievau, cet excellent *village* souvent égal aux 1ers crus. Sa bouche est plaisante, sa structure correcte, son fruit développé. Une légère note d'amertume ne dérange pas les dégustateurs avisés. (70 à 99 F)
Dom. Bart, 23, rue Moreau, 21160 Marsannay-la-Côte, tél. 03.80.51.49.76, fax 03.80.51.23.43 r.-v.

JEAN-CLAUDE BELLAND
Clos des Gravières 1999

■ 1er cru 1,21 ha 7 400 11 à 15 €

« Le vignoble de Santenay est un de ceux où la culture est faite avec le plus de soins », estimait le Dr Jules Lavalle au milieu du XIXe s. Voici un vin à solliciter un peu mais qui ne tarde pas à attaquer rondement. Soutenu par une pointe réglissée, il est plus léger que la plupart de ses congénères, plus tendre. (70 à 99 F)
Jean-Claude Belland, 21590 Santenay, tél. 03.80.20.61.90, fax 03.80.20.65.60 r.-v.

ROGER BELLAND Beauregard 1999**

■ 1er cru 3,22 ha 15 000 11 à 15 €

Notre coup de cœur 1998 (un 95) revient ici avec un *climat* qui, comme La Comme, s'épanouit à flanc de coteau. Presque noir d'encre, limpide néanmoins, il a le plus joli bouquet du monde : framboise, pain grillé, réglisse. Rond et puissant, sincère et concentré, c'est un vin de garde évidemment. On vous conseille autant les **1ers crus Commes** et **Gravières 99 rouges** ainsi que les **Charmes en village 99 rouge**. Tous obtiennent deux étoiles et seront à réserver à de grands plats dans deux, trois ou quatre ans. (70 à 99 F)
Dom. Roger Belland, 3, rue de la Chapelle, BP 13, 21590 Santenay, tél. 03.80.20.60.95, fax 03.80.20.63.93, e-mail belland.roger@wanadoo.fr r.-v.

ALBERT BICHOT 1998*

■ n.c. 14 000 15 à 23 €

Il ressemble à un château de conte de fées : les tanins forment le donjon ; la muraille qui le ceinture est plus élancée que ronde. On aura compris que ce 98 assez typé a quelque chose d'un ouvrage fortifié. S'attendre à quelques années de siège. Robe de pinot, nez de pinot. (100 à 149 F)
Maison Albert Bichot, 6 *bis*, bd Jacques-Copeau, 21200 Beaune, tél. 03.80.24.37.37, fax 03.80.24.37.38

BOUCHARD PERE ET FILS
Passe-temps 1998*

■ 1er cru n.c. n.c. 15 à 23 €

Passe-temps, d'où ce nom vient-il ? Sans doute, pense M.-H. Landrieu-Lussigny - qui est l'auteur d'un ouvrage sur l'origine des noms de lieux dans la Côte - qu'il fallait passer du temps dans cette vigne pour bien la cultiver. Rubis moyen, ce 98 nous propose la fraise, la framboise pour combler l'odorat. Sa bouche très pleine, tannique, a bon caractère. En salle d'attente toutefois. (100 à 149 F)
Bouchard Père et Fils, Ch. de Beaune, 21200 Beaune, tél. 03.80.24.80.24, fax 03.80.22.55.88, e-mail france@bouchard-pereetfils.com r.-v.

DOM. DE BRULLY
Grand Clos Rousseau 1999

■ 1er cru 0,6 ha 3 200 15 à 23 €

Il y a des bouteilles que l'on croit faciles mais qui peuvent réserver plus de complexité. La robe de celle-ci est soutenue. Peu de bouquet pour le moment ; la bouche est assez ample et souple malgré une saveur tannique qui doit normalement se fondre. (100 à 149 F)
Dom. de Brully, 21190 Saint-Aubin, tél. 03.80.21.32.92, fax 03.80.21.35.00 r.-v.
Roux

DOM. CAPUANO-FERRERI ET FILS
Les Gravières 1999*

■ 1er cru n.c. n.c. 11 à 15 €

Ce 1er cru cherche à séduire. Violet foncé, il ne se livre pas du premier coup, mais ensuite... On sent la châtaigne associée au bourgeon de cassis. Très bonne bouche sur cette touche originale. (70 à 99 F)
Capuano-Ferreri et Fils, 1, rue de la Croix-Sorine, 21590 Santenay, tél. 03.80.20.64.12, fax 03.80.20.65.75 r.-v.

DOM. DU CHATEAU DE MERCEY
1998

■ 1,13 ha 5 000 11 à 15 €

Repris par Antonin Rodet depuis quelques années, ce domaine fondé en 1603 produit un *village* cerise foncé, aux arômes d'épices (muscade) et de fruits rouges mûrs qui nécessitent un temps d'aération. Tannique sans excès, bien charpenté, il demande deux ans de garde. (70 à 99 F)

Ch. de Mercey, 71150 Cheilly-lès-Maranges, tél. 03.85.91.13.19, fax 03.85.91.16.28 r.-v.

FRANCOISE ET DENIS CLAIR

Clos Genet 1999★★★

■ 1,3 ha 6 000 8 à 11 €

Il vient en tête parmi nos coups de cœur. Le Clos Genet ne se trouve-t-il pas au milieu du village ? N'en fait-il pas souvent la synthèse ? En tout cas, pour un *village*, c'est un fameux *village*, et d'un rapport qualité-prix remarquable. Paré d'une robe grenat intense et profond, le nez expressif (fruits mûrs, grillé), la bouche d'une complexité exceptionnelle, d'une rondeur merveilleuse, il s'achève sur la cerise à l'eau-de-vie. Un vin pour grands amateurs. Le **village 99 rouge** obtient une étoile. Il a du caractère et se montre très harmonieux. (50 à 69 F)

Françoise et Denis Clair, 14, rue de la Chapelle, 21590 Santenay, tél. 03.80.20.61.96, fax 03.80.20.65.19 r.-v.

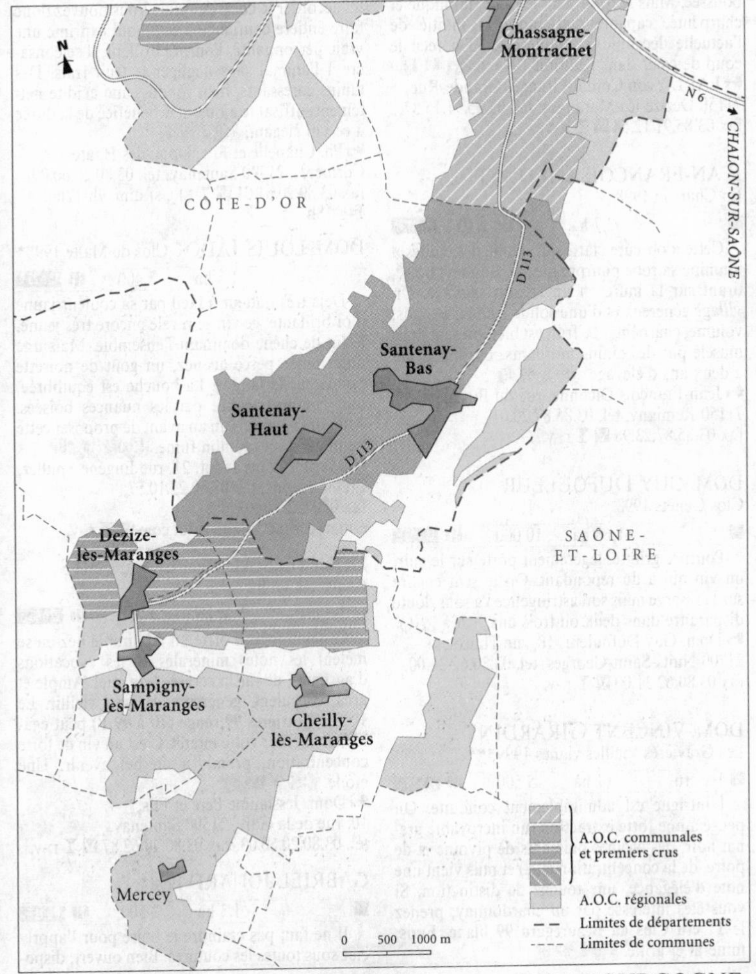

BOURGOGNE

MICHEL CLAIR Clos de Tavannes 1999*

■ 1er cru 0,21 ha 1 200 8 à 11 €

Très beau déjà, le **Clos Genet 99 rouge en village**, une étoile, fait partie de nos recommandations. Quant à ce 1er cru, il est très réussi. Peu fruité mais en instance de complexité, le nez commence à se manifester. Capiteux, ce vin possède une richesse qui appelle quelques années de cave. Il les supportera très bien et n'en sera que meilleur. (50 à 69 F)

Dom. Michel Clair, 2, rue de Lavau, 21590 Santenay, tél. 03.80.20.62.55, fax 03.80.20.65.37 r.-v.

Y. ET C. CONTAT-GRANGE
Saint Jean de Narosse 1999*

■ 1 ha 3 700 8 à 11 €

Saint-Jean-de-Narosse est un hameau de l'AOC entouré de versants pentus. Cela donne un vin parfumé à la griotte, grenat à reflets rubis. L'extraction de couleur et d'arômes est très poussée. Mais le fond semble riche, tannique et charpenté, capable d'atteindre la moitié de l'actuelle décennie. Le millésime 93 a reçu le coup de cœur dans l'édition 1996. (50 à 69 F)

EARL Yvon Contat-Grangé, Grande-Rue, 71150 Dezize-lès-Maranges, tél. 03.85.91.15.87, fax 03.85.91.12.54 r.-v.

JEAN-FRANCOIS DICONNE
En Charron 1998

■ 2,7 ha 4 000 8 à 11 €

Cette « obscure clarté qui tombe des étoiles » illumine sa robe pourpre grenat. Bouquet boisé, tirant sur la mûre en un frisson sauvage. Un *village* généreux et d'une solide franchise : gras, volume, charpente. Le fruit est bien présent mais muselé par des tanins mordants. Lui laisser un à deux ans d'élevage. (50 à 69 F)

Jean-François Diconne, rue du Bourg, 71150 Remigny, tél. 03.85.87.20.01, fax 03.85.87.23.98 r.-v.

DOM. GUY DUFOULEUR
Clos Genêts 1998

■ 1,68 ha 10 000 11 à 15 €

Pourpre griotte, légèrement porté sur le cuir, un vin qui a du répondant. On le sent encore sur la réserve mais son astringence va sans doute disparaître dans deux ou trois ans. (70 à 99 F)

Dom. Guy Dufouleur, 18, rue Thurot, 21700 Nuits-Saint-Georges, tél. 03.80.62.31.00, fax 03.80.62.31.00 r.-v.

DOM. VINCENT GIRARDIN
Les Gravières Vieilles vignes 1999***

■ 1er cru 1 ha 5 500 11 à 15 €

L'intrigue est admirablement conduite. On pense à une forte extraction (un incroyable grenat noir, des arômes puissants de pivoine et de poire, de la concentration, etc.) et puis vient une note d'élégance, une touche de distinction. Si vous êtes intéressé par un chardonnay, prenez le **1er cru Clos du Beauregard 99 blanc**. Frais, minéral et grillé. (70 à 99 F)

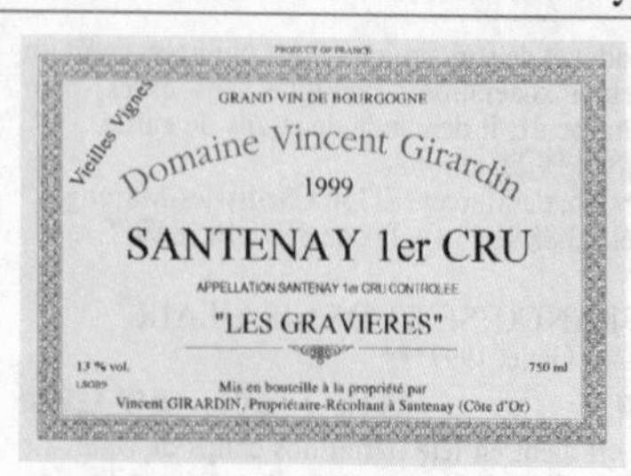

Caveau des Grands Crus, pl. de la Bascule, 21190 Chassagne-Montrachet, tél. 03.80.21.96.06, fax 03.80.21.96.23 t.l.j. 10h-13h 14h-18h

Vincent Girardin

DOM. DES HAUTES CORNIERES
1998**

■ 6 ha 36 000 8 à 11 €

Nos dégustateurs se sont posé la question de lui accorder le coup de cœur. Vous pouvez donc faire entière confiance à ce 98 qui exprime une vraie personnalité. Pourpre brillant, il se consacre à l'animal sans négliger le fruit frais. Des tanins caressants, bien fondus, une acidité nettement suffisante ajoutent le bénéfice de la durée à ce vin élégant. (50 à 69 F)

Ph. Chapelle et Fils, Dom. des Hautes-Cornières, 21590 Santenay, tél. 03.80.20.60.09, fax 03.80.20.61.01 t.l.j. sf dim. 9h-12h 14h-18h

DOM. LOUIS JADOT Clos de Malte 1998*

□ 1,5 ha 5 400 15 à 23 €

Déjà très flatteur à l'œil par sa couleur jaune d'or brillante, ce vin se révèle encore très jeune, le fût de chêne dominant l'ensemble. Mais une note fumée perce au nez, un goût de noisette pointe sur la langue. La bouche est équilibrée, tout entière occupée par les nuances boisées. Attendre au moins un an avant de proposer cette bouteille à un saumon fumé. (100 à 149 F)

Maison Louis Jadot, 21, rue Eugène-Spuller, 21200 Beaune, tél. 03.80.22.10.57, fax 03.80.22.56.03, e-mail contact@louisjadot.com r.-v.

DOM. JESSIAUME PERE ET FILS
Gravières 1999*

□ 1er cru 0,54 ha 4 200 23 à 30 €

Le teint doré, il offre un admirable nez où se mêlent les notes minérales et les évocations d'agrumes, de raisin écrasé et de miel. Ample et gras, corpulent, généreux, il saura vieillir. Le **1er cru Gravières 99 rouge (70 à 99 F)** peut également mériter votre intérêt. C'est un vin de forte concentration, promis à un bel avenir. Une étoile. (150 à 199 F)

Dom. Jessiaume Père et Fils, 10, rue de la Gare, 21590 Santenay, tél. 03.80.20.60.03, fax 03.80.20.62.87 r.-v.

GABRIEL JOUARD 1998*

■ 1,3 ha 2 500 8 à 11 €

Il ne faut pas craindre le boisé pour l'apprécier sous toutes les coutures. Bien ouvert, disponible, il a ce style. Sa bouche s'élargit pour devenir ample et fruitée (cassis, mûre) tandis que les tanins s'affichent encore. Mais il y a là de réelles qualités qui font pencher la balance en sa faveur, pourvu qu'on ne le savoure pas trop vite. (50 à 69 F)

EARL Dom. Gabriel Jouard Père et Fils, 3, rue du Petit-Puits, 21190 Chassagne-Montrachet, tél. 03.80.21.30.30, fax 03.80.21.30.30 r.-v.

DOM. HUBERT LAMY

Clos des Hâtes Vieilles vignes 1999★★

	0,7 ha	2 300	11 à 15 €

Un vin coup de cœur l'an dernier pour le millésime 98. On passe au suivant, et le résultat est presque aussi bon. D'une couleur nocturne (noir et bleuté fondus ensemble), assez boisé (là, il faut attendre le fondu), il est d'un tempérament pédagogue. Il aime à expliquer, à démontrer, et y réussit bien. Mais, comme on l'a dit, faites-le patienter en cave. (70 à 99 F)

Dom. Hubert Lamy, Paradis, 21190 Saint-Aubin, tél. 03.80.21.32.55, fax 03.80.21.38.32 r.-v.

DOM. RAYMOND LAUNAY

Clos de Gatsulard 1998

	2,95 ha	7 000	11 à 15 €

Une pensée pour Raymond Launay, grande figure bourguignonne de la mutualité agricole, disparu aujourd'hui. Ce *climat* de Santenay était l'un de ses classiques, d'autant que le Clos est un monopole. La robe est légèrement tuilée, tandis que le bouquet suggère la framboise. Ferme au palais, ce 98 est robuste tout en montrant une certaine complexité embellie par le noyau de cerise. (70 à 99 F)

Dom. Raymond Launay, rue des Charmots, 21630 Pommard, tél. 03.80.24.08.03, fax 03.80.24.12.87 t.l.j. 9h-18h30

RENE LEQUIN-COLIN

Les Charmes 1999★

	0,46 ha	3 300	8 à 11 €

Obtenant une étoile, **Les Hâtes 99 en village blanc** ont les charmes d'un vin aérien. En fait de Charmes, ceux-ci en rouge recueillent tous les suffrages. Grenat profond, bien bouquetés (réglisse, notes florales), ils démarrent en finale et laissent le palais joliment tapissé. Il est vrai que la statue du saint Vincent local, confiée à cette famille en 2001, veillait sur la cave ! (50 à 69 F)

EARL René Lequin-Colin, 10, rue de Lavau, 21590 Santenay, tél. 03.80.20.66.71, fax 03.80.20.66.70, e-mail renelequin@aol.com r.-v.

JEROME MASSON Beaurepaire 1999★

1er cru	0,78 ha	600	11 à 15 €

Jérôme Masson a pris la suite de ses parents (Maurice puis Nadine) en 1998. Il marche sur leurs traces avec ce beau spécimen de l'appellation. Très intense sous le regard, à la limite du noir, ce 1er cru se partage entre les épices et les fruits rouges avant d'offrir au palais les sensations espérées. Finale réglissée encore un peu tannique que deux ou trois ans de garde rendront plus amène. (70 à 99 F)

Jérôme Masson, rue Haute, 21340 La Rochepot, tél. 03.80.21.72.42, fax 03.80.21.72.42 r.-v.

MESTRE PERE ET FILS

Passe-Temps 1998

1er cru	1,25 ha	3 500	11 à 15 €

Quel bonheur d'avoir un aussi agréable Passe-Temps ! D'une teinte vive, avec un nez généreux et légèrement confituré (baies de cassis), il est long comme un jour sans vin. Très long. Toujours penché sur le cassis. Un peu monolithique, mais les piliers du cellier du château, au Clos de Vougeot, le sont aussi... (70 à 99 F)

Mestre Père et Fils, 12, pl. du Jet-d'Eau, 21590 Santenay, tél. 03.80.20.60.11, fax 03.80.20.60.97, e-mail gilbert-mestre@wanadoo.fr r.-v.

MOMMESSIN Clos Rousseau 1998★

1er cru	1,2 ha	6 000	11 à 15 €

Janus en un mot. Si son rubis est assurément bourguignon (le rouge bourgogne), si son bouquet est typé, animal et fruité, il est double au palais. D'un côté, structuré, tannique, répondant aux canons de l'appellation. De l'autre, d'une délicatesse extrême, églantine, noyau de cerise. Un vin qui va devenir de la soie ! Mommessin appartient aux Vins J.-Cl. Boisset. (70 à 99 F)

Mommessin, Le Pont-des-Samsons, 69430 Quincié-en-Beaujolais, tél. 04.74.69.09.30, fax 04.74.69.09.28, e-mail information@mommessin.com r.-v.

CH. MOROT-GAUDRY 1998★★

	0,67 ha	1000	8 à 11 €

Un vieux moulin exploité par cette famille de 1852 à 1965. Devenu alors viticole... On trouve une jolie robe limpide et un bouquet bien ouvert sur le sous-bois, la fougère, à ce 98 qui dispose de réels atouts. Sa bouche assez solide annonce un vin riche et complexe d'une longueur honorable. La finale apparaît épicée. On peut sans difficulté demander à cette bouteille d'attendre trois à quatre ans. (50 à 69 F)

Morot-Gaudry, Moulin Pignot, 71150 Paris-l'Hôpital, tél. 03.85.91.11.09, fax 03.85.91.11.09 r.-v.

DOM. JEAN ET GENO MUSSO 1999

	0,63 ha	4 000	8 à 11 €

Grappe d'argent de notre Guide en 1991, ce domaine s'est étendu en Côte chalonnaise : château de Sassangy, clos du Prieuré à Rosey. Il pratique la culture biologique depuis 1984. Son 99 est de constitution légère mais harmonieuse. Rouge clair, nuance framboise, il garde cette tonalité tout au long de la dégustation. Cette discrétion de bon goût le rend assez particulier auprès de ses voisins. (50 à 69 F)

Jean et Geno Musso, Le château, 71390 Sassangy, tél. 03.85.96.18.61, fax 03.85.96.18.62 r.-v.

BOURGOGNE

LUCIEN MUZARD ET FILS
Clos de Tavannes 1999**

■ 1er cru 0,99 ha 3 000 11 à 15 €

Grand personnage de l'histoire bourguignonne, M. de Saulx-Tavannes l'eût dégusté sur une côte de bœuf avant d'engager une bataille. Il est vrai que ce vin donne du cœur à l'ouvrage. D'un rubis puissant, il s'oriente vers des arômes de réglisse, de cassis. Un peu austère, sans doute en raison de son âge, mais pourvu d'une acidité qui le conservera en pleine forme. On a pensé à lui pour un coup de cœur. Cité en outre, le **1er cru Maladière 99 rouge.** (70 à 99 F)

Lucien Muzard et Fils, 11 *bis*, rue de la Cour-Verreuil, 21590 Santenay, tél. 03.80.20.61.85, fax 03.80.20.66.02, e-mail lucien-muzard-et-fils@wanadoo.fr r.-v.

NICOLAS PERE ET FILS 1999*

■ 0,35 ha 2 000 8 à 11 €

La Côte-d'Or commence ici, du moins si l'on vient du sud. Ce pinot noir le montre bien, affichant haut son drapeau. A reflets légèrement ambrés, il délivre tout d'abord un arôme d'encre qui tend à disparaître à l'aération pour laisser place à la cannelle, à l'amande fraîche. Equilibré, à la fois charpenté et tendre, il offre l'exemple d'un pinot noir que l'on a respecté dans son berceau sans trop pousser l'extraction. (50 à 69 F)

EARL du dom. Nicolas Père et Fils, 38, rte de Cirey, 21340 Nolay, tél. 03.80.21.82.92, fax 03.80.21.85.47 t.l.j. 9h-12h 13h30-19h

DOM. CLAUDE NOUVEAU
Les Charmes Dessus 1998*

■ 0,9 ha 5 500 8 à 11 €

Une citation pour le **1er cru Grand Clos Rousseau 98 rouge (70 à 99 F).** Le *climat* des Charmes Dessus se situe près du Clos Rousseau, côté Maranges. Il produit un pinot noir à la robe satinée, pourpre cramoisi. Son bouquet de cuir fauve, de légers fruits rouges, n'est pas encore tout à fait ouvert mais il a déjà une jolie trame, un soutien tannique de bon aloi et des vertus de garde. (50 à 69 F)

EARL Dom. Claude Nouveau, Marchezeuil, 21340 Change, tél. 03.85.91.13.34, fax 03.85.91.10.39 r.-v.

OLIVIER PERE ET FILS Le Bievaux 1999

□ 3,5 ha 10 000 11 à 15 €

Jaune or dans l'esprit des 99, un chardonnay dont le bouquet sent la pierre à fusil, avec une touche d'encens qui le rend intéressant. Assez typé, il se conduit en effet très bien en bouche. (70 à 99 F)

Olivier Père et Fils, 5, rue Gaudin, 21590 Santenay, tél. 03.80.20.61.35, fax 03.80.20.64.82, e-mail antoine.olivier2@wanadoo.fr r.-v.

PIGUET-GIRARDIN Comme 1999*

■ 1er cru 1,4 ha 5 500 11 à 15 €

Au casino de Santenay, cette bouteille doublerait sa mise tant son bouquet lui porterait chance : un sentiment de vinosité, en un cocktail où l'on perçoit la fraise, la vanille et le caillou de vigne. N'allez pas la prendre pour une flambeuse. Elle fait preuve au contraire de prudence et presque d'austérité, en se concentrant beaucoup. Elle a du temps devant elle (deux ans). (70 à 99 F)

SCE Piguet-Girardin, rue du Meix, 21190 Auxey-Duresses, tél. 03.80.21.60.26, fax 03.80.21.66.61 r.-v.

DOM. PONSARD-CHEVALIER
Les Daumelles 1999*

□ 0,22 ha 1 600 8 à 11 €

Les Daumelles ? Avouons notre ignorance, on ne les situe pas sur l'atlas. Cela dit, il y a mille lieux-dits... Beurré, noisette sous une robe jaune clair, un vin qui joue la fraîcheur, le style, avec une petite pointe de vivacité pour animer le paysage. (50 à 69 F)

Ponsard-Chevalier, 2, Les Tilles, 21590 Santenay, tél. 03.80.20.60.87, fax 03.80.20.61.10 r.-v.

DOM. PRIEUR-BRUNET
Clos Rousseau 1999

□ 1er cru 0,25 ha 1 500 15 à 23 €

De la nymphe des Eaux au dieu du Vin... Ainsi Santenay, cité thermale, dispose-t-elle des deux atouts. Bacchus s'exprime ici en blanc. S'il n'a pas trop de structure, en revanche, sa fraîcheur citronnée, bien vive, sa bouche souple à l'attaque et très agréable, à dominante d'agrumes, retiennent l'attention. (100 à 149 F)

Dom. Prieur-Brunet, rue de Narosse, 21590 Santenay, tél. 03.80.20.60.56, fax 03.80.20.64.31, e-mail uny-prieur@prieursantenay.com r.-v.

BERNARD REGNAUDOT 1999*

■ 1 ha 3 000 8 à 11 €

Les Maranges ne sont pas loin. Rouge sombre, ce 99 possède un petit nez de fruits conservés dans l'alcool. Equilibrée, chaleureuse, la bouche demande deux ans de garde. (50 à 69 F)

Bernard Regnaudot, rte de Nolay, 71150 Dezize-lès-Maranges, tél. 03.85.91.14.90, fax 03.85.91.14.90 r.-v.

JEAN-CLAUDE REGNAUDOT
Grand Clos Rousseau 1999*

■ 1er cru 0,32 ha 2 100 8 à 11 €

Quand l'âge de ses passions sera révolu, il pourra accéder à une belle notabilité. Paré avec distinction, réservant à la mûre les quelques hommages de son bouquet, il affirme des tanins encore puissants. Attendez-le de pied ferme autour d'un coq au vin dans deux ou trois ans. (50 à 69 F)

Jean-Claude Regnaudot, Grande-Rue, 71150 Dezize-lès-Maranges, tél. 03.85.91.15.95, fax 03.85.91.16.45 r.-v.

SORINE ET FILS Clos Rousseau 1998*

■ 1er cru 0,4 ha 2 500 8 à 11 €

Une cave où l'on peut entrer les yeux fermés. Notre jury a retenu trois vins : le **1er cru Beau-**

repaire 99 rouge, le **village 98 blanc**, et ce beau Clos Rousseau mi-floral mi-fruité. D'entrée de jeu, ce vin affiche une souplesse agréable ; puis un développement plus solide avec des tanins vigoureux et porteurs de mâche. Nul doute que le tout vieillira bien. Emigrée un temps à Paris, cette famille est très ancienne au pays (voir les lieux-dits Croix Sorine et Derrière chez Sorine). (50 à 69 F)

Dom. Sorine et Fils, 4, rue Petit, Le Haut-Village, 21590 Santenay, tél. 03.80.20.61.65, fax 03.80.20.61.65 r.-v.

DOM. DES VIGNES DES DEMOISELLES 1999*

■ 1,07 ha 7 700 11 à 15 €

Le coup de cœur de l'an passé pour son 98. Voici le millésime suivant. Subtil et bien vinifié, il présente un nez très fin, délicat même, sous des traits violacés. Les tanins ont ce caractère. La vivacité anime le tableau, selon un équilibre parfait. Et puis, *last but not least*, le fût ne cache pas le vin. Bravo. (70 à 99 F)

Gabriel Demangeot et Fils, rue de Berfey, 21340 Change, tél. 03.85.91.11.10, fax 03.85.91.16.83 r.-v.

JEAN-MARC VINCENT
Les Gravières 1998*

■ 1er cru 1,15 ha 1000 11 à 15 €

L'étiquette est curieuse, illustrée par... la bouteille elle-même reproduite : une véritable mise en abyme. Ayant succédé en 1997 à son grand-père de quatre-vingt-onze ans, Jean-Marc Vincent signe un 1er cru qui s'avère très coloré, intéressant au nez (vanille, muscade, réglisse) et très charpenté. Il faut le laisser en paix durant une paire d'années. (70 à 99 F)

Jean-Marc Vincent, 3, rue Sainte-Agathe, 21590 Santenay, tél. 03.80.20.67.37, fax 03.80.20.67.37, e-mail vincent.j@wanadoo.fr r.-v.

Maranges

Le vignoble de maranges situé en Saône-et-Loire (Chailly, Dezize, Sampigny) bénéficie depuis 1989 d'un regroupement en une AOC unique, comportant six premiers crus. Il s'agit de vins rouges et blancs, les premiers ayant droit également à l'AOC côte de beaune-villages et étant naguère vendus ainsi. Fruités, ayant du corps et bien charpentés, ils peuvent vieillir de cinq à dix ans. En 2000, ce vignoble a produit 9 122 hl d'AOC maranges dont 232 hl en blanc.

DOM. ALEXANDRE PERE ET FILS
Les Clos Roussots 1999*

■ 1er cru n.c. n.c. 8 à 11 €

Sa robe conserve pleinement son image de jeunesse, mais il marche à grands pas assurés vers sa maturité. Le nez, lui aussi, est encore adolescent, porte sur le fruit rouge. Ce vin très bien fait possède un important potentiel de garde, grâce à sa forte charpente. (50 à 69 F)

Dom. Alexandre Père et Fils, pl. de la Mairie, 71150 Remigny, tél. 03.85.87.22.61, fax 03.85.87.22.61, e-mail domaine.alexandre@roonoo.net r.-v.

DOM. BACHELET Vieilles vignes 1998*

■ 3,5 ha 18 000 5 à 8 €

Elu coup de cœur dans l'édition 1998 pour sa Fussière rouge 94, ce viticulteur met en avant cette année sa **Fussière 1er cru 99 en blanc (50 à 69 F)**. Elle est claire, ronde et parfumée, obtenant la même note que cette cuvée Vieilles vignes, en pinot noir. Rubis foncé à grenat, cette dernière offre un nez toasté, terroité. Bon exercice d'assouplissement en bouche. Cette bouteille descendra à la cave en pleine forme pour gagner un peu de patine. (30 à 49 F)

Dom. Bernard Bachelet et Fils, rue des Maranges, 71150 Dezize-lès-Maranges, tél. 03.85.91.16.11, fax 03.85.91.16.48 r.-v.

ROGER BELLAND La Fussière 1999*

■ 1er cru 1 ha 5 500 8 à 11 €

Comme le disait Catulle, « la victoire aime l'effort ». On mesure sans peine l'effort nécessaire, de la vigne à la cave, pour nous faire partager le bonheur de ce vin à la mine épanouie, au boisé relativement sage (mais qui doit se fondre encore pour libérer l'élan du pinot) et à l'élégance raffinée. La griotte épicée se coule dans son sillage tout au long de la bouche. (50 à 69 F)

Dom. Roger Belland, 3, rue de la Chapelle, BP 13, 21590 Santenay, tél. 03.80.20.60.95, fax 03.80.20.63.93, e-mail belland.roger@wanadoo.fr r.-v.

DANIEL BILLARD La Fussière 1999

■ 1er cru 1,17 ha n.c. 8 à 11 €

Henri Vincenot a écrit de belles pages sur les Maranges, le pays de son épouse et de sa belle-famille. Il en connaissait l'âme secrète et la chantait à merveille. Comme le fait cette bouteille spontanée, nullement apprêtée, aux arômes champêtres de mûre et de myrtille, aux tanins à la poigne solide. Un vin nature à attendre un ou deux ans. (50 à 69 F)

Daniel Billard, rue de Borgy, 71150 Dezize-lès-Maranges, tél. 03.85.91.15.60, fax 03.85.91.10.59 r.-v.

DOM. JEAN-FRANCOIS BOUTHENET Sur le chêne 1999*

□ 0,37 ha 3 000 8 à 11 €

Remarquable par son goût de terroir très prononcé, ce 99 a l'accent des maranges. Flatteur au palais, floral et brioché, souple jusqu'aux limites du moelleux, il est d'un jaune d'or soutenu. Peu de nez aujourd'hui mais cela viendra. (50 à 69 F)

Jean-François Bouthenet, Mercey, 71150 Cheilly-lès-Maranges, tél. 03.85.91.14.29, fax 03.85.91.18.24 r.-v.

DOM. MARC BOUTHENET
La Fussière 1999*

1er cru 0,75 ha 4 500 8à11€

« Je suis jeune il est vrai, mais aux âmes bien nées... » Un 99 en effet qui mène rondement son affaire, en commençant par une robe gorgée de couleur en maîtrisant son fût et en laissant s'exprimer le fruit, ce qui produit une bonne impression jusqu'à l'agréable fin de bouche. Mentionnons en cours de route une note persistante de framboise. (50 à 69 F)

Dom. Marc Bouthenet, Mercey, 10-11, rue Saint-Louis, 71150 Cheilly-lès-Maranges, tél. 03.85.91.16.51, fax 03.85.91.13.52 r.-v.

PIERRE BRESSON Les Meurées 1999

0,2 ha 1000 8à11€

Climat situé sur Cheilly. Il est traité ici en blanc sur des notes d'agrumes frais ; il se décline sur une tonalité souple, légère, simple en un mot. On conseille de déboucher cette bouteille dans l'année qui vient. (50 à 69 F)

Dom. Pierre Bresson, Le Pont, 71150 Cheilly-lès-Maranges, tél. 03.85.91.15.58, fax 03.85.91.17.37 r.-v.

DOM. MAURICE CHARLEUX ET FILS Le Clos des Rois 1999*

1er cru 0,3 ha 1 800 8à11€

Deux vins rouges sur un pied d'égalité : une **Fussière 99** équilibrée sur un très beau potentiel, et ce Clos des Rois (*climat* sur Sampigny, près des Loyères et Clos Roussots), rubis foncé, au boisé bien fondu, au nez profond. Il dispose d'une belle structure et présente une touche de noyau de cerise. Un 1er cru d'une typicité excellente. Maurice Charleux a passé le relais à son fils Vincent en 1999, qui propose donc là ses premiers vins. (50 à 69 F)

EARL Maurice Charleux et Fils, Petite-Rue, 71150 Dezize-lès-Maranges, tél. 03.85.91.15.15, fax 03.85.91.11.81 r.-v.

DOM. CHEVROT 1999

0,7 ha 4 000 8à11€

Le **99 rouge du domaine** laisse poindre quelques notes de cassis ; la bouche est cependant encore fermée et prendra tout son temps. Quant au blanc, celui-ci, il porte une robe de printemps et peu de parfum. Mais il se montre souple, minéral, fruité dès que la bouche est conviée à la fête. S'il n'a pas tellement de puissance, en revanche, il regorge de charme. (50 à 69 F)

Catherine et Fernand Chevrot, Dom. Chevrot, 19, rte de Couches, 71150 Cheilly-lès-Maranges, tél. 03.85.91.10.55, fax 03.85.91.13.24, e-mail domaine.chevrot@wanadoo.fr t.l.j. 9h-12h 14h-18h; dim. 9h-12h

Y. ET C. CONTAT-GRANGE 1999

1,2 ha 4 000 5à8€

En losange et de composition non figurative, c'est l'une des étiquettes les plus curieuses de la région. Elle met en valeur une robe superbe, haute couture. Le bouquet, en revanche, n'est guère loquace. Un 99 très puissant, qui ne fait pas pitié. Croyons en ses promesses, d'autant qu'il y a eu un coup de cœur dans cette cave dans le Guide 1991. (30 à 49 F)

EARL Yvon Contat-Grangé, Grande-Rue, 71150 Dezize-lès-Maranges, tél. 03.85.91.15.87, fax 03.85.91.12.54 r.-v.

MARINOT-VERDUN 1998

n.c. 4 500 8à11€

Nul besoin de recourir aux tirs au but : la partie est gagnée dès le début. Ce 98 est déjà en phase d'évolution car ses arômes témoignent de la maturité. Ce style confituré s'accorde à un caractère légèrement rustique mais qui n'a rien de désagréable, tant s'en faut ! Pour un civet de sanglier dès cet automne. (50 à 69 F)

Marinot-Verdun, Cave de Mazenay, 71510 Saint-Sernin-du-Plain, tél. 03.85.49.67.19, fax 03.85.45.57.21 t.l.j. sf dim. 8h-12h 13h30-18h

DOM. RENE MONNIER
Clos de la Fussière 1999

1er cru 1,2 ha 5 000 8à11€

Cheval de bataille parmi les 1ers crus de l'AOC, ce clos en monopole donne un vin qui n'a pas encore tout dit. Au regard, sa robe grenat s'orne de reflets violets, presque noirs. Les senteurs de sous-bois sont associées à la vanille. Le corps vif et tannique dont l'alchimie heureuse est en devenir lui permettra d'avoir longue vie. (50 à 69 F)

Dom. René Monnier, 6, rue du Dr-Rolland, 21190 Meursault, tél. 03.80.21.29.32, fax 03.80.21.61.79 t.l.j. 8h-12h 14h-18h

M. et Mme Bouillot

DOM. CLAUDE NOUVEAU 1998*

1,1 ha 6 000 8à11€

Ce *village* en rouge nous est apparu intéressant dès le premier coup d'œil. Nos trois coups de nez ont été bien occupés : le sous-bois, la mousse, la fraise. Ce vin, encore jeune, repose sur des tanins très fins et persistants. A boire pendant quatre à six ans. Signalons aussi une **Fussière 1er cru 98 en rouge**, au cas où le premier ne serait plus disponible ; elle a une même réserve mais n'obtient qu'une citation car c'est un 1er cru. (50 à 69 F)

EARL Dom. Claude Nouveau, Marchezeuil, 21340 Change, tél. 03.85.91.13.34, fax 03.85.91.10.39 r.-v.

DOM. PONSARD-CHEVALIER
Clos des Rois 1998*

1er cru 0,34 ha 2 000 8à11€

Ce 98 ne perd pas une once de couleur, étonne par son bouquet complexe et fruité, et vous caresse la langue d'une matière soyeuse, équilibrée et longue. Bonne typicité, malgré la présence de tanins au demeurant bien structurés. Une bouteille qui se gardera quatre à cinq ans. (50 à 69 F)

Ponsard-Chevalier, 2, Les Tilles, 21590 Santenay, tél. 03.80.20.60.87, fax 03.80.20.61.10 r.-v.

BERNARD REGNAUDOT
Clos des Rois 1999*

1er cru 1 ha 6 500 8 à 11 €

C'est le type même du vin qu'il ne faut pas réveiller trop tôt. Il doit s'ouvrir pour être savouré à sa juste valeur. Produit sur Sampigny, il ne peut pas être plus coloré. Ses tanins lui donnent un côté végétal qui va se nuancer ; de même la petite astringence n'est pas définitive. Déjà la confiture de fraises se profile à l'horizon. (50 à 69 F)

Bernard Regnaudot, rte de Nolay, 71150 Dezize-lès-Maranges, tél. 03.85.91.14.90, fax 03.85.91.14.90 r.-v.

JEAN-CLAUDE REGNAUDOT ET FILS Les Clos Roussots 1999*

1er cru 0,52 ha 3 600 8 à 11 €

La Saint-Vincent tournante a beaucoup contribué à faire connaître l'AOC maranges dont on découvre ici un 1er cru de qualité. Né d'une extraction importante lors de la vinification, ce 99 possède une structure imposante qui s'affinera à l'élevage. Son bouquet est vineux, encore jeune. Sa robe grenat exprime un bel éclat. Attendre trois à cinq ans avant de le marier à un civet de lièvre. (50 à 69 F)

Jean-Claude Regnaudot, Grande-Rue, 71150 Dezize-lès-Maranges, tél. 03.85.91.15.95, fax 03.85.91.16.45 r.-v.

DOM. DES ROUGES-QUEUES 1999

0,8 ha 2 800 8 à 11 €

Installés en 1997, les Vantey (une Valaisanne et un Bourguignon) disposent ici de vignes de soixante-cinq ans. Le nez de ce vin ne répond pas tout de suite, mais il s'ouvre finalement sur des épices fines. Après une attaque assez vive, les tanins se manifestent : la matière est sérieuse et devrait résister car la bouche connaît une bonne évolution sur le fruit. (50 à 69 F)

Jean-Yves Vantey, 10, rue Saint-Antoine, 71150 Sampigny-lès-Maranges, tél. 03.85.91.18.69, fax 03.85.91.18.69 r.-v.

MICHEL SARRAZIN ET FILS
Côte de Beaune 1999*

1,5 ha 8 000 8 à 11 €

On n'écrit plus guère maranges côte de Beaune sur les étiquettes, mais on en a le droit. Et le nom de la capitale du bourgogne est évidemment marchand ! Coup de cœur il y a deux ans en rouge 97, ce viticulteur propose un vin dont l'attaque végétale au nez est très fréquente dans l'appellation ; les petits fruits noirs et la vanille sont également présents. Réglissé et tannique, ce 99 doit effectuer un séjour en cave de deux ou trois ans. (50 à 69 F)

Michel Sarrazin et Fils, Charnailles, 71640 Jambles, tél. 03.85.44.30.57, fax 03.85.44.31.22 r.-v.

Côte de beaune-villages

A ne pas confondre avec l'appellation côte de nuits-villages qui possède une aire de production particulière, l'appellation côte de beaune-villages n'est en elle-même pas délimitée. C'est une appellation de substitution pour tous les vins rouges des appellations communales de la Côte de Beaune, à l'exception de beaune, aloxe-corton, pommard et volnay. 210 hl ont été déclarés en 2000.

DOM. GUY DIDIER 1999*

0,91 ha 6 500 11 à 15 €

Beaucoup d'extraction visuelle. Le bouquet opte pour la myrtille après avoir eu une tentation réglissée. L'attaque est solide, enlevée, assez ferme, la longueur satisfaisante, avec rappel de fruits noirs. Typé 99, un vin à attendre deux ou trois ans et à boire sur des viandes marinées. (70 à 99 F)

Dom. Guy Didier, chem. rural n° 29, 21700 Nuits-Saint-Georges, tél. 03.80.62.42.00, fax 03.80.61.28.13, e-mail nuicave@wanadoo.fr t.l.j. 10h-18h; f. jan.

La Côte chalonnaise

Bourgogne côte chalonnaise

Née le 27 février 1990, l'AOC bourgogne côte chalonnaise s'étend sur 44 communes qui ont donné 27 335 hl en rouge, et 8 990 hl en blanc en 2000. Selon la méthode déjà appliquée dans les Hautes-Côtes, un agrément résultant d'une seconde dégustation complète la dégustation obligatoire qui a lieu partout.

Située entre Chagny et Saint-Gengoux-le-National (Saône-et-Loire), la Côte chalonnaise possède une identité qui est reconnue à juste titre.

CH. DE CARY POTET
Vieilles vignes 1999*

2 ha 4 500 8 à 11 €

Dans la famille depuis 1750, ce domaine a traversé la Révolution et connu tous les régimes.

Autant dire que ce 99 est équilibré ! Rouge pourpre, très aromatique, il conserve en bouche ce côté feuille de cassis. Son potentiel lui assure un destin heureux, qui lui permettra d'adoucir son tempérament tannique et boisé. (50 à 69 F)

Charles et Pierre du Besset, Ch. de Cary Potet, 71390 Buxy, tél. 03.85.92.14.48, fax 03.85.92.11.88 Y r.-v.

DOM. CHAUMONT PERE ET FILS 1999*

■ 0,6 ha 3 100 5à8€

Pendant près de trente ans, ce domaine de 9 ha a travaillé en culture biologique. Il s'oriente aujourd'hui vers la lutte raisonnée. Voici son dernier-né : riche en couleur, peu expressif lors de nos interrogations olfactives, il évoque l'animal et le fruit rouge. D'une grande ampleur, il est rond sur le fruit, porté par son acidité et d'une bonne tannicité. Cela laisse présager un bel avenir. Pour l'accompagner, le bœuf bourguignon. (30 à 49 F)

Dom. Chaumont Père et Fils, Le Clos Saint-Georges, 71640 Saint-Jean-de-Vaux, tél. 03.85.45.13.77, fax 03.85.45.27.77, e-mail didierchaumont@aol.com Y r.-v.

DANIEL DAVANTURE ET FILS 1998*

■ 9,6 ha 6 000 5à8€

Deux kilomètres séparent ce domaine de l'église du XIIe s. Il faut les parcourir pour découvrir ce bon bourgogne qui saura se faire attendre. Il soutient bien son appellation, fleurant bon le terroir et « cassissant » à plaisir. Rouge à très légers reflets violacés, il présente quelques arômes de fruits cuits, de marc. Tout à fait Côte chalonnaise. C'est en 1996 que Damien et Eric Davanture se sont associés à Daniel, lui-même successeur de son père Louis. Saint-Désert, nom de village, n'est pas si désert que ça ! (30 à 49 F)

Daniel Davanture et Fils, GAEC des Murgers, rue de La Montée, 71390 Saint-Désert, tél. 03.85.47.90.42, fax 03.85.47.99.88 Y r.-v.

CAVE DES VIGNERONS DE GENOUILLY 1999*

□ 10 ha 20 000 3à5€

Sur les 65 ha mis en commun par cette cave coopérative, 10 sont consacrés à ce chardonnay très légèrement teinté d'or. Son parfum allie le minéral et les fruits secs grillés. Une petite pointe exotique mène à un beau gras relevé par une certaine acidité. Le tout est assez long. Quant au **rouge 99 (30 à 49 F)**, il a de la mâche et du caractère et reçoit une étoile. Gardez-le deux à trois ans si possible. (20 à 29 F)

Cave des vignerons de Genouilly, 71460 Genouilly, tél. 03.85.49.23.72, fax 03.85.49.23.58 Y t.l.j. sf dim. 8h-12h 14h-18h

DOM. MICHEL GOUBARD ET FILS

Mont-Avril 1999

■ 7 ha 50 000 5à8€

Mont-Avril est l'un des rares *climats* à s'être fait un nom en Côte chalonnaise, grâce à la famille Goubard qui a beaucoup donné à la vigne et au vin. Ses reflets pourpres, ses arômes partagés entre le fumé et le petit fruit rouge, son attaque souple et sa vivacité fruitée font de ce 99 un vin à boire maintenant sur un plat canaille comme l'andouille aux haricots ou le veau aux carottes. (30 à 49 F)

Dom. Michel Goubard et Fils, Bassevelle, 71390 Saint-Désert, tél. 03.85.47.91.06, fax 03.85.47.98.12 Y t.l.j. 8h-19h; sam. dim. sur r.-v.

DOM. GOUFFIER

Clos de Petite Combe 1999

■ 0,55 ha 3 000 8à11€

D'un rubis grenat de bonne intensité ne révélant aucun souci d'extraction outrancière, il est modéré dans l'âme. La pureté du fruit (tant rouge que noir, ce vin a lu Stendhal) accompagne un discret vanillé. Sévère en bouche, franc et corsé, il sait cependant retrouver la trace d'un fruit caressant. S'il n'est pas né pour les longues distances, il est apte au demi-fond et sera très bien d'ici un à deux ans. (50 à 69 F)

Dom. Gouffier, 11, Grande-Rue, 71150 Fontaines, tél. 03.85.91.49.66, fax 03.85.91.46.98, e-mail jerome.gouffier@wanadoo.fr Y r.-v.

PIERRE D'HEILLY ET MARTINE HUBERDEAU 1999

■ 2 ha 15 300 5à8€

Domaine établi au pied du Mont-Avril sur Moroges. Dès le XVIIIe s., l'abbé Courtépée signale ici « un petit canton de vigne appelé Butte-Sèche assez bon, avec la plante de Dijon ». Nous trouvons-nous ici ? En tout cas voici un vin réussi, rouge cerise, au nez framboisé, robuste en bouche avec ce qu'il faut de vinosité. Une bouteille bien constituée qui passera sans mal le cap des trois à quatre ans. Un domaine en agriculture biologique depuis 1978. (30 à 49 F)

EARL d'Heilly-Huberdeau, Cercot, 71390 Moroges, tél. 03.85.47.95.27, fax 03.85.47.98.97 Y r.-v.

DOM. FRANCE LECHENAULT 1999**

□ 0,68 ha 2 000 5à8€

France Léchenault, aujourd'hui décédée, fut sénateur-maire de Bouzeron, et sa fille Claudette a pris sa suite en politique. Ce chardonnay aux notes friandes de verveine et d'amande fraîche est tout ce qu'il y a de plus accommodant. Radical dans l'âme. Son gras opulent est tempéré par une utile acidité. Le **rouge 99** repose sur une très bonne base et fera dans un à deux ans une bouteille formidable. Il obtient également deux étoiles. (30 à 49 F)

Dom. France Léchenault, 11, rue des Dames, 71150 Bouzeron, tél. 03.85.87.17.56, fax 03.85.91.27.17

DOM. LES DAVIGNOLLES 1999**

■ 3,5 ha 3 000 5à8€

Une propriété acquise en 1997 par Denis Vessot qui se lance sur 4,5 ha, surtout en pinot. Encore ferme au départ, ce 99 sera agréable au vieillissement. La robe offre une bonne intensité.

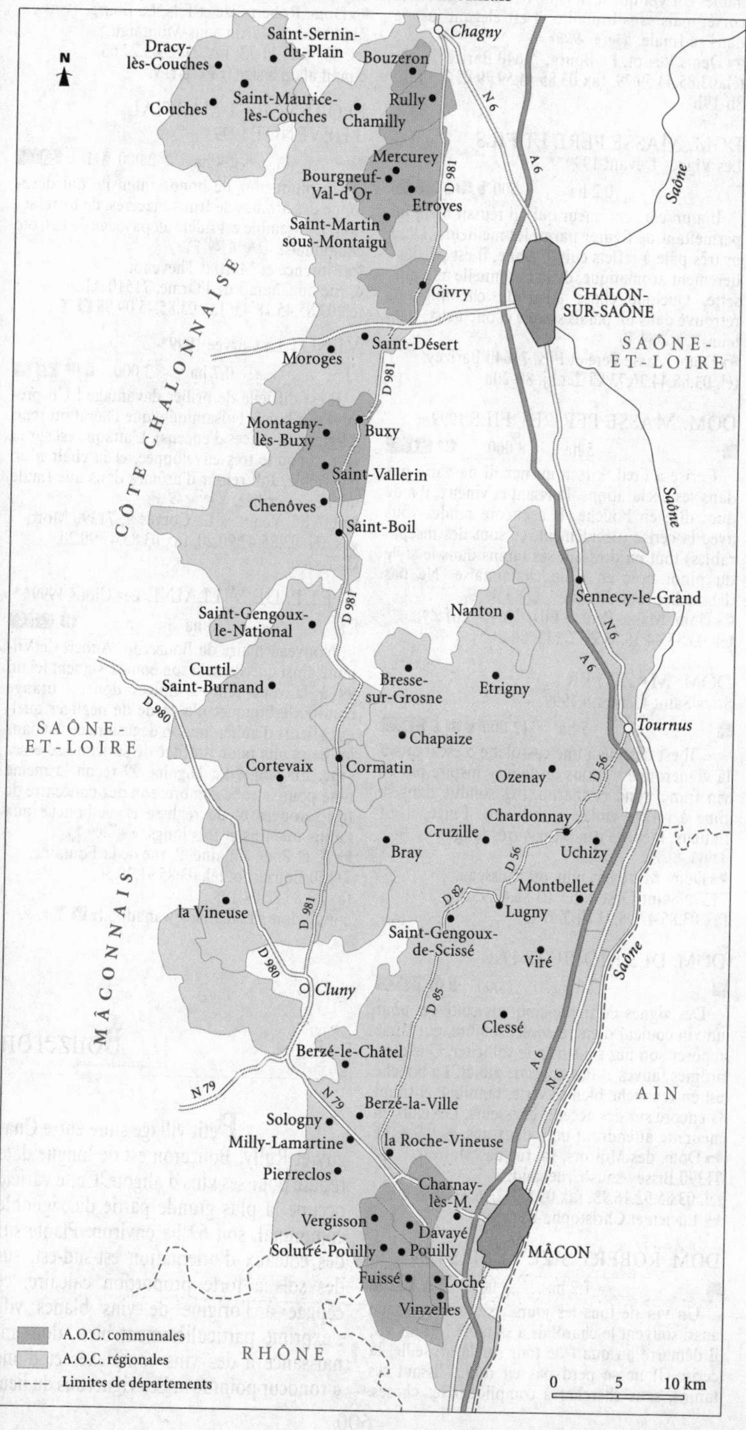
Le Chalonnais et le Mâconnais
N
Dracy-lès-Couches
Saint-Sernin-du-Plain
Chagny
Bouzeron
Saint-Maurice-lès-Couches
Couches
Rully
Chamilly
N6
Mercurey
Bourgneuf-Val-d'Or
Etroyes
D 981
A6
Saône
Saint-Martin sous-Montaigu
CÔTE CHALONNAISE
Givry
CHALON-SUR-SAÔNE
Saint-Désert
Moroges
SAÔNE-ET-LOIRE
D 981
Montagny-lès-Buxy
Buxy
Saint-Vallerin
Chenôves
Saint-Boil
Saône
Sennecy-le-Grand
Nanton
Saint-Gengoux-le-National
D 981
N6
A6
Curtil-Saint-Burnand
Bresse-sur-Grosne
Etrigny
D 980
SAÔNE-ET-LOIRE
Chapaize
Tournus
Cortevaix
Cormatin
Ozenay
D 56
Chardonnay
Cruzille
Uchizy
Bray
D 56
MÂCONNAIS
Montbellet
la Vineuse
D 82
Lugny
D 981
Saint-Gengoux-de-Scissé
Viré
Saône
D 980
Cluny
D 85
Clessé
Berzé-le-Châtel
A6
N6
AIN
N 79
N 79
Berzé-la-Ville
Sologny
Milly-Lamartine
la Roche-Vineuse
Pierreclos
Charnay-lès-M.
Vergisson
Davayé
Solutré-Pouilly
Pouilly
MÂCON
Fuissé
Loché
Vinzelles
A.O.C. communales
A.O.C. régionales
Limites de départements
RHÔNE
0
5
10 km

Le cassis et la mûre complètent un boisé raisonnable. Un vin qui se dessine très bien. Etoffé et corsé, mais sans brutalité, il est élégant jusque dans sa finale. (30 à 49 F)
Denis Vessot, Le Bourg, 71640 Barizey, tél. 03.85.44.59.79, fax 03.85.44.59.79 t.l.j. 8h-19h

DOM. MASSE PERE ET FILS
Les Vignes Devant 1999**

□ 0,2 ha 1 500 5à8€

Il a un côté charmeur qui lui réussit bien, lui permettant de figurer parmi les meilleurs. D'un or très pâle à reflets cuivre jaune, il est particulièrement aromatique, de la citronnelle à la noisette. Quelque chose aussi du champignon, retrouvé dans un palais souple et onctueux, flatteur. (30 à 49 F)
Dom. Masse Père et Fils, 71640 Barizey, tél. 03.85.44.36.73 t.l.j. 8h-20h

DOM. MASSE PERE ET FILS 1999

■ 5 ha 8 000 5à8€

Cerise à l'œil, kirsch au nez, il ne varie pas dans ses déclarations. Puissant et vineux, il a de quoi dire en bouche. Il a encore rendez-vous avec la cerise (décidément, ce sont des inséparables) tout en dressant ses tanins dans le style du pinot noir en Côte chalonnaise. Ne pas déboucher tout de suite ! (30 à 49 F)
Dom. Masse Père et Fils, 71640 Barizey, tél. 03.85.44.36.73 t.l.j. 8h-20h

DOM. MAZOYER
Sous Saint-Germain 1999

■ 5 ha 12 000 5à8€

« Il est destiné à une cassolette d'escargots à la vigneronne », nous dit le jury inspiré par ce vin franc, rond et charnu, très sombre dans sa robe à reflets violets et brillants. Epicé, il est flatteur, même s'il n'est pas très long. (30 à 49 F)
Dom. Mazoyer, imp. du Ruisseau, 71390 Saint-Désert, tél. 03.85.47.95.28, fax 03.85.47.98.91 r.-v.

DOM. DES MOIROTS 1999

■ 2,3 ha 7 000 5à8€

Des vignes de trente-cinq ans cultivées pour un vin couleur d'encre, violet sombre, qui laisse reposer son nez sans trop le solliciter. Quelques arômes fauves et des notes de gibier. La bouche est en revanche bien ouverte, tannique et tirant là encore sur des accents chasseurs. Les œufs en meurette attendront un à deux ans. (30 à 49 F)
Dom. des Moirots, 14, rue des Moirots, 71390 Bissey-sous-Cruchaud, tél. 03.85.92.16.93, fax 03.85.92.16.93 r.-v.
Lucien et Christophe Denizot

DOM. ROBERT SIZE ET FILS 1999

■ 1,2 ha 7 000 5à8€

Un vin de tous les jours... si l'on convoque aussi souvent le charolais à sa table ! Rubis vif, il démarre au quart de tour sur la groseille, la cerise. Il ne se perd pas en route, lissant ses tanins, sans chercher à compliquer les choses. Simple, léger, rustique, il reste dans sa catégorie et y trouve son bonheur. (30 à 49 F)
Dom. Robert Size et Fils, Le Bourg, 71640 Saint-Martin-sous-Montaigu, tél. 03.85.45.11.72, fax 03.85.45.27.66, e-mail alain@size.fr r.-v.

FLORENCE ET MARTIAL THEVENOT 1999

■ 2,4 ha 2 000 5à8€

Un pinot noir de bonne intensité qui développe des arômes de fruits macérés, de torréfaction. L'ensemble est fidèle au paysage de la Côte chalonnaise. (30 à 49 F)
Florence et Martial Thévenot, 4, rue du Champ-de-l'Orme, 71510 Aluze, tél. 03.85.45.18.43, fax 03.85.45.09.98 r.-v.

VENOT La Corvée 1999*

□ 0,7 ha 3 000 5à8€

Il est difficile de briller davantage ! Un premier nez boisé, balsamique, que l'aération rend religieux (nuances d'encens). L'attaque est sur la sève ; la suite très enveloppée, et la chair n'est pas faible. Joli retour d'arômes dans une finale miellée et grillée. (30 à 49 F)
GAEC Venot, « La Corvée », 71390 Moroges, tél. 03.85.47.90.20, fax 03.85.47.90.20 r.-v.

A. ET P. DE VILLAINE Les Clous 1999**

□ 3 ha n.c. +76€

Nouveau maire de Bouzeron, Aubert de Villaine ainsi que Pamela son épouse signent ici un 99 à la robe tendre. Epices douces, orange confite, le bouquet n'a garde de négliger quelques fleurs d'aubépine. On dégustera ce vin dans les deux ans pour profiter de sa jeunesse assez sage. En **rouge, La Digoine 99** reçoit la même note pour sa robe sombre, son nez concentré de fruits rouges et de réglisse et sa bouche aux tanins très fins et très longs. (+ 500 F)
A. et P. de Villaine, 2, rue de la Fontaine, 71150 Bouzeron, tél. 03.85.91.20.50, fax 03.85.87.04.10, e-mail dom.devillaine@wanadoo.fr r.-v.

Bouzeron

Petit village situé entre Chagny et Rully, Bouzeron est de longue date réputé pour ses vins d'aligoté. Cette variété occupe la plus grande partie du vignoble communal, soit 62 ha environ. Planté sur des coteaux d'orientation est-sud-est, sur des sols à forte proportion calcaire, ce cépage à l'origine de vins blancs vifs s'exprime particulièrement bien, donnant naissance à des vins complexes et d'une « rondeur pointue ». Les vignerons du lieu, après avoir obtenu l'appellation bourgogne aligoté bouzeron en 1979, ont réussi à hisser l'aire de production au rang d'AOC communale. La production a été de 4 040 hl en 2000.

BOUCHARD PERE ET FILS 1999

☐ n.c. n.c. 8à11€

Un peu strict et vif, mais ne lui reprochons pas de ne pas chardonner. La robe est sans défaut. Le nez, très intense, évolue vers le bourgeon de cassis. Pas désagréable du tout. Tendre, suave, la bouche est simple comme bonjour. (50 à 69 F)

Bouchard Père et Fils, Ch. de Beaune, 21200 Beaune, tél. 03.80.24.80.24, fax 03.80.22.55.88, e-mail france@bouchard-pereetfils.com r.-v.

PIERRE COGNY ET DAVID DEPRES 1999★★

☐ 5,87 ha 10 000 5à8€

Tartare de saumon au concombre ? Pourquoi pas ? Il faut bien honorer ce vin paille très pâle, flatteur par son nez de fruits et de fleurs blanches ne manquant ni de gras ni de longueur, bien dans le type du millésime. (30 à 49 F)

Pierre Cogny et David Déprés, GAEC de La Vieille Fontaine, 71150 Bouzeron, tél. 03.85.87.19.96, fax 03.85.87.19.96 r.-v.

DOM. PATRICK GUILLOT 1999★★

☐ 1,52 ha 2 800 5à8€

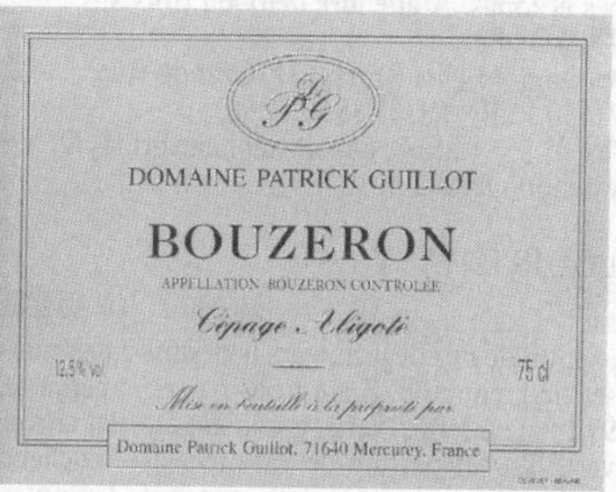

La plus haute marche du podium pour cet aligoté éblouissant. A l'œil, il a de beaux reflets verts. Au nez, il joue habilement sur plusieurs registres, allant d'une fraîcheur citronnée à une sensation fleurie. Le grand jury lui attribue ce coup de cœur en raison de sa profondeur, de sa richesse, de sa complexité soutenue par la vivacité de l'AOC. (30 à 49 F)

Dom. Patrick Guillot, 9 A, rue de Vaugeailles, 71640 Mercurey, tél. 03.85.45.27.40, fax 03.85.45.28.57 r.-v.

DOM. DE LA RENARDE Les Cordères 1999★

☐ 1,7 ha 14 000 5à8€

« Et je suis fier d'être Bourguignon ! » A coup sûr, on peut chanter cela quand on boit un vin aussi plaisant. Très pâle, à peine doré, ce 99 offre la pomme verte et le silex, puis une attaque ronde suivie d'un élan de vivacité. (30 à 49 F)

André Delorme, Dom. de la Renarde, 2, rue de la République, 71150 Rully, tél. 03.85.87.10.12, fax 03.85.87.04.60, e-mail andre-delorme@wanadoo.fr t.l.j. sf dim. 9h-12h 14h-19h, sam. 18h, groupes sur r.-v.

J.-F. Delorme

LOUIS LATOUR 1999★

☐ n.c. 25 000 5à8€

Il est vrai qu'on est en présence de l'oiseau rare. Ce vin de mise en bouche est ici du meilleur or vert, pomme verte au premier nez, puis citronné en finale. (30 à 49 F)

Maison Latour, 18, rue des Tonneliers, 21200 Beaune, tél. 03.80.24.81.00, fax 03.80.22.36.21, e-mail louislatour@louislatour.com r.-v.

PAUL REITZ 1999

☐ n.c. 30 000 8à11€

Petite robe à reflets verts. Le nez demeure pour l'instant assez timide. Mais le vin marche droit en bouche. Sa nervosité n'a rien d'étonnant pour ce cépage qui n'a rien d'endormi. (50 à 69 F)

Maison Paul Reitz, 124, Grande-Rue, 21700 Corgoloin, tél. 03.80.62.93.07, fax 03.80.62.96.83, e-mail paul.reitz@telepost.fr

A. ET P. DE VILLAINE 1999★★

☐ 10 ha 50 000 5à8€

Aubert de Villaine, maître de ce domaine depuis 1973, partage son temps entre Vosne-Romanée, Bouzeron et le monde entier. Il a beaucoup contribué à la reconnaissance de cette appellation et nous offre ici un vin à la robe très classique, au bouquet de fruits blancs et d'agrumes. Plus complexe que concentré, celui-ci assure son avenir sur une tonalité de charme. L'accent de la sincérité. Une dégustatrice conseille de le servir dès cet automne sur une tarte au roquefort et aux noix. Nous serions heureux de savoir ce que vous avez pensé de ce mariage. (30 à 49 F)

A. et P. de Villaine, 2, rue de la Fontaine, 71150 Bouzeron, tél. 03.85.91.20.50, fax 03.85.87.04.10, e-mail dom.devillaine@wanadoo.fr r.-v.

Rully

La Côte chalonnaise, ou région de Mercurey, assure la transition entre le vignoble de Côte-d'Or et celui du Mâconnais. L'appellation rully déborde de sa commune d'origine sur celle de Chagny, petite capitale gastronomique. On y produit plus de vins blancs (12 579 hl) que de vins rouges (6 303 hl en 2000). Nés sur le jurassique supérieur, ils sont aimables et généralement de bonne garde. Certains lieux-dits classés en 1er cru ont déjà accédé à la notoriété.

FRANCOIS D'ALLAINES 1998*

☐ n.c. 9 000 11 à 15 €

Ce négociant-éleveur fait ses achats en raisins. Il vinifie lui-même et, à en juger par ce 98, a la main heureuse. Or brillant, ce vin livre des arômes encore fugitifs qui font penser aux agrumes sous un léger boisé. Cette sensation se poursuit en bouche sur des accents citronnés. Equilibrée, complète, une jolie bouteille. (70 à 99 F)

François d'Allaines, La Corvée du Paquier, 71150 Demigny, tél. 03.85.49.90.16, fax 03.85.49.90.19, e-mail francois@dallaines.com r.-v.

DOM. CHRISTIAN BELLEVILLE
Les Cloux 1999*

☐ 1er cru 3,6 ha 6 000 8 à 11 €

Un vaste domaine (36 ha) créé en 1982 et dont les trois vins ont été sélectionnés : **Les Chauchoux 99** en **village** obtiennent une citation, **Rabourcé 99** en **1er cru** reçoit une étoile ; **blancs** l'un et l'autre, comme ce troisième mousquetaire doré brillant, au nez de miel d'acacia : un chardonnay délicieux. Un petit fond d'amertume, une saveur épicée et beaucoup de cartes maîtresses dans son jeu : le gras, la rondeur, la souplesse et surtout... la franchise. (50 à 69 F)

Dom. Christian Belleville, 1, rue des Bordes, 71150 Rully, tél. 03.85.91.06.00, fax 03.85.91.06.01, e-mail domaine-belleville@wanadoo.fr r.-v.

DOM. BERGER-RIVE En Rosey 1999*

■ 3,54 ha 10 000 5 à 8 €

En Rosey se situe sur le plateau dominant les roches d'Agneux. Pour ce vin, la couleur est dense, forte, à la Soutine. Son bouquet ? Les baies de cassis bien mûres ; mais il ne donne pas tout : cette mâche tannique appartient à un caractère d'homme. Civet de lièvre recommandé. Notez que le nom « Manoir de Mercey » reste bien sur l'étiquette de ce vin présent dans plusieurs éditions du Guide. (30 à 49 F)

Dom. Gérard Berger-Rive et Fils, Manoir de Mercey, 71150 Cheilly-lès-Maranges, tél. 03.85.91.13.81, fax 03.85.91.17.06 r.-v.

BOUCHARD AINE ET FILS 1999*

☐ n.c. 65 000 5 à 8 €

Un bon rully blanc a, comme l'écrit Hubert Duyker, « le poli et la fraîcheur du marbre ». Ainsi de celui-ci, d'une typicité parfaite. Jaune pâle à reflets verts, il est assez ouvert sur les fruits secs avec une petite pointe grillée. Peu acide, d'une fraîcheur agréable, presque minéral, il parviendra à son apogée d'ici un à deux ans. Cette vieille maison beaunoise, appartenant aujourd'hui au groupe Boisset, est établie dans le bel hôtel du Conseiller du Roy (sur le boulevard de ceinture) que l'on peut visiter. (30 à 49 F)

Bouchard Aîné et Fils, Hôtel du Conseiller-du-Roy, 4, bd Mal-Foch, 21200 Beaune, tél. 03.80.24.24.00, fax 03.80.24.64.12 t.l.j. 9h30-12h30 14h-18h30

JEAN-CLAUDE BRELIERE
Les Champs Cloux 1999**

■ 1er cru 0,78 ha 3 500 11 à 15 €

Coup de cœur dans les éditions 1994 et 1995 pour des millésimes 91 et 92, ce viticulteur est un linguiste passionné. S'il parle de nombreuses langues, son vin en revanche n'en parle qu'une : le pinot noir. La distinction même, du rubis bleuté du départ jusqu'à la plénitude de la finale. Bouche très tendre. En **village blanc 99** faites confiance à **La Barre**. Une bouteille qui passe nettement la barre, obtenant une étoile, tout comme **Les Margotés 1er cru blanc 99**. **Les Préaux 1er cru rouge 99**, cités par le jury, sont à attendre un à deux ans. (70 à 99 F)

Jean-Claude Brelière, 1, pl. de l'Eglise, 71150 Rully, tél. 03.85.91.22.01, fax 03.85.87.20.64, e-mail breliere.domaine@wanadoo.fr r.-v.

DOM. MICHEL BRIDAY
Champs Cloux 1999*

■ 1er cru 0,6 ha 3 000 11 à 15 €

Ce domaine de 11 ha présente en rully un blanc **La Bergerie 99**, cité pour son caractère assez suave et maintenant la conversation au-delà des simples politesses. Prêt à être bu. Et en rouge, ce Champs Cloux à la robe très jeune, aux arômes mêlant fruits noirs, fruits secs (amande, noisette), à la bouche aux tanins enrobés et longs. A attendre deux ou trois ans. (70 à 99 F)

Dom. Michel Briday, 31, Grande-Rue, 71150 Rully, tél. 03.85.87.07.90, fax 03.85.91.25.68, e-mail stephane.briday@wanadoo.fr r.-v.

LOUIS CHAVY 1999*

☐ n.c. 24 000 11 à 15 €

L'un de nos dégustateurs le destine à des cuisses de grenouille. Il n'est pas passé inaperçu ce 99 ! Pâle à reflets verts, pamplemousse et citron vert, il a un parfum de vacances. Sa fraîcheur vive, un peu nerveuse, accompagne des notes toastées. Une certaine personnalité à découvrir dans un à deux ans. (70 à 99 F)

Louis Chavy, Caveau la Vierge Romaine, pl. des Marronniers, 21190 Puligny-Montrachet, tél. 03.80.26.33.00, fax 03.80.24.14.84, e-mail mallet.b@cva-beaune.fr t.l.j. 10h-18h; f. nov. à mars

JOSEPH DROUHIN 1999**

☐ n.c. n.c. 11 à 15 €

Fondée en 1880, la grande maison beaunoise a un pied en Côte chalonnaise. Flatté par le fût neuf, ce vin paille à reflets verts possède des notes torréfiées qui ne l'empêchent pas d'évoluer vers le fruit. Sa bouche puissante, chaleureuse, beurrée, bénéficie d'une acidité bien marquée qui devrait lui offrir une longue vie. A ouvrir dans deux ou trois ans. Si vous êtes un habitué du Guide, vous vous rappelez que le 96 fut coup de cœur. (70 à 99 F)

Joseph Drouhin, 7, rue d'Enfer, 21200 Beaune, tél. 03.80.24.68.88, fax 03.80.22.43.14, e-mail maisondrouhin@drouhin.com r.-v.

DUFOULEUR PERE ET FILS

Margotey Elevé en fût de chêne 1999**

□ 1er cru n.c. 1 800 15 à 23 €

Issu du coteau dit « du château », le 1er cru **Meix Cadot blanc 99** obtient une citation. Son corps riche et rond est susceptible de complexité mais seulement au terme de son élevage, d'ici deux à trois printemps. Quant à ce Margotey, finement boisé, or vif à reflets verts, il est à la fois gras et tendre, long et savoureux. (100 à 149 F)

Dufouleur Père et Fils, 15, rue Thurot, BP 27, 21700 Nuits-Saint-Georges, tél. 03.80.61.21.21, fax 03.80.61.10.65 r.-v.

RAYMOND DUREUIL-JANTHIAL

1998*

■ 1,47 ha 8 000 11 à 15 €

Des caves du XIXe s., complètement enterrées, abritent les fûts qui ont donné naissance à un **rully blanc 99** dont la palette mêle le menthol, l'ananas, le grillé. Ce sentiment boisé ne disparaît pas par la suite, lui conférant son style associé à une certaine minéralité. Quant à ce rully rouge, élevé sous bois pendant deux ans, il affiche une robe magnifique de jeunesse. Doté d'un bon équilibre, il a du fruit, de la fraîcheur et se tiendra bien à table. (70 à 99 F)

Raymond Dureuil-Janthial, rue de la Buisserolle, 71150 Rully, tél. 03.85.87.02.37, fax 03.85.87.00.24 t.l.j. 9h-12h 15h-19h; dim. sur r.-v.

VINCENT DUREUIL-JANTHIAL

Le Meix Cadot 1999*

□ 1er cru 0,44 ha 2 500 11 à 15 €

Coup de cœur l'an dernier pour un 98, cet ancien de la Viti (Beaune) s'est installé en 1994. Autant dire qu'il fait vite son chemin. Nous avons aimé le **1er cru Les Margotés 99 blanc**, cité, ainsi que le **village 99 blanc** qui obtient une étoile. Mais le jury a donné cependant la préférence à ce Meix Cadot bien doré qui offre quelques notes de pêche à l'aération. Bel équilibre et droiture de goût : le fruit laisse son sillage en bouche. (70 à 99 F)

Vincent Dureuil-Janthial, rue de la Buisserolle, 71150 Rully, tél. 03.85.87.26.32, fax 03.85.87.15.01, e-mail vincent.dureuil@wanadoo.fr r.-v.

DUVERNAY PERE ET FILS

Les Champs Cloux 1999**

■ 1er cru 3 ha 13 000 8 à 11 €

Créé en 1973, ce domaine familial a été repris par les trois fils en 1999. Que dire de ce premier millésime ? On peut passer un bon moment avec le **1er cru Les Raclots 99 blanc** qui obtient une citation, mais, à tout prendre, ce pinot retient davantage l'attention. Sous un beau rubis, le nez est à solliciter. Il s'ouvre sur la pivoine et les épices. L'attaque est vibrante, le terroir minéral, les tanins équilibrés, la matière pleine, riche, élégante. Un vrai 1er cru. (50 à 69 F)

Dom. Duvernay, 4, rue de l'Hôpital, 71150 Rully, tél. 03.85.87.04.69, fax 03.85.87.09.17 t.l.j. 8h-12h 13h30-19h

GUY FONTAINE ET JACKY VION

La Chaponnière 1998*

□ 0,5 ha 2 900 8 à 11 €

« Fontaine, je ne boirai pas de ton eau mais de ton vin ! » Ce qu'on dit volontiers à Guy Fontaine, l'un des associés du domaine... Voyons ce vin : d'une blancheur dorée, il révèle une richesse odorante miellée puis teintée d'agrumes en bouche. Avec un peu de gras, une bonne vivacité, net et sincère en finale, il tire intelligemment son épingle du jeu. En **village 99 rouge**, une accueillante **Bergerie** devrait vous séduire sur des œufs en meurette. Elle obtient la même note. (50 à 69 F)

GAEC des Vignerons, rue du Bourg, 71150 Remigny, tél. 03.85.87.03.35, fax 03.85.87.03.35 r.-v.

DOM. DE LA CROIX JACQUELET

1998*

□ 2,49 ha 16 276 11 à 15 €

Ce produit est l'œuvre de la famille Faiveley en Côte chalonnaise. D'un jaune assez doré, il marie le champignon et le fruit exotique dans une ambiance grillée. Assez acide mais dans l'ensemble agréable et équilibré, il devrait se laisser tenter par des quenelles de brochet. (70 à 99 F)

Dom. de La Croix Jacquelet, SBEV, 71640 Mercurey, tél. 03.85.45.12.23, fax 03.85.45.26.42 t.l.j. 8h-12h 13h30-17h30; sam. dim. sur r.-v.

DOM. DE LA FOLIE

Clos de Bellecroix 1999*

■ 4,52 ha 11 300 8 à 11 €

Le septième art est né ici : ce domaine a appartenu à E.-J. Marey, inventeur de la chronophotographie, à l'origine du cinéma. Cette bouteille en revanche ne nous fait pas de cinéma. Grenat à reflets bleutés, expressive et bien ouverte (violette, cassis), elle se montre franche et légère. Vin de plaisir immédiat. A noter : plusieurs coups de cœur dans le passé. (50 à 69 F)

Dom. de La Folie, 71150 Chagny, tél. 03.85.87.18.59, fax 03.85.87.03.53, e-mail domaine.de.la.folie@wanadoo.fr t.l.j. 9h-19h

Noël-Bouton

DOM. DE LA RENARDE Varot 1999

□ 17,64 ha 55 000 8 à 11 €

Figure marquante de Rully, Jean-François Delorme a été, bien sûr, coup de cœur dans l'AOC. La dernière fois dans le Guide 1997 pour ce même *climat* 94. Le 99 se présente de façon heureuse et sous des traits limpides. On lui trouve des éléments floraux et minéraux. Simple et léger, porté sur la familiarité, il se mettra à table sans façon. (50 à 69 F)

BOURGOGNE

🔑 André Delorme, Dom. de la Renarde, 2, rue de la République, 71150 Rully, tél. 03.85.87.10.12, fax 03.85.87.04.60, e-mail andre-delorme@wanadoo.fr ☑ 🍷 t.l.j. sf dim. 9h-12h 14h-19h, sam. 18h, groupes sur r.-v.

🔑 J.-F. Delorme

LES CAVES DE LA VERVELLE 1999★★

☐ 1,2 ha 7 700 11 à 15 €

La nouvelle équipe du château de Bligny-lès-Beaune peut se féliciter d'une production de qualité. Ce rully est exemplaire. Le fruit sec, le silex, l'aubépine forment au nez un vrai trio d'amis. Une belle concentration illumine une bouche pleine et fraîche, comportant un gras appréciable. Ce 99 a beaucoup de relief et sa typicité peut être prise pour modèle. (70 à 99 F)

🔑 Les caves de La Vervelle, Le Château, 21200 Bligny-lès-Beaune, tél. 03.80.21.47.38, fax 03.80.21.40.27 ☑ 🍷 t.l.j. 8h-12h 14h-18h

LA VIEILLE FONTAINE Grésigny 1998

☐ 1er cru 0,55 ha 2 500 5 à 8 €

Jaune doré très brillant, ce vin provenant du secteur Mont-Palais - Margotée offre des arômes d'agrumes et de fleurs. Léger puis nerveux sur une pointe végétale, il finit sur une note exotique. (30 à 49 F)

🔑 Pierre Cogny et David Déprés, GAEC de La Vieille Fontaine, 71150 Bouzeron, tél. 03.85.87.19.96, fax 03.85.87.19.96 ☑ 🍷 r.-v.

DOM. DE L'ECETTE 1998★

■ 2 ha 5 000 8 à 11 €

Rouge pourpre, un 98 au nez large et profond, sur un complexe de fruits mais que l'on commence seulement à distinguer. Au palais le fruit est de retour. La matière est belle, l'élan et la persistance particulièrement dynamiques. Attendre un à deux ans. (50 à 69 F)

🔑 GAEC Jean et Vincent Daux, Dom. de L'Ecette, 21, rue de Geley, 71150 Rully, tél. 03.85.91.21.52, fax 03.85.91.24.33 ☑ 🍷 r.-v.

LE MANOIR MURISALTIEN 1998★★

■ n.c. 15 000 11 à 15 €

Entre Tournus et Cluny, le domaine du Château de Messey compte 17 ha en AOC. Marc Dumont a également racheté le Manoir murisaltien à Meursault et construit de vastes caves le long du clos de Mazeray. Si la robe de ce rully est d'une teinte pivoine, le nez et la bouche se répondent sur le noyau de cerise. Très représentatif, ce beau vin n'est pas encore à son apogée. Il ne s'exprimera complètement que dans deux ou trois ans. (70 à 99 F)

🔑 Le Manoir murisaltien, 4, rue du Clos Mazeray, 21190 Meursault, tél. 03.80.21.21.83, fax 03.80.21.66.48 ☑ 🍷 r.-v.

🔑 Marc Dumont

DOM. ANDRE LHERITIER
Clos Roch 1998★

☐ 0,4 ha n.c. 8 à 11 €

Ce vin a de la classe. Or clair d'une intensité estimable, il revient de la cueillette des champignons avec leurs arômes et leur goût dans le panier. Il s'y mêle les agrumes. L'acidité est correcte, l'équilibre assuré. Déjà harmonieux, ce 98 s'améliorera encore avec le temps (deux à trois ans). (50 à 69 F)

🔑 André Lhéritier, 4, bd de la Liberté, 71150 Chagny, tél. 03.85.87.00.09 ☑ 🍷 t.l.j. 8h30-11h30 14h-19h

MUGNIER PERE ET FILS
La Pucelle 1998★

☐ 1er cru n.c. n.c. 8 à 11 €

Cette Pucelle est sur sa réserve... D'un jaune doré estival, sa robe est transparente. Ses parfums évoquent la noisette, la vanille, la minéralité. En bouche un petit côté floral, de la longueur et un tempérament plus calme que vif. Typée 98. (50 à 69 F)

🔑 EARL La P'tiote Cave, 71150 Chassey-le-Camp, tél. 03.85.87.15.21, fax 03.85.87.28.08 ☑ 🍷 t.l.j. 9h-12h 14h-18h

ALBERT PONNELLE 1998★

☐ n.c. n.c. 11 à 15 €

Ponnelle est un nom assez courant dans la Côte. Plusieurs maisons de négoce-éleveur s'appellent ainsi. Il faut regarder le prénom. Albert dans le cas présent. La robe de ce rully est agréable, le bouquet fondu (agrumes) et l'attaque pleine d'allant. Ce 98 gagnera-t-il un peu de gras avec l'âge ? On le souhaite, et son évolution paraît prometteuse. (70 à 99 F)

🔑 Albert Ponnelle, Clos Saint-Nicolas, BP 107, 21200 Beaune, tél. 03.80.22.00.05, fax 03.80.24.19.73, e-mail info@albert-ponnelle.com ☑ 🍷 r.-v.

🔑 Louis Ponnelle

CH. DE RULLY 1998

☐ 24,64 ha 113 112 11 à 15 €

Les comtes de Ternay vivent ici depuis... huit cents ans et l'on y conserve le verre à vin d'un ancêtre d'une contenance de 3 l. Antonin Rodet exploite le domaine en voisin. Or pâle et pain grillé, assez vif, ce rully, sans être seigneurial, tient honnêtement son rang au milieu du pays. (70 à 99 F)

🔑 Dom. du Ch. de Rully, 71640 Mercurey, tél. 03.85.98.12.12, fax 03.85.45.25.49 ☑ 🍷 r.-v. chez Antonin Rodet

🔑 Comte R. de Ternay

DOM. DE RULLY SAINT-MICHEL
Les Cloux 1999★

☐ 1er cru 1,5 ha 3 820 8 à 11 €

Acquis jadis par l'argentier de Napoléon III (le château Saint-Michel à Rully, devenu centre de formation à l'hôtellerie), ce domaine viticole demeure exploité par sa famille. Voici un rully blanc paille clair, d'une fraîcheur mentholée, dont le gras s'agrémente d'abricot. Pour varier les plaisirs, le **1er cru Les Champs Cloux 99 rouge**, velouté et tendre, est un vin de même qualité. (50 à 69 F)

🔑 Dom. de Rully Saint-Michel, rue du Château, 71150 Rully, tél. 03.85.91.28.63, fax 03.85.87.12.12 ☑ 🍷 t.l.j. 9h-18h

🔑 Mme de Bodard

DOM. SAINT-JACQUES La Fosse 1999★

■ 1er cru 0,98 ha 3 800 8 à 11 €

Etape sur le chemin de Compostelle, ce domaine possède des caves du XIII[e]s. et de vieux pressoirs présentés dans la cuverie datant du XVIII[e]s. Ce vin est né de l'un des *climats* du groupe Marissou, Chapitre, etc. situés en dessous du grand coteau. Déjà dans le grenat, il suggère l'amande grillée. Nez et bouche sont marqués par le fût, mais la griotte n'est pas absente et la matière devrait bien évoluer. Encore tannique, c'est une épée dans son fourreau. Quand elle en sortira (dans cinq ans ?), une belle passe d'armes en perspective. Coup de cœur en l'an 2000 pour le même *climat* millésimé 96. (50 à 69 F)

Christophe-Jean Grandmougin, 11, rue Saint-Jacques, 71150 Rully, tél. 03.85.87.23.79, fax 03.85.87.17.34 r.-v.

ALBERT SOUNIT Cloux l'Ouvrier 1999★

□ 1,1 ha 1 800 8 à 11 €

Doré sur tranche, beurré comme une tartine, il se signale par une très grande longueur en bouche. Sans doute a-t-il du gras, de la rondeur, la bonhomie d'un vin au contact direct. Mais la persistance l'emporte sur tous les autres atouts. Fondée en 1851, cette maison est depuis quelques années la propriété de K. Kjellerup, importateur danois de vins de Bourgogne. (50 à 69 F)

Albert Sounit, 5, pl. du Champ-de-Foire, 71150 Rully, tél. 03.85.87.20.71, fax 03.85.87.09.71, e-mail albert-sounit@wanadoo.fr
t.l.j. 8h-12h 14h30-18h; sam. dim. sur r.-v.
K. Kjellerup

DOM. ROLAND SOUNIT Les Cailloux 1999★

□ 0,5 ha 3 500 8 à 11 €

Ce viticulteur de Meursault possède 17 ha. En rully, il propose un **village blanc Les Crays 99**, assez exotique, qui obtient une citation, et ces Cailloux : une bonne intensité de vin jeune, une ouverture aromatique sur les fruits mûrs presque exotiques, voici une agréable entrée en matière. Une légère surmaturité du raisin ? En effet, ce côté très mûr se retrouve en bouche. Gras, puissant, ce 99 reste lontemps au service des papilles. Son style particulier peut convenir au foie gras, par exemple. (50 à 69 F)

SCEA Dom. Roland Sounit, rte de Monthélie, 21190 Meursault, tél. 03.80.21.22.45, fax 03.80.21.28.05

ERIC DE SUREMAIN Préaux 1998★

1 ha 5 300 8 à 11 €

Un domaine travaillé en biodynamie dont on retrouve les vins sur tous les continents. Pourpre foncé, ce rully présente un nez peu ouvert mais sur la bonne voie ; le fût est déjà bien incorporé. Charpenté et tannique, avec une petite astringence, c'est un vin d'extraction à la bouche carrée, à l'attaque musclée. On doit l'attendre un peu pour qu'il puisse s'assouplir et révéler sa nature profonde. (50 à 69 F)

EARL Eric de Suremain, rue du Pied-de-la-Vallée, 21190 Monthélie, tél. 03.80.21.23.32, fax 03.80.21.66.37 r.-v.

Mercurey

Mercurey, situé à 12 km au nord-ouest de Chalon-sur-Saône, en bordure de la route Chagny-Cluny, jouxte au sud le vignoble de Rully. C'est l'appellation communale la plus importante en volume de la Côte chalonnaise : 31 000 hl dont 4 134 en blanc, en 2000. Elle s'étend sur trois communes : Mercurey, Saint-Martin-sous-Montaigu et Bourgneuf-Val-d'Or.

Quelques lieux-dits bénéficient de la dénomination « premier cru ». Les vins sont en général légers et agréables, avec de bonnes aptitudes au vieillissement.

JEAN-LUC AEGERTER Réserve personnelle 1998

■ n.c. 6 000 11 à 15 €

Ce négociant-éleveur nuiton a dirigé Labouré-Roi ainsi que Louis Roederer en Champagne avant de reprendre la maison Pierre Gruber et de s'installer à son compte. Coup de cœur dans le Guide 96, il connaît les bonnes adresses à Mercurey. La robe rouge grenat et le nez de petits fruits rouges sont ici enjôleurs. Frais et concentré, d'une bonne acidité, ce vin devra être attendu deux à trois ans. (70 à 99 F)

Jean-Luc Aegerter, 49, rue Henri-Challand, 21700 Nuits-Saint-Georges, tél. 03.80.61.02.88, fax 03.80.62.37.99 r.-v.

DOM. BRINTET La Perrière 1999

■ 0,5 ha 3 000 8 à 11 €

Beau domaine de 13 ha conduit depuis 1984 par Luc Brintet. Sous un aspect rouge intense, ce vin opte pour un nez de kirsch et ne varie pas. Aussi ronde que le globe terrestre, sa bouche sait marquer quelques points à son avantage. Légèrement boisée, fruitée, elle est équilibrée. (50 à 69 F)

Dom. Luc Brintet, Grande-Rue, 71640 Mercurey, tél. 03.85.45.14.50, fax 03.85.45.28.23 r.-v.

DOM. CHANZY Les Carabys 1998

□ n.c. n.c. 8 à 11 €

Un nom de *climat* qui fait penser à la chanson *Compère Guilleri.* Pour un chardonnay légèrement fumé, aux notes de noix et d'amande, le dos un peu raide - mais c'est son caractère dû aux 40 % de fût neuf. Le fruit ne quitte pas la finale. Le bois reste à sa place. Vous pouvez le boire dans les temps qui viennent. (50 à 69 F)

BOURGOGNE

Daniel Chanzy, 1, rue de la Fontaine,
71150 Bouzeron, tél. 03.85.87.23.69,
fax 03.85.91.24.92,
e-mail daniel.chanzy@wanadoo.fr ☑ Y r.-v.

JEAN-PIERRE CHARTON
Vieilles vignes 1999*

■ 2,5 ha 11 000 8à11€

7 ha composent ce domaine qui doit apprécier les compagnons du Devoir à en juger par le texte de l'étiquette signalant le beau travail du charpentier maître d'œuvre de la lucarne. Jean-Pierre Charton aime aussi son métier : voyez cette bouteille assez corpulente. Légèrement violacée, elle distille des arômes de cassis, de pain d'épice, de noisette qui s'harmonisent sans peine. Sa bouche est bien en chair, sans excès tannique, ni sensation de dureté. Quant au boisé, il est correctement dosé. (50 à 69 F)

Jean-Pierre Charton, 29, Grande-Rue,
71640 Mercurey, tél. 03.85.45.22.39,
fax 03.85.45.22.39 ☑ Y r.-v.

DOM. DU CHATEAU DE MERCEY
1998**

■ 11 ha 15 000 11à15€

Domaine géré par Antonin Rodet. Avec brio, on le constate. Cerise noire, cette bouteille est d'une distinction... Allez donc trouver un nez coulis de framboise, presque pivoine ! Le fruit conduit à des arômes épicés, poivrés. Les tanins font patte de velours. La concentration est excellente. Digne de l'appellation et à déguster maintenant. (70 à 99 F)

Ch. de Mercey, 71150 Cheilly-lès-Maranges,
tél. 03.85.91.13.19, fax 03.85.91.16.28 ☑ Y r.-v.

DEMESSEY 1999

□ n.c. 4 500 11à15€

Propriétaire du château de Messey, situé entre Tournus et Cluny, Marc Dumont est aussi négociant. Voici son mercurey. Or pâle limpide et rayonnant, il nous emmène en voyage dès le premier appel du nez, avec des notes exotiques (ananas, goyave et vanille). Bien rond, bien gras, il est solide et, s'il demande à s'affiner avec le temps, il constitue dès à présent un vin de plaisir. Peu profond mais en accord avec les hors-d'œuvre. (70 à 99 F)

SARL Demessey, Ch. de Messey,
71700 Ozenay, tél. 03.85.51.33.83,
fax 03.85.51.33.82, e-mail vin@demessey.com
☑ Y r.-v.

DOUDET-NAUDIN 1999***

■ 0,8 ha 4 998 11à15€

Domaine créé en 1849 par cette famille de Savigny-lès-Beaune. Ce joli village est célèbre par l'un de ses enfants, le comte de La Loyère, qui, à cette même époque, innova en pratiquant la plantation des vignes en rangs. Voici un superbe vin. Du velours. Aucun autre mot ne nous vient à l'esprit pour définir ce coup de cœur étincelant. Rouge très concentré, légèrement boisé sur fond de fruits très mûrs, il attaque franchement. Puis il caresse longuement le palais en faisant la queue de paon. Son potentiel le destine à un grand avenir. Une extraction poussée mais réussie. (70 à 99 F)

Doudet-Naudin, 3, rue Henri-Cyrot, BP 1,
21420 Savigny-lès-Beaune, tél. 03.80.21.51.74,
fax 03.80.21.50.69 ☑ Y r.-v.
Yves Doudet

CH. D'ETROYES Champmartins 1999**

□ 1er cru 0,25 ha 1 800 11à15€

Ce 99 décroche le coup de cœur sans paraître forcer son talent. Or soutenu, il a bon nez (vanille-moka et un rien de viennoiserie). Son gras ordonne une bouche gourmande où la noisette et l'amande forment un duo. Remarquable, vraiment, et au-dessus du lot. Notez qu'il n'y avait pas de coup de cœur pour cette appellation depuis deux ans. Retour en force ! Et le **1er cru Les Combins 99 rouge** a obtenu une étoile. A attendre deux ou trois ans. (70 à 99 F)

F. Protheau et Fils, Ch. d'Etroyes,
71640 Mercurey, tél. 03.85.98.99.10,
fax 03.85.98.99.00,
e-mail commercial@protheau.com
☑ Y t.l.j. sf dim. lun. 8h-12h 14h-18h
Famille Maurice Protheau

DOM. GOUFFIER
Clos de la Charmée 1999

■ 0,88 ha 5 000 8à11€

Un domaine de 13 ha né en 1850, et un vin grenat violacé, ouvert sur le cassis, bien construit sur des tanins fins. Sa souplesse permet de le boire sans attendre longtemps. Notez une pointe de tabac en finale. (50 à 69 F)

Dom. Gouffier, 11, Grande-Rue,
71150 Fontaines, tél. 03.85.91.49.66,
fax 03.85.91.46.98,
e-mail jerome.gouffier@wanadoo.fr ☑ Y r.-v.

DOM. PATRICK GUILLOT
Clos des Montaigu 1999**

■ 1er cru 0,81 ha 4 800 8à11€

Main de fer dans un gant de velours, a t-on dit du mercurey. Celui-ci répond à cette définition : beaucoup de matière, de puissance, et des tanins très présents dans une ambiance aimable, confortable. Des arômes de vanille et de griotte assurent une bonne continuité entre le nez et la bouche. Cette bouteille fait partie du peloton de tête. (50 à 69 F)

Dom. Patrick Guillot, 9 A, rue de Vaugeailles, 71640 Mercurey, tél. 03.85.45.27.40, fax 03.85.45.28.57 r.-v.

DOM. EMILE JUILLOT
Les Croichots 1999**

■ 1er cru 0,64 ha 3 500 8à11€

Créé au début du siècle, ce domaine compte 12 ha. Les Croichots représentent l'équation parfaite, ou peu s'en faut. Le fruit, le fût, les tanins, le gras, la fraîcheur, tout cela s'ordonne avec infiniment de bonheur. La robe est très belle. Mûre, myrtille composent un bouquet bien ouvert. Peut-être pas de longue garde mais pour l'instant un joli vin d'agrément. Coup de cœur du Guide 1997 pour un 93. Sur votre carnet, notez aussi le **1er cru La Cailloute 99 blanc**, d'un bon niveau, puisqu'il reçoit une étoile. (50 à 69 F)

EARL N. et J.-C. Theulot, Dom. Emile Juillot, clos Laurent, 71640 Mercurey, tél. 03.85.45.13.87, fax 03.85.45.28.07, e-mail e.juillot.theulot@wanadoo.fr r.-v.

DOM. MICHEL ET LAURENT JUILLOT Champs Martin 1998

□ n.c. 3 500 15à23€

Ce *climat* caillouteux, né de roches décomposées en fines particules, est réputé pour la souplesse et la finesse de ses vins. Ce chardonnay clair à l'œil et végétal (herbe fraîche du printemps) au nez présente une pointe d'acidité sur un fond persistant où les agrumes en confiture s'accordent avec les mêmes tonalités végétales. Si vous fréquentez l'*Hostellerie du Val d'Or* à Mercurey, commandez un trian de Saint-Jacques beurre monté... (100 à 149 F)

Dom. Michel et Laurent Juillot, 59, Grande-Rue, BP 10, 71640 Mercurey, tél. 03.85.98.99.89, fax 03.85.98.99.88, e-mail infos@domaine.michel.juillot.fr r.-v.

DOM. DE LA CHARMEE 1998

■ n.c. 3 000 8à11€

Au départ de Cluny, le touriste peut emprunter « le circuit des Brigands », rappelant les insurrections de 1789, et qui passe par Péronne, où se trouve le siège de cette maison de négoce qui propose une cuvée de mercurey. Un peu d'austérité ? Sans doute, mais ce vin est frais à l'attaque, vif et fruité en bouche. Son bouquet rappelle les petits fruits écrasés, la fraise surtout, jusqu'à des sensations épicées relevant de l'élevage en fût. Sa robe est d'un rouge franc. (50 à 69 F)

Sté Pierre Janny, La Condemine, Cidex 1556, 71260 Péronne, tél. 03.85.23.96.20, fax 03.85.36.96.58, e-mail pierre-janny@wanadoo.fr

DOM. DE LA CROIX JACQUELET
La Perrière 1998*

■ 1,26 ha 3 873 11à15€

Dépendant des vignobles Faiveley, ce vaste domaine de Mercurey a plus d'un coup de cœur à son actif (millésimes 92 et 91). Rubis clair, ce 98 se délecte d'arômes de framboise vanillée. Au palais, le coulis de fruit précède avec vivacité un sentiment assez suave, déjà fondu et non dépourvu de complexité. La finale est d'une chaleur réglissée. N'en faites pas un vin de garde. Sans nom de climat, le **village blanc 98 (50 à 69 F)** reçoit la même note. (70 à 99 F)

Dom. de La Croix Jacquelet, SBEV, 71640 Mercurey, tél. 03.85.45.12.23, fax 03.85.45.26.42 t.l.j. 8h-12h 13h30-17h30; sam. dim. sur r.-v.

DOM. LA MARCHE
Les Caudroyes 1999**

□ n.c. 4 500 46à76€

Sous cette étiquette en forme de rideau de scène, que se cache-t-il ? Le premier acte est limpide et brillant. Le deuxième, floral et un tantinet grillé. Le troisième, vif et rond. Le quatrième, miellé en rétro-olfaction. Le cinquième, fin et complexe. Cette maison nuitonne retrouve les feux de la rampe. (300 à 499 F)

Louis Max, 6, rue de Chaux, BP 4, 21700 Nuits-Saint-Georges, tél. 03.80.62.43.01, fax 03.80.62.43.16

DOM. DE LA RENARDE 1999

■ 3,01 ha 18 000 8à11€

Une impression de terroir se mêle ici à la grâce d'une vinification privilégiant la finesse. A partir d'une forte extraction de couleur, le fruit confituré prend le relais. Ampleur, longueur : le pinot noir se sent au palais comme chez lui. Bref, un joli mercurey. (50 à 69 F)

André Delorme, Dom. de la Renarde, 2, rue de la République, 71150 Rully, tél. 03.85.87.10.12, fax 03.85.87.04.60, e-mail andre-delorme@wanadoo.fr t.l.j. sf dim. 9h-12h 14h-19h, sam. 18h, groupes sur r.-v.

DOM. DE L'EUROPE
Le Nectar d'Icare 1999*

■ 1 ha 4 000 5à8€

Chantal Côte, artiste peintre belge, rencontre Paul Cinquin, vigneron à Mercurey. Cela donne le domaine de l'Europe et une étiquette un peu délirante qui vous embarque en montgolfière, en zeppelin... Pour un mercurey en robe cerise brillante et au nez empyreumatique. Frais, jeune, très jeune, et de bonne facture... même au regard du prix. (30 à 49 F)

Chantal Côte et Guy Cinquin, Dom. de l'Europe, 5 pl. du Bourgneuf, 71640 Mercurey, tél. 06.08.04.28.12, fax 03.85.45.23.82, e-mail cote-cinquin@wanadoo.fr r.-v.

DOM. LEVERT-BARAULT 1999★

■ 6,56 ha 44 000 8 à 11 €

Domaine de près de 8 ha appartenant à Michel Picard, négociant par ailleurs. Voici son mercurey. Des reflets mauves animent sa robe rubis soutenu. Mûre, myrtille, sous-bois ornent son bouquet. Si l'entrée en bouche est discrète, la suite s'avère charnue, veloutée, délicate. (50 à 69 F)

Dom. Levert-Barault, rue de Mercurey, 71640 Mercurey, tél. 03.85.87.51.00, fax 03.85.87.51.11

Michel Picard

DOM. LORENZON

Les Champs Martin Cuvée Carline 1999★★★

■ 1er cru 0,5 ha 1 200 15 à 23 €

Parmi les meilleurs producteurs de l'année. Cuvée issue de vieilles vignes sans collage ni filtration, élevée douze mois en fûts dont la moitié sont neufs. Si riche. D'un pourpre presque noir, très intense, ce vin offre un bouquet net et expressif sur le fruit un peu confit. Assez ferme, de belle garde, il est superbement fait. Ce même **1er cru (70 à 99 F)** élaboré à partir de vignes plus jeunes et sans nom de cuvée obtient deux étoiles tout comme le **mercurey village 99**. (100 à 149 F)

Dom. Bruno Lorenzon, 14, rue du Reu, 71640 Mercurey, tél. 03.85.45.13.51, fax 03.85.45.15.52 r.-v.

MAISON FRANCOIS MARTENOT

Chaponne 1999★

■ n.c. 26 000 8 à 11 €

Un produit très classique, même si l'extraction relève d'une vinification moderne. Cela se voit : une robe sombre et profonde. Cela se sent : des arômes de petits fruits noirs. Cela se goûte : le fruit et les tanins forment un ensemble complexe, destiné à la garde. (50 à 69 F)

HDV Distribution, rue du Dr-Barolet, ZI Beaune-Vignolles, 21209 Beaune Cedex, tél. 03.80.24.70.07, fax 03.80.22.54.31, e-mail hdv@planetb.fr r.-v.

DOM. DU MEIX-FOULOT

Clos du château de Montaigu 1998★

■ 1er cru 1,92 ha 9 000 11 à 15 €

Henri IV fit démanteler la forteresse médiévale de Montaigu. Fort heureusement, la vigne alentour conserve le souvenir de ce château (le clos est un monopole). Ce 98 pourpre vif bien homogène dispose actuellement d'une palette aromatique assez resserrée. La matière, cependant, ne manque pas de richesse et possède ce qu'il faut de gras. Encore un peu sévère et pas assez fondu, ce vin a suffisamment de ressource pour très bien évoluer. (70 à 99 F)

Dom. du Meix-Foulot, 71640 Mercurey, tél. 03.85.45.13.92, fax 03.85.45.28.10 r.-v.

Paul de Launay

DOM. L. MENAND PERE ET FILS

Clos des Combins 1999★

■ 1er cru 3 ha 15 000 8 à 11 €

En **blanc, le 1er cru Clos des Combins 99** obtient une citation : il semble assez bien disposé. En rouge, il est d'une couleur d'encre pourpre sombre. Au nez, le fruit surmaturé et la vanille, le grillé du fût. Bonne entrée en bouche puis un développement issu de fins tanins qui jouent un rôle utile pour lisser le tout. A attendre mais pas trop. (50 à 69 F)

Dom. L. Menand Père et Fils, Chamerose, 71640 Mercurey, tél. 03.85.45.19.19, fax 03.85.45.10.23 r.-v.

DOM. VINCENT MEUNIER

Clos des Fourneaux 1999★

■ 1er cru 1,3 ha 3 200 8 à 11 €

Les Fourneaux figurent parmi les meilleurs *climats* de l'appellation. Voici une bouteille de proue d'un beau grenat, au nez encore assez retenu et qui devrait évoluer dans le registre de la finesse et de l'élégance. Sa souplesse, la suavité du fruit, ses tanins déjà lisses tracent une silhouette justement proportionnée, épurée. Le temps l'aidera à s'affirmer. (50 à 69 F)

Vincent Meunier, EARL du Gai Logis, rue des Milandes, 71640 Mellecey, tél. 03.85.45.15.73 r.-v.

MUGNIER PERE ET FILS

Clos des Hayes 1998

■ n.c. n.c. 8 à 11 €

Sans hésiter : cassis. Des pieds à la tête, cassis. Sur toute la ligne, cassis. Apôtre de l'apéritif fameux, le chanoine Kir aurait choisi cette bouteille légère, assez structurée, légèrement astringente et plutôt élégante. (50 à 69 F)

EARL La P'tiote Cave, 71150 Chassey-le-Camp, tél. 03.85.87.15.21, fax 03.85.87.28.08 t.l.j. 9h-12h 14h-18h

LOUIS PICAMELOT 1998

■ 1er cru 1 ha 1 800 11 à 15 €

Un mercurey proposé par une maison de Rully. Rouge cerise foncé, la robe est théâtrale. L'animal et le cuir peuplent le bouquet d'une grande intensité. Quelques notes de brûlé apparaissent également. La rondeur en bouche s'accompagne d'une pointe d'acidité qui lui est bien utile. Typé et prometteur. (70 à 99 F)

Louis Picamelot, 12, pl. de la Croix-Blanche, BP 2, 71150 Rully, tél. 03.85.87.13.60, fax 03.85.87.63.81 r.-v.

PICARD PERE ET FILS

Les Croichots 1999★

■ 1er cru 0,51 ha 2 500 11 à 15 €

Aluze, construit sur un promontoire, est-Alésia comme l'ont prétendu ceux qui ont mis au jour le site gallo-romain ? Les archéologues en débattent toujours. Quoi qu'il en soit, c'est qu'est installé ce domaine viticole. Son mercurey ? De bonne extraction mais avec modération. L'œil est grenat. Le nez joliment fruité (cerise) s'ouvre délicatement. Ce 1er cru séduit d'emblée. Un peu vif mais friand, plaisant, et déjà prêt à passer à table. La matière est ample, les tanins apaisés. (70 à 99 F)

GAEC du dom. des Vignes sous Les Ouches, Au bourg, 71510 Aluze, tél. 03.85.45.16.34, fax 03.85.45.15.91 r.-v.

OLIVIER RAQUILLET

Les Vellées 1999★★

1er cru 0,85 ha 6 500 8 à 11 €

Olivier Raquillet dirige le domaine familial depuis 1998. Il remporte deux victoires car la relation entre le vin et son fût trouve ici une expression passionnante, qui atteste la qualité de l'élevage. Rouge griotte à reflets bleus, ce 99 s'ouvre gentiment au cassis. Il persiste en bouche, dans une atmosphère de finesse discrète. Il demande un à deux ans de garde mais ensuite le succès est garanti. Si vous en avez la possibilité, retenez également le **village 99 rouge** tout à fait convaincant (une étoile). (50 à 69 F)

Olivier Raquillet, Chamirey, 71640 Mercurey, tél. 03.85.45.18.38 r.-v.

CAVE DE SAINTE-MARIE-LA-BLANCHE 1999★

1 ha 5 900 8 à 11 €

Cela tient souvent à presque rien... Ce petit quelque chose qui vous fait vibrer. On le trouve dans ce vin cerise bien mûre, parfumé à la groseille, à la fraise des bois, vineux, charpenté, long, fondu... Très jeune bien sûr, pas encore « marié » mais avec une superbe réserve, de la fougue. Née en 1957, cette coopérative vinifie 70 ha de vignes. (50 à 69 F)

Cave de Sainte-Marie-la-Blanche, rte de Verdun, 21200 Sainte-Marie-la-Blanche, tél. 03.80.26.60.60, fax 03.80.26.54.47 t.l.j. sf dim. 8h-12h 14h-19h

DOM. PATRICK SIZE

Vignes de Château-Beau 1999

0,57 ha 3 500 8 à 11 €

« Le bourgogne qui porte le nom d'un dieu » : Mercure, bien sûr. Saint Vincent fera grise mine, mais il a l'esprit large. Château-Beau 99 (le *climat* le plus méridional de l'AOC, sur Saint-Martin-sous-Montaigu) porte une robe rouge violacé. Le nez de fleurs sauvages est frais et jeune. La bouche assez atypique est paradoxale, très intéressante : violette confite, confiture de fraises. (50 à 69 F)

Dom. Patrick Size, imp. de l'Eglise, 71640 Saint-Martin-sous-Montaigu, tél. 03.85.45.23.05, fax 03.85.45.23.05, e-mail patrick.size@libertysurf.fr r.-v.

DOM. ROBERT SIZE ET FILS

Les Velley 1999

1er cru 1,16 ha 7 000 11 à 15 €

Un effort pour composer une étiquette décorative. Que dire de la robe de ce 1er cru ? Elle est cerise noire, brillante. Grillé, son bouquet rejoint bientôt le cassis. Un bon volume, une acidité assez présente, une note tannique, voilà tout. Rustique mais sans nuance péjorative. A attendre deux ans. (70 à 99 F)

Dom. Robert Size et Fils, Le Bourg, 71640 Saint-Martin-sous-Montaigu, tél. 03.85.45.11.72, fax 03.85.45.27.66, e-mail alain@size.fr r.-v.

DOM. TREMEAUX PERE ET FILS

Les Croichots 1998

1er cru 1,69 ha 3 000 8 à 11 €

Entre pourpre et rubis, un vin accommodant. Souple à l'attaque, les angles arrondis, il développe des arômes de kirsch. Il commence à s'ouvrir sur les fruits rouges mûrs. Bien constitué, il peut déjà donner satisfaction. (50 à 69 F)

Dom. Trémeaux Père et Fils, 10, rue Jamproyes, 71640 Mercurey, tél. 03.85.45.23.03, fax 03.85.45.23.03 r.-v.

DOM. TUPINIER-BAUTISTA

En Sazenay 1999★

1er cru 1,14 ha 7 000 8 à 11 €

Un vin bien en rapport avec son identité. La couleur n'appelle aucun commentaire particulier. Le fruit frais règne ensuite. Un tempérament assez tendre, une petite note d'amertume, tout est classique. Jacques Tupinier est à la retraite depuis pas mal de temps... Manuel (Manu pour les intimes) est fou de rugby mais son pinot noir ne botte pas en touche. (50 à 69 F)

Manuel Bautista, Touches, 71640 Mercurey, tél. 03.85.45.26.38, fax 03.85.45.27.99, e-mail mcbautista@caramail.com r.-v.

DOM. LAURENT VEROT

Vieilles vignes 1999★★

0,6 ha 4 000 8 à 11 €

« Chacun est l'artisan de sa fortune », assure la maxime latine. Ce *village* ne confie à nul autre le soin de défendre sa cause. D'une belle richesse colorante, il esquisse des parfums de fruit et de terroir. Très soyeux en bouche, il témoigne d'une vinification attentive, réussie. Au reste, il est passé tout près du coup de cœur. (50 à 69 F)

Laurent Verot, imp. des Petite-Chaumes, 71640 Germolles, tél. 03.85.45.15.07 r.-v.

Givry

A 6 km au sud de Mercurey, cette petite bourgade typiquement bourguignonne est riche en monuments historiques. Le givry rouge, la production principale (10 314 hl en 2000), aurait été le vin préféré d'Henri IV. Mais le blanc (2 154 hl en 2000) intéresse aussi. Les prix sont très abordables. L'appellation s'étend principalement sur la commune de Givry, mais

BOURGOGNE

« déborde » légèrement sur Jambles et Dracy-le-Fort.

GUILLEMETTE ET XAVIER BESSON
Le Petit Prétan 1999

☐ 0,4 ha 3 000 8 à 11 €

Ici, vous assisterez au festival des Musicaves (fin juin, début juillet) avec concert-dégustation. Que dire de ce 99 ? Il épate, ce givry ! Le gras est visible à l'œil nu. Le nez est un grand séducteur, mi-floral mi-torréfié. En bouche, une gentille fraîcheur de citronnelle. Le vin prend alors son élan et il possède à l'évidence un solide potentiel de garde. Valeur sûre. Marquez également sur votre petit carnet le **Petit Prétan 99, en rouge (30 à 49 F)**. (50 à 69 F)

Dom. Guillemette et Xavier Besson, 9, rue des Bois-Chevaux, 71640 Givry, tél. 03.85.44.42.44, fax 03.85.44.42.44 r.-v.

CHANUT FRERES 1999

■ n.c. 4 900 8 à 11 €

La couleur se tient bien sur une tonalité de rubis. Le nez est assez complexe : cerise noire, il pinote parfaitement. Tanins, gras, rondeur, fraîcheur et nervosité se conjuguent dans un ensemble équilibré. Légère sensation de marc en fin de bouche. (50 à 69 F)

Alliance des vins fins, Les Chers, 69840 Juliénas, tél. 04.74.06.78.70, fax 04.74.06.78.71

DOM. CHOFFLET-VALDENAIRE
Les Galaffres 1999

☐ 1 ha 6 000 8 à 11 €

Petite nuance muscatée au sein d'un bouquet très aromatique, évoquant la surmaturation du raisin. Robe assez pâle. La tenue en bouche ne suscite aucune réserve. C'est un vin d'avenir, d'une grande minéralité, à oublier en cave car il n'a pas encore passé l'adolescence. (50 à 69 F)

Dom. Chofflet-Valdenaire, Russilly, 71640 Givry, tél. 03.85.44.34.78, fax 03.85.44.45.25 r.-v.

DOM. DU CLOS SALOMON 1999★★

■ 1er cru 6,8 ha 40 000 8 à 11 €

Clos monopole d'une famille présente ici depuis trois siècles. Attendons sans inquiétude ce Clos Salomon, l'une des têtes de séries de l'appellation. Violacé et subtil, il délivre au nez des notes de terre humide, de sous-bois, de fruits rouges, alliées au grillé du fût. Sa bouche est bien faite. Comment dire mieux ? Le tout est prometteur et au niveau supérieur. A boire pendant trois ou quatre ans. (50 à 69 F)

Dom. du Clos Salomon, 16, rue du Clos-Salomon, 71640 Givry, tél. 03.85.44.32.24, fax 03.85.44.49.79 t.l.j. sf dim. 9h-19h

du Gardin-Perrotto

DANIEL DAVANTURE ET FILS 1999★

☐ 0,18 ha 1 500 5 à 8 €

Huit générations de vignerons avant que les trois fils de Daniel Davanture reprennent le flambeau en 1996. Légèrement doré, ce vin offre un bouquet brioché. Au palais, il prend du corps, du gras, de la longueur à l'aération tandis que le fût est bien fondu. Bonne chance à ce 99 qui a de la ressource et qui représente son terroir avec sincérité. (30 à 49 F)

Davanture, GAEC des Murgers, rue de la Montée, 71390 Saint-Désert, tél. 03.85.47.90.42, fax 03.85.47.95.57 r.-v.

PROPRIETE DESVIGNES
Clos Charlé 1999

■ 1er cru 0,5 ha 3 500 8 à 11 €

Les années en 9 du XXe s. n'auront pas démérité. Témoin ce Clos Charlé, l'un des fleurons de l'appellation. Pas beaucoup de nez mais une robe d'été et une bouche au-dessus de tout soupçon. Un vin fier et complet, typé givry, et avec un beau potentiel. (50 à 69 F)

Propriété Desvignes, 36, rue de Jambles, Poncey, 71640 Givry, tél. 03.85.44.37.81, fax 03.85.44.43.53 r.-v.

DIDIER ERKER Les Bois Chevaux 1999★

■ 1,2 ha 5 000 5 à 8 €

Le vin rouge de Bourgogne était jadis vermeil. Celui-ci a retenu la leçon. Il porte dans sa hotte quelques arômes fruités et vanillés, des tanins fins mais bien présents donnant une bouche ronde et longue, très agréable. En **rouge, les Grands Prétans 99** obtiennent une étoile. Elégante, tendre et soyeuse, une bouteille réussie. (30 à 49 F)

Didier Erker, 7 bis, bd Saint-Martin, 71640 Givry, tél. 03.85.44.39.62, fax 03.85.44.39.62, e-mail Erker@givry.net t.l.j. 8h-19h

DOM. DE LA FERTE La Servoisine 1998★

■ 0,67 ha 5 168 11 à 15 €

La Ferté est une ancienne abbaye cistercienne, proche de Givry. Ce 98, dont la robe profonde est presque noire, réussit son parcours. Solide, puissant, plein de mâche, il est rustique dans sa jeunesse mais promis à une longue garde. En **village, un 98 rouge** ample et charnu, avec de la matière, obtient une citation. Pour un bœuf bourguignon. (70 à 99 F)

Antonin Rodet, 71640 Mercurey, tél. 03.85.98.12.12, fax 03.85.45.25.49, e-mail rodet@rodet.com t.l.j. sf sam. dim. 9h-12h 14h-18h

LA SAULERAIE
Clos Les Grandes Vignes 1999★★

☐ 0,16 ha 1 200 8 à 11 €

On ne peut que féliciter de leur parcours les Parize, présents sur ce domaine depuis 1980.

Coup de cœur en 2000 pour leur rouge, coup de cœur cette année pour leur blanc. Et quel vin ! Son premier nez explose : beurré, toasté. En bouche, vous aurez tout ce qu'il faut pour être heureux. Nos jurés ne tarissent pas d'éloges sur le gras, l'acidité, la tenue, la complexité, le fruit à chair blanche. Bel exercice de vinification ! Pensez aussi à **Champ Nalot 99**, en **rouge** et en **blanc**. Le rouge (deux étoiles) séduit par sa robe profonde, son nez mêlant un fin boisé et des fruits noirs et sa bouche riche, puissante et soyeuse. Le blanc (une étoile) est déjà très bon mais gagnera à attendre un an ou deux. (50 à 69 F)

Gérard et Laurent Parize, 18, rue des Faussillons, 71640 Givry, tél. 03.85.44.38.60, fax 03.85.44.43.54, e-mail laurentparize@wanadoo.fr t.l.j. 9h-19h; groupes sur r.-v.

DOM. MASSE PERE ET FILS
Champ Lalot 1999

■ 0,5 ha 3 500 8 à 11 €

Sa couleur montre quelques signes d'évolution. Son bouquet de fruits cuits confirme la situation. L'attaque est toutefois friande, la vinosité agréable, le fond assez tannique. A boire en 2002. (50 à 69 F)

Dom. Masse Père et Fils, 71640 Barizey, tél. 03.85.44.36.73 t.l.j. 8h-20h

GERARD MOUTON Clos Jus 1998

■ 1er cru 2 ha 11 000 8 à 11 €

Diversement jugé, et d'un rubis classique, ce clos Jus évoque le cassis et joue tout en finesse. Peut-être pas un 1er cru de légende, mais une atmosphère de vin plaisir dans l'équilibre et la persistance. Nos dégustateurs en ont longuement discuté : en *villages*, sa note aurait été supérieure. (50 à 69 F)

SCEA Gérard Mouton, 6, rue de l'Orcène, Poncey, 71640 Givry, tél. 03.85.44.37.99, fax 03.85.44.48.19 r.-v.

MICHEL SARRAZIN
Champ Lalot 1999★★★

■ 4 ha 25 000 8 à 11 €

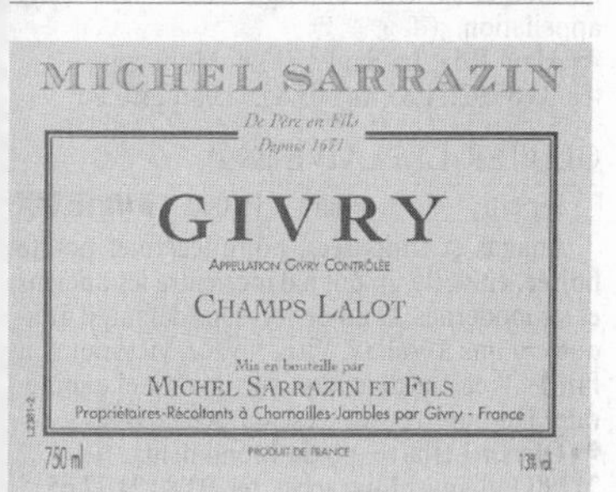

Bien connu des lecteurs du Guide, Michel Sarrazin monte à nouveau sur la plus haute marche du podium. Il élève douze mois en fût ce vin au boisé très présent : il faut l'accepter d'emblée. Sa robe, sombre et profonde, répond aux canons de sa vinification. Cependant, derrière tout cela, la matière est grande et le bouquet déjà complexe (pivoine, pruneau). Le palais offre une apothéose : il se montre ample et charnu. Jamais le chêne n'écrase le vin. Un vin moderne pour amateurs avertis. (50 à 69 F)

Michel Sarrazin et Fils, Charnailles, 71640 Jambles, tél. 03.85.44.30.57, fax 03.85.44.31.22 r.-v.

JEAN TATRAUX ET FILS 1999★

■ 3,5 ha 10 000 5 à 8 €

« Je veux qu'on soit sincère », exigeait Alceste. Il n'aurait pas eu besoin d'insister face à cette bouteille grenat profond, cassis et mûre, souple en attaque, charpentée par-dessus. Pas trop d'ampleur, mais un accent authentique qui plaide mieux sa cause que tous les discours. (30 à 49 F)

EARL Jean Tatraux et Fils, 20, rue de Lorcène, 71640 Givry, tél. 03.85.44.36.89, fax 03.85.44.59.43 r.-v.

DOM. THENARD 1999★

□ 2,22 ha 14 000 5 à 8 €

Présent au sein du fabuleux montrachet, ce domaine appartient à l'histoire du vin de France. C'est en effet, le baron Thénard qui trouva le moyen de combattre le phylloxéra par le sulfure de carbone. Sous une parure très pâle, ce givry d'une limpidité parfaite, pâle à reflets verts, offre un nez ravissant d'aubépine et d'acacia. La bouche est belle, avec du gras porté par une bonne acidité. Elle explose sur le miel fin et la minéralité. Le **clos Saint-Pierre rouge 99** obtient une citation ; « un petit plaisir en passant », note le jury. (30 à 49 F)

Dom. Thénard, 7, rue de l'Hôtel-de-Ville, 71640 Givry, tél. 03.85.44.31.36, fax 03.85.44.47.83 r.-v.

DOM. VOARICK 1999

■ 1,88 ha 13 600 8 à 11 €

Rouge sang, il affiche aussitôt sa détermination. Le bouquet (framboise, vanille) est plus nuancé, attrayant et plein de fraîcheur. Le corps est charnu, réglissé. Bouteille réussie qui peut vieillir un peu. (50 à 69 F)

Emile Voarick, 71640 Saint-Martin-sous-Montaigu, tél. 03.85.45.23.23, fax 03.85.45.16.37 t.l.j. 8h-12h 14h-18h

Dom. Michel Picard

Montagny

Entièrement voué aux vins blancs, Montagny, village le plus méridional de la région, annonce déjà le Mâconnais. L'appellation peut être produite sur quatre communes : Montagny, Buxy, Saint-Vallerin et Jully-lès-Buxy. Les *climats* peuvent être seuls revendiqués sur la commune de Montagny. La production a atteint 16 338 hl en 2000.

DOM. ARNOUX PERE ET FILS 1999*

☐ 0,2 ha 1 200 5à8€

Il a belle allure, belle prestance. Sa robe est dans le ton. Ses arômes ? Pamplemousse et citron vert sur des notes épicées et minérales. Il semble issu de vendanges bien mûres. Assez puissant et concentré, il conviendra à une entrée cuisinée. (30 à 49 F)

Dom. Arnoux Père et Fils, 7, rue du Lavoir, 71390 Buxy, tél. 03.85.92.11.06, fax 03.85.92.19.28 r.-v.

BOUCHARD PERE ET FILS 1999*

☐ 1er cru n.c. n.c. 8à11€

On comprend que le grand poète André Frénaud ait souvent chanté le vin de Montagny. Le chardonnay s'y montre volontiers lyrique et passionné, témoin ce 99 déjà très ouvert, généreux et floral. Un rien miellé, tout en finesse, il évolue vers l'exotique (pamplemousse) sans rien perdre de sa franchise et de son élégance. (50 à 69 F)

Bouchard Père et Fils, Ch. de Beaune, 21200 Beaune, tél. 03.80.24.80.24, fax 03.80.22.55.88, e-mail france@bouchard-pereetfils.com r.-v.

LES VIGNERONS REUNIS A BUXY
Les Chagnots 1999*

☐ 1er cru 5,3 ha 26 000 8à11€

La coopérative vinifie 860 ha de la Côte chalonnaise et du Mâconnais. Elle signe un 99 moyennement intense mais déjà ouvert sur le fruit, les agrumes. Sous le minéral, une forte charpente, du volume, de la vivacité. Un vin plein de mordant, assez sec et qui durera bien un à deux ans pour plaire à un plateau de fruits de mer. La **cuvée spéciale 1er cru La Buxynoise 99** issue de macération pelliculaire et de dix mois en fût n'est pas écrasée par le bois. Son gras et sa palette aromatique (pêche, coing, fruits exotiques) permettent le foie gras. Le jury lui attribue une étoile. (50 à 69 F)

SICA Les Vignerons réunis à Buxy, rte de Chalon-sur-Saône, 71390 Buxy, tél. 03.85.92.03.80, fax 03.85.92.08.06

CH. DE CARY POTET Les Burnins 1999*

☐ 1er cru 1,5 ha 9 000 8à11€

Dans la famille en ligne directe depuis 1750, ce domaine s'ordonne autour d'un château plein de charme. Il a reçu la visite de Tintin et Milou sous le déguisement de leur auteur. N'y a-t-il pas une bouteille de vin de Bourgogne sur les éditions anciennes de *l'Or noir* ? Bref, cet or est or et nuancé de vert. Il se cache au nez mais il enchante le palais, évoquant son terroir et sa race. Pour tout poisson, bien entendu. (50 à 69 F)

Charles et Pierre du Besset, Ch. de Cary Potet, 71390 Buxy, tél. 03.85.92.14.48, fax 03.85.92.11.88 r.-v.

CHARTRON ET TREBUCHET 1999

☐ n.c. 9 000 11à15€

Elevé neuf mois en fûts dont 20 % sont neufs, ce montagny élaboré par ce grand négociant a tout pour plaire. Son crédit, un teint or clair limpide à reflets argentés, un bouquet où se mêlent les agrumes, les fruits secs, une nuance beurrée et une légère note boisée, une bouche pleine de punch... Tout cela donne envie de le boire ! Il peut avantageusement rester deux ans en cave. (70 à 99 F)

Chartron et Trébuchet, 13, Grande-Rue, 21190 Puligny-Montrachet, tél. 03.80.21.32.85, fax 03.80.21.36.35, e-mail jmchartron@chartron-trebuchet.com t.l.j. 10h-12h 14h-18h; f. mi-nov. à mars

CH. DE DAVENAY Clos Chaudron 1999

☐ 1er cru 4,42 ha 36 000 8à11€

D'une coloration discrète mais brillante, il a le nez floral de la jeunesse. Le silex aiguise sa bouche friande, légèrement réglissée et dotée d'une bonne acidité. Très typé, il est à servir pendant trois ans. Il s'agit d'un domaine géré par la maison Picard à Chagny. (50 à 69 F)

Dom. du Château de Davenay, 71390 Buxy, tél. 03.85.45.23.23, fax 03.85.45.16.37

Michel Picard

DOM. DE LA GUICHE 1999*

☐ 4 ha 30 000 8à11€

Un or soutenu, brillant, à reflets verts, un nez franc et ouvert, plutôt floral, avec une touche de fruits confits, une bouche légèrement beurrée, associant fleurs et citron vert, équilibrée, d'un bon potentiel. On peut imaginer un accord avec une volaille à la crème pendant les trois années à venir. (50 à 69 F)

SICA Les Vignerons réunis à Buxy, rte de Chalon-sur-Saône, 71390 Buxy, tél. 03.85.92.03.80, fax 03.85.92.08.06

CH. DE LA SAULE
Elevé en fût de chêne 1999*

☐ 1er cru 3 ha 20 000 11à15€

Alain Roy qui conduit le vignoble de 17 ha se présente : « Né un 14 juillet, j'ai tout du feu d'artifice ». Artifice n'est pas le mot, car son montagny jaune paille, citronné, minéral, est sincère. Très sincère. Sa bouche est ronde et beurrée, citronnée et florale (aubépine), efficace, harmonieuse. Une bonne adresse dans cette appellation. (70 à 99 F)

Alain Roy, La Saule, 71390 Montagny, tél. 03.85.92.11.83, fax 03.85.92.08.12 r.-v.

OLIVIER LEFLAIVE 1999*

☐ 1er cru 3 ha 18 000 11à15€

Ananas et fruits secs, poire légère et pointe boisée, en voilà un qui balance entre les anciens et les modernes. D'un or vert sans défaut, il attaque comme à Valmy. Viril, vivace, victorieux, il fait le *V* en fin de course sur une touche minérale. Du bon travail, c'est sûr. (70 à 99 F)

Olivier Leflaive, pl. du Monument, 21190 Puligny-Montrachet, tél. 03.80.21.37.65, fax 03.80.21.33.94, e-mail leflaive-olivier@dial.oleane.com r.-v.

DOM. DES MOIROTS
Le Vieux Château 1999

☐ 1er cru 3,59 ha 13 500 8à11€

Denizot... les romans d'Henri Vincenot font souvent honneur à ce nom bien bourguignon.

Or pâle, fruits blancs séchés (pomme, poire), un 99 remarqué pour son fruit, son ampleur, sa fraîcheur et son équilibre général. Seuls 20 % de la vendange sont passés en fût pendant onze mois. Pour tout poisson. (50 à 69 F)

Dom. des Moirots, 14, rue des Moirots, 71390 Bissey-sous-Cruchaud, tél. 03.85.92.16.93, fax 03.85.92.16.93 r.-v.

Lucien et Christophe Denizot

JEAN-CLAUDE PIGNERET 1999*

1er cru 1,44 ha 1 100 5à8€

Exposé sud sud-est, ce vignoble appartient à la famille Pigneret depuis 1700. Jaune doré, d'un premier abord déroutant puis prenant son billet pour l'exotique, un vin charmant qui doit sans doute son style à un chardonnay muscaté élevé six mois sous bois. Il sort de l'ordinaire. Pour tout dire, on l'aime bien, mais il faut savoir à qui l'on a affaire. (30 à 49 F)

Jean-Claude Pigneret, rue de la Pompe, 71390 Saint-Désert, tél. 03.85.47.94.40 r.-v.

Le Mâconnais

Mâcon, mâcon supérieur et mâcon-villages

Les appellations mâcon, mâcon supérieur ou mâcon suivi de la commune d'origine sont utilisées pour les vins rouges, rosés et blancs. Les vins blancs peuvent s'appeler aussi pinot-chardonnay-mâcon et mâcon-villages. L'aire de production est relativement vaste, et, depuis la région de Tournus jusqu'aux environs de Mâcon, la diversité des situations se traduit par une grande variété dans la production.

Le secteur de Viré, Clessé, Lugny, Chardonnay, propice à la production de vins blancs légers et agréables, est le plus connu, et de nombreux viticulteurs se sont groupés en caves coopératives pour vinifier et faire connaître leurs vins. C'est d'ailleurs dans ce secteur que la production s'est développée. En 2000, celle-ci atteint 250 037 hl dont 50 202 en rouge.

Mâcon

DOM. DU BICHERON 1999*

1 ha 1 500 5à8€

Situé au nord de Mâcon sur la commune de Péronne, ce domaine exploite en famille, 18 ha de vignes principalement plantées en chardonnay. Seul 1 ha est réservé au gamay, qui donne un vin rouge rubis profond avec encore des reflets violets. Le nez, discret, est épicé, fruité (groseille) tandis que la bouche est souple à l'attaque, avec un bon équilibre gras-tanins ; elle s'achève sur une finale acidulée qui devrait s'arrondir à l'automne. A boire pendant un à deux ans. (30 à 49 F)

Daniel Rousset, Saint-Pierre-de-Lanques, 71260 Péronne, tél. 03.85.36.94.53, fax 03.85.36.99.80 r.-v.

CAVE DE CHARNAY-LES-MACON

Charnay 2000**

5,68 ha 40 000 5à8€

Près de 6 ha ont été récoltés à la main et vinifiés en macération carbonique pour obtenir ce vin. Les vignerons de la cave de Charnay peuvent être fiers de cette cuvée rubis profond et limpide. La belle expression aromatique de fruits rouges, notamment de framboise, met en valeur sa richesse de bouche et ses tanins fondus et discrets. La grande franchise de cette bouteille fruitée et souple sera particulièrement appréciée lors de repas champêtres. (30 à 49 F)

Cave de Charnay, En Condemine, 71850 Charnay-lès-Mâcon, tél. 03.85.34.54.24, fax 03.85.34.86.84 r.-v.

JEAN-MICHEL COMBIER

Serrières Sélection vieilles vignes 2000*

0,8 ha 2 500 5à8€

Issu des coteaux escarpés de Serrières aux sols sableux et granitiques, le gamay trouve ici sa juste expression, mais demande à s'affiner avec le temps. La robe est d'un beau rouge grenat intense, le nez encore fermé distille des arômes de fruits rouges francs. En revanche la bouche s'exprime déjà, avec une belle matière, des tanins présents mais dénués d'agressivité et une finale capiteuse. A boire d'ici un an ou deux avec des viandes grillées. (30 à 49 F)

Jean-Michel Combier, Les Provenchères, 71960 Serrières, tél. 03.85.35.75.80, fax 03.85.35.79.67 r.-v.

DOM. CORDIER PERE ET FILS 1999*

2,22 ha 14 000 8à11€

Voilà un mâcon blanc qui vient confirmer tout le bien qu'on dit chaque année de ce domaine. De sa robe dorée, nette et brillante, s'exhalent des arômes de fruits frais, de confiserie avec même une petite pointe de surmaturité. Les douze mois passés en fût se ressentent encore, mais le gras et l'équilibre d'ensemble de ce vin nous réservent d'ici deux à trois ans de bons moments. (50 à 69 F)

Dom. Cordier Père et Fils, 71960 Fuissé, tél. 03.85.35.62.89, fax 03.85.35.64.01 r.-v.

BOURGOGNE

DOM. DES DEUX ROCHES
Pierreclos 1999★★

■ 2 ha 12 000 5à8€

Ce domaine est l'une des grandes signatures de l'appellation. Il se distingue cette année par deux vins remarquables du millésime **99**. Le **mâcon blanc (70 à 99 F)**, illuminé de reflets dorés, s'impose par sa palette aromatique complexe : miel, pêche jaune, écorce d'orange, bergamote, grillé. La bouche révèle un bel équilibre et une persistance impressionnante. Ce mâcon Pierreclos rouge a animé les débats entre partisans et opposants du bois, mais le jury a, malgré tout, été séduit par ce vin à la robe cerise, intense et profonde. Le nez fin et expressif rappelle les épices, le cassis, la mûre avec une pointe de vanille. La bouche est bien équilibrée, plutôt riche, marquée en finale par le fût. Il devra être attendu un an avant d'atteindre sa plénitude, alors on pourra le servir sur une belle entrecôte charolaise. (30 à 49 F)

Dom. des Deux Roches, 71960 Davayé, tél. 03.85.35.86.51, fax 03.85.35.86.12 r.-v.

MARIE-ODILE FREROT ET DANIEL DYON 2000★

◪ 0,95 ha 1 700 3à5€

La production de vins rosés reste confidentielle en Mâconnais. Cette cuvée issue de gamay est obtenue pour partie par saignée et pour partie par pressurage direct. L'assemblage donne un vin à la robe légère, saumonée, au nez discret de fruits frais (fraise et mangue). La bouche, agréable, s'achève sur des notes citronnées. « Un vin frais et gouleyant », conclut une dégustatrice. (20 à 29 F)

Marie-Odile Frérot et Daniel Dyon, Veneuze, 71240 Etrigny, tél. 03.85.92.24.31, fax 03.85.92.24.31 r.-v.

LES VIGNERONS D'IGE
La Berthelotte 2000★

■ 3 ha 25 000 5à8€

Créée en 1927 et réunissant aujourd'hui 280 ha de vignes, cette coopérative se distingue par la qualité de ses vins rouges. Le **mâcon Igé 2000** est cité pour son équilibre acidité-fruit et sa finale accrocheuse, qui en fait un bon vin de cochonnailles. Cette cuvée La Berthelotte, parée d'une robe pourpre, intense et brillante, développe un nez ouvert de fruits rouges mûrs (fraise, framboise) accompagné de notes minérales. Marquée par des saveurs fruitées et florales (pivoine), la bouche est équilibrée et racée. Du beau travail dans ce millésime difficile. (30 à 49 F)

Cave coop. des vignerons d'Igé, 71960 Igé, tél. 03.85.33.33.56, fax 03.85.33.41.85, e-mail lesvigneronsdige@lesvigneronsdige.com t.l.j. sf dim. 8h-12h 14h-18h

CH. DE LA BRUYERE
Igé Vieilles vignes 1999★

■ 1,5 ha 5 042 5à8€

Environ 9 ha de vignes entourent ce magnifique château fondé au XII[e]s., lové derrière les collines d'Igé. Son mâcon, d'une belle couleur grenat intense, présente un nez particulièrement fin aux arômes de fruits confits, de vanille et de pain grillé. La bouche, encore sur la réserve, possède une belle matière mais les tanins sont encore un peu fermes et le bois d'élevage domine. Un vin de caractère qu'il est prudent d'attendre un an ou deux. (30 à 49 F)

Paul-Henry Borie, Ch. de La Bruyère, 71960 Igé, tél. 03.85.33.30.72, fax 03.85.33.40.65, e-mail mph.borie@wanadoo.fr t.l.j. 8h-12h 14h-19h

DOM. DE LA COMBE DE BRAY
Bray 1997★★

■ 4,5 ha 10 000 5à8€

En quittant Cluny et son abbaye, laissez-vous guider jusqu'à ces fabuleux coteaux de Bray où les sols argilo-calcaires donnent au gamay un potentiel de vieillissement extraordinaire. La preuve, ce mâcon rouge 97 encensé par le jury. D'une teinte rubis foncé, il montre déjà quelques reflets orangés brillants. Le nez, marqué par l'évolution, offre un bouquet d'arômes tertiaires composé de sous-bois, de notes animales, d'épices et relevé par des évocations de fruits rouges frais. La bouche est équilibrée et bien structurée, avec des saveurs poivrées et des notes de bourgeon de cassis. Les tanins fondus lui confèrent une finale très soyeuse. Un grand vin à son apogée à servir sur une côte de bœuf charolais grillée. (30 à 49 F)

Henri Lafarge, Dom. de La Combe, 71250 Bray, tél. 03.85.50.02.18, fax 03.85.50.05.37 r.-v.

DOM. DE LA CROIX SENAILLET
2000★

□ 1,87 ha 15 000 8à11€

Ce domaine, comme à son habitude, occupe le devant de la scène mâconnaise. Issue de jeunes vignes implantées sur sol argileux, cette cuvée, d'un bel or vert pâle, offre des arômes élégants de petites fleurs blanches, une bouche fruitée, pleine, possédant une certaine vivacité. Elle accompagnera vos plateaux de fruits de mer. (50 à 69 F)

Richard et Stéphane Martin, Dom. de La Croix Senaillet, En Coland, 71960 Davayé, tél. 03.85.35.82.83, fax 03.85.35.87.22 r.-v.

DOM. NICOLAS MAILLET Verzé 2000★

■ 0,25 ha 2 100 3à5€

Nicolas Maillet, qui a quitté la cave coopérative en 1999, poursuit son petit bonhomme de chemin en obtenant pour sa seconde récolte une étoile. Issus de vignes très âgées – soixante-dix ans – les raisins sont vendangés à la main et ensuite vinifiés en macération semi-carbonique. Cela a donné un vin à la robe rouge brillante, aux arômes intenses (banane, melon, fraise). Après une attaque souple, les arômes fruités de bouche resurgissent accompagnés de tanins fondus. A servir sur une charcuterie. (20 à 29 F)

Dom. Nicolas Maillet, La Cure, 71960 Verzé, tél. 03.85.33.46.76, fax 03.85.33.46.76 r.-v.

DOM. MATHIAS Chaintré 2000★★★

■ 0,3 ha 2 500 5à8€

Béatrice et Gilles Mathias, jeunes vignerons installés à la tête de 10 ha de vignes, constituées principalement de chardonnay, présentent un rouge issu de gamay, qui, selon le grand jury, est le porte drapeau de l'appellation tant sa typicité est remarquable. Sa robe est d'une couleur rouge cerise avec des reflets rubis. Les parfums de cassis, de cerise fraîche et de framboise sont un enchantement. La bouche ample et dotée d'une belle matière, bien équilibrée, s'achève sur des notes de griotte à l'eau-de-vie. Une bouteille à servir sur du lapin aux légumes printaniers. (30 à 49 F)

Béatrice et Gilles Mathias, Dom. Mathias, rue Saint-Vincent, 71570 Chaintré, tél. 03.85.27.00.50, fax 03.85.27.00.52 r.-v.

DOM. DE MONTERRAIN Serrières 2000

■ n.c. n.c. 5à8€

Peut-être avez-vous vu sur France 2 un reportage sur ce domaine ; à la faveur des collines de Serrières et de ses sols granitiques, son gamay a donné naissance à un vin rouge sombre et limpide. Les arômes intenses rappellent les fruits cuits, le cassis et la confiture de cassis. D'une belle structure en bouche et d'une grande persistance aromatique, c'est un mâcon peu classique mais agréable, à servir sur des fromages affinés. (30 à 49 F)

Patrick et Martine Ferret, Dom. de Monterrain, 71960 Serrières, tél. 03.85.35.73.47, fax 03.85.35.75.36 r.-v.

PASCAL PAUGET 2000★★

■ 0,75 ha 3 000 5à8€

A proximité de la magnifique ville de Tournus, Préty est le seul vignoble bourguignon planté sur la rive gauche de la Saône. Cette spécificité a donné du caractère à ce vin d'une belle couleur pourpre intense, d'où se dégagent des senteurs plaisantes de fruits rouges (coulis de framboises), d'épices et de vanille. Si l'attaque est encore marquée par le bois, la matière en bouche est riche et équilibrée ; elle laisse présager beaucoup de plaisir dans deux ou trois ans. A noter également, le **mâcon Tournus rouge 99** qui obtient une étoile pour sa richesse et sa complexité aromatique et qui se laisse déguster dès à présent. (30 à 49 F)

Pascal Pauget, La Croisette, 71700 Tournus, tél. 03.85.32.53.15, fax 03.85.51.72.67 r.-v.

DOM. SAUMAIZE-MICHELIN Les Bruyères 1999★★★

■ 0,2 ha 1 500 5à8€

Spécialistes des vins blancs, Christine et Roger Saumaize nous montrent ici ce dont ils sont capables en rouge. Possédant vingt ares de gamay plantés sur des sols siliceux, ils vinifient en macération carbonique et élèvent le vin dix mois en fût de chêne. Le résultat est exceptionnel. Une robe grenat à reflets violacés habille cette cuvée dont le premier nez fait bien ressortir le passage en fût. Le deuxième nez permet de distinguer des arômes de fruits cuits, d'épices (noix de muscade) et de violette. La bouche est monumentale : immense matière, tanins concentrés mais fondus, finale très longue sur des notes de cerise et de confiture. Du grand art ! (30 à 49 F)

Dom. Roger et Christine Saumaize-Michelin, Le Martelet, 71960 Vergisson, tél. 03.85.35.84.05, fax 03.85.35.86.77 r.-v.

DOM. SIMONIN Bussières 1999★

■ 0,28 ha 2 400 8à11€

Bussières, charmante commune viticole, fait partie du fameux Triangle d'Or du mâcon rouge, réputé pour ses vins de terroir. D'une robe prune intense, s'exhalent des senteurs de fruits rouges à noyau, d'épices (cannelle et anis) et de pierre à fusil. Souple en attaque, ce 99 tient cependant bien en bouche, avec des tanins présents et une finale épicée qui l'allonge. « Un vin authentique », précise un dégustateur. (50 à 69 F)

Dom. Simonin, Le Bourg, 71960 Vergisson, tél. 03.85.35.84.72, fax 03.85.35.85.34 r.-v.

DOM. DU TERROIR DE JOCELYN Bussières 2000

■ n.c. 3 000 3à5€

A 1 km de la maison natale de Lamartine, qui, en 1836, écrivit *Jocelyn* où il relate les confidences du curé de Bussières, vous pourrez faire une halte gourmande dans ce domaine. Demandez à déguster ce mâcon Bussières qui a séduit notre jury par sa robe grenat à reflets violets, son nez discret de fruits rouges acidulés (groseille, merise) et sa bouche robuste et puissante. (20 à 29 F)

EARL Daniel et Annie Martinot, Les Fuchats, 71960 Bussières, tél. 03.85.36.65.05, fax 03.85.36.65.05 r.-v.

THORIN Commanderie des Sarments du Mâconnais 2000★★

■ 12 ha 60 000 3à5€

Saluons ici le sens de la vinification et de l'élevage bien compris de ce négociant-éleveur de Quincié-en-Beaujolais, qui propose cette cuvée exceptionnelle, et qui plus est, à petit prix ! Parée d'une éblouissante robe grenat profond, elle offre des arômes intenses et fins, dans le registre primaire pour l'instant : amylique, framboise, violette. La bouche est puissante et généreuse, les tanins sont soyeux, avec une finale réglissée qui n'en finit plus. Un beau vin à boire dès aujourd'hui pour profiter pleinement de ses arômes si plaisants. (20 à 29 F)

🔑 Maison Thorin, Le Pont des Samsons, 69430 Quincié-en-Beaujolais, tél. 04.74.69.09.30, fax 04.74.69.09.29, e-mail information@maisonthorin.com

CELINE ET LAURENT TRIPOZ 1999★

■ 0,4 ha 3 000 5à8€

C'est en 1986 que Laurent Tripoz s'installe sur 10 ha. Des vendanges manuelles ont donné ce vin rouge vif aux arômes intenses de groseille, de fruits compotés et d'eucalyptus qui a séduit les jurés. La bouche, tout en dentelle, donne un vin léger et gouleyant qu'on aura plaisir à boire accompagné de quelques charcuteries. (30 à 49 F)

🔑 Céline et Laurent Tripoz, pl. de la Mairie, 71000 Loché-Mâcon, tél. 03.85.35.66.09, fax 03.85.35.64.23, e-mail celine-laurent.tripoz@libertysurf.fr ☑ Y r.-v.

DIDIER TRIPOZ Clos des Tournons 2000★

■ 2 ha 10 000 3à5€

Le Clos des Tournons a été acquis en 1938 par Eugène Chevalier, négociant en vins. Les raisins issus de ce clos ne servaient alors qu'à l'élaboration de vins mousseux. En1988, lorsque Didier Tripoz devient exploitant, il décide de les vinifier en vins tranquilles. Ce 2000, à la couleur rubis profond, offre un nez de fruits macérés (cerise à l'eau-de-vie) et d'épice, très agréable. Les fruits rouges dominent en bouche où les tanins sont présents sans excès ; l'équilibre est plaisant malgré une finale encore un peu acidulée. « Un vin coloré, frais et fruité, désaltérant », commente un dégustateur. Pour une cuisine familiale. (20 à 29 F)

🔑 Didier Tripoz, 450, chem. des Tournons, 71850 Charnay-lès-Mâcon, tél. 03.85.34.14.52, fax 03.85.20.24.99, e-mail didiertripoz@wanadoo.fr ☑ Y r.-v.

Mâcon supérieur

LES TEPPES MARIUS 2000

■ 3 ha 25 000 5à8€

Cette cuvée est rouge cerise intense et limpide. Le nez développe des parfums agréables de fruits rouges et de raisin avec une touche de banane. Après une attaque légèrement perlante, très fraîche, la bouche libère une corbeille de petits fruits rouges (cassis, framboise, groseille) et des tanins souples. On aura plaisir à boire ce vin gourmand sur des fromages de chèvre frais. (30 à 49 F)

🔑 Collin-Bourisset Vins Fins, av. de la Gare, 71680 Crèches-sur-Saône, tél. 03.85.36.57.25, fax 03.85.37.15.38, e-mail cbourisset@gofornet.com Y r.-v.

LORON ET FILS 2000

■ n.c. n.c. 5à8€

Le rouge clair à reflets rubis de la robe accompagne un nez frais de griotte et de groseille. Très bien équilibré, ce vin, d'une structure un peu légère mais fruitée, est à boire dans l'année avec de la charcuterie. (30 à 49 F)

🔑 Ets Loron et Fils, Pontanevaux, 71570 La Chapelle-de-Guinchay, tél. 03.85.36.81.20, fax 03.85.33.83.19, e-mail vinloron@wanadoo.fr ☑

DOM. DES PIERRES ROUGES 1999★

□ 3 ha 2 000 5à8€

Ce domaine, plus connu pour ses saint-véran et ses beaujolais, propose cette AOC issue de vignes d'une quarantaine d'années, plantées sur sol argilo-calcaire. Ce vin se pare d'une belle robe rubis intense. Le nez livre des arômes amyliques et des notes de fruits rouges (cerise, griotte) qui se prolongent longuement en bouche. Belle expression du cépage gamay à servir sur des viandes rouges grillées. (30 à 49 F)

🔑 Dom. des Pierres Rouges, La Place, 71570 Chasselas, tél. 03.85.35.12.25, fax 03.85.35.10.96 ☑ Y r.-v.

🔑 Jullin

DOM. RONGIER 1999★

■ 1 ha 5 000 5à8€

Ce 99 provient de terrains granitiques de la commune de Clessé, plus connue pour sa production de vin blanc. Vinifié par macération carbonique, il se présente dans une belle robe grenat soutenu. Le nez complexe s'ouvre sur des notes de fruits rouges, d'épices et de violette. La bouche aromatique, bien en chair et structurée, est harmonieuse. Ce vin typé et agréable est prêt à boire mais il peut attendre un an. (30 à 49 F)

🔑 EARL Claudius Rongier et Fils, rue du Mur, 71260 Clessé, tél. 03.85.36.94.05, fax 03.85.36.94.05 ☑ Y r.-v.

Mâcon-villages

JEAN BARONNAT 2000

□ n.c. n.c. 5à8€

Affaire traditionnelle et familiale créée au début du siècle, la maison Baronnat présente un beau mâcon 2000 à la robe jaune vif et brillante. Le jury a aimé la délicatesse de ses arômes de pêche blanche et de miel, que l'on retrouve en bouche. Equilibré et agréable, ce vin gagnera en harmonie après quelques mois de bouteille. (30 à 49 F)

🔑 Maison Jean Baronnat, Les Bruyères, 491, rte de Lacenas, 69400 Gleizé, tél. 04.74.68.59.20, fax 04.74.62.19.21, e-mail info@baronnat.com ☑ 🍷 r.-v.

FRANCOIS BOURDON 1999

☐ 0,64 ha 5 300 ▮ 5à8€

Coup de cœur pour le millésime 97, François Bourdon possède de magnifiques terroirs. Ce 99 or pâle, limpide, offre un nez agréablement fruité. Tendre, souple et doux, ce vin aromatique se plaira à être marié à de savoureuses viandes blanches. (30 à 49 F)

🔑 François Bourdon, Pouilly, 71960 Solutré-Pouilly, tél. 03.85.35.81.44, fax 03.85.35.81.44 ☑ 🍷 r.-v.

DOM. DES BURDINES 2000★

☐ 2,8 ha 20 000 ▮🌡 5à8€

Cette maison de négoce a été fondée en 1821. Que dire de son millésime 2000 ? La robe est brillante, teintée d'or vert. Le nez fin se caractérise par des notes florales et minérales. Les fruits blancs marquent l'attaque ronde, puis la bouche se fait plus vive et plus fine. « Un beau vin typé mâcon », conclut un dégustateur. (30 à 49 F)

🔑 Collin-Bourisset Vins Fins, av. de la Gare, 71680 Crèches-sur-Saône, tél. 03.85.36.57.25, fax 03.85.37.15.38, e-mail cbourisset@gofornet.com 🍷 r.-v.

CHAMPY ET CIE
Uchizy Les Ravières 1999★

☐ n.c. 4 000 ▮🛢🌡 8à11€

Négociant à Beaune, la maison Champy, présidée par Pierre Meurgey, propose un vin de belle facture. Nette et brillante, la robe se montre encore jeune. Le nez assez expressif se situe plutôt sur un registre boisé avec des notes de grillé, de fumée et de vanille. Des touches de pêche jaune, de beurre et de miel complètent l'olfaction. En bouche, le mariage vin-bois est équilibré ; les saveurs toastées et nuancées de pâtisserie sont élégantes. A boire d'ici un à deux ans sur un poisson à la crème. (50 à 69 F)

🔑 Maison Champy, 5, rue du Grenier-à-Sel, 21200 Beaune, tél. 03.80.25.09.99, fax 03.80.25.09.95, e-mail champyprost@aol.com ☑ 🍷 r.-v.

CAVE DE CHARNAY-LES-MACON
Charnay 2000

☐ 24,32 ha 30 000 ▮🌡 5à8€

Cette cave coopérative de taille moyenne propose un Charnay réussi dans une robe or paille brillante. Les arômes chardonnent bien, relevés par une pointe de fenouil agréable. Après une attaque légèrement perlante, la bouche se poursuit d'une façon tout aussi fraîche sur des arômes citronnés et grillés. Le gras et la rondeur sont également présents. Bon vin pour un fromage de chèvre bien affiné. (30 à 49 F)

🔑 Cave de Charnay-lès-Mâcon, 71850 Charnay-lès-Mâcon, tél. 03.85.34.54.24, fax 03.85.34.86.84 ☑ 🍷 r.-v.

DOM. CHENE La Roche Vineuse 1999★

☐ 7 ha 13 000 ▮ 8à11€

Nouveaux venus dans le Guide, ces vignerons ont quitté la cave coopérative en 1999 pour se lancer dans la grande aventure de la vinification, de l'élevage et de la commercialisation. Pour leur premier millésime, c'est une réussite. Ce vin à la robe or vert soutenu, au nez de fougère et de pierre à fusil, et à la bouche ronde et équilibrée, est harmonieux ; bien typique, il gagnera à attendre quelques mois. (50 à 69 F)

🔑 Dom. Chêne, Ch. Chardon, 71960 Berzé-la-Ville, tél. 03.85.37.65.30, fax 03.85.37.75.39 ☑ 🍷 r.-v.

DOM. CLOS GAILLARD Solutré 2000★

☐ 3,3 ha 4 000 ▮ 5à8€

Née sur le sol argilo-calcaire de Solutré, cette cuvée offre des parfums discrets de fruits secs et de fleurs blanches qui se prolongent en bouche ; la finale perdure sur de longues notes fruitées (pêche, abricot, agrumes). Bien fait, ce vin or vert d'une belle limpidité mérite d'être gardé un à deux ans afin d'atteindre sa plénitude. (30 à 49 F)

🔑 EARL Gérald Favre, 71960 Solutré-Pouilly, tél. 03.85.35.80.14, fax 03.85.35.87.50, e-mail gérald.favre@free.fr ☑ 🍷 r.-v.

ANDRE DEPARDON
Les Condemines 2000★

☐ 0,75 ha 7 330 ▮🌡 5à8€

Le mâcon-villages d'André Depardon est issu d'un sol calcaire ancien et d'un terroir escarpé. L'exposition sud-ouest permet un ensoleillement optimal nécessaire à la bonne maturation des raisins. D'une robe jaune vert limpide s'échappent des arômes nets de miel, de fleurs blanches, soutenus par une belle minéralité. On retrouve en bouche le caractère minéral du nez, typique du terroir. Droit et franc, ce vin sera le compagnon de vos poissons grillés. (30 à 49 F)

🔑 André Depardon, 71570 Leynes, tél. 04.74.06.10.10, fax 04.74.66.13.77 ☑ 🍷 r.-v.

DOM. ELOY 2000★

☐ 4 ha 5 000 ▮ 5à8€

Jean-Yves Eloy, avec plus de dix ans d'expérience, propose un *village* jaune clair brillant d'une bonne intensité aromatique où dominent les notes minérales et fruitées. La prise en bouche confirme son allure printanière. Ce vin facile et équilibré laisse une agréable sensation de fraîcheur. Il est destiné à l'apéritif. (30 à 49 F)

🔑 Jean-Yves Eloy, Le Plan, 71960 Fuissé, tél. 03.85.35.67.03, fax 03.85.35.67.07 ☑ 🍷 r.-v.

DOM. FICHET Igé Vieilles vignes 1999

☐ 0,7 ha 7 000 ▮🛢🌡 5à8€

C'est à Igé, village typique du Mâconnais que se situe ce domaine familial de 19 ha qui a acquis au fil du temps une solide réputation. Ce 99, issu de vieilles vignes de chardonnay plantées à mi-coteaux sur des sols argilo-calcaires, est d'une couleur jaune pâle à reflets verts. Il révèle beaucoup de finesse, de beaux arômes d'agrumes tout en légèreté. Bien présent, frais avec des saveurs

BOURGOGNE

fruitées, il se boira au printemps prochain sur des fromages de chèvre. (30 à 49 F)
Dom. Fichet, Le Martoret, 71960 Igé, tél. 03.85.33.30.46, fax 03.85.33.44.45, e-mail olivier.fichet@wanadoo.fr r.-v.

DOM. DE FUSSIACUS Fuissé 2000**

3 ha 23 000 5à8€

Jean-Paul Paquet, malgré ses diverses responsabilités syndicales, reste un excellent vigneron, attaché à son terroir et sachant l'exprimer. Pour preuve, cette remarquable cuvée qui n'a reçu que des commentaires élogieux : robe jaune paille intense, arômes complexes de fruits mûrs, de raisin de Corinthe, d'agrumes et de noisette. La bouche séduit par sa finesse et sa richesse (gras généreux). La finale concentrée et puissante confirme que ce très joli vin possède un bon potentiel de vieillissement. (30 à 49 F)
Jean-Paul Paquet, 71960 Fuissé, tél. 03.85.27.01.06, fax 03.85.27.01.07, e-mail fussiacus@wanadoo.fr r.-v.

DOM. DES GERBEAUX Solutré 2000*

0,4 ha 3 600 5à8€

A partir d'une vinification traditionnelle respectueuse de la matière première, Jean-Michel Drouin a élaboré un vin de caractère développant des arômes grillés et fruités. Bien présent en bouche, ce Solutré est équilibré et garde une belle vivacité qui lui promet de l'avenir. Une bouteille à acquérir sans état d'âme. (30 à 49 F)
Jean-Michel Drouin, Les Gerbeaux, 71960 Solutré-Pouilly, tél. 03.85.35.80.17, fax 03.85.35.87.12 r.-v.

DOM. GONON 1999**

40 ha 3 700 5à8€

Vergisson est une charmante petite bourgade blottie entre les deux célèbres roches (Solutré et Vergisson). Derrière une robe or vert encore fraîche et éclatante, le nez offre une explosion d'arômes de miel, de tabac blond et d'agrumes. La bouche est ample et minérale, avec une pointe acidulée réveillant bien le vin. Typique de son appellation et du millésime, cette bouteille est à boire dès cet automne sur un fromage de chèvre. (30 à 49 F)
Dom. Gonon, 71960 Vergisson, tél. 03.85.37.78.42, fax 03.85.37.77.14, e-mail jfgonon@domaine-gonon.com r.-v.

CAVE DES GRANDS CRUS BLANCS Loché 2000*

16,4 ha 50 000 5à8€

Cette coopérative vinifie la vendange de quelque 130 ha de vignes situées à Vinzelles et dans les communes environnantes. D'un jaune limpide dans le verre, son mâcon-Loché 2000 offre un nez fin et complexe de confiserie (guimauve) et de fruits confits avec une petite note florale. Le palais est généreux et structuré. D'une persistance moyenne, il montre de la fraîcheur en finale. Le **mâcon-Vinzelles 2000** est cité pour son caractère fruité typique. (30 à 49 F)
Cave des Grands Crus blancs, 71680 Vinzelles, tél. 03.85.35.61.88, fax 03.85.35.60.43 r.-v.

DOM. MARC GREFFET Solutré-Pouilly 1999*

0,8 ha 5 000 5à8€

Issu des rares sols argileux de Solutré, ce vin est vinifié en foudres de bois. D'une robe dorée légère et limpide s'échappent des arômes de pêche blanche et de poire très délicats. Expressif, équilibré avec une bonne structure très aromatique, il possède un niveau d'acidité annonçant un bel avenir. (30 à 49 F)
Marc Greffet, 71960 Solutré-Pouilly, tél. 03.85.35.83.82, fax 03.85.35.84.24 r.-v.

DOM. GUEUGNON-REMOND 1999

0,8 ha 4 000 5à8€

Cette petite exploitation familiale reprise en 1997 par la fille et le gendre des propriétaires précédents dispose de 9 ha. Sous ses allures un peu austères, ce mâcon-villages jaune pâle développe un nez rappelant les fleurs blanches, le miel et la noisette. Son attaque franche et son bon équilibre en font un vin bien dans le type de l'appellation. A boire dès aujourd'hui à l'apéritif. (30 à 49 F)
Dom. Gueugnon-Remond, chem. de la Cave, 71850 Charnay-lès-Mâcon, tél. 03.85.29.23.88, fax 03.85.20.20.72 r.-v.

DOM. LACHARME ET FILS La Roche-Vineuse Vieilles vignes Elevé en fût de chêne 1999**

1,7 ha 8 000 5à8€

Ce domaine familial situé à La Roche-Vineuse a élevé cette cuvée douze mois en fût de chêne de la forêt de Troncay. Le résultat est remarquable. Jaune citron à reflets verts, ce vin charme par sa palette aromatique complexe : fruits confits, miel, café grillé. Sa bouche, souple à l'attaque, évolue avec beaucoup de gras et perdure longuement sur des évocations de torréfaction. Ce bel ensemble se bonifiera encore grâce à une garde de deux à trois ans. (30 à 49 F)
Dom. Lacharme et Fils, Le Pied du Mont, 71960 La Roche-Vineuse, tél. 03.85.36.61.80, fax 03.85.37.77.02 r.-v.

DOM. DE LA DENANTE 2000**

1,5 ha 8 000 5à8€

Le jury a été conquis par ce vin de couleur jaune pâle qui offre des senteurs complexes et élégantes de fruits frais et d'herbe fraîche. La bouche harmonieuse, d'une grande finesse, s'achève sur des notes d'écorce d'orange confite et de miel. A savourer dès maintenant. (30 à 49 F)
Robert Martin, Les Peiguins, 71960 Davayé, tél. 03.85.35.82.88, fax 03.85.35.86.71 r.-v.

DOM. DE LA GARENNE Azé 1999**

3 ha 30 000 5à8€

Cette propriété est située à proximité des grottes préhistoriques d'Azé. Depuis 1986, après avoir investi dans une cave et un vignoble qui n'existaient pas, ce domaine propose un vin remarquable à la robe or vert limpide, aux reflets étincelants. Le nez est charmeur, composé de notes florales, fruitées (raisin, poire) avec quelques touches de sous-bois agréables. La bouche est fine, harmonieuse, d'une belle longueur. Une bouteille de caractère à garder deux ans avant de la servir avec des fromages de chèvre un peu affinés. (30 à 49 F)

⊶ Périnet et Renoud-Grappin, Dom. de La Garenne, rte de Péronne, 71260 Azé, tél. 04.74.55.06.08, fax 04.74.55.10.08 ☑ Ỿ r.-v.

DOM. DE LALANDE

Chânes Les Serreudières 1999★★

☐ 1,5 ha 5 000 ▮ 5à8€

Dominique Cornin a enthousiasmé le jury avec ce vin d'une intense couleur topaze. Le nez flatteur compose une palette aromatique complexe : pamplemousse, marmelade d'oranges, bonbon acidulé, nuances de chèvrefeuille et de cannelle. La bouche, assez souple, se montre puissante et riche en saveurs, telles que la pâte de fruits et la pêche au sirop. La finale mentholée clôt cette dégustation. Un vin de haute expression à boire dès à présent mais qui supportera quelques années de garde. (30 à 49 F)

⊶ Dominique Cornin, chem. du Roy-de-Croix, 71570 Chaintré, tél. 03.85.37.43.58, fax 03.85.37.43.58, e-mail dominique.cornin@fnac.net ☑ Ỿ r.-v.

DOM. MICHEL LAPIERRE

Solutré-Pouilly 1999★

☐ 0,6 ha 3 000 ▮🌡 5à8€

Née sur un sol argilo-calcaire, au pied de la majestueuse roche de Solutré, cette cuvée est parée d'une très belle robe or pâle. Le nez ouvert allie la pêche, le citron et l'acacia. Rond et vif, le palais possède de nombreux atouts, notamment une finale acidulée et fruitée. Un vin bien fait et prêt à boire. (30 à 49 F)

⊶ Dom. Michel Lapierre, 71960 Solutré-Pouilly, tél. 03.85.35.80.45, fax 03.85.35.87.61 ☑ Ỿ r.-v.

DOM. LAROCHETTE-MANCIAT

Charnay Chuffailles 2000

☐ 0,55 ha 4 800 ▮🌡 5à8€

Quelques reflets verts miroitent dans la robe de ce vin pâle et cristallin. Discret, il demande quelques minutes d'aération pour laisser échapper des notes florales. En revanche, le corps est ample, équilibré et d'une belle longueur. A boire dans l'année sur une andouillette. (30 à 49 F)

⊶ Dom. Larochette-Manciat, rue du Lavoir, 71570 Chaintré, tél. 03.85.35.61.50, fax 03.85.35.67.06, e-mail o.larochette@club-internet.fr ☑ Ỿ r.-v.

DOM. DE LA SARAZINIERE

Bussières Cuvée Claude Seigneuret Vieilles vignes 1999★

☐ 1 ha 6 000 ⦀ 5à8€

D'habitude, c'est en rouge que Philippe Trébignaud se fait remarquer ; mais cette année c'est avec cette cuvée de blanc qu'il obtient d'être recommandé. Elaborée selon la méthode bourguignonne traditionnelle (vinification et élevage en fût de chêne neuf et ayant servi (jusqu'à six vins), celle-ci se présente dans une robe dorée brillante. Sauvage, le nez s'apprivoise sur des notes beurrées et vanillées de grande classe. Finement boisé, le palais est équilibré, pourvu d'une réelle richesse aromatique (grillé, agrumes). Un très beau travail où raisin et fût cohabitent en parfaite harmonie. A boire dès cet automne sur un bar en croûte de sel. (30 à 49 F)

⊶ Philippe Trébignaud, Dom. de La Sarazinière, 71960 Bussières, tél. 03.85.37.76.04, fax 03.85.37.76.23, e-mail philippe.trebignaud@wanadoo.fr ☑ Ỿ r.-v.

CH. DE LA TOUR PENET 2000

☐ n.c. n.c. ▮ 5à8€

Un vin pâle et brillant, au nez minéral (pierre à fusil) et végétal (herbe fraîchement coupée) : son approche est discrète. La bouche explose grâce aux saveurs muscatées qui lui donnent rondeur et harmonie. A servir en entrée sur de la charcuterie. (30 à 49 F)

⊶ Jacques Charlet, 71570 La Chapelle-de-Guinchay, tél. 03.85.36.82.41, fax 03.85.33.83.19

DOM. DE LA TOUR VAYON

Pierreclos 1999★

☐ 0,6 ha 5 429 ▮🌡 5à8€

Pas si simple de vouloir créer son vignoble en Mâconnais et, pourtant, Jean-Marie Pidault l'a fait. Parti de rien en 1995, il exploite aujourd'hui un peu plus de 6 ha mais ne vinifie ses raisins que depuis 1999. Et son premier millésime est une réussite. En effet, cette cuvée d'un or vert agréable propose un nez de bonne intensité de type floral et fruité. En bouche, elle possède de la rondeur, du corps et une belle finale en relief. A suivre. (30 à 49 F)

⊶ Jean-Marie Pidault, La Condemine, 71960 Pierreclos, tél. 03.85.35.71.78, fax 03.85.34.78.03 ☑ Ỿ r.-v.

CAVE DE LUGNY

Chardonnay Réserve du Millénaire 2000

☐ 5 ha 60 000 ▮🌡 5à8€

Etablie au cœur du Mâconnais, cette coopérative vinifie plus de 1 400 ha. Grâce à un équipement moderne et à un accueil remarquable, elle contribue à la renommée des vins de la région, comme cette cuvée jaune pâle à reflets verts. Le nez s'ouvre sur des notes de fruits cuits (poire au sirop), de fruits secs avec une pointe de minéralité. Une bouche vive, souple et généreuse, complète ce tableau d'un mâcon-villages réussi. (30 à 49 F)

SCV Cave de Lugny, rue des Charmes, 71260 Lugny, tél. 03.85.33.22.85, fax 03.85.33.26.46, e-mail commercial@cave-lugny.com r.-v.

DOM. NICOLAS MAILLET Verzé 2000

0,5 ha 5 000 5à8€

Récemment installé, Nicolas Maillet élève ses vins dans une magnifique cave voûtée. Habillé d'une robe or pâle très légère, son deuxième millésime dévoile un nez encore jeune, très frais et prometteur (notes de fruits et de fleurs blanches). La bouche confirme ce caractère de jeunesse. Un vin qui mérite d'être attendu une petite année. (30 à 49 F)

Dom. Nicolas Maillet, La Cure, 71960 Verzé, tél. 03.85.33.46.76, fax 03.85.33.46.76 r.-v.

DOM. DES MAILLETTES Davayé 2000*

1,4 ha 12 000 5à8€

Produit sur un sol argilo-limoneux, ce mâcon-Davayé, léger et frais, développe un nez floral (rose et acacia) soutenu par une note d'épice (cannelle). Tonique et rond en bouche, il séduit par son attaque acidulée. Encore très jeune, il devra subir un à deux ans de garde qui lui permettront d'acquérir une plus grande harmonie. (30 à 49 F)

Guy Saumaize, Les Maillettes, 71960 Davayé, tél. 03.85.35.82.65, fax 03.85.35.86.69 r.-v.

DOM. MANCIAT-PONCET
Charnay Les Chênes 1999*

5,9 ha 45 000 5à8€

C'est un vin plaisant et gai que propose Claude Manciat, à la tête de ce domaine familial depuis 1952. C'est dire s'il a de l'expérience ! Or blanc presque cristallin, ce 99 s'ouvre sur des nuances de fruits secs (noisette) et des notes boisées. Après une attaque presque perlante, la bouche se montre équilibrée avec une finale sur les agrumes qui lui confère de la fraîcheur. (30 à 49 F)

Dom. Manciat-Poncet, 65, chem. des Gérards, Levigny, 71850 Charnay-lès-Mâcon, tél. 03.85.34.18.77, fax 03.85.29.17.59 r.-v.

DOM. MICHEL
Clessé Vieilles vignes 1999**

1 ha 7 000 8à11€

Ce domaine produit des vins représentatifs du secteur argilo-calcaire de Clessé. Le jury a été particulièrement sensible à l'expression aromatique de ce *village* qui associe des notes de fruits blancs, de fleurs d'acacia et de sous-bois. La bouche ample et puissante laisse une sensation de fruits mûrs. Cette bouteille de caractère s'accordera pleinement avec un foie gras. (50 à 69 F)

Dom. René Michel et ses Fils, Cray, 71260 Clessé, tél. 03.85.36.94.27, fax 03.85.36.99.63 r.-v.

DOM. RENE PERRATON Loché 1999*

1,85 ha 17 000 5à8€

Issue de vignes de plus de cinquante ans plantées sur sol argilo-limoneux, cette cuvée nous démontre l'excellence du travail de ce domaine. De fins et délicats parfums de fruits accompagnés de nuances épicées émanent de ce vin à la robe dorée brillante. Il possède du corps et de la longueur : l'équilibre en bouche est excellent. Sa finale, légèrement poivrée, est agréable et amusante. (30 à 49 F)

Dom. René Perraton, rue du Paradis, 71570 Chaintré, tél. 03.85.35.63.36, fax 03.85.35.67.45 r.-v.

CAVE DE PRISSE-SOLOGNY-VERZE 2000*

227,36 ha 100 000 5à8€

Au cœur du val lamartinien, vous pourrez, tout en admirant le somptueux paysage, faire une halte au caveau de ce groupement de producteurs et goûter cette cuvée produite en grand nombre d'exemplaires. Sa robe jaune clair est limpide ; son nez élégant évoque le miel et les fruits bien mûrs ; sa bouche ample et puissante laisse d'agréables sensations. C'est un joli vin, tout en finesse, que l'on conseille sur des fromages de chèvre. (30 à 49 F)

Cave de Prissé-Sologny-Verzé, 71960 Prissé, tél. 03.85.37.88.06, fax 03.85.37.61.76, e-mail cave.prisse@wanadoo.fr r.-v.

RIJCKAERT
Montbellet En Pottes Vieilles vignes 1999*

0,59 ha 4 200 11à15€

Jean Rijckaert est belge. Il s'est installé en Mâconnais et dans le Jura en 1998, et sa maison de négoce commence déjà à proposer de belles cuvées, tel ce Montbellet, issu de vignes de dix ans d'âge (ce qui est peu pour de vieilles vignes NDLR). Il livre un vin or vert brillant. Le nez fin et complexe s'appuie sur des notes vanillées et grillées, bien soutenu par une minéralité typique de Montbellet. Après une attaque souple et nerveuse, la structure boisée s'affirme, de manière imposante encore, mais elle devrait donner une belle densité dans trois ou quatre ans. (70 à 99 F)

SARL Rijckaert, En Correaux, 71570 Leynes, tél. 03.85.35.15.09, fax 03.85.35.15.09, e-mail jeanrijckaert@aol.com r.-v.

DOM. DU ROURE DE PAULIN
Fuissé 2000**

0,6 ha 5 000 5à8€

Issue d'une parcelle de 60 ares argilo-calcaires, cette cuvée du très attendu millésime 2000 ne déçoit pas : son nez fin et droit de fleurs blanches et d'épices, son attaque franche et pleine, sa longue finale et son caractère affirmé en font une digne représentante de l'appellation. (30 à 49 F)

Dom. du Roure de Paulin, 71960 Fuissé, tél. 03.85.35.65.48, fax 03.85.35.68.50 r.-v.

DOM. SAINT-DENIS Chardonnay 1999★★

☐ 1,8 ha 14 000 8à11€

« Mon métier est une observation permanente de l'environnement naturel, tant pédologique que biologique. Son respect et la compréhension des équilibres est un gage d'obtention de vins de terroir. » Ainsi parle Hubert Laferrère, unique vigneron indépendant à Lugny. Et pour bien illustrer ses propos, il a élaboré deux belles cuvées 99 : celle-ci a semble-t-il eu la préférence du jury pour sa délicatesse et sa finesse. Ses senteurs évoquent le bouquet d'une mariée : fleur d'acacia, chèvrefeuille, lys. Tout en subtilité, la bouche est équilibrée et douce. Le **mâcon-villages Lugny (30 à 49 F)**, deux étoiles, à la robe or jaune intense, propose des arômes explosifs de fruits mûrs, de muscat, et sa bouche est ronde et ample. (50 à 69 F)

Hubert Laferrère, rte de Péronne, 71260 Lugny, tél. 03.85.33.24.33, fax 03.85.33.25.02, e-mail saintdenis@free.fr ☑ Y r.-v.

RAPHAEL ET GERARD SALLET Chardonnay 1999★

☐ 0,54 ha 4 800 5à8€

Ce vignoble proche de Tournus est un des domaines phares de l'appellation. Raphaël Sallet et son père Gérard, à la tête de 21 ha, cherchent à exprimer la typicité de leur terroir à travers de belles cuvées. Ce 99 de couleur or pâle avec des reflets anis possède un joli nez composé de notes minérales, d'agrumes et de bonbon anglais, très frais. La bouche, ronde et fine, révèle une matière de qualité et une finale chatoyante. Une étoile, également, pour le **mâcon Uchizy 2000** au nez bien typé mais qui demande encore à s'épanouir en bouche, et pour le **Clos des Ravières 99** élevé en fût. (30 à 49 F)

EARL Raphaël et Gérard Sallet, rte de Chardonnay, 71700 Uchizy, tél. 03.85.40.50.45, fax 03.85.40.58.05 ☑ Y r.-v.

DOM. SAUMAIZE-MICHELIN Les Sertaux 1999★

☐ 1 ha 4 500 5à8€

Christine et Roger Saumaize ont su doser un élevage en fût, ce qui n'est pas si facile sur un mâcon. Le boisé se perçoit par les arômes grillés et vanillés du nez mais la bouche, elle, est ronde, bien équilibrée, et s'achève sur une finale citronnée très fraîche. Volumineux, ce vin peut déjà s'apprécier mais gagnera à être conservé au fond de votre cave trois ou quatre ans. (30 à 49 F)

Roger et Christine Saumaize, Dom. Saumaize-Michelin, Le Martelet, 71960 Vergisson, tél. 03.85.35.84.05, fax 03.85.35.86.77 ☑ Y r.-v.

SEVE Solutré 2000★

☐ 1 ha 5 000 5à8€

Un vin typé aux très beaux arômes où s'associent les fleurs blanches et des notes minérales. Après une bonne attaque, la bouche enveloppante à la finale rafraîchissante exprime toute la délicatesse du cépage. (30 à 49 F)

Jean-Pierre Sève, Le Bourg, 71960 Solutré-Pouilly, tél. 03.85.35.80.19, fax 03.85.35.80.58, e-mail domaine.jean-pierre_seve@libertysurf.fr ☑ Y r.-v.

DOM. SIMONIN Vergisson 1999★★

☐ 0,2 ha 1 600 8à11€

Ce domaine a produit sur les sols argilo-calcaires de Vergisson un vin doré intense, qui développe un bouquet complexe de fruits mûrs (pêche, poire) et de vanille. Equilibre, élégance et persistance sont les principaux charmes de cette bouteille qui en possède bien d'autres. Un 99 à apprécier dans sa jeunesse, accompagné de poissons grillés. (50 à 69 F)

Dom. Simonin, Le Bourg, 71960 Vergisson, tél. 03.85.35.84.72, fax 03.85.35.85.34 ☑ Y r.-v.

DOM. THIBERT PERE ET FILS Prissé En Chailloux 2000★★

☐ 1,3 ha 9 800 5à8€

Titulaire de nombreux coups de cœur dans le passé, ce domaine a réussi ici deux magnifiques cuvées : un **mâcon-Fuissé 2000** aux arômes de citron et de mandarine et à la bouche élégante et prometteuse, et ce mâcon-Prissé qui obtient la récompense suprême tant sa tendresse et sa générosité ont enthousiasmé le jury. D'une belle robe or vert pâle et scintillante s'échappent des arômes floraux intenses de chèvrefeuille. Sa pureté, sa richesse bien équilibrée par une pointe acidulée agréable, laissent la bouche fraîche. En finale, quelques notes d'agrumes convient l'amateur à goûter ce vin dans deux ans, sur un grand poisson. (30 à 49 F)

GAEC Dom. Thibert Père et Fils, Le Bourg, 71960 Fuissé, tél. 03.85.35.61.79, fax 03.85.35.66.21, e-mail domthibe@club-internet.fr ☑ Y r.-v.

DOM. DES VALANGES Davayé 2000

☐ 0,5 ha 4 500 5à8€

Parée d'une jolie robe jaune pâle, voici une cuvée élégante, parfumée de fragrances florales et fruitées, qui saura séduire par sa finale d'agrumes très délicate. Un vin « dentelle » à savourer sur un filet de poisson grillé. (30 à 49 F)

Michel Paquet, Dom. des Valanges, 71960 Davayé, tél. 03.85.35.85.03, fax 03.85.35.86.67, e-mail domaine-des-valanges@wanadoo.fr ☑ Y r.-v.

Viré-clessé

Appellation communale récente née le 4 novembre 1998, viré-clessé a de solides ambitions en matière de vins blancs. La délimitation porte sur 552 ha dont les quatre cinquièmes sont actuellement plantés ; ils ont produit 13 016 hl en 2000. Les dénominations mâcon-viré et mâcon-clessé disparaîtront en 2002.

DOM. ANDRE BONHOMME
Vieilles vignes 1999

☐ 2 ha 10 000 8 à 11 €

André Bonhomme, un des pères fondateurs de cette nouvelle appellation, signe ici avec son fils une belle cuvée. Issu de vignes de soixante-huit ans, ce vin conjugue finesse et richesse, comme le montrent sa robe or pâle et ses arômes boisés discrets. Harmonieuse, la bouche est équilibrée et délicate, mais n'a pas encore atteint son apogée. A ouvrir dans un an ou deux avec de belles émotions à la clé. (50 à 69 F)

Dom. André Bonhomme, Cidex 2108, 71260 Viré, tél. 03.85.33.11.86, fax 03.85.33.93.51 r.-v.

DOM. DES CHAZELLES
Vieilles vignes 1999*

☐ 1,8 ha 6 000 8 à 11 €

Josette et Jean-Noël Chaland exploitent un joli domaine de 6,30 ha à Viré depuis 1967. En 1990, ils décident de quitter la cave coopérative pour tenter, seuls, l'aventure de la vinification à la propriété. Et c'est une réussite. Ronde et agréable, non dénuée d'un certain gras, leur cuvée Vieilles vignes (ceps de soixante-dix ans d'âge moyen) présente en finale une belle persistance acidulée. Les arômes mêlent des notes de fleurs blanches (acacia) et de fruits (pêche). On servira cette cuvée de grande classe sur un poisson de rivière, tel un brochet au beurre blanc. (50 à 69 F)

Jean-Noël Chaland, En Jean-Large, 71260 Viré, tél. 03.85.33.11.18, fax 03.85.33.15.58 t.l.j. sf dim. 8h-19h

LAURENT HUET 1999

☐ 0,8 ha 2 500 5 à 8 €

Au cœur du pittoresque bourg de Clessé, Laurent Huet vinifie et élève ses vins qu'il élabore de façon traditionnelle, sans levurage. A la tête d'une minuscule exploitation de 1,20 ha, il soigne ses terroirs pour donner des cuvées de grande richesse, telle celle-ci. La robe est jaune d'or soutenu. Le nez est riche de fruits mûrs, de miel. La bouche emplit le palais d'arômes puissants ; la matière est intense. A déguster dès cet automne à l'apéritif. (30 à 49 F)

Laurent Huet, La Croix de Fer, 71260 Clessé, tél. 03.85.36.96.99, fax 03.85.36.98.87 r.-v.

DOM. RENE MICHEL ET FILS
Vieilles vignes 1999*

☐ 10 ha 70 000 8 à 11 €

Domaine viticole fondé en 1604, comme l'atteste la pierre de la clé de voûte de la porte, reproduite sur l'étiquette. Les trois frères Michel ont reçu de leur père René la passion du travail de la vigne et le respect de leur terroir ; ils n'utilisent pas d'engrais chimiques. Des vendanges manuelles, pas de levurage, pas de chaptalisation, des fermentations lentes sur lies fines en cuve. Cette cuvée Vieilles vignes (soixante ans de moyenne d'âge) a suscité l'intérêt du jury qui la décrit comme riche, ample, avec des notes de fruits secs. Un vin d'une grande noblesse à consommer dès à présent mais qui atteindra sa plénitude dans quatre à cinq ans. (50 à 69 F)

Dom. René Michel et ses Fils, Cray, 71260 Clessé, tél. 03.85.36.94.27, fax 03.85.36.99.63 r.-v.

DOM. SAINTE BARBE L'Epinet 2000

☐ 0,54 ha 4 500 8 à 11 €

Représentant la génération du XXIᵉs. des vignerons du Mâconnais, Jean-Marie Chaland a créé son domaine le 1er janvier 2000, et pour son premier millésime réussit l'exploit d'être cité dans le Guide. D'une belle robe jaune vif brillante s'échappent discrètement des arômes de citronnelle, d'aubépine et de fruits blancs. Le palais est tout en rondeur, ample, relevé par une touche perlante lui conférant une grande fraîcheur. Un vin friand à servir sur une andouillette. (50 à 69 F)

Jean-Marie Chaland, En Chapotin, 71260 Viré, tél. 06.74.64.25.85, fax 06.85.33.15.58 t.l.j. sf dim. 8h-12h 13h30-19h

CAVE DE VIRE Cuvée spéciale 2000

☐ 100 ha 80 000 5 à 8 €

« On prend la même, et on recommence », c'est en effet cette « cuvée spéciale » qui fut récompensée dans l'édition précédente, pour le millésime 99. A n'en pas douter, les efforts consentis par les vignerons de la cave de Viré, notamment en matière de culture de la vigne, sont aujourd'hui payants. Les fleurs blanches (chèvrefeuille, aubépine) marquent le premier nez tandis qu'une note de mie de pain, de brioche apparaît à l'aération. La bouche reste dans la même ligne avec une attaque fraîche qui se poursuit sur des saveurs de pâte de fruits, de poire au sirop, pour finir sur des notes mentholées et anisées. Une belle complexité. A boire dès aujourd'hui. (30 à 49 F)

SCA Cave de Viré, En Vercheron, 71260 Viré, tél. 03.85.32.25.50, fax 03.85.32.25.55, e-mail cavedevire@wanadoo.fr

t.l.j. 8h-12h 14h-18h; 8h-12h 14h-17h le ve.

Plus une vigne est âgée, meilleur est son vin.

Pouilly-fuissé

Le profil des roches de Solutré et de Vergisson s'avance dans le ciel comme la proue de deux navires ; à leur pied, le vignoble le plus prestigieux du Mâconnais, celui de pouilly-fuissé, se développe sur les communes de Fuissé, Solutré-Pouilly, Vergisson, et Chaintré. La production atteint 44 831 hl en 2000.

Les vins de Pouilly ont acquis une très grande notoriété, notamment à l'exportation, et leurs prix ont toujours été en compétition avec ceux des chablis. Ils sont vifs, pleins de sève et parfumés. Lorsqu'ils sont élevés en fût de chêne, ils acquièrent en vieillissant des arômes caractéristiques d'amande grillée ou de noisette.

AUVIGUE Vieilles vignes 1999*

□ 1,25 ha 10 000 11 à 15 €

La maison Auvigue, affaire familiale et traditionnelle, propose des vins racés et typés, grâce au sérieux des sélections de raisins réalisées par Jean-Pierre et Michel Auvigue. Coup de cœur de l'édition précédente pour le 98, la cuvée Vieilles vignes présente dans le millésime suivant une jolie teinte or pâle, un nez boisé discret, particulièrement agréable par ses notes de torréfaction. La bouche est vanillée, tout en rondeur, et s'achève sur un bel équilibre acide. Egalement retenue par le jury, la cuvée **Les Chailloux 1999** sera à boire à l'automne prochain. (70 à 99 F)

Vins Auvigue, Le Moulin-du-Pont, 71850 Charnay-lès-Mâcon, tél. 03.85.34.17.36, fax 03.85.34.75.88, e-mail vins.auvigue@wanadoo.fr r.-v.

ANDRE AUVIGUE La Frairie 1999**

□ n.c. 3 500 11 à 15 €

Voici un pouilly-fuissé de caractère, bien vinifié. L'élevage pour partie en foudre de bois a mis en valeur la qualité des raisins de belle origine. Ses arômes de fleurs blanches, de citron, typés du cépage chardonnay, évoluent sur des notes grillées. Sa bouche, encore discrète, est prometteuse, bien équilibrée, avec des notes de pivoine et de rose fanée. Une bouteille d'excellente facture. (70 à 99 F)

André Auvigue, 71960 Solutré-Pouilly, tél. 03.85.35.80.80, fax 03.85.34.75.89 r.-v.

CH. DE BEAUREGARD La Maréchaude 1999***

□ 1,2 ha 8 000 15 à 23 €

Isolé sur le plateau viticole de Fuissé, le château de Beauregard se dresse fièrement face aux roches de Solutré et de Vergisson. A sa tête depuis 1999, Frédéric-Marc Burrier a su tirer parti des fabuleux terroirs de pouilly-fuissé (19 ha), notamment en travaillant les sols. Il recueille cette année tous les suffrages. D'emblée, ce 99 séduit par sa teinte or vert brillante, par la grande finesse de ses arômes floraux (violette), vanillés, beurrés et fruités (abricot sec). On retrouve cette complexité dans une bouche riche, ample, grillée, avec des saveurs de moka. « Bouche impressionnante d'équilibre et d'élégance », s'enthousiasme un dégustateur. A savourer sur une poularde de Bresse à la crème. La cuvée **pouilly-fuissé 99 du château (70 à 99 F)** a séduit le jury par son côté grillé, empyreumatique ; elle obtient une étoile. (100 à 149 F)

Joseph Burrier, Ch. de Beauregard, 71960 Fuissé, tél. 03.85.35.60.76, fax 03.85.35.66.04, e-mail joseph.burrier@mageos.com r.-v.
F.-M. Burrier

FRANCOIS BOURDON Le Clos Cuvée réservée 1999

□ 0,53 ha 1000 8 à 11 €

A la tête depuis 1995 d'un domaine de plus de 13 ha, François Bourdon pratique une vinification traditionnelle avec des fermentations plutôt longues, puis un élevage sur lies pendant dix mois. Jaune étincelant, ce vin présente un nez ouvert, floral et fruité. La bouche ample et ronde possède beaucoup de gras tout en conservant une certaine nervosité. A apprécier sur un poisson à la crème d'ici un à deux ans. (50 à 69 F)

François Bourdon, Pouilly, 71960 Solutré-Pouilly, tél. 03.85.35.81.44, fax 03.85.35.81.44 r.-v.

DOM. MICHEL CHEVEAU 1999*

□ 4 ha 1 500 8 à 11 €

Ce domaine familial, situé au cœur du hameau de Pouilly, exploite 11 ha. C'est aujourd'hui Nicolas, vingt-trois ans, qui vinifie et, le moins qu'on puisse dire, c'est qu'il réussit parfaitement son entrée en signant deux cuvées de belle facture. La cuvée **Vieilles vignes 1999** peut être citée pour ses arômes grillés, vanillés, mais reste encore sur sa réserve. En revanche, ce vin prend ici tout son éclat, en offrant une robe jaune pâle scintillante, des senteurs minérales (pierre à fusil) et grillées, et une bouche harmonieuse. Les petits fromages de chèvre du Mâconnais s'en réjouissent d'avance. (50 à 69 F)

Dom. Michel Cheveau, Pouilly, 71960 Solutré-Pouilly, tél. 03.85.35.81.50, fax 03.85.35.87.88 r.-v.

DOM. CORDIER PERE ET FILS
Vers Cras 1999★★

☐ 0,3 ha 2 000 23 à 30 €

Le domaine Cordier est aujourd'hui l'un des domaines phares du Mâconnais. Il signe encore ici plusieurs jolies cuvées ; **Vers Pouilly 99** et **Les vignes blanches 99 (100 à 149 F)** sont citées pour leur ampleur et leur matière mais demandent encore un peu de temps pour digérer le bois très présent. En revanche, cette cuvée Vers Cras sort victorieuse avec un coup de cœur unanime. Après un élevage en pièces de bois de quinze mois, elle est vêtue d'une éclatante robe jaune d'or. Le nez s'ouvre sur des notes de fruits secs (noisette, praline) et de pain grillé. L'équilibre en bouche, d'une exceptionnelle rondeur, rend ce vin très agréable, et la puissance de ses saveurs (écorce d'orange, bergamote et miel) en fait un seigneur de l'appellation. (150 à 199 F)

Dom. Cordier Père et Fils, 71960 Fuissé, tél. 03.85.35.62.89, fax 03.85.35.64.01 r.-v.

PIERRE DUPOND 2000

☐ n.c. n.c. 11 à 15 €

Maison de négoce spécialisée en vins de Beaujolais, Pierre Dupond présente ce pouilly-fuissé qui a retenu l'attention du jury. Ce millésime 2000 à reflets verts a séduit par ses arômes grillés, beurrés, et son remarquable équilibre de bouche. Cette bouteille gagnera à être gardée en cave un an ou deux. (70 à 99 F)

Pierre Dupond, 235, rue de Thizy, 69653 Villefranche-sur-Saône, tél. 04.74.65.24.32, fax 04.74.68.04.14, e-mail p.dupond@seldon.fr

CH. FUISSE Les Brûlés 1999★★

☐ 1,8 ha 4 000 15 à 23 €

Les Brûlés, monopole du château Fuissé, doit son nom à son exposition plein sud, qui permet une maturité exceptionnelle des raisins, bien mis en valeur par la suite, par Jean-Jacques Vincent, éminent vinificateur. D'un or vert brillant, ce 99 a un nez complexe, fin, sur des nuances boisées vanillées soutenues par des notes de raisins mûrs et d'épices douces. En bouche, il se distingue par un équilibre parfait et un savant dosage du bois. Belle longueur. Un des dégustateurs suggère de l'apprécier sur un loup en croûte. Une étoile pour la célèbre cuvée **Vieilles vignes 99**, qui, pour l'instant, est sur la réserve, mais qui ne manque de rien pour vous plaire d'ici un à deux ans. (100 à 149 F)

SC Ch. de Fuissé, 71960 Fuissé, tél. 03.85.35.61.44, fax 03.85.35.67.34, e-mail jean-jacques.vincent@wanadoo.fr r.-v.

Jean-Jacques Vincent

DOM. DE FUSSIACUS
Vieilles vignes 1999★

☐ 2,5 ha 10 000 11 à 15 €

Ce domaine réputé tire son nom d'un seigneur romain, fondateur présumé du village de Fuissé. Ce 99 Vieilles vignes, vêtu d'une robe jaune clair à reflets brillants, marqué par une touche boisée, développe des arômes floraux et fruités. La bouche, tout en dentelle, finit longuement sur une pointe acidulée bienvenue. A servir sur des Saint-Jacques poêlées. (70 à 99 F)

Jean-Paul Paquet, 71960 Fuissé, tél. 03.85.27.01.06, fax 03.85.27.01.07, e-mail fussiacus@wanadoo.fr r.-v.

DOM. DES GERBEAUX
Cuvée Prestige Très vieilles vignes 1999★

☐ 0,4 ha 2 800 11 à 15 €

Béatrice et Jean-Michel Drouin, qui président avec brio aux destinées de ce domaine, sont des ardents défenseurs de l'appellation, et les fidèles du Guide ne s'étonneront pas de trouver encore cette année trois cuvées retenues. Celle-ci séduit par sa couleur jaune pâle léger, par la subtilité de sa palette aromatique (fleurs blanches, aubépine, fruits secs et pain grillé) et par son équilibre bois-vin ; c'est un vin friand mais qui peut se garder quatre ou cinq ans. Tout aussi élégant, le **Terroir de Pouilly et Fuissé 2000 (50 à 69 F)**, encore sur la réserve aujourd'hui, possède un beau potentiel, notamment grâce à sa richesse en bouche. Quant au **Terroir de Solutré 2000 (50 à 69 F)**, il s'exprime déjà haut et fort par des notes exotiques (pamplemousse, ananas) et une bouche acidulée très fraîche. (70 à 99 F)

Jean-Michel Drouin, Les Gerbeaux, 71960 Solutré-Pouilly, tél. 03.85.35.80.17, fax 03.85.35.87.12 r.-v.

YVES GIROUX Cuvée Chêne 1999★

☐ 1 ha 3 500 11 à 15 €

Très délicat avec des notes de tilleul, de miel et de sous-bois, ce vin à l'intense couleur dorée, à la bouche puissante, ronde et longue, attendra quelques années avec profit dans votre cave avant de vous satisfaire pleinement. « Peut être bu dans un an ou attendre quinze ans », conclut un dégustateur. (70 à 99 F)

Dom. Yves Giroux, Les Molards, 71960 Fuissé, tél. 03.85.35.63.64, fax 03.85.32.90.08 r.-v.

DOM. JEAN GOYON 1999★

☐ 2 ha 5 000 8 à 11 €

Au pied de la roche de Solutré, Jean Goyon a produit un vin délicat, issu de vignes de quarante ans, dans lequel dominent les arômes de fleurs blanches caractéristiques du cépage chardonnay planté sur sol argilo-calcaire. A boire dès à présent pour sa fraîcheur. (50 à 69 F)

🔑 Jean Goyon, Au Bourg, 71960 Solutré-Pouilly, tél. 03.85.35.81.15, fax 03.85.35.87.03 ☑ 🍷 r.-v.

MME RENE GUERIN La Roche 2000

☐ 0,18 ha 1 200 11 à 15 €

Jaune d'or intense, ce pouilly-fuissé, quoique sec, présente des caractères de surmaturité. Les arômes fruités puissants rappellent les fruits confits. L'attaque est franche ; la bouche ronde et ample est relevée par une belle fraîcheur due à un taux d'acidité bien adapté. Les arômes de rétro-olfaction sont exotiques et miellés. Un vin à servir dès cet automne sur un foie gras. (70 à 99 F)

🔑 Mme René Guérin, Le Martelet, 71960 Vergisson, tél. 03.85.35.84.39 ☑ 🍷 r.-v.

LA CROIX-PARDON 1999★★

☐ 6 ha 40 000 11 à 15 €

Erigée au XIX[e]s. pour veiller sur l'appellation pouilly-fuissé, La Croix-Pardon a, semble-t-il, accordé sa protection à cette cuvée. Drapée d'or ambré, celle-ci exhale des odeurs d'une grande puissance où se mêlent les fruits confits, l'encaustique et le miel. Ronde et pleine en bouche, elle offre des saveurs beurrées et miellées. « Vin riche et gourmand », conclut un dégustateur. (70 à 99 F)

🔑 Joseph Burrier, Ch. de Beauregard, 71960 Fuissé, tél. 03.85.35.60.76, fax 03.85.35.66.04, e-mail joseph.burrier@mageos.com ☑ 🍷 r.-v.
🔑 F.-M. Burrier

DOM. DE LALANDE Clos Reyssié 1999★

☐ n.c. 3 500 11 à 15 €

Situé sur le magnifique coteau orienté est (sur la commune de Chaintré), le Clos Reyssié donne des vins d'une grande élégance. Vinifiée et élevée en fût de chêne pendant un an avec bâtonnages fréquents, cette cuvée se pare d'une délicate robe or pâle particulièrement brillante. Le bouquet de fruits exotiques associe parfaitement le bois par ses nuances grillées de bonne intensité. Citronnée à l'attaque, la bouche ronde, de belle longueur, se termine sur des notes de noisette et d'amande grillée. A servir à l'apéritif. (70 à 99 F)

🔑 Dominique Cornin, chem. du Roy-de-Croix, 71570 Chaintré, tél. 03.85.37.43.58, fax 03.85.37.43.58, e-mail dominique.cornin@fnac.net ☑ 🍷 r.-v.

DOM. LAROCHETTE-MANCIAT Grande Réserve 1999★★

☐ 0,5 ha 2 000 15 à 23 €

Etablis en plein cœur du village de Chaintré, Marie-Pierre et Olivier Larochette ont construit leur cave en 1999. C'est ici que vous pourrez déguster cette cuvée qui a inspiré nos dégustateurs. D'une belle robe jaune d'or soutenu s'échappent mille senteurs : fruits mûrs, miel, beurre et pain d'épice. Quel délice ! La bouche n'est pas en reste avec une attaque franche, des notes d'agrumes confits, une finale réglissée lui conférant une belle fraîcheur. Quant à la cuvée **Les Petites Bruyères 1999 (70 à 99 F)**, elle obtient une étoile tant son nez floral, son attaque nette, sa bouche ronde et souple sont séduisants. Citation pour la cuvée **Vieilles vignes 1999 (70 à 99 F)**. (100 à 149 F)

🔑 Dom. Larochette-Manciat, rue du Lavoir, 71570 Chaintré, tél. 03.85.35.61.50, fax 03.85.35.67.06, e-mail o.larochette@club-internet.fr ☑ 🍷 r.-v.
🔑 O. et M.-P. Larochette

DOM. LA SOUFRANDISE Levrouté Vieilles vignes 1999★

☐ 1 ha 6 000 15 à 23 €

Cette cuvée lumineuse, jaune safran, offre un festival d'arômes : fruits blancs mûrs (poire), confiserie (caramel, écorce d'orange), fleurs blanches (chèvrefeuille). La structure de bouche est pleine, équilibrée et composée de saveurs fruitées : ananas, abricot sec. Une belle réalisation de Françoise et Nicolas Melin, qui, pour l'occasion, ont retardé leur vendange au 5 octobre 1999. En outre, on appréciera la cuvée **Vieilles vignes 1999 (70 à 99 F)** à l'automne prochain, citée notamment pour sa finesse d'arômes (miel et épices). (100 à 149 F)

🔑 Françoise et Nicolas Melin, EARL Dom. La Soufrandise, 71960 Fuissé, tél. 03.85.35.64.04, fax 03.85.35.65.57 ☑ 🍷 r.-v.

DOM. MANCIAT-PONCET Les Crays 1999★

☐ 4,5 ha 15 000 11 à 15 €

Cette propriété, qui compte aujourd'hui plus de 11 ha, a été transmise de père en fils depuis 1870. Ce pouilly-fuissé a retenu l'attention du jury car il est équilibré et prometteur. Il arbore une jolie robe jaune pâle à reflets verts et un nez intense de fleurs blanches. Sa bouche est ample, complexe, d'une belle persistance aromatique. Cette bouteille saura pleinement s'exprimer dans le temps. (70 à 99 F)

🔑 Dom. Manciat-Poncet, 65, chem. des Gérards, Levigny, 71850 Charnay-lès-Mâcon, tél. 03.85.34.18.77, fax 03.85.29.17.59 ☑ 🍷 r.-v.
🔑 Claude Manciat

PROSPER MAUFOUX 1999

☐ n.c. n.c. 15 à 23 €

La maison de négoce Prosper Maufoux, sise à Santenay, possède de magnifiques caves datant du XVIII[e]s. Une robe or pâle habille ce pouilly-fuissé au nez agréable de fruits blancs et de miel. Après une bonne attaque en bouche, ce vin offre de la puissance et du gras ; en finale, la palette aromatique est composée de notes citronnées lui conférant une belle fraîcheur. (100 à 149 F)

🔑 Prosper Maufoux, pl. du Jet-d'Eau, 21590 Santenay, tél. 03.80.20.60.40, fax 03.80.20.63.26, e-mail prosper.maufoux@wanadoo.fr ☑ 🍷 r.-v.

PATRIARCHE PERE ET FILS 1999★

☐ n.c. 35 000 15 à 23 €

La maison Patriarche est la plus importante maison de négoce de la place beaunoise, située à proximité des célèbres Hospices de Beaune.

BOURGOGNE

Elle a sélectionné cette cuvée d'une jolie couleur jaune pâle. Le nez reste discret, mais la bouche, fine et élégante, révèle des saveurs fruitées, typées du chardonnay. Un grand classique ! (100 à 149 F)

Patriarche Père et Fils, 5, rue du Collège, 21200 Beaune, tél. 03.80.24.53.01, fax 03.80.24.53.03 t.l.j. 9h-12h 14h-18h

MARCEL PERRET
Cuvée Vieilles vignes 2000*

☐ 4 ha 2 500 8 à 11 €

Installé depuis 1977, Marcel Perret a élaboré un 2000 dans la tradition du terroir où le cépage chardonnay s'exprime pleinement. Le nez intense est composé de fleurs blanches (acacia) ; il est un peu minéral et relevé par des notes réglissées. Après une attaque franche, on découvre une bouche pleine et persistante, soulignée par des arômes de tarte au citron. Caractéristique du millésime, ce vin peut déjà se boire, mais gagnera à être dégusté dans quatre à six ans. (50 à 69 F)

Marcel Perret, Le Haut de Pouilly, 71960 Solutré-Pouilly, tél. 03.85.35.81.64, fax 03.85.35.81.64 r.-v.

CH. DES RONTETS Pierrefolle 1999

☐ 0,69 ha 5 099 11 à 15 €

Installé en 1995, ce jeune couple franco-italien confirme son talent en offrant cette cuvée d'un or profond et brillant. Le nez, encore discret le jour de la dégustation, ne manque néanmoins pas de complexité avec des arômes d'acacia, de noisette grillée et de fruits mûrs. En bouche, l'attaque se montre riche et dense et révèle un bel équilibre gras-acidité. Des notes de pêche et d'abricot prolongent le plaisir. (70 à 99 F)

Claire et Fabio Gazeau-Montrasi, Ch. des Rontets, 71960 Fuissé, tél. 03.85.32.90.18, fax 03.85.35.66.80, e-mail chateaurontets@compuserve.com r.-v.

DOM. SAUMAIZE-MICHELIN
Vigne blanche 1999**

☐ 2 ha 12 000 8 à 11 €

« Respect du terroir et de la plante », tel est le credo de Christine et Roger Saumaize qui exploitent un domaine de 8,5 ha sur la magnifique commune de Vergisson. Qu'ils ne changent rien car, comme souvent, ils nous réservent de belles émotions. Or vert intense à l'œil, ce vin charme d'emblée par un bouquet expressif et raffiné, fait de mille senteurs florales et fruitées, soutenues par des notes grillées. Attaque tout en souplesse, richement aromatique (poire, agrumes, vanille), bouche élégante et persistante. Du grand art ! (50 à 69 F)

Dom. Roger et Christine Saumaize-Michelin, Le Martelet, 71960 Vergisson, tél. 03.85.35.84.05, fax 03.85.35.86.77 r.-v.

DOM. SIMONIN Vieilles vignes 1999**

☐ 2 ha n.c. 11 à 15 €

Ce vin d'un réel potentiel est issu de vieilles vignes superbement exposées. Encore très jeune, il dévoile cependant une grande complexité au nez avec des notes grillées mêlées de moka et délicatement relevées par une pointe anisée. La bouche est élégante, équilibrée, et d'une belle expression aromatique (miel et beurre). Le mariage fût-vin, déjà harmonieux, laisse présager un avenir heureux. A garder quatre ou cinq ans. (70 à 99 F)

Dom. Simonin, Le Bourg, 71960 Vergisson, tél. 03.85.35.84.72, fax 03.85.35.85.34 r.-v.

DOM. THIBERT PERE ET FILS
Vignes de la Côte 1999*

☐ 0,15 ha 1 400 11 à 15 €

Pour le premier millésime de cette cuvée, sélection de terroir, le domaine Thibert a satisfait le jury. Issue de vignes de cinquante-cinq ans de moyenne d'âge, récoltée le 9 octobre 1999 à la main et élevée sous bois pendant dix-sept mois, cette cuvée se distingue par son ampleur et sa complexité. Sa robe or vert, lumineuse, précède une suite aromatique où se mêlent notes fruitées (poire), fleurs blanches, vanille et silex. La bouche, avec son attaque tendre, est bien équilibrée et s'achève sur des notes acidulées lui conférant une grande fraîcheur. Pour un beau homard dans deux ou trois ans. (70 à 99 F)

GAEC Dom. Thibert Père et Fils, Le Bourg, 71960 Fuissé, tél. 03.85.35.61.79, fax 03.85.35.66.21, e-mail domthibe@club-internet.fr r.-v.

DOM. TRANCHAND 1999*

☐ 1,2 ha 8 000 11 à 15 €

La maison Collin-Bourisset est établie depuis 1821 à Crèches-sur-Saône, cité frontière entre Mâconnais et Beaujolais. Elle est dirigée avec passion par Edward Steeves, un Américain qui a eu le coup de foudre pour la France, sa culture et notamment ses vins. Celui-ci, d'une belle couleur jaune d'or, vous séduira d'emblée par son nez floral intense, souligné d'une pointe boisée. L'attaque est fine et agréable ; le boisé reste le fil conducteur de la bouche et favorise une bonne longueur. A oublier quelques années en cave avant de le servir sur un saumon en croûte. (70 à 99 F)

Collin-Bourisset Vins Fins, av. de la Gare, 71680 Crèches-sur-Saône, tél. 03.85.36.57.25, fax 03.85.37.15.38, e-mail cbourisset@gofornet.com r.-v.

DOM. DES TROIS TILLEULS 2000**

☐ 5 ha 30 000 ■ 11 à 15 €

90 % de la production de ce négociant d'excellente réputation est destinée à l'exportation. Alors ceux qui dégusteront ce vin du mythique millésime 2000 pourront se considérer comme « chanceux ». Sa robe or vert est particulièrement brillante ; le bouquet de fleurs blanches associe parfaitement le bois dans ses nuances de vanille et de moka. L'attaque est franche, nette, encore dominée par le fût, mais le vin possède une telle matière qu'il n'aura pas de difficulté à se surpasser. A conserver quatre à six ans, et à apprécier sur une viande blanche. (70 à 99 F)

Paul Beaudet, rue Paul-Beaudet, 71570 Pontanevaux, tél. 03.85.36.72.76, fax 03.85.36.72.02, e-mail paulbeaudet@compuserve.com
☑ Y t.l.j. sf sam. dim. 8h-12h 13h30-17h30; f. août

VESSIGAUD Vieilles vignes 1999**

☐ 3 ha 20 000 ■ 11 à 15 €

Vendangé à la main, ce pouilly-fuissé porte une belle robe jaune paille, brillante et limpide. Au nez, les fleurs blanches se marient aux notes végétales. L'attaque puissante, la bouche ample et riche, et la finale un peu chaude en font un vin d'expression de son terroir. Celui-ci est situé au cœur de l'appellation, là où siège le domaine Vessigaud, bien connu de nos lecteurs. Un vin à recommander sur les poissons les plus fins. (70 à 99 F)

Dom. Vessigaud Père et Fils, hameau de Pouilly, 71960 Solutré-Pouilly, tél. 03.85.35.81.18, fax 03.85.35.84.29 ☑ Y t.l.j. sf dim. 8h30-12h 13h30-19h

DOM. DES VIEILLES PIERRES
Vieilles vignes Les Crays 1999**

☐ 0,67 ha 2 630 11 à 15 €

Coup de cœur l'an dernier, Jean-Jacques Litaud a l'art et la manière d'émerveiller les sens en offrant de superbes cuvées issues de très vieilles vignes (quatre-vingt-dix ans en moyenne). On découvre d'abord une robe lumineuse, or pâle à reflets verts. Puis, c'est tout un bouquet qui vous envoûte : fruits secs, vanille, fleurs blanches. En bouche, l'équilibre est aujourd'hui perturbé par la présence du bois pas encore bien fondu. Mais ce vin présente déjà une belle structure gras-acidité. A oublier en cave quatre ou cinq ans. (70 à 99 F)

Jean-Jacques Litaud, Les Nembrets, 71960 Vergisson, tél. 03.85.35.85.69, fax 03.85.35.86.26, e-mail jean-jacques.litaud@wanadoo.fr
☑ Y r.-v.

CH. VITALLIS Vieilles vignes 2000*

☐ 2 ha 12 000 11 à 15 €

Ce château situé au cœur de Fuissé, jolie bourgade du Mâconnais, est la propriété de la famille Dutron depuis 1835. Ce 2000, typique par sa robe dorée à reflets verts, révèle des arômes très frais de citron accompagnés de notes de verveine. La bouche est grasse et équilibrée, bien qu'un peu mordante sur la finale. « Vin gourmand », conclut un dégustateur. Langouste, gambas ou terrine de poisson dans un an ou deux, et jusqu'en 2006 au moins. (70 à 99 F)

EARL Denis Dutron, 71960 Fuissé, tél. 03.85.35.64.42, fax 03.85.35.66.47 ☑ Y r.-v.

Pouilly loché et pouilly vinzelles

Beaucoup moins connues que leur voisine, ces petites appellations situées sur les communes de Loché et Vinzelles produisent des vins de même nature que le pouilly-fuissé, avec peut-être un peu moins de corps. La production a atteint en 2000, 1 880 hl en loché et 2 959 hl en vinzelles, uniquement en vins blancs.

Pouilly loché

DOM. CORDIER PERE ET FILS
1999**

☐ 0,5 ha 2 500 11 à 15 €

Sans conteste, le domaine Cordier réussit un tour de force avec son 99 paré d'une robe jaune d'or. Un vin d'une remarquable complexité aromatique : café, noisette et touches vanillées. En bouche, la présence du fût est nette mais bien dosée, lui conférant un bel équilibre, et une grande longueur. A conserver et à servir lors des grandes occasions. (70 à 99 F)

Dom. Cordier Père et Fils, 71960 Fuissé, tél. 03.85.35.62.89, fax 03.85.35.64.01 ☑ Y r.-v.

ALAIN DELAYE 1999

☐ 0,99 ha 7 800 ■ 8 à 11 €

Dominant le clocher octogonal de l'église romane de Loché, ce domaine est accroché au coteau où naît le pouilly loché, au milieu des vignes. Récoltée manuellement, cette cuvée a été élevée pour partie en cuves inox et pour partie en fût, avant d'être assemblée pour se présenter à vous dans une jolie robe clair à reflets verts. Son nez est encore fermé, mais la bouche se fait citronnée, vive, avec une belle longueur. Parfait pour accompagner un fromage de chèvre du Mâconnais. (50 à 69 F)

Alain Delaye, Les Mûres, 71000 Loché-Mâcon, tél. 03.85.35.61.63, fax 03.85.35.61.63
☑ Y r.-v.

DOM. GIROUX Au Bûcher 1999*

☐ 1,2 ha 6 000 ■ 8 à 11 €

Face aux roches de Solutré et de Vergisson, le domaine s'étend sur 7 ha situés sur les coteaux de Fuissé et de Loché. A sa tête depuis 1973, Monique et Yves Giroux élaborent des vins de terroir, comme ce 99 très prometteur, paré d'une couleur or vert pâle. Le nez encore discret s'ouvre sur des notes minérales de pierre à fusil, d'une grande élégance. Assez grasse avec des saveurs grillées, la bouche s'achève sur des notes acidulées, très fraîches. (50 à 69 F)

Dom. Yves Giroux, Les Molards, 71960 Fuissé, tél. 03.85.35.63.64, fax 03.85.32.90.08 r.-v.

CAVE DES GRANDS CRUS BLANCS 1999**

14,35 ha 50 000 8 à 11 €

Située à la croisée des chemins touristiques, la Cave des Grands Crus blancs, qui vinifie 130 ha, a su encore cette année produire un vin de grande classe. Paré d'une couleur jaune d'or, le nez floral, la bouche équilibrée et puissante, très stylé, ce vin correspond bien au type de l'AOC. Il devrait être parfait à la sortie du Guide. La cuvée **Les Mûres 99** reçoit une étoile. (50 à 69 F)

Cave des Grands Crus blancs, 71680 Vinzelles, tél. 03.85.35.61.88, fax 03.85.35.60.43 r.-v.

DOM. SAINT-PHILIBERT
Clos des Rocs 1998*

2,4 ha 2 500 8 à 11 €

Cette magnifique propriété familiale, nichée au cœur du village de Loché, s'est enrichie en 1999, grâce à l'ingéniosité et à la persévérance de Philippe Bérard, du Vigneroscope, musée retraçant l'histoire de la vigne et du vin qui mérite le détour. A la fin de la visite, vous aurez peut-être la possibilité de déguster ce Clos des Rocs, très frais, citronné, flatteur, ou alors demandez le **pouilly loché 99** qui reçoit une citation pour sa grande finesse et son élégance. (50 à 69 F)

Philippe Bérard, Dom. Saint-Philibert, 71000 Loché-Mâcon, tél. 04.78.43.24.96, fax 04.78.35.90.87, e-mail berard-loche@wanadoo.fr r.-v.

CELINE ET LAURENT TRIPOZ 1999**

0,2 ha 1 500 8 à 11 €

Après la visite du pittoresque bourg de Loché et de sa jolie petite église romane, vous pourrez rendre visite à Céline et Laurent Tripoz, qui vous réserveront le meilleur accueil. Ce jeune couple passionné possède aujourd'hui un domaine de 10 ha, qu'il travaille scrupuleusement pour offrir des vins de grande qualité. L'œil de ce 99 est séduisant, tout comme le nez où le fruit accompagne le grillé. La bouche, très ronde et ample, est charpentée par le boisé d'une belle élégance. Une bouteille fort bien élevée. (50 à 69 F)

Céline et Laurent Tripoz, pl. de la Mairie, 71000 Loché-Mâcon, tél. 03.85.35.66.09, fax 03.85.35.64.23, e-mail celine-laurent.tripoz@libertysurf.fr r.-v.

Pouilly vinzelles

DOM. DE FUSSIACUS 2000**

0,35 ha 2 600 8 à 11 €

Déjà plébiscité l'an dernier pour un saint-véran 99, Jean-Paul Paquet renouvelle l'exploit avec un pouilly vinzelles. Issue de vignes d'une trentaine d'années, cette cuvée a été vinifiée et élevée en foudre de bois pendant six mois. Le jury ne tarit pas d'éloges sur ce 2000 intense et concentré au nez, avec des notes de raisins de Corinthe, d'agrumes confits, réveillées par une touche vanillée. A la fois souple, ample et généreux, le palais se montre équilibré et doté d'une finale citronnée idéale, qui donnera dans quelques années (trois à cinq ans) une bouteille éblouissante. (50 à 69 F)

Jean-Paul Paquet, 71960 Fuissé, tél. 03.85.27.01.06, fax 03.85.27.01.07, e-mail fussiacus@wanadoo.fr r.-v.

CAVE DES GRANDS CRUS BLANCS 1999*

16,46 ha 100 000 8 à 11 €

Dans sa robe dorée et brillante, cette cuvée offre un nez riche et complexe. L'ensemble est fruité : abricot, poire williams sur des notes anisées. La bouche volumineuse et ronde se révèle très agréable et s'achève sur un bouquet exotique. Sans aucun doute, cette cuvée se marie avec la fameuse « choucroute maison » servie par le chef qui officie au caveau de la Cave des Grands Crus blancs. (50 à 69 F)

Cave des Grands Crus blancs, 71680 Vinzelles, tél. 03.85.35.61.88, fax 03.85.35.60.43 r.-v.

DOM. MATHIAS 1999*

1 ha 8 000 8 à 11 €

C'est à partir de vignes de quarante ans, plantées sur un sol argilo-calcaire, qu'est élaborée avec grand soin cette cuvée attachante par sa palette aromatique, mêlant pêche, abricot et pamplemousse ; la bouche se révèle très pure avec une finale citronnée. Un vin à consommer à la sortie du Guide rien que pour le plaisir. (50 à 69 F)

Béatrice et Gilles Mathias, Dom. Mathias, rue Saint-Vincent, 71570 Chaintré, tél. 03.85.27.00.50, fax 03.85.27.00.52 r.-v.

DOM. DES PERELLES 1999*

☐ 0,6 ha 2 000 ▮▮ 8à11€

Marqués par le terroir argilo-calcaire, les vins de Jean-Marc Thibert sont bien construits et demandent toujours un peu de temps pour s'arrondir. Celui-ci possède une belle couleur or pâle presque cristalline. Assez intense, le nez est floral avec de légères notes grillées dues à l'élevage de huit mois en fût. L'attaque en bouche est délicate, puis s'ouvre sur des saveurs de pomme reinette et d'acacia. « Vin désaltérant », conclut un des dégustateurs. (50 à 69 F)

Jean-Marc Thibert, Les Pérelles, 71680 Crèches-sur-Saône, tél. 03.85.37.14.56, fax 03.85.37.46.02 ☑ Y r.-v.

DOM. RENE PERRATON
Les Buchardières 2000

☐ 0,26 ha 2 000 ▮ 5à8€

De cette propriété, la vue est imprenable sur la vallée de la Saône et les premières collines du Beaujolais, mais la parcelle dont est issue cette cuvée se trouve à l'opposé du village de Chaintré, sur la commune de Vinzelles limitrophe. Issu de vendanges manuelles, ce vin se présente avec une robe or vif, des notes de pain grillé, de miel et d'amande fraîche. Agréable en bouche, il possède un bel équilibre et une élégante persistance aromatique : pamplemousse et fruits exotiques. A servir sur un brochet au beurre blanc. (30 à 49 F)

Dom. René Perraton, rue du Paradis, 71570 Chaintré, tél. 03.85.35.63.36, fax 03.85.35.67.45 ☑ Y r.-v.

DOM. THIBERT PERE ET FILS 1999*

☐ 1,1 ha 4 000 ▮▮ 8à11€

Non content d'obtenir un coup de cœur en mâcon-villages, le domaine Thibert s'octroie une place très honorable en pouilly vinzelles. Issue de vignes de quarante-cinq ans plantées sur un coteau marneux, récoltée le 22 septembre, cette cuvée est vinifiée et élevée en foudre de bois pendant neuf mois. Le résultat a « du caractère » comme le précise une dégustatrice. Les notes de pain grillé et de foin rivalisent avec des arômes vanillés et briochés. La bouche est souple et généreuse, bien équilibrée, et finit sur une impression citronnée, d'une belle fraîcheur. Attendre de trois à cinq ans avant de servir ce vin sur des cuisses de grenouilles. (50 à 69 F)

GAEC Dom. Thibert Père et Fils, Le Bourg, 71960 Fuissé, tél. 03.85.35.61.79, fax 03.85.35.66.21, e-mail domthibe@club-internet.fr ☑ Y r.-v.

CH. DE VINZELLES 1998*

☐ n.c. n.c. ▮ 5à8€

L'une des dernières maisons familiales de négoce de la région mâconnaise. Saluons ici sa longévité qui, sans aucun doute, n'est pas étrangère à son savoir-faire tant dans le domaine des achats que dans celui de l'élevage. La robe de ce 98 est d'un jaune limpide ; le nez intense révèle des notes d'abricot sec et de tilleul. Ample, souple et ronde, la bouche offre des saveurs grillées, d'aubépine et d'amande fraîche. La finale citronnée laisse présager quelques belles émotions dans deux ou trois ans. (30 à 49 F)

Ets Loron et Fils, Pontanevaux, 71570 La Chapelle-de-Guinchay, tél. 03.85.36.81.20, fax 03.85.33.83.19, e-mail vinloron@wanadoo.fr

Saint-véran

Réservée aux vins blancs produits sur huit communes de la Saône-et-Loire, saint-véran a été reconnue en 1971. La production (40 247 hl en 2000) peut être située dans la hiérarchie entre le pouilly et les mâcons suivis d'un nom de village. Ces vins sont légers, élégants, fruités, et accompagnent à merveille les débuts de repas.

Produite surtout sur des terroirs calcaires, l'appellation constitue la limite sud du Mâconnais.

DOM. ACERBIS 1999*

☐ n.c. n.c. ▮ 5à8€

Proposé par Pierre Janny, petite maison de négoce du Mâconnais, un saint-véran bien typique qui offre un nez de pâte d'amandes agréable. Il se révèle équilibré et soyeux en bouche, avec une finale miellée et citronnée. Un vin d'expression à petit prix. (30 à 49 F)

Sté Pierre Janny, La Condemine, Cidex 1556, 71260 Péronne, tél. 03.85.23.96.20, fax 03.85.36.96.58, e-mail pierre-janny@wanadoo.fr

AUVIGUE Les Chênes 1999

☐ 0,6 ha 5 000 ▮▮ 5à8€

La maison Auvigue, pour cette cuvée Les Chênes, a sélectionné des moûts de bonnes origines, qu'elle a ensuite élevés en pièces de deux à quatre vins pendant quatre mois. D'intenses arômes de fruits confits, de poire au sirop et de pain d'épice émanent d'une robe jaune d'or brillante. Ce n'est qu'en bouche que les dégustateurs décèlent le boisé, mais également une belle structure prolongée par une finale vanillée. Pour une viande blanche à la crème. (30 à 49 F)

Vins Auvigue, Le Moulin du pont, 71850 Charnay-lès-Mâcon, tél. 03.85.34.17.36, fax 03.85.34.75.88, e-mail vins.auvigue@wanadoo.fr ☑ Y r.-v.

CAVE DE CHAINTRE 2000**

☐ 17,88 ha 60 000 ▮ 5à8€

Etablie sur les vestiges d'une *villa* gallo-romaine, cette cave coopérative présente un vin remarquable. Intense et complexe, le nez est souligné par des notes de fruits confits, de chèvrefeuille et d'amande. Riche, ample et structuré, le palais très racé s'achève sur une touche sur-

maturée. A attendre un à deux ans avant de le déguster sur une terrine de poisson. (30 à 49 F)
Cave de Chaintré, 71570 Chaintré, tél. 03.85.35.61.61, fax 03.85.35.61.48 r.-v.

DOM. DU CHALET POUILLY 1999

□ 3 ha 6 000 5à8€

Une belle couleur or pâle brillant, un nez complexe et intense de mangue et de fruits confits réveillé par des notes boisées et florales. L'attaque, bien franche, se fait sur des notes de beurre frais. La matière est ronde et enveloppante tandis que la finale reste sur le bois. Ce vin bien structuré doit encore digérer son fût pendant un an. (30 à 49 F)
B. Léger-Plumet, Dom. du Chalet Pouilly, Les Gerbeaux, 71960 Solutré-Pouilly, tél. 03.85.35.80.07, fax 03.85.35.85.95 r.-v.

DOM. CORDIER PERE ET FILS
Les Crais 1999★★★

□ 0,25 ha 1 200 15à23€

Trois vins coup de cœur dans une même édition du Guide, dont deux en saint-véran, tel est le palmarès du domaine Cordier, qui devient incontournable en Mâconnais. En cheminant à travers les coteaux sur les hauteurs de Fuissé, vous atteindrez le caveau de dégustation. Là, Roger Cordier et son fils Christophe vous accueilleront, et peut-être aurez-vous la chance de goûter cette cuvée confidentielle qui a enchanté le jury. Or très intense, ce 99 développe un nez puissant, des flaveurs de fruits mûrs (pêche, abricot), de cire et de miel bien soutenues par les notes vanillées et grillées du bois. La bouche va crescendo : l'attaque souple devient puissante et riche, l'empreinte boisée est ancrée en profondeur. Un « monstre ». **Le clos à la Côte 99 (70 à 99 F)** également plébiscité, finit second du grand jury. Petit frère de la cuvée précédente, il se distingue par sa robe légère or vert, son nez frais de citron. La bouche est équilibrée, fine, et s'achève sur des accents d'agrumes frais. De la dentelle ! (100 à 149 F)
Dom. Cordier Père et Fils, 71960 Fuissé, tél. 03.85.35.62.89, fax 03.85.35.64.01 r.-v.

DOM. CORSIN Tirage précoce 2000★

□ 2,5 ha 20 000 5à8€

Un des domaines phares de l'appellation. Vendangé à la main le 11 septembre, vinifié, élevé puis mis en bouteilles six mois après la récolte, ce vin se donne déjà pleinement. Paré d'une fine robe jaune pâle, il affiche des arômes de pâtisserie, de fleurs blanches et d'agrumes. La bouche, légèrement perlante à l'attaque, se révèle ronde et équilibrée. « Un vin sphérique qui s'appréciera à l'apéritif », commente un juré. (30 à 49 F)
Dom. Corsin, Les Plantés, 71960 Davayé, tél. 03.85.35.83.69, fax 03.85.35.86.64 r.-v.

DOM. DES DEUX ROCHES
Les Terres noires 1999★★

□ 3 ha 20 000 8à11€

Cette entreprise viticole familiale possède 35 ha de vignes en Mâconnais, mais également une propriété en Languedoc, près de Limoux. Habituée aux honneurs du Guide, elle se distingue encore cette année avec cette cuvée à la couleur ambrée lumineuse. Le nez, discret et légèrement boisé, amène une bouche généreuse et ronde qui possède une belle longueur tout en gardant de la fraîcheur. Encore sous l'empreinte du bois, cette bouteille devra être encavée un an ou deux avant d'arriver à maturité. Pour un « grand » poisson. (50 à 69 F)
Dom. des Deux Roches, 71960 Davayé, tél. 03.85.35.86.51, fax 03.85.35.86.12 r.-v.

JOSEPH DROUHIN 1999★

□ n.c. 21 000 8à11€

Une robe dorée brillante, des parfums de fruits blancs (poire) et de fleurs blanches (acacia, chèvrefeuille) que l'on retrouve dans une bouche très équilibrée, tout en finesse : cela compose une bouteille des plus réussies. Le jury a particulièrement apprécié son équilibre général. Il est vrai que ce saint-véran est proposé par Joseph Drouhin, prestigieuse maison de négoce de Côte-d'Or. (50 à 69 F)
Joseph Drouhin, 7, rue d'Enfer, 21200 Beaune, tél. 03.80.24.68.88, fax 03.80.22.43.14, e-mail maisondrouhin@drouhin.com r.-v.

PIERRE DUPOND 2000★

□ n.c. n.c. 8à11€

Présenté par un bon négociant du Beaujolais, ce saint-véran, à la robe cristalline, a beaucoup de présence grâce à ses arômes frais de fruits blancs et de fleurs des champs. Après une attaque vive, la bouche se développe harmonieusement pour finir sur des notes d'agrumes. A servir frais lors d'un mâchon. (50 à 69 F)
Pierre Dupond, 235, rue de Thizy, 69653 Villefranche-sur-Saône, tél. 04.74.65.24.32, fax 04.74.68.04.14, e-mail p.dupond@seldon.fr

DOM. MARC GREFFET 1999★

□ 0,6 ha 5 000 5à8€

Au pied de la roche de Solutré se tient un musée de la Préhistoire, à ne pas manquer. Jaune citron étincelant, ce vin est également à rechercher. Le nez associe des notes d'amande fraîche et de vanille très agréables. La bouche est rafraîchissante et équilibrée. Le terroir calcaire s'affirme très bien dans ce 99 élevé une année en fût de chêne. Déjà plaisant, il supportera un vieillissement de un à deux ans. (30 à 49 F)
Marc Greffet, 71960 Solutré-Pouilly, tél. 03.85.35.83.82, fax 03.85.35.84.24 r.-v.

DOM. GUEUGNON-REMOND 2000★

☐ 0,92 ha 7 990 5à8€

En 1997, Véronique, la fille, et Jean-Christophe, le gendre, ont repris l'exploitation familiale et depuis ils n'ont de cesse de travailler à extraire la « moelle » de leur terroir. Cette cuvée, issue de vignes d'une vingtaine d'années, présente une palette aromatique dominée par les fleurs blanches. Très franche et équilibrée en bouche, elle finit sur une note de muscat agréable. « Un vin de terroir, très prometteur », souligne une dégustatrice. Accompagnera une petite friture de la Saône. (30 à 49 F)

Dom. Gueugnon-Remond, chem. de la Cave, 71850 Charnay-lès-Mâcon, tél. 03.85.29.23.88, fax 03.85.20.20.72 r.-v.

Remond

DOM. DE LA CROIX SENAILLET Les Rochats 1999★★

☐ 2,5 ha 6 000 8à11€

Cette propriété qui compte aujourd'hui 22 ha a été reprise par les deux fils, Richard et Stéphane Martin en 1991. Après de gros travaux de rénovation et d'agrandissement des chais, ceux-ci décident, en 1999, de vinifier et d'élever séparément leurs vieilles vignes situées sur les meilleurs coteaux de Davayé. Le résultat s'avère très concluant à en juger par ce vin revêtu d'une robe jaune d'or étincelante. S'il présente un nez encore discret de fleurs blanches et de fruits secs, il se montre puissant et rond en bouche. **La cuvée La Grande Bruyère 99** mérite, elle aussi, deux étoiles : ses arômes délicats marient les fleurs blanches à une note végétale agréable de fougère. La bouche est franche, ample, et s'achève sur des saveurs citronnées. Cité, **le saint-véran 99**, cuvée d'assemblage des différents terroirs, est de facture plus classique ; il accompagnera l'apéritif. (50 à 69 F)

Richard et Stéphane Martin, Dom. de La Croix Senaillet, En Coland, 71960 Davayé, tél. 03.85.35.82.83, fax 03.85.35.87.22 r.-v.

DOM. DE LA DENANTE 2000★

☐ 5,5 ha 30 000 5à8€

Très traditionnel dans ses méthodes de vinification et d'élevage, Robert Martin vous recevra avec le sourire dans son caveau. Installé depuis une vingtaine d'années à Davayé, il présente toujours des vins solides et de caractère. Celui-ci, de couleur or vert intense, possède un nez complexe de fruits mûrs (coing) et de citronnelle, rafraîchi par une note mentholée. Agréable et fraîche, presque acidulée, la bouche est structurée et corpulente. A garder de deux à trois ans. (30 à 49 F)

Robert Martin, Les Peiguins, 71960 Davayé, tél. 03.85.35.82.88, fax 03.85.35.86.71 r.-v.

DOM. DE LA FEUILLARDE Vieilles vignes 1999

☐ 1,5 ha 8 000 8à11€

Des vieilles vignes de soixante ans vont chercher dans un sol argilo-calcaire cette honnête cuvée de saint-véran, encore sur sa réserve aujourd'hui. Un vin intéressant dans deux à quatre ans sur des poissons grillés. (50 à 69 F)

Lucien Thomas, Dom. de La Feuillarde, 71960 Prissé, tél. 03.85.34.54.45, fax 03.85.34.31.50, e-mail contact@domaine-feuillarde.com t.l.j. 8h-12h 13h-19h

DOM. DE LALANDE 1999★

☐ 0,5 ha 4 000 5à8€

Etabli aux pieds des coteaux de Chaintré, Dominique Cornin s'ingénie à tirer le meilleur de son terroir, notamment en utilisant les labours ou l'enherbement naturel maîtrisé. Ce saint-véran très réussi atteste une bonne technique de vinification et d'élevage. Il est jaune pâle brillant avec des reflets verts. Le nez complexe présente des notes de fruits frais (poire williams, mirabelle) et de fruits secs (raisin, noisette) relevées par une touche de cannelle très agréable. Souple et ample, la bouche est ronde, bien équilibrée, constamment fruitée (agrumes). Un vin plaisant à déguster dans un an ou deux. (30 à 49 F)

Dominique Cornin, chem. du Roy-de-Croix, 71570 Chaintré, tél. 03.85.37.43.58, fax 03.85.37.43.58, e-mail dominique.cornin@fnac.net r.-v.

DOM. LA MAISON Les Condemines Vieilles vignes 1999★★

☐ 6 ha 9 000 5à8€

Est-ce en hommage à son père, Georges, cofondateur du cru saint-véran il y a tout juste trente ans, que Jean Chagny se distingue par cette remarquable cuvée ? En robe dorée présentant quelques reflets verts, ce vin offre un beau nez de fruits confits, sur fond de cannelle et de raisins secs. Les mêmes arômes se retrouvent dans une bouche ample et structurée. La finale citronnée lui confère une belle fraîcheur. Le compagnon idéal des escargots de Bourgogne. (30 à 49 F)

Jean Chagny, Au bourg, 71570 Leynes, tél. 03.85.35.10.16, fax 03.85.35.12.09, e-mail domaine.la.maison@free.fr r.-v.

DOM. L'ERMITE DE SAINT-VERAN Jully Vieilles vignes 1999★

☐ 0,71 ha 4 200 5à8€

A l'extrême sud de l'appellation, vous découvrirez au sommet d'une colline le magnifique village de Saint-Vérand (avec un d). C'est sur cette commune que Gérard Martin possède 71 ares de très vieilles vignes (soixante-dix ans de moyenne d'âge) qu'il entretient parfaitement pour offrir cette cuvée d'un bel or vert, vive et brillante. Le nez subtil, floral (chèvrefeuille et acacia), annonce une bouche vive et ronde à la fois. Un vin très frais, typique. On le gardera deux ou trois ans avant de le servir sur une andouillette. (30 à 49 F)

Gérard Martin, Les Truges, 71570 Saint-Vérand, tél. 03.85.36.51.09, fax 03.85.37.47.89 r.-v.

CH. DE LEYNES Vieilles vignes 1999★★

☐ 1,5 ha 10 000 8à11€

Un parc centenaire, une vraie demeure mâconnaise à grande galerie, une famille viticultrice depuis le début du XVIII[e]s. : Jean Ber-

BOURGOGNE

nard, en digne héritier, élabore des vins de haut niveau, tel celui-ci qui a réjoui le palais des dégustateurs. Intense, la robe est dorée et lumineuse. Le nez est un bouquet d'arômes rappelant ceux du petit déjeuner : beurre, pain grillé, café, vanille. Vivacité et rondeur sont les deux caractéristiques principales de la bouche, qui s'achève sur des notes minérales rafraîchissantes. Une réussite incontestable. (50 à 69 F)

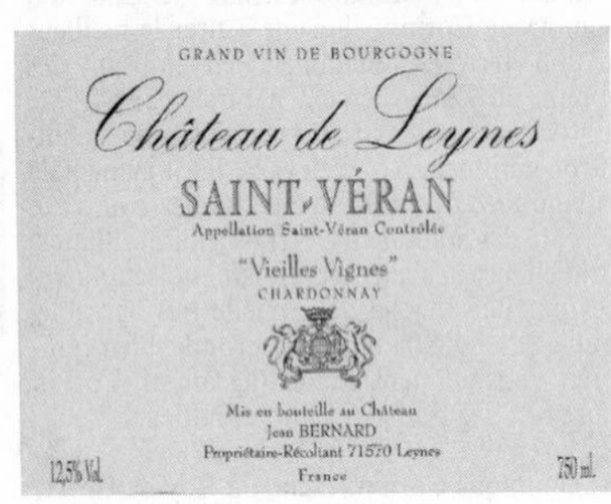

🔑 Jean Bernard, Ch. de Leynes, 71570 Leynes, tél. 03.85.35.11.59, fax 03.85.35.13.94, e-mail bernard-leynes@caramail.com ☑ 🍷 r.-v.

DOM. DES MAILLETTES
En Pommard 2000★

☐ 0,8 ha 6 500 5à8€

Guy Saumaize, héritier d'une famille de vignerons installée voilà plus d'un siècle dans la région, est également pépiniériste viticole, et comme vous vous en doutez, le chardonnay est sa spécialité. La robe légère de son saint-véran En Pommard laisse augurer un vin plaisant. Le nez confirme cette première impression par ses arômes de fleurs blanches, de pierre à fusil et de citron. Rond et souple en bouche, ce 2000 ne manque pas de personnalité ; il saura satisfaire vos gourmandises. (30 à 49 F)

🔑 Guy Saumaize, Les Maillettes, 71960 Davayé, tél. 03.85.35.82.65, fax 03.85.35.86.69 ☑ 🍷 r.-v.

DOM. DES PERELLES 2000★

☐ 0,5 ha 4 200 5à8€

Dirigeant ce domaine depuis 1976, Jean-Marc Thibert propose ce vin or vert brillant dont le nez typé de fleurs blanches et de citron est rehaussé par des notes boisées et vanillées. Après une attaque fraîche et suave, la bouche s'équilibre sur une vivacité encore importante, pour s'achever sur des notes grillées persistantes. Solidement construit, ce 2000 devrait bien évoluer dans les deux à quatre ans à venir. (30 à 49 F)

🔑 Jean-Marc Thibert, Les Pérelles, 71680 Crèches-sur-Saône, tél. 03.85.37.14.56, fax 03.85.37.46.02 ☑ 🍷 r.-v.

DOM. DES PONCETYS Tradition 1999★

☐ 1,4 ha 11 100 5à8€

La famille Guigue de Maind a fait don du domaine à l'évêché d'Autun en 1872. De 1905 à 1963, le domaine a appartenu au département de Saône-et-Loire, qui l'a lui-même légué à l'Etat pour créer le lycée viticole d'où sont sortis bon nombre de vignerons de la région. Cette cuvée Tradition possède une belle robe or vert pâle. Le nez, moyennement intense, développe des notes de fleurs blanches tandis que la bouche, ronde et fraîche, évolue vers une finale minérale délicate. Dans le même millésime, la **cuvée Prestige (50 à 69 F)** a également obtenu une étoile, mais devra être encavée quelques années car le bois est encore trop présent aujourd'hui. (30 à 49 F)

🔑 Lycée viticole de Mâcon-Davayé, Dom. des Poncetys, 71960 Davayé, tél. 03.85.33.56.20, fax 03.85.35.86.34, e-mail legta.macon@wanadoo.fr ☑ 🍷 t.l.j. sf dim. 9h-12h 14h-17h30

CAVE DE PRISSE-SOLOGNY-VERZE
Dernière cuvée du millénaire 1999★

☐ 176,09 ha 25 000 5à8€

Les vignerons de trois caves coopératives du Mâconnais - Prissé, Sologny et Verzé - se sont regroupés réunissant ainsi 900 ha de vignes. Ils présentent cette cuvée vêtue d'une robe dorée intense qui offre un nez pur, très expressif, de vanille, de beurre, d'abricot et d'ananas. Après une attaque vive, un bel équilibre s'établit entre le gras et l'acidité jusqu'à une finale richement fruitée. (30 à 49 F)

🔑 Cave de Prissé-Sologny-Verzé, 71960 Prissé, tél. 03.85.37.88.06, fax 03.85.37.61.76, e-mail cave.prisse@wanadoo.fr ☑ 🍷 r.-v.

PASCAL RENOUD-GRAPPIN 1999

☐ 1,6 ha 1 164 5à8€

Pascal Renoud-Grappin est un jeune viticulteur, qui s'est installé en 1996, après s'être formé sur « le tas » chez des vignerons confirmés de la région. Il présente une cuvée d'un or blanc limpide, développant un bouquet composé d'agrumes et de fruits secs, et une bouche acidulée et fraîche. « Vin friand qui conviendrait aux fruits de mer », nous conseille un dégustateur. (30 à 49 F)

🔑 Pascal Renoud-Grappin, Les Plantes, 71960 Davayé, tél. 03.85.35.81.35 ☑ 🍷 t.l.j. sf dim. 8h-20h

DOM. SAUMAIZE-MICHELIN
Les vieilles vignes 1999★

☐ 0,7 ha 5 000 8à11€

60 % de la production de ce domaine est exportée vers de nombreux pays du globe - jusqu'en Nouvelle-Zélande. D'un joli jaune doré intense se dégagent des notes de fumée et de noisette mêlées à d'intenses arômes vanillés, grillés, beurrés, dus à l'élevage en fût de dix mois. La bouche, tendre et ronde à l'attaque, repose sur un socle généreusement boisé, qui ne demande qu'à se fondre. Un grand vin qui doit mûrir un à deux ans. (50 à 69 F)

🔑 Dom. Roger et Christine Saumaize-Michelin, Le Martelet, 71960 Vergisson, tél. 03.85.35.84.05, fax 03.85.35.86.77 ☑ 🍷 r.-v.

JEAN-LUC TISSIER Les Crais 2000

☐ 2,2 ha 8 000 5à8€

Jean-Luc Tissier, vigneron passionnant, à la tête de 9 ha de vignes n'a pas failli sur ce symbolique millésime 2000. Sa cuvée Les Crais, issue d'un sol argilo-calcaire, se pare d'une belle robe jaune d'or. Son bouquet de fruits mûrs (poire) précède une bouche ronde et vineuse où les fruits confits donnent la réplique aux agrumes. Ce vin aura atteint sa plénitude à l'automne. (30 à 49 F)

Jean-Luc Tissier, Les Pasquiers, 71570 Leynes, tél. 03.85.35.10.31, fax 03.85.35.13.04
r.-v.
Roger Tissier

DOM. DES VALANGES

Cuvée hors classe 1999★★

n.c. 12 000 11 à 15 €

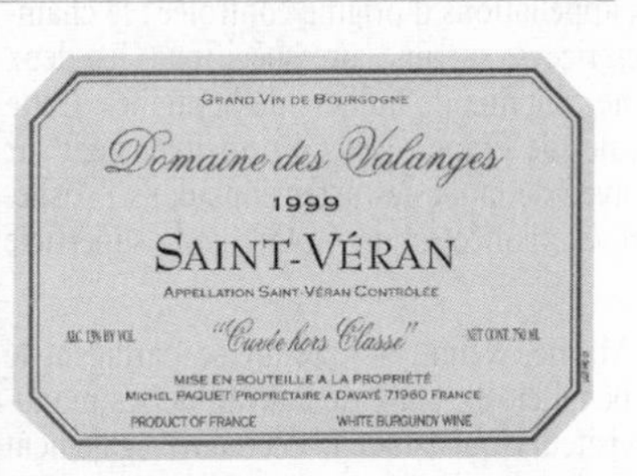

Ce domaine collectionne les coups de cœur. A sa tête, Michel Paquet, vigneron passionné, qui, en outre, préside l'Union des producteurs de Saint-Véran. La Cuvée hors classe, issue des plus vieilles vignes du domaine, porte bien son nom. Elle est élevée pendant neuf mois en partie en fût et en partie en cuve. La robe or vert, intense et brillante, annonce un grand vin. Le nez de bonne intensité, sur les fleurs et l'abricot, confirme cette excellente impression. Quant à la bouche, c'est la perfection même, tant sa structure est harmonieuse et sa finale éblouissante. (70 à 99 F)

Michel Paquet, Dom. des Valanges, 71960 Davayé, tél. 03.85.35.85.03, fax 03.85.35.86.67, e-mail domaine-des-valanges@wanadoo.fr
r.-v.

DOM. DES VIEILLES PIERRES

Les Pommards 1999

1,3 ha 5 600 8 à 11 €

Ce célèbre terroir, coteau pentu orienté nord-ouest sur Davayé, donne, comme promis, un vin d'une grande pureté, mais encore discret. Le nez s'ouvre sur des notes minérales et florales (chèvrefeuille) ; il est suivi d'une bouche fraîche qui exprime également une grande minéralité. Cette bouteille, encore sur sa réserve, gagnera à attendre paisiblement au fond de votre cave avant d'accompagner un homard. (50 à 69 F)

Jean-Jacques Litaud, Les Nembrets, 71960 Vergisson, tél. 03.85.35.85.69, fax 03.85.35.86.26, e-mail jean-jacques.litaud@wanadoo.fr
r.-v.

LA CHAMPAGNE

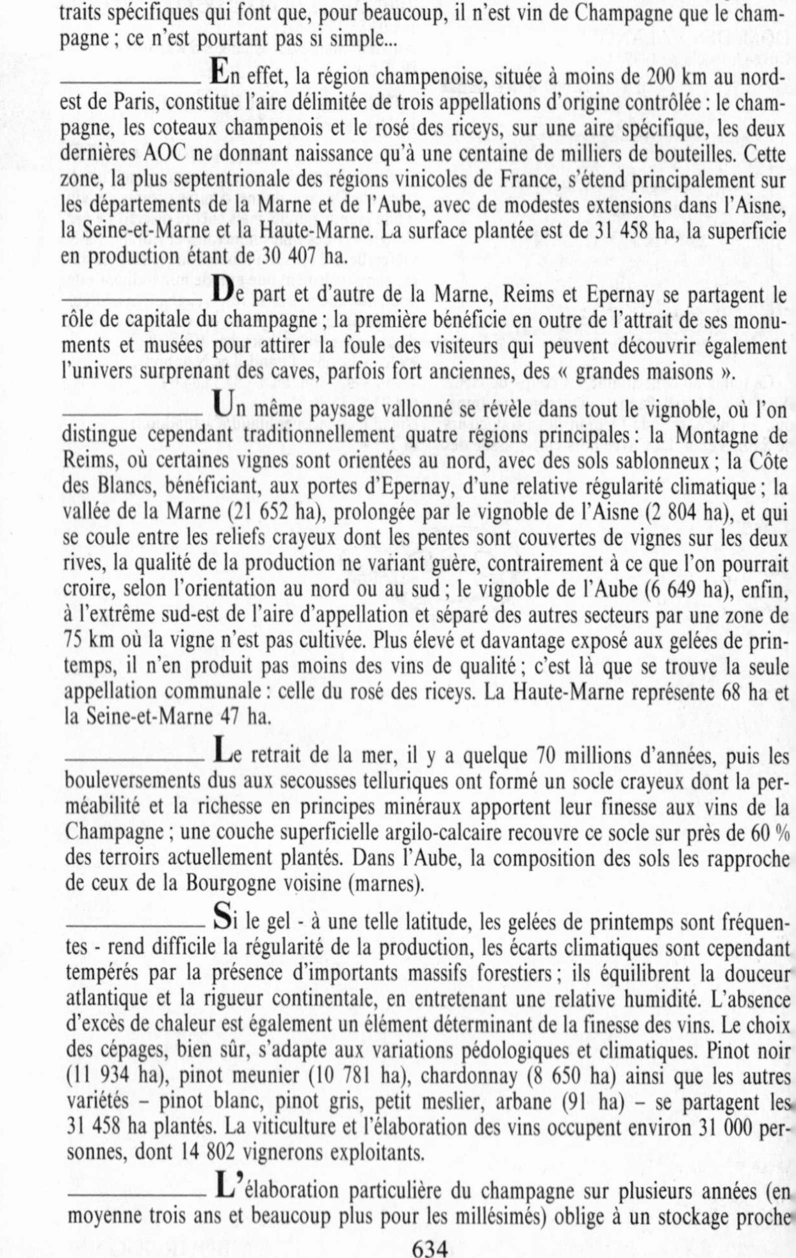

Vin des rois et des princes devenu celui de toutes les fêtes, le champagne s'auréole de la gloire et du prestige de porter dans le monde entier l'élégance et la séduction françaises. Son illustre réputation, il la doit autant à son histoire qu'à ses traits spécifiques qui font que, pour beaucoup, il n'est vin de Champagne que le champagne ; ce n'est pourtant pas si simple...

En effet, la région champenoise, située à moins de 200 km au nord-est de Paris, constitue l'aire délimitée de trois appellations d'origine contrôlée : le champagne, les coteaux champenois et le rosé des riceys, sur une aire spécifique, les deux dernières AOC ne donnant naissance qu'à une centaine de milliers de bouteilles. Cette zone, la plus septentrionale des régions vinicoles de France, s'étend principalement sur les départements de la Marne et de l'Aube, avec de modestes extensions dans l'Aisne, la Seine-et-Marne et la Haute-Marne. La surface plantée est de 31 458 ha, la superficie en production étant de 30 407 ha.

De part et d'autre de la Marne, Reims et Epernay se partagent le rôle de capitale du champagne ; la première bénéficie en outre de l'attrait de ses monuments et musées pour attirer la foule des visiteurs qui peuvent découvrir également l'univers surprenant des caves, parfois fort anciennes, des « grandes maisons ».

Un même paysage vallonné se révèle dans tout le vignoble, où l'on distingue cependant traditionnellement quatre régions principales : la Montagne de Reims, où certaines vignes sont orientées au nord, avec des sols sablonneux ; la Côte des Blancs, bénéficiant, aux portes d'Epernay, d'une relative régularité climatique ; la vallée de la Marne (21 652 ha), prolongée par le vignoble de l'Aisne (2 804 ha), et qui se coule entre les reliefs crayeux dont les pentes sont couvertes de vignes sur les deux rives, la qualité de la production ne variant guère, contrairement à ce que l'on pourrait croire, selon l'orientation au nord ou au sud ; le vignoble de l'Aube (6 649 ha), enfin, à l'extrême sud-est de l'aire d'appellation et séparé des autres secteurs par une zone de 75 km où la vigne n'est pas cultivée. Plus élevé et davantage exposé aux gelées de printemps, il n'en produit pas moins des vins de qualité ; c'est là que se trouve la seule appellation communale : celle du rosé des riceys. La Haute-Marne représente 68 ha et la Seine-et-Marne 47 ha.

Le retrait de la mer, il y a quelque 70 millions d'années, puis les bouleversements dus aux secousses telluriques ont formé un socle crayeux dont la perméabilité et la richesse en principes minéraux apportent leur finesse aux vins de la Champagne ; une couche superficielle argilo-calcaire recouvre ce socle sur près de 60 % des terroirs actuellement plantés. Dans l'Aube, la composition des sols les rapproche de ceux de la Bourgogne voisine (marnes).

Si le gel - à une telle latitude, les gelées de printemps sont fréquentes - rend difficile la régularité de la production, les écarts climatiques sont cependant tempérés par la présence d'importants massifs forestiers ; ils équilibrent la douceur atlantique et la rigueur continentale, en entretenant une relative humidité. L'absence d'excès de chaleur est également un élément déterminant de la finesse des vins. Le choix des cépages, bien sûr, s'adapte aux variations pédologiques et climatiques. Pinot noir (11 934 ha), pinot meunier (10 781 ha), chardonnay (8 650 ha) ainsi que les autres variétés – pinot blanc, pinot gris, petit meslier, arbane (91 ha) – se partagent les 31 458 ha plantés. La viticulture et l'élaboration des vins occupent environ 31 000 personnes, dont 14 802 vignerons exploitants.

L'élaboration particulière du champagne sur plusieurs années (en moyenne trois ans et beaucoup plus pour les millésimés) oblige à un stockage proche de 900 millions de bouteilles. Si la production annuelle (2 349 993 hl en 1999) représente 11 % du volume produit en France, le chiffre d'affaires de la Champagne à l'export représente 30,6 % de la valeur des exportations françaises de vin en 1999 et constitue 33,1 % du solde excédentaire de la balance du commerce exérieur des vins. La Grande-Bretagne, l'Allemagne et les Etats-Unis viennent en tête des pays importateurs devant la Suisse, la Belgique, l'Italie, les Pays-Bas et le Japon.

On fait du vin en Champagne au moins depuis l'invasion romaine. Il fut blanc, puis rouge et enfin gris, c'est-à-dire blanc ou presque, issu de pressurage de raisins noirs. Déjà, il avait la fâcheuse habitude de « bouillonner dans ses vaisseaux », c'est-à-dire de mousser dans les tonneaux. Ce fut sans doute en Angleterre que l'on inventa la mise en bouteilles systématique de ces vins instables qui, jusqu'en 1700 environ, étaient livrés en fûts ; cela eut pour effet de permettre au gaz carbonique de se dissoudre dans le vin : le vin effervescent était né. Procureur de l'abbaye de Hautvillers et technicien avant la lettre, Dom Pérignon produira dans son abbaye les meilleurs vins ; c'est aussi lui qui les vendra le plus cher...

En 1728, le conseil du roi autorise le transport du vin en bouteilles ; un an plus tard, la première maison de vin de négoce est fondée : Ruinart. D'autres suivront (Moët en 1743), mais c'est au XIXe s. que la plupart des grandes maisons se créent ou s'affirment. En 1804, Mme Clicquot lance le premier champagne rosé, et, dès 1830, apparaissent les premières étiquettes collées sur les bouteilles. A partir de 1860, Mme Pommery boit des « bruts », tandis que, vers 1870, sont proposés les premiers champagnes millésimés. Raymond Abelé invente, en 1884, le banc de dégorgement à la glace, avant que le phylloxéra puis les deux guerres ne ravagent les vignobles. Depuis 1945, les fûts de bois ont cédé la place, le plus souvent, aux cuves en acier inoxydable, dégorgement et finition sont automatisés, alors que le remuage lui-même se mécanise.

Une grande partie des vignerons champenois appartient aujourd'hui à la catégorie des producteurs de raisins : ce sont les « vendeurs au kilo ». Ils cèdent tout ou partie de leur production aux grandes marques qui vinifient, élaborent et commercialisent. Cette pratique a conduit l'interprofession à proposer un prix recommandé des raisins et à attribuer à chaque commune une cotation en fonction de la qualité de sa production : c'est l'échelle des crus. Les vins issus des communes viticoles sont classés dans une échelle des crus, apparue dès la fin du XIXe s. Cotés 100 %, ils ont droit au titre de « grand cru », ceux cotés de 99 à 90 % bénéficient de la mention « premier cru », la cotation des autres s'échelonne de 89 à 80 %. Le prix des raisins varie selon le pourcentage communal. Le rendement maximum à l'hectare est modulé chaque année (maximum = 12 500 kg), alors que 160 kg de raisins ne permettent pas d'obtenir plus d'un hectolitre de moût apte à être vinifié en champagne.

Champagne

La singularité du champagne apparaît dès les vendanges. La machine à vendanger est interdite ; toute la cueillette est manuelle car il est essentiel que les baies (grains) de raisin parviennent en parfait état au lieu de pressurage. Pour cela, on remplace les hottes par de petits paniers, afin que le raisin ne soit pas écrasé. Il a fallu aussi créer des centres de pressurage disséminés au cœur du vignoble afin de raccourcir le temps de transport du raisin. Pourquoi tous ces soins ? Parce que le champagne étant un vin blanc issu en majeure partie d'un raisin noir - le pinot -, il convient que le jus incolore ne soit pas taché au contact de l'extérieur de la peau.

Le pressurage, lui, doit se faire sans délai et permettre de recueillir successivement et séparément le jus issu des zones concentriques du grain ; d'où la forme particulière des pressoirs traditionnels champenois : on y entasse le raisin sur une vaste surface mais à une faible hauteur, pour ne pas abîmer les baies et

Champagne

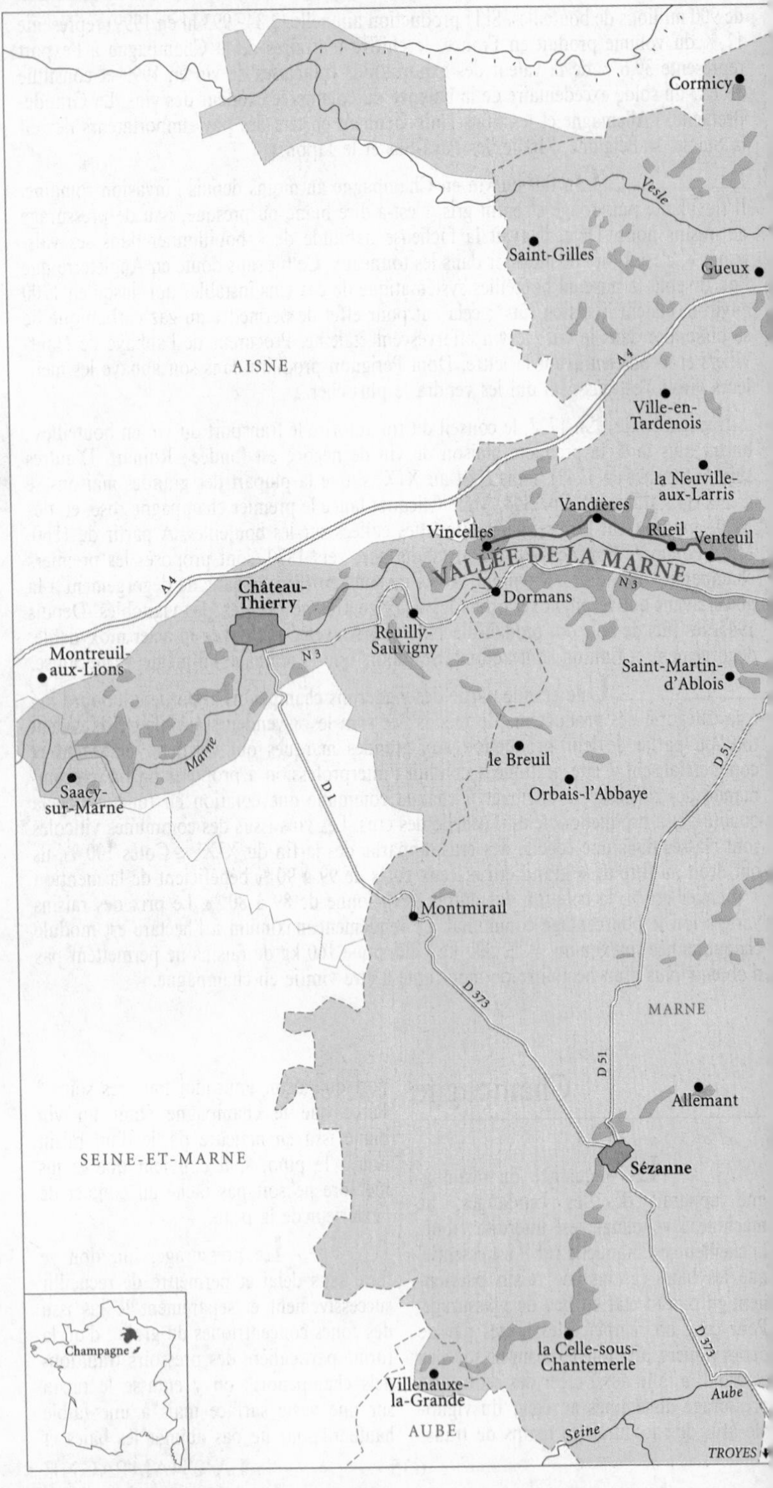

Cormicy
Vesle
Saint-Gilles
Gueux
A 4
AISNE
Ville-en-Tardenois
la Neuville-aux-Larris
Vandières
Vincelles
Rueil
Venteuil
VALLÉE DE LA MARNE
N 3
A 4
Château-Thierry
Dormans
Reuilly-Sauvigny
N 3
Montreuil-aux-Lions
Saint-Martin-d'Ablois
D 51
le Breuil
Orbais-l'Abbaye
Marne
Saacy-sur-Marne
D 1
Montmirail
D 373
MARNE
D 51
Allemant
SEINE-ET-MARNE
Sézanne
Champagne
la Celle-sous-Chantemerle
D 373
Villenauxe-la-Grande
Aube
AUBE
Seine
TROYES

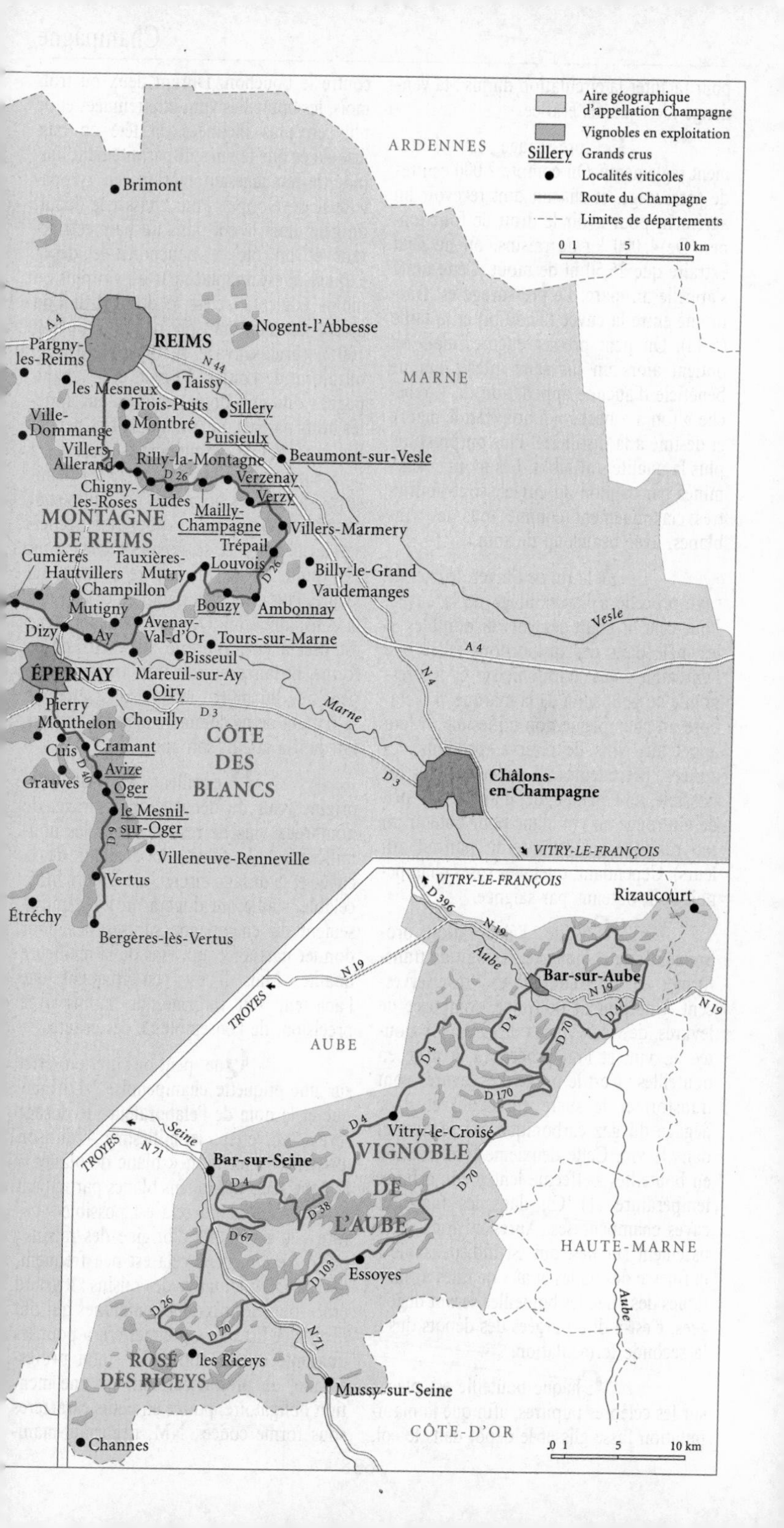
Aire géographique d'appellation Champagne
Vignobles en exploitation
Sillery Grands crus
Localités viticoles
Route du Champagne
Limites de départements
0 1 5 10 km
ARDENNES
MARNE
Brimont
Nogent-l'Abbesse
REIMS
A 4
N 44
Pargny-les-Reims
les Mesneux
Taissy
Trois-Puits
Sillery
Ville-Dommange
Montbré
Puisieulx
Villers-Allerand
Rilly-la-Montagne
Beaumont-sur-Vesle
D 26
Chigny-les-Roses
Ludes
Verzenay
Verzy
MONTAGNE DE REIMS
Mailly-Champagne
Villers-Marmery
Trépail
Cumières
Hautvillers
Tauxières-Mutry
Louvois
Billy-le-Grand
Vaudemanges
Champillon
Mutigny
Bouzy
Ambonnay
Dizy
Ay
Avenay-Val-d'Or
Tours-sur-Marne
Vesle
A 4
ÉPERNAY
Bisseuil
Mareuil-sur-Ay
N 4
Pierry
Chouilly
Oiry
D 3
Marne
Monthelon
CÔTE DES BLANCS
Cuis
Cramant
D 40
Grauves
Avize
Oger
D 3
Châlons-en-Champagne
le Mesnil-sur-Oger
D 9
Villeneuve-Renneville
VITRY-LE-FRANÇOIS
Vertus
VITRY-LE-FRANÇOIS
D 396
N 19
Rizaucourt
Étréchy
Bergères-lès-Vertus
Aube
Bar-sur-Aube
N 19
TROYES
N 19
D 4
D 47
D 70
N 19
AUBE
D 4
D 170
TROYES
Seine
N 71
D 4
Vitry-le-Croisé
Bar-sur-Seine
D 4
VIGNOBLE DE L'AUBE
D 70
D 38
D 67
HAUTE-MARNE
D 103
Essoyes
Aube
D 26
D 70
N 71
ROSÉ DES RICEYS
les Riceys
Mussy-sur-Seine
CÔTE-D'OR
Channes
0 1 5 10 km

pour faciliter la circulation du jus ; la vendange n'est jamais éraflée.

Le pressurage est sévèrement réglementé. On compte 2 000 centres de pressurage, et chacun doit recevoir un agrément pour avoir le droit de fonctionner. De 4 000 kg de raisins, on ne peut extraire que 25,50 hl de moût. Cette unité s'appelle un marc. Le pressurage est fractionné entre la cuvée (20,50 hl) et la taille (5 hl). On peut presser encore, mais on obtient alors un jus sans intérêt qui ne bénéficie d'aucune appellation, la « rebêche » (on a « bêché » à nouveau le marc), et destiné à la distillerie. Plus on pressure, plus la qualité s'affaiblit. Les moûts, acheminés par camion au cuvier, sont vinifiés très classiquement comme tous les vins blancs, avec beaucoup de soin.

A la fin de l'hiver, le chef de cave procède à l'assemblage de la cuvée. Pour cela, il goûte les vins disponibles et les mêle dans des proportions telles que l'ensemble soit harmonieux et corresponde au goût suivi de la marque. S'il élabore un champagne non millésimé, il fera appel aux vins de réserve, produits des années précédentes. Légalement, il est possible, en Champagne, d'ajouter un peu de vin rouge au vin blanc pour obtenir un ton rosé (ce qui est interdit partout ailleurs). Cependant, quelques rosés champenois sont obtenus par saignée.

Ensuite, l'élaboration proprement dite commence. Il s'agit de transformer un vin tranquille en vin effervescent. Une liqueur de tirage, composée de levures, de vieux vins et de sucre, est ajoutée au vin, et l'on procède à la mise en bouteilles : c'est le tirage. Les levures vont transformer le sucre en alcool et il se dégage du gaz carbonique qui se dissout dans le vin. Cette deuxième fermentation en bouteilles s'effectue lentement, à basse température (11 °C), dans les fameuses caves champenoises. Après un long vieillissement sur lies, qui est indispensable à la finesse des bulles et aux qualités aromatiques des vins, les bouteilles seront dégorgées, c'est-à-dire purgées des dépôts dus à la seconde fermentation.

Chaque bouteille est placée sur les célèbres pupitres, afin que la manipulation fasse glisser le dépôt dans le col, contre le bouchon. Durant deux ou trois mois, les bouteilles vont être remuées et de plus en plus inclinées, la tête en bas, jusqu'à ce que le vin soit parfaitement limpide (le remuage automatique en gyropalette se développe). Pour chasser le dépôt, on gèle alors le col dans un bain réfrigérant et on ôte le bouchon ; le dépôt expulsé, il est remplacé par un vin plus ou moins édulcoré : c'est le dosage. Si l'on ajoute du vin pur, on obtient un brut 100 % (brut sauvage de Piper-Heidsieck, ultra-brut de Laurent-Perrier, et les champagnes dits non dosés, aujourd'hui appelés bruts nature). Si l'on ajoute très peu de liqueur (1 %), le champagne est brut ; 2 à 5 % donnent les secs, 5 à 8 % les demi-secs, 8 à 15 % les doux. Les bouteilles sont ensuite « poignettées » pour homogénéiser le mélange et se reposent encore un peu pour laisser disparaître le goût de levure. Puis elles sont habillées et livrées à la consommation. Dès lors, le champagne est prêt à être apprécié au mieux de sa forme. Le laisser vieillir trop longtemps ne peut que lui nuire : les maisons sérieuses se flattent de ne commercialiser le vin que lorsqu'il a atteint son apogée.

D'excellents vins de belle origine issus du début de pressurage, de nombreux vins de réserve (pour les non-millésimés), le talent du créateur de la cuvée et le dosage discret, minimum, indécelable, s'allieront donc à un long mûrissement du champagne sur ses lies pour donner naissance aux vins de la meilleure qualité. Mais il est peu fréquent que l'acheteur soit informé, du moins avec précision, de l'ensemble de ces critères.

Que peut-on lire en effet sur une étiquette champenoise ? La marque et le nom de l'élaborateur ; le dosage (brut, sec, etc.) ; le millésime - ou son absence ; la mention « blanc de blancs » lorsque seuls des raisins blancs participent à la cuvée ; quand cela est possible - cas rare - la commune d'origine des raisins ; parfois enfin, mais cela est peu fréquent, la cotation qualitative des raisins : « grand cru » pour les dix-sept communes qui ont droit à ce titre ou « premier cru » pour les quarante et une autres. Le statut professionnel du producteur, lui, est une mention obligatoire, portée en petits caractères sous forme codée : NM, négociant-manipulant ; RM, récoltant-manipulant ; CM, coopérative de manipulation ; MA, marque d'acheteur ; RC ; récoltant-coopérateur ; SR, société de récoltants ; ND, négociant-distributeur.

Que déduire de tout cela ? Que les Champenois ont délibérément choisi une politique de marque ; que l'acheteur commande du Moët et Chandon, du Bollinger, du Taittinger, parce qu'il préfère le goût suivi de telle ou telle marque. Cette conclusion est valable pour tous les champagnes de négociants-manipulants, de coopératives et des marques auxiliaires, mais ne concerne pas les récoltants-manipulants qui, par obligation, n'élaborent de champagne qu'à partir des raisins de leurs vignes, généralement groupées dans une seule commune. Ces champagnes sont dits monocrus, et le nom de ce cru figure en général sur l'étiquette.

En dépit de l'appellation unique « champagne », il existe un très grand nombre de champagnes différents, dont les caractères organoleptiques variables sont susceptibles de satisfaire tous les usages et tous les goûts des consommateurs. Ainsi, le champagne peut-il être blanc de blancs ; blanc de noirs (de pinot meunier, de pinot noir ou des deux) ; issu du mélange blanc de blancs/blanc de noirs, dans toutes les proportions imaginables ; d'un seul cru ou de plusieurs ; originaire d'un grand cru, d'un premier cru ou de communes de moindre prestige ; millésimé ou non (les non-millésimés peuvent être composés de vins jeunes, ou faire appel à plus ou moins de vins de réserve ; parfois ils sont le produit de l'assemblage d'années millésimées) ; non dosé ou dosé très variablement ; mûri brièvement ou longuement sur ses lies ; dégorgé depuis un temps plus ou moins long ; blanc ou rosé (rosé obtenu par mélange ou par saignée)... La plupart de ces éléments pouvant se combiner entre eux, il existe donc une infinité de champagnes. Quel que soit son type, on s'accorde à penser que le meilleur est celui qui a mûri le plus longtemps sur ses lies (cinq à dix ans), consommé dans les six mois suivant son dégorgement.

En fonction de ce qui précède, on s'explique mieux que le prix des bouteilles puisse varier de un à huit, et qu'il existe des « hauts de gamme » ou des « cuvées spéciales ». Il est malheureusement certain que, dans les grandes marques, les champagnes les moins chers sont les moins intéressants. En revanche, la grande différence de prix qui sépare la gamme intermédiaire (millésimés) de la plus élevée ne traduit pas toujours rigoureusement un saut qualitatif.

Le champagne se boit entre 7 et 9 °C, frais pour les blancs de blancs et les champagnes jeunes, moins rafraîchi pour les millésimés et les champagnes vineux. Outre la bouteille classique de 75 cl, le champagne est proposé en quart, demi, magnum (2 bout.), jéroboam (4 bout.), mathusalem (8 bout.), salmanazar (12 bout.)... La bouteille sera refroidie progressivement par immersion dans un seau à champagne contenant de l'eau et de la glace. Pour la déboucher, enlever ensemble muselet et habillage. Si le bouchon tend à être expulsé par la pression, on le laissera venir avec habillage et muselet. Lorsque le bouchon résiste, on le maintient d'une main alors que l'on fait tourner la bouteille de l'autre. Le bouchon est extrait lentement, sans bruit, sans décompression brutale.

Le champagne ne doit pas être servi dans des coupes, mais dans des verres de cristal, étroits et élancés, secs, non refroidis par des glaçons, exempts de toute trace de détergent qui tuerait les bulles et la mousse. Il se boit aussi bien en apéritif, qu'avec les entrées et les poissons maigres. Les vins vineux, à majorité blancs de noirs, et les grands millésimés sont souvent servis avec les viandes en sauces. Au dessert et avec les mets sucrés, on boira un demi-sec plutôt qu'un brut, le sucre renforçant trop la sensibilité du palais aux structures acides.

Les derniers millésimes : 1982, grand millésime complet ; 1983, droit, sans artifices ; 1984 n'est pas un millésime, n'en parlons pas ; 1985, grandes bouteilles ; 1986, qualité moyenne, rarement millésimé ; 1987, un mauvais souvenir ; 1988, 1989, 1990, trois belles années à savourer ; 1991 : faible, généralement non millésimé ; 1992, 1993, 1994 : années moyennes ; quelques grandes maisons ont

CHAMPAGNE

millésimé 92 ou 93 ; 1995 : la meilleure année depuis 1990 ; 1996 : grande année millésimée en janvier 2000.

AGRAPART ET FILS Blanc de blancs

○ 6 ha 20 000 11 à 15 €

Une exploitation régulièrement mentionnée dans le Guide pour ses blancs de blancs. Rien d'étonnant à cela : depuis plus d'un siècle, les Agrapart sont vignerons dans la Côte des Blancs. Ils cultivent 9,6 ha et sont fiers de signaler que « le cheval est de retour sur l'exploitation ». Les années 1996 et 1997 s'allient dans ce blanc de blancs qui a connu le bois. Très jeune, il présente encore des arômes fermentaires (mie de pain). En bouche, il associe les épices et la réglisse. Le domaine obtient encore une citation pour deux autres **blancs de blancs** : le **Réserve**, issu des vendanges de 1995 et 1996, retenu pour sa fraîcheur et pour son équilibre, et le **93 (100 à 149 F)**, brioché et imposant. (RM) (70 à 99 F)

EARL Agrapart et Fils, 57, av. Jean-Jaurès, 51190 Avize, tél. 03.26.57.51.38, fax 03.26.57.05.06, e-mail champagne.agrapart@wanadoo.fr r.-v.

GILLES ALLAIT 1996*

○ 0,2 ha 1 500 11 à 15 €

Gilles Allait cultive un vignoble de 3,5 ha à Passy-Grigny près de Dormans (vallée de la Marne). Lorsqu'il vinifie des chardonnays, il les élève six mois en fût. Son 96 naît de l'assemblage de chardonnay et de pinot meunier à parts égales. Il a très rapidement atteint son apogée. Sa finesse, sa charpente et sa puissance le destinent aux viandes blanches. Quant à la **cuvée Tradition** qui rend hommage au pinot meunier accompagné de 5 % de chardonnay, elle est citée pour son harmonieuse richesse. (RC) (70 à 99 F)

Gilles Allait, 2, rue du Château, 51700 Passy-Grigny, tél. 03.26.52.92.19, fax 03.26.52.97.22 r.-v.

JEAN-ANTOINE ARISTON
Carte blanche

○ 1,5 ha 15 000 11 à 15 €

Le village de Brouillet est situé à l'ouest de Reims. Jean-Antoine Ariston y a pris la suite, en 1962, de toute une lignée de vignerons. Il a lancé son champagne en 1975 et dispose de 6,5 ha de vignes. Son Carte blanche naît de 60 % de chardonnay pour 40 % de pinot noir, récoltés en 1998. Le nez est discret et fin. En bouche, des arômes d'agrumes apportent de la fraîcheur. (RM) (70 à 99 F)

Jean-Antoine Ariston, 4, rue Haute, 51170 Brouillet, tél. 03.26.97.47.02, fax 03.26.97.49.75, e-mail champagne.ariston@wanadoo.fr t.l.j. 8h-12h 14h-18h

ARISTON FILS 1995

○ 2 ha 7 000 15 à 23 €

Les Ariston cultivaient déjà la vigne en 1794. Rémi s'est installé en 1964. Il a été rejoint par son fils, Paul-Vincent. L'exploitation, qui compte 9 ha, propose des chambres d'hôtes. Son 95, d'un jaune soutenu, paraît fort évolué à l'œil. Ce caractère est moins sensible en bouche, dont on apprécie l'ampleur et l'équilibre. (RM) (100 à 149 F)

Rémi Ariston, 4 et 8, Grande-Rue, 51170 Brouillet, tél. 03.26.97.43.46, fax 03.26.97.49.34, e-mail champagne.ariston.fils@wanadoo.fr t.l.j. 9h-12h 13h30-18h; dim. 10h-12h 15h-17h; f. 3ème sem. août

MICHEL ARNOULD ET FILS
Tradition*

○ Gd cru 6 ha 40 000 11 à 15 €

Michel Arnould s'est installé il y a quarante ans. Il avait la chance d'avoir des vignes à Verzenay, un village de la Montagne de Reims classé en grand cru et dont les vins ont beaucoup de caractère. Il cultive aujourd'hui 12 ha. Son Tradition, un blanc de noirs (100 % pinot noir) issu des vendanges de 1996 et 1997, est évolué, ample et équilibré. Une belle maturité. (RM) (70 à 99 F)

Michel Arnould et Fils, 28, rue de Mailly, 51360 Verzenay, tél. 03.26.49.40.06, fax 03.26.49.44.61, e-mail michelarnould@wanadoo.fr r.-v.

NICOLAS FRANCOIS AUBRY
Sablé rosé 1996

◐ 1er cru 10 ha 2 500 15 à 23 €

Les Aubry sont vignerons depuis la Révolution française. Ils exploitent dans la Montagne de Reims un vignoble étendu pour la région (16 ha), et vinifient des champagnes originaux. Ce Sablé est un rosé de pressurage, tiré à demi-mousse. Les pinots jouent ici la partie principale, épaulés par 20 % de chardonnay (vendange de 1996). Sa robe est rose-orangée, son nez complexe, fruité, beurré et vanillé, annonce une bouche souple et fraîche. On pourra le servir avec du fromage et du saumon. (RM) (100 à 149 F)

SCEV Champagne L. Aubry Fils, 4-6, Grande-Rue, 51390 Jouy-lès-Reims, tél. 03.26.49.20.07, fax 03.26.49.75.27 r.-v.

AUTREAU DE CHAMPILLON
Les Perles de La Dhuy 1996*

○ 9,7 ha 10 000 15 à 23 €

Les Autréau se consacrent à la vigne depuis 1670. Ils ont lancé leur champagne en 1953 et exploitent 27 ha sur le versant sud de la Montagne de Reims, entre Ay et Hautvillers. Cette cuvée, très blanche, ne fait appel qu'à 10 % de pinot noir. Son nez est floral et réglissé ; la bouche, très structurée, offre une longueur intéressante. (NM) (100 à 149 F)

SARL Vignobles Champenois, 15, rue René-Baudet, 51160 Champillon, tél. 03.26.59.46.00, fax 03.26.59.44.85 t.l.j. 9h-12h 14h-18h; sam. dim. sur r.-v.; f. 16-20 août

Eric Autréau

AUTREAU-LASNOT**

◐ 1 ha 4 500 11 à 15 €

Cette exploitation, fondée en 1932, dispose de 10 ha de vignes à Venteuil et à Châtillon, communes de la rive droite de la Marne. Son rosé, assez foncé, est issu des trois cépages champenois. Il séduit par son fruité sauvage et complexe (mûre et petits fruits rouges, note acidulée) et par sa nervosité qui garantit sa fraîcheur. La **cuvée Prestige 97**, mi-noire mi-blanche, obtient une étoile pour sa jeunesse, sa fraîcheur et son équilibre. Une citation pour le **Carte d'or** qui doit ses notes briochées et empyreumatiques aux trois cépages champenois, vendangés de 1995 à 1997. (RM) (70 à 99 F)

Champagne Autréau-Lasnot, 6, rue du Château, 51480 Venteuil, tél. 03.26.58.49.35, fax 03.26.58.65.44 r.-v.

Gérard Autréau

AYALA Blanc de blancs 1996

○ n.c. n.c. 23 à 30 €

Disposant de 85 ha de vigne, la maison Ayala fut fondée sous le Second Empire. Elle a proposé un **brut 96** (cité) plus noir que blanc, très fin, et, dans le même millésime, ce blanc de blancs, or vert, cristallin, au nez d'agrumes, très jeune, et d'un bon potentiel. (NM) (150 à 199 F)

Champagne Ayala, 2, bd du Nord, BP 6, 51160 Ay, tél. 03.26.55.15.44, fax 03.26.51.09.04 r.-v.

Ducellier

BAGNOST PERE ET FILS Cuvée de réserve

○ 1,25 ha 10 000 11 à 15 €

Fondé en 1889, ce modeste vignoble familial (8 ha situé autour de Pierry, au sud d'Epernay) s'est distingué dans la dernière édition du Guide par un coup de cœur. On le retrouve cette année avec trois vins cités : cette Cuvée de réserve, née des trois cépages champenois vendangés en 1998, très jeune, au nez intense, velouté et à la bouche nerveuse, aiguë ; le **rosé**, retenu pour sa finesse et sa vinosité fruitée ; le **blanc de blancs 93**, sélectionné pour sa minéralité. (RM) (70 à 99 F)

Champagne Bagnost Père et Fils, 30, rue du Gal-de-Gaulle, 51530 Pierry, tél. 03.26.54.04.22, fax 03.26.55.27.17 t.l.j. sf dim. 9h-12h 14h-18h

CHRISTIAN BANNIERE*

◐ Gd cru 0,5 ha 2 000 11 à 15 €

Christian Bannière a lancé son champagne en 1948. Il ne dispose que de quelques hectares, mais pas n'importe où : à Bouzy, commune du flanc sud de la Montagne de Reims classée en grand cru et célèbre par son pinot noir. Ce cépage domine l'assemblage (80 %) de ce brut rosé, complété par le chardonnay. Nez et bouche proposent des arômes complexes, puissants et chaleureux (cerise, framboise, fleurs, puis miel et coing). Le **Tradition grand cru**, assemblage identique au précédent, est vif, viril et épicé. (RM) (70 à 99 F)

Christian Bannière, 5, rue Yvonnet, 51150 Bouzy, tél. 03.26.57.08.15, fax 03.26.59.35.02 r.-v.

PAUL BARA Grand Rosé de Bouzy*

◐ Gd cru 11,05 ha 10 000 15 à 23 €

Le vignoble a été constitué vers 1833 et s'est développé après 1860. Il compte aujourd'hui 11 ha à Bouzy, commune classée en grand cru. Rien d'étonnant à ce que le pinot noir, cépage roi des lieux, domine dans les assemblages de la propriété. Le Grand Rosé est ainsi très noir (88 % de pinot) ; il ne comprend que 12 % de chardonnay. Sa palette mêle l'amande, le miel, les agrumes et les fruits rouges. On le dit « féminin ». Il convient tant à l'apéritif que pour le repas. Une citation encore pour le **Spécial Club 97 grand cru (150 à 199 F)**, issu de pinot noir (70 %) et de chardonnay (30 %), d'une légèreté fraîche et florale. (RM) (100 à 149 F)

Champagne Paul Bara, 4, rue Yvonnet, 51150 Bouzy, tél. 03.26.57.00.50, fax 03.26.57.81.24 r.-v.

BARDOUX PERE ET FILS Réserve

○ 3 ha 3 060 15 à 23 €

Pierre Bardoux naît en 1684 à Villedommange (Montagne de Reims) : une lignée de vignerons commence. Jules et Prudent Bardoux lancent leur champagne en 1929. En 1973, Pascal Bardoux reprend le domaine familial qui compte alors 4 ha. Son Réserve naît des vendanges de 1993, 1994 et 1995 et comprend deux tiers de noirs pour un tiers de blancs. C'est un vin de repas, complexe, miellé et long, au dosage perceptible. Sont cités également le **rosé** et la **cuvée Prudent Bardoux 1er cru 93**, deux champagnes où le chardonnay fait à peu près jeu égal avec le pinot meunier ; le premier pour son équilibre et sa longueur, le second pour son fruité très mûr et évolué. (RM) (100 à 149 F)

Pascal Bardoux, 5-7, rue Saint-Vincent, 51390 Villedommange, tél. 03.26.49.25.35, fax 03.26.49.23.15, e-mail contact@champagne-bardoux.com r.-v.

E. BARNAUT Blanc de noirs

○ Gd cru 2,5 ha 20 000 11 à 15 €

Philippe Secondé a repris le domaine familial en 1987. Son champagne porte le nom de son ancêtre, créateur en 1874 d'un vignoble qui s'étend aujourd'hui sur 14,5 ha. L'exploitation a son siège à Bouzy, et l'on ne sera pas surpris de la voir retenue pour un blanc de noirs de pinot noir. Issu de la récolte de 1997 additionnée de vins de réserve, ce champagne attaque franchement et se montre long et équilibré. Ses arômes ? Intenses et agréables, sur le fruit blanc, le coing et le noyau. (RM) (70 à 99 F)

Champagne Edmond Barnaut, 2, rue Gambetta, BP 19, 51150 Bouzy, tél. 03.26.57.01.54, fax 03.26.57.09.97, e-mail contact@champagne-barnaut.com r.-v.

Philippe Secondé

BARON ALBERT Tradition

○ n.c. 150 000 11 à 15 €

La famille travaille la vigne à Charly-sur-Marne depuis 1677 mais ce n'est qu'en 1946, avec Albert Baron, qu'elle s'est lancée dans l'élaboration de champagnes. Elle dispose

CHAMPAGNE

aujourd'hui de 30 ha. Les vins vinifiés par Claude Baron ne font pas de fermentation malolactique. La cuvée Tradition assemble 90 % de pinot meunier et 10 % de chardonnay de 1996 et 1997. Simple, florale, elle est d'un bon équilibre. (NM) (70 à 99 F)

Champagne Baron Albert, 1, rue des Chaillots, Grand-Porteron, 02310 Charly-sur-Marne, tél. 03.23.82.02.65, fax 03.23.82.02.44, e-mail champagnebaronalbert@wanadoo.fr r.-v.

BARON-FUENTE 1995*

○ n.c. 50 000 11 à 15 €

Le champagne Baron-Fuenté est né, à la fin des années 1960, du mariage de Dolores Fuenté avec Gabriel Baron, héritier d'une lignée de vignerons remontant au XVIIes. La maison vient de rénover ses chais de vinification. Son 95, mi-blanc mi-noir (20 % de pinot meunier), est dans sa sélection le champagne préféré du jury, avec son nez d'agrumes très fin et son palais empyreumatique et rond. Mais deux autres cuvées méritent d'être citées : pour sa rondeur et son équilibre, l'**Esprit de Baron-Fuenté (100 à 149 F)**, nouveau nom de la cuvée Prestige, issu des trois cépages champenois ; pour son originalité et sa longueur, le **Tradition**, assemblant 75 % de pinot meunier et 25 % de chardonnay. (NM) (70 à 99 F)

Champagne Baron-Fuenté, 21, av. Fernand-Drouet, 02310 Charly-sur-Marne, tél. 03.23.82.01.97, fax 03.23.82.12.00, e-mail champagne.baron-fuente@wanadoo.fr r.-v.

BAUCHET PERE ET FILS Sélection

○ 1er cru n.c. 65 000 11 à 15 €

Etablie à Bisseuil, dans la vallée de la Marne, la société créée par les frères Bauchet dispose d'un important vignoble de 36 ha dans la Côte des Blancs et dans l'Aube. Son Sélection, mi-noir mi-blanc, attire par son nez expressif, fin et complexe, mêlant le fruité et la confiserie. La bouche est un peu en-deçà. Elle attaque vivement et donne une impression de fraîcheur. Une citation encore pour le **95 1er cru**, satisfaisant. Avec ses arômes briochés et miellés, il est plus marqué par le chardonnay, qui entre pour 70 % dans l'assemblage. (RM) (70 à 99 F)

Sté Bauchet Frères, rue de la Crayère, 51150 Bisseuil, tél. 03.26.58.92.12, fax 03.26.58.94.74, e-mail bauchet.champagne@wanadoo.fr r.-v.

BAUGET-JOUETTE
Blanc de blancs 1994*

○ n.c. n.c. 30 à 38 €

Vignerons depuis 1822, les Bauget ont lancé leur marque en 1973 et exploitent un vignoble de 14,5 ha. Ils proposent un rare (et coûteux) 94. Les champagnes de ce millésime ne sont pas légion, car la nature s'est montrée hostile cette année-là. Celui-ci est une belle réussite : fruité, grillé, floral, il se montre puissant en bouche. On pourra le servir avec du foie gras. Un **rosé (150 à 199 F)** assemblant 60 % de chardonnay et 40 % de pinot meunier, dont 14 % de vin rouge, recueille par ailleurs une citation. S'il apparaît très discret au nez, il se montre équilibré et fin en bouche. (NM) (200 à 249 F)

Champagne Bauget-Jouette, 1, rue Champfleury, 51200 Epernay, tél. 03.26.54.44.05, fax 03.26.55.37.99, e-mail champagne.bauget@wanadoo.fr r.-v.

BAUSER Blanc de noirs

○ n.c. 44 000 11 à 15 €

Le vignoble (12 ha aujourd'hui) a été constitué en 1963 et le champagne lancé en 1975. Le domaine est établi aux Riceys, fief aubois du pinot noir, et ce sont deux blancs de noirs issus de ce cépage qui ont été retenus. Celui-ci, né de raisins récoltés en 1997, a une vocation apéritive : fruits rouges et citron lui apportent vivacité et fraîcheur. Le **95 (100 à 149 F)**, très proche du précédent, a obtenu la même note. (RM) (70 à 99 F)

EARL René Bauser, rte de Tonnerre, 10340 Les Riceys, tél. 03.25.29.32.92, fax 03.25.29.96.29, e-mail champagne-bauser@worldonline.fr r.-v.

ANDRE BEAUFORT Demi-sec**

○ Gd cru 1,6 ha 1000 38 à 46 €

Jacques Beaufort conduit son domaine en agriculture biologique. Il indique la date du dégorgement sur les étiquettes. Le demi-sec qu'il a présenté fera date, car c'est la première fois depuis que le Guide existe qu'un champagne de ce type a suscité assez d'enthousiasme pour être proposé en coup de cœur - manqué d'une seule voix. Assemblant 80 % de pinot noir et 20 % de chardonnay, il a toutes les qualités de complexité et d'harmonie d'un brut. Son auteur a réussi à éviter la lourdeur, l'empâtement par le sucre, l'étouffement de l'acidité indispensable à tous les champagnes, défaut si fréquemment observé dans les demi-secs. Un brillant exercice de style. Une bouteille digne du foie gras. (RM) (250 à 299 F)

Jacques Beaufort, 1, rue de Vaudemanges, 51150 Ambonnay, tél. 03.26.57.01.50, fax 03.26.52.83.50 r.-v.

HERBERT BEAUFORT
Blanc de blancs Cuvée du Mélomane*

○ Gd cru 3 ha 14 000 15 à 23 €

Au XVIIIes., les Beaufort étaient vignerons. Dès le début du XXes., Marcellin commercialise ses champagnes. C'est avec Herbert, qui a légué son nom, que le domaine prend son essor dans les années 1930. Aujourd'hui, Henry et Hugues Beaufort exploitent près de 17 ha de vignes, dont 13 ha en grand cru. Née à Bouzy, commune célèbre par son pinot noir, cette cuvée du Mélomane provient pourtant de chardonnay, récolté en 1997 et 1998. Un blanc de blancs jugé « sérieux ». Ses atouts : sa palette aromatique, faite de notes florales, de fruits secs (noisette), et son bel équilibre. (RM) (100 à 149 F)

Champagne Beaufort, 32, rue de Tours-sur-Marne, 51150 Bouzy, tél. 03.26.57.01.34, fax 03.26.57.09.08 r.-v.

Henry et Hugues Beaufort

BEAUMET

◑ n.c. n.c. 15 à 23 €

Fondée en 1879, la maison Beaumet a été rachetée par Jacques Trouillard en 1977 et dispose d'un vignoble de 121 ha. Elle propose un rosé de noirs (30 % de pinot meunier) fin, minéral, fruité (cerise) et équilibré. (NM) (100 à 149 F)

Champagne Beaumet, Ch. Malakoff, 3, rue Malakoff, 51207 Epernay Cedex, tél. 03.26.59.50.10, fax 03.26.54.78.52, e-mail chateau.malakoff@wanadoo.fr
J. Trouillard

BEAUMONT DES CRAYERES Grand Prestige*

○ 10 ha 33 000 11 à 15 €

Ce groupement de producteurs créé en 1955 rassemble plus de deux cents vignerons et vinifie la production de 75 ha de vignes très morcelées. Sa cuvée Grand Prestige naît de l'assemblage des trois cépages champenois (40 % de chardonnay, 40 % de pinot noir, 20 % de pinot meunier). Ses arômes de pomme verte et d'agrumes annoncent une bouche vive, citronnée, fraîche et équilibrée. (CM) (70 à 99 F)

Champagne Beaumont des Crayères, BP 1030, 51318 Epernay Cedex, tél. 03.26.55.29.40, fax 03.26.54.26.30, e-mail champagne-beaumont@wanadoo.fr
t.l.j. 10h-12h 14h-18h; f. sam. dim. de Noël à Pâques

FRANCOISE BEDEL Blanc de noirs

○ 3,4 ha 20 275 11 à 15 €

Cette vigneronne a repris en 1976 le domaine familial situé sur les deux rives de la Marne, dans la région de Château-Thierry. Elle le conduit depuis 1998 en biodynamie. Le pinot meunier, qui domine largement l'encépagement de l'exploitation, est à l'origine de ce blanc de noirs, né des vendanges de 1996, avec des vins de réserve de 1995. Il est cité pour son nez expressif et complexe de sous-bois et de fruits secs et pour sa bouche opulente, bien développée. (RM) (70 à 99 F)

Champagne Françoise Bédel, 71, Grande-Rue, 02310 Crouttes-sur-Marne, tél. 03.23.82.15.80, fax 03.23.82.11.49, e-mail chFbedel@quid-info.fr r.-v.

L. BENARD-PITOIS

◑ 1er cru n.c. n.c. 15 à 23 €

Raoul Bénard a repris en 1991 le domaine créé par son grand-père en 1938. Il dispose de 10 ha (deux grands crus et quatre premiers crus). Son rosé 1er cru assemble 56 % de pinot noir, 34 % de chardonnay récoltés en 1996 et 10 % de vin rouge. On y découvre la fraise et la groseille, avec une touche fumée. La bouche est souple et fraîche. A servir à l'apéritif ou en entrée. (RM) (100 à 149 F)

Champagne L. Bénard-Pitois, 23, rue Duval, 51160 Mareuil-sur-Ay, tél. 03.26.52.60.28, fax 03.26.52.60.12 r.-v.

BERECHE ET FILS Reflet d'Antan

○ 1er cru 0,3 ha 1000 15 à 23 €

Cette exploitation familiale de 8 ha, située dans la Montagne de Reims, utilise des fûts de chêne et élabore ses champagnes sous bouchon de liège. Celui-ci a divisé les dégustateurs, qui ne s'accordent que sur un point : son originalité. Au nez, de l'écorce de pin et des fruits confits. En bouche, un fruité intense et de la nervosité. Les réactions ? De la perplexité d'un côté, de l'enthousiasme de l'autre. (RM) (100 à 149 F)

Champagne Berèche et Fils, Le Craon-de-Ludes, BP 18, 51500 Ludes, tél. 03.26.61.13.28, fax 03.26.61.14.14 r.-v.

CH. BERTHELOT Carte noire*

○ Gd cru 2,05 ha n.c. 11 à 15 €

Un petit domaine, exploité par Christian Berthelot depuis 1982 et situé à Avize, commune classée en grand cru. Nous sommes ici en Côte des Blancs, et les deux champagnes retenus sont issus du chardonnay : celui-ci, né de raisins récoltés en 1998, qui conjugue puissance, finesse et élégance ; et, cité par le jury, le **blanc de blancs grand cru**, provenant des vendanges de 1996 et 1997, souple, long, un peu alourdi par le dosage. (RM) (70 à 99 F)

Christian Berthelot, 32, rue Ernest-Valle, 51190 Avize, tél. 03.26.57.58.99, fax 03.26.51.87.26 r.-v.

PAUL BERTHELOT Blason d'or

○ n.c. n.c. 11 à 15 €

Cette maison de négoce fondée en 1884 et établie à Dizy, près d'Epernay, dispose d'un vignoble de 22 ha. Son Blason d'or, mi-noir mi-blanc, mêle au nez fruits confits et beurre frais, avec une pointe grillée. Fraîche et nerveuse, la bouche est marquée par la noisette. La **cuvée Prestige 2000 (100 à 149 F)**, provenant de la vendange de 1995 et assemblant 70 % de chardonnay à 30 % de pinot noir, évoque les agrumes frais. Elle obtient la même note. (NM) (70 à 99 F)

SARL Paul Berthelot, 889, av. du Gal-Leclerc, 51530 Dizy, tél. 03.26.55.23.83, fax 03.26.54.36.31 r.-v.

BILLECART-SALMON Blanc de blancs 1995*

○ n.c. 15 000 46 à 76 €

Cette maison, fondée en 1818 à Mareuil-sur-Ay, s'est fait connaître dès le XIXe s., aussi bien aux Etats-Unis que dans l'aristocratie russe ou encore à la cour de Charles de Bavière. Restée familiale, elle est toujours orientée vers le haut de gamme. Dans ce 95, un débourbage à froid et une fermentation à 13 °C ont préservé toute la subtilité du chardonnay. Mais aussi sa richesse, sa complexité et son élégance. Un grand blanc de blancs, équilibré et long. Une étoile encore pour la **Grande Cuvée 89 (plus de 500 F)**, un beau millésime qui a évolué très rapidement. Un assemblage de 60 % de pinot noir et de 40 % de chardonnay. Robe d'or soutenu, attaque parfaite, torréfaction, élégance et complexité : ce champagne a atteint son apogée. On propose de le servir sur un sandre en croûte.

Une citation enfin pour la **cuvée Nicolas François Billecart 95 (300 à 499 F)**, née d'un assemblage identique à la précédente, à l'année près : puissance, finesse, et élégance. (NM) (300 à 499 F)

Champagne Billecart-Salmon, 40, rue Carnot, 51160 Mareuil-sur-Ay, tél. 03.26.52.60.22, fax 03.26.52.64.88, e-mail billecart@champagne-billecart.fr r.-v.

BINET 1992**

○ n.c. n.c. 23 à 30 €

Fondée en 1849 par Léon Binet, cette maison a changé plusieurs fois de mains après la Seconde Guerre mondiale pour passer en l'an 2000 dans le groupe Prin. Son 92 (trois quarts de noirs pour un quart de blancs) a séduit les dégustateurs par ses arômes puissants à la fois confits, poivrés et miellés et par la finesse florale de ses saveurs. Le jury a par ailleurs cité le **Brut Elite (100 à 149 F)**, qui marie 60 % de pinots à 40 % de chardonnay. Un champagne léger et très frais. (NM) (150 à 199 F)

Champagne Binet, 31, rue de Reims, 51500 Rilly-la-Montagne, tél. 03.26.88.05.00, fax 03.26.88.05.05, e-mail info@champagne-binet.com r.-v.

CH. DE BLIGNY Chardonnay

○ 5,1 ha 51 000 11 à 15 €

Une mention inhabituelle sur les étiquettes de champagne : voici l'un des deux « châteaux » champenois. Situé dans l'Aube, il est rattaché au champagne G.-H. Martel & Co. Après une éclipse, sa production revient dans le Guide, avec un blanc de blancs issu des vendanges 1995 et 1996. Ce vin se distingue par sa rondeur et son moelleux, caractères renforcés par un dosage habile. Le **blanc de blancs 95 (100 à 149 F)** recueille pour sa part une citation, car il a bien évolué, avec rondeur et générosité. (RM) (70 à 99 F)

Ch. de Bligny, 10200 Bligny, tél. 03.25.27.40.11, fax 03.25.27.04.52 t.l.j. sf sam. dim. 9h-12h 14h-17h30

Rapeneau

H. BLIN ET CIE 1995*

○ 5 ha 40 000 15 à 23 €

Ce groupement de producteurs a été fondé par Henri Blin en 1947. Il compte aujourd'hui une centaine d'adhérents, et vinifie la production de 120 ha. Ce 95 naît de cépages blancs et noirs à parts égales (dont 30 % de pinot meunier). Il est biscuité, souple et ample. Le **Tradition**, à 6 % près un blanc de noirs, est très marqué par le pinot meunier (77 % de l'assemblage). Epicé au nez, il révèle un début d'évolution et beaucoup de rondeur. (CM) (100 à 149 F)

SC Champagne H. Blin et Cie, 5, rue de Verdun, 51700 Vincelles, tél. 03.26.58.20.04, fax 03.26.58.29.67, e-mail contact@champagne-blin.com r.-v.

R. BLIN ET FILS Sélection**

○ n.c. n.c. 11 à 15 €

Gilles et Madeleine Blin cultivent 11 ha de vignes dans le massif de Saint-Thierry, au nord-ouest de Reims. Un lieu qui appartient à l'histoire du champagne : une abbaye y était établie, dont les vins furent précocement réputés. Issu de 90 % de pinot noir et de 10 % de chardonnay, celui-ci a séduit. Sa robe d'un or très soutenu montre un reflet rose. Aux arômes puissants succèdent des saveurs amples, corsées, fruitées, d'une très belle harmonie. Un champagne de repas qui pourra accompagner les plats les plus solides. Deux autres cuvées obtiennent une étoile : le **Grande Tradition**, dont l'assemblage inverse les proportions du précédent (90 % de chardonnay pour 10 % de pinot noir), complexe et empyreumatique au nez, très long en bouche, avec des arômes de fruits confits et de framboise ; le **Carte blanche**, un blanc de noirs privilégiant le pinot meunier (80 %), rond, structuré et complet. (RM) (70 à 99 F)

R. Blin et Fils, 11, rue du Point-du-Jour, 51140 Trigny, tél. 03.26.03.10.97, fax 03.26.03.19.63, e-mail contact@champagne-blin-et-fils.fr r.-v.

TH. BLONDEL Blanc de blancs 1996*

○ 1er cru 4 ha n.c. 11 à 15 €

Créé en 1904 par l'arrière-grand-père, notaire à Rilly-la-Montagne, ce domaine a été transformé en maison de négoce familiale et élabore son propre champagne depuis 1985. Il dispose de 9,5 ha dans la Montagne de Reims. Avec trois cuvées obtenant chacune une étoile, il réalise une belle performance. Ce blanc de blancs 96 offre un fruité frais de pêche ; il est structuré et long. Le **blanc de blancs 1er cru Vieux millésime 95 (100 à 149 F)** attaque souplement, avec finesse et élégance. Quant au **Carte d'or (70 à 99 F)**, issu d'un assemblage de pinot noir (70 %) et de chardonnay (30 %), et des récoltes de 1996 et 1997, il est vif à l'attaque et bien construit. (NM) (70 à 99 F)

Th. Blondel, Dom. des Monts-Fournois, BP 12, 51500 Ludes, tél. 03.26.03.43.92, fax 03.26.03.44.10 r.-v.

BOIZEL Réserve

○ n.c. 400 000 15 à 23 €

Créée en 1834 par Auguste Boizel, la maison a été associée au groupe BCI devenu BCC en 1994, mais elle reste dirigée par une descendante des fondateurs, Evelyne Roques-Boizel. Trois de ses champagnes sont cités cette année : ce brut

Réserve, une cuvée plutôt noire (55 % de pinot noir et 15 % de meunier), qui mêle au nez noisette et notes florales, nerveuse et brève en bouche ; le **rosé**, à 10 % près un blanc de noirs (50 % de pinot noir dont 8 % vinifiés en rouge, 40 % de meunier), rose pâle à l'œil et léger en bouche ; le **blanc de blancs** (une valeur sûre chez Boizel), un vin jeune, fin et minéral. (NM)
(100 à 149 F)
Champagne Boizel, 46, av. de Champagne, 51200 Epernay, tél. 03.26.55.21.51, fax 03.26.54.31.83, e-mail evboizel@boizel.fr
Groupe Boizel-Chanoine

BOLLINGER Grande Année 1992**

○ n.c. n.c. 46 à 76 €

Cette célèbre maison, créée en 1829, est restée familiale, puisque Ghislain de Montgolfier, qui la dirige depuis 1994, descend des fondateurs. S'appuyant sur un vaste vignoble (150 ha environ) qui fournit près des deux tiers de ses besoins, elle produit des champagnes de caractère. La Grande Année est la cuvée millésimée. Comme dans les autres vins de la maison, le pinot noir y est majoritaire : complété par du chardonnay, il représente les deux tiers de l'assemblage. Les vins de base sont élevés en fût. Le 92 offre une palette aromatique complexe et suave, où le sous-bois se mêle à des notes vanillées et beurrées. La bouche est fraîche et d'un très bel équilibre. Un champagne de grande expression, puissant, qui fait rêver les dégustateurs de poularde aux girolles. Le coup de cœur s'impose. (NM) (300 à 499 F)
Bollinger, 16, rue Jules-Lobet, 51160 Ay, tél. 03.26.53.33.66, fax 03.26.54.85.59

BOLLINGER R.D. Extra brut 1988**

○ n.c. n.c. 46 à 76 €

Un champagne né de 72 % de pinot noir et de 28 % de chardonnay, fermenté et vinifié en fût, vieilli longuement sur ses lies et récemment dégorgé (« RD ») pour préserver sa fraîcheur. Coup de cœur l'an dernier, il ne démérite pas. Le léger boisé légué par l'élevage accompagne la dégustation d'un champagne puissant, carré, complet, à son apogée. On trouve également des qualités de puissance et de maturité dans le **Spécial Cuvée (150 à 199 F)**, une étoile, né des trois cépages champenois - 60 % de pinot noir, 15 % de pinot meunier, 25 % de chardonnay. (NM)
(300 à 499 F)
Bollinger, 16, rue Jules-Lobet, 51160 Ay, tél. 03.26.53.33.66, fax 03.26.54.85.59

BONNAIRE Blanc de blancs**

○ Gd cru 9 ha n.c. 11 à 15 €

Cette exploitation a son siège à Cramant, commune célèbre par son chardonnay. Fondée en 1932 par Fernand Bouquemont, elle est demeurée entre les mains de ses descendants qui disposent de 13,5 ha dans la Côte des Blancs et de 8,5 ha dans la vallée de la Marne. Beurré, grillé, tendant vers le caramel, puissant et fruité en bouche, son blanc de blancs est fort apprécié pour sa typicité. Le **blanc de blancs 96 grand cru cuvée Prestige (100 à 149 F)** est cité. Il est né de chardonnay de Cramant qui lui confère charpente, puissance et onctuosité. (RM)
(70 à 99 F)
Jean-Louis Bonnaire, 120, rue d'Epernay, 51530 Cramant, tél. 03.26.57.07.31, fax 03.26.57.59.17 t.l.j. 9h-12h 14h-17h; sam. dim. sur r.-v.; f. août

BONNET-PONSON*

◐ n.c. n.c. 11 à 15 €

Cette famille de vignerons, établie depuis 1835 à Chamery, dans la Montagne de Reims, exploite une dizaine d'hectares. Les trois cépages champenois (60 % de pinot, 10 % de pinot meunier, 30 % de chardonnay), récoltés dans les années 1996 à 1999, et un peu de vin rouge de Chamery se marient dans ce rosé cuivré à l'œil, léger en bouche mais équilibré. La **cuvée Jules Bonnet 96 (100 à 149 F)** est un blanc de noirs né exclusivement du pinot noir, vinifié en fût et bâtonné. Elle reçoit également une étoile pour son équilibre, son attaque ronde et sa finesse. (RM) (70 à 99 F)
Thierry Bonnet, 20, rue du Sourd, 51500 Chamery, tél. 03.26.97.65.40, fax 03.26.97.67.11, e-mail champagne.bonnet.ponson@wanadoo.fr r.-v.

FRANCK BONVILLE
Blanc de blancs Sélection

○ Gd cru 15 ha 100 000 11 à 15 €

Viticulteur à Avize dans la Côte des Blancs, Franck Bonville a élaboré ses premiers champagnes en 1945. L'exploitation, actuellement dirigée par Gilles Bonville, dispose d'un vignoble de 15 ha. Son blanc de blancs Sélection, sans année, réunit les vendanges de 1996, 1997 et 1998. Plein de jeunesse, rond, fruité et beurré, il s'accordera avec un poisson blanc cuisiné. Quant au **blanc de blancs grand cru 93** (une citation), aux arômes de miel et de fruits confits, il est équilibré et toujours frais. (RM) (70 à 99 F)
Champagne Franck Bonville, 9, rue Pasteur, 51190 Avize, tél. 03.26.57.52.30, fax 03.26.57.59.90, e-mail franck-bonville@wanadoo.fr r.-v.

BOUCHE PERE ET FILS Cuvée réservée

○ n.c. 300 000 15 à 23 €

Cette maison familiale, fondée en 1945, exploite un vignoble de 35 ha disséminé dans de nombreux crus. La Cuvée réservée, mi-blanche mi-noire (20 % de pinot meunier) comprend 20 % de vins de réserve. Elle fleure les fruits cuits épicés, arômes que l'on retrouve dans une bouche ample. (NM) (100 à 149 F)
Champagne Bouché Père et Fils, 10, rue Charles-de-Gaulle, 51530 Pierry, tél. 03.26.54.12.44, fax 03.26.55.07.02 r.-v.

RAYMOND BOULARD Réserve*

○ n.c. 35 000 🍷 15 à 23 €

Vignerons depuis 1792, les Boulard ont créé leur maison en 1952. Ils disposent de 10 ha de vignes situées sur la Montagne de Reims et dans la vallée de la Marne. Certains vins sont passés par le bois. Tous les champagnes retenus ont obtenu une étoile. Cette cuvée Réserve, issue des trois cépages champenois (pinot meunier 45 %, pinot noir 35 %, chardonnay 20 %), et de quatre années (1998, 1997, 1996 et 1995), équilibrée, fraîche et ample, marie l'acacia, la mirabelle et le fruit blanc. Le **96**, mi-blanc mi-noir, mêle des arômes citronnés, minéraux et caramélisés. Il est d'une grande vivacité, comme la plupart des champagnes de ce millésime. Le **rosé**, un rosé de noirs né des deux pinots vendangés en 1997 et obtenu par saignée, donne une impression de richesse, avec ses notes de confiture de fraises. Goûteux, vineux il n'en reste pas moins élégant. (NM) (100 à 149 F)

Champagne Raymond Boulard, 1, rue du Tambour, 51480 La Neuville-aux-Larris, tél. 03.26.58.12.08, fax 03.26.61.54.92, e-mail info@champagne-boulard.fr r.-v.

JEAN-PAUL BOULONNAIS Tradition*

○ 1er cru 5 ha 15 000 11 à 15 €

Vignerons depuis cinq générations, les Boulonnais ont constitué un vignoble de 5 ha. Ils sont établis à Vertus, au sud de la Côte des Blancs. Leur Tradition, très blanc (80 % de chardonnay pour 20 % de pinot noir) est floral et épicé ; au nez, il attaque en souplesse et révèle sa fraîcheur. Le **rosé** (100 % pinot noir) n'est pas des plus longs, mais il se montre puissant au nez comme en bouche et bien rond. (NM) (70 à 99 F)

Jean-Paul Boulonnais, 14, rue de l'Abbaye, 51130 Vertus, tél. 03.26.52.23.41, fax 03.26.52.27.55 r.-v.

R. BOURDELOIS 1995*

○ n.c. 12 000 15 à 23 €

Ce récoltant-manipulant est établi à Dizy, commune située en face d'Epernay, dans la vallée de la Marne. Son 95 assemble autant de raisins blancs que de raisins noirs (dont 15 % de pinot meunier). Le nez mêle les agrumes et le pain grillé. Après une attaque nette, la bouche se montre ronde et briochée. (RM) (100 à 149 F)

Raymond Bourdelois, 737, av. du Gal-Leclerc, 51530 Dizy, tél. 03.26.55.23.34, fax 03.26.55.29.81 r.-v.

BOURGEOIS-BOULONNAIS Blanc de blancs

○ 1er cru 5 ha n.c. 11 à 15 €

Vertus est une commune du sud de la Côte des Blancs, classée en 1er cru. Alain Bourgeois y exploite 5,5 ha. Il propose un blanc de blancs classique, au nez discret et à la bouche vineuse et miellée, bien charpentée. (RM) (70 à 99 F)

Champagne Bourgeois-Boulonnais, 8, rue de l'Abbaye, 51130 Vertus, tél. 03.26.52.26.73, fax 03.26.52.06.55 r.-v.

BOUTILLEZ-GUER Tradition**

○ 2 ha 12 000 11 à 15 €

Situé dans la Montagne de Reims, le village de Villers-Marmery est aujourd'hui réputé pour ses chardonnays. Les ancêtres de Boutillez y cultivaient déjà la vigne il y a cinq siècles. Leur cuvée Tradition, très blanche (80 % de chardonnay, 20 % de pinot noir) n'est pas loin du coup de cœur. Elle séduit par ses arômes floraux et miellés, par sa bouche remarquablement équilibrée et par sa longueur. « Vin parfait », écrit un dégustateur. (RM) (70 à 99 F)

Champagne Boutillez-Guer, 38, rue Pasteur, 51380 Villers-Marmery, tél. 03.26.97.91.38, fax 03.26.97.94.95 r.-v.

Marc Boutillez

G. BOUTILLEZ-VIGNON Blanc de blancs*

○ 1er cru 1 ha 2 500 11 à 15 €

Voici d'autres Boutillez de Villers-Marmery, où ils sont établis depuis 1524. Ils y cultivent un vignoble de 5 ha et ils ont lancé leur champagne en 1976. Leur blanc de blancs sans année est issu des vendanges de 1997 et 1998. Il est vif, floral, persistant ; il séduit par son élégance. (RM) (70 à 99 F)

G. Boutillez-Vignon, 26, rue Pasteur, 51380 Villers-Marmery, tél. 03.26.97.95.87, fax 03.26.97.97.23 t.l.j. 8h-12h 14h-18h; sam. dim. sur r.-v.; f. 15 août-5 sep.

LAURENT BOUY*

○ Gd cru 1,2 ha 9 600 11 à 15 €

Héritier d'une lignée de vignerons, Laurent Bouy exploite depuis 1977 un vignoble de 4,5 ha à Verzy, commune de la Montagne de Reims classée grand cru. Il propose une cuvée mi-noire mi-blanche, assemblage de vins de 1993 à 1996. Ses arômes sont puissants et matures. La bouche s'impose par son équilibre et sa longueur. Un champagne de caractère. (RM) (70 à 99 F)

Laurent Bouy, 7, rue de l'Ancienne-Eglise, 51380 Verzy, tél. 03.26.97.93.23 r.-v.

BRATEAU-MOREAUX*

○ 4,75 ha 25 742 8 à 11 €

Il a fallu quatre générations de vignerons pour que cette étiquette voie le jour en 1990. Le vignoble s'étend sur 5,5 ha à Leuvrigny, commune de la vallée de la Marne produisant, dit-on, le meilleur pinot meunier. C'est le cépage récolté en 1998, qui compose exclusivement ce blanc de noirs qui fait fort bonne impression. Un champagne floral, rond, souple et très fruité. (RM) (50 à 69 F)

Dominique Brateau, 12, rue Douchy, 51700 Leuvrigny, tél. 03.26.58.00.99, fax 03.26.52.83.61 r.-v.

BRETON FILS Prestige*

○ 17 ha 10 000 15 à 23 €

Au début des années 1950, Ange Breton lance sa première cuvée : 500 bouteilles. L'hiver, il creuse une cave dans la craie sous sa propriété. Aujourd'hui, l'exploitation compte 17 ha : non seulement dans le Sézannais, au sud de Congy, mais aussi dans la vallée de la Marne. Elle est conduite par les fils, Yann à la vigne et Johann au chai. Trois de leurs champagnes sont retenus. Tous révèlent un dosage généreux mais restent équilibrés. La préférence du jury est allée à leur cuvée Prestige (60 % de chardonnay et les deux pinots à parts égales), qui garde une fraîcheur citronnée et fait preuve d'une belle finesse, avec des notes de mirabelle et de fleurs blanches. Dans la fourchette de prix inférieure, sont cités le **rosé**, issus des trois cépages champenois, qui évoque la fraise, et le **blanc de blancs Grande Réserve**, souple, jeune, aux arômes d'agrumes. (RM) (100 à 149 F)

SCEV Breton Fils, 12, rue Courte-Pilate, 51270 Congy, tél. 03.26.59.31.03, fax 03.26.59.30.60 t.l.j. 8h-12h15 13h30-18h

Ange Breton

BRICE Verzenay*

○ Gd cru n.c. n.c. 15 à 23 €

Si cette maison de négoce, dirigée par Jean-Paul Brice, est de fondation récente (1994), les Brice sont établis à Bouzy depuis le XVII[e]s. Les champagnes de cru constituent leur spécialité. Celui-ci, né à Verzenay, assemble 90 % de pinot noir à 10 % de chardonnay, des vins de la récolte de 1998 complétés par des vins de réserve. Fleurs blanches et pâte à pain au nez, il attaque vivement en bouche, où des saveurs empyreumatiques s'imposent longuement. (NM) (100 à 149 F)

Jean-Paul Brice, 3, rue Yvonnet, 51150 Bouzy, tél. 03.26.52.06.60, fax 03.26.57.05.07, e-mail champagnebrice@wanadoo.fr r.-v.

BRICOUT Cuvée Arthur Bricout

○ Gd cru n.c. n.c. 23 à 30 €

Fondée en 1820, la maison Koch devint Bricout et Koch vers la fin du XIX[e]s., puis elle prit le nom de Bricout en 1990. Depuis 1998, elle fait partie du groupe Delbeck. La cuvée spéciale Arthur Bricout comprend 70 % de chardonnay et 30 % de pinot noir. Au nez, une couche beurrée et des fruits confits annoncent une bouche ample et complexe. Un champagne pour poisson en sauce. (NM) (150 à 199 F)

SA Champagne Bricout et Koch, 59, rte de Cramant, 51190 Avize, tél. 03.26.53.30.00, fax 03.26.57.59.26 r.-v.

BROCHET-HERVIEUX*

◐ 1er cru n.c. n.c. 11 à 15 €

Etablie à Ecueil, village proche de Reims, cette exploitation dispose de 16 ha. Elle commercialise du champagne depuis la fin de la Seconde Guerre mondiale. Elle propose un rosé 1er cru fort apprécié. Il s'agit presque d'un blanc de noirs (5 % de chardonnay). Saumon pâle à l'œil, il mêle au nez fruits confits, notes toastées et pain grillé. La bouche prolonge bien le nez et montre un équilibre satisfaisant. Le **95 1er cru** assemble 85 % de noirs et 15 % de chardonnay. Vineux, intense, confit, mais accusant son âge, il obtient une citation. (RM) (70 à 99 F)

Brochet-Hervieux, 12, rue de Villers-aux-Nœuds, 51500 Ecueil, tél. 03.26.49.77.44, fax 03.26.49.77.17 r.-v.

ANDRE BROCHOT Cuvée*

○ 1 ha n.c. 11 à 15 €

Etablie au sud d'Epernay, cette exploitation élabore du champagne depuis 1949. Elle propose un blanc de noirs issu de pinot meunier. Sa robe « fait l'œil », c'est-à-dire qu'elle montre de jolis reflets rosés. Son nez offre des fruits à profusion, et sa bouche est vive, ample et longue. (RM) (70 à 99 F)

Francis Brochot, 21, rue de Champagne, 51530 Vinay, tél. 03.26.59.91.39, fax 03.26.59.91.39 r.-v.

BRUGNON*

○ 5 ha 20 000 11 à 15 €

Alain Brugnon représente la troisième génération sur cette exploitation. C'est son grand-père Maurice qui s'est lancé dans l'élaboration du champagne. La propriété dispose de vignobles autour d'Ecueil (au sud-ouest de Reims), de Rilly-la-Montagne et dans la vallée de la Marne. Son brut sans année est dominé par les raisins noirs (50 % de pinot noir, 30 % de meunier) vendangés en 1997, 1998 et 1999. Il est intense et riche, avec des arômes de pomme au nez comme en bouche. Même note pour le **96 (100 à 149 F)**, assemblant deux tiers de blancs et un tiers de noirs. Floral et fin, il est représentatif de son millésime par son côté citronné, très frais et vif. Un champagne jeune pour l'apéritif. Une citation pour le **Sélection (70 à 99 F)**, assemblage identique au précédent et proche par son style. (RM) (70 à 99 F)

EARL Champagne Brugnon, 1, rue Brûlée, 51500 Ecueil, tél. 03.26.49.25.95, fax 03.26.49.76.56, e-mail brugnon@cder.fr r.-v.

EDOUARD BRUN ET CIE 1996**

○ n.c. 27 000 15 à 23 €

Maison créée par Edouard Brun en 1898, associée à Edmond Lefèvre en 1939 et aujourd'hui conduite par sa fille. La fermentation alcoolique s'effectue en fût et la fermentation malolactique en cuve. Le 96, minéral, iodé et citronné, fait preuve d'une belle vivacité dans une bouche aux saveurs d'agrumes. Quant au **Réserve 1er cru (70 à 99 F)**, il a obtenu une étoile. Il comprend deux fois plus de noirs que de blancs et assemble les années 1996 à 1998. C'est un champagne tout à la fois rond et nerveux. (NM) (100 à 149 F)

Edouard Brun et Cie, 14, rue Marcel-Mailly, BP 11, 51160 Ay, tél. 03.26.55.20.11, fax 03.26.51.94.29 t.l.j. 8h30-12h 14h-18h; sam. dim. sur r.-v.

CHRISTIAN BUSIN Réserve

○ Gd cru 0,5 ha 5 000 11 à 15 €

Christian Busin exploite 6 ha de vigne situés dans les communes voisines de Verzenay et de Verzy, deux grands crus de la Montagne de Reims. Dans ce champagne se marient 80 % de pinot noir et 20 % de chardonnay. Son bouquet est discret (fleurs blanches), et sa bouche, ronde, souple, offre de petits fruits charnus. (RM) (70 à 99 F)

Christian Busin, 4, rue d'Uzès, 51360 Verzenay, tél. 03.26.49.40.94, fax 03.26.49.44.19, e-mail lucbusin@aol.com r.-v.

JACQUES BUSIN Réserve 1995★★

○ Gd cru | 2 ha | 10 000 | 11 à 15 €

Etabli dans la Montagne de Reims, Jacques Busin a le rare privilège de disposer de vignes dans quatre grands crus - Verzy, Verzenay, Ambonnay et Sillery -, ce qui lui permet de réaliser des assemblages originaux. Avec cette cuvée mi-noire mi-blanche, il a conquis le jury. Complexe et fin, ce champagne associe fruits secs, notes grillées, briochées et légèrement animales. Charpenté, puissant, équilibré et élégant, il s'accordera au poisson et aux viandes blanches. Il reste encore des bouteilles de la **cuvée 2000 grand cru (100 à 149 F)**, qui assemble 75 % de pinot noir à 25 % de chardonnay. Elle s'est bonifiée puisqu'elle obtient deux étoiles. Complexe, d'une belle attaque et longue, elle a atteint son apogée. Le domaine obtient enfin une citation pour le **Carte d'or grand cru (70 à 99 F)**, assemblage de 60 % de pinot noir et de 40 % de chardonnay vendangés en 1997 et 1998. Le nez évoque les fruits secs, et les saveurs d'abricot sont soulignées par une grande nervosité. (RM) (70 à 99 F)

Jacques Busin, 17, rue Thiers, 51360 Verzenay, tél. 03.26.49.40.36, fax 03.26.49.81.11, e-mail jacques-busin@wanadoo.fr r.-v.

GUY CADEL

◐ | 6 ha | 5 000 | 11 à 15 €

Déjà vignerons au siècle dernier, les Cadel sont récoltants-manipulants depuis 1960. Ils exploitent 10 ha de vignes. Leur rosé assemble pinot meunier (60 %) et chardonnay des années 1997 et 1998. Un champagne facile, plaisant, dont l'équilibre est souligné par un dosage irréprochable. (RM) (70 à 99 F)

Champagne Guy Cadel, 13, rue Jean-Jaurès, 51530 Mardeuil, tél. 03.26.55.24.59, fax 03.26.55.25.83, e-mail guycadel@terre-net.fr r.-v.

M.Thiebault

CANARD-DUCHENE
Charles VII Grande Cuvée★★★

○ | n.c. | n.c. | 23 à 30 €

Fondée en 1868, cette maison trouve son origine dans le mariage, en 1860, de Victor Canard, menuisier et tonnelier, avec Léonie Duchêne, fille de vigneron. Absorbée en 1978 par Veuve-Clicquot, elle est entrée huit ans plus tard dans le giron de LVMH. Née de 44 % de pinot noir, de 42 % de chardonnay et de 14 % de pinot meunier, la cuvée Charles VII constitue le haut de gamme de Canard-Duchêne. Elle s'est attiré tous les suffrages. Les dégustateurs soulignent sa finesse, sa fraîcheur, son équilibre, sa longueur, la complexité de sa palette aromatique où s'allient des notes grillées et fumées, de la noisette, du miel, du pain brioché. Une excellente cuvée spéciale à un prix abordable. La **cuvée Charles VII en blanc de noirs** mérite d'être citée, tout comme le **brut sans année (100 à 149 F)** mariant 80 % des deux pinots à 20 % de chardonnay. (NM) (150 à 199 F)

Canard-Duchêne, 1, rue Edmond-Canard, 51500 Ludes, tél. 03.26.61.11.60, fax 03.26.40.60.17, e-mail info@canard-duchene.fr t.l.j. sf dim. lun. 11h-13h 14h30-17h; f. 15 oct.-1er avr.

JEAN-YVES DE CARLINI 1997★

○ Gd cru | 2 ha | 3 500 | 15 à 23 €

Maison fondée en 1955 par R. de Carlini, à laquelle Jean-Yves de Carlini a donné son prénom en 1984. Celui-ci exploite 6,5 ha de grands crus dans la Montagne de Reims. Son 97 - étrange millésime - est composé à parts égales de chardonnay et de pinot noir. Le nez comme la bouche présentent des caractères confits, miellés et gras. Du même producteur, le **Réserve (70 à 99 F)** a été cité. Mi-blanc mi-noir lui aussi mais issu de nombreuses années (1999 plus 1998, 1997, 1996). Un champagne pour l'après-midi. (RM) (100 à 149 F)

Jean-Yves de Carlini, 13, rue de Mailly, 51360 Verzenay, tél. 03.26.49.43.91, fax 03.26.49.46.46 r.-v.

CASTELLANE Croix rouge 1991

○ | 12 ha | 100 000 | 15 à 23 €

Créée en 1895, cette maison d'Epernay a donné se distingue dans le paysage grâce au beffroi qui domine le siège de la société, construit en 1904 sur les plans d'Auguste Marius Toudoire, architecte de la gare de Lyon à Paris. Son fondateur, le vicomte Florens de Castellane, célèbre par ses fêtes à la Belle Epoque choisit pour marque distinctive la croix de Saint-André qui orne toujours les étiquettes. Ce 91, dominé par les blancs (80 % de chardonnay), n'est pas des plus longs mais ne manque pas d'agréments avec ses arômes grillés, floraux et citronnés. Citée également, la **cuvée Commodore 90 (150 à 199 F)** mérite de figurer ici pour sa palette aromatique mêlant notes torréfiées et fruits très mûrs : pomme, pêche et poire. (NM) (100 à 149 F)

🔑 Champagne de Castellane, 57, rue de Verdun, BP 136, 51204 Epernay Cedex, tél. 03.26.51.19.19, fax 03.26.54.24.81, e-mail info@castellane.com ☑ 🍷 t.l.j. 10h-12h 14h-18h; f. 23 déc.-3 mars

CATTIER 1995*

○ 1er cru | 18 ha | 40 000 | 15 à 23 €

Les Cattier possèdent des vignobles depuis deux siècles et demi et se sont lancés dans l'élaboration de champagne dès 1920. Leur maison, toujours indépendante, dispose de 18 ha de 1ers crus dans la Montagne de Reims. Les trois cépages champenois (pinot meunier 40 %, pinot noir 30 %, chardonnay 30 %) participent à cette cuvée qui séduit par la richesse de ses arômes d'agrumes et la finesse de sa finale. Ont été cités le **brut 1er cru (70 à 99 F),** dominé par les raisins noirs, (20 % de chardonnay) et le célèbre **Clos du Moulin 1er cru (150 à 199 F),** mi-noir mi-blanc. Le dosage du premier est sensible, la vivacité du second réjouissante. (NM) (100 à 149 F)

🔑 Cattier, 6-11, rue Dom-Pérignon, 51500 Chigny-les-Roses, tél. 03.26.03.42.11, fax 03.26.03.43.13, e-mail jeancatt@cattier.com ☑ 🍷 t.l.j. sf sam. dim. 9h-11h 14h-17h; groupes sur r.-v.

CLAUDE CAZALS Carte blanche

○ | 3 ha | 20 000 | 11 à 15 €

Ernest Cazals a fondé son domaine en 1897. Un siècle plus tard, Claude Cazals exploite un vignoble de 9 ha dans la Côte des Blancs. Sa cuvée Carte blanche n'est autre qu'un blanc de blancs, né des vendanges de 1997 épaulées par des récoltes de 1995 et de 1996. Elle conjugue vivacité, fraîcheur et souplesse. La **Cuvée vive grand cru extra brut** est aussi un blanc de blancs, non dosé : un exercice difficile. Fine et longue, elle mérite d'être citée. (RC) (70 à 99 F)

🔑 Champagne Claude Cazals, 28, rue du Grand-Mont, 51190 Le Mesnil-sur-Oger, tél. 03.26.57.52.26, fax 03.26.57.78.43 ☑ 🍷 r.-v.

CHARLES DE CAZANOVE Demi-sec Tradition Père et Fils*

○ | n.c. | n.c. | 11 à 15 €

Cette discrète - mais importante - maison familiale, fondée en 1811 à Avize et établie aujourd'hui à Epernay, est restée indépendante. Elle a particulièrement bien réussi son demi-sec, une catégorie de champagne rarement satisfaisante. Issu de 50 % de pinot noir, 20 % de meunier et 30 % de chardonnay, ce vin n'exploite que les premiers jus, les meilleurs. Le nez est discret et fin (fleur de genêt), la bouche ample et équilibrée. Le champagne qu'il faut pour le dessert. Pour l'apéritif, vous pourrez choisir le **rosé Tradition père et fils (100 à 149 F),** né de 95 % de chardonnay et de 5 % de vin rouge de pinot noir. Il conjugue fraîcheur et rondeur et offre de jolis arômes de fruits rouges et de baies sauvages. (NM) (70 à 99 F)

🔑 Charles de Cazanove, 1, rue des Cotelles, 51200 Epernay, tél. 03.26.59.57.40, fax 03.26.54.16.38

🔑 Lombard

CHANOINE Tsarine 1995*

○ | n.c. | n.c. | 15 à 23 €

La société Chanoine frères a été fondée en 1730, un an après la doyenne des maisons de champagne, Ruinart. Elle renaît aujourd'hui de ses cendres et dispose de chais ultramodernes à Reims. La Russie était au XIXe s. le principal marché des Chanoine, d'où le nom de cette cuvée. Cette bouteille fait honneur au grand millésime 95. Son nez, légèrement miellé, est discret, et c'est en bouche qu'elle s'impose, faisant preuve de complexité et d'élégance. Elle réussit une association rare de confit et de fraîcheur. Autre champagne cité : le **Grande Réserve (70 à 99 F),** dont la voix est forte. (NM) (100 à 149 F)

🔑 Champagne Chanoine Frères, allée du Vignoble, 51100 Reims, tél. 03.26.36.61.60, fax 03.26.36.66.62, e-mail chanoine-freres@wanadoo.fr

JACQUES CHAPUT 1999

○ | 9 ha | 90 000 | 8 à 11 €

Ce domaine de 12 ha est établi à Arrentières, dans l'Aube. L'étiquette noire est collée sur un champagne qui est presque un blanc de noirs (10 % de chardonnay) aux arômes de fleurs blanches et aux saveurs de fruits confits. L'étiquette jaune porte la mention **blanc de blancs 95 (70 à 99 F)** : un vin vif, idéal pour l'apéritif, qui mérite également d'être cité. (NM) (50 à 69 F)

🔑 Champagne Jacques Chaput, La Haie-Vignée, 10200 Arrentières, tél. 03.25.27.00.14, fax 03.25.27.01.75 ☑ 🍷 r.-v.

ROLAND CHARDIN Cuvée Prestige 1996

○ | 1 ha | 5 000 | 11 à 15 €

Exploitation d'Avirey-Lingey dans l'Aube, créée en 1980 et disposant de 6,5 ha de vignes. Ce brut Prestige naît de 85 % de chardonnay et de 15 % de pinot noir. On y découvre les fruits blancs, la pomme verte et le citron. La bouche est souple, fugace. (RM) (70 à 99 F)

🔑 Roland Chardin, 25, rue de l'Eglise, 10340 Avirey-Lingey, tél. 03.25.29.33.90, fax 03.25.29.14.01 ☑ 🍷 r.-v.

CHARDONNET ET FILS Blanc de blancs**

○ | 1 ha | 4 000 | 11 à 15 €

Les Chardonnet, qui ont lancé leur champagne en 1970, exploitent 4 ha de vignes dans la Côte des Blancs et dans la vallée de la Marne. Ils proposent un blanc de blancs classique, aux arômes d'amande et de pain grillé. Riche et rond, ce vin a atteint son apogée. La cuvée **Tradition** (70 % de chardonnay pour 30 % de pinot noir, des années 1995 à 1997) mérite une citation pour sa nervosité citronnée et sa longueur. (RM) (70 à 99 F)

🔑 Michel et Lionel Chardonnet, 7, rue de l'Abattoir, 51190 Avize, tél. 03.26.57.91.73, fax 03.26.57.84.46 ☑ 🍷 r.-v.

GUY CHARLEMAGNE Brut extra**

○ | 6 ha | 50 000 | 11 à 15 €

De fines bulles dans une robe paille. Le chardonnay (60 %) associé au pinot noir offre ici un

vin puissant et équilibré. « La gamme aromatique en rétro-olfaction est intéressante : pêche blanche bien mûre, coing, poire... j'aime beaucoup », note l'un de nos dégustateurs. La cuvée **Mesnillésime blanc de blancs 96 (100 à 149 F)** obtient une citation. C'est un champagne aérien, très floral. (SR) (70 à 99 F)
Guy Charlemagne, 4, rue de La Brèche-d'Oger, 51190 Le Mesnil-sur-Oger, tél. 03.26.57.52.98, fax 03.26.57.97.81 r.-v.

CHARLIER ET FILS Carte noire*

○ 14 ha 50 000 11 à 15 €

Ce vignoble (14 ha) est situé dans la vallée de la Marne. Chez les Charlier, le bois est à l'honneur puisqu'on déguste même leurs vins « dans un foudre ». Dans la cuvée Carte noire, le pinot meunier (cépage local) est à l'honneur (75 %), le pinot noir et le chardonnay faisant l'appoint. C'est un champagne rond, équilibré, agréable. Le **Prestige rosé** obtient lui aussi une étoile : c'est un rosé de noirs (80 % pinot noir, 20 % pinot meunier). Les fruits cuits (griotte et coing) contribuent à sa rondeur. (RM) (70 à 99 F)
Champagne Charlier et Fils, 4, rue des Pervenches, Aux Foudres de Chêne, 51700 Montigny-sous-Châtillon, tél. 03.26.58.35.18, fax 03.26.58.02.31, e-mail champagne.charlier@wanadoo.fr r.-v.

J. CHARPENTIER Réserve*

○ 3,5 ha 35 000 11 à 15 €

Les Charpentier élaborent des champagnes depuis 1954. Ils exploitent un vignoble de 12 ha sur la rive droite de la vallée de la Marne. Leur Réserve est un blanc de noirs (80 % pinot meunier). Si son nez est discret, la bouche s'affirme par son côté épicé et ample. (RM) (70 à 99 F)
Jacky Charpentier, 88, rue de Reuil, 51700 Villers-sous-Châtillon, tél. 03.26.58.05.78, fax 03.26.58.36.59 r.-v.

CHARTOGNE-TAILLET Cuvée Fiacre Taillet*

○ n.c. 2 500 15 à 23 €

Philippe Chartogne est établi à Merfy, village proche de Saint-Thierry, un des berceaux du vignoble champenois. Il descend de vignerons qui ont laissé des carnets très intéressants couvrant un siècle d'activité viticole (1750-1850). Son domaine couvre 11 ha. Cette cuvée issue de chardonnay (60 %) et de pinot noir (40 %) récoltés en 1996 ne fait que partiellement sa fermentation malolactique. Au nez, fruits secs et grillé s'imposent. En bouche, des notes de fruits rouges acidulés contribuent à son équilibre. Un joli champagne d'apéritif. (RM) (100 à 149 F)
Philippe Chartogne-Taillet, 37-39, Grande-Rue, 51220 Merfy, tél. 03.26.03.10.17, fax 03.26.03.19.15, e-mail chartogne.taillet@wanadoo.fr r.-v.

CHASSENAY D'ARCE Cuvée Privilège*

○ n.c. 110 000 11 à 15 €

Marque d'une importante coopérative de l'Aube créée en 1956 et vinifiant des raisins récoltés sur 310 ha. La cuvée Privilège naît de 40 % de chardonnay pour 60 % de pinot noir. Les fleurs blanches sont très présentes, le miel aussi. La longueur en bouche est respectable. Le **rosé** mérite d'être cité. Une forte proportion de pinot noir (85 %) lui donne souplesse et rondeur. (CM) (70 à 99 F)
Champagne Chassenay d'Arce, 10110 Ville-sur-Arce, tél. 03.25.38.30.70, fax 03.25.38.79.17, e-mail champagne-chassenay-darce@wanadoo.fr r.-v.

GUY DE CHASSEY 1993*

○ Gd cru 0,5 ha 3 000 15 à 23 €

Une exploitation familiale de Louvois, commune classée grand cru. Ce vin naît d'un assemblage classique de pinot noir et de chardonnay dans les proportions 60/40. Il offre des arômes d'agrumes et se montre vif, puissant et long. A citer le champagne **Nicolas d'Olivet, Cuvée réservée (70 à 99 F)** grand cru, du même producteur, un assemblage identique mais né de la récolte de 1995. Un bon standard dont la vivacité est remarquée. (RM) (100 à 149 F)
Champagne Guy de Chassey, 1, pl. de la Demi-Lune, 51150 Louvois, tél. 03.26.57.04.45, fax 03.26.57.82.08, e-mail mo.de.chassey@wanadoo.fr t.l.j. 9h-12h30 14h-18h30

CHAUDRON ET FILS

◐ n.c. n.c. 11 à 15 €

Depuis son installation à Vernezay en 1820, la famille Chaudron n'a plus quitté cette commune classée grand cru. Elle propose un brut sans année assemblant 70 % de pinot noir à 30 % de chardonnay. Agrumes, fruits exotiques et noisette précèdent une bouche complexe et vineuse. (NM) (70 à 99 F)
Champagne Chaudron, 2, rue de Beaumont, 51360 Verzenay, tél. 03.26.50.08.68, fax 03.26.50.08.71, e-mail champagne chaudron@wanadoo.fr r.-v.

A. CHAUVET Cachet rouge 1990*

○ n.c. n.c. 15 à 23 €

La maison A. Chauvet exerce ses activités à Tours-sur-Marne depuis 1848. Parmi la vaste gamme des champagnes proposés, ce Cachet rouge 90 magnifie l'expression du pinot noir. Il a séjourné dix ans en cave et surprend les dégustateurs par sa grande jeunesse. Une étoile également pour le **Grand Rosé**, essentiellement à base de chardonnay coloré par un vin rouge de Bouzy et tiré à demi-mousse. Il associe avec bonheur finesse et puissance. (NM) (100 à 149 F)
Champagne Chauvet, 41, av. de Champagne, 51150 Tours-sur-Marne, tél. 03.26.58.92.37, fax 03.26.58.96.31 r.-v.
Famille Paillard-Chauvet

MARC CHAUVET

○ 7 ha 60 000 11 à 15 €

Cette exploitation a lancé son champagne en 1964 alors que les deux générations précédentes se consacraient déjà à la vigne. Elle dispose d'un vignoble de 12 ha. Son brut sans année naît des trois cépages champenois à parts égales et d'une fermentation malolactique partielle. Il s'impose en bouche grâce à la finesse de ses saveurs d'acacia. (RM) (70 à 99 F)

Champagne Marc Chauvet, 3, rue de la Liberté, 51500 Rilly-la-Montagne, tél. 03.26.03.42.71, fax 03.26.03.42.38, e-mail chauvet@eder.fr r.-v.

HENRI CHAUVET ET FILS
Blanc de noirs*

○ 5 ha 30 000 11 à 15 €

Henri Chauvet était pépiniériste et viticulteur au début du XX[e]s., époque où il fit ses premières vinifications. Ses successeurs, René, Henri et aujourd'hui Damien, exploitent un vignoble de 8 ha près de Rilly-la-Montagne (Montagne de Reims). Ce blanc de noirs au nez discret mais franc attaque fermement, et son équilibre séduit. Deux champagnes méritent une citation : le **blanc de blancs 96**, direct et citronné, et le **Réserve** qui trouve son équilibre dans le mariage du pinot noir (60 %) et du chardonnay. (RM) (70 à 99 F)

Damien Chauvet, 6, rue de la Liberté, 51500 Rilly-la-Montagne, tél. 03.26.03.42.69, fax 03.26.03.45.14, e-mail contact@champagne-chauvet.com r.-v.

ANDRE CHEMIN**

◑ 1er cru 0,5 ha n.c. 11 à 15 €

André Chemin lance son champagne en 1948, son fils lui succède en 1971. Son petit-fils, Sébastien, est aujourd'hui à la tête d'un vignoble de 6,5 ha situé dans la Montagne de Reims. Son rosé est un rosé de noirs 100 % pinot noir. Les dégustateurs le distinguent car il possède une rare qualité : être rond sans lourdeur et frais sans trop d'acidité ! Le **Tradition 1er cru**, très noir (15 % de chardonnay), est cité pour sa bouche ronde et sa finale harmonieuse. (RM) (70 à 99 F)

Champagne André Chemin, 3, rue de Châtillon, 51500 Sacy, tél. 03.26.49.22.42, fax 03.26.49.74.89, e-mail sebastian.chemin@wanadoo.fr r.-v.

Jean-Luc Chemin

ARNAUD DE CHEURLIN*

◑ 0,5 ha n.c. 11 à 15 €

Cette étiquette existe depuis 1981. L'exploitation (6 ha) est établie à Celles-sur-Ource, près de Bar-sur-Aube. Son rosé, issu du seul pinot noir, a été obtenu par macération courte. Il ne donne pas dans la subtilité, privilégiant l'ampleur et la richesse ; son fruité confituré aux accents briochés le destine à la table. Une étoile encore pour le **Réserve**, dominé par le pinot noir (75 %, complété par du chardonnay), dont les dégustateurs apprécient l'attaque et la bonne facture. (RM) (70 à 99 F)

Arnaud de Cheurlin, 58, Grande-Rue, 10110 Celles-sur-Ource, tél. 03.25.38.53.90, fax 03.25.38.58.07 r.-v.

Eisentrager

RICHARD CHEURLIN Brut H 1996*

○ 0,7 ha 4 000 11 à 15 €

Un autre Cheurlin de Celles-sur-Ource, dans l'Aube. Installé en 1978, il a développé son exploitation qui compte aujourd'hui 8,3 ha. Avec son Brut H, qui assemble 70 % de pinot noir et 30 % de chardonnay, se confirme la bonne réputation du millésime 96. On apprécie en effet la fraîcheur, la longueur et la finesse de ce champagne, qui marie les fruits secs et les fleurs blanches. Un vin harmonieux, évidemment très jeune. Le **97 cuvée Jeanne (100 à 149 F)** est cité. Nerveux, il mêle le citron et le pamplemousse dans sa palette aromatique. (RM) (70 à 99 F)

Richard Cheurlin, 16, rue des Huguenots, 10110 Celles-sur-Ource, tél. 03.25.38.55.04, fax 03.25.38.58.33 r.-v.

CHEURLIN DANGIN Cuvée spéciale

○ 3 ha 8 000 11 à 15 €

On compte toute une lignée de Cheurlin à Celles-sur-Ource, dans la Côte des Bars (Aube), mais le champagne Cheurlin-Dangin n'a été lancé qu'en 1960. Cette cuvée spéciale, issue de vins de 1996 et de 1997, sollicite autant le pinot noir que le chardonnay, mais elle est dominée par la puissance des raisins noirs qui imposent leur fruité et leur rondeur. (RM) (70 à 99 F)

Champagne Cheurlin-Dangin, 17, Grande-Rue, BP 2, 10110 Celles-sur-Ource, tél. 03.25.38.50.26, fax 03.25.38.58.51 r.-v.

CHEURLIN ET FILS Prestige

○ n.c. 55 000 11 à 15 €

Cette maison, créée en 1960, dispose d'un important vignoble (25 ha) sur les coteaux de la Côte des Bars. Sa cuvée Prestige naît de 70 % de pinot noir et de 30 % de chardonnay vendangés en 1998. Son bouquet intense fait songer aux petits fruits confits et au miel ; en bouche apparaissent des notes de cannelle et d'agrumes. (NM) (70 à 99 F)

Champagne Cheurlin et Fils, 13, rue de la Gare, 10250 Gyé-sur-Seine, tél. 03.25.38.20.27, fax 03.25.38.24.01, e-mail champcheurlin@aol.fr t.l.j. sf dim. 9h-12h 14h-18h

GASTON CHIQUET Tradition

○ 1er cru 13 ha 115 000 11 à 15 €

Nicolas Chiquet travaillait la vigne sous Louis XV. Dès 1919, Fernand et Gaston Chiquet élaborent leur champagne. Le second lance son étiquette en 1935. Son fils Claude et ses petits-enfants conduisent aujourd'hui le domaine, établi à Dizy, près d'Epernay. Ils disposent de 22,5 ha. Les trois cépages champenois (meunier 45 %, pinot noir 20 %, chardonnay 35 %), récoltés en 1996 et surtout en 1997, collaborent à ce Tradition, franc, extrêmement vif, qui n'a qu'un seul défaut : sa jeunesse. Une citation également pour un **grand cru blanc de blancs d'Ay (100 à 149 F)** - une curiosité, puisque l'on sait que la commune d'Ay, voisine de Dizy, est célèbre par son pinot noir. Issue de la vendange de 1997, cette cuvée bien équilibrée mêle dans sa palette aromatique la poire à des notes confites et pralinées. (RM) (70 à 99 F)

Gaston Chiquet, 912, av. du Gal-Leclerc, 51530 Dizy, tél. 03.26.55.22.02, fax 03.26.51.83.81, e-mail info@gaston-chiquet.com r.-v.

CHARLES CLEMENT Gustave Belon★★★

○ 175 ha n.c. 11 à 15 €

Charles Clément fut l'un des fondateurs de la coopérative de Colombé-le-Sec - village de l'Aube proche de l'autre Colombey, avec un « y », où repose le général de Gaulle. Créée en 1956 avec dix-huit adhérents, la cave en rassemble aujourd'hui cent deux et dispose de 175 ha de vignes. Depuis 1980, elle élabore ses propres cuvées avec maestria, à en juger par les excellents résultats obtenus cettte année. Voyez celle-ci, à 2 % près un blanc de blancs : le nez complexe conjugue l'intensité et la finesse, tandis que la bouche structurée, vive, aux arômes briochés avec une touche de fruits exotiques laisse une impression d'harmonie. Un ensemble parfait. Le **91**, mi-noir mi-blanc, offre un nez expressif, mêlant les agrumes et les fruits confits, et une bouche fraîche ; sans une pointe d'amertume décelée en finale, il aurait eu deux étoiles. Quant au **brut sans année** (étiquette bleu foncé), assemblage des trois cépages champenois, il séduit par ses arômes empyreumatiques et confits et son très bel équilibre : il obtient lui aussi une étoile. (CM) (70 à 99 F)

SCV Champagne Charles Clément, rue Saint-Antoine, 10200 Colombé-le-Sec, tél. 03.25.92.50.71, fax 03.25.92.50.79, e-mail champagne-charles-clement@wanadoo.fr ☑ Y t.l.j. sf dim. 8h-12h 13h30-17h30

CLEMENT ET FILS

◐ 6 ha 3 500 11 à 15 €

Cette propriété, constituée par le grand-père en 1950, compte 6 ha du côté de Congy, entre la Côte des Blancs et les coteaux du Sézannais. Elle propose un rosé à base de pinot meunier (75 %) et de chardonnay dont on retiendra le nez complexe et la finale fraîche. (RM) (70 à 99 F)

GAEC Champagne Clément et Fils, 15, rue des Prés, 51270 Congy, tél. 03.26.59.31.19, fax 03.26.59.22.63 ☑ Y r.-v.

CLERAMBAULT Cuvée Tradition★

○ 140 ha 120 000 11 à 15 €

Fondé en 1951, ce groupement de producteurs aubois exploite un vignoble de 140 ha. Sa cuvée Tradition, un blanc de noirs né de deux pinots, offre de jolis arômes floraux. Elle est équilibrée, mais le dosage est perceptible. Le **blanc de blancs 92 (100 à 149 F)**, quoiqu'un peu fugace, obtient une citation pour sa palette aromatique faite de fleurs blanches et de notes miellées. (CM) (70 à 99 F)

Champagne Clérambault, 122, Grande-Rue, 10250 Neuville-sur-Seine, tél. 03.25.38.38.60, fax 03.25.38.24.36, e-mail champagne-clerambault@wanadoo.fr ☑ Y t.l.j. sf dim. 8h-12h 14h-18h

JOEL CLOSSON★

◐ 0,5 ha 4 000 11 à 15 €

Voilà quatre siècles que les Closson habitent à Saulchery, dans la vallée de la Marne, mais l'élaboration de champagne ne commence qu'avec Joël Closson, en 1984. Celui-ci dispose d'un vignoble de 5 ha. Né de vins de 1997 et de 1998, son rosé est largement dominé par les raisins noirs (90 % de l'assemblage, dont 60 % de meunier). Sa teinte est due à l'incorporation de 20 % de vins rouges. On apprécie son fruité frais, son attaque souple et sa bonne longueur. En blanc, la **cuvée Prestige**, de composition et d'âge identiques, est citée pour sa finesse directe et citronnée. (RM) (70 à 99 F)

Joël Closson, 155, rte Nationale, 02310 Saulchery, tél. 03.23.70.17.34, fax 03.23.70.15.24 ☑ Y t.l.j. sf dim. 8h-12h 14h-18h

PAUL CLOUET★

○ Gd cru 3 ha n.c. 11 à 15 €

Les Clouet exploitent un vignoble dans la commune de Bouzy, célèbre pour son vin rouge de pinot noir. Un cépage très présent dans ce grand cru qui ne fait appel qu'à 30 % de chardonnay. Un champagne parfaitement conforme à son origine, par son caractère charpenté et long. Le **rosé** et la **cuvée Prestige grand cru (100 à 149 F)** sont tous deux cités, le premier pour son fruité et son équilibre, la seconde pour sa puissance nerveuse. (RM) (70 à 99 F)

Paul Clouet, 10, rue Jeanne-d'Arc, 51150 Bouzy, tél. 03.26.57.07.31, fax 03.26.52.64.65, e-mail champagne-paul-clouet@wanadoo.fr ☑ Y t.l.j. 10h-12h 14h-17h

MICHEL COCTEAUX Réserve★

○ 2 ha 12 000 11 à 15 €

Cette exploitation de 9,5 ha située au sud de la Marne a été créée en 1965. Son Réserve est un blanc de blancs. Il en a tous les caractères : les arômes d'agrumes, les notes miellées et une fraîcheur équilibrée. (RM) (70 à 99 F)

Michel Cocteaux, 12, rue du Château, 51260 Montgenost, tél. 03.26.80.49.09, fax 03.26.80.44.60 ☑ Y r.-v.

COLLARD-CHARDELLE 1986★★

○ n.c. 6 000 15 à 23 €

Située dans la vallée de la Marne, l'exploitation a un siècle, même si chaque génération change la marque du champagne. Elle compte aujourd'hui 8 ha environ. Elle propose un 86 qui a si bien évolué qu'il a été proposé au grand jury des coups de cœur et n'a manqué que de peu cette distinction. Le pinot meunier (70 %) y joue la plus importante partie, accompagné d'un peu de pinot noir (10 %) et de chardonnay (20 %). On salue son élégance et la complexité de sa palette aromatique où ressortent des notes empyreumatiques (torréfaction) à côté de nuan-

ces miellées et fruitées. Deux autres cuvées obtiennent chacune une étoile : la **cuvée Prestige 96** et la **cuvée Prestige sans année**, assemblant des vins de 1996 et de 1997. La première est vanillée, citronnée, vive et puissante ; la seconde, vineuse, est plus évoluée. (RM)
(100 à 149 F)
EARL Collard-Chardelle, 68, rue de Reuil, 51700 Villers-sous-Châtillon, tél. 03.26.58.00.50, fax 03.26.58.34.76 r.-v.

COLLARD-PICARD Cuvée Prestige

○ 2 ha 6 000 15à23€

Olivier Collard, de vieille souche vigneronne, a partiellement repris l'exploitation familiale en 1996 et conduit quelque 6 ha de vignes. Mi-noire mi-blanche, sa cuvée Prestige naît majoritairement des vendanges de 1998, assistées par celles de 1997 et, à un moindre degré, de 1996. Elle révèle une belle finesse, des arômes d'agrumes et de pain grillé et un dosage généreux. Même note pour la **cuvée Prestige 96**, un assemblage du même type, retenue pour sa puissance et sa longueur. (RM) (100 à 149 F)
Champagne Collard-Picard, 61, rue du Château, 51700 Villers-sous-Châtillon, tél. 03.26.52.36.93, fax 03.26.58.34.76, e-mail champcp51@aol.com r.-v.

RAOUL COLLET*

◐ 15 ha n.c. 11à15€

Ce groupement de producteurs fut le premier créé en Champagne, en 1921. Les vignobles des adhérents s'étendent sur 600 ha. Ce rosé est né exclusivement de pinot noir. Il s'annonce par une robe saumonée, un peu orangée, et un nez mariant le cassis et l'aubépine. En bouche, apparaissent des arômes de fruits rouges confits et des notes briochées. Le **Carte d'or 93 (100 à 149 F)** obtient la même note. Il est frais à l'olfaction, ample, équilibré et long au palais. (CM)
(70 à 99 F)
Champagne Raoul Collet, 14, bd Pasteur, 51160 Ay, tél. 03.26.55.15.88, fax 03.26.54.02.40 r.-v.

CHARLES COLLIN**

○ n.c. 100 000 11à15€

Créé en 1952, ce groupement de producteurs rassemble aujourd'hui cent cinquante viticulteurs et vinifie les récoltes de 250 ha de vignes. Il élabore quelque 900 000 cols par an. Né essentiellement des récoltes de 1998, avec un peu de vins de 1997, son brut sans année est dominé par le pinot noir (85 %), complété par du chardonnay. Ce champagne a été fort apprécié pour sa riche palette aromatique mêlant l'abricot, la pêche, la cerise et d'autres fruits à noyau, pour sa finesse, son harmonie et sa longueur. Le **90 (100 à 149 F)** comporte un peu plus de chardonnay (30 %). Il est évolué sans pour autant avoir perdu sa fraîcheur. Il obtient une citation. (CM)
(70 à 99 F)
Champagne Charles Collin, 27, rue des Pressoirs, BP 1, 10360 Fontette, tél. 03.25.38.31.00, fax 03.25.29.68.64, e-mail champagne-charles-collin@wanadoo.fr r.-v.

DANIEL COLLIN Tradition*

○ 2 ha 22 000 11à15€

Une exploitation située dans la partie sud-ouest de la Marne, près des marais de Saint-Gond. Créée en 1959 par Daniel Collin, elle a été reprise par son fils Hervé qui cultive un vignoble de 4 ha. Ce Tradition est né de l'assemblage des récoltes de 1997 et de 1998. C'est un blanc de noirs (60 % de meunier et 40 % de pinot noir), et sa robe « fait l'œil » : elle s'anime de reflets rosés. Sa palette aromatique associe la pomme, la poire et le coing, au nez comme en bouche. Du même domaine mérite d'être cité un champagne né des années 1996 et 1997 : le **rosé**, assemblage de même type que le précédent, un vin souple et généreux, pour le repas. (RM)
(70 à 99 F)
Daniel Collin, 3, rue Caye, 51270 Baye, tél. 03.26.52.80.50, fax 03.26.52.33.62 r.-v.

COMTE DE NOIRON Cœur de Cuvée*

○ n.c. 50 000 15à23€

Sous une des nombreuses marques de la famille Rapeneau-G.H. Martel, cette cuvée très noire (80 % de pinot dont 30 % de pinot meunier des années 1997 et 1998) se montre florale, fraîche, longue et dosée. (NM) (100 à 149 F)
Champagne Maxim's, 17, rue des Créneaux, 51100 Reims, tél. 03.26.82.70.67, fax 03.26.82.19.12 r.-v.
Rapeneau

JACQUES COPINET
Blanc de blancs Sélection**

○ 6 ha 5 000 11à15€

Constitué à partir de 1975 par Jacques Copinet, ce vignoble situé dans la région de Sézanne s'étend sur 7 ha. Les chardonnays qui composent cette cuvée ont été récoltés en 1995, 1996 et 1997. Le champagne est jeune, minéral, très fin et fort long. Assemblant les mêmes années, la **cuvée Marie Etienne (100 à 149 F)** est un autre blanc de blancs. Son nez délicat, mariant le tilleul et la vanille, son bel équilibre lui valent une étoile. (RM) (70 à 99 F)
Jacques Copinet, 11, rue de l'Ormeau, 51260 Montgenost, tél. 03.26.80.49.14, fax 03.26.80.44.61, e-mail champagne.copinet@wanadoo.fr r.-v.

CORDEUIL PERE ET FILS 1995*

○ n.c. 5 000 11à15€

Le vignoble (7,5 ha) est d'origine ancienne, mais le champagne n'a été lancé qu'en 1974. Ce 95 - une belle année - comprend 75 % de pinot noir et 25 % de chardonnay. La fermentation malolactique n'est que partiellement réalisée. La robe est jeune, le nez confit, alors qu'en bouche l'acidité contribue à la fermeté de l'attaque. Un ensemble bien équilibré. (RM) (70 à 99 F)
Champagne Cordeuil, 2, rue de Fontette, 10360 Noë-les-Mallets, tél. 03.25.29.65.37, fax 03.25.29.65.37 t.l.j. 8h30-12h 14h-19h

COUCHE PERE ET FILS*

○ 5 ha 39 800 8à11€

Cette exploitation auboise a été constituée en 1972. Elle compte 8 ha de vignes. La nouvelle génération est aux commandes depuis 1996. Son brut sans année assemble 30 % de chardonnay à 70 % de pinot noir récoltés en 1997 et 1998. Au nez, il mêle les fruits exotiques et le miel ; en bouche, il fait preuve d'une belle fraîcheur. (RM) (50 à 69 F)

EARL Champagne Couche, 29, Grande-Rue, 10110 Buxeuil, tél. 03.25.38.53.96, fax 03.25.38.41.69 r.-v.

ROGER COULON Prestige Ch. de Vallier*

○ 0,5 ha 5 000 15 à 23 €

Le vignoble, proche de Reims, a été constitué en 1806 et l'on compte huit générations de vignerons dans la famille Coulon. Le domaine s'étend aujourd'hui sur 9 ha. Cette cuvée Prestige assemble 20 % de pinot noir élevé deux ans en fût et 80 % de chardonnay. Les vins proviennent des récoltes de 1991 et 1992. Le nez est vineux, complexe et puissant, la bouche, bien présente, fait penser aux petits fruits rouges. « Un champagne d'automne » pour reprendre la conclusion d'un membre du jury. (RM) (100 à 149 F)

Eric Coulon, 12, rue de la Vigne-du-Roi, 51390 Vrigny, tél. 03.26.03.61.65, fax 03.26.03.43.68, e-mail champagne.coulon.roger@wanadoo.fr r.-v.

ALAIN COUVREUR
Blanc de blancs Cuvée de réserve*

○ n.c. n.c. 11 à 15 €

Un vignoble de 5,5 ha, situé à Prouilly à l'ouest de Reims. Son blanc de blancs Cuvée de réserve est né de chardonnays de 1990. Gras, onctueux, riche, il semble au bout de son évolution. On le servira sur une viande en sauce. (RM) (70 à 99 F)

Alain Couvreur, 18, Grande-Rue, 51140 Prouilly, tél. 03.26.48.58.95, fax 03.26.48.26.29 r.-v.

DOMINIQUE CRETE ET FILS Réserve

○ 4 ha 30 000 11 à 15 €

La nouvelle génération, représentée par Dominique Crété, a pris la tête de l'exploitation en 1984. D'où cette étiquette qui succède à celle de Roland Crété et Fils. Le vignoble s'étend sur 7 ha à Moussy. Ce Réserve naît de 80 % de pinot meunier et de 20 % de chardonnay. On y découvre les fleurs blanches, la pomme et le citron, des qualités de franchise et une simplicité de bon aloi. (RM) (70 à 99 F)

Dominique Crété, 63, rte Nationale, 51530 Moussy, tél. 03.26.54.52.10, fax 03.26.52.79.93 r.-v.

LYCEE AGRICOLE DE CREZANCY
Cuvée Euphrasie-Guynemer 1995

○ 0,8 ha 2 000 11 à 15 €

Les élèves du lycée de Crézancy (Aisne) disposent d'un vignoble de près de 3 ha pour leurs travaux pratiques. La Cuvée Euphrasie-Guynemer naît de l'assemblage de 40 % de pinot meunier et de 60 % de chardonnay. Son nez, fleurs et sous-bois, précède des saveurs confiturées, légèrement fumées, et une vinosité de bon aloi pour un repas. (RM) (70 à 99 F)

Lycée agricole et viticole de Crézancy, rue de Paris, 02650 Crézancy, tél. 03.23.71.50.70, fax 03.23.71.50.71 r.-v.

COMTE AUDOIN DE DAMPIERRE
Cuvée des Ambassadeurs

○ n.c. 100 000 15 à 23 €

Cette cuvée des Ambassadeurs, mi-noire mi-blanche, naît de 1ers crus. Les diplomates la boiront à l'apéritif, car le vin est léger en bouche, alors que le nez est des plus expressifs, mêlant des fleurs blanches et une pointe mentholée. Egalement cité : le **Grand Vintage 95 (150 à 199 F)**, assemblant 60 % de pinot noir et 40 % de chardonnay, généreux. (MA) (100 à 149 F)

Comte Audoin de Dampierre, 3, pl. Boisseau, 51140 Chenay, tél. 03.26.03.11.13, fax 03.26.03.18.05, e-mail champagne.dampierre@wanadoo.fr r.-v.

PAUL DANGIN ET FILS
Cuvée du Cinquantenaire 1996**

○ 2 ha 10 000 11 à 15 €

Au début du XXe, Joseph Dangin cultivait le vignoble de ses ancêtres, qui dépendait sans doute de l'abbaye de Mores, fondé par saint Bernard de Clairvaux au XIIes. Cette cuvée fête le cinquantenaire de la marque lancée en 1947 par Paul Dangin. Ses fils et petit-fils exploitent un vignoble de 30 ha. Ils proposent un 96 très blanc (90 % de chardonnay) qui emporte l'adhésion par ses arômes d'agrumes, son équilibre et sa longueur. (RM) (70 à 99 F)

SCEV Paul Dangin et Fils, 11, rue du Pont, 10110 Celles-sur-Ource, tél. 03.25.38.50.27, fax 03.25.38.58.08, e-mail c.dangin@champagne-dangin.com r.-v.

DAUTEL-CADOT Cuvée Prestige

○ n.c. n.c. 11 à 15 €

René Dautel, succédant à plusieurs générations de vignerons, a lancé son champagne en 1971. Etabli dans l'Aube, il cultive un vignoble qui s'étend sur plus de 8 ha. Sa cuvée Prestige fait appel à parts égales au pinot noir et au chardonnay, récoltés en 1994. Son nez est complexe, sa bouche équilibrée et marquée par les agrumes. Citée également, la cuvée **Carte blanche**, blanc de blancs né de la vendange de 1995 : un champagne flatteur par sa vivacité et ses arômes de noisette. (RM) (70 à 99 F)

Dautel-Cadot, 10, rue Saint-Vincent, 10110 Loches-sur-Ource, tél. 03.25.29.61.12, fax 03.25.29.72.16 r.-v.

René Dautel

PH. DAVIAUX-QUINET
Blanc de blancs 1996**

○ Gd cru 0,35 ha 2 700 11 à 15 €

Une jeune marque, créée en 1988 par Philippe Daviaux-Quinet, fils d'exploitants. Le vignoble s'étend sur près de 4 ha, du côté de Chouilly - commune proche d'Epernay classée en grand cru. On commence à trouver du 96, un millésime appelé à une belle longévité, parfaitement illustré par ce blanc de blancs à l'attaque vive, équilibré et de belle longueur. Un ensemble très prometteur. (RM) (70 à 99 F)

Philippe Daviaux-Quinet, 4, rue de la Noue-Coutard, 51530 Chouilly, tél. 03.26.54.44.03, fax 03.26.54.74.81 r.-v.

JACQUES DEFRANCE**

○ 10 ha 50 000 11 à 15 €

Cette exploitation auboise, constituée à partir de 1900, compte 10 ha de vignes ; elle produit du champagne et du rosé des riceys. La marque a été lancée en 1973. Ce brut sans année est presque un blanc de noirs de pinot noir ; il est allégé d'un soupçon de chardonnay (10 %). Les dégustateurs sont sensibles à son nez intense, à son ampleur, à sa rondeur et à sa longueur. Le **rosé** reçoit une étoile pour ses arômes intenses de fruits rouges et de pamplemousse. (RM) (70 à 99 F)

Jacques Defrance, 28, rue de la Plante, 10340 Les Riceys, tél. 03.25.29.32.20, fax 03.25.29.77.83 r.-v.

DEHOURS Confidentielle

○ n.c. 2 000 11 à 15 €

Maison de négoce créée en 1930 par Ludovic Dehours et gérée par ses descendants. Cette cuvée Confidentielle comprend 60 % de pinot noir et 30 % de chardonnay complétés par 10 % de vins de réserve. Elle est fraîche, simple, bien construite, complaisamment dosée. (NM) (70 à 99 F)

Champagne Dehours et Fils, 2, rue de la Chapelle, Cerseuil, 51700 Mareuil-le-Port, tél. 03.26.52.71.75, fax 03.26.52.73.83, e-mail champagne-dehours@wanadoo.fr r.-v.

DELAHAIE*

○ n.c. 20 000 11 à 15 €

Ce brut sans année, né des récoltes de 1996 et 1997, assemble du pinot meunier (60 %), du pinot noir et du chardonnay (20 % chacun). Il est floral, brioché, parfaitement équilibré. La **Cuvée Sublime (100 à 149 F)** obtient elle aussi une étoile. Marquée par le chardonnay (85 %), elle doit à ce cépage ses arômes de coing et de miel ; et à son âge, sa rondeur. (NM) (70 à 99 F)

Brochet, 22, rue des Rocherets, 51200 Epernay, tél. 03.26.54.08.74, fax 03.26.54.34.45, e-mail champagne.delahaie@wanadoo.fr r.-v.

DELAMOTTE Blanc de blancs**

○ n.c. n.c. 23 à 30 €

Fondée en 1760, Delamotte est l'une des plus anciennes maisons de champagne. Elle appartient aujourd'hui à Laurent-Perrier, de même que Salon qui siège dans l'immeuble voisin, au Mesnil-sur-Oger (Côte des Blancs). Les chardonnays qui composent ce champagne ont été récoltés en 1996 et en 1997. Ils apportent finesse, richesse, complexité et longueur à ce vin modèle. (NM) (150 à 199 F)

Champagne Delamotte, 5, rue de la Brèche-d'Oger, 51190 Le Mesnil-sur-Oger, tél. 03.26.57.51.65, fax 03.26.57.79.29

ANDRE DELAUNOIS Carte d'or

○ 7,6 ha 18 000 11 à 15 €

Edmond Delaunois, vigneron, se fait manipulant dès les années 1920. Les troisième et quatrième générations perpétuent la tradition familiale. Leur vignoble s'étend sur 7,6 ha dans la Montagne de Reims. Ce Carte d'or naît des trois cépages champenois à parts égales (25 %) (vendanges de 1997 et de 1998), assistés de 25 % de vin de réserve. Déjà évolué avec ses arômes de fruits confits, il est pourtant resté frais. L'heure apéritive lui convient. (RM) (70 à 99 F)

SCE André Delaunois, 17, rue Roger-Salengro, BP 42, 51500 Rilly-la-Montagne, tél. 03.26.03.42.87, fax 03.26.03.45.40, e-mail champagne.a.delaunois@wanadoo.fr r.-v.

DELAVENNE PERE ET FILS Cuvée 3e Millénaire 1995*

○ Gd cru 0,96 ha 10 000 15 à 23 €

Cette exploitation familiale a été créée en 1920. Les descendants du fondateur sont à la tête de 8 ha de vignes. Leur cuvée 3e Millénaire, un 95, marie 60 % de pinot noir à 40 % de chardonnay. Son nez complexe montre un début d'évolution, tandis que la bouche retient l'attention par son équilibre. Le **rosé (70 à 99 F)**, assemblage de pinot noir (50 %) et de chardonnay (35 %), doit sa teinte à l'adjonction de bouzy rouge (15 %). Il mérite d'être cité pour sa fraîcheur qu'il doit aux vendanges de 1997 et de 1998. (RM) (100 à 149 F)

Delavenne Père et Fils, 6, rue de Tours, 51150 Bouzy, tél. 03.26.57.02.04, fax 03.26.58.82.93 t.l.j. sf dim. lun. 10h-12h 14h-17h

DELBECK Bouzy*

○ Gd cru n.c. n.c. 23 à 30 €

La maison Delbeck se flatte d'avoir été le fournisseur de la cour de France sous la Monarchie de Juillet. Depuis la dernière guerre, elle a changé plusieurs fois de mains. Le jury a distingué trois champagnes issus chacun d'une commune différente, classée en grand cru ; 70 % de pinot noir et 30 % de chardonnay de Bouzy sont assemblés dans cette cuvée au nez mûr, complexe et équilibrée en bouche. Un **blanc de blancs grand cru de Cramant**, floral, frais et fin, obtient la même note. Un léger cran en dessous, mais pas loin de l'étoile, le **grand cru d'Ay** (80 % de pinot noir et 20 % de chardonnay) révèle un dosage indiscret. Il est cité pour ses arômes de caramel au lait et d'amande fraîche. (NM) (150 à 199 F)

Champagne Delbeck, 39, rue du Gal-Sarrail, BP 77, 51053 Reims Cedex, tél. 03.26.77.58.00, fax 03.26.77.58.01, e-mail info@delbeck.com

Martin de La Giraudière

DELOUVIN NOWACK Carte d'or

○ 5 ha 30 000 11 à 15 €

Vignerons depuis le XVIe s. à Vandières, dans la vallée de la Marne, les Delouvin commencent à « faire de la bouteille » vers 1930. Leur Carte d'or est un blanc de noirs de pinot meunier, né des récoltes de 1997 et de 1998. On y découvre

CHAMPAGNE

de la puissance, des fruits rouges et de l'abricot sec. Ce vin semble déjà à son apogée. Le **95 Extra Sélection** assemble à parts égales le chardonnay et le pinot meunier. Proche du précédent, quoique son dosage soit perceptible, il obtient la même note. (RM) (70 à 99 F)

Champagne Delouvin-Nowack, 29, rue Principale, 51700 Vandières, tél. 03.26.58.02.70, fax 03.26.57.10.11 r.-v.

Bertrand Delouvin

YVES DELOZANNE Tradition

○ 7,5 ha 15 000 11 à 15 €

Viticulteurs depuis cinq générations, les Delozanne livraient leurs raisins au négoce. Ils se sont faits manipulants il y a une trentaine d'années. Ils exploitent un vignoble de 8,5 ha. Leur Tradition est presque un blanc de noirs de pinot meunier (90 %). Il est évolué et son dosage est généreux. (RM) (70 à 99 F)

Yves Delozanne, 67, rue de Savigny, 51170 Serzy-et-Prin, tél. 03.26.97.40.18, fax 03.26.97.49.14 r.-v.

SERGE DEMIERE Réserve★★

○ Gd cru 1,5 ha 15 000 11 à 15 €

Etabli à Ambonnay, commune classée en grand cru, Serge Demière exploite 6 ha sur la Montagne de Reims. Assemblage de 60 % de pinot noir et de 40 % de chardonnay récoltés en 1997, sa cuvée Réserve a connu le bois. Elle a séduit les jurés, certains d'entre eux allant jusqu'à lui donner un coup de cœur. Ses puissants arômes empyreumatiques (pain grillé) sont fort appréciés. On décèle aussi des notes d'évolution. La bouche, ample et équilibrée, révèle un dosage généreux. Le **Tradition 1er cru**, un peu plus noir que le précédent (70 % de pinot noir), provient de la vendange de 1998. Son équilibre, sa fraîcheur et sa longueur lui valent une étoile. (RM) (70 à 99 F)

Serge Demière, 7, rue de la Commanderie, 51150 Ambonnay, tél. 03.26.57.07.79, fax 03.26.57.82.15 r.-v.

DEMILLY DE BAERE
Brut 0 Cuvée Carte d'or

○ 4 ha 2 000 11 à 15 €

Descendant d'une vieille famille vigneronne établie à Bligny depuis 1624, Gérard Demilly s'est installé en 1975. Il exploite 4 ha dans la Côte des Bars (Aube). Son vignoble a l'originalité de comprendre un peu de pinot blanc, variété rare en Champagne. De fait, ce cépage entre pour 10 % dans le complexe assemblage de son Brut 0 (non dosé), dans lequel se marient les plus classiques chardonnay (20 %), pinot meunier (5 %) et pinot noir (65 %) ; et ce dernier cépage est très présent dans ce champagne vineux, au fruité compoté, qui conviendra pour le repas. (NM) (70 à 99 F)

Gérard Demilly, rue du Château, 10200 Bligny, tél. 03.25.27.44.81, fax 03.25.27.45.02, e-mail champagne-demilly@barsuraube.net t.l.j. 10h-18h

MICHEL DERVIN Cuvée MD★

○ 3 ha 24 133 11 à 15 €

Maison de négoce, fondée à Cuchery (Montagne de Reims) en 1983. Sa cuvée MD est un blanc de noirs (80 % de pinot meunier) qui ne fait pas sa fermentation malolactique. Son nez est expressif, son attaque franche et sa bouche harmonieusement fondue. (NM) (70 à 99 F)

Michel Dervin, rte de Belval, 51480 Cuchery, tél. 03.26.58.15.22, fax 03.26.58.11.12, e-mail dervin.michel@wanadoo.fr r.-v.

DESBORDES-AMIAUD Tradition★

○ 1er cru n.c. 20 000 11 à 15 €

Cette exploitation de la Montagne de Reims, proche de la « Ville des Sacres » dispose de 9 ha de vignes et est conduite, depuis 1935, par des femmes. Ce champagne, issu des trois cépages champenois, ne fait pas sa fermentation malolactique. Cela explique sa grande fraîcheur. On apprécie la finesse de ses arômes empyreumatiques, faits de notes grillées. (RM) (70 à 99 F)

Marie-Christine Desbordes, 2, rue de Villers-aux-Nœuds, 51500 Ecueil, tél. 03.26.49.77.58, fax 03.26.49.27.34 r.-v.

A. DESMOULINS ET CIE★

◐ n.c. n.c. 15 à 23 €

Cette maison de négoce est demeurée familiale depuis sa création en 1908 par Albert Desmoulins. Elle propose un rosé cuivré aux arômes de fruits rouges et de feuilles de cassis. Souple et gras, le palais n'est pas des plus longs, mais ne manque pas d'agrément. Plus blanche que noire, la **cuvée Prestige** révèle un dosage indiscret, mais obtient une citation pour sa finesse et sa longueur. (NM) (100 à 149 F)

Champagne A. Desmoulins et Cie, 44, av. Foch, BP 10, 51201 Epernay Cedex, tél. 03.26.54.24.24, fax 03.26.54.26.15 r.-v.

PAUL DETHUNE★

○ Gd cru 6 ha 27 000 11 à 15 €

La famille Dethune, établie à Ambonnay depuis 1620, a la chance de disposer de 7 ha dans une commune classée en grand cru. Elle est fière de son enracinement vigneron, de ses caves « taillées à la main » et des foudres qui s'alignent dans la cuverie. C'est d'ailleurs dans le bois qu'ont séjourné les vins qui composent cette cuvée ; elle assemble 70 % de pinot noir et 30 % de chardonnay (dont 30 % de vins de réserve). Elle est complexe, avec des notes biscuitées et grillées, et bien équilibrée. Le **rosé grand cru (100 à 149 F)**, 80 % de pinot noir et 20 % de chardonnay, est quant à lui cité pour son fruité rouge intense. (RM) (70 à 99 F)

Paul Déthune, 2, rue du Moulin, 51150 Ambonnay, tél. 03.26.57.01.88, fax 03.26.57.09.31 t.l.j. sf dim. 9h-12h 14h-17h; f. du 2 au 15 janv.

DEUTZ William Deutz 1995★

○ n.c. 850 000 46 à 76 €

Cette maison fondée en 1838 est contrôlée depuis 1973 par Roederer. Trois de ses champagnes sont cités : **le Classic (150 à 199 F)**, assemblage à parts égales des trois cépages champenois récoltés de 1995 à 1997, discret au nez mais équilibré et élégant ; le **blanc de blancs 95 (300 à 499 F)** qui demeure très jeune ; l'**Amour de Deutz 95**, un blanc de blancs à l'attaque franche, aux arômes de cire d'abeille et de pain grillé, au dosage perceptible. L'étoile va à cette cuvée William Deutz 95 (35 % de chardonnay et 65 % de pinots), typique de son millésime, longue, et dont un dégustateur écrit : « Ce que l'on attend d'une cuvée spéciale ». (NM) (300 à 499 F)

Champagne Deutz, 16, rue Jeanson, 51160 Ay, tél. 03.26.56.94.00, fax 03.26.56.94.10 r.-v.

DIDIER-DESTREZ 3e Millénaire*

○ 1,5 ha 3 000 11 à 15 €

Etabli à Saint-Martin d'Ablois, à quelques kilomètres au sud-ouest d'Epernay, Jean Didier exploite 5 ha de vignes. Il a pris en 1971 la succession de son père, fondateur de la marque en 1947. Sa cuvée 3e Millénaire naît de l'assemblage à parts égales du pinot noir et du chardonnay : elle est florale, briochée, harmonieuse. Une citation pour la **cuvée Prestige (100 à 149 F)**, dominée par le chardonnay (60 % de l'assemblage), au nez très fin de fleurs séchées, marquée par le pain grillé en bouche. (RM) (70 à 99 F)

Jean Didier, 48, rte de Vinay, 51530 Saint-Martin-d'Ablois, tél. 03.26.59.90.25, fax 03.26.59.91.63 r.-v.

DOM BASLE

Réserve Cuvée Raisins et Passions

○ Gd cru 0,25 ha 2 000 11 à 15 €

Damien Lallement a la chance de posséder des vignes dans les grands crus de Verzenay et de Verzy (Montagne de Reims). Ce Réserve est un monocru de Verzy, issu de la récolte 1995. Il comprend 80 % de pinot noir et 20 % de chardonnay. C'est un champagne de caractère, au fruité de prune (reine-claude), ample et nerveux. Quant au **brut**, assemblage dans des proportions identiques des mêmes cépages, mais des années 1996 et 1998, et des terroirs de Verzenay et de Verzy, son fruité exprime plutôt les fruits secs, avec des notes briochées. Il est cité pour sa légèreté et sa longueur. (RM) (70 à 99 F)

Champagne Lallement-Deville, 28, rue Irénée-Gass, BP 29, 51380 Verzy, tél. 03.26.97.95.90, fax 03.26.97.98.25 r.-v.

Damien Lallement

DOQUET-JEANMAIRE*

◐ 1er cru 7 ha 3 000 11 à 15 €

Assemblage de vins rouges de Vertus et de chardonnay de la Côte des Blancs, ce rosé est un vin d'apéritif. Son dosage est parfait et ses arômes de fruits rouges et de baies sauvages enchantent le jury. Bien construit, il peut être gardé un an ou deux. (SR) (70 à 99 F)

Doquet-Jeanmaire, 44, chem. du Moulin de la Cense-Bizet, 51130 Vertus, tél. 03.26.52.16.50, fax 03.26.59.36.71, e-mail doquet.jeanmaire@wanadoo.fr r.-v.

DIDIER DOUE Prestige*

○ 0,5 ha n.c. 11 à 15 €

Didier Doué a constitué son vignoble à partir de 1973, puis équipé sa cave et enfin lancé son champagne en 1980. Il est établi à Montgueux, « enclave » favorable au chardonnay dans un vignoble aubois où prospèrent plutôt les vignes rouges. Ce cépage, complété par le pinot noir, entre pour 70 % dans sa cuvée Prestige, un champagne fin, aux arômes de miel et de fruits secs, équilibré et long en bouche. (RM) (70 à 99 F)

Didier Doué, chem. des Vignes, 10300 Montgueux, tél. 03.25.79.44.33, fax 03.25.79.40.04 r.-v.

ETIENNE DOUE Cuvée Prestige 1995

○ 0,5 ha n.c. 15 à 23 €

Cette exploitation de 4,5 ha est installée à Montgueux, non loin de Troyes. Le champagne a été lancé en 1977. Le Prestige est un blanc de blancs, bien que cette information ne figure pas sur l'étiquette. C'est un 95 vif, à l'attaque franche et au dosage perceptible. (RM) (100 à 149 F)

Etienne Doué, 11, rte de Troyes, 10300 Montgueux, tél. 03.25.74.84.41, fax 03.25.79.00.47 r.-v.

DOURDON-VIEILLARD

Grande Réserve**

○ 1,5 ha 8 000 11 à 15 €

Récoltant-manipulant exploitant un vignoble de 9,5 ha dans la vallée de la Marne. Dominée par le chardonnay (60 %), complétée par les deux pinots à parts égales, cette cuvée Grande Réserve offre des arômes de pain grillé beurré et révèle un parfait équilibre en bouche. Le brut **Vieilles vignes (100 à 149 F)** est un blanc de noirs issu de meunier (70 %) et de pinot noir (30 %) récoltés en 1997. Il est cité pour sa netteté et sa longueur. (RM) (70 à 99 F)

Dourdon-Vieillard, 7, rue du Château, 51480 Reuil, tél. 03.26.58.06.38, fax 03.26.58.35.13, e-mail dourdonvieillard@aol.com r.-v.

R. DOYARD ET FILS

Œil-de-perdrix, Collection de l'An I 1996

◐ 1er cru 7 ha 3 500 15 à 23 €

Etablis au sud de la Côte des Blancs, les Doyard disposent de 7 ha de vignes. Ils sont devenus récoltants-manipulants en 1927. Au départ de la lignée, Maurice Doyard a été cocréateur du Comité interprofessionnel des vins de Champagne. L'Œil-de-perdrix est un blanc à reflets roses. Il comprend un tiers de chardonnay vinifié en barrique et deux tiers de pinot noir. Structuré, légèrement boisé, riche en arômes variés (fruits cuits, miel, notes beurrées-briochées...), c'est un champagne de repas. Le **blanc de blancs 1er cru 95 (150 à 199 F)** comprend 25 % de vins vinifiés dans le chêne. Il exprime les fruits secs, et son équilibre privilégie la richesse et la puissance. Il obtient une citation. (RM) (100 à 149 F)

🔑 Champagne Robert Doyard et Fils, 61, av. de Bammental, 51130 Vertus, tél. 03.26.52.14.74, fax 03.26.52.24.02, e-mail champagne.doyard@wanadoo.fr ☑ 🍷 t.l.j. sf sam. dim. 8h-12h 13h30-18h; f. août

DOYARD-MAHE
Cuvée blanc de blancs Carte d'or

○ 1er cru n.c. n.c. 11 à 15 €

Petit-fils de Maurice Doyard, Philippe Doyard exploite un vignoble de 6 ha à Vertus (Côte des Blancs). Deux de ses vins, des 1ers crus, sont cités : la cuvée Carte d'or, née de chardonnay récolté de 1995 à 1998, à la robe superbe à l'œil, au nez d'agrumes et à la bouche vive ; et le **rosé**, rond et souple, composé de 88 % de chardonnay et de 12 % de vin rouge élevé six mois en fût. (RM) (70 à 99 F)

🔑 Philippe Doyard-Mahé, Moulin d'Argensole, 51130 Vertus, tél. 03.26.52.23.85, fax 03.26.59.36.69 ☑ 🍷 t.l.j. sf dim. 10h-12h 14h-18h

DRAPPIER Grande Sendrée 1995*

○ n.c. 69 800 23 à 30 €

Louis Drappier s'est installé à Urville, dans la Côte des Bars, en 1808. Ses descendants exploitent un vignoble de 30 ha et sont fiers de leurs caves du XIIe s., attribuées aux cisterciens de Clairvaux. Ils se flattent d'avoir eu la visite du général de Gaulle, venu en voisin. Leur cuvée spéciale Grande Sendrée assemble 55 % de pinot noir à 45 % de chardonnay. Ses arômes d'agrumes et de pain d'épice sont soulignés par un dosage exemplaire. Bien équilibrée, elle atteint son apogée. Le **blanc de blancs 95 Signature (100 à 149 F)** montre lui aussi un bon équilibre. Il est cité. Les amateurs de vieux champagnes retiendront enfin la cuvée **Carte d'or 79 (200 à 249 F)**, très noire (90 % de pinots), très fondue, à boire rapidement. (NM) (150 à 199 F)

🔑 Champagne Drappier, Grande-Rue, 10200 Urville, tél. 03.25.27.40.15, fax 03.25.27.41.19, e-mail info@champagne-drappier.com ☑ 🍷 r.-v.

DRIANT-VALENTIN
Grande Réserve Extra brut**

○ 1er cru 1 ha 6 000 11 à 15 €

Installé en 1972, Jacques Driant représente la quatrième génération sur ce domaine de 5,5 ha situé à Grauves, commune proche d'Avize et classée en 1er cru. Sa cuvée Grande Réserve naît de l'assemblage de 80 % de chardonnay et de 20 % de pinot noir récoltés en 1993 et en 1995. Son absence de dosage lui a bien réussi, car les dégustateurs soulignent son excellente facture, sa finesse, ses beaux arômes d'agrumes confits. Le **93 1er cru (100 à 149 F)**, constitué des mêmes cépages que le précédent et dans des proportions identiques, est cité pour son harmonie et sa fraîcheur. (RM) (70 à 99 F)

🔑 Jacques Driant, 4, imp. de la Ferme, 51190 Grauves, tél. 03.26.59.72.26, fax 03.26.59.76.55 ☑ 🍷 r.-v.

GERARD DUBOIS Tradition*

○ 6 ha 6 000 11 à 15 €

Installé en 1970 sur la propriété familiale créée par son grand-père en 1920, Gérard Dubois exploite 6 ha de vignes. Son Tradition est issu des trois cépages champenois (dont 30 % de chardonnay) récoltés en 1996 et en 1997 : un bon brut sans année, aux arômes de fleurs blanches avec une touche de confiserie, à la bouche équilibrée, fraîche et acidulée. Non millésimé bien qu'il soit issu de la vendange de 1995, le **blanc de blancs Réserve** mêle les fleurs blanches à des notes vanillées et miellées et fait preuve de fraîcheur. Il est cité. (RM) (70 à 99 F)

🔑 Gérard Dubois, 67, rue Ernest-Vallé, 51190 Avize, tél. 03.26.57.58.60, fax 03.26.57.41.94, e-mail gerardhdubois@wanadoo.fr ☑ 🍷 r.-v.

HERVE DUBOIS Blanc de blancs Réserve*

○ Gd cru 2 ha 5 000 11 à 15 €

Etabli à Avize, commune de la Côte des Blancs classée en grand cru, Hervé Dubois s'est installé en 1980. Il dispose de 4,4 ha de vignes. Ses grands crus, le **blanc de blancs 95** et ce Réserve, lui aussi de pur chardonnay, obtiennent chacun une étoile. Deux champagnes très proches, jeunes, fruités et élégants. (RM) (70 à 99 F)

🔑 Hervé Dubois, 67, rue Ernest-Vallé, 51190 Avize, tél. 03.26.57.52.45, fax 03.26.57.99.26 ☑ 🍷 r.-v.

ROBERT DUFOUR ET FILS Tradition

○ n.c. n.c. 11 à 15 €

Né dans un vignoble aubois de 14 ha, ce Tradition est un blanc de noirs de pinot noir. Sa palette aromatique associe les fruits à chair blanche et des notes miellées. La bouche est équilibrée et de bonne longueur. (RM) (70 à 99 F)

🔑 EARL Robert Dufour, 4, rue de la Croix-Malot, 10110 Landreville, tél. 03.25.29.66.19, fax 03.25.38.56.50 ☑ 🍷 r.-v.

J. DUMANGIN FILS

◐ 1er cru 5,2 ha 2 700 15 à 23 €

Cette exploitation de 5,5 ha est implantée à Chigny-les-Roses, commune de la Montagne de Reims classée en 1er cru. Mi-noir mi-blanc, ce rosé est fruité, corsé et long. Il a certainement atteint son apogée. (RM) (100 à 149 F)

🔑 Jacky Dumangin Fils, 3, rue de Rilly, 51500 Chigny-les-Roses, tél. 03.26.03.46.34, fax 03.26.03.45.61, e-mail info@champagne-dumangin.fr ☑ 🍷 r.-v.

DUMENIL*

○ 1er cru 6,5 ha 41 000 11 à 15 €

Le vignoble a été constitué en 1905, et le champagne lancé en 1925 par les Rebeyrolle. Cette famille est toujours à la tête du champagne Duménil. Le vignoble s'étend sur 10,6 ha autour de Chigny-les-Roses (Montagne de Reims). Les trois cépages champenois collaborent également à ce brut sans année né des récoltes de 1996 et de 1997, un champagne structuré, aux arômes de pamplemousse et à la finale fraîche. Mi-noire mi-blanche, la cuvée **Prestige (100 à 149 F)** asso-

cie les fruits frais et secs (noisette). Elle est souple, délicate et longue. (RM) (70 à 99 F)
Duménil, rue des Vignes, 51500 Chigny-les-Roses, tél. 03.26.03.44.48, fax 03.26.03.45.25, e-mail info@champagne-dumenil.com
r.-v.
Rebeyrolle

DANIEL DUMONT
Cuvée d'excellence 1995

○ 0,6 ha 5 000 15 à 23 €

Installé en 1962, Daniel Dumont a agrandi le domaine de ses parents en reprenant une exploitation. Il est à la tête d'un vignoble de 10 ha situé dans la Montagne de Reims. Les Dumont sont également pépiniéristes. Il propose un 95 issu de 70 % de chardonnay complété par du pinot noir. Citronné et torréfié au nez, il attaque vivement en bouche puis s'estompe sur une note de fraîcheur. (RM) (100 à 149 F)
Daniel Dumont, 11, rue Gambetta, 51500 Rilly-la-Montagne, tél. 03.26.03.40.67, fax 03.26.03.44.82 r.-v.

R. DUMONT ET FILS 1996*

○ 2 ha 9 700 15 à 23 €

Depuis deux siècles, les Dumont sont vignerons à Champignol-lez-Mondeville (Aube). Ils exploitent 22 ha de vignes et proposent un 96 issu de pinot noir (60 %) et de chardonnay (40 %) : un millésime prestigieux et de garde. Il tient ses promesses, tout en fraîcheur et d'un bel équilibre. La finale persistante allie les fruits confits et la vivacité. (RM) (100 à 149 F)
R. Dumont et Fils, 10200 Champignol-lez-Mondeville, tél. 03.25.27.45.95, fax 03.25.27.45.97 r.-v.

DUVAL-LEROY
Fleur de Champagne Rosé de saignée**

◐ n.c. 75 000 15 à 23 €

Fondée en 1859, la maison de négoce Duval-Leroy est la plus importante de la Côte des Blancs. Elle dispose d'un vignoble en propre de 150 ha. Depuis 1991, Carol Duval la conduit avec succès. Trois de ses Fleur de Champagne sont retenues. Si les blancs de blancs (et les cuvées très blanches, comprenant au moins 75 % de chardonnay) constituent la spécialité maison, son rosé de saignée 100 % pinot noir est auréolé d'une réputation flatteuse et justifiée. Cette année, plusieurs membres du jury lui auraient volontiers donné un coup de cœur. Sa pâleur est grande, ainsi que les Champenois le souhaitent, son fruité fin, enjôleur. On y trouve de la rondeur, de la complexité, de la fraîcheur, et le dosage est parfait. Duval-Leroy obtient par ailleurs une citation pour un **blanc de noirs** (60 % de pinot noir), charpenté, équilibré, souple et frais, et pour un **95 extra-brut** plus représentatif de sa production avec 80 % de chardonnay et 20 % de pinot noir, dont on apprécie la rectitude, la construction et la longueur. Un dégustateur le servirait bien sur un petit gibier à plume. (NM) (100 à 149 F)
Champagne Duval-Leroy, 69, av. de Bammental, B.P. 37, 51130 Vertus, tél. 03.26.52.10.75, fax 03.26.52.37.10, e-mail champagne@duval-leroy.com r.-v.
Carol Duval

CHARLES ELLNER Réserve

○ n.c. 250 000 11 à 15 €

Charles-Emile Ellner est récoltant-manipulant dès avant la Première Guerre mondiale. Son fils Pierre agrandit le vignoble et développe les ventes. La maison, restée familiale, a pris en 1972 le statut de négociant. Elle dispose de 54 ha de vignes situées dans toutes les régions de la Champagne, mais pour une bonne part autour d'Epernay. Issue des récoltes de 1995 et de 1996, cette cuvée Réserve est légèrement dominée par le chardonnay (60 % pour 40 % de pinot noir). Elle apparaît florale, vive et équilibrée. (NM) (70 à 99 F)
Champagne Charles Ellner, 6, rue Côte-Legris, 51200 Epernay, tél. 03.26.55.60.25, fax 03.26.51.54.00, e-mail info@champagne-ellner.com r.-v.

ESTERLIN Cuvée Elzévia

○ n.c. 25 000 15 à 23 €

Fondé en 1948, ce groupement de producteurs d'Epernay dispose de 120 ha de vignes. Sa cuvée Elzévia est un blanc de blancs de 1996 qui n'a pas fait sa fermentation malolactique, ce qui est étrange pour un vin naturellement très acide. Cela explique la nervosité citronnée décelée par les dégustateurs dans cette bouteille pleine de jeunesse. (CM) (100 à 149 F)
Champagne Esterlin, 25, av. de Champagne, BP 342, 51334 Epernay Cedex, tél. 03.26.59.71.52, fax 03.26.59.77.72, e-mail contact@champagne-esterlin.fr
r.-v.

CHRISTIAN ETIENNE Tradition

○ 6 ha 10 000 11 à 15 €

Créée en 1978, cette exploitation familiale dispose d'un vignoble de 9 ha dans l'Aube. Très noire (90 % de pinot noir), née des vendanges de 1995, 1996 et 1997, sa cuvée Tradition est fraîche, voire nerveuse et évoque la pomme verte et les agrumes. Elle conviendra aux crustacés. La cuvée **Prestige** assemble 70 % de chardonnay à 30 % de pinot noir, des raisins récoltés en 1996. Elle mérite d'être citée pour sa fraîcheur, son élégance et sa finesse. (RM) (70 à 99 F)
Christian Etienne, rue de la Fontaine, 10200 Meurville, tél. 03.25.27.46.66, fax 03.25.27.45.84 r.-v.

JEAN-MARIE ETIENNE*

○ 1er cru 3,6 ha 26 000 11 à 15 €

Etablis à Cumières, commune proche d'Epernay classée en 1er cru, les Etienne sont vignerons depuis quatre générations. Jean-Marie Etienne a lancé sa marque en 1958 ; ses fils Daniel et Pascal ont pris sa succession. Ils ont très bien réussi ce brut, né des vendanges de 1993, 1995 et 1996. Très noir, avec 50 % de meunier et 30 % de pinot noir, c'est un champagne fruité, équilibré et jeune. Une étoile encore pour la **Cuvée**

CHAMPAGNE

spéciale (55 % de chardonnay, 45 % des deux pinots) mariant la figue et le coing, et de bonne longueur. (RM) (70 à 99 F)
Etienne, 33, rue Louis-Dupont, 51480 Cumières, tél. 03.26.51.66.62, fax 03.26.55.04.65 r.-v.

FRANCOIS FAGOT**

0,7 ha 7 500 11 à 15 €

Etabli dans la Montagne de Reims, François Fagot exploite un vignoble de 7 ha. Né des récoltes de 1996 et 1997, son rosé a été obtenu par saignée : c'est donc un rosé de noirs (pinot noir 80 %). Il a enthousiasmé le jury, qui le trouve plein, rond, structuré, chaleureux, puissant et équilibré : autant d'adjectifs qui lui valent un coup de cœur. Le **95 (100 à 149 F)**, très noir (10 % de chardonnay), est vif à l'attaque et ferme en finale. Il est cité. (NM) (70 à 99 F)
SARL François Fagot, 26, rue Gambetta, 51500 Rilly-la-Montagne, tél. 03.26.03.42.56, fax 03.26.03.41.19, e-mail fagott@wanadoo.fr r.-v.

FALLET-DART Grande Sélection

10 ha 50 922 11 à 15 €

L'aventure des Fallet-Dart commence en 1610. Après quinze générations au service de la vigne, ils cultivent 16,5 ha dans l'Aisne. Cette cuvée est un blanc de noirs issu des deux pinots récoltés en 1996 et en 1997. On y découvre la fraise et la framboise. Des fruits qui se révèlent également dans le **rosé** qui obtient la même note. (RM) (70 à 99 F)
Fallet-Dart, Drachy, 2, rue des Clos-du-Mont, 02310 Charly-sur-Marne, tél. 03.23.82.01.73, fax 03.23.82.19.15 r.-v.

FANIEL-FILAINE

n.c. 30 000 11 à 15 €

Les Faniel sont vignerons depuis 1696. Alliés aux Filaine, ils exploitent aujourd'hui 5,5 ha dans la vallée de la Marne. Leur brut sans année est un blanc de noirs fortement marqué par le pinot meunier (80 %) qui lui confère un équilibre léger et des arômes floraux. Le **Réserve** (30 % de chardonnay et 70 % des deux pinots) et le **blanc de blancs cuvée Eugénie (100 à 149 F)** méritent aussi d'être cités. Ils se distinguent par leur fraîcheur et leur souplesse. (NM) (70 à 99 F)
Faniel-Filaine, 77, rue Paul-Douce, 51480 Damery, tél. 03.26.58.62.67, fax 03.26.58.03.26 r.-v.

SERGE FAYE Tradition*

1er cru 3 ha n.c. 11 à 15 €

Située à Louvois (versant sud de la Montagne de Reims), cette exploitation de 4 ha, créée par Robert Faÿe en 1952, est conduite depuis 1984 par son fils Serge. Né des vendanges de 1997 et de 1998, son Tradition est composé de 80 % de pinot noir et de 20 % de chardonnay. Il fleure le pamplemousse rose, se montre flatteur et souple ; son dosage est sensible. Issu des années 1996 et 1997, le **Réserve 1er cru (100 à 149 F)** comprend davantage de chardonnay (40 %). Il est cité pour sa vivacité et sa jeunesse. (RM) (70 à 99 F)
Serge Faÿe, 2 bis, rue André-Le-Nôtre, 51150 Louvois, tél. 03.26.57.81.66, fax 03.26.59.45.12 r.-v.

M FERAT ET FILS Cuvée Prestige 1995

1er cru n.c. n.c. 15 à 23 €

Etabli à Vertus, au sud de la Côte des Blancs, Pascal Férat exploite cette propriété de 2 ha depuis 1976. Il est retenu pour un 95 qui est presque un blanc de blancs (6 % de pinot noir). Le nez plutôt discret retient l'attention, l'attaque est ronde et la bouche équilibrée. (RM) (100 à 149 F)
Pascal Férat, rte de la Cense-Bizet, 51130 Vertus, tél. 03.26.52.25.22, fax 03.26.52.23.82 r.-v.

NICOLAS FEUILLATTE Cuvée spéciale 1996**

1er cru n.c. n.c. 15 à 23 €

Deux champagnes de qualité sous la marque de l'important centre vinicole de Chouilly, qui vinifie les raisins de 2130 ha. On retiendra particulièrement cette Cuvée spéciale, assemblant 40 % de pinot noir, 40 % de chardonnay et 20 % de meunier. Les dégustateurs sont conquis par la complexité, la puissance et la persistance de ses arômes, parmi lesquels ils relèvent le pamplemousse, les fleurs blanches et les fruits mûrs. Le **rosé 96** obtient une citation. Très noir (90 % des deux pinots), il est fruité, mentholé, légèrement tannique. (CM) (100 à 149 F)
Champagne Nicolas Feuillatte, BP 210, Chouilly, 51210 Montmirail, tél. 03.26.59.55.50, fax 03.26.59.55.82 r.-v.

JEAN-MARIE FEVRIER Cuvée Sélection**

2,3 ha n.c. 11 à 15 €

Etabli dans l'Aube, Jean-Marie Février y exploite 12 ha de vignes avec ses deux fils. Sa cuvée Sélection est un blanc de noirs de pinot noir, floral et remarquablement équilibré en bouche. Il fera honneur à un repas. (NM) (70 à 99 F)
SA Champagne Jean-Marie Février, 5, rue des Vignes, 10250 Gyé-sur-Seine, tél. 03.25.38.23.93, fax 03.25.29.94.58 r.-v.

BERNARD FIGUET Cuvée de réserve**

4 ha 30 000 11 à 15 €

Héritier d'un vignoble constitué en 1930, Bernard Figuet s'est fait récoltant-manipulant après guerre. Rejoint par Eric, il exploite un vignoble de 10,5 ha dans la vallée de la Marne à Saulchery (près de Charly-sur-Marne). Sa Cuvée de réserve résulte d'un assemblage classique : mi-noire mi-blanche, elle comprend 30 % de meunier. Les dégustateurs sont séduits par sa nervosité élégante et florale et par sa fraîcheur équilibrée en bouche. Le coup de cœur n'est pas loin. (RM) (70 à 99 F)

EARL Bernard et Eric Figuet, 144, rte Nationale, 02310 Saulchery, tél. 03.23.70.16.32, fax 03.23.70.17.22 r.-v.

ALEXANDRE FILAINE Cuvée spéciale

○ 0,5 ha n.c. 11 à 15 €

Etablis à Damery (vallée de la Marne), les Filaine se consacrent à la vigne depuis cinq siècles. Ils proposent une cuvée spéciale assemblant deux tiers de noirs et un tiers de blancs. Les vins de base, très jeunes (1998), ont été vinifiés dans le bois, sans artifices techniques. Ce champagne est intéressant et épicé. « Vin réfléchi, élaboré avec soin », conclut un membre du jury. A découvrir. (RM) (70 à 99 F)

Fabrice Gass, 17, rue Poincaré, 51480 Damery, tél. 03.26.58.88.39 r.-v.

FLEURY PERE ET FILS 1995

○ 3 ha n.c. 23 à 30 €

Marque auboise lancée en 1929 et disposant d'un vignoble constitué à la fin du siècle précédent. Aujourd'hui, Jean-Pierre Fleury exploite 13 ha en biodynamie. L'influence des astres aurait-elle été favorable à son 93 ? Ce millésime difficile avait été salué d'un coup de cœur l'année passée. Issu d'un assemblage identique (80 % de pinot noir, 20 % de chardonnay), le 95 se contente d'une citation, pour sa rondeur et sa structure. (NM) (150 à 199 F)

Champagne Fleury, 43, Grande-Rue, 10250 Courteron, tél. 03.25.38.20.28, fax 03.25.38.24.65 r.-v.

G. FLUTEAU Carte blanche*

○ 2 ha 18 000 11 à 15 €

Petite maison de négoce auboise fondée en 1935, exploitant un vignoble de 8 ha. Sa cuvée Carte blanche est un blanc de noirs de pinot noir. Elle provient pour les deux tiers de raisins vendangés en 1998, et pour le solde de la récolte 1997. Intense au nez comme en bouche, offrant un fruité de fruits rouges, elle apparaît étrangement évoluée pour son âge. La **cuvée Prestige 97**, un blanc de blancs, est riche et fraîche. Elle est citée. (NM) (70 à 99 F)

SARL Hérard et Fluteau, 5, rue de la Nation, 10250 Gyé-sur-Seine, tél. 03.25.38.20.02, fax 03.25.38.24.84, e-mail champagne.fluteau@wanadoo.fr t.l.j. sf dim. 9h-12h 14h-18h

FORGET-BRIMONT

○ 1er cru n.c. 100 000 11 à 15 €

Au début du XX[e]s., Louis Forget était viticulteur ; Eugène Forget fut le premier à élaborer du champagne ; aujourd'hui, Michel Forget exploite 10 ha de vignes. La maison a son siège dans la Montagne de Reims. Le pinot noir (60 %), le meunier (25 %) et le chardonnay (15 %) assurent à ce vin vif du fruité, de la charpente et de la fraîcheur. (NM) (70 à 99 F)

Forget-Brimont, rte de Louvois, 51500 Ludes, tél. 03.26.61.10.45, fax 03.26.61.11.58 t.l.j. sf dim. 8h-12h 13h-18h; sam. sur r.-v.; f. août

Michel Forget

FORGET-CHEMIN*

◐ 1er cru 6 ha 5 000 11 à 15 €

Thierry Forget a pris la suite de trois générations de vignerons. Il exploite un vignoble de 12 ha dans la Montagne de Reims. Dominé par les noirs (75 % des deux pinots dont 50 % de pinot noir), son rosé sans année est coloré par 17 % de vin rouge. Les vendanges de 1996, 1997 et 1998 sont mises à contribution pour donner un champagne aux arômes de fruits rouges (cerise), d'une belle attaque, puissant et long. Même note pour le **Spécial Club 96 (100 à 149 F)**, mi-noir, mi-blanc, pour ses touches briochées et vives et sa rondeur. Il pourra accompagner un homard grillé. (RM) (70 à 99 F)

Champagne Forget-Chemin, 15, rue Victor-Hugo, 51500 Ludes, tél. 03.26.61.12.17, fax 03.26.61.14.51, e-mail champagne.forget-chemin@voila.fr r.-v.

FOURNAISE-THIBAUT 1995*

○ 1 ha 5 000 11 à 15 €

Daniel Fournaise exploite un vignoble de 3 ha à Châtillon-sur-Marne. Mi-noir mi-blanc, son 95 offre une bouche miellée d'un bel équilibre. Il a atteint son apogée. Une étoile encore pour le **rosé** né des récoltes de 1997 et 1998, qui doit tout au pinot meunier. De structure imposante, avec un dosage perceptible, il privilégie la puissance : un rosé de repas. (RM) (70 à 99 F)

Daniel Fournaise, 2, rue des Boucheries, 51700 Châtillon-sur-Marne, tél. 03.26.58.06.44, fax 03.26.51.60.91 r.-v.

TH. FOURNIER Cuvée de réserve

○ 6 ha 50 000 11 à 15 €

Thierry Fournier a repris en 1983 l'exploitation familiale, sise à Festigny, sur la rive gauche de la Marne. Son Réserve est né pour les trois quarts de raisins noirs (dont un quart de pinot noir) récoltés en 1997 et 1998. La palette aromatique mêle l'abricot et les fruits secs. Un champagne équilibré en dépit de sa jeunesse. (RM) (70 à 99 F)

Thierry Fournier, 8, rue du Moulin, Meuville, 51700 Festigny, tél. 03.26.58.04.23, fax 03.26.58.09.91, e-mail thierry.fournier7@wanadoo.fr r.-v.

PHILIPPE FOURRIER Réserve**

○ 2 ha n.c. 11 à 15 €

Un champagne venu de l'Aube associant 60 % de pinot noir à 40 % de chardonnay. C'est indiscutablement un vin de repas, dense, construit, évoluant avec persuasion : or pâle brillant, franc et droit dans ses arômes fruités légèrement miellés, il finit sur une fraîche note d'agrumes. (SR) (70 à 99 F)

CHAMPAGNE

Champagne Philippe Fourrier, rte de Bar-sur-Aube, 10200 Baroville, tél. 03.25.27.13.44, fax 03.25.27.12.49, e-mail champagne.fourrier@wanadoo.fr r.-v.

FRANCOIS-BROSSOLETTE Tradition

○ 8 ha 28 900 11 à 15 €

Les Brossolette exploitent un vignoble de 12 ha à Polisy dans l'Aube. Leur cuvée Tradition comprend 75 % de pinots pour 25 % de chardonnay ; elle provient de raisins vendangés en 1997 et 1998. Son intensité est grande, l'attaque est vive, puis le dosage prend le dessus. Il faut citer également le **blanc de blancs** issu des récoltes de 1996, 1997 et 1998 ; un champagne souple à l'attaque et à la finale fraîche et longue. (RM) (70 à 99 F)

François-Brossolette, 42, Grande-Rue, 10110 Polisy, tél. 03.25.38.57.17, fax 03.25.38.51.56 r.-v.

RENE FRESNE Cuvée d'Argent

○ 2 ha 16 000 11 à 15 €

Etablie dans la Montagne de Reims, cette exploitation créée en 1921 a été reprise en 1969 par Bruno Fresne. Le vignoble couvre plus de 8 ha. Ce vin, mi-noir mi-blanc, provient des récoltes de 1996 et 1997. Il est floral, citronné, et son équilibre le destine à l'heure apéritive. (RM) (70 à 99 F)

Champagne René Fresne, 20, rue du Franc-Mousset, 51500 Sermiers, tél. 03.26.97.60.38 r.-v.

FRESNET-BAUDOT

◐ Gd cru 0,5 ha 1000 11 à 15 €

Les Fresnet exploitent des vignobles situés à Verzy, à Mailly-Champagne et à Sillery, trois communes classées en grand cru. Dans leur rosé sans année, le chardonnay joue la partie principale (60 %) ; la teinte est donnée par un vin rouge de Sillery, dont le vignoble fut réputé dans le passé. Sa couleur pâle, pelure d'oignon, annonce des arômes de griotte et de fruits rouges. (RM) (70 à 99 F)

Fresnet-Baudot, 9, rte de Puisieulx, 51500 Sillery, tél. 03.26.49.11.74, fax 03.26.49.10.72, e-mail courrier@champagne-fresnet-baudot.fr r.-v.

FRESNET-JUILLET Sélection

○ 1 ha 10 000 11 à 15 €

Etabli à Verzy (Montagne de Reims), Gérard Fresnet a lancé son étiquette en 1954 et creusé sa cave. Son fils Vincent, qui s'est installé en 1999, dispose d'un vignoble de 9 ha. Son Sélection, un blanc de noirs, provient de pinots noirs récoltés en 1996, 1997 et 1998. Son nez, fin mais discret, annonce une bouche légère. (NM) (70 à 99 F)

Champagne Fresnet-Juillet, 10, rue de Beaumont, 51380 Verzy, tél. 03.26.97.93.40, fax 03.26.97.92.55, e-mail fresnet.juillet@wanadoo.fr t.l.j. sf dim. 9h-12h 14h-17h

MICHEL FURDYNA Prestige 1996*

○ 1 ha 5 900 11 à 15 €

Installé en 1974, Michel Furdyna exploite un vignoble de 8 ha dans l'Aube. Il propose un 96 mi-noir mi-blanc, fin, équilibré, fruité (agrumes, fruits blancs) et jeune. Citée par le jury, sa cuvée **Carte blanche** comprend beaucoup de pinot noir (80 %) et deux cépages blancs ! Du chardonnay et... du pinot blanc (ce qui est légal) : le nez est complexe et la bouche d'un bon équilibre, en dépit d'un dosage sensible. (RM) (70 à 99 F)

Champagne Michel Furdyna, 13, rue du Trot, 10110 Celles-sur-Ource, tél. 03.25.38.54.20, fax 03.25.38.25.63, e-mail champagne.furdyna@wanadoo.fr r.-v.

G. DE BARFONTARC Extra Quality

○ 90 ha 150 000 11 à 15 €

Une coopérative située dans la côte des Bars (Aube). A quelques kilomètres, on peut visiter les Cristalleries royales de Champagne à Bayel et l'abbaye de Clairvaux. La cave, créée en 1964, vend ses champagnes sous la marque G. de Barfontarc. Cet Extra Quality assemble le pinot meunier (45 %), le pinot noir (40 %) et le chardonnay, récoltés en 1997 et 1998. Il est droit et franc ; bien dosé, il montre suffisamment de vivacité. Cité également, le **96 Exception**, mi-noir mi-blanc, apparaît légèrement évolué avec sa palette où l'on décèle des notes animales, du cuir, du moka et de l'acacia. (CM) (70 à 99 F)

Champagne G. de Barfontarc, rte de Bar-sur-Aube, 10200 Baroville, tél. 03.25.27.07.09, fax 03.25.27.23.00, e-mail g.de.barfontarc@wanadoo.fr t.l.j. sf dim. 8h30-12h 14h-16h30

GABRIEL-PAGIN ET FILS Carte d'or

○ 7,69 ha n.c. 11 à 15 €

Etablie près de Mareuil-sur-Ay, cette exploitation familiale fondée en 1946 dispose de 9,6 ha de vignes. Son Carte d'or est un blanc de noirs de pinot noir. Son caractère dominant : la puissance, et non la délicatesse. Son fruité intense évoque la pêche, l'abricot et le coing. La cuvée **Prestige Roger Gabriel (100 à 149 F)**, mi-noire mi-blanche, au joli nez mariant l'aubépine à des notes citronnées et briochées, et à la bouche légère, obtient la même note. (RM) (70 à 99 F)

Pascal Gabriel, 4, rue des Remparts, 51160 Avenay-Val-d'Or, tél. 03.26.52.31.03, fax 03.26.58.87.20 r.-v.

LUC GAIDOZ Grande Réserve*

○ n.c. 1000 15 à 23 €

Installé en 1983, Luc Gaidoz est établi à Ludes, dans la Montagne de Reims. Sa cuvée Grande Réserve, composée pour les trois quarts de raisins noirs (50 % de meunier), provient des récoltes de 1992 et de 1993. Ses arômes évoquent les agrumes. Avec sa bouche ronde, puissante et longue, c'est un champagne de repas. Cité par le jury, le **Tradition (70 à 99 F)** est très marqué par le meunier (80 %, complété par le pinot noir et le chardonnay à parts égales). Issu des vendanges de 1997 et 1998, il a évolué rapidement

et apparaît opulent, apaisé. Il ne faut plus l'attendre. (RM) (100 à 149 F)
🗝 Luc Gaidoz, 4, rue Gambetta, 51500 Ludes, tél. 03.26.61.13.73, e-mail lgaidoz@wanadoo.fr ☑ 🍷 r.-v.

GAIDOZ-FORGET Réserve*

○ n.c. 3 000 15 à 23 €

Signée par un vigneron de la Montagne de Reims, cette cuvée Réserve, issue des vendanges de 1992 et 1993, comprend 75 % de raisins noirs (50 % de meunier). Elle retient l'attention par ses arômes mariant le miel d'acacia et la brioche. (RM) (100 à 149 F)
🗝 Gaidoz-Forget, 1, rue Carnot, 51500 Ludes, tél. 03.26.61.13.03, fax 03.26.61.11.65 🍷 r.-v.

GAILLARD-GIROT

○ 3,5 ha 25 000 11 à 15 €

Cette exploitation de 3,5 ha, établie à Mardeuil près d'Epernay, propose un brut sans année issu de la vendange de 1997. Très noir (85 % de pinots dont 78 % de meunier), celui-ci est fruité au nez comme en bouche. L'olfaction évoque la poire, tandis qu'en bouche s'imposent la datte, l'abricot et la pomme. (RM) (70 à 99 F)
🗝 Gaillard-Girot, 43, rue Victor-Hugo, 51530 Mardeuil, tél. 03.26.51.64.59, fax 03.26.51.70.59, e-mail champagne-gaillard-girot@wanadoo.fr ☑ 🍷 r.-v.

GARDET Charles Gardet 1995

○ n.c. 32 000 23 à 30 €

Cette cuvée millésimée rend hommage à Charles Gardet, qui fonda en 1895 sa maison de négoce, laquelle a aujourd'hui son siège à Chigny-les-Roses, dans la Montagne de Reims. Elle assemble deux tiers de raisins blancs et un tiers de noirs (les deux pinots à parts égales). Son nez, mariant le pain grillé et le cacao, témoigne de son évolution, alors que la bouche, harmonieuse, est restée jeune et fraîche. (NM) (150 à 199 F)
🗝 Gardet, 13, rue Georges-Legros, 51500 Chigny-les-Roses, tél. 03.26.03.42.03, fax 03.26.03.43.95, e-mail info@champagne-gardet.com ☑ 🍷 r.-v.

BERNARD GAUCHER Carte d'or

○ 8 ha 65 000 🍾🌡 11 à 15 €

Cette exploitation, constituée en 1972, dispose d'un vignoble de 12 ha à Arconville, dans l'Aube. Son Carte d'or est dominé par les raisins noirs (80 %) et provient des vendanges de 1997 épaulées par des vins de réserve de 1996. On y découvre des saveurs fraîches, citronnées, harmonieuses. (RM) (70 à 99 F)
🗝 Bernard Gaucher, Grande-Rue, 10200 Arconville, tél. 03.25.27.87.31, fax 03.25.27.85.84 ☑ 🍷 r.-v.

GAUDINAT-BOIVIN 1996*

○ 0,2 ha 1 600 🍾 11 à 15 €

Il provient de la vallée de la Marne ce 96 mariant le chardonnay et le pinot meunier à parts égales. Son nez expressif est confit et grillé, sa bouche fraîche, longue et équilibrée. (RM) (70 à 99 F)
🗝 Gaudinat-Boivin, 6, rue des Vignes, Mesnil-le-Huttier, 51700 Festigny, tél. 03.26.58.01.52, fax 03.26.58.97.47 ☑ 🍷 r.-v.

SERGE GAUDRILLER*

○ Gd cru 6 ha n.c. 🍾 11 à 15 €

Ce brut sans année provient de Louvois, commune du flanc sud de la Montagne de Reims, classée en grand cru. Il assemble 70 % de pinot noir et 30 % de chardonnay de 1996. Son nez est expressif et agréable. En bouche, l'attaque vive est suivie par une impression de rondeur et d'équilibre. (RM) (70 à 99 F)
🗝 Serge Gaudriller, 2, pl. de la Demi-Lune, 51150 Louvois, tél. 03.26.57.03.59, fax 03.26.57.03.59 ☑ 🍷 r.-v.

GAUTHEROT*

◐ n.c. 4 000 🍾🌡 11 à 15 €

Dès 1935, les deux grands-pères de François Gautherot se sont lancés dans la manipulation. L'exploitation auboise, qui compte aujourd'hui 12 ha, se flatte de compter la marine française parmi ses clients. Issu de pinot noir récolté en 1998, son rosé est envahi par les fruits rouges, la cerise en particulier. Un champagne vineux et puissant. (RM) (70 à 99 F)
🗝 François Gautherot, 29, Grande-Rue, 10110 Celles-sur-Ource, tél. 03.25.38.50.03, fax 03.25.38.58.14, e-mail gautherot@champagne-gautherot.com ☑ 🍷 r.-v.

GAUTHIER 1993*

○ n.c. 81 000 15 à 23 €

Maison fondée par Charles-Alexandre Gauthier en 1858, rachetée par Gaston Burtin (Marne et Champagne) un siècle plus tard. Son 93, mi-noir mi-blanc, est floral, frais et d'un équilibre discret. (NM) (100 à 149 F)
🗝 Marne et Champagne, 22, rue Maurice-Cerveaux, 51200 Epernay, tél. 03.26.78.50.50, fax 03.26.78.50.99, e-mail info@m-c-d.fr ☑

MICHEL GENET Brut-Esprit*

○ Gd cru 2,5 ha 26 000 🍾 11 à 15 €

L'étiquette porte le nom du fondateur de l'exploitation, aujourd'hui reprise par ses fils Vincent et Antoine. Le vignoble (7 ha) est essentiellement complanté de chardonnay, cépage à l'origine de ce Brut-Esprit que l'on retrouve cette année encore dans le Guide. Avec sa robe or vert, son nez d'agrumes et de fleurs blanches, sa bouche fine et élégante aux accents de noisette, c'est un blanc de blancs d'école. La cuvée **Grande Réserve 96 blanc de blancs grand cru (100 à 149 F)** s'exprime dans le même esprit. Peut-être faut-il l'attendre un an ? (RM) (70 à 99 F)
🗝 Michel Genet, 22, rue des Partelaines, 51530 Chouilly, tél. 03.26.55.40.51, fax 03.26.59.16.92, e-mail champagne.genet.michel@wanadoo.fr ☑ 🍷 r.-v.

PIERRE GERBAIS L'Originale

○ 0,5 ha 3 000 23 à 30 €

A la tête d'un vignoble de près de 14 ha dans l'Aube, cette maison propose une cuvée bien nommée, car ce blanc de blancs - l'information ne figure pas sur l'étiquette - n'est pas issu de chardonnay mais de pinot blanc : c'est le seul champagne de sa catégorie à figurer dans le Guide. La robe est d'un jaune d'or intense ; le nez, minéral et évolué, tend vers le cuir et l'animal ; la bouche apparaît bien équilibrée. Les dégustateurs concluent : « Atypique » ; « Une curiosité sympathique ». (NM) (150 à 199 F)

Pierre Gerbais, 13, rue du Pont, BP 17, 10110 Celles-sur-Ource, tél. 03.25.38.51.29, fax 03.25.38.55.17 t.l.j. 9h-12h 14h-18h

PIERRE GIMONNET ET FILS
Chardonnay Spécial Club 1996*

○ 1er cru n.c. 19 600 15 à 23 €

Les Gimonnet cultivent la vigne à Cuis depuis 1750 et vinifient leur production depuis 1935. Leur vignoble, situé exclusivement en Côte des Blancs, est constitué uniquement de chardonnay. Il se partage entre grands crus (12 ha), autour de Chouilly et de Cramant, et 1ers crus (Cuis). Le vin de base du Spécial Club 96 n'a pas été chaptalisé. A l'olfaction, ce champagne est minéral et floral, en bouche les pêches blanches et les fleurs de vignes s'imposent harmonieusement. Le **Millésime de Collection 95** est cité pour son élégance et pour sa finesse. (RM) (100 à 149 F)

Pierre Gimonnet et Fils, 1, rue de la République, 51530 Cuis, tél. 03.26.59.78.70, fax 03.26.59.79.84 t.l.j. sf dim. 8h30-12h 14h-18h; sam. sur r.-v.; f. 15-31 août

GIMONNET-GONET
Blanc de blancs Cuvée Prestige*

○ 1 ha 5 000 11 à 15 €

Gimonnet et Gonet : deux familles bien connues dans la Côte des Blancs. L'exploitation dispose d'un vignoble de 9,2 ha, planté en majorité de chardonnay. Deux bruts sans année nés de la vendange de 1997 lui valent de figurer dans le Guide. Le plus réussi est cette cuvée Prestige, un blanc de blancs qui séduit au nez comme en bouche par son harmonie légère et fraîche. Cité par le jury, le **Tradition**, mi-noir mi-blanc, est retenu pour son nez de tilleul et d'aubépine, son attaque franche et sa présence en bouche. (RM) (70 à 99 F)

Gimonnet-Gonet, 166, rue du Gal-de-Gaulle, 51530 Cramant, tél. 03.26.57.51.44, fax 03.26.58.00.03 t.l.j. 8h-12h 13h30-19h, sam. dim. sur r.-v.; f. 7-25 août

GIMONNET-OGER Grande Réserve

○ n.c. 10 000 11 à 15 €

Une robe or vert, un nez qui a du nerf et de la présence. Cette impression de fraîcheur se prolonge dans une bouche qui évoque l'herbe fraîche et la fougère. Une vivacité somme toute agréable. (RM) (70 à 99 F)

Jean-Luc Gimonnet, 7, rue Jean-Mermoz, 51530 Cuis, tél. 03.26.59.86.50, fax 03.26.59.86.51, e-mail champagne.gimonnet-oger@wanadoo.fr r.-v.

BERNARD GIRARDIN
Cuvée de réserve*

○ 1 ha 5 000 11 à 15 €

Etablie à Mancy, en arrière de la Côte des Blancs, Sandrine Britès a repris il y a dix ans l'exploitation fondée par son père en 1970. La Cuvée de réserve, née de 60 % de chardonnay, 30 % de pinot meunier et 10 % de pinot noir de 1995, révèle un nez brioché, grillé, et une bouche ronde, pleine, équilibrée et fraîche. La **cuvée BG** assemble les trois cépages dans des proportions identiques, mais provient d'années différentes (1997 et vins de réserve de 1996 et de 1995) ; elle affiche un nez brioché, une belle présence en bouche et la rondeur d'un vin mûr. Elle est citée. (RM) (70 à 99 F)

Sandrine Britès-Girardin, Champagne Bernard-Girardin, 14, Grande-Rue, 51530 Mancy, tél. 03.26.59.70.78, fax 03.26.51.55.45, e-mail sandrine.brites@wanadoo.fr r.-v.

PAUL GOBILLARD Blanc de blancs

○ Gd cru n.c. 8 000 15 à 23 €

Paul Gobillard, viticulteur à Pierry sous le second Empire, a légué son nom à la marque. La maison a pris le statut de négociant en 1941. Elle propose un blanc de blancs de grandes origines : Chouilly, Cramant et un peu de Mesnil-sur-Oger, des chardonnays récoltés en 1995, 1996 et 1997. Un champagne souple, riche, vineux, complexe et élégant. (NM) (100 à 149 F)

Paul Gobillard, Ch. de Pierry, BP 1, 51530 Pierry, tél. 03.26.54.05.11, fax 03.26.54.46.03 r.-v.

J.-M. GOBILLARD ET FILS
Blanc de blancs**

○ 1er cru 2,5 ha 20 000 11 à 15 €

Le caveau de dégustation de cette maison, fondée en 1955, est situé face à l'abbaye d'Hautvillers, rendue célèbre par Dom Pérignon. Son vignoble s'étend sur 25 ha. Après un coup de cœur l'an dernier, le jury a donné deux étoiles à ce blanc de blancs frais, fruité, rond et équilibré. Il assemble des vins de 1997 et de 1998. La cuvée **Privilège des Moines (100 à 149 F)** obtient une étoile. Elle marie 70 % de chardonnay à 30 % de pinot noir, des raisins cueillis en 1995 et surtout en 1996. Le vin de base est fermenté et élevé en pièce, avec bâtonnage pendant un an. Cela donne un champagne de caractère. Sa palette mêle aux classiques fleurs blanches du cacao, du boisé-vanillé, du cassis et des nuances presque mentholées. (NM) (70 à 99 F)

Champagne J.-M. Gobillard et Fils, 38, rue de l'Eglise, BP 8, 51160 Hautvillers, tél. 03.26.51.00.24, fax 03.26.51.00.18, e-mail champagne-gobillard@wanadoo.fr r.-v.

GODME PERE ET FILS Réserve*

○ 1er cru 6 ha 50 000 11 à 15 €

Domaine de 11,5 ha particulièrement bien situé, dans les grands crus de Verzenay, Verzy et Beaumont-sur-Vesle et les 1ers crus de Villers-Marmery et Villedommange. Mi-noire mi-blanche, sa cuvée Réserve s'annonce par un nez intense de torréfaction qui préface une bouche équilibrée et complexe, légèrement évoluée. Cité le **Carte noire (100 à 149 F)**, grand cru, assemblage de pinot noir (70 %) et de chardonnay, retient l'attention par sa structure, son équilibre et sa longueur. (RM) (70 à 99 F)

Champagne Godmé Père et Fils, 10, rue de Verzy, 51360 Verzenay, tél. 03.26.49.48.70, fax 03.26.49.45.30 r.-v.

PAUL GOERG Chardonnay 1996

○ 1er cru n.c. 102 000 15 à 23 €

Fondé en 1950, ce groupement de producteurs de Vertus (Côte des Blancs) rassemble une centaine d'adhérents et vinifie la production de 120 ha. La marque a été lancée en 1985. Equilibré, fin, floral et long, le blanc de blancs 96 « frôle » l'étoile. Citée elle aussi, la **cuvée du Centenaire 95 (150 à 199 F)** manifeste quelques signes d'évolution, mais mérite d'être retenue pour ses arômes beurrés et torréfiés et pour son élégance. (CM) (100 à 149 F)

Champagne Paul Goerg, 4, pl. du Mont-Chenil, 51130 Vertus, tél. 03.26.52.15.31, fax 03.26.52.23.96, e-mail champagne-goerg@wanadoo.fr r.-v.

FRANCOIS GONET
Blanc de blancs Réserve 1995

○ 2 ha 10 000 11 à 15 €

Dans la Côte des Blancs, les Gonet sont nombreux et les prénoms sont importants. François Gonet « champagnise » depuis une trentaine d'années et a étendu ses vignobles dans la vallée de la Marne. Son blanc de blancs Réserve naît de chardonnays vendangés en 1995. Des arômes puissants de fruits blancs mûrs se manifestent au nez comme en bouche. Le palais est frais et jeune. (RM) (70 à 99 F)

François Gonet, 5, rue du Stade, 51190 Le Mesnil-sur-Oger, tél. 03.26.57.53.71, fax 03.26.57.93.66 r.-v.

MICHEL GONET Blanc de blancs*

○ Gd cru 30 ha 100 000 11 à 15 €

Six générations de vignerons ont précédé Michel Gonet qui cultive 40 ha dans la Côte des Blancs, mais aussi dans le Sézannais, à Vinchy, et dans l'Aube, à Montgueux et à Fravaux (pinot noir) - sans parler de ses vignobles bordelais. Ce blanc de blancs grand cru naît de l'assemblage de chardonnays d'Oger et du Mesnil-sur-Oger récoltés en 1997, 1998 et 1999. Son nez de fruits secs et de pêche blanche annonce une bouche fine, délicate, fraîche et intense. (RM) (70 à 99 F)

SCEV Michel Gonet et Fils, 196, av. Jean-Jaurès, 51190 Avize, tél. 03.26.57.50.56, fax 03.26.57.91.98, e-mail vinsgonet@wanadoo.fr r.-v.

PHILIPPE GONET Blanc de blancs**

○ 3 ha 10 000 15 à 23 €

Un autre Gonet de la Côte des Blancs dont le vignoble s'étend sur une vingtaine d'hectares. Son blanc de blancs assemble des vins de 1996 et de 1997. Corpulent, rond et ample, il s'accordera aux poissons en sauce. Le **blanc de blancs Spécial Club 96** obtient une étoile pour son élégance, à laquelle contribue la vivacité propre à ce millésime. (RM) (100 à 149 F)

Champagne Philippe Gonet, 1, rue de la Brèche-d'Oger, 51190 Le Mesnil-sur-Oger, tél. 03.26.57.53.47, fax 03.26.57.51.03, e-mail philippe.gonet@wanadoo.fr r.-v.

GONET-MEDEVILLE An 2000

○ 0,5 ha 1000 15 à 23 €

L'alliance du Bordelais et de la Champagne ! Ce jeune domaine est né en l'an 2000 du mariage de Xavier Gonet (les Gonet de la Côte des Blancs) et de Julie Médeville (les Médeville des châteaux Gilette et Les Justices en Sauternais). L'exploitation, qui compte 8 ha, est située à Bisseuil, non loin de Mareuil-sur-Ay. Des vins de 1995 et 1996 composent ce brut sans année très blanc (90 % de chardonnay). Un champagne mêlant le citron vert à des notes empyreumatiques, frais et d'une grande jeunesse, lui aussi. (RM) (100 à 149 F)

Xavier Gonet, 1, chem. de la Cavotte, 51150 Bisseuil, tél. 03.26.57.75.60, fax 03.56.76.28.43 r.-v.

GONET SULCOVA*

◐ 1 ha n.c. 15 à 23 €

Encore une marque née d'un mariage. L'exploitation dispose d'un vignoble de 15 ha. Ce rosé est un rosé de noirs issu de pinots noirs récoltés en 1996 et 1997 ; sa robe est un peu colorée et déjà évoluée ; mûre, fraise des bois et touche animale précèdent une bouche puissante et structurée. Une citation pour la cuvée **Vincent Gonet (70 à 99 F)** (assemblage de 60 % de pinot noir et de 40 % de chardonnay des années 1996 à 1998). Riche, puissant et long, c'est un champagne de repas. (RM) (100 à 149 F)

SCEV Beauregard, 13, rue Henri-Martin, 51200 Epernay, tél. 03.26.54.37.63, fax 03.26.54.87.73, e-mail gonet-sulcova@wanadoo.fr r.-v.

Vincent Gonet

GOSSET Grand Millésime 1996**

○ n.c. 200 000 46 à 76 €

Célèbre marque créée par une très ancienne famille d'Ay qui l'a cédée à Béatrice Cointreau en 1993. Cette cuvée est composée de 62 % de chardonnay et de 38 % de pinot noir ; le vin ne fait pas sa fermentation malolactique ; on y découvre d'élégants arômes épicés, vanillés et boisés, et en bouche, du zeste de citron confit. Le **Grand Rosé (200 à 249 F)** assemble 56 % de chardonnay à 35 % de pinot noir coloré par 9 % de vin rouge de grands crus. Il est cité pour sa rondeur et sa persistance. (NM) (300 à 499 F)

🔑 Champagne Gosset,
69, rue Jules-Blondeau, BP 7, 51160 Ay,
tél. 03.26.56.99.53, fax 03.26.51.55.88,
e-mail info@champagne-gosset.com ☑ 🍷 r.-v.

GOSSET-BRABANT

◐ 1er cru 0,5 ha 3 000 ▮ 11 à 15 €

Constituée en 1930, cette exploitation compte 7,5 ha de vignes. Elle est située dans la commne d'Ay classée en grand cru et réputée pour son pinot noir. C'est cette variété qui domine l'assemblage de ce rosé (20 % de chardonnay seulement) né des récoltes de 1997 et 1998 et teinté par 12 % de vin rouge d'Ay. Le nez libère des notes de fruits rouges (fraise des bois en particulier), que l'on retrouve dans une bouche souple et fraîche. Citée également, la **Cuvée de réserve grand cru d'Ay (100 à 149 F)** assemble des vins des années 1996 et 1997. Elle exprime les fruits rouges au nez comme au palais. (RM) (70 à 99 F)

🔑 Gosset-Brabant, 23, bd du Mal-de-Lattre-de-Tassigny, 51160 Ay,
tél. 03.26.55.17.42, fax 03.26.54.31.33,
e-mail gosset-brabant@wanadoo.fr ☑ 🍷 r.-v.

GOUSSARD ET DAUPHIN Prestige*

○ 2 ha 5 800 11 à 15 €

Œnologue, Didier Goussard s'est associé en 1989 avec son beau-frère pour élaborer du champagne. Le domaine compte 7 ha de vignes. S'il est proche des Riceys, célèbre par ses pinots noirs, c'est le chardonnay (60 %) qui domine dans cette cuvée Prestige. Cette année, celle-ci assemble des vins de 1995, 1996 et 1997. Sa palette mêle des arômes de fleurs et de fruits à chair blanche ; sa bouche est nerveuse mais équilibrée. (RM) (70 à 99 F)

🔑 Goussard et Dauphin, GAEC du Val de Sarce, 2, chem. Saint-Vincent, 10340 Avirey-Lingey, tél. 03.25.29.30.03, fax 03.25.29.85.96,
e-mail goussard.dauphin@wanadoo.fr
☑ 🍷 r.-v.

GOUTORBE Cuvée traditionnelle*

○ n.c. 4 000 ▮ 11 à 15 €

Etabli dans la célèbre commune d'Ay, classée en grand cru, René Goutorbe est à la tête d'un domaine de 18 ha. On retrouve sa Cuvée traditionnelle qui, cette année, doit tout au pinot noir. Structurée, équilibrée, miellée, elle s'accordera avec un poisson cuisiné. Le **95 grand cru** obtient une citation ; il privilégie les raisins noirs. On y trouve des fleurs blanches et des notes briochées. Un champagne léger, pour l'apéritif. On soulignera enfin le dosage perceptible de ces deux cuvées. (RM) (70 à 99 F)

🔑 René Goutorbe, 11, rue Jeanson, 51160 Ay,
tél. 03.26.55.19.47, fax 03.26.54.85.11 ☑ 🍷 r.-v.

ALFRED GRATIEN 1991*

○ n.c. 30 000 38 à 46 €

Fondée par Alfred Gratien en 1864, la maison est toujours gérée par ses descendants, Alain et Gérard Seydoux. Quant aux chefs de cave, les Jaeger, ils se succèdent au chai de père en fils depuis trois générations. C'est dire le respect professé pour la tradition, qui s'illustre aussi par le maintien de certaines techniques, comme l'élevage en pièces champenoises (petits fûts de 205 l) et le tirage sous liège. Ce 91, né des trois cépages champenois, a atteint son apogée. Il exprime des arômes de miel et de cire d'abeille et se montre rond, voire moelleux. Son caractère peu acide semble le destiner au dessert. La **cuvée Paradis 96 (300 à 499 F)**, issue des trois cépages champenois, doit beaucoup au chardonnay (61 %). Souple à l'attaque et longue, elle obtient une citation. (NM) (250 à 299 F)

🔑 Champagne Alfred Gratien,
30, rue Maurice-Cerveaux,
BP 3, 51201 Epernay Cedex,
tél. 03.26.54.38.20, fax 03.26.54.53.44,
e-mail contact@alfredgratien.com ☑ 🍷 r.-v.

GRUET 1996

○ n.c. 33 438 ▮🌡 11 à 15 €

Les ancêtres de Claude Gruet cultivaient déjà la vigne dans la Côte des Bars à l'époque du Roi-Soleil. Le domaine familial compte aujourd'hui 10 ha. Le pinot noir, complété par du chardonnay, contribue pour les trois quarts à ce 96, frais, aromatique et équilibré. Né des mêmes cépages et dans la même proportion, le **95** exprime des nuances beurrées, briochées et miellées au nez comme en bouche. Il obtient la même note. (NM) (70 à 99 F)

🔑 SARL Champagne Gruet, 48, Grande-Rue, 10110 Buxeuil, tél. 03.25.38.54.94,
fax 03.25.38.51.84, e-mail champagne-gruet@wanadoo.fr ☑ 🍷 t.l.j. 8h30-12h 14h-18h; sam. dim. sur r.-v.; f. semaine du 15 août

MAURICE GRUMIER Tradition

○ 6 ha n.c. ▮ 11 à 15 €

Domaine familial de 7,5 ha établi à Venteuil, dans la vallée de la Marne. L'étiquette Maurice Grumier est apparue en 1945, mais l'exploitation élaborait déjà du champagne sous une autre marque. Depuis 1968, la propriété est conduite par Guy Grumier, aujourd'hui rejoint par Fabien. Leur Tradition est un blanc de noirs né des deux pinots (80 % de meunier) récoltés en 1997 et 1998. Avec ses arômes de poire et de pomme, il est simple et équilibré. Le **Réserve**, issu des trois cépages champenois à parts égales (1996-1997), est cité pour sa fraîcheur fruitée. (RM) (70 à 99 F)

🔑 Guy Grumier,
13, rte d'Arty, 51480 Venteuil,
tél. 03.26.58.48.10, fax 03.26.58.66.08 ☑ 🍷 r.-v.

RENE GUE Blanc de blancs Carte d'or*

○ 0,6 ha 5 000 11 à 15 €

Cette propriété proche d'Epernay, créée en 1954, dispose d'un vignoble de 6,5 ha. Son blanc de blancs sans année est né des vendanges de 1996. Il attire l'attention par son nez complexe déclinant des notes miellées et caramélisées. Ferme et long en bouche, il révèle des arômes biscuités. (RM) (70 à 99 F)

🔑 Philippe Gué, 2, rue de Monthelon,
51530 Chouilly, tél. 03.26.54.50.32,
fax 03.26.54.01.45 ☑ 🍷 r.-v.

P. GUERRE ET FILS Tradition

○ 8,5 ha n.c. 11 à 15 €

Etablis sur la rive droite de la vallée de la Marne, les Guerre, vignerons depuis plusieurs générations, se sont faits récoltants-manipulants dans les années 1950. Ils disposent de vignobles répartis sur huit terroirs. Leur cuvée Tradition est un assemblage classique de 60 % de pinots et de 40 % de chardonnay des raisins vendangés en 1996, 1997 et 1998. Elle est fraîche, jeune et assez élégante. (RM) (70 à 99 F)

Michel Guerre, 3, rue de Champagne, 51480 Venteuil, tél. 03.26.58.62.72, fax 03.26.58.64.06 t.l.j. 9h-11h30 14h-17h

ROMAIN GUISTEL Réserve

○ 1 ha 10 000 11 à 15 €

Ce domaine de 5 ha établi dans la vallée de la Marne propose un brut sans année né des vendanges de 1997 et 1998, un blanc de noirs dominé par le pinot meunier (70 %). Après un nez brioché, miellé, légèrement évolué, on découvre une bouche harmonieuse aux notes de fruits confiturés. (NM) (70 à 99 F)

Champagne Romain Guistel, 1, rue des Remparts-de-l'Ouest, 51480 Damery, tél. 03.26.58.40.40 r.-v.

HAMM Sélection*

○ n.c. 40 000 11 à 15 €

Henri Hamm devint manipulant dès 1910 et créa sa maison de négoce en 1930. Ses descendants assurent la bonne marche de l'entreprise, établie à Ay. Cette cuvée Sélection est un assemblage dominé par les raisins noirs (80 %, les deux pinots à parts égales). Les vins n'ont pas fait leur fermentation malolactique. Ce champagne révèle des arômes de poire et d'agrumes qui se retrouvent dans une bouche ronde et soyeuse. (NM) (70 à 99 F)

Champagne Hamm, 16, rue N.-Philipponnat, 51160 Ay, tél. 03.26.55.44.19, fax 03.26.51.98.68 t.l.j. 9h-12h 14h-18h; sam. dim. sur r.-v.

HARLIN Grand Rosé

◐ 1,8 ha 15 000 15 à 23 €

« Maison C. Harlin et Cie fondée en 1848 », dit l'étiquette de ce récoltant-manipulant de Tours-sur-Marne. Ce rosé pelure d'oignon fait songer aux petits fruits rouges au nez comme en bouche, avec rondeur et finesse. Cité également, le **Grand Chardonnay** est un blanc de blancs plus évolué que primesautier, miellé et surtout épicé. (NM) (100 à 149 F)

Harlin, 41, av. de Champagne, 51150 Tours-sur-Marne, tél. 03.26.51.88.95, fax 03.26.58.96.31 r.-v.

HARLIN PERE ET FILS Prestige 1995**

○ 2 ha 1 500 11 à 15 €

Ce domaine de Mareuil-le-Port (vallée de la Marne) compte 8 ha de vignes. Son 95 Prestige, assemblant 40 % de chardonnay à 60 % de pinot noir, traduit toutes les qualités de cet excellent millésime. Son nez de fruits confits vanillés est fin, et le palais est aussi puissant qu'équilibré. Le **grand cru**, issu de vins de 1997 et mariant pinot noir et chardonnay dans des proportions identiques au précédent, est vif à l'attaque, puis fondu. Il recueille une citation. (RM) (70 à 99 F)

Harlin Père et Fils, 8, rue de la Fontaine, 51700 Port-à-Binson, tél. 03.26.58.34.38, fax 03.26.58.63.78 t.l.j. sf dim. 9h-12h 14h-18h

JEAN-NOEL HATON Cuvée Prestige**

○ n.c. n.c. 15 à 23 €

Fondée en 1928, cette maison est établie à Damery (vallée de la Marne). Elle dispose d'un vignoble de 13 ha. Mi-noire mi-blanche, sa cuvée Prestige affiche un nez exubérant de coing confit et de pain grillé et brioché. En bouche se révèle un fruité mentholé et poivré. Une citation pour le **rosé (70 à 99 F)**, issu pour les trois quarts de raisins noirs (50 % de meunier). Un champagne aux arômes de fruits rouges et noirs et à la vivacité roborative. (NM) (100 à 149 F)

Jean-Noël Haton, 5, rue Jean-Mermoz, 51480 Damery, tél. 03.26.58.40.45, fax 03.26.58.63.55 r.-v.

LUDOVIC HATTE Réserve

○ 7 ha 10 000 11 à 15 €

Exploitation familiale disposant de 7 ha de vignes situées dans quatre grands crus de la Montagne de Reims. Sa cuvée Réserve comprend 80 % de raisins noirs et provient des années 1995 et 1996. Elle est vive à l'attaque, briochée au nez comme en bouche. Un champagne direct. (RM) (70 à 99 F)

Ludovic Hatté, 3, rue Thiers, 51360 Verzenay, tél. 03.26.49.43.94, fax 03.26.49.81.96 r.-v.

MARC HEBRART Prestige 1995**

○ 1er cru 1 ha 5 000 15 à 23 €

Marc Hébrard, fondateur de l'exploitation en 1963, a été rejoint par son fils Jean-Paul en 1983. Le vignoble, très morcelé, comprend soixante-cinq parcelles réparties sur six villages. Ce 95 est une cuvée classique assemblant 60 % de pinot noir à 40 % de chardonnay, cépages qui laissent leur marque dans un nez complexe richement fruité, beurré et brioché. Un champagne si intense, si élégant et si long qu'un dégustateur a suggéré de lui donner un coup de cœur (« J'achète », conclut-il sur sa fiche). Sa nervosité joue plutôt en sa faveur. (RM) (100 à 149 F)

Marc Hébrart, 18-20, rue du Pont, 51160 Mareuil-sur-Ay, tél. 03.26.52.60.75, fax 03.26.52.92.64 r.-v.

HEIDSIECK & CO MONOPOLE Diamant bleu 1995*

○ n.c. 30 000 30 à 38 €

Fondée par Florens Louis Heidsieck en 1785, cette maison connut une grande notoriété dès avant la Première Guerre mondiale, en tant que fournisseur de plusieurs cours d'Europe. Le tsar Nicolas II fut ainsi au nombre de ses clients. Au XXe s., l'entreprise a changé plusieurs fois de mains : reprise en 1923 par Edouard Mignot qui ajouta le mot « Monopole » à la marque, elle passa en 1972 dans le giron de Mumm, qui

CHAMPAGNE

appartenait alors à Seagram, et fut enfin revendue à Vranken en 1996. Diamant bleu est une cuvée de prestige millésimée, mi-noire mi-blanche. Puissant, long, brioché et beurré, le millésime 95 a atteint son apogée. Ont été cités le **Blue Top (100 à 149 F)**, un brut sans année classique issu des trois cépages champenois (80 % des deux pinots), et le **Gold Top 96 (100 à 149 F)**, assemblage de 60 % de pinot noir et de 40 % de chardonnay, un champagne nerveux avec une pointe d'amertume en finale. (NM) (200 à 249 F)

Heidsieck & Co Monopole, 17, av. de Champagne, 51200 Epernay, tél. 03.26.59.50.50, fax 03.26.52.19.65

P.-F. Vranken

D. HENRIET-BAZIN 1993*

○ Gd cru 3 ha 10 000 11 à 15 €

Ce domaine a plus de cent ans. Il a l'avantage d'exploiter un grand cru de noirs, Verzenay, et un excellent 1er cru de blancs, Villers-Marmery. Ses vignobles s'étendent sur 7,5 ha. Il propose un 93, millésime rare, assemblage de 70 % de pinot noir et de 30 % de chardonnay. Au nez comme en bouche, ce champagne offre un fruité de pomme et de citron. Après une attaque franche, le palais fait preuve d'intensité et de longueur. (RM) (70 à 99 F)

D. Henriet-Bazin, 9 *bis*, rue Dom-Pérignon, 51380 Villers-Marmery, tél. 03.26.97.96.81, fax 03.26.97.97.30 Y r.-v.

HENRIOT Cuvée des Enchanteleurs 1988*

○ 103 ha 50 000 46 à 76 €

Le champagne doit décidément beaucoup aux veuves : Appoline Henriot avait perdu son mari lorsqu'elle fonda sa maison en 1808. Celle-ci est aujourd'hui dirigée par Joseph Henriot, qui lui accorde toute son attention en dépit de ses activités bourguignonnes. La cuvée des Enchanteleurs est une cuvée spéciale légèrement dominée par les blancs (56 % de chardonnay, 44 % de pinot noir). Le millésime 88 présente certes des arômes évolués (le sous-bois et l'animal se faisant jour à côté d'arômes grillés), mais a gardé une tenue qui suscite l'admiration du jury. La bouche est en effet très fraîche pour un champagne de treize ans d'âge. Même note pour le **95 (150 à 199 F)**, presque mi-noir mi-blanc (47 % de chardonnay, 53 % de pinot noir), qui réjouit les dégustateurs par son équilibre et sa fraîcheur. (NM) (300 à 499 F)

Champagne Henriot, 3, pl. des Droits-de-l'Homme, BP 457, 51066 Reims, tél. 03.26.89.53.00, fax 03.26.89.53.10 Y r.-v.

PAUL HERARD Cuvée Paul

○ 1,5 ha 12 000 11 à 15 €

Cette cuvée rend hommage au fondateur de cette maison auboise créée en 1925 par Paul Hérard, conduite par ses descendants et disposant de 11 ha de vignes dans la Côte des Bars. Il s'agit d'un assemblage classique (60 % de chardonnay et 40 % de pinot noir, récoltés en 1997). Un champagne de caractère, frais et long, dont le côté empyreumatique s'exprime en notes de fumée. Cité également, le **blanc de noirs,** issu des vendanges de 1998 et 1999, retient l'attention par son attaque franche et son équilibre tout en vivacité, avec une pointe d'amertume. (NM) (70 à 99 F)

Champagne Paul Hérard, 33, Grande-Rue, 10250 Neuville-sur-Seine, tél. 03.25.38.20.14, fax 03.25.38.25.05 Y r.-v.

DIDIER HERBERT

○ 1er cru 4 ha 40 000 11 à 15 €

Didier Herbert a choisi le statut de négociant. Il exploite un vignoble de 7 ha à Rilly-la-Montagne, commune dans laquelle il complète son approvisionnement. Il a vinifié son brut à partir des trois cépages champenois à parts égales, vendangés en 1996, 1997 et 1998. Complexe, mêlant notes florales et minérales, ce champagne séduit aussi par sa longueur : on pourra le boire avec une poularde. Citée également, la cuvée **Platinium 96 1er cru (100 à 149 F)** assemble 60 % de chardonnay à 40 % de pinot noir. Elle mêle les agrumes à des notes grillées et poivrées et n'a qu'un défaut : sa jeunesse. (NM) (70 à 99 F)

Didier Herbert, 32, rue de Reims, 51500 Rilly-la-Montagne, tél. 03.26.03.41.53, fax 03.26.03.44.64, e-mail champagne-herbert@terre-net.fr Y r.-v.

STEPHANE HERBERT

○ n.c. n.c. 15 à 23 €

Stéphane Herbert est installé dans la Montagne de Reims. Il propose un brut sans année au nez fruité, intense et à la bouche ronde, miellée, équilibrée et longue. Le tout est marqué par une touche d'évolution. (RM) (100 à 149 F)

Stéphane Herbert, 11, rue Roger Salengro, 51500 Rilly-la-Montagne, tél. 03.26.03.49.93, fax 03.26.02.01.39 Y r.-v.

M. HOSTOMME Blanc de blancs

○ Gd cru 6 ha 50 000 11 à 15 €

Cette entreprise de négoce exploite 10 ha de vignes fort bien situés dans la commune de Chouilly, classée en grand cru et vouée au chardonnay. Elle obtient deux citations pour des champagnes d'apéritif. Ce non-millésimé assemble des vins de 1997 et 1998. Miellé au nez comme en bouche, il séduit par sa finesse. Le **blanc de blancs grand cru 95 (100 à 149 F)** est expressif, équilibré et plutôt long. (NM) (70 à 99 F)

M. Hostomme et Fils, 5, rue de l'Allée, 51530 Chouilly, tél. 03.26.55.40.79, fax 03.26.55.08.55, e-mail champagne.hostomme@wanadoo.fr Y r.-v.

HUGUENOT-TASSIN Cuvée Tradition

○ n.c. 25 000 11 à 15 €

Ce récoltant-manipulant exploite un vignoble de 6 ha dont l'encépagement mérite d'être signalé pour son originalité : chardonnay, pinot blanc et pinot noir (50 % de vieilles vignes). Ces deux dernières variétés participent à égalité à la cuvée Tradition (45 % chacune, et 10 % de chardonnay) dont le bouquet discrètement floral s'accompagne de litchi et d'agrumes. La bouche équilibrée ne dissimule pas une touche de dosage. (RM) (70 à 99 F)

Benoît Huguenot, 4, rue du Val-Lune, 10110 Celles-sur-Ource, tél. 03.25.38.54.49, fax 03.25.38.50.40 r.-v.

IVERNEL Prestige*

○ n.c. 50 000 15 à 23 €

Philipponnat, Gosset, Ivernel : trois familles connues à Ay dès le XV[e]s. Les ancêtres de Gustave Ivernel, fondateur de la marque en 1890, livraient déjà des vins à la cour de France à la Renaissance. Le Champagne Ivernel a été repris par Gosset en 1989. Sa cuvée Prestige est très noire (30 % de chardonnay, 55 % de pinot noir, 15 % de meunier). Elle est fraîche, ronde et bien construite. (NM) (100 à 149 F)

Champagne Ivernel, B.P. 15, 51160 Ay, tél. 03.26.55.21.10, fax 03.26.51.55.88 r.-v.

ROBERT JACOB 1996*

○ 4 ha 7 000 11 à 15 €

Exploitation créée en 1960 par Robert Jacob, reprise en 1970 par son fils Daniel. Le vignoble de 6 ha s'étend sur quatre communes du Barrois-Aubois. Deux des champagnes du domaine obtiennent chacun une étoile. Né de deux tiers de chardonnay pour un tiers de pinot noir, ce 96 s'annonce par un nez plutôt discret, légèrement torréfié. Il est vif et très jeune. Même note pour la cuvée **Prestige**, un blanc de blancs issu de la vendange 1996. On y découvre des fruits exotiques et des notes biscuitées et, ici encore, une extrême jeunesse. (RM) (70 à 99 F)

Champagne R. Jacob, 14, rue de Morres, 10110 Merrey-sur-Arce, tél. 03.25.29.83.74, fax 03.25.29.34.86 r.-v.

Daniel Jacob

JACQUART
Blanc de blancs Mosaïque 1996**

○ n.c. n.c. 23 à 30 €

Créée en 1962, cette importante union de coopératives réunit 850 adhérents et vinifie les raisins récoltés sur 1 000 ha. Elle propose un blanc de blancs 96 représentatif de son cépage et de son millésime, c'est-à-dire vif à l'attaque, frais, fin, équilibré et persistant. Une étoile pour le **Tradition 92 (100 à 149 F)**, mi-noir mi-blanc, très fruité et au nez évolué, et une citation pour le **Brut de nominée (200 à 249 F)**, un « sans année » mi-noir mi-blanc, un champagne citronné, acidulé. (CM) (150 à 199 F)

SA Jacquart, 6, rue de Mars, 51100 Reims, tél. 03.26.07.88.40, fax 03.26.07.12.07, e-mail jacquart@ebc.net

ANDRE JACQUART ET FILS
Blanc de blancs 1996**

○ Gd cru 1,5 ha 10 000 15 à 23 €

Michel Jacquart cultive 1,8 ha de vignes ; son fils André et ses petits-enfants Chantal et Pierre développent le vignoble, si bien que la troisième génération se trouve à la tête d'une petite vingtaine d'hectares. Le domaine est établi dans la Côte des Blancs. Il propose un beau 96 qui n'est pas, comme certains, affecté par l'acidité naturelle du millésime ; il n'en présente pas moins une grande fraîcheur. Son nez franc évoque les fleurs blanches (aubépine), et sa bouche est fine et longue. (RM) (100 à 149 F)

André Jacquart et Fils, 23, rue des Zalieux, 51190 Le Mesnil-sur-Oger, tél. 03.26.57.52.29, fax 03.26.57.78.14, e-mail info@champagne.a.jacquart-et-fils.com r.-v.

YVES JACQUES Tradition Réserve

○ 10 ha 5 000 11 à 15 €

La famille Jacques s'est établie en 1932 à Baye, dans le Sézannais. Son vignoble s'étend sur 10 ha à Baye, Sézanne, Troissy et Argançon (dans l'Aube). Le Tradition Réserve est un assemblage de 75 % de pinots (dont 50 % de meunier) et de 25 % de chardonnay provenant des récoltes de 1993 à 1995. Avec ses arômes de pamplemousse et de fruits mûrs, il montre une certaine complexité. Il ne faut plus l'attendre. Le **Sélection Réserve**, né des vendanges de 1994 à 1996, est un blanc de blancs de style vanillé et fruité, frais avec une touche d'amertume. Il est cité. (RM) (70 à 99 F)

Champagne Yves Jacques, 1, rue de Montpertuis, 51270 Baye, tél. 03.26.52.80.77, fax 03.26.52.80.77 t.l.j. 8h-19h

JACQUESSON ET FILS Perfection*

○ n.c. n.c. 23 à 30 €

L'une des plus anciennes maisons de Champagne, fondée à Châlons en 1798. Elle connut une grande prospérité, puisqu'elle expédiait un million de bouteilles en 1867 mais déclina peu après et faillit disparaître. Depuis 1974, la famille Chiquet, de Dizy, la perpétue. 62 % de pinots (40 % de meunier, 22 % de pinot noir) et 38 % de chardonnay composent le vin de base de cette cuvée dont un tiers passe par le bois. Il s'agit de 1ers crus et de grands crus, récoltés de 1995 à 1997. Ce champagne laisse une impression d'équilibre et de légèreté. (NM) (150 à 199 F)

Champagne Jacquesson et Fils, 68, rue du Colonel-Fabien, 51530 Dizy, tél. 03.26.55.68.11, fax 03.26.51.06.25, e-mail champagne.jacquesson@wanadoo.fr r.-v.

JACQUINET-DUMEZ*

◐ 1er cru 1 ha n.c. 11 à 15 €

Succédant à Henri Dumez et à Jean-Guy Jacquinet, Olivier Dumez représente la troisième génération de récoltants-manipulants sur ce domaine proche de Reims. Il dispose de 7 ha de vignes, exclusivement classées en 1er cru. Son rosé n'est issu que de pinots (65 % de pinot noir, 25 % de meunier et 10 % de coteaux champenois rouge). Très pâle, il mêle au nez la framboise et le cassis ; des notes miellées apparaissent dans une bouche souple et mature. Une étoile encore pour la **Cuvée l'Excellence 96 (100 à 149 F)**, mi-blanche mi-noire (pinot noir), assez mûre, avec des notes empyreumatiques, bien structurée, qui sera excellente à l'apéritif. (RM) (70 à 99 F)

Jacquinet-Dumez, 26, rue de Reims, 51370 Les Mesneux, tél. 03.26.36.25.25, fax 03.26.36.58.92, e-mail jacquinet-dumez@aol.com r.-v.

CHAMPAGNE

JAEGER-LIGNEUL Sélection

○ n.c. n.c. ▮ 11 à 15 €

Exploitation familiale sise à Reuil, dans la vallée de la Marne. Son Sélection est un blanc de noirs de pinot meunier essentiellement citronné, souple et rond. (RM) (70 à 99 F)

Jaeger-Ligneul, 2 bis, Grande-Rue, 51480 Reuil, tél. 03.26.58.02.68, fax 03.26.58.02.68 ☑ Y r.-v.

PIERRE JAMAIN Cuvée Caroline*

○ 1 ha 7 700 ▮ 11 à 15 €

L'exploitation, constituée par Pierre Jamain en 1962, a été reprise en 1985 par sa fille Elisabeth. Le vignoble est situé à l'extrême sud du département de la Marne, aux confins de l'Aube. Bien que l'étiquette ne l'annonce pas, la cuvée Caroline est un blanc de blancs, provenant de la vendange de 1997. C'est un champagne équilibré, aux arômes de fruits secs et de fruits blancs, d'une grande jeunesse. A servir à l'apéritif. (RM) (70 à 99 F)

EARL Pierre Jamain, 1, rue des Tuileries, 51260 La Celle-sur-Chantemerle, tél. 03.26.80.21.64, fax 03.26.80.29.32 ☑ Y r.-v.

E. JAMART ET CIE

◑ n.c. 5 000 ▮ 11 à 15 €

Une maison fondée en 1934 par Emilien Jamart et gérée par ses descendants. Elle a son siège à Saint-Martin-d'Ablois, au sud d'Epernay. Son rosé, issu exclusivement de pinot meunier récolté en 1997 et 1998, présente une teinte soutenue. Il est retenu pour son équilibre et ses arômes de framboise et de groseille. La cuvée **Réserve** est citée également. Assemblage de 80 % de meunier et de 20 % de chardonnay, issue des vendanges de 1997 et 1998, elle montre un caractère floral et vif. Deux champagnes d'apéritif. (NM) (70 à 99 F)

E. Jamart et Cie, 13, rue Marcel-Soyeux, 51530 Saint-Martin-d'Ablois, tél. 03.26.59.92.78, fax 03.26.59.95.23, e-mail champagne.jamart@wanadoo.fr ☑ Y t.l.j. 9h-12h 14h-18h; dim. sur r.-v., f. 15-31 août

J.-Michel Oudart

JANISSON-BARADON ET FILS Collection du Millénaire 1996*

○ 1 ha 5 148 ▮🌡 15 à 23 €

En 1922, Georges Baradon et son gendre élaborent leur premier champagne. La continuité est assurée par Michel Janisson, puis par son fils Richard et son petit-fils Cyril. Cette cuvée 96 assemble 30 % de pinot noir à 70 % de chardonnay. Elle mêle le caramel et les fruits cuits et se montre puissante au palais. (RM) (100 à 149 F)

SCEV Janisson-Baradon, 65, rue Chaude-Ruelle et 2, rue des Vignerons, 51200 Epernay, tél. 03.26.54.45.85, fax 03.26.54.25.54, e-mail info@champagne-janisson.com ☑ Y r.-v.

M. et C. Janisson

RENE JARDIN Blanc de blancs Vieilles vignes Cuvée Louis René**

○ Gd cru 2 ha 16 000 ▮ 15 à 23 €

Dès 1889, René Jardin lance son champagne. Ses successeurs développent l'exploitation. Ils disposent aujourd'hui de 22 ha dans de nombreux terroirs permettant l'expression des trois cépages champenois : Bouzy et Les Riceys, la Côte des Blancs, et la vallée de la Marne. La cuvée Louis René frôle le coup de cœur. Elle est issue de chardonnay de quarante ans d'âge récolté en 1993 et en 1995. Elle séduit par son nez intense et complexe aux plaisantes notes briochées, sensations que l'on retrouve dans une bouche vineuse. Le **rosé (70 à 99 F)** est un rosé de noirs (pinot noir de 1997 et 1998), coloré par du vin rouge de vieilles vignes. Sous-bois au nez, puissant et souple, il recueille une citation. (RM) (100 à 149 F)

SCEV Champagne René Jardin, 3, rue Charpentier-Laurain, 51190 Le Mesnil-sur-Oger, tél. 03.26.57.50.26, fax 03.26.57.98.22, e-mail contact@champagne-jardin.fr ☑ Y r.-v.

JEANMAIRE Cuvée blanc de blancs

○ n.c. 80 000 ▮🌡 15 à 23 €

Maison de négoce fondée en 1933 par André Jeanmaire, reprise en 1981 par les Trouillard qui détiennent également Oudinot et Beaumet. Trois marques très proches qui exploitent les 121 ha du vignoble Trouillard. Le blanc de blancs est une des spécialité de Jeanmaire. Celui-ci, nerveux et frais, se caractérise par la finesse de ses arômes d'agrumes et de miel et par sa grande jeunesse. (NM) (100 à 149 F)

Champagne Jeanmaire, 3, rue Malakoff, 51207 Epernay, tél. 03.26.59.50.10, fax 03.26.54.78.52, e-mail champagne.jeanmaire@wanadoo.fr

J. Trouillard

RENE JOLLY Blanc de noirs

○ n.c. n.c. ▮ 11 à 15 €

A la tête d'un vignoble de 10 ha, les Jolly sont établis dans l'Aube depuis 1737. René Jolly, créateur de la marque, assure toujours, à 87 ans, le remuage manuel des bouteilles. Le domaine a présenté ce blanc de noirs, issu exclusivement de pinot noir. Frais à l'attaque, ce champagne plaît par sa rondeur miellée. Le **rosé**, composé de pinot noir et de chardonnay, est cité pour ses arômes de framboise et de cassis et pour sa vivacité. (RM) (70 à 99 F)

Hervé Jolly, 10, rue de la Gare, 10110 Landreville, tél. 03.25.38.50.91, fax 03.25.38.30.51 ☑ Y r.-v.

BERTRAND JOREZ Prestige*

○ 1er cru n.c. n.c. 11 à 15 €

40 % de chardonnay, 43 % de pinot meunier complétés par du pinot noir de la récolte 1996 : le nez frais et floral, tout en finesse annonce une bouche harmonieuse, équilibrée. Un champagne à servir sur des poissons blancs ou à l'apéritif. (RC) (70 à 99 F)

🔑 EARL Bertrand Jorez, 13, rue de Reims, 51500 Ludes, tél. 03.26.61.14.05, fax 03.26.61.14.96 ☑ 🍷 r.-v.

JEAN JOSSELIN Blanc de blancs 1996

○ 0,84 ha 1 876 ▮ 15 à 23 €

Prenant la suite d'une lignée de vignerons établie dans l'Aube depuis le second Empire, Jean-Pierre Josselin s'est installé en 1980. L'exploitation s'étend sur 10 ha, non loin des Riceys. Son blanc de blancs 96 est cité pour son nez minéral et torréfié et pour son attaque nette. Même note pour le **Tradition (70 à 99 F)**, assemblage de pinot noir (60 %) et de chardonnay (40 %) vendangés en 1998 : un champagne empyreumatique et fruité, souple en bouche. (RM) (100 à 149 F)

🔑 Jean-Pierre Josselin, 14, rue des Vannes, 10250 Gyé-sur-Seine, tél. 03.25.38.25.00, fax 03.25.38.25.00 ☑ 🍷 r.-v.

KRUG 1988★★

○ n.c. n.c. ⏸ +76 €

Fondée en 1843, la maison Krug a misé d'emblée sur le haut de gamme. Si elle a été absorbée en 1999 par la nébuleuse LVMH, la famille fondatrice n'en reste pas moins aux commandes et demeure maîtresse des savants assemblages qui ont fait sa réputation. Le palmarès reflète cette exigence : cinq champagnes cotés deux étoiles (voir aussi ci-dessous), des coups de cœur par-ci par-là... Des cuvées précieuses et chères (toutes figurent dans la fourchette de prix la plus élevée). Ce 88, assemblage de 50 % de pinot noir, 18 % de meunier et 32 % de chardonnay, enchante le grand jury par sa puissance, son harmonie et sa longueur. Sa robe est d'une extrême jeunesse pour le millésime. Il est boisé avec génie. Un coup de cœur pour cette superbe longévité. (NM) (+ 500 F)

🔑 Krug Vins fins de Champagne, 5, rue Coquebert, B.P. 22, 51100 Reims, tél. 03.26.84.44.20, fax 03.26.84.44.49, e-mail krug@krug.fr ☑ 🍷 r.-v.

KRUG★★

◐ n.c. n.c. ⏸ +76 €

Comme l'an dernier, le rosé obtient un coup de cœur, mais la règle du Guide veut que l'on ne reproduise pas plus d'une étiquette par producteur dans une même appellation. Le rosé n'appartient pas à la tradition Krug mais, avec de telles cuvées, gageons qu'il a trouvé sa place dans la gamme de la grande maison rémoise. Pour simplifier, on dira qu'il naît d'une Grande Cuvée colorée avec du vin rouge d'Ay du vignoble Krug. Cela lui confère beaucoup de couleur. Boisé et fruité se marient dans un nez complexe. En bouche, des arômes d'agrumes confits, un côté vineux, une belle ampleur et une harmonie parfaite incitent à boire ce champagne au cours du repas. Les trois autres vins suivants obtiennent aussi deux étoiles. La **Grande Cuvée** (assemblage de vieux vins de réserve dominé par les noirs : 45 à 55 % de pinot noir, 15 à 20 % de pinot meunier, 25 à 30 % de chardonnay), de style évolué, offre des arômes de fleurs blanches et de miel, une bouche complexe, longue et suave ; le **Clos du mesnil 88** est l'archétype du blanc de blancs boisé ; il frôle les trois étoiles. Le **Collection 81**, mi-blanc mi-noir (dont 19 % de meunier), est le plus beau champagne, le mieux conservé de ce millésime difficile. Un vin expressif par ses arômes de torréfaction, souple, équilibré. « Meursault en fin de bouche », note un dégustateur. (NM) (+ 500 F)

🔑 Krug Vins fins de Champagne, 5, rue Coquebert, B.P. 22, 51100 Reims, tél. 03.26.84.44.20, fax 03.26.84.44.49, e-mail krug@krug.fr ☑ 🍷 r.-v.

MICHEL LABBE ET FILS Prestige

○ 1 ha 5 000 ▮ 15 à 23 €

Etablie dans la Montagne de Reims depuis la fin du XIXe s., la famille Labbé exploite une dizaine d'hectares. Mi-noir mi-blanc, son brut Prestige a retenu l'attention par son joli nez torréfié, aux accents de moka et par sa bouche vive et citronnée. (RM) (100 à 149 F)

🔑 Champagne Michel Labbé et Fils, 5, chem. du Hasat, 51500 Chamery, tél. 03.26.97.65.45, fax 03.26.97.67.42 ☑ 🍷 r.-v.

🔑 Didier Labbé

LACROIX Grande Réserve★

○ n.c. 15 000 ▮⏸ 11 à 15 €

Cette exploitation, sise dans la vallée de la Marne, élabore du champagne depuis 1974. Elle dispose d'un vignoble de 11 ha. La vinification est soignée, le remuage manuel, et le chai comporte des foudres. Née pour les trois quarts de noirs (dont 25 % de meunier), la cuvée de prestige Grande Réserve est florale (fleurs blanches et surtout violette) au nez comme en bouche. Encore plus marqué par les raisins noirs (70 % de meunier, 20 % de pinot noir, 10 % de chardonnay récoltés en 1996 et 1997) le **Tradition** est cité pour ses arômes (fruits secs, fruits rouges) et son équilibre. (RM) (70 à 99 F)

🔑 Champagne Jean Lacroix, 14, rue des Genêts, 51700 Montigny-sous-Châtillon, tél. 03.26.58.35.17, fax 03.26.58.36.39 ☑ 🍷 t.l.j. 9h-12h 14h-17h; dim. sur r.-v.; f. 10-31 août

LACROIX-TRIAULAIRE ET FILS Prestige 1996★

○ n.c. 3 700 ▮ 11 à 15 €

Installé en 1972, François Lacroix dispose d'un vignoble de 7,3 ha dans l'Aube. Raisins noirs et raisins blancs se marient dans cette cuvée élégante et fine, bien représentative du millésime. Ses arômes sont fumés et grillés, et la bouche fait preuve d'une certaine fermeté. (RM) (70 à 99 F)

🔑 Lacroix-Triaulaire, 4, rue de La Motte, 10110 Merrey-sur-Arce, tél. 03.25.29.83.59 ☑ 🍷 r.-v.

CHARLES LAFITTE Grande Cuvée*

○ n.c. 1 600 000 11 à 15 €

Marque de cognac devenue champenoise en 1983, après le rachat de Charles Lafitte par Vranken. La Grande Cuvée, pléthorique, n'en est pas moins très honorable. Elle sollicite à parts sensiblement égales les trois cépages champenois (40 % de chardonnay et les deux pinots à égalité). Discrète au nez, elle s'affirme dans une bouche longue et... dosée. La cuvée spéciale **Orgueil de France 96 (100 à 149 F)**, mi-noire mi-blanche, obtient la même note. Elle illustre bien son millésime par sa vivacité, son élégance et sa plénitude. Une étoile encore pour le **96 (100 à 149 F)**, issu des trois cépages champenois et proche du précédent. (NM) (70 à 99 F)

🔑 Charles Lafitte, Champ Rouen, 51150 Tours-sur-Marne, tél. 03.26.59.50.50, fax 03.26.52.19.65 ☑

🔑 P. F. Vranken

BENOIT LAHAYE*

◐ Gd cru 0,6 ha 2 000 11 à 15 €

Installé au début des années 1990, Benoît Lahaye a repris le vignoble familial (4,5 ha), heureusement situé à Bouzy, commune classée en grand cru. A partir des récoltes 1998 et 1999, il a obtenu un rosé par macération courte de pinot noir. Les vins ne font pas leur fermentation malolactique. Ils sont élevés pour moitié six mois en fût. Le résultat ? Un champagne gai, jeune, aux nuances violacées. La violette et la framboise contribuent à son harmonie délicate. (RM) (70 à 99 F)

🔑 Benoît Lahaye, 33, rue Jeanne-d'Arc, 51150 Bouzy, tél. 03.26.57.03.05, fax 03.26.52.79.94, e-mail lahaye.benoit@wanadoo.fr ☑ 🍷 r.-v.

LAHAYE-WAROQUIER Prestige*

○ Gd cru 0,5 ha 2 000 15 à 23 €

Autre marque de Benoît Lahaye (voir ci-dessus) qui a repris la marque lancée en 1950 par Lucien Waroquier. Un blanc de noirs des années 1996-1997, au bouquet d'amande grillée, de noisette et de sous-bois. Frais, équilibré et long en bouche, c'est le champagne des repas riches. (RM) (100 à 149 F)

🔑 Benoît Lahaye, 33, rue Jeanne-d'Arc, 51150 Bouzy, tél. 03.26.57.03.05, fax 03.26.52.79.94, e-mail lahaye.benoit@wanadoo.fr ☑ 🍷 r.-v.

JEAN-JACQUES LAMOUREUX Réserve

○ 5 ha 25 000 11 à 15 €

Jean-Jacques Lamoureux a élaboré son premier champagne en 1985. Il dispose de 7,5 ha de vignes autour des Riceys, commune bien connue pour son pinot noir. C'est ce cépage qui a dominé largement l'assemblage de son brut Réserve, 80 % complétés par du chardonnay, des raisins de la vendange de 1999. Un champagne au nez discrètement animal, vif et léger. (RM) (70 à 99 F)

🔑 Jean-Jacques Lamoureux, 27 *bis*, rue du Gal-de-Gaulle, 10340 Les Riceys, tél. 03.25.29.11.55, fax 03.25.29.69.22 ☑ 🍷 r.-v.

VINCENT LAMOUREUX*

◐ 0,5 ha 1 500 11 à 15 €

Ces autres Lamoureux des Riceys font du champagne depuis 1988. Ils proposent un rosé de la récolte de 1996. Un rosé coloré, rouge tuilé, qui doit tout au pinot noir. Son fruité aux accents de pamplemousse confit, que l'on retrouve au nez comme en bouche, a été fort apprécié. (RM) (70 à 99 F)

🔑 Vincent Lamoureux, 2, rue du Sénateur-Lesaché, 10340 Les Riceys, tél. 03.25.29.39.32, fax 03.25.29.80.30 ☑ 🍷 r.-v.

LANCELOT-GOUSSARD Cuvée Brio 1995*

○ 0,7 ha 4 400 15 à 23 €

Claude Lancelot a pris la suite de trois générations de vignerons. Il élabore du champagne sous deux étiquettes : Lancelot-Goussard et Lancelot Fils. L'exploitation compte près de 5 ha. Si celle-ci a son siège en Côte des Blancs, les cuvées retenues n'oublient pas le pinot noir. Ce cépage, complété par le chardonnay, représente 40 % de la cuvée Brio, un assemblage des plus classiques. Le champagne, très marqué par les fruits mûrs, apparaît vineux et souple, voire confituré. Une citation pour le **rosé Tradition Saint-Jean Lancelot Fils (70 à 99 F)**, 100 % pinot noir, très rouge à l'œil, mais aussi, pourrait-on dire, au nez et en bouche. A réserver aux amateurs de ce type de rosé. (RM) (100 à 149 F)

🔑 Lancelot-Goussard, 30, rue Ernest-Vallé, 51190 Avize, tél. 03.26.57.94.68, fax 03.26.57.79.02 ☑ 🍷 r.-v.

🔑 Claude Lancelot

P. LANCELOT-ROYER Blanc de blancs Cuvée de réserve R.R.*

○ 2 ha 12 000 11 à 15 €

Cramant est situé au cœur de la Côte des Blancs. Les Lancelot ont une longue histoire dans ce village, puisqu'ils y sont depuis onze générations ! Viticulteurs, ils sont devenus récoltants-manipulants en 1930. Leur vignoble s'étend sur 4,5 ha. Cette cuvée naît de l'assemblage d'un tiers de vins de 1997 et de deux tiers de 1998. Sa palette aromatique – coing, miel, beurre, litchi, sous-bois, grillé – en fait un blanc de blancs typique. « Un grand champagne d'apéritif », écrit un dégustateur. Une étoile encore pour le **blanc de blancs 96 (100 à 149 F)**, curieusement souple pour le millésime, équilibré par un dosage très habile. (RM) (70 à 99 F)

🔑 EARL P. Lancelot-Royer, 540, rue du Gal-de-Gaulle, 51530 Cramant, tél. 03.26.57.51.41, fax 03.26.57.12.25, e-mail champagne.lancelot.royer@cder.fr ☑ 🍷 r.-v.

LANSON Noble Cuvée 1989★

○ n.c. n.c. 46 à 76 €

Une des plus anciennes maisons de champagne. En 1760, à sa création, elle porte le nom de son fondateur, François Delamotte, conseiller-échevin de Reims. C'est en 1856 qu'elle prit le nom de Lanson, associé des Delamotte. La société a été rachetée en 1991, mais le chef de cave, Jean-Paul Gandon, est toujours fidèle à son poste. Il est hostile à la fermentation malolactique. La Noble Cuvée est un champagne haut de gamme du prestigieux millésime 89, né d'un assemblage classique (chardonnay 60 %, pinot noir 40 %). Il faut le boire , car il a atteint son apogée. Un point élevé où se rejoignent l'abricot confit et le miel, la complexité et l'ampleur. Le **Gold Label 95 (150 à 199 F)** est cité. Les noirs et les blancs y sont presque à égalité (53 % de pinot noir, 47 % de chardonnay). Beurré, empyreumatique, ce champagne a toute la générosité du millésime. Cité également, le **Rose Label (150 à 199 F)**, issu des trois cépages champenois (53 % de pinot noir, 32 % de chardonnay, 15 % de meunier) est vif et équilibré. (NM) (300 à 499 F)

Lanson, 12, bd Lundy, 51100 Reims, tél. 03.26.78.50.50, fax 03.26.78.53.88 r.-v.

P. LARDENNOIS Sélection★

○ 0,3 ha 1000 15 à 23 €

P. Lardennois est établi à Verzy, dans la Montagne de Reims. Sa cuvée Sélection assemble deux tiers de pinot noir et un tiers de chardonnay des années 1992 à 1994. C'est un champagne riche qui a atteint son apogée. Son caractère puissant, empyreumatique, ample, complexe en fait un vin de repas. (RM) (100 à 149 F)

Champagne P. Lardennois, 33, rue Carnot, 51380 Verzy, tél. 03.26.97.91.23, fax 03.26.97.97.69 r.-v.

DE L'ARGENTAINE Tradition

○ 40 ha 360 000 11 à 15 €

Marque de la coopérative vinicole l'Union, établie à Vandières, dans la vallée de la Marne. Ce Tradition, né des vendanges de 1995, 1996, 1997, associe les trois cépages champenois, avec une prédominance de noirs (70 % de meunier, 20 % de pinot noir). Citronné et floral, il est cité pour son élégance. (CM) (70 à 99 F)

Coopérative vinicole L'Union, Cidex 318, 51700 Vandières, tél. 03.26.58.68.68, fax 03.26.58.68.69, e-mail delargentaine@wanadoo.fr r.-v.

GUY LARMANDIER
Cramant Blanc de blancs★★

○ Gd cru 4 ha 30 000 11 à 15 €

Aussi talentueux à la vigne qu'au chai, Jules Larmandier figure parmi les premiers récoltants-manipulants de la Côte des Blancs. Ses descendants, parmi lesquels Guy Larmandier, ont essaimé dans le vignoble. L'exploitation (9 ha) est maintenant gérée par Colette Larmandier et son fils François. Ce Cramant sans année séduit par son bouquet typique, d'une grande finesse florale, et par l'équilibre idéal de sa bouche, tout en fraîcheur. Un chardonnay d'anthologie. Quant au **Cramant 96 cuvée Prestige grand cru (100 à 149 F)**, il est cité. Le nez est puissant, floral, avec cette touche de pomme verte que l'on rencontre souvent dans les champagnes de ce millésime. La bouche, bien nette, apparaît en revanche délicate, tout en dentelle. (RM) (70 à 99 F)

EARL Champagne Guy Larmandier, 30, rue du Gal-Koenig, 51130 Vertus, tél. 03.26.52.12.41, fax 03.26.52.19.38 r.-v.

LARMANDIER-BERNIER
Blanc de blancs Vieilles vignes de Cramant Extra brut★★

○ Gd cru n.c. n.c. 15 à 23 €

Etiquette née du mariage de Philippe Larmandier et d'Elisabeth Bernier. Au décès prématuré de son mari, Elisabeth Larmandier a conduit l'exploitation avec autorité. Son fils Pierre maintient la marque à un haut niveau de qualité. L'exploitation, qui se flatte de pratiquer des dosages discrets, a présenté un champagne non dosé, aussi remarquable que le millésime précédent. Réussir un extra-brut 96 est un tour de force qui n'a été possible que grâce à de très vieilles vignes (cinquante ans). Celui-ci est gai, floral, fin, long, pur et surtout d'un parfait équilibre. Le **blanc de blancs 1er cru Spécial Club 95** obtient une citation pour sa palette mêlant notes minérales, fruits secs et confits et sa bonne longueur. (RM) (100 à 149 F)

Champagne Larmandier-Bernier, 43, rue du 28-Août, 51130 Vertus, tél. 03.26.52.13.24, fax 03.26.52.21.00, e-mail larmandier@terre-net.fr r.-v.

LARMANDIER PERE ET FILS
Blanc de blancs Perlé de Larmandier 1997★

○ 1er cru n.c. n.c. 15 à 23 €

La marque du célèbre Jules Larmandier, reprise par Françoise Gimonnet née Larmandier et par ses enfants Olivier et Didier. Le Perlé, un blanc de blancs tiré à demi-mousse, était le cheval de bataille de Jules Larmandier. 70 % de vin de Cramant et de Chouilly, deux grands crus, associés à 30 % de vin de Cuis, de l'année 1997 composent ce Perlé fin, aux arômes de fruits frais, extrêmement jeune. Deux autres champagnes blancs de blancs reçoivent aussi une étoile : le **Spécial Club 96 (150 à 199 F)**, grillé, floral et vif, et le **1er cru, assemblage des années 1993-97-98 (70 à 99 F)**, équilibré, long, léger, excellent à l'apéritif. (RM) (100 à 149 F)

Larmandier Père et Fils, 1, rue de la République, 51530 Cuis, tél. 03.26.57.52.19, fax 03.26.59.79.84 t.l.j. sf dim. 8h30-12h 14h-18h; sam. sur r.-v.; f. août

Famille Gimonnet-Larmandier

P. LASSALLE-HANIN Cuvée de réserve

○ 9 ha 30 000 11 à 15 €

L'exploitation, fondée au début des années 1950, dispose d'un vignoble de 9 ha à Chigny-les-Roses, dans la Montagne de Reims. Sa cuvée de réserve est née des trois cépages champenois récoltés en 1998, assistés de 20 % de vins de réserve. Son nez discret de compote de poires et

CHAMPAGNE

de pêches et sa bouche aimable, qui ne parle pas trop fort, lui valent une citation. (RM) (70 à 99 F)
Champagne P. Lassalle-Hanin, 2, rue des Vignes, 51500 Chigny-les-Roses, tél. 03.26.03.40.96, fax 03.26.03.42.10 r.-v.

CH. DE L'AUCHE Tradition**

○ n.c. 200 000 11 à 15 €

La coopérative de Janvry vinifie le produit de 122 ha. Elle exploite deux marques : Prestige des Sacres (voir ce nom) et Château de l'Auche. Cette cuvée Tradition, un blanc de noirs issu des deux pinots (90 % de pinot meunier) des années 1996 à 1999, a suscité l'enthousiasme pour son nez élégant, aérien et fondu, et sa bouche harmonieuse et très fruitée. Elle a frôlé le coup de cœur. La **cuvée Sélection**, un assemblage identique mais d'années antérieures (1995 à 1998), obtient une étoile. Proche de la précédente, elle livre des arômes de fleurs blanches et fait preuve d'une belle longueur. (CM) (70 à 99 F)
Coop. vinicole de Germigny-Janvry-Rosnay, rue de Germigny, 51390 Janvry, tél. 03.26.03.63.40, fax 03.26.03.66.93 r.-v.

PAUL LAURENT
Cuvée du Fondateur Réserve

○ 10 ha 100 000 11 à 15 €

Ce champagne est signé par une maison de négoce établie à Béthon, commune située au sud du département de la Marne, aux confins de la Seine-et-Marne. Il est issu de 70 % de pinot noir complété par 30 % de chardonnay, des raisins vendangés en 1999. Equilibré avec nervosité, fruits blancs au nez comme en bouche, il donne à un dégustateur des envies de dorade grillée et de gratin de courgettes. (NM) (70 à 99 F)
Paul Laurent, 4, rue des Pressoirs, 51260 Béthon, tél. 03.26.81.91.11, fax 03.26.81.91.22, e-mail champagnepaullaurent@wanadoo.fr t.l.j. 9h-12h 14h-18h; f. 31 juil.-30 août

LAURENT-PERRIER
Grand Siècle Lumière du millénaire 1990**

○ n.c. n.c. +76 €

Cette maison fondée sous l'Empire s'appelait Pierlot en 1812, puis Leroy-Pierlot. Elle prit le nom de Laurent-Perrier en 1881 à la suite du mariage d'Eugène Laurent avec Mathilde-Emilie Perrier. Très prospère à la veille de la Première Guerre mondiale, elle fut affectée par le conflit. Elle faillit disparaître et fut reprise en 1938 par Marie-Louise de Nonancourt. Son fils Bernard en a fait une des plus grandes maisons de champagne. Coup de cœur l'an passé, cette cuvée de prestige mi-noire mi-blanche présente tous les caractères de son millésime : puissance, opulence, souplesse, mais aussi harmonie et complexité. (NM) (+ 500 F)
Champagne Laurent-Perrier, Dom. de Tours-sur-Marne, 51150 Tours-sur-Marne, tél. 03.26.58.91.22, fax 03.26.58.77.29 r.-v.

ALBERT LE BRUN Vieille France*

n.c. 30 000 15 à 23 €

Fondée en 1860, à Avize, transférée à Châlons-sur-Marne (aujourd'hui Châlons-en-Champagne) en 1963, cette maison a changé plusieurs fois de mains ces dernières années. Une bouteille inspirée du XVIIIe s. renferme ce rosé couleur cuivre rouge, au bouquet de cerise, de framboise et de fraise des bois. En bouche, ce champagne est plein et fruité. (NM) (100 à 149 F)
SCV Albert Le Brun, 93, av. de Paris, 51000 Châlons-en-Champagne, tél. 03.26.68.18.68, fax 03.26.21.53.31 r.-v.
Patrick Raulet

PAUL LEBRUN
Blanc de blancs Grande Réserve 1996*

○ 5 ha 50 000 11 à 15 €

Etablie à Cramant, dans la Côte des Blancs, cette maison créée par Henri Lebrun fêtera en 2002 son centième anniversaire. Elle a gardé son caractère familial. Elle dispose d'un vignoble de 16,5 ha voué au chardonnay, variété à l'origine des trois cuvées retenues. Très caractéristique du cépage et représentatif du millésime, ce 96 offre un nez d'une belle finesse, fait de fleurs blanches et de notes biscuitées. Il est nerveux et frais. D'aussi bonne facture (une étoile également), le **blanc de blancs 93** est long, frais, très minéral. Quant au **blanc de blancs cuvée Prestige 96 (100 à 149 F)**, il est cité pour sa vivacité vanillée et ses saveurs de miel d'acacia. (NM) (70 à 99 F)
SA Champagne Vignier-Lebrun, 35, rue Nestor-Gaunel, 51530 Cramant, tél. 03.26.57.54.88, fax 03.26.57.90.02 r.-v.
M. P. Vignier

LE BRUN DE NEUVILLE
Cuvée Sélection

○ n.c. 70 000 11 à 15 €

Groupement de producteurs créé en 1963 dont les adhérents possèdent 145 ha de vignes. Le chardonnay est très présent dans ses productions. Il représente ainsi 80 % de cette cuvée, et est complété par du pinot noir. Les raisins proviennent de la vendange 1997. Le champagne est minéral, vif et long. Le jury a encore cité le **92 (100 à 149 F)**, à 5 % près un blanc de blancs, miellé et fortement dosé, et la **Cuvée chardonnay**, issue de la récolte de 1997, torréfiée, très puissante en bouche, dosée elle aussi. (CM) (70 à 99 F)
Champagne Le Brun de Neuville, rte de Chantemerle, 51260 Bethon, tél. 03.26.80.48.43, fax 03.26.80.43.28, e-mail lebrundeneuville@wanadoo.fr r.-v.

LE BRUN-SERVENAY
Cuvée Club Trésor 1994**

○ Gd cru 0,8 ha 4 000 15 à 23 €

Etabli à Avize, en Côte des Blancs, cette exploitation élabore du champagne depuis 1945. Elle dispose d'un vignoble de 8 ha et a la chance de posséder de très vieilles vignes. Celles qui ont donné ce 94 ont ainsi quatre-vingts ans d'âge ! Ce champagne assemble 80 % de chardonnay, 10 % de pinot noir et 10 % de pinot meunier. Le vin, non chaptalisé, n'a pas fait sa fermentation malolactique. Le 94, millésime difficile, est ici insurpassable avec son nez d'acacia et de noisette et sa bouche aux arômes de miel et d'agrumes. Une citation pour le **brut réserve (70 à 99 F)** issu des trois cépages champenois (chardonnay 50 % et les deux pinots à parts égales des années 1994 à 1997), floral et léger. (RM) (100 à 149 F)

EARL Le Brun-Servenay, 14, pl. Léon-Bourgeois, 51190 Avize, tél. 03.26.57.52.75, fax 03.26.57.02.71 r.-v.

LECLAIRE-THIEFAINE

Blanc de blancs Cuvée Sainte-Apolline*

○ Gd cru 1 ha 5 000 11 à 15 €

Ce récoltant-manipulant d'Avize (Côte des Blancs) exploite près de 4 ha. Les vignes ont trente-cinq ans. Sainte-Apolline, patronne des dentistes, a présidé à cette cuvée, un blanc de blancs d'une belle finesse, floral, équilibré et persistant. Le même producteur, sous l'étiquette Leclaire-Gaspard propose un blanc de blancs **Carte d'or Grand cru 1990**. Un vin équilibré, puissant et frais en dépit de ses onze ans d'âge. (RM) (70 à 99 F)

Dom. des Champagnes Leclaire, 22-24, rue Pasteur, 51190 Avize, tél. 03.26.57.55.66, fax 03.26.55.34.98, e-mail champagne.leclaire.thiefaine@wanadoo.fr r.-v.

LECLERC-BRIANT Divine 1990**

○ 1,5 ha 10 000 30 à 38 €

En 1664, un Leclerc cultivait la vigne à Ay. En 1872, Louis Leclerc commercialisa sa première bouteille. Aujourd'hui, Pascal Leclerc Briant exploite, entre Montagne de Reims et vallée de la Marne, un vignoble de 30 ha qu'il conduit en agrobiologie et reconvertit à la biodynamie. L'exploitation est devenue un petit centre touristique où le visiteur peut, entre autres activités, s'initier à l'alpinisme en descendant en rappel les caves, profondes de 30 mètres ! Mais on sait aussi faire du champagne : témoin cette Divine 90, mi-noire mi-blanche. Un vin typique de son millésime, puissant, corpulent, aux saveurs de coing, qui fait son âge. Deux autres cuvées obtiennent chacune une étoile : le **rosé de noirs 96 Rubis extra-brut (150 à 199 F)**, très coloré, fruité (cerise), ample, puissant, qui pourra accompagner un gigot saignant ; et le **blanc de noirs Les Crayères collection Les Authentiques (150 à 199 F)**, un champagne de clos 1er cru des années 1995 et 1996, fin, long et d'un bel équilibre. (NM) (200 à 249 F)

Champagne Leclerc-Briant, 67, rue Chaude-Ruelle, B.P. 108, 51204 Epernay Cedex, tél. 03.26.54.45.33, fax 03.26.54.49.59, e-mail pascal.leclercbriant@wanadoo.fr t.l.j. 9h-11h30 13h30-17h30; sam. dim. sur r.-v.; f. 5-25 août

Pascal Leclerc-Briant

LECLERC-MONDET 1995**

○ 1 ha 9 000 11 à 15 €

Situé dans la vallée de la Marne, un vignoble constitué par Henri Leclerc au début des années 1950. Aujourd'hui, ce sont ses petits-fils qui conduisent l'exploitation. Ceux-ci ont présenté un 95 mi-blanc mi-noir (dont 20 % de pinot meunier). Une cuvée appréciée des dégustateurs qui lui trouvent beaucoup de finesse et d'élégance, des saveurs de miel et d'agrumes ainsi qu'une belle persistance. (RM) (70 à 99 F)

Champagne Leclerc-Mondet, 5, rue Beethoven, 02850 Trélou-sur-Marne, tél. 03.23.70.26.40, fax 03.23.70.10.59 r.-v.

LEGOUGE-COPIN**

◐ 0,8 ha 2 000 11 à 15 €

Un domaine constitué dans les années 1930 dans la vallée de la Marne. En 1962, Serge Copin lance son champagne. L'exploitation est reprise par sa fille aînée Jocelyne, épouse Legouge, d'où cette nouvelle étiquette, apparue en 1992. Le pinot noir, complété par du chardonnay, entre pour 75 % dans l'assemblage de ce rosé provenant des vins de 1995 et 1997. Les compliments fusent : « Belle finesse, distinction » ; « Un champagne rond, épicé, très puissant ». Le brut **Tradition**, un blanc de noirs (70 % de meunier) de 1996 et 1998, est cité pour son ampleur et ses arômes empyreumatiques. (RM) (70 à 99 F)

Champagne Legouge-Copin, 6, rue de l'Abbé-Bernard, 51700 Verneuil, tél. 03.26.52.96.89, fax 03.26.51.85.62 r.-v.

ERIC LEGRAND Cuvée Bulle de Folie**

○ 0,4 ha 4 200 15 à 23 €

Exploitation auboise de 7 ha, fondée en 1982. Cette Bulle de Folie monte, fine, dans une robe or pâle à reflets verts : il s'agit d'un blanc de blancs, bien que la mention ne figure pas sur l'étiquette. Les vins proviennent de la récolte de 1997. Une belle bouteille, dont les dégustateurs apprécient l'équilibre, la vivacité et la palette aromatique associant fruits, miel et beurre. Une étoile pour le **Réserve (70 à 99 F)**, mi-noir mi-blanc des années 1997 et 1998, né de raisins bien mûrs, rond, vineux, réglissé et miellé : un champagne de repas (viande blanche). Une citation pour la cuvée **Prestige (70 à 99 F)**, issue des récoltes de 1997 et 1998 et privilégiant le chardonnay (70 %). Sa finesse en fait plutôt un champagne d'apéritif. (RM) (100 à 149 F)

Eric Legrand, 39, Grande-Rue, 10110 Celles-sur-Ource, tél. 03.25.38.55.07, fax 03.25.38.56.84, e-mail champagne.legrand.fr t.l.j. sf mer. dim. 9h-12h30 14h-18h; f. 15 août-5 sept.

R. ET L. LEGRAS

Blanc de blancs Cuvée Saint-Vincent 1990**

○ Gd cru 10 ha 60 000 23 à 30 €

Les Legras sont établis depuis deux siècles à Chouilly, dans la Côte des Blancs. Ils disposent d'un vignoble de 14 ha autour de la commune, planté presque exclusivement en chardonnay. Leur cuvée Saint-Vincent, née des plus vieilles vignes du domaine, ne recueille que des compliments : « Excellent, grand vin, vin de connaisseurs, vin de caractère... ». Ses points forts ? Equilibre, finesse, longueur. Elle accompagnera un poisson en sauce, comme le **blanc de blancs grand cru 92 cuvée Présidence (100 à 149 F)**, une étoile : un champagne élégant aux arômes d'agrumes et de vanille. Le **blanc de blancs sans année (100 à 149 F)**, né des récoltes de 1995 et de 1996, moins long que les précédents, mais équilibré et onctueux, est cité par le jury. (NM) (150 à 199 F)

Champagne R. et L. Legras, 10, rue des Partelaines, 51530 Chouilly,
tél. 03.26.54.50.79, fax 03.26.54.88.74,
e-mail champagne-r.l.legras@wanadoo.fr
r.-v.

LELARGE-PUGEOT Cuvée Prestige**

○ 0,5 ha 4 000 11 à 15 €

Héritier d'une lignée de vignerons remontant à 1850, Dominique Lelarge s'est installé en 1990. Son domaine est implanté à Vrigny, à l'ouest de Reims. Les trois cépages champenois (chardonnay 60 % et les deux pinots à parts égales) vendangés en 1996 collaborent à cette cuvée au nez expressif, fruité et brioché, à l'attaque vive et d'une grande longueur : son avenir est assuré. (RM) (70 à 99 F)

Dominique Lelarge, 30, rue Saint-Vincent, 51390 Vrigny,
tél. 03.26.03.69.43, fax 03.26.03.68.93,
e-mail champagnelelarge-pugeot@wanadoo.fr
t.l.j. sf dim. 9h-12h 14h-18h

PATRICE LEMAIRE 1996*

○ n.c. 2 000 11 à 15 €

Patrice Lemaire a repris en 1988 l'exploitation familiale créée dans les années 1920 et située sur la rive gauche de la Marne. Ce 96 est un blanc de blancs, bien que l'étiquette ne l'annonce pas. Puissant, mêlant au nez des fruits compotés et des notes minérales, il est particulièrement vif. (RM) (70 à 99 F)

Patrice Lemaire, 9, rue Croix-Saint-Jean, 51480 Boursault, tél. 03.26.58.40.58,
fax 03.26.52.30.67 r.-v.

PHILIPPE LEMAIRE Dame de Louis*

○ 3 ha n.c. 8 à 11 €

Philippe Lemaire élabore du champagne depuis 1992. Il exploite un vignoble situé sur la rive gauche de la Marne. Elevés en cuve Inox et dans le bois, deux de ses champagnes obtiennent une étoile : cette Dame de Louis, une cuvée très noire (50 % de meunier, 30 % de pinot noir), appréciée pour sa souplesse, sa rondeur et ses arômes de fruits blancs (poire), et le **95 (70 à 99 F)**, un blanc de blancs – ce qui n'est pas indiqué sur l'étiquette – mêlant au nez aubépine et notes beurrées, souple à l'attaque et bien équilibré. (RM) (50 à 69 F)

Philippe Lemaire, 4, rue de La Liberté, 51480 Œuilly, tél. 03.26.58.30.82,
fax 03.26.52.92.44 r.-v.

R.C. LEMAIRE Chardonnay 1996**

○ 1er cru 0,5 ha 3 000 30 à 38 €

Le champagne R.C. Lemaire a été lancé en 1945. Gilles Tournant, qui est à sa tête depuis 1975, exploite 11 ha de vignes dans la vallée de la Marne. Au chai, il applique des méthodes personnelles : il n'a pas recours à la fermentation malolactique et vinifie et élève en fût (huit mois) les vins millésimés. On ne s'étonnera pas qu'un chardonnay 96 qui n'a pas « fait sa malo » soit trop jeune et doive être attendu. Il le mérite, avec sa bonne structure et ses arômes printaniers de pomme verte et de citron. Le **Sélect Réserve (70 à 99 F)**, un blanc de noirs de pinot meunier (élevé en cuve), obtient une citation. Un champagne floral qui demeure très frais, ce qui est remarquable pour des pinots meuniers récoltés en 1996 et 1997. (RM) (200 à 249 F)

Gilles Tournant, rue de la Glacière, 51700 Villers-sous-Châtillon,
tél. 03.26.58.36.79, fax 03.26.58.39.28,
e-mail tournant@clubinternet.fr r.-v.

LEMAIRE-RASSELET Cuvée Tradition**

○ 9,2 ha 15 000 11 à 15 €

Le champagne Lemaire-Rasselet a été lancé en 1946. Le vignoble (plus de 9 ha) s'étend sur la rive gauche de la Marne. Elaboré par Françoise Lemaire, voici un très beau brut sans année, né des récoltes de 1996 et 1997, et qui doit presque tout aux raisins noirs (90 % dont 75 % de pinot meunier). Les dégustateurs ont aimé son nez expressif de pomme et de caramel et son caractère fondu et équilibré. Très séduisant aussi, le **95** reçoit une étoile. Issu des trois cépages champenois à parts égales, il offre un nez agréable de nougat et de fruits confits tout en étant assez nerveux en bouche. (RM) (70 à 99 F)

SCEV Lemaire-Rasselet, 5, rue de la Croix-Saint-Jean, 51480 Boursault, tél. 03.26.58.44.85,
fax 03.26.58.09.47 r.-v.

A. R. LENOBLE Réserve*

○ Gd cru 7 ha 220 000 15 à 23 €

Maison fondée en 1941 par le courtier A.R. Grasser, gérée par ses descendants et disposant d'un vignoble de 18 ha. Cette cuvée Réserve est issue des trois cépages champenois à parts presque égales (40 % de chardonnay), vendangés en 1998. Son nez est fruité, son attaque fraîche avec une touche de verdeur. Le **blanc de blancs grand cru 95** obtient également une étoile : il conjugue la fraîcheur et la souplesse en bouche, et son nez de pain brioché séduit. (NM) (100 à 149 F)

Champagne Lenoble,
35, rue Paul-Douce, 51480 Damery,
tél. 03.26.58.42.60, fax 03.26.58.65.57,
e-mail champagne.lenoble@wanadoo.fr
r.-v.
Malassagne

LIEBART-REGNIER**

○ 8 ha 46 000 11 à 15 €

Cette exploitation dispose d'un vignoble de 8 ha dans la vallée de la Marne, autour de Baslieux-sous-Châtillon et de Vauciennes. Son brut sans année, très noir (50 % de pinot meunier et 40 % de pinot noir des années 1997 et 1998) a enthousiasmé certains dégustateurs qui lui auraient bien donné un coup de cœur. Son bouquet de fruits rouges et blancs, ses saveurs de pêche et d'abricot en font un vin plein et excellent. La cuvée **Excelia 96 (100 à 149 F)** est un assemblage classique de pinot noir (70 %) et de chardonnay. Nerveuse à l'attaque, elle séduit par son équilibre et sa fraîcheur qui lui valent une étoile. (RM) (70 à 99 F)

Liébart-Régnier, 6, rue Saint-Vincent,
51700 Baslieux-sous-Châtillon,
tél. 03.26.58.11.60, fax 03.26.52.34.60,
e-mail liebart-regnier@wanadoo.fr r.-v.
Laurent Liébart

LILBERT-FILS Blanc de blancs Perle*

○ Gd cru n.c. 2 000 11 à 15 €

Ce récoltant-manipulant, spécialiste du blanc de blancs, exploite un vignoble à Cramant, commune classée en grand cru. Sa cuvée Perle naît pour moitié de vins de 1995 assemblés avec des vins de 1991 à 1994. Un champagne au nez de fruits exotiques, aux saveurs torréfiées, vanillées, fondues. Le **blanc de blancs grand cru sans année**, issu des récoltes de 1996 et 1997, est cité pour ses qualités apéritives de fraîcheur et d'harmonie. (RM) (70 à 99 F)

Georges Lilbert , 223, rue du Moutier
BP 14, 51530 Cramant, tél. 03.26.57.50.16,
fax 03.26.58.93.86 r.-v.

BERNARD LONCLAS Blanc de blancs*

○ 3 ha 2 500 11 à 15 €

Bernard Lonclas est fier d'avoir planté son vignoble et d'avoir lancé son champagne en 1979. Son domaine (5,7 ha) est situé à la périphérie sud-est de l'appellation, puisque Bassuet est proche de Vitry-le-François. Ce blanc de blancs n'en est pas moins fort réussi. Né des années 1997 et 1998, il a atteint son apogée. Rond, vineux, typé, il montre beaucoup de caractère. (RM) (70 à 99 F)

Bernard Lonclas, chemin de Travent,
51300 Bassuet, tél. 03.26.73.98.20 r.-v.

GERARD LORIOT Sélection

○ 1 ha 8 000 11 à 15 €

Installé en 1981, Gérard Loriot a pris la suite d'une lignée de vignerons remontant au second Empire. Il exploite 5 ha de vignes sur la rive gauche de la Marne. Mi-noire mi-blanche, sa cuvée Sélection provient des années 1995 et 1996. C'est un champagne puissant, long et évolué. (RM) (70 à 99 F)

Gérard Loriot, rue Saint-Vincent,
Le Mesnil-le-Huttier, 51700 Festigny,
tél. 03.26.58.35.32, fax 03.26.51.93.71 r.-v.

MICHEL LORIOT Carte d'or

○ 4 ha 35 000 11 à 15 €

Etablis dans la vallée de la Marne, les Loriot élaborent du champagne depuis 1931. Michel Loriot, installé en 1977, a lancé sa propre marque. Il exploite un peu plus de 6 ha. Cette cuvée est un blanc de noirs de pinot meunier, né des récoltes de 1997 et de 1998. Florale et citronnée, elle révèle un palais ample au dosage sensible. Une citation également pour le **rosé (100 à 149 F)** : un rosé de noirs (85 % de pinot meunier) provenant des mêmes années que le champagne précédent. Equilibré et long, il accompagnera des viandes blanches. (RM) (70 à 99 F)

Michel Loriot, 13, rue de Bel-Air,
51700 Festigny, tél. 03.26.58.34.01,
fax 03.26.58.03.98, e-mail info@champagne-michelloriot.com r.-v.

JOSEPH LORIOT-PAGEL
Blanc de blancs 1996

○ 1 ha 5 000 15 à 23 €

Une étiquette née de l'union de deux familles : les Loriot, détenteurs de vignes dans quatre crus de la vallée de la Marne, et les Pagel, propriétaires à Avize et à Cramant (Côte des Blancs). L'exploitation dispose de près de 8 ha de vignes. Elle est citée pour deux champagnes : ce blanc de blancs 96 rond, léger, au dosage sensible, et la cuvée **Carte d'or (70 à 99 F)**, très noire (65 % de pinot meunier, 22 % de pinot noir) et issue des années 1996 à 1998. Cette dernière évoque les fleurs blanches au nez, tandis que la bouche montre des signes d'évolution. (RM) (100 à 149 F)

Joseph Loriot, 33, rue de la République,
51700 Festigny, tél. 03.26.58.33.53,
fax 03.26.58.05.37 r.-v.

YVES LOUVET Cuvée de sélection**

○ 4,5 ha 20 000 11 à 15 €

Installé à Tauxières, sur le flanc sud de la Montagne de Reims, Yves Louvet exploite 6,5 ha de vignes. Le pinot noir domine les deux champagnes retenus, puisqu'il entre pour 75 % dans leur composition, et est complété par le chardonnay. La Cuvée de sélection provient de raisins vendangés en 1997. Son nez discret de beurre frais et de miel est suivi d'une bouche franche, balsamique et très flatteuse. Le **93** obtient une étoile. Un champagne miellé, confituré, long, qui ne dissimule ni son âge ni son dosage. (RM) (70 à 99 F)

Yves Louvet, 21, rue du Poncet,
51150 Tauxières, tél. 03.26.57.03.27,
fax 03.26.57.67.77 r.-v.

LOYAUX-GORET Cuvée du Millénaire*

○ 6,43 ha 2 000 11 à 15 €

Situé du côté de Passy-sur-Marne (Aisne), ce vignoble de 6,5 ha a été constitué en 1958. Cette cuvée très noire (80 % de pinots dont 50 % de meunier) est née des vendanges de 1990 et de 1996. Elle est fine, harmonieuse. Son élégance, qui lui vient de sa légèreté, ne masque que partiellement son évolution. (RM) (70 à 99 F)

Loyaux-Goret, 4, rue des Sites, 51480 Vauciennes, tél. 03.26.58.62.87, fax 03.26.58.67.34
r.-v.

PHILIPPE DE LOZEY 1996**

○ n.c. 6 200 23 à 30 €

Cette maison auboise gérée par Daniel et Philippe Cheurlin s'est particulièrement distinguée cette année avec un grand millésime, le 96, et

une cuvée mi-noire mi-blanche (pinot noir et chardonnay). Un nez discrètement citronné précède, presque en catimini, une bouche superbe, nette, franche, vive, ample, harmonieuse, élégante. Un vrai 96 ! (NM) (150 à 199 F)
Champagne Philippe de Lozey, 72, Grande-Rue, B.P. 3, 10110 Celles-sur-Ource,
tél. 03.25.38.51.34, fax 03.25.38.54.80,
e-mail de.lozey@wanadoo.fr ☑ Y r.-v.
Ph. Cheurlin

LUCAS CARTON*

○ n.c. 100 000 15 à 23 €

P.F. Vranken a déposé en 1998 cette marque, qui porte le nom d'un grand restaurant parisien ouvert en 1839. 70 % de chardonnay et 30 % de pinot noir donnent de l'élégance à ce champagne au nez discret, frais et léger. (NM) (100 à 149 F)
Lucas Carton, Ch. des Castaignes,
51270 Montmort-Lucy, tél. 03.26.59.80.00,
fax 03.26.59.80.08
P.F. Vranken

M. MAILLART Blanc de blancs 1993*

○ 0,5 ha 3 300 15 à 23 €

Un village tout proche de Reims ; une lignée de vignerons remontant à 1720, inscrivant son nom sur une étiquette en 1965 ; un vignoble de 8,4 ha. Tout cela nous vaut un blanc de blancs floral (fleurs blanches), structuré, équilibré et frais. (RM) (100 à 149 F)
Michel Maillart, 13, rue de Villers,
51500 Ecueil, tél. 03.26.49.77.89,
fax 03.26.49.24.79, e-mail m.maillart@free.fr
☑ Y r.-v.

MAILLY GRAND CRU La Terre 1996

○ Gd cru n.c. 25 000 23 à 30 €

Créée en 1929, cette coopérative vinifie le produit de 70 ha de vignes. Elle occupe à double titre une place singulière en Champagne : elle est réservée aux vignerons possédant des parcelles dans la commune de Mailly, et ses vins portent le nom de la commune. Celle-ci, située dans la Montagne de Reims, est classée en grand cru. Le pinot noir, complété par du chardonnay, entre à 75 % dans l'assemblage des deux champagnes cités : ce 96, empyreumatique, citronné, souple et rond, et la cuvée **Les Echansons 88 (300 à 499 F)**, un haut de gamme évidemment évolué, mais avec franchise, souplesse et rondeur. (CM) (150 à 199 F)
Champagne Mailly Grand Cru,
28, rue de la Libération, 51500 Mailly-Champagne, tél. 03.26.49.41.10,
fax 03.26.49.42.27,
e-mail contact@champagne-mailly.com
☑ Y r.-v.

HENRI MANDOIS Victor Mandois 1996**

○ 4 ha 30 000 15 à 23 €

C'est Victor Mandois, auquel cette cuvée rend hommage, qui produisit en 1930 les premiers champagnes. La maison, demeurée familiale, dispose de 30 ha de vignes disséminées dans plusieurs communes. Ce 96, très blanc (70 % de chardonnay), s'annonce par un bouquet léger et floral. Au palais, en revanche, après une attaque vive, miel et agrumes viennent souligner le corps de ce champagne de table. Une étoile pour la **Cuvée de réserve (70 à 99 F)**, brut sans année né des trois cépages champenois, bien construit et fin, et pour le **rosé 1er cru (70 à 99 F)**, issu de saignée des deux pinots, très coloré et gras, destiné au repas. (NM) (100 à 149 F)
Champagne Henri Mandois, 66, rue du Gal-de-Gaulle, 51530 Pierry, tél. 03.26.54.03.18,
fax 03.26.51.53.66 ☑ Y r.-v.

MANSARD

○ 1er cru n.c. 60 000 11 à 15 €

La famille Rapeneau déploie une intense activité en Champagne. Mansard est l'une de ses marques. La composition de cette cuvée est classique : 40 % de pinot noir pour 60 % de chardonnay de la vendange de 1997. Le champagne lui aussi est classique, miellé, frais, mais au dosage perceptible. (NM) (70 à 99 F)
Champagne Mansard-Baillet,
14, rue Chaude-Ruelle, 51200 Epernay,
tél. 03.26.54.18.55, fax 03.26.51.99.50 ☑ Y t.l.j. sf sam. dim. 8h-11h30 13h-30-17h
Rapeneau

DIDIER MARC*

◐ 3,5 ha 2 000 11 à 15 €

Le champagne Didier Marc : une étiquette récente et de très vieilles racines vigneronnes (XVIIe s.). Un rosé de noirs (85 % de pinot meunier) de 1998 et 1997, en robe pâle, au bouquet plus proche de la pomme que des fruits rouges. Sa bouche est vineuse ; le fruité de pomme et de fruits blancs s'allie à celui du cassis, composant un ensemble fort agréable. (RM) (70 à 99 F)
Didier Marc, 11, rue Dom-Pérignon,
51480 Fleury-la-Rivière, tél. 03.26.58.60.69,
fax 03.26.52.84.20,
e-mail champagnedidiermarc@orenka.com
☑ Y t.l.j. 8h-12h 14h-19h; f. 15-31 août

PATRICE MARC Ultima Forsan*

○ 0,15 ha 1 500 11 à 15 €

Installé en 1975, Patrice Marc exploite 3 ha de vignes à Fleury-la-Rivière. On peut voir chez lui un pressoir qui a fonctionné de 1889 à 1991 ! *Ultima forsan* (« la dernière, peut-être... ») : un nom au charme épicurien qui sied à cette cuvée mûre, plutôt noire (40 % de pinot noir, 20 % de meunier, 40 % de chardonnay, raisins provenant pour un tiers de l'année 1996 et pour les deux tiers de 1997). Elle plaît beaucoup aux amateurs de champagnes évolués : plusieurs jurés la verraient présider à un repas en tête à tête, ils apprécient sa robe dorée, son nez où ils trouvent des fruits secs variés, de la mirabelle, des fleurs fanées..., ils décrivent une bouche en dentelle, mais bien construite. Un champagne de repas, à boire rapidement. (RM) (70 à 99 F)
Patrice Marc, 1, rue du Creux-Chemin,
51480 Fleury-la-Rivière, tél. 03.26.58.46.88,
fax 03.26.59.48.21,
e-mail contact@champagne-marc.com
☑ Y r.-v.

A. MARGAINE
Blanc de blancs Spécial Club 1996*

○ 0,7 ha 5 000 15 à 23 €

Domaine créé en 1910 par Gaston Margaine et développé par ses héritiers successifs, André, Bernard et Arnaud. Le vignoble s'étend sur 6,5 ha. Située dans la Montagne de Reims, la commune de Villers-Marmery est réputée pour ses chardonnays. Ceux-ci apportent beaucoup d'élégance à ce champagne floral, équilibré et frais. La **Cuvée traditionnelle 1er cru (70 à 99 F)**, née des vendanges de 1998, est très blanche (87 % de chardonnay). Proche de la précédente mais moins longue, elle est citée. (RM)
(100 à 149 F)

Champagne A. Margaine,
3, av. de Champagne, 51380 Villers-Marmery,
tél. 03.26.97.92.13, fax 03.26.97.97.45 r.-v.

MARGUET-BONNERAVE

◐ Gd cru 2 ha 16 000 11 à 15 €

Christian Marguet dispose d'un vignoble de 13 ha extrêmement bien situé dans trois grands crus de la Montagne de Reims : Ambonnay, Bouzy et Mailly. Le vin de base de son rosé sans année assemble 80 % de pinot noir à 20 % de chardonnay des récoltes de 1996 à 1998. Un vin rouge d'Ambonnay apporte de la couleur. Puissant, persistant, un champagne de caractère qui conviendra pour la table. (RM) (70 à 99 F)

Marguet-Bonnerave, 14, rue de Bouzy,
51150 Ambonnay, tél. 03.26.57.01.08,
fax 03.26.57.09.98, e-mail info@champagne-bonnerave.com r.-v.

MARIE STUART Cuvée de la Reine**

○ n.c. n.c. 15 à 23 €

Marque créée en 1867, vendue à plusieurs reprises avant d'être acquise par Alain Thiénot. Cette cuvée spéciale fait honneur au chardonnay qui représente 90 % de l'assemblage, complété par le pinot noir. Complexe, avec des arômes de pain d'épice et des notes biscuitées, puissante, ronde, souple et harmonieuse, elle est unanimement complimentée. (NM) (100 à 149 F)

Champagne Marie-Stuart,
8, pl. de la République, 51100 Reims,
tél. 03.26.77.50.50, fax 03.26.77.50.59,
e-mail marie.stuart@wanadoo.fr

Thiénot

MARTEAUX-GUYARD Réserve

○ 13 ha 30 000 11 à 15 €

Joël Marteaux exploite le domaine familial de 13 ha de vignes dans la vallée de la Marne, près de Château-Thierry. Il a lancé son champagne en 1978. Sa cuvée Réserve, majoritairement composée de pinots (80 % dont 45 % de meunier), provient de l'année 1997. Elle est florale, nerveuse et jeune. (RM) (70 à 99 F)

Joël Marteaux, 63, Grande-Rue, 02400 Bonneil, tél. 03.23.82.90.04, fax 03.23.82.05.69,
e-mail champagnemarteauxguyard@hotmail.fr
t.l.j. 8h-12h 13h-19h

G. H. MARTEL & C° Prestige*

○ 30 ha 300 000 15 à 23 €

Fondée en 1869, la maison G. H. Martel est passée à la fin des années 1970 sous le contrôle de la famille Rapeneau. Disposant d'un vignoble de 80 ha, c'est le fer de lance d'un groupe qui comprend de nombreuses marques. Cette cuvée Prestige naît d'un assemblage de 70 % de pinot noir et de 30 % de chardonnay des années 1996 et 1997. Elle est ample et fraîche. Un feuilleté de saumon lui conviendra. Provenant des années 1997 et 1998, le brut **rosé** marie 30 % de chardonnay, 55 % de pinot noir et 15 % de bouzy rouge qui lui donne de la couleur. Il est cité pour son nez sur les épices, la noisette et la vanille et pour sa bouche ronde et fraîche. (NM)
(100 à 149 F)

Champagne G.H. Martel, 69, av. de Champagne, BP 1011, 51318 Epernay Cedex,
tél. 03.26.51.06.33, fax 03.26.54.41.52

Rapeneau

P. LOUIS MARTIN Bouzy 1996*

○ Gd cru 1,5 ha 7 000 11 à 15 €

Un champagne de récoltant-manipulant, mais une marque sous le contrôle de la famille Rapeneau. Paul-Louis Martin est établi à Bouzy, commune de la Montagne de Reims classée en grand cru. Il est retenu pour deux champagnes où les noirs sont majoritaires : dans chaque cuvée, 70 % de pinot noir et 30 % de chardonnay, un assemblage classique. Le 96 est vif à l'attaque, puissant, frais et très jeune. Une étoile également pour le **brut sans année**, provenant des récoltes de 1996 et 1997, élégant, frais et bien équilibré. (RM) (70 à 99 F)

Champagne Paul-Louis Martin,
3, rue d'Ambonnay, BP 4, 51150 Bouzy,
tél. 03.26.57.01.27, fax 03.26.57.83.25

Rapeneau

MARX-BARBIER ET FILS

○ 6 ha n.c. 11 à 15 €

Un bon brut sans année classique associant 25 % de chardonnay, 40 % de pinot meunier et 35 % de pinot noir de l'année 1998. Après un nez élégant d'agrumes, sa bouche ample et miellée ne manque pas de fraîcheur. (RM)
(70 à 99 F)

Champagne Marx-Barbier et Fils,
1, rue du Château, 51480 Venteuil,
tél. 03.26.58.48.39, fax 03.26.58.67.06,
e-mail marx-barbieretfils@wanadoo.fr
r.-v.

D. MASSIN Cuvée de réserve

◐ 0,3 ha 3 000 11 à 15 €

A la tête de 11 ha de vignes dans l'Aube, Dominique Massin a lancé son champagne en 1975. Il propose un rosé de noirs (100 % pinot noir de la récolte de 1998). Plus intense au nez qu'en bouche, ce vin fruité a atteint son apogée. Cité également, le **96 (100 à 149 F)** marie le pinot noir (60 %) et le chardonnay. Le bouquet est vif, sur les agrumes, et le palais, rond pour le millésime, très jeune et persistant. (RM)
(70 à 99 F)

🔑 Dominique Massin, rue Coulon, 10110 Ville-sur-Arce, tél. 03.25.38.74.97, fax 03.25.38.77.51 ☑ Y r.-v.

THIERRY MASSIN Sélection*

○ n.c. 49 000 11 à 15 €

Un vignoble aubois de 10 ha, exploité par Thierry Massin et sa sœur Dominique, et un champagne lancé en 1977. La cuvée Sélection provient de la récolte de 1998, complétée par des vins de 1996 et 1997. C'est un blanc de noirs (pinot noir) floral, beurré et réglissé, rond et équilibré. Née des mêmes années, la cuvée **Réserve** est très noire (85 % de pinot noir). Elle obtient également une étoile pour ses arômes de fruits blancs, sa vivacité et sa longueur. Quant au **Prestige**, assemblage classique (70 % de pinot noir, 30 % de chardonnay) des années 1996 et 1997, c'est un champagne assez léger, au bouquet de poire et de miel. Il est cité. (RM) (70 à 99 F)

🔑 Thierry Massin, 6, rte des Deux-Bar, 10110 Ville-sur-Arce, tél. 03.25.38.74.01, fax 03.25.38.79.10, e-mail champagne.thierry.massin@wanadoo.fr ☑ Y t.l.j. 9h-12h 13h30-18h30; sam. dim. sur r.-v.

REMY MASSIN ET FILS Cuvée Tradition

○ 9,5 ha 79 000 11 à 15 €

Une exploitation auboise de 20 ha. Le fils de Rémy Massin, Sylvère, s'est installé en 1981. Ce Tradition, issu des récoltes de 1997 et 1998, doit tout au pinot noir. Plus évolué au nez qu'en bouche, il n'est pas des plus longs mais retient l'attention par son élégance. La cuvée **Prestige**, mi-noire mi-blanche, des années 1996 et 1998, est pleine de jeunesse et de vivacité, ferme et fraîche. Elle est citée. (RM) (70 à 99 F)

🔑 Champagne Rémy Massin et Fils, 34, Grande-Rue, 10110 Ville-sur-Arce, tél. 03.25.38.74.09, fax 03.25.38.77.67, e-mail remy.massin.fils@wanadoo.fr ☑ Y t.l.j. 10h-12h 14h-18h; sam. dim. sur r.-v.

SERGE MATHIEU Cuvée Prestige**

○ 4 ha 25 000 11 à 15 €

1970 : Serge Mathieu s'installe, prenant la suite de nombreuses générations de vignerons, mais décide d'élaborer son champagne. Il exploite 11 ha près de Riceys, dans l'Aube. Sa cuvée Prestige est un assemblage classique de 70 % de pinot noir et de 30 % de chardonnay, des raisins de 1996 et 1997. Elle est florale, équilibrée, épicée au nez et en bouche. La cuvée **Select Tête de cuvée (100 à 149 F)** est citée. Mi-noire mi-blanche, elle est issue des deux très bonnes années 1995 et 1996. On lui trouve des arômes de miel et d'agrumes, avec une touche minérale, et un caractère de jeunesse. (RM) (70 à 99 F)

🔑 Champagne Serge Mathieu, 6, rue des Vignes, 10340 Avirey-Lingey, tél. 03.25.29.32.58, fax 03.25.29.11.57, e-mail champagne.mathieu@wanadoo.fr ☑ Y r.-v.

MATHIEU-PRINCET Blanc de blancs*

○ 1 ha 8 000 15 à 23 €

Une exploitation de 8 ha fondée en 1960 et implantée près d'Avize (Côte des Blancs). Elle s'est fait connaître des lecteurs du Guide l'an dernier grâce à deux champagnes millésimés : un superbe 95 et un 93 très réussi. Voici un champagne de la récolte 1994, non millésimé cependant. C'est un blanc de blancs puissant, bien plein et long. Il a du caractère. (RM) (100 à 149 F)

🔑 SARL champagne Mathieu-Princet, 16, rue Bruyère, 51190 Grauves, tél. 03.26.59.73.72, fax 03.26.59.77.75 ☑ Y r.-v.

PASCAL MAZET

○ 2 ha n.c. 11 à 15 €

Pascal Mazet est établi dans la Montagne de Reims. Ses vinifications, soignées, font appel aux foudres et aux fûts de chêne, en particulier pour le logement des vins de réserve. Son brut sans année naît d'un assemblage traditionnel dans la région : 30 % de blancs, 70 % de noirs. Mais le pinot meunier joue une forte partie (50 %). Avec ses arômes de fleurs blanches, ce vin offre tout ce que l'on attend de ce type de champagne. (RM) (70 à 99 F)

🔑 Pascal Mazet, 8, rue des Carrières, 51500 Chigny-les-Roses, tél. 03.26.03.41.13, fax 03.26.03.41.74, e-mail champagne.mazet@free.fr ☑ Y r.-v.

GUY MEA

○ 1er cru 4 ha n.c. 11 à 15 €

Une exploitation située sur le flanc sud de la Montagne de Reims. Ce brut sans année provient de la vendange de 1998. Assemblage de deux tiers de pinot noir et d'un tiers de chardonnay, il est équilibré, jeune et frais. (RM) (70 à 99 F)

🔑 SCE La Voie des Loups, Chez Guy Méa, 1, rue de l'Eglise, 51150 Louvois, tél. 03.26.57.03.42, fax 03.26.57.66.44 ☑ Y r.-v.

MERCIER 1995

○ n.c. n.c. 15 à 23 €

Eugène Mercier, qui fonda cette maison en 1858, joua un rôle notable dans une certaine démocratisation du champagne. Avec un grand sens de la publicité, il a su mettre en scène le développement de son affaire. Que l'on songe aux gigantesques caves d'Epernay, véritable attraction touristique. La société est depuis 1970 sous le contrôle de Moët et Chandon. Ce 95 naît de l'assemblage de 15 % de pinot meunier, pinot noir et chardonnay étant à parts presque égales. On lui trouve le style de la maison, vineux, gras, ample et fondu. Pour les repas solides. (NM) (100 à 149 F)

🔑 Champagne Mercier, 75, av. de Champagne, 51200 Epernay, tél. 03.26.51.22.00, fax 03.26.54.84.23 Y r.-v.

DE MERIC 1993**

○ n.c. n.c. 15 à 23 €

Fondée en 1960 par Christian Besserat, cette maison a conservé une soixantaine de fûts de vieux chêne. Ce 93, assemblage des plus classiques de 70 % de pinot noir et de 30 % de chardonnay, a ainsi connu le bois. Ses arômes de miel et d'abricot confit, sa vinosité et surtout sa persistance ont été unanimement salués. (NM) (100 à 149 F)

SA Christian Besserat Père et Fils, Champagne de Meric, 17, rue Gambetta, 51160 Ay, tél. 03.26.55.20.72, fax 03.26.55.69.23 r.-v.

J.B. MICHEL
Blanc de blancs Vieilli en tonneau de chêne*

○ 1 ha 7 000 11 à 15 €

Etabli à Pierry, au sud d'Epernay, Bruno Michel dispose d'un vignoble de 13 ha de vignes, dont l'âge moyen dépasse trente ans. La vinification est très étudiée et le chai contient cent pièces de chêne (de 225 l). « Vinifié en tonneau de chêne », ce champagne n'est pourtant pas boisé ; en revanche, le fût lui a permis de gagner en complexité et en fondu. La bouche est souple, équilibrée. Pour l'apéritif ou les entrées. (RM) (70 à 99 F)

Bruno Michel, 4, allée de la Vieille-Ferme, 51530 Pierry, tél. 03.26.55.10.54, fax 03.26.54.75.77, e-mail champagne.j.b.michel@cder.fr r.-v.

PAUL MICHEL Chardonnay Carte blanche

○ 1er cru 10 ha n.c. 11 à 15 €

Ce domaine de la Côte des Blancs exploite 18 ha de vignes. Il propose un blanc de blancs demi-sec né de la vendange de 1997. Un champagne empyreumatique et citronné, frais, et surtout très jeune. (RM) (70 à 99 F)

SARL champagne Paul Michel, 20, Grande-Rue, 51530 Cuis, tél. 03.23.59.79.77, fax 03.26.59.72.12 t.l.j. sf sam. dim. 9h-12h 14h-17h; f. août

Philippe et Denis Michel

GUY MICHEL ET FILS*

○ n.c. 93 716 11 à 15 €

Si l'étiquette est récente, les Michel sont viticulteurs à Pierry depuis cent cinquante ans. Leur vignoble couvre plus de 20 ha. Encore une cuvée comprenant 70 % de raisins noirs et 30 % de blancs, mais celle-ci est dominée par le meunier (50 %). Elle est issue de la vendange 1998. Son bouquet complexe, sa bouche structurée, fraîche et longue lui valent une étoile. Même note pour le **blanc de blancs (100 à 149 F)** au très beau nez intense et brioché, à l'attaque franche et au palais persistant. A servir lors d'un apéritif raffiné. (RM) (70 à 99 F)

SCEV champagne Guy Michel et Fils, 54, rue Léon-Bourgeois, BP 25, 51530 Pierry, tél. 03.26.54.67.12 r.-v.

CHARLES MIGNON Grande Réserve*

○ 1er cru n.c. n.c. 11 à 15 €

Cette maison d'Epernay de récente origine (1995) obtient une étoile pour son brut Grande Réserve, jeune, élégant, frais et nerveux tout en étant très équilibré, et une citation pour son **blanc de blancs 1er cru sans année (100 à 149 F)** empyreumatique, floral, épicé et souple. (NM) (70 à 99 F)

Charles Mignon, 1, av. de Champagne, 51200 Epernay, tél. 03.26.58.33.33, fax 03.26.51.54.10, e-mail bruno.mignon@champagne-mignon.fr r.-v.

PIERRE MIGNON Brut Prestige*

○ 4 ha n.c. 11 à 15 €

Fondé en 1970 au Breuil, ce domaine familial compte aujourd'hui 12 ha de vigne. Cette cuvée spéciale assemble 65 % de meunier à 20 % de chardonnay et 15 % de pinot noir. Or pâle à reflets paille, elle associe le fruit mûr (coing) et la pomme, le gras et la fraîcheur. La **cuvée Madame 90** est loin de déplaire : elle obtient la même note. (NM) (70 à 99 F)

Pierre Mignon, 5, rue des Grappes-d'Or, 51210 Le Breuil, tél. 03.26.59.22.03, fax 03.26.59.26.74, e-mail p.mignon@lemel.fr r.-v.

MIGNON ET PIERREL Cuvée florale**

○ 1er cru n.c. n.c. 15 à 23 €

Cette maison récente (1990) loge ses champagnes dans des bouteilles d'une grande singularité : le verre est entièrement couvert d'un film plastique coloré en vert, en bleu ou en rose. En revanche, l'assemblage de ce brut sans année est classique : 60 % de chardonnay pour 40 % de pinot noir. Le nez est brioché, l'attaque fraîche, le fruité exotique persiste longuement. La **Cuvée florale 1er cru 95 (150 à 199 F)**, un blanc de blancs – ce que ne précise pas l'étiquette – obtient une étoile. Elle est florale, miellée, puis l'agrume marque une finale vive. Une citation enfin pour le brut sans année **Marquis de La Fayette cuvée Prestige (70 à 99 F)**. Un champagne très noir (90 % de pinot noir), léger, aux accents de pomme verte mentholée. (NM) (100 à 149 F)

SA Pierrel et Associés, 26, rue Henri-Dunant, 51200 Epernay, tél. 03.26.51.00.90, fax 03.26.51.69.40, e-mail champagne@pierrel.fr r.-v.

JEAN MILAN
Blanc de blancs Cuvée spéciale*

○ Gd cru n.c. n.c. 11 à 15 €

Fondée en 1864, cette maison est conduite par un descendant du fondateur. Elle dispose de 6 ha de vignes. Etablie dans la Côte des Blancs, elle est vouée au chardonnay. Parmi ses blancs de blancs, ce brut spécial, provenant des années 1996-1997, a retenu l'attention du jury. Discret au nez, il se montre vif à l'attaque, équilibré, jeune et frais. (NM) (70 à 99 F)

Champagne Milan, 6, rue d'Avize, 51190 Oger, tél. 03.26.57.50.09, fax 03.26.57.78.47, e-mail info@champagne-milan.com t.l.j. 10h-12h30 14h-18h; dim. sur r.-v.

Henry-Pol Milan

MOET ET CHANDON
Brut impérial 1995*

○ n.c. n.c. 30 à 38 €

Une des plus anciennes, des plus célèbres et des plus importantes maisons de Champagne, fondée en 1743 par Claude Moët. Renommée dès les origines, grâce à sa clientèle couronnée, elle a connu une expansion impressionnante à partir des années 1960, et constitue aujourd'hui le pilier champenois du groupe LVMH. L'assemblage du Brut impérial 95 comporte autant de pinot noir que de chardonnay, avec un peu de pinot meunier. Le nez est légèrement confit, la bouche riche et puissante. (NM) (200 à 249 F)

Champagne Moët et Chandon, 20, av. de Champagne, 51200 Epernay, tél. 03.26.51.20.00, fax 03.26.54.84.23 t.l.j. 9h30-11h30 14h-16h30; groupes sur r.-v.

MOET ET CHANDON
Dom Pérignon 1993*

○ n.c. n.c. +76 €

Sait-on que la marque prestigieuse de Moët et Chandon, dédiée au grand moine du champagne, appartenait à l'origine au champagne Mercier (contrôlé par Moët depuis 1970) ? Elle fut offerte à Francine Durand-Mercier, petite-fille d'Eugène, lors de son mariage avec Paul Chandon. Son lancement par Moët et Chandon, en 1936, lors du voyage inaugural du paquebot *Normandie* vers New York, connut un franc succès. Le premier millésime était le 21, sans doute le plus grand du siècle en Champagne. Dom Pérignon assemble des blancs et des noirs, en proportions à peu près égales, mais variables selon les millésimes. Des noirs et des blancs de haute origine : les premiers viennent de Chouilly, d'Avize, du Mesnil, d'Oger ; les seconds de Bouzy, de Verzenay, de Mailly, d'Ay, d'Ambonnay, avec un soupçon de raisins d'Hautvillers, pour le symbole. Le 93, millésime modeste, est pourtant ici très réussi. Amande au nez, il apparaît franc à l'attaque, équilibré, et persiste longuement sur des notes d'agrumes. (NM) (+ 500 F)

Champagne Moët et Chandon, 20, av. de Champagne, 51200 Epernay, tél. 03.26.51.20.00, fax 03.26.54.84.23 t.l.j. 9h30-11h30 14h-16h30; groupes sur r.-v.

PIERRE MONCUIT
Blanc de blancs 1995*

○ Gd cru 12 ha 25 000 15 à 23 €

Une exploitation établie au cœur de la Côte des Blancs, au Mesnil-sur-Oger (grand cru), et spécialisée dans le blanc de blancs grand cru. Le vignoble a été constitué en 1889, la première cuvée élaborée en 1928. Le 95 est le plus apprécié. Son nez confituré, porté sur le coing, et sa bouche équilibrée et réglissée révèlent une bouteille à son apogée. La cuvée **Nicole Moncuit Vieilles vignes 95 (150 à 199 F)**, née de ceps de quatre-vingts ans d'âge, est citée pour son élégance et sa finesse. Même note pour la **Cuvée de réserve (70 à 99 F)**, à l'attaque douce, au palais direct et équilibré. (RM) (100 à 149 F)

Champagne Pierre Moncuit, 11, rue Persault-Maheu, 51190 Le Mesnil-sur-Oger, tél. 03.26.57.52.65, fax 03.26.57.97.89 r.-v.

MONDET Tradition*

○ 4 ha 12 000 11 à 15 €

Domaine fondé en 1928 dont le vignoble, situé non loin de l'abbaye de Hautvillers, s'étend sur 10,5 ha. La cuvée Tradition est issue de 80 % de pinot noir pour 20 % de chardonnay ; les deux tiers des raisins ont été récoltés en 1996 et le solde en 1995. Les vins ont connu le bois. Un champagne aux arômes de pain grillé brioché, d'une belle ampleur et souple en bouche. (NM) (70 à 99 F)

Champagne Mondet, 2, rue Dom-Pérignon, 51480 Cormoyeux, tél. 03.26.58.64.15, fax 03.26.58.44.00 r.-v.

Francis Mondet

ERNEST MONMARTHE
70e anniversaire 1995*

○ 1er cru n.c. 10 000 15 à 23 €

Quelques dates clés jalonnent l'histoire de ce domaine : 1737, les Monmarthe s'établissent dans la Montagne de Reims ; 1930 : Ernest Monmarthe met sur le marché ses premiers champagnes ; 1990 : Jean-Guy s'installe sur le domaine – 17 ha de vignes autour de la commune de ses ancêtres, classée en 1er cru. La cuvée Ernest Monmarthe célèbre les soixante-dix ans de la maison en reprenant l'étiquette des origines. Mi-blanche mi-noire (avec 25 % de meunier), elle libère un bouquet intense de miel et de fruits confits et se distingue par sa puissance et son équilibre. Autre 1er cru cité, la cuvée **Grande Réserve (70 à 99 F)**, mi-blanche mi-noire, provenant des années 1994 à 1996 : un rosé tout en souplesse. (RM) (100 à 149 F)

Jean-Guy Monmarthe, 38, rue Victor-Hugo, 51500 Ludes, tél. 03.26.61.10.99, fax 03.26.61.12.67, e-mail champagne-monmarthe@wanadoo.fr r.-v.

MONTAUDON*

○ 100 ha 800 000 11 à 15 €

Marque fondée en 1891 disposant d'un vignoble de 35 ha. Son brut sans année est issu de trois quarts de raisins noirs (dont 25 % de pinot meunier) et d'un quart de raisins blancs récoltés de 1996 à 1998 ; un assemblage classique pour un champagne classique, rond, équilibré, de bonne longueur. (NM) (70 à 99 F)

Champagne Montaudon, 6, rue Ponsardin, 51100 Reims, tél. 03.26.86.70.80, fax 03.26.86.70.87

DANIEL MOREAU
Carte noire Blanc de noirs**

○ 2,5 ha 20 000 11 à 15 €

Cette exploitation familiale créée en 1875 élabore du champagne depuis 1978. Son vignoble couvre 4,5 ha. Etabli dans la vallée de la Marne, Daniel Moreau est un champion du pinot meunier (voir coteaux champenois). Son blanc de noirs des années 1996 et 1997, né évidemment de ce cépage, est équilibré, ample et harmonieux. Le **Carte d'or** est un blanc de blancs ; sa complexité, sa rondeur, sa vinosité, son équilibre et sa longueur lui valent une étoile. Un champagne destiné à la table. (RM) (70 à 99 F)

Daniel Moreau, 5, rue du Moulin, 51700 Vandières, tél. 03.26.58.01.64, fax 03.26.58.15.64 r.-v.

MOREL PERE ET FILS

3 ha 4 000 11 à 15 €

Longtemps les Morel n'ont produit que du rosé des Riceys et, depuis 1997, Pascal Morel propose des champagnes dont ce rosé de saignée obligatoirement issu de pinot, en l'occurrence du pinot noir brièvement cuvé. Les fruits rouges s'accordent avec rondeur accompagnant une bouche ronde, équilibrée et fraîche. (RM) (70 à 99 F)

Pascal Morel Père et Fils, 93, rue du Gal-de-Gaulle, 10340 Les Riceys, tél. 03.25.29.10.88, fax 03.25.29.66.72 r.-v.

MORIZE PERE ET FILS Réserve*

11 ha 45 545 11 à 15 €

Cette exploitation de 11 ha, implantée aux Riceys dans l'Aube, signe avec cette cuvée Réserve un champagne très noir (85 % de pinot noir), né de la vendange 1996 avec un apport des années 1994 et 1995. Equilibré, ce vin a pour principales qualités la fraîcheur et la persistance. Cité par le jury, le **96 (100 à 149 F)** est très blanc (85 % de chardonnay). Il retient l'attention par son bouquet complexe (agrumes, poivre, tabac et cuir) qui se prolonge en bouche. (RM) (70 à 99 F)

Morize Père et Fils, 122, rue du Gal-de-Gaulle, 10340 Les Riceys, tél. 03.25.29.30.02, fax 03.25.38.20.22 r.-v.

PIERRE MORLET 1996

1er cru 1,5 ha 13 000 11 à 15 €

Pierre Morlet est viticulteur et négociant à Avenay-Val-d'Or. Pour élaborer ce 96, il a assemblé 62 % de pinot noir et 38 % de chardonnay récoltés dans ses vignes d'Ay (grand cru), d'Avenay-Val-d'Or et de Mutigny (deux premiers crus). Le moût fermente en fût de chêne. Il en résulte un champagne fin, élégant, aux arômes d'agrumes ; une touche d'amertume en finale révèle son extrême jeunesse. (NM) (70 à 99 F)

Champagne Pierre Morlet, 7, rue Paulin-Paris, 51160 Avenay-Val-d'Or, tél. 03.26.52.32.32, fax 03.26.59.77.13 r.-v.

CORINNE MOUTARD Tradition*

n.c. 20 000 11 à 15 €

Exploitation familiale de 6 ha dans l'Aube. Corinne Moutard commercialise du champagne sous son propre nom depuis 1998. Sa cuvée Tradition est un assemblage... traditionnel de 70 % de pinots (dont 10 % de meunier) et de 30 % de chardonnay. Elle présente un nez discret mais fin, une attaque franche et une bouche équilibrée. Le **rosé**, un rosé de noirs, également une étoile pour son nez associant notes compotées et fruits secs, et pour son palais empyreumatique et fruité. (NM) (70 à 99 F)

Corinne Moutard, 51, Grande-Rue, 10110 Polisy, tél. 03.25.38.52.47, fax 03.25.29.37.46 r.-v.

JEAN MOUTARDIER Carte d'or*

23 ha 210 000 11 à 15 €

Pour être situé à la lisière occidentale du vignoble, dans la vallée du Surmelin (plus près de Montmirail que d'Epernay), ce domaine de 23 ha, créé dans les années 1920, n'en est pas moins régulièrement bien représenté dans le Guide. Son encépagement privilégie le pinot meunier, dont la maison s'est fait une spécialité. Cette cuvée Carte d'or honore ainsi cette variété, qui constitue 90 % de l'assemblage, complétée par 10 % de chardonnay. Certains vins de base sont des vins de réserve vieillis en fût. Il en résulte un champagne au bouquet intense, évolué et long en bouche. (NM) (70 à 99 F)

Champagne Jean Moutardier, 51210 Le Breuil, tél. 03.26.59.21.09, fax 03.26.59.21.25, e-mail moutard@ebc.net r.-v.

MOUTARD PERE ET FILS Extra-brut

3,5 ha 20 000 15 à 23 €

Les Moutard font du champagne depuis 1927. François Moutard s'intéresse aux cépages rares champenois et propose un champagne de pure arbanne ! Avec cet extra-brut, il reste dans un registre plus classique, puisque cette cuvée est mi-blanche mi-noire (pinot noir). Un champagne non dosé, au nez discrètement floral et dont l'attaque vive laisse la bouche propre et nette. (NM) (100 à 149 F)

Champagne Moutard-Diligent, 6, rue des Ponts, 10110 Buxeuil, tél. 03.25.38.50.73, fax 03.25.38.57.72, e-mail champagne.moutard@wanadoo.fr r.-v.

Y. MOUZON LECLERE Carte d'or

1er cru n.c. 1 800 11 à 15 €

Si l'étiquette remonte à 1959, l'exploitation élaborait déjà du champagne avant guerre. Etablie dans la Montagne de Reims, elle dispose d'un vignoble de près de 10 ha. Cette cuvée qui ne fait pas sa fermentation malolactique comporte 80 % de chardonnay et 20 % de pinot noir (des années 1994 et 1995). Son bouquet est fruité, sa bouche gentiment nerveuse. (RM) (70 à 99 F)

Yvon Mouzon, 1, rue Haute-des-Carrières, 51380 Verzy, tél. 03.26.97.91.19, fax 03.26.97.97.89 r.-v.

PH. MOUZON-LEROUX Grande Réserve

Gd cru n.c. 80 000 11 à 15 €

Philippe Mouzon exploite 10 ha de vignes du côté de Verzy, commune de la Montagne de Reims classée en grand cru. Sous l'étiquette Mouzon-Leroux, il obtient deux citations pour des champagnes nés d'assemblages où pinot noir et chardonnay sont en proportions inverses. Cette cuvée Grande Réserve est dominée par les noirs (80 %) ; elle provient pour 58 % de l'année 1997, complétée par des vins de réserve de 1993 à 1996. Elle se montre vineuse, équilibrée, dosée. Le **grand cru 95** est né quant à lui de 80 % de chardonnay. Son bouquet floral discret

CHAMPAGNE

contraste avec sa bouche ronde et pourtant nerveuse. Toujours en grand cru, mais sous l'étiquette **R. Mouzon-Juillet,** le **grand cru sans année (100 à 149 F),** cité également, comprend deux tiers de chardonnay pour un tiers de pinot noir des années 1990 (pour 30 %) et 1991 (pour 70 %). Intense, miellé, très évolué, ce champagne de repas pourra accompagner des viandes rouges. (RM) (70 à 99 F)

EARL Mouzon-Leroux, 16, rue Basse-des-Carrières, 51380 Verzy, tél. 03.26.97.96.68, fax 03.26.97.97.67 r.-v.

G.H. MUMM ET CIE Cordon rouge*

○ 750 ha 5 000 000 15 à 23 €

Fondée en 1827 par deux Allemands, la célèbre maison rémoise exportait déjà trois millions de cols avant la Première Guerre mondiale. Ces succès ne l'ont pas empêchée de connaître une histoire mouvementée. La société est depuis 1969 tributaire de capitaux américains (Allied Domecq étant son dernier propriétaire en date). Cette cuvée, hommage à la Légion d'honneur, existe depuis 1875. Noire à 70 % (45 % de pinot noir et 25 % de meunier), elle comprend 10 % de vins de réserve. Ce Cordon rouge n'est pas réservé à un petit nombre. A la fois frais et rond, il devrait trouver des millions d'amateurs. Même note pour le **96 (150 à 199 F),** également dominé par les noirs (62 %) mais de grands crus. Il est puissant, long, certainement très jeune. Une étoile encore pour le **Mumm de Cramant (250 à 299 F),** grand cru blanc de blancs tiré à demi-mousse, pour son élégance et sa palette aromatique complexe et fine, florale et briochée. (NM) (100 à 149 F)

G.-H. Mumm et Cie, 29, rue du Champ-de-Mars, 51100 Reims, tél. 03.26.49.59.69, fax 03.26.40.46.13, e-mail mumm@mumm.fr r.-v.

Allied Domecq

NAPOLEON 1991

○ n.c. n.c. 23 à 30 €

La marque Napoléon est une exclusivité de la maison Prieur, fondée à Vertus en 1825. Curieusement, elle aurait été lancée pour toucher le marché russe grâce à un nom évocateur... Le champagne Napoléon laisse vieillir ses millésimés et propose ainsi un 91 mi-noir mi-blanc, évolué, long et au dosage perceptible. (NM) (150 à 199 F)

Champagne Napoléon, 2, rue de Villers-aux-Bois, 51130 Vertus, tél. 03.26.52.11.74, fax 03.26.52.29.10 r.-v.

Ch. et A. Prieur

CHARLES ORBAN Cuvée spéciale 2000**

○ 1 ha 6 000 15 à 23 €

Le champagne Charles Orban est une des marques de la maison Rapeneau. Cette cuvée provient exclusivement d'une propriété de 9 ha qui a son siège à Troissy (vallée de la Marne), d'où le statut de récoltant-manipulant. Le chardonnay domine largement (80 %) dans l'assemblage de cette cuvée, complété par du pinot noir ; les raisins ont été récoltés en 1996 et 1997. Cela donne un champagne extrêmement agréable, tant par son bouquet fin et vif, fait de notes beurrées, grillées mêlées de fruits blancs, que par sa bouche équilibrée, fraîche et persistante. (RM) (100 à 149 F)

Champagne Charles Orban, 44, rte de Paris, 51700 Troissy, tél. 03.26.52.70.05, fax 03.26.52.74.66 t.l.j. sf sam. dim. 10h-12h 14h-18h

Rapeneau

CUVEE ORPALE Blanc de blancs 1990

○ Gd cru n.c. 25 000 30 à 38 €

Etablie à Avize en Côte des Blancs, Union Champagne regroupe une dizaine de coopératives (environ 1 000 ha de vignes). Le champagne qu'elle élabore est commercialisé par de grandes marques ou sous ses propres étiquettes : De Saint-Gall (voir ce nom) et Orpale. Cette dernière est une cuvée haut de gamme. Les dégustateurs reconnaissent à ce champagne deux qualités essentielles : celle d'être « très 90 », donc opulent, souple et légèrement évolué, et celle d'être « très blanc de blancs », c'est-à-dire de présenter la finesse et la gamme aromatique typique du cépage : pain grillé, notes beurrées, noisette. (CM) (200 à 249 F)

Union Champagne, 7, rue Pasteur, 51190 Avize, tél. 03.26.57.94.22, fax 03.26.57.57.98, e-mail info@de-saint-gall.com r.-v.

OUDINOT Cuvée Brut*

○ n.c. 700 000 15 à 23 €

Fondée en 1889 à Avize, cette maison a été reprise en 1981 par Jacques Trouillard, propriétaire de 121 ha de vignobles et des marques Jeanmaire et Beaumet. Les trois cépages champenois, à parts presque égales, composent ce brut sans année vif et fin, qui trouvera sa place à l'apéritif. (NM) (100 à 149 F)

Champagne Oudinot, ch. Malakoff, 3, rue Malakoff, 51207 Epernay, tél. 03.26.59.50.10, fax 03.26.54.78.52, e-mail chateau.malakoff@wanadoo.fr

M. et J. Trouillard

BRUNO PAILLARD 1995*

○ n.c. n.c. 23 à 30 €

L'une des plus récentes maisons de Champagne, fondée en 1981 par Bruno Paillard. Ses cuvées sont des hauts de gamme exportés pour les trois quarts de la production, cavistes et restaurants constituant aussi une bonne part de la clientèle. Ce brut 95, constitué aux deux tiers de noirs (45 % de pinot noir, 19 % de meunier, 36 % de chardonnay), est brioché, gras et long. Même réussite pour la **Première Cuvée (100 à 149 F),** qui réunit également les trois cépages champenois dans des proportions proches du 95 (45 % de pinot noir, 22 % de meunier, 33 % de chardonnay) ; un champagne fruité, rond, harmonieux, idéalement équilibré. Une étoile encore pour le **rosé Première Cuvée (150 à 199 F)** dominé par le pinot noir (85 % pour 15 % de chardonnay), rose tendre dans le verre, vif et puissant en bouche. Un champagne très jeune. A l'exception du rosé, les champagnes Bruno Paillard passent partiellement par le bois, voire totalement pour la cuvée **NPU (Nec plus ultra) 90 (300 à 499 F),** citée. (NM) (150 à 199 F)

🔑 Champagne Bruno Paillard,
.v. de Champagne, 51100 Reims,
él. 03.26.36.20.22, fax 03.26.36.57.72,
-mail brunopaillard@aol.com ☑ 🍷 r.-v.

AMAZONE DE PALMER

○ n.c. n.c. 23 à 30 €

A l'origine club de producteurs de grands crus, Palmer s'est ensuite ouvert à des terroirs plus modestes. Produit d'un assemblage classique puisqu'elle est mi-noire mi-blanche, la cuvée spéciale Amazone est le seul champagne à être logé dans une bouteille ovale. Ce vin puissant, vineux, miellé, plaira aux amateurs de champagnes évolués et trouvera sa place au repas, sur des viandes. Cité également, le **brut sans année (70 à 99 F)** est issu de deux tiers de chardonnay (62 %) pour un tiers des deux pinots. Equilibré, typé par les agrumes, il sera apprécié à l'apéritif. (CM) (150 à 199 F)

🔑 Champagne Palmer et C°, 67, rue Jacquart,
51100 Reims, tél. 03.26.07.35.07,
fax 03.26.07.45.24 ☑ 🍷 r.-v.

PANNIER 1996★

○ n.c. 18 386 15 à 23 €

Cette cave tient son nom d'Eugène Pannier, fondateur d'une maison qu'il transmit à son fils. En 1971, la marque fut reprise par les livreurs de raisin regroupés en coopérative (COVAMA). Celle-ci a son siège à Château-Thierry, dans la vallée de la Marne (Aisne), cité où naquit Jean de la Fontaine. La cave vinifie 600 ha. Ce 96, issu des trois cépages champenois, a été très bien accueilli : on loue son équilibre, sa fraîcheur et sa longueur. Né également des trois cépages, mais avec une majorité de meunier, le **rosé** mérite d'être cité : d'un rose intense, presque rouge, il est charpenté, vineux et souple. (CM) (100 à 149 F)

🔑 SCVM COVAMA, 25, rue Roger-Catillon,
B.P. 55, 02403 Château-Thierry Cedex,
tél. 03.23.69.51.30, fax 03.23.69.51.31,
e-mail chppannier@aol.com ☑ 🍷 r.-v.

PAQUES ET FILS

Chardonnay Cuvée Aurore★★

○ 1er cru 0,25 ha 2 000 15 à 23 €

Créé en 1905 par l'arrière-grand-père des exploitants actuels, un domaine d'une dizaine d'hectares, situé dans la Montagne de Reims, autour de Rilly, commune classée en 1er cru. Il crée la surprise par deux cuvées de très belle venue. Cette cuvée Aurore est un blanc de blancs né de deux grandes années, 1995 et 1996. Les dégustateurs apprécient hautement sa fraîcheur et sa finesse, et lui prédisent un grand avenir. Pour l'apéritif, les poissons et les crustacés. Le **95 Carte rouge (70 à 99 F)** obtient une étoile. Fruité, miellé et fumé, ce champagne se distingue par sa puissance et son caractère. (RM) (100 à 149 F)

🔑 Paques et Fils, 1, rue Valmy,
51500 Rilly-la-Montagne,
tél. 03.26.03.42.53, fax 03.26.03.40.29,
e-mail phil.paques@wanadoo.fr ☑ 🍷 r.-v.

DENIS PATOUX Carte d'or★★

○ n.c. n.c. 11 à 15 €

La famille de Denis Patoux est au service du vin depuis 1900, mais c'est son grand-père qui s'est lancé dans la commercialisation du champagne, en 1945. L'exploitation, sise à Vandières (vallée de la Marne), compte aujourd'hui 8 ha de vignes implantés sur la rive droite de la rivière. Cette cuvée Carte d'or s'est imposée en toute simplicité par la netteté de son bouquet vif et fruité et par sa bouche fraîche, toujours fruitée (pêche blanche), équilibrée et très longue. Cet excellent champagne est tout indiqué pour l'apéritif ou le poisson. Epicé, nerveux et long, le **brut sans année** recueille pour sa part une étoile. (RM) (70 à 99 F)

🔑 Denis Patoux, 1, rue Bailly, 51700 Vandières, tél. 03.26.58.36.34, fax 03.26.59.16.10
☑ 🍷 r.-v.

PEHU-SIMONET Sélection★★

○ Gd cru 2 ha 17 000 11 à 15 €

L'étiquette Péhu-Simonet est née en 1978 de l'alliance de deux familles. L'exploitation compte aujourd'hui 5 ha de vignes implantées à Verzenay, commune de la Montagne de Reims classée à 100 % sur l'échelle des crus. Les trois champagnes retenus sont d'ailleurs tous des grands crus. « Il existe » ; « Ce vin me plaît », écrivent deux dégustateurs à propos de cette cuvée Sélection, née pour les trois quarts du pinot noir, complété par le chardonnay, assemblage de la récolte 1998 et des années 1994 à 1997. Un vin charnu, plein, construit, long, à boire à table avec une viande rouge. Le **rosé Cuvée spéciale** comprend 80 % de pinot noir (dont du vin rouge) et 20 % de chardonnay des vendanges 1994 à 1997. Sa belle présence, son équilibre et sa longueur lui valent une étoile. Enfin la **cuvée Junior 93 (100 à 149 F)** mérite toujours une mention ; mi-noire mi-blanche, c'est un champagne mûr et ample mêlant les fruits en compote et les nuances briochées. (RM) (70 à 99 F)

🔑 Pehu-Simonet, 7, rue de la Gare, B.P. 22,
51360 Verzenay, tél. 03.26.49.43.20,
fax 03.26.49.45.06 ☑ 🍷 r.-v.

JEAN-MICHEL PELLETIER

Tradition★★

○ 2,5 ha 22 000 11 à 15 €

Un brut sans année assemblant les millésimes 96, 97 et 98 avec 90 % de pinot meunier. Œnologue, Jean-Michel Pelletier a réussi un vin tout

en fleurs et en fruits, rond et complexe, légèrement dosé mais équilibré et agréable. (RC)
(70 à 99 F)

Jean-Michel Pelletier, 22, rue Bruslard, 51700 Passy-Grigny, tél. 03.26.52.65.86, fax 03.26.52.65.86 r.-v.

JEAN PERNET Tradition

○ 6 ha 30 000 11 à 15 €

Cette maison dispose de 15,5 ha et commercialise du champagne depuis 1947. Son brut Tradition assemble 60 % de pinots (dont 10 % de meunier) et 40 % de chardonnay des années 1997 et 1998. Son bouquet est intense et miellé, sa bouche, fraîche et légère. Une citation également pour le **Réserve chardonnay grand cru**, né des années 1996 et 1997, un peu fugace, mais rond et équilibré. (NM) (70 à 99 F)

Champagne Jean Pernet, 6, rue de la Brèche-d'Oger, 51190 Le Mesnil-sur-Oger, tél. 03.26.57.54.24, fax 03.26.57.96.98 r.-v.

PERNET-LEBRUN*

◐ n.c. 2 000 11 à 15 €

Cinq générations de vignerons se sont succédé pour créer un vignoble du côté de Mancy. La cuvée de base de ce rosé fait la part belle au meunier (58 %, 12 % de pinot noir et 30 % de chardonnay). Les raisins ont été récoltés en 1998. Saumoné aux nuances orangées, ce champagne révèle des arômes miellés et framboisés ; la bouche est équilibrée. Même note pour la cuvée **Authentick 95 (100 à 149 F)**, composée des trois cépages champenois à parts égales, empyreumatique, nerveuse et légère. Mi-noire (meunier) mi-blanche, issue de la récolte de 1997, la **Cuvée d'argent-Sol (70 à 99 F)** est quant à elle citée pour son équilibre et sa longueur. (RM) (70 à 99 F)

Pernet-Lebrun, Ancien-Moulin, 51530 Mancy, tél. 03.26.59.71.63, fax 03.26.57.10.42 r.-v.

JOSEPH PERRIER Cuvée royale*

○ n.c. 500 000 15 à 23 €

L'une des deux maisons de Châlons-en-Champagne, fondée en 1825 par Joseph Perrier, vendue en 1888 à Paul Pithois, brièvement passée sous le contrôle de Laurent-Perrier et reprise par Alain Thiénot. La Cuvée royale sans année exploite également les trois cépages champenois. Equilibrée et d'une belle finesse, elle révèle des notes citronnées, au nez comme en bouche. Dans la fourchette de prix supérieure, deux autres champagnes ont été cités : le **rosé Cuvée royale**, dominé par les raisins noirs (75 % de pinot noir pour 25 % de chardonnay), très équilibré et marqué par le bonbon anglais, tout comme le **95 Cuvée royale**, presque mi-noir mi-blanc (55 % de pinot noir), harmonieux lui aussi. (NM) (100 à 149 F)

SA Champagne Joseph Perrier, 69, av. de Paris, B.P. 31, 51000 Châlons-en-Champagne, tél. 03.26.68.29.51, fax 03.26.70.57.16 r.-v.

DANIEL PERRIN Cuvée Prestige

○ 1,5 ha 10 000 11 à 15 €

Deux frères travaillent sur cette exploitation auboise de 12 ha, qui élabore ses propres champagnes depuis 1957. Leur cuvée Prestige est issue de deux tiers de noirs (pinot noir) et d'un tiers de blancs de l'année 1998. Elle retient l'attention par son nez au fruité charnu et sa bouche marquée par des notes citronnées, au dosage sensible. (RM) (70 à 99 F)

EARL Champagne Daniel Perrin, 10200 Urville, tél. 03.25.27.40.36, fax 03.25.27.74.57 r.-v.

PERSEVAL-FARGE Cuvée Jean-Baptiste

○ 1er cru 2 ha 2 000 15 à 23 €

Isabelle et Benoist Perseval exploitent 4 ha de vignes en cinq parcelles autour de Chamery, village de la Montagne de Reims. Assemblage classique de 60 % de chardonnay et de 40 % de pinots (dont 10 % de meunier) des années 1993 à 1995, leur cuvée Jean-Baptiste mêle au nez notes briochées et amande. La bouche, légère, évoque les agrumes. (RM) (100 à 149 F)

Isabelle et Benoist Perseval, 12, rue du Voisin, 51500 Chamery, tél. 03.26.97.64.70, fax 03.26.97.67.67, e-mail champagne.perseval-farge@wanadoo.fr r.-v.

PERTOIS-MORISET Blanc de blancs 1995

○ Gd cru 12 ha 30 000 15 à 23 €

Dominique Pertois exploite 18 ha de vignes. Il est établi au Mesnil-sur-Oger, commune classée en grand cru située au cœur de la Côte des Blancs. Il propose un blanc de blancs marqué au nez par des notes de miel et de moka, ce qui est un signe d'évolution. Rectiligne, la bouche fait preuve de la vivacité propre au millésime. (RM) (100 à 149 F)

Dominique Pertois, 13, av. de la République, 51190 Le Mesnil-sur-Oger, tél. 03.26.57.52.14, fax 03.26.57.78.98 t.l.j. sf dim. 8h-12h 14h-18h; f. août

PIERRE PETERS
Blanc de blancs Cuvée de réserve

○ Gd cru 10 ha 100 000 11 à 15 €

Ce producteur d'une famille très connue du Mesnil-sur-Oger exploite un vignoble de 17,5 ha voué au chardonnay. Deux de ses blancs de blancs sont cités, des cuvées fort différentes. Cette cuvée de réserve associe au nez le beurre, le caramel et le miel et présente une bouche souple et dosée. En revanche, l'**Extra brut** est frais. Le nez évoque la noisette, et la bouche, d'une belle longueur, finit sur les agrumes. (RM) (70 à 99 F)

Champagne Pierre Peters, 26, rue des Lombards, 51190 Le Mesnil-sur-Oger, tél. 03.26.57.50.32, fax 03.26.57.97.71 r.-v.
F. Peters

PETITJEAN-PIENNE Blanc de blancs*

○ Gd cru 1,75 ha 8 800 11 à 15 €

Cette famille est établie depuis quatre générations à Cramant, en Côte des Blancs. Elle exploite un vignoble autour de ce village et d'Avize, commune limitrophe, classée elle aussi en grand cru. Elle signe un blanc de blancs floral au nez comme en bouche, ample et évolué. (RM) (70 à 99 F)

Petitjean-Pienne, 4, allée des Bouleaux, 51530 Cramant, tél. 03.26.57.58.26, fax 03.26.59.34.09, e-mail petitjean-pienne@wanadoo.fr r.-v.

MAURICE PHILIPPART Prestige 1990*

○ 6 ha 11 236 15 à 23 €

Nicaise - un nom bien champenois – cultivait déjà la vigne en 1827, Maurice, récoltant entre les deux guerres, a légué son nom au champagne commercialisé par Paul à partir de 1956 ; Franck, installé en 1993, exploite 6 ha de vignes. Le domaine a son siège à Chigny dans la Montagne de Reims. Assemblage de 40 % de pinot noir et de 60 % de chardonnay, ce 90 est bien typique du millésime, c'est-à-dire riche, souple, ample et long, avec des arômes évolués où ressortent les fruits très mûrs. On pourra penser à cette bouteille pour accompagner une poularde truffée. (RM) (100 à 149 F)

Maurice Philippart, 16, rue de Rilly, 51500 Chigny-les-Roses, tél. 03.26.03.42.44, fax 03.26.03.46.05, e-mail franck.philippart1@libertysurf.fr t.l.j. sf dim. 9h-11h30 14h-18h; sam. sur r.-v.

Franck Philippart

PHILIPPONNAT Clos des Goisses 1990**

○ 5,5 ha n.c. 46 à 76 €

L'emblème de la maison, un blason à damier rouge et or, remonte à 1697 ; les Philipponnat possèdent des vignes dès cette époque, mais ils ne se sont lancés dans l'élaboration de champagne que sous le second Empire. La maison a été fondée en 1910 par Auguste et Pierre Philipponnat. A la tête de 17 ha, elle se trouve depuis 1997 sous le contrôle de Boizel Chanoine Champagne. Le célèbre clos des Goisses – un vignoble de 5,5 ha, pentu, exposé au sud et ceint de murs – a été acquis en 1935. Il est réservé aux champagnes millésimés. Ce 90 est issu de 70 % de pinot noir et de 30 % de chardonnay et n'a pas fait de fermentation malolactique. Il suscite l'enthousiasme de plusieurs dégustateurs – « Superbe », résume un membre du jury – et a été proposé pour un coup de cœur. Un vin magistral, ample, structuré, très long, aux saveurs de noisette et d'amande. Quant au **blanc de blancs Sublime Réserve 91 (150 à 199 F)**, il atteint avec brio son apogée. Alourdi par le dosage, il est cité. (NM) (300 à 499 F)

SA Champagne Philipponnat, 13, rue du Pont, 51160 Mareuil-sur-Ay, tél. 03.26.56.93.00, fax 03.26.56.93.18, e-mail info@champagnephilipponnat.com r.-v.

PIERREL Cuvée Arabesque*

○ n.c. n.c. 15 à 23 €

Pierrel est une marque d'une maison d'Epernay qui élabore aussi les champagnes Mignon et Pierrel (voir ce nom) et Marquis de la Fayette. Cette cuvée Arabesque est issue exclusivement de chardonnay, même si la mention « blanc de blancs » n'apparaît pas sur la sobre étiquette en losange. « Complexe, ronde, équilibrée et longue, elle trouvera sa place dans les repas de réception », indique un dégustateur. Deux autres champagnes sont cités en 1er cru : le **brut sans année**, assemblage de 60 % de chardonnay et de 40 % de pinot noir, bref mais équilibré, et la **Grande Cuvée 95 (150 à 199 F)**, à 5 % un blanc de blancs, vif et long, sur les agrumes. (NM) (100 à 149 F)

SA Pierrel et Associés, 26, rue Henri-Dunant, 51200 Epernay, tél. 03.26.51.00.90, fax 03.26.51.69.40, e-mail champagne@pierrel.fr r.-v.

PIERSON-CUVELIER Prestige Carte d'or*

○ Gd cru 2,5 ha 5 000 11 à 15 €

Le vignoble a un siècle, les premières bouteilles ont été élaborées en 1928 et la marque lancée cinquante ans plus tard. Le domaine est établi à Louvois, commune de la Montagne de Reims classée à 100 % sur l'échelle des crus, et les deux champagnes retenus sont des grands crus. La préférence va à cette cuvée Prestige Carte d'or, un blanc de noirs issu des vendanges de 1994 à 1996 ; puissant, riche, confituré, charpenté et long, il conviendra à une viande blanche. Cité et naissant des années 1995 à 1997, le **rosé** est un assemblage d'un rosé de saignée, de vin rouge de Bouzy de la même cuve et de blancs de noirs ; de teinte soutenue, puissant et long, il est destiné aux repas. (RM) (70 à 99 F)

François Pierson-Cuvelier, 4, rue de Verzy, 51150 Louvois, tél. 03.26.57.03.72, fax 03.26.51.83.84 r.-v.

PIPER-HEIDSIECK 1995*

○ n.c. n.c. 23 à 30 €

Cette maison est l'une des trois branches issues de la scission, en 1835, de la société fondée en 1785 par Florens Louis Heidsieck. Depuis 1990, elle appartient à Rémy Cointreau, de même que Charles Heidsieck. Ce 95 naît des deux cépages « nobles » de Champagne, pinot noir et chardonnay. Il s'agit d'un champagne de « caractère », comme le précise un dégustateur qui l'estime « réservé aux amateurs », soulignant son élégance, son intensité et sa finesse. (NM) (150 à 199 F)

Piper-Heidsieck, 51, bd Henry-Vasnier, 51100 Reims, tél. 03.26.84.43.00, fax 03.26.84.43.49 r.-v.

PLOYEZ-JACQUEMART 1995*

○ 1,4 ha 14 000 38 à 46 €

L'exploitation viticole remonte à 1860, la maison de négoce, restée dans la même famille, a été créée en 1930. Elle a son siège dans la Montagne de Reims. Issu d'un assemblage classique (40 % de pinot noir, 60 % de chardonnay), ce 95 est floral, équilibré et frais. (NM) (250 à 299 F)

Champagne Ployez-Jacquemart, 8, rue Astoin, 51500 Ludes, tél. 03.26.61.11.87, fax 03.26.61.12.20 r.-v.

CHAMPAGNE

POL ROGER Blanc de blancs 1995*

○ n.c. n.c. 38 à 46 €

Maison créée en 1849 par Pol Roger. Au début du XXᵉs., le prénom « Pol » fut incorporé au patronyme ; il y eut donc Maurice Pol-Roger, Georges Pol-Roger, Jacques Pol-Roger et enfin Christian Pol-Roger, lequel dirige la maison avec son cousin Christian de Billy. Ce 95, assemblage de 60 % de pinot noir et de 40 % de chardonnay, est un champagne ample, rond et plein, parfaitement équilibré. (NM) (250 à 299 F)

SA Pol Roger, 1, rue Henri-Lelarge, 51200 Epernay, tél. 03.26.59.58.00, fax 03.26.55.25.70, e-mail polroger@abc.net r.-v.

POMMERY Louise 1989**

○ 45 ha n.c. 46 à 76 €

C'est le groupe LVMH qui contrôle Pommery et ses 300 ha de vignes depuis 1990. A l'origine de cette marque, la maison Dubois-Gosset reprise en 1836 par Narcisse Greno, lequel s'associa à Louis-Alexandre Pommery. Mais la figure de proue de Pommery fut Louise, l'épouse de ce dernier, qui sut développer l'affaire après la mort de son mari en 1858. Elle inventa le champagne brut et acquit un vignoble de haute qualité. Cette cuvée Louise (ex Louise Pommery) est une cuvée de prestige. Elle assemble 60 % de chardonnay et 40 % de pinot noir. Digne hommage à cette grande veuve champenoise, ce 89 rend les dégustateurs heureux. Que l'on se reporte à leurs fiches : « Délicieuse, onctueuse, voluptueuse, chaleureuse, succulente, brioche, amande, fruits secs, finale éclatante... ». Le grand jury est unanime : le coup de cœur s'impose. (NM) (300 à 499 F)

Pommery, 5, pl. du Gal-Gouraud, BP 87, 51100 Reims, tél. 03.26.61.63.98, fax 03.26.61.63.98 r.-v.

LVMH

VIRGILE PORTIER

Blanc de blancs Cuvée Madeleine

○ 1 ha 2 000 15 à 23 €

L'exploitation, fondée par Virgile Portier en 1924, compte 8 ha de vignes. La vinification se fait dans le bois, et les vins ne font pas leur fermentation malolactique. Ce blanc de blancs sans année est né de la vendange de 1995. Très présent, légèrement boisé, le nez révèle des notes beurrées et des nuances d'agrumes. La bouche est riche. Ce champagne a atteint son apogée. (RM) (100 à 149 F)

SARL Virgile Portier, 21, rte Nationale, 51360 Beaumont-sur-Vesle, tél. 03.26.03.90.15, fax 03.26.03.99.31 t.l.j. 8h-12h 14h-19h; dim. sur r.-v.

ROGER POUILLON ET FILS

Fleur de Mareuil 50 ème Anniversaire*

○ 1er cru 0,5 ha 3 000 15 à 23 €

L'exploitation, fondée en 1947 par Roger Pouillon, dispose de 6,5 ha de vignes non seulement à Mareuil-sur-Ay, mais dans plusieurs parties du vignoble champenois. Ici, on est attaché de longue date à la vinification dans le bois et Fabrice, petit-fils du fondateur, avant de rejoindre son père en 1998, a travaillé dans le Sauternais et en Bourgogne. Mi-noire mi-blanche, issue des vendanges de 1996 et 1997, cette Fleur de Mareuil a donc été vinifiée en fût et bâtonnée. Sa palette aromatique, complexe, associe notes vanillées, légèrement boisées et fruits secs. Ces saveurs apparaissent quelque peu évoluées en bouche. (RM) (100 à 149 F)

Roger Pouillon et Fils, 3, rue de la Couple, 51160 Mareuil-sur-Ay, tél. 03.26.52.60.08, fax 03.26.59.49.83, e-mail contact@champagne-pouillon.com r.-v.

PRESTIGE DES SACRES

Réserve spéciale*

○ n.c. 150 000 11 à 15 €

Fondée en 1961, la coopérative de Germigny-Janvry-Rosnay commercialise des bouteilles depuis 1970. Ses deux marques sont Château de l'Auche et Prestige des Sacres. A cette cuvée, née des années 1995 à 1998, collaborent à égalité les trois cépages champenois. Son bouquet de fruits, d'épices et de miel précède une attaque nette, une bouche briochée et ample. Sous la même marque, le **blanc de blancs Nectar de Saint-Rémi**, issu des récoltes de 1993 et 1994, mérite d'être cité pour son nez de fruits secs et d'épices douces et sa bouche persistante aux saveurs de fruits sauvages. (CM) (70 à 99 F)

Coop. vinicole de Germigny-Janvry-Rosnay, rue de Germigny, 51390 Janvry, tél. 03.26.03.63.40, fax 03.26.03.66.93 r.-v.

YANNICK PREVOTEAU

La Perle des Treilles

○ 0,6 ha 4 000 15 à 23 €

Cinq générations se sont succédé sur ce vignoble qui compte 9,5 ha. L'étiquette a vu le jour en 1970. Les champagnes Yannick Prévoteau ne font pas leur fermentation malolactique. Cette Perle des Treilles est issue de 60 % de pinot noir et de 40 % de chardonnay. Son bouquet est fruité (pomme et poire), sa bouche, équilibrée, miellée et longue. (RM) (100 à 149 F)

Yannick Prévoteau, 4 bis, av. de Champagne, 51480 Damery, tél. 03.26.58.41.65, fax 03.26.58.61.05 t.l.j. 8h-12h 13h-19h

ACHILLE PRINCIER Grand Art 1995*

○ n.c. 10 000 30 à 38 €

Maison de négoce d'Epernay créée en 1955, aux activités diversifiées. Cette bouteille « Grand Art », de forme ancienne, est également bouchée à l'ancienne, c'est-à-dire ficelée selon

l'ordonnance royale de 1735 (cela remplace le muselet de fil de fer). Mi-noire mi-blanche, la cuvée assemble les raisins de deux grands crus de blancs et de trois grands crus de noirs. Son bouquet élégant et intense de miel d'acacia annonce une bouche ronde et grasse, relativement évoluée pour un 95. (NM) (200 à 249 F)
Achille Princier, 9, rue Jean-Chandon-Moët, 51207 Epernay, tél. 03.26.54.04.06, fax 03.26.59.16.90 t.l.j. 10h-19h
J.-Cl. Hébert

PRIN PERE ET FILS
Blanc de blancs 1995*

○ n.c. n.c. 23 à 30 €

La famille Prin se consacre à cette maison de négoce d'Avize (Côte des Blancs). Ce blanc de blancs du grand millésime 95, empyreumatique au nez, attaque nerveusement en bouche. Le vin est équilibré, structuré, de bonne longueur. (NM) (150 à 199 F)
Champagne Prin Père et Fils, 28, rue Ernest-Valle, 51190 Avize, tél. 03.26.53.54.55, fax 03.26.53.54.56 r.-v.

DIDIER RAIMOND Tradition**

○ 1,5 ha 10 500 11 à 15 €

Cette exploitation familiale s'est développée à partir de 1980 et s'est établie à Epernay en 1994. Elle dispose d'un vignoble de 5,4 ha. Les vins de réserve sont conservés en fût. Les deux années 1997 et 1998 sont à l'origine de trois champagnes sélectionnés. Coup de cœur dans la précédente édition, cette cuvée Tradition impressionne toujours autant. Née de deux tiers de raisins blancs et d'un tiers de noirs (dont 10 % de meunier), elle est élégante, vive, ronde et équilibrée. Le **rosé** est issu de 90 % de chardonnay et de 10 % des deux pinots. De couleur cuivrée ou tuilée, il propose un fruité rouge léger et frais. Distingué mais légèrement surdosé, il obtient une étoile. Cité, le **blanc de blancs Cuvée sublime** est élégant, boisé, complexe et nerveux. (RM) (70 à 99 F)
Didier Raimond, 39, rue des Petits-Prés, 51200 Epernay, tél. 03.26.54.39.05, fax 03.26.54.51.70, e-mail champagnedidier.raimond@wanadoo.fr r.-v.

CUVEE DU REDEMPTEUR
Blanc de blancs

○ 0,5 ha n.c. 11 à 15 €

Cette cuvée est un hommage de ses successeurs à Edmond Dubois qui fut surnommé « Le Rédempteur » pour son rôle lors des révoltes des vignerons champenois en 1911. Aujourd'hui, les Dubois cultivent un vignoble de 7 ha autour de Venteuil (vallée de la Marne). Ce blanc de blancs passe par le bois. Il est ample, équilibré, quoique sensiblement dosé. (RM) (70 à 99 F)
EARL du Rédempteur Dubois Père et Fils, rte d'Arty, 51480 Venteuil, tél. 03.26.58.48.37, fax 03.26.58.63.46 t.l.j. 8h-12h 14h-17h30; sam. dim. sur r.-v.
Claude Dubois

PASCAL REDON Cuvée du Hordon**

○ 1er cru 0,3 ha 3 000 15 à 23 €

Cette exploitation récente de 4,3 ha réalise une belle performance avec trois champagnes retenus. Mi-noire mi-blanche, la cuvée du Hordon offre un nez engageant sur des notes briochées et du pain d'épice. La bouche est vive, jeune, de bonne persistance. Tout aussi remarquable, le **95**, à 5 % près un blanc de blancs, mêle au bouquet les fruits confits et le pain grillé, et séduit par sa puissance et son équilibre. Dans la fourchette de prix inférieure, la cuvée **Tradition** obtient une étoile : assemblage de 80 % de chardonnay et de 20 % de pinot noir, florale (fleurs blanches), fine, nerveuse et équilibrée, idéale pour le poisson. (RM) (100 à 149 F)
Pascal Redon, 2, rue de la Mairie, 51380 Trépail, tél. 03.26.57.06.02, fax 03.26.58.66.54 r.-v.

BERNARD REMY Prestige*

○ 2 ha 7 000 11 à 15 €

Cette exploitation de 7 ha a bien réussi sa cuvée Prestige, née de 60 % de raisins blancs et de 40 % de raisins noirs (dont 10 % de meunier). Les vins de base proviennent des années 1996 et 1997. Un champagne floral, brioché, vif à l'attaque, d'une persistance intéressante, au dosage sensible. Une étoile encore pour le **rosé** de noirs des années 1997 et 1998, au bouquet framboisé et à la finale de fruits rouges frais. (RM) (70 à 99 F)
Bernard Rémy, 19, rue des Auges, 51120 Allemant, tél. 03.26.80.60.34, fax 03.26.80.37.18 r.-v.
Françoise Rémy

MARC RIGOLOT Blanc de blancs 1992**

○ 2 ha 9 233 15 à 23 €

Ce viticulteur exploite un vignoble de 4 ha non loin d'Epernay. Son blanc de blancs 92, millésime rare, a été très apprécié pour son bouquet miellé beurré et évolué, et sa bouche briochée et longue. (RM) (100 à 149 F)
Champagne Marc Rigolot, 54, rue Julien-Ducos, 51530 Saint-Martin-d'Ablois, tél. 03.26.59.95.52, fax 03.26.59.94.95, e-mail champagne.rm@wanadoo.fr r.-v.

BERTRAND ROBERT
Cuvée Séduction 1995*

○ n.c. 3 000 15 à 23 €

André Robert est récoltant au Mesnil-sur-Oger, grand cru, au cœur de la Côte des Blancs. Sa cuvée Séduction mérite bien son nom. Elle naît de 75 % de chardonnay du Mesnil-sur-Oger et de 25 % de pinot noir de Vertus. Ces vins fermentent en fût de chêne. Son bouquet, fait de miel, de pain grillé, et de notes florales (violette), est vif ; la bouche fine, légèrement boisée, fait preuve d'une belle longueur. (RM) (100 à 149 F)
Champagne André Robert, 15, rue de l'Orme, B.P. 5, 51190 Le Mesnil-sur-Oger, tél. 03.26.57.59.41, fax 03.26.57.54.90 t.l.j. 9h-12h 14h-19h; sam. dim. sur r.-v.
Bertrand Robert

ERIC RODEZ Blanc de blancs

○ 6,12 ha n.c. 11 à 15 €

Eric Rodez exploite un peu plus de 6 ha sur le terroir d'Ambonnay de la Montagne de Reims. Il s'emploie à des vinifications nuancées en tirant parti de fermentations malolactiques partielles et de fermentations alcooliques sous bois, ce qui lui permet d'élaborer des cuvées d'une belle complexité. Son blanc de blancs, frais, floral et long, est marqué par la jeunesse. Citée également, la **Cuvée des Crayères** recueille les mêmes compliments que l'an dernier : elle est souple, expressive, complexe, même si le dosage apparaît. (RM) (70 à 99 F)

Eric Rodez, 4, rue d'Isse, 51150 Ambonnay, tél. 03.26.57.04.93, fax 03.26.57.02.15, e-mail e.rodez@champagne-rodez.fr r.-v.

LOUIS ROEDERER Brut Premier**

○ n.c. n.c. 23 à 30 €

A l'origine de cette prestigieuse maison, une société fondée en 1760 sous le nom de Dubois Père et Fils. C'est Louis Roederer, qui, après en avoir hérité en 1833, lui donna son nom et fit sa prospérité, en développant les ventes sur les marchés russe et américain. Son fils poursuivit son œuvre en créant pour le tsar Alexandre II, en 1876, la célèbre cuvée Cristal. La maison est toujours aux mains de la famille et dispose d'un vaste vignoble de 200 ha répartis sur trois régions de la Champagne. Ce Brut Premier naît de deux tiers de raisins noirs (56 % de pinot noir et 10 % de meunier) et d'un tiers de chardonnay. Les vins de réserve, vieillis sous bois, constituent 10 % de l'assemblage. C'est un champagne frais, mêlant notes épicées, beurrées et citronnées, et noisette. (NM) (150 à 199 F)

Champagne Louis Roederer, 21, bd Lundy, 51100 Reims, tél. 03.26.40.42.11, fax 03.26.47.66.51, e-mail com@champagne-roederer.com

ROGGE CERESER Cuvée de réserve*

○ n.c. 1 919 11 à 15 €

Etabli à Passy-Grigny, non loin de la vallée de la Marne, ce domaine de 6,5 ha élabore son champagne depuis 1997. On retrouve sa Cuvée de réserve, presque un blanc de noirs, mais elle comprend cette année 7 % de chardonnay à côté des 93 % de pinots (dont 78 % de meunier), et les raisins proviennent de l'année 1999. Son bouquet floral (fleurs blanches, rose) et sa bouche empyreumatique en font un brut sans année classique. (RM) (70 à 99 F)

SCEV Rogge Cereser, 1, imp. des Bergeries, 51700 Passy-Grigny, tél. 03.26.52.96.05, fax 03.26.52.07.73 r.-v.

JACQUES ROUSSEAUX
Cuvée de réserve*

○ Gd cru 1 ha 10 400 11 à 15 €

Cette propriété familiale de 8 ha est établie à Verzenay (grand cru de la Montagne de Reims). Sa Cuvée de réserve naît de deux tiers de raisins noirs et d'un tiers de blancs et assemble des vins de la vendange de 1998 et des vins de réserve des années 1995 à 1997. Miellée et veloutée au nez, elle est ronde et souple en bouche. Même note pour la **cuvée Montgolfière**, autre grand cru. Un champagne mi-noir mi-blanc issu de l'année 1998, aux arômes de fruits confits, riche et long. (RM) (70 à 99 F)

Jacques Rousseaux, 5, rue de Puisieulx, 51360 Verzenay, tél. 03.26.49.42.73, fax 03.26.49.40.72, e-mail champagne.jacques.rousseaux@cder.fr r.-v.

ROUSSEAUX-BATTEUX

◐ 0,25 ha 2 000 11 à 15 €

Cette exploitation de Verzenay (grand cru) dispose d'un vignoble de plus de 3 ha. Elle propose un rosé de noirs né des années 1997 et 1998. Cerise et kirsch au nez, ce champagne apparaît souple, miellé et dosé en bouche. (RM) (70 à 99 F)

Rousseaux-Batteux, 17, rue de Mailly, 51360 Verzenay, tél. 03.26.49.81.81, fax 03.26.49.48.49 r.-v.

ROUSSEAUX-FRESNET Prestige

○ Gd cru 0,15 ha 1 500 15 à 23 €

Etabli à Verzenay (Montagne de Reims), Jean-Brice Rousseaux-Fresnet a pris la suite de plusieurs générations de récoltants. Il exploite 3,5 ha de vignes. Sa cuvée Prestige, très noire (90 % de pinot noir), présente un nez discret. Elle est vive et fraîche, bien que son dosage soit perceptible. (RM) (100 à 149 F)

Jean-Brice Rousseaux-Fresnet, 21, rue Chanzy, BP 12, 51360 Verzenay, tél. 03.26.49.45.66, fax 03.26.49.40.09 r.-v.

ROYER PERE ET FILS

◐ 1 ha 6 000 11 à 15 €

Fondée en 1960, cette exploitation dispose d'un vignoble de 21 ha dans la Côte des Bars (Aube). Son brut rosé, né de la vendange de 1998, doit tout au pinot noir. On y découvre des arômes de kirsch et de cerise. La bouche s'impose par sa puissance : un champagne de repas. (RM) (70 à 99 F)

Champagne Royer Père et Fils, 120, Grande-Rue, 10110 Landreville, tél. 03.25.38.52.16, fax 03.25.38.37.17, e-mail champagne.royer@wanadoo.fr r.-v.

RUELLE-PERTOIS
Blanc de blancs Cuvée de réserve

○ 1er cru 2,5 ha 10 000 11 à 15 €

Cette exploitation familiale établie à Moussy, au sud-ouest d'Epernay, dispose d'un vignoble de 6 ha. Né des années 1997 et 1998, son blanc de blancs mêle au nez la pomme et l'amande. Il se montre souple malgré sa jeunesse. Certains dégustateurs sont sensibles à son dosage. (RM) (70 à 99 F)

MichelRuelle-Pertois, 11, rue de Champagne, 51530 Moussy, tél. 03.26.54.05.12, fax 03.26.52.87.58 t.l.j. 8h30-12h 13h30-19h; sam. dim. sur r.-v.; f. 7-31 août

Michel Ruelle

DOM. RUINART 1988★★★

◐ n.c. n.c. +76 €

La plus ancienne maison de Champagne a été créée en 1729 par Nicolas Ruinart, neveu de dom Ruinart, contemporain de dom Pérignon. En 1963, elle a été absorbée par Moët et Chandon, l'un des composants de ce qui deviendra le groupe LVMH. Les dégustateurs persistent et signent : ils avaient attribué un coup de cœur au Dom Ruinart rosé 86, ils donnent la même distinction au 88. Pour beaucoup un rosé « vieux » est un non-sens. Celui-ci a treize ans, il a pourtant conquis les dégustateurs qui évoquent : « le velours, l'harmonie, la complexité, l'équilibre, la longueur, la vivacité, le vin abouti, la bonne attaque, la bonne évolution ». C'est cela, un coup de cœur. Alors que le Dom Ruinart rosé est issu d'environ 80 % de chardonnay et 20 % de pinot noir, le Dom Ruinart blanc est exclusivement issu de chardonnay. Le **Dom Ruinart blanc 93** obtient une étoile pour son intensité florale et pour sa finesse extrême, mais 93 est un millésime qui évolue plus rapidement que le millésime 88... (NM) (+ 500 F)

Champagne Ruinart, 4, rue des Crayères, BP 85, 51053 Reims Cedex, tél. 03.26.77.51.51, fax 03.26.82.88.43 r.-v.

RENE RUTAT Grande Réserve

○ 1er cru n.c. 10 000 11 à 15 €

René Rutat s'est lancé dans l'élaboration de champagne en 1960. Son fils Michel a repris l'exploitation en 1985. Le vignoble s'étend sur 6 ha autour de Vertus, dans la Côte des Blancs. Les champagnes René Rutat sont d'ailleurs toujours des blancs de blancs, même si l'étiquette ne l'indique pas. Celui-ci assemble les années 1996 (70 %) et 1997 (30 %). Il est frais, jeune, d'une bonne puissance et d'une persistance notable. (RM) (70 à 99 F)

Champagne René Rutat, av. du Gal-de-Gaulle, 51130 Vertus, tél. 03.26.52.14.79, fax 03.26.52.97.36, e-mail champagne.rutat@terre-net.fr r.-v.

LOUIS DE SACY Cuvée Tentation 1985★

○ Gd cru 3 ha 10 000 15 à 23 €

Les Sacy sont présents à Verzy depuis 1633. Alain Sacy dispose d'un domaine de 25 ha. Les parcelles sont situées non seulement dans la Montagne de Reims, mais aussi dans la vallée de la Marne et la Côte des Blancs. Ce 85 est un blanc de noirs (20 % de meunier). Il est plein, rond, droit et long. Si le dosage est perceptible, il ne manifeste aucun signe de vieillissement. Le **brut sans année grand cru (70 à 99 F)** est né de la récolte de 1997. Assemblage classique de 40 % de blancs et de 60 % de noirs (dont 20 % de meunier), il est fruité, intense et en cours d'évolution. (NM) (100 à 149 F)

Champagne Louis de Sacy, 6, rue de Verzenay, B.P. 2, 51380 Verzy, tél. 03.26.97.91.13, fax 03.26.97.94.25, e-mail contact@champagne-louis-de-sacy.fr t.l.j. sf sam. dim. 8h-12h 14h-18h

SAINT-CHAMANT Blanc de blancs 1993★

○ n.c. 16 007 15 à 23 €

Christian Coquillette exploite 11,5 ha de vignes dans la Côte des Blancs. Ses champagnes doivent tout au chardonnay. Ce 93 n'accuse pas son âge, avec ses arômes de torréfaction et de fruits confits, et sa bouche, courte sans doute mais ronde et civilisée. A l'opposé, le **Brut intégral 92**, simple, franc et nerveux, a été cité. Il plaira aux amateurs de champagnes non dosés. (RM) (100 à 149 F)

Christian Coquillette, Champagne Saint-Chamant, 50, av. Paul-Chandon, 51200 Epernay, tél. 03.26.54.38.09, fax 03.26.54.96.55 r.-v.

DE SAINT-GALL Blanc de blancs

○ 1er cru n.c. 100 000 15 à 23 €

Marque de l'Union Champagne d'Avize, important centre de vinification qui travaille pour de grandes et petites marques. Ses vins, issus de chardonnay, ont une très bonne réputation. Ce brut sans année, aux arômes de petits fruits mûrs, est ferme et frais en bouche. Le **blanc de blancs 95 1er cru** vif, élégant et léger, obtient la même note. (CM) (100 à 149 F)

Union Champagne, 7, rue Pasteur, 51190 Avize, tél. 03.26.57.94.22, fax 03.26.57.57.98, e-mail info@de-saint-gall.com r.-v.

SALMON 1996★

○ 6,5 ha 6 900 15 à 23 €

Cette exploitation établie dans la vallée de l'Ardres propose un 96 – excellente année – composé de 70 % de pinot meunier et de 30 % de chardonnay. Le nez délicat mêle des notes confites minérales et beurrées. Après une attaque souple, la vivacité prend le dessus, accompagnant la longue finale. (RM) (100 à 149 F)

EARL Champagne Salmon, 21-23, rue du Capitaine-Chesnais, 51170 Chaumuzy, tél. 03.26.61.82.36, fax 03.26.61.80.24 r.-v.

DENIS SALOMON Réserve★★

○ 1,2 ha 9 326 11 à 15 €

Cette exploitation située sur la rive droite de la Marne réalise une belle performance avec trois champagnes retenus. Le plus brillant est cette cuvée Réserve, assemblage de 70 % de pinot meunier et de 30 % de chardonnay des années 1997 et 1998. Ses arômes intenses de fruits confits et sa bouche charpentée et persistante composent un remarquable ensemble. La **cuvée Prestige**, un blanc de noirs (30 % de pinot meunier) de l'année 1998, obtient une étoile pour sa palette aromatique, faite de notes florales et d'agrumes, et sa vivacité. La **cuvée Elégance**, un blanc de blancs des années 1994 et 1995, offre un style particulier, fait de complexité et de rondeur. Elle est citée. (RM) (70 à 99 F)

CHAMPAGNE

🔑 Denis Salomon, 5, rue Principale,
51700 Vandières,
tél. 03.26.58.05.77, fax 03.26.58.00.25,
e-mail denis.salomon@wanadoo.fr ☑ 🍷 r.-v.

SALON Blanc de blancs 1990*

○ n.c. 45 000 +76 €

Le 90 succède au 88, trente-troisième millésime élaboré par cette maison très particulière qui ne vinifie que des champagnes millésimés. Il s'agit toujours de blancs de blancs issus de raisins cueillis au Mesnil-sur-Oger, commune classée en grand cru. Ce 90 en robe jaune d'or a étonné certains dégustateurs par sa richesse évoluée pourtant propre au millésime. Tous, en revanche, saluent un grand blanc de blancs, généreux, puissant, destiné aux repas fins. (NM) (+ 500 F)

🔑 Champagne Salon, 5, rue de la Brèche-d'Oger, 51190 Le Mesnil-sur-Oger,
tél. 03.26.57.51.65, fax 03.26.57.79.29 🍷 r.-v.

SANGER Blanc de blancs*

○ Gd cru n.c. n.c. 11 à 15 €

La production du lycée viticole de la Champagne – implanté à Avize – Côte des Blancs – est depuis 1952 commercialisée sous l'étiquette Sanger. Comme l'an dernier, c'est le blanc de blancs sans année qui a eu la préférence. Un champagne au nez de fleurs blanches, souple en bouche. Toujours en grand cru, le **blanc de blancs 95**, puissant, rond, riche, généreusement dosé, obtient une citation, tout comme le **96**. Ce dernier, assemblant deux tiers de noirs et un tiers de blancs, mêle au nez les agrumes et des notes briochées ; il se montre ample et équilibré en bouche. Ces deux millésimés se situent dans la fourchette supérieure de prix. (CM) (70 à 99 F)

🔑 Coopérative des Anciens Elèves du lycée viticole d'Avize, 51190 Avize,
tél. 03.26.57.79.79, fax 03.26.57.78.58
☑ 🍷 t.l.j. sf sam. dim. 8h-12h 14h-18h

CAMILLE SAVES 1996**

○ Gd cru 4,3 ha 15 030 15 à 23 €

Installé en 1982, Hervé Savès a pris la suite de Camille. Il exploite 9 ha, dont 7,5 ha en grand cru et le reste en 1er cru. Le vignoble a été constitué en 1894 lors du mariage d'Eugène Savès, ingénieur agronome, et d'Anaïs Jolicœur, fille d'un vigneron de Bouzy. Il a donné un remarquable 96, assemblant 75 % de pinot noir au chardonnay. Comme tous les champagnes élaborés par ce récoltant, il n'a pas fait sa fermentation malolactique. Sa robe « fait l'œil » (c'est-à-dire montre un reflet rose), son nez est miellé et fruité, sa bouche, marquée par les fruits rouges, fait preuve d'une belle fraîcheur. Une citation encore pour la **Cuvée de réserve grand cru** qui marie 60 % de chardonnay au pinot noir, des raisins de 1996 complétés par des vins de réserve de 1995 gardés en pièce champenoise. Fruitée et fumée, elle est équilibrée et ronde. (RM) (100 à 149 F)

🔑 Camille Savès, 4, rue de Condé,
51150 Bouzy, tél. 03.26.57.00.33,
fax 03.26.57.03.83 ☑ 🍷 t.l.j. sf dim. 8h-12h30 13h30-19h
🔑 Hervé Savès

FRANCOIS SECONDE
Blanc de blancs 1996**

○ Gd cru 0,7 ha 2 500 15 à 23 €

A la tête de 5 ha, François Secondé est l'un des rares récoltants-manipulants de Sillery (grand cru). Son blanc de blancs 96, complexe et élégant au nez, est frais, équilibré et persistant en bouche. Grand cru également, le **rosé (70 à 99 F)** doit tout au pinot noir. Né de la vendange de 1999, il s'annonce par une robe saumonée et des arômes intenses de fruits rouges. Très bien équilibré, il conjugue rondeur, vivacité et fraîcheur. Ces belles qualités lui valent une étoile. Citée, la cuvée **Clavier**, dans laquelle 70 % de chardonnay et 30 % de pinot noir composent une mélodie harmonieuse, est destinée à l'apéritif. (RM) (100 à 149 F)

🔑 François Secondé, 6, rue des Galipes,
51500 Sillery, tél. 03.26.49.16.67,
fax 03.26.49.11.55, e-mail francoisseconde@wanadoo.fr ☑ 🍷 r.-v.

CRISTIAN SENEZ Carte verte*

○ 15 ha 120 000 11 à 15 €

Cristian Senez exploite 30 ha de vignes dans l'Aube. Il propose un champagne mi-noir mi-blanc, qui n'a pas fait sa fermentation malolactique et qui met à contribution la vendange de 1998 épaulée de vins de réserve de 1997. Si le nez reste discret, la bouche surprend agréablement par ses saveurs d'amande et de nougat. (NM) (70 à 99 F)

🔑 Champagne Cristian Senez, 6, Grande-Rue,
10360 Fontette, tél. 03.25.29.60.62,
fax 03.25.29.64.63, e-mail champagne.senez@wanadoo.fr ☑ 🍷 r.-v.

SERVEAUX FILS 1996*

○ 1 ha 3 500 15 à 23 €

Etabli dans la vallée de la Marne, Pascal Serveaux a repris en 1993 l'exploitation créée par son père en 1956. Le vignoble s'étend aujourd'hui sur 11,6 ha. Ce 96 naît de 40 % de pinot noir et de 60 % de chardonnay. On y trouve du coing, de la fraise et du citron, de l'équilibre et de la fraîcheur. Le **blanc de blancs (70 à 99 F)** est né des années 1996 et 1997. Frais, élégant et fin, avec des notes citronnées et exotiques, c'est un champagne très jeune, qui peut être attendu. Il est cité. (RM) (100 à 149 F)

🔑 Pascal Serveaux, 2, rue de Champagne,
02850 Passy-sur-Marne, tél. 03.23.70.35.65,
fax 03.23.70.15.99, e-mail serveauxp@aol.com
☑ 🍷 r.-v.

SIMART-MOREAU
Cuvée des Crayères 1996

○ Gd cru 0,4 ha 3 000 11 à 15 €

Cette exploitation créée au milieu des années 1970 dispose d'un vignoble de 4 ha. Ce blanc de blancs des Crayères est la « cuvée phare » de la maison. Il offre un nez discret et fait preuve d'une grande fraîcheur en bouche. Il est équilibré et long. Quelques dégustateurs pensent que le dosage, perceptible, devrait compenser son extrême jeunesse. (RM) (70 à 99 F)

🔑 Pascal Simart, 9, rue du Moulin,
51530 Chouilly, tél. 03.26.55.42.06,
fax 03.26.57.53.66,
e-mail simart.moreau@wanadoo.fr ☑ 🍷 r.-v.

A. SOUTIRAN-PELLETIER
Blanc de noirs

○ n.c. n.c. 23 à 30 €

Créée en 1970, cette exploitation est établie à Ambonnay, commune de la Montagne de Reims classée en grand cru. Elle dispose d'un vignoble de 7,3 ha et complète ses approvisionnements par des achats de raisin produits sur 12,5 ha. Ce blanc de noirs est né de pinot noir récolté en 1995, 1996 et 1998. Sa couleur jaune d'or dit sa maturité, de même que les arômes tertiaires qui s'ajoutent aux parfums de fruits confits. (NM) (150 à 199 F)

🔑 Soutiran-Pelletier, 12, rue Saint-Vincent,
51150 Ambonnay, tél. 03.26.57.07.87,
fax 03.26.57.81.74,
e-mail alain.soutiran@wanadoo.fr
☑ 🍷 t.l.j. sf dim. 9h-12h 14h-18h

STEPHANE ET FILS Carte blanche*

○ 6,5 ha 15 000 11 à 15 €

Etabli sur la rive gauche de la Marne, Xavier Foin exploite un vignoble de 6,5 ha patiemment constitué par son arrière-grand-père Auguste, ouvrier vigneron. Sa cuvée Carte blanche est pratiquement un blanc de noirs (5 % de chardonnay). Les deux pinots, à parts égales, ont été récoltés en 1997 et 1998. Au nez, ce champagne fait songer aux fruits blancs. Au palais, il fait preuve d'une certaine nervosité, malgré un dosage sensible. (RM) (70 à 99 F)

🔑 EARL Stéphane et Fils, 1, pl. Berry,
51480 Boursault, tél. 03.26.58.40.81,
fax 03.26.51.03.79,
e-mail champ.stephane@wanadoo.fr ☑ 🍷 r.-v.
🔑 Xavier Foin

SUGOT-FENEUIL Cuvée 2000 bulles 1995

○ Gd cru 1 ha 5 000 15 à 23 €

Quatre générations de vignerons se sont succédé sur ce domaine de la Côte des Blancs. Le vignoble compte aujourd'hui 10 ha. Ce blanc de blancs 95 attire l'attention par son nez aux arômes riches évoquant le pain grillé ou brioché. Des saveurs citronnées marquent la bouche nerveuse et longue. (RM) (100 à 149 F)

🔑 Champagne Sugot-Feneuil, 40, imp. de la Mairie, 51530 Cramant, tél. 03.26.57.53.54,
fax 03.26.57.17.01 ☑ 🍷 r.-v.

TAITTINGER Prestige*

◐ n.c. n.c. 23 à 30 €

Taittinger trouve son origine dans la maison fondée en 1734 par Jacques Fourneaux, négociant en vins de Champagne. Elle fut reprise quelque deux siècles plus tard par la famille Taittinger qui est toujours aux commandes. Elle dispose d'un vaste vignoble en propre (260 ha). Le pinot noir domine dans ce rosé Prestige : complété par le chardonnay, il représente 72 % de l'assemblage (dont 13 % vinifiés en rouge pour la couleur). De teinte saumonée, ce champagne est fruité, équilibré, vif et long. Le **brut 96**, mi-noir mi-blanc, obtient une citation pour son joli nez dominé par la fleur blanche et sa puissance vineuse. Encore très jeune, il pourra être gardé un ou deux ans en cave où il gagnera des étoiles. (NM) (150 à 199 F)

🔑 Taittinger, 9, pl. Saint-Nicaise,
51100 Reims, tél. 03.26.85.45.35,
fax 03.26.85.17.46 🍷 r.-v.

TAITTINGER
Blanc de blancs Comtes de Champagne 1995*

○ n.c. 502 300 +76 €

Lancée en 1957, la célèbre cuvée prestige de Taittinger, logée dans son flacon ventru semblable à ceux du XVIIIe s., est un blanc de blancs millésimé, habitué des coups de cœur. Son nom fait référence aux comtes qui régnèrent au Moyen-Age sur la province jusqu'à son rattachement à la France en 1284. Le champagne naît des meilleurs crus de la Côte des Blancs. Une faible part de l'assemblage (6 %) est vinifiée dans des fûts de chêne neufs. La robe, jaune pâle limpide à bulles fines, reflète son cépage ; le nez agréable, subtilement beurré, évoque aussi la mie de pain et la cire. Vive à l'attaque, la bouche apparaît délicate, légèrement citronnée, vanillée, et, selon certains dégustateurs, sensiblement dosée. (NM) (+ 500 F)

🔑 Taittinger, 9, pl. Saint-Nicaise,
51100 Reims, tél. 03.26.85.45.35,
fax 03.26.85.17.46 🍷 r.-v.

TARLANT Brut Zéro

○ n.c. 15 000 11 à 15 €

Pierre Tarlant était vigneron dans l'Aisne sous Louis XIV. Un siècle plus tard, peu avant la Révolution, la famille vint se fixer dans la vallée de la Marne à Œuilly, commune où elle est toujours établie. Au XIXe s., les Tarlant approvisionnaient les cabarets de Paris en vin rouge et blanc. La onzième génération – Jean-Mary, aidé de son fils Benoît – exploite 13 ha. Leur Brut Zéro, non dosé, fait appel aux trois cépages champenois à parts égales et assemble l'année 1996 aux vins de 1994 et 1995. Il est évolué mais équilibré. Citée également, la **cuvée Louis (150 à 199 F)**, mi-noire mi-blanche, assemble les années 1993 et 1994 et a été vinifiée dans le bois. Un vin tout en dentelle, épicé et boisé, qui s'accordera à un bar grillé au fenouil. (RM) (70 à 99 F)

🔑 Champagne Tarlant, 51480 Œuilly,
tél. 03.26.58.30.60, fax 03.26.58.37.31,
e-mail champagne@tarlant.com ☑ 🍷 r.-v.

J. DE TELMONT Blanc de blancs 1996

○ 5 ha n.c. 11 à 15 €

Installée dans la vallée de la Marne, la famille Lhopital a constitué un vignoble de 32 ha. Son blanc de blancs 96 est né de raisins de la Côte des Blancs, du Sézannais et de la vallée de la Marne. Floral, citronné et léger, c'est un champagne d'apéritif. Egalement cité, le **blanc de blancs 93 Grand Couronnement**, issu de raisins de haute provenance (le Mesnil, Avize et Chouilly) présente un nez frais, une bouche structurée et harmonieuse. (NM) (70 à 99 F)

CHAMPAGNE

🔑 Champagne J. de Telmont, 1, av. de Champagne, 51480 Damery, tél. 03.26.58.40.33, fax 03.26.58.63.93, e-mail telmont@wanadoo.fr
☑ 🍷 r.-v.

JACKY THERREY Cuvée François 1996*

○ 1 ha 5 000 11 à 15 €

Jacky Therrey exploite un vignoble de 6 ha situé dans l'excellent terroir de Montgueux (connu pour ses chardonnays) et à Celles-sur-Ource. On retrouve sa cuvée François dans le millésime 96. Avec son nez d'amande et de pain grillé et son élégance nerveuse, ce blanc de blancs est très réussi et d'un beau potentiel. Comme l'an dernier, le **rosé** obtient une étoile également. Issu de pinot noir de la récolte de 1998, il est gourmand et frais. Un panier de framboise, de fraise et de cassis, au nez comme en bouche. (RM) (70 à 99 F)

🔑 Jacky Therrey, 8, rte de Montgueux, La Grange-au-Rez, 10300 Montgueux, tél. 03.25.70.30.87, fax 03.25.70.30.84 ☑ 🍷 r.-v.

ALAIN THIENOT Grande Cuvée 1995*

○ n.c. n.c. 38 à 46 €

Alain Thiénot déploie une intense activité : en Champagne avec sa marque et les champagnes Marie Stuart et Joseph Perrier, et en Bordelais avec trois châteaux. Cette Grande Cuvée est issue de 60 % de chardonnay et de 40 % de pinot noir. Au nez comme en bouche, elle impose la sensation d'un fruité très mûr : elle a atteint son apogée. Une citation pour le **rosé 96 (150 à 199 F)** qui fait appel aux trois cépages champenois. La vivacité propre au millésime 96 s'accorde bien au fruité intense de ce vin. (NM) (250 à 299 F)

🔑 Alain Thiénot, 4, rue Joseph-Cugnot, 51500 Taissy, tél. 03.26.77.50.10, fax 03.26.77.50.19, e-mail vignobles.alain-thienot@alain-thienot.fr ☑ 🍷 r.-v.

MICHEL TIXIER Réserve grande année*

◐ 0,6 ha 4 000 11 à 15 €

Etabli dans la Montagne de Reims depuis 1962, Michel Tixier exploite 4,4 ha de vignes. Son rosé de noirs a séduit par son caractère très fruité et par sa complexité aromatique, au nez comme en bouche. Souple, frais et persistant, il est de belle harmonie. (RM) (70 à 99 F)

🔑 Champagne Michel Tixier, 8, rue des Vignes, 51500 Chigny-les-Roses, tél. 03.26.03.42.61, fax 03.26.03.41.80 ☑ 🍷 r.-v.

G. TRIBAUT Blanc de blancs*

○ n.c. 5 084 11 à 15 €

Le domaine est situé à 300 m de l'abbaye d'Hautvillers où officia dom Pérignon. Le vignoble, constitué à partir de 1935, s'est étendu sur les coteaux de la Marne et compte aujourd'hui 12 ha. L'exploitation élabore son champagne depuis 1976. Celui-ci, assemblage de la récolte 1997 et de vins de réserve, est un blanc de blancs typique et fort séduisant par ses arômes de noisette et de beurre frais, et sa bouche équilibrée avec élégance. (RM) (70 à 99 F)

🔑 Champagne G. Tribaut, 88, rue d'Eguisheim, B.P. 5, 51160 Hautvillers, tél. 03.26.59.40.57, fax 03.26.59.43.74, e-mail champagne.tribaut@wanadoo.fr
☑ 🍷 t.l.j. 9h-12h 14h-18h30

TRIBAUT-SCHLŒSSER Grande Réserve*

◐ 10,01 ha 40 000 11 à 15 €

Cette maison fondée en 1929 dispose d'un vignoble de 30 ha ; ce rosé de noirs, issu des récoltes 1997 et 1998, un vin « tout en dentelle » a fait l'unanimité par sa souplesse, sa fraîcheur, son élégance et sa grande délicatesse. (NM) (70 à 99 F)

🔑 Tribaut-Schlœsser, 21, rue Saint-Vincent, 51480 Romery, tél. 03.26.58.64.21, fax 03.26.58.44.08 ☑ 🍷 r.-v.

TRICHET-DIDIER Réserve

○ 1er cru 2 ha 18 000 11 à 15 €

Cette petite exploitation (2,8 ha) est établie à Trois-Puits, village très proche de Reims. Cette cuvée est composée majoritairement de pinots (79 %, dont 60 % de meunier), des raisins cueillis en 1997. Un champagne léger en bouche, mais attachant par son bouquet fin, floral et élégant. (NM) (70 à 99 F)

🔑 SARL Pierre Trichet, 11, rue du Petit-Trois-Puits, 51500 Trois-Puits, tél. 03.26.82.64.10, fax 03.26.97.80.99 ☑ 🍷 t.l.j. 8h-12h 13h30-20h

ALFRED TRITANT*

◐ Gd cru 3,37 ha 3 000 11 à 15 €

« Domaine de 3,37 ha », nous dit le producteur avec une extrême précision. Il est vrai qu'à Bouzy (grand cru), chaque centiare vaut de l'or... 33 700 centiares bien employés, puisqu'ils nous valent trois champagnes notés chacun une étoile. Tous sont des grands crus, et le pinot noir, cépage roi à Bouzy, est majoritaire. Ce rosé assemble 70 % de pinot à 30 % de chardonnay des années 1995 à 1998. Très pâle, il est agréable par sa souplesse et sa légèreté, et ne manque pas de longueur. En blanc, un assemblage presque identique (65 % de pinot), mais des années 1996 à 1998, est à l'origine de la **cuvée Prestige**, ronde, vineuse et équilibrée ; enfin, le **95 (100 à 149 F)**, issu des mêmes cépages dans des proportions identiques au précédent, présente un nez floral, avec une touche beurrée, et un palais puissant et long. (RM) (70 à 99 F)

🔑 Alfred Tritant, 23, rue de Tours, 51150 Bouzy, tél. 03.26.57.01.16, fax 03.26.58.49.56, e-mail champagne-tritant@wanadoo.fr
☑ 🍷 t.l.j. 9h-12h 14h-18h; sam. dim. sur r.-v.

JEAN-CLAUDE VALLOIS Blanc de blancs 1995**

○ 4 ha 23 185 11 à 15 €

Jean-Claude Vallois cultive un vignoble de 6 ha à Cuis, non loin d'Epernay. Son blanc de blancs 95 exprime toutes les qualités de cet excellent millésime. Son nez est beurré et miellé à souhait, sa bouche très bien équilibrée marie les fruits confits, la cire et le pain grillé. Une étoile encore pour le **blanc de blancs Assemblage**

noble des années 1996 et 1997. Un champagne au bouquet floral et citronné intense, à l'attaque vive – une vivacité qui soutient des saveurs d'agrumes persistantes. (RM) (70 à 99 F)
Jean-Claude Vallois, 4, rte des Caves, 51530 Cuis, tél. 03.26.59.78.46, fax 03.26.58.16.73 r.-v.

VARNIER-FANNIERE
Cuvée Saint-Denis*

○ Gd cru 0,6 ha 5 000 15 à 23 €

Un Fannière cultivait la vigne à Avize en 1860. C'est Jean Fannière, dans les années 1950, qui décide de produire son propre champagne. L'exploitation (4 ha) s'est étendue dans la Côte des Blancs, vers Oger et Cramant (grands crus). Né des années 1996, 1998 et 1999, son blanc de blancs séduit par sa fraîcheur, sa rondeur et son élégance. (RM) (100 à 149 F)
Champagne Varnier-Fannière, 23, rempart du Midi, 51190 Avize, tél. 03.26.57.53.36, fax 03.26.57.17.07, e-mail contact@varnier-fanniere.com r.-v.
Denis Varnier

F. VAUVERSIN Blanc de blancs*

○ Gd cru n.c. 7 000 11 à 15 €

Ils sont vignerons depuis 1640 et commercialisent leurs vins depuis 1930. Leur domaine (3 ha) est établi au cœur de la Côte des Blancs, et ce champagne doit tout au chardonnay. Avec son bouquet biscuité et beurré, sa bouche structurée, souple et ronde, sa richesse pleine, il ne manque pas de séduction. (RM) (70 à 99 F)
Champagne Vauversin, 9 bis, rue de Flavigny, 51190 Oger, tél. 03.26.57.51.01, fax 03.26.51.64.44, e-mail bruno.vauversin@wanadoo.fr r.-v.

VAZART-COQUART ET FILS
Blanc de blancs Grand Bouquet 1995**

○ Gd cru 11 ha 10 000 15 à 23 €

Un vignoble de 11 ha constitué dans les années 1950. L'exploitation est établie à Chouilly, près d'Epernay. Encore un 95 – grande année – qui tient ses promesses. Ses arômes sont à la fois puissants et fins, complexes et élégants. La bouche, d'une belle vivacité et très persistante, affiche une jeunesse qui semble éternelle. (RM) (100 à 149 F)
Champagne Vazart-Coquart, 6, rue des Partelaines, 51530 Chouilly, tél. 03.26.55.40.04, fax 03.26.55.15.94, e-mail vazart@cder.fr r.-v.

DE VENOGE Brut sélect Cordon bleu**

○ n.c. n.c. 15 à 23 €

C'est un Suisse, Henri-Marc de Venoge, qui est à l'origine de cette célèbre maison fondée en 1837, rachetée en 1988 par BCC. De Venoge s'est distinguée de façon éclatante avec trois champagnes remarquables, dont un coup de cœur pour ce Sélect Cordon bleu. Assemblant 75 % de pinots (dont 25 % de meunier), il enchante les dégustateurs par la fraîcheur de ses arômes de fruits blancs, son fruité de pomme et de poire mûres assorti de notes de pain brioché. Sa race, son harmonie, sa puissance et sa finesse emportent l'adhésion. Le **95 (150 à 199 F)**, encore plus noir (85 % de pinots dont 15 % de meunier) brille par son équilibre, sa puissance et sa longueur, et le **Grand Vin des Princes 93 (300 à 499 F)**, un blanc de blancs, charme par son parfum d'amandes grillées et par sa fraîcheur complexe. (NM) (100 à 149 F)

Champagne de Venoge, 46, av. de Champagne, 51200 Epernay, tél. 03.26.53.34.34, fax 03.26.53.34.35

J.-L. VERGNON
Blanc de blancs Extra brut**

○ Gd cru n.c. 45 000 11 à 15 €

Fondée en 1950, cette exploitation établie dans la Côte des Blancs, dispose d'un vignoble de plus de 5 ha. On ne s'étonnera pas que le blanc de blancs soit sa spécialité. Souvent mentionnées en bonne place dans le Guide, ses cuvées extra-brut, non dosées, laissent le chardonnay se défendre tout seul. Celle-ci, née des années 1996 et 1997, offre toute la fraîcheur et la finesse des petites fleurs blanches, une bouche puissante et un bel équilibre. (RM) (70 à 99 F)
SCEV J.-L. Vergnon, 1, Grande-Rue, 51190 Le Mesnil-sur-Oger, tél. 03.26.57.53.86, fax 03.26.52.07.06 t.l.j. 8h-12h 14h-18h; sam. dim. sur r.-v.

GEORGES VESSELLE*

○ Gd cru 10 ha 90 000 15 à 23 €

Les Vesselle sont enracinés à Bouzy, commune de la Montagne de Reims dont Georges a été maire pendant vingt-cinq ans. Disposant de 17,5 ha, la maison élabore une vaste gamme de champagnes, où le pinot noir, cépage roi de ce grand cru, domine largement (à 90 % en général). Deux cuvées font jeu égal, avec une étoile chacune. Ce brut grand cru provient d'années récentes, 1997 et 1998. Il est très fruité et long. La cuvée **Juline (150 à 199 F)**, qui provient toujours de millésimes anciens, met ici à contribution 1988, 1989 et 1990. Plus évoluée, elle évoque la pâte de fruits et se montre ample, pleine et mûre. (NM) (100 à 149 F)
Georges Vesselle, 16, rue des Postes, 51150 Bouzy, tél. 03.26.57.00.15, fax 03.26.57.09.20, e-mail contact@champagne-vesselle.fr t.l.j. sf sam. dim. 9h-12h 14h-17h

MAURICE VESSELLE*

◐ Gd cru n.c. n.c. 15 à 23 €

Maurice Vesselle dispose d'un vignoble de 8,5 ha à Bouzy et à Tours-sur-Marne, deux grands crus. Ses vins ne font pas leur fermentation malolactique. C'est sans doute pour cette raison que son rosé, né de la récolte 1991, n'a pas vieilli mais a gagné en complexité. Issu d'une macération courte de pinot noir, ce champagne séduit par ses arômes de fruits rouges confits, son harmonie et sa longueur. Le **grand cru 85 (150 à 199 F)** privilégie le pinot noir (85 % de l'assemblage). Lui non plus n'a pas d'âge. Discret au nez mais concentré, il mérite d'être cité. (RM) (100 à 149 F)

Maurice Vesselle, 2, rue Yvonnet,
51150 Bouzy, tél. 03.26.57.00.81,
fax 03.26.57.83.08 r.-v.

VEUVE A. DEVAUX Cuvée D*

○ 200 ha 30 000 23 à 30 €

Maison fondée en 1846, reprise en 1986 par l'Union auboise : 800 vignerons et 1400 ha de vignes. La cuvée D, issue pour les deux tiers de pinot noir complété par du chardonnay, provient de la récolte 1995 épaulée par des vins de réserve des années 1992 à 1994 vieillis en foudre. Si son nez de fleurs blanches est légèrement évolué, sa bouche d'agrumes est vive. Les mêmes cépages, et dans la même proportion, se retrouvent dans la cuvée **Grande Réserve (100 à 149 F)**, mais les raisins proviennent des années 1993, 1995 et 1996. Ce champagne mérite d'être cité pour son nez fruité et minéral et son bon équilibre. (CM) (150 à 199 F)

Union Auboise des prod. de vin de Champagne, Dom. de Villeneuve, 10110 Bar-sur-Seine, tél. 03.25.38.30.65, fax 03.25.29.73.21, e-mail info@champagne-devaux.fr r.-v.

VEUVE CLICQUOT PONSARDIN
La Grande Dame 1990*

n.c. n.c. +76 €

Fondée en 1772, la célèbre maison fut conduite dès 1805 par une jeune veuve de vingt-sept ans (ce qui était révolutionnaire pour l'époque). Celle-ci sut s'entourer de collaborateurs remarquables, dont Edouard Werlé, qui devint son associé en 1821. Les descendants de ce dernier développèrent l'affaire jusqu'en 1987, année où le groupe LVMH prit le contrôle de la société. Le rosé est la spécialité de cette maison qui fut la première à en commercialiser. Cuvée prestige de la maison, la Grande Dame rosé comprend 39 % de chardonnay et 61 % de pinot noir dont 15 % de vin rouge de Bouzy. Rose orangé, miellée, elle présente le côté évolué propre aux 90 tout en restant vive et fraîche. Deux autres cuvées obtiennent une étoile : le **rosé Réserve 95 (200 à 249 F)**, plus marqué par le pinot (64 % de pinot noir dont 15 % de bouzy rouge, 8 % de meunier, 28 % de chardonnay), floral, brioché et miellé ; et le **Vintage Réserve 95 (200 à 249 F)**, assemblant deux tiers de noirs et un tiers de blancs, mûr, intense et de garde. (NM) (+ 500 F)

Veuve Clicquot-Ponsardin,
12, rue du Temple, 51100 Reims,
tél. 03.26.89.54.40, fax 03.26.40.60.17 r.-v.

VEUVE DOUSSOT 1996**

○ 18,3 ha 6 800 11 à 15 €

La famille Joly exploite un vignoble de 18 ha dans l'Aube. Son 96 a fait grande impression en tenant les promesses de ce beau millésime. Son nez tout en dentelle est marqué par les fleurs blanches, et sa bouche, ample, riche et parfaitement équilibrée, mêle les agrumes, l'abricot et des notes miellées. Une étoile pour le **rosé** 100 % pinot noir qui associe le coing, la poire et les fruits rouges, et que son dosage destine aux desserts. (RM) (70 à 99 F)

Joly, 1, rue de Chatet, 10360 Noé-les-Mallets, tél. 03.25.29.60.61, fax 03.25.29.11.78 r.-v.

VEUVE FOURNY ET FILS
Cuvée du Clos Faubourg Notre Dame 1996*

○ 1er cru 0,12 ha 1 200 30 à 38 €

La famille cultive la vigne depuis le second Empire et produit des vins depuis les années 1930. A la mort de son mari, en 1979, Monique Fourny a dirigé l'exploitation. Elle est aujourd'hui aidée par ses deux fils. Ce Clos Faubourg Notre Dame est un clos authentique planté exclusivement de vieux chardonnay (cinquante ans). Le vin est élevé neuf mois en barrique de trois vins, bâtonné, collé mais non filtré. Puissant, charpenté, fauve, tout à la fois frais et évolué, ce champagne présente un caractère affirmé qui peut dérouter l'amateur non averti. C'est un champagne de repas à servir sur de grands plats de viande blanche. (NM) (200 à 249 F)

Champagne Veuve Fourny et Fils,
2-5, rue du Mesnil, 51130 Vertus,
tél. 03.26.52.16.30, fax 03.26.52.20.13,
e-mail info@champagne-veuve-fourny.com
t.l.j. 9h-12h 14h30-18h

VEUVE MAITRE-GEOFFROY
Carte d'or Sélection 1996*

○ 1er cru 2 ha 8 000 11 à 15 €

Etabli à Cumières, commune de la vallée de la Marne classée en 1er cru, Thierry Maître exploite 9,5 ha de vignes. Il a repris l'étiquette de son arrière-grand-mère, qui créa la marque en 1878. Le chardonnay (60 %) et le pinot noir (40 %) se marient dans ce 96 floral, brioché et beurré. Equilibré, il révèle une agréable légèreté : un joli champagne d'apéritif. (RM) (70 à 99 F)

Veuve Maître-Geoffroy, 116, rue Gaston-Poittevin, 51480 Cumières,
tél. 03.26.55.29.87, fax 03.26.51.85.77,
e-mail thierry.maitre@worldonline.fr r.-v.

MARCEL VEZIEN*

○ 10 ha 80 000 11 à 15 €

Quatre générations au service du vin : Armand Vézien s'emploie à combattre le phylloxéra ; Henri développe le vignoble ; Marcel lance sa marque en 1978 ; Jean-Pierre conduit aujourd'hui l'exploitation de 14 ha dans l'Aube. Trois champagnes sont retenus. La préférence va au brut sans année, presque un blanc de noirs (5 % de chardonnay), qui provient des années 1998 et 1999. Ses deux qualités principales sont le fruité et la fraîcheur soutenue par le dosage. Le **Sélection**, dominé par le pinot noir (80 %) et issu des vendanges 1997 et 1998, est équilibré, floral et léger. Il est cité, tout comme la cuvée **Armand Vézien 94 (100 à 149 F)**, retenue pour sa finesse florale. (NM) (70 à 99 F)

SCEV Champagne Marcel Vézien et Fils, 68, Grande-Rue, 10110 Celles-sur-Ource, tél. 03.25.38.50.22, fax 03.25.38.56.09 t.l.j. 8h30-18h; sam. dim. sur r.-v.

FLORENT VIARD Blanc de blancs*

○ 1er cru 0,75 ha 6 000 11 à 15 €

Ce blanc de blancs naît des vendanges de 1994 à 1997. Fleurs et amande s'expriment au nez ; vif et épicé en attaque, il présente en finale des caractères mentholés d'une belle finesse. Le **1er cru 96** est cité. C'est un blanc de blancs plaisant par sa fraîcheur et une certaine rondeur. (RM) (70 à 99 F)

Champagne Florent Viard, 3, rue du Donjon, 51130 Vertus, tél. 03.26.51.60.82 r.-v.

VIARD ROGUE Cuvée Prestige 1995

○ 1 ha 2 000 11 à 15 €

Cette propriété familiale créée en 1973 dispose d'un vignoble de 6 ha situé dans la Côte des Blancs. A 5 % près, ce 95 est un blanc de blancs. Le nez présente des caractères évolués, mais la bouche a gardé sa fraîcheur et fait preuve d'un bon équilibre. (RM) (70 à 99 F)

Champagne Viard Rogué, 33, rue du 28-août-1944, 51130 Vertus, tél. 03.26.52.16.76, fax 03.26.59.36.66 r.-v.

VILMART Cœur de cuvée 1993**

○ 0,4 ha 4 000 30 à 38 €

Etabli dans la Montagne de Reims, ce domaine fondé en 1890 par Désiré Vilmart est dirigé par Laurent Champs, son arrière-petit-fils. Son vignoble s'étend sur 11 ha. Les vins millésimés fermentent en pièces de chêne de 225 l et les non-millésimés en foudres. Le Cœur de cuvée 93, dominé par les blancs (80 %), est issu de vignes de cinquante ans. Son nez complexe associe le tabac, la réglisse, les épices et l'abricot ; sa bouche miellée est à la fois ronde et vive. Un champagne pour poisson en sauce. Cité, le **grand Cellier (100 à 149 F)** assemble 75 % de chardonnay au pinot noir et provient des récoltes de 1997 et 1998. Son nez complexe révèle des notes boisées et grillées que l'on retrouve dans une bouche ample, associées à la pomme verte. (RM) (200 à 249 F)

Champagne Vilmart et Cie, 5, rue des Gravières, 51500 Rilly-la-Montagne, tél. 03.26.03.40.01, fax 03.26.03.46.57, e-mail laurent.champs@champagnevilmart.fr r.-v.

Laurent Champs

VOIRIN-DESMOULINS Cuvée Prestige 1994**

○ Gd cru 3 ha 5 000 15 à 23 €

Cette exploitation dispose de 9 ha de vignes. Sa cuvée Prestige 94, assemblant 70 % de chardonnay au pinot noir, est remarquablement réussie dans un millésime fort décrié. Dégustée en 1999, elle avait été jugée « juvénile, vive et fraîche ». Elle a fort bien évolué. Ses arômes ont gagné en complexité : ils sont beurrés, miellés et fumés. On retrouve ce côté fumé, associé au coing et aux fruits confits, dans une bouche souple à l'attaque, ronde et très persistante. Un champagne de caractère, à destiner à un apéritif de connaisseurs ou aux entrées. (RM) (100 à 149 F)

SCEV Voirin-Desmoulins, 24, rue des Partelaines, 51530 Chouilly, tél. 03.26.54.50.30, fax 03.26.52.87.87 r.-v.

VRANKEN Demoiselle Cuvée 21 1995**

○ n.c. 20 000 46 à 76 €

Paul Vranken s'est taillé en peu d'années une place enviée dans le secteur viti-vinicole. Le Champagne Vranken a été fondé en 1976. La cuvée Demoiselle est une cuvée spéciale logée dans une bouteille Art Nouveau. Les Demoiselles sont couvertes d'étoiles. En particulier cette Cuvée 21, le champagne de prestige des Demoiselles. C'est un blanc de blancs (l'étiquette ne le précise pas). On admire son nez complexe au fruité exotique, sa bouche équilibrée, harmonieuse, élégante, jeune, gaie et longue. Un champagne « très champagne ». Deux autres cuvées, moins coûteuses, obtiennent chacune une étoile. La **Grande cuvée (100 à 149 F)** assemble 60 % de chardonnay et 40 % de pinots (dont 10 % de meunier). Marquée par des notes d'agrumes et de fleurs blanches, elle est fraîche, complexe et persistante. Encore plus blanc (80 % de chardonnay), le **1er cru Tête de cuvée 96 (150 à 199 F)** est léger et miellé, fait pour l'apéritif. (NM) (300 à 499 F)

Vranken, 42, av. de Champagne, 51200 Epernay, tél. 03.26.59.50.50, fax 03.26.52.19.65 t.l.j. 9h30-16h30; sam. 10h-16h; dim. et groupes sur r.-v.

P.-F. Vranken

WARIS-LARMANDIER Blanc de blancs Cuvée Empreinte*

○ Gd cru 0,22 ha 2 500 15 à 23 €

Une exploitation récente, puisque le vignoble a été constitué en 1984 et le champagne lancé en 1991. Elle présente deux blancs de blancs très proches et fort réussis, provenant de l'année 1998 : cette cuvée Empreinte et la cuvée **Collection**. Toutes deux sont jeunes et vives, citronnées et d'une belle élégance. Deux champagnes d'apéritif. (RM) (100 à 149 F)

Waris-Larmandier, 608, rempart du Nord, 51190 Avize, tél. 03.26.57.79.05, fax 03.26.52.79.52 r.-v.

Lumière et odeurs sont les ennemis du vin : attention à votre cave !

Coteaux champenois

Appelés vins nature de Champagne, ils devinrent AOC en 1974 et prirent le nom de coteaux champenois. Tranquilles, ils sont rouges, plus rarement rosés ; on boira les blancs avec respect et curiosité historique, en songeant qu'ils sont la survivance de temps anciens, antérieurs à la naissance du champagne. Comme lui, ils peuvent naître de raisins noirs vinifiés en blanc (blanc de noirs), de raisins blancs (blanc de blancs), ou encore d'assemblages.

Le coteau champenois rouge le plus connu porte le nom de la célèbre commune de Bouzy (grand cru de pinot noir). Dans cette commune, on peut admirer l'un des deux vignobles les plus étranges au monde (l'autre est situé à Ay) : un vaste panneau indique « vieilles vignes françaises préphylloxériques » ; on ne les distinguerait pas des autres si elles n'étaient conduites « en foule », selon une technique immémoriale abandonnée partout ailleurs. Tous les travaux sont exécutés artisanalement, à l'aide d'outils anciens. C'est la maison Bollinger qui entretient ce joyau destiné à l'élaboration du champagne le plus rare et le plus cher.

Les coteaux champenois se boivent jeunes, à 7-8 °C et avec les plats convenant aux vins très secs pour les blancs, à 9-10 °C et avec des mets légers (viandes blanches et... huîtres) pour les rouges que l'on pourra, pour quelques années exceptionnelles, laisser vieillir.

HERBERT BEAUFORT Bouzy 1996

■ 3 ha 8 500 15 à 23 €

Les pinots noirs fermentent et macèrent environ deux semaines, puis le vin séjourne un an en cuve avant un élevage de deux années dans le bois. Cela a donné un Bouzy très coloré, fruité, légèrement boisé et d'une grande souplesse. (100 à 149 F)

Champagne Beaufort, 32, rue de Tours-sur-Marne, 51150 Bouzy, tél. 03.26.57.01.34, fax 03.26.57.09.08 r.-v.

Henry et Hugues Beaufort

CHARLES DE CAZANOVE 1993

■ n.c. n.c. 11 à 15 €

Créée en 1811, cette maison familiale porte le nom de son fondateur. Ce vin intéressant a été vinifié exclusivement à partir de pinot meunier et élevé – comme il se doit – sous bois, en pièces champenoises. D'une teinte rubis brillant légèrement évolué, ce 93 affiche son âge ; ses tanins sont bien fondus, l'équilibre est atteint, l'apogée également. (70 à 99 F)

Charles de Cazanove, 1, rue des Cotelles, 51200 Epernay, tél. 03.26.59.57.40, fax 03.26.54.16.38

Lombard

PAUL CLOUET Bouzy

■ n.c. n.c. 11 à 15 €

Un vin rouge rubis, un nez de pinot évolué, puis une attaque douce, un velouté de fruits rouges et des tanins fondus. Viandes rouges et fromages légers se plairont en sa compagnie. (70 à 99 F)

Paul Clouet, 10, rue Jeanne-d'Arc, 51150 Bouzy, tél. 03.26.57.07.31, fax 03.26.52.64.65, e-mail champagne-paul-clouet@wanadoo.fr t.l.j. 10h-12h 14h-17h

DOYARD-MAHE Vertus

■ 0,6 ha n.c. 11 à 15 €

Le moulin d'Argensole produisait au début du XXe s. l'électricité qui alimentait des machines à coudre pour confectionner des manchons de paille protégeant les bouteilles. Un siècle plus tard, il propose ce vin né des pinots noirs récoltés en 1995 et 1996 et longuement élevés en barrique. La robe grenat profond annonce des arômes de fruits noirs et rouges, ainsi qu'une bouche puissante dont les tanins devront se fondre. (70 à 99 F)

Philippe Doyard-Mahé, Moulin d'Argensole, 51130 Vertus, tél. 03.26.52.23.85, fax 03.26.59.36.69 t.l.j. sf dim. 10h-12h 14h-18h

GATINOIS Ay 1997★★

■ 0,2 ha 2 000 15 à 23 €

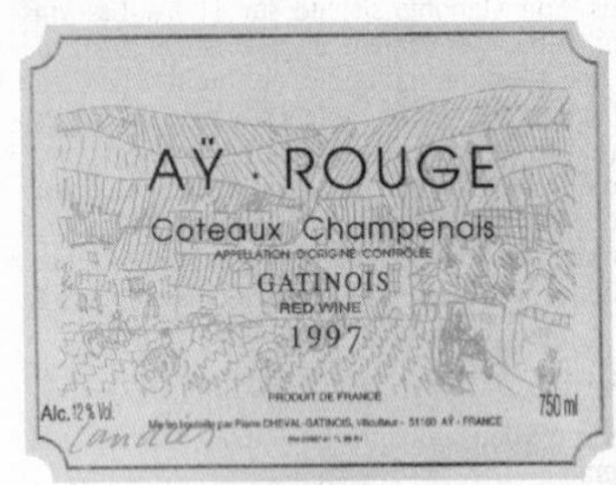

Les coups de cœur pour les coteaux champenois sont rares, en voici un très chaleureux pour un vin de pinot noir provenant du lieu-dit Chauffour, à Ay. Ces vieux pinots (quarante-cinq ans) sont éraflés puis ils fermentent lentement. Le vin est élevé trois années en fût. Pourpre foncé, il se montre ample en bouche bien structuré, remarquable par ses saveurs poivrées, grillées, mais aussi fruitées. Particulièrement adapté au canard. (100 à 149 F)

Champagne Gatinois, 7, rue Marcel-Mailly, 51160 Ay, tél. 03.26.55.14.26, fax 03.26.52.75.99, e-mail champ-gatinois@hexanet.fr r.-v.

P. Cheval-Gatinois

J.-M. GOBILLARD ET FILS Hautvillers*

■ 0,6 ha 2 000 11 à 15 €

Un vin rouge né sur la commune qui accueillit Dom Pérignon de 1668 à 1715. Les pinots noirs de ce Hautvillers sont éraflés ; le vin est bâtonné puis élevé dans le bois. Non millésimé, il est issu de la vendange 1999. Fruité, légèrement boisé, vanillé et rond, il conviendra aux viandes grillées. (70 à 99 F)

Champagne J.-M. Gobillard et Fils, 38, rue de l'Eglise, BP 8, 51160 Hautvillers, tél. 03.26.51.00.24, fax 03.26.51.00.18, e-mail champagne-gobillard@wanadoo.fr r.-v.

VINCENT LAMOUREUX 1998*

■ 0,5 ha 1 500 8 à 11 €

Un coteaux champenois rouge des Riceys, village réputé pour ses pinots noirs et pour le rosé éponyme. Issu, lui aussi, de pinots noirs, ce vin est peu coloré, un dégustateur écrit « rouge rosé ». Le nez est floral, vif et légèrement boisé, ce qui semble normal pour un vin élevé trois mois en fût. Les mots « souple, très souple, coulant, gouleyant » s'imposent pour qualifier son parcours en bouche. (50 à 69 F)

Vincent Lamoureux, 2, rue du Sénateur-Lesaché, 10340 Les Riceys, tél. 03.25.29.39.32, fax 03.25.29.80.30 r.-v.

DANIEL MOREAU 1999***

■ 0,2 ha 500 8 à 11 €

Une robe rubis impeccable. Un bouquet de cerise, de cassis et de réglisse complexe. Une bouche d'une grande finesse, ronde, fondue, équilibrée, à l'harmonie délicate : le plus beau coteaux champenois 100 % pinot meunier du Guide. Il est d'autant plus exceptionnel que ses raisins ont été vendangés en 1999, année de petite réputation. Vinifiant depuis 1978, Daniel Moreau prouve ici son savoir-faire. (50 à 69 F)

Daniel Moreau, 5, rue du Moulin, 51700 Vandières, tél. 03.26.58.01.64, fax 03.26.58.15.64 r.-v.

PIERRE PAILLARD Bouzy 1997

■ 1 ha 5 733 11 à 15 €

Un bouzy rouge obligatoirement issu de 100 % de pinot noir. Un coteaux qui pinote (kirsch), qui a l'âge de sa robe ; léger, il pourra accompagner un brie de Meaux. (70 à 99 F)

Pierre Paillard, 2, rue du XXe Siècle, 51150 Bouzy, tél. 03.26.57.08.04, fax 03.26.57.83.03, e-mail benoit.paillard@wanadoo.fr t.l.j. sf dim. 9h30-11h30 14h-17h; f. 10 au 31 août

ROGER POUILLON ET FILS Vieilles vignes

■ 0,3 ha n.c. 11 à 15 €

Un vin de pinot noir issu de huit jours de macération à froid et élevé dix-huit mois en fût. Il est grenat tuilé intense ; au nez, il se montre fruité et boisé, alors qu'en bouche sa structure grasse et puissante ne dissimule ni astringence ni évolution. (70 à 99 F)

Roger Pouillon et Fils, 3, rue de la Couple, 51160 Mareuil-sur-Ay, tél. 03.26.52.60.08, fax 03.26.59.49.83, e-mail contact@champagne-pouillon.com r.-v.

PATRICK SOUTIRAN Ambonnay 1996

■ 0,5 ha 1000 11 à 15 €

Bourg médiéval, Ambonnay possède une église, Saint-Réole, datant du XII[e]s. C'est un village essentiellement viticole où la famille Soutiran exerce le métier de vigneron depuis cinq générations. Son 96 porte une robe soutenue d'une très belle présentation ; si le bouquet de fruits rouges est d'intensité moyenne, la bouche puissante se révèle encore fort jeune, et demande un ou deux ans pour se fondre. Il s'alliera alors à un coq... à l'Ambonnay rouge. (70 à 99 F)

Patrick Soutiran, 3, rue des Crayères, 51150 Ambonnay, tél. 03.26.57.08.18, fax 03.26.57.81.87, e-mail patrick.soutiran@wanadoo.fr r.-v.

EMMANUEL TASSIN Les Fioles 1998*

■ 0,25 ha 700 8 à 11 €

Le coteaux champenois 96 d'Emmanuel Tassin avait reçu un coup de cœur. 1998 est un millésime plus difficile ; il l'a pourtant bien réussi. Né d'une fermentation-macération d'une bonne semaine, ce vin n'est pas filtré mais collé puis élevé quinze mois en barrique dont 25 % sont neuves. Sa teinte est intense ; son bouquet puissant tient du fruit rouge et du bois. En bouche, des tanins fondus habillent un fruité de bonne longueur. (50 à 69 F)

Emmanuel Tassin, 104, Grande-Rue, 10110 Celles-sur-Ource, tél. 03.25.38.59.44, fax 03.25.29.94.59 r.-v.

B. VESSELLE Bouzy

■ 1,5 ha 15 000 11 à 15 €

Fils de Georges Vesselle, Bruno Vesselle élabore sa propre marque sous son nom depuis 1994. Son Bouzy est subtilement vinifié après que la vendange a été éraflée à 70 % et foulée ; le vin est élevé deux ans en fût. Il porte une robe rouge clair, s'annonce par un nez qui pinote (cerise) et s'affirme par une bouche équilibrée dont les tanins fondus épaulent le fruité. (70 à 99 F)

Georges Vesselle, 16, rue des Postes, 51150 Bouzy, tél. 03.26.57.00.15, fax 03.26.57.09.20, e-mail contact@champagne-vesselle.fr t.l.j. sf sam. dim. 9h-12h 14h-17h

MAURICE VESSELLE Bouzy 1992

■ n.c. n.c. 11 à 15 €

Les pinots noirs ne sont pas éraflés, le pigeage manuel est pratiqué, suivi d'un élevage de deux ans dans le bois. Ce 92, dégusté le 19 avril 2001, ne peut qu'accuser son âge. Il est cependant intéressant : le nez rappelle le pruneau, le fruit confit ; la bouche est souple encore agréable. (70 à 99 F)

Maurice Vesselle, 2, rue Yvonnet, 51150 Bouzy, tél. 03.26.57.00.81, fax 03.26.57.83.08 r.-v.

CHAMPAGNE

Rosé des riceys

Les trois villages des Riceys (Haut, Haute-Rive et Bas) sont situés à l'extrême sud de l'Aube, non loin de Bar-sur-Seine. La commune des Riceys accueille les trois appellations : champagne, coteaux champenois et rosé des riceys. Ce dernier est un vin tranquille, d'une grande rareté (819 hl ont été récoltés en 1999 et 640 hl en 2000) et d'une grande qualité, l'un des meilleurs rosés de France. C'est un vin que buvait déjà Louis XIV : il aurait été apporté à Versailles par les spécialistes établissant les fondations du château, les « canats », originaires des Riceys.

Ce rosé est issu de la vinification par macération courte de pinot noir, dont le degré alcoolique naturel ne peut être inférieur à 10 °. Il faut interrompre la macération – « saigner la cuve » – à l'instant précis où apparaît le « goût des riceys » qui, sinon, disparaît. Ne sont labellisés que les rosés marqués par ce goût spécial. Elevé en cuve, le rosé des riceys se boit jeune, à 8-9 °C ; élevé en pièces, il attendra entre trois et dix ans, et on le servira alors à 10-12 °C, pendant le repas. Jeune, il se boira à l'apéritif ou au début du repas.

BAUSER 1999*

1 ha 5 500 11 à 15 €

Les deux fils de René Bauser ont rejoint leur père sur le vignoble créé en 1963. Leur rosé des riceys est un très beau vin de couleur soutenue. Ses parfums de framboise, de noyau de cerise et d'épices annoncent la complexité de la bouche qui, bien qu'encore tannique, se révèle équilibrée. (70 à 99 F)

EARL René Bauser, rte de Tonnerre, 10340 Les Riceys, tél. 03.25.29.32.92, fax 03.25.29.96.29, e-mail champagne-bauser@worldonline.fr r.-v.

ALEXANDRE BONNET 1997*

6 ha 14 675 15 à 23 €

Cette célèbre maison des Riceys a intégré le groupe BCC présidé par Ph. Baijot en 1998. Ce 97, antérieur à cette transaction, est par conséquent le produit de la famille Bonnet. Il affiche son âge, tant dans sa robe aux reflets tuilés que dans ses parfums évolués, une petite touche animale accompagnant les notes de fraise et de cassis. La bouche est fruitée, poivrée, équilibrée et longue. (100 à 149 F)

SA vignobles Alexandre Bonnet, 138, rue du Gal-de-Gaulle, 10340 Les Riceys, tél. 03.25.29.30.93, fax 03.25.29.38.65, e-mail info@alexandrebonnet.com r.-v.

GUY DE FOREZ 1998*

1 ha 9 300 11 à 15 €

Entreprise exploitant 8,5 ha de vigne et consacrant chaque année 1 ha de pinot noir à la confection de rosé des riceys. Celui-ci a cuvé 72 heures puis a passé trois mois en fût. Sa robe cerise foncée à reflets tuilés ne passe pas inaperçue, son nez de pétale de rose séché et de fruits rouges confiturés non plus. Sa vivacité épicée est harmonieuse. (70 à 99 F)

SCEA du Val du Lel, rte de Tonnerre, 10340 Les Riceys, tél. 03.25.29.98.73, fax 03.25.38.23.01 t.l.j. sf dim. 9h-12h 14h-19h; f. 15-31 août

Sylvie Wenner

JEAN-JACQUES LAMOUREUX 1998

0,5 ha 2 500 11 à 15 €

Vieux village, Les Riceys renferment de très anciennes maisons qui en font le charme. Celle qui a donné naissance à ce vin date du XVIIIᵉs. Ce rosé limpide, brique clair, au bouquet typé des riceys, fruité et vanillé, élégant, possède une bouche légère aux tanins soyeux. Il conviendra à toutes les viandes grillées. (70 à 99 F)

Jean-Jacques Lamoureux, 27 *bis*, rue du Gal-de-Gaulle, 10340 Les Riceys, tél. 03.25.29.11.55, fax 03.25.29.69.22 r.-v.

VINCENT LAMOUREUX 1999

0,5 ha 2 000 11 à 15 €

Sa robe est intense – un rosé foncé ou un rouge très clair. Son nez affiche une extrême jeunesse : cela n'a rien d'étonnant car les pinots noirs ont été vendangés en 1999. Une touche boisée (due à trois mois de fût) apparaît en bouche accompagnée par des notes fruitées. Un vin d'une grande fraîcheur. (70 à 99 F)

Vincent Lamoureux, 2, rue du Sénateur-Lesaché, 10340 Les Riceys, tél. 03.25.29.39.32, fax 03.25.29.80.30 r.-v.

MOREL PERE ET FILS 1998

n.c. 10 000 11 à 15 €

D'anciennes caves voûtées accueillent les raisins triés, élevés en fut de chêne. Limpide et brillant, ce vin, de teinte presque cerise, développe des parfums de fruits rouges et d'épices. Des tanins fondus, un bon équilibre, et une longueur honorable permettent de servir cette bouteille sur une terrine de volaille. (70 à 99 F)

Pascal Morel Père et Fils, 93, rue du Gal-de-Gaulle, 10340 Les Riceys, tél. 03.25.29.10.88, fax 03.25.29.66.72 r.-v.

PASCAL WALCZAK 1999**

0,25 ha 1 500 11 à 15 €

Le coup de cœur n'est pas loin. Un dégustateur écrit : « Le meilleur rosé des riceys dégusté », un autre : « Charmeur, superbe ». En fait, ce 99 est très typé riceys. Sa robe est intense. Son bouquet fin et complexe mêle des notes vanillées et grillées aux fruits des bois. Sa bouche fruitée et fraîche se révèle fondue, équilibrée et harmonieuse. Un vrai vin plaisir. (70 à 99 F)

Pascal Walczak, Parc Saint-Vincent, 10340 Les Riceys, tél. 03.25.29.39.85, fax 03.25.29.62.05 t.l.j. sf dim. 8h-12h 13h30-19h

LE JURA, LA SAVOIE ET LE BUGEY

Le Jura

Faisant le pendant de celui de la haute Bourgogne, de l'autre côté de la vallée de la Saône, ce vignoble occupe les pentes qui descendent du premier plateau des monts du Jura vers la plaine, selon une bande nord-sud traversant tout le département, depuis la région de Salins-les-Bains jusqu'à celle de Saint-Amour. Ces pentes, beaucoup plus dispersées et irrégulières que celles de la Côte-d'Or, se répartissent sous toutes les expositions, mais ce ne sont que les plus favorables qui portent des vignes, à une altitude se situant entre 250 et 400 m. Le vignoble couvre environ 1 828 ha sur lesquels ont été produits, en 1999, année abondante, environ 110 758 hl.

Nettement continental, le climat voit ses caractères accusés par l'orientation générale en façade ouest et par les traits spécifiques du relief jurassien, notamment l'existence des « reculées » ; les hivers sont très rudes et les étés très irréguliers, mais avec souvent beaucoup de journées chaudes. La vendange s'effectue pendant une période assez longue, se prolongeant parfois jusqu'à novembre en raison des différences de précocité qui existent entre les cépages. Les sols sont en majorité issus du trias et du lias, surtout dans la partie nord, ainsi que des calcaires qui les surmontent, surtout dans le sud du département. Les cépages locaux sont parfaitement adaptés à ces terrains argileux et sont capables de réaliser une remarquable qualité spécifique. Ils nécessitent toutefois un mode de conduite assez élevé au-dessus du sol, pour éloigner le raisin d'une humidité parfois néfaste à l'automne. C'est la taille dite « en courgées », longs bois arqués que l'on retrouve sur les sols semblables du Mâconnais. La culture de la vigne est ici très ancienne : elle remonte au moins au début de l'ère chrétienne si l'on en croit les textes de Pline ; et il est sûr que le vin du Jura, qu'appréciait tout particulièrement Henri IV, était fort en vogue dès le Moyen Age.

Pleine de charme, la vieille cité d'Arbois, si paisible, est la capitale de ce vignoble ; on y évoque le souvenir de Pasteur qui, après y avoir passé sa jeunesse, y revint souvent. C'est là, de la vigne à la maison familiale, qu'il mena ses travaux sur les fermentations, si précieux pour la science œnologique ; ils devaient, entre autres, aboutir à la découverte de la « pasteurisation ».

Des cépages locaux voisinent avec d'autres, issus de la Bourgogne. L'un d'entre eux, le poulsard (ou ploussard), est propre aux premières marches des monts du Jura ; il n'a été cultivé, semble-t-il, que dans le Revermont, ensemble géographique incluant également le vignoble du Bugey, où il porte le nom de mècle. Ce très joli raisin à gros grains oblongs, délicieusement parfumé, à pellicule fine peu colorée, contient peu de tanin. C'est le cépage type des vins rosés, qui sont en fait vinifiés ici le plus souvent comme des rouges. Le trousseau, autre cépage local, est en revanche riche en couleur et en tanin, et c'est lui qui donne les vins rouges classiques très carac-

JURA

téristiques des appellations d'origine du Jura. Le pinot noir, venu de la Bourgogne, lui est souvent associé en petites proportions pour l'élaboration des vins rouges. Il a par ailleurs un avenir important pour la vinification de vins blancs de noirs destinés à des assemblages avec le blanc de blancs, pour élaborer des mousseux de qualité. Le chardonnay, comme en Bourgogne, réussit ici parfaitement sur les terres argileuses, où il apporte aux vins blancs leur bouquet inégalable. Le savagnin, cépage blanc local, cultivé sur les marnes les plus ingrates, donne, après plus de six ans d'élevage spécial dans des fûts en vidange, le magnifique vin jaune de très grande classe. Le vin de paille est également l'une des grandes productions du Jura.

La région paraît spécialement favorable à l'obtention d'un type d'excellents mousseux de belle classe, issus, comme on l'a dit, d'un assemblage de blanc de noirs (pinot) et de blanc de blancs (chardonnay). Ces mousseux sont de grande qualité, depuis que les vignerons ont compris qu'il fallait les élaborer avec des raisins d'un niveau de maturité assurant la fraîcheur nécessaire.

Les vins blancs et rouges sont de style classique, mais, du fait semble-t-il d'une attraction pour le vin jaune, on cherche à leur donner un caractère très évolué, presque oxydé. Il y a un demi-siècle, il existait même des vins rouges de plus de cent ans, mais on est maintenant revenu à des évolutions plus normales.

Le rosé, quant à lui, est en fait un vin rouge peu coloré et peu tannique, qui se rapproche souvent plus du rouge que du rosé des autres vignobles. De ce fait, il est apte à un certain vieillissement. Il ira très bien sur les mets assez légers, les vrais rouges - surtout issus de trousseau - étant réservés aux mets puissants. Le blanc a les usages habituels, viandes blanches et poissons ; s'il est vieux, il sera un bon partenaire du fromage de comté. Le vin jaune excelle sur le comté mais aussi sur le roquefort et sur certains plats difficiles à accorder aux vins tels le canard à l'orange ou les préparations en sauce américaine.

Arbois

La plus connue des appellations d'origine du Jura s'applique à tous les types de vins, produits sur douze communes de la région d'Arbois, soit environ 849 ha ; la production a atteint 42 236 hl en 2000, dont 23 340 hl de rouges et rosés, 18 354 hl de blancs ou jaunes, 352 hl de vins de paille et 190 hl d'effervescents. Il faut rappeler l'importance des marnes triasiques dans cette zone, et la qualité toute particulière des « rosés » de poulsard qui sont issus des sols correspondants.

FRUITIERE VINICOLE D'ARBOIS
Poulsard 1998

◪ 55 ha 200 000 5à8€

Créée en 1906 et réunissant aujourd'hui cent vingt-huit coopérateurs, avec trois salons de dégustation à Arbois et un à Arc-et-Senans (où il ne faut pas manquer les Salines royales construites en 1775 par Claude Nicolas Ledoux qui rêvait d'une cité idéale), la fruitière vinicole d'Arbois se met en quatre pour vous recevoir. A sa carte, cet arbois rosé issu du poulsard. Bien dans sa peau, qu'il a « pelure d'oignon », ce vin se révèle odorant et fruité au nez. D'une certaine fermeté, il mérite d'être attendu pour devenir plus aimable. Le fond aromatique fruit des bois s'avère d'ores et déjà intéressant. (30 à 49 F)

Fruitière vinicole d'Arbois, 2, rue des Fossés, 39600 Arbois, tél. 03.84.66.11.67, fax 03.84.37.48.80 r.-v.

LUCIEN AVIET
Cuvée des Géologues 1999*

■ 0,6 ha n.c. 8à11€

Fameuse Cuvée des Géologues d'un vigneron de caractère, que tout amoureux du Jura connaît sous le nom de Bacchus, associé désormais à son fils Vincent. Si ce vin est dédié aux spécialistes de la terre, il a été minutieusement ausculté par les experts de la dégustation qui devraient trouver là un terrain d'entente avec les premiers. Car c'est un vin intéressant à tout point de vue. Fruits rouges et notes végétales au nez, il déploie beaucoup de vivacité en bouche, d'où se dégage une certaine fraîcheur. Mais il y a de l'alcool et des tanins et finalement l'équilibre est là, accompagné de beaucoup de fruit également. Un beau vin, bien maîtrisé techniquement, et qui ne renie pas les valeurs fondamentales du terroir. (50 à 69 F)

Lucien Aviet et Fils, Caveau de Bacchus, 39600 Montigny-lès-Arsures, tél. 03.84.66.11.02 r.-v.

PAUL BENOIT Pupillin Chardonnay 1999*

3 ha 20 000 5à8€

Un nez intense et subtil. Floral, avec une touche de fraîcheur (mentholé et anisé), il se dirige vers le fruité. Beaucoup d'harmonie en bouche où la matière se fait ample et aromatique. La finale est légère et laisse un peu sur sa soif, mais quelle belle rondeur ! On hume déjà le veau à l'échalote qui va le révéler. Pour autant, il n'est pas exclu qu'on le serve à l'apéritif. (30 à 49 F)

Paul Benoit, rue du Chardonnay, La Chenevière, 39600 Pupillin, tél. 03.84.37.43.72, fax 03.84.66.24.61 t.l.j. 9h-19h

COLETTE ET CLAUDE BULABOIS Savagnin 1997**

2,2 ha 3 000 8à11€

35 % de la surface de l'exploitation sont consacrés au cépage savagnin. Colette et Claude Bulabois le maîtrisent de toute évidence, tant ce 97 est remarquable. Puissant et typé au nez, il se montre complexe, nous promenant de notes boisées en touches beurrées, du grillé aux fruits secs. De la rondeur mais pas de lourdeur en bouche. Légèrement boisé, il s'avère concentré et d'une grande richesse aromatique. L'évolution sous voile le révèle parfaitement. D'une bonne capacité de garde, il peut être néanmoins apprécié dès maintenant, avec une croûte forestière, par exemple. La **cuvée Vieilles vignes en rouge 99 (30 à 49 F)** élevée douze mois sous bois, assemble ploussard, pinot noir et trousseau. Plutôt pinot au nez, c'est un vin facile à boire qui obtient une citation. (50 à 69 F)

Claude et Colette Bulabois, 1, Petite-Rue, 39600 Villette-lès-Arbois, tél. 03.84.66.01.93 t.l.j. 17h-19h30

JOSEPH DORBON Ploussard 1999**

0,35 ha 1 600 5à8€

Avec 3 ha de vignes, Joseph Dorbon est à son compte depuis 1996. Ce ploussard, mis en bouteilles fin août 2000, est très agréable au nez avec ses nuances de fraise et de griotte. Encore vif, il possède une bonne structure, avec des tanins riches et de belle facture. On croirait presque avoir affaire à un trousseau avec une telle charpente. Les arômes de fruits rouges, de sous-bois, d'épices et de menthol sont élégants. Un beau et bon vin qui n'attend qu'un chevreuil ou une perdrix. Issue du seul **chardonnay, la cuvée Vieilles vignes 98** a vieilli vingt-deux mois en fût de chêne sans soutirage ni ouillage. Elle est citée pour son nez de fruits cuits, de fruits secs et de « biscuit sortant du four ». A marier avec un plat aux morilles et à la crème. (30 à 49 F)

Joseph Dorbon, pl. de la Liberté, 39600 Vadans, tél. 03.84.37.47.93, fax 03.84.37.47.93 t.l.j. 10h-19h

DANIEL DUGOIS Chardonnay 1998*

1 ha 4 000 5à8€

Chez Daniel Dugois, vous verrez plastronner Henri IV sur toutes les étiquettes. Depuis 1973, ce viticulteur mêne avec succès ses 780 ha de vignes. Voici son vin blanc issu du seul chardonnay, bien dans sa peau d'or clair. Des arômes fruités au nez, avec un fond de vanille très tentant. De la matière avec une pointe d'acidité en bouche qui lui permet de voir loin devant lui. Un vin bien bâti qui ne demande qu'à dévoiler sa subtilité. Recevant également une étoile, son **rouge** né du **trousseau 99** se montre animal au nez, équilibré en bouche où les tanins se révèlent déjà agréables. Prêt, il peut également attendre quelques années. (30 à 49 F)

Daniel Dugois, 4, rue de la Mirode, 39600 Les Arsures, tél. 03.84.66.03.41, fax 03.84.37.44.59 r.-v.

DOM. FORET Instant Flora Trousseau 1999*

1 ha 3 000 11à15€

La vie est une succession d'instants. Le domaine Forêt nous invite à l'« Instant Flora », en compagnie du cépage trousseau. Le nez est d'une belle intensité bien qu'il puisse encore s'ouvrir. La sève de pin y est très présente. Rondeur et souplesse sont les premières impressions en bouche. Le caractère vineux est marqué en finale. Peut accompagner dès maintenant grillades ou gibiers. Deux tiers de chardonnay ont été assemblés dès la vendange au savagnin et ont vieilli dix mois en fût pour donner un bel **arbois sec 98 (50 à 69 F)**, au nez complexe (noisette,

Le Jura

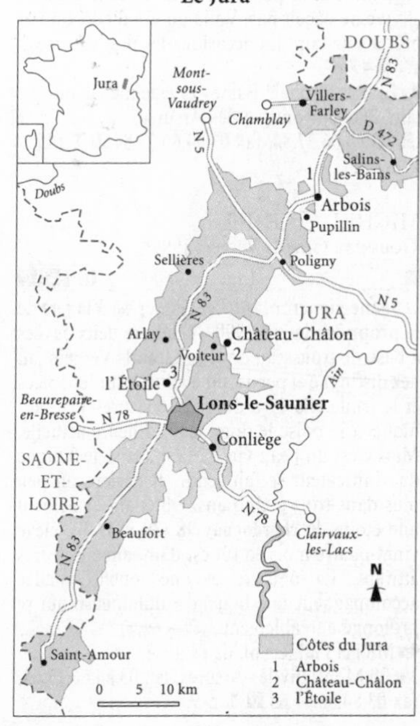

JURA

noix, amande) et à la fraîcheur prometteuse. Celui-ci obtient une citation.
Dom. Foret, 13, rue de la Faïencerie, 39600 Arbois, tél. 03.84.66.23.01, fax 03.84.66.10.98 r.-v.

RAPHAEL FUMEY ET ADELINE CHATELAIN Ploussard 1999**

■ 0,6 ha 3 000 5à8€

Rien qu'à l'œil, c'est le type même du poulsard que l'on recherche. Ce rubis est enchanteur ! Le nez suit, très net, sur les fruits rouges, les épices et la pâte de coing. Après une telle approche, on pourrait être déçu par la bouche. Il n'en est rien : ce 99 a de l'élégance, un fond aromatique persistant de fruits rouges en cuisson et une remarquable harmonie. Si l'on veut faire le difficile, on dira qu'il ne lui manque qu'un peu d'acidité, ce qui le rend très souple, mais on approche de la perfection. Le **pinot noir 98** de ce domaine, tout en petits fruits rouges, se montre harmonieux et souple, mais pourra aussi tenir quelques années. Il obtient une étoile. (30 à 49 F)
EARL Raphaël Fumey et Adeline Chatelain, 39600 Montigny-lès-Arsures, tél. 03.84.66.27.84, fax 03.84.66.27.84 t.l.j. 10h-18h

RAPHAEL FUMEY ET ADELINE CHATELAIN Méthode traditionnelle Chardonnay 1998

○ 0,5 ha 3 000 5à8€

Dans le verre, ça se bouscule au portillon : l'effervescence est importante. Le nez est agréable, propre à ne pas choquer le dégustateur, sur la pomme et la poire mûre. La bouche franche et vive ne déçoit pas. Voilà un vin facile, bon et prêt à satisfaire les occasions les plus diverses. (30 à 49 F)
EARL Raphaël Fumey et Adeline Chatelain, 39600 Montigny-lès-Arsures, tél. 03.84.66.27.84, fax 03.84.66.27.84 t.l.j. 10h-18h

MICHEL GAHIER Trousseau Grands Vergers 1999*

■ 1 ha 4 000 8à11€

Jeune vigneron, Michel Gahier est à la tête de la propriété depuis 1990. Il élabore deux cuvées à base de trousseau dont ce Grands Vergers, au nez distingué et persistant évoluant sur les épices et le fruité. Ce 99 a du corps : la présence tannique et le boisé le dominent à l'heure actuelle. Mais c'est un beau vin où la maîtrise technique du vinificateur se fait sentir. Il parlera un peu plus dans trois à cinq ans. Obtenant également une étoile, le **chardonnay 98 (30 à 49 F)**, élevé vingt-quatre mois en fût est d'un jaune d'or très attirant. La noisette et une touche miellée accompagnent une bouche volumineuse qui se prolonge agréablement. (50 à 69 F)
Michel Gahier, pl. de l'Eglise, 39600 Montigny-lès-Arsures, tél. 03.84.66.17.63, fax 03.84.66.17.63 r.-v.

DOM. AMELIE GUILLOT Poulsard Vieilles vignes Rouge Tradition 1999**

■ 1,5 ha 2 500 8à11€

Une jeune femme et de vieilles vignes : une alliance pleine d'avenir. La robe est légère, aux reflets orangés, très typique d'un poulsard. Le nez est également marqué par le cépage. Une certaine richesse tannique s'exprime en bouche, mais dans la souplesse et l'harmonie. Le vin est donc une belle expression du poulsard, confortée par une maîtrise technique irréprochable. Les études d'œnologie, ça sert. (50 à 69 F)
Amélie Guillot, 1, rue du Coin-des-Côtes, 39600 Molamboz, tél. 03.84.66.04.00, fax 03.84.66.04.00, e-mail amelie.guillot@wanadoo.fr t.l.j. 14h-20h

LA CAVE DE LA REINE JEANNE Poulsard 1999*

◢ 5 ha 30 000 5à8€

C'est en 1977 que Bénédicte et Stéphane Tissot ont créé cette affaire de négoce dans de superbes caves de la place d'Arbois. Ici, on n'achète pas de vin, mais des raisins, ce qui permet à Stéphane Tissot de marquer les produits de sa patte de vinificateur. Ce pur poulsard est rubis clair. La gelée de groseille et la confiture de fraises sautent au nez. Une légère acidité en bouche lui apporte de la fraîcheur. Le fruit est très présent et on aurait tort de le laisser s'échapper : il faut boire ce 99 maintenant pour en profiter au mieux, avec une terrine par exemple. Obtenant la même note, l'**arbois blanc 99 pur chardonnay**, dont l'assemblage est formé de 60 % de vin fermenté en fût et de 40 % de vin élevé en cuve, est floral et citronné, vanillé, avant d'évoluer vers des notes beurrées et des nuances de pomme mûre. (30 à 49 F)
Le Cellier des Tiercelines, 54, Grande-Rue, 39600 Arbois, tél. 03.84.66.25.79, fax 03.84.66.25.08
Bénédicte et Stéphane Tissot

DOM. DE LA PINTE Trousseau 1998**

■ 1 ha 3 500 8à11€

Si vous vous rendez au domaine, vous aurez l'occasion de voir les caves construites par Roger Martin en 1955. D'une longueur de 70 m, elles sont au nombre de trois dont l'une abrite cet arbois rouge, pur trousseau. La robe est soutenue et si le nez n'est pas très puissant, il livre avec une grande élégance des notes de cerise à l'eau-de-vie sur un fond vanillé. Une belle harmonie s'impose en bouche où le fruité domine, accompagné d'un boisé bien fondu. Un vin assez particulier tout de même, du fait d'un vieillissement prématuré qui lui donnerait presque un air bourguignon. Les dégustateurs ont opté pour le tournedos aux champignons pour l'accompagner, mais une pintade au cassis ne lui déplairait pas. (50 à 69 F)
Dom. de La Pinte, rte de Lyon, 39600 Arbois, tél. 03.84.66.06.47, fax 03.84.66.24.58 t.l.j. 9h-12h 13h30-18h; dim. sur r.-v.

DOM. DE LA RENARDIERE
Pupillin Ploussard 1999**

■ 2,2 ha 14 000 5à8€

Face aux coups durs, certains vignerons font preuve d'une solidarité extraordinaire. Jean-Michel Petit a pu le constater lorsqu'il fut victime d'un grave accident il y a quelques années. Son vin est convivial à souhait. Une façon de montrer combien l'amitié l'a soutenu. Elégant, voire racé au nez, ce poulsard est plaisant juste comme il faut. Il a de la structure, de la matière, mais aussi des tanins mûrs et souples. Fruits rouges et épices nous offrent un plaisir aromatique intense dans une harmonie parfaite. Plus proche du rosé par sa couleur, un poulsard tout à fait représentatif et qui devrait faire référence.
(30 à 49 F)

Jean-Michel Petit, rue du Chardonnay, 39600 Pupillin, tél. 03.84.66.25.10, fax 03.84.66.25.70, e-mail renardiere@libertysurf.fr t.l.j. sf dim. 10h-12h 14h-19h

DOM. DE LA TOURNELLE
Chardonnay 1999**

□ 2 ha 9 000 8à11€

Dix ans que Pascal Clairet vit de sa vigne. Il faut fêter cela. Evolué et puissant, le nez de cet arbois présente déjà beaucoup de complexité et d'élégance. Miel, caramel, touches beurrées sont bien marqués. La très belle structure en bouche se manifeste par un équilibre parfait entre acidité, rondeur et alcool. Quelle expression ! On passe des parfums floraux à des notes beurrées et miellées. Ce vin concentré, typique, garde fraîcheur et finesse. On l'appréciera avec un poisson à la crème. Le vin de **poulsard Vieilles vignes 99** sera le bon compagnon d'une terrine partagée avec ses amis ; il a obtenu une citation.
(50 à 69 F)

Pascal Clairet, 5, Petite-Place, 39600 Arbois, tél. 03.84.66.25.76, fax 03.84.66.27.15 t.l.j. sf dim. 10h-12h30 14h30-19h

DOM. LIGIER PERE ET FILS
Trousseau 1999**

■ 0,7 ha 4 000 5à8€

Les Ligier participent à de nombreux salons du vin. Vous les y rencontrerez sans doute. Demandez-leur de goûter à cet arbois rouge, pur trousseau, issu de vendanges manuelles. Le nez est intense, épicé et légèrement boisé. Des fruits rouges bien mûrs s'expriment au sein d'une belle bouche, riche en matière et équilibrée. A boire dès maintenant sur un magret de canard confit au miel accompagné de chanterelles, mais ce 99 peut aussi attendre de trois à cinq ans.
(30 à 49 F)

Dom. Ligier Père et Fils, 7, rte de Poligny, 39380 Mont-sous-Vaudrey, tél. 03.84.71.74.75, fax 03.84.81.59.82, e-mail ligier@netcourrier.com r.-v.

DOM. LIGIER PERE ET FILS
Poulsard 1999***

■ 1 ha 6 000 5à8€

Amis œnophiles, il s'agit là d'un investissement que vous ne regretterez pas. Ce poulsard est une merveille. Tout en lui est beau, à commencer par sa robe rubis à reflets orangés. Le nez est sauvage, « masculin » : épicé, charpenté, il fait preuve d'une expression hors du commun. La bouche devient plus soyeuse, dans un joli charnu que l'on goûte avec délectation. Superbe équilibre. Fraise, cerise à l'eau-de-vie, gibier. Ça « plousse », mais ça « trousse » aussi. Un peu comme si le trousseau voisin lui avait communiqué sa virilité. Chevreuil rôti et airelles, tout est prêt pour un festin inoubliable !
(30 à 49 F)

Dom. Ligier Père et Fils, 7, rte de Poligny, 39380 Mont-sous-Vaudrey, tél. 03.84.71.74.75, fax 03.84.81.59.82, e-mail ligier@netcourrier.com r.-v.

FREDERIC LORNET Chardonnay 1999*

□ 1,2 ha 7 000 5à8€

Installé dans les murs d'une ancienne abbaye, Frédéric Lornet mène ce domaine depuis 1981. Il a reçu un coup de cœur l'an dernier pour un **Trousseau des Dames** 98 ; cette même cuvée pour le millésime **99 (50 à 69 F)** possède une belle matière bien travaillée mais encore dominée par l'élevage en foudre lors de la dégustation, ce qui lui a valu une citation. Quant à cet arbois chardonnay, il offre une bonne intensité au nez et une certaine complexité : note minérale, amande amère et un peu de torréfaction. Si l'acidité est très légèrement dominante en bouche, cela donne à ce 99 une plaisante sensation de fraîcheur. La bouche est fruitée et la rétro-olfaction particulièrement agréable. Encore un peu jeune au moment de la dégustation, ce vin est néanmoins prometteur. On propose de le savourer avec une galette des rois dès 2002 et pendant cinq ans. (30 à 49 F)

Frédéric Lornet, L'Abbaye, 39600 Montigny-lès-Arsures, tél. 03.84.37.44.95, fax 03.84.37.40.17 r.-v.

DOM. MARTIN FAUDOT Pinot 1999

■ 0,8 ha 3 000 5à8€

Michel Faudot et Jean-Pierre Martin vinifient séparément le pinot noir pour en faire une cuvée spécifique. Paré d'une robe assez claire, ce 99 offre une belle expression de fruits rouges au nez, agrémentée d'une touche de boisé. La perception tannique est accentuée par une structure plutôt légère mais équilibrée. A attendre un peu. Elevé six mois en cuve, l'**arbois pur chardonnay 99 (50 à 69 F)** obtient la même note. Il brille d'or clair, sent bon les fruits secs et les fleurs ; la bouche développe des touches d'agrumes et de pêche. (30 à 49 F)

JURA

🗝 Dom. Martin-Faudot, 1, rue Bardenet, 39600 Mesnay, tél. 03.84.66.29.97, fax 03.84.66.29.84, e-mail info@domaine-martin.fr ☑ Ｙ r.-v.

JEAN-FRANCOIS NEVERS 1996*

☐ 1 ha 3 000 ⏸ 8à11€

Dans une petite rue d'Arbois proche du musée de la Vigne et du Vin (château Pecauld), Jean-François Nevers exerce la profession de vigneron à la tête d'une propriété familiale traditionnelle. Ce 96 est vieil or. Déjà évolué au nez, il nous attire du côté des épices et de la vanille, sans oublier un côté un peu minéral. La bouche est riche mais aussi déjà très évoluée. Un fort beau vin qu'il faut boire sans attendre. (50 à 69 F)

🗝 Jean-François Nevers, 4, rue du Collège, 39600 Arbois, tél. 03.84.66.01.73, fax 03.84.37.49.68 ☑ Ｙ r.-v.

PIERRE OVERNOY Pupillin poulsard 1998*

■ 1,5 ha n.c. 8à11€

Pierre Overnoy est connu bien au-delà du Jura. Installé en 1968, apôtre de l'agriculture biologique bien avant que cela ne devienne une mode, c'est un passionné et un puriste. Il a, par exemple, une sainte horreur du SO_2. Et si son rouge de poulsard n'est pas très limpide, on saura que cela n'est pas forcément une erreur du vigneron. Le nez puissant, long et élégant, réunit fraise bien mûre, pâte de coing et gelée de groseille. La bouche suit le nez sur le plan aromatique ; on remarquera les tanins bien fondus et le bel équilibre. A boire. Pour les inconditionnels de la « bio » et les autres... L'**arbois pupillin blanc sec 99 (70 à 99 F)** obtient la même note. Or, capiteux, volumineux en bouche, il tiendra tête à tous les plats épicés. (50 à 69 F)

🗝 Pierre Overnoy, rue du Ploussard, 39600 Pupillin, tél. 03.84.66.14.60, fax 03.84.66.14.60 ☑ Ｙ r.-v.

DESIRE PETIT ET FILS Pupillin Vin de paille 1997***

☐ 0,84 ha 3 700 ⏸ 15à23€

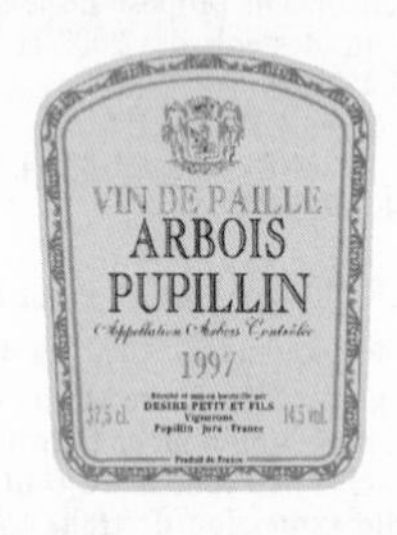

Un tiers de poulsard, un tiers de chardonnay, un tiers de savagnin forment l'équation parfaite de ce 97 élaboré par deux frères, Gérard et Marcel Petit. Ce vin de paille ambré a su puiser, grâce au talent des vinificateurs, tout ce qu'il y a de meilleur dans chacun de ces cépages. Puissant et racé au nez, il offre des parfums de miel, de datte et de pâte de coing à en chavirer. Très riche et intensément aromatique, c'est une liqueur d'un sublime équilibre qui allie acidité vive et chair ample : une harmonie qui en fait un vin d'école. Et, tous les dégustateurs s'accordent à dire qu'il peut attendre pas moins de cinquante ans ! (100 à 149 F)

🗝 Dom. Désiré Petit, rue du Ploussard, 39600 Pupillin, tél. 03.84.66.01.20, fax 03.84.66.26.59 ☑ Ｙ r.-v.
🗝 Gérard et Marcel Petit

MARCEL POUX Vin jaune 1987

☐ n.c. 5 000 ⏸ 15à23€

Marcel Poux est la marque des cuvées de la maison Henri Maire réservées à la restauration. La robe de ce vin jaune est très ambrée. Encore un peu fermé au nez, ce 87 se révèle souple en bouche. Simple sur le plan aromatique, il n'en est pas moins fin et élégant et peut être bu dès à présent. (100 à 149 F)

🗝 Marcel Poux, SARL Gevin, 39600 Arbois, tél. 03.84.66.12.34, fax 03.84.37.42.42

PRE-LEVERON Chardonnay Vieilles vignes 1999

☐ 1 ha 6 000 ⏸ 8à11€

Viticulteur en Mâconnais et négociant, la SARL Rijckaert présente cet arbois blanc, qui joue au nez du côté des fruits blancs bien mûrs dans une très bonne intensité. Chaleureux mais possédant tout de même une bonne acidité, ce 99 révèle une forte expression aromatique. Choisissez des quenelles pour ce vin qui doit être bu sans trop attendre. (50 à 69 F)

🗝 SARL Rijckaert, Correaux, 71570 Leynes, tél. 03.85.35.15.09, fax 03.85.35.15.09, e-mail jeanrijckaert@aol.com ☑ Ｙ r.-v.
🗝 Dominique Horbach

JACQUES PUFFENEY Les Bérangères Trousseau 1999*

■ 0,8 ha 4 500 ⏸ 11à15€

Le trousseau ne représente que 5 % de l'encépagement du vignoble jurassien, mais Montigny-les-Arsures en est la capitale. Bien entendu, Jacques Puffeney en cultive un peu. La robe de ces Bérangères est très rouge avec des nuances violettes marquées. Bien aromatique, le nez est un concentré de confiture de mûres, de bourgeon de cassis et de confiture de myrtilles. La bouche est riche et charpentée. Presque typé « bourgogne », ce vin a été jugé extrêmement agréable, mais sans empreinte de terroir forte. (70 à 99 F)

🗝 Jacques Puffeney, quartier Saint-Laurent, 39600 Montigny-les-Arsures, tél. 03.84.66.10.89, fax 03.84.66.10.89 ☑ Ｙ r.-v.

FRUITIERE VINICOLE DE PUPILLIN Pupillin Pinot noir 1999

■ 3 ha 10 000 ▮⏸ 5à8€

A Pupillin, on peut adjoindre le nom de la commune à l'appellation arbois. C'est le signe de la reconnaissance d'une notoriété à laquelle la fruitière vinicole participe depuis 1906, date de sa création. Ce rouge présente un nez intense, un peu herbacé. Le côté végétal ressort en bou-

che avec des notes épicées. A attendre quelques années. (30 à 49 F)
🗝 Fruitière vinicole de Pupillin, 39600 Pupillin tél. 03.84.66.12.88, fax 03.84.37.47.16 ☑ Y r.-v.

DOM. ROLET PERE ET FILS

Vin jaune 1994

☐ 6 ha 10 000 23 à 30 €

Quand Désiré Rolet créa le domaine en 1946, il ne pensait peut-être pas que lui-même, et ses enfants ensuite, en feraient la deuxième exploitation viticole jurassienne avec 61 ha répartis dans les AOC arbois, côtes-du-jura et l'étoile. Ce vin jaune est puissant, assez vif et bien typé. L'ensemble est représentatif, mais il faut impérativement attendre au moins cinq ans avant de le déguster. (150 à 199 F)
🗝 Dom. Rolet Père et Fils, rte de Dole, 39600 Arbois, tél. 03.84.66.00.05, fax 03.84.37.47.41, e-mail rolet@wanadoo.fr ☑ Y r.-v.

ROLET PERE ET FILS Trousseau 1999★★

■ 6 ha 30 000 8 à 11 €

Amis belges, suisses ou japonais, quelques bouteilles de la famille Rolet ont déjà franchi vos frontières pour le plus grand plaisir de vos compatriotes. Pour les autres, sachez que ce pur trousseau n'a pas froid aux yeux. Il a même une superbe robe grenat. Racé au nez, il a choisi le cassis pour séduire. Souple, il emplit néanmoins bien la bouche. On sent de la matière, une certaine chair. Les fruits rouges, et notamment la cerise mûre, se développent. Un vin qui saura ravir les amateurs, dans toute l'authenticité et la richesse désirée. Attendre deux ans serait le plus sage. (50 à 69 F)
🗝 Dom. Rolet Père et Fils, rte de Dole, 39600 Arbois, tél. 03.84.66.00.05, fax 03.84.37.47.41, e-mail rolet@wanadoo.fr ☑ Y r.-v.

DOM. DE SAINT-PIERRE

Cuvée Renaud 1997

☐ 3,65 ha 10 000 5 à 8 €

On ne produit que des blancs sur cette exploitation, ce qui est assez rare dans le Jura. Si la maison élabore un pur chardonnay, elle vinifie également un vin d'assemblage composé de chardonnay et de savagnin comme ce 97 jaune doré. Intense au nez, il libère des notes miellées agréables. La bouche est vive et épicée. A goûter après avoir découvert l'église romane ou la tour féodale qui jouxtent le domaine. A marier avec un curry d'agneau. (30 à 49 F)
🗝 EARL Hubert et Renaud Moyne, Dom. de Saint-Pierre, 39600 Mathenay, tél. 03.84.37.56.80, fax 03.84.37.56.80 ☑ Y r.-v.

DOM. DU SORBIEF 1998★★★

◢ n.c. 35 000 11 à 15 €

La maison Henri Maire est propriétaire de ce domaine depuis 1963. Sur les 66 ha de marnes rouges complantés de poulsard et de trousseau, quelques hectares donnent un vin de type rosé, cuvé une douzaine de jours. Sous une robe « plume de faisane », ce 98 est très fruité au nez : groseille, gelée de coing, fraise. La bouche est impressionnante de complexité et de richesse. Chaude, ample, elle laisse une remarquable impression d'harmonie. La présence aromatique est superbe : griotte, fraise des bois et cannelle n'en finissent plus. Vite, une bécasse rôtie ! (70 à 99 F)
🗝 SCV des domaines Henri Maire, 39600 Arbois, tél. 03.84.66.12.34, fax 03.84.66.42.42, e-mail info@henri-maire.fr ☑ Y r.-v.

ANDRE ET MIREILLE TISSOT

Vin jaune 1993★

☐ 2 ha 7 000 23 à 30 €

L'exploitation se tourne résolument vers des pratiques respectueuses de l'environnement. C'est ainsi qu'une conversion à l'agriculture biologique est commencée sur le domaine. Ce « jaune » a été élevé sept ans en fût nous dit-on (la règle minimum est six ans et trois mois) ; cela lui confère une bonne intensité au nez avec une jolie marque boisée. Il est élégant en bouche, où la matière s'exprime dans une agréable harmonie. La finale est encore un peu vive, mais c'est un vin très jeune. Une belle réalisation pour un millésime réputé difficile. (150 à 199 F)
🗝 André et Mireille Tissot, 39600 Montigny-lès-Arsures, tél. 03.84.66.08.27, fax 03.84.66.25.08 ☑ Y r.-v.
🗝 André et Stéphane Tissot

ANDRE ET MIREILLE TISSOT

Trousseau 1999★★★

■ 4 ha 20 000 8 à 11 €

Récolte manuelle fin septembre, tri sévère, un mois de cuvaison, trois mois d'élevage en cuve puis un an de fût. Voilà l'histoire très raccourcie de ce trousseau. Mais regardons le résultat : un rouge grenat délicatement tuilé, un nez racé qui débute sur l'animal pour terminer sur un léger grillé en passant par quelques notes de cassis. Beaucoup de matière en bouche : gras, étoffé, il fait preuve d'une agréable souplesse. Son équilibre et son harmonie le placent à la fois sur le terrain de la gourmandise et de la complexité. Une très belle bouteille qui peut encore affronter quelques années. Viandes rouges ou gibier, il saura mettre en valeur la gastronomie de nos provinces. (50 à 69 F)
🗝 André et Mireille Tissot, 39600 Montigny-lès-Arsures, tél. 03.84.66.08.27, fax 03.84.66.25.08 ☑ Y r.-v.
🗝 André et Stéphane Tissot

JEAN-LOUIS TISSOT Vin jaune 1993★★

□ 2 ha 2 000 15 à 23 €

Jean-Louis Tissot a quitté la fruitière vinicole d'Arbois en 1976. Son vin jaune est intense au nez, avec les fruits secs comme credo. La bouche puissante, riche et complexe offre beaucoup d'intensité et une finale très longue. Un vin harmonieux traduisant un souci de perfection. Digne du traditionnel foie gras. Un dégustateur propose de l'associer à des cuisses de grenouilles. (100 à 149 F)

Jean-Louis Tissot, Vauxelles, 39600 Montigny-les-Arsures, tél. 03.84.66.13.08, fax 03.84.66.08.09 r.-v.

JEAN-LOUIS TISSOT Trousseau 1999★

■ 2 ha 8 000 8 à 11 €

Quel beau rouge cerise ! Un nez sympathique, fruité, flirtant avec la confiture ou les épices. La structure est équilibrée, le fruité de bon ton. C'est bien constitué et très plaisant. Voilà une belle expression du trousseau. Le vin des amis par excellence. (50 à 69 F)

Jean-Louis Tissot, Vauxelles, 39600 Montigny-les-Arsures, tél. 03.84.66.13.08, fax 03.84.66.08.09 r.-v.

DOM. TREUVEY
Pinot noir Chantemerle 1999★

■ 0,5 ha 2 000 5 à 8 €

Jean-Louis Treuvey a succédé à son père à l'automne 1998. Cette première récolte de pinot noir affiche un nez intense, épicé et vanillé. L'attaque est ferme et riche. Le boisé s'exprime de manière harmonieuse dans une structure équilibrée. Plaisant dès aujourd'hui, ce vin généreux pourra vieillir quelques années.
(30 à 49 F)

Jean-Louis Treuvey, 20, Petite rue, 39600 Villette-les-Arbois, tél. 03.84.66.14.51, fax 03.84.66.14.51 r.-v.

Gérard Treuvey

Château-chalon

Le plus prestigieux des vins du Jura, produit sur 45 ha, est exclusivement du vin jaune, le célèbre vin de voile élaboré selon des règles strictes. Le raisin est récolté dans un site remarquable, sur les marnes noires du lias ; les falaises, au-dessus desquelles est établi le vieux village, le surplombent. La production est limitée mais a atteint, en 2000, 1 717 hl ; la mise en vente s'effectue six ans et trois mois après la vendange. Il est à noter que, dans un souci de qualité, les producteurs eux-mêmes ont refusé l'agrément en AOC pour les récoltes de 1974, 1980 et 1984.

DOM. BERTHET-BONDET 1994

□ 4 ha 8 000 23 à 30 €

Presque la moitié de la superficie de ce domaine est consacrée au château-chalon. Vous aurez peut-être l'occasion de déguster ce millésime dans la très belle propriété de Jean Berthet-Bondet, située dans le village même. La robe est d'un doré affirmé. Si le nez est assez simple, il est parfaitement ouvert et d'une bonne puissance. Quelques notes de noix sont distillées au sein d'une bouche équilibrée. Il faut absolument laisser à ce vin très jeune le temps de mûrir, soit au moins trois ans. (150 à 199 F)

Dom. Berthet-Bondet, 39210 Château-Chalon, tél. 03.84.44.60.48, fax 03.84.44.61.13, e-mail domaine.berthet.bondet@wanadoo.fr r.-v.

BLONDEAU ET FILS 1986★

□ 3 ha 3 000 23 à 30 €

Un château-chalon de 1986, cela devient rare ! Celui-ci a une robe claire, légèrement cuivrée. Le nez complexe, un peu confit, demande à être aéré. La bouche a divisé les dégustateurs : l'un d'eux attendait davantage de personnalité, les autres constatent une bonne évolution. Tous s'accordent à dire que ce vin peut être déjà apprécié mais qu'il possède encore un excellent potentiel de garde. (150 à 199 F)

Dom. Blondeau et Fils, 39210 Menétru-le-Vignoble, tél. 03.84.85.21.02, fax 03.84.44.90.56, e-mail blondeau@blondeau-vignerons.com r.-v.

MARCEL CABELIER 1993★

□ 3 ha 3 000 23 à 30 €

Ayant rejoint le groupe des Grands Chais de France en 1986, ce négociant propose un 93 dont la robe, est d'une belle couleur jaune d'or agrémentée de jolis reflets verts. Le nez ouvert s'affiche sur les fruits secs, la noix et le grillé. En bouche, le développement aromatique s'avère plus simple mais néanmoins bien présent, accompagnant un bon équilibre. A attendre au moins deux ans. (150 à 199 F)

Cie des Grands Vins du Jura, rte de Champagnole, 39570 Crançot, tél. 03.84.87.61.30, fax 03.84.48.21.36, e-mail jura@grandschais.fr t.l.j. 8h-12h 13h-18h

RESERVE CATHERINE DE RYE 1985★

□ n.c. 10 000 30 à 38 €

Vous ne trouverez nulle part ailleurs un stock aussi important de château-chalon. La célèbre maison de négoce, propriétaire à Château-Chalon, est en effet le premier opérateur dans cette appellation, ce qui lui permet de présenter un millésime déjà plus tout jeune. Sa belle robe cuivrée est très intense. Pour ce qui est du nez, on croirait presque être en présence d'un vin de paille, tellement le côté fruit sec, noix grillée et pain d'épice domine. On retrouve en bouche la même gamme aromatique avec un fond d'acidité typique des vins jaunes. Déjà évolué, ce 85 peut être bu bien que sa structure lui laisse encore quelques bonnes années devant lui.
(200 à 249 F)

🔑 SCV des domaines Henri Maire,
39600 Arbois, tél. 03.84.66.12.34,
fax 03.84.66.42.42, e-mail info@henri-maire.fr
☑ 🍷 r.-v.

JEAN-MARIE COURBET 1994

□ 2 ha 2 000 🛢 23 à 30 €

Vous trouverez Jean-Marie Courbet à Nevy-sur-Seille, un petit village situé dans un vallon, sur la route qui mène à l'abbaye de Baume-les-Messieurs. La robe de son château-chalon est or clair, avec quelques reflets verts. Le nez un peu timide offre de jolies notes de noix sur fond torréfié que l'on retrouve dans une bouche fine et persistante : la personnalité du vin jaune est bien présente. (150 à 199 F)

🔑 Jean-Marie Courbet, rue du Moulin,
39210 Nevy-sur-Seille, tél. 03.84.85.28.70,
fax 03.84.44.68.88 ☑ 🍷 r.-v.

J. ET B. DURAND-PERRON 1993

□ n.c. 1 500 🍾🛢🌡 23 à 30 €

Jacques Durand vous le rappellera sûrement : le château-chalon, comme tous les vins jaunes, se boit légèrement chambré, soit aux environs de 15 °C. Une belle robe d'or pour ce 93. La noix, la noisette, le curry et une touche grillée forment un joli nez. Harmonieux et équilibré, ce vin n'a pas une structure très large, mais son développement aromatique le rend fort sympathique. (150 à 199 F)

🔑 Jacques et Barbara Durand-Perron,
9, rue des Roches, 39210 Voiteur,
tél. 03.84.44.66.80, fax 03.84.44.62.75 ☑ 🍷 r.-v.

PHILIPPE PELTIER 1994

□ 2 ha 1 400 🛢 23 à 30 €

Un domaine de 8 ha reconstitué par Pierre Peltier en 1938 et dirigé par Philippe depuis 1990. Un quart de la propriété est consacré à cette appellation. La robe du 94 est déjà bien affirmée. Le nez s'ouvre sur la noix fraîche et le grillé. S'il n'est pas très complexe, il est néanmoins apprécié par son côté fruité. Pour savourer pleinement ce vin, il faudra attendre qu'il mûrisse. (150 à 199 F)

🔑 Philippe Peltier, Caveau du Terroir,
39210 Ménétru-le-Vignoble, tél. 03.84.44.90.79
☑ 🍷 r.-v.

DESIRE PETIT ET FILS 1994★

□ 0,26 ha 1 400 🛢 23 à 30 €

Des Arboisiens au pays de Château-Chalon. Gérard et Marcel Petit n'ont que 26 ares dans l'appellation mais ils y tiennent ! Ce château-chalon a un sacré nez ! La noix et la noisette viennent en force sur un fond grillé fort apprécié des dégustateurs. La bouche est équilibrée et d'une bonne longueur. Ce vin bien dans le type de l'appellation devrait s'épanouir d'ici deux à cinq ans. (150 à 199 F)

🔑 Gérard et Marcel Petit, rue du Ploussard,
39600 Pupillin, tél. 03.84.66.01.20,
fax 03.84.66.26.59 ☑ 🍷 r.-v.

FRUITIERE VINICOLE DE VOITEUR 1990★

□ 15 ha 40 000 🍾🛢 23 à 30 €

Du village de Château-Chalon on aperçoit parfaitement la Fruitière vinicole de Voiteur, sur la route de Nevy-sur-Seille. C'est dans ces caves que ce 90 a grandi. Le nez est avenant et persistant sur la noix et le grillé, alors que la bouche se révèle équilibrée et puissante. Le développement aromatique de la noix, de la noisette et du grillé est superbe, notamment en rétro-olfaction. Si l'on attend un petit peu, on obtiendra sans doute encore mieux, mais on est déjà certain de se faire plaisir. (150 à 199 F)

🔑 Fruitière vinicole de Voiteur,
60, rue de Nevy-sur-Seille, 39210 Voiteur,
tél. 03.84.85.21.29, fax 03.84.85.27.67,
e-mail voiteur@fruitiere-vinicole-voiteur.fr
☑ 🍷 r.-v.

Côtes du jura

L'appellation englobe toute la zone du vignoble de vins fins. La surface en production est de 619 ha et a donné en 2000 30 687 hl (20 621 hl en vins blancs ou jaunes, 8 040 hl en rouges, 720 hl en vins de paille, 1 306 hl en mousseux).

CH. D'ARLAY Corail 1996

◪ 7 ha 25 000 🍾🛢🌡 8 à 11 €

L'arbre généalogique de ce domaine est l'un des plus prestigieux de France puisqu'il compte des princes régnants depuis... 560, qu'ils aient été d'Espagne, d'Angleterre ou de France. Alain de Laguiche le conduit aujourd'hui. Ce vin Corail est élaboré à partir de la macération de cinq cépages : le pinot, le trousseau, le poulsard, le chardonnay et le savagnin. Cela donne un rosé aux reflets cerise. Le nez évoque le sous-bois avec des nuances de griotte mais aussi de cacao et de cannelle. Après une attaque fraîche, la bouche se montre finalement bien ronde ; elle est soutenue par des tanins assouplis mais encore présents. Ce 96 est prêt à boire sur une cuisine exotique ou un poisson grillé. (50 à 69 F)

🔑 Alain de Laguiche,
Ch. d'Arlay, rte de Saint-Germain,
39140 Arlay, tél. 03.84.85.04.22,
fax 03.84.48.17.96, e-mail chateau@arlay.com
☑ 🍷 t.l.j. sf dim. 8h-12h 14h-18h

BERNARD BADOZ Vin jaune 1993★

□ 1,5 ha 3 000 🛢 23 à 30 €

Bernard Badoz a su mettre en avant cette perle rare qu'est le vin jaune à travers La Percée, manifestation dont la première édition a eu lieu à Poligny en 1997. La discrétion est de mise pour ce 93, tant au nez qu'en bouche. Il est néanmoins très équilibré et élégant. Un brochet au beurre blanc sera bienvenu. (150 à 199 F)

Bernard Badoz, 15, rue du Collège, 39800 Poligny, tél. 03.84.37.11.85, fax 03.84.37.11.18 t.l.j. 8h-19h

BERNARD BADOZ Trousseau 1999*

1 ha 6 000 8 à 11 €

Bernard Badoz produit plusieurs vins rouges dont des purs poulsards ou des assemblages trousseau-poulsard. Le pur trousseau n'a pas peur de se montrer : sa robe rouge vermillon le mène fièrement à nos yeux. Un beau nez de fruits rouges avec une légère touche animale ; de la structure en bouche : l'impression générale reste très favorable. Pour l'accord gourmand, on suggère un sanglier. (50 à 69 F)

Bernard Badoz, 15, rue du Collège, 39800 Poligny, tél. 03.84.37.11.85, fax 03.84.37.11.18 t.l.j. 8h-19h

BAUD PERE ET FILS Chardonnay 1999*

5 ha 15 000 5 à 8 €

Alain et Jean-Michel Baud indiquent que l'ancêtre fondateur du domaine s'installa ici en 1642. C'est sur les marnes du trias jurassien qu'ils ont produit un côtes du jura pur chardonnay agréablement parfumé au nez sur des notes florales, d'agrumes et de noisette. La bouche présente un bon équilibre. Une légère acidité soutient un fruité plaisant qui sera bien mis en valeur à l'apéritif. (30 à 49 F)

Dom. Baud Père et Fils, rte de Voiteur, 39210 Le Vernois, tél. 03.84.25.31.41, fax 03.84.25.30.09 r.-v.

BERNARD FRERES
Chardonnay Aux grandes Vignes 1997***

1 ha 2 880 5 à 8 €

A Gevingey, on a fêté le vin jaune en 2001, au cours de la fameuse « Percée ». Ici, c'est un pur chardonnay qu'on a extrêmement apprécié. Un 97 qui a connu à la fois cuve et fût. Le nez, puissant, racé, libère des nuances complexes de grillé et de fumé. Gras en bouche, ce côtes du jura offre un bel équilibre, avec ce qu'il faut d'acidité pour apporter la fraîcheur nécessaire et soutenir un délicat fruité. Un vin superbe né dans le sud du Revermont, secteur peu connu du vignoble mais riche de talents. (30 à 49 F)

Bernard Frères, 15, rue Principale, 39570 Gevingey, tél. 03.84.47.33.99 r.-v.

DOM. BERTHET-BONDET
Tradition 1998*

4 ha 10 000 8 à 11 €

Producteur de château-chalon, Jean Berthet-Bondet utilise aussi le savagnin pour son côtes du jura, qu'il assemble alors au chardonnay. Le nez de ce 98 est frais et bien présent. S'ouvrant d'abord sur des notes de céleri et de chicorée, il se développe ensuite sur le miel, le beurre et la pomme. Un vin typé mais fringant, auquel il faut laisser un peu de temps pour lui permettre de s'exprimer pleinement. On verra, qui, du boxeur poids lourd ou de l'athlète délicat, se mettra en avant. Les deux sans doute confirmeront une harmonie et une typicité de bon aloi. A servir avec des noix de Saint-Jacques crémées ou du morbier. (50 à 69 F)

Dom. Berthet-Bondet, 39210 Château-Chalon, tél. 03.84.44.60.48, fax 03.84.44.61.13, e-mail domaine.berthet.bondet@wanadoo.fr r.-v.

DOM. BERTHET-BONDET
Tradition 1999*

0,5 ha 3 500 5 à 8 €

Les trois cépages rouges de l'AOC côtes du jura sont présents dans cet assemblage. Un rouge cerise qui plaît à l'œil et un nez d'une belle intensité, dans un registre groseille, bourgeon de cassis et épices. Du fruit en bouche, des tanins souples mais bien présents. Un dégustateur l'a qualifié de vin de soif. Son fruité en fait, en tout cas, un compagnon idéal des grillades. (30 à 49 F)

Dom. Berthet-Bondet, 39210 Château-Chalon, tél. 03.84.44.60.48, fax 03.84.44.61.13, e-mail domaine.berthet.bondet@wanadoo.fr r.-v.

DOM. LUC ET SYLVIE BOILLEY
Vin jaune 1992

n.c. n.c. 15 à 23 €

Un premier nez assez discret puis un développement mentholé et grillé pour ce côtes du jura jaune né sur argilo-calcaire. La bouche est légère, souple, très harmonieuse : voici le vin destiné à ceux qui veulent déguster un vin jaune pour la première fois car il n'est pas du tout violent sur le plan aromatique et apparaît bien constitué. Pourquoi ne pas l'essayer sur une blanquette de veau ? (100 à 149 F)

Dom. Luc et Sylvie Boilley, rte de Domblans, 39210 Saint-Germain-le-Arlay, tél. 03.84.44.97.33, fax 03.84.37.71.21 r.-v.

PHILIPPE BUTIN Vin jaune 1994***

0,7 ha 1 600 23 à 30 €

Philippe Butin est à la tête de l'exploitation familiale depuis 1981. S'il est producteur de château-chalon, il élabore également un autre vin jaune, dans l'appellation côtes du jura. Discret en première approche, ce 94 se révèle ensuite assez typique au nez par son côté noix et épices. La bouche est puissante, marquée par une belle vivacité, gage d'une bonne capacité de garde. Noix et touche citronnée l'annoncent. Ce vin n'est pas encore prêt, mais son caractère de « jaune à l'ancienne » a décidément ému le jury qui voit là un témoin pour les générations futures. Pour l'accompagner, choisissez un coq aux morilles ou un grand comté. (150 à 199 F)

Philippe Butin, 21, rue de la Combe, 39210 Lavigny, tél. 03.84.25.36.26, fax 03.84.25.39.18 t.l.j. 8h-19h

CAVEAU DES BYARDS
Chardonnay 1998***

□ n.c. 12 000 5à8€

« J'achète », dit un dégustateur non sans avoir, avec force éloges, décrit ce très beau vin. Le nez présente beaucoup de finesse et d'élégance même s'il est discret dans un premier temps. Le bourgeon de cassis, le grillé sont si agréables... Une belle attaque se poursuit sur une acidité porteuse de fraîcheur et qui soutient le fruit. Ce vin n'est pas très long mais le côté acidulé est tellement plaisant qu'on reste sous le charme d'une harmonie presque parfaite. A servir avec une poêlée de Saint-Jacques. (30 à 49 F)

Caveau des Byards, 39210 Le Vernois, tél. 03.84.25.33.52, fax 03.84.25.38.02 r.-v.

MARCEL CABELIER
Grande tradition 1996**

□ 1 ha 8 500 5à8€

Filiale du groupe des Grands Chais de France, la Compagnie des Grands Vins du Jura possède deux points de vente, l'un à Crançot, l'autre à la Maison des Vignerons de Lons-le-Saunier, préfecture du Jura. De l'or en bouteille, voilà ce que promet ce vin issu de 70 % de chardonnay et de 30 % de savagnin, élevé trois ans en pièces. Le nez, intense, typé, présente une grande fraîcheur. L'excellente attaque florale est soutenue par une structure charnue. La bouche pleine offre une belle persistance aromatique sur la noisette et les épices. Cet assemblage harmonieux exprime bien le terroir jurassien. Il pourra accompagner une escalope de veau dès maintenant et vous déglacerez la sauce avec ce vin, conseille un dégustateur. La cuvée de **trousseau 99** du même négociant s'est révélée gouleyante, - étonnant pour ce cépage, n'est-ce pas ? Elle obtient une citation. (30 à 49 F)

Cie des Grands Vins du Jura, rte de Champagnole, 39570 Crançot, tél. 03.84.87.61.30, fax 03.84.48.21.36, e-mail jura@grandschais.fr t.l.j. 8h-12h 13h-18h

Trouver un producteur, un négociant ou une coopérative ? Consultez l'index en fin de volume.

DANIEL ET PASCAL CHALANDARD
1999*

■ 0,5 ha 2 000 5à8€

Daniel Chalandard a d'abord travaillé comme technicien chimiste avant de se lancer dans la viticulture, mais cela fait déjà plus de trente ans. Pratiquant la culture raisonnée, il a présenté un vin rouge issu de pur trousseau qui divise : certains le trouvent remarquable sur le plan aromatique, tandis que d'autres pensent que cette explosion des arômes n'est pas très typique et qu'au-delà du plein de sensations, il manque un peu de profondeur. Tous sont en revanche d'accord pour dire qu'un chevreuil s'accorderait bien avec ce 99 au fort tempérament. (30 à 49 F)

GAEC du Vieux Pressoir, rte de Voiteur, BP 30, 39210 Le Vernois, tél. 03.84.25.31.15, fax 03.84.25.37.62 r.-v.

DANIEL ET PASCAL CHALANDARD
Cuvée Axel 1998***

□ 4 ha 15 000 5à8€

70 % de chardonnay, 30 % de savagnin, cette cuvée élevée vingt-quatre mois en fût a séduit le jury à l'unanimité. Jaune paille limpide et brillant, ce 98 laisse couler sur les parois du verre de belles larmes. Point de tristesse pour les dégustateurs : le nez ouvert sur la noisette, l'amande, le minéral et la morille séchée nous envoie tout de suite au paradis olfactif. Une structure puissante mais équilibrée caractérise ce vin dont la longueur est surprenante. La rétro-olfaction, tout entière sur la minéralité, évoque un château-chalon. Charpenté et typé, c'est un vin de première classe qui appelle les plats à la crème. En plus, il est prêt à boire. (30 à 49 F)

GAEC du Vieux Pressoir, rte de Voiteur, BP 30, 39210 Le Vernois, tél. 03.84.25.31.15, fax 03.84.25.37.62 r.-v.

DENIS ET MARIE CHEVASSU
Pinot noir 1999*

■ 0,5 ha 2 500 5à8€

Vin et fromage font toujours bon ménage. On en est persuadé ici, où le lait encore produit sur l'exploitation sert à fabriquer le fameux comté. Le mariage se ferait d'ailleurs très bien avec ce rouge à la couleur soutenue. Il faut dire qu'il est issu du seul pinot noir, ce qui se retrouve également au nez, avec un côté griotte et mûre affirmé. Un vin friand en bouche. (30 à 49 F)

Denis Chevassu, Granges Bernard, 39210 Menétru-le-Vignoble, tél. 03.84.85.23.67, fax 03.84.85.23.67 r.-v.

ELISABETH ET BERNARD CLERC
Cuvée du pré Cottin 1999*

□ 1,5 ha 3 000 5à8€

Ce vin d'assemblage où le chardonnay est majoritaire à côté du savagnin a séjourné deux ans en fût. Il s'ouvre sur une palette délicate évoquant le miel et les fleurs blanches. La bouche est discrètement typée et bien structurée. Ce 99 pourrait accompagner, en 2002, une purée de céleri (mariage souvent problématique) ou une tourte aux poireaux. (30 à 49 F)

Elisabeth Clerc, rue de Recanoz, 39230 Mantry, tél. 03.84.85.58.37 r.-v.

JEAN-MARIE COURBET
Trousseau 1999★★★

■ n.c. 3 500 5 à 8 €

Le président de la Société de viticulture du Jura peut être fier de cette réalisation sur sa propriété de Nevy-sur-Seille. Fraîcheur et élégance sont les qualités premières de ce pur trousseau qui n'a pas vu le bois de sa vie. Quinze mois d'élevage en cuve ont été nécessaires. C'est un vin puissant au nez, sur les fruits rouges, et très rond en bouche. Griotte, épices, mûre et même sureau sont bien présents. A vin exceptionnel, mets de choix : le gibier à plume est recommandé. (30 à 49 F)

Jean-Marie Courbet, rue du Moulin, 39210 Nevy-sur-Seille, tél. 03.84.85.28.70, fax 03.84.44.68.88 r.-v.

DOM. VICTOR CREDOZ Pinot 1999★

■ 0,6 ha 2 500 5 à 8 €

Daniel et Jean-Claude Credoz exploitent ce domaine créé en 1859, situé à 3 km de Château-Chalon, et qui compte aujourd'hui 10,5 ha. Elevé dans des fûts de 228 l, type « bourgogne », ce pur pinot noir révèle déjà à l'œil une certaine évolution avec ses reflets oranges. Confiture de fraises au nez, il se montre puissant en bouche mais évolué. Un beau vin prêt à boire sur un tournedos aux champignons. (30 à 49 F)

Dom. Victor Credoz, 39210 Menétru-le-Vignoble, tél. 06.80.43.17.44, fax 06.84.44.62.41 t.l.j. 8h-12h 13h-19h

DOM. GRAND FRERES
Vin de paille 1997★

□ 1 ha 5 000 15 à 23 €

Le fils de l'un des frères Grand, Emmanuel, vient de rentrer dans le GAEC en remplacement de Dominique qui a quitté le domaine. Cette équipe bien organisée propose un vin de paille pas très intense à l'œil mais qui présente néanmoins de jolis reflets ambrés. Le nez est fort riche et tout en finesse. L'écorce d'orange amère côtoie le menthol et la cannelle. S'il n'est pas aujourd'hui expansif en bouche, ce 97 est bien armé pour une garde de dix à quinze ans. (100 à 149 F)

Dom. Grand Frères, rue du Savagnin, 39230 Passenans, tél. 03.84.85.28.88, fax 03.84.44.67.47 t.l.j. 9h-12h 14h-18h; f. sam. dim. en jan. et fév.

DOM. GRAND FRERES 1999★★

■ 2,5 ha 13 000 5 à 8 €

Ce vin d'assemblage a puisé ce qu'il y a de meilleur en chacun des cépages jurassiens dans la recherche d'un style plutôt solide. La robe est soutenue, le nez un peu évolué sur les fruits rouges, les épices, le sous-bois et le champignon. L'attaque en bouche est franche, les tanins sont bien présents et la gamme aromatique apparaît développée. Sa structure rend ce côtes du jura apte à un bon vieillissement ; il devrait atteindre son apogée dans cinq ans. (30 à 49 F)

Dom. Grand Frères, rue du Savagnin, 39230 Passenans, tél. 03.84.85.28.88, fax 03.84.44.67.47 t.l.j. 9h-12h 14h-18h; f. sam. dim. en jan. et fév.

CH. GREA Vin de paille 1997★

□ 0,5 ha 800 15 à 23 €

Un vin de paille issu principalement de cépages blancs et qui n'a pas peur de se montrer : sa belle robe ambrée en fait un séducteur né. Le nez présente une pointe boisée, mais révèle des notes de caramel et de pâte de coing intéressantes. La bouche, bien équilibrée, fait apparaître du volume et de la longueur sur un fond de fruits confits et de poire de toute beauté. Pour la prochaine décennie. Un **blanc 97 (30 à 49 F)** assemblant 80 % de chardonnay au savagnin, puissant et persistant, obtient une citation : il se montre aussi accueillant que son vinificateur qui possède des chambres d'hôtes au château Gréa dont les origines remontent au XVIIe s. (100 à 149 F)

Nicolas Caire, Ch. Gréa, 39190 Rotalier, tél. 06.81.83.67.80, fax 03.84.25.05.47 r.-v.

CAVEAU DES JACOBINS
Savagnin 1996★

□ 1,9 ha 13 300 11 à 15 €

Cette coopérative, créée en 1907, est installée dans l'ancienne église des jacobins fondée au XIIIe s. Son 96 pur savagnin est bien né et connaît une évolution intéressante : pomme au nez, il se révèle aussi très typé en bouche avec des arômes de fruits secs et de noix qui montent bien en rétro-olfaction. De la puissance, juste ce qu'il faut d'acidité : c'est un Jurassien dans l'âme. Amateurs de « gentils petits vins légers », s'abstenir. (70 à 99 F)

Caveau des Jacobins, rue Nicolas-Appert, 39800 Poligny, tél. 03.84.37.01.37, fax 03.84.37.30.47, e-mail caveaudesjacobins @free.fr t.l.j. 9h30-12h 14h-18h30

CLAUDE JOLY Le Monceau 1998

□ 1 ha 4 000 8 à 11 €

Depuis le nouveau millénaire, Cédric a rejoint Claude Joly au sein d'une EARL. Cette cuvée Monceau n'a pas encore envie de se livrer au nez. Il faudra patienter le temps qu'elle s'ouvre. Bien que présent dans l'assemblage, le savagnin ne se révèle pas énormément en bouche. C'est toutefois un vin bien né, à attendre. (50 à 69 F)

EARL Claude et Cédric Joly, chem. des Patarattes, 39190 Rotalier, tél. 03.84.25.04.14, fax 03.84.25.14.48 r.-v.

ALAIN LABET
Fleur de Marne La Bardette 1997**

☐ 0,6 ha 1 200 🍷 11 à 15 €

On peut trouver une âme plus jurassienne, mais ce vin vous laisse un souvenir ému. La robe est jaune pâle, brillante et limpide. Le nez va et vient entre la réglisse et le torréfié en s'arrêtant sur des notes d'agrumes et d'abricot d'une fraîcheur puissante mais élégante. De la souplesse, du gras en bouche mais aucune pesanteur grâce à une finale vive. De la persistance et un boisé bien fondu. (70 à 99 F)

Alain Labet, pl. du Village, 39190 Rotalier, tél. 03.84.25.11.13, fax 03.84.25.06.75 r.-v.

DOM. LABET
Chardonnay Les Varrons 1998***

☐ 0,4 ha 2 400 🍷 8 à 11 €

Rien que du chardonnay, élevé dix-huit mois en fût, avec sans doute beaucoup de passion et de professionnalisme pour arriver à un résultat aussi plaisant. Le côté toasté, beurré rend le nez de ce côtes du jura exceptionnel. Ce boisé si agréable se retrouve aussi dans une bouche ample et très harmonieuse. A boire ou à attendre, un vin aux possibilités d'accords gourmands multiples. (50 à 69 F)

Alain Labet, pl. du Village, 39190 Rotalier, tél. 03.84.25.11.13, fax 03.84.25.06.75 r.-v.

FREDERIC LAMBERT
Chardonnay 1998*

☐ 0,75 ha 2 000 🍷 5 à 8 €

Frédéric Lambert a acquis sa première parcelle de vignes en 1993. Il met tout en œuvre pour atteindre l'objectif qu'il s'est fixé : vendre toute sa production en bouteilles. Gageons qu'avec un vin comme celui-ci ce sera parfaitement possible. La robe est vieil or. Le nez complexe offre un caractère oxydatif qui lui confère une certaine typicité. Racé en bouche, caractéristique de l'AOC, ce 98 est à la fois puissant et plaisant. Il est bon à boire mais peut attendre encore facilement cinq ans. Un **côtes du jura rouge 99** issu du pur trousseau a obtenu une citation pour son nez animal, sa bouche fruitée, sa bonne structure. (30 à 49 F)

Frédéric Lambert, Pont du bourg, 39230 Le Chateley, tél. 03.84.85.53.98, fax 03.84.25.97.83 r.-v.

LA VIGNIERE Vin de paille 1997*

☐ n.c. 10 000 🍷 15 à 23 €

La grande maison d'Arbois, le plus gros propriétaire du Jura, dans ses œuvres préférées : le nez est ouvert sur les épices et le coing. La bouche, ronde en attaque, présente un beau volume, de l'équilibre et de la longueur dans une finale soyeuse. On conseille d'attendre un peu pour déguster ce 97 avec un foie gras ou à l'apéritif. (100 à 149 F)

Henri Maire SA, Dom. de Boichailles, 39600 Arbois, tél. 03.84.66.12.34, fax 03.84.66.42.42, e-mail info@henri-maire.fr r.-v.

DOM. MOREL THIBAUT Tradition 1998

☐ 2 ha 6 000 🍷 5 à 8 €

Les chais de la maison sont situés au centre ville de Poligny, capitale du comté, à proximité de l'école de laiterie. Ce côtes du jura est le fruit d'un assemblage de chardonnay et de savagnin dans des proportions à peu près équivalentes. Le nez est intense et frais. En évolution, ce vin se montre encore très vif et devra être attendu. « Un sportif en préparation », note un dégustateur. (30 à 49 F)

Dom. Morel-Thibaut, 8, rue Coittier, 39800 Poligny, tél. 03.84.37.07.61, fax 03.84.37.07.61 t.l.j. 15h-19h; dim. 10h-12h

DOM. PIGNIER Trousseau 1999*

■ 0,65 ha 3 000 🍷 5 à 8 €

Ancien vignoble monastique, ce domaine est dans la famille depuis le XVIIIe s. On sait que Rouget de Lisle, qui composa *La Marseillaise* en 1792, fut vigneron dans ce village de Montaigu. Le même vin du millésime précédent avait été qualifié de remarquable. Ce 99 a besoin d'encore un peu de temps pour s'exprimer. Il daigne cependant montrer le bout de son nez, qu'il a plutôt fruité. Structuré en bouche, marqué par l'élevage en fût, c'est un vin bien fait, à servir sur des viandes rouges. (30 à 49 F)

Dom. Pignier, Cellier des Chartreux, 39570 Montaigu, tél. 03.84.24.24.30, fax 03.84.47.46.00 t.l.j. 8h-12h 13h30-19h; dim. 8h-12h

AUGUSTE PIROU Vin de paille 1997*

☐ n.c. 11 000 🍷 11 à 15 €

Henri-Michel Maire, fils du célèbre Henri Maire, est le gérant de cette société. A l'intensité du nez de ce vin de paille s'ajoute une réelle complexité. Du tabac, de la cannelle, du cuir, puis enfin des arômes confits. Une belle matière en bouche où l'on retrouve la présence aromatique déjà affirmée au nez. Un vin équilibré, qui peut attendre une quinzaine d'années. (70 à 99 F)

Auguste Pirou, Les Caves Royales, 39600 Arbois, tél. 03.84.66.42.70, fax 03.84.66.42.71, e-mail info@auguste-pirou.fr

XAVIER REVERCHON Saint Savin 1998

☐ 0,7 ha 5 000 🍷 5 à 8 €

Au cœur de Poligny, à proximité de l'église Mouthier-le-Vieillard du XIe s., Xavier Reverchon perpétue une tradition familiale vigneronne. Un nez fort plaisant nous accueille dans ce côtes du jura blanc : praliné, miel, que de gourmandises ! Il reste un peu de vivacité en bouche, mais l'ensemble est agréable et accompagnera un plat en sauce avec générosité. (30 à 49 F)

Xavier Reverchon, EARL de Chantemerle, 2, rue de Clos, 39800 Poligny, tél. 03.84.37.02.58, fax 03.84.37.00.58 r.-v.

JURA

PIERRE RICHARD Poulsard 1999

■ 0,5 ha 2 000 5 à 8 €

C'est en 1919 que le grand-père de Pierre Richard a acheté la propriété. On se souvient que son vin de paille 96 obtint un coup de cœur l'an dernier. Au sein d'une large palette de vins jurassiens produits par la maison, ce côtes du jura pur poulsard présente une belle robe couleur saumon. Le nez se fait grillé puis franchement animal. Sans posséder beaucoup de volume, la bouche est souple et finit sur une note de cerise bien agréable. A déguster frais sur des grillades. (30 à 49 F)

Dom. Pierre Richard, 39210 Le Vernois, tél. 03.84.25.33.27, fax 03.84.25.36.13 Y r.-v.

JEAN RIJCKAERT
Chardonnay Les Sarres 1999

□ 1,5 ha 14 000 5 à 8 €

Vinifié aux Planches près d'Arbois, ce côtes du jura est l'œuvre d'un viticulteur également installé en Saône-et-Loire. Le nez est floral, fruité mais aussi légèrement boisé. Plus typée par le cépage (chardonnay) que par le terroir, la bouche est très franche, vive et fruitée. Sans grande empreinte « Jura », ce vin reste agréable et formera un bel accord avec un poisson grillé. (30 à 49 F)

SARL Rijckaert, Correaux, 71570 Leynes, tél. 03.85.35.15.09, fax 03.85.35.15.09, e-mail jeanrijckaert@aol.com Y r.-v.

DOM. DE SAVAGNY Chardonnay 1998*

□ 2 ha 6 000 5 à 8 €

« Une robe vieil or ! Que de richesses en perspective », se dit le dégustateur en plongeant le nez dans le verre pour avoir confirmation de la réussite : oui, ce côtes du jura est puissant, épicé et complexe. Rond et racé, il a néanmoins cette bonne acidité qui soutient la structure. La finale longue offre une agréable fraîcheur sur un fond de fruits mûrs. Si les ris de veau ne rendent pas fou, ce mets procurera un moment de délice servi avec ce beau vin très typique. (30 à 49 F)

Claude Rousselot-Pailley, 140, rue Neuve, 39210 Lavigny, tél. 03.84.25.38.38, fax 03.84.25.31.25 Y r.-v.

JEAN TRESY ET FILS Poulsard 1999**

■ 0,6 ha 3 000 5 à 8 €

« Passant passionné du passé, ne passe pas à Passenans. Les beaux-arts n'ont jamais classé ici le moindre monument. Mais si c'est pour manger et boire, oh alors, c'est une autre histoire. Arrête-toi céans, tu seras bien à Passenans. » Disons-le tout net. Passenans est tout de même un charmant village. Mais il est vrai qu'avec ce pur poulsard, la viticulture est à l'honneur. A Passenans ou ailleurs, ce 99 dévoilera son nez à la fois épicé et végétal évoluant sur la cerise. Du volume s'affirme en bouche, mais aussi une très grande qualité aromatique. Une fort belle expression des vins rouges du Jura, qui sera optimale d'ici deux à trois ans. (30 à 49 F)

Jean Trésy et Fils, rte des Longevernes, 39230 Passenans, tél. 03.84.85.22.40, fax 03.84.44.99.73, e-mail tresy.vin@wanadoo.fr Y r.-v.

FRUITIERE VINICOLE DE VOITEUR
Cuvée Prestige 1997**

□ 2 ha 12 000 8 à 11 €

« Fruitière » est le nom franc-comtois des coopératives. Celle-ci vinifie 75 ha. Cette cuvée Prestige est composée de 80 % de chardonnay et de 20 % de savagnin. D'agréables effluves fruités nous montent au nez, vite rejoints par des notes de noix et d'épices. La bouche est ferme, soutenue par la pointe d'acidité adéquate. De la puissance et une palette aromatique qui va s'ouvrir : un vin typé et gourmand dont l'assemblage est parfaitement réussi. (50 à 69 F)

Fruitière vinicole de Voiteur, 60, rue de Nevy-sur-Seille, 39210 Voiteur, tél. 03.84.85.21.29, fax 03.84.85.27.67, e-mail voiteur@fruitiere-vinicole-voiteur.fr Y r.-v.

Crémant du jura

Reconnue par décret du 9 octobre 1995, l'AOC crémant du jura s'applique à des mousseux élaborés selon les règles strictes des crémants, à partir de raisins récoltés à l'intérieur de l'aire de production de l'AOC côtes du jura. Les cépages rouges autorisés sont le poulsard (ou ploussard), le pinot noir appelé localement gros noirien, le pinot gris et le trousseau ; les cépages blancs sont le savagnin (appelé localement naturé), le chardonnay (appelé melon d'Arbois ou gamay blanc). Notez qu'en 2000 ont été déclarés 14 985 hl de crémant.

FRUITIERE VINICOLE D'ARBOIS
1998*

○ 30 ha 150 000 5 à 8 €

Gérer une coopérative de cent vingt-huit adhérents c'est veiller, entre autres, à l'équilibre. Le crémant de cette fruitière honorablement connue a été élaboré dans le respect de cet indispensable équilibre. Le nez est plutôt féminin, dans les tons de fleurs blanches, d'agrumes ou de coing. Fruité, aromatique, le palais fait preuve d'une bonne longueur. (30 à 49 F)

Fruitière vinicole d'Arbois, 2, rue des Fossés, 39600 Arbois, tél. 03.84.66.11.67, fax 03.84.37.48.80 Y r.-v.

CAVEAU DES BYARDS 1998

○ n.c. 16 000 5 à 8 €

Une belle présentation : mousse fine et persistance correcte. Le nez, plutôt discret, s'exprime sur des tonalités de citron et de pomme verte. Le vin foisonne en bouche, sans excès ni de rondeur, ni de nervosité : c'est un crémant de bonne facture. (30 à 49 F)

🔑 Caveau des Byards, 39210 Le Vernois, tél. 03.84.25.33.52, fax 03.84.25.38.02 ☑ 🍷 r.-v.

MARCEL CABELIER 1998*

○ 60 ha 300 000 🍾 5 à 8 €

La Compagnie des Grands Vins du Jura est l'acteur principal de l'appellation. Son crémant du jura est élaboré à partir de chardonnay. Les bulles ne sont pas très petites mais elles ne perdent pas de temps pour monter à la surface du verre. Du raisin frais, de la pomme, du citron et une touche florale : c'est un nez sympathique. Sur la même base aromatique la bouche se développe agréablement. Un beau vin d'apéritif. (30 à 49 F)

🔑 Cie des Grands Vins du Jura, rte de Champagnole, 39570 Crançot, tél. 03.84.87.61.30, fax 03.84.48.21.36, e-mail jura@grandschais.fr ☑ 🍷 t.l.j. 8h-12h 13h-18h

DANIEL ET PASCAL CHALANDARD 1999*

○ 1,5 ha 4 000 5 à 8 €

Du chardonnay et du pinot noir composent ce crémant. De jolies bulles ponctuent une robe jaune très pâle dans un dégagement régulier. Pas très prolixe au nez, le vin s'exprime mieux en bouche. Avec une belle évolution sur la fraîcheur, il laisse au passage quelques notes fruitées et briochées. Il est fait pour l'apéritif. (30 à 49 F)

🔑 GAEC du Vieux Pressoir, rte de Voiteur, BP 30, 39210 Le Vernois, tél. 03.84.25.31.15, fax 03.84.25.37.62 ☑ 🍷 r.-v.

DENIS CHEVASSU 1999**

○ n.c. 2 000 🍾 5 à 8 €

Dans la famille Chevassu, on aime la viticulture bien que l'exploitation soit tournée également vers l'élevage. Ces bulles en sont la preuve. Une mousse de belle tenue dans une robe jaune pâle aux reflets de bronze annonce un premier nez exubérant, riche et complexe. D'abord floral, celui-ci évolue ensuite vers des notes d'agrumes, principalement citronnées. La bouche est plaisante, avec une finale de pomme verte bien persistante. Une excellente harmonie générale. (30 à 49 F)

🔑 Denis Chevassu, Granges Bernard, 39210 Menétru-le-Vignoble, tél. 03.84.85.23.67, fax 03.84.85.23.67 ☑ 🍷 r.-v.

DOM. VICTOR CREDOZ 1999*

○ 2 ha 7 000 🍾 5 à 8 €

Fondé en 1859 par Victor Credoz, ce domaine de plus de 10 ha est aujourd'hui exploité par Daniel et Jean-Claude Credoz. Une mousse fine, dans un beau cordon persistant. Assez floral, tant au nez qu'en bouche, voici un crémant très rond. Un brut pour les adeptes des méthodes douces. (30 à 49 F)

🔑 Dom. Victor Credoz, 39210 Menétru-le-Vignoble, tél. 06.80.43.17.44, fax 06.84.44.62.41 ☑ 🍷 t.l.j. 8h-12h 13h-19h

DOM. GRAND FRERES Prestige

○ 3 ha 25 000 8 à 11 €

C'est dans la dernière maison du village de Passenans, à gauche en direction de Frontenay, qu'on élabore ce crémant blanc de blancs dont la mousse très fine monte bien dans le verre. Le nez fin libère des nuances de pomme qui le rendent très frais. Encore sur la réserve, ce vin est bien équilibré en bouche. (50 à 69 F)

🔑 Dom. Grand Frères, rue du Savagnin, 39230 Passenans, tél. 03.84.85.28.88, fax 03.84.44.67.47 ☑ 🍷 t.l.j. 9h-12h 14h-18h; f. sam. dim. en jan. et fév.

CAVEAU DES JACOBINS

○ 2,3 ha 21 148 5 à 8 €

Le couvent des Jacobins fut offert en 1271 aux frères prêcheurs de Poligny par Alix de Méranie. C'est dans l'église transformée en chais que les vins furent élaborés pendant plus de quatre-vingts ans. Si tout le monde n'a pas le loisir d'offrir un couvent, chacun peut donner à déguster à ses amis ce crémant pétillant de jeunesse. Le nez est fleuri et se développe après ouverture. (30 à 49 F)

🔑 Caveau des Jacobins, rue Nicolas-Appert, 39800 Poligny, tél. 03.84.37.01.37, fax 03.84.37.30.47, e-mail caveaudesjacobins@free.fr ☑ 🍷 t.l.j. 9h30-12h 14h-18h30

DOM. DE LA TOURNELLE 1999*

○ 0,5 ha 3 000 🍾 8 à 11 €

Pascal Clairet a le sens de l'accueil et de l'animation. Il propose par exemple de célébrer la Fête de la musique au domaine avec charcuterie, fromage et bien sûr... vin et musique. Tout à fait dans la même veine, ce crémant ne cache pas son enthousiasme : les bulles se pressent. La pomme verte domine au nez ; le fruit ressort aussi en bouche, soutenu par une acidité bien présente. Doté d'une grande fraîcheur, c'est un vin qui passe tout seul. (50 à 69 F)

🔑 Pascal Clairet, 5, Petite-Place, 39600 Arbois, tél. 03.84.66.25.76, fax 03.84.66.27.15 ☑ 🍷 t.l.j. sf dim. 10h-12h30 14h30-19h

DOM. LIGIER PERE ET FILS 1998

○ 0,6 ha 4 000 🍾 5 à 8 €

Un crémant de course. Sa mousse est intense et se dégage rapidement dans une robe or pâle aux reflets rosés. Net au nez, il est vif en bouche sans être agressif. Comme il faut, quoi. Avec un joli fruité qui fera de lui un agréable apéritif. (30 à 49 F)

🔑 Dom. Ligier Père et Fils, 7, rte de Poligny, 39380 Mont-sous-Vaudrey, tél. 03.84.71.74.75, fax 03.84.81.59.82, e-mail ligier@netcourrier.com ☑ 🍷 r.-v.

FREDERIC LORNET*

○ 1 ha 6 600 🍾 5 à 8 €

Une mousse fine et régulière. Le nez est intense et fort agréable : après une première note d'agrumes se développent des arômes généreux de poire et de fruits mûrs. De très fines bulles s'échappent d'une bouche fraîche et fruitée qui se prolonge bien. Idéal pour une crème brûlée. (30 à 49 F)

JURA

🔑 Frédéric Lornet, L'Abbaye,
39600 Montigny-lès-Arsures, tél. 03.84.37.44.95,
fax 03.84.37.40.17 ☑ Y r.-v.

DOM. DE MONTBOURGEAU*

○ 2 ha 13 000 5à8€

Nicole Deriaux, fille de Jean Gros, est de ceux qui pensent que l'appellation crémant du jura a renforcé l'idée qu'à L'Etoile les vins effervescents sont rois. On lui donne raison quand on sent ce nez prometteur d'agrumes et de poire bien mûre. Dotée de la même qualité aromatique, la bouche se développe avec netteté et équilibre. Une harmonie et une délicatesse propres à réserver ce crémant aux fêtes de printemps. (30 à 49 F)

🔑 Jean Gros, Dom. de Montbourgeau,
39570 L'Etoile, tél. 03.84.47.32.96,
fax 03.84.24.41.44 ☑ Y r.-v.

DESIRE PETIT 1999

◐ 0,63 ha 5 600 5à8€

Issu du pinot noir, ce crémant rosé dégage une mousse importante et persistante. Dans sa robe framboise, on le sent à l'aise. Fruité en bouche, il est assez dosé, ce qui laisse une finale relativement sucrée. A servir au dessert.
(30 à 49 F)

🔑 Gérard et Marcel Petit, rue du Ploussard,
39600 Pupillin, tél. 03.84.66.01.20,
fax 03.84.66.26.59 ☑ Y r.-v.

FRUITIERE VINICOLE DE PUPILLIN 1999

○ 2 ha 18 000 5à8€

Des vignes relativement jeunes sont mises à contribution pour élaborer ce crémant. Un choix judicieux car les vins effervescents ne sont pas aussi exigeants sur cet aspect que les vins tranquilles. La mousse est persistante dans une robe jaune pâle. Du citron et des fruits exotiques apparaissent au nez. Un dosage moins élevé aurait rendu sans doute cette bouteille un peu plus fraîche ; elle est néanmoins très complexe.
(30 à 49 F)

🔑 Fruitière vinicole de Pupillin,
39600 Pupillin, tél. 03.84.66.12.88,
fax 03.84.37.47.16 ☑ Y r.-v.

XAVIER REVERCHON 1998*

○ 1 ha 9 600 5à8€

Du chardonnay et un peu de pinot noir et que vive la mousse ! Dans sa robe jaune légèrement rosée, les bulles s'en donnent à cœur joie. Une tonalité acidulée au nez, sur le citron, la pomme et le raisin. C'est franc, fin et net. En bouche, l'ensemble est marqué par la finesse, dans une bonne structure où l'acidité a sa juste place. Un crémant de grande classe à boire sur les coups de minuit. (30 à 49 F)

🔑 Xavier Reverchon, EARL de Chantemerle,
2, rue de Clos, 39800 Poligny,
tél. 03.84.37.02.58, fax 03.84.37.00.58 ☑ Y r.-v.

JACQUES TISSOT 1998*

○ 2,5 ha 12 000 5à8€

Les bulles fusent mais ne persistent point. Un joli nez cependant, entre croûte de pain et pomme reinette. La bouche, avec de la matière, ne joue pas sur la fraîcheur et la jeunesse, mais présente un très bel équilibre et une réelle maturité. Il convient de boire ce crémant cet hiver au cours d'un repas plutôt qu'à l'apéritif.
(30 à 49 F)

🔑 Jacques Tissot, 39, rue de Courcelles,
39600 Arbois, tél. 03.84.66.14.27,
fax 03.84.66.24.88 ☑ Y r.-v.

JEAN-YVES VAPILLON 1998

○ 0,5 ha 3 500 5à8€

Jean-Yves Vapillon vous accueille à Lons-le-Saunier, sur la route de Macornay. Son crémant est issu du chardonnay. Les bulles s'échappent d'une robe jaune doré. Après un nez fruité légèrement mentholé, la bouche affiche des notes d'agrumes alors que la finale fait penser à la fleur d'oranger. (30 à 49 F)

🔑 Jean-Yves Vapillon, 120, rte de Macornay,
39000 Lons-le-Saunier, tél. 03.84.47.45.65,
fax 03.84.43.21.88 ☑ Y t.l.j. sf lun. dim.
14h-18h30

L'étoile

Le village doit son nom à des fossiles, segments de tiges d'encrines (échinodermes en forme de fleurs), petites étoiles à cinq branches. Son vignoble (76 ha) a produit 3 800 hl de vins blancs, jaunes, de paille et mousseux en 2000.

DOM. GENELETTI Vin de paille 1997**

□ 0,4 ha 1 900 15à23€

Beaucoup de chardonnay, un peu de savagnin et une pointe de poulsard : voilà l'assemblage choisi par Michel Geneletti et son fils pour élaborer cette bouteille. Couleur pain d'épice, il en a aussi le nez. Dès l'attaque, on sent un très grand vin de paille : structure solide, richesse aromatique en particulier du côté de la datte séchée, très belle harmonie. Tarte aux pommes et à la cannelle vivement recommandée.
(100 à 149 F)

🔑 Dom. Michel Geneletti et Fils,
373, rue de l'Eglise, 39570 L'Etoile,
tél. 03.84.47.46.25, fax 03.84.47.38.18 ☑ Y r.-v.

CH. DE L'ETOILE Vin jaune 1993**

□ 5 ha 10 500 23à30€

Sous une robe d'or patiné se cache un vin d'approche agréable. Le nez est vineux, brioché et miellé. La bouche harmonieuse présente une belle structure. Noix verte et citronnelle se partagent une longueur honorable. Un remarquable spécimen du millésime 93 qui est prêt mais peut encore attendre. Rappelons que ce domaine a reçu de nombreux coups de cœur.
(150 à 199 F)

Vandelle et Fils, Ch. de L'Etoile,
994, rue Bouillod, 39570 L'Etoile,
tél. 03.84.47.33.07, fax 03.84.24.93.52 r.-v.

DOM. DE MONTBOURGEAU 1997**

□ n.c. 2 000 11 à 15 €

Au domaine de Montbourgeau, on élabore cette cuvée de savagnin depuis 1993 ; on permet ainsi l'expression de ce cépage si particulier dans un registre un peu différent de celui du vin jaune. Il aura fallu tout de même quatre ans d'élevage en cuve puis en fût de chêne pour obtenir un vin doré, riche et franc au nez. Avec des notes minérales mais aussi de foin coupé et de la noix verte, la complexité ne lui fait pas défaut. En bouche, l'acidité est en équilibre avec l'alcool, et le bon niveau aromatique est confirmé. Ce vin typé et très élégant sera à l'aise en compagnie d'une volaille en sauce ou d'une blanquette. (70 à 99 F)

Jean Gros, Dom. de Montbourgeau,
39570 L'Etoile, tél. 03.84.47.32.96,
fax 03.84.24.41.44 r.-v.

DOM. DE MONTBOURGEAU
Vin jaune 1994**

□ 1 ha 2 000 23 à 30 €

Jean Gros produit du vin jaune sur marnes bleues et grises depuis 1985. Celui-ci est vinifié depuis quelques années en fût de chêne. Encore assez discret sur son caractère de jaune au nez, il s'ouvre à la longue sur des notes de noix verte. La bouche, encore très fraîche, est marquée par un côté citronné puissant. Il est évident qu'en le mettant de côté une dizaine d'années, on retrouvera alors une bouteille d'une grande lignée. (150 à 199 F)

Jean Gros, Dom. de Montbourgeau,
39570 L'Etoile, tél. 03.84.47.32.96,
fax 03.84.24.41.44 r.-v.

DOM. DE MONTBOURGEAU
Vin de paille 1997**

□ n.c. 2 000 15 à 23 €

Jean Gros a transmis à sa fille, Nicole Deriaux, tout son savoir-faire en matière de vin de paille. Notre coup de cœur de l'an dernier continue à émouvoir le jury avec un vin d'un autre millésime qui fleure bon l'écorce d'orange. Beaucoup de raisin sec en bouche avec une finale épicée et une touche de miel. De l'équilibre et de la longueur. Pas de doute, c'est une jolie bouteille, très typique d'un vin de paille. Avec une tarte à l'orange, vous allez faire des heureux. (100 à 149 F)

Jean Gros, Dom. de Montbourgeau,
39570 L'Etoile, tél. 03.84.47.32.96,
fax 03.84.24.41.44 r.-v.

CH. DE PERSANGES
Vin de paille 1997***

□ 0,5 ha 2 000 11 à 15 €

Dans l'exploitation d'Arnaud Lionel-Marie d'Arc et de son épouse Isabelle, certains travaux de la vigne sont réservés à des jeunes en « éducation spécialisée ». A l'école du vin de paille, on pourrait voir ici l'œuvre d'un maître. Dans sa robe paille d'avoine, ce 97 offre un très joli nez de miel, d'orange confite, d'abricot et de raisins secs. Le passage du nez à la bouche se fait en toute harmonie dans une richesse aromatique magnifique. L'abricot domine mais le zeste d'orange confite est toujours là. Aucune impression pâteuse en fin de bouche où l'équilibre apparait superbement. Qu'on le boive tout de suite ou qu'on l'attende, ce très beau liquoreux n'a pas fini de faire parler de lui. (70 à 99 F)

Ch. de Persanges, rte de Saint-Didier,
39570 L'Etoile, tél. 03.84.47.46.56,
fax 03.84.47.46.56 t.l.j. 9h30-12h
14h30-19h; f. dim. lun.
Lionel-Marie d'Arc

La Savoie

Du lac Léman à la vallée de l'Isère, dans les deux départements de la Savoie et de la Haute-Savoie, le vignoble occupe les basses pentes favorables des Alpes. En constante extension (près de 1 800 ha), il produit bon an mal an environ 130 000 hl. Il forme une mosaïque complexe au gré des différentes vallées dans lesquelles il est établi en îlots plus ou moins importants. Cette diversité géographique se retrouve dans les variantes climatiques, les caractères montagnards étant accentués par le relief ou tempérés par le voisinage des lacs Léman et du Bourget.

Vin de savoie et roussette de savoie sont les appellations régionales, utilisées dans toutes les zones ; elles peuvent être suivies de la mention d'un cru, mais ne s'appliquent alors en général qu'à des vins tranquilles, uniquement blancs pour les roussettes. Les vins des secteurs de Crépy et de Seyssel ont droit chacun à leur propre appellation.

Les cépages, du fait de la grande dispersion du vignoble, sont assez nombreux mais, en réalité, un certain nombre n'existent qu'en très faible quantité : le pinot et le chardonnay, notamment. Quatre blancs et deux noirs sont les principaux, en même temps que ceux qui donnent des vins originaux spécifiques. Le gamay, importé du Beaujolais voisin après la crise phylloxérique, est celui des vins frais et légers, à consommer dans l'année. La mondeuse, cépage local, donne des vins rouges bien charpentés, notamment à Arbin, dont elle est la variété exclusive ; c'était, avant le phylloxéra, le cépage le plus important de la Savoie ; il est souhaitable qu'il reprenne sa place, car ses vins sont de belle qualité et ont beaucoup de caractère. La jacquère est le cépage blanc le plus répandu ; elle donne des vins blancs frais et légers, à consommer jeunes. L'altesse est un cépage très fin, typiquement savoyard, celui des vins blancs vendus sous le nom de roussette de savoie. La roussanne portant le nom local de bergeron, donne également des vins blancs de haute qualité, spécialement à Chignin, avec le chignin-bergeron. Enfin, le chasselas, présent sur les rives du lac Léman est utilisé dans la partie Haut-Savoyarde de l'AOC.

Crépy

Comme sur toute la rive du lac Léman, c'est le chasselas qui est planté dans le vignoble de Crépy (80 ha), dont il est le cépage unique. Il donne environ 4 800 hl de vin blanc léger. Cette petite région a obtenu l'AOC en 1948.

DOM. LE CHALET 2000*

☐ 2 ha 13 000 ⏸ 5à8€

D'un bel or jaune, très complexe au nez, marqué par les épices dans un ensemble où l'on retrouve la pêche et les fruits secs, ce vin réclame une dégustation attentive. Sa bouche révèle puissance et gras. Une bouteille au potentiel intéressant, qui accompagnera notamment les spécialités savoyardes au fromage. (30 à 49 F)

Jacques Métral, Dom. Le Chalet, 74140 Loisin, tél. 04.50.94.10.60, fax 04.50.94.18.39

☑ Ɪ t.l.j. sf dim. 9h-12h 14h-19h

Vin de savoie

Le vignoble donnant droit à l'appellation vin de savoie est installé le plus souvent sur les anciennes moraines glaciaires ou sur les éboulis, ce qui, joint à la dispersion géographique, conduit à une diversité qui est souvent consacrée par l'adjonction d'une dénomination locale à celui de l'appellation régionale. Au bord du Léman, c'est, comme sur la rive suisse, le chasselas qui, à Marin, Ripaille, Marignan, donne des vins blancs légers, à boire jeunes, et que l'on élabore souvent perlants. Les autres zones ont des cépages différents et, selon la vocation des sols, produisent des vins blancs ou des vins rouges. On trouve ainsi, du nord au sud, Ayze, au bord de l'Arve, avec des vins blancs pétillants ou mousseux, puis, au bord du lac du Bourget (et au sud de l'appellation seyssel), la Chautagne, dont les vins rouges en particulier ont un caractère affirmé. Au sud de Chambéry, les bords du mont Granier recèlent des vins blancs frais, comme l'apremont et le cru des Abymes, vignoble établi sur un effondrement qui, en 1248, fit des milliers de victimes. En face, Montermimod, envahi par l'urbanisation, a malgré tout conservé un vignoble qui donne des vins remarquables ; il est suivi de ceux de Saint-Jeoire-Prieuré, de l'autre côté de Challes-les-Eaux, puis de Chignin, dont le bergeron a une renommée parfaitement justifiée. En remontant l'Isère, par la rive droite, les pentes sud-est sont occupées par les crus de Montmélian, Arbin, Cruet et Saint-Jean-de-la-Porte.

Produits en faible quantité, mais avoisinant les 130 000 hl dans une région très touristique, les vins de savoie sont surtout consommés dans leur jeunesse, sur place, avec un marché où la

La Savoie

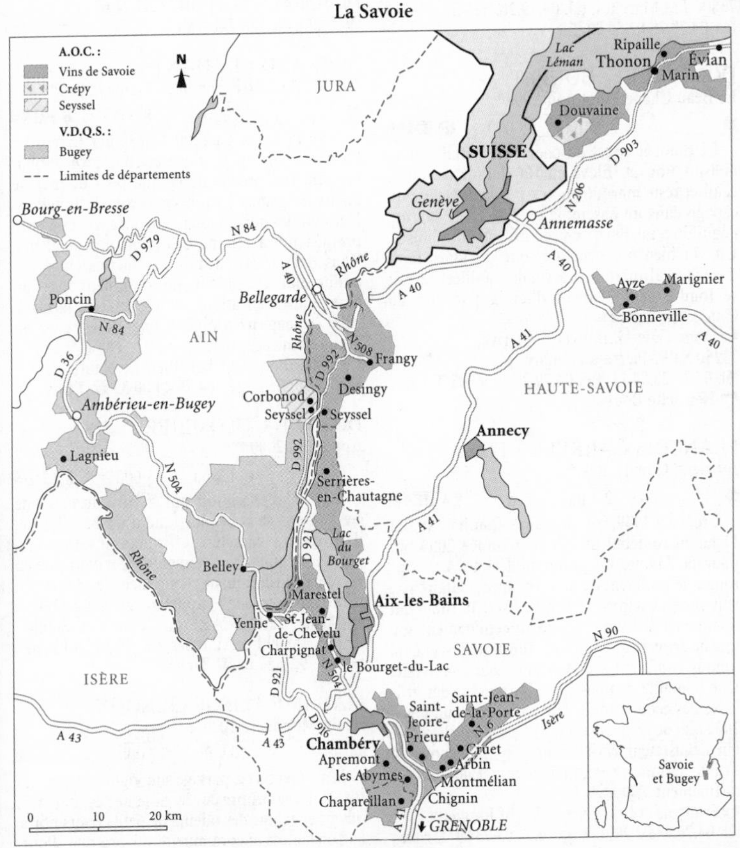

demande dépasse parfois l'offre. Les vins de savoie blancs vont bien sur les produits des lacs ou de la mer, et les rouges issus de gamay s'accordent avec beaucoup de mets. Il est cependant dommage de consommer jeunes les vins rouges de mondeuse, qui ont besoin de plusieurs années pour s'épanouir et s'assouplir : ces bouteilles de haut niveau conviendront aux plats puissants, au gibier, à l'excellente tomme de Savoie et au fameux reblochon.

BLARD ET FILS

Apremont Cuvée Thomas Vieilles vignes 2000*

□ 0,6 ha 5 000 5à8€

Ce domaine élabore Abymes et Apremont. Cette année l'apremont, issu de vignes âgées d'une quarantaine d'années, présente un nez très subtil aux nuances de fleurs blanches caractéristiques. Toute la légèreté des vins de jacquère se retrouve dans la bouche un rien citronnée même si la finale est marquée par une note plus minérale. Bien fait, ce 2000 accompagnera les poissons en sauce. (30 à 49 F)

EARL Blard et Fils, Le Darbé, 73800 Les Marches, tél. 04.79.28.16.64, fax 04.79.28.01.35 r.-v.

DOM. G. ET G. BOUVET

Le Beau Chêne Pinot noir 2000*

■ 2,94 ha 90 000 5à8€

Le pinot noir est un cheval de bataille de la maison Bouvet. Elevé en fût durant six mois, celui-ci reste marqué au nez par le caractère du cépage dans un ensemble réglissé. Très charnu, l'équilibre est réussi entre fruit et note boisée. Un vin bien né, structuré, que quelques mois d'élevage affineront. La finale vanillée devrait se fondre agréablement d'ici la parution du Guide. (30 à 49 F)

Dom. G. et G. Bouvet, Fréterive, 73250 Saint-Pierre-d'Albigny, tél. 04.79.28.54.11, fax 04.79.28.51.97 r.-v.

Henriette Bouvet

FRANCOIS CARREL ET FILS

Jongieux Gamay 2000*

■ 2,5 ha n.c. 3à5€

Créé en 1949, ce domaine familial atteint 11 ha en ce début de XXIe s. L'année 2000 fut, pour la Savoie, un grand millésime. Les vins rouges le prouvent de manière spectaculaire par leur robe aux tons profonds. C'est le rubis qui domine ici. L'attaque révèle immédiatement une touche griottée qui perdure. Tanins ronds et déjà fondus confèrent à ce vin une note conviviale. Une bouteille de plaisir, à déguster sur des grillades dès cet automne. Cité par le jury, un **blanc 2000** issu de jacquère est d'une extrême élégance. Un dégustateur écrit : « un vin intellectuel ». Fruits, agrumes, rose, nuance minérale, tout est raffinement. (20 à 29 F)

François et Eric Carrel, 73170 Jongieux, tél. 04.79.44.02.20, fax 04.79.44.03.73 r.-v.

CATHERINE ET BRUNO CARTIER

Apremont Jacquère 2000*

□ 6,5 ha 56 000 3à5€

Issu de vignes situées sur le crétacé supérieur qui caractérise une partie du terroir de l'AOC, ce vin explose de minéralité à la prise en bouche. Très rond, voire puissant, il laisse place aux arômes de fruits, typiques d'une bonne maturité. Une bouteille qui tiendra quelques années. (20 à 29 F)

Bruno Cartier, Saint-Vit, 73190 Apremont, tél. 04.79.28.20.05, fax 04.79.71.64.75 r.-v.

MICHEL ET MIREILLE CARTIER

Apremont Jacquère 2000*

□ 2,2 ha 15 000 5à8€

Le vin du président du Syndicat régional des vins de Savoie. Tout est réussi dans ce 2000 : son nez floral est dominé par l'aubépine et le tilleul. Son léger perlant s'efface rapidement pour laisser s'exprimer un bon équilibre soutenu par une légère amertume de bon aloi. La finale exprime des notes minérales, typiques de cette appellation. Une jolie bouteille qui accompagnera les mets les plus fins. (30 à 49 F)

Michel et Mireille Cartier, EARL du Château, rue du Puits, 38530 Chapareillan, tél. 04.76.45.21.26, fax 04.76.45.21.67 t.l.j. 8h-12h 14h-18h

BERNARD ET CHANTAL CHEVALLIER

Jongieux Gamay 2000**

■ 2,73 ha 8 000 3à5€

Jean-Pierre et Chantal Chevallier livrent ici un grand vin rouge, riche et complexe. Probablement très proche de ce que peut donner de mieux un gamay issu de ce terroir de Jongieux. Deux étoiles qui devraient encourager ces jeunes producteurs à rejoindre le club des meilleurs. Vous devriez être séduit par la puissance des tanins qui cependant ne dominent pas un ensemble de sensations complexes. Une **jacquère 2000 en jongieux** a obtenu une étoile : c'est un grand blanc sec, riche et disert. (20 à 29 F)

EARL Bernard Chevallier, Le Haut, 73170 Jongieux, tél. 04.79.44.00.33 r.-v.

DOM. DU COLOMBIER

Apremont 2000***

□ 1,2 ha 13 000 5à8€

Un vin d'exception qui a frôlé le coup de cœur. Dans sa robe classique d'un bel or pâle, il révèle un caractère affirmé, sans fioriture, presque brutal. Très plein et long, il confirme en fin de dégustation une présence de classe. La meilleure note dans l'appellation. (30 à 49 F)

Michel Tardy, EARL du Colombier, Saint-André, 73800 Les Marches, tél. 04.79.28.13.93, fax 04.79.71.57.64 r.-v.

MADAME ALEXIS GENOUX

Arbin Mondeuse 2000**

■ 0,9 ha 7 000 5à8€

Mme Genoux a partagé son vignoble avec ses fils. Voici sa propre cuvée. Si le nez est déjà très ouvert et exhale des odeurs de petits fruits noirs, la bouche est encore muette ou presque. Pourtant, derrière cette austérité juvénile, se cache un vin de caractère, remarquablement charpenté. Vous pourrez encaver sans hésitation cet arbin et vous lui accorderez quelques années de mûrissement. (30 à 49 F)

Mme Alexis Genoux, 335, chemin des Moulins, 73800 Arbin, tél. 04.79.84.24.30 t.l.j. 8h-12h 14h-18h

ANDRE GENOUX
Arbin Mondeuse Cuvée Comte Rouge 1999**

■ 0,5 ha 4 000 5 à 8 €

Issu d'une petite parcelle de vignes âgées de quarante ans, voici un 99 au nez délicieusement vanillé relevé par des notes de fruits rouges. La bouche apparaît fondue, révélant des tanins discrets mais bien présents. Un vin somme toute civilisé, velouté, qui accompagnera avec bonheur les viandes rouges. (30 à 49 F)

André Genoux, 450, chemin des Moulins, 73800 Arbin, tél. 04.79.65.24.32 r.-v.

CHARLES GONNET Chignin 2000

□ 6 ha 60 000 5 à 8 €

Ne vous fiez pas à la robe claire, à peine égayée par quelques reflets vert-argent, car ce vin vous emmène immédiatement dans une sarabande joyeuse où se mêlent les fruits jaunes, les fleurs blanches et autres notes de noisette. Une bouteille réussie dont la dégustation reste marquée par une pointe amère-acide qui ne manquera pas de s'arrondir pour la sortie du Guide. (30 à 49 F)

Charles Gonnet, Chef-lieu, 73800 Chignin, tél. 04.79.28.09.89, fax 04.79.71.55.91, e-mail charles.gonnet@wanadoo.fr r.-v.

JEAN-PIERRE ET PHILIPPE GRISARD
Saint-Jean-de-la-Porte Mondeuse 1999

■ 1,2 ha 8 000 5 à 8 €

Le mérite n'est pas mince d'émerger de notre sélection avec un millésime 99. Notre jury a apprécié ce vin aux reflets pourpres, doté d'une palette aromatique dominée par les fruits rouges. La structure éclate en bouche, soutenue par des tanins vigoureux qui méritent encore un peu de temps pour s'assagir. (30 à 49 F)

Jean-Pierre et Philippe Grisard, Chef-lieu, 73250 Fréterive, tél. 04.79.28.54.09, fax 04.79.71.41.36 t.l.j. sf dim. 8h-12h 13h30-18h30

EDMOND JACQUIN ET FILS
Mondeuse 2000

■ 2 ha 15 000 5 à 8 €

Voici un beau vin rouge aux tons pourpres et rubis. Les arômes bien typiques de cassis introduisent une dégustation très longue où domine une sensation de matière. Le caractère soyeux des tanins, leur persistance montrent une bonne extraction. Un vin de mondeuse classique, très harmonieux, que vous aurez plaisir à faire découvrir à vos amis. (30 à 49 F)

Edmond Jacquin et Fils, Le Haut, 73170 Jongieux, tél. 04.79.44.02.35, fax 04.79.44.03.05 r.-v.

DOM. LA COMBE DES GRAND'VIGNES Chignin 2000

□ 5 ha 20 000 5 à 8 €

Pas de surprise dans ce blanc au bel or vert. Intense et ouvert au nez où dominent des notes florales, il s'offre sans retenue en bouche : après une attaque franche et fraîche se développent des arômes agréablement citronnés. (30 à 49 F)

Denis et Didier Berthollier, Dom. La Combe des Grand'Vignes, Le Viviers, 73800 Chignin, tél. 04.79.28.11.75, fax 04.79.28.16.22, e-mail berthollier@chignin.com r.-v.

LES ROCAILLES
Apremont Jacquère 2000**

□ 7 ha 5 à 8 €

Notre jury a particulièrement apprécié ce vin très complexe, soutenu par la présence de quelques sucres résiduels cependant bien fondus. De son bel or vert, il exhale des fragrances de violette et de fleurs blanches. La bouche aux arômes de fruits mûrs exprime la richesse de la matière première et se termine par quelques notes minérales, marque d'un terroir parfois discret mais subtil. Son mariage avec les poissons des lacs sera des plus réussis. (30 à 49 F)

Pierre Boniface, Les Rocailles, Saint-André, 73800 Les Marches, tél. 04.79.28.14.50, fax 04.79.28.16.82, e-mail pierre.boniface@wanadoo.fr t.l.j. sf sam. dim. 8h30-12h 14h-18h

DOM. DE L'IDYLLE Cruet Jacquère 2000

□ 8 ha 40 000 3 à 5 €

Les frères Tiollier, installés au pied des coteaux de Cruet, élaborent en blanc et rouge des vins vinifiés avec soin. Le savoir-faire, la maîtrise technologique transparaissent dans ce blanc primesautier aux fragrances printanières. Marqué par une vinification à basse température, il est franc et typé, bien représentatif de son appellation. (20 à 29 F)

Ph. et F. Tiollier, Dom. de l'Idylle, Saint-Laurent, 73800 Cruet, tél. 04.79.84.30.58, fax 04.79.65.26.26 r.-v.

DOM. MICHEL MAGNE
Apremont Tête de cuvée 2000**

□ 1,2 ha 7 000 5 à 8 €

Voici un apremont issu d'un terroir constitué par l'éboulement du mont Granier en 1248. Le très bon millésime 2000 lui a donné ampleur et complexité. Notre jury a aimé ses notes de fruits exotiques. En bouche, c'est la mangue qui domine. Bien structuré, rond, ce vin n'en garde pas moins un équilibre remarquable que lui confère une pointe de fraîcheur apportée par une finale légèrement citronnée. (30 à 49 F)

Michel Magne, Saint-André, 38530 Chapareillan, tél. 04.79.28.07.91, fax 04.79.28.17.96 t.l.j. sf dim. 14h-18h

M. ET X. MILLION-ROUSSEAU
Jongieux Jacquère 2000**

□ 1,5 ha 11 000 3 à 5 €

Exploitant le petit coteau de Monthoux, classé dans le cru Jongieux, Michel Million vinifie avant tout d'excellents vins blancs. Ce mil-

SAVOIE

lésime 2000 très favorable lui a permis de livrer ce remarquable vin sec de jacquère. Là encore, la palette aromatique est variée à l'infini. Les notes réglissées côtoient celles, plus aériennes, de buis et de fleurs blanches. La bouche est un enchantement de fruits, soutenue par une longue persistance. Un ensemble rare et précieux. (20 à 29 F)

M. et X. Million-Rousseau, Monthoux, 73170 Saint-Jean-de-Chevelu, tél. 04.79.36.83.93, fax 04.79.36.83.93 t.l.j. sf dim. 8h-12h 14h-19h

DOM. MARC PORTAZ Abymes 2000*

☐ 1 ha 8 000 5à8€

Le jury a révélé la couleur de sa robe d'un jaune un peu plus marqué que la moyenne. La bouche, riche et ample, d'une longueur remarquable, offre une palette aromatique où dominent les agrumes. Les Portaz (père et fils) soignent un millésime très favorable qui a trouvé ici l'une de ses plus belles expressions. (30 à 49 F)

EARL Dom. Marc Portaz, allée du Colombier, 38530 Chapareillan, tél. 04.76.45.23.51, fax 04.76.45.57.60 r.-v.

ANDRE ET MICHEL QUENARD
Chignin Mondeuse Vieilles vignes Coteau de Torméry 2000***

■ 1,38 ha 10 000 5à8€

Coup de cœur unanime pour cette belle mondeuse au nez de petits fruits rouges réglissés. La bouche révèle une complexité aromatique hors du commun où se mêlent mûres et myrtilles enveloppées dans une finale cacaotée. Ses tanins soyeux et amples lui confèrent une rare longueur. Un vin déjà très civilisé mais qui s'exprimera davantage après quelques années de garde. (30 à 49 F)

André et Michel Quénard, Torméry, 73800 Chignin, tél. 04.79.28.12.75, fax 04.79.28.09.60 r.-v.

ANDRE ET MICHEL QUENARD
Chignin Bergeron Les Terrasses Coteau de Torméry 2000**

☐ 3 ha 13 000 8à11€

On ne s'étonnera pas que Marc Veyrat, l'un des plus inventifs restaurateurs français, mais aussi Savoyard, ait une prédilection pour ce domaine : un coup de cœur pour une mondeuse et les félicitations du jury pour ce remarquable chignin bergeron issu des vendanges récoltées par tries successives. Une fermentation lente a permis d'élaborer un vin déjà très complexe et ouvert. Malgré la puissance alcoolique qui se dégage, celui-ci garde un bon équilibre qui prouve la qualité de l'extraction. A acheter à la sortie du Guide et à laisser évoluer quelques années. (50 à 69 F)

André et Michel Quénard, Torméry, 73800 Chignin, tél. 04.79.28.12.75, fax 04.79.28.09.60 r.-v.

DOM. J.-PIERRE ET J.-FRANCOIS QUENARD
Chignin Bergeron Vieilles vignes 2000*

☐ 1 ha 7 000 5à8€

Situé au pied des tours de l'ancien château de Chignin, ce domaine est mené par Jean-François Quénard, œnologue diplômé de la faculté de Dijon. Trois vins présentés, trois vins retenus. Belle réussite pour ce bergeron aux arômes très fruités. La bouche, très franche, laisse rapidement une impression de rondeur, soutenue par la qualité de la matière première, récoltée en plusieurs passages. Ce vin garde une fraîcheur agréable qui lui confère une harmonie élégante. Une bouteille de classe à encaver sans hésitation. Autre cuvée blanche issue de jacquère, **Anne de la Biguerne 2000**, ample, complexe, longue, obtient également une étoile. (30 à 49 F)

Dom. J.-Pierre et J.-François Quénard, Caveau de la Tour Villard, Le Villard, 73800 Chignin, tél. 04.79.28.08.29, fax 04.79.28.18.92 r.-v.

DOM. J.-PIERRE ET J.-FRANCOIS QUENARD Mondeuse 2000**

■ 0,3 ha 2 500 5à8€

Dans cette minuscule cuvée, les vignerons ont mis tout leur amour de la belle ouvrage. Cette année, des vendanges en vert ont précédé la récolte. Doté d'une maturité optimale, ce vin laisse éclater sa magnificence tant au nez qu'en bouche. Plénitude, longueur, complexité du bouquet font de cette bouteille un produit rare. A encaver sans hésitation à la sortie du Guide. (30 à 49 F)

Dom. J.-Pierre et J.-François Quénard, Caveau de la Tour Villard, Le Villard, 73800 Chignin, tél. 04.79.28.08.29, fax 04.79.28.18.92 r.-v.

LES FILS DE RENE QUENARD
Chignin 2000**

■ 1 ha 8 000 5à8€

Les frères Quénard soignent particulièrement leur parcelle de pinot. Cette année encore, la réussite est là. A la clé, un vin au nez sauvage, aux notes animales fort marquées qui introduisent une bouche très charnue. Puissance et finesse se conjuguent jusque dans la finale enlevée. Un peu de temps sera nécessaire à cette bouteille pour parfaire son discours. (30 à 49 F)

Les Fils de René Quénard, Les Tours, cidex 4707, 73800 Chignin, tél. 04.79.28.01.15, fax 04.79.28.18.98 r.-v.

PHILIPPE RAVIER
Chignin Bergeron 2000★

☐ 3,6 ha n.c. 5à8€

Les vignes de Philippe Ravier, installées sur les coteaux de Francin, occupent l'une des meilleures situations de l'appellation. Ce vin ne renie pas ses origines car sa dégustation est marquée par une impression de puissance au nez comme en bouche. Vous pouvez le laisser mûrir sagement quelques années en cave. (30 à 49 F)

Philippe Ravier, Léché, 73800 Myans, tél. 04.79.28.17.75, fax 04.79.28.17.75 r.-v.

CLAUDE TARDY Abymes 2000★

☐ 3,1 ha 10 000 3à5€

Etabli sur les hauteurs de la seule commune de l'Isère appartenant à l'aire de production vin de Savoie (Chapareillan), Claude Tardy a élevé un bien joli vin. Très attentif à sa matière première, il a réussi une bouteille alliant vivacité et longueur en bouche. Des nuances florales où domine le tilleul précèdent une bouche suave et pleine de fraîcheur, au bouquet d'agrumes typique d'un bon Abymes, élaboré à partir de vignes âgées (soixante ans). (20 à 29 F)

Claude Tardy, Saint-Marcel, 38530 Chapareillan, tél. 04.76.45.24.97 r.-v.

GILBERT TARDY Apremont 2000★

☐ 1 ha 9 000 3à5€

Un apremont des plus classiques, encore juvénile le jour de la dégustation. Sa vinification traditionnelle lui permet d'exprimer avec vigueur les caractères de son terroir. Le nez est floral et la bouche ne demande qu'à se fondre. Il sera prêt à l'automne 2001. (20 à 29 F)

Gilbert Tardy, La Plantée, 73190 Apremont, tél. 04.79.28.23.78, fax 04.79.28.23.78 r.-v.

LES FILS DE CHARLES TROSSET
Arbin Mondeuse 2000★

■ 4 ha n.c. 5à8€

Les frères Trosset sont des habitués du Guide et, cette année encore, ils proposent un arbin au nez très ouvert, à la robe rouge profond. C'est un festival de fruits rouges pimentés, de notes mentholées, voire de sous-bois, qui nous accompagnent durant la dégustation. La bouche est soutenue par de jolis tanins réglissés lui conférant un excellent équilibre. (30 à 49 F)

SCEA Les Fils de Charles Trosset, chem. des Moulins, 73800 Arbin, tél. 04.79.84.30.99, fax 04.79.84.30.99 r.-v.

DOM. VIALLET
Apremont Jacquère Vieilles vignes 2000

☐ 8 ha 40 000 3à5€

Créé en 1966, ce domaine de 18 ha est dirigé par Pierre Viallet depuis 1983. Notre jury a tenu à citer cet apremont d'un bel or pâle, au charme discret. Le nez mêle des notes d'évolution et de fruits blancs. Très agréable, la bouche offre une suite de sensations jouant sur la rondeur. Vinifié sur lies à basse température, c'est un vin presque trop sage pour le millésime. (20 à 29 F)

GAEC Dom. Viallet, rte de Myans, 73190 Apremont, tél. 04.79.28.33.29, fax 04.79.28.20.68, e-mail viallet@aol.com t.l.j. sf dim. 8h-12h 14h-18h

JEAN VULLIEN ET FILS
Chignin Bergeron 2000★

☐ 1,8 ha 14 000 5à8€

Les Vullien ont investi depuis plusieurs années les coteaux de Montmélian. Bien leur en a pris, car le résultat est à la hauteur des espérances si l'on en juge par ce chignin bergeron aux arômes délicats de pêche et d'abricot. La bouche, franche et nette, se prolonge agréablement, soutenue par une vivacité de bon aloi. Un vin plaisant, où dominent la finesse et l'élégance. Il devrait accompagner les poissons grillés et les viandes blanches. Une **mondeuse Saint-Jean-de-la-Porte 2000** obtient également une étoile. Ce cru est en pleine renaissance et promet d'être grand. (30 à 49 F)

EARL Jean Vullien et Fils, La Grande Roue, 73250 Fréterive, tél. 04.79.28.61.58, fax 04.79.28.69.37, e-mail domaine.jean.vullien.et.fils@wanadoo.fr t.l.j. sf dim. 8h30-12h 14h-18h30

Roussette de savoie

Issue du seul cépage altesse (depuis le nouveau décret du 18 mars 1998), la roussette de savoie se trouve essentiellement à Frangy, le long de la rivière des Usses, à Monthoux et à Marestel, au bord du lac du Bourget. L'usage qui veut que l'on serve jeunes les roussettes de ce cru est regrettable, puisque, bien épanouies avec l'âge, elles font merveille avec des préparations de poisson ou de viandes blanches ; ce sont elles qui accompagnent le beaufort local.

DOM. G. BLANC ET FILS 2000

☐ 0,6 ha 5 800 5à8€

Les Blanc, père et fils, savent tirer la « substantifique moëlle » de ce terroir chahuté des Abymes et reçoivent chaque année la reconnaissance de nos jurés pour leur roussette de savoie. Ce vin, tout en discrétion mais subtil, se livre finalement sans trop de réticence : d'abord vive puis soutenue par des arômes de fruits et d'amande, la bouche se montre pleine et harmonieuse. A boire. (30 à 49 F)

🔑 Dom. Gilbert Blanc et Fils,
73, chem. de Revaison, 73190 Saint-Baldoph,
tél. 04.79.28.36.90, fax 04.79.28.36.90
☑ 🍷 t.l.j. sf mar. dim. 9h-12h 15h-19h

GILBERT BOUCHEZ 2000★★

☐ 1 ha 8 000 🍾 5à8€

Gilbert Bouchez n'a pas toujours été viticulteur à plein temps mais son amour des vins ne s'est jamais démenti. Déjà détenteur d'une étoile pour sa cuvée 99, il en ajoute une seconde cette année. Le nez est profond, marqué par des notes de truffe et de vanille ; la bouche ample et ronde propose une finale à caractère de fruits mûrs. Une grande bouteille, à encaver à la sortie du Guide. Elle devrait accompagner élégamment les soufflés savoyards ou autres. (30 à 49 F)

🔑 Gilbert Bouchez, Saint-Laurent,
73800 Cruet, tél. 04.79.84.30.91,
fax 04.79.84.30.50 ☑ 🍷 r.-v.

JEAN-PIERRE ET PHILIPPE GRISARD 1999★

☐ 1,24 ha 10 000 🍾 5à8€

Viticulteurs-pépiniéristes, les Grisard habitent Fréterive. La commune, voisine de Saint-Pierre d'Albigny, possède le château de Miolans où le marquis de Sade fut enfermé en 1772. Ce vin offre des arômes de fruits mûrs et d'épices. Sa bouche révèle une attaque franche et vive très agréable. On percevra en fin de dégustation une note d'abricot et de poire. Une jolie bouteille que l'on pourra servir sur un poisson en sauce. (30 à 49 F)

🔑 Jean-Pierre et Philippe Grisard, Chef-lieu,
73250 Fréterive, tél. 04.79.28.54.09,
fax 04.79.71.41.36 ☑ 🍷 t.l.j. sf dim. 8h-12h
13h30-18h30

EDMOND JACQUIN ET FILS
Marestel 1999★

☐ 1,5 ha 12 000 🍾 5à8€

Les Jacquin font partie de ces familles de vignerons dont le nom reste attaché à l'évolution des produits du terroir. Ainsi de ce vin au charme envoûtant, incontestablement taillé pour la garde. Très puissant, il n'en garde pas moins une indéfinissable suavité de bon aloi. (30 à 49 F)

🔑 Edmond Jacquin et Fils, Le Haut,
73170 Jongieux, tél. 04.79.44.02.35,
fax 04.79.44.03.05 ☑ 🍷 r.-v.

LA CAVE DU PRIEURE Marestel 2000★

☐ 2 ha 14 000 🍾 5à8€

Autre grande famille de vignerons, les Barlet, dont la cave est établie dans un ancien prieuré du XIVe s., livrent ici une bouteille issue d'un terroir en reconquête par les vignerons locaux. A un nez légèrement fermé marqué par le miel succède une bouche tout en finesse, équilibrée, soutenue par une structure acide garante de longévité. A encaver à la sortie du Guide et à boire sans se presser : plaisir garanti. (30 à 49 F)

🔑 Raymond Barlet et Fils, La Cave du Prieuré,
73170 Jongieux, tél. 04.79.44.02.22,
fax 04.79.44.03.07 ☑ 🍷 r.-v.

DOM. LA COMBE DES GRAND VIGNES Baron Decouz 2000★

☐ 0,36 ha 2 500 🍾 5à8€

Didier Berthollier a rejoint son frère Denis sur l'exploitation en cette année 2000. Ces jeunes exploitants ont entrepris la reconquête des coteaux de qualité de la Combe de Savoie. Notre jury a retrouvé dans cette bouteille le profil quasi parfait de la roussette de savoie : nez ouvert mêlant la fleur et le fruit, le tout relevé par une pointe d'épices ; bouche franche et fraîche, très équilibrée. Une belle réussite pour un produit issu de vignes encore jeunes (six ans). Ce vin aura tout d'un grand à la sortie du Guide, lorsque, de surcroît, les quelques sucres résiduels auront été digérés. (30 à 49 F)

🔑 Denis et Didier Berthollier, Dom. La Combe des Grand'Vignes, Le Viviers, 73800 Chignin,
tél. 04.79.28.11.75, fax 04.79.28.16.22,
e-mail berthollier@chignin.com ☑ 🍷 r.-v.

JEAN PERRIER ET FILS
Haute Sélection 1998★

☐ n.c. 4 200 🍾 5à8€

La maison Perrier continue son développement en cette année 2000 par la création d'une aire de stockage climatisée de 2000 m^2. Parmi la large palette des vins de Savoie proposée par ce négociant, le jury a apprécié cette roussette très marquée par la cire d'abeille. La bouche soyeuse est soutenue par le fondu de l'acidité. Un très bel exemple d'évolution pour ce type de vin dont les Savoyards n'ont pas encore découvert toutes les possibilités. (30 à 49 F)

🔑 Jean Perrier et Fils, Saint-André, 73800 Les Marches, tél. 04.79.28.11.45, fax 04.79.28.09.91,
e-mail vperrier@vins-perrier.com
☑ 🍷 t.l.j. sf sam. dim. 8h-12h 14h-18h
🔑 Gilbert Perrier

ETIENNE SAINT-GERMAIN 2000★★

☐ 0,7 ha 4 000 🍾 5à8€

Installé depuis 1997 en Combe de Savoie, Etienne Saint-Germain fait son entrée dans le Guide avec ce 2000. Notre jury a été séduit par la richesse de sa palette aromatique dominée par des nuances de fruits secs. La bouche ample révèle une grande puissance. D'une belle longueur, un vin de bonne structure, soutenu par une remarquable acidité, garante de son évolution dans le temps. (30 à 49 F)

🔑 Etienne Saint-Germain, rte du col du Frêne,
73250 Saint-Pierre-d'Albigny,
tél. 04.79.28.61.68, fax 04.79.28.61.68
☑ 🍷 t.l.j. sf dim. 17h-19h en été uniquement

JEAN VULLIEN ET FILS 2000★★

☐ 1,8 ha 15 000 🍾 5à8€

Jean, David et Olivier Vullien proposent une roussette de savoie de grande classe. Son nez profond où se mêlent notes de beurre frais, de noisette, voire d'amande, introduit une bouche très riche et d'une longue persistance. Un très grand ambassadeur de son AOC que vous aurez plaisir à offrir en entrée d'un repas fin, apéritif compris. (30 à 49 F)

EARL Jean Vullien et Fils, La Grande Roue, 73250 Fréterive, tél. 04.79.28.61.58, fax 04.79.28.69.37, e-mail domaine.jean.vullien.et.fils@wanadoo.fr
t.l.j. sf dim. 8h30-12h 14h-18h30

Seyssel

Cette AOC est élaborée, pour ses vins tranquilles, à base du seul cépage altesse. Les quelques vignes de molette qui subsistent à Seyssel entrent dans les vins mousseux de l'AOC, en association avec l'altesse ; ceux-ci sont commercialisés trois ans après leur prise de mousse. Ces cépages locaux donnent un bouquet et une finesse spécifiques aux vins de Seyssel, où l'on reconnaît notamment la violette. L'aire d'appellation couvre environ 75 ha.

LA TACCONNIERE 2000*

□ 12 ha 80 000 3à5€

La maison Mollex, dans la viticulture depuis cinq générations, est propriétaire du plus important vignoble de l'AOC, s'étendant sur 25 ha. Vous serez séduit par la complexité aromatique de cette cuvée issue d'altesse dont le nez est dominé par l'amande grillée et l'iris. La bouche est une invite tendre et chaleureuse : pas de saillie dans ce vin rond et puissant qui exprime en fin de dégustation une grande finesse soutenue par quelques sucres résiduels. (20 à 29 F)

Dom. Maison Mollex, Corbonod, 01420 Seyssel, tél. 04.50.56.12.20, fax 04.50.56.17.29 r.-v.

MAISON MOLLEX
Méthode traditionnelle 1997*

○ 3 ha 30 000 5à8€

Notre jury a été enchanté par ce seyssel élaboré après une longue fermentation sur lie. Ses arômes floraux d'une extrême délicatesse satisferont l'amateur de bulles. La dégustation révèle une sensation de fraîcheur agréable, très fondue. Une jolie bouteille à servir sans façon à l'apéritif. (30 à 49 F)

Dom. Maison Mollex, Corbonod, 01420 Seyssel, tél. 04.50.56.12.20, fax 04.50.56.17.29 r.-v.

Le Bugey

Bugey AOVDQS

Dans le département de l'Ain, le vignoble du Bugey occupe les basses pentes des monts du Jura, dans l'extrême sud du Revermont, depuis le niveau de Bourg-en-Bresse jusqu'à Ambérieu-en-Bugey, ainsi que celles qui, de Seyssel à Lagnieu, descendent sur la rive droite du Rhône. Autrefois important, il est aujourd'hui réduit et dispersé.

Il est établi le plus souvent sur des éboulis calcaires de pentes assez fortes. L'encépagement reflète la situation de carrefour de la région : en rouge, le poulsard jurassien - limité à l'assemblage des effervescents de Cerdon - y voisine avec la mondeuse savoyarde et le pinot et le gamay de Bourgogne ; de même, en blanc, la jacquère et l'altesse sont en concurrence avec le chardonnay - majoritaire - et l'aligoté, sans oublier la molette, cépage local surtout utilisé dans l'élaboration des vins mousseux.

BANCET L'Unique 1999*

■ 1,5 ha 12 000 5à8€

Les frères Duport livrent ici un assemblage inédit de pinot et de mondeuse. Issue d'une vinification traditionnelle en cuve ouverte avec pigeage, c'est une cuvée au nez expressif où se mêlent des odeurs de cuir et de fruits cuits. Un vin déjà remarquablement évolué dont les tanins devraient être civilisés à la sortie du Guide. (30 à 49 F)

Maison Duport, Le Lavoir, 01680 Groslée, tél. 04.74.39.74.33, fax 04.74.39.74.33 r.-v.

CELLIER DE BEL AIR
Milvendre Chardonnay 1999★★

☐ 1 ha 9 000 5 à 8 €

Propriété de la famille Riboud depuis vingt-cinq ans, ce vignoble occupe les pentes ensoleillées de la montagne du Grand Colombier dans l'Ain. Fermenté et élevé en fût de chêne, ce 99 révèle une grande harmonie en bouche, marque d'un mariage réussi. Un vin déjà plaisant mais qu'il serait dommage de ne pas attendre, car il semble pouvoir se développer encore. Elevée en cuve, une cuvée **chardonnay 2000** a obtenu une étoile. A ouvrir sur des fruits de mer. (30 à 49 F)

Michelle Férier, Dom. du Cellier de Bel-Air, 01350 Culoz, tél. 04.79.87.04.20, fax 04.79.87.18.23, e-mail domainebelair@free.fr t.l.j. 9h-12h 15h-19h

CHRISTIAN BOLLIET
Cerdon Méthode ancestrale Cuvée spéciale 2000★

◑ 0,44 ha 4 400 5 à 8 €

Christian Bolliet persiste et signe en nous proposant chaque année une cuvée à base du seul cépage poulsard. Si sa teinte rosée reste discrète, sa prise en bouche est en revanche ample, presque moelleuse. Il faut prendre le temps de se laisser envahir par des odeurs de noisette qui agrémentent une dégustation harmonieuse. (30 à 49 F)

Christian Bolliet, Hameau de Bôches, 01450 Saint-Alban, tél. 04.74.37.37.21, fax 04.74.37.37.69 r.-v.

BONNARD FILS
Montagnieu Mondeuse 1999★★

■ 0,65 ha 4 000 5 à 8 €

Installés depuis 1987, les frères Bonnard ont proposé deux vins du Bugey : une **roussette 99** élégante, onctueuse, qui « caresse gentiment le palais » (une étoile) et aimera les poissons au beurre blanc. Et cette mondeuse élevée sous bois. Bien que la matière première fût incontestablement à la hauteur, notre jury a relevé la marque de l'élevage. Cependant nous avons affaire à un vin structuré, au potentiel de garde évident. Issu d'une œnologie au service de la vendange, passant par une macération longue après égrappage partiel, ce vin devra attendre quelques années en cave avant d'accompagner quelque civet. (30 à 49 F)

GAEC Bonnard Fils, Crept, 01470 Seillonnaz, tél. 04.74.36.14.50, fax 04.74.36.14.50 t.l.j. sf dim. 8h-12h 14h-19h

LE CAVEAU BUGISTE
Chardonnay 2000★

☐ 6 ha 35 000 5 à 8 €

Installé à Vongnes, joli village fleuri du Bugey, le domaine peut vous accueillir dans son riche musée des outils de la vigne. Vous y découvrirez aussi les outils du travail de la pierre et un diaporama. Cet art de l'accueil se double d'une gamme de produits de qualité. Cette cuvée 2000 saura retenir votre attention par son élégante personnalité. Un vin facile et friand, à boire à la sortie du Guide. (30 à 49 F)

Le Caveau Bugiste, 01350 Vongnes, tél. 04.79.87.92.32, fax 04.79.87.91.11 t.l.j. 9h-12h 14h-19h

P. CHARLIN Montagnieu 1999★★★

○ 2,5 ha 23 000 5 à 8 €

Double succès pour Patrick Charlin. Alors que rares sont les sites en Savoie ou dans le Bugey où le pinot noir peut s'exprimer, Patrick Charlin a réussi un **bugey rouge 99** qui obtient une étoile. Mieux encore, il reçoit un coup de cœur unanime pour cet effervescent au fin cordon de bulles persistantes. La bouche d'une rare délicatesse laisse une impression de suavité extrême, de complexité et de longueur. Un bonheur vrai, à savourer entre amis. Chaudement recommandé à l'apéritif. (30 à 49 F)

Patrick Charlin, Le Richenard, 01680 Groslée, tél. 04.74.39.73.54, fax 04.74.39.75.16 r.-v.

CLOS DE LA BIERLE
Méthode traditionnelle 1999

○ 0,5 ha 5 000 8 à 11 €

Nouvelle entrée dans le Guide : Thierry Troccon, installé depuis 1985, s'est spécialisé dans les vins effervescents. Celui-ci est très typique des productions du Bugey. Tout est aérien dans ce produit. Vous y trouverez une symphonie d'arômes floraux. Son harmonie générale, tout en délicatesse, confère à ce vin un charme certain. (50 à 69 F)

Thierry Troccon, Leymiat, 01450 Poncin, tél. 04.74.37.25.55, fax 04.74.37.28.82, e-mail labierle@aol.com t.l.j. 9h-19h

DUCOLOMB Mondeuse 2000★★

■ 0,85 ha 8 000 3 à 5 €

Pierre Ducolomb fait son entrée dans le Guide. Sa commune de Lhuis est constituée pour partie d'un excellent terroir où les vins rouges réussissent bien. Authenticité, vin de terroir, tels sont les cris du cœur de nos jurés à l'issue de leur dégustation. Vous trouverez une palette aromatique très riche allant des fruits rouges bien mûrs aux notes épicées typiques du cépage. En bouche, c'est un joyeux tumulte où tanins, acidité, gras, n'ont pas encore trouvé leur parfait ordonnancement. Nul doute qu'à la parution du Guide, tout sera rentré dans l'ordre. Ne vous pressez pas de déboucher cette bouteille. (20 à 29 F)

Pierre Ducolomb, 01680 Lhuis, tél. 04.74.39.82.58, fax 04.74.39.82.58 r.-v.

MARJORIE GUINET ET BERNARD RONDEAU

Cerdon Méthode ancestrale 2000★★

2 ha 15 000 5à8€

Installés depuis 1998, Marjorie et Bernard Rondeau se sont spécialisés dans l'élaboration des vins de Cerdon. Entrés pour la première fois dans le Guide 2000 avec deux étoiles, ils obtiennent un premier coup de cœur dans l'édition 2001. *Bis repetita* dans le Guide 2002 pour cette cuvée qui a enchanté notre jury. Il faut saluer ici cette réussite. Type de vin très rare en France, ce mousseux aromatique s'impose comme un apéritif « très tendance ». Irréprochable sur le plan technique, il mêle harmonieusement les petits fruits rouges et un subtil équilibre sucres-acidité. Un remarquable vin plaisir. Rappelons que le cerdon titre seulement 8 % vol. d'alcool. (30 à 49 F)

Marjorie Guinet et Bernard Rondeau, Cornelle, 01640 Boyeux-Saint-Jérôme, tél. 04.74.37.12.34, fax 04.74.37.12.34 r.-v.

FRANCK PEILLOT

Roussette de Montagnieu 2000★

1,25 ha 10 000 8à11€

Issu d'une famille au service du vin depuis 1900, Franck Peillot a repris le flambeau en 1995. Attaché comme son père Jean au cépage altesse, fleuron de l'appellation, il s'efforce d'en développer le potentiel. Mission accomplie avec cette cuvée issue de vignes de cinquante ans. Son nez, dominé par des notes de fruits exotiques et d'agrumes, précède une bouche franche et fraîche. Le vin apparaît alors très complexe, et d'un bel équilibre alcool-acidité. Sans fioriture, alerte, très élégant, il accompagnera un foie gras poêlé. Egalement très réussi, le **bugey rouge 2000 issu de mondeuse (30 à 49 F)** devra attendre que ses tanins se fondent avant d'être servi sur un coq au vin rouge... de mondeuse. (50 à 69 F)

Franck Peillot, Au village, 01470 Montagnieu, tél. 04.74.36.71.56, fax 04.74.36.14.12 r.-v.

JEAN-PIERRE TISSOT 2000★

1,14 ha 10 900 3à5€

Saluons l'entrée dans le Guide de Jean-Pierre Tissot et de son fils Thierry installé en 2001 et fort d'une solide formation d'ingénieur. Le duo a l'ambition de reconquérir l'un des coteaux de Vaux-en-Bugey. Issu d'une vendange récoltée et mise en cuve en grappes entières, le vin s'annonce immédiatement par l'intensité de sa robe soutenue. Son nez très marqué par les fruits rouges introduit une bouche très avenante, franche, chaleureuse, bien équilibrée ; sa structure reposant sur des tanins déjà fondus lui garantit un sans faute à la sortie du Guide. (20 à 29 F)

Jean-Pierre Tissot, quai du Buizin, 01150 Vaux-en-Bugey, tél. 04.74.35.80.55, e-mail thierrytissot@hotmail.com r.-v.

LE LANGUEDOC ET LE ROUSSILLON

Entre la bordure méridionale du Massif central et les régions orientales des Pyrénées, c'est une mosaïque de vignobles et une large palette de vins qui s'offrent à travers quatre départements côtiers : le Gard, l'Hérault, l'Aude, les Pyrénées-Orientales, grand cirque de collines aux pentes parfois raides se succédant jusqu'à la mer, constituant quatre zones successives : la plus haute, formée de régions montagneu-

Le Languedoc

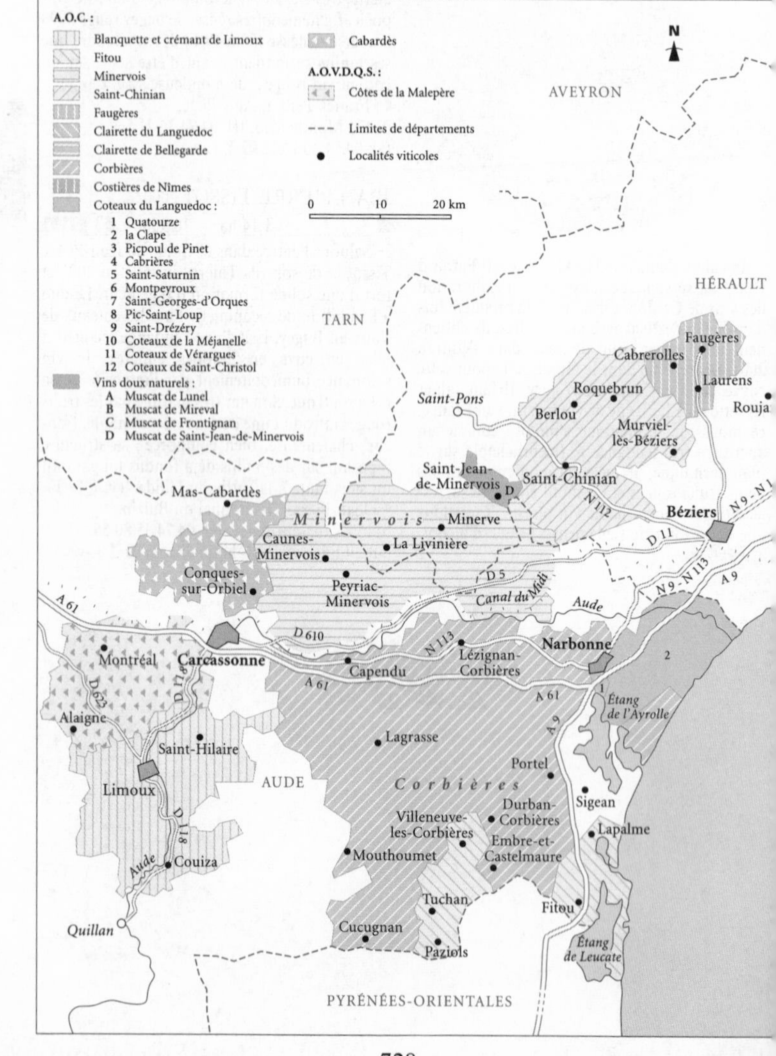

ses, notamment de terrains anciens du Massif central ; la seconde, région des soubergues et des garrigues, la partie la plus ancienne du vignoble ; la troisième, la plaine alluviale assez bien abritée présentant quelques coteaux peu élevés (200 m) ; et la quatrième, zone littorale formée de plages basses et d'étangs dont les récents aménagements ont fait l'une des régions de vacances les plus dynamiques d'Europe. Ici encore, c'est aux Grecs que l'on doit sans doute l'implantation de la vigne, dès le VIIIe s. av. J.-C., au voisinage des points de pénétration et d'échanges. Avec les Romains, le vignoble se développa rapidement et concurrença même le vignoble romain, si bien qu'en l'an 92 l'empereur Domitien ordonna l'arrachage de la moitié des surfaces plantées ! La culture de la vigne resta alors une spécificité de la Narbonnaise pendant deux siècles. En 270, Probus redonna au vignoble du Languedoc-Roussillon un nouveau départ, en annulant les décrets de 92. Celui-ci se maintint sous les Wisigoths, puis dépérit lorsque les Sarrasins

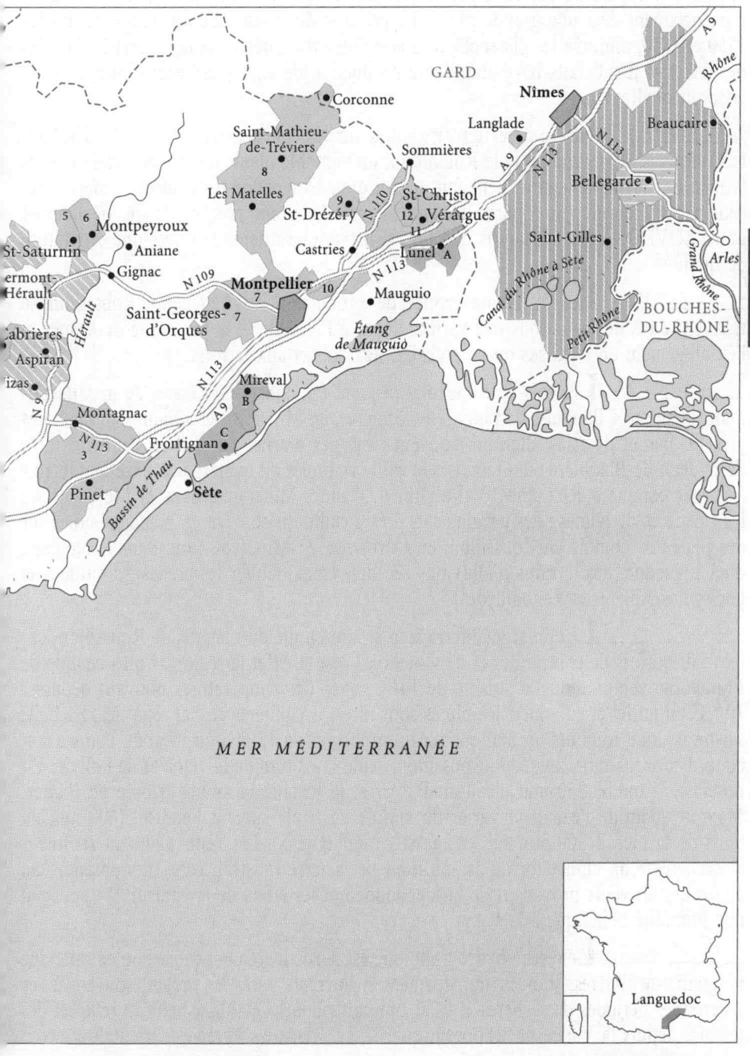

intervinrent dans la région. Le début du IXe s. marqua une renaissance du vignoble, dans laquelle l'Eglise joua un rôle important grâce à ses monastères et à ses abbayes. La vigne est alors placée surtout sur les coteaux, les terres de plaine étant réservées aux cultures vivrières.

Le commerce du vin s'étendit surtout aux XIVe et XVe s., de nouvelles technologies voyant le jour, tandis que les exploitations se multipliaient. Aux XVIe et XVIIe s. se développa aussi la fabrication des eaux-de-vie.

Aux XVIIe et XVIIIe s., l'essor économique de la région passe par la création du port de Sète, l'ouverture du canal des Deux Mers, la réfection de la voie romaine, le développement des manufactures de tissage de draps et de soieries. Il donne une nouvelle impulsion à la viticulture. Facilitée par les nouvelles infrastructures de transport, l'exportation du vin et des eaux-de-vie est encouragée.

On assiste alors au développement d'un nouveau vignoble de plaine, et l'on voit apparaître dès cette période la notion de terroir viticole, où les vins liquoreux occupent déjà une grande place. La création du chemin de fer, entre les années 1850 et 1880, diminue les distances et assure l'ouverture de nouveaux marchés dont les besoins seront satisfaits par l'abondante production de vignobles reconstitués après la crise du phylloxéra.

Grâce à ses terroirs situés sur les coteaux, dans le Gard, l'Hérault, le Minervois, les Corbières et le Roussillon, un vignoble planté de cépages traditionnels (voisin des vignobles qui avaient fait la gloire du Languedoc-Roussillon au siècle précédent) va se développer à partir des années 1950. Un grand nombre de vins deviennent alors AOVDQS et AOC, tandis que l'on constate une orientation vers une viticulture de qualité.

Les différentes zones de production du Languedoc-Roussillon se trouvent dans des situations très variées quant à l'altitude, à la proximité de la mer, à l'établissement en terrasses ou en coteaux, aux sols et aux terroirs.

Les sols et les terroirs peuvent être ainsi des schistes de massifs primaires comme à Banyuls, à Maury, en Corbières, en Minervois et à Saint-Chinian ; des grès du lias et du trias alternant souvent avec des marnes comme en Corbières et à Saint-Jean-de-Blaquière ; des terrasses et cailloux roulés du quaternaire, excellent terroir à vignes comme à Rivesaltes, Val-d'Orbieu, Caunes-Minervois, dans la Méjanelle ou les Costières de Nîmes ; des terrains calcaires à cailloutis souvent en pente ou situés sur des plateaux, comme en Roussillon, en Corbières, en Minervois ; ou, dans les coteaux du Languedoc, des terrains d'alluvions récentes (sans oublier les arènes granitiques et gneiss des Albères et Fenouillèdes).

Le climat méditerranéen assure l'unité du Languedoc-Roussillon, climat fait parfois de contraintes et de violence. C'est en effet la région la plus chaude de France (moyenne annuelle voisine de 14 °C, avec des températures pouvant dépasser 30 ° C en juillet et en août) ; les pluies sont rares, irrégulières et mal réparties. La belle saison connaît toujours un manque d'eau important du 15 mai au 15 août. Dans beaucoup d'endroits du Languedoc-Roussillon, seule la culture de la vigne et de l'olivier est possible. Il tombe 350 mm d'eau au Barcarès, la localité la moins arrosée de France. Mais la quantité d'eau peut varier du simple au triple suivant l'endroit (400 mm au bord de la mer, 1 200 mm sur les massifs montagneux). Les vents viennent renforcer la sécheresse du climat lorsqu'ils soufflent de la terre (mistral, cers, tramontane) ; au contraire, les vents provenant de la mer modèrent les effets de la chaleur et apportent une humidité bénéfique à la vigne.

Le réseau hydrographique est particulièrement dense ; on compte une vingtaine de rivières, souvent transformées en torrents après les orages, souvent à sec à certaines périodes de sécheresse. Elles ont contribué à l'établissement du relief et des terroirs depuis la Vallée du Rhône jusqu'à la Têt, dans les Pyrénées-Orientales.

Sols et climat constituent un environnement très favorable à la vigne en Languedoc-Roussillon, ce qui explique qu'y soient localisées près de 40 % de la production nationale, dont annuellement environ 2 700 000 hl en AOC et 30 000 hl en AOVDQS.

Les vins AOC se composent de 423 000 hl de vins doux naturels produits en majeure partie dans les Pyrénées-Orientales, le reste venant de l'Hérault (voir le chapitre les concernant) ; 66 000 hl de vins mousseux dans l'Aude ; 2 270 000 hl de vins rouges et 150 000 hl de vins blancs.

Dans le vignoble de vins de table, on constate depuis 1950 une évolution de l'encépagement : régression très importante de l'aramon, cépage de vins de table légers planté au XIXᵉs., au profit des cépages traditionnels du Languedoc-Roussillon (carignan, cinsault, grenache noir, syrah et mourvèdre) ; et implantation d'autres cépages plus aromatiques (cabernet-sauvignon, cabernet franc, merlot et chardonnay).

Dans le vignoble de vins fins, les cépages rouges sont le carignan qui apporte au vin structure, tenue et couleur ; le grenache, cépage sensible à la coulure, qui donne au vin sa chaleur, participe au bouquet mais s'oxyde facilement lors du vieillissement ; la syrah, cépage de qualité, qui apporte ses tanins et un arôme se développant avec le temps ; le mourvèdre, qui vieillit bien et donne des vins élégants, résistants à l'oxydation ; le cinsault enfin, qui, cultivé en terrain pauvre, donne un vin souple présentant un fruité agréable et surtout entrant dans l'assemblage des vins rosés.

Les blancs sont produits à base de grenache blanc pour les vins tranquilles, de picpoul, de bourboulenc, de macabeu, de clairette - donnant une certaine chaleur mais madérisant assez rapidement. Depuis peu, marsanne, roussanne et vermentino agrémentent cette production. Pour les vins effervescents, on fait appel au mauzac, au chardonnay et au chenin.

LANGUEDOC

Le Languedoc

Blanquette de limoux et blanquette méthode ancestrale

Ce sont les moines de l'abbaye Saint-Hilaire, commune proche de Limoux, qui, découvrant que leurs vins repartaient en fermentation, ont été les premiers élaborateurs de blanquette de limoux. Trois cépages sont utilisés pour son élaboration : le mauzac (90 % minimum), le chenin et le chardonnay, ces deux derniers cépages étant introduits à la place de la clairette et apportant à la blanquette acidité et finesse aromatique.

La blanquette de limoux est élaborée suivant la méthode traditionnelle et se présente sous dosages brut, demi-sec ou doux.

AOC à part entière, la blanquette méthode ancestrale reste un produit confidentiel. Le principe d'élaboration réside dans une fin de fermentation en bouteille. Aujourd'hui, les techniques modernes permettent d'élaborer un vin peu alcoolisé, doux, provenant du seul cépage mauzac.

AIMERY
Méthode ancestrale Suave et Fruitée Demi-sec
○ 500 ha 150 000 5à8€

La cave coopérative se distingue régulièrement dans l'élaboration de la blanquette méthode ancestrale, fruit d'une tradition, d'un savoir-faire et d'une technologie qui a su évoluer sans renier son origine. Le nez est fait de compote de pommes et de miel avec un soupçon de rose ; très douce en bouche, cette cuvée rappelle à certains la bolée de cidre, ce qui la prédispose aux crêpes et aux pommes. (30 à 49 F)
Aimery-Sieur d'Arques, av. de Carcassonne, BP 30, 11303 Limoux Cedex, tél. 04.68.74.63.00, fax 04.68.74.63.12, e-mail servico@sieurdarques.com r.-v.

AIMERY Brut Tête de cuvée**
○ 500 ha 150 000 5à8€

Que de chemin parcouru depuis l'époque où un vieux foulo-pompe, placé au milieu de la cour, recevait la vendange des coopérateurs ! Aujourd'hui, l'équipement technique est exemplaire. Le résultat ? Une belle robe jaune pâle aux reflets verts, une effervescence fine et impulsive. La fleur d'acacia domine l'ensemble, puis la bouche délicate, agrémentée de saveurs briochées, s'achève sur une note minérale de belle fraîcheur. (30 à 49 F)
Aimery-Sieur d'Arques, av. de Carcassonne, BP 30, 11303 Limoux Cedex, tél. 04.68.74.63.00, fax 04.68.74.63.12, e-mail servico@sieurdarques.com r.-v.

CLUB DES SOMMELIERS Brut*
○ 500 ha 150 000 5à8€

Pour les sommeliers, il n'était pas question de faire dans la médiocrité. C'est réussi ! Voici un produit très typé blanquette de limoux, marqué par le cépage mauzac présent à 90 %. L'expression aromatique est intense, avec une prédominance classique de pomme verte. La bouche ample et généreuse reçoit l'apport de notes empyreumatiques. L'ensemble, typé, plaisant, harmonieux est prêt à boire. (30 à 49 F)
Aimery-Sieur d'Arques, av. de Carcassonne, BP 30, 11303 Limoux Cedex, tél. 04.68.74.63.00, fax 04.68.74.63.12, e-mail servico@sieurdarques.com r.-v.

DOM. COLLIN
Brut Cuvée Jean-Philippe 1999**
○ 20 ha 60 000 3à5€

La cuvée Jean-Philippe, bien connue des lecteurs du Guide, met à l'honneur la technicité, la compétence de l'œnologue et le sérieux de M. Rosier, le maître de chai. L'effervescence est fine dans la robe jaune vif à reflets verts. Des notes grillées se marient à des senteurs fruitées d'agrumes frais. La bouche ample, à l'avenant, est remarquée pour son superbe équilibre. (20 à 29 F)
Dom. Collin-Rosier, rue Farman, 11300 Limoux, tél. 04.68.31.48.38, fax 04.68.31.34.16 r.-v.

GUINOT Brut Cuvée réservée*
○ 9 ha 40 000 5à8€

La famille possède trois domaines dont l'un est situé sur l'emplacement d'un oppidum gallo-romain. Et si désormais la maison Guinot surfe sur internet, elle a gardé le traditionnel remuage sur pointe à la main et le dégorgement à la volée pour élaborer ses vins. La robe agréable et dansante laisse filtrer l'abricot et la pêche qui évoluent vers des notes miellées. La bouche équilibrée, aromatique, harmonieuse, complexe offre une finale vive et fraîche des plus réussies. (30 à 49 F)
Maison Guinot, 3, av. Chemin-de-Ronde, 11304 Limoux, tél. 04.68.31.01.33, fax 04.68.31.60.05, e-mail guinot@blanquette.fr t.l.j. sf sam. dim. 9h-12h 14h-18h

ROBERT Brut Cinquantenaire 1998*
○ 6 ha 22 100 8à11€

Chez Robert, c'est une affaire de famille, et si le domaine, encadré d'un magnifique paysage, incite à la détente, le travail passe avant tout, chacun ayant sa part de responsabilité. Cette Cinquantenaire a fait une cure de jouvence : fines bulles, cordon persistant, robe jaune pâle aux reflets or, notes intenses et complexes de pêche et de pomme verte, bel équilibre en bouche sur un soupçon de pamplemousse. Remarquable de fraîcheur, une excellente mise en bouche avant un repas de fête. (50 à 69 F)
GFA Robert, Dom. de Fourn, 11300 Pieusse, tél. 04.68.31.15.03, fax 04.68.31.77.65 r.-v.

TAILHAN-CAVAILLES 1999**
○ 4 ha 20 000 5à8€

Lorsqu'il s'est installé au pays en 1999, Alain Cavaillès a repris les vignes de M. Tailhan et a vinifié son vin chez ce dernier, associant leurs deux noms. Dès 2001, c'est dans sa propre cave flambant neuve qu'il veillera sur sa récolte. Déjà retenu l'an dernier, il est de nouveau distingué avec cette cuvée 99 dont les arômes intenses et complexes évoluent de la torréfaction vers la pêche et le miel. En bouche, une réelle vivacité accompagne un bon équilibre et des notes d'agrumes en finale. (30 à 49 F)
Alain Cavaillès, 11300 Magrie, tél. 04.68.31.66.14, fax 04.68.31.11.01, e-mail cavailles.alain@wanadoo.fr r.-v.

Crémant de limoux

Reconnu par le décret du 21 août 1990, le crémant de limoux n'en est pas pour autant peu expérimenté. En effet, les conditions de production de la blanquette étant très strictes et très proches du crémant, les Limouxins n'ont eu aucune difficulté à intégrer ce groupe d'élite.

Depuis déjà quelques années s'affinaient dans les chais des cuvées issues de subtils mariages entre la personnalité et la typicité du mauzac, l'élégance et la rondeur du chardonnay, la jeunesse et la fraîcheur du chenin.

AIMERY Cuvée brut*

○ 500 ha 150 000 5à8€

Voici à nouveau une facette du talent de la jeune équipe du Sieur d'Arques. Chaque année, celle-ci organise une vente aux enchères présidée par les plus grands chefs de la haute gastronomie française dont le produit permet de restaurer les clochers. Cette manifestation a pour nom « Toques et Clochers » (voir ce nom). Ce vin or clair a séduit le jury par ses arômes mêlés de pêche et de poire. Après une attaque franche et agréable, l'ensemble se révèle harmonieux, plein et nerveux. Un vrai plaisir. (30 à 49 F)

Aimery-Sieur d'Arques, av. de Carcassonne, BP 30, 11303 Limoux Cedex, tél. 04.68.74.63.00, fax 04.68.74.63.12, e-mail servico@sieurdarques.com r.-v.
Vignerons du Sieur d'Arques

GUINOT Impérial du Millénaire*

○ 1,3 ha 5 000 11à15€

Installée dans le Limouxin depuis le XVIe s., la maison Guinot fait partie de l'histoire viticole de la blanquette et du crémant. Cette cuvée spéciale assemble les années 1997 et 1998 et est passée par le bois. La robe d'or pâle est rehaussée par la finesse d'une effervescence nerveuse. Fin, agréable, le nez propose un ensemble délicat fruité et floral. La bouche fraîche séduit jusqu'à la belle finale évoquant le fruit de la Passion. (70 à 99 F)

Maison Guinot, 3, av. Chemin-de-Ronde, 11304 Limoux, tél. 04.68.31.01.33, fax 04.68.31.60.05, e-mail guinot@blanquette.fr t.l.j. sf sam. dim. 9h-12h 14h-18h

J. LAURENS
Cuvée Domaine Tête de cuvée 1999**

○ 10 ha 23 501 8à11€

Champenois, Michel Dervin s'est installé en 1983 sur la terre limouxine. Grâce à une belle maîtrise technique et à beaucoup de rigueur dans le choix des apports, il réussit une remarquable cuvée. La robe avenante incite à la découverte. Riche et complexe, la bouche séduit par son harmonie tout autant que par sa finale fraîche et puissante. (50 à 69 F)

SARL Dervin, rte de La Digne-d'Amont, 11300 La Digne d'Aval, tél. 04.68.31.54.54, fax 04.68.31.61.61, e-mail dervin.michel@wanadoo.fr r.-v.

MICHEL OLIVIER Tête de cuvée 1999*

○ 6 ha 28 000 5à8€

Souvent mentionnée dans le Guide, cette maison d'origine champenoise est restée fidèle à ses habitudes avec cette cuvée à l'effervescence délicate. Le cordon persistant, la robe jaune pâle à reflets verts et la belle palette aromatique de fleurs jaunes et d'agrumes ont séduit le jury. L'attaque est vive, puissante et élégante. Un vin bien équilibré à apprécier entre amis dès l'apéritif. (30 à 49 F)

Dom. Collin-Rosier, rue Farman, 11300 Limoux, tél. 04.68.31.48.38, fax 04.68.31.34.16 r.-v.

SIEUR D'ARQUES 1998*

○ 500 ha 150 000 8à11€

Alain Gayda, œnologue du premier opérateur en Limouxin et président des Œnologues de France, sait s'entourer et faire partager son savoir-faire. Rien d'étonnant de retrouver la cave du Sieur d'Arques dans chaque tête de chapitre. Accompagnées d'une effervescence enjôleuse, les notes grillées appellent à déguster un vin ample, d'un bel équilibre, où le gras épouse le grillé. Pour l'apéritif. (50 à 69 F)

Aimery-Sieur d'Arques, av. de Carcassonne, BP 30, 11303 Limoux Cedex, tél. 04.68.74.63.00, fax 04.68.74.63.12, e-mail servico@sieurdarques.com r.-v.

Limoux

L'appellation limoux nature reconnue en 1938 était en réalité le vin de base destiné à l'élaboration de l'appellation blanquette de limoux et toutes les maisons de négoce en commercialisaient quelque peu.

En 1981, cette AOC s'est vu interdire à son grand regret l'utilisation du terme nature et elle est devenue limoux. Resté à 100 % mauzac, le limoux a décliné lentement, les vins de base blanquette de limoux étant alors élaborés avec du chenin, du chardonnay et du mauzac.

Cette appellation renaît avec l'intégration, pour la première fois à la récolte 1992, des cépages chenin et chardonnay, le mauzac restant toutefois obligatoire. Une particularité : la fermentation et l'élevage jusqu'au 1er mai, à réaliser obligatoirement en fût de chêne. La dynamique équipe limouxine voit ainsi ses efforts récompensés.

DOM. BEGUDE 1999

□ 8 ha 24 000 11à15€

Installé depuis peu dans la région, le domaine des Comtes Méditerranéens, dont le siège est à La Livinière dans le Minervois, propose ce vin du domaine Begude. Sa deuxième récolte est un pur produit de l'agriculture biologique ; gageons que nous en reparlerons dans les prochaines éditions. Dans le bouquet fin et discret, on décou-

vre de la fleur blanche, mais aussi des notes de coing et de pêche. Boisé, résolu, ce limoux possède une finale légèrement tannique : il faudra un peu de patience avant de le savourer.
(70 à 99 F)
Dom. Bégude, 11300 Cepie,
tél. 04.68.91.42.63, fax 04.68.91.62.15,
e-mail framboissier@compuserve.com

DOM. DE L'AIGLE Les Aigles 1999**

4 ha 35 000 11 à 15 €

Jean-Louis Denois, œnologue voyageur, a décidé de se consacrer en priorité à l'AOC limoux. Produit de la Haute-Vallée, ce millésime 99 est une belle réussite. Paré d'une robe jaune pâle limpide, il offre un bouquet fin et agréable où perce la châtaigne, et se montre bien équilibré en bouche avec des notes qui évoquent la noisette et la fraîcheur mentholée du petit matin.
(70 à 99 F)
Dom. de L'Aigle, 11300 Roquetaillade,
tél. 04.68.31.39.12, fax 04.68.31.39.14 r.-v.
Jean-Louis Denois

TOQUES ET CLOCHERS
Terroir Haute Vallée Elevé en fût de chêne 1999***

50 ha 35 000 11 à 15 €

La cave du Sieur d'Arques s'est fait une spécialité de la vinification par terroir et donne naissance à quatre cuvées : Terroir d'Autan, océanique, méditerranéen, et celui de la Haute-Vallée qui est certainement le plus souvent distingué dans ce Guide. Semi-montagneux, bénéficiant d'un climat rude, c'est le terrain de prédilection du chardonnay. Une robe paille soutenu, un bouquet puissant d'épices rehaussé d'une touche d'acacia, une bouche ample et harmonieuse ont enthousiasmé les dégustateurs. Recommandé sur des poissons en sauce ou des gambas grillées, ce vin déjà grand le restera au moins jusqu'en 2003. (70 à 99 F)
Aimery-Sieur d'Arques, av. de Carcassonne, BP 30, 11303 Limoux Cedex,
tél. 04.68.74.63.00, fax 04.68.74.63.12,
e-mail servico@sieurdarques.com r.-v.
Vignerons du sieur d'Arques

TOQUES ET CLOCHERS
Autan Elevé en fût de chêne 1999

50 ha 35 000 11 à 15 €

Ce terroir d'Autan, situé au cœur de l'appellation, est le plus limouxin des quatre, alliant la finesse et la fraîcheur de la cuvée **Océanique** à une touche plus ample qui caractérise la cuvée **Terroir méditerranéen**. C'est un vin à la robe jaune pâle, aux senteurs de fleurs blanches mêlées de notes grillées. Agréable, ample, bien équilibrée, la bouche célèbre longuement le beau mariage du vin et du boisé des barriques.
(70 à 99 F)
Aimery-Sieur d'Arques, av. de Carcassonne, BP 30, 11303 Limoux Cedex,
tél. 04.68.74.63.00, fax 04.68.74.63.12,
e-mail servico@sieurdarques.com r.-v.

Clairette de bellegarde

Reconnue AOC en 1949, la clairette de bellegarde est produite dans la partie sud-est des Costières de Nîmes, dans une petite région comprise entre Beaucaire et Saint-Gilles, et entre Arles et Nîmes, sur des sols rouges caillouteux. Elle présente un bouquet caractéristique. En 2000, 1695 hl de vin ont été produits.

MAS CARLOT Cuvée Tradition 2000*

7 ha 35 000 3 à 5 €

C'est en 1998 que Nathalie Blanc-Mares, œnologue, reprend le domaine acheté par son père Paul-Antoine Blanc en 1986. A côté des costières, elle ne néglige pas cette AOC. Ce vin est très caractéristique du cépage unique dont il est issu : à la couleur jaune paille clair répond un nez complexe de pêche mûre, de fleur d'oranger, mêlés à des arômes de pâtisserie. La bouche ample et ronde de ce blanc capiteux n'oublie pas la petite pointe d'amertume finale bien typée.
(20 à 29 F)
Nathalie Blanc-Mares, Mas Carlot, rte de Redessan, Ch. Paul Blanc, 30127 Bellegarde, tél. 04.66.01.11.83, fax 04.66.01.62.74
t.l.j. 8h-12h 14h-17h; sam. dim. sur r.-v.

Clairette du languedoc

Les vignes sont cultivées sur 112 ha dans huit communes de la vallée moyenne de l'Hérault et ont produit 4 344 hl en 2000. Après vinification à basse température avec le minimum d'oxydation, on obtient un vin blanc généreux, d'une robe jaune soutenu. Il peut être sec, demi-sec ou moelleux. En vieillissant, il acquiert un goût de rancio qui plaît à certains consommateurs. Il s'allie bien à la bourride sétoise et à la baudroie à l'américaine.

LA CLAIRETTE D'ADISSAN 2000

□ 12,5 ha 50 000 5à8€

Adissan, berceau de la clairette du languedoc. Laissez-vous charmer par cet or pâle, par ces fruits mûrs (poire, coing) et confits (citron) sur pain grillé. Le volume, l'ampleur, la nervosité en même temps que le velours de la bouche sont très réussis. (30 à 49 F)

Cave coop. La Clairette d'Adissan, 34230 Adissan, tél. 04.67.25.01.07, fax 04.67.25.37.76, e-mail clairette.adissan@wanadoo.fr ☒ Y t.l.j. sf dim. 9h-12h 15h-18h

Corbières

Les corbières, VDQS depuis 1951, sont passés AOC en 1985. L'appellation s'étend sur 14 377 ha, sur quatre-vingt-sept communes, pour une production de 656 000 hl en 2000 (7 % de blanc et rosé, 93 % de rouge). Ce sont des vins généreux, puisqu'ils titrent entre 11 ° et 13 ° d'alcool. Ils sont élaborés à partir d'assemblage de cépages comportant un maximum de 60 % de carignan.

Les Corbières constituent une région typiquement viticole, et n'offrent guère d'autres possibilités de culture. L'influence méditerranéenne dominante, mais également une certaine influence océanique à l'ouest, le cloisonnement des sites par un relief accentué, l'extrême diversité des sols, conduisent aujourd'hui à une réflexion sur les spécificités des terroirs de l'AOC.

CH. AIGUILLOUX
Cuvée des Trois Seigneurs 1999

■ 5,65 ha 30 000 ⏸ 8à11€

La cuvée des Trois Seigneurs, nommée ainsi parce que la propriété est établie à la jonction des anciens comtés de Narbonne, Durban et Lézignan, est constituée des trois principaux cépages des corbières, carignan (55 %), grenache (25 %) et syrah (20 %), vendangés manuellement, vinifiés en macération en grains entiers et élevés douze mois en fût. Belle intensité aromatique, fruits à l'alcool, fraise surmûrie, herbe fraîche ; bonne attaque, relief, fraîcheur, tanins fondus : un ensemble harmonieux. (50 à 69 F)

Marthe et François Lemarié, Ch. Aiguilloux, 11200 Thézan-des-Corbières, tél. 04.68.43.32.71, fax 04.68.43.30.66, e-mail aiguilloux@wanadoo.fr ☒ Y t.l.j. 10h-12h 14h-18h

CH. DES AUZINES
Cuvée des Hautes Terres 1999

■ 2 ha 6 000 ⏸ 8à11€

Les Auzines, un site proche de Lagrasse, surmonté par l'Alaric, dominant les gorges de l'Alsou, mais déjà sur un dôme à 270 m. Malgré cette faible altitude apparente, le carignan n'est pas en mesure de donner toute sa plénitude ; c'est pour cela que la cuvée des Hautes Terres l'a oublié. Elle a le nez franc, droit et intense, la bouche agréable, pleine, jeune, et elle saura attendre. (50 à 69 F)

Yves Jalliet, Ch. des Auzines, 11220 Lagrasse, tél. 04.68.43.12.05, fax 04.68.43.16.67 ☒ Y t.l.j. 9h-19h

CH. BEAUREGARD MIROUZE
Cuvée Prestige 1999

■ 1,28 ha 6 000 ⏸ 11à15€

Représentant la septième génération sur le domaine, Nicolas Mirouze a su écouter « son terroir ». Pas facile de produire de grands vins dans ces sols de grès. Il a dû remplacer le carignan par la syrah mais a conservé le grenache. Cette cuvée possède des arômes suffisants de garrigue, de poivre, légèrement rehaussés d'un peu de bois ; ample, gras, avec des tanins fondus, cette bouteille élégante est à déguster sans attendre. (70 à 99 F)

Nicolas Mirouze, Ch. Beauregard, 11200 Bizanet, tél. 04.68.45.19.35, fax 04.68.45.10.07, e-mail nmirouze@beauregard-mirouze.com ☒ Y r.-v.

CH. BEL-EVEQUE 1998

■ 11 ha 30 300 ⏸ 5à8€

Etre acteur, c'est affirmer une personnalité certaine ; Pierre Richard n'en manque pas, tout comme le vin qu'il propose. Son Château Bel-Evêque est paré d'une teinte profonde, soutenue, aux reflets presque noirs mais très brillants. Le nez est plaisant, net, confit, mûr, « intéressant ». D'une belle longueur en bouche, ce vin chaleureux, concentré, présente une finale agréable, presque un peu trop marquée, mais qui lui donne du relief. (30 à 49 F)

SCEA Pierre Richard, Ch. Bel-Evêque, 11430 Gruissan, tél. 04.68.75.00.48, fax 04.68.49.09.23 ☒ Y t.l.j. sf dim. lun. 10h-13h 15h-18h

CH. BERTRAND 2000*

◪ 1 ha 6 500 ▮🌡 3à5€

« Du cep à la bouteille », cette formule pourrait définir le métier de vigneron. Roger Bertrand est redevenu vigneron pour réaliser un vieux rêve de son père. Il y a réussi doublement en présentant un vin rosé assez puissant mais aussi nerveux, d'une certaine consistance et à l'intensité aromatique agréable et fruitée, ainsi qu'un **rouge 98, Cuvée réservée du Domaine de Longueroche (30 à 49 F).** (20 à 29 F)

🔑 Dom. de Longueroche, 11200 Saint-André-de-Roquelongue, tél. 04.68.41.48.26, fax 04.68.32.22.43, e-mail domaine.de.longueroche@wanadoo.fr ☑ 🍷 r.-v.
🔑 Roger Bertrand

CASTELMAURE Cuvée n° 3 1999*

■ 10 ha 25 000 🛢 15 à 23 €

Un chiffre pour décliner une cuvée ; plutôt anachronique dans cet environnement de rocs et de pierres, de garrigue brûlante, de soleil éclatant, de vignes escarpées, de vignerons au fort accent, où rien ne semble avoir changé depuis l'Antiquité. A la dégustation, seuls les mots défilent : brillant, rubis, dominante boisée, vanille, fruits mûrs, arômes toastés puis épicés, bonne présence, harmonie, équilibre, tanins denses et serrés, ampleur et longueur... D'ores et déjà intéressant et pourtant doté d'un grand potentiel. (100 à 149 F)

🔑 SCV Castelmaure, 4, rte des Cannelles, 11360 Embres-et-Castelmaure, tél. 04.68.45.91.83, fax 04.68.45.83.56, e-mail castelmaure@wanadoo.fr ☑ 🍷 t.l.j. sf sam. dim. 9h-12h 14h-18h

DOM. DES CHANDELLES 1998*

■ 4 ha 10 000 🛢 11 à 15 €

Un parcours tout à fait cohérent, convenez-en : être britannique, expert-comptable, puis devenir amoureux du vin jusqu'à se former à l'œnologie et à la viticulture en France, acheter des vignes dans l'Aude, éviter le carignan sur cette zone occidentale des Corbières, s'équiper de façon moderne et rationnelle, mais ne pas éluder l'élevage en fût pour mettre finalement à disposition de l'amateur un 98 au nez poivré et harmonieux, très fin et d'une grande longueur. (70 à 99 F)

🔑 Dom. des Chandelles, 4, chem. des Pins, 11800 Floure, tél. 04.68.79.00.10, fax 04.68.79.21.92 ☑ 🍷 r.-v.
🔑 P. et S. Munday

BLANC DE BLANCS DES DEMOISELLES 2000**

□ n.c. 30 000 🌡 3 à 5 €

Cette Demoiselle ne veut jamais avouer son âge et, à chaque millésime, se renouvelle : habillée d'une très belle robe, elle flatte l'œil puis attire avec son parfum discret, nuancé de fleurs blanches et révélant une vraie personnalité ; sa bouche pulpeuse et d'une exquise douceur délivre équilibre, rondeur, fraîcheur et s'étire langoureusement ; laissez-vous séduire. (20 à 29 F)

🔑 SCV Cellier des Demoiselles, 5, rue de la Cave, 11220 Saint-Laurent-de-la-Cabrerisse, tél. 04.68.44.02.73, fax 04.68.44.07.05 ☑ 🍷 t.l.j. sf dim. 8h-12h 14h-18h

DOM. DOHIN LE ROY
Cuvée la Bruyère 1999

■ 6,25 ha 30 000 🛢🌡 8 à 11 €

Comme son nom ne l'indique pas, Roquefort-des-Corbières voit la Méditerranée ; en 1999, ce terroir maritime n'a pas eu ses récompenses habituelles ; seule, cette cuvée la Bruyère, au fort accent de mourvèdre, se distingue. D'une intensité moyenne, elle ne manque cependant pas de personnalité ; épicée, surmûrie en bouche, souple, ample, ronde, elle possède des tanins très fins accompagnés d'une note de réglisse ; bel accord entre boisé et vin. (50 à 69 F)

🔑 SCEA des Airelles, 21, av. des Plages, 11540 Roquefort-des-Corbières, tél. 04.68.48.23.88, fax 04.68.48.23.88 ☑ 🍷 r.-v.

CH. ETANG DES COLOMBES
Bicentenaire Vieilles vignes 1999**

■ 17 ha 90 000 🛢 5 à 8 €

Henri Gualco a retrouvé sa sérénité de vigneron ; tout est pensé et voulu pour réaliser un bon corbières et satisfaire le dégustateur. Cette cuvée dominée par le grenache, complétée par la syrah avec un rien de mourvèdre, se fait à partir de vendanges manuelles ; huit mois de fût ont suffi à la peaufiner : sa belle expression aromatique est distinguée, très légèrement « garrigue » ; sa dégustation, après une attaque onctueuse et cependant charpentée, révèle du caractère, de la personnalité. Harmonieusement équilibrée, relevée d'un soupçon de fraîcheur, elle offre une finale épicée. (30 à 49 F)

🔑 Henri Gualco, Ch. Etang des Colombes, 11200 Cruscades, tél. 04.68.27.00.03, fax 04.68.27.24.63, e-mail christophe.gualco@wanadoo.fr ☑ 🍷 t.l.j. 8h-12h 14h-19h

DOM. DE FONTSAINTE
Réserve la Demoiselle 1999*

■ 8 ha 41 000 5 à 8 €

Bruno Laboucarié a tout du parfait vigneron. Il a l'œil averti pour effectuer le meilleur geste à la vigne, et possède le fin palais du dégustateur pour vinifier et élever en bon maître de chai. Ainsi, sur une année 1999 très délicate, la Réserve la Demoiselle se distingue par des expressions aromatiques variées avec du vanillé, de la confiture de fruits rouges, des notes de café torréfié ; la bouche franche et souple, d'un boisé bien maîtrisé, n'oublie pas une pointe de fraîcheur, des tanins harmonieux et surtout une très longue persistance. (30 à 49 F)

🔑 SEP Laboucarié, Dom. de Fontsainte, 11200 Boutenac, tél. 04.68.27.07.63, fax 04.68.27.62.01 ☑ 🍷 t.l.j. sf dim. 10h-12h 14h-18h

CH. GAUBERT Cuvée Philharmonie 1998

■ 3 ha 10 000 🛢🌡 8 à 11 €

Né à l'extrême ouest des Corbières, de la syrah et du grenache, façonné dans un chai tout neuf, lentement, sous température contrôlée, ce vin a été élevé trois mois en cuve puis neuf mois en fût. On dit de lui qu'il sent la garrigue, surtout le thym, qu'il est doux, agréable, un peu épicé et que sa finale a de l'accent. Pour une selle de chevreuil aux cerises. (50 à 69 F)

🔑 Gilles Cavayé, EARL dom. Gaubert, 11220 Arquettes-en-Val, tél. 04.68.24.04.49

DOM. DU GRAND CRES
Cuvée majeure 1998**

■ 12 ha 3 000 11 à 15 €

Le vin de Pascaline et Hervé Leferrer désire se faire attendre : il doit mûrir avant d'être goûté. Il mérite d'être décanté pour exhaler des arômes à tendance légèrement végétale ; cette sensation se retrouve en bouche, rehaussée d'un boisé net et franc, avec une très belle harmonie entre alcool et tanin. (70 à 99 F)

Hervé et Pascaline Leferrer, Dom. du Grand Crès, 40, av. de la Mer, 11200 Ferrals-les-Corbières, tél. 04.68.43.69.08, fax 04.68.43.58.99 r.-v.

CH. HAUTERIVE LE HAUT 2000*

□ 1 ha 6 500 3 à 5 €

La famille Reulet a installé son chai au milieu des galets du miocène caractéristiques du terroir de Boutenac, là où est implantée leur très ancienne propriété familiale (XVIIe s.). Les vieux ceps de grenache et un soupçon de maccabéo nous valent un très beau vin blanc : arômes aux discrètes nuances végétales, équilibre gustatif harmonieux et très longue persistance. (20 à 29 F)

SCEA Reulet, Ch. Hauterive-le-Haut, 11200 Boutenac, tél. 04.68.27.62.00, fax 04.68.27.62.00 r.-v.

CH. HAUTERIVE LE VIEUX 1999*

■ 3 ha 1 338 5 à 8 €

Ancienne métairie de Fontfroide, ce domaine est probablement devenu viticole au XIe s. Il propose un corbières élaboré dans la tradition : carignan pour moitié, grenache noir et syrah à parité ; longue macération en grains entiers, conservation exclusivement en cuve, mise en bouteilles à la fin du deuxième hiver. Le résultat est là : d'une couleur plus que soutenue, ce vin exhale des arômes de fruits confits et de cacao. Plaisant, plein et rond, il possède des tanins à l'accent prononcé qui devraient s'assagir après quelques mois en bouteilles. (30 à 49 F)

André Cambriel, Ch. Hauterive-le-Vieux, 65, av. Saint-Marc, 11200 Ornaisons, tél. 04.68.27.43.08, fax 04.68.27.43.08 t.l.j. sf dim. 9h-12h15 16h30-19h30; hiver sur r.-v.

CH. HAUT-GLEON 1999*

■ 20 ha 35 000 8 à 11 €

Lorsqu'on vient de Narbonne, le château Haut-Gléon ouvre la porte des hautes Corbières, dans le terroir de Durban. Le carignan y domine encore (60 %), grenache noir et syrah l'accompagnent. Production modérée, vendange manuelle, chai performant et huit mois de fût donnent un corbières d'une très belle concentration, au nez intense et complexe (vanille, pain grillé) ; ce vin dégage une forte puissance. Charnu, légèrement chaleureux, il s'appuie sur une charpente tannique généreuse. (50 à 69 F)

Ch. Haut-Gléon, Villesèque-des-Corbières, 11360 Durban, tél. 04.68.48.85.95, fax 04.68.48.46.20, e-mail chateauhautgleon@wanadoo.fr t.l.j. 9h-12h 13h30-17h

Duhamel

CH. LA BASTIDE Optimée 1999*

■ 10 ha 20 000 8 à 11 €

Je suis corbières en regardant vers le sud, même si j'aperçois au nord les premières terrasses du Minervois ; je suis corbières malgré ma forte proportion de syrah, agrémentée de grenache noir ; je suis corbières par ma robe grenat violacée, par mes arômes d'épices, de grillé, avec un boisé discret et une petite touche animale, par mes sensations gustatives riches ; agréable, ample, constitué de tanins fins et soyeux, d'une excellente harmonie générale, je suis à déguster dans l'année. (50 à 69 F)

Ch. La Bastide, 11200 Escales, tél. 04.68.27.08.47, fax 04.68.27.26.81 r.-v.

Guilhem Durand

CH. LA DOMEQUE 1998*

■ 8,25 ha 55 000 5 à 8 €

Une chapelle carolingienne fut établie ici, et ce n'est que depuis le XVIe s. que ce domaine porte son nom. Ce vin paré d'une robe profonde, vive, aux reflets noirs, offre un nez fin, discret mais élégant, de fruits noirs mûrs. La pointe d'évolution lui donne une bonne patine. La bouche presque fragile, légèrement dominée par le boisé, se révèle très harmonieuse, lisse, veloutée, d'une bonne longueur, juste rehaussée d'une touche tannique. (30 à 49 F)

Frédéric Roger, 19, av. E.-Babou, BP 90, 11200 Lézignan-Corbières, tél. 04.68.27.84.50, fax 04.68.27.84.51 t.l.j. 9h-12h 14h-18h; sam. dim. sur r.-v.

CH. LA PUJADE
Cuvée Charlemagne 1999*

■ 4 ha 20 000 5 à 8 €

Ce corbières se singularise par son assemblage associant mourvèdre (60 %), vieux carignan (20 %), syrah et grenache, ainsi que par son élevage sous bois (quinze mois). Le vin est original : d'un grenat foncé intense à reflets pourpres, il possède un nez très puissant, d'abord boisé, puis vanillé et enfin grillé. La bouche franche, forte, ample, pleine, grasse et ronde, délivre des arômes de fruits secs d'une très bonne persistance ; déjà intéressant et pourtant prometteur. (30 à 49 F)

Ch. La Pujade, 11200 Ferrals-les-Corbières, tél. 04.68.43.55.65, fax 04.68.43.56.16, e-mail chateaupujade@aol.com r.-v.

Mennesson

CH. DE LASTOURS Apparences 2000**

□ n.c. 5 000 8 à 11 €

Il y a tant à écrire sur le château de Lastours... Côté historique, son origine remonte à l'époque romaine aux abords de la voie Domitienne ; côté humain, les personnes handicapées participent directement à l'exploitation du vignoble ; côté sportif, c'est une étape du Paris-Dakar et il comporte des pistes d'essai. Côté bachique, il nous offre un vin aux flaveurs de pivoine, de poire, de kirsch, se retrouvant parfaitement dans l'équilibre gustatif harmonieusement accompagné d'une pointe gazeuse ; le secret de cette réussite : un zeste de muscat à petits grains dans

LANGUEDOC

l'assemblage de bourboulenc et de grenache blanc. (50 à 69 F)
Centre d'Aide par le Travail, Ch. de Lastours, 11490 Portel-des-Corbières, tél. 04.68.48.29.17, fax 04.68.48.29.14, e-mail portel.chateaudelastours@wanadoo.fr r.-v.

DOM. LAS VALS 1999

■ 5 ha 5 000 23 à 30 €

Tout à côté des vignes « blanches » du château de la Baronne, il est un domaine, complanté exclusivement de cépages rouges sur les pentes orientales de l'Alaric : il s'appelle Las Vals. Paul et Jean Lignères, dès leur première vendange, ont su apprivoiser cette cuvée à dominante de mourvèdre. Le nez plutôt fermé est déjà épicé ; la bouche, chaude, généreuse, repose sur des tanins très présents mais pas agressifs. A recommander dans quelques mois. (150 à 199 F)
Suzette Lignères, Ch. La Baronne, 11700 Fontcouverte, tél. 04.68.43.90.20, fax 04.68.43.96.73, e-mail chateaulabaronne@net-up.com r.-v.

CH. LA VOULTE-GASPARETS Cuvée réservée 1999*

■ 22 ha 120 000 8 à 11 €

Patrick Reverdy, le château La Voulte-Gasparets, ses vignes, son chai, son vin : comment les présenter ? Tout a déjà été dit et redit ; reportez-vous aux Guides antérieurs ! Seul le plaisir, renouvelé avec ce 99, peut se décrire : belle robe pourpre, légèrement tuilée ; arômes puissants et fins, aux accents caractéristiques de terroir, voire d'un cru ; même impression en bouche qui se révèle charpentée, concentrée, pleine, généreuse, parfaite ; ses tanins au devenir garanti assurent sa très longue persistance. (50 à 69 F)
Patrick Reverdy, Ch. La Voulte-Gasparets, 11200 Boutenac, tél. 04.68.27.07.86, fax 04.68.27.41.33, e-mail chateau-la-voulte-gasparets@wanadoo.fr t.l.j. 9h-12h 14h-18h

CH. LES OLLIEUX 2000*

3,24 ha 11 000 5 à 8 €

Je suis né sur les pentes sud du « Pinada », au cœur du terroir de Boutenac, engendré par des souches de grenache, de cinsault, de syrah et par quelques ceps de carignan. Mis en cuve, on m'a laissé m'écouler pour me transformer en rosé ; maintenant en pleine adolescence, je suis agréable, fruité, avec une pointe de bonbon anglais ; le peu de gaz carbonique me donne un relief et une tonalité pleine de vitalité et de jeunesse. (30 à 49 F)
François-Xavier Surbezy, Ch. Les Ollieux, 11200 Montséret, tél. 04.68.43.32.61, fax 04.68.43.30.78, e-mail ollieux@free.fr t.l.j. 8h30-20h; sam. dim. 10h-20h

CH. LES PALAIS Cuvée Randolin 1999*

■ 10 ha 45 000 8 à 11 €

Ne croyez pas que Xavier de Volontat vit sur son acquis. Le terroir reste le même, mais les plantations de syrah et de grenache prennent de l'âge, la qualité du raisin en bénéficie ; le chai évolue en un « modernisme traditionnel ». Voici un Randolin 99 au nez puissant, aux arômes suaves, vanillés. La bouche concentrée offre toujours d'aussi bons tanins et la caractéristique pointe de cacao. (50 à 69 F)
Ch. Les Palais, 11220 Saint-Laurent-de-la-Cabrerisse, tél. 04.68.44.01.63, fax 04.68.44.07.42 t.l.j. 9h-12h 14h-19h; dim. sur r.-v.
X. de Volontat

CH. DE L'HORTE Grande Réserve 1999***

■ 3 ha 9 500 11 à 15 €

Nous sommes sur la frange nord des Corbières, là où les *pech* de grès, couverts de pins, émergent, et sur leurs pentes s'étalent les ceps du château de L'Horte. C'est là que vous trouverez Jean-Pierre Biard, franchement méridional, et Johanna, qui hésite entre le parler du Nord et l'accent du Midi. Leur vin, lui, reste dans la parfaite typicité des corbières. Un rubis profond et dense, des arômes puissants de moka et de café, une très belle rondeur à l'attaque, de l'harmonie, de l'équilibre, du fruit mûr, de l'ampleur : un vin qui a de la matière, du grain, et pour couronner le tout, une finale douce et presque interminable. (70 à 99 F)
Jean-Pierre Biard et Johanna Van der Spek, Ch. de L'Horte, 11700 Montbrun-des-Corbières, tél. 04.68.43.91.70, fax 04.68.43.95.36, e-mail horte@wanadoo.fr r.-v.

CH. DE LUC Cuvée des Murets Elevé en fût de chêne 1999

■ 10 ha 50 000 5 à 8 €

Le château de Luc, ancienne demeure du seigneur de Saint-Geniès, gouverneur de Narbonne sous Louis XIII, abrite les fûts de chêne de la cuvée des Murets, récolte 1999 de Louis Fabre. Rouge intense, celle-ci se distingue par les épices du boisé, une touche légèrement animale, une pointe d'évolution, le tout élégamment entremêlé. Après une attaque simple, la bouche révèle une bonne consistance et un retour des subtilités olfactives. Elle se termine par quelques tanins qui demandent à se fondre. (30 à 49 F)

🔑 Louis Fabre, rue du Château, 11200 Luc-sur-Orbieu, tél. 04.68.27.10.80, fax 04.68.27.38.19, e-mail chateau.luc@aol.com
V Y r.-v.

CH. MAYLANDIE Cuvée Prestige 1998

■ 2,5 ha 13 000 ⅠⅠ 5à8€

Située sur la route des abbayes et des châteaux cathares, cette propriété propose des gîtes ruraux aux amateurs de vieilles pierres mais aussi de corbières. Voilà un 98 en pleine force de l'âge : foncé mais vif, il offre un nez intense, très fruité sans évolution, mais aussi confit, où l'on trouve des notes de pruneau et des nuances minérales. Sa forte concentration, ses tanins encore trop jeunes et sa finale encore heurtée ne nuisent pas à l'ampleur de la bouche. Vin à « oublier » douze à dix-huit mois en cave car il est très prometteur. (30 à 49 F)

🔑 Maymil, Ch. Maylandie, 11200 Ferrals-les-Corbières, tél. 04.68.43.66.50, fax 04.68.43.69.42, e-mail maymil@infonie.fr
V Y t.l.j. 9h-20h

CH. MERVILLE 1999*

■ 6 ha 35 000 Ⅰ ⅠⅠ ↓ 8à11€

François et Jacques Lurton, Bordelais, innovent en corbières. Tout au long de l'année, bien qu'ils ne soient pas producteurs, ils prennent la responsabilité de vinifier, élever, mettre en bouteille une partie de la récolte du domaine. Tout en limitant la part du carignan, ils préservent l'originalité et la typicité du terroir. En témoignent ici les flaveurs de réglisse, de tabac, d'épices et de vanille, des saveurs multiples affirmées par le fût d'un vin plutôt souple, charnu et d'une certaine fraîcheur. D'accès facile, ce 99 procure du plaisir. On l'accompagnera de cailles farcies ou de bécasses flambées. (50 à 69 F)

🔑 Jacques et François Lurton, Dom. de Poumeyrade, 33870 Vayres, tél. 05.57.74.72.74, fax 05.57.74.70.73, e-mail jflurton@jflurton.com

CH. MEUNIER SAINT-LOUIS A Capella 1999***

■ 5 ha 34 000 8à11€

En 1999, l'œil du vigneron a plus compté que les avertissements agricoles pour contrer les vols d'eudémis ; Philippe Pasquier-Meunier est de ceux qui ont exercé leur regard, livrant ainsi à Martine, la maître de chai, de très belles grappes pour sa cuvée A Capella, déjà remarquée dans le millésime précédent ; nous la retrouvons avec un profil similaire : robe soutenue, profonde, nuancée, entre violacée et noire ; nez puissant et surtout élégant, associant fleurs, fruits rouges, vanille, poivre... L'impression gustative s'annonce franche, agréable. Les tanins soyeux mêlés aux arômes déjà révélés tapissent le palais. Très près de la perfection. (50 à 69 F)

🔑 Ph. Pasquier-Meunier, Ch. Meunier Saint-Louis, 11200 Boutenac, tél. 04.68.27.09.69, fax 04.68.27.53.34 V Y r.-v.

CH. PECH-LATT Alix 1998*

■ 3 ha 12 000 ⅠⅠ 23à30€

Déjà mentionnée en l'an 800, une ancienne dépendance de l'abbaye bénédictine de Lagrasse, fondée au VIIIe s. Le domaine viticole s'appuie sur les colluvions calcaires de la montagne d'Alaric. Cette cuvée aux puissants accents de griotte, aux tanins élégants, résulte d'un choix rigoureux de grenache (25 %), de syrah (30 %), de mourvèdre (5 %) et de carignan (40 %), d'une longue cuvaison et d'un élevage en barrique de douze mois. (150 à 199 F)

🔑 SC Ch. Pech-Latt, 11220 Lagrasse, tél. 04.68.43.11.40, fax 04.68.58.11.41 V Y t.l.j. 8h-12h 13h30-17h30; sam. dim. sur r.-v.

CH. PRIEURE BORDE-ROUGE Cuvée Signature 1999*

■ 4,3 ha 25 000 ⅠⅠ 5à8€

Natacha et Alain Quenehen sont toujours aussi amoureux de leur domaine, passionnés par leur métier d'artisan vigneron, et la vigne répond à leur enthousiasme. Encore un millésime 99 parmi les meilleurs : nez suffisamment expressif, varié, de thé, de cerise et de framboise ; bouche ronde, pleine, dont la chaleur est parfaitement compensée par de beaux tanins ; fin de dégustation parfaite. On propose de le servir avec une aiguillette de canard aux épices. (30 à 49 F)

🔑 SCEA Devillers-Quenehen, Ch. Prieuré Borde-Rouge, 11220 Lagrasse, tél. 04.68.43.12.55, fax 04.68.43.12.51, e-mail quenehen@aol.com V Y t.l.j. 9h-18h

SEIGNEUR DE QUERIBUS 1999*

■ 25 ha 6 000 Ⅰ 5à8€

Au pied des citadelles cathares, il est encore des « parfaits » : ces purs respectent le terroir en sélectionnant vignes et cépages, respectent les raisins par une cueillette manuelle, respectent la vendange par une macération en grains entiers et n'« améliorent » pas le vin par un vieillissement en fût. Cette coopérative propose un 99 très aromatique (violette, fraise écrasée et notes de thym), très gouleyant, fruité, à peine mentholé, doté de tanins présents mais souples. (30 à 49 F)

🔑 Vignerons du château de Quéribus, 11350 Cucugnan, tél. 04.68.45.41.61, fax 04.68.45.02.25 V Y t.l.j. 10h-12h 14h-19h

ROQUE SESTIERE Carte blanche 1999**

■ 3 ha 6 200 ⅠⅠ 5à8€

Remarqué dans le Guide 2000 pour ses Vieilles vignes en corbières blanc, Roque Sestière s'affiche également en rouge. Roland Lagarde, en maître vigneron, et non plus d'école, a élevé un fameux 99. Très pédagogue, il a su allier l'authenticité du carignan à l'élégance de la syrah ; leur éducation en fût leur a donné leur caractère secondaire, et la dégustation vaut bien celle de crus supérieurs. Peut demander, sans complexe, sa réception à l'Académie des grands corbières. (30 à 49 F)

🔑 EARL Roland Lagarde, rue des Etangs, 11200 Luc-sur-Orbieu, tél. 04.68.27.18.00, fax 04.68.27.18.00 V Y r.-v.

ROSEE D'OCTOBRE 2000*

◪ 4 ha 5 000 ▮🌡 3à5€

La haute Corbière, Quéribus, Cucugnan, un terroir singulier d'où ressort un rosé original. La réussite pour 2000 est du côté des vignerons de Padern et Montgaillard grâce à ce vin frais, accueillant, élégant, équilibré, soyeux, plaisant par ses arômes de fruits rouges. (20 à 29 F)

Les Terroirs du Vertige, 11350 Padern, tél. 04.68.45.41.76, fax 04.68.45.02.55 ☑ Y r.-v.

DOM. ROUIRE-SEGUR 2000**

◪ 5 ha 7 000 3à5€

Geneviève Bourdel, vigneronne d'âme et de cœur, bichonne chaque année sa vendange pour avoir son rosé ; elle y a fort bien réussi en 2000. La recette est toujours la même : dominante de syrah, fond de grenache et pointe de cinsault. Le résultat : robe cristalline, palette aromatique intense évoluant des fleurs délicates aux petits fruits, attaque fraîche mais avec rondeur et fondu. Un ensemble harmonieux et tout en subtilité. (20 à 29 F)

Geneviève Bourdel, Dom. Rouïre-Ségur, 11220 Ribaute, tél. 04.68.27.19.76, fax 04.68.27.62.51 ☑ Y r.-v.

CH. SAINT-JAMES Prieuré 1999**

■ 2,9 ha 20 000 ⏺ 5à8€

Henri Gualco a entièrement réhabilité le château Saint-James avant de le confier à son fils Christophe. Ce bon terroir d'éboulis et de colluvions, situé entre garrigue et Orbieu, a été complanté en tenant compte de son caractère plus ou moins caillouteux : on a privilégié le grenache, puis la syrah et enfin le mourvèdre. Restait à faire parler ces nouvelles vignes ; ce 99 s'annonce souple et franc avec du fruit mûr et une note discrète de vanille. Un vin plaisir. (30 à 49 F)

Christophe Gualco, Ch. Saint-James, 11200 Nevian, tél. 04.68.27.00.03 ☑ Y r.-v.

SEXTANT SEDUCTION 1998*

■ n.c. 11 000 ▮⏺ 11à15€

On trouve quelquefois un vin qui ressemble à son vigneron, mais il est bien plus rare de le voir prendre les traits de caractère du maître de chai d'une cave coopérative ; et pourtant, Sextant, c'est Alain Cros : forte personnalité, solide, direct, généreux. Le vin est un peu austère mais sans faux-semblant et, dans sa générosité, il nous délivre des arômes intéressants et complexes d'évolution – fruits mûrs et olive noire. (70 à 99 F)

Vignerons du Mont Tenarel d'Octaviana, 53, rue de la Coopérative, 11200 Ornaisons, tél. 04.68.27.09.76, fax 04.68.27.58.15 ☑ Y t.l.j. sf dim. 8h-12h 14h-18h; sam. 8h-12h

TERRA VINEA 1999*

■ 5 ha 20 000 ⏺ 8à11€

Cette cuvée bénéficie des meilleurs soins du maître des lieux, Luc Mazot, œnologue. Sélection irréprochable des vignes, attente maximale pour vendanger, vinification en grains entiers, mise en fût précoce. Bichonnée à 80 m sous terre, dans les anciennes galeries d'exploitation de gypse maintenant devenues Terra Vinea, elle séduit par sa bouche aromatique épicée, chaude, presque empyreumatique ; sa bouche aux notes vanillées révèle un vin rond, plein, corsé, d'une belle longueur, avec une touche de violette. (50 à 69 F)

Caves Rocbère, 11490 Portel-des-Corbières, tél. 04.68.48.28.05, fax 04.68.48.45.92 ☑ Y t.l.j. 9h-12h 14h-19h

CH. DU VIEUX PARC La Sélection 1999*

■ 10 ha 50 000 ⏺ 8à11€

Homme nature et de la nature, amateur de sport, Louis Panis, est tout autant passionné par son art de vigneron. Voici un parfait 99 au bouquet de mûre accompagné d'une pointe gentiment animale et, comme toujours, d'un soupçon de sous-bois. Sa belle matière aux tanins fondus est parfumée d'une pointe de garrigue fraîche, qui lui donne beaucoup d'élégance. Pour un agneau rôti. (50 à 69 F)

Louis Panis, Ch. du Vieux Parc, av. des Vignerons, 11200 Conilhac-Corbières, tél. 04.68.27.47.44, fax 04.68.27.38.29 ☑ Y r.-v.

LE BLANC DU DOMAINE DE VILLEMAJOU Vinifié en barrique 2000*

□ 7 ha 40 000 ▮⏺🌡 5à8€

Bon terroir ne saurait mentir ; distingué en rouge ou en rosé dans des éditions précédentes, Gérard Bertrand a décidé de se montrer cette année en blanc, mais dans sa spécialité : l'élevage en fût. Œil jaune paille clair, limpide et vif. Nez puissant, original et caractéristique d'un boisé bien mené, toasté et agréable. Bouche fraîche et complexe aux arômes en parfaite continuité. Peut se boire maintenant, mais sera certainement intéressant dans deux ou trois ans. (30 à 49 F)

Dom. Gérard Bertrand, 11200 Saint-André-de-Roquelongue, tél. 04.68.42.68.68, fax 04.68.45.11.73 ☑ Y r.-v.

CH. DE VILLENOUVETTE Cuvée Marcel Barsalou 1998***

■ 4 ha 14 000 8à11€

Une ancienne abbaye a servi, au siècle dernier, d'assise au château de Villenouvette, construit par Garnier (Opéra de Paris). Le vignoble qui l'entoure puise sa sève dans un sol fortement caillouteux, filtrant, où les racines doivent explorer les moindres traces d'humidité pour s'y nourrir. S'ensuit une forte concentration ; restait à Eric Barsalou à marier une belle syrah au parfait carignan. Un élevage en fût remarquablement mené nous vaut ce 98 exceptionnel et complexe ; fruits noirs, fruits cuits, sous-bois s'exhalent d'autant mieux que le vin a été décanté ; la dégustation révèle des tanins fondus, du gras, de la rondeur. Harmonieux, d'une grande longueur, c'est un corbières racé. (50 à 69 F)

Vignerons de La Méditerranée, ZI Plaisance,12, rue du Rec-de-Veyret, BP 414, 11104 Narbonne Cedex, tél. 04.68.42.75.00, fax 04.68.42.75.01, e-mail rhirtz@listel.fr
r.-v.

SCEA vignobles Villenouvette

Costières de nîmes

Ce sont 25 000 ha de terrains classés en AOC ; 12 000 ha sont actuellement plantés dans ce périmètre. Les vins rouges, rosés ou blancs sont élaborés dans un vignoble établi sur les pentes ensoleillées de coteaux constitués de cailloux roulés, dans un quadrilatère délimité par Meynes, Vauvert, Saint-Gilles et Beaucaire, au sud-est de Nîmes, au nord de la Camargue. 237 218 hl de vin ont été agréés en 2000 sous l'appellation costières de nîmes (67 % de rouge, 30 % de rosé, 3 % de blanc), produits sur le territoire de vingt-quatre communes. Les rosés s'associent aux charcuteries des Cévennes, les blancs se marient fort bien aux coquillages et aux poissons de la Méditerranée et les rouges, chaleureux et corsés, préfèrent les viandes grillées. Une confrérie vineuse, l'Ordre de la Boisson de la Stricte Observance des Costières de Nîmes, a repris une tradition créée en 1703. Une route des Vins parcourt cette région au départ de Nîmes.

CH. AMPHOUX 2000*

■ n.c. 17 000 5à8€

Exploité depuis 1997 par Alain Giran, ce domaine de 30 ha se consacre à l'AOC. Cette cuvée est parée d'une robe sombre et brillante. La diversité de ses arômes retient les dégustateurs : sous-bois, violette, épices (poivre). La bouche révèle du gras et du volume, des tanins très présents mais soyeux. La finale est longue et réglissée. De la matière pour ce joli vin. (30 à 49 F)

EARL Alain Giran, Ch. Amphoux, rue de La Chicanette, 30640 Beauvoisin, tél. 04.66.01.92.57, fax 04.66.01.97.73

DOM. DES ARMASSONS 2000

■ n.c. 200 000 3à5€

D'un noir bleuté très profond, ce vin élaboré par la coopérative présente un nez encore fermé où pointent néanmoins les fruits rouges, le cassis et les épices. De même en bouche, les tanins sévères demandent à s'assouplir pour mieux s'exprimer. Le potentiel est certain. (20 à 29 F)

SCA Les Vignerons de Jonquières, 20, rue de Nîmes, 30300 Jonquières-Saint-Vincent, tél. 04.66.74.50.07, fax 04.66.74.49.40, e-mail cave.jonquieres@wanadoo.fr r.-v.

CH. DES AVEYLANS 2000*

■ 3,2 ha 22 000 3à5€

Dans le millésime 2000, la syrah (70 %) est assemblée au grenache ; ces vignes implantées sur des cailloutis (les gress), ont donné un beau vin à la robe profonde et aux reflets pourpres. Sa jeunesse est prometteuse. Encore fermé au nez (arômes de marc de raisin), il s'appuie sur une structure équilibrée, où dominent des tanins puissants, encore austères. A attendre un an. Rappelons le coup de cœur du millésime 97 dans le Guide 1999. (20 à 29 F)

EARL Hubert Sendra, Dom. des Aveylans, 30127 Bellegarde, tél. 04.66.70.10.28, fax 04.66.01.02.26 r.-v.

DOM. BARBE-CAILLETTE Délice de Jovis 2000*

◪ 10,5 ha 8 000 3à5€

Deux femmes, l'une professeur de lettres, l'autre sage-femme, décident de créer ce domaine viticole sous les auspices de Jupiter. Voici leur première production, très encourageante. D'une belle couleur rose vif, ce millésime montre un nez intense et élégant de rose puis de fruits (fraise). En bouche, on perçoit le bonbon anglais. Une pointe perlante vient relever l'équilibre tout en souplesse et en finesse. (20 à 29 F)

SCEA Barbe-Caillette, Mas Jovis, chem. de Barbe-Caillette, 30600 Vauvert, tél. 04.66.51.34.97, fax 04.66.51.39.21, e-mail pascal.pelorce@wanadoo.fr t.l.j. 11h-17h

CH. BEAUBOIS Cuvée Elégance 2000*

■ 5 ha 15 000 5à8€

Les parents gèrent la très belle propriété de 53 ha située au nord de l'étang de Scamendre ; le fils François est dans les vignes, la fille Fanny vinifie. Comme souvent pour le millésime 2000, la robe est foncée, pourpre à reflets violacés. La structure est élégante (comme le souligne le nom de la cuvée) ; les tanins, très présents, vont s'affiner avec le temps. (30 à 49 F)

SCEA Ch. Beaubois, 30640 Franquevaux, tél. 04.66.73.30.59, fax 04.66.73.33.02, e-mail fannyboyer@chateau-beaubois.com t.l.j. 8h-12h 14h-18h

Boyer

LOUIS BERNARD 2000*

■ n.c. 200 000 3à5€

Ce négociant d'Orange est très présent dans cette AOC. Ce vin de marque est plaisant dans sa robe pourpre. Son nez de marc de raisin frais évoque les vendanges. La bouche ronde et ample, sur des tanins souples, en fait un vin facile à boire. (20 à 29 F)

Les Domaines Bernard, rte de Sérignan, 84100 Orange, tél. 04.90.11.86.86, fax 04.90.34.87.30, e-mail sagon@domaines-bernard.fr

CH. PAUL BLANC 2000*

□ 1 ha 3 000 5à8€

Paul Blanc a créé ce domaine en 1989. Sa fille, œnologue, le gère depuis 1998. A partir de la seule roussanne née sur des galets rouges, elle a produit ce très beau vin jaune doré montrant quelques reflets verts. Derrière le boisé encore très présent, on découvre la grande complexité des arômes : vanille, ananas, pêche bien mûre, citron confit. En bouche, c'est l'ampleur et l'onctuosité qui dominent ; une pointe d'acidité finale qui lui confère légèreté est gage de longévité. Il faudra l'attendre un an ou deux minimum. (30 à 49 F)

Nathalie Blanc-Mares, Mas Carlot, rte de Redessan, Ch. Paul Blanc, 30127 Bellegarde, tél. 04.66.01.11.83, fax 04.66.01.62.74 ☑ Y t.l.j. 8h-12h 14h-17h; sam. dim. sur r.-v.

Paul Blanc

CH. BOLCHET Tradition 2000***

■ 3,8 ha 26 000 5à8€

Une entrée dans le Guide fracassante pour ce domaine : les deux vins rouges se sont disputé le coup de cœur : la **cuvée Prestige rouge 2000** obtient deux étoiles, la syrah (75 %) fait la différence, dominant les arômes ainsi que l'imposante structure. C'est finalement la cuvée Tradition (syrah 50 %) qui l'emporte avec sa robe intense aux reflets noirs, son nez complexe et très ouvert de fruits des bois, de crème de cassis, la rétro-olfaction mêlant épices et fruits rouges. L'attaque est ample, l'équilibre sans accroche. Les tanins sont superbes, puissants et jeunes, mais nobles et très prometteurs. La finale se montre très longue et harmonieuse. Vin particulièrement réussi de ce millésime 2000, tout compte fait, pas si facile. (30 à 49 F)

Béatrice Becamel, Ch. Bolchet, 30132 Caissargues, tél. 04.66.38.05.65, fax 04.66.29.14.79 ☑ Y t.l.j. sf sam. dim. 8h30-12h 14h-19h

MAS DES BRESSADES Cuvée Tradition 2000*

◪ 5 ha 30 000 3à5€

Des galets roulés du Rhône, Cyril Marès a tiré un rosé de saignée à la robe claire, aux arômes intenses et agréables, dominés par les petits fruits rouges (groseille, framboise). On appréciera sa rondeur en bouche et sa belle structure. (20 à 29 F)

Cyril Marès, Mas des Bressades, Le Grand-Plagnol, 30129 Manduel, tél. 04.66.01.66.00, fax 04.66.01.80.20 ☑ Y r.-v.

CH. CADENETTE 2000*

◪ 24 ha 25 000 3à5€

Depuis 1962, les Dideron mènent ce domaine situé en bordure de la Camargue. Dans une robe aux brillants reflets cerise, leur rosé révèle un fruité intense et délicat à la fois, mêlant framboise, cassis et bonbon à la fraise. La bouche acidulée s'emplit de notes fruitées persistantes sur une finale chaleureuse. Du même producteur, le **rosé 2000 du Domaine de La Guillaumette (moins de 20 F)** obtient la même note. Fruité, il est ample et souple. (20 à 29 F)

Pierre Dideron, La Cadenette, 30600 Vestric-et-Candiac, tél. 04.66.88.21.76, fax 04.66.88.20.59, e-mail chbommel@club-internet.fr ☑ Y r.-v.

DOM. DE CAMPAGNOL 2000*

■ 6 ha 41 000 5à8€

L'œil est séduit par la belle robe pourpre. Une pointe animale, typique de la syrah dans sa jeunesse, laisse vite place à des arômes complexes de fruits rouges et de violette. La bouche est équilibrée, soyeuse et souple à l'attaque. Ce vin offre un plaisir simple, sans qu'il soit besoin de l'attendre. (30 à 49 F)

Marc Jacquet, Dom. de Campagnol, quartier Grès, 30540 Milhaud, tél. 04.66.74.20.44, fax 04.66.74.18.29, e-mail domaine.campagnol@wanadoo.fr ☑ Y r.-v.

MAS CARLOT Cuvée Tradition 2000*

■ 7,5 ha 50 000 3à5€

Deux cuvées ont séduit à égalité les dégustateurs : **Les Jeunes vignes de Carlot blanc 2000** aux arômes de peau de pêche associant une note citronnée, et ce vin rouge pourpre à reflets noirs dont le nez est encore fermé bien qu'on y perçoive la violette et des épices (cannelle). La bouche ample, aux tanins serrés, d'une bonne longueur, promet de beaux lendemains. (20 à 29 F)

Nathalie Blanc-Mares, Mas Carlot, rte de Redessan, Ch. Paul Blanc, 30127 Bellegarde, tél. 04.66.01.11.83, fax 04.66.01.62.74 ☑ Y t.l.j. 8h-12h 14h-17h; sam. dim. sur r.-v.

Paul Blanc

CH. GRANDE CASSAGNE 2000*

■ 10 ha 80 000 3à5€

En 1887, Hippolyte Dardé, négociant en vins à Paris, achète ce domaine. Les descendants ont traversé toutes les crises du Languedoc mais aussi connu tous ses succès. Deux cuvées sont très réussies. Celle-ci, parée d'une brillante robe pourpre offre un nez puissant de garrigue et de fruits cuits. Les tanins très présents soutiennent une structure équilibrée jusqu'à une finale chaleureuse. Le **rosé 2000**, tout en fleurs blanches et en fruits, repose sur une bonne acidité en harmonie avec sa rondeur et son ampleur. (20 à 29 F)

Dardé Fils, La Grande Cassagne, 30800 Saint-Gilles, tél. 04.66.87.32.90, fax 04.66.87.32.90 r.-v.

CH. GUIOT 2000*

■ 35 ha 230 000 3à5€

Situé sur l'un des chemins de Saint-Jacques de Compostelle, ce domaine est entré dans la famille Cornut en 1977. A côté d'un **rosé 2000** très réussi, ce vin porte une robe colorée caractéristique du millésime. Le nez est encore fermé, mais l'on commence à distinguer les fruits rouges et une touche de fumée. Après une attaque ronde, le palais se révèle bien structuré, avec des tanins dominants, gage d'une bonne conservation. (20 à 29 F)

GFA Ch. Guiot, Dom. de Guiot, 30800 Saint-Gilles, tél. 04.66.73.30.86, fax 04.66.73.32.09 r.-v.

Cornut

HAUT MOULIN D'EOLE 2000*

■ 6 ha 40 000 5à8€

Créée en 1928, une coopérative installée près d'un moulin qui veille depuis deux cents ans sur le vignoble. Cette cuvée assemble 80 % de syrah au grenache. Elle porte une robe d'un beau rouge profond. On perçoit au nez des arômes frais et agréables où dominent les senteurs végétales, les fruits rouges, le marc de raisin. Après une attaque franche, la bouche est équilibrée par des tanins fondus qui permettront d'apprécier ce vin d'ici un an. (30 à 49 F)

SCA Les Vignerons de Beauvoisin, av. de la Gare, 30640 Beauvoisin, tél. 04.66.01.37.14, fax 04.66.01.85.73, e-mail vignerons.beauvoisin@costieres.com t.l.j. sf dim. 9h-12h 14h30-19h

DOM. DU HAUT PLATEAU 2000*

■ 3 ha 20 000 3à5€

Ce vin est à l'image de la Camargue toute proche. Sa couleur d'un noir bleuté est profonde comme la mer. Impétueux, il est vif et nerveux, tels les chevaux figurant sur l'étiquette ; sa tenue en bouche et sa longueur donnent une sensation de plénitude. (20 à 29 F)

Denis Fournier, Dom. du Haut-Plateau, 30129 Manduel, tél. 04.66.20.31.78, fax 04.66.20.20.53, e-mail FDenis2501@aol.com r.-v.

CH. LA COURBADE 2000*

■ n.c. 170 000 3à5€

La robe est profonde avec des nuances pourpre foncé. Au nez, fruits rouges et violette tiennent le haut du pavé ; poivre et réglisse s'exposent en rétro-olfaction. Des tanins encore trop jeunes et fougueux donnent à ce vin corsé et chaleureux une solide structure. Présenté par le même négociant, le **Domaine de La Figueirasse rouge 2000** obtient la même note. (20 à 29 F)

Les Domaines Bernard, rte de Sérignan, 84100 Orange, tél. 04.90.11.86.86, fax 04.90.34.87.30, e-mail sagon@domaines-bernard.fr

Boucoiran

CH. LAMARGUE 2000*

□ 15 ha 90 000 5à8€

Un sol de cailloutis et d'argile complanté de grenache blanc (65 %), de roussanne (25 %) et de rolle a donné naissance à ce vin jaune très clair à reflets brillants. Le nez de type floral, peau de pêche avec une pointe citronnée très agréable, offre beaucoup de fraîcheur. Son bel équilibre en bouche en fait une bouteille qui sera plaisante à consommer cet hiver sur poissons et crustacés. (30 à 49 F)

SCI du Dom. de Lamargue, rte de Vauvert, 30800 Saint-Gilles, tél. 04.66.87.31.89, fax 04.66.87.41.87, e-mail domaine.de.lamargue@wanadoo.fr r.-v.

C. Bonomi

CH. DE L'AMARINE

Cuvée des Bernis 2000*

□ 4 ha 25 000 5à8€

Grenache blanc (90 %) et roussanne implantés sur « gress » ont donné ce vin très agréable, de couleur jaune clair, aux arômes d'abricot sec et de fruits secs en bouche. Celle-ci, ronde, ample, avec une pointe vive en finale, se révèle équilibrée. (30 à 49 F)

SCA Ch. de L'Amarine, Ch. de Campuget, 30129 Manduel, tél. 04.66.20.20.15, fax 04.66.20.60.57, e-mail campuget@wanadoo.fr t.l.j. sf dim. 10h-12h 14h-18h

Famille Dalle

DOM. DE LA PATIENCE 2000*

◪ 2 ha 4 000 3à5€

Une entrée dans le Guide réussie pour ce domaine dont le nom invite à la sagesse. Il propose un rosé de couleur vive, au joli nez intense, floral (rose) puis fruité (fraise), avec une note amylique. La bouche est charnue, ample, souple, sans acidité mordante. Un vin harmonieux et plaisant qui pourra accompagner une viande blanche. (20 à 29 F)

EARL dom. de La Patience, chem. des Marguerites, 30320 Bezouce, tél. 04.66.37.40.99, fax 04.66.37.40.99 du jeu. au sam. 9h-12h 14h-18h30

Christophe Aguilar

DOM. DE L'ARBRE SACRE 2000*

■ 21,6 ha 170 000 -3€

Une robe pourpre violacé, des fruits rouges bien perceptibles au nez : les prémices engagent à poursuivre la dégustation. Après une attaque ronde apparaissent des tanins enveloppés et de qualité. La finale est chaleureuse. (– 20 F)

La Compagnie rhodanienne, chemin Neuf, 30210 Castillon-du-Gard, tél. 04.66.37.49.50, fax 04.66.37.49.51 r.-v.

CH. LA TOUR DE BERAUD 2000*

■ 12 ha 66 660 -3€

Une tour à feu séculaire se dresse sur le domaine et a donné son nom à ce vin dont la robe est d'un noir d'encre. Le nez complexe et puissant exhale des parfums de sous-bois, de violette, de cassis, puis évolue sur des notes animales. La structure s'appuie sur des tanins bien fermes jusque dans une finale chaleureuse. Un assemblage réussi. (– 20 F)

François Collard, Ch. des Mourgues du Grès, 30300 Beaucaire, tél. 04.66.59.46.10, fax 04.66.59.34.21 t.l.j. sf dim. 9h-12h 14h-18h; sam. sur r.-v.

CH. DE LA TUILERIE

Vieilles vignes 2000*

■ 3,7 ha 26 000 8 à 11 €

20 % de grenache de quarante ans, le reste en syrah de vingt-cinq ans : cette cuvée bien née dont 30 % est élevée en barrique - il faut voir le nouveau chai avec ses six cents fûts - présente une couleur grenat aux reflets bruns. L'élégance des arômes complexes (léger boisé, grillé, épices douces) ravit le nez. L'épice - poivre - se retrouve longuement en bouche dans un ensemble chaleureux porté par des tanins souples. A boire sans attendre, sur des viandes rouges. (50 à 69 F)

Chantal et Pierre-Yves Comte, Ch. de La Tuilerie, rte de Saint-Gilles, 30900 Nîmes, tél. 04.66.70.07.52, fax 04.66.70.04.36, e-mail vins@chateautuilerie.com r.-v.

MAS CORINNE 2000*

■ 2,5 ha 20 000 -3€

La syrah, née sur les galets roulés reposant sur argile, a donné ce vin à la robe grenat à jolis reflets violets. Le nez est agréable et complexe (violette, fruité doux, notes de grillé et de vanille). On relève une structure élégante avec des tanins bien présents. Une vinification et un élevage réussis. (– 20 F)

La Compagnie rhodanienne, chemin Neuf, 30210 Castillon-du-Gard, tél. 04.66.37.49.50, fax 04.66.37.49.51 r.-v.

A. Dalmas

CH. MOURGUES DU GRES

Terre d'Argence 2000**

■ 5 ha 30 000 5 à 8 €

L'une des vedettes de l'AOC, et de superbes cuvées proposées à notre dégustation. Celle-ci, d'une couleur profonde, l'emporte en rouge sur la cuvée **Les Galets roulés 2000** qui reçoit néanmoins une étoile. Le nez se concentre sur des notes animales, avec des touches de fruits rouges et de sous-bois d'une belle complexité. La fermeté des tanins bien présents n'occulte pas l'impression d'harmonie générale faite d'élégance, de générosité et de longueur. En **blanc, Terre d'Argence** et **Galets dorés 2000** ont obtenu chacune deux étoiles, tout comme les **rosés 2000** : la cuvée **Les Galets roses**, très classique, destinée à la cuisine exotique ou relevée, et la cuvée élevée en bois **Capitelles des Mourgues**, qui laisse les fruits s'exprimer, avec suffisamment de gras pour accompagner des plats en sauce. (30 à 49 F)

François Collard, Ch. des Mourgues du Grès, 30300 Beaucaire, tél. 04.66.59.46.10, fax 04.66.59.34.21 t.l.j. sf dim. 9h-12h 14h-18h; sam. sur r.-v.

CH. DE NAGES

Cuvée Joseph Torrès 2000*

□ 5,5 ha 28 000 11 à 15 €

Michel Gassier, après dix ans d'expérience viticole aux Etats-Unis, est revenu prendre la relève de son père en 1999. Il assemble 95 % de roussanne au grenache dans ce vin d'un beau jaune doré. Le nez exhale des parfums capiteux de miel et de cire d'abeille. La bouche, ample et pleine, offre des notes brûlées en rétro-olfaction. La finale est longue et agréable. Un élevage en barrique superbement maîtrisé qui réservera encore des surprises dans un an ou deux. (70 à 99 F)

Vignobles Michel Gassier, Ch. de Nages, 30132 Caissargues, tél. 04.66.38.44.30, fax 04.66.38.44.21, e-mail m.gassier@chateaudenages.com r.-v.

DOM. DU PERE GUILLOT 2000**

◪ 1,5 ha 13 300 -3€

Le Père Guillot est un domaine de Morgon en Beaujolais. Il s'est implanté dans le Gard en 1995 et fait ici son entrée dans le Guide. Ce vin porte une jolie robe rose tendre. Le premier nez, intense, fin et agréable, livre des arômes de fruits, que l'on retrouve, accentués, en bouche. Bien équilibrée, avec une touche d'acidité apportant de la fraîcheur, cette bouteille élégante est à boire sans attendre. (– 20 F)

Dom. du Père Guillot, rte du Pont-des-Tourradons, 30740 Le Cailar, tél. 04.66.88.69.60, fax 04.66.88.69.61, e-mail laurent.guillot3@wanadoo.fr r.-v.

GFA du Grand Bourry

PREFERENCE 2000*

■ n.c. 20 000 -3€

Grenache et syrah à parts égales dans ce vin d'assemblage. La robe est très foncée. Les arômes mélangent les fruits rouges, les fruits confits et le cuir frais. La structure de vin de garde sait éviter une trop forte dominante tannique. (– 20 F)

SCA Costières et Soleil, rue Emile-Bilhau, 30510 Générac, tél. 04.66.01.31.31, fax 04.66.01.38.85 t.l.j. sf dim. 10h-12h30 15h30-19h

CH. DE RATY 2000*

■ 10,8 ha 80 000 3 à 5 €

L'un des plus anciens châteaux de la Costière, vinifié par la coopérative de Générac. Ce 2000 porte une robe très foncée et un nez dont les arômes de violette et de fruits, encore discrets, doivent se développer avec le temps. L'attaque est franche et ronde, les tanins sont de qualité, très présents sans être desséchants. Finale agréable. (20 à 29 F)

🔑 SCA Costières et Soleil, rue Emile-Bilhau, 30510 Générac, tél. 04.66.01.31.31, fax 04.66.01.38.85 ☑ 🍷 t.l.j. sf dim. 10h-12h30 15h30-19h

DOM. SAINT-ANTOINE
Cuvée réservée 2000★

■ 11 ha 5 000 3à5€

Derrière une robe très foncée, presque noire, le nez apparaît encore discret, les arômes se percevant mieux en bouche. Avec quelques années de maturation, le vin va assouplir sa structure sévère où domine encore le tanin. En revanche le **rosé 2000**, une étoile, est déjà très agréable ; frais, vif, long et gourmand, il peut être servi sur des poissons. (20 à 29 F)

🔑 Jean-Louis Emmanuel, Dom. Saint-Antoine, 30800 Saint-Gilles, tél. 04.66.01.87.29, fax 04.66.01.87.29 ☑ 🍷 r.-v.

CH. SAINT-CYRGUES 2000★★

□ n.c. 7 000 5à8€

Un vin à la robe or pâle harmonieuse, aux arômes de peau de pêche, bien équilibré en bouche, d'une fraîcheur intéressante pour le millésime. En **rouge 2000**, ce château obtient une étoile. Fruits rouges et baies (cassis, myrtille) se partagent un bouquet où paraît une pointe épicée. Ample et rond malgré des tanins puissants, c'est un vin où domine la syrah, bien typée par son terroir. (30 à 49 F)

🔑 SCEA de Mercurio, Ch. Saint-Cyrgues, 30800 Saint-Gilles, tél. 04.66.87.31.72, fax 04.66.87.70.76, e-mail g.demercurio@free.fr ☑ 🍷 r.-v.

DOM. SAINT-ETIENNE 2000★

■ 12 ha 5 000 3à5€

Située à la limite des appellations costières de nîmes et côtes du rhône, cette propriété, bien connue des lecteurs du Guide, propose ces deux AOC. Cette belle cuvée de costières, ensoleillée, marie au nez violette et truffe. La bouche est tapissée d'arômes de fruits frais dans un ensemble harmonieux et souple. A boire en fin d'année. (20 à 29 F)

🔑 Michel Coullomb, Dom. Saint-Etienne, fg du Pont, 30490 Montfrin, tél. 04.66.57.50.20, fax 04.66.57.22.78 ☑ 🍷 r.-v.

CH. SILEX 2000★★

■ 16 ha 53 000 5à8€

Ce vignoble, acquis en 1999 par le domaine Saint-Bénézet, bénéficie du talent de son responsable. Ce très beau vin à la robe violine, aux arômes complexes de fruits rouges et de poivre avec une note végétale, se révèle rond et ample à l'attaque ; la dégustation se poursuit agréablement sur des tanins veloutés et de qualité. Son équilibre lui assurera une longévité de deux à trois ans. (30 à 49 F)

🔑 SCEA Saint-Bénézet, Dom. Saint-Bénézet, 30800 Saint-Gilles, tél. 06.16.57.32.02, fax 06.66.70.05.11 ☑ 🍷 t.l.j. sf dim. 8h-19h

🔑 Bosse-Platière

CH. VESSIERE 2000★

■ 20 ha 180 000 5à8€

Sur les « gress » (cailloutis) des costières, 80 % de syrah de vingt-cinq ans et 20 % de grenache de dix-huit ans ont donné ce vin rouge soutenu. L'olfaction est encore timide, sur des arômes de fruits cuits très discrets. La rétro-olfaction se montre plus complexe, avec des notes végétales et des fruits rouges. L'attaque est ronde, la structure solide apportée par des tanins encore jeunes, la finale chaleureuse. (30 à 49 F)

🔑 Philippe Teulon, Ch. Vessière, 30800 Saint-Gilles, tél. 04.66.73.30.66, fax 04.66.73.33.04, e-mail chateau.vessière@pol.fr ☑ 🍷 r.-v.

Coteaux du languedoc

Cent soixante-huit communes, dont cinq dans l'Aude et dix-neuf dans le Gard, les autres étant dans l'Hérault, constituent un ensemble de terroirs disséminés dans le Languedoc, dans la zone des coteaux et des garrigues s'étendant de Narbonne à Nîmes. Ces terroirs spécialisés plus particulièrement dans le vin rouge et rosé produisent des AOC coteaux du languedoc, appellation d'origine contrôlée depuis 1985, à laquelle peuvent être ajoutées onze dénominations particulières en rouge et rosé : la Clape et Quatourze dans l'Aude, Cabrières, Montpeyroux, Saint-Saturnin, Pic-Saint-Loup, Saint-Georges-d'Orques, les coteaux de la Méjanelle, Saint-Drézéry, Saint-Christol et les coteaux de Vérargues dans l'Hérault ; ainsi que deux dénominations en blanc : la Clape et Picpoul de Pinet.

Toutes sont issues des vins renommés dans les siècles passés. Les coteaux du languedoc ont produit 62 552 hl de vin blanc et 449 182 hl de rouge et rosé sur 9 900 ha en 2000.

ABBAYE DES MONGES La Clape 2000★

■ 2 ha 13 000 3à5€

En ces lieux, au début du XIIe s., une abbaye cistercienne de femmes a été fondée. La tradition viticole s'est perpétuée jusqu'à ce millésime 2000, qui reçoit une étoile pour le **blanc** et pour ce rouge qui porte une belle robe pourpre à reflets violines. Il exhale des arômes de grillé, de fruits rouges et une pointe animale. Ses tanins, présents sans excès, et sa chaleur suggèrent de le servir sur un agneau rôti aux herbes. (20 à 29 F)

LANGUEDOC

🔑 Paul de Chefdebien, 45, rue Parerie, 11100 Narbonne, tél. 04.68.42.36.27, fax 04.68.41.53.07, e-mail dechefdebien-marco@wanadoo.fr ☑ 🍷 r.-v.

ABBAYE DE VALMAGNE
Cuvée de Turenne 1999*

■ 15 ha 24 000 8 à 11 €

La tradition se perpétue dans cet oratoire dédié à la culture de la vigne et du vin : une des dernières abbayes cisterciennes à honorer cette vocation vinicole, mais désormais entre des mains laïques. La couleur de ce 99 est rouge dense, profond ; le nez de garrigue, fruité, épicé, au boisé discret annonce une bouche ample et grasse, dotée d'une belle matière longuement concentrée. Découvrez ensuite le **blanc 2000 de l'Abbaye (30 à 49 F)**, tout en fleurs et en fruits, cité par les *tasteurs* diplômés. (50 à 69 F)

🔑 Philippe d'Allaines, Abbaye de Valmagne, 34560 Villeveyrac, tél. 04.67.78.06.09, fax 04.67.78.02.50 ☑ 🍷 r.-v.

ARNAUD DE NEFFIEZ
Elevé en fût de chêne 1999*

■ 5 ha 10 000 8 à 11 €

Le mariage Arnaud de Neffiez et **Catherine de Saint-Juéry (30 à 49 F)**, citée, est fait pour durer. C'est réjouissant de constance. Pour la cérémonie, tous deux arborent un grenat profond, un nez de fruits mûrs un peu fermé pour Neffiez, finement boisé, torréfié, cacaoté, épicé, plus ouvert, grillé et floral, chez Dame Juéry. La puissance des tanins du premier s'oppose à l'élégance veloutée de la deuxième, harmonie et longueur en bouche les rapprochant. (50 à 69 F)

🔑 Cave coop. de Neffiès, av. de la Gare, 34320 Neffiès, tél. 04.67.24.61.98, fax 04.67.24.62.12 ☑

DOM. HONORE AUDRAN
Cuvée Terroir 1999***

■ 1 ha 4 000 8 à 11 €

C'est dans un paysage sauvage et envoûtant dont les teintes chaudes et rouges font battre le cœur que Luc Biscarlet perpétue la passion vigneronne de son père. Un vin comme celui-ci vous mettra en état de grâce : rien n'est à critiquer dans cette cuvée Terroir. Sa robe pourpre sombre, presque noire, vous plongera dans le mystère et le rêve qui grandiront encore quand vous approcherez votre nez : la réglisse se mêle à la garrigue, à la truffe et au chaudron de confiture. Puissant et riche dès la mise en bouche, ce vin affiche une belle longueur. Un grand caractère, fruit d'un élevage très bien mené. (50 à 69 F)

🔑 GAEC Luc Biscarlet Père et Fils, 8, chem. du Moulin, 34700 Le Bosc, tél. 04.67.44.73.44, fax 04.67.44.73.44 ☑ 🍷 r.-v.

CH. BELLES EAUX
Elevé en fût de chêne 1998

■ 5,6 ha 30 000 5 à 8 €

Château vigneron depuis 1824, Belles Eaux présente un 98 paré d'une robe pourpre qui séduit par son nez complexe et flatteur de fruits rouges gorgés de soleil, de grillé, d'épices ; la bouche réservée révèle des tanins encore austères ; ils demandent trois à quatre ans de garde. (30 à 49 F)

🔑 Ch. Belles Eaux, 34720 Caux, tél. 04.67.09.30.95, fax 04.67.09.30.95 ☑ 🍷 t.l.j. sf sam.dim. 10h-12h 16h-18h

DOM. BELLES PIERRES
Les Clauzes de Jo 1998*

■ 3 ha 8 000 8 à 11 €

C'est dans ce village fondé par les Romains, que Damien Coste possède son vignoble auquel il apporte tous ses soins. Ce 98 rend hommage à son père. Dans une robe encore bien présente, il livre au nez des notes empyreumatiques et fruitées. La bouche, harmonieuse et équilibrée, allie force et légèreté. Elle a du caractère et ne s'est pas laissé dominer par son élevage de douze mois en fût. (50 à 69 F)

🔑 Damien Coste, 24, rue des Clauzes, 34570 Murviel-lès-Montpellier, tél. 04.67.47.30.43, fax 04.67.47.30.43 ☑ 🍷 r.-v.

CH. BERANGER Picpoul de Pinet 2000*

□ 40 ha 300 000 3 à 5 €

Vous aurez du plaisir à vous arrêter dans cette cave qui vous fera découvrir, sur un comptoir en forme d'huître, ses Picpoul de Pinet, tous trois retenus par le jury : la **cuvée Hugues de Beauvignac 2000** et la **cuvée Prestige 99 (30 à 49 F)** qui a séjourné dix mois en fût, toutes deux citées, et cette cuvée 2000, dernière du millénaire. Sa robe est pâle à nuances vertes ; son nez frais mêle les agrumes (citron, pamplemousse) à l'anis. Aux côtés de la rondeur, l'arête acide est au rendez-vous. Un grand classique. (20 à 29 F)

🔑 Cave Les Costières de Pomérols, 34810 Pomérols, tél. 04.67.77.01.59, fax 04.67.77.77.21, e-mail pomerols@mnet.fr ☑ 🍷 r.-v.

MAS BRUGUIERE
Pic Saint-Loup La Grenadière 1999*

■ 3,5 ha 18 000 11 à 15 €

Depuis plus de vingt-cinq ans le mas Bruguière fait partie des domaines qui ont joué un rôle moteur dans ce beau pays du Languedoc. Ses vins sont des valeurs sûres ; ainsi **L'Arbouse rouge 2000 (30 à 49 F)**, cité, est déjà très séducteur malgré sa jeunesse. Vous ne serez pas insensible à la superbe robe pourpre et profonde de La Grenadière, à la complexité de ses arômes (fumé, garrigue, fruits mûrs, sous-bois), à sa bouche généreuse et structurée à la fois. Une cuvée très harmonieuse qui s'achève sur de subtiles notes de tabac blond. (70 à 99 F)

🔑 Guilhem Bruguière, 34270 Valflaunès, tél. 04.67.55.20.97, fax 04.67.55.20.97 ☑ 🍷 r.-v.

MAS BRUNET Elevé en fût de chêne 1999

□ 0,9 ha 7 300 5 à 8 €

D'un beau jaune doré, ce 99 offre un nez intense, finement boisé et souligné de notes d'agrumes et grillées. Vive, ronde et suave, d'une longueur estimable, la bouche vous saura le plus grand gré si vous consentez à patienter une, voire deux années. (30 à 49 F)

GAEC du Dom. de Brunet, Mas Brunet, rte de Saint-Jean-de-Buèges, 34380 Causse-de-la-Selle, tél. 04.67.73.10.57, fax 04.67.73.12.89 r.-v.
M. Coulet

LES VIGNERONS DE CABRIERES

Cabrières Fulcran Cabanon 2000★★

15 ha 40 000 5 à 8 €

Trois cuvées présentées par les vignerons de Cabrières qui exploitent de mieux en mieux les potentialités de leurs terroirs engendrant, par exemple, ce Fulcran Cabanon, un ténor du genre, resplendissant de toute sa jeunesse : habillé de rouge profond passementé de violet, déjà expressif au nez, il offre beaucoup de fruits rouges, de muscade, du cacao et des notes mentholées. La bouche ne déçoit point, tout en rondeur, volume, équilibre et longueur ; ses tanins promettent la plénitude dans une « paire d'années ». Remarqués aussi, avec une étoile chacun, le **Château Cabrières Terres des Guilhem (70 à 99 F)**, subtilement boisé, et le **Prieuré Saint-Martin des Crozes, élevé en fût de chêne**, encore un peu fermé, qui vous demandent d'attendre de trois à cinq ans avant de les déboucher. (30 à 49 F)

Cave des Vignerons de Cabrières, 34800 Cabrières, tél. 04.67.88.91.60, fax 04.67.88.00.15, e-mail sca.cabrieres@wanadoo.fr t.l.j. sf dim. 9h-12h 14h-18h

MAS CAL DEMOURA

Pierre d'Alipe 1999★

4,4 ha 19 000 11 à 15 €

Cal Demoura, en langue d'oc, signifie « il faut rester ». A la terre, ça va de soi. Jean-Pierre Jullien signe encore d'exquises cuvées. **L'Infidèle 99 (150 à 199 F), élevé en fût** et cité par le jury, promet un superbe épanouissement dans les années à venir. Ce Pierre d'Alipe, lui, est à ce jour plus affable : sa robe profonde se compare à de la mûre. Le nez offre une jolie complexité avec ses touches de fleurs séchées, d'épices et de fruits rouges. Finesse, rondeur et tanins serrés caractérisent l'équilibre en bouche. Déjà ouvert, ce vin ne manque pas de concentration et saura attendre cinq ans environ. Pensez aussi au **rosé 2000**, élégant et typé, qui a reçu une étoile. (70 à 99 F)

Jean-Pierre Jullien, Mas Cal Demoura, 34725 Jonquières, tél. 04.67.88.61.51, fax 04.67.88.61.51 r.-v.

CH. DE CAPITOUL

La Clape Les Rocailles 2000★

3 ha 10 000 5 à 8 €

Ancienne propriété des chanoines de la cathédrale Saint-Just de Narbonne, Capitoul propose cette cuvée Rocailles - élue dans sa version blanc, l'an dernier, par le grand jury. Elle exhibe une parure rose saumon, embaume les fruits exotiques délicieusement grillés et développe une bouche rondement équilibrée, friande et très longue. Le **blanc 2000** a plu, il est cité cette année. (30 à 49 F)

Ch. de Capitoul, rte de Gruissan, 11100 Narbonne, tél. 04.68.49.23.30, fax 04.68.49.55.71, e-mail chateau.capitoul@wanadoo.fr t.l.j. 8h-20h
Charles Mock

DOM. DE CASSAGNOLE 2000★

1 ha 2 500 3 à 5 €

C'est à Assas, à 2 km du château et de ses vestiges de fortifications médiévales, que grandit le vignoble de Cassagnole. Si le **rouge 99** est cité, le rosé a séduit par sa douceur et sa tendreté : plutôt clair, doté d'un nez frais et fruité (fraise, agrumes) il évolue sur une bouche souple, équilibrée, rondement avenante. Une friandise. (20 à 29 F)

Jean-Marie Sabatier, Dom. de Cassagnole, chem. de Bellevue, 34820 Assas, tél. 04.67.55.30.02, fax 04.67.55.30.02 r.-v.

CH. DE CAZENEUVE

Pic Saint-Loup Le Roc des Mates 2000★★★

3 ha 15 000 11 à 15 €

Le président du syndicat du Pic Saint-Loup a su exploiter au mieux un vignoble pierreux entouré de garrigues. Si la **cuvée Le Sang du Calvaire 2000 (100 à 149 F)** obtient deux étoiles, le terroir du Pic Saint-Loup est magnifié dans cette cuvée Le Roc des Mates. Ici le vigneron vinifie des raisins de grande qualité, mûrs à souhait, donnant une couleur d'un pourpre profond jusqu'au mystère. Le vin dévoile alors un bouquet riche et puissant où se mêlent les petits fruits noirs compotés, l'olive noire et l'amande, la réglisse et diverses autres épices. L'ampleur, l'harmonie des arômes et des tanins, et la longue persistance en bouche suscitent l'envie de le regoûter rien que pour le plaisir. Ceux qui auront la patience de l'attendre deux à cinq ans seront récompensés. (70 à 99 F)

André Leenhardt, Ch. de Cazeneuve, 34270 Lauret, tél. 04.67.59.07.49, fax 04.67.59.06.91 r.-v.

DOM. CHARTREUSE DE MOUGERES

Clos de l'Abbaye Elevé en fût de chêne 1999★

2 ha 10 000 5 à 8 €

Les couvents, c'est bien connu, sont propices à la méditation. Ah ! atteindre au divin grâce au Clos 99 de l'abbaye des chartreuses de Mougères ! On aime le rubis profond de la robe et sa nuance violine, on est séduit par le nez, floral et minéral, grillé et épicé, avant de s'en laisser conter par une bouche joyeuse et longue, tout en volume, rondeur et élégance. (30 à 49 F)

Sareh Bonne Terre, rte de Béziers, 34120 Tourbes, tél. 04.67.98.40.01, fax 04.67.98.46.39, e-mail nicolas.lebecq@libertysurf.fr
mar. jeu. ven. sam. 9h-12h 14h-17h

MAS DES CHIMERES 1999★

3 ha 19 000 8 à 11 €

Si la vie, l'amour, et leurs chimères ont tendance à vous oublier dans le labyrinthe des cœurs perdus, faites une halte chez Dardé afin de goûter son vin sombre comme l'ébène, à

LANGUEDOC

l'arôme à la fois minéral, torréfié, floral comme la garrigue, magnifiquement charpenté, élégant, fin et très long en bouche. Le boisé a encore tendance à s'imposer ; il vous faudra deux à trois ans pour l'apprivoiser. (50 à 69 F)

Guilhem Dardé, Mas des Chimères, 34800 Octon, tél. 04.67.96.22.70, fax 04.67.88.07.00 r.-v.

CLOS MARIE Pic Saint-Loup Simon 1998*

■ 3 ha 14 000 5 à 8 €

1998 a révélé les caractéristiques d'une grande concentration, surtout quand on a pratiqué une taille sévère et vendangé « en vert » afin d'obtenir des rendements dérisoires. Ce Clos est directement issu de ces bons usages. La robe est sombre ; le nez riche, complexe, exprime la garrigue, la torréfaction, le cassis, les fruits à l'eau-de-vie, les épices (un soupçon de réglisse). En bouche, la densité de la matière, les tanins d'un grain encore serré, tout en harmonie, permettent d'envisager une garde de quatre à cinq années avant de déguster. (30 à 49 F)

Christophe Peyrus, Clos Marie, 34270 Lauret, tél. 04.67.59.06.96, fax 04.67.59.08.56 r.-v.

DOM. PHILIPPE COMBES 1998**

■ 1,75 ha 5 000 11 à 15 €

Un vigneron qui revient avec éclat, après quelques années d'absence, avec cette bouteille remarquable, d'un rubis profond et soutenu, aux arômes riches et complexes de fruits rouges, d'épices, relevés d'un peu de cuir et de sous-bois. L'attaque franche introduit une bouche concentrée en sa matière, puissante par sa structure de tanins bien présents mais de bonne extraction. (70 à 99 F)

Philippe Combes, 32, av. de Lodève, 34725 Saint-André-de-Sangonis, tél. 04.67.25.24.21, fax 04.67.57.28.20 t.l.j. 9h30-19h

CH. CONDAMINE BERTRAND Elixir 2000**

■ 2 ha n.c. 15 à 23 €

Propriété familiale depuis 1792, ce domaine compte 52 ha. Dans le millésime 2000, sa cuvée Elixir porte une robe sombre à reflets noirs. Le nez impose l'admiration : intense, complexe, il explose de senteurs de fruits confits, d'épices et de sous-bois, de notes briochées, grillées et torréfiées. L'entame est franche, ample, le palais puissamment structuré par des tanins soyeux et longs. (100 à 149 F)

Bertrand Jany, Ch. Condamine Bertrand, 34230 Paulhan, tél. 04.67.25.27.96, fax 04.67.25.07.55, e-mail chateau.condamine-ber@free.fr t.l.j. sf dim. 10h-12h 14h-18h

DOM. COSTE ROUGE 2000*

■ 18,46 ha 35 000 5 à 8 €

Les sélections à la parcelle « écrément », bien sûr, la vendange mais permettent à Gabian l'élaboration de cette cuvée rouge intense ciselée de reflets violets, au nez opulent de fruits rouges et noirs, de garrigue, d'épices, qui attaque franchement en offrant une bouche joliment structurée, de bonne tenue, d'agréable persistance. Un an d'âge... déjà elle a tout d'une grande. (30 à 49 F)

Cave coopérative La Carignano, 13, rte de Pouzolles, 34320 Gabian, tél. 04.67.24.65.64, fax 04.67.24.80.98, e-mail stéphane.pouyet@libertysurf.fr r.-v.

COURSAC Elevé en fût de chêne 1999*

■ 0,35 ha 1 600 5 à 8 €

Bien coquet dans sa robe pourpre brillant, il ne peut nier avoir été élevé en fût de chêne. Au nez, les notes de boisé se lient à des arômes de grillé et d'épices. La présence tannique domine en bouche, mais le gras est suffisant pour l'équilibrer. Un vin dont le jury a souligné l'élégance. Lui offrir un magret de canard à partir du printemps 2002. (30 à 49 F)

SCA Les Vignerons de Carnas, 30260 Carnas, tél. 04.66.77.30.76, fax 04.66.77.14.20 t.l.j. sf dim. 8h-12h 14h-18h

CH. CREYSSELS Picpoul de Pinet 2000

□ 2,5 ha 7 500 5 à 8 €

Bastide du XVI[e]s., ce domaine est établi à 500 m de la voie Domitienne, tout près de l'étang de Thau. C'est sans aucune hésitation que l'on classe ce vin dans la famille Picpoul de Pinet tant sa robe est or pâle et ses arômes évoquent les agrumes (citron, pamplemousse). La bouche, dominée par la vivacité, dégage pourtant une agréable chaleur qui contribue à son équilibre. Très bien sur des huîtres. Le **blanc 2000 élevé en fût**, préférera les poissons grillés ou les viandes blanches dans un an ou deux. (30 à 49 F)

J. et M. Benau, Dom. de Creyssels, 34140 Mèze, tél. 04.67.43.80.82, fax 04.67.18.82.06 t.l.j. sf lun. 10h-12h 16h-18h30

DOM. DEVOIS DU CLAUS Pic Saint-Loup 1999*

■ 1,9 ha 8 300 8 à 11 €

Devois du Claus fait ses premiers pas en cave particulière et son apparition dans le Guide. Il s'en tire honorablement, comme l'atteste ce 99 de couleur foncée, au nez typé de fruits très mûrs, confiturés. La bouche à la fois ronde et concentrée est longue et joliment équilibrée. (50 à 69 F)

Dom. Devois du Claus, 38, imp. du Porche, 34270 Saint-Mathieu-de-Tréviers, tél. 06.75.37.19.58, fax 06.67.55.06.86 r.-v.

André Gely

DOM. DURAND-CAMILLO 1999**

■ 3 ha 9 000 5 à 8 €

Un produit précieux, bénéficiant chaque année de soins attentifs comme le montre ce 99, d'un rouge jaspé de reflets violets. Sa palette, où percent de savantes notes de grillé, décline des arômes friands de cerise à l'eau-de-vie, de fruits confiturés, d'épices. La bouche est ronde, charnue, équilibrée, harmonieusement longue et soutenue par de jolis tanins encore serrés. Patience !... (30 à 49 F)

Armand Durand, 26, av. de Fontès, 34720 Caux, tél. 04.67.09.32.46, fax 04.67.09.32.46, e-mail durand.armand@wanadoo.fr r.-v.

ERMITAGE DU PIC SAINT-LOUP

Pic Saint-Loup Cuvée Sainte-Agnès 1999

■ 6 ha 30 000 8à11€

Nous aimons dans cette bouteille le bel écusson aux trois poissons mais aussi le vin, bien entendu : sa couleur à reflets violines, son nez subtil d'épices (curry) et de fruits rouges, sa texture douce et agréable en bouche. Une cuvée franche et gourmande. (50 à 69 F)

Ravaille, GAEC Ermitage du Pic Saint-Loup, Cazevieille, 34270 Saint-Mathieu-de-Tréviers, tél. 04.67.55.20.15, fax 04.67.55.23.49 r.-v.

DOM. FELINES JOURDAN

Picpoul de Pinet 2000*

□ 30 ha 100 000 3à5€

Voici un très joli Picpoul de Pinet qui affirme bien son origine. Sa robe est claire à reflets d'or. Au nez, des notes fruitées côtoient des arômes de fleurs blanches et de miel. L'équilibre en bouche marie l'ampleur à l'arête acide caractéristique du terroir. Le gras en finale suggère que les raisins ont été cueillis bien mûrs. (20 à 29 F)

GAEC du Relais Jourdan, Dom. Félines Jourdan, 34140 Mèze, tél. 04.67.43.69.29, fax 04.67.43.69.29, e-mail felines-jourdan@free.fr r.-v.

DOM. FERRI ARNAUD

La Clape Cuvée Romain Elevé en fût de chêne 1999**

■ 1,5 ha 6 500 11à15€

Entre roc et mer, à Fleury-d'Aude, le terroir caillouteux et ensoleillé de La Clape parle à ravir au travers de ce vin : une robe sombre glissant sur le violine, un bouquet intense de grillé, de boisé, de truffe et de violette. C'est gras en bouche, charpenté, avec une belle puissance renforcée par un élevage en fût bien dosé. On comprend que ce 99 ait frôlé le coup de cœur. Vous ne serez pas déçu non plus par **La Clape 99 (50 à 69 F)**, bouteille classique, qui est citée par le jury. (70 à 99 F)

EARL Ferri Arnaud, av. de l'Hérault, 11560 Fleury-d'Aude, tél. 04.68.33.62.43, fax 04.68.33.74.38 t.l.j. 9h30-13h 15h-20h

Richard Ferri

CH. DE FLAUGERGUES

La Méjanelle Cuvée fût de chêne 1998*

■ 6,5 ha 28 000 11à15€

Flaugergues est la plus ancienne des « folies » de Montpellier. Un monument historique, dont château et jardins sont ouverts à la visite. Les vins et le typique terroir de galets roulés méritent aussi le détour : le **blanc Sommelière 2000 (50 à 69 F)** est cité. Quant à cette cuvée, elle est élevée délicatement en fût. Avec sa belle robe grenat, ses arômes de fruits cuits et d'épices, sa bouche assez ronde et ses tanins toujours présents, elle a encore de l'avenir devant elle. (70 à 99 F)

Henri de Colbert, Ch. de Flaugergues, 1744, av. Albert-Einstein, 34000 Montpellier, tél. 04.99.52.66.34, fax 04.99.52.66.44, e-mail colbert@flaugergues.com r.-v.

CH. FONDOUCE Réserve 2000*

■ 7,5 ha 11 000 3à5€

L'origine très ancienne de Fondouce n'est certes pas incompatible avec le renouveau du vignoble languedocien. La Réserve 2000 le confirme par sa robe rouge agrémentée de violet, son nez fleurant les fruits confiturés - griotte, pruneau -, délicieusement souligné d'épices, et par sa bouche tendrement jeune, pleine, longue, solidaire d'une charpente au grain tannique surprenant. A découvrir aussi, le **Fondouce 2000**, cité. (20 à 29 F)

Jean-Claude Magnien, Ch. Fondouce, rte de Roujan, 34120 Pézenas, tél. 04.67.76.06.03, fax 04.67.76.46.39, e-mail sicla@wanadoo.fr t.l.j. sf sam. dim. 10h-12h 15h-19h

FOULAQUIER

Pic Saint-Loup L'Orphée 2000**

■ 2 ha 10 000 5à8€

Une entrée dans le Guide par la grande porte pour ce domaine de 8 ha situé au cœur du terroir du Pic Saint-Loup. Le mas Foulaquier bénéficie d'installations récentes lui permettant de travailler au mieux des raisins de qualité vendangés à la main. La couleur pourpre traduit la profondeur de ce vin ; un bouquet intense, complexe, alliant les petites baies roses et l'eucalyptus, constitue une entrée en matière alléchante, qui est confirmée par la bouche. Gourmands et gourmets, satisfaits par le volume, le gras, la richesse aromatique et la structure soyeuse des tanins pourtant présents, pourront faire attendre ce vin un an ou deux dans leur cave. (30 à 49 F)

SCEA du dom. Foulaquier, Mas Foulaquier, 34270 Claret, tél. 04.67.59.96.94, fax 04.67.59.96.94, e-mail mas.foulaquier@free.fr r.-v.

Pierre et Maïté Jequier

MAS DE FOURNEL

Pic Saint-Loup Cuvée classique 1999*

■ 3 ha 5 000 5à8€

Cette étoile atteste la qualité constante du mas de Fournel, coup de cœur l'an dernier avec la cuvée Pierre. La bouteille dégustée arbore un beau rouge profond, un nez de bonne intensité, à la palette aromatique aguichante avec ses senteurs de cassis, d'olive noire, de réglisse et de cacao. La douceur en bouche est omniprésente, soulignant un équilibre charmeur, une persistance honorable. (30 à 49 F)

Gérard Jeanjean, SCEA Mas de Fournel, 34270 Valflaunès, tél. 04.67.55.22.12, fax 04.67.55.22.12 t.l.j. 9h-18h

DOM. GALTIER Kermès 1998*

■ 2 ha 7 000 5à8€

En 1995, Lise Carbonne prenait en main la destinée du domaine ; elle y a réussi fort bien, témoin, ce 98. La robe est soutenue, pourpre jusque dans ses moindres reflets. Le nez, riche, élégant, révèle des senteurs de fruits rouges bien mûrs sur un fond de notes grillées, d'épices, de cacao et de moka témoignant de la finesse du boisé. La bouche est ronde, onctueuse, d'un équilibre subtil, d'une longueur honorable. (30 à 49 F)

Lise Carbonne, Dom. Galtier, lieu-dit Mas-Maury, 34490 Murviel-lès-Béziers, tél. 04.67.37.85.14, fax 04.67.37.97.43 t.l.j. 10h-12h 15h-18h30

MAS GRANIER Les Grès 1999**

2 ha 5 000 8 à 11 €

Après le blanc qui avait reçu deux étoiles l'an dernier, c'est au tour du rouge maintenant. Ce terroir d'Aspères n'a pas fini de surprendre. Les frères Granier s'emploient à le mettre en valeur. Le jury a eu un faible pour ce vin ; d'abord pour sa superbe couleur pourpre sombre et sa riche palette d'arômes où se côtoient des notes de café, de confiture de fruits rouges, de poivre, de cire ; ensuite vient la bouche à la hauteur des attentes, révélant de la générosité, une matière concentrée et élégante, une belle longueur. L'un des dégustateurs avoue qu'il a eu envie de le boire... (50 à 69 F)

EARL Granier, Mas Montel, 30250 Aspères, tél. 04.66.80.01.21, fax 04.66.80.01.87, e-mail montel@wanadoo.fr t.l.j. sf dim. 9h-12h 14h-19h

DOM. DE GRANOUPIAC 1999*

3,65 ha 19 500 5 à 8 €

C'est en montant de Montpellier vers le Larzac, que l'on découvre les larges terrasses calcaires de Granoupiac. Encore de beaux lauriers cette année pour ce domaine : il reçoit une étoile pour sa **cuvée Les Cresses 99, élevée en barrique (50 à 69 F)**, et pour ce vin à la robe profonde et à la jolie intensité aromatique où se mêlent des notes de fumé, de fruits cuits et d'épices. Sa rondeur et ses tanins soyeux lui permettent d'affirmer force et finesse à la fois. Une valeur sûre. (30 à 49 F)

Claude Flavard, Dom. de Granoupiac, 34725 Saint-André-de-Sangonis, tél. 04.67.57.58.28, fax 04.67.57.95.83, e-mail cflavard@infonie.fr r.-v.

CH. GRES SAINT-PAUL Antonin 1999**

11,25 ha 48 000 11 à 15 €

Après le coup de cœur de l'an dernier, le Grès Saint-Paul confirme que ses vins font partie des grands. 99 n'était pourtant pas un millésime très facile, mais le terroir de galets roulés et le talent du vigneron ont pris le dessus. La robe dense, couleur myrtille, ouvre le bal. Des parfums complexes s'introduisent alors : épices, fruits rouges très mûrs, chocolat. La bouche est à la hauteur des espérances : des tanins serrés et élégants, une belle générosité. Sa concentration et sa puissance aromatique lui promettent un superbe épanouissement. (70 à 99 F)

Ch. Grès Saint-Paul, rte de Restinclières, 34400 Lunel, tél. 04.67.71.27.90, fax 04.67.71.73.76, e-mail contact@gres-saint-paul.com t.l.j. sf dim. 10h-12h 15h-19h

Servière

DOM. GUINAND

Saint-Christol Cuvée fût de chêne 1998*

2 ha 10 000 8 à 11 €

Ce domaine, dans la famille depuis la fin du XIXe s., offre une cuvée de haute expression que d'ores et déjà on peut savourer. L'élevage en fût de chêne complète harmonieusement des arômes de garrigue et de fruits. L'appétit est entretenu par une bouche ronde, souple, aux épices douces, finissant dans l'harmonie. (50 à 69 F)

Dom. Guinand, 36, rue de l'Epargne, 34400 Saint-Christol, tél. 04.67.86.85.55, fax 04.67.86.07.59 t.l.j. sf dim. 10h-12h 15h-18h

MAS HAUT-BUIS Coste Cavre 1999

n.c. 7 000 15 à 23 €

Le Cirque de Navacelles, à découvrir depuis le rebord du plateau du Larzac, mérite bien ses deux étoiles au Guide bleu puisqu'il a été classé. Ne manquez pas ensuite de rendre visite à Olivier Jeantet dont les chais sont situés sur le causse du Larzac. Il ne travaille pas dans la demi-mesure, et élabore des cuvées superbement concentrées comme celle-ci qui devrait être dégustée à nouveau dans environ cinq ans. Rouge à reflets noirs, ce 99 possède un nez prometteur qui doit encore s'émanciper des notes boisées dominantes. En bouche, la matière semble racée, mais le potentiel est prisonnier d'une jeunesse timide. Haut-Buis ? Un futur grand à élever dans votre cave. Même chose pour **Les Carlines 99 (50 à 69 F)**, citées. (100 à 149 F)

Olivier Jeantet, 34520 La Vacquerie, tél. 04.67.44.12.13, fax 04.67.44.12.13 r.-v.

CH. HAUT-CHRISTIN 1999*

4 ha 25 000 5 à 8 €

C'est dans la région la plus orientale de Coteaux du Languedoc, au cœur des terres de Sommières, que s'est forgé le caractère de ce vin. Intense par sa robe grenat, ce 99 développe des arômes de cuir, de torréfaction ainsi que de cerise à l'eau-de-vie, laquelle resurgit en fin de dégustation. La matière, déjà mûre, tapisse bien la bouche. Le **rosé 2000**, cité sans étoile, a séduit par ses notes florales. (30 à 49 F)

André et Marie-France Mahuziès, rte d'Aubais, 30250 Junas, tél. 04.66.80.95.90, fax 04.66.80.95.90, e-mail mahuzies@aol.com t.l.j. 9h-12h 14h-18h; groupes et dim. sur r.-v.

LES COTEAUX DES HAUTES GARRIGUES

Pic Saint-Loup Hameau des Biranques 1999*

7 ha 10 000 3 à 5 €

Issue d'un terroir pierreux où la syrah et le grenache peuvent s'exprimer sans retenue, cette cuvée ravit l'œil par sa robe grenat aux reflets de jeunesse. Les fruits rouges, les épices se mêlent pour offrir un nez d'une bonne intensité. Les notes minérales, empyreumatiques, et les tanins doux donnent l'impression d'un retour aux origines, d'un voyage au cœur du vignoble. (20 à 29 F)

🔑 Cave coop. des coteaux des Hautes Garrigues, 198, rte du Pic-Saint-Loup, 34380 Saint-Martin-de-Londres, tél. 04.67.55.00.12, fax 04.67.55.78.54 ☑ 🍷 r.-v.

DOM. HORTALA
La Clape Tradition 1999*

■ 4,5 ha 26 000 5à8€

C'est en 1999 que Jean-Marie Hortala a repris la culture de ce vignoble familial, dans un paysage de pierre, de garrigue, de soleil et de vent. Le résultat se traduit par une étoile pour **Les Hauts de Bouisset rouge 99 (50 à 69 F)** et pour cette cuvée revêtue d'une élégante robe pourpre. La garrigue, la réglisse et le menthol typent le nez. La bouche affirme du caractère avec ses tanins bien présents après une attaque soyeuse. Ce vin a encore de l'avenir. (30 à 49 F)

🔑 Jean-Marie Hortala, 20, rue Diderot, 11560 Fleury-d'Aude, tél. 04.68.33.37.74, fax 04.68.33.37.75, e-mail vins-hortala@wanadoo.fr ☑ 🍷 r.-v.

CH. DES HOSPITALIERS 2000*

□ 1,2 ha 5 000 3à5€

Au XII[e]s., les Maltais défrichèrent quelques arpents de forêt pour planter de la vigne. Cette cuvée en constituerait-elle l'âme ? Jaune clair, brillante dans son aspect, elle vous gratifie d'un nez intense et fin de petits fruits blancs et d'agrumes, avant de dévoiler une bouche harmonieuse d'un bel équilibre gras-vivacité, puis qui s'étire suavement de toute sa longueur. A découvrir, la **cuvée Prestige rosé 2000**, une étoile, fruits rouges, figue et cassis en bouche, genêt et mandarine au nez. (20 à 29 F)

🔑 Martin-Pierrat, rond-point du Gal-Chaffard, 34400 Saint-Christol, tél. 04.67.86.01.15, fax 04.67.86.00.19, e-mail serge.martin-pierrat@wanadoo.fr ☑ 🍷 t.l.j. 8h-20h

CH. ICARD Saint-Georges d'Orques 2000**

■ n.c. 7 000 5à8€

En 1999, Laurent Icard larguait les amarres et s'embarquait, loin de la coopérative, pour l'aventure en cave particulière : tentative couronnée de deux étoiles. D'un beau rouge sombre, constellé de reflets violets, cette cuvée dévoile des arômes de cuir, de violette et de garrigue ; elle attaque franchement, révélant une puissante matière sur des tanins bien présents, quoique veloutés ; le tout avec persistance. (30 à 49 F)

🔑 Laurent Icard, rte de Saint-Georges-d'Orques, 34570 Pignan, tél. 06.82.43.54.66, fax 04.67.75.31.63, e-mail laurent.icard@wanadoo.fr ☑ 🍷 mer. ven. sam. 9h-12h 15h-19h

CUVEE JACQUES ARNAL
Elevé en fût de chêne 1999**

■ 3,5 ha 20 000 8à11€

Nous sommes ici sur le chemin qu'empruntaient les pèlerins en marche vers Saint-Jacques-de-Compostelle. D'où le nom de la **cuvée Saint-Jacques, en blanc 2000**, déjà connue de nos lecteurs, et qui a reçu cette année une étoile. A ses côtés, la cuvée Jacques Arnal a bien des choses à raconter derrière ses beaux reflets pourpre violacé et son nez de fruits rouges cuits et d'épices. La bouche, ample, est bien épanouie avec ses tanins fondus. Les fines notes boisées, loin d'être envahissantes, témoignent d'un élevage en fût bien maîtrisé. Vous pourrez visiter le nouveau chai à barriques construit l'année dernière. (50 à 69 F)

🔑 SCA vignerons de Saint-Félix, 21, av. Marcelin-Albert, 34725 Saint-Félix-de-Lodez, tél. 04.67.96.60.61, fax 04.67.88.61.77 ☑ 🍷 r.-v.

DOM. JORDY Elevé en fût de chêne 1999*

■ 3 ha 4 500 5à8€

A Loiras, à quelques kilomètres au sud de Lodève, les paysages aux terres rouges fascinent le promeneur. Et pourtant il y a aussi des schistes dans cette région. Ce sont eux qui ont donné naissance à ce 99 dont la robe grenat présente de petits reflets violets. Le nez décline de fines notes animales, des fruits noirs et des épices douces. L'attaque est ronde et chaleureuse, puis les tanins, encore un peu jeunes, renforcent la puissance de la bouche. Ce vin mérite d'être ouvert une heure avant de le servir. (30 à 49 F)

🔑 Frédéric Jordy, Loiras, 9, rte de Salelles, 34700 Le Bosc, tél. 04.67.44.70.30, fax 04.67.44.76.54, e-mail frederic.jordy@wanadoo.fr ☑ 🍷 t.l.j. sf dim. 8h-20h

MAS DE LA BARBEN
Cuvée Les Lauzières 1999*

■ 3 ha 12 000 8à11€

Les Hermann ont acquis en 1999 ce domaine de 60 ha situé aux portes de Nîmes, sur des terrains argilo-calcaires très pierreux. Cette cuvée, d'une couleur rubis soutenu, évoque au nez un beau panier de fruits rouges, avec de la réglisse. Sa bouche ample et chaude, sa matière enrobée, sa bonne longueur lui confèrent une allure bien méditerranéenne. (50 à 69 F)

🔑 Mas de La Barben, rte de Sauve, 30900 Nîmes, tél. 04.66.81.15.88, fax 04.66.63.80.43, e-mail marcel.hermann@wanadoo.fr ☑ 🍷 t.l.j. sf dim. 10h-12h 14h-19h

🔑 Marcel Hermann

DOM. DE LA COSTE
Saint-Christol Cuvée sélectionnée Elevé en fût 1999*

■ 10 ha 7 110 5à8€

Le vignoble est situé sur les collines villafranchiennes les plus marquées du terroir de Saint-Christol et, ici, le travail en famille prend tout son sens. Dès maintenant, et pour quelques années, vous pouvez apprécier l'intensité de la robe pourpre, des notes fruitées, vanillées et minérales qui donnent à cette cuvée élevée en fût de chêne un côté charmeur ; elles persisteront longtemps encore. La réussite de ce vigneron s'exprime également dans la cuvée **Domaine de La Coste rouge 99 (30 à 49 F)**, une citation, et le **rosé 2000 (20 à 29 F)**, une étoile, bien tentant dans une robe fuschia tendre et friand par son fruité tout en finesse et son équilibre aérien. (30 à 49 F)

🔑 Luc et Elisabeth Moynier, Dom. de La Coste, 34400 Saint-Christol, tél. 04.67.86.02.10, fax 04.67.86.07.71 ☑ 🍷 t.l.j. sf dim. 9h-12h 14h-19h

DOM. LA CROIX CHAPTAL
Cuvée Charles Elevé en fût de chêne 1999★★

■ 3,5 ha 16 000 🛢 8à11€

Quelle majestueuse entrée dans le Guide, pour ce domaine cultivé par Charles Pacaud depuis 1999. C'est dans des terrasses de galets roulés et de graves, entre le Larzac et la Méditerranée, que ce vin puise sa typicité : une robe profonde, des arômes d'épices, de fruits mûrs et de sous-bois. En bouche tout est dans le soyeux, le gras, l'ampleur. Du velours, sans oublier la puissance. Hachette parie sur ce vigneron. (50 à 69 F)

🔑 Pacaud-Chaptal, Cambous, chem. de Bages, 34725 Saint-André-de-Sangonis, tél. 06.82.16.77.82, fax 04.67.16.09.36, e-mail lacroixchaptal@wanadoo.fr 🍷 r.-v.
🔑 Charles Pacaud

CH. DE LA DEVEZE MONNIER 2000

□ 1,8 ha 2 600 🛢 8à11€

La Devèze Monnier abrite ses vignes sur les contreforts cévenols ; celles-ci bénéficient de suffisamment de soleil et de fraîcheur pour que s'épanouissent les raisins qui ont donné naissance à ce vin jaune pâle agrémenté d'une frise de reflets jaunes et verts. Caractérisé par son nez élégant de fleurs et de pêche et par sa bouche ronde et délicate, ample et douce, longue et harmonieuse, ce 2000 appréciera une dorade royale. (50 à 69 F)

🔑 Damais, GAEC du Dom. de la Devèze, 34190 Montoulieu, tél. 04.67.73.70.21, fax 04.67.73.32.40, e-mail domaine@deveze.com ☑ 🍷 r.-v.

CH. DE LANCYRE
Pic Saint-Loup Grande Cuvée 1999★

□ 1,5 ha 4 000 🛢 11à15€

Lancyre affiche chaque année son blanc, or ambré et brillant : le nez intense, raffiné, grillé et caramélisé, floral et épicé, mêle agrumes confits, fruits exotiques et miel. La bouche est ample et soyeuse, riche et concentrée, envoûtante par tant de longueur et de suavité. Chaque année, le **rouge Grande Cuvée, ici 99**, est également retenu : robe sombre ; nez intense de fruits noirs, de fumé ; bouche assez puissante et structurée qui demande encore deux à trois années pour atteindre son apogée. (70 à 99 F)

🔑 GAEC de Lancyre, Lancyre, 34270 Valflaunès, tél. 04.67.55.22.28, fax 04.67.55.23.84 ☑ 🍷 r.-v.
🔑 Valentine Durand

CH. DE LA NEGLY La Côte 2000★

■ 18,37 ha 95 000 🛢 5à8€

De beaux vins pour le millésime 2000 à la Négly : en **blanc, la cuvée Brise Marine** est citée ; en **rosé, la cuvée Les Embruns** (eh oui, le vignoble est en bord de mer) - une étoile - et cette Côte qui rappelle le coup de cœur du millésime 98. Rouge sombre, elle exhale des senteurs de torréfaction, de fruits rouges cuits, avec une subtile pointe mentholée. Charpentée et généreuse en bouche, elle affiche ses tanins solides. Ce n'est donc pas la peine de vous presser pour le boire. (30 à 49 F)

🔑 SCEA Ch. de La Négly, 11560 Fleury-d'Aude, tél. 04.68.32.36.28, fax 04.68.32.10.69, e-mail lanegly@wanadoo.fr ☑ 🍷 r.-v.
🔑 Jean Paux-Rosset

CH. LANGLADE Prestige 1999

■ 2,5 ha 6 000 5à8€

99 a été le millésime de la souplesse. Cette règle est infirmée au château Langlade où il vous est loisible de déguster un vin d'un rouge soutenu, au nez assez intense de cassis, de café, de cuir et de pain grillé, aux tanins bien présents, d'un boisé non encore atténué. Patience. (30 à 49 F)

🔑 Ch. Langlade, chem. des Aires, 30980 Langlade, tél. 04.66.81.30.22, fax 04.67.59.14.50, e-mail chateau.langlade@freesbee.fr ☑ 🍷 r.-v.
🔑 Cadène Frères

DOM. DE LA PROSE
Saint-Georges d'Orques Grande Cuvée 1999★★

■ 2 ha 4 200 🛢 15à23€

La Prose continue sur sa belle lancée. Malgré les caprices du millésime, le terroir de Saint-Georges d'Orques conjugué au savoir-faire des Mortillet a donné ce vin à la robe profonde couleur de mûre, aux arômes complexes d'épices, de fruits compotés, de fumé. Aux côtés du gras, des tanins à la fois solides et fins structurent la bouche. Ce 99 a été dégusté un peu trop jeune, regrette le jury, persuadé qu'il a un grand avenir devant lui. (100 à 149 F)

🔑 de Mortillet, Dom. de La Prose, 34570 Pignan, tél. 04.67.03.08.30, fax 04.67.03.48.70 ☑ 🍷 r.-v.

CH. LA ROQUE
Pic Saint-Loup Cupa Numismae 1999★★

■ 15 ha 55 000 🛢 8à11€

Près de vingt ans d'opiniâtres efforts permettent à La Roque de nous garantir d'excellentes vinifications, témoin ce 99, rouge intense bigarré de violet, aux puissants parfums de cassis, de vanille et de torréfaction, assortis d'un soupçon de garrigue. Rond, ample, volumineux, superbement équilibré, avec des tanins fins enrobés d'onctuosité, il est remarquable. (50 à 69 F)

🔑 Jack Boutin, Ch. La Roque, 34270 Fontanès, tél. 04.67.55.34.47, fax 04.67.55.10.18 ☑ 🍷 t.l.j. sf dim. 10h-12h 14h-18h

CH. LA SAUVAGEONNE
Cuvée Prestige 2000★

■ 5,5 ha 20 000 5à8€

La Sauvageonne - est-ce une sorte de Carmen des contreforts mamelus du Larzac ? - toujours vêtue d'une robe sombre, parfumée aux senteurs de garrigue et de sous-bois, elle se révèle délicieusement charnue dès que vous la prenez en bouche, sensuellement charpentée et longue à souhait ; un véritable fruit défendu. (30 à 49 F)

EARL Gaëtan Poncé et Fils, Ch. La Sauvageonne, rte de Saint-Privat, 34700 Saint-Jean-de-la-Blaquière, tél. 04.67.44.71.74, fax 04.67.44.71.02 t.l.j. 8h-12h 14h-19h

CH. DE LASCAUX Blanc classique 2000*

□ n.c. 27 000 5à8€

Ce 2000 arbore une parure jaune très pâle effilochée de reflets verts, un nez intense, élégant, de pain d'épice et de fleur. Il attaque d'une bouche franche et vive, ample et longue, exquise et harmonieuse. (30 à 49 F)

Jean-Benoît Cavalier, Ch. de Lascaux, 34270 Vacquières, tél. 04.67.59.00.08, fax 04.67.59.06.06, e-mail j.bcavalier@wanadoo.fr r.-v.

MAS DE LA SERANNE
Le Clos des Immortelles 1999*

■ 0,8 ha 6 375 8à11€

Ce vin, habillé de rouge léger parsemé de quelques reflets bruns, aux senteurs fruitées finement boisées se montre rond, suave et doux en bouche ; celle-ci révèle une bonne persistance. Brillant, tout plein de fraises et de framboises confiturées et épicées, rond et gras dans un palais gourmand, le **rosé 2000 (20 à 29 F)**, a retenu l'attention du jury. (50 à 69 F)

Venture, Mas de La Seranne, 34150 Aniane, tél. 04.67.57.37.99, fax 04.67.57.37.99, e-mail mas.seranne@wanadoo.fr r.-v.

DOM. DES LAURIERS
Picpoul de Pinet 2000*

□ 10 ha 15 000 5à8€

C'est sur des cailloutis de terre rouge, à Castelnau-de-Guers, que naît ce vin blanc à la robe pâle aux reflets verts. Le jury a souligné ses arômes de fruits surmûris et sa bouche chaude et ample. La pointe d'amertume trouvée en finale n'est pas déroutante pour un Picpoul de Pinet qui saura affronter l'iode des huîtres de Bouzigues. (30 à 49 F)

Dom. des Lauriers, 15, rte de Pézenas, 34120 Castelnau-de-Guers, tél. 04.67.98.18.20, fax 04.67.98.96.49, e-mail cabral.marc@wanadoo.fr r.-v.

CH. LA VERNEDE
Elevé en fût de chêne 1999*

■ 2,5 ha 14 500 8à11€

Les coteaux de La Vernède, exposés avec indolence à la fournaise méditerranéenne, se distinguent avec cette cuvée élevée en pièce et parée d'une robe rouge sombre, aux senteurs de fruits rouges très mûrs, caramélisés et épicés. Les tanins, fondus et souples, sont néanmoins présents, étayant une bouche plus que persistante. A noter également la citation du **Tradition** dans le même millésime. (50 à 69 F)

Jean-Marc Ribet, Ch. La Vernède, 34440 Nissan-lez-Enserune, tél. 04.67.37.00.30, fax 04.67.37.60.11 t.l.j. sf dim. 10h-13h 15h-19h

L'AYAL Montpeyroux 1999

■ 3,8 ha 13 000 5à8€

Les vents locaux ont soufflé aux vignerons de Montpeyroux le nom de cette cuvée : L'Ayal c'est, en occitan, le vent venant du sud-est. D'une belle robe rubis, ce vin au nez discret, fin et doux de fruits très confits dispense en bouche une certaine harmonie marquée par un fruité sauvage de mûre, que l'on appréciera dès maintenant. (30 à 49 F)

Cave de Montpeyroux, 5, pl. François-Villon, 34150 Montpeyroux, tél. 04.67.96.61.08, fax 04.67.88.60.91, e-mail cave.montpeyroux@wordonline.fr r.-v.

CH. DE L'ENGARRAN
Saint-Georges d'Orques Cuvée Quetton Saint-Georges 1999*

■ 3,5 ha 16 000 11à15€

A peine né au sortir de ses fûts et voilà le Quetton dans nos verres : la jeunesse est dans la robe mais également dans les tanins qui se mettent sur le devant de la scène. Les arômes affirment eux aussi leur caractère : des épices, du laurier, du cacao. Le jury est persuadé que ce vin promet de plus belles surprises encore dans l'avenir. Prenez donc votre temps ; vous pouvez à loisir savourer le **rosé 2000 (30 à 49 F)**, cité pour sa finesse et son fruité. Si vous avez l'occasion de vous arrêter dans ce superbe château du XVIIIes. lors des Journées du patrimoine, vous succomberez au charme des lieux. (70 à 99 F)

SCEA du Ch. de L'Engarran, 34880 Laverune, tél. 04.67.47.00.02, fax 04.67.27.87.89, e-mail lengarran@wanadoo.fr t.l.j. 10h-19h

Grill

LES BARONS
Picpoul de Pinet Guillaume de Guerse 2000**

□ 12 ha 60 000 5à8€

Est-ce la variété des situations des tènements qui donne sa complexité à ce très beau blanc ? Ou peut-être les sols, tous calcaires et issus de sédiments marins ou fluviatiles ? Quoi qu'il en soit, le piquepoul exprime à ravir ce terroir : une robe d'un jaune doré bien vif, un nez de caractère dominé par des fruits du verger, des agrumes et des épices douces. La bouche est concentrée, ronde et bien nerveuse, typique de son appellation. Elle dévoile en finale une petite pointe d'amertume attendrissante. Des fruits de mer ou un fromage de chèvre, et c'est le bonheur. Le picpoul **Les Sautarochs 2000 (20 à 29 F)** a obtenu une citation. Des huîtres lui conviendront. (30 à 49 F)

Cave coop. de Castelnau-de-Guers, 26, rte de Florensac, 34120 Castelnau-de-Guers, tél. 04.67.98.13.55, fax 04.67.98.86.55 r.-v.

LES COTEAUX DU PIC
Pic Saint-Loup Sélection 2000*

■ 40 ha 60 000 5à8€

Les vignerons du Pic représentent un terroir de plusieurs communes nichées aux alentours du Pic Saint-Loup, petite montagne de 638 m que vous pourrez gravir en deux heures. Une sélection de parcelles a permis d'exprimer cette

LANGUEDOC

richesse et cette diversité dans cette cuvée de couleur profonde à reflets violines. Des arômes où se marient les épices, l'olive et la garrigue sont harmonieusement étoffés par une texture puissante de tanins bien présents, qui méritent d'attendre deux à trois ans. (30 à 49 F)
SCA Les Coteaux du Pic, 34270 Saint-Mathieu-de-Tréviers, tél. 04.67.55.81.19, fax 04.67.55.81.20, e-mail cave@coteaux-du-pic.com r.-v.

DOM. LES FERRAGERES
Pic Saint-Loup 1999*

■ 30 ha 25 750 5à8€

Issu du cœur du vignoble du Pic Saint-Loup, et déjà dans le Guide l'an passé, le domaine des Ferragères présente un vin qui, dès maintenant, exprime le meilleur de lui-même : une vinification traditionnelle lui donne cette belle robe pourpre à légers reflets violacés, et a permis le mariage réussi d'arômes fruités capiteux et de senteurs sauvages de garrigue. Le charme persiste en bouche où se mêlent le fruité de la cerise et les épices douces, soutenus par des tanins élégants. (30 à 49 F)
SA Bessière, 40, rue du Port, 34140 Mèze, tél. 04.67.18.40.40, fax 04.67.43.77.03

LES HAUTS DE LUNES
Elevé en fût de chêne 1998**

■ 5 ha n.c. 11à15€

C'est d'un causse que l'on nomme aussi « désert d'Aumelas » que les Jeanjean extraient la quintessence du terroir. Une robe profonde et intense habille ce vin. Puis une palette d'arômes se dessine au nez : des notes de torréfaction, de la vanille, et un boisé discret et élégant. En bouche, une matière concentrée, des tanins puissants et une longue persistance aromatique permettront à cette bouteille d'attendre sans soucis. (70 à 99 F)
Philippe et Frédéric Jeanjean, Mas de Lunès, 34230 Cabrials, tél. 04.67.88.41.34, fax 04.67.88.41.33

CH. LE THOU 2000*

■ 2,9 ha 15 000 11à15€

A l'abri d'un donjon vénérable, dans la quiétude de la cave, sommeille cette cuvée 2000 pourpre à reflets violets, au nez complexe exhalant des notes mentholées et réglissées, fumées et torréfiées, fruitées et épicées. La bouche est gourmande, pleine, suave, à la fois souple et concentrée, d'un grain de tanins déjà affiné mais annonciateur d'une bonne garde. (70 à 99 F)
SCEA de Ferrier de Montal, Ch. Le Thou, 34410 Sauvian, tél. 04.67.32.16.42, fax 04.67.32.16.42 r.-v.

CH. L'EUZIERE
Pic Saint-Loup Cuvée Les Escarboucles 1999*

■ 12 ha 16 000 8à11€

Cette cuvée allie harmonieusement le terroir à un élevage bien maîtrisé. D'un grenat velouté, ce vin de facture typique du Pic Saint-Loup exprime des senteurs de garrigue et d'amande, tandis que la bouche ronde et épicée jouit d'un bon équilibre qui permet de l'apprécier dès maintenant. « Un ragoût de mouton aux cèpes et olives noires pourrait l'accompagner », nous dit-on. (50 à 69 F)
Michel et Marcelle Causse, ancien chem. d'Anduze, 34270 Fontanès, tél. 04.67.55.21.41, fax 04.67.55.21.41 r.-v.

DOM. DE L'HORTUS
Pic Saint-Loup 1998*

■ 17,8 ha 80 000 15à23€

Nichées au pied du Pic Saint-Loup, les vignes du domaine de l'Hortus sont comme un bijou dans un écrin de garrigue. Et c'est justement le laurier, le thym et l'olive noire que l'on retrouve dans ce vin élégant, au fruité fondant, aux tanins soyeux, à l'équilibre racé et d'une belle longueur. Dans la lignée des millésimes précédents, ce 98 tiendra bien deux à trois ans. (100 à 149 F)
Jean Orliac, Dom. de L'Hortus, 34270 Valflaunès, tél. 04.67.55.31.20, fax 04.67.55.38.03 r.-v.

CH. DE L'HOSPITALET
La Clape Summum 2000

□ 8 ha 26 000 8à11€

Dans ce lieu, au cœur de La Clape, vous pouvez dormir une nuit, déguster un repas méditerranéen, flâner dans les différents musées et dans l'immense chai à barriques. C'est de là que vient ce blanc, bien doré. Le jury a aimé la personnalité de ses arômes qui vont du grillé au boisé, du fruit mûr au fruit sec. La bouche n'a peut-être pas l'intensité du nez, mais elle est bien présente et saura affronter une bourride de baudroie. (50 à 69 F)
Dom. de L'Hospitalet, 11100 Narbonne, tél. 04.68.45.27.10, fax 04.68.45.27.17, e-mail info@domaine.hospitalet.com r.-v.

L'ORMARINE
Picpoul de Pinet Cuvée Prestige Cuvée des Œnologues 2000*

□ 30 ha 20 000 3à5€

La cave de Pinet : une étape incontournable dans ce petit village situé à moins de 10 km de l'étang de Thau. Ce vin à la robe jaune pâle et au nez d'agrumes, avec une pointe mentholée, reflète bien la typicité de l'AOC. Son équilibre, sa vivacité et sa fraîcheur aromatique en bouche en font l'allié des coquillages. (20 à 29 F)
Cave de L'Ormarine, 1, av. du Picpoul, 34850 Pinet, tél. 04.67.77.03.10, fax 04.67.77.76.23, e-mail ormarine@mnet.fr r.-v.

CH. DE MARMORIERES
La Clape 2000*

◪ 2 ha 6 000 5à8€

Marmorières compte sept générations de vignerons, autant dire une solide tradition qui se perpétue au fil des millésimes et s'affirme cette année avec ce rosé pâle subtilement saumoné, exprimant agrumes, fleurs blanches, miel et eucalyptus, vivement et finement équilibré dans une bouche persistante. A retenir, cité par le jury, le **rouge 99, élevé en fut de chêne (50 à 69 F)**, pour vos occasions gastronomiques et hivernales. (30 à 49 F)

⊶ de Woillemont, SCEA de Marmorières, 11110 Vinassan, tél. 04.68.45.23.64, fax 04.68.45.59.39 ☑ ፲ r.-v.

CH. MAZERS 1999*

■ 10 ha 12 000 ⊕ 5 à 8 €

Nous étions habitués, à la cave de Fontès, à déguster d'excellents **rosés**, dont le **Prieuré Saint-Hippolyte (20 à 29 F)**, qui reçoit à nouveau une étoile. Le Château Mazers 99 complète la gamme. D'une robe pourpre intense, finement bleutée, ce nouveau venu respire les fruits à l'eau-de-vie, la figue sèche et les épices, découvrant ensuite une bouche suave, franche, subtilement boisée. (30 à 49 F)

⊶ Cave coop. La Fontesole, bd Jules-Ferry, 34320 Fontès, tél. 04.67.25.14.25, fax 04.67.25.30.66, e-mail la.fontesole@libertysurf.fr ☑ ፲ t.l.j. sf dim. 8h-12h 14h-18h

CH. MIRE L'ETANG

La Clape Cuvée des ducs de Fleury Elevé en fût de chêne 1999*

■ 9 ha 7 000 ▮⊕ 11 à 15 €

Le vignoble de Mire l'Etang s'étale en terrasses sur la bordure est du massif de La Clape. Il admire les étangs et la Méditerranée. Le climat, avec ses embruns marins, contribue à la typicité de ce terroir dont est issue la **cuvée Corail, rosé 2000 (30 à 49 F)** citée, et ce rouge 99. La robe, profonde, laisse paraître de petits reflets bruns. Le nez attaque avec une belle intensité puis décline des notes d'épices, de torréfaction, de cassis et de sous-bois. Vient ensuite une bouche généreuse, bien charpentée, qui persiste sur des tanins doux. L'élevage en fût est discret et bien maîtrisé. Autre vin retenu, le **blanc 2000 (30 à 49 F)**. (70 à 99 F)

⊶ Ch. Mire L'Etang, 11560 Fleury-d'Aude, tél. 04.68.33.62.84, fax 04.68.33.99.30 ☑ ፲ r.-v.

⊶ Chamayrac

CH. DE MONTPEZAT

La Pharaonne 1999

■ 1 ha n.c. ⊕ 11 à 15 €

L'origine de Montpezat remonte au XVIe s. Le château fut embelli au XIXe s., lors d'une période faste. Actuellement les vins y sont réussis comme ce millésime 99 rouge sombre abondamment soutenu de violet, au nez agréablement boisé, aux senteurs de brûlé, d'épices et de fruits rouges surmûris. Rondeur, matière et structure s'équilibrent plutôt bien en bouche. (70 à 99 F)

⊶ Christophe Blanc, Ch. de Montpezat, rte de Roujan, 34120 Pézenas, tél. 04.67.98.10.84, fax 04.67.98.98.78, e-mail contact@chateau-montpezat.com ☑ ፲ t.l.j. 10h-12h 14h-19h; hiver sur r.-v.

DOM. DE MORIN-LANGARAN

Picpoul de Pinet 2000*

□ 6,58 ha 21 000 ▮ 3 à 5 €

Voici une belle halte, sur la route qui mène de Mèze à Pinet. Vous y découvrirez un Picpoul de Pinet (étiquette blanche) bien typique. D'abord sa robe claire à reflets verts ; puis son nez à la fois frais et mûr d'agrumes et de fruits exotiques. Enfin sa bouche révélera de la chaleur et de la vivacité qui exacerbera vos papilles. A ses côtés dans le caveau : la cuvée **Saint-Jean des Sources 2000**, citée par le jury. (20 à 29 F)

⊶ Albert Morin, Dom. Morin-Langaran, 34140 Mèze, tél. 04.67.43.71.76, fax 04.67.43.33.60 ☑ ፲ r.-v.

MORTIES

Pic Saint-Loup Jamais content 1999***

■ 3 ha 6 000 ⊕ 11 à 15 €

99 est le sixième millésime élaboré à Mortiès. C'est celui de la consécration suprême. Et ce grâce au flacon « Jamais content » d'un rouge soutenu auréolé de reflets violets, d'un nez riche, de bonne intensité, nous gratifiant à l'envi de notes grillées, réglissées, épicées, fruitées et mentholées, avec de la violette et des parfums de garrigue. La puissance est confirmée en bouche ; succédant à une attaque franche, celle-ci révèle une matière très concentrée, ample, des tanins présents mais soyeux. La finale paraît s'éterniser. La cuvée principale **Le Mortiès 99 (50 à 69 F)**, encore un peu fermée, obtient une citation. (70 à 99 F)

⊶ GAEC du mas de Mortiès, 34270 Saint-Jean-de-Cuculles, tél. 04.67.55.11.12, fax 04.67.55.11.12 ☑ ፲ r.-v.

⊶ Jorcin-Duchemin

MAS MOURIES Amarante 2000*

■ 2 ha 9 000 ▮ 8 à 11 €

Installé dans la région des Terres de Sommières, le mas Mouriès a présenté un vin marqué par l'impétuosité de sa jeunesse : une couleur pourpre à reflets violets, des arômes de fruits rouges et de chocolat, une bouche encore fougueuse dont les tanins s'arrondiront avec le temps. La jolie persistance aromatique permet de miser sur son avenir. (50 à 69 F)

⊶ Eric Bouet, Mas Mouriès, 30260 Vic-le-Fesq, tél. 04.66.77.87.13, fax 04.66.77.87.13 ☑ ፲ r.-v.

DOM. DU NOUVEAU MONDE 1998*

■ 10 ha 30 000 ▮ 8 à 11 €

Ce domaine confirme l'option qualité amorcée depuis pas mal d'années. Qu'on en juge à ce 98 magnifiquement élevé, d'un grenat profond, d'un nez encore un peu fermé, épicé et fruité. La bouche, quant à elle, reflète une maturité certaine. Elle est ample, suave, très joliment structurée et équilibrée, d'une appréciable longueur. La **cuvée Le Nouveau Monde fût de chêne 98 (70 à 99 F)**, dont la jeunesse n'est point encore passée, détient une citation. (50 à 69 F)

Any et Jacques Gauch, Dom. Le Nouveau Monde, 34350 Vendres, tél. 04.67.37.33.68, fax 04.67.37.58.15 r.-v.

NOVI 1998**

■ 12,45 ha 5 000 15 à 23 €

Ancienne grange viticole de l'abbaye de Valmagne au XIe s., le mas de Novi s'est doté récemment d'un superbe chai d'élevage dans lequel a dû séjourner cette cuvée : la robe, encore jeune, est d'un pourpre profond. Au nez, les arômes de vanille côtoient chaleureusement des notes de fruits mûrs et d'épices. La bouche est charnue et la matière riche, ce qui devrait amener ce vin à un remarquable apogée. Un beau mariage entre l'expression du terroir et le boisé bien maîtrisé. (100 à 149 F)

SA Saint-Jean du Noviciat, Mas de Novi, 34530 Montagnac, tél. 04.67.24.07.32, fax 04.67.24.07.32 t.l.j. 8h-12h 13h-19h

CH. DU PARC Elevé en fût de chêne 2000*

■ n.c. 6 000 11 à 15 €

Après avoir acquis quelques bagages au château des Ollieux, Arnaud l'Epine s'en est retourné au domaine familial qu'il exploite en agrobiologie. Bien lui en a pris, comme le montre cette cuvée rouge intense fleurant les fruits mûrs, le pruneau, le laurier, avec des notes finement boisées et épicées. Au palais, des tanins présents mais assouplis et très longs, se reposent sur une belle matière. A déguster dès maintenant... et dans les trois, quatre ans qui viennent. (70 à 99 F)

Arnaud L'Epine, Ch. du Parc, rte de Caux, 34120 Pézenas, tél. 04.67.98.01.59, fax 04.67.98.01.59, e-mail lep1959@aol.com r.-v.

CH. PECH-CELEYRAN
La Clape Tradition 1999

■ 40 ha 200 000 5 à 8 €

Si l'on voulait remonter le temps à la recherche d'anciens propriétaires célèbres, on retrouverait quelque parent d'Henri Toulouse-Lautrec. Pech-Céleyran appartient depuis quatre générations aux Saint-Exupéry. Ce 99 ? Au-delà de sa robe élégante à reflets bruns, c'est l'originalité de ses arômes qui a retenu l'attention du jury : notes de garrigue et soupçon de menthol. La bouche est équilibrée, sans excès, avec une finale réglissée. Moins concentré que le 98, millésime oblige. (30 à 49 F)

Jacques de Saint-Exupéry, Ch. Pech-Céleyran, 11110 Salles-d'Aude, tél. 04.68.33.50.04, fax 04.68.33.36.12, e-mail saint-exupéry@pech-celeyran.com t.l.j. 9h-19h30

CH. PECH REDON
La Clape L'Epervier Elevé en fût de chêne 1999*

■ n.c. 40 000 8 à 11 €

Vous atteindrez le superbe site où est implanté ce domaine en empruntant la route sinueuse et pittoresque qui grimpe au sommet du Pech-Redon. Les conditions climatiques du millésime 99 ont été plus difficiles que celles qui présidèrent à la naissance du précédent. Malgré tout, le 99 s'en sort fort bien : derrière la robe rouge grenat, voici des arômes d'épices, de fruits rouges et de cuir. La bouche ne manque pas de rondeur et de soyeux. Elle est bien sympathique. (50 à 69 F)

Christophe Bousquet, Ch. Pech Redon, rte de Gruissan, 11100 Narbonne, tél. 04.68.90.41.22, fax 04.68.65.11.48, e-mail bousquet@terre-net.fr t.l.j. sf dim. 9h-12h 14h-19h

CH. DE PINET Picpoul de Pinet 2000*

□ n.c. 20 000 5 à 8 €

Voici un vin élevé par des femmes. La dégustation le situe bien dans la famille des Picpoul de Pinet, comme le prouvent la robe pâle habillée de reflets dorés et les arômes d'agrumes où la mandarine se mêle au citron. La bouche est fine, bien équilibrée, tout en élégance. Une bouteille destinée aux coquillages, bien sûr, mais qui saura accompagner un délicat loup grillé. (30 à 49 F)

Simonne Arnaud-Gaujal, Ch. de Pinet, 34850 Pinet, tél. 04.68.32.16.67, fax 04.68.32.16.39 t.l.j. 10h-13h 15h-19h; f. jan.

DOM. PUECH Cuvée spéciale 1999*

■ 2 ha 5 700 8 à 11 €

C'est à quelques kilomètres au nord de Montpellier que s'enracine le vignoble du domaine Puech. Aux côtés de la **cuvée des Grands-Devois 99 (20 à 29 F)** citée par le jury, ce vin se présente sous une robe brillante et profonde. Son intensité aromatique a été remarquée, les fruits rouges se mêlant aux épices. Riche en bouche, chaud et velouté, il ne manque pas de finesse. Il attendra encore. (50 à 69 F)

GAEC Dom. Puech, 25, rue du Four, 34980 Saint-Clément-de-Rivière, tél. 04.67.84.12.31, fax 04.67.66.63.16, e-mail domaine.puech@hotmail.com r.-v.

CH. PUECH-HAUT
Saint-Drézéry Tête de cuvée 1999**

■ 30 ha 72 000 15 à 23 €

Il est inutile de présenter Puech-Haut, la collection de hautes distinctions y suffit. Le palmarès 2002 confirme son savoir-faire. Tête de cuvée rouge 99, coup de cœur pour commencer : robe rouge soutenu, presque noir, violacé ; nez très expressif, respirant la torréfaction, les fruits noirs, les fruits secs, les épices, au boisé demandant encore à se fondre ; palais puissant, racé, harmonieux et long où la structure très présente laisse envisager une dizaine d'années de garde. Retenons ensuite le **Prestige rouge 99 (100 à 149 F)**, et le **rosé 2000 (70 à 99 F)** cités, puis le **Tête de cuvée blanc 99 (100 à 149 F)** et le **Clos du Pic, rouge 99 (200 à 249 F)**, pris en charge par Matthieu Bru, qui ont obtenu respectivement une et deux étoiles. (100 à 149 F)

SCEA Ch. Puech-Haut, 2250, rte de Teyran, 34160 Saint-Drézéry, tél. 04.67.86.93.70, fax 04.67.86.94.07, e-mail chateau.puech-haut@wanadoo.fr r.-v.

Gérard Bru

CH. RICARDELLE La Clape 2000★

16,5 ha 90 000 5à8€

C'est aux portes de Narbonne, en direction du charmant petit port de Gruissan que le vignoble de Ricardelle plonge ses racines. Voici un vin que la jeunesse ne dérange pas : la robe pourpre est assez légère ; le nez exprime sans réserves des notes de cassis, de garrigue et de cuir. La bouche, facile et harmonieuse, peut s'apprécier dès aujourd'hui. (30 à 49 F)

Ch. Ricardelle, rte de Gruissan, 11100 Narbonne, tél. 04.68.65.21.00, fax 04.68.32.58.36, e-mail ricardelle@wanadoo.fr t.l.j. 9h-18h

Pellegrini

CH. RIVIERE LE HAUT La Clape Clos des Myrtes 2000★

1 ha 5 300 8à11€

Face aux étangs, le château Rivière le Haut bénéficie de conditions idéales pour obtenir des vins blancs de haute expression. La délicatesse de la robe, la finesse du nez, effluves de petites fleurs blanches et senteurs de garrigue et d'anis, sont avantageusement soutenues par une bouche racée, typique de La Clape. De la rondeur, de la nervosité, du volume finissant en notes épicées engagent à un mariage avec la dorade grillée et les crustacés. (50 à 69 F)

Josiane Segondy, Ch. Rivière Le Haut, 11560 Fleury-d'Aude, tél. 04.68.33.61.33, fax 04.68.33.90.32, e-mail rivierelehaut@wanadoo.fr t.l.j. sf sam. dim. 9h-12h 14h-17h

DOM. DU ROC BLANC Picpoul de Pinet 2000★★

10 ha 37 000 3à5€

Voici un très joli blanc issu d'un terroir d'argiles rouges. Aussitôt servi, le vin se dévoile : une robe pâle à reflets verts, des arômes de fruits exotiques et de pamplemousse. En bouche l'attaque est franche et vive. Puis la rondeur et le gras s'expriment, sans masquer l'arête acide bien typique des Picpoul de Pinet. Un compagnon fidèle et délicat des huîtres de Bouzigues, tout comme la cuvée **Les Terres Rouges 2000 (20 à 29 F)**, citée par le jury. (20 à 29 F)

Cave coopérative de Montagnac, 15, rte d'Aumes, 34530 Montagnac, tél. 04.67.24.03.74, fax 04.67.24.14.78 r.-v.

ROUCAILLAT 1999

3,5 ha 14 000 8à11€

A Comberousse, les blancs, quand on a la chance de les déguster trois ou quatre ans après, présentent encore les signes d'une jeunesse qui semble éternelle. C'est sans doute pour cela que le 99 - jaune pâle et doré, au nez mentholé et caramélisé d'agrume, de fruit blanc et de petite fleur, gras, équilibré et persistant en bouche - exigera deux à trois ans de repos dans votre cave avant de vous accorder sa plénitude. (50 à 69 F)

Alain Reder, Comberousse, rte de Gignac, 34660 Cournonterral, tél. 04.67.85.05.18, fax 04.67.85.05.18 r.-v.

CH. ROUMANIERES Cuvée Tradition 1999★

3,5 ha 20 000 8à11€

Jadis, les pèlerins en route pour Compostelle faisaient étape à Roumanières et l'on imagine qu'ils y buvaient force flacons. Aujourd'hui, ce sont les vacanciers qui s'y prélassent en dégustant, par exemple, ce vin délicat, fruité en diable, équilibré, tout en chaleur et douceur, de bonne longueur, ou la **cuvée Les Garrics rouge 99 (70 à 99 F)**, très jeune, citée, encore emmitouflée dans son boisé, ou le **rosé, cuvée Tradition (30 à 49 F)**, une étoile, pour ceux qui aiment la fraîcheur. (50 à 69 F)

Robert et Catherine Gravegeal, EARL Ch. Roumanières, 34160 Garrigues, tél. 04.67.86.91.71, fax 04.67.86.82.00, e-mail roumanières@net-up.com t.l.j. sf dim. lun. 9h-12h 15h-19h

DOM. SAINT-ANDRIEU Montpeyroux Exception 1998★

1,5 ha 1 800 15à23€

Un domaine familial situé sur les terroirs typiques de Montpeyroux, où tout, de la conduite du vignoble à la cueillette manuelle, est fait pour respecter le raisin et en extraire la quintessence. D'une couleur grenat brillant, la cuvée Exception s'exprime dans la finesse et l'élégance et mêle les petits fruits rouges et le bourgeon de cassis, aussi bien au nez qu'en bouche. La souplesse s'allie aux épices douces pour mettre la touche finale à cette gourmandise qui est d'ores et déjà prête. (100 à 149 F)

Renée-Marie et Charles Giner, 1, chem. des Faysses, 34150 Montpeyroux, tél. 04.67.96.61.37, fax 04.67.96.63.20 r.-v.

CLOS SAINTE-CAMELLE 1998★

3,5 ha 10 000 5à8€

98 était la première année en AOC pour Catherine Do. Un beau millésime, conjugué au talent de la vigneronne pour mettre en valeur son terroir, a donné un vin qui n'a pas fini de nous surprendre. La robe dense et brillante reste encore jeune. Les notes minérales et les fruits bien mûrs s'harmonisent avec la rondeur et la plénitude de la bouche. Les tanins, serrés, peuvent même attendre encore. Le **rosé 2000** s'est distingué par sa finesse et sa personnalité, et le jury lui a attribué une étoile. (30 à 49 F)

⊶ EARL dom. de Campaucels, rte de Saint-Pons-de-Mauchiens, 34530 Montagnac, tél. 04.67.24.19.16, fax 04.67.24.12.64, e-mail campaucels.domaine@mageos.com ☑ Y r.-v.
⊶ Catherine Do

CLOS SAINTE-PAULINE
La Vertu 1999★★

□ 4 ha 10 000 ⅡⅡ 8à11€

Rolle, grenache et clairette embaument intensément, qui l'agrume, qui le fumé, qui le buis, puis s'accordent, en bouche, en une parfaite harmonie ample et douce, vive et suave, longue et chaleureuse. « Matelote d'anguille », suggère un juré ; « canard aux olives », conseille son voisin. (50 à 69 F)

⊶ Alexandre Pagès, rte d'Usclas, 34230 Paulhan, tél. 04.67.25.29.42, fax 04.67.25.29.42 ☑ Y r.-v.

CH. SAINT-JEAN 1998

■ 4 ha 32 000 ⅡⅡ 8à11€

On rencontre à la Blaquière, disséminés parmi les ravines de terre pourpre, quelques schistes sombres qui donnent de jolies cuvées soignées, tel ce Château Saint-Jean. D'intensité moyenne, tout en fruits et en épices, en souplesse et en rondeur, il offre bel équilibre et bonne longueur. (50 à 69 F)

⊶ SCAV Les vignerons de Saint-Jean-de-la-Blaquière, 1, rte de Lodève, 34700 Saint-Jean-de-la-Blaquière, tél. 04.67.44.90.40, fax 04.67.44.90.42 ☑ Y r.-v.

CH. SAINT-JEAN DE BUEGES 1999

■ 5 ha 15 000 ⅡⅡ 8à11€

L'arrivée sur Saint-Jean-de-Buèges, tout petit village d'allure moyenâgeuse, est l'un des instants les plus inoubliables de nos flâneries languedociennes. Dans ce terroir, l'âme des vins, c'est leur finesse. Une robe grenat brillante, un nez bien expressif de fruits rouges et d'épices, une bouche discrète mais subtile dépeignent cette bouteille attachante. (50 à 69 F)

⊶ Cave des Coteaux de Buèges, rte des Graves, 34380 Saint-Jean-de-Buèges, tél. 04.67.73.13.73, fax 04.67.73.12.38 ☑ Y r.-v.

DOM. SAINT-JEAN DE L'ARBOUSIER 2000

■ 5,5 ha 40 000 ▮♨ 5à8€

Nous voici dans une ancienne propriété des Templiers (1235). Le vignoble se blottit dans la garrigue, à 5 km à peine de Castries, célèbre par son magnifique château. Le jury a retenu ici deux vins : le **blanc 2000**, et ce rouge issu du même millésime. Il est déjà prêt : robe pourpre, bouquet fin et discret d'épices et de fruits rouges, souplesse et fondu en bouche. Choisissez la période de Noël pour vous arrêter à la cave, une grande crèche de quatre-vingts santons vous y attend. (30 à 49 F)

⊶ EARL Saint-Jean-de-l'Arbousier, Dom. Saint-Jean-de-l'Arbousier, 34160 Castries, tél. 04.67.87.04.13, fax 04.67.70.15.18, e-mail dom-stjean.de.larbousier@club-internet.f ☑ Y r.-v.
⊶ Viguier

CH. SAINT-MARTIN-DE-LA-GARRIGUE 2000

□ 5,35 ha 40 000 5à8€

Cette année, Saint-Martin-de-la-Garrigue nous présente le millésime 2000 habillé d'un beau jaune pâle auréolé des reflets dorés de la maturité. Le nez fleure l'agrume et les petites fleurs blanches sur des notes beurrées et grillées. La bouche franche, souple, au palais enrobant, est gracieusement équilibrée, chaleureuse dans sa finale. (30 à 49 F)

⊶ SCEA Saint-Martin de la Garrigue, Dom. Saint-Martin de la Garrigue, 34530 Montagnac, tél. 04.67.24.00.40, fax 04.67.24.16.15, e-mail jezabalia@stmartingarrigue.com ☑ Y t.l.j. 8h-12h 13h-17h; sam. dim. sur r.-v.
⊶ Umberto Guida

DOM. DES SAUVAIRE 2000★

■ 1,7 ha 11 000 ▮ 3à5€

Découvert l'an dernier dès son premier millésime, Hervé Sauvaire tient ses promesses : sur le 2000, rouge grenat, nous retrouvons les notes de fruits rouges et d'épices qui avaient séduit l'an dernier. La bouche est ronde, bien équilibrée et déjà prête. Un vin gourmand, pour un plaisir immédiat. (20 à 29 F)

⊶ Hervé Sauvaire, Mas de Reilhe, 30260 Crespian, tél. 04.66.77.89.71, fax 04.66.77.89.71, e-mail hervé.sauvaire@terre-net.fr ☑ Y r.-v.

SEIGNEUR DES DEUX VIERGES
Elevé en fût de chêne 1999★★★

■ 13,8 ha 38 000 ▮ⅡⅡ 8à11€

Les vignerons de Saint-Saturnin atteignent le sommet de leur art dans cette cuvée où le terroir règne en maître et où le maître de chai a su en tirer la quintessence. Un festival d'épices et de réglisse, soutenu par une couleur pourpre presque noire, se dévoile ; Le Seigneur des Deux Vierges s'exprime pleinement au palais par une puissance, une onctuosité et une matière « virile » diront certains, racée certainement. A boire ou à attendre, il y en a pour tous les goûts. Il faut signaler **Le Seigneur des Deux Vierges**

blanc 2000 (30 à 49 F) qui obtient une étoile pour sa finesse et son équilibre. (50 à 69 F)
Les Vins de Saint-Saturnin, rte d'Arboras, 34725 Saint-Saturnin-de-Lucian, tél. 04.67.96.61.52, fax 04.67.88.60.13 r.-v.

DOM. SOUYRIS 2000★

■ 4 ha 15 000 8à11€

Le domaine Souyris, implanté entre le Larzac et la Méditerranée, fait une belle entrée en scène dans le Guide avec ce millésime 2000. Derrière sa robe pourpre et profonde, celui-ci livre ses jolis arômes de fruits rouges et de garrigue. Mais c'est surtout sa bouche soyeuse, son équilibre et sa finesse qui ont séduit le jury. Déjà très fondu, un vin prêt à déguster. (50 à 69 F)
Guilhem Souyris, 301, chem. de la Roque, 34725 Saint-Félix-de-Lodez, tél. 04.67.96.68.70, fax 04.67.96.68.70 t.l.j. 8h-20h

CH. DE TARAILHAN La Clape 1999

■ 2 ha 5 000 5à8€

Une petite partition de musique sur l'étiquette : la présentation est déjà enchanteuse. La dégustation confirme : une robe grenat, très brillante, des arômes de garrigue et de griotte. L'attaque en bouche est pleine puis les tanins se montrent, un peu fougueux encore. Ils demandent à s'assagir quelques mois en bouteille. (30 à 49 F)
Jean-Yves Duret, SCEA dom. du château de Tarailhan, 11560 Fleury-d'Aude, tél. 04.68.33.91.88, fax 04.68.33.91.81, e-mail tarailhan@wanadoo.fr r.-v.
François Duret

DOM. DE TERRE MEGERE
Les Dolomies 1999★

■ 3 ha 15 000 5à8€

Michel Moreau connaît bien son terroir de garrigues rouges nichées au cœur des Grès de Montpellier ; et il sait le faire parler. Le **blanc Galopine 2000**, cité par le jury, en est un beau témoignage, tout comme cette cuvée Dolomies 99, avec sa couleur dense, ses arômes de cuir, de laurier et de fruits très mûrs. Elle est ample en bouche, veloutée, et gagnera encore en expression si vous la décantez. Elle s'ouvre en finale sur de la réglisse, des tanins soyeux... et du rêve. (30 à 49 F)
Michel Moreau, Dom. de Terre Mégère, Cœur de Village, 34660 Cournonsec, tél. 04.67.85.42.85, fax 04.67.85.25.12, e-mail terremegere@wanadoo.fr t.l.j. sf dim. 15h-19h; sam. 9h-12h30

DOM. LES THERONS
Saint-Saturnin Cuvée Sélection 1999★★

■ 4 ha 20 000 5à8€

Ce vigneron, dont le domaine est situé sur deux terroirs de l'appellation, voit son **Château Mandagot Grande Réserve 1999 en Montpeyroux (50 à 69 F)**, obtenir une étoile. Quant à celui-ci, un élevage patient lui permet d'exprimer sa complexité à travers la mûre, le cassis et des senteurs fumées. Le volume, l'équilibre et la structure tannique tout en finesse en font un vin très élégant, à apprécier dès à présent. (30 à 49 F)
Jean-François Vallat, Dom. Les Thérons, 34150 Montpeyroux, tél. 04.67.96.64.06, fax 04.67.96.67.63 r.-v.

RESERVE VERMEIL
Vermeil du Crès 2000★

■ 4,6 ha 12 500 3à5€

A deux minutes du littoral, syrah (dominante) et grenache dorent leur jeunesse sur des coteaux graveleux. On sélectionne les meilleurs et on obtient d'aguichantes cuvées, notamment cette Réserve 2000, pourpre sombre et violacée, fleurant le cassis, la cerise, la réglisse et les épices, ronde, souple, équilibrée et de bonne tenue. Pensez aussi à noter dans votre carnet de cave le **Vermeil du Crès boisé (30 à 49 F)**, encore en devenir et seulement cité, ainsi que le **rosé Marine**, une étoile, déjà fin prêt. (20 à 29 F)
SCAV les Vignerons de Sérignan, av. Roger-Audoux, 34410 Sérignan, tél. 04.67.32.23.26, fax 04.67.32.59.66 t.l.j. sf dim. 9h-12h 15h-18h

DOM. DES VIGNES HAUTES
Pic Saint-Loup 1999★

■ 3 ha 10 000 8à11€

Une bonne régularité pour ce Pic Saint-Loup de Corconne. Il avait déjà reçu une étoile sur le millésime précédent et se distingue cette année avec son **rosé 2000, Domaine du Tourtourel (30 à 49 F)**, cité, et cette cuvée, encore plongée dans sa jeunesse. Elle affiche un beau potentiel de garde : une robe sombre et violacée, des arômes qui s'amplifient en cours de dégustation (fruits rouges, grillé, menthol), une bouche puissante dont la charpente est renforcée par les tanins boisés. (50 à 69 F)
SCA La Gravette, 30260 Corconne, tél. 04.66.77.32.75, fax 04.66.77.13.56, e-mail lagravette@wanadoo.fr t.l.j. 8h-12h 14h-18h; groupes sur r.-v.

CH. DE VIRES
La Clape Cuvée Prestige Elevé en fût de chêne 1999

■ 2 ha 4 500 5à8€

Deux vins de Vires ont été jugés réussis cette année : le **blanc 2000 Carte Or (20 à 29 F)** bien fruité, et ce rouge 99, de couleur sombre. Ce sont les notes boisées qui apparaissent en premier au nez. Suivent ensuite la griotte et les épices. La bouche, encore jeune et marquée par le fût, affiche des tanins serrés et mérite d'attendre un peu pour gagner en rondeur. (30 à 49 F)
GFA du Dom. de Vires, rte de Narbonne-Plage, 11100 Narbonne, tél. 04.68.45.30.80, fax 04.68.45.25.22 t.l.j. 9h-12h 14h-19h

DOM. ZUMBAUM-TOMASI
Pic Saint-Loup Clos Maginiai 1999★★

■ 4,35 ha 13 300 11à15€

Sur le chemin des Verriers, ce domaine récemment converti à l'agriculture biologique nous avait ébloui l'an dernier avec son 98. Il confirme son talent avec ce 99. Vous contemplez tout

LANGUEDOC

d'abord la robe sombre, presque secrète avec ses reflets violets. Tout un bouquet d'arômes vous parvient ensuite au nez : des épices, du fumé, de la vanille. Puis la bouche s'impose, grasse, puissante, mais bien fondue. Oubliez ce vin deux à trois ans dans une bonne cave. Signalons l'étiquette originale, aquarelle sur carte postale. (70 à 99 F)

Zumbaum-Tomasi, rue Cagarel, 34270 Claret, tél. 04.67.02.82.84, fax 04.67.02.82.84 r.-v.

Faugères

Les vins de Faugères sont des vins AOC depuis 1982, comme les saint-chinian leurs voisins. La région de production, qui comporte sept communes situées au nord de Pézenas et de Béziers et au sud de Bédarieux, a produit 83 490 hl en 2000 sur 1 866 ha de vin. Les vignobles sont plantés sur des coteaux à forte pente, d'altitude relativement élevée (250 m), dans les premiers contreforts schisteux peu fertiles des Cévennes. Le faugères est un vin bien coloré, pourpre, capiteux, aux arômes de garrigue et de fruits rouges.

ABBAYE SILVA PLANA
Songe de l'abbé 1999*

■ 7 ha 26 000 8 à 11 €

Un encépagement judicieux (15 % de carignan, 42 % de syrah, 36 % de grenache, 7 % de mourvèdre), des sélections rigoureuses, des vinifications et un élevage parfaitement maîtrisés, un terroir merveilleux permettent de livrer cette très belle cuvée. La robe rouge sombre, le nez minéral qui évolue vers les épices, la bouche aux notes de fruits surmûris et la finale vanillée donnent à ce vin de l'élégance et un bon équilibre. Harmonieux, il est à boire. (50 à 69 F)

SCEA Bouchard-Guy, 3, rue de Fraisse, 34290 Alignan-du-Vent, tél. 04.67.24.91.67, fax 04.67.24.94.21 r.-v.

CH. DES ADOUZES
Elevé et vieilli en fût de chêne 1999*

■ 5 ha 12 000 5 à 8 €

Ce domaine a été créé depuis plusieurs générations à proximité d'une chapelle du XIe s. Ce vin à la robe pourpre a des parfums discrets de violette et d'épices douces. Les tanins ronds et fins sont en bon équilibre avec le fruité. Un vin plaisir. Le **rosé 2000** a également obtenu une étoile. (30 à 49 F)

Jean-Claude Estève, Tras du Castel, 34320 Roquessels, tél. 04.67.90.24.11, fax 04.67.90.12.74 r.-v.

CH. ANGLADE Comète 1998*

■ 5 ha 10 000 11 à 15 €

Un assemblage classique de syrah (35 %), grenache (60 %) et mourvèdre pour ce vin d'un rouge intense et soutenu. Son nez, intéressant et généreux, offre des odeurs de fruits rouges mêlées à des notes de café. La bouche, soutenue par des tanins bien présents, se poursuit sur une finale vanillée. Un vin de très bonne composition, à attendre. (70 à 99 F)

Marie Rigaud, Ch. Anglade, 34600 Caussiniojouls, tél. 05.59.84.16.23, fax 05.59.84.16.23, e-mail chateau.anglade@wanadoo.fr r.-v.

CH. CAUSSINIOJOULS 1999**

■ 20 ha 30 000 8 à 11 €

Les vignerons de la cave de Faugères ont su allier une technologie de pointe à une sélection rigoureuse pour ce vin présenté au grand jury ainsi que pour le **Mas Olivier (30 à 49 F)** qui obtient aussi deux étoiles. Grâce à une robe rouge profond et à un environnement aromatique d'une belle finesse, fait de fruits rouges et d'épices, Caussiniojouls offre un très grand plaisir : la bouche est suave avec des notes grillées, des tanins fondus révélant la grande typicité des schistes de Faugères. Excellent sur un magret de canard. (50 à 69 F)

Cave Coop. Faugères, Mas Olivier, 34600 Faugères, tél. 04.67.95.08.80, fax 04.67.95.14.67, e-mail lescrus.faugeres@free.fr t.l.j. 9h-12h 14h-19h

CH. CHENAIE Les Douves 1999*

■ 4 ha 16 000 8 à 11 €

La famille Chabbert a acquis le donjon et la deuxième partie du château remontant au XIe s. pour les restaurer. Voici une cuvée de couleur très foncée, aux nuances violettes. Le nez intense mêle des notes de torréfaction et de vanille. La bouche révèle une assez bonne matière et des tanins vigoureux. Un vin encore jeune. (50 à 69 F)

EARL André Chabbert et Fils, Ch. Chenaie, 34600 Caussiniojouls, tél. 04.67.95.48.10, fax 04.67.95.44.98 r.-v.

CH. DES ESTANILLES 1999**

■ 5 ha 30 000 15 à 23 €

Récolte 1999
Château des Estanilles
FAUGÈRES
APPELLATION FAUGÈRES CONTRÔLÉE
750 ml 14 % alc./vol.
MIS EN BOUTEILLE AU CHÂTEAU
E.A.R.L. Michel LOUISON - Vigneron - 34480 Lenthéric-Cabrerolles - France
VIN Produit de France - Product of France WINE

Une fois de plus, un coup de cœur pour ce domaine dans lequel on peut admirer un chai de deux cents barriques. La robe de ce 99 est somptueuse, sombre et profonde. Le nez très fin de cacao est marqué par des épices et des notes de grillé. Après une attaque souple et fruitée, la bouche concentrée, d'un beau volume, évolue avec ampleur. La longue finale est garnie de tanins soyeux. Une majestueuse harmonie. (100 à 149 F)

Michel Louison, Ch. des Estanilles, 34480 Cabrerolles, tél. 04.67.90.29.25, fax 04.67.90.10.99 r.-v.

DOM. DE FENOUILLET 1999*

■ 3 ha 8 000 5à8€

La maison Jeanjean a son siège à Saint-Félix-de-Lodez mais exploite un vignoble à Faugères et vinifie à la cave de Laurens. Cette sélection, fort marquée par son terroir, est issue de raisins récoltés à la main en légère surmaturité. La robe est pourpre. Le nez, très intense, laisse apparaître des arômes de fruits rouges et des notes vanillées. En bouche, les tanins bien présents laissent une finale longue et douce. (30 à 49 F)

Jeanjean, BP 1, 34725 Saint-Félix-de-Lodez, tél. 04.67.88.80.00, fax 04.67.96.65.67

DOM. DU FRAISSE 1999**

■ 13 ha 65 000 5à8€

Des vignes de vingt ans et douze mois d'élevage pour cette cuvée qui offre un nez typique de schiste (pierre à fusil, notes empyreumatiques). L'équilibre et l'harmonie générale semblent très intéressants. Ce vin, déjà agréable, affiche du caractère et une belle matière qui devrait s'affiner dans les années à venir. (30 à 49 F)

Jacques Pons, 1 bis, rue du Chemin-de-Ronde, 34480 Autignac, tél. 04.67.90.23.40, fax 04.67.90.10.20, e-mail jacques.pons6@wanadoo.fr r.-v.

CH. GREZAN
Cuvée Arnaud Lubac 1999**

■ 11 ha 40 000 5à8€

Un château dont les fondations remontent au XIIe s. (commanderie des Templiers) et qui ne manque pas d'intérêt avec son architecture du XIXe s. et son enceinte en trompe-l'œil. Le vin, lui, est authentique. Il est doté d'un très beau potentiel comme le révèlent la robe intense, les arômes de fruits cuits avec des notes mentholées et les tanins soyeux. Du volume, du gras, de l'élégance : un très joli faugères qu'il faudra conserver de façon à lui permettre de révéler sa richesse. On pourra aussi le déguster au cours d'un repas au restaurant méditerranéen du château. Le jury a attribué une étoile à la cuvée **Les Schistes dorés 1998 (100 à 149 F)**, à attendre deux ans. (30 à 49 F)

Ch. Grézan, RD 909, 34480 Laurens, tél. 04.67.90.27.46, fax 04.67.90.29.01, e-mail chateau-grezan@wanadoo.fr t.l.j. sf dim. 9h30-12h 14h-18h30

CH. HAUT LIGNIERES 2000*

◢ 2 ha 7 000 5à8€

Voulez-vous vous faire plaisir ? Goûtez ce vin, d'une robe mauve parfaite, avec un nez complexe et intense de fleurs (jasmin), de fruits frais (framboise). La bouche ronde joue autour d'un bon équilibre. A boire à l'apéritif ou avec du poisson grillé. On peut aussi se faire plaisir en découvrant ce rosé au domaine en même temps que le superbe paysage des Cévennes qui l'a vu naître. (30 à 49 F)

Elke Kreutzfeld, lieu-dit Bel-Air, 34600 Faugères, tél. 04.67.95.38.27, fax 04.67.95.78.51 r.-v.

CH. DE LA LIQUIERE Cistus 1999*

■ 6 ha 21 000 11à15€

Une propriété familiale qui existe depuis de nombreuses générations et qui respecte son terroir et son environnement. Elaboré à partir de 40 % de syrah et, à parts égales, de carignan, grenache et mourvèdre, un vrai faugères à la robe intense ; si le nez est encore fermé, la présence en bouche laisse présager un vieillissement bonificateur. Savourez ce vin sur un plat languedocien : un canard aux olives picholines. (70 à 99 F)

Ch. de La Liquière, 34480 Cabrerolles, tél. 04.67.90.29.20, fax 04.67.90.10.00, e-mail bvidal@terre-net.fr r.-v.

Vidal-Dumoulin

DOM. DE LA REYNARDIERE 1999*

■ 6 ha 6 000 5à8€

L'étiquette noire permettra au lecteur de reconnaître la cuvée que les dégustateurs ont retenue. La robe est d'un rouge profond. Les arômes évoquent les fruits rouges bien mûrs accompagnés de notes de cuir et de grillé. La puissance du vin donne la réplique aux tanins serrés. A boire ou à attendre deux à trois ans. (30 à 49 F)

SCEA Dom. de La Reynardière, 7, cours Jean-Moulin, 34480 Saint-Geniès-de-Fontedit, tél. 04.67.36.25.75, fax 04.67.36.15.80 t.l.j. sf dim. 10h-12h 14h-19h

Mège-Pons

MOULIN DE CIFFRE 1999*

■ 6 ha 25 000 8à11€

Ils ne sont pas nés à Faugères mais ils ont très vite compris le terroir et les hommes : les Lésineau ont du talent. Cette cuvée ensoleillée et riche porte une robe d'un rouge intense. Le nez, un peu fermé, laisse dominer des notes de fumée et d'épice. Après une bonne attaque, la bouche affiche des tanins qui demandent encore à se fondre : son équilibre promet une belle bouteille dans quelques mois. (50 à 69 F)

Lésineau, SARL Ch. Moulin de Ciffre, 34480 Autignac, tél. 04.67.90.11.45, fax 04.67.90.12.05, e-mail info@moulindeciffre.com r.-v.

DOM. OLLIER-TAILLEFER
Grande Réserve 1999**

■ 6 ha 30 000 5à8€

Grâce à son terroir de schiste et à son excellente exposition, ce domaine bénéficie des meilleures conditions d'expression de la typicité de l'AOC. Cité pour la cuvée **Castel Fossibus 99**, il propose ici un vin qui prend son temps pour se révéler. Son nez de torréfaction, de gibier, son attaque pleine et concentrée puis le développement de tanins bien droits sont autant d'indices d'un remarquable potentiel. (30 à 49 F)

LANGUEDOC

🔑 Dom. Ollier-Taillefer, rte de Gabian, 34320 Fos, tél. 04.67.90.24.59, fax 04.67.90.12.15 ☑ 🍷 r.-v.
🔑 Alain Ollier

DOM. DES PRES-LASSES 1999★

■ 3 ha 5 000 ▮ 8 à 11 €

Première vendange, et déjà sélectionnés : ces deux vignerons, à suivre de très près, ont su d'emblée maîtriser le terroir et les cinq cépages du Faugérois. Le nez, encore fermé, s'ouvre lentement vers des notes de fruits ; la bouche présente des tanins qui demanderont du temps pour apprécier l'ensemble. Les parfums délicats incitent à prendre patience. Le **rosé 2000**, aussi cher, a été cité par le jury. (50 à 69 F)
🔑 Feigel et Ribeton, 5, rue de L'Amour, 34480 Autignac, tél. 04.67.90.21.19, fax 04.67.90.21.19 ☑ 🍷 r.-v.

DOM. DU ROUGE GORGE 1999

■ n.c. 50 000 ▮ 3 à 5 €

Dès l'âge de quinze ans, Alain Borda travaillait à la vigne. C'est en 1982 qu'il créa ici son domaine. Voici un agréable faugères, avec des notes de fruits confits, une bouche tout en souplesse et élégante. Un vin très convivial. Le **rosé 2000** a été cité pour son fruité et son harmonie. (20 à 29 F)
🔑 Alain Borda, Dom. Les Affanies, 34480 Magalas, tél. 04.67.36.22.86, fax 04.67.36.61.24, e-mail borda@terre.net.fr ☑ 🍷 t.l.j. 8h-12h 14h-18h

DOM. DE SAUVEPLAINE
Cuvée Anne-Sophie Elevée en fût de chêne 1998★

■ 35 ha 200 000 ▮ 🛢 🌡 5 à 8 €

40 % de carignan dans cette cuvée de la cave coopérative des plus réussies : sa robe pourpre soutenu à reflets noirs entoure un univers de fruits rouges bien mûrs et de cacao. Les tanins à la fois puissants et nobles laissent se développer des notes empyreumatiques. Un vin en pleine croissance, promis à un très bel avenir. (30 à 49 F)
🔑 SCAV Les Coteaux de Laurens, chem. de Murelle, 34480 Laurens, tél. 04.67.94.48.73, fax 04.67.90.25.47 🍷 r.-v.

Fitou

L'appellation fitou, la plus ancienne AOC rouge du Languedoc-Roussillon (1948), est située dans la zone méditerranéenne de l'aire des corbières ; elle s'étend sur neuf communes qui ont également le droit de produire les vins doux naturels rivesaltes et muscat de rivesaltes. La production a atteint 112 000 hl en 2000. C'est un vin d'une belle couleur rubis foncé qui compte au minimum 12 ° d'alcool et dont l'élevage dure au moins neuf mois.

DOM. BERTRAND-BERGE
Cuvée Jean Sirven 1999★★★

■ 2 ha 2 000 🛢 23 à 30 €

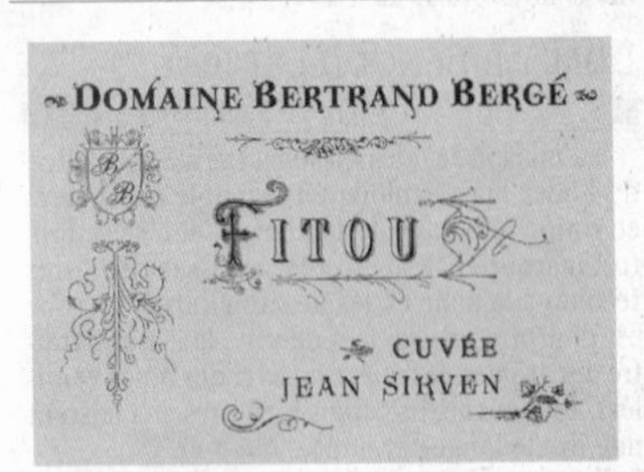

Tête de série, cette cuvée, boisée sur le subtil trois temps des cépages grenache, carignan et syrah, est un superbe vin à la robe pourpre très soutenu, aux senteurs mêlées d'épices, de laurier et de fruits mûrs. La bouche, remarquable de volume et d'équilibre, révèle déjà un beau fondu entre vin et bois. Des tanins solides et réglissés charpentent le fruit et l'accompagnent longuement. (150 à 199 F)
🔑 Dom. Bertrand-Bergé, av. du Roussillon, 11350 Paziols, tél. 04.68.45.41.73, fax 04.68.45.41.73 ☑ 🍷 t.l.j. 8h-12h 13h30-19h

DOM. DE LA ROCHELIERRE
Cuvée Privilège Elevé en fût de chêne 1999★★★

■ n.c. 10 000 ▮ 🛢 8 à 11 €

En dehors du Pla, le vignoble de la commune de Fitou compose avec le paysage aride des collines calcaires, abritant les ceps par des clos caillouteux où se glissent les capitelles. C'est là qu'est né ce vin rubis, subtil mariage de fruits mûrs et de parfums de garrigue. Harmonieux, il glisse sur des tanins veloutés, équilibrés par un fruit charnu et une très agréable note grillée. A boire sur du gibier. (50 à 69 F)
🔑 Jean-Marie Fabre, Dom. de La Rochelière, 17, rue du Vigné, 11510 Fitou, tél. 04.68.45.70.52, fax 04.68.45.70.52 ☑ 🍷 r.-v.

LE MARITIME
Elevé en fût de chêne 1999★

■ 2 ha 8 000 ▮ 🛢 🌡 8 à 11 €

Leucate doit son nom aux marins grecs qui l'ont ainsi désignée à cause des falaises blanches (*leukos* en grec) bien visibles de la mer. Le Maritime se révèle avec cette cuvée riche en mourvèdre, à la robe pourpre, au nez intense de fruits mûrs et de venaison. L'attaque est franche, douce, fumée ; le fruit est présent dans la chair, ainsi qu'un tanin velouté. L'ensemble est très harmonieux. (50 à 69 F)
🔑 Les vignerons du Cap Leucate, 2, av. F.-Vals, 11370 Leucate, tél. 04.68.40.01.31, fax 04.68.40.08.90 ☑ 🍷 r.-v.

DOM. LERYS Elevé en fût de chêne 1999

■ n.c. 10 000 🛢 5 à 8 €

Des calcaires maritimes aux schistes de Villeneuve il faut savoir prendre le temps de la découverte. La route sinueuse compose avec la beauté sauvage du paysage. Mais la halte au domaine, voire le séjour, vaut le détour. La maîtrise de la barrique est parfaite dans cette cuvée à la robe profonde. Les senteurs de cerise sont mêlées de cuir et de venaison. L'équilibre fruit-tanin sur une touche grillée laisse présager un bel avenir. (30 à 49 F)

Dom. Lerys, 11360 Villeneuve-les-Corbières, tél. 04.68.45.95.47, fax 04.68.45.86.11, e-mail domlerys@aol.com t.l.j. 10h-20h
Izard

DOM. LES MILLE VIGNES
Les Vendangeurs de la Violette 1999*

1 ha 4 000 30 à 38 €

La passion selon Jacques Guérin, c'est 5 ha de vignes choyées, la vendange qui reste une fête, un faible pour les longues macérations et le mourvèdre, sans oublier le faire-savoir. Cette cuvée séduit : le rouge est profond, avenant ; le nez encore sauvage se dévoile sur la mûre, le cassis. La surprise vient de la finesse en bouche autour de la sensation charnue de la cerise. Le tanin velouté structure un vin élégant mais puissant à la finale épicée. Bon potentiel de garde. (200 à 249 F)

J. et G. Guérin, Dom. Les Mille Vignes, 24, av. Saint-Pancrace, 11480 La Palme, tél. 04.68.48.57.14, fax 04.68.48.57.14 r.-v.

CH. DE NOUVELLES
Cuvée Vieilles vignes 1999

12 ha 20 000 8 à 11 €

Lorsque l'on va chez Daurat-Fort, propriété réputée en fitou, la surprise est grande de se retrouver perdu, au-delà du col d'Extrême, dans ce domaine, l'un des plus chargés d'histoire de la région. Le rubis de la robe de ce 99 est brillant. Le nez allie fruit et réglissé de l'épice que l'on retrouve en bouche. Des tanins encore présents et une finale généreuse attendent le civet de sanglier. (50 à 69 F)

EARL R. Daurat-Fort, Ch. de Nouvelles, 11350 Tuchan, tél. 04.68.45.40.03, fax 04.68.45.49.21 r.-v.

CH. DE SEGURE 1999**

20 ha 60 000 5 à 8 €

Difficile de choisir dans la gamme remarquable proposée par la cave coopérative de Tuchan, forte de ses 44 000 hl de production en fitou. Ont été remarqués un **Baron La Tour 98** et le **Seigneur de Dom Neuve 99**. Dans cet ensemble le château de Ségure l'emporte. Paré d'une robe profonde et de senteurs de fleur de garrigue miellée et de cassis, il propose une bouche ample et pleine, fruitée, réglissée, aux tanins fondus. L'ensemble, très frais, est déjà savoureux. (30 à 49 F)

Les Producteurs du Mont Tauch, 11350 Tuchan, tél. 04.68.45.29.64, fax 04.68.45.45.29, e-mail contact@mont-tauch.com t.l.j. 9h-12h 14h-18h

CH. DU SEIGNEUR D'ARSE 1999*

30 ha 50 000 5 à 8 €

Après les terribles inondations de novembre 1999, la vie a repris ici ses droits. La cave est désormais reconstruite grâce à la générosité de tous. Le Seigneur d'Arse, vêtu d'un habit pourpre, s'exprime en fruits rouges très frais et savoureux, sur un tanin déjà doux et réglissé. Belle finale pour un vin déjà prêt, mais qui saura attendre. (30 à 49 F)

Les Maîtres Vignerons de Cascastel, Grand-Rue, 11360 Cascastel, tél. 04.68.45.91.74, fax 04.68.45.82.70 r.-v.

DOM. DU TAUCH
Elevé en fût de chêne 1999**

28 ha 150 000 3 à 5 €

Le Domaine du Tauch, autre cuvée de la cave de Tuchan qui revêt un côté plus classique dans sa conception, révèle cependant une belle expression du terroir haute Corbière. La robe est d'un rubis éclatant ; les parfums évoquent les petits fruits avec une note de garrigue. Rond et ample, le tanin soyeux mais présent structure un beau vin aromatique à la finale empyreumatique. Seul manque le gibier qui pourra l'accompagner. Signalons la **Cuvée spéciale sélection de Villeneuve 99** qui obtient une citation ; c'est un vin « terroité », qui est né de la fusion de la cave de Villeneuve avec celle de Tuchan. Elle provient donc des coteaux schisteux des Hautes Corbières. A n'ouvrir que dans deux ans et à décanter. (20 à 29 F)

Les Producteurs du Mont Tauch, 11350 Tuchan, tél. 04.68.45.29.64, fax 04.68.45.45.29, e-mail contact@mont-tauch.com t.l.j. 9h-12h 14h-18h

Minervois

Le minervois, vin AOC, est produit sur soixante et une communes, dont quarante-cinq dans l'Aude et seize dans l'Hérault. Cette région plutôt calcaire, aux collines douces et au revers exposé au sud, protégée des vents froids par la Montagne Noire, produit des vins blancs, rosés et rouges : ces derniers représentent 95 % ; en tout 225 855 hl en 2000 dans les trois couleurs sur 4 560 ha.

Le vignoble du Minervois est sillonné de routes séduisantes ; un itinéraire fléché constitue la route des Vins, bordée de nombreux caveaux de dégustation. Un site célèbre dans l'histoire du Languedoc (celui de l'antique cité de Minerve, où eut lieu un acte décisif de la tragédie cathare), de nombreuses petites chapelles romanes et les intéressantes églises de Rieux et de Caune sont les atouts touristiques de la région. La confrérie locale, les Compagnons du Minervois, a son siège à Olonzac.

La commune de la Livinière s'inscrit désormais dans le cadre d'une appellation minervois-la-livinière regroupant cinq communes. Elle a produit 8 930 hl de vin rouge en 2000.

ABBAYE DE THOLOMIES 1999*

■ 15 ha 30 000 8 à 11 €

La cave aménagée sous les voûtes de l'abbaye millénaire recèle un vin des plus réussis, parfait assemblage de 40 % de carignan et à parts égales, de syrah, de grenache et de mourvèdre. Celui-ci met les sens en éveil : la robe violine est si émoustillante qu'on se hâte de humer ces parfums de paradis que sont la rose, le ciste et la mire. La bouche, charnue, ample et ronde comble le dégustateur. (50 à 69 F)

Lucien Rogé, Abbaye de Tholomiès, 34210 La Livinière, tél. 04.68.78.10.21, fax 04.68.78.36.04 r.-v.

CH. DE BEAUFORT 1999*

■ 10 ha 30 000 11 à 15 €

Jérôme Portal, à la tête de la propriété depuis 1998, a relevé le défi de mettre au diapason sa cave avec le potentiel du vignoble. La réussite fut immédiate avec ce 99 de superbe allure, à la robe rubis et au nez profond. Les tanins présents se fondent avec grâce, laissant s'exprimer les fruits rouges. Ce minervois est puissant et racé : sa persistance vanillée signe un grand vin d'élevage. A attendre. (70 à 99 F)

SCEA Ch. de Beaufort, Dom. d'Artix, 34210 Beaufort, tél. 04.68.91.28.28, fax 04.68.91.38.38, e-mail contact@chateau-de-beaufort.com r.-v.
Jérôme Portal

CH. BONHOMME Les Alaternes 1999

■ 2,5 ha 6 000 11 à 15 €

Issu presque exclusivement de carignan âgé de soixante ans, ce vin « d'auteur » ou « d'hauteur », comme on se plaît à le souligner ici, est surprenant par son attaque baignée de fruit et de douce vanille. Souple, élégant et chaud en finale, il sera en accord avec la nouvelle cuisine. (70 à 99 F)

SCE Ch. Bonhomme, Dom. de Bonhomme, 11800 Aigues-Vives, tél. 04.68.79.28.47, fax 04.68.79.28.48 r.-v.

DOM. BORIE DE MAUREL Cuvée Sylla 1999***

■ 3,2 ha 11 000 15 à 23 €

C'est à Félines-Minervois que l'on peut voir les premières traces de flèches de silex du néolithique. Ce terroir riche d'un savoir-faire multimillénaire connaît depuis vingt ans une véritable révolution qualitative menée par des hommes volontaires, tel Michel Escande qui reçoit ici son sixième coup de cœur. On ne présente plus cette cuvée issue de la seule syrah plantée sur un sol argilo-calcaire. Toujours la même richesse dans sa robe sombre. Toujours cette même intensité enivrante où truffe, violette, moka, cacao tournent, complices, dans le verre. Harmonieuse, la bouche réglissée, volumineuse, est bien enrobée. Pourrait accompagner un gibier d'eau. (100 à 149 F)

GAEC Michel Escande, rue de la Sallèle, 34210 Félines-Minervois, tél. 04.68.91.68.58, fax 04.68.91.63.92 r.-v.

DOM. CHABBERT-FAUZAN 2000*

◪ 2 ha 2 000 5 à 8 €

Le domaine est situé sur les hauteurs calcaires du hameau de Fauzan. Si le **Clos La Coquille en rouge** est cité cette année, c'est le rosé soutenu du domaine qui a la préférence du jury. A la fois fin et floral, il s'équilibre entre vivacité et ampleur pour glisser lentement, avec élégance, en bouche. Typique rosé d'assemblage. (30 à 49 F)

Gérard Chabbert, Fauzan, 34210 Cesseras, tél. 04.68.91.23.64, fax 04.68.91.31.17 r.-v.

CH. COUPE ROSES 1999**

□ 6 ha 3 000 5 à 8 €

A la sortie de La Caunette, petit village troglodytique, où l'on peut encore admirer une porte fortifiée du XIII[e]s., se trouve une cave originale qui élabore un blanc à partir de l'unique roussanne implantée sur schistes. D'une belle expression mentholée au nez, ce vin convie à la fête les papilles qui jonglent avec bonheur entre douceur miellée et puissance minérale. Ce 99 a atteint l'âge mûr et reste parfaitement équilibré en finale. (30 à 49 F)

Frissant Le Calvez, Ch. Coupe Roses, 34210 La Caunette, tél. 04.68.91.21.95, fax 04.68.91.11.73, e-mail couperoses@wanadoo.fr
t.l.j. sf sam. dim. 8h30-12h30 14h-18h

DOM. CROS Les Aspres 1999***

■ 1,5 ha 5 000 15 à 23 €

Le grand jury s'est prononcé : Pierre Cros manque d'un verre la consécration suprême pour ce vin exceptionnel. Sa cuvée Les Aspres, 100 % syrah, de couleur rubis, a belle allure. Epices, café, fruits rouges et vanille enchantent. Parfaitement équilibrée, la bouche évolue sur des tanins de grande ampleur. Les caudalies signent l'apothéose de la finale et font un tour d'honneur. (100 à 149 F)

🔑 Pierre Cros, 20, rue du Minervois,
11800 Badens, tél. 04.68.79.21.82,
fax 04.68.79.24.03 ☑ 🍷 r.-v.

CH. DU DONJON

Cuvée Prestige Elevé en fût de chêne 1999★★

■ 10 ha 50 000 🛢 5à8€

Riche en vestiges remontant à la préhistoire, le Minervois mérite tout autant par ses monuments et ses paysages que par ses vignobles un voyage où se mêleront culture et plaisir. Ce beau domaine de 50 ha, dont une partie remonte au XVᵉs., participe à cet art de vivre avec, entre autres, ce vin élevé douze mois en fût de chêne. Sa robe griotte à reflets vifs séduit. L'attaque est ronde, accompagnée de notes d'épices, de framboise et de cassis. Equilibré, le corps vanillé offre une remarquable finale. (30 à 49 F)

🔑 Jean Panis, Ch. du Donjon, 11600 Bagnoles,
tél. 04.68.77.18.33, fax 04.68.72.21.17,
e-mail jean.panis@wanadoo.fr ☑ 🍷 r.-v.

YVES GASTOU 1998

■ 2 ha 8 000 🍾🌡 5à8€

Le joli village de Villalier abrite les ruines d'un palais épiscopal. Voici une étiquette qui porte la griffe du vigneron pour un vin haute-couture à la trame puissante, né de 90 % de syrah assemblée au grenache. De soyeux arômes de cuir et de fruits cuits défilent jusqu'en finale. A boire avec un canard aux olives. (30 à 49 F)

🔑 Yves Gastou, Dom. des Grandes-Marquises,
11600 Villalier, tél. 04.68.77.19.89,
fax 04.68.77.58.94,
e-mail yves.gastou@wanadoo.fr ☑ 🍷 r.-v.

CH. LA GRAVE Privilège 1999★

■ n.c. 12 000 🛢 8à11€

Sous la bannière du château sont rassemblés parents, enfants et gendres. Ce fief typique de l'appellation a eu les honneurs du Guide en recevant la Grappe de bronze pour son coup de cœur blanc Expression 97. Il hisse cette année un pavillon grenat aux arômes enchanteurs de violette et de vanille. Ses tanins solides supportent la vigueur de l'attaque et assurent l'harmonie de cet édifice puissant et chaleureux ; un vin construit sur les quatre cépages rouges de l'AOC avec dominante de syrah (60 %), nés sur sol de graves. (50 à 69 F)

🔑 Jean-Pierre et Jean-François Orosquette,
Ch. La Grave, 11800 Badens,
tél. 04.68.79.16.00,
e-mail chateaulagrave@wanadoo.fr
☑ 🍷 t.l.j. 9h-12h 14h-19h; sam. dim. sur r.-v.

DOM. LA PRADE MARI

Chant de l'Olivier 1999★★

■ n.c. 12 000 8à11€

Dans ce terroir de garrigues où tout est son et lumière, le vigneron qui sait écouter et attendre atteint l'excellence. Pour preuve ce splendide vin arraché aux coteaux érodés, rouge rubis et aux arômes de cassis et de cacao. Installés sur une structure vive et puissante, ses tanins charnus se déploient jusque dans une finale où chaleur rime avec ampleur. (50 à 69 F)

🔑 Vignerons de La Méditerranée, ZI de
Plaisance,12, rue du Rec-de-Veyret, BP 414,
11104 Narbonne Cedex, tél. 04.68.42.75.00,
fax 04.68.42.75.01, e-mail rhirtz@listel.fr
🍷 r.-v.

DOM. LASSERRE Clot de L'Oulo 1998★

■ 3 ha 20 000 8à11€

Le lieu-dit du Clot de l'Oulo est complanté de mourvèdre et de grenache. Complémentaires, ces deux artistes se saluent chaleureusement « d'une main de fer dans un gant de velours ». En effet, la structure évolue avec douceur alors que les effluves de cassis côtoient poivre et vanille. Ce vin a tout pour se fondre en cave. Il a été mis en bouteille par la cave de Pouzols-Minervois, mention que vous retrouverez sur l'étiquette. (50 à 69 F)

🔑 Vignerons de La Méditerranée, ZI de
Plaisance,12, rue du Rec-de-Veyret, BP 414,
11104 Narbonne Cedex, tél. 04.68.42.75.00,
fax 04.68.42.75.01, e-mail rhirtz@listel.fr
🍷 r.-v.

LAURAN CABARET 2000★

□ 6 ha 30 000 🍾🌡 3à5€

L'assemblage de macabeu (80 %), de grenache (10 %) et de marsanne, vinifiés en macération pelliculaire en étonnera plus d'un. Le vin scintille dans sa robe dorée tandis que de doux effluves d'acacia attirent. Langoureux par ses notes miellées, le palais conjugue concentration, élégance et une finale chaleureuse. A boire. (20 à 29 F)

🔑 Cellier Lauran Cabaret, 11800 Laure-Minervois, tél. 04.68.78.12.12,
fax 04.68.78.17.34 ☑ 🍷 t.l.j. sf dim. 8h-12h
14h-18h; ouv. le dim. en juil.-août

DOM. LE CAZAL Le Pas de Zarat 1999★★★

■ 3 ha 15 000 8à11€

Zarat était un berger intrépide qui se risquait avec son troupeau sur les versants escarpés et pentus du domaine situé à La Caunette. En sa mémoire, les propriétaires Pierre et Claude Derroja ont baptisé cette cuvée de haute expression aux nuances grenat, emplie de senteurs subtiles de garrigue mêlées à de doux fruits confits. La bouche généreuse est équilibrée, construite sur un tanin plein de cacao et de cannelle. La finale s'estompe lentement sur un effluve de tabac blond. (50 à 69 F)

🔑 Vignerons de La Méditerranée, ZI de
Plaisance,12, rue du Rec-de-Veyret, BP 414,
11104 Narbonne Cedex, tél. 04.68.42.75.00,
fax 04.68.42.75.01, e-mail rhirtz@listel.fr
🍷 r.-v.
🔑 P. et C. Derroja

CLOS L'ESQUIROL 1999★

■ n.c. 10 000 🍾 5à8€

Toujours fidèle au rendez-vous du Guide, notre « écureuil » (*esquirol*) occitan sort de sa pinède avec autant de souplesse et de finesse que les autres années. Issu de la seule syrah, cet inconditionnel des fruits rouges et des fruits cuits laisse admiratif devant son équilibre et ses voltiges en bouche, toute de douceur. Vous pour-

LANGUEDOC

rez l'apprivoiser en cave ou l'apprécier dès à présent. (30 à 49 F)
Coop. La Siranaise, 34210 Siran, tél. 04.68.91.42.17, fax 04.68.91.58.41 r.-v.

DOM. LIGNON Les Vignes d'Antan 1998

3 ha 15 000 8 à 11 €

Mais « où sont les vignes d'antan ? » Ici parbleu ! sur des coteaux pentus et très pierreux qui donnent un vin dense, ouvert sur les fruits mûrs mêlés d'onctueuses notes torréfiées. Généreux, ce 98 offre un bouquet de violette en fin de dégustation. A attendre. (50 à 69 F)
Vignerons de La Méditerranée, ZI de Plaisance,12, rue du Rec-de-Veyret, BP 414, 11104 Narbonne Cedex, tél. 04.68.42.75.00, fax 04.68.42.75.01, e-mail rhirtz@listel.fr
r.-v.
Rémi Lignon

CH. MALVES-BOUSQUET Cuvée Jordan le Noir 1998★

n.c. 15 000 5 à 8 €

Malves est un joli village dominé par les quatre tours de son château du XVIe s. Une vaste partie des terres autrefois seigneuriales appartient aujourd'hui à ce domaine. Né de 70 % de syrah et de 30 % de grenache plantés sur argilo-calcaire, ce vin est paré d'une robe rubis. Très expressif par ses notes de fruits cuits et ses nuances vanillées, il offre une bouche riche et équilibrée. La finale est charmeuse. (30 à 49 F)
SCEA Christian et Jean-Louis Bousquet, Ch. de Malves, 11600 Malves-Minervois, tél. 04.68.72.25.32, fax 04.68.77.18.82 r.-v.

CH. DE MERINVILLE 1999

1 ha 5 500 5 à 8 €

De passage à Rieux, ne manquez pas de visiter la splendide église heptagonale et de déguster ce vin construit sur le triangle épices, bois et fruits à partir de la syrah (70 %), du grenache (20 %) et du carignan. Ronds en bouche, ses tanins bien bâtis accompagnent une finale douce et vanillée. A boire ou à garder. (30 à 49 F)
SCV les vignerons Mérinvillois, 41, av. Joseph-Garcia, BP 41, 11160 Rieux-Minervois, tél. 04.68.78.10.22, fax 04.68.78.13.03, e-mail cellier-de-merinville@wanadoo.fr
r.-v.

MOULIN DES NONNES 2000★

10 ha 10 000 5 à 8 €

Azille, village viticole situé à 4 km d'Olonzac, possède toujours son église du XIVe s. Ce domaine de 100 ha a donné un vin blanc très réussi, élevé neuf mois en fût. Il se présente brillamment, avec sa livrée or à reflets verts et des arômes complexes de fleurs blanches. Capiteux, il n'en est pas moins vif en bouche ; litchi, vanille et muscat se fondent en une douce harmonie et entrouvrent les portes du paradis en finale. (30 à 49 F)
Frères Andrieu, Ch. La Rèze, 11700 Azille, tél. 04.68.78.10.19

DOM. PICCININI 2000★★

1 ha 6 000 5 à 8 €

Des ruelles en pente, une belle église à l'abside romane, un sanctuaire lieu de pèlerinage, La Livinière ne manque pas d'atouts. C'est aussi un grand terroir viticole bien mis en valeur par ce producteur. Si son **blanc 2000** a recueilli bien des suffrages, la meilleure note revient au rosé fuchsia, 100 % syrah, brillant et soutenu, d'une rare complexité aromatique. Corbeille de fruits, bouquet de fleurs blanches enchantent le nez et ouvrent la voie à une bouche toute de puissance. Concentrés et chaleureux, des parfums d'agrumes viennent taquiner une finale remarquable. Idéal sur des grillades. (30 à 49 F)
Jean-Christophe Piccinini, rte des Meulières, 34210 La Livinière, tél. 04.68.91.44.32 r.-v.

CH. PIQUE-PERLOU La Sellerie 1998★★

n.c. n.c. 23 à 30 €

Situé en bordure du canal du Midi, ce domaine ne néglige pas les vertus du vieux carignan assemblé à 56 % de syrah. Cette cuvée élevée vingt-quatre mois en fût est remarquable. Parée de pourpre, elle évoque le cuir au nez. Bien sanglée par des tanins harmonieux, la bouche est chaleureuse et puissante, avec de riches arômes de moka, de fruits noirs et de vanille ; la finale est longue. (150 à 199 F)
Serge Serris, 12, av. des Ecoles, 11200 Roubia, tél. 04.68.43.22.46, fax 04.68.43.22.46
r.-v.

CH. PLO DU ROY Le Balcon du Diable Elevé en fût de chêne 1999★★★

9,6 ha 32 000 5 à 8 €

Non loin des éoliennes de Sallèles, souffle le vent de la réussite : voici la cuvée Balcon du Diable au paradis ! Seize mois d'un élevage en fût de chêne ont façonné sa couleur pourpre et son bouquet ; loin d'être ténébreux, ce vin exhale épices, parfums de garrigue et fruits confits. Velouté, s'appuyant sur sa matière vanillée parfaitement équilibrée, il achève son parcours dans une magnifique et longue finale. Un gibier à la broche lui conviendra parfaitement ; si vous n'aimez pas la chasse, choisissez un plat relevé. (30 à 49 F)
M. et Mme Franck Benazeth, 8, chem. de Bel-Mati, 11160 Villeneuve, tél. 04.68.26.13.64, fax 04.68.26.13.64

DOM. DU ROC Cuvée Tradition 1999★

■ 2,5 ha 12 000 🍷 5à8€

Ce 99 rouge sombre, 100 % syrah, est solide comme... le roc, mais tendre à cœur, généreux en arômes ; cassis, cannelle, fruits à l'eau-de-vie mènent une danse enjouée sur une structure puissante et corsée. Typique, ce vin est très réussi. Son producteur, nouveau venu, a déjà sa place parmi les grands noms de votre cave. A Pépieux, ne manquez pas les vestiges du néolithique. (30 à 49 F)

Alain Vies, 15, chem. de Rieux, 11700 Pépieux, tél. 04.68.91.52.14, fax 04.68.91.66.26, e-mail avies@club-internet.fr ☑ Y r.-v.

DOM. SICARD

Cuvée la Cour de Jean 1998★

■ 3 ha 20 000 🍷 8à11€

Vigneron et apiculteur avisé, Jean Sicard possède ce domaine à Aigues-Vives. Il égaie ses bords de vignes de ruches. Ce 98 violine s'envole majestueusement grâce à son bouquet d'épices et de fruits cuits. Concentré, charnu, équilibré, il butine sur la violette et l'eucalyptus en finale. A boire. (50 à 69 F)

Vignerons de La Méditerranée, ZI de Plaisance,12, rue du Rec-de-Veyret, BP 414, 11104 Narbonne Cedex, tél. 04.68.42.75.00, fax 04.68.42.75.01, e-mail rhirtz@listel.fr Y r.-v.

Jean Sicard

CH. VILLERAMBERT JULIEN 1999

■ 10 ha 42 000 🛢 11à15€

La propriété est située sur un terroir où s'entremêlent schistes, marbres et argilo-calcaires. Cette originalité se retrouve dans ce vin rouge cerise assemblant 40 % de grenache à la syrah. Ce 99 évolue avec intensité entre douceur vanillée et fraîcheur fruitée. Elégant et chaleureux, il est à boire. (70 à 99 F)

Marcel Julien, Ch. Villerambert Julien, 11160 Caunes-Minervois, tél. 04.68.78.00.01, fax 04.68.78.05.34 ☑ Y t.l.j. 9h-11h30 13h-18h30; sam. dim. sur r.-v.

CH. DE VILLERAMBERT MOUREAU 1999

■ 5 ha 16 000 🍷 5à8€

Un vaste domaine de 120 ha conduit par trois frères. Ils associent la syrah et 10 % de mourvèdre, plantés sur un terroir de schistes, dans ce vin élégant où la complexité aromatique (épices et violette) s'accorde à un édifice minéral, soyeux mais structuré. Bien au présent, idéal au futur. (30 à 49 F)

Marceau Moureau et Fils, Ch. de Villerambert, 11160 Caunes-Minervois, tél. 04.68.77.16.40, fax 04.68.77.08.14 ☑ Y t.l.j. sf sam. dim. 14h-19h

Lumière et odeurs sont les ennemis du vin : attention à votre cave !

CH. DE VIOLET

Cuvée Vieilles vignes Elevé en fût de chêne 1999

■ n.c. 7 000 🛢 8à11€

Dans ce château du XIe s. aménagé sur l'emplacement d'une *villa* romaine se trouve une cave où les foudres vénérables côtoient un matériel de pointe. Cette cuvée porte bien son nom puisqu'elle associe 20 % de carignan de soixante ans à 10 % de grenache de quarante ans et à 70 % de mourvèdre de trente ans. Rouge rubis à reflets violets, elle offre un bel équilibre sur un fond grillé et vanillé. « Laissons les tanins de ce vin très jeune jeter leur gourme », conclut un dégustateur. (50 à 69 F)

Faussié, Ch. de Violet, 11160 Peyriac-Minervois, tél. 04.68.78.10.42, fax 04.68.78.30.01, e-mail chateau-de-violet@wanadoo.fr ☑ Y t.l.j. 9h-12h30 14h30-19h

DOM. VORDY MAYRANNE

Cuvée des René 1999★

■ 2 ha 5 000 🛢 8à11€

Situé à 2 km de la cité cathare de Minerve, ce domaine célèbre le culte de la famille à Mayranne en mettant à l'honneur les deux grands-pères dans un vin assemblant à parts égales mourvèdre et grenache. Sa robe pourpre et sa kyrielle de fruits cuits et mûrs séduisent d'emblée. Chaud et élégant, ce 99 offre un bel équilibre vanillé ; bon nombre de tanins roulent en bouche avec grâce jusqu'à une finale acidulée. (50 à 69 F)

Didier Vordy, Mayranne, 34210 Minerve, tél. 04.68.91.80.39, fax 04.68.91.80.39 ☑ Y r.-v.

Minervois la livinière

GRAND TERROIR

Elevé en fût de chêne 1999★★

■ 20 ha 20 000 🛢 5à8€

Amateurs à vos commandes : voici une bouteille « grand terroir » typique de l'appellation. Cette macération en grains entiers enchante dès l'attaque par sa concentration de fruits cuits et sa plénitude vanillée. La bouche se montre harmonieuse, puissante, équilibrée. Ses tanins à l'unisson assurent une garde certaine mais aussi un plaisir immédiat aux impatients. (30 à 49 F)

Cave coop. de La Livinière, rte de Notre-Dame, 34210 La Livinière, tél. 04.68.91.42.67, fax 04.68.91.51.77 ☑ Y r.-v.

DOM. LA COMBE BLANCHE

La Galine 1999★

■ 6 ha 28 000 🍷🛢 8à11€

Quand on demande à Guy Vanlancker les noms de personnalités ayant visité son chai, il répond : « Des clients » ! Ce vin est surprenant par les facéties que cassis et cerise font au nez. On les retrouve accompagnés de vanille, jouant

LANGUEDOC

entre puissance et finesse. La trame tannique demande à mûrir : elle est apte à une belle garde. (50 à 69 F)

Guy Vanlancker, rue de La Taillanderie, 34210 La Livinière, tél. 04.68.91.44.82, fax 04.68.91.44.82 r.-v.

CLOS DE L'ESCANDIL 1999**

■ 5 ha 15 000 15 à 23 €

Elevé au secret du clos vingt mois en fût, voici un vin qui se libère dans le verre ; si la vanille excelle au nez, elle sait se retirer au bénéfice de fruits rouges délicatement fondus dans une bouche suave, opulente et soyeuse. Epices et pruneau parachèvent l'œuvre en une finale chaleureuse et éblouissante. (100 à 149 F)

Gilles Chabbert, Dom. des Aires Hautes, 34210 Siran, tél. 04.68.91.54.40, fax 04.68.91.54.40, e-mail gilles.chabbert@wanadoo.fr r.-v.

LE VIALA 1999***

■ 3 ha 11 000 30 à 38 €

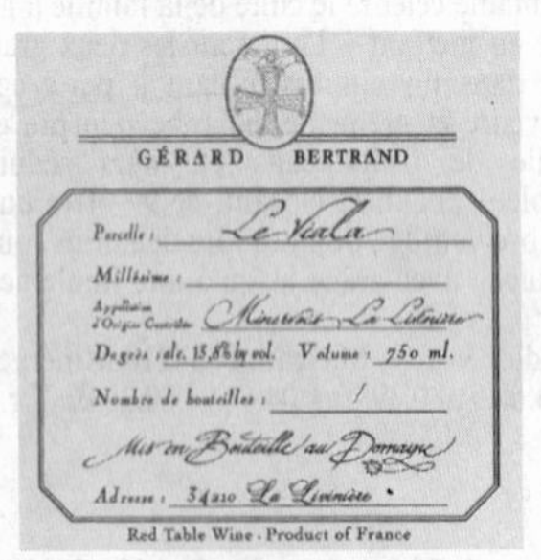

Le Viala est situé à 120 m d'altitude. De ce terroir argilo-calcaire d'exception, on a extrait un superbe vin pourpre intense et complexe : l'attaque d'une éclatante fraîcheur joue avec harmonie une partition concentrée où fruits des bois, cassis et vanille vibrent sur des tanins fondus mais présents. Ample, puissant, corsé, il s'abandonne dans une bouche ravie qui demande le rappel. (200 à 249 F)

Dom. Gérard Bertrand, 34200 La Livinière, tél. 04.68.91.49.20 r.-v.

CH. SAINTE-EULALIE
La Cantilène 1999*

■ 14 ha 30 000 8 à 11 €

De Sainte-Eulalie on peut apercevoir la chaine des Pyrénées. Le château propose un vin de haute lignée où le boisé finement grillé côtoie des notes de sous-bois. Ferme à l'attaque, le palais évolue avec souplesse sur des tanins doux mais massifs. La finale atteint des sommets d'élégance. (50 à 69 F)

Isabelle Coustal, Ch. Sainte-Eulalie, 34210 La Livinière, tél. 04.68.91.42.72, fax 04.68.91.66.09, e-mail icoustal@club-internet.fr r.-v.

Saint-chinian

VDQS depuis 1945, le saint-chinian est devenu AOC en 1982 ; cette appellation couvre vingt communes sur 2 977 ha et produit 143 636 hl de vins rouges et rosés. Dans l'Hérault, au nord-ouest de Béziers, sur des coteaux s'élevant à 100 ou 200 m d'altitude, le vignoble est orienté vers la mer. Les sols sont constitués de schistes, surtout dans la partie nord, et de cailloutis calcaires, dans le sud. Le vin est réputé depuis très longtemps : on en parlait déjà en 1300. Une maison des Vins a été créée à Saint-Chinian même.

CH. DES ALBIERES 1998**

■ 60 ha 15 000 8 à 11 €

Toujours fidèle au Guide, la cave de Berlou a proposé un **blanc 2000 Berloup Schisteil (30 à 49 F)** qui obtient une citation, et ce vin très typique de ce terroir qui se distingue par son attaque enrobée et ses tanins souples et élégants. La dégustation se termine sur des notes de fruits rouges et de réglisse dans une finale fondante et chaleureuse. Une bouteille bien construite. (50 à 69 F)

Les Coteaux du Rieu Berlou, av. des Vignerons, 34360 Berlou, tél. 04.67.89.58.58, fax 04.67.89.59.21, e-mail cve.berloup@wanadoo.fr r.-v.

CANET VALETTE
Le Vin Maghani 1998**

■ 8 ha 18 000 15 à 23 €

Un respect de la nature, une vinification traditionnelle très longue avec pigeage aux pieds, un bon terroir, une bonne extraction permettent une fois de plus à cette cuvée Maghani d'être bien notée. Le nez complexe de truffe, d'olive noire, d'épices et de violette est très agréable. En bouche, ce vin trouve un juste équilibre entre la rondeur, les tanins et l'alcool, et il finit sur une note de fruits noirs très persistants. Il est promis à un bel avenir. (100 à 149 F)

Marc Valette, Dom. Canet-Valette, rte de Causses-et-Veyran, 34460 Cessenon-sur-Orb, tél. 04.67.89.51.83, fax 04.67.89.37.50, e-mail earl-canet-valette@wanadoo.fr r.-v.

DOM. CARRIERE-AUDIER
Cuvée Aurélie 1999**

■ 3,4 ha 7 000 3 à 5 €

C'est la cinquième génération de vignerons qui, avec Jérôme, s'installe sur ce domaine. A forte proportion de mourvèdre, cet ensemble exprime de jolies notes minérales, de figue sèche, de fleurs séchées et d'épices douces. Avec son nez superbe, c'est un vin de schiste comme on les aime, où le grenache donne du charme et de la souplesse. Il est prêt à boire. (20 à 29 F)

Dom. Carrière-Audier, Le Village,
34390 Vieussan, tél. 04.67.97.77.71,
fax 04.67.97.34.14 r.-v.
Max Audier

CH. CAZAL VIEL Cuvée L'Antenne 1999

18 ha 45 000 11 à 15 €

Ce domaine fut offert en 1202 aux moines de l'abbaye de Fontcaude qui l'exploita jusqu'en 1789. Il n'a pas cessé de produire du vin depuis la Révolution sous les auspices de la famille Miquel. Deux cuvées ont été remarquées par les dégustateurs : **Vieilles vignes 99 (50 à 69 F)** et l'Antenne. Les commentaires sont très proches, mais la deuxième, élevée en barrique, a un petit plus. Sa bouche harmonieuse, tout en fruits rouges, révèle des tanins presque fondus. Sa finesse et son élégance permettent de ne pas le faire attendre. (70 à 99 F)

Ch. Cazal-Viel, Hameau Cazal-Viel,
34460 Cessenon-sur-Orb, tél. 04.67.89.63.15,
fax 04.67.89.65.17 t.l.j. 9h-12h30 14h-18h;
sam. dim. sur r.-v.
Henri Miquel

CLOS BAGATELLE
La Gloire de mon Père 1999★

3 ha 12 600 15 à 23 €

1643 : cette famille s'installe, défriche, plante... et transmet par les femmes un réel savoir-faire. Ce terroir exceptionnel donne de grands vins, et ce domaine réputé sait l'exploiter comme le prouve ce 99. Le nez assez intense de poivre gris, de framboise confiturée est suivi d'une bouche consistante et enrobée. Le palais est encore très marqué par le chêne, mais le tout est d'une bonne persistance. A boire dans deux ou trois ans sur un sauté de veau aux olives. **La cuvée Mathieu et Marie de Val Donnadieu 2000 (30 à 49 F)** n'est pas loin des deux étoiles, car sa jeunesse a des parfums de fruits noirs confiturés, de tapenade et un côté animal qui méritent un palais attentif après un an de garde. (100 à 149 F)

Simon, Clos Bagatelle, 34360 Saint-Chinian,
tél. 04.67.93.61.63, fax 04.67.93.68.84,
e-mail closbagatelle@libertysurf.fr r.-v.

DOM. COMPS Cuvée des Gleizettes 1999

4 ha 10 000 5 à 8 €

Un nez discret aux nuances d'épices où domine la vanille ; une bouche avenante d'où n'est pas absent le fruit rouge même si sa structure n'est pas « hénaurme ». (30 à 49 F)

SCEA Martin-Comps, 23, rue Paul-Riquet,
34620 Puisserguier, tél. 04.67.93.73.15 t.l.j.
9h-18h
Pierre Comps

CH. COUJAN Cuvée Bois Joli 1999

2 ha 6 450 8 à 11 €

Une longue macération pour ce vin dense, gras et tannique, qui méritera une attention particulière d'ici un an ou deux. Il a tout d'un bon saint-chinian : épices, poivre noir autour d'une matière ample et encore ferme. Le temps lui permettra de mûrir et de s'ouvrir. (50 à 69 F)

F. Guy et S. Peyre, Ch. Coujan,
34490 Murviel-lès-Béziers, tél. 04.67.37.80.00,
fax 04.67.37.86.23, e-mail coujan@mnet.fr
t.l.j. 9h-12h 14h-19h; dim. sur r.-v.

DOM. DESLINES Cuvée LC 1999★

3 ha 20 000 5 à 8 €

Sa passion n'était pas l'informatique. Vinifier du saint-chinian à Babeau-Bouldoux, c'est plus poétique. Son vignoble établi sur les schistes et planté de vieux grenaches de soixante-dix ans donnent ici un très beau résultat. Les arômes complexes offrent des notes de fruits à l'alcool, de garrigue, de thym, de sous-bois, de girofle. On apprécie la rondeur et la souplesse de la bouche où les tanins sont discrets. Ce vin a une élégance aromatique intéressante. (30 à 49 F)

Line Cauquil, Dom. Deslines,
34360 Babeau-Bouldoux, tél. 04.67.38.19.95,
fax 04.67.38.19.95,
e-mail deslines@netcourrier.com r.-v.

DOM. DE GABELAS
Cuvée Juliette Elevé en fût de chêne 1999★

2,2 ha 5 000 8 à 11 €

Un domaine que les femmes ont souvent dirigé ; Pierrette Cravero, propriétaire depuis 1972, élabore avec talent des vins de haute expression. La cuvée Juliette, aux arômes de framboise confiturée et de résine, est issue d'une forte proportion de syrah (90 %). Elle commence à exprimer son potentiel. En bouche, l'attaque tranche avec une matière concentrée, pleine de rondeur. Bien typé pour ce millésime, ce vin s'accordera très bien avec des grillades d'agneau du Languedoc. (50 à 69 F)

Pierrette Cravero, Dom. de Gabelas,
34310 Cruzy, tél. 04.67.93.84.29,
fax 04.67.93.84.29 r.-v.

DOM. DES JOUGLA Signature 1999★

3 ha 18 600 5 à 8 €

Cette cuvée Signature nous livre les secrets de la famille Jougla qui cultive ces vignes depuis le XVIes. Le nez très complexe (poivre, laurier, fruits confits) est mis en valeur par une superbe robe violine d'une belle vinosité. Après une attaque franche, on remarque d'entrée une forte présence tannique dans une bouche charnue. Un vin bien typé. (30 à 49 F)

Alain Jougla, 34360 Prades-sur-Vernazobre,
tél. 04.67.38.06.02, fax 04.67.38.17.74 r.-v.

CH. LA DOURNIE 2000★

3 ha 12 000 5 à 8 €

Voici un rosé d'une belle fraîcheur, paré d'une robe d'un rose tendre aux reflets violines. Ses parfums de fleurs (rose) et de fruits rouges sont mis en valeur par une bouche fraîche, réglissée, dotée d'un équilibre tout en finesse. Un vrai délice ! Un **Château Etienne La Dournie 98 rouge, élevé en fût de chêne (50 à 69 F)**, obtient une citation. (30 à 49 F)

EARL Ch. La Dournie, rte de Saint-Pons,
34360 Saint-Chinian, tél. 04.67.38.19.43,
fax 04.67.38.00.37 r.-v.
Etienne

LANGUEDOC

DOM. LA MADURA 1999★★

■ 8 ha 8 000 🛢 15 à 23 €

Cyril Bourgne s'est installé ici avec sa femme Nadia en 1998 après neuf années de travail dans l'un des meilleurs crus bordelais. Quand on a de l'expérience, on comprend très vite le rôle de ce terroir exceptionnel de Saint-Chinian. Tout est magnifique et délicat dans ce vin : brillance de la robe, élégance des arômes de fruits rouges et des notes fumées. La bouche est dense avec des nuances de cerise et des tanins soyeux. Ce 99 mériterait d'attendre un peu. Un domaine très prometteur. (100 à 149 F)

Nadia et Cyril Bourgne, 61, av. Raoul-Bayon, 34360 Saint-Chinian,
tél. 04.67.38.17.85, fax 04.67.38.17.85,
e-mail lamadura@wanadoo.fr ☑ Y r.-v.

DOM. DU LANDEYRAN
Cuvée Emilia 1999

■ n.c. 6 000 5 à 8 €

Dans un paysage magnifique, au terroir de schiste, Michel Soulier - qui s'est découvert en 1993 une passion pour la vigne après vingt ans d'activités bancaires - a su élaborer ce vin aux senteurs de garrigue. Au nez, les arômes de fruits rouges mûrs sont parfaitement marqués après agitation du verre. La saveur riche et dense avec une pointe tannique est garante de la longévité de cette bouteille pleine de promesses. (30 à 49 F)

Dom. du Landeyran, rue de la Vernière, 34490 Saint-Nazaire-de-Ladarez,
tél. 04.67.89.67.63, fax 04.67.89.67.63,
e-mail domainedulandeyran@free.fr ☑ Y r.-v.

DOM. MARQUISE DES MURES
Cuvée Les Sagnes 1999★★

■ 10 ha 17 000 8 à 11 €

Superbe vin de terroir de schiste du village de Roquebrun. Le grand jury tombe sous le charme de ce 99 qui conjugue la finesse, l'élégance et la typicité. Le carignan centenaire, le grenache et la syrah se complètent et s'équilibrent dans cette cuvée. Le nez de fumée (notes empyreumatiques puissantes) laisse apparaître des notes florales (violette, rose) originales pour un vin rouge. Après une attaque pure, la bouche se montre ample, équilibrée et harmonieuse. Du même domaine, **la cuvée Réserve des Marquises 99 (70 à 99 F)** obtient une étoile. Quelles merveilles ! (50 à 69 F)

Jean-Jacques Mailhac, GAEC Dom. des Marquises, 34460 Roquebrun,
tél. 04.67.89.55.63, fax 04.67.89.55.63 ☑ Y r.-v.

MAS CHAMPART
Clos de La Simonette 1999★★

■ 1,3 ha n.c. 🛢 15 à 23 €

Isabelle et Mathieu Champart ont été séduits en 1988 par cette région magnifique et ont planté des vignes en terrasses sur des terroirs qui avaient été abandonnés. En blanc et en rouge, tous leurs vins sont bien notés : ce clos de la Simonette en robe pourpre soutenu offre un nez délicieux et riche de fruits mûrs, de garrigue et de romarin sur un fond d'épices (réglisse). L'élevage est très bien maîtrisé ; tout se confirme en bouche où l'on découvre des tanins qui restent très doux. Déjà remarquable, ce 99 n'en saura pas moins vieillir encore magnifiquement. La **cuvée rouge Causse du Bousquet 99 (50 à 69 F)** obtient une citation tout comme le **coteaux du languedoc blanc 99**. Rappelons le coup de cœur l'an dernier. (100 à 149 F)

EARL Champart, Bramefan, rte de Villespassans, 34360 Saint-Chinian,
tél. 04.67.38.20.09, fax 04.67.38.20.09,
e-mail mas.champart@libertysurf.fr ☑ Y r.-v.

CH. MAUREL FONSALADE
Cuvée La Fonsalade Vieilles vignes 1998★

■ 1,5 ha 6 800 🛢 11 à 15 €

Cette sélection rigoureuse de vieilles vignes provenant des terroirs les plus typiques du saint-chinian témoigne de la recherche de la qualité dont fait preuve ce domaine. Cette cuvée a très belle allure dans sa robe carminée aux nuances violines. Le nez expressif s'ouvre sur les fruits et les aromates. L'attaque est pleine, puissante, ample, et la bouche, très bien structurée. Un bel ensemble plein d'entrain. La cuvée **Felix Culpa 1997 (100 à 149 F)** fait trente mois de barrique. Elle obtient une citation. (70 à 99 F)

Philippe et Thérèse Maurel, Ch. Maurel Fonsalade, 34490 Causses-et-Veyran,
tél. 04.67.89.57.90, fax 04.67.89.72.04 ☑ Y r.-v.

CH. MILHAU-LACUGUE
Les Truffières 1998★

■ 1 ha 7 000 🛢 11 à 15 €

Ce domaine familial s'est constitué sur une ancienne métairie des hospitaliers de Saint-Jean-de-Jérusalem, à 3 km de l'abbaye de Fontcaude. Ces Truffières assemblent 47 % de syrah, 48 % de grenache, 4 % de carignan et 1 % de cinsault. La complexité du nez repose sur des notes d'épices, de fruits rouges et de garrigue. Ce très beau vin issu d'une matière première de qualité sera un joyeux compagnon de table à l'occasion d'un repas de fête. Le **coteaux du languedoc blanc 2000 (30 à 49 F)** du domaine a également obtenu une étoile. (70 à 99 F)

Ch. Milhau-Lacugue, Dom. de Milhau, rte de Cazedarnes, 34620 Puisserguier,
tél. 04.67.93.64.79, fax 04.67.93.51.93 ☑ Y t.l.j. 9h30-12h 13h30-17h; sam. dim. sur r.-v.

Lacugue

DOM. NAVARRE

Le Laouzil Terroir de schistes 2000★

■ 4 ha 10 000 ▮ 5à8€

Trop tôt pour être dégusté et apprécié à sa juste valeur, ce vin n'en est pas moins d'une belle tenue, notamment au palais où l'on sent une réelle typicité. Le terroir de Roquebrun ne déçoit jamais : marquant son originalité par des notes de thym, de garrigue et une finale mentholée, ce 2000 révèle une extraction raisonnée. A servir dans trois à cinq ans sur un coq au vin ou un cuissot de sanglier à la broche. (30 à 49 F)

Thierry Navarre, av. de Balaussan, 34460 Roquebrun, tél. 04.67.89.53.58, fax 04.67.89.70.88 ☑ Y r.-v.

DOM. DES PRADELS

Elevé en foudre de chêne 1999★★

■ 3,3 ha 16 000 ◍ 5à8€

C'est presque au bout du monde, au milieu des chênes verts, que la famille Quartironi cultive avec amour ses vignes sur un terroir de schiste. Une belle robe grenat habille ce vin remarquable. Le nez décline des notes florales (rose) et épicées. Après une attaque franche, la bouche donne un grand plaisir autour d'une matière élégante construite sur des tanins fins. Une bouteille très harmonieuse. (30 à 49 F)

Roger Quartironi, Dom. des Pradels, hameau le Priou, 34360 Pierrerue, tél. 04.67.38.01.53, fax 04.67.38.01.53 ☑ Y r.-v.

CH. DU PRIEURE DES MOURGUES

Grande Réserve 1998★★

■ 2 ha 9 000 ◍ 11à15€

Ce domaine de 40 ha a su, même dans ce millésime difficile, tirer le meilleur parti de son terroir. D'une intensité délicate, le nez associe des arômes de réglisse, de griotte, de garrigue. La bouche, ample, longue, est d'un bel équilibre. L'ensemble devrait se développer dans les mois à venir et s'accorder très bien avec une pièce de bœuf. La **cuvée principale rouge 99 (30 à 49 F)** a obtenu une étoile pour son boisé élégant et la complexité de ses arômes. (70 à 99 F)

SARL Vignobles Roger, Ch. du Prieuré des Mourgues, 34360 Pierrerue, tél. 04.67.38.18.19, fax 04.67.38.27.29, e-mail prieure.des.mourgues @wanadoo.fr ☑ Y r.-v.

PRIEURE SAINT-ANDRE

Cuvée Andréus 1999

■ 2 ha 3 000 ▮◍ 8à11€

Le caveau de dégustation est installé dans une bergerie voûtée du XVI[e]s. La cuvée Andréus est d'un rouge dense avec des arômes de mûre, de cerise confite et de sous-bois. L'attaque est riche, les tanins sont fondus. Un vin charmeur, à boire dès maintenant. (50 à 69 F)

Michel Claparède, Prieuré Saint-André, 34460 Roquebrun, tél. 04.67.89.70.82, fax 04.67.89.71.41 ☑ Y t.l.j. 10h-12h30 15h-18h30

DOM. RIMBERT Le Mas au Schiste 1999★

■ 8,5 ha 30 000 ▮◍ 8à11€

Les vieilles vignes de Berlou, implantées sur schiste, ont séduit Jean-Marie Rimbert en 1996. Les secrets de ce terroir se révèlent dans cette cuvée. Carignan (40 %), syrah (25 %), grenache (20 %), mourvèdre (15 %) composent ce beau vin rouge foncé au nez intense, très fumé, grillé, avec de la pierre à fusil et de la griotte accompagnant une note florale. La bouche équilibrée, ronde, offre une finale harmonieuse. Un plaisir à partager dès maintenant. (50 à 69 F)

Jean-Marie Rimbert, 4, av. des Mimosas, 34360 Berlou, tél. 04.67.89.73.98, fax 04.67.89.73.98 ☑ Y r.-v.

LES VINS DE ROQUEBRUN

Cuvée Roches noires 2000

■ 25 ha 130 000 ▮ 8à11€

Le village de Roquebrun appartient au parc naturel du Haut-Languedoc et possède un jardin méditerranéen du plus haut intérêt pour les botanistes. La coopérative vinifie 480 ha. La jeunesse du millésime présenté n'a pas permis aux dégustateurs d'approfondir les commentaires : ils ont perçu l'originalité de la bouche puissante. Les belles promesses de ce vin seront tenues d'ici deux à trois ans. Il faudra le mettre en carafe. (50 à 69 F)

Cave Les Vins de Roquebrun, av. des Orangers, 34460 Roquebrun, tél. 04.67.89.64.35, fax 04.67.89.57.93, e-mail info@cave.roquebrun.fr ☑ Y r.-v.

DOM. DU SACRE-CŒUR

Cuvée Jean Madoré 1998★★

■ 2 ha 1 500 ◍ 11à15€

Il a du charisme, de la personnalité, de la chaleur et de la générosité. Un vin à l'image du beau-père auquel cette cuvée rend hommage. Elle illustre l'art du vigneron qui sait faire parler un vin à travers son terroir et ses racines. La sélection rigoureuse de carignan, grenache, syrah, un élevage de dix-huit mois en barrique donnent à ce 98 un potentiel de garde. Il faudra le servir en carafe sur un gibier à plume. (70 à 99 F)

GAEC du Sacré-Cœur, 34360 Assignan, tél. 04.67.38.17.97, fax 04.67.38.24.52 ☑ Y t.l.j. 8h30-12h30 14h-18h30

Marc et Luc Cabaret

DOM. SORTEILHO 2000★

■ 30 ha 160 000 ▮ 5à8€

La jeunesse n'est pas un défaut. Né le 15 septembre 2000, après six mois de cuve, ce vin a participé à la dégustation du 10 avril 2001. Malgré cela, la force du terroir domine. Le nez floral, complexe et épicé, fait place à une bouche fraîche et dense aux notes de confiture de cerises. Les tanins sont présents mais devraient être fondus à l'automne. (30 à 49 F)

Cave des Vignerons de Saint-Chinian, rte de Sorteilho, 34360 Saint-Chinian, tél. 04.67.38.28.41, fax 04.67.38.28.43 ☑ Y r.-v.

DOM. DES SOULIE 2000★

■ 10 ha 50 000 ▮🌡 3à5€

Issu d'un terroir argilo-calcaire et d'une viticulture biologique depuis 1968, ce 2000 vinifié traditionnellement est un très joli vin. Fin, élégant, il montre une belle maturité en bouche et

LANGUEDOC

une certaine générosité. Les notes d'eucalyptus et de menthol lui donnent de la fraîcheur. C'est un vin charmeur et jeune. Il ira très bien sur un gigot d'agneau. (20 à 29 F)
Aurore et Rémy Soulié, Dom. des Soulié, Carriera de la Teuliera, 34360 Assignan, tél. 04.67.38.11.78, fax 04.67.38.19.31 r.-v.

DOM. DU TABATAU
Lo Tabataïre 1999★★

■ 2,5 ha 6 500 8 à 11 €

Bruno Gracia a tout quitté pour s'installer à son compte avec son frère Jean-Paul. Il réalise son rêve de toujours : « devenir vigneron ». Sa passion se révèle dans cette cuvée d'une couleur profonde et au nez intense et complexe de cerise, d'épices (poivre noir) et de fruit confit. Le vin tapisse la bouche de saveurs élégantes. L'équilibre et la persistance surprennent agréablement. Fruit d'un travail soigné, cette bouteille ira très bien sur une spécialité languedocienne. (50 à 69 F)
Bruno et Jean-Paul Gracia, rue des Anciens-Combattants, 34360 Assignan, tél. 04.67.38.19.60, fax 04.67.38.19.54 r.-v.

CH. TENDON
Cuvée des Hirondelles 1999★★

■ 3,5 ha 16 000 5 à 8 €

En 1988, Jacques et Gisèle Belot ont défriché, concassé des garrigues sur le terroir argilo-calcaire du saint-chinian. Karine et Lionel reprennent aujourd'hui le flambeau. Cette Cuvée des Hirondelles, d'un rouge intense, est dominée au nez par des fruits rouges mûrs, des épices et des notes de garrigue ; c'est un vin qui a une attaque franche et des tanins bien présents. L'équilibre et la longueur en bouche sont prometteurs. Une étoile est attribuée à la cuvée **L'Argilière du château Belot 98 (50 à 69 F).** (30 à 49 F)
Gisèle et Jacques Belot, rte de Cazedarne, 34360 Saint-Chinian, tél. 04.67.38.28.48, fax 04.67.38.28.43

DOM. DE TRIANON 1999★★

■ 9 ha 40 000 5 à 8 €

Vignerons et Passions, deux mots que Bruno Peyre, l'œnologue, fait vivre dans la cave de Saint-Chinian. Voici un très joli vin dont la palette d'arômes est typique des schistes (notes empyreumatiques, réglisse, confiture...). Les tanins fondus suivent une attaque souple, ronde et structurent la bouche, donnant au fruit tout son agrément. Recommandé sur un gibier, ce vin peut attendre deux à trois ans. (30 à 49 F)
Vignerons et Passions, BP 1, 34725 Saint-Félix-de-Lodez, tél. 04.67.88.80.39, fax 04.67.88.86.39 r.-v.
Vignerons de Saint-Chinian

CH. VEYRAN
Cuvée Henri Elevé en fût de chêne 1999★★

■ 4,75 ha 13 000 15 à 23 €

Dire de ce vin qu'il est puissant, rond et agréable, ne suffit pas. La typicité du terroir argilo-calcaire du saint-chinian est marquée en bouche par les tanins, la chaleur et l'équilibre. Les fruits noirs confiturés (myrtille), la garrigue persistent en bouche pendant au moins huit secondes. Une bonne année devrait rendre ce vin plus attrayant encore. A accompagner de rognons grillés ou d'une bécasse. (100 à 149 F)
Gérard Antoine, Ch. Veyran, 34490 Causses-et-Veyran, tél. 04.67.89.65.77, fax 04.67.89.65.77 r.-v.

CH. VIRANEL
Elevé en fût de chêne 1999★★

■ 2 ha 10 000 8 à 11 €

Ce château - le savez-vous ? - est dans la même famille depuis 1550 ! Est-ce le record dans le Guide ? On a dit que le millésime 99 était difficile, eh bien pas au château Viranel qui présente ce vin aux senteurs balsamiques mêlées de girofle, et où l'on devine des notes originales de cire. Ces impressions se confirment en bouche où la structure est tout en finesse avec des tanins fondus et présents. Déjà remarquable, cette bouteille est à consommer sur des mets très typés, du gibier à plume par exemple. (50 à 69 F)
GFA de Viranel, 34460 Cessenon, tél. 04.90.55.85.82, fax 04.90.55.88.97 r.-v.
Bergasse-Milhé

Cabardès

Les vins des Côtes de Cabardès et de l'Orbiel proviennent de terroirs situés au nord de Carcassonne et à l'ouest du Minervois. Le vignoble s'étend sur 514 ha et dix-huit communes. Il a produit 28 978 hl de vins rouges et rosés en 2000, associant les cépages méditerranéens et atlantiques. Ces vins d'appellation sont assez différents des autres vins du Languedoc-Roussillon : produits dans la région la plus occidentale, ils subissent davantage l'influence océanique.

LES CELLIERS DU CABARDES
2000★★

◪ 2,07 ha 3 500 5 à 8 €

Ce vin a été élaboré avec les vignes situées autour du superbe village d'Aragon, cœur de l'appellation, où le randonneur est invité à découvrir sur de nombreux chemins de superbes capitelles, constructions paysannes héritées d'une période où l'agriculture occupait tout l'espace. Ce rosé à la robe tendre surprend par la puissance et l'élégance de son expression olfactive, évoquant tour à tour le pétale de rose et les fruits confits. Souple et généreux, accompagné d'une légère vivacité, c'est un vin plaisir. (30 à 49 F)
SCV Les Celliers du Cabardès, rte de Fraïse, 11600 Aragon, tél. 04.68.24.90.64, fax 04.68.24.87.09 r.-v.

DOM. DE CABROL
Cuvée Vent d'Est 1999★★★

■ 6 ha 19 000 5à8€

Une fois de plus, Claude Carayol nous prouve que le talent et la prise de risque pour vendanger à parfaite maturité permettent d'obtenir de très grands vins. C'est la parfaite démonstration de la force de l'appellation lorsque, sur un grand terroir, l'homme sait guider et respecter son vignoble. Vous admirerez dans ce 99 la belle robe profonde et le nez très concentré de fruits noirs surmûris. Généreuse et complexe, cette cuvée séduit aussi par sa très grande longueur. (30 à 49 F)

Claude et Michel Carayol, Dom. de Cabrol, 11600 Aragon, tél. 04.68.77.19.06, fax 04.68.77.54.90 t.l.j. 11h-12h 14h-19h

CH. JOUCLARY Elevé en fût 1999★

■ n.c. 18 130 5à8€

Ce vignoble fut créé au XVIe s. Robert Gianesini, qui le possède depuis 1969, a été rejoint par son fils qui, depuis quatre millésimes, montre beaucoup de talent en vinification. Une belle robe sombre avec des reflets violines et un nez de fruits mûrs rehaussé par des notes de vanille et d'épices annoncent une attaque franche et une structure tannique puissante. Ce vin prometteur doit encore se fondre. (30 à 49 F)

EARL Gianesini, Ch. Jouclary, 11600 Conques-sur-Orbiel, tél. 04.68.77.10.02, fax 04.68.77.00.21 sam. 11h-19h

CH. DE PENNAUTIER
L'Esprit de Pennautier 1999★★

■ 10 ha 26 000 15à23€

Ce domaine, d'une superficie de 200 ha, a traversé toute l'histoire du Languedoc et parmi ses hôtes illustres figure Molière. Ce 99 est le résultat d'une sélection particulièrement rigoureuse, suivie d'un élevage en barrique de dix-huit mois. Il est puissant, intense, avec une attaque pleine et généreuse. Le boisé, très fin, accompagne agréablement la dégustation. Très beau vin qu'il faut savoir conserver. A signaler, le **rosé 2000 de Pennautier**, cité par le jury. (100 à 149 F)

SCEA Ch. de Pennautier, 11610 Pennautier, tél. 04.68.72.65.29, fax 04.68.72.65.84, e-mail contact@Vignobles-Lorgeril.com r.-v.

N. de Lorgeril

CH. VENTENAC Traditionnel 1999★

■ 40 ha 200 000 3à5€

Professionnalisme et rigueur caractérisent le travail de ce vigneron installé sur les premiers contreforts du Massif central sur un sol de calcaire blanc. Son vin est paré d'une robe pourpre profond à reflets jeunes. Fin et délicat au nez, avec des senteurs de garrigue et de fruits rouges, souple à l'attaque, il affiche une bouche généreuse au bon grain de tanin. Un ensemble prêt à boire et d'une très belle harmonie. (20 à 29 F)

SARL Vignobles Alain Maurel, 1, pl. du Château, 11610 Ventenac-Cabardès, tél. 04.68.24.93.42, fax 04.68.24.81.16, e-mail alain-maurel@wanadoo.fr t.l.j. sf dim. 8h-12h 14h-18h

Côtes de la malepère AOVDQS

On produit 40 000 hl en moyenne de cette AOVDQS sur trente et une communes de l'Aude, dans un terroir soumis à l'influence océanique et situé au nord-ouest des Hauts-de-Corbières qui le protègent de l'influence méditerranéenne. Ces vins rouges ou rosés, corsés et fruités, comprennent non pas du carignan, mais, en plus du grenache et du cot, les cépages bordelais cabernet-sauvignon, cabernet franc et merlot dominants.

DOM. DE FOUCAULD 2000★★

◪ n.c. 8 000 3à5€

La cave d'Arzens se distingue cette année avec son rosé soutenu ; fruit d'une technique de pointe, il enchantera plus d'un amateur par sa puissance aromatique. Framboise, cassis, miel et épices dansent un quadrille vif et enjoué. Généreux, ce vin évolue en bouche avec élégance et persistance. Ambassadeur de l'été, il sera le compagnon idéal de vos salades et grillades d'automne. (20 à 29 F)

Cave La Malepère, av. des Vignerons, 11290 Arzens, tél. 04.68.76.71.71, fax 04.68.76.71.72, e-mail oeno@cavelamalepere.com t.l.j. sf sam. dim. 8h-12h 14h-18h

DOM. DE LASSALLE 1998★

■ 1,5 ha 5 000 5à8€

A peine créé et déjà présent dans le Guide : les vignerons de Rouffiac peuvent être fiers de ce vin de leur domaine à la robe limpide et soutenue où un nez complexe de fruits surmûris joue avec le piquant du poivre et de la coriandre. Ample, bien élevé, d'une matière à toute épreuve, il rajoute avec élégance un soupçon de vanille. Sa finale équilibrée et chaude assurera une tenue parfaite en cave et en bouche. (30 à 49 F)

Cave coop. de Rouffiac d'Aude, 5, av. des Carrassiers, 11250 Rouffiac d'Aude, tél. 04.68.26.81.73, fax 04.68.26.89.00

DOM. LE FORT
Elevé en fût de chêne 1998★★

■ 3 ha 20 000 5à8€

Ce jeune vigneron cultive l'excellence sur les coteaux qui ont donné naissance à cette cuvée d'un rouge grenat engageant. L'élevage en fût soutient parfaitement un vin charnu et massif à la belle complexité de fruits cuits et d'épices. Le palais est ample, équilibré, vanillé ; ses tanins présents sont les atouts d'une grande garde. Le temps travaille pour lui. (30 à 49 F)

Marc Pagès, Dom. Le Fort, 11290 Montréal-de-l'Aude, tél. 04.68.76.20.11, fax 04.68.76.20.11 r.-v.

DOM. DE MATIBAT
Elevé en fût de chêne 1999★

■ 5,4 ha 10 000 5à8€

Douze mois d'élevage en fût et cuve lui ont donné force et caractère. Ce qui n'empêche pas chocolat, vanille et grillé de se fondre avec douceur en un ensemble axé sur la fraîcheur. Equilibré, fin, doté d'une finale suave et fruitée, ce vin glisse lentement sur des tanins bien éduqués. Il peut attendre. (30 à 49 F)

Jean-Claude Turetti, Dom. de Matibat, 11300 Saint-Martin-de-Villeréglan, tél. 04.68.31.15.52, fax 04.68.31.04.29 r.-v.

CH. MONTCLAR 1999★★★

■ 20 ha 26 000 5à8€

Si le château de Montclar remporte l'épreuve, le **domaine de Majou et celui de Fournery en rosé 2000** n'ont pas démérité. Ce vin rubis laisse un sillage de sous-bois, de framboise et de coing. On ne tarit pas d'éloge sur sa puissance et la chaleur de ses tanins concentrés et harmonieux ; la finesse vanillée et fruitée déclenche une belle ovation finale. A ouvrir ou à mettre en cave. (30 à 49 F)

Cave du Razès, 11240 Routier, tél. 04.68.69.02.71, fax 04.68.69.00.49, e-mail cavedurazes@wanadoo.fr t.l.j. sf sam. dim. 8h-12h 14h-18h

Le Roussillon

L'implantation de la vigne en Roussillon, sous l'impulsion des marins grecs attirés par les richesses minières de la côte catalane, date du VIIe s. avant notre ère. Elle se développa au Moyen Age, et les vins doux de la région connurent de bonne heure une solide réputation. Après l'invasion phylloxérique, la vigne a été replantée en abondance sur les coteaux du plus méridional des vignobles de France.

Amphithéâtre tourné vers la Méditerranée, le vignoble du Roussillon est bordé par trois massifs : les Corbières au nord, le Canigou à l'ouest, les Albères au sud, qui font la frontière avec l'Espagne. La Têt, le Tech et l'Agly sont des fleuves qui ont modelé un relief de terrasses dont les sols caillouteux et lessivés sont propices aux vins de qualité, et particulièrement aux vins doux naturels (voir ce chapitre). On rencontre également des sols d'origine différente avec des schistes noirs et bruns, des arènes granitiques, des argilo-calcaires ainsi que des collines détritiques du Pliocène.

Le vignoble du Roussillon bénéficie d'un climat particulièrement ensoleillé, avec des températures clémentes en hiver, chaudes en été. La pluviométrie (350 à 600 mm) est mal répartie, et les pluies d'orages ne profitent guère à la vigne. Il s'ensuit une période estivale sèche, dont les effets sont souvent accentués par la tramontane qui favorise la maturation des raisins.

La vigne est conduite en gobelet, avec une densité de 4 000 pieds. La culture reste traditionnelle, souvent peu mécanisée. L'équipement des caves se modernise avec la diversification des cépages et des techniques de vinification. Après de rigoureux contrôles de maturité, la vendange est transportée en comportes ou petites bennes sans être écrasée ; une partie des raisins est traitée par macération carbonique. Les températures au cours de la vinification sont de mieux en mieux maîtrisées, afin de protéger la finesse des arômes : tradition et technicité se côtoient.

Côtes du roussillon et côtes du roussillon-villages

Ces appellations sont issues des meilleurs terroirs de la région. Le vignoble, de 8 800 ha environ, a produit 390 000 hl dans l'ensemble des appellations en 2000. Les côtes du roussillon-villages sont localisés dans la partie septentrionale du département des Pyrénées-Orientales ; quatre communes bénéficient de l'appellation avec le nom du village : Caramany, Lesquerde, Latour-de-France et Tautavel. Terrasses de galets, arènes granitiques, schistes confèrent aux vins une richesse et une diversité qualitatives que les vignerons ont bien su mettre en valeur.

Les vins blancs sont produits principalement à partir des cépages macabeu, malvoisie du Roussillon et grenache blanc, mais également avec la marsanne, la roussanne et le rolle, vinifiés par pressurage direct. Ils sont méditerranéens, avec un arôme fin, floral (fleur de vigne). Ce

Le Roussillon

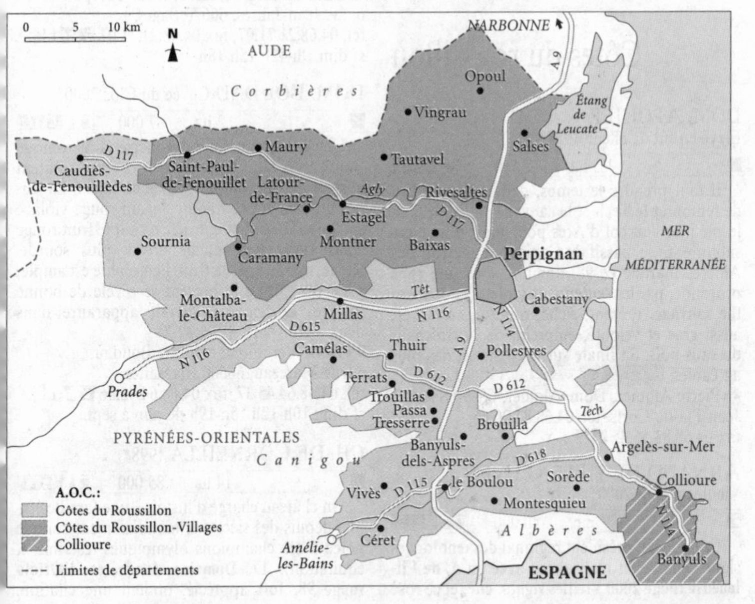

sont des compagnons de choix pour les fruits de mer, les poissons et les crustacés.

Les vins rosés et les vins rouges sont obtenus à partir de plusieurs cépages : le carignan noir (60 % maximum), le grenache noir, le lladonner pelut, le cinsaut, comme cépages principaux, et la syrah, le mourvèdre et le macabeu (20 % maximum dans les vins rouges) comme cépages complémentaires ; il faut obligatoirement deux cépages principaux et un cépage complémentaire. Tous ces cépages (sauf la syrah) sont conduits en taille courte à deux yeux. Souvent, une partie de la vendange est vinifiée en macération carbonique, surtout à partir du carignan qui donne, avec cette méthode de vinification, d'excellents résultats. Les vins rosés sont vinifiés obligatoirement par saignée.

Les vins rosés sont fruités, corsés et nerveux ; les vins rouges sont fruités, épicés, d'une richesse alcoolique de 12 °C environ. Les côtes du roussillon-villages sont plus corsés et chauds ; certains peuvent se boire jeunes, mais d'autres peuvent se garder plus longtemps et développer alors un bouquet intense et complexe. Leurs qualités organoleptiques diversifiées leur permettent de s'associer avec les mets les plus variés.

Côtes du roussillon

DOM. ALQUIER
Elevé en fût de chêne 1998★★

■ 1,5 ha 2 500 8à11€

Il faut prendre le temps, depuis Saint-Jean, de remonter le Tech et la sauvage vallée de Vallespir jusqu'au col d'Ares pour jouir d'une vue sublime sur le massif du Canigou. Le terroir des Albères marque ce 98, dominé, sous une robe profonde, par les senteurs de violette et de menthe sauvage. Présent, riche, robuste, ce vin est aussi gras et velouté, empreint de la fraîcheur du sous-bois. Sa finale sur le cassis est des plus agréables. (50 à 69 F)

Pierre Alquier, Dom. Alquier, 66490 Saint-Jean-Pla-de-Corts, tél. 04.68.83.20.66, fax 04.68.83.55.45 r.-v.

ARNAUD DE VILLENEUVE
Vieilles vignes 2000

◪ n.c. 40 000 5à8€

Le nouveau président régional des œnologues signe deux belles réalisations avec un **A. de Villeneuve rouge 2000 Vieilles vignes**, cité, et ce rosé au teint framboise qui demande à s'ouvrir pour répandre fraise et groseille sur d'étonnantes notes épicées. Ample et présent, il s'affirme résolument méditerranéen par ses fruits mûrs. Un rosé de table. (30 à 49 F)

Les Vignobles du Rivesaltais, 1, rue de la Roussillonnaise, 66602 Rivesaltes-Salses, tél. 04.68.64.06.63, fax 04.68.64.64.69, e-mail vignobles.rivesaltais@wanadoo.fr r.-v.

CH. DE BLANES 1999★★

□ 4 ha 10 000 3à5€

Bien calé au sud, le vignoble descend doucement par petites terrasses du col de la Dona jusqu'au village qui s'étire nonchalamment sur les cailloutis, en bordure du lit majeur de la Têt. Ce vin or pâle s'exprime par un nez puissant de fleurs jaunes, de nèfle et de fruits exotiques. Savoureuse, la bouche est tout en fruits mûrs, bien construite, présente, avec une pointe amère très fraîche et fort appréciée en finale. (20 à 29 F)

Les Vignerons de Pézilla, 66370 Pézilla-la-Rivière, tél. 04.68.92.00.09, fax 04.68.92.49.91 r.-v.

DOM. JOSEPH BORY 1999

■ 5,4 ha 2 500 5à8€

Bages est au cœur des Aspres maritimes. Le village, toujours animé, s'enorgueillit de son activité viticole à laquelle contribuent de nombreuses caves particulières dont celle de Joseph Bory. Ce 99 s'annonce par une robe pourpre d'où percent des senteurs sauvages de cuir et une touche poivrée de cassis. Le vin est riche d'extraits, fruits gras et tanins se disputant le palais. Il demande à se fondre avant de s'offrir sur gibier ou viande rouge. (30 à 49 F)

Mme Andrée Verdeille, Dom. Joseph Bory, 6, av. Jean-Jaurès, 66670 Bages, tél. 04.68.21.71.07, fax 04.68.21.71.07 t.l.j. sf dim. 9h-12h 15h-18h

DOM. BOUDAU Cuvée du Clos 2000★

■ 2 ha 7 000 5à8€

Une belle complicité lie Pierre et Véronique Boudau , à laquelle le frère et la sœur ajoutent la synergie des compétences et du talent. La jeunesse de ce vin se traduit par un rouge violacé soutenu. Très intense, le nez est sur le fruit rouge écrasé avec une touche noyau plus sourde. Riche, marqué par le fruit, l'ensemble est ample, généreux ; le tanin présent se révèle de bonne facture. L'harmonie devrait apparaître dans deux à trois ans. (30 à 49 F)

Dom. Véronique et Pierre Boudau, 6, rue Marceau, 66600 Rivesaltes, tél. 04.68.64.45.37, fax 04.68.64.46.26 t.l.j. sf dim. 10h-12h 15h-19h de juin à sept.

CH. DE CORNEILLA 1998★

■ 14 ha 85 000 5à8€

Un château chargé d'histoire, une famille établie depuis des siècles et mondialement connue grâce à ses champions olympiques (escrime et équitation). Le **Domaine Jonquères d'Oriola rouge 98**, fort apprécié, obtient une citation.

Quant à ce château, paré d'une robe grenat brillant, il offre un nez de cerise mûre, de cassis et de fruits à l'eau-de-vie. Souple, il surprend par sa fraîcheur et sa nervosité, avec une note de fruits acides, et le fondu des tanins. La finale pimentée lui permettra d'accompagner charcuteries catalanes et escalivade. (30 à 49 F)

EARL Jonquères d'Oriola, Ch. de Corneilla, 66200 Corneilla-del-Vercol, tél. 04.68.22.73.22, fax 04.68.22.43.99, e-mail chateaudecorneilla@hotmail.com r.-v.

DOM BRIAL 1999*

n.c. 20 000 3à5€

Etre la capitale mondiale du muscat ne suffit pas ; c'est tout le talent de la solide équipe de la cave de Baixas d'avoir su également se faire une place enviée dans l'élite des villages. Le vin hésite entre pourpre et grenat, fruits rouges et sous-bois aux accents de violette. En bouche, l'orientation est nette : c'est un vin souple, gouleyant, remarquable de fondu avec une finale épicée sur des tanins soyeux. (20 à 29 F)

Cave des Vignerons de Baixas, 14, av. Mal-Joffre, 66390 Baixas, tél. 04.68.64.22.37, fax 04.68.64.26.70, e-mail baixas@smi-telecom.fr r.-v.

DOM. FERRER RIBIERE Cana 1999**

4 ha 12 000 15à23€

L'association de Denis Ferrer et de Bruno Ribière s'attache plus que jamais à la recherche qualitative. Viticulture raisonnée, sélection parcellaire, tri des raisins, longues macérations, maîtrise du bois... nous valent ce Cana grenat brillant marqué par le fruit confit, le cuir, le sous-bois. En bouche, ce 99 se révèle ample, solide, puissant. Torréfaction et fruit jouent sur un tanin très fin. Un vin plein, agréable et de belle garde. (100 à 149 F)

Dom. Denis et Bruno Ferrer Ribière, SCEA des Flo, 20, rue du Colombier, 66300 Terrats, tél. 04.68.53.24.45, fax 04.68.53.10.79 r.-v.

DOM. GARDIES Vieilles vignes 1999*

2 ha n.c. 8à11€

Le vignoble de Vingrau, enchâssé dans le cirque calcaire des dernières Corbières, offre en automne le spectacle d'un magnifique patchwork du haut du pas de l'Escalette. Dans une robe jaune pâle, ce vin demande à s'aérer pour s'exprimer en fruits surmûris et exotiques. Gras, ample, le palais présente une touche finement boisée qui ajoute des notes de vanille au pamplemousse dans une finale très fraîche. (50 à 69 F)

Dom. Gardiés, 66600 Vingrau, tél. 04.68.64.61.16, fax 04.68.64.69.36 r.-v.

JEAN D'ESTAVEL Prestige 1998

n.c. 25 000 3à5€

Tout l'art du négoce réside dans l'assemblage et l'élevage. La bonne connaissance des terroirs de ce vigneron négociant est un atout considérable, comme le prouve cette cuvée née de schistes et de calcaires. Le rouge de la robe est profond. L'évolution perce et se traduit par des notes de venaison et de fruits mûrs. L'élevage confère à ce vin un beau fondu sur un équilibre frais et pimenté. Une bouteille déjà prête à servir sur viandes blanches ou charcuteries. (20 à 29 F)

SA Destavel, 7 *bis*, av. du Canigou, 66000 Perpignan, tél. 04.68.68.36.00, fax 04.68.54.03.54

M. G. Baissas

LE CELLIER DE LA BARNEDE 2000*

3 ha 4 500 5à8€

La « cave des artisans du vin » nous démontre une belle maîtrise technique avec ce rosé pivoine (60 % de syrah) où la rose rejoint des notes amyliques. La banane laisse place à une finale fruitée dans un ensemble souple, frais et équilibré. (30 à 49 F)

SCV Les Producteurs de La Barnède, 5, av. du 8-Mai-1945, 66670 Bages, tél. 04.68.21.60.30, fax 04.68.37.50.13 r.-v.

LA CASENOVE

Cuvée Commandant François Jaubert 1998*

20 ha 18 000 15à23€

C'est à Trouillas qu'Arnaud de Villeneuve aurait découvert le principe du mutage des vins doux naturels. Mais c'est aussi un lieu où les vins secs savent s'exprimer. Ainsi cette cuvée à l'approche profonde, très marquée par l'extraction où se mêlent fruits surmûris, senteurs poivrées et notes plus sauvages de sous-bois. D'une grande ampleur, le vin remplit la bouche de son fruité généreux. (100 à 149 F)

Ch. La Casenove, 66300 Trouillas, tél. 04.68.21.66.33, fax 04.68.21.77.81 t.l.j. sf dim. 10h-12h 16h-20h

Montes

DOM. LAFAGE 2000

8 ha 42 000 5à8€

Sur ce vignoble aménagé en courbes de niveau sur les derniers contreforts viticoles des Aspres, la fraîcheur des schistes se prête fort bien à la syrah. D'un grenat soutenu ce 2000 laisse percer des senteurs encore sourdes de torréfaction et de pierre à fusil. Amples, présents, l'épice et le grillé font bon ménage sur une finale structurée. Encore sur le fruit de la jeunesse, ce vin se prêtera à une bonne garde. (30 à 49 F)

SCEA Dom. Lafage, mas Llaro, rte de Canet, 66100 Perpignan, tél. 04.68.67.12.47, fax 04.68.62.10.99, e-mail enofool@aol.com r.-v.

DOM. DE LA MADELEINE 2000**

n.c. 3 000 5à8€

Sur la terrasse caillouteuse de la Têt, les bâtisses de la propriété et leurs parcs semblent de loin en loin veiller jalousement sur le bien viticole. D'un beau rubis à reflets violacés, ce vin est surprenant par ses arômes de cerise confite et de chèvrefeuille. Le fruit se retrouve en bouche ; charnu, il apporte aussi une touche aigrelette très fraîche. Un tanin encore présent garantit à cette bouteille un bel avenir. On le servira sur du gibier. (30 à 49 F)

ROUSSILLON

🔑 Dom. de La Madeleine, chem. de Charlemagne, 66000 Perpignan, tél. 04.68.50.02.17, fax 04.68.50.02.17 ☑ 🍷 mer. sam. 9h-13h
🔑 Georges Assens

DOM. DE L'AURIS 1999★

■ 7 ha 32 200 5à8€

On ne passe pas à Tarérach par hasard ! Et c'est tant mieux car il faut préserver et mériter la beauté sauvage de ce haut plateau où le maquis épouse le relief ruiniforme du granit. Un plaisir sur fond de Canigou. Cette cuvée élaborée par les vignerons de Tarérach est commercialisée à Perpignan. La robe rouge est soutenue, avenante. La syrah se décline en violette, cassis et queue de cerise. Cette palette aromatique annonce une bouche sur le fruit avec une touche de réglisse. Elégant, le vin est prêt à boire. (30 à 49 F)

🔑 Méditerroirs, 264, chem. du Pas-de-la-Paille, BP 52114, 66012 Perpignan Cedex, tél. 04.68.55.88.40, fax 04.68.55.87.67, e-mail méditerroirs@caramail.com ☑ 🍷 r.-v.

DOM. DU MAS BECHA 1999★

■ 3 ha 4 300 5à8€

Le hameau de Nyls tente de résister à l'urbanisation et, grâce au mas Bécha, il se donne depuis 1997 une adresse viticole de qualité là où n'existait que production de vrac. Pour preuve, ce vin dont la robe rouge intense rappelle la cerise burlat, alors que les parfums évoquent davantage le grillé, la venaison et l'épice. Souple en bouche, le tanin est fin et velouté. Aromatique et avenant avec une finale grillée, ce 99 est prêt à boire. A noter également un **rosé 2000 (20 à 29 F)**, cité et de belle facture. (30 à 49 F)

🔑 Dom. Mas Bécha, 1, av. de Pollestres, 66300 Nyls-Ponteilla, tél. 04.68.54.52.80, fax 04.68.55.31.89 ☑ 🍷 r.-v.
🔑 Perez

DOM. DU MAS CREMAT
Elevé en fût de chêne 1999★★★

■ 3 ha 12 000 11à15€

Choix difficile entre un **99 non boisé (30 à 49 F)**, tout en fruit mûr, cerise poivrée, ample, fin, de belle garde, trois étoiles aussi, et d'un excellent rapport qualité-prix, et ce 99 boisé, plus riche en mourvèdre, au regard encore lourd. Le fruit s'endort sur la vanille puis se révèle en bouche. L'harmonie vin-bois est parfaite : puissance de l'un, finesse de l'autre. Tout cela compose un ensemble solide au tanin velouté, magnifique et riche d'espoir. (70 à 99 F)

🔑 Jeannin-Mongeard, Dom. du Mas Cremat, 66600 Espira-de-l'Agly, tél. 04.68.38.92.06, fax 04.68.38.92.23 ☑ 🍷 r.-v.

MAS D'EN BADIE 1998★

■ n.c. 8 000 5à8€

Le vignoble tire profit de la protection des dernières collines viticoles avant les contreforts du Canigou et des Pyrénées. Là, abrité du vent, il offre à l'automne un festival de couleurs. La jeunesse de ce vin se lit dans sa robe entre pourpre et grenat. Le nez, lui, hésite entre sous-bois, venaison et fruits surmûris. Une note de café grillé accompagne des tanins soyeux dans une bouche souple et veloutée. La touche de venaison se prêtera à merveille à toute une gamme de gibiers en sauce. (30 à 49 F)

🔑 Vignerons de La Méditerranée, ZI de Plaisance,12, rue du Rec-de-Veyret, BP 414, 11104 Narbonne Cedex, tél. 04.68.42.75.00, fax 04.68.42.75.01, e-mail rhirtz@listel.fr ☑ 🍷 r.-v.

DOM. DU MAS ROUS
Cuvée élevée en fût de chêne 1998★★★

■ 9 ha 53 000 5à8€

Ce splendide terroir des Albères, où la vigne doit être protégée de la spéculation foncière, a encore parlé. Il est vrai que le cadre est superbe, entre contrefort pyrénéen et Méditerranée. La robe de ce 98 est profonde, en accord avec les petits fruits rouges sur fond d'épices et de grillé. Mais c'est la bouche qui enthousiasme avec un tanin soyeux, de la cerise poivrée : un ensemble plein et velouté où perce la note minérale typique des Albères. Un superbe vin. La **cuvée Prestige 98 (50 à 69 F)** obtient une étoile. (30 à 49 F)

🔑 José Pujol, Dom. du Mas Rous, 66740 Montesquieu-des-Albères, tél. 04.68.89.64.91, fax 04.68.89.80.88 ☑ 🍷 r.-v.

CH. MIRAFLORS Cuvée Vilarnau 1998★

■ 10 ha 5 000 5à8€

Entre ville et mer, la tour dominant l'ancienne bergerie royale semble veiller sur le vignoble et sur les fouilles archéologiques de l'ancienne cité de Vilarnau. La trilogie syrah, carignan, grenache s'habille ici de grenat et laisse percer sous-bois, fruits confits et début de venaison. L'élevage apporte une note grillée, épicée qu'accompagne le fruit mûr. L'ensemble est fondu, harmonieux, bien équilibré, prêt pour être servi sur viande rouge et fromage. (30 à 49 F)

🔑 SA Cibaud-Ch. Miraflors et Belloch, rte de Canet, 66000 Perpignan, tél. 04.68.34.03.05, fax 04.68.51.31.70, e-mail vins.cibaud@wanadoo.fr ☑ 🍷 t.l.j. sf dim. 9h-13h 15h-19h

CH. MOSSE Coume d'Abeille 1999★★★

■ 5,2 ha 15 000 5à8€

Joyau des Aspres, Sainte-Colombe abrite aussi dans les caves de la famille Mossé, dont le savoir-faire dans l'expression des terroirs est reconnu, des trésors en vins doux naturels. Ce savoir se traduit par une cuvée **Temporis 99 (50 à 69 F)** qui obtient une étoile et par ce Coume d'Abeille d'un rouge profond, aux senteurs sauvages et complexes de musc, de buis et de violette. Riche, généreux, très syrah (violette, mûre et cassis), ce vin structuré sait rester velouté et charnu. Déjà savoureux, il saura attendre. (30 à 49 F)

Jacques Mossé, Ch. Mossé, BP 8, 66300 Ste-Colombe-de-la-Commanderie, tél. 04.68.53.08.89, fax 04.68.53.35.13, e-mail chateau.mosse@worldonline.fr r.-v.

DOM. DE NIDOLERES
La Pierroune 1999

■ 3 ha 4 000 8 à 11 €

Face à la beauté sauvage des Albères, le vignoble s'étire sur les terrasses du Tech, au débouché de la vallée du Vallespir réputée pour ses cerises primeurs et son mimosa. La robe pourpre laisse percer un nez au départ timide de fruits rouges, d'épices et de cuir. On retrouve la cerise mûre en attaque avant de puissants tanins et une note boisée qui s'accommodera de grillades et de volailles rôties. (50 à 69 F)

Pierre Escudié, Dom. de Nidolères, 66300 Tresserre, tél. 04.68.83.15.14, fax 04.68.83.31.26 r.-v.

DOM. PAGES HURE 1999

■ 11 ha 33 600 5 à 8 €

Passionné, Jean-Louis Pagès a changé de voie pour reprendre le vignoble familial riche de deux siècles d'histoire ; il s'est lancé en 1991 dans la vente directe et a réussi avec modestie et enthousiasme à concrétiser son rêve. Le grenat de ce 99 est limpide. Intenses, cerise, mûre, bourgeon de cassis sont à l'accueil. La bouche est à l'avenant, sur les fruits rouges acidulés dans un ensemble fondu, frais, souple mais présent. Un vin prêt à boire. (30 à 49 F)

SCEA Pagès Huré, 2, allée des Moines, 66740 Saint-Génis-des-Fontaines, tél. 04.68.89.82.62, fax 04.68.89.82.62 r.-v.

Jean-Louis Pagès

DOM. PIQUEMAL
Elevé en fût de chêne 1999★★

■ 4 ha 27 000 5 à 8 €

Le problème chez Piquemal, c'est le choix. Une gamme superbe avec un **99 non boisé**, tout en fruit, et un **blanc Les Terres grillées 2000 (50 à 69 F)**, une étoile chacun. Ce 99 boisé, de belle présentation, offre un nez intense où cerise et mûre se laissent adoucir par la vanille. Il a conquis le jury par son ampleur et par le solide mariage d'une vendange riche d'extraction et d'un boisé de qualité. Epices et cerise poivrée viennent clore la finale de ce vin à apprécier sur gibier et viande rouge. (30 à 49 F)

Dom. Pierre et Franck Piquemal, 1, rue Pierre-Lefranc, 66600 Espira-de-l'Agly, tél. 04.68.64.09.14, fax 04.68.38.52.94, e-mail contact@domaine-piquemal.com r.-v.

CH. PLANERES La Romanie 1999★★★

■ 3,5 ha 10 000 11 à 15 €

Nouvelle cave intelligemment conçue, vendange en vert... rien d'étonnant à ce que la qualité soit au rendez-vous. L'excellent **Château Planères rouge 99 (30 à 49 F)**, deux étoiles, cède la première place au Romanie dont le rouge profond s'associe aux senteurs fruitées de la cerise, des fruits rouges sur fond d'épices. Le palais est ample, tout en fruit mûr ; la chair de la cerise enrobe de beaux tanins veloutés avant une finale très torréfiée. (70 à 99 F)

Vignobles Jaubert-Noury, Ch. Planères, 66300 Saint-Jean-Lasseille, tél. 04.68.21.74.50, fax 04.68.21.87.25, e-mail contact@chateauplaneres.com r.-v.

CH. PLANERES La Romanie 1999

□ 3 ha 8 000 11 à 15 €

Le tourbat ou malvoisie du Roussillon est un cépage rare. Autrefois réputé, il a été délaissé avant de retrouver dans quelques exploitations, comme celle-ci, ses lettres de noblesse. L'approche est d'or pâle. Les notes miellées du genêt se font complices du fruit. Ample et riche, la bouche laisse la vanille entourer l'abricot et le coing ; l'ensemble reste frais et d'une remarquable longueur. (70 à 99 F)

Vignobles Jaubert-Noury, Ch. Planères, 66300 Saint-Jean-Lasseille, tél. 04.68.21.74.50, fax 04.68.21.87.25, e-mail contact@chateauplaneres.com r.-v.

PUJOL La Montadella 1999★

■ 1,8 ha 10 000 8 à 11 €

De retour à temps plein sur l'exploitation après quelques années passées à défendre les vins du Roussillon, Jean-Luc Pujol s'offre un nouveau défi en passant en agriculture biologique. Sur une base de carignan, cette cuvée au regard sombre attire par la fraîcheur de petits fruits : mûre et cassis. Présent, marqué par sa jeunesse, le tanin encore généreux s'équilibre avec le gras du fruit mûr. Un très beau vin traditionnel à servir sur des grillades d'ici un à deux ans. (50 à 69 F)

Jean-Luc Pujol, EARL La Rourède, Dom. La Rourède, 66300 Fourques, tél. 04.68.38.84.44, fax 04.68.38.88.86, e-mail vins-pujol@wanadoo.fr t.l.j. sf dim. 9h-12h 15h-18h30

CH. DE REY 1998

■ 10 ha 6 000 5 à 8 €

Dominant l'étang de Canet, le château de Dorf Potersen, étroit et dressé, souligne fièrement la fin de la terrasse caillouteuse. Avec ce terroir très chaud, rien d'étonnant à trouver cette approche sombre, ce nez marqué par l'eau-de-vie de noyau, dans ce vin déjà bien élevé, ample et fondu, où le pruneau joue sur des tanins torréfiés. (30 à 49 F)

Philippe et Cathy Sisqueille, EARL Ch. de Rey, 66140 Canet-en-Roussillon, tél. 04.68.73.86.27, fax 04.68.73.15.03, e-mail chateau-de-rey@libertysurf.fr t.l.j. sf sam. dim. 9h-12h 14h-18h

CH. ROMBEAU
Pierre de La Fabrègue Cuvée élevée en fût de chêne 1998★

■ n.c. 15 000 5à8€

Désormais, au domaine de Rombeau, vous pourrez déguster, manger ou banqueter et également dormir... C'est souvent plus sage après de telles agapes. Le truculent maître des lieux vous servira ce 98 au rouge profond, aux senteurs lourdes de raisin mûr, de sous-bois et de cuir. Vous serez séduit par l'équilibre d'un vin structuré au boisé fin, où le fruit charnu cède en finale le pas à une agréable note réglissée. (30 à 49 F)

P.-H. de La Fabrègue, Dom. de Rombeau, 66600 Rivesaltes, tél. 04.68.64.35.35, fax 04.68.64.64.66 t.l.j. 8h-19h30, groupes sur r.-v.

DOM. ROZES 1999★★

■ 8,1 ha 19 000 5à8€

Après un parcours tourmenté, l'Agly se pose à Espira entre le blanc des collines calcaires, l'ocre rouge des argiles et le noir cendré des marnes schisteuses, support de ce côtes du roussillon au regard profond dominé par la senteur des fruits rouges, de l'épice et le vineux du raisin. Présente, sur le fruit, la bouche est tout en finesse grâce au soyeux des tanins. Un vin équilibré, serein, déjà plaisir. (30 à 49 F)

SCEA Tarquin - Dom. Rozès, 3, rue de Lorraine, 66600 Espira-de-l'Agly, tél. 04.68.38.52.11, fax 04.68.38.51.38, e-mail rozes.domaine@wanadoo.fr r.-v.

Antoine Rozès

DOM. SAINTE-BARBE
Elevé en fût de chêne 1998★

■ 3 ha 6 000 5à8€

Robert Tricoire est passionnant, passionné ; ses vignes : un jardin. Quel plaisir de discuter avec lui autant du Vieux Canin que de la Tortue Tassergal du site paléontologique du Serrat-d'en-Vaquer qui abrite le vignoble. La robe de ce 98 est profonde, l'évolution perce à peine. Suit un accueil chaleureux de fruit mûr - cerise à l'eau-de-vie, mûre - drapé de boisé. Riche, puissant, le boisé réglissé s'accorde au mieux à un fruité mûr entre cerise confite et pruneau. Le tanin est fondu : ce vin est prêt à boire. (30 à 49 F)

Vignerons et Passions, BP 1, 34725 Saint-Félix-de-Lodez, tél. 04.67.88.80.39, fax 04.67.88.86.39 r.-v.

DOM. SALVAT Taïchac 2000★★

□ 11 ha 20 000 5à8€

Aller en Fenouillèdes c'est découvrir le somptueux décor de l'arrière-pays déjà apprécié à l'époque romaine comme à Tattius Acum devenu Taïchac, et qui attend la sixième génération des Salvat. La fraîcheur du terroir d'altitude se lit dans la robe limpide et brillante de ce 2000 et s'apprécie aux notes fleuries et d'agrumes du nez. Frais, vif, floral, fondu, le vin est présent, fier de cette touche amère qui enlève la finale. A noter également un beau **Salvat rouge 99**, qui obtient une citation. (30 à 49 F)

Dom. J.-Ph. Salvat, 8, av. Jean-Moulin, 66220 Saint-Paul-de-Fenouillet, tél. 04.68.59.29.00, fax 04.68.59.20.44, e-mail salvat.jp@wanadoo.fr r.-v.

DOM. SARDA-MALET
Terroir Mailloles 1998★★

■ 4 ha 8 000 15à23€

La passion se vit ici au féminin. Avec classe et charme, Suzy Malet présente un **Réserve 98 rouge (50 à 69 F)**, qui obtient une étoile, et ce Terroir Mailloles à la robe profonde, encore jeune ; jeunesse confirmée par le nez toujours sur le fruit au-delà du boisé. L'épice, le grillé viennent ensuite sur un tanin généreux de belle facture. L'ensemble se prête à la garde. A servir sur une côte de bœuf ou un tournedos. (100 à 149 F)

Dom. Sarda-Malet, Mas Saint-Michel, chem. de Sainte-Barbe, 66000 Perpignan, tél. 04.68.56.72.38, fax 04.68.56.47.60 r.-v.

Suzy Malet

CH. DE SAU Cuvée réservée 1996

■ 3 ha 10 000 5à8€

Pari osé que celui de proposer un 96 en dégustation. Mais installé depuis quinze ans et héritier de plus d'un siècle de présence familiale, Hervé Passama a appris à gérer ses terroirs et à adapter la vinification aux exigences des cépages. La robe est soutenue et le tuilé apparait. Un premier nez de venaison laisse ensuite se dévoiler les épices et le surprenant fruité de la cerise. L'évolution arrondit un vin au tanin solide avant une finale torréfiée qui appelle la grillade. (30 à 49 F)

Hervé Passama, Ch. de Saü, 66300 Thuir, tél. 04.68.53.21.74, fax 04.68.53.29.07, e-mail chateaudesau@aol.com r.-v.

DOM. DU VIEUX CHENE
Lou Ginesta 2000★

■ 6 ha 8 000 5à8€

Du mas, la vue est superbe, le site remarquable. A celà il faut ajouter une situation privilégiée à dix minutes de la ville, au débouché de l'Agly, et surtout une palette enviée de terroirs. Le grenat de ce 2000 est vif, intense ; au nez, au-delà du fruit rouge et du cassis, une note sauvage s'approche du cuir. En bouche, le vin est fondu, velouté, à la fois sur le fruit et la note minérale des schistes. Un tanin très fin, légèrement torréfié, assure la finale. A noter un **blanc Haut Valoir 99 (70 à 99 F)** qui obtient une citation. (30 à 49 F)

Dom. du Vieux Chêne, Mas Kilo, 66600 Espira-de-l'Agly, tél. 04.68.38.92.01, fax 04.68.38.95.79 r.-v.

Denis Sarda

Les vins mentionnés en caractère gras dans les notices sont également recommandés par les jurys.

Côtes du roussillon-villages

CH. AYMERICH
Cuvée Augustin Aymerich de Beaufort 1998**

■ 6 ha 8 000 8à11€

La syrah dominant à 60 % et ce terroir de schistes sont très certainement à l'origine de la haute expression de ce vin parfaitement élevé en barrique. Les arômes de baies rouges sauvages se mêlent aux notes épicées autour d'un tanin à la fois réglissé et charnu. Des nuances boisées discrètes et élégantes apparaissent en fin de bouche. (50 à 69 F)

Ch. Aymerich, 52, av. Dr-Torreilles, 66310 Estagel, tél. 04.68.29.45.45, fax 04.68.29.10.35, e-mail aymerich-grau-vins@wanadoo.fr r.-v.

Grau-Aymerich

CH. DE BELESTA Schiste 1999

■ 1,5 ha 5 898 5à8€

Les vignerons de Bélesta furent parmi les premiers à pratiquer des sélections des terroirs. Cette cuvée, issue des vignobles implantés sur schistes, en est un parfait exemple. Elle se caractérise par la rondeur de ses tanins et par des notes fruitées et épicées s'exprimant jusqu'en fin de bouche. (30 à 49 F)

SCV Les Vignerons de Cassagnes-Bélesta, 66720 Cassagnes, tél. 04.68.84.51.93, fax 04.68.84.53.82 t.l.j. 10h-12h 15h-18h

DOM. REGIS BOUCABEILLE 1999**

■ 8 ha 13 000 8à11€

Cet infatigable spécialiste du commerce européen cultive avec succès un petit vignoble en Roussillon. Ce millésime privilégie la douceur des notes fruitées et des tanins bien mûrs. Finesse, complexité et persistance sont au rendez-vous. (50 à 69 F)

Régis Boucabeille, 146, rte Nationale, 66550 Corneilla-la-Rivière, tél. 04.68.57.22.02, fax 04.68.57.11.63, e-mail EARL-boucabeille@yahoo.com r.-v.

CH. DE CALADROY
Elevé en fût de chêne 1998***

■ 2 ha 6 000 8à11€

Coup de cœur l'année dernière pour sa cuvée Les Schistes 98, ce château propose une autre cuvée du même millésime élevée dans le bois. L'empreinte boisée, dominante en attaque, laisse peu à peu la place à l'expression des notes de baies rouges, et fait découvrir des tanins d'une grande finesse drapés de vanille et de chair dans une très belle harmonie persistante. (50 à 69 F)

SCEA ch. de Caladroy, 66720 Bélesta, tél. 04.68.57.10.25, fax 04.68.57.27.76, e-mail chateau.caladroy@wanadoo.fr t.l.j. sf sam. dim. 8h-12h 13h30-17h30

LES VIGNERONS DE CARAMANY
Caramany Elevé en fût de chêne 1998*

■ 25 ha 72 000 8à11€

Cette cuvée boisée donne un autre visage de cette appellation en offrant des notes évoluées avec des arômes d'épices et de toast grillé. L'empreinte du fût épouse harmonieusement les tanins, mais domine en fin de bouche. (50 à 69 F)

SCV de Caramany, 66720 Caramany, tél. 04.68.84.51.80, fax 04.68.84.50.84 r.-v.

DOM. DE CASTELL
Vieilli en fût de chêne 1998*

■ 4,58 ha 3 000 5à8€

Le vignoble s'étend au pied de la colline de Força Réal sur des terroirs de schistes. Une séduisante robe cerise aux reflets grenat, un nez aux arômes épicés et fumés qui laissent place à des notes fruitées en bouche. La charpente tannique encore dominante traduit la forte concentration de ce vin appelé à un bel avenir. (30 à 49 F)

SCV Cellier Castell Réal, 152, rte Nationale, 66550 Corneilla-la-Rivière, tél. 04.68.57.38.93, fax 04.68.57.23.36 r.-v.

VIGNERONS CATALANS
Haute Coutume Schistes de Trémoine 1998

■ 5 ha 20 000 8à11€

Haute Coutume, nouvelle signature des cuvées de prestige des Vignerons Catalans désigne ici un vin issu des vignobles sur schistes du célèbre terroir de Rasiguères. L'élevage en fût neuf domine encore les expressions organoleptiques qui se développeront après une bonne garde en cave. (50 à 69 F)

Vignerons Catalans, 1870, av. Julien-Panchot, 66011 Perpignan Cedex, tél. 04.68.85.69.03, fax 04.68.55.25.62, e-mail vignerons.catalans@wanadoo.fr r.-v.

LES VIGNERONS DES COTES D'AGLY
Mont d'Estagel Elevé en fût de chêne 1998*

■ 3 ha 6 500 11à15€

Une cuvée élaborée à partir d'une majorité de syrah et de mourvèdre, complétés par le carignan. La robe aux reflets grenat annonce une structure puissante enveloppée par des notes boisées. Quelques évocations de fruits rouges bien mûrs, de garrigue et d'épices s'expriment en bouche autour d'un équilibre corsé. A attendre. (70 à 99 F)

Les Vignerons des Côtes d'Agly, Cave coopérative, 66310 Estagel, tél. 04.68.29.00.45, fax 04.68.29.19.80, e-mail agly@little-france.com t.l.j. sf sam. dim. 8h-12h 14h-18h

CH. CUCHOUS Caramany 1998**

■ 2 ha 6 600 5à8€

Ce château reconstitue peu à peu son vignoble sur des terroirs de gneiss qui caractérisent les meilleures expressions de l'appellation *village* caramany. On apprécie la finesse du fruité, les notes épicées, la chair délicate des raisins qui

sont certainement à l'origine des sensations gustatives gourmandes. (30 à 49 F)
🔑 SCV Les Vignerons de Cassagnes-Bélesta, 66720 Cassagnes, tél. 04.68.84.51.93, fax 04.68.84.53.82 ☑ Y t.l.j. 10h-12h 15h-18h

CH. DONA BAISSAS
Cuvée Vieille vigne Elevé en fût de chêne 1998**

■ 2 ha 45 000 5 à 8 €

Un millésime 98 qui présente des signes d'évolution avec ses beaux arômes de fruits confits, de cuir et ses notes empyreumatiques. La robe, d'un rubis déjà nuancé de vermeil, enveloppe des tanins au grain très doux qui assurent une harmonie séduisante en bouche. (30 à 49 F)
🔑 Cellier de La Dona, 48, rue du Dr-Torreille, 66310 Estagel, tél. 04.68.29.10.50, fax 04.68.29.02.29 ☑ Y r.-v.

DOM. FONTANEL
Tautavel Prieuré Vieilli en fût de chêne 1999***

■ n.c. n.c. 8 à 11 €

Tout comme le 98, coup de cœur l'année dernière, cette cuvée 99 allie la puissance, l'élégance et la signature d'un terroir. Une robe grenat enveloppe des arômes de fruits à noyau tandis qu'un duo mûre et cassis joue en bouche. La chair du tanin, aux accents réglissés, laisse une impression de générosité et d'ampleur remarquable. La **cuvée classique 99 (30 à 49 F)** obtient deux étoiles. Elle ne connaît pas le bois et offre de belles notes de fruits rouges écrasés. (50 à 69 F)
🔑 Dom. Fontanel, 25, av. Jean-Jaurès, 66720 Tautavel, tél. 04.68.29.04.71, fax 04.68.29.19.44 ☑ Y t.l.j. 10h-13h 14h-19h
🔑 Fontaneil

LES HAUTS DE FORCA REAL 1999***

■ n.c. 15 000 15 à 23 €

Un vignoble installé sur les pentes arides et schisteuses de la colline de Força Réal, constitué de syrahs et de mourvèdres à faibles rendements. Un bouquet d'arômes de fruits mûrs, de garrigue en fleur accompagne des tanins puissants, charnus et réglissés sur un fond de notes grillées. Complexité, élégance et puissance jouent ici une parfaite partition. (100 à 149 F)
🔑 J.-P. Henriquès, Dom. Força Réal, Mas de la Garrigue, 66170 Millas, tél. 04.68.85.06.07, fax 04.68.85.49.00, e-mail domaine@força-real.com ☑ Y r.-v.

DOM. GARDIES Tautavel 1999***

■ n.c. 20 000 8 à 11 €

Peut-on parler de cuvée d'exception à chaque millésime pour ce domaine ? Ce n'est certainement pas ce 99 qui dérogera à la règle. Il est paré d'une belle robe pourpre d'où émanent des arômes de baies rouges et des notes de cassis persistantes. En bouche, après la puissance des tanins, la délicatesse du boisé et la générosité de la chair donnent une magnifique symphonie gustative. (50 à 69 F)

🔑 Dom. Gardiés, 66600 Vingrau, tél. 04.68.64.61.16, fax 04.68.64.69.36 ☑ Y r.-v.

DOM. GARDIES Les Millères 1999***

■ 10 ha 25 000 5 à 8 €

Le terroir calcaire pour la charpente, la syrah pour la couleur et les arômes, et le savoir-faire d'un grand vigneron pour mettre toutes ces notes en musique. Une robe d'un grenat soutenu habille des arômes qui évoquent la garrigue ensoleillée et les baies rouges en pleine maturité. Quelques fruits confits et des tanins charnus font comprendre que la puissance et la gourmandise peuvent se marier. (30 à 49 F)
🔑 Dom. Gardiés, 66600 Vingrau, tél. 04.68.64.61.16, fax 04.68.64.69.36 ☑ Y r.-v.

CH. DE JAU Talon rouge 1998*

■ 4 ha 13 000 15 à 23 €

Une étiquette très moderne pour cette cuvée dont l'auteur est désormais également producteur au Chili. Ce « Talon rouge » privilégie le fruit et le velours en bouche : on pourra l'apprécier sur quelques côtelettes grillées servies sur place. Une belle robe rubis tirant sur le grenat enveloppe des notes de cerise bien mûre qui s'expriment aussi bien en bouche qu'au nez. (100 à 149 F)
🔑 Ch. de Jau, 66600 Cases-de-Pène, tél. 04.68.38.90.10, fax 04.68.38.91.33, e-mail daure@wanadoo.fr ☑ Y r.-v.
🔑 Famille Dauré

JEAN D'ESTAVEL
Elevé en fût de chêne 1998*

■ n.c. 10 000 5 à 8 €

Une belle maturité pour ce millésime 98 où tout paraît fondu en bouche : notes de fruits cuits, épices douces, cuir et, en finale, torréfaction. Les touches boisées s'harmonisent parfaitement avec la finesse des tanins. (30 à 49 F)
🔑 SA Destavel, 7 *bis*, av. du Canigou, 66000 Perpignan, tél. 04.68.68.36.00, fax 04.68.54.03.54 ☑
🔑 M.G. Baissas

DOM. JOLIETTE
Cuvée Romain Mercier Elevé en fût de chêne 1999*

■ 4 ha 12 000 8 à 11 €

Le vignoble s'insinue dans les pinèdes des contreforts des Corbières, d'où il domine l'étang de Leucate et la Méditerranée. Les arômes de baies sauvages, de garrigue et de romarin de ce 99 apparaissent dès le premier coup de nez. La charpente se montre solide en bouche où résonnent les tanins bien mûrs et les notes boisées bien enveloppés dans une onctuosité élégante. (50 à 69 F)

A. et Ph. Mercier, Dom. Joliette, rte de Vingrau, 66600 Espira-de-l'Agly, tél. 04.68.64.50.60, fax 04.68.64.18.82 r.-v.

CH. LES PINS 1998★★

■ n.c. 140 000 8à11€

Le château Les Pins est à la fois un haut lieu viticole et le nom de certaines cuvées élaborées par les Vignerons de Baixas. Une belle robe d'un rubis profond ; des arômes fruités rehaussés de notes balsamiques ; des tanins élégants, vanillés, charnus avec quelques notes boisées, bien fondus dans la puissance. Tout cela est à apprécier avec le fameux *fraginat* de Baixas. (50 à 69 F)

Cave des Vignerons de Baixas, 14, av. Mal-Joffre, 66390 Baixas, tél. 04.68.64.22.37, fax 04.68.64.26.70, e-mail baixas@smi-telecom.fr r.-v.

CAVE DE LESQUERDE

Lesquerde Les Arènes de Granit 1999★

■ 3,3 ha 7 500 5à8€

Le terroir d'arènes granitiques confère aux vins des tanins délicats et une harmonie tout en rondeur. Les arômes d'épices, surtout poivrés en bouche, jouent avec des notes fumées bien masquées. Souple et charnue, cette cuvée arrive rapidement à bonne maturité. (30 à 49 F)

SCV Lesquerde, rue du Grand-Capitoul, 66220 Lesquerde, tél. 04.68.59.02.62, fax 04.68.59.08.17 t.l.j. sf dim. 8h-12h 14h-18h

CH. MONTNER 1999★

■ 85 ha 50 000 5à8€

Un vignoble où domine le schiste de coteaux assurant à ce vin l'élégance des sensations gustatives. On découvre une corbeille de fruits rouges bien mûrs enveloppés dans une robe d'un rubis brillant. Séduction et persistance se retrouvent en fin de bouche. (30 à 49 F)

Les Vignerons des Côtes d'Agly, Cave coopérative, 66310 Estagel, tél. 04.68.29.00.45, fax 04.68.29.19.80, e-mail agly@little-france.com t.l.j. sf sam. dim. 8h-12h 14h-18h

LES VIGNERONS DE PEZILLA 1999

■ 35 ha 12 000 3à5€

Une robe rubis, brillante et profonde, des arômes de fruits rouges légèrement grillés. En bouche, la structure tannique se fond peu à peu avec la générosité des sensations gustatives. (20 à 29 F)

Les Vignerons de Pézilla, 66370 Pézilla-la-Rivière, tél. 04.68.92.00.09, fax 04.68.92.49.91 r.-v.

DOM. PIQUEMAL

Les Terres Grillées 1999★

■ 3 ha 18 000 8à11€

Ces Terres Grillées conviennent parfaitement au grenache dont les expressions de haute maturité se conjuguent avec les notes brûlées de l'élevage en fût. Des reflets cerise dans la robe révèlent une harmonie de baies rouges sauvages autour d'une charpente tannique permettant à ce vin d'envisager une longue vie en bouteille. (50 à 69 F)

Dom. Pierre et Franck Piquemal, 1, rue Pierre-Lefranc, 66600 Espira-de-l'Agly, tél. 04.68.64.09.14, fax 04.68.38.52.94, e-mail contact@domaine-piquemal.com r.-v.

LES VIGNERONS DE PLANEZES-RASIGUERES

Cuvée Moura Lympany Elevé en fût de chêne 1998★★★

■ 8 ha 25 000 5à8€

Un vin d'harmonie qui conjugue les effets du terroir de schiste, d'un encépagement judicieux et des touches boisées qui viennent juste souligner l'élégance des sensations. Baies rouges sauvages, notes vanillées, finesse des tanins, onctuosité et persistance jouent une partition sans la moindre fausse note. (30 à 49 F)

Les Vignerons de Planèzes-Rasiguères, 5, rte de Caramany, 66720 Rasiguères, tél. 04.68.29.11.82, fax 04.68.29.16.45 r.-v.

ROC DU GOUVERNEUR 1999

■ n.c. 30 000 5à8€

Une charpente, tel un roc, autour de laquelle se développent des arômes de fruits rouges. Une belle robe d'un rubis assez clair d'où se dégagent des impressions aromatiques nettes et fraîches. Un joli vin de grillades, prélude à l'entrée au pays catalan par la forteresse mythique de Salses. (30 à 49 F)

Les Vignobles du Rivesaltais, 1, rue de la Roussillonnaise, 66602 Rivesaltes-Salses, tél. 04.68.64.06.63, fax 04.68.64.64.69, e-mail vignobles.rivesaltais@wanadoo.fr r.-v.

DOM. DU ROUVRE Les Feches 1998★★★

■ 1 ha 1 500 11à15€

Un vin solide comme un chêne (*rouvre* en catalan), avec des tanins puissants et délicats à la fois, légèrement vanillés et enrobés d'une chair généreuse. La robe rubis aux reflets vermeils annonce la bonne maturation de cette cuvée où les notes d'épices, de fruits mûrs et de sous-bois s'expriment tour à tour. Un compagnon idéal pour un repas de venaison. (70 à 99 F)

ROUSSILLON

GFA Domaines du Château Royal, Los Parès, 66550 Corneilla-la-Rivière, tél. 04.68.57.22.02, fax 04.68.57.11.63 r.-v.
Pouderoux

LES VIGNERONS DE SAINT-PAUL
Cuvée Monedariae Elevé en fût de chêne 1998*

■ 75,44 ha 6 000 5à8€

Carignan, grenache et syrah à parts égales se conjuguent dans cette cuvée élevée dans le bois. Une belle robe rubis cerise aux reflets vermeils habille ce vin aux arômes de pain grillé, d'épices orientales et de fruits rouges vanillés. La charpente boisée, aux tanins élégants, enrobée d'une enveloppe charnue, donne à la fois de la rondeur et de l'ampleur à cette cuvée. (30 à 49 F)

SCV Les Vignerons de Saint-Paul, 17, av. Jean-Moulin, 66220 Saint-Paul-de-Fenouillet, tél. 04.68.59.02.39, fax 04.68.59.07.97 r.-v.

DOM. DES SCHISTES Tradition 1999**

■ 10 ha 30 000 5à8€

Jacques et Nadine Sire élaborent deux cuvées : l'une élevée dans le bois (les Terrasses) et celle-ci appelée Tradition. La robe rubis cerise a des reflets encore violines. Les notes de cerise et de poivre en bouche s'accordent bien avec la jeunesse de ce vin. Corsé et velouté à la fois, ce 99 peut s'apprécier dès maintenant tout en bénéficiant d'une réelle aptitude à la garde. (30 à 49 F)

Jacques Sire, 1, av. Jean-Lurçat, 66310 Estagel, tél. 04.68.29.11.25, fax 04.68.29.47.17 r.-v.

LES MAITRES VIGNERONS DE TAUTAVEL
Tautavel Vieilli en fût de chêne 1999**

■ 58 ha 25 000 5à8€

Cette cave, située à quelques pas du musée de la Préhistoire, offre régulièrement des cuvées de belle expression. Ce 99 élevé sous bois se pare de reflets rubis et grenat. Les arômes de baies rouges bien mûres sont rehaussés par quelques touches boisées qui viennent se conjuguer à une charpente tannique charnue. Deux étoiles également pour la cuvée de **Tautavel 99** élevée en cuve. Fruits rouges et tanins délicats la caractérisent. (30 à 49 F)

Les Maîtres Vignerons de Tautavel, 24, av. Jean-Badia, 66720 Tautavel, tél. 04.68.29.12.03, fax 04.68.29.41.81, e-mail vignerons.tautavel@wanadoo.fr t.l.j. 8h-12h 14h-18h; groupes sur r.-v.

DOM. DU VIEUX CHENE
Terres Nègres Altes Elevé en fût de chêne 1999

■ 5 ha 4 000 8à11€

Terres Nègres Altes signifie en catalan « hautes terres noires », allusion au vignoble en coteaux établi sur des schistes noirs. Les arômes de cassis et de garrigue sont relayés en bouche par les notes balsamiques apportées par l'élevage en fût. Une robe d'un rubis profond enveloppe des tanins amples et doux. (50 à 69 F)

Dom. du Vieux Chêne, Mas Kilo, 66600 Espira-de-l'Agly, tél. 04.68.38.92.01, fax 04.68.38.95.79 r.-v.
Denis Sarda

Collioure

C'est une toute petite appellation : actuellement, 430 ha produisent quelque 15 928 hl. Le terroir est le même que celui de l'appellation banyuls : les quatre communes de Collioure, Port-Vendres, Banyuls-sur-Mer et Cerbère.

L'encépagement est à base de grenache noir, carignan et mourvèdre, avec la syrah et le cinsault comme cépages accessoires. Ce sont uniquement des vins rouges et rosés, qui sont élaborés en début de vendanges, avant la récolte des raisins pour le banyuls. La faiblesse des rendements est à l'origine de vins bien colorés, assez chauds, corsés, aux arômes de fruits rouges bien mûrs. Les rosés sont aromatiques, riches et néanmoins nerveux.

ABBAYE DE VALBONNE 1999*

■ 43 ha 165 900 11à15€

Des notes dominantes de fruits mûrs rappellent la fin des vendanges ; elles se mêlent aux sensations gustatives marquées par la douceur des tanins. Quelques touches de cannelle accompagnent une harmonie chaleureuse et douce à la fois. (70 à 99 F)

Cellier des Templiers, rte du Mas-Reig, 66650 Banyuls-sur-Mer, tél. 04.68.98.36.70, fax 04.68.98.36.91 t.l.j. 10h-19h30

CH. DES ABELLES 1999***

■ 24 ha 106 700 11à15€

Une cuvée qui représente l'archétype du collioure rouge avec ses sensations généreuses et son fruité persistant. Une robe cerise à reflets vermeils l'habille. Des arômes de cassis et de mûre se mêlent aux notes d'épices douces qui persistent longuement. Des tanins se font jour dans une bouche où la finesse ne cède jamais la place à la puissance. Un raffinement parfait si vous le servez avec quelques perdreaux à la catalane. (70 à 99 F)

Cellier des Templiers, rte du Mas-Reig, 66650 Banyuls-sur-Mer, tél. 04.68.98.36.70, fax 04.68.98.36.91 t.l.j. 10h-19h30

DOM. DE BAILLAURY 1999*

■ n.c. n.c. 11à15€

Baillaury signifie « vallée d'or » en catalan ; une richesse à laquelle ce vignoble contribue. Un millésime en pleine jeunesse et à apprécier dès maintenant avec ses notes de baies sauvages et d'épices (poivre). En bouche, la rondeur laisse le champ libre à cette symphonie aromatique. (70 à 99 F)

La Cave de L'Abbé Rous, 56, av. Charles-de-Gaulle, 66650 Banyuls-sur-Mer, tél. 04.68.88.72.72, fax 04.68.88.30.57

DOM. CAMPI 1999*

■ 30 ha 33 400 11 à 15 €

Un fort pourcentage de syrah donne à ce vin une robe à reflets pourpres. Le cassis et la mûre s'expriment au nez comme en bouche avec quelques touches poivrées. Des tanins à la fois puissants et fins dominent en finale, mais devraient s'assouplir avec le temps. (70 à 99 F)

Cellier des Templiers, rte du Mas-Reig, 66650 Banyuls-sur-Mer, tél. 04.68.98.36.70, fax 04.68.98.36.91 t.l.j. 10h-19h30

DOM. DE LA CASA BLANCA 1999

■ 2 ha 7 000 8 à 11 €

Un 99 élaboré par une vieille cave traditionnelle située sur les hauteurs du village de Banyuls-sur-Mer. Les notes de baies rouges et de garrigue sont enveloppées d'une robe d'un rubis à reflets grenat. Quelques touches épicées en bouche accompagnent une charpente tannique encore virile. (50 à 69 F)

Dom. de La Casa Blanca, rte des Mas, 66650 Banyuls-sur-Mer, tél. 04.68.88.12.85, fax 04.68.88.04.08 r.-v.

Soufflet et Escapa

DOM. DE LA MARQUISE Réserve 1999

■ 1 ha 2 500 8 à 11 €

Belle robe rubis brillant. Des arômes de baies rouges qui se développent surtout en bouche où générosité, puissance et maturité se conjuguent. Quelques notes de fruits cuits en finale révèlent l'empreinte des grenaches surmûris. Le **rosé de l'Arquette 2000 (30 à 49 F)** obtient une citation. Les reflets légèrement saumonés de la robe annoncent quelques notes épicées qui se fondent avec les impressions de fruits bien mûrs dominant en finale. Chaleureux et puissant, ce rosé viendra tempérer les ardentes saveurs de certains plats méditerranéens. (50 à 69 F)

Jacques Py, Dom. de La Marquise, 17, rue Pasteur, 66190 Collioure, tél. 04.68.98.01.38, fax 04.68.82.51.77 r.-v.

DOM. LA TOUR VIEILLE Puig Oriol 1999***

■ 2 ha 9 660 11 à 15 €

Vincent et Christine Cantié nous offrent encore une cuvée superbement réussie avec ce 99 dans la lignée du 97, lui aussi coup de cœur. La robe cerise brille de reflets encore violines ; le nez exhale des parfums de cassis et de clou de girofle. Des tanins d'une savoureuse douceur et une impression charnue en finale accompagnent des notes fruitées persistantes. Deux étoiles pour le **Rosé des Roches 2000 (50 à 69 F)** du domaine. De couleur pivoine à reflets brillants, il mêle les baies rouges sauvages et les épices. Avec sa puissance, son onctuosité et son fruité élégant, il s'accordera à un « suquet » de poissons méditerranéens. (70 à 99 F)

Dom. La Tour Vieille, 3, av. du Mirador, 66190 Collioure, tél. 04.68.82.44.82, fax 04.68.82.38.42 r.-v.

Cantié et Campadieu

L'ETOILE Vieilli en montagne 1999*

■ 10 ha 13 000 8 à 11 €

Des arômes déjà en pleine maturation et leur cortège d'épices, de foin coupé et de réglisse. Une robe rubis montrant quelques reflets légèrement tuilés, des notes de fruits grillés autour d'une charpente où le tanin domine. (50 à 69 F)

Sté coopérative L'Etoile, 26, av. du Puig-del-Mas, 66650 Banyuls-sur-Mer, tél. 04.68.88.00.10, fax 04.68.88.15.10 t.l.j. sf sam. dim. 8h-12h 14h-18h

DOM. DU MAS BLANC Junquets 1998*

■ 1 ha 4 000 15 à 23 €

Jean-Michel Parcé poursuit avec assiduité les chemins mythiques de son père, le célèbre docteur Parcé, en particulier avec cette cuvée des Junquets dont les arômes se dévoilent peu à peu dans leur écrin de pourpre. Des notes de cassis et de mûre évoquent la syrah bien mûre. L'équilibre où la charpente est à la fois solide et onctueuse laisse augurer un bel avenir à ce vin. (100 à 149 F)

SCA Parcé et Fils, 9, av. du Gal-de-Gaulle, 66650 Banyuls-sur-Mer, tél. 04.68.88.32.12, fax 04.68.88.72.24 t.l.j. sf sam. dim. 9h-12h 14h-18h

MAS CORNET 1998**

■ n.c. 7 884 11 à 15 €

La cave de l'Abbé Rous produit des cuvées réservées aux restaurateurs et aux cavistes. Les notes de fruits rouges bien mûrs, de pain grillé et d'épices s'expriment peu à peu autour d'une structure tannique puissante, bien enrobée par l'onctuosité et la puissance en bouche. Un millésime 98 qu'il faudra savoir attendre pour apprécier tout son potentiel. Le **rosé 2000 (50 à 69 F)**, marqué par une légère empreinte boisée, est franc, fruité et floral à la fois, parfaitement fondu. Il obtient une étoile. (70 à 99 F)

La Cave de L'Abbé Rous, 56, av. Charles-de-Gaulle, 66650 Banyuls-sur-Mer, tél. 04.68.88.72.72, fax 04.68.88.30.57

LES CLOS DE PAULILLES 2000*

◪ 18 ha 95 000 5 à 8 €

Un rosé où la syrah apporte toute sa noblesse avec sa robe presque rubis, d'intense notes de fruits rouges et des touches de violette. Onctuo-

sité et sensations épicées lui assurent une savoureuse finale. (30 à 49 F)
Les Clos de Paulilles, Baie de Paulilles, 66660 Port-Vendres, tél. 04.68.38.90.10, fax 04.68.38.91.33, e-mail daure@wanadoo.fr t.l.j. 10h-23h; f. 1er oct-1er mai
Famille Dauré

DOM. PIETRI-GERAUD 2000

1 ha 4 000 5 à 8 €

Laetitia Pietri-Géraud suit avec succès le chemin tracé par Maguy, sa mère, qui a reconstitué peu à peu ce vignoble. Quelques reflets fuchsia dans la robe précèdent des senteurs de fruits rouges au sirop accompagnées de quelques notes de pain d'épice. Un équilibre harmonieux domine les sensations gustatives autour de notes amyliques. (30 à 49 F)
Maguy et Laetitia Piétri-Géraud, 22, rue Pasteur, 66190 Collioure, tél. 04.68.82.07.42, fax 04.68.98.02.58 t.l.j. 10h-12h30 15h30-18h30; f. dim. lun. hors vacances scolaires

DOM. DU ROUMANI 1999

30 ha 159 820 11 à 15 €

Les cuvées du Cellier des Templiers peuvent se découvrir au long du circuit remarquable mis en place dans la grande cave. Ce 99 en robe pourpre dévoile des notes grillées et fait un clin d'œil aux arômes du banyuls. Des tanins de qualité assurent une harmonieuse sensation gustative. (70 à 99 F)
Cellier des Templiers, rte du Mas-Reig, 66650 Banyuls-sur-Mer, tél. 04.68.98.36.70, fax 04.68.98.36.91 t.l.j. 10h-19h30

CELLIER DES TEMPLIERS

Cuvée Saint-Michel 1999★★

n.c. 142 300 8 à 11 €

Une cuvée très typée par le terroir de schistes qui confère de l'élégance et de la souplesse aux tanins du grenache. Une belle robe à reflets rubis entoure des arômes de fruits frais et confits à la fois. Générosité et sensations charnues donnent à ce vin puissant et persistant de séduisantes saveurs. (50 à 69 F)
Cellier des Templiers, rte du Mas-Reig, 66650 Banyuls-sur-Mer, tél. 04.68.98.36.70, fax 04.68.98.36.91 t.l.j. 10h-19h30

DOM. DU TRAGINER

Cuvée Al Ribéral 1999★★

2 ha 4 000 15 à 23 €

Le *traginer* était le conducteur du mulet qui transportait les vendanges à travers les terrasses de Banyuls. Cette cuvée, issue d'une viticulture biologique, offre une véritable corbeille de fruits rouges rehaussés par des touches d'épices orientales. La robe rubis entoure des sensations gustatives qui laissent apparaître à la fois l'élégance des tanins, l'ampleur du volume et quelques notes grillées. (100 à 149 F)
Dom. du Traginer, 56, av. du Puig-del-Mas, 66650 Banyuls-sur-Mer, tél. 04.68.88.15.11, fax 04.68.88.31.48 r.-v.
J.-F. Deu

DOM. VIAL-MAGNERES

Les Espérades 1999

1,25 ha 7 000 11 à 15 €

Bernard Sapéras, scientifique mais aussi vigneron, est un grand défenseur du paysage en terrasse du vignoble de Banyuls où l'on compte 6 000 km de murets en schiste. Cette cuvée est élevée huit mois en barrique. Les reflets violines de la robe annoncent toute la fraîcheur de ce vin aux arômes de baies rouges et d'épices en bouche, autour d'un équilibre harmonieux entre la charpente et la générosité. (70 à 99 F)
Dom. Vial-Magnères, Clos Saint-André, 14, rue Edouard-Herriot, 66650 Banyuls-sur-Mer, tél. 04.68.88.31.04, fax 04.68.55.01.06, e-mail al.tragou@wanadoo.fr r.-v.
M. et B. Sapéras

LA PROVENCE ET LA CORSE

La Provence

La Provence, pour tout un chacun, c'est un pays de vacances, où « il fait toujours soleil » et où les gens, à l'accent chantant, prennent le temps de vivre... Pour les vignerons, c'est aussi un pays de soleil, qui brille trois mille heures par an. Les pluies y sont rares mais violentes, les vents fougueux et le relief tourmenté. Les Phocéens, débarqués à Marseille vers 600 av. J.-C., ne se sont pas étonnés d'y voir de la vigne, comme chez eux, et ont participé à sa diffusion. Plus tard, les Romains puis les moines et les nobles, et jusqu'au roi-vigneron René d'Anjou, comte de Provence, les ont imités.

Eléonore de Provence, épouse d'Henri III, roi d'Angleterre, sut donner aux vins de Provence un grand renom, tout comme Aliénor d'Aquitaine, l'avait fait pour les vins d'Aquitaine. Ils furent par la suite un peu oubliés du commerce international, faute de se trouver sur les grands axes de circulation. Ces dernières décennies, le développement du tourisme les a remis à l'honneur, et spécialement les vins rosés, vins joyeux s'il en fut, symboles de vacances estivales et dignes accompagnements des plats provençaux.

La structure du vignoble est souvent morcelée, ce qui explique que près de la moitié de la production soit élaborée en caves coopératives : il n'y en a pas moins de cent dans le département du Var. Mais les domaines, pour la plupart embouteilleurs, ont toujours leur importance, et leur présence active sur le marché et dans la promotion s'avère précieuse pour toute la région. La production annuelle atteint deux à trois millions d'hectolitres, dont environ un million dans les huit appellations d'origine. Pour le seul département du Var, le vin représente encore 45 % du produit agricole brut, pour 51 % de la surface.

Comme dans les autres vignobles méridionaux, les cépages sont très variés : l'appellation côtes de provence en admet treize. Encore que les muscats, qui firent la gloire de bien des terroirs provençaux avant la crise phylloxérique, aient aujourd'hui disparu. Le vignoble est le plus souvent conduit en gobelet bas ; cependant, les formes palissées se font de plus en plus fréquentes. Vins rosés et vins blancs (ceux-ci plus rares, mais souvent surprenants) sont généralement bus jeunes ; et peut-être pourrait-on revoir cette habitude si l'on trouvait des conditions de maturation en bouteilles moins sévères que celles de notre climat. Il en est de même pour beaucoup de rouges, lorsqu'ils sont légers. Mais les plus corsés, dans toutes les appellations, vieillissent fort bien.

Tout petit, le vignoble de Palette, aux portes d'Aix, englobe l'ancien clos du bon roi René. On signalera ici ses blancs, rosés et rouges.

Et puisqu'on parle encore provençal dans quelques domaines, sachez qu'un « avis » est un sarment, qu'une « tine » est une cuve et qu'une « crotte » est une cave ! Peut-être vous dira-t-on aussi qu'un des cépages porte le nom de « pecouitouar » (queue tordue) ou encore « ginou d'agasso » (genou de pie), à cause de la forme particulière du pédoncule de sa grappe...

Côtes de provence

Cette appellation dont la production est considérable (960 662 hl en 2000) occupe un bon tiers du département du Var, avec des prolongements dans les Bouches-du-Rhône, jusqu'aux abords de Marseille, et une enclave dans les Alpes-Maritimes sur une superficie de plus de 19 000 ha. Trois terroirs la caractérisent : le massif siliceux des Maures, au sud-est, bordé au nord par une bande de grès rouge allant de Toulon à Saint-Raphaël et, au-delà, l'importante masse de collines et de plateaux calcaires qui annonce les Alpes. On conçoit que les vins issus de nombreux cépages différents, en proportions variables, sur des sols et des expositions tout aussi divers, présentent, à côté d'une parenté due au soleil, des variantes qui font précisément leur charme... Un charme que le Phocéen Protis goûtait sans doute déjà, 600 ans avant notre ère, lorsque Gyptis, fille du roi, lui offrait une coupe en aveu de son amour...

Sur les blancs tendres, mais sans mollesse, du littoral, les nourritures maritimes et très fraîches seront tout à fait à leur place, tandis que ceux qui sont un peu plus « pointus », un peu plus au nord, apaiseront mieux les irritations des écrevisses à l'américaine et des fromages piquants. Les rosés, tendres ou nerveux, selon l'humeur et le goût, seront les meilleurs compagnons des fragrances puissantes de la soupe au pistou, de l'anchoïade, de l'aïoli, de la bouillabaisse, et aussi des poissons et des fruits de mer aux arômes iodés : rougets, oursins, violets. Enfin, dans les rouges, ceux qui sont tendres (à boire frais) conviennent aux gigots, aux rôtis, mais aussi aux pot-au-feu, et en particulier au pot-au-feu froid en salade ; quelques rouges corsés, puissants, généreux, conviendront aux civets, aux daubes, aux bécasses. Et pour ceux qui ne sont pas ennemis d'harmonies insolites, rosé frais et champignons, rouge et crustacés en civet, blanc avec daube d'agneau (au vin blanc) procurent de bonnes surprises.

CH. DES ANGLADES 2000*

☐ 2 ha 5 000 ■ 🌡 5à8€

L'année 2000 marque le rachat de ce vignoble abandonné, sa rénovation et un millésime intéressant en blanc. Vêtu d'une robe jaune pâle, ce vin livre de subtils arômes d'agrumes (pamplemousse) évoluant vers le tilleul et l'aubépine. La douceur fruitée persiste en bouche avec tendresse. Le **rosé 2000** mérite aussi une étoile : sentant la pêche et le bonbon anglais, il doit au grenache sa chaleureuse rondeur. (30 à 49 F)

🔑 SCEA ch. des Anglades, 143, rue Marylou, 83130 La Garde, tél. 04.94.21.34.66, fax 04.94.21.34.66 ☒

🔑 Gautier

DOM. DES ASPRAS
Cuvée traditionnelle 2000*

◪ 3 ha 20 000 ■ 🌡 5à8€

A l'écart des grands axes, Correns est un village soucieux de préserver son environnement ; il se prévaut d'être le premier village « bio » de France. Aspras s'inscrit dans cette philosophie. Son rosé issu de vieilles vignes laisse un sillage floral et fruité que l'on retrouve dans une bouche élégante. La **Cuvée traditionnelle blanc 2000** obtient également une étoile. (30 à 49 F)

🔑 Lisa Latz, SCEA Dom. des Aspras, 83570 Correns, tél. 04.94.59.59.70, fax 04.94.59.53.92, e-mail mlatz@aspras.com ☒ 🍷 r.-v.

CH. BARBANAU 2000*

◪ 6 ha 30 000 ■ 🌡 5à8€

A quelques kilomètres de Cassis et implanté sous la Sainte-Baume, ce terroir original bénéficie de la proximité de la mer et des effets d'une altitude de 300 m. Cette situation est à l'origine d'un vin complexe par ses arômes à la fois fruités et floraux. La bouche ronde est joliment équilibrée par une juste vivacité. (30 à 49 F)

🔑 GAEC Ch. Barbanau, Hameau de Roquefort, 13830 Roquefort-la-Bédoule, tél. 04.42.73.14.60, fax 04.42.73.17.85, e-mail barbanau@aol.com ☒ 🍷 t.l.j. sf dim. 10h-12h 15h-18h

CH. BARON GASSIER 2000*

25 ha 133 333 -3€

En arrière-fond la montagne Sainte-Victoire, au premier plan les vignes. Au cœur de l'aquarelle, le mas. Cette étiquette charmante annonce un rosé aux reflets pelure d'oignon et au joli nez fruité (fruits rouges et jaunes). Ample, équilibrée, vive et complexe, la bouche est très agréable. Si vous servez une bouillabaisse n'hésitez pas. (- 20 F)

Antony Gassier, Ch. Baron Georges, 13114 Puyloubier, tél. 04.42.66.31.38, fax 04.94.72.11.89 r.-v.

CH. BASTIDIERE 2000**

3 ha 15 000 5à8€

Créé en 1997, ce domaine de 10 ha exporte 50 % de sa production vers l'Allemagne. Ce rosé à la robe claire, saumonée, présente une réelle harmonie aromatique, dominée par des notes d'orange confite et d'abricot sec. La bouche laisse le souvenir de saveurs agréables de pêche et d'orange avant de s'orienter vers une finale plus fraîche. (30 à 49 F)

Dr Thomas Flensberg, Ch. Bastidière, 83390 Cuers, tél. 04.94.13.51.28, fax 04.94.13.51.29 r.-v.

DOM. DE BELOUVE 2000**

2,72 ha n.c. 5à8€

Le bélouvé ? Le terme signifie « beau raisin » en provençal. Et il fut de qualité aux domaines Bunan, producteur davantage connu pour ses bandol. Ce vin décline des arômes printaniers de fruits rouges et noirs. Il ne manque ni de puissance ni de caractère. Encore jeune, il plaît déjà par son intensité mais sa trame tannique lui promet un bel avenir. (30 à 49 F)

Domaines Bunan, Moulin des Costes, 83740 La Cadière-d'Azur, tél. 04.94.98.58.98, fax 04.94.98.60.05, e-mail bunan@bunan.com r.-v.

CH. DE BERNE Cuvée spéciale 2000**

n.c. 30 000 8à11€

Tout au long de l'année, le château de Berne propose des manifestations culturelles en y associant des dégustations. Vous pourrez ainsi goûter cette cuvée soignée, qui a séjourné six mois en fût. Encore sur la réserve, celle-ci procurera beaucoup de plaisir d'ici un an car, sous sa robe pâle, elle est bien construite, équilibrée et harmonieuse. (50 à 69 F)

Ch. de Berne, Flayosc, 83510 Lorgues, tél. 04.94.60.43.60, fax 04.94.60.43.58, e-mail vins@chateauberne.com t.l.j. 10h-18h

BASTIDE DES BERTRANDS
Vieilles vignes 2000*

9,4 ha 62 400 5à8€

Au cœur de la dépression permienne, ce vaste domaine de 90 ha a vu le jour il y a plus de trente ans. Il n'y avait alors que roches et forêts. Aujourd'hui, les plus vieilles vignes ont donné naissance à cette cuvée pâle mais lumineuse, aux jolis reflets pivoine. Son fruité légèrement acidulé laisse une impression de fraîcheur et d'harmonie. (30 à 49 F)

Dom. des Bertrands, rte de Saint-Tropez, 83340 Le Cannet-des-Maures, tél. 04.94.99.79.00, fax 04.94.99.79.09, e-mail info@bertrands.fr t.l.j. sf dim. 8h-12h 13h-17h

Marotzki

MAS DES BORRELS 2000*

n.c. 21 000 5à8€

Un rosé de Provence tout en délicatesse et en équilibre. De teinte pâle, presque gris, il libère des arômes fruités. S'il semble féminin, sa finale n'en est pas moins capiteuse. Le **blanc 2000**, aromatique et frais, mérite d'être cité. (30 à 49 F)

GAEC Garnier, 3e Borrels, 83400 Hyères, tél. 04.94.65.68.20, fax 04.94.65.68.20 t.l.j. 9h-12h 15h-19h

MAS DE CADENET 2000**

28,5 ha 100 000 5à8€

Ce domaine, propriété de la famille Négrel depuis 1813, propose une exposition originale d'œufs de dinosaures. Les caves ne manquent pas non plus d'intérêt. On y dégustera ce rosé qui a participé au grand jury. De couleur pâle, il libère des arômes intenses de fruits et développe une bouche friande et fine. Le **Mas Négrel Cadenet rouge 99 (70 à 99 F)**, élevé quinze mois en fût, est séduisant tant ses tanins sont denses et son expression généreuse sur le cuir, les fruits rouges et la fumée. Il obtient une étoile. (30 à 49 F)

Guy Négrel, Mas de Cadenet, 13530 Trets, tél. 04.42.29.21.59, fax 04.42.61.32.09, e-mail mas-de-cadenet@wanadoo.fr t.l.j. sf dim. 9h-12h 14h-19h

CH. CANNET 1998*

7,3 ha 18 000 5à8€

Ce domaine démembré à la Révolution a été reconstitué parcelle par parcelle par les descendants de Colbert. Aujourd'hui fort de 41 ha, il propose un 98 profond au caractère assagi. L'ensemble, gras, ample et harmonieux, se prête volontiers à la dégustation dès à présent. (30 à 49 F)

Domaines de Colbert, RN 7, 83340 Le Cannet-des-Maures, tél. 04.94.60.77.66, fax 04.94.60.95.59 t.l.j. sf sam. dim. 9h-12h 13h30-18h

CH. DU CARRUBIER 2000*

2 ha 10 600 5à8€

Sur la route de Cabasson-Brégançon, le château du Carrubier étend ses 25 ha de vignes sur un terroir siliceux, non loin de la mer. Ce vin brillant s'ouvre sur des arômes de fruits rouges et de violette. Sa bouche, bien concentrée, est soutenue par des tanins souples qui participent à son élégance. Il est prêt à boire ou à suivre pendant deux ou trois ans. (30 à 49 F)

SC du Dom. du Carrubier, rte de Brégançon, 83250 La Londe-les-Maures, tél. 04.94.66.82.82, fax 04.94.35.00.01 t.l.j. sf sam. dim. 8h-12h 13h-17h

CH. DE CHAUSSE 1998*

■ 6,96 ha 30 000 8à11€

Dans les années 1990, ce domaine a été créé de toutes pièces, depuis les plantations jusqu'à la cave, sur les coteaux qui dominent la baie de la Croix Valmer. Si les pieds de syrah et de cabernet-sauvignon sont jeunes, ils sont conduits à faibles rendements, ce qui leur permet de produire un vin rouge coloré, puissant et riche en tanins. Les arômes, certes discrets au premier abord, s'épanouissent à l'aération. (50 à 69 F)

Ch. de Chausse, 83420 La Croix-Valmer, tél. 04.94.79.60.57, fax 04.94.79.59.19, e-mail chausse2@wanadoo.fr r.-v.
Y. Schelcher

Plus une vigne est âgée, meilleur est son vin.

CŒUR DE TERRE FORTE 2000*

13 ha 75 000 5à8€

Cette maison se partage entre le vignoble de bandol, à l'ouest de Toulon, et celui des côtes de provence à l'est. Elle a retenu l'attention du jury grâce à un rosé très fruité, aux notes de fraise, de framboise et de banane. Très persistant en bouche, ce vin possède un bon équilibre entre rondeur et fraîcheur. (30 à 49 F)

SAS Gérard Duffort, Le Rouve, BP 41, 83330 Le Beausset, tél. 04.94.98.71.31, fax 04.94.90.44.87 t.l.j. sf sam. dim. 9h-12h 14h-18h; ouv. sam. l'été

COMMANDERIE DE PEYRASSOL Cuvée Eperon d'or 1998*

■ n.c. n.c. 5à8€

Après avoir appartenu aux Templiers jusqu'en 1311, puis à l'ordre de Malte, cette pro-

La Provence

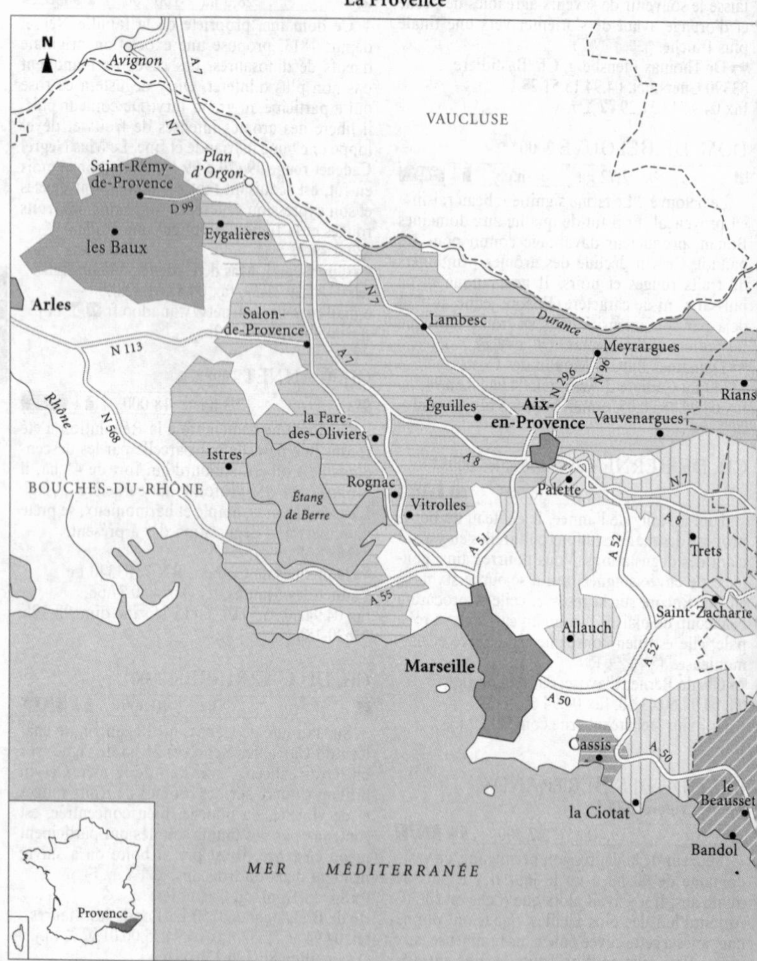

priété est aux mains de la famille Rigord depuis 1789. Voilà vingt-cinq ans que Françoise Rigord conduit ce vignoble. Son 98 mérite d'être décanté pour affirmer son bouquet. Derrière une robe à reflets rubis, la matière franche est soutenue par une solide charpente qui invite à attendre ce vin un ou deux ans. (30 à 49 F)

🔑 Rigord, Ch. Commanderie-de-Peyrassol, 83340 Flassans,
tél. 04.94.69.71.02, fax 04.94.59.69.23,
e-mail peyrassol@caves-particulieres.com
☑ 𝐘 t.l.j. sf sam. dim. 8h-12h 14h-18h

COSTE BRULADE
Réserve 3ème millénaire 2000*

◪ 50 ha 40 000 5à8€

Cette cuvée issue d'une sélection de grenache (80 %) et de syrah s'habille d'une robe pâle à reflets violines. Les arômes de fruits (abricot, pêche) et les notes amyliques se marient au nez, tandis que la bouche charnue laisse une impression d'équilibre et de persistance. (30 à 49 F)

🔑 Cellier Saint-Sidoine, rue de la Libération, 83390 Puget-Ville, tél. 04.98.01.80.50, fax 04.98.01.80.59, e-mail courrier@provence-sidoine.com ☑ 𝐘 t.l.j. sf dim. 9h-12h 14h-18h

CH. COUSSIN SAINTE VICTOIRE
1999**

■ 10 ha 60 000 8à11€

Siège des batailles romaines menées par le général Marius en 102 avant J.-C. contre les Barbares, ce terroir vit naître le château Coussin Sainte Victoire au XVIIe s. Le 99, dans sa robe pourpre intense, livre un bouquet riche de notes de cuir, de pain grillé, de cassis et de poivre. La bouche est certes encore austère, mais la matière puissante et solidement construite est de bon augure. Ce vin ne demande qu'à s'ouvrir après

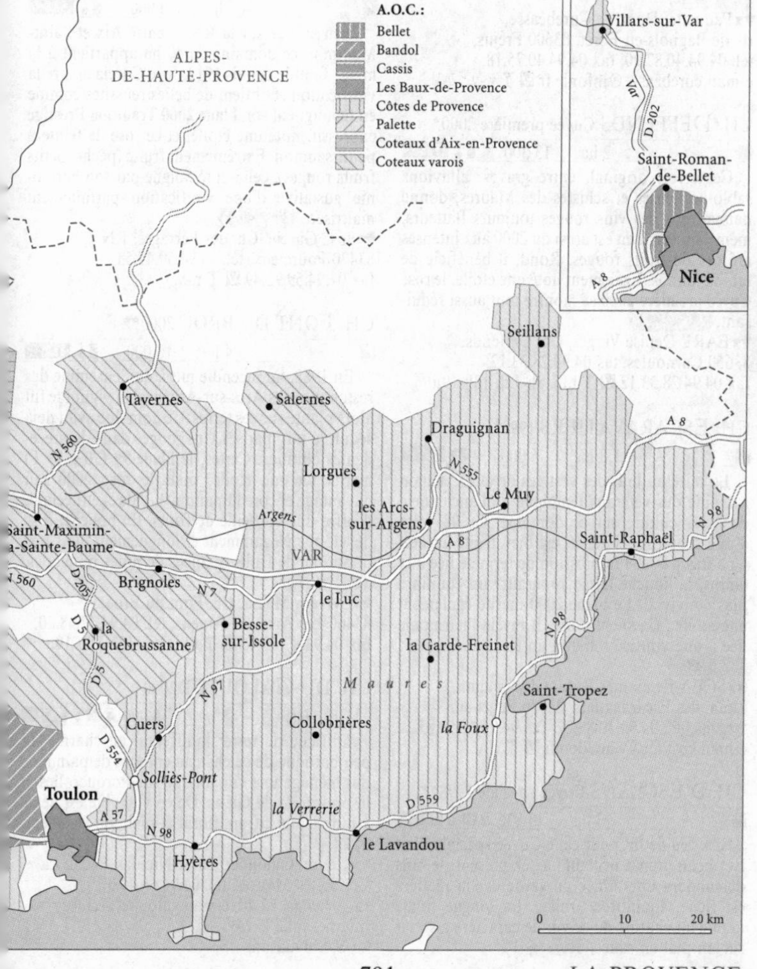

PROVENCE

trois ans de garde. Le **rosé 2000**, de teinte saumon, obtient une étoile pour son harmonie. (50 à 69 F)

Famille Elie Sumeire, Ch. Coussin Sainte-Victoire, 13530 Trets, tél. 04.42.61.20.00, fax 04.42.61.20.01, e-mail sumeire@chateaux-elie-sumeire.fr r.-v.

DOM. DE CUREBEASSE 2000*

2,18 ha 5 000 8 à 11 €

Le domaine de Curebéasse, implanté sur un terroir d'origine volcanique, figurait déjà sous ce nom sur des cartes du XVIIe s. Revêtu d'une robe à reflets verts, ce vin de rolle s'ouvre sur des arômes délicats. La bouche, souple à l'attaque, se révèle structurée et offre une finale longue et expressive. Une bouteille à déguster sur des produits de la mer. Un gibier s'accommodera du **rouge 99 Roches noires** élevé six mois sous bois, qui obtient une étoile. Le nez évolue des petits fruits à noyau vers des notes empyreumatiques, tandis que la bouche est charnue. (50 à 69 F)

Paquette, Dom. de Curebéasse, rte de Bagnols-en-Forêt, 83600 Fréjus, tél. 04.94.40.87.90, fax 04.94.40.75.18, e-mail curebeasse@infonie.fr r.-v.

CH. DEFFENDS Cuvée première 2000*

2 ha 13 300 5 à 8 €

Ce terroir original, entre graves, alluvions sablo-argileuses et schistes des Maures, donne naissance à des vins rouges toujours flatteurs, même jeunes. Il en est ainsi du 2000 aux intenses arômes de fruits rouges. Rond, il bénéficie de tanins fondus. Egalement noté une étoile, le **rosé Cuvée première 2000** se montre tout aussi séduisant. (30 à 49 F)

EARL Denise Vergès, Ch. Deffends, 83660 Carnoules, tél. 04.94.28.33.12, fax 04.94.28.33.12 t.l.j. 8h-12h 13h-19h

CH. ESCARAVATIERS 1998*

1,8 ha 5 000 5 à 8 €

La mise au jour des vestiges de la IXe légion romaine des vétérans témoigne de l'ancienneté de la viticulture sur ce domaine. Ce 98, vêtu d'une robe rubis intense, est bien fruité au nez. Une fois passée l'impression de fermeté liée aux tanins, la bouche laisse apparaître un équilibre plus convivial. Le **blanc 2000** mérite également une étoile : finement boisé, il révèle l'harmonie liée à une vinification et à un élevage soignés. (30 à 49 F)

SCEA Domaines B.-M. Costamagna, Dom. des Escaravatiers, 83480 Puget-sur-Argens, tél. 04.94.19.88.22, fax 04.94.45.59.83, e-mail costam@wanadoo.fr r.-v.

CH. D'ESCLANS Cuvée spéciale 1998**

3 ha 13 836 8 à 11 €

Un peu de fût pour cette Cuvée spéciale d'un très beau grenat brillant : assez présent, le bois demandera une année de garde car la matière est riche, équilibrée, fruitée. La longue finale ajoute au charme de ce vin de caractère à servir sur un plat en sauce. (50 à 69 F)

Lars Torstensson, Ch. d'Esclans, rte de Callas, 83920 La Motte, tél. 04.94.60.40.40, fax 04.94.70.28.61, e-mail vin@rabiega.com t.l.j. 9h-12h 14h-18h; groupes sur r.-v.
V. et S. Sprit

DOM. DES FERAUD 2000*

11,4 ha 53 000 3 à 5 €

Finesse d'un terroir sablonneux, nuance de cépages originaux comme le tibouren et maîtrise des rendements sont à l'origine de ce rosé ample, fruité et particulièrement citronné. Sa bouche soyeuse se prolonge durablement. Un vin élaboré par une femme, Nathalie Millo. (20 à 29 F)

Dom. des Féraud, rte de La Garde-Freinet, 83550 Vidauban, tél. 04.94.73.03.12, fax 04.94.73.08.58 r.-v.
M. Fournier

CH. DES FERRAGES
Cuvée Roumery 2000*

4,5 ha 20 000 5 à 8 €

Bien en vue sur la RN 7, entre Aix et Saint-Maximin, ce domaine de 40 ha appartient à la même famille depuis 1912. José Garcia assure la vinification et obtient de belles réussites comme en témoignent son **blanc 2000 Tradition Prestige** expressif, noté une étoile, et ce rosé de teinte à peine saumon. Extrêmement fruité (pêche, petits fruits rouges), celui-ci témoigne par son harmonie gustative d'une vinification parfaitement maîtrisée. (30 à 49 F)

José Garcia, Ch. des Ferrages, RN 7, 83470 Pourcieux, tél. 04.94.59.45.53, fax 04.94.59.72.49 r.-v.

CH. FONT DU BROC 2000**

4 ha 18 000 8 à 11 €

En 1988, un incendie mit à nu l'ensemble des restanques des Arcs-sur-Argens. Un vignoble fut alors planté sur ces terres. Ce domaine avait déjà séduit le jury par ses vins rouges dans de précédentes éditions. Certes, le **blanc 99 (70 à 99 F)** mérite ici une étoile, mais le rosé 2000 fait davantage encore l'unanimité. Pâle et étincelant, il offre une corbeille de fruits. En bouche, il se développe élégamment et longuement dans une farandole de fruits nuancés de notes minérales. (50 à 69 F)

Sylvain Massa, Ch. Font du Broc, 83460 Les Arcs-sur-Argens, tél. 04.94.47.48.20, fax 04.94.47.50.46 t.l.j. 10h-13h 15h-19h

CH. DU GALOUPET 2000

Cru clas. 8 ha 35 000 8 à 11 €

Difficile de rester indifférent au charme un peu baroque de ce château entouré de palmiers, qui ménage une vue unique sur Porquerolles et la presqu'île de Giens. De ce vignoble est né ce vin de teinte citron, floral et plein de fraîcheur. (50 à 69 F)

Ch. du Galoupet, Saint-Nicolas, 83250 La Londe-les-Maures, tél. 04.94.66.40.07, fax 04.94.66.42.40, e-mail galoupet@club-internet.fr r.-v.
S. Shivdasani

CH. DES GARCINIERES
Cuvée traditionnelle 2000*

8 ha	40 000	5 à 8 €

Une magnifique bastide de quatre étages, une allée de platanes séculaires, une chapelle dédiée à sainte Philomène : ce domaine forestier et viticole depuis cinq siècles n'est situé qu'à 6 km de Saint-Tropez. Son vignoble de 20 ha a produit un vin rose pâle, rond et gras, aux très beaux arômes de pêche et d'agrumes. (30 à 49 F)

Famille Valentin, Ch. des Garcinières, 83310 Cogolin, tél. 04.94.56.02.85, fax 04.94.56.07.42, e-mail info@chateau-garcinières.com ☑ ⫪ t.l.j. 9h-13h 14h-18h l'hiver; 9h-13h 16h-20h l'été

DOM. GAVOTY Cuvée Clarendon 2000*

3 ha	20 000	5 à 8 €

L'étiquette rend hommage à Bernard Gavoty, critique musical qui signait sous le pseudonyme de Clarendon. Ce vin, dont le volume de production est assez faible, est issu du grenache et du cinsaut. Très pâle, il offre un nez fruité sur les agrumes et la pêche. La bouche se développe longuement grâce à un bon équilibre. La **cuvée Clarendon blanc 2000** obtient également une étoile pour son caractère aérien, frais, expressif et généreux. (30 à 49 F)

Pierre et Roselyne Gavoty, Le Grand Campdumy, 83340 Cabasse, tél. 04.94.69.72.39, fax 04.94.59.64.04, e-mail domaine.gavoty@wanadoo.fr ☑ ⫪ r.-v.

CH. GRAND'BOISE 2000*

6,97 ha	26 000	5 à 8 €

En 1879, trois propriétés ont été rassemblées pour créer Grand'Boise. La vigne ne tarda pas à prendre le pas sur la culture de la lavande, l'élevage des vers à soie et l'exploitation forestière. Situé entre 300 et 600 m d'altitude, ce vignoble couvre aujourd'hui plus de 42 ha sur le versant nord de la Sainte-Baume. Certaines vignes sont presque centenaires. Ces particularités favorisent l'expression de ce rosé floral et fin. La bouche trouve le juste équilibre entre rondeur et vivacité. (30 à 49 F)

SCEA La Grenobloise, Ch. Grand'Boisé, rte de Grisole, 13530 Trets, tél. 04.42.29.22.95, fax 04.42.61.38.71, e-mail contact@grandboise.com ☑ ⫪ t.l.j. 8h30-12h 14h-18h

HERMITAGE SAINT-MARTIN 2000*

4 ha	13 000	8 à 11 €

En 1999, Guillaume Fayard, qui travaille aux côtés de son père au château Sainte-Marguerite, a fait l'acquisition de ce vignoble de 13 ha dont les origines médiévales sont liées aux moines de Saint-Victor. Ce vin porte encore les traits de la jeunesse dans sa teinte violacée et sa palette tout en fruits. Toutefois, il fait preuve de maturité par sa structure tannique. Un ensemble dense, agréable dès à présent. (50 à 69 F)

Guillaume Fayard, Ch. Hermitage Saint-Martin, BP 1, 83250 La-Londe-les-Maures, tél. 04.94.00.44.44, fax 04.94.00.44.45 ☑ ⫪ t.l.j. sf dim. 9h-12h30 14h-17h30

DOM. DE JACOURETTE
Cuvée Geneviève Elevé en fût de chêne 1998**

0,5 ha	2 400	8 à 11 €

Hélène Dragon n'avait que vingt-cinq ans lorsqu'elle reprit en 1997 la propriété familiale de 7 ha. Elle a justement attendu avant de présenter son 98 au Guide, car ce millésime dévoile aujourd'hui tous ses atouts : sa palette complexe commence à s'ouvrir sur des notes d'épices, de venaison et de fruits noirs ; sa bouche atteint un équilibre harmonieux entre rondeur et tanins. Un beau vin qui peut encore vieillir un ou deux ans. (50 à 69 F)

Dom. de Jacourette, rte de Trets, 83910 Pourrières, tél. 04.94.78.54.60, fax 04.94.78.42.07, e-mail hdragon@club-internet.fr ☑ ⫪ t.l.j. sf dim. lun. 9h30-12h 15h-18h30 en juil et août

Hélène Dragon

CH. DE JASSON Cuvée Eléonore 2000**

10,1 ha	71 000	8 à 11 €

En 1990, Benjamin de Fresne, restaurateur parisien, et son épouse Marie-Andrée ont repris ce domaine de près de 16 ha. Leur rigueur, leur passion et leur souci du détail leur valent deux coups de cœur dans ce millésime 2000. Ce rosé a emporté les suffrages par l'intensité de ses arômes d'agrumes et de lilas, ainsi que par sa bouche complexe et longue. La **cuvée Jeanne, blanc 2000**, élevée en cuve, obtient la même appréciation. Tout en finesse sur des notes de pamplemousse, de fruits exotiques et de fleurs, ce vin possède une matière équilibrée. Sa finale fraîche et persistante suscite l'enthousiasme du jury. (50 à 69 F)

Benjamin de Fresne, Ch. de Jasson, RD 88, 83250 La Londe-les-Maures, tél. 04.94.66.81.52, fax 04.94.05.24.84, e-mail chateau.de.jasson@wanadoo.fr ☑ ⫪ t.l.j. 9h30-12h30 14h30-19h

LA BASTIDE DU CURE 2000*

9,46 ha	20 000	3 à 5 €

Grâce à Giono et à Pagnol, la Provence se goûte à livre ouvert. Retrouvez les saveurs de la vigne dans ce rosé aromatique, équilibré et rafraîchissant. Un vin plaisir, bien construit. (20 à 29 F)

Coop. Vinicole La Vidaubanaise, 89, chem. Sainte-Anne, BP 24, 83550 Vidauban, tél. 04.94.73.00.12, fax 04.94.73.54.67 ☑ ⫪ r.-v.

PROVENCE

DOM. DE LA BASTIDE NEUVE 2000**

☐ 1,13 ha 6 500 8 à 11 €

Une robe pâle à reflets verts marqués... Un concentré de fruits exotiques (pêche, agrumes, fruit de la Passion)... Une bouche volumineuse, à l'harmonie plaisante. Voilà un rolle de belle expression. Le **rosé Perles de Rosé 2000 (30 à 49 F)**, très réussi, s'équilibre entre rondeur et vivacité pour satisfaire la gourmandise des dégustateurs. (50 à 69 F)

SCEA Dom. de La Bastide Neuve, 83340 Le Cannet-des-Maures, tél. 04.94.50.09.80, fax 04.94.50.09.99, e-mail dmebastideneuve@compuserve.com t.l.j. sf sam. dim. 8h-12h 13h-17h30

Hugo Wiestner

DOM. DE L'ABBAYE 2000**

2,5 ha 12 500 8 à 11 €

L'abbaye du Thoronet est un chef-d'œuvre de l'art roman du XIIe s. S'y arrêter et méditer... Au domaine, déguster un rosé rond et ample, aux arômes de fruits secs et de fruits à noyau. Finaliste au grand jury, cette bouteille tiendra une place d'honneur sur votre table. (50 à 69 F)

Franc Petit, Dom. de l'Abbaye, 83340 Le Thoronet, tél. 04.94.73.87.36, fax 04.94.60.11.62 t.l.j. 9h-19h

DOM. DE LA BOUVERIE 2000**

34 ha 60 000 5 à 8 €

Sur le territoire de l'ancien bourg de Roquebrune-sur-Argens qui domine la plaine de l'Argens, ce domaine cultive 32 ha de vignes. Vêtu d'une robe saumonée chatoyante, son vin possède une riche palette aromatique où les fleurs (rose) et les fruits (pêche, abricot) s'entremêlent. La structure élégante s'entoure d'une matière ronde à souhait et porte loin la finale. Un rosé que l'on aime. Le **blanc 2000 (30 à 49 F)**, élevé en fût, obtient une étoile : encore marqué par le bois, il n'en est pas moins fin et équilibré. (30 à 49 F)

Jean Laponche, 83520 Roquebrune-sur-Argens, tél. 04.94.44.00.81, fax 04.94.44.04.73 t.l.j. sf dim. 9h30-12h 14h30-19h

DOM. DE LA COURTADE 1999*

☐ 3,5 ha 11 000 15 à 23 €

Situé sur l'île de Porquerolles, ce vignoble de 30 ha contribue à la protection du parc national contre les incendies car les vignes constituent un excellent rempart contre les flammes. Richard Auther y pratique l'agriculture biologique. Le rolle s'exprime très bien dans cette cuvée jaune doré. Le nez, d'abord ouvert sur la violette et le narcisse, s'oriente vers les fruits. Rond, équilibré par une juste vivacité, le vin persiste dans la gamme florale. A découvrir sur une volaille ou en accompagnement de fromages frais. (100 à 149 F)

Dom. de La Courtade, 83400 Ile-de-Porquerolles, tél. 04.94.58.31.44, fax 04.94.58.34.12, e-mail la-courtade@terre-net.fr r.-v.

H. Vidal

CELLIER DE LA CRAU

Cuvée des Vieux Ceps 1999*

■ 14 ha 5 000 3 à 5 €

Une sélection de syrah et un élevage bien conduit ont permis à cette coopérative du grand Toulon de réussir un vin rouge aux arômes épicés et boisés, plaisant et équilibré. Cette cuvée est prête à boire. (20 à 29 F)

Cellier de La Crau, 35, av. de Toulon, 83260 La Crau, tél. 04.94.66.73.03, fax 04.94.66.17.63 r.-v.

DOM. DE LA CRESSONNIERE

Cuvée Mataro 1999**

■ 1,25 ha 6 500 8 à 11 €

Créé en 1639, ce domaine des Maures, aujourd'hui entièrement viticole, fut longtemps voué à l'élevage du ver à soie, activité disparue depuis le XIXe s. Les plus anciennes plantations se composent de syrah, cépage qui domine l'assemblage de ce vin judicieusement vinifié et élevé sous bois. Elégant mariage entre les arômes de fruits mûrs et de vanille, celui-ci possède du volume, de la rondeur, et une structure qui porte loin la finale. Il n'en garde pas moins un goût de jeunesse qui invite à attendre trois à cinq ans. (50 à 69 F)

GFA Dom. de La Cressonnière, RN 97, 83790 Pignans, tél. 04.94.48.81.22, fax 04.94.48.81.25, e-mail cressonniere@wanadoo.fr t.l.j. sf dim. 10h-12h 15h-18h

Depeursinge

CH. DE LA DEIDIERE

Cuvée du Pigeonnier 1999*

■ 8,33 ha 50 000 5 à 8 €

Cet ancien rendez-vous de chasse, remarquable par son pigeonnier du XVIIIe s., s'entoure de 80 ha de vignes. Sa cuvée grenat sombre révèle des arômes fruités bien marqués parmi lesquels la cerise, la framboise, le cassis. Une touche de violette pointe dans cette corbeille. Tendre et fraîche, la bouche maintient l'harmonie aromatique. Un plaisir simple qu'un plateau de charcuterie complétera. Le **Château de l'Aumerade Cuvée Sully blanc 2000** obtient également une étoile. (30 à 49 F)

SCEA des Dom. Fabre, Ch. de l'Aumerade, 83390 Pierrefeu, tél. 04.94.28.20.31, fax 04.94.48.23.09, e-mail hefabre@wanadoo.fr t.l.j. sf dim. 8h-12h 13h30-17h30, groupes sur r.-v.

MAS DE LA GERADE 2000

◪ 3,5 ha 12 000 5 à 8 €

La robe est brillante et les arômes sont bien présents : bonbon anglais, citron vert, pêche et autres fruits se partagent la palette. Fraîche et équilibrée, la bouche prolonge ces sensations. (30 à 49 F)

EARL de La Gérade, 1300, chem. des Tourraches, 83260 La Crau, tél. 04.94.66.13.88, fax 04.94.66.73.52, e-mail lagerade@aol.com t.l.j. sf dim. 9h-12h

B. Henry

DOM. DE LA GISCLE

Moulin de l'Isle 2000★★

◪ 3 ha 15 000 5 à 8 €

Avant que la vigne ne prenne toute son importance sur ce terroir à partir du XVIe s., un moulin à farine puis une magnanerie y étaient exploités. Cette étiquette rappelle les anciennes activités de ce domaine. Unanimement apprécié, ce rosé aux reflets légèrement orangés ne manque pas de personnalité. Il libère des arômes d'abricot et de raisins secs. Sa bouche enveloppée et onctueuse se développe jusqu'à une longue finale. Un dégustateur propose de servir ce vin sur un dessert au chocolat. (30 à 49 F)

EARL Dom. de La Giscle, hameau de l'Amirauté, rte de Collobrières, 83310 Cogolin, tél. 04.94.43.21.26, fax 04.94.43.37.53 t.l.j. 9h-12h30 14h-19h; dim. 9h-12h30

Audemard

CH. LA GORDONNE 2000★

◪ 120 ha 800 000 3 à 5 €

Le conseiller de Gourdon acquit le domaine en 1650 et lui donna son nom. Depuis 1941, ce vignoble de 188 ha est sous le contrôle des Domaines Listel. De teinte franche, ce rosé offre généreusement des notes amyliques et des arômes de fruits rouges. La bouche ample et puissante offre une longue finale. (20 à 29 F)

Domaines Listel, Ch. La Gordonne, 83390 Pierrefeu-du-Var, tél. 04.94.28.20.35, fax 04.94.28.20.35, e-mail njulian@listel.fr t.l.j. 8h-12h 13h-18h; sam. dim. sur r.-v.

DOM. DE LA GUINGUETTE 2000★

◪ 9,7 ha 50 000 3 à 5 €

Des senteurs de pêche et de bonbon anglais donnent de la gaieté à ce rosé de teinte fuchsia. La bouche, tout aussi aromatique, exprime beaucoup de fraîcheur jusqu'à une finale légèrement acidulée. (20 à 29 F)

Les vignerons du Baou, rue Raoul-Blanc, 83470 Pourcieux, tél. 04.94.78.03.06, fax 04.94.78.05.50 r.-v.

Tarabelli

DOM. DE LA JEANNETTE 2000★★

◪ 1,4 ha 15 500 5 à 8 €

Situé à l'entrée du vallon des Borrels, ce domaine au charme très provençal est entouré de 25 ha de vignes. Son vin, pâle et discret à l'œil, libère des arômes très nets rappelant les fleurs jaunes, la pêche et l'amande verte. Aussi franc en bouche, il possède de la tenue et de la longueur. Le **blanc 2000** obtient une étoile : aromatique et frais, il est prêt à boire. (30 à 49 F)

SCIR Dom. de La Jeannette, 566, rte des Borrels, 83400 Hyères-les-Palmiers, tél. 04.94.65.68.30, fax 04.94.12.76.07 r.-v.

Limon

DOM. DE LA LAUZADE 2000★★

◪ 26 ha 140 000 5 à 8 €

Les archives communales du Luc rappellent que les Romains construisirent ici la première *villa* romaine de la région : la *villa* Lauza. Le domaine possède aujourd'hui 70 ha de vignes et compte parmi les rares producteurs, plusieurs fois coup de cœur du Guide. Il propose ici un rosé franc de teinte fuchsia. Des arômes de fruits frais, de cerise, d'orange sanguine, émanent du nez, puis la bouche se développe avec rondeur et puissance autour d'une bonne structure. Le **rouge 2000**, qui n'a pas connu le bois, est un vin bien fondu et aromatique qui peut être apprécié dès aujourd'hui. Il obtient une étoile. (30 à 49 F)

SARL Dom. de La Lauzade, rte de Toulon, 83340 Le Luc, tél. 04.94.60.72.51, fax 04.94.60.96.26, e-mail lauzade.abouvier@wanadoo.fr r.-v.

CH. LA MARTINETTE

Cuvée Prestige 1999★★

■ 2 ha 5 000 8 à 11 €

Cette sélection provient des plus vieilles vignes de syrah du domaine. Du cépage, elle a hérité des arômes d'épices et de fleurs ; de son passage en fût elle retient un sillage vanillé et torréfié. La bouche est riche, corsée, équilibrée et pleine de promesses. (50 à 69 F)

Ch. La Martinette, 4005, chem. de la Martinette, 83510 Lorgues, tél. 04.94.73.84.93, fax 04.94.73.88.34 r.-v.

Tarby-Liégeon

DOM. DE LA NAVARRE

Cuvée Les Roches 1999★

■ 4,5 ha 25 000 8 à 11 €

Ce domaine doit son nom à la famille Navarre qui l'occupait au XVIIIe s. Il est aujourd'hui dirigé par des religieux de l'ordre de Saint-Jean Bosco, fondateur de la congrégation des Salésiens. Un passage sous bois de neuf mois a parachevé l'élaboration de ce vin de teinte légère, assez discret au nez. La bouche laisse une agréable impression de souplesse et d'équilibre, avec une bonne persistance aromatique. Cette cuvée peut être servie dès aujourd'hui. (50 à 69 F)

Fondation La Navarre, Cave du domaine, 3451, chem. de la Navarre, 83260 La Crau, tél. 04.94.66.04.08, fax 04.94.35.10.66 r.-v.

CLOS LA NEUVE Prestige 2000★

□ 1 ha 4 000 5 à 8 €

Au pied des monts Auréliens et exposés au nord, les terroirs de marne et de grès de ce domaine conviennent bien au rolle, un cépage qui présente beaucoup de similitudes avec le vermentino de Corse ou d'Italie. Il en résulte un vin de teinte très pâle, dont le nez évoque inten-

PROVENCE

sément les fleurs. La bouche séduit par sa finesse et son équilibre. (30 à 49 F)

🔑 Fabienne Joly, Dom. de La Neuve, 83910 Pourrières, tél. 04.94.59.86.03, fax 04.94.59.86.42 ☑ ⏳ t.l.j. 9h-12h 14h-19h

DOM. DE L'ANGUEIROUN 2000★

◪ n.c. 30 000 🍾 5à8€

Ce domaine, ancienne réserve de chasse, possède un vignoble de 35 ha encadré de coteaux. Il propose un vin rosé complexe, floral et presque minéral au nez. Rond et chaleureux, il révèle aussi une certaine vivacité et une légère amertume en finale. Sous la même étiquette, le **blanc 2000** est également très réussi. (30 à 49 F)

🔑 Eric Dumon, 1077, chem. de l'Angueiroun, 83230 Bormes-les-Mimosas, tél. 04.94.71.11.39, fax 04.94.71.75.51, e-mail angueiroun@libertysurf.fr ☑ ⏳ t.l.j. sf dim. 8h-12h 14h-18h

DOM. DE L'ANTICAILLE 2000★★★

◪ 2,3 ha 15 000 🍾 5à8€

Inscrit dans les paysages chers à Cézanne, sur fond de montagne Sainte-Victoire, ce domaine de 35 ha propose un rosé expressif, vêtu d'une robe pâle et brillante. Si le nez est encore discret, il offre une palette fine de senteurs exotiques et de fruits rouges. La bouche gourmande et équilibrée se révèle charnue et persistante. Quelle générosité... (30 à 49 F)

🔑 Martine Féraud-Paillet, Dom. de L'Anticaille, 13530 Trets, tél. 04.42.27.42.53, fax 04.42.29.22.64 ☑ ⏳ r.-v.

LES MAITRES VIGNERONS DE LA PRESQU'ILE DE SAINT-TROPEZ
Carte noire 2000★★

☐ 7 ha 40 000 🍾 5à8€

Ce millésime a retenu l'attention du jury par sa finesse, sa complexité, son harmonie et par une touche de fruits et de fleurs printanières qui donnera de la gaieté à votre table. Le **Carte noire, rosé 2000** et le **Carte noire, rouge 2000** ont également séduit et obtiennent une étoile. (30 à 49 F)

🔑 Les Maîtres vignerons de La Presqu'île de Saint-Tropez, 83580 Gassin, tél. 04.94.56.32.04, fax 04.94.43.42.57 ☑ ⏳ t.l.j. sf dim. 9h-12h 15h-19h

CH. L'ARNAUDE 2000★

◪ 10 ha 30 000 🍾 5à8€

Principalement issu de grenache et de cinsaut implantés sur des sols calcaires, ce rosé décline d'intenses arômes fruités, nuancés de notes minérales. Vif au premier abord, il dévoile bientôt beaucoup de rondeur et de volume, avant de finir sur une pointe d'agrumes. Ce vin équilibré possède de la personnalité. (30 à 49 F)

🔑 Ch. L'Arnaude, rte de Vidauban, 83510 Lorgues, tél. 04.94.73.70.67, fax 04.94.67.61.69 ☑ ⏳ t.l.j. 9h30-12h 15h-18h; dim. 10h-12h

🔑 H.J. Knapp

DOM. DE LA ROUILLERE
Grande Réserve 2000★

◪ 3 ha 13 000 🍾 5à8€

Ce vin rose pâle semble discret à la première approche, mais il dévoile une bouche de qualité. Souple à l'attaque, il monte en puissance sur des notes fruitées. La **cuvée Grande Réserve rouge 98 (70 à 99 F)**, élevée douze mois en fût, est citée pour sa structure. Il peut être conservé en cave pendant un an. (30 à 49 F)

🔑 Dom. de La Rouillère, rte de Ramatuelle, 83580 Gassin, tél. 04.94.55.72.60, fax 04.94.55.72.61, e-mail contact@domainedelarouillère.com ☑ ⏳ t.l.j. sf sam. dim. 8h-12h 14h-17h30

🔑 Letartre

DOM. DE LA SAUVEUSE 2000★

☐ 0,74 ha 5 200 🍾 5à8€

Fort de 60 ha de vignes, ce domaine a produit un blanc harmonieux. La robe pâle à reflets verts invite à découvrir un nez brioché et grillé. L'attaque franche laisse place à une matière fondante et pleine jusqu'en finale. Tout concourt à la réussite de ce vin produit en faible quantité. (30 à 49 F)

🔑 SCEA Dom. de La Sauveuse, Grand-Chemin-Vieux, 83390 Puget-Ville, tél. 04.94.28.59.60, fax 04.94.28.52.48, e-mail sauveuse@wanadoo.fr ☑ ⏳ t.l.j. sf sam. dim. 8h-12h 13h-18h

🔑 Salinas

DOM. LA TOUR DES VIDAUX
Cuvée Farnoux 1999★

■ 3 ha 8 000 🛢 8à11€

La cave se trouve au centre d'un amphithéâtre de vignes qui repoussent les chênes-lièges sur des restanques de schistes typiques des Maures. Le domaine dispose aussi d'une table d'hôte et organise des expositions artistiques. Une majorité de syrah soutenue par du grenache a donné naissance à ce vin rouge profond, très riche en épices et en arômes de torréfaction. Pleine, la bouche révèle des nuances boisées mesurées qui traduisent un élevage parfaitement maîtrisé. (50 à 69 F)

🔑 V. P. Weindel, Dom. La Tour-des-Vidaux, quartier Les Vidaux, 83390 Pierrefeu-du-Var, tél. 04.94.48.24.01, fax 04.94.48.24.02, e-mail tourdesvidaux@wanadoo.fr ☑ ⏳ t.l.j. sf dim. 8h30-12h 14h30-18h30

DOM. LA TOURRAQUE 2000★★

3 ha 13 000 5à8€

Le domaine inscrit ses 45 ha dans le site classé des trois caps. Aussi remarquable que l'environnement qui l'a vu naître, ce rosé typique du millésime et de son appellation développe un bouquet complexe : fleurs blanches, agrumes, pointe minérale. Sa bouche est ronde ; une longue finale ajoute à son charme. Un fromage de chèvre pour compagnon... et le plaisir est complet. (30 à 49 F)

GAEC Brun-Craveris, Dom. La Tourraque, 83350 Ramatuelle, tél. 04.94.79.25.95, fax 04.94.79.16.08 t.l.j. sf dim. 9h-12h 14h-18h

CH. DES LAUNES Cuvée spéciale 2000★★

2,5 ha 10 000 5à8€

Joli domaine de 25 ha au milieu de la forêt des Maures, le château des Launes est un havre de sérénité sur la route qui mène au golfe de Saint-Tropez. Il produit d'excellents vins régulièrement présents dans le Guide. Ce rosé très pâle libère des arômes floraux et fait preuve d'une réelle présence en bouche. Le **blanc 2000 (50 à 69 F)**, issu de rolle, est tout agrumes. Equilibré, il obtient une étoile. (30 à 49 F)

Hans-Y. et Brigitte Handtmann, Ch. des Launes, RD 558 vers le Luc, 83680 La Garde-Freinet, tél. 04.94.60.01.95, fax 04.94.60.01.43 r.-v.

LE GRAND CROS
L'Esprit de Provence 2000★★

5 ha 25 000 5à8€

Ce domaine, dont la demeure date du XVIIe s., restitue l'esprit de la Provence dans ce rosé au nez floral, discret et tout en finesse. Le jury a apprécié l'intensité et l'harmonie du palais qui joue sur des flaveurs de fleurs blanches. (30 à 49 F)

EARL Dom. du Grand Cros, 83660Carnoules, tél. 04.98.01.80.08, fax 04.98.01.80.09, e-mail info@grandcros.fr r.-v.

J.-H. Faulkner

CH. LE MAS 2000★

0,75 ha 4 000 5à8€

Ce domaine a fêté ses cent ans en l'an 2000. Le millésime célèbre dignement cet anniversaire. Au terroir argilo-schisteux, ce vin doit sa puissance et sa générosité, tandis que les cépages rolle et clairette lui lèguent une élégante palette aromatique. Bien vinifié et frais en bouche, il ne déçoit pas. (30 à 49 F)

SCEA Ch. Le Mas, quartier La Tuilerie, 83390 Puget-Ville, tél. 04.94.48.30.21, fax 04.94.48.30.21, e-mail lemasaudibert@free.fr r.-v.

CH. LES MESCLANCES
Cuvée Saint-Honorat 1999★

2 ha 3 000 5à8€

Sur les schistes primaires de ce vignoble de 25 ha est née cette cuvée à l'assemblage bien étudié : cabernet-sauvignon, syrah et mourvèdre à parts égales. Sous une robe profonde à reflets violacés, elle décline une palette équilibrée entre le fruit et le bois de l'élevage. Sa bouche structurée est encore marquée par les tanins mais elle devrait se fondre au cours d'une garde de deux ans au moins. (30 à 49 F)

Xavier de Villeneuve-Bargemon, Les Mesclances, 83260 La Crau, tél. 04.94.66.75.07, fax 04.94.35.10.03, e-mail mesclances@yahoo.fr r.-v.

DOM. DE L'ESPARRON
Cuvée Laurent Vieilli en barrique 1999

2 ha 9 000 3à5€

Ce domaine de 40 ha est situé au pied des Maures. Le village des Tortues n'est qu'à quelques kilomètres. Ce vin rouge a séjourné en fût pendant huit mois, ce qui se traduit par des arômes vanillés intenses au nez comme en bouche. Bien équilibré mais encore austère, il mérite de patienter pour s'ouvrir davantage. (20 à 29 F)

EARL Migliore, Dom. de l'Esparron, 83590 Gonfaron, tél. 04.94.78.32.23, fax 04.94.78.24.85 t.l.j. 8h-12h 13h30-19h30

CH. LES VALENTINES 1999★

3,5 ha 20 000 8à11€

Un élevage partiel en barrique pendant neuf mois a marqué ce vin qui devra rester deux ou trois ans dans une bonne cave avant d'accompagner une daube provençale. La robe sombre et intense est superbe. Le nez subtil évoque le sous-bois, les fruits secs et le grillé du fût. La bouche joue sur le même registre, soutenue par des tanins très présents et prometteurs. (50 à 69 F)

SCEA Pons-Massenot, Ch. Les Valentines Lieu-dit Les Jassons, 83250 La-Londe-les-Maures, tél. 04.94.15.95.50, fax 04.94.15.95.55, e-mail gilles.pons@wanadoo.fr t.l.j. sf dim. 9h-19h

Gilles Pons

CH. MAIME 2000★

6,12 ha 39 000 5à8€

Une chapelle nommée Sainte-Maïme (Saint-Maxime en provençal), dont on retrouve la trace jusqu'en 1640, a légué son nom à ce vignoble de 17 ha. Une rénovation récente a redonné vie au domaine, ancien hameau où l'on cultivait la vigne, l'olivier et les mûriers à soie. Ce rosé, très pâle, presque transparent, livre des arômes délicats de fruits frais : pêche, poire, fraise. La bouche reprend cette gamme aromatique avec finesse. (30 à 49 F)

SCEA Ch. Maïme, quartier de La Maïme, 83460 Les Arcs-sur-Argens, tél. 04.94.47.41.66, fax 04.94.47.42.08, e-mail maime@terre-net.fr t.l.j. sf dim. 10h-12h30 15h-19h

Sibran et Garcia

MANON 2000★★

n.c. 66 000 5à8€

Ce rosé de grenache (70 %) et de syrah s'habille d'une robe soutenue aux nuances fuchsia. La palette est un heureux mariage d'arômes fruités et floraux. Bien campé en bouche, le vin est plein et vif à la fois. Il mérite d'être servi sur de beaux plats. (30 à 49 F)

PROVENCE

Cellier Val de Durance, Le Grand Jardin, 84360 Lauris, tél. 04.90.08.26.36, fax 04.90.08.28.27

CH. MAROUINE 1999

n.c. 20 000 5à8€

Dominant la vallée depuis les restanques où elles sont plantées, les vignes de ce vieux mas provençal s'entourent d'oliviers et de sources. Carignan et mourvèdre ont donné naissance à un vin violacé, encore timide, mais qui s'inscrit dans l'avenir grâce à une bonne extraction de la matière. Laissons à ce 99 le temps de s'épanouir au cours d'une garde de deux ans minimum. (30 à 49 F)

Marie-Odile Marty, Ch. Marouïne, 83390 Puget-Ville, tél. 04.94.48.35.74, fax 04.94.48.37.61 t.l.j. sf dim. 9h-19h

DOM. DE MAUVAN 2000*

3 ha 20 000 5à8€

Cette année encore, le rosé de Gaëlle Maclou a séduit le jury. Qualifié de « vin de demoiselle » par l'un des dégustateurs, il est fin, élégant, volubile... Les sensations sont franches et équilibrées. Le **blanc 2000** est cité pour son caractère floral discret. (30 à 49 F)

Gaëlle Maclou, Dom. de Mauvan, RN 7, 13114 Puyloubier, tél. 04.42.29.38.33, fax 04.42.29.38.33 r.-v.

CH. MINUTY Cuvée de l'Oratoire 2000*

Cru clas. 7 ha 45 000 8à11€

Alors que Saint-Tropez n'était qu'un petit village de pêcheurs, Minuty s'étendait sur 2 000 ha. Occupant aujourd'hui 65 ha, ce beau château mérite votre attention pour son architecture mais aussi pour ses vins. Cette cuvée, où le rolle est désormais majoritaire, reste une valeur sûre. Le 2000, de teinte à peine grisée, révèle des arômes élégants de fleurs et d'abricot. Sa bouche puissante et fine se prolonge durablement. (50 à 69 F)

Matton-Farnet, Ch. Minuty, 83580 Gassin, tél. 04.94.56.12.09, fax 04.94.56.18.38 t.l.j. sf dim. 9h-12h 14h-18h

DOM. DE MONT REDON Cuvée Louis Joseph 2000*

1,5 ha 10 000 5à8€

Très intense à l'œil comme au nez, ce vin manifeste toute sa jeunesse dans la fraîcheur de ses arômes de fruits rouges, de groseille mûre et de griotte. En bouche, il est plein et soyeux car, si ses tanins sont jeunes, ils sont bien enrobés. Déjà séducteur, il n'en est pas moins de bonne garde. La **cuvée Colombe rosé 2000** est également très réussie. (30 à 49 F)

Michel Torné, SCEA Dom. Mont Redon, 2496, rte de Pierrefeu, 83260 La Crau, tél. 04.94.66.73.86, fax 04.94.57.82.12, e-mail mont.redon@libertysurf.fr r.-v.

CH. MOURESSE Grande Cuvée 1998**

2,5 ha 5 000 8à11€

Les sols sablonneux de la plaine de Vidauban apportent une grande finesse à ce vin rouge issu de cabernet-sauvignon et de syrah. Limpide et doté d'arômes fruités et boisés, il développe une matière complexe autour d'une structure solide. S'il est riche et déjà mûr, il saura attendre quelques années en cave. Le **blanc 2000 (20 à 29 F)** obtient également deux étoiles pour sa bouche ample et longue. (50 à 69 F)

Sophie et Patrick Horst, 3353, chem. de Pied-de-Banc, 83550 Vidauban, tél. 04.94.73.12.38, fax 04.94.73.57.04, e-mail info@chateau-mouresse.com t.l.j. sf dim. 8h-12h 15h-19h

Michel Horst

CH. DE PAMPELONNE 2000**

22 ha 100 000 5à8€

Ce vin vêtu d'une robe rose pâle embaume, tant les arômes de fruits exotiques sont intenses. La bouche laisse une sensation agréable grâce à son gras. La finesse est le leitmotiv de la dégustation. Tout aussi remarquable, le **blanc Prestige 2000 (50 à 69 F)** livre d'intenses effluves floraux au nez, ainsi qu'une bouche d'abord légère, puis chaleureuse en finale. (30 à 49 F)

Ch. de Pampelonne, 83350 Ramatuelle, tél. 04.94.56.32.04, fax 04.94.43.42.37 r.-v.

Pascaud

CH. PANSARD 2000*

5 ha 30 000 5à8€

François de Canson, fils des propriétaires, reprend la direction de ce domaine avec ce millésime gourmand, rose pâle à reflets framboise. Le nez intense joue sur la fraise des bois alors que la bouche ronde et suave se montre harmonieuse et longue. (30 à 49 F)

Cave des vignerons Londais, quartier Pansard, 83250 La-Londe-les-Maures, tél. 04.94.66.80.23, fax 04.94.05.20.10 r.-v.

de Canson

DOM. DE PARIS 2000*

35 ha 100 000 5à8€

Le jury a apprécié le fruit, la fraîcheur et la rondeur d'un rosé bien vinifié et bien élevé. (30 à 49 F)

Les vins Jean-Jacques Bréban, av. de La Burlière, BP 47, 83171 Brignoles, tél. 04.94.69.37.55, fax 04.94.69.03.37, e-mail vins__breban@hotmail.com

DOM. PINCHINAT 2000**

3 ha 20 000 5à8€

Depuis 1990, ce domaine est conduit en agriculture biologique. Ce rosé, de teinte saumonée, s'impose par la finesse de son expression. Le fruit se développe au nez comme en bouche dans une matière soyeuse et longue. Ce vin équilibré accompagnera une cuisine méditerranéenne. (30 à 49 F)

Alain de Welle, Dom. Pinchinat, 83910 Pourrières, tél. 04.42.29.29.92, fax 04.42.29.29.92 r.-v.

POMARIN Elevé en fût de chêne 1998*

10 ha 28 000 5à8€

Situé au pied du massif des Maures, à une dizaine de kilomètres du littoral, le village du Plan-de-la-Tour compte une coopérative active

qui regroupe la quasi-totalité de ses viticulteurs. Cet assemblage original de syrah et de mourvèdre constitue un vin expressif, aux arômes de venaison et de fruits confits. Bien enrobé, il restera agréable à boire au cours des deux prochaines années. (30 à 49 F)
Les Fouleurs de Saint-Pons, 83120 Plan-de-la-Tour, tél. 04.94.43.70.60, fax 04.94.43.00.55 r.-v.

CH. DE POURCIEUX 2000*

8 ha 53 000 5 à 8 €

Le château de Pourcieux et ses jardins à la française ont été classés à l'inventaire des monuments historiques. Ils sont la propriété de la famille du marquis d'Espagnet depuis 1760. Trois vins ont été jugés très réussis par le jury. Ce rosé de terroir, à la teinte rose franc, livre des arômes fruités et poivrés, ainsi qu'une matière fraîche qui en feront un bon compagnon des plats relevés. Le **blanc 2000**, plus suave et délicatement parfumé, est prêt à boire, de même que la cuvée **Grand Millésime rouge 2000**. (30 à 49 F)
Michel d'Espagnet, Ch. de Pourcieux, 83470 Pourcieux, tél. 04.94.59.78.90, fax 04.94.59.32.46, e-mail pourcieux@terre-net.fr t.l.j. sf sam. dim. 9h-12h 14h-18h

DOM. POUVEREL 2000*

10 ha 60 000 8 à 11 €

C'est à la Cave des Vignerons de la presqu'île de Saint-Tropez que vous trouverez ce vin de teinte légère, très floral au nez. La rose et les fleurs blanches sont joliment agrémentées d'une nuance de pêche. La bouche équilibrée se prolonge sur des arômes bien présents. A déguster sur des plats exotiques. (50 à 69 F)
Dom. Pouverel, 83390 Cuers, tél. 04.94.56.32.04, fax 04.94.43.42.57
Massel

CH. DU PUGET Cuvée de Chavette 1999*

3 ha 3 600 5 à 8 €

Ce vignoble de 31 ha implanté sur argilo-calcaires se déploie autour d'une demeure bâtie en 1640. Ce vin, issu en majorité de syrah complétée de grenache, affiche une teinte vive et légère. Il concilie fraîcheur, souplesse et équilibre. Floral, il est prêt à boire. (30 à 49 F)
SCEA Ch. du Puget, rue du Mas de Clappier, 83390 Puget-Ville, tél. 04.94.48.31.15, fax 04.94.33.58.55
t.l.j. sf dim. lun. 9h-13h 15h30-18h30
Grimaud

CH. DE RASQUE 2000*

5 ha 25 000 11 à 15 €

Ce vin dévoile dans le verre une robe pâle et brillante, égayée de reflets verts. Discret au nez, il devient plus volubile en bouche. On découvre alors des arômes de citron vert et de pamplemousse dans une matière fraîche et équilibrée. (70 à 99 F)
Ch. Rasque, rte de Draguignan, 83460 Taradeau, tél. 04.94.99.52.20, fax 04.94.99.52.21 r.-v.
Biancone

CH. REAL D'OR 2000**

2,5 ha 12 000 5 à 8 €

Le château Real d'Or cultive ses vignes au pied des Maures, entre forêts de châtaigniers et de chênes. Remarquable, ce vin rose pâle à reflets violacés livre des notes d'abricot mûr, de fruits rouges, de poivre et de menthe qui se prolongent en bouche ; sa structure de qualité lui permettra d'être présent sur la table de l'apéritif au fromage. Le **blanc 2000**, élevé en cuve, est plus discret mais il mérite d'être cité. (30 à 49 F)
SCEA Ch. Réal d'Or, rte des Mayons, 83590 Gonfaron, tél. 04.94.60.00.56, fax 04.94.60.01.05, e-mail realdor@free.fr
t.l.j. 10h-13h 15h-19h30

CH. REILLANNE Cuvée Prestige 2000*

5 ha 30 000 5 à 8 €

Au cœur de la plaine du Cannet-des-Maures, le château Reillanne est un domaine viticole, entouré de pins parasols centenaires. Ce rosé très pâle et intensément floral se développe en finesse. Une note de poivre soutient la bouche, en soulignant son agréable fraîcheur. (30 à 49 F)
Comte G. de Chevron-Villette, Ch. Reillanne, rte de Saint-Tropez, 83340 Le Cannet-des-Maures, tél. 04.94.50.11.70, fax 04.94.47.92.06
t.l.j. sf sam. dim. 8h-12h 14h-17h

CH. REQUIER Cuvée spéciale 1998*

11 ha 14 472 8 à 11 €

Château Réquier bénéficie d'un riche environnement naturel et culturel : Cabasse est en effet célèbre pour ses mégalithes, ses vestiges gallo-romains et le défilé de Roches rouges le long de l'Issole. Fort de 50 ha de vignes, ce domaine propose un vin brillant dont on apprécie l'élégance et la trame de tanins enrobés après deux ans d'élevage. Fruité et long en bouche, ce 98 peut encore attendre. (50 à 69 F)
Ch. Réquier, La Plaine, 83340 Cabasse, tél. 04.94.80.25.72, fax 04.94.80.22.01 t.l.j. 8h30-17h; sam. dim. sur r.-v.

RESERVE DES VINTIMILLE 2000*

4 ha 40 000 3 à 5 €

Cette cave coopérative se trouve dans la vallée fertile qui entoure Le Luc, vieille ville qui dut son importance passée à sa situation sur l'antique voie Aurélienne, de Fréjus à Aix-en-Provence. La réussite de cette Réserve provient de sa bouche ronde et équilibrée. De teinte claire et lumineuse, elle décline des arômes fins dans le registre floral. (20 à 29 F)
Les Vignerons du Luc, rue de l'Ormeau, 83340 Le Luc-en-Provence, tél. 04.94.60.70.25, fax 04.94.60.81.03 r.-v.

DOM. RICHEAUME
Cuvée Tradition 1999**

8 ha 20 000 11 à 15 €

Il est long le chemin parcouru depuis 1970, lorsque Henning Hoesch reprit un minuscule domaine et y appliqua une philosophie de retour à la nature. Ses vignes sont aujourd'hui cultivées

PROVENCE

en agriculture biologique. Ce 99 a belle allure dans sa robe de teinte soutenue. Après un nez intense et fin, il dévoile une bouche charpentée mais tendre qui évolue avec élégance. Un vin promis à un bel avenir. (70 à 99 F)

SCEA Henning Hoesch, Dom. Richeaume, 13114 Puyloubier, tél. 04.42.66.31.27, fax 04.42.66.30.59 ☑ Y r.-v.

RIMAURESQ 2000***

□ Cru clas. 4 ha 23 000 8 à 11 €

Cette propriété créée à l'aube du XXe s. a été reprise en 1989 par un groupe familial écossais. Sur un terroir schisteux avec en toile de fond la montagne de Notre-Dame des Anges, son domaine couvre 36 ha. Une culture soignée et une parfaite maîtrise technique ont présidé à l'élaboration de ce vin équilibré qui s'exprime avec élégance sur des arômes intenses d'agrumes et de fruits exotiques. La plénitude et la longueur en font une bouteille de choix. Le **rouge 99** obtient deux étoiles. Il est riche et fin à la fois, bien typé. (50 à 69 F)

SA Dom. de Rimauresq, rte de Notre-Dame-des-Anges, 83790 Pignans, tél. 04.94.48.80.45, fax 04.94.33.22.31, e-mail pierreduffort@wanadoo.fr ☑ Y t.l.j. sf dim. 8h-12h 13h30-17h30
Wemyss

CAVE DE ROUSSET
Rouge Terres 1999**

■ 4,3 ha 30 000 3 à 5 €

D'une belle couleur profonde, ce vin se montre d'abord réservé, puis les fruits rouges apparaissent. Les tanins s'inscrivent dans une matière charnue et soutiennent une longue finale. Emplissant bien la bouche, ce 99 possède tous les atouts pour accompagner une viande rouge dès à présent et dans les deux ou trois ans à venir. (20 à 29 F)

Cave de Rousset, quartier Saint-Joseph, 13790 Rousset, tél. 04.42.29.00.09, fax 04.42.29.08.63 ☑ Y r.-v.

CH. DE ROUX 2000

□ 4 ha 13 000 5 à 8 €

Implanté sur le territoire du vieux village du Cannet-des-Maures, ce domaine propose sous une étiquette originale, de style naïf, un vin franc et loyal, parfaitement équilibré entre rondeur et vivacité. (30 à 49 F)

Jean-Guy Cupillard-Ch. de Roux, rte de la Garde-Freinet, 83340 Le Cannet-des-Maures, tél. 04.94.60.73.10, fax 04.94.60.89.79 ☑ Y t.l.j. 10h-18h
J.-G. Cupillard

DOM. SAINT-ANDRE DE FIGUIERE
Grande Cuvée Vieilles vignes 2000**

◪ 2 ha 13 000 8 à 11 €

Seul le fruit de vignes de trente-cinq ans compose cette cuvée issue des cépages cinsaut, grenache et mourvèdre nés sur schistes. Sous sa robe pâle à reflets saumon, ce rosé exprime généreusement des arômes de fleurs et de fruits. Après une attaque fraîche et finement parfumée, la bouche affiche rondeur et complexité jusque dans une longue et remarquable finale. (50 à 69 F)

Dom. Saint-André de Figuière, BP 47, 83250 La Londe-les-Maures, tél. 04.94.00.44.70, fax 04.94.35.04.46 ☑ Y t.l.j. sf dim. 9h-12h 14h-18h
Alain Combard

CH. SAINTE-BEATRICE
Cuvée Vaussière 1998**

■ 8 ha n.c. 5 à 8 €

Ce domaine créé il y a une vingtaine d'années cultive un vignoble récent sur les terroirs calcaires du plateau triasique. Un judicieux assemblage de syrah, de grenache et de cabernet-sauvignon a donné naissance à ce vin complexe. Les arômes fruités et empyreumatiques s'allient à un boisé discret et bien fondu. Un 98 parvenu à maturité et qui peut être bu dès aujourd'hui. (30 à 49 F)

Ch. Sainte-Béatrice, 415, chem. des Peiroux, BP 112, 83510 Lorgues, tél. 04.94.67.62.36, fax 04.94.73.72.70 ☑ Y r.-v.
J. Novaretti

DOM. SAINTE-CROIX
Clos Manuelle 1999*

■ 8 ha 10 000 5 à 8 €

Deux frères, Jacques et Christian Pélepol, conduisent ce domaine de 70 ha. Cette cuvée, passée en fût, dévoile un fruit bien présent qui contribue à son harmonie. La bouche souple et équilibrée se termine agréablement. (30 à 49 F)

SCEA Pélepol Père et Fils, Dom. Sainte-Croix, 83570 Carcès, tél. 04.94.04.56.51, fax 04.94.04.38.10 ☑ Y t.l.j. 9h-12h 15h-19h

CH. SAINTE-MARGUERITE
Cuvée Symphonie Or 1999**

□ Cru clas. 1 ha 4 000 15 à 23 €

Brigitte et Jean-Pierre Fayard ont acheté ce domaine à la Fondation de France en 1977. Le vignoble avait été créé en 1929 par M. Chevillon, pianiste concertiste. La cuvée Symphonie Or porte bien son nom : elle est tout de jaune d'or vêtue. Elle possède un caractère floral et miellé séduisant, ainsi qu'une bouche complexe. Ce vin harmonieux ne manque pas de personnalité. La **cuvée Symphonie Pourpre rouge 99** obtient une étoile. Elevée douze mois en fût, elle est riche et structurée mais son boisé bien fondu lui permet d'être servie avec un gibier dès cet hiver. (100 à 149 F)

Jean-Pierre Fayard, Ch. Sainte-Marguerite, BP 1, 83250 La Londe-les-Maures, tél. 04.94.00.44.44, fax 04.94.00.44.45 t.l.j. sf sam. dim. 9h-12h30 14h-17h30

DOM. DE SAINTE MARIE
Cuvée de la Roche Blanche 2000*

2,4 ha 16 000 5 à 8 €

Si le nom du domaine évoque la Vierge apparue en 1884 pour arrêter une épidémie de choléra, celui de cette cuvée rappelle l'affleurement des blocs de quartz sur les coteaux. A base de grenache et de syrah, ce rosé pâle libère des arômes fruités de pêche qui se retrouvent dans une bouche ample et longue. En **blanc**, la **cuvée de la Roche Blanche 2000** obtient une citation. (30 à 49 F)

SA Dom. de Sainte-Marie, rte du Dom, RN 98, Vallée de La Mole, 83230 Bormes-les-Mimosas, tél. 04.94.49.57.15, fax 04.94.49.58.57 t.l.j. sf dim. 9h-13h 14h-19h

CH. SAINTE-ROSELINE
Cuvée Prieuré 1999**

Cru clas. 5 ha 24 500 11 à 15 €

Haut lieu historique abritant dans une chapelle la sépulture de sainte Roseline, ce domaine a reçu les plus grands artistes. Sa vocation viticole est très ancienne. Sélection des plus vieilles vignes implantées sur argilo-calcaire, ce 99 laisse encore poindre des notes boisées, fumées et grillées. Sa matière concentrée se structure autour de tanins riches et mûrs. Un vin de garde. (70 à 99 F)

SCEA Ch. Sainte-Roseline, 83460 Les Arcs, tél. 04.94.99.50.30, fax 04.94.47.53.06, e-mail chateau.sainte.roseline@wanadoo.fr t.l.j. 9h-12h30 14h-18h30

DOM. DU SAINT-ESPRIT
Grande Cuvée 2000*

12 ha 5 000 5 à 8 €

Assemblage de rolle et de sémillon à parts égales nés sur argilo-calcaire, ce vin emplit le verre d'une teinte soutenue à reflets dorés. Ses arômes discrets participent à son expression élégante : le boisé rejoint le fruit sans aucune agressivité. Prêt à boire. (30 à 49 F)

Crocé Spinelli, rte des Nouradons, BP 31, 83460 Les Arcs-sur-Argens, tél. 04.94.47.45.05, fax 04.94.73.30.73 r.-v.

CH. DE SAINT-JULIEN D'AILLE
Cuvée des Rimbauds 1998**

5 ha n.c. 8 à 11 €

Sur la rive droite de l'Argens, ce vaste domaine de 170 ha propose un côtes de provence, rubis intense ; il libère des arômes de fruits rouges qui lui donnent un air de jeunesse surprenant pour un 98. Des nuances boisées bien intégrées complètent sa riche palette aromatique. En bouche, la rondeur ainsi que les tanins souples et fondus traduisent en revanche sa maturité. Un vin agréable à boire dès à présent. (50 à 69 F)

Ch. de Saint-Julien d'Aille, 5480, rte de la Garde Freinet, 83550 Vidauban, tél. 04.94.73.02.89, fax 04.94.73.61.31 r.-v.
B. Fleury

DOM. DE SAINT-MARC
Cuvée Epicure 1999**

1,2 ha 8 000 8 à 11 €

Créé dans les années 1970 par un Parisien, puis racheté par un Japonais en 1988, ce domaine vient à nouveau de changer de propriétaire. Situé au cœur du massif des Maures, sur des sols de micaschistes, son domaine couvre 6 ha. La cuvée Epicure s'habille d'une robe sombre. Elle livre une matière puissante et mûre, soutenue par des tanins denses mais enrobés. Une bouteille généreuse, équilibrée, qu'il convient de conserver deux ans encore. La **cuvée Grande Réserve Domini rouge 99**, encore marquée par son élevage en fût d'un an, mérite d'attendre plus longtemps. Elle n'en est pas moins très réussie. Retenez aussi la **Grande Réserve Domini rosé 2000** qui obtient une étoile. (50 à 69 F)

SCEA dom. Ch. Saint-Marc, chem. de Saint-Marc et des Crottes, 83310 Cogolin, tél. 04.94.54.69.92, fax 04.94.54.01.41 r.-v.

CH. DE SAINT-MARTIN 2000*

Cru clas. 5 ha 15 000 5 à 8 €

Le site de Saint-Martin fut habité dès l'époque gallo-romaine, puis les moines de Lérins y établirent un prieuré viticole au XIII[e]s. Voilà deux cent cinquante ans que ce domaine appartient à la même famille et qu'il se lègue de mère en fille. Ce 2000, jaune paille, est agréable à l'œil. Son nez expressif, à dominante d'agrumes (citron, pamplemousse), annonce une bouche fraîche et équilibrée, de bonne longueur. (30 à 49 F)

Adeline de Barry, Ch. de Saint-Martin, rte des Arcs, 83460 Taradeau, tél. 04.94.73.02.01, fax 04.94.73.12.36 r.-v.
Mme de Gasquet

CH. SAINT-PIERRE
Cuvée du Prieuré 1999*

2 ha 10 000 5 à 8 €

Des travaux de restauration de la cave ont mis au jour des vestiges de ce prieuré, dont l'origine remonte au XI[e]s. Cette cuvée rouge grenat présente des notes boisées et une pointe animale. La bouche pleine bénéficie de tanins fins qui laissent une sensation de puissance. Un vin apte à une garde de deux ou trois ans, à déguster sur un gibier. La **cuvée Marie rosé 2000** mérite d'être citée. (30 à 49 F)

Jean-Philippe Victor, Ch. Saint-Pierre, Les Quatre-Chemins, 83460 Les Arcs, tél. 04.94.47.41.47, fax 04.94.73.34.73 r.-v.

SAINT-ROCH-LES-VIGNES 2000*

60 ha 200 000 5 à 8 €

Mis en bouteilles par les Vignerons de la presqu'île de Saint-Tropez pour la coopérative de Cuers, ce rosé pâle, couleur pétale de rose,

PROVENCE

s'ouvre sur les fleurs et les fruits. Sa bouche bien équilibrée se développe tout en rondeur. (30 à 49 F)

Cave de Saint-Roch-les-Vignes, rte de Nice, 83390 Cuers, tél. 04.94.28.60.60 ☑ Y lun. mar. jeu. ven. 9h-12h 14h-18h

DOM. DE SAINT-SER
Hauts de Sainte-Victoire 1999★★

■ 2 ha 6 600 11à15€

Ce vignoble occupe la situation la plus élevée sur le flanc sud de la montagne Sainte-Victoire. Ce vin au nez épicé et vanillé séduit par l'harmonie de ses saveurs. D'abord rond et souple en bouche, il prend de l'ampleur au fil de la dégustation grâce à des tanins veloutés, puis livre une finale fraîche. (70 à 99 F)

Dom. de Saint-Ser, RD 17, 13114 Puyloubier, tél. 04.42.66.30.81, fax 04.42.66.37.51, e-mail saintser@europost.org ☑ Y t.l.j. 10h-12h 14h-18h; groupes sur r.-v.

Pierlot

CAVE DE SAINT-TROPEZ
Cuvé Paul Signac 2000

□ 3 ha 13 000 5à8€

Paul Signac, considéré comme le chef de file du mouvement néo-impressionniste, vint s'installer à Saint-Tropez. Il est doublement à l'honneur cette année, par une exposition rétrospective à Paris et par cette cuvée. Brillant de reflets citron, celle-ci présente un nez floral évoluant vers des notes confites. Sa fraîcheur en bouche est agréable. A servir à l'apéritif ou sur un poulet rôti. (30 à 49 F)

La Cave de Saint-Tropez, SCAV Est, av. Paul-Roussel, 83990 Saint-Tropez, tél. 04.94.97.01.60, fax 04.94.97.70.24, e-mail lacavesttropez@aol.com ☑ Y r.-v.

DOM. SILVY Cuvée Mathilde 2000★

◪ 1 ha 6 666 5à8€

Pourrières se trouve aux confins du Var et des Bouches-du-Rhône. Le domaine a privilégié la syrah pour élaborer ce rosé franc évocateur d'arômes amyliques nuancés de notes de fruits rouges. L'impression gustative est harmonieuse grâce à un bon équilibre entre alcool et acidité. La finale laisse une saveur fruitée persistante. (30 à 49 F)

Cathy et Alain Silvy, 5, rue de Galiniers, 83910 Pourrières, tél. 04.94.78.49.60, fax 04.94.78.51.16 ☑ Y r.-v.

DOM. SIOUVETTE
Cuvée Marcel Galfard 2000★★

◪ 6,5 ha 45 000 5à8€

Aux confins du massif des Maures, ce domaine tire un bon parti de son terroir d'argile et de schistes. De teinte claire nuancée de reflets framboise, ce rosé sent bon les agrumes et la fraise des bois. Il rafraîchit le palais de ses saveurs douces et vives à la fois. Un joli vin à boire aujourd'hui. (30 à 49 F)

Sylvaine Sauron, Dom. Siouvette, 83310 La Mole, tél. 04.94.49.57.13, fax 04.94.49.59.12 ☑ Y t.l.j. 9h-12h30 14h-19h

CH. TERREBONNE 2000★★

◪ 25 ha 30 000 3à5€

Ce domaine a appartenu au musicologue Bernard Gavoty. Repris en main par Michel et Nathalie Mercier en 1997, il se distingue par un rosé pâle dont l'harmonie aromatique se réalise pleinement : agrumes, fruits exotiques. La bouche est franche, équilibrée et persistante. Très savoureux, le **blanc 2000** est tout aussi remarquable. Expressif et plein de vitalité, il est à découvrir sur un repas de poisson. (20 à 29 F)

Dom. de Terrebonne, rte de Cabasse, 83340 Flassans, tél. 04.94.59.68.65, fax 04.94.69.74.35 ☑ Y t.l.j. 9h-19h

Mercier

DOM. DES THERMES 2000★

◪ 3 ha 22 000 3à5€

Des vestiges de thermes romains ont été découverts sur le site de ce domaine qui pour son premier millésime vinifié, le 98, reçut un coup de cœur et fut lauréat de la Grappe de bronze du Guide 2000. Il a produit un rosé élégamment vêtu d'une robe pâle. S'il n'a pas l'exubérance du 98, ce nouveau millésime offre un bouquet d'agrumes bien présent. Il laisse une impression de légèreté agréable. (20 à 29 F)

EARL Michel Robert, Dom. des Thermes, RN 7, 83340 Le Cannet-des-Maures, tél. 04.94.60.73.15, fax 04.94.60.73.15 ☑ Y t.l.j. 8h-19h30

DOM. DU VAL DE GILLY
Cuvée Alexandre Castellan 2000★

◪ 1 ha 6 000 5à8€

Alexandre Castellan fonda ce domaine en 1884. La culture de la vigne s'imposa progressivement au détriment des plantations d'oliviers, notamment après le gel du terrible hiver 1956. Ce 2000 est un rosé classique, issu d'une vinification traditionnelle. De teinte saumonée, il n'est pas exubérant mais réussit une belle harmonie entre rondeur et fraîcheur jusqu'à une finale fruitée. (30 à 49 F)

SARL Dom. du Val de Gilly, 83310 Grimaud, tél. 04.94.43.21.25, fax 04.94.43.26.27 ☑ Y t.l.j. sf dim. 9h-12h 14h-19h30; f. matin en jan. fév.

Castellan

CH. VANNIERES 1999★

■ 6 ha 18 000 11à15€

Ce château produit essentiellement du bandol, mais son côtes de provence est un fidèle du Guide. Ce 99, rubis profond, laisse le souvenir de notes animales et boisées, avec en rappel une pointe de vanille. Charpenté, il évolue sur des tanins présents, encore jeunes, qui lui assureront une bonne évolution dans les cinq prochaines années. (70 à 99 F)

Ch. Vannières, 83740 La Cadière-d'Azur, tél. 04.94.90.08.08, fax 04.94.90.15.98, e-mail info@chateauvannieres.com ☑ Y t.l.j. sf dim. 8h-12h 14h-18h

Eric Boisseaux

CH. DE VAUCOULEURS
Cuvée du Château 1999★★

■ 4 ha 50 000 8à11€

Situé en bordure de la RN 7, ce domaine de 25 ha s'entoure de pins parasols centenaires. Son 99 se présente sous une robe pâle, avant de libérer un bouquet expressif : réglisse et pointe animale. Equilibré, doté de tanins soyeux, il développe du gras et une finale longue mêlant notes épicées et flaveurs de cuir. La **cuvée du Château rosé 2000 (30 à 49 F)** mérite une étoile. (50 à 69 F)

P. Le Bigot, Ch. de Vaucouleurs, RN 7, 83480 Puget-sur-Argens, tél. 04.94.45.20.27, fax 04.94.45.20.27 t.l.j. sf dim. lun. 10h-12h 15h-18h; f. 15 jrs nov.- 8 jrs jan.

CH. VEREZ 2000★★

◪ 21 ha 20 000 5à8€

Nadine et Serge Rosinoer, à la tête de cette propriété depuis 1994, exportent 50 % de leur production vers l'Allemagne et le Japon. Sous sa robe rose bonbon, ce vin ne manquera pas de séduire les amateurs. Sa délicieuse palette aromatique décline le bonbon anglais et les fruits frais tant au nez qu'au palais. De l'harmonie, de l'intensité et de la consistance : les atouts ne manquent pas. Un rosé authentique. (30 à 49 F)

Ch. Vérez, 5192, chem. de la Verrerie-Neuve-Le Grand Pré, 83550 Vidauban, tél. 04.94.73.69.90, fax 04.94.73.55.84, e-mail verez@wanadoo.fr r.-v.

Cassis

Un creux de rochers, auquel on n'accède que par des cols relativement hauts depuis Marseille ou Toulon, abrite, au pied des plus hautes falaises de France, des calanques, des anchois et une certaine fontaine qui, selon les Cassidens, rendait leur ville plus remarquable que Paris... Mais aussi un vignoble que se disputaient déjà, au XIe s., les puissantes abbayes, en demandant l'arbitrage du pape. Le vignoble occupe aujourd'hui environ 177 ha, dont 129 en cépages blancs pour un volume total de 7 515 hl en 2000. Les vins sont rouges et rosés, mais surtout blancs. Mistral disait de ces derniers qu'ils sentaient le romarin, la bruyère et le myrte. Ne cherchez pas les grandes cuvées : elles sont bues au fur et à mesure, avec les bouillabaisses, les poissons grillés et les coquillages.

DOM. DU BAGNOL
Marquis de Fesques 2000

□ 4 ha n.c. 5à8€

Ce domaine cultive son vignoble aux environs du charmant village de Cassis. Michelle Génovési le dirige depuis 1997. Ne cherchez pas l'extravagance dans cette cuvée : c'est en toute simplicité que ce vin blanc pâle aux nuances d'or déroule ses saveurs en y ajoutant finesse, élégance et fraîcheur. (30 à 49 F)

Génovési, Dom. du Bagnol, 12, av. de Provence, 13260 Cassis, tél. 04.42.01.78.05, fax 04.42.01.11.22 t.l.j. sf sam. dim. 9h-12h 14h30-18h

CH. DE FONTCREUSE Cuvée F 2000★★

□ 14 ha 70 000 5à8€

Coup de cœur plusieurs années consécutives, ce château – datant du XVIII[e]s. et parmi les meilleurs châteaux du vin de Provence – était à deux doigts de renouveler l'exploit avec cette cuvée. Son expression aromatique intense, riche et flatteuse, s'allie à une bouche volumineuse et bien construite. Ce 2000 recevra les honneurs de votre table en accompagnement d'un saumon à l'oseille. Le **rosé 2000**, parfumé et généreux, obtient une étoile. (30 à 49 F)

SA J.-F. Brando, Ch. de Fontcreuse, 13, rte Pierre-Imbert, 13260 Cassis, tél. 04.42.01.71.09, fax 04.42.01.32.64, e-mail fontcreuse@wanadoo.fr t.l.j. sf dim. 8h-12h 14h-18h

DOM. LA FERME BLANCHE 2000

□ 22 ha 120 000 8à11€

Ce domaine est entré dans le patrimoine de la famille Garnier au XVIII[e]s. L'étiquette du vin en porte les armoiries : le soleil du roi, la couronne comtale, trois épis de blé et un rameau d'olivier. Si cette cuvée ne présente pas une très grande longueur, elle possède de la rondeur et des arômes complexes inscrits dans les registres floral (acacia, genêt) et fruité (coing, pâte de fruits). (50 à 69 F)

Dom. de La Ferme Blanche, RD 559, 13260 Cassis, tél. 04.42.01.00.74, fax 04.42.01.73.94 t.l.j. 9h-19h
F. Paret

DOM. DU PATERNEL 2000★

◪ 6,5 ha 38 000 8à11€

32 ha composent ce domaine créé en 1951 par Pierre Cathinaud. Jean-Pierre Santini, à la tête de ce vignoble depuis 1962, destine sa production aux particuliers et à la restauration. Ce 2000 possède une palette équilibrée entre les notes amyliques et beurrées. Il séduit par son palais de velours, sa souplesse et sa persistance. Un vin de bouche éloquent. (50 à 69 F)

PROVENCE

🔑Jean-Pierre Santini, Dom. du Paternel, 11, rte Pierre-Imbert, 13260 Cassis, tél. 04.42.01.76.50, fax 04.42.01.09.54 ☑ 🍷 t.l.j. sf dim. 10h-12h 14h-18h

CLOS VAL BRUYERE 1999★★

☐ 7,5 ha 30 000 8 à 11 €

Le château Barbanau possède 7,5 ha de vignes en cassis et produit également des côtes-de-provence. Ce 99 a bien évolué et apporte un réel plaisir par sa personnalité. Frais et aromatique, il emplit le palais d'une matière franche et longue rappelant les agrumes (citron mûr), les fruits blancs (pêche), les fruits secs avec une touche florale. Un des rares vins que l'on peut marier aux asperges. (50 à 69 F)

🔑GAEC Ch. Barbanau, Hameau de Roquefort, 13830 Roquefort-la-Bédoule, tél. 04.42.73.14.60, fax 04.42.73.17.85, e-mail barbanau@aol.com ☑ 🍷 t.l.j. sf dim. 10h-12h 15h-18h

🔑 Cerciello

Bellet

De rares privilégiés connaissent ce minuscule vignoble (39 ha) situé sur les hauteurs de Nice, dont la production est réduite (1 133 hl en 2000) et presque introuvable ailleurs qu'à Nice. Elle est faite de blancs originaux et aromatiques, grâce au rolle, cépage de grande classe, et au chardonnay (qui se plaît à cette latitude quand il est exposé au nord et suffisamment haut) ; de rosés soyeux et frais ; de rouges somptueux, auxquels deux cépages locaux, la fuella et le braquet, donnent une originalité certaine. Ils seront à leur juste place avec la riche cuisine niçoise si originale, la tourte de blettes, le tian de légumes, l'estoficada, les tripes, sans oublier la soca, la pissaladière ou la poutine.

CH. DE BELLET 2000★★

◪ n.c. n.c. 11 à 15 €

Dans les années 1960, Rose de Bellet et son époux, colonel de cavalerie, reconstituèrent le domaine, lourdement affecté par les restrictions de la guerre. Leur fils cadet, Ghislain de Charnacé, en reprit les rênes en 1970. Il propose aujourd'hui un vin rosé typé, de teinte pâle. Le nez est marqué par la fleur de genêt et la fraise bien mûre. La bouche franche en attaque puis ronde reprend ses senteurs à son compte. Le **bellet blanc 2000** obtient une étoile pour sa jeunesse parfumée, sa structure enveloppée, à la fois grasse et fraîche. (70 à 99 F)

🔑Ghislain de Charnacé, Ch. de Bellet, 440, chem. de Saquier, 06200 Nice, tél. 04.93.37.81.57, fax 04.93.37.93.83 ☑

CLOT DOU BAILE 1998★

■ 2,8 ha 8 000 11 à 15 €

Le Clot Dou Baile a mis en valeur un terrain qui était alors en friche pour constituer son vignoble. De ce terroir de poudingues est né un vin de couleur peu soutenue, à reflets ambrés, caractéristique du millésime. Minéral et empyreumatique, ce 98 atteint l'harmonie entre volume et fraîcheur. Il peut être apprécié dès aujourd'hui. Le **blanc 2000**, cité, possède un caractère gai et rond, sur un fond de fruits mûrs (ananas, pêche blanche). (70 à 99 F)

🔑SCEA Clot Dou Baile, 277-305, chem. de Saquier, 06200 Nice, tél. 04.93.29.85.87, fax 04.93.29.85.87 ☑ 🍷 r.-v.

COLLET DE BOVIS 2000

◪ 2 ha 1000 8 à 11 €

Le domaine du Fogolar a reçu les artistes Max Charvolen, Marcel Alocco et Manuela Cordenos dans le cadre du festival « Arts et Vin ». L'année 2000 lui aura inspiré un rosé typé, de teinte saumon, dont les arômes et les saveurs évoquent les confitures d'abricots, de fraises ou de coings. Ce vin est bien équilibré, souple et franc. (50 à 69 F)

🔑Jean Spizzo, Dom. du Fogolar, 370, chem. de Crémat, 06200 Nice, tél. 04.93.37.82.52, fax 04.93.37.82.52, e-mail fogolar@vin-de-bellet.com ☑ 🍷 t.l.j. 8h30-12h 14h-19h

CH. DE CREMAT 1999★★

■ 4 ha 15 000 15 à 23 €

Château de Crémat est intimement lié à l'histoire de la renaissance du vignoble de Bellet. Quelle profondeur dans ce millésime ! Derrière une robe sombre, ce vin dévoile à l'aération un nez riche qui exprime une palette variée : fruits noirs, olive noire fumée, notes grillées. La bouche, bâtie sur des tanins fins et élégants, a du montant. Sa matière concentrée ne demande qu'à mûrir au cours de deux à dix ans de vieillissement. (100 à 149 F)

SCEA Ch. de Crémat, 442, chem. de Crémat, 06200 Nice, tél. 04.92.15.12.15, fax 04.92.15.12.13 ☑ Y t.l.j. sf dim. 8h-12h 14h-18h
Pisoni

LES COTEAUX DE BELLET 2000*

☐ 2,75 ha 10 000 ⬛ 11 à 15 €

Cette association de quatre producteurs, dont le millésime 96 avait reçu un coup de cœur, propose en 2000 un vin issu principalement de rolle. Presque transparent, celui-ci s'inscrit dans un registre floral, nuancé d'un boisé léger. La bouche *frizante* s'oriente vers une matière empreinte d'arômes de fruits surmûris (poire, coing) avant de revenir sur la vivacité en finale. Un bellet élégant. Cité, le **rosé 2000**, cristallin, possède une fraîcheur minérale et amylique plaisante. (70 à 99 F)

SCEA Les Coteaux de Bellet, 325, chem. de Saquier, 06200 Nice, tél. 04.93.29.92.99, fax 04.93.18.10.99 ☑ Y r.-v.
Hélène Calviera

MASSA 2000**

☐ 0,2 ha 1000 ⬛ 15 à 23 €

Un vin blanc plus que confidentiel mais si beau. Si le nez de cire d'abeille et de pâte de fruits est encore un peu timide, la bouche se révèle dense et consistante. Elle se développe longuement avec du gras jusqu'à une finale douce. Un bellet à apprécier sur des fromages bleus. (100 à 149 F)

GAEC Massa, 425, chem. de Crémat, 06200 Nice, tél. 04.93.37.80.02, fax 04.92.15.10.13 ☑ Y r.-v.

CLOS SAINT-VINCENT 1999*

■ 2 ha 2 500 ⬛ 15 à 23 €

La folle noire, cépage du comté niçois, doit son nom (*fuella* en patois nissart) à ses écarts de production. Elle entre à 90 % dans ce vin rouge vif à reflets mauves. Celui-ci affiche un nez puissant et complexe : le buis, les fruits rouges, le grillé s'ouvrent à l'aération. La bouche possède une matière expressive, encore marquée par les tanins. Une garde de trois ans au moins permettra à l'ensemble de se fondre. Egalement très réussi, le **rosé 2000 (70 à 99 F)** exprime avec souplesse, équilibre et fruité, la typicité d'un autre cépage niçois : le braquet. (100 à 149 F)

Joseph Sergi et Roland Sicardi, Collet des Fourniers, Saint-Romans-de-Bellet, 06200 Nice, tél. 04.92.15.12.69, fax 04.92.15.12.69, e-mail clos.st.vincent@wanadoo.fr ☑ Y r.-v.

Bandol

Noble vin, qui n'est d'ailleurs pas produit à Bandol même, mais sur les terrasses brûlées de soleil des villages alentour recouvrant une superficie de 1 419 ha, le bandol (54 652 hl en 2000) est blanc, rosé ou rouge. Ce dernier est corsé et tannique grâce au mourvèdre, cépage qui le compose pour plus de la moitié. Vin généreux, compagnon idéal des venaisons et des viandes rouges, il apporte ses subtilités aromatiques faites de poivre, de cannelle, de vanille et de cerise noire. Il supporte fort bien une longue garde.

DOM. DES BAGUIERS Cuvée Gaston Jourdan 1998**

■ 0,9 ha 3 300 ⬛ 8 à 11 €

Cette cuvée rend hommage à l'aïeul de la famille qui réalisa la première mise en bouteilles en 1969. Trente ans ont passé et un coup de cœur salue le soin apporté à ce 98 profond et expressif. Le nez complexe mêle les senteurs les plus douces (cassis, mûre, épices) aux plus sauvages (notes minérales et animales, cuir). La bouche révèle une matière concentrée, soutenue par des tanins puissants qui méritent de se fondre au cours d'une garde d'au moins cinq ans. (50 à 69 F)

GAEC Jourdan, Dom. des Baguiers, 227, rue Micocouliers, 83330 Le Castellet, tél. 04.94.90.41.87, fax 04.94.90.41.87 ☑ Y r.-v.

DOM. BARTHES 2000

☐ 2,6 ha 13 000 ⬛ 8 à 11 €

Ce domaine a produit un vin blanc équilibré entre une vivacité agréable et une structure ronde. Cet ensemble fin, floral et fruité (poire)

PROVENCE

accompagnera des coquillages ou un poisson grillé à l'huile d'olive. (50 à 69 F)
Monique Barthès, chem. du Val-d'Arenc, 83330 Le Beausset, tél. 04.94.98.60.06, fax 04.94.98.65.31 r.-v.

CH. DES BAUMELLES 1999**

■ 2,5 ha 10 000 8 à 11 €

Le château du XVe s., flanqué de ses tours, se dessine au détour d'un virage sur la route de Bandol à Saint-Cyr. Fort de 40 ha, son vignoble a donné naissance à un vin chatoyant, dont la teinte reste jeune. Ouvert sur les fruits mûrs au nez, ce 98 évolue vers des arômes poivrés agréables en rétro-olfaction. Sa matière ronde et mûre enrobe des tanins fins pour composer un ensemble harmonieux. A attendre quatre ou cinq ans. (50 à 69 F)
EARL Bronzo, 367, rte des Oratoires, 83330 Sainte-Anne-du-Castellet, tél. 04.94.32.63.20, fax 04.94.32.74.34, e-mail bastide.blanche@libertysurf.fr r.-v.
GFA des Baumelles

DOM. DU CAGUELOUP
Vieilles vignes 1999*

■ 3,7 ha 15 000 11 à 15 €

Maintes fois mentionné dans le Guide pour ses vins blancs et rosés, Richard Prébost propose ici un bandol rouge issu de vieilles vignes. Ce 99 exprime des arômes fruités, épicés et mentholés. En bouche, la palette se prolonge savoureusement. Grâce à sa structure tannique, ce vin possède une bonne capacité de garde, ce qui lui permettra d'acquérir un meilleur fondu. Le **rosé 2000 (50 à 69 F)** obtient également une étoile. De teinte saumon pâle, il est riche et persistant. (70 à 99 F)
SCEA Dom. de Cagueloup, quartier Cagueloup, 83270 Saint-Cyr-sur-Mer, tél. 04.94.26.15.70, fax 04.94.26.54.09 r.-v.

DOM. CASTELL-REYNOARD 1998***

■ 1 ha 4 500 8 à 11 €

Ce domaine né à la fin du XIXe s. est situé à 2 km de La Cadière-d'Azur. Il propose un vin de teinte profonde, dont le bouquet complexe s'inscrit dans les registres fruité (cassis, mûre), épicé (réglisse, poivre), minéral et même floral (menthe sauvage, romarin). Au palais, la matière concentrée est empreinte de saveurs de cerise confite, tandis que les tanins denses apportent une note réglissée. Riche, ce vin fait preuve d'une exceptionnelle longueur. Avec un tel potentiel, il pourra être suivi pendant plusieurs années. (50 à 69 F)

Alexandre Castell, Dom. Castell-Reynoard, quartier Thouron, 83740 La Cadière-d'Azur, tél. 04.94.90.10.16, fax 04.94.90.10.16 r.-v.

CH. DE CASTILLON 1999

■ 1,5 ha 5 000 8 à 11 €

Elevé dix-huit mois en fût de chêne, ce vin est encore marqué par le bois. Il n'en dévoile pas moins des arômes suaves de fruits rouges et de cerise à l'eau-de-vie. De caractère corsé et épicé, il mérite de patienter en cave pour se fondre. (50 à 69 F)
René de Saqui de Sannes, Dom. de Castillon, 408, rte des Oratoires, 83330 Sainte-Anne-du-Castellet, tél. 04.94.32.66.74, fax 04.94.32.67.36 t.l.j. sf lun. dim. 10h-12h 14h-18h

DUPERE-BARRERA India 1998

■ n.c. 3 000 11 à 15 €

Une maison de négoce de création récente dans la région provençale. Son bandol de teinte rubis est plaisant par ses arômes de kirsch, de sous-bois, de cassis et de fraise. La bouche, un peu en retrait, est cependant souple et bâtie sur des tanins présents. (70 à 99 F)
Emmanuelle Dupéré Barrera, 122, rue Dakar, 83100 Toulon, tél. 04.94.31.10.48, fax 04.94.31.10.48, e-mail vinsduperebarrera@hotmail.com r.-v.

DOM. DE FONT-VIVE 2000

□ 0,08 ha 400 8 à 11 €

De teinte claire nuancée de vert tendre, ce vin s'ouvre en bouche avec fraîcheur grâce à des arômes d'agrumes (citron, pamplemousse). Cette vigueur agréable devrait lui assurer un bon épanouissement. (50 à 69 F)
Philippe Dray, Dom. de Font-Vive, 83330 Le Beausset, tél. 04.94.98.60.06, fax 04.94.98.65.31 r.-v.

DOM. DE FREGATE 1999*

■ 2,5 ha 6 000 8 à 11 €

La cave du domaine, taillée dans le rocher, fut construite en 1971. Elle a accueilli ce vin aux arômes de fruits rouges et d'épices douces (vanille, réglisse). La structure, de bonne facture pour le millésime, bénéficie de tanins fins qui autorisent une dégustation dès aujourd'hui.

Mais cinq à six ans de garde apporteront au vin sa plénitude aromatique. (50 à 69 F)
🔑 Dom. de Frégate, rte de Bandol, 83270 Saint-Cyr-sur-Mer, tél. 04.94.32.57.57, fax 04.94.32.24.22, e-mail domainedefregate@wanadoo.fr ☑ 🍷 t.l.j. sf dim. 9h-12h 14h-17h30

CH. JEAN-PIERRE GAUSSEN 1999*

■ 4 ha 20 000 🛢 11 à 15 €

Typique du mourvèdre, ce bandol rouge jeune mais concentré possède du fruit, des tanins mûrs et une réelle puissance. Il récompensera qui sait l'attendre cinq ans environ, et l'accord avec une selle d'agneau aux aromates devrait être savoureux. (70 à 99 F)
🔑 Jean-Pierre Gaussen, La Noblesse, 1585, chem. de l'Argile, BP 23, 83740 La Cadière-d'Azur, tél. 04.94.98.75.54, fax 04.94.98.65.34 ☑ 🍷 r.-v.

DOM. DU GROS'NORE 1999*

■ 9 ha 37 000 🛢 11 à 15 €

Il faut laisser à ce vin le temps de dévoiler ses arômes complexes. Déjà, les fruits rouges, le grillé et la torréfaction se mêlent en rétro-olfaction. La bouche est prometteuse, charnue et élégante. Une bouteille à attendre quatre ou cinq ans et à servir sur une daube de sanglier ou une gigue de chevreuil. (70 à 99 F)
🔑 Pascal Alain, Dom. du Gros'Noré, 675, chem. de l'Argile, 83740 La Cadière-d'Azur, tél. 04.94.90.08.50, fax 04.94.98.20.65 ☑ 🍷 t.l.j. 10h-19h30

LA BASTIDE BLANCHE 2000

◪ 18 ha 95 000 🌡 8 à 11 €

Les vins rouges de ce domaine ont régulièrement été retenus dans le Guide, mais en 2000 c'est à un rosé de se distinguer. Pâle, légèrement tuilé, ce dernier laisse poindre des arômes d'abricot au nez, tandis qu'il emplit la bouche d'une matière équilibrée. (50 à 69 F)
🔑 EARL Bronzo, 367, rte des Oratoires, 83330 Sainte-Anne-du-Castellet, tél. 04.94.32.63.20, fax 04.94.32.74.34, e-mail bastide.blanche@libertysurf.fr ☑ 🍷 r.-v.

DOM. DE LA BEGUDE 2000

◪ 4,5 ha 7 500 🌡 8 à 11 €

Guillaume Tari, issu de l'école bordelaise, est également propriétaire en AOC côtes de provence. Son bandol rosé provient de vignes cultivées en restanques à plus de 400 m au-dessus de la mer. Il a la chaleur caractéristique du millésime, mais possède suffisamment de matière et d'arômes pour l'intégrer. (50 à 69 F)
🔑 Guillaume Tari, SCEA du Dom. de La Bégude, 83330 Le Camp-du-Castellet, tél. 04.42.08.92.34, fax 04.42.08.27.02, e-mail domaines.tari@wanadoo.fr ☑ 🍷 r.-v.

LES VIGNERONS DE LA CADIERENNE 2000

◪ 245,45 ha 500 000 🌡 5 à 8 €

La Cadière, village pittoresque, est le centre de l'appellation. Deux coopératives y sont actives. Celle-ci regroupe près de quatre cents membres dont certains sont installés dans le village voisin de Castellet. Elle propose un vin assez plein et équilibré, bien coloré mais plus timide dans son expression aromatique. (30 à 49 F)
🔑 SCV La Cadiérenne, quartier Le Vallon, 83740 La Cadière-d'Azur, tél. 04.94.90.11.06, fax 04.94.90.18.73, e-mail cadierenne@wanadoo.fr ☑ 🍷 r.-v.

DOM. LAFRAN-VEYROLLES 1999*

■ 1,2 ha 5 600 🛢 15 à 23 €

Ce domaine du XVII[e]s. doit son nom aux chênes rouvres qui peuplaient ce quartier de La Cadière. Il propose un 99 rond, aux notes de cuir, de réglisse et de fruits. Soyeux par ses tanins fins et serrés, ce vin se prolonge bien en bouche pour un plaisir immédiat ou une redécouverte dans quelques années. Le **rosé 2000 (70 à 99 F)** est également très réussi : tout en fruit, il dévoile beaucoup de fraîcheur. (100 à 149 F)
🔑 Mme Jouve-Férec, Dom. Lafran-Veyrolles, 2115, rte de l'Argile, 83740 La Cadière-d'Azur, tél. 04.94.90.13.37, fax 04.94.90.11.18 ☑ 🍷 r.-v.

DOM. DE LA LAIDIERE 2000**

◪ 12 ha 55 000 🌡 11 à 15 €

Cette bouteille porte sur son étiquette les armes d'Evenos : la montagne d'argent à croix d'or sur fond bleu. Eclatant de couleur, ce rosé aiguise les sens par son intensité et sa fraîcheur. Ses arômes d'agrumes se déclinent d'un bout à l'autre de la dégustation. Expressive, la bouche est aussi fine et longue. Un succès pour ce terroir durement battu par les vents. (70 à 99 F)
🔑 SCEA Estienne, Dom. de La Laidière, 426, chem. de Font-Vive, 83330 Sainte-Anne-d'Evenos, tél. 04.94.90.35.29, fax 04.94.90.38.05, e-mail freddy-estienne@laidiere.com ☑ 🍷 t.l.j. sf dim. 9h30-12h 14h-18h; sam. sur r.-v.

DOM. DE LA RAGLE 1998**

■ 1 ha 5 000 🛢 5 à 8 €

Ce bandol rouge produit par le négociant Les Vins Bréban décline des arômes complexes, parmi lesquels se distinguent la cerise confite et le chocolat. S'il est encore droit et ferme, il offre une rondeur sauvage et une grande ampleur sur des tanins de qualité. Il mérite de patienter en cave quelques années. Le **bandol rosé Domaine de La Nartette 2000 (50 à 69 F)** a été cité par le jury. C'est un vin typé, discret et élégant, issu d'un vignoble bien protégé au-dessus du port de la Madrague, à Saint-Cyr-lès-Lecques, propriété du Conservatoire du littoral. (30 à 49 F)

🔑 Cave de La Roque, quartier Vallon, BP 26, 83740 La Cadière-d'Azur, tél. 04.94.90.10.39, fax 04.94.90.08.11 Y r.-v.

CH. LA ROUVIERE 2000★

◪ 3 ha 15 000 8à11€

Le château La Rouvière des frères Bunan est situé au Castellet, mais la vinification est réalisée au Moulin des Costes à La Cadière. Là est né ce rosé de couleur tendre, riche en arômes de fruits. Il se distingue par sa finesse et son équilibre entre vivacité et rondeur. Le **Moulin des Costes rouge 99 (70 à 99 F)** est cité. S'il développe déjà une palette complexe (garrigue, fruits rouges, vanille), il mérite de vieillir pour développer l'expression du mourvèdre. (50 à 69 F)

🔑 Domaines Bunan, Moulin des Costes, 83740 La Cadière-d'Azur, tél. 04.94.98.58.98, fax 04.94.98.60.05, e-mail bunan@bunan.com ☑ Y r.-v.

DOM. LA SUFFRENE Cuvée Les Lauves 1999★

■ 2 ha 10 500 11à15€

Créé en 1996, ce domaine compte 42 ha. La cuvée des Lauves est tout aussi réussie dans le millésime 99 que l'année précédente. On perçoit un joli grain de tanins dans une matière équilibrée et franche. Les arômes d'épices et de fruits rouges s'expriment ouvertement pour un plaisir immédiat. Cependant, ce vin de belle facture, encore jeune comme en témoignent ses nuances violacées, saura attendre. (70 à 99 F)

🔑 Cédric Gravier, Dom. La Suffrene, 1066, chem. de Cuges, 83740 La Cadière-d'Azur, tél. 04.94.90.09.23, fax 04.94.90.02.21 ☑ Y t.l.j. sf dim. 8h30-12h 14h-18h30

DOM. DE LA TOUR DU BON 1999★★

■ 7 ha 26 000 11à15€

Il a flirté avec le coup de cœur... Son expression typée bandol est si généreuse et ses tanins serrés si bien intégrés dans une bouche ronde et grasse. Sa finale capiteuse pourrait-elle atténuer le plaisir ? Il n'en est rien car ce 99 garde d'un bout à l'autre son équilibre. Il n'atteindra son apogée que dans cinq ans, lorsque le nez se sera ouvert. Tout aussi remarquable, le **rosé 2000 (50 à 69 F)**, issu de cinsaut et de mourvèdre, s'inscrit dans les registres floral et fruité ; il est fin et goûteux. (70 à 99 F)

🔑 Dom. de La Tour du Bon, SCEA Saint-Vincent, 83330 Le Brûlat, tél. 04.98.03.66.22, fax 04.98.03.66.26, e-mail tourdubon@aol.com ☑ Y r.-v.

🔑 Hocquard

DOM. DE LA VIVONNE 2000

◪ 4,43 ha 29 000 8à11€

Aux portes du village du Castellet, ce domaine cultive 25 ha. Ce rosé typé bandol par son assemblage de mourvèdre (60 %) et de grenache (40 %) se présente dans une robe pâle, au léger reflet orangé. Rond et équilibré, il est dans la tendance de l'année. Le **bandol rouge 99 (70 à 99 F)**, élevé en fût, est également cité. Il possède un bon potentiel d'évolution. (50 à 69 F)

🔑 Walter Gilpin, Dom. de La Vivonne, 3345, montée du Château, 83330 Le Castellet, tél. 04.94.98.70.09, fax 04.94.90.59.98, e-mail infos@vivonne.com ☑ Y r.-v.

LE GALANTIN 2000

◪ 12 ha 50 000 5à8€

Ce domaine de 25 ha exporte 30 % de sa production aux Etats-Unis et en Allemagne. D'une teinte orangée très pâle, son vin se découvre progressivement pour parvenir à une expression plus intense. Il devient alors coulant et long, bien équilibré. (30 à 49 F)

🔑 EARL Pascal, Dom. Le Galantin, 690, chem. Le Galantin, 83330 Le Plan-du-Castellet, tél. 04.94.98.75.94, fax 04.94.90.29.55 ☑ Y r.-v.

DOM. LES LUQUETTES 2000★

◪ n.c. 32 600 5à8€

Cette propriété de 12 ha possède un troupeau de quarante brebis qui participe à la fertilisation naturelle du vignoble. Le millésime 2000 se traduit dans un joli vin ouvert sur les agrumes, rond et gras. Les arômes perdurent longtemps au palais. Cité, le **bandol rouge 98 (50 à 69 F)** est encore marqué par le bois, mais l'on perçoit un fruité sous-jacent et une structure élégante. (30 à 49 F)

🔑 SCEA Le Lys, 20, chem. des Luquettes, 83740 La Cadière-d'Azur, tél. 04.94.90.02.59, fax 04.94.98.31.95, e-mail les-luquettes@libertysurf.fr ☑ Y t.l.j. 8h-20h

DOM. DE L'HERMITAGE 2000★

□ 2 ha 8 000 8à11€

Le roi Louis XV était friand du vin du Rouve. Si les techniques et les cépages ont évolué, le terroir reste inchangé. Ce bandol en est l'illustration. D'un bel équilibre, il développe ses arômes dans une matière vive et légère. Il se mariera avec un fromage de chèvre sec, un poisson ou pourra être apprécié pour lui-même. (50 à 69 F)

🔑 SAS Gérard Duffort, Le Rouve, BP 41, 83330 Le Beausset, tél. 04.94.98.71.31, fax 04.94.90.44.87 ☑ Y t.l.j. sf sam. dim. 9h-12h 14h-18h; ouv. sam. l'été

DOM. DE L'OLIVETTE 1999★

■ 14 ha 60 000 11à15€

Lorsque ce domaine fut repris en 1972, il ne comptait guère que 3 ha de vignes. Aujourd'hui, il s'étend sur 55 ha à 1 km au nord des villages de La Cadière-d'Azur et du Castellet. Son 99 séduit par son nez complexe où le fruité se mêle à des arômes de fumée et de grillé. En bouche, la matière souple et grasse enrobe la structure tannique ; le boisé hérité de l'élevage de dix-huit mois en fût apparaît en finale, mais la typicité du bandol est respectée. Un vin à conserver en cave. Le **rosé 2000 (50 à 69 F)** obtient également une étoile pour sa gaieté et son caractère aromatique. (70 à 99 F)

🔑 SCEA Dumoutier, Dom. de L'Olivette, 83330 Le Castellet, tél. 04.94.98.58.85, fax 04.94.32.68.43, e-mail info@domaine-olivette.com ☑

DOM. DU PEY-NEUF 2000*

◪ 10 ha 53 333 8 à 11 €

Ce domaine familial créé au début du XIXe s. atteint aujourd'hui 36 ha. Il propose un rosé dont la robe pâle à reflets saumon donne une impression de douceur. Les arômes fruités et floraux participent à son caractère élégant et fin. Egalement très réussi, le **bandol blanc 2000** offre les parfums des îles (pamplemousse, mangue, citron), avant de poursuivre avec vivacité et volume. (50 à 69 F)

Guy Arnaud, Dom. du Pey-Neuf, 367, rte de Sainte-Anne, 83740 La Cadière-d'Azur, tél. 04.94.90.14.55, fax 04.94.26.13.89 r.-v.

CH. DE PIBARNON 1999

■ 20 ha 100 000 15 à 23 €

La particularité du terroir de Pibarnon réside dans un sol triasique riche en calcaire et en oligo-éléments. La vigne y puise ses ressources et son caractère. De teinte intense à reflets violacés, ce vin libère des arômes fruités, à peine soulignés de réglisse et d'une nuance boisée. La bouche souple et chaleureuse bénéficie de tanins fondus. Ne pensez pas à une longue garde ; le plaisir est immédiat sur un pigeon farci. (100 à 149 F)

Eric de Saint-Victor, 410, chem. de la Croix-des-Signaux, 83740 La Cadière-d'Azur, tél. 04.94.90.12.73, fax 04.94.90.12.98, e-mail pibarnon@wanadoo.fr r.-v.

CH. ROMASSAN-DOMAINES OTT

Cœur de Grain 2000

◪ 30 ha 140 000 11 à 15 €

Le château Romassan est l'un des trois fleurons de la famille Ott qui « émigra » en Provence alors que la France perdait l'Alsace. De son terroir est né un vin très pâle, au nez d'agrumes discrets. Sa bouche équilibrée privilégie la fraîcheur et invite à une dégustation dans l'année. (70 à 99 F)

SA Dom. Ott, Ch. Romassan, 601, rte des Mourvèdres, 83330 Le Castellet, tél. 04.94.98.71.91, fax 04.94.98.65.44, e-mail domaineott@wanadoo.fr r.-v.

CH. SAINTE-ANNE 1999*

■ 6 ha 20 000 11 à 15 €

La famille du marquis Dutheil de La Rochère s'installa à Sainte-Anne d'Evenos à la Révolution. Aujourd'hui encore, la vinification est conduite dans les anciennes caves voûtées du XVIIIe s. Dans sa robe rouge soutenu à reflets violets, le 99 donne une impression de complexité, d'intensité et de structure. L'héritage de l'élevage sous bois est encore perceptible, mais devrait se fondre à la garde. (70 à 99 F)

Dutheil de La Rochère, Ch. Sainte-Anne, 83330 Sainte-Anne-d'Evenos, tél. 04.94.90.35.40, fax 04.94.90.34.20 t.l.j. sf dim. 9h-12h 14h-19h

DOM. DE SOUVIOU 1999**

■ 21 ha 38 266 11 à 15 €

Ce domaine, également producteur d'huile d'olive, vient de changer de propriétaire. Le 99, vinifié par l'ancienne équipe, constitue un beau passage de flambeau. Grenat à reflets pourpres, il est encore marqué par les arômes boisés au premier nez, mais dévoile aussi du fruit. Caractéristiques du millésime, les tanins sont quelque peu austères, mais la matière empreinte de notes de mûre et de framboise les enrobe bien. Ce vin équilibré témoigne d'un élevage bien maîtrisé ; il pourra être conservé entre cinq et dix ans. (70 à 99 F)

SCEA Dom. de Souviou, RN 8, 83330 Le Beausset, tél. 04.94.90.57.63, fax 04.94.96.62.74, e-mail contact@souviou.com r.-v.

DOM. TEMPIER 2000

◪ 10 ha 48 000 11 à 15 €

Le mourvèdre est le cépage de prédilection de la famille Peyraud. Il domine l'assemblage de ce rosé de teinte pâle. Le nez d'agrumes et de pêche de vigne s'épanouit à l'aération, mais la bouche se prolonge avec harmonie et équilibre sur des notes d'agrumes confits. (70 à 99 F)

SA Peyraud, Dom. Tempier, Le Plan-du-Castellet, 83330 Le Castellet, tél. 04.94.98.70.21, fax 04.94.90.21.65 r.-v.

Palette

Tout petit vignoble, aux portes d'Aix, qui englobe l'ancien clos du bon roi René. Blancs, rosés et rouges sont produits régulièrement sur environ 40 ha et ont donné 1 848 hl de vin en 2000. Le plus souvent, et après une bonne maturation (car le rouge est de longue garde), on y retrouve une odeur de violette et de bois de pin.

CH. CREMADE 1998*

■ 4,19 ha 12 900 11 à 15 €

Emile Zola comme Cézanne séjournèrent à plusieurs reprises au château Crémade. L'écrivain y aurait situé l'intrigue de *La Faute de l'abbé Mouret*. Aujourd'hui comme hier, le protagoniste reste la vigne sur ce terroir calcaire. Elle a donné naissance à ce vin rubis dont le nez complexe et riche évoque la réglisse, la vanille et les fruits rouges. La bouche ample repose sur des tanins généreux, de bon présage pour l'avenir. Le **palette blanc 2000**, également élevé en fût, mérite une étoile pour son caractère avenant et son équilibre prometteur. (70 à 99 F)

SCEA Dom. de La Crémade, rte de Langesse, 13100 Le Tholonet, tél. 04.42.66.76.80, fax 04.42.66.76.81 r.-v.

DOM. DU GRAND COTE 1998*

■ 10,45 ha 55 000 5 à 8 €

Produit par la cave coopérative de Rousset, ce vin livre des parfums d'une grande douceur, évocateurs d'épices et de vanille. Bâtie sur des tanins bien présents, la bouche se développe en rondeur pour devenir caressante. Elle est empreinte d'arômes de fruits rouges. Ce 98, flatteur, est déjà prêt à boire, mais il possède un bon potentiel pour vieillir deux à trois ans. (30 à 49 F)

Cave de Rousset, quartier Saint-Joseph, 13790 Rousset, tél. 04.42.29.00.09, fax 04.42.29.08.63 r.-v.

CH. SIMONE 1998*

□ n.c. 31 000 15 à 23 €

Le château Simone est une ancienne propriété familiale dont le vignoble occupe des coteaux exposés plein nord. Fort de 100 ha, il destine environ 20 % de ses terres à un encépagement varié. Les vins vieillissent dans d'anciennes caves construites au XVIe s. par les moines des Grands Carmes. Le 98 brille de reflets or jaune et livre des arômes de truffe blanche, de miel et de vanille dans une riche palette. Au palais, s'inscrivent des flaveurs fleuries et grillées dans une matière charnue, structurée et longue. Une bouteille apte à la garde. Le **rosé 99 (70 à 99 F)** mérite une citation pour sa robe seyante et sa tenue en bouche. C'est un vin de gastronome. (100 à 149 F)

René Rougier, Ch. Simone, 13590 Meyreuil, tél. 04.42.66.92.58, fax 04.42.66.80.77

Coteaux d'aix-en-provence

Sise entre la Durance au nord et la Méditerranée au sud, entre les plaines rhodaniennes à l'ouest et la Provence triasique et cristalline à l'est, l'AOC coteaux d'aix-en-provence appartient à la partie occidentale de la Provence calcaire. Le relief est façonné par une succession de chaînons, parallèles au rivage marin, et couverts naturellement de taillis, de garrigue ou de résineux : chaînon de la Nerthe près de l'étang de Berre, chaînon des Costes prolongé par les Alpilles, au nord.

Entre ces reliefs s'étendent des bassins sédimentaires d'importance inégale (bassin de l'Arc, de la Touloubre, de la basse Durance) où se localise l'activité viticole, soit sur des formations marno-calcaires donnant des sols caillouteux à matrice argilo-limoneuse, soit sur des formations de molasses et de grès avec des sols très sableux ou sablo-limoneux caillouteux. 3 910 ha produisent 210 463 hl en 2000 en moyenne dont 9 229 en blanc. La production de vins rosés s'est développée récemment. Grenache et cinsaut forment encore la base de l'encépagement, avec une prédominance du grenache ; syrah et cabernet-sauvignon sont en progression et remplacent progressivement le carignan.

Les vins rosés sont légers, fruités et agréables ; ils ont largement profité des améliorations des techniques de vinification. Ils doivent être bus jeunes avec des plats provençaux : ratatouille, artichauts barigoule, poissons grillés au fenouil, aïoli...

Les vins rouges sont des vins équilibrés, quelquefois rustiques. Ils bénéficient d'un contexte pédologique et climatique favorable. Jeunes et fruités, avec des tanins souples, ils peuvent accompagner viandes grillées et gratins. Ils atteignent leur plénitude après deux ou trois ans d'élevage et peuvent accompagner alors viandes en sauce et gibier. Ils méritent que l'on parte à leur (re)découverte.

La production de vins blancs est limitée. La partie nord de l'aire de production est plus favorable à leur élaboration qui mêle la rondeur du grenache blanc à la finesse de la clairette, du rolle et du bourboulenc

CH. BARBEBELLE Cuvée Madeleine 2000

□ 3 ha 15 000 5 à 8 €

La commune de Rognes est connue pour sa pierre friable de couleur ocre, utilisée pour restaurer le centre historique d'Aix. Elle abrite aussi ce château du XVIIe s., dont le vin - dit un dégustateur - est marqué par le sauvignon. Ce cépage compose en effet 50 % de l'assemblage. Il en résulte un millésime très fruité (rhubarbe, agrumes) et frais. (30 à 49 F)

Brice Herbeau, Ch. Barbebelle, RD 543, 13840 Rognes, tél. 04.42.50.22.12, fax 04.42.50.10.20 t.l.j. 9h-12h 14h-18h

CH. BAS Pierres du Sud 2000**

◪ 5 ha 16 000 5 à 8 €

Philippe Pouchin est l'homme du rosé, sachant respecter l'expression du raisin et maîtriser la technique. Il a produit un 2000 franc et plein qui livre une harmonie fruitée sur la framboise et la groseille. La **cuvée du Temple rosé 2000 (50 à 69 F)** est tout aussi remarquable tant par l'apport de son séjour en barrique que par sa présence en bouche. Enfin, la **cuvée Pierres du Sud blanc 2000**, qui n'a pas connu le bois, est un vin gras, rond, aux senteurs d'ananas. Elle obtient également deux étoiles. (30 à 49 F)

EARL Georges de Blanquet, Ch. Bas, 13116 Vernègues, tél. 04.90.59.13.16, fax 04.90.59.44.35, e-mail chateaubas@wanadoo.fr r.-v.

CH. BEAUFERAN
Etiquette noire Elevé en fût de chêne 1998*

15 ha 10 000 8à11€

Le nom de Château Beauféran est apparu en 1989 sur les étiquettes, mais la propriété familiale remonte à plus d'un siècle. La couleur intense du 98 traduit bien la longue cuvaison du raisin et le vieillissement en foudre de douze mois. Ce vin sera apprécié des amateurs de notes de bois vanillé, légèrement brûlé. La bouche est soutenue par des tanins très présents mais enrobés d'une chair empreinte de flaveurs de fruits confits. A conserver en cave. Citée, la **cuvée Tradition 98 (30 à 49 F)**, étiquette rouge, non élevée en fût, dévoile déjà un côté animal et poivré. Elle mérite d'attendre deux ans. (50 à 69 F)

Ch. Beauferan, 870, chem. de la Degaye, 13880 Velaux, tél. 04.42.74.73.94, fax 04.42.87.42.96, e-mail chateaubeauferan@freesurf.fr t.l.j. sf dim. 9h-12h 14h-18h; sam. 9h-12h30

Sauvage-Veysset

CH. DE BEAUPRE
Collection du Château 1998**

3 ha n.c. 8à11€

Quarante hectares entourent cette bastide du XVIIIᵉs. et son parc. De la cave est née une belle collection de vins parmi lesquels le **Collection du Château blanc 2000**, passé sous bois trois mois durant, noté une étoile, et cet imposant rouge 98. S'il est issu de 90 % de cabernet, ce dernier n'est nullement monolithique. Puissant et souple à la fois, il témoigne d'une bonne maîtrise de l'élevage en fût de douze mois. Il laisse le souvenir d'arômes de fruits rouges, d'épices et de menthol. Retenez également la **cuvée classique rouge 98 (30 à 49 F)** qui n'a pas connu le bois. Le jury lui a attribué une citation. (50 à 69 F)

Christian Double, Ch. de Beaupré, 13760 Saint-Cannat, tél. 04.42.57.33.59, fax 04.42.57.27.90 r.-v.

CH. DE CALAVON 1999*

10 ha 10 600 5à8€

Cet ancien vignoble est implanté sur le terroir des princes d'Orange, à Lambesc, seconde capitale de la Provence. 70 % de carignan et 30 % de grenache composent un vin au fort caractère méridional. Une belle vendange longuement macérée a donné naissance à un rouge dense à l'œil, harmonieux dans ses évocations de fruits noirs (cassis), de fleurs et d'épice. L'équilibre réussi autorise une garde de deux ou trois ans avant de servir cette bouteille avec une daube provençale. (30 à 49 F)

Michel Audibert, Ch. de Calavon, BP 4, 13410 Lambesc, tél. 04.42.21.64.19, fax 04.42.21.56.84, e-mail chateaudecalavon@club-internet.fr t.l.j. sf dim. 9h-12h 15h30-18h

CH. CALISSANNE Cuvée Prestige 1999*

8 ha 30 000 5à8€

En vous rendant à Calissanne, vous serez séduit à la fois par le mystère du lieu et l'harmonie du château datant du XVIIᵉs. Dans cette propriété parsemée d'essences méditerranéennes, abri naturel des perdreaux et des sangliers, la garrigue et la vigne sculptent un somptueux terroir exalté par le soleil. Ce vin grenat sombre transcrit le paysage dans une palette de cassis, de tabac brun et de cacao. Bien construit, il peut déjà être apprécié ou être attendu deux ou trois ans. La **cuvée du Château rouge 2000** est citée, à l'instar du **Clos Victoire blanc 2000 (70 à 99 F)**, une curiosité - 2 500 bouteilles - issue à 75 % de clairette et qui demandera un peu de temps pour s'harmoniser. (30 à 49 F)

Ch. Calissanne, RD 10, 13680 Lançon-de-Provence, tél. 04.90.42.63.03, fax 04.90.42.40.00, e-mail calissan@club-internet.fr

Compass et AXA

DOM. CAMAISSETTE 2000

2,5 ha 13 300 5à8€

Situé en bordure de la voie Aurélienne, ce domaine de 23 ha trouve son épicentre dans une maison typique de l'architecture provençale rurale du XVIIᵉs. Pourtant, son rosé semble résolument tourné vers la modernité. Les arômes amyliques (bonbon anglais) sont perceptibles d'emblée, tandis que la bouche repose sur une vivacité marquée. (30 à 49 F)

Michelle Nasles, Dom. de Camaïssette, 13510 Eguilles, tél. 04.42.92.57.55, fax 04.42.28.21.26, e-mail michelle.nasles@wanadoo.fr t.l.j. sf dim. 9h30-12h 14h30-18h30

COMMANDERIE DE LA BARGEMONE Cuvée Tournebride 1998*

2 ha 6 000 5à8€

Edifiée au XIIIᵉs., la Commanderie était un lieu de retraite pour les templiers de retour de Terre Sainte. Après avoir appartenu à M. Bargemon, à qui elle doit son nom, elle devint propriété de Jean-Pierre Rozan en 1968. Trente ans plus tard, celui-ci propose un vin évocateur de réglisse et de garrigue à l'olfaction. La bouche, bien structurée et concentrée, fait la part belle aux arômes de violette. Un 98 déjà agréable, mais apte à une garde de trois ans. (30 à 49 F)

Jean-Pierre Rozan, SCMM DEP Agricole, La Bargemone, RN 7, 13760 Saint-Cannat, tél. 04.42.57.22.44, fax 04.42.57.26.39 r.-v.

DOM. D'EOLE Cuvée Léa 1999**

5 ha 13 000 11à15€

Ce vignoble poursuit sa conversion en agriculture biologique débutée en 1997 ; le rendement est maintenu à un niveau faible de 23 hl/ha, ce qui explique la richesse de ce vin issu à parts égales de grenache et de syrah. Pourpre foncé, animé de reflets violets, ce 99 décline des arômes de cacao, de tabac, d'épices et de pruneau, puis il livre une matière ample, soutenue par des tanins soyeux qui traduisent l'osmose entre le bois et le vin. La longue finale fait écho aux notes de pruneau. Le **rosé 2000 du domaine**

(30 à 49 F) ne compte pas moins de six cépages dans son assemblage ; le jury lui décerne une étoile pour son équilibre et ses savoureuses notes de poire et d'ananas. (70 à 99 F)

EARL Dom. d'Eole, rte de Mouries, D 24, 13810 Eygalières, tél. 04.90.95.93.70, fax 04.90.95.99.85, e-mail domaine@domainedeole.com t.l.j. 8h30-12h30 13h30-17h30; sam. dim. sur r.-v.

C. Raimont

CH. DES GAVELLES 2000

11 ha 25 000 5 à 8 €

En provençal, des gavelles sont des sarments de vigne. Ce domaine de près de 27 ha entretient sa vocation viticole depuis qu'au XVII[e]s. une ferme aux belles caves voûtées fut construite au pied du Castelas, l'ancienne demeure des archevêques d'Aix. Le rosé 2000, de teinte soutenue, décline longuement sa gamme fruitée à l'olfaction comme en rétro-olfaction. Son gras laisse une impression d'onctuosité au palais. (30 à 49 F)

Ch. des Gavelles, 165, chem. de Maliverny, 13540 Puyricard, tél. 04.42.92.06.83, fax 04.42.92.24.12, e-mail mail@chateaudesgavelles.com t.l.j. 9h30-12h30 15h-19h; dim. 9h30-12h30

De Roany

DOM. DES GLAUGES 1999

8 ha 40 000 5 à 8 €

Entre Crau et Alpilles, ce domaine étend ses 42 ha de vignes dans un beau vallon. Une nouvelle société a été créée en mars 2000 et poursuit son projet de restructuration. Le 99, rouge rubis, fait la part belle à la syrah (60 %) en laissant s'exprimer des notes animales accompagnées d'arômes de fruits rouges. Equilibré, il est prêt à boire. (30 à 49 F)

SAS Glauges des Alpilles, voie d'Aureille, BP 17, 13430 Eyguières, tél. 04.90.59.81.45, fax 04.90.57.83.19, e-mail glauges@wanadoo.fr r.-v.

CH. GRAND SEUIL 1999*

5 ha 17 000 11 à 15 €

Sur les flancs de la Trévaresse, le château du Seuil (XIIe et XVII[e]s.) et son domaine témoignent d'une époque où les notables du parlement d'Aix aimaient à retrouver dans leur résidence d'été la sérénité de la campagne : frondaison de grands cèdres, fraîcheur des bassins, plantation d'oliviers, d'amandiers et de vignes. Aujourd'hui, le jury en apprécie les vins. Ce rouge possède un nez élégant d'épices, de fleurs et de fruits rouges. Puissant sans excès, il bénéficie de tanins soyeux qui le rendent déjà plaisant. Le **Château Grand Seuil blanc 2000**, élevé onze mois en fût, mérite également une étoile : il laisse le doux souvenir d'arômes de vanille et d'amande. Enfin le **Château du Seuil rosé 2000 (30 à 49 F)** est cité. (70 à 99 F)

Philippe et Janine Carreau-Gaschereau, Ch. du Seuil, 13540 Puyricard, tél. 04.42.92.15.00, fax 04.42.28.05.00 t.l.j. 9h-12h 14h-18h

CH. LA BOUGERELLE 1999*

2 ha 5 000 5 à 8 €

Ce vignoble fut créé au XVIII[e]s., lorsque monseigneur de Vintimille se fit construire ici une propriété. Depuis longtemps lié à la famille Granier, il couvre aujourd'hui 25 ha. Une majorité de cabernet alliée à 25 % de syrah compose ce vin très intense dont le nez élégant et complexe évoque les fleurs, les fruits rouges, le pruneau soulignés de pointes épicées et mentholées. La bouche s'inscrit entre fraîcheur et puissance, avec une note animale ; les tanins soyeux mais encore présents laissent augurer un bon potentiel. (30 à 49 F)

EARL Ch. La Bougerelle, 1360, rte de Berre, Les Granettes, 13090 Aix-en-Provence, tél. 04.42.20.18.95, fax 04.42.20.18.95 t.l.j. sf dim.10h-19h (9h-19h l'été)

Granier

DOM. LA CADENIERE 2000*

3,45 ha 26 600 3 à 5 €

Non loin du village médiéval de Lançon-de-Provence et de son château, ce domaine a porté sa superficie viticole à 56 ha après l'acquisition de vignes au pied des Alpilles en 1985. Son rosé a retenu l'attention du jury par sa souplesse et sa fraîcheur. Amylique à souhait, il se complète d'une ligne fruitée et légèrement mentholée. (20 à 29 F)

Tobias Frères, Dom. la Cadenière, 13680 Lançon-de-Provence, tél. 04.90.42.82.56, fax 04.90.42.82.56 t.l.j. sf dim. lun. 8h30-11h30 14h30-19h

CH. DE LA GAUDE 1999

8 ha 10 000 5 à 8 €

Le Château de ma mère, d'après l'œuvre de Marcel Pagnol, fut tourné dans cette bastide du XVIII[e]s., dont le bâtiment et les jardins sont classés monuments historiques. Ce 99, rubis à reflets bleutés, a un tempérament convivial grâce à sa matière souple, empreinte de fruits rouges, qui invite à le déguster lors d'un repas en plein air. (30 à 49 F)

Audibert-Beaufour, Ch. de La Gaude, rte des Pinchinats, 13100 Aix-en-Provence, tél. 04.42.21.64.19, fax 04.42.21.56.84 r.-v.

Beaufour

DOM. DE LA REALTIERE
Cuvée José 1999

3,05 ha 6 300 8 à 11 €

Jean-Louis Michelland, propriétaire de ce domaine depuis 1994 après une longue carrière d'agronome dans le Pacifique Sud, travaille à la reconversion de ses quelque 8 ha de vignes à l'agriculture biologique. Son 99 doit encore s'affiner pendant trois ou quatre ans, car ses tanins très présents masquent aujourd'hui la puissance aromatique du raisin. Mais l'on devine déjà derrière les arômes de cacao, de pruneau et de fruits compotés un profond respect de la matière. (50 à 69 F)

Jean-Louis Michelland, Dom. de La Réaltière, rte de Jouques, 83560 Rians, tél. 04.94.80.32.56, fax 04.94.80.55.70 r.-v.

LE MAGISTRAL DES VIGNERONS 1999

■ 50 ha 120 000 5à8€

La cave de Berre est née en 1998 de la réunion de trois coopératives. Cette cuvée de présentation soignée s'habille d'une robe sombre. Sage, elle est le fruit d'un élevage en barrique bien maîtrisé pendant dix mois. (30 à 49 F)

Les Vignerons de Mistral, av. de Sylvanes, 13130 Berre l'Etang, tél. 04.42.85.40.11, fax 04.42.74.12.55 t.l.j. sf dim. 9h-12h 14h-18h

DOM. LES TOULONS Cuvée Sanlaurey 1998★

■ 2 ha 5 333 5à8€

Cette propriété, dont le corps de ferme date de 1667, fut construite sur les ruines d'une vaste *villa* viticole romaine. Forte de 22 ha, elle a produit un 98 atypique par sa composition : 70 % de cabernet-sauvignon et 30 % de syrah. Des arômes de torréfaction et de fruits noirs émanent de ce vin rouge soutenu. Concentrée, la bouche repose sur des tanins ronds qui autorisent une dégustation d'ici à deux ans. Le **Domaine Les Toulons 2000 rosé (20 à 29 F)**, à base de syrah et de grenache, est cité. (30 à 49 F)

Denis Alibert, Dom. Les Toulons, 83560 Rians, tél. 04.94.80.37.88, fax 04.94.80.57.57 r.-v.

DOM. L'OPPIDUM DES CAUVINS 2000★

■ 12 ha 25 000 3à5€

Situé dans le massif de la Trévaresse, à l'emplacement d'un oppidum romain, ce domaine de 56 ha se voit étoilé pour deux de ses vins. Celui-ci, intense à l'œil, a hérité d'un élevage de douze mois en fût un nez complexe, dominé par le café. Les tanins issus à la fois du cabernet et du bois se manifestent dans une matière chaleureuse et équilibrée, aux arômes de fruits noirs mûrs. Le **blanc 2000**, qui n'a pas connu le bois, obtient la même distinction : pâle à reflets verts, il livre un nez de fleurs, puis une bouche de grande finesse, aux accents de fruits exotiques. Un vin à marier avec des poissons de Méditerranée. (20 à 29 F)

Rémy Ravaute, Dom. l'Oppidum des Cauvins, 13840 Rognes, tél. 04.42.50.13.85, fax 04.42.50.29.40 8h-12h 14h-19h

DOM. DU MAS BLEU 2000

□ 0,8 ha 4 000 5à8€

Le Mas Bleu propose un vin dominé par le sauvignon, dont les fins arômes floraux font tout le charme. Des flaveurs de violette agrémentent ainsi une bouche très ronde. (30 à 49 F)

EARL du Mas Bleu, 6, av. de la Côte Bleue, 13180 Gignac-la-Nerthe, tél. 04.42.30.41.40, fax 04.42.30.32.53 r.-v.

Marie-Claire Rougon

CH. MONTAURONE Cuvée réservée 2000

◪ 40 ha 300 000 3à5€

Le tremblement de terre de 1907 avait entièrement détruit le château du XVIIIe s. Le bâtiment fut reconstruit et le vignoble mené avec pugnacité par une femme pendant un demi-siècle. Aujourd'hui fort de 82 ha, le domaine propose un vin moderne mais respectueux du terroir, issu de 40 % de grenache et d'une quantité égale de syrah, de cabernet-sauvignon et de cinsaut. Si les arômes restent sur les fruits rouges, sans décliner la complexité des cépages, la rondeur due au grenache est perceptible d'emblée. (20 à 29 F)

Pierre Decamps, Ch. Montaurone, 13760 Saint-Cannat, tél. 04.42.57.20.04, fax 04.42.57.32.80 r.-v.

DOM. DES OULLIERES Réserve Louis Charles 1999★★

■ 15 ha 15 000 8à11€

Les années se suivent et se ressemblent parfois... Remarquable dans le millésime 98, cette cuvée l'est tout autant en 99. Ce vin bien construit réussit l'osmose entre la barrique et le raisin. De sa matière complexe, étayée par des tanins soyeux, ressortent le pruneau cuit et les fruits compotés. Un bon potentiel de garde. Notez l'étoile attribuée au **blanc 99 Dame des Ouillères (100 à 149 F)**, issu à 100 % de vermentino et élevé dix mois en fût. (50 à 69 F)

Les Treilles de Cézanne, RN 7, 13410 Lambesc, tél. 04.42.92.83.39, fax 04.42.92.70.83, e-mail contact@oullieres.com r.-v.

CH. PIGOUDET Cuvée La Chapelle 2000★

□ 2 ha 6 000 5à8€

Le château Pigoudet exporte 60 % de sa production au Royaume-Uni et en Allemagne. Si le **Grand rouge 98 (70 à 99 F)**, resté quinze mois sous bois, mérite d'être cité, ce vin blanc mi-rolle mi-sauvignon a davantage séduit par son expression du terroir. A la fois gras et frais, il fait preuve de longueur en bouche et d'élégance. (30 à 49 F)

SCA Ch. Pigoudet, rte de Jouques, 83560 Rians, tél. 04.94.80.31.78, fax 04.94.80.54.25 r.-v.

Schmidt-Rabe

CH. PONT-ROYAL Grande Cuvée 1998

■ n.c. 6 600 5à8€

Les accents de mûre sauvage participent au caractère puissant et austère de ce vin. La bouche présente déjà des qualités par sa charpente, sa tonicité et sa finale. Une bouteille à redécouvrir dans deux ans. (30 à 49 F)

Sylvette Jauffret, Ch. Pont-Royal, 13370 Mallemort, tél. 04.90.57.40.15, fax 04.90.59.12.28, e-mail chateau-pont-royal@mnet.fr t.l.j. sf lun. dim. 9h-12h 15h-18h30

CH. REVELETTE 2000

□ 4 ha 16 000 5à8€

Ce vignoble situé au nord de l'appellation est conduit en agriculture biologique. Son vin révèle la vivacité de l'ugni blanc, cépage très présent dans l'assemblage. Il n'en délaisse pas moins l'influence du rolle qui s'exprime par un caractère floral délicat, et bénéficie du gras apporté par le sauvignon. (30 à 49 F)

PROVENCE

Ch. Revelette, 13490 Jouques,
tél. 04.42.63.75.43, fax 04.42.67.62.04 r.-v.

LES VIGNERONS DU ROY RENE
2000

25 ha 50 000 -3€

La coopérative de Lambesc a fusionné avec celle de Saint-Cannat en 1998 pour devenir l'un des plus importants producteurs de l'AOC. Trois de ses vins sont cités dans cette sélection : Le **Rosé d'un Roy Prestige 2000 (20 à 29 F)**, la **cuvée Jules Reynaud 99 rouge (30 à 49 F)** - du nom du fondateur de la coopérative - et cet autre rosé issu de grenache (70 %) et de cinsaut. Typique, ce dernier est expressif et bien équilibré entre vivacité et alcool. (- 20 F)

Les Vignerons du Roy René, RN 7,
13410 Lambesc, tél. 04.42.57.00.20,
fax 04.42.92.91.52 r.-v.

MAS SAINTE-BERTHE 2000**

4 ha 25 000 5à8€

Geneviève Rolland et ses enfants ont pris la succession de cette propriété de 37 ha au cours de l'année 2000. Est-il encore besoin de présenter Christian Nief, l'œnologue, dont le travail est régulièrement apprécié dans le Guide ? Son 2000 est un vin expressif, aux déclinaisons à la fois végétales, florales (fleurs blanches) et fruitées (pamplemousse, citron vert). La bouche laisse un sentiment de tendresse et persiste étonnamment. (30 à 49 F)

GFA Mas Sainte Berthe, 13520 Les-Baux-de-Provence, tél. 04.90.54.39.01,
fax 04.90.54.46.17 r.-v.

DOM. SAINT-HILAIRE 2000

3 ha 12 000 5à8€

D'abord voué à l'arboriculture et aux cultures maraîchères, ce domaine se tourna résolument vers la vigne en 1973 et s'est progressivement étendu pour parvenir à 57 ha. Finement végétal et à peine fleuri, ce vin porte bien la marque de la clairette (70 %), tout en bénéficiant du support acide de l'ugni blanc. A boire sur une bouillabaisse. (30 à 49 F)

Yves Lapierre, Dom. Saint-Hilaire,
13111 Coudoux,
tél. 04.42.52.02.40, fax 04.42.52.05.45,
e-mail st.hilaire@wanadoo.fr t.l.j. sf dim.
9h-12h 15h-18h30; groupes sur r.-v.

DOM. DE SAINT JULIEN LES VIGNES Cuvée du Château 2000*

12 ha 32 000 5à8€

A 3 km des ruines du château des Grimaldi, bâti à partir de 1657 selon un projet si ambitieux qu'il dut être abandonné cinquante ans plus tard, ce domaine compte 150 ha. Il propose un rosé de repas, tout en rondeur et chaleureux. C'est un vin ensoleillé et élégant par ses arômes fruités aériens, entre fraise et framboise. En **blanc, la cuvée du Château 2000** est citée. (30 à 49 F)

Famille Reggio, SCEA ch. Saint-Julien,
rte du Seuil, 13540 Puyricard,
tél. 04.42.92.10.02, fax 04.42.92.10.74,
e-mail puyricard.st.julien@mageos.com
r.-v.

CH. DE VAUCLAIRE
Vieilli en fût de chêne 2000*

n.c. n.c. 5à8€

De cette propriété familiale depuis 1774 est né un vin original, de pur rolle, élevé sept mois sous bois. Le premier nez très vanillé cède place à l'amande, au litchi, à la banane. La bouche possède du gras et de l'élégance, même si le bois domine encore. Un 2000 à attendre pour laisser à sa matière le temps de s'affirmer et au boisé de se fondre. (30 à 49 F)

Uldaric Sallier, Ch. de Vauclaire,
13650 Meyrargues, tél. 04.42.57.50.14,
fax 04.42.63.47.16 t.l.j. sf dim. 9h-12h
14h-18h

CH. VIGNELAURE 1998**

18 ha 90 000 11à15€

Vignelaure a été créée au milieu des années 1960 par Georges Brunet qui en fit bientôt une propriété phare. Rachetée trente ans plus tard par David O'Brien, elle exporte aujourd'hui 80 % de sa production en Europe, aux Etats-Unis ou au Japon. Bien élevé, ce 98 fait honneur à cette maison. « Un vin noble et racé », souligne un dégustateur. Une touche de réglisse apparaît dans une palette élégamment boisée. La bouche se développe avec soyeux et une expression chaleureuse. Cette bouteille pourra attendre encore pour être appréciée à son optimum.
(70 à 99 F)

Ch. Vignelaure, rte de Jouques,
83560 Rians, tél. 04.94.37.21.10,
fax 04.94.80.53.39,
e-mail david.obrien@wanadoo.fr
t.l.j. 9h30-12h30 14h-18h

CH. VIRANT Tradition 2000*

n.c. 50 000 5à8€

Une cave et un moulin à huile font l'originalité de ce domaine partagé entre 20 ha d'oliviers Salonenque et Aglandau et 106 ha de vignes. A parts rigoureusement égales, le grenache, la syrah et le cabernet composent un vin harmonieux. Au gras apporté par le grenache s'ajoute une palette aromatique persistante qui rend hommage tour à tour à la syrah et au cabernet.
(30 à 49 F)

SCEA Ch. Virant, 13680 Lançon-de-Provence, tél. 04.90.42.44.47, fax 04.90.42.54.81
t.l.j. 7h30-12h 14h-18h30
Robert Cheylan

Les baux-de-provence

Les Alpilles, chaînon le plus occidental des anticlinaux provençaux, est un massif érodé, au relief pittoresque taillé en biseau, fait de calcaires et calcaires marneux du crétacé. C'est le paradis de l'olivier. Le vignoble trouve également dans ce secteur un milieu favorable, sur les dépôts caillouteux très caractéristiques de cette région. Les grèzes litées sont peu épaisses et la fraction fine, dont dépend la réserve hydrique du sol, est importante. Au sein de l'AOC coteaux d'aix-en-provence, ce secteur se distingue par une nuance climatique qui en fait une zone précoce, peu gélive, chaude et plus arrosée (650 mm).

Des règles de production plus affinées (rendement plus bas, densité plus élevée, taille plus restrictive, élevage d'au moins douze mois pour les vins rouges, minimum de 50 % de saignée pour les vins rosés), un encépagement mieux défini reposant sur le couple grenache-syrah, accompagné quelquefois du mourvèdre, sont à la base de la reconnaissance de cette appellation sous-régionale en 1995. Elle est réservée aux vins rouges (80 %) et rosés, et met en valeur un terroir original autour de la citadelle des Baux-de-Provence sur une superficie de 300 ha dont 258 ont été revendiqués pour un volume de 9 252 hl en 2000.

MAS DE GOURGONNIER
Réserve du Mas 1999★

■ 5 ha 20 000 8 à 11 €

En culture biologique depuis 1977, ce mas construit au début du XVIIIe s. produit non seulement du vin, mais aussi de l'huile d'olive. Son 99 s'habille d'une robe sombre, presque noire, qui annonce sa structure imposante. Si le nez est encore timide, la bouche attaque avec franchise avant de poursuivre sur un bon équilibre grâce à des tanins présents mais fins. Sérieux, ce vin mérite d'attendre quatre à cinq ans. (50 à 69 F)

Mme Nicolas Cartier et ses Fils, Mas de Gourgonnier, 13890 Mouriès, tél. 04.90.47.50.45, fax 04.90.47.51.36 t.l.j. 9h-12h 14h-18h; f. dim. en hiver

LA STELE 1999

■ 5,5 ha 29 300 11 à 15 €

Au mas de La Dame, les 58 ha de vignes sont conduits en agriculture biologique. Il en est ainsi de la syrah (60 %) et du cabernet-sauvignon (40 %) qui composent ce vin grenat profond, dont le charme réside dans une bouche franche. Les tanins sont bien présents, mais assez fondus pour laisser apparaître le fruit en finale. A attendre deux à trois ans. (70 à 99 F)

Mas de La Dame, RD 5, 13520 Les Baux-de-Provence, tél. 04.90.54.32.24, fax 04.90.54.40.67, e-mail masdeladame@masdeladame.com t.l.j. 8h30-19h30

A. Poniatowski, C. Missoffe

CH. ROMANIN 1999★★

■ 31 ha 48 000 11 à 15 €

Ce domaine de 57 ha conduit en biodynamie a été créé en 1988, lorsque Colette et Jean-Pierre Peyraud se sont associés à Jean-André Charial, propriétaire d'un restaurant gastronomique aux Baux-de-Provence. Il propose le meilleur vin rouge dans le millésime 99, selon un dégustateur. En effet, cette cuvée, issue de raisins très mûrs, exprime avec puissance une profusion d'arômes de réglisse et de fruits noirs (cassis, myrtille). La bouche pleine bénéficie de tanins fondus et d'une finale fruitée élégante. Le **rosé 2000 (50 à 69 F)** mérite d'être cité pour ses arômes fruités-floraux et sa bouche à la fois ronde et fraîche. (70 à 99 F)

SCEA Ch. Romanin, 13210 Saint-Rémy-de-Provence, tél. 04.90.92.45.87, fax 04.90.92.24.36 r.-v.

MAS SAINTE BERTHE
Cuvée Passe-Rose 2000★

9 ha 53 000 8 à 11 €

Un joli rosé riche de fines senteurs fruitées, comme le brugnon ou le cassis. En bouche, le cassis se mêle à la framboise dans un ensemble élégant, rond et long. La **cuvée Louis David rouge 99** est également très réussie par sa fraîcheur agréable, ses flaveurs de raisin écrasé et sa finale poivrée : elle mérite de vieillir pour acquérir de la complexité. Enfin, la **cuvée Tradition rouge 99**, qui n'a pas connu le bois, est citée. Plus simple, elle pourra être dégustée dès aujourd'hui. (50 à 69 F)

GFA Mas Sainte-Berthe, 13520 Les Baux-de-Provence, tél. 04.90.54.39.01, fax 04.90.54.46.17 r.-v.

Rolland

L'alcool assure corps et rondeur au vin ; l'acidité lui donne l'attaque et la nervosité ; les tanins lui procurent structure et charpente.

PROVENCE

Coteaux varois

Les coteaux varois sont produits au centre du département, autour de Brignoles. Les vins, à boire jeunes, sont friands, gais et tendres, à l'image de cette jolie petite ville provençale qui fut résidence d'été des comtes de Provence. Ils ont été reconnus en AOC par décret du 26 mars 1993 et recouvrent 1 740 ha ; rosés, rouges et blancs se partagent les 88 613 hl de l'AOC déclarés en 2000.

DOM. DES ALYSSES
Cuvée Angélique 1999★★

■ 7 ha 20 000 5à8€

Une entrée dans le Guide presque triomphale pour ce domaine, conduit en culture biologique depuis sa création en 1977. Cette cuvée de teinte profonde ne manque pas d'élégance. Le nez révèle une complexité naissante dans ses expressions de fruits rouges mûrs, ses notes poivrées et minérales qui se libèrent à l'aération. La bouche concentrée possède suffisamment de chair pour enrober des tanins présents mais fins. Expressive, elle s'étire dans une longue finale savoureuse. Un vin à déguster dans les deux ans à venir, sur un canard aux pruneaux. (30 à 49 F)

Dom. des Alysses, Le Bas Deffens, 83670 Pontevès, tél. 04.94.77.10.36, fax 04.94.77.11.64 t.l.j. 8h-19h

DOM. DES ANNIBALS 1998★

■ 4,77 ha 4 400 5à8€

Bernard et Nathalie Coquelle viennent d'acquérir ce domaine conduit en agriculture biologique. Dans leur caveau de dégustation, dont la construction date du XVIIIe s., vous découvrirez ce 98, encore signé Alain Bellon. Le vin exprime une palette variée et harmonieuse : fumée, épices, fruits, menthol. Volumineux, il est bâti autour de tanins encore jeunes qui se fondront au cours d'une garde de deux ans. (30 à 49 F)

Nathalie Coquelle, SCEA Dom. des Annibals, rte de Bras, 83170 Brignoles, tél. 04.94.69.30.36, fax 04.94.69.50.70, e-mail bernard.coquelle@wanadoo.fr t.l.j. 9h-19h

CH. DE CANCERILLES
Cuvée spéciale 1998

■ 1,5 ha 8 000 5à8€

Ce château, situé dans les collines boisées de Montrieux, était jadis occupé par les moines de la chartreuse de Montrieux : ses caves en sont l'héritage. Elles ont accueilli ce 98 rouge soutenu, marqué en début de dégustation par la truffe et les épices. La bouche, souple à l'attaque, repose sur des tanins en relief qui soutiennent une finale fruitée. Un vin à conserver entre trois et cinq ans. (30 à 49 F)

Chantal et Serge Garcia, Ch. de Cancerilles, vallée du Gapeau, 83870 Signes, tél. 04.94.90.83.93, fax 04.94.90.83.93 t.l.j. 10h-19h; f. le lun. d'oct. à mars

CH. DES CHABERTS
Cuvée Prestige 2000★★★

◪ n.c. 13 000 5à8€

Une cuvée Prestige et prestigieuse... Le bel équilibre entre la vivacité et le gras est mis en valeur par la puissance aromatique : une corbeille d'agrumes aussi perceptible à l'olfaction qu'en rétro-olfaction. Un rosé de gastronomie. Le **blanc cuvée Prestige 2000** brille de deux étoiles : de teinte lumineuse, de structure souple et ronde, il offre sans retenue ses parfums fruités. Le **rouge cuvée Prestige 99**, typique de l'appellation, obtient une étoile : il saura attendre un ou deux ans. (30 à 49 F)

SCI Ch. des Chaberts, 83136 Garéoult, tél. 04.94.04.92.05, fax 04.94.04.00.97, e-mail chaberts@wanadoo.fr t.l.j. 9h-12h 14h-19h; dim. sur r.-v.

DOM. DE CLAPIERS 2000★

□ 1,03 ha 6 500 5à8€

Ce domaine, de près de 59 ha, a été créé sur le site d'une ancienne cave coopérative. Il propose un vin issu à 75 % de rolle, typique de l'appellation. Floral au nez, ce 2000 s'arrondit généreusement en bouche en préservant sa finesse aromatique. Sa finale est cependant envoûtante par ses évocations chaleureuses. Tout aussi harmonieux et plein de gaieté, le **rosé 2000** (à majorité de grenache) s'habille de rose pêche. Pour son équilibre et ses arômes frais, il mérite une étoile. (30 à 49 F)

Pierre Burel, Dom. de Clapiers, rte de Saint-Maximin, 83149 Bras, tél. 04.94.69.95.46, fax 04.94.69.99.36, e-mail clapiers@wanadoo.fr t.l.j. sf dim. 9h-12h 14h-18h

DOM. DU DEFFENDS
Clos de la Truffière 1999

■ 6 ha 25 000 8à11€

Implanté en bordure des monts Auréliens, le Clos de La Truffière a produit un assemblage de syrah et de cabernet-sauvignon. Grenat intense à reflets violacés, le vin traduit sa jeunesse par des arômes de cassis et de bourgeon de cassis.

La bouche, agréablement souple, bénéficie de tanins bien présents ; les flaveurs d'épices légèrement mentholées composent une finale fraîche. Cette bouteille peut attendre quelques années. (50 à 69 F)

J.-S. de Lanversin, Dom. du Deffends, 83470 Saint-Maximin, tél. 04.94.78.03.91, fax 04.94.59.42.69, e-mail deffends@terre-net.fr t.l.j. 9h-12h 15h-18h

CH. DUVIVIER Les Mûriers 1999*

3,5 ha 17 000 11 à 15 €

Depuis bientôt dix ans, ce domaine de 30 ha est conduit en culture biologique. Cette cuvée a été élevée exclusivement sous bois (mi-foudre mi-barrique), ce qui se traduit par une matière certes belle, mais encore marquée par des tanins intenses. Le bouquet naissant évoque la poire et la vanille. Laissez à ce vin le temps de s'affiner : trois ans de garde lui seront bénéfiques. (70 à 99 F)

SCEA Ch. Duvivier, La Genevrière, rte de Draguignan, 83670 Pontevès, tél. 04.94.77.02.96, fax 04.94.77.26.66, e-mail antoine.kaufmann@delinat.com r.-v.

DOM. FONTLADE Cuvée Saint-Quinis 2000*

4 ha 7 000 5 à 8 €

Fuoant-Lado ou « fontaine large ». Frédéric Mistral cite ce nom dans le *Trésor du Félibrige.* Fontlade fut aussi dès le début du Moyen Age un poste de péage sur la voie Aurélienne, puis la propriété des moines de Saint-Victor. Aujourd'hui, il se distingue par ses vins, tel ce 2000 harmonieux et fleuri qui accompagnera la cuisine provençale. (30 à 49 F)

SCEA Baronne Philippe de Montremy, Dom. de Fontlade, 83170 Brignoles, tél. 04.94.59.24.34, fax 04.94.72.02.88 r.-v.

DOM. DE GARBELLE 2000*

3 ha 10 000 3 à 5 €

Ancienne colonie agricole romaine, Garéoult s'inscrit aujourd'hui au cœur des vignes dans la vallée de l'Issole. Ce domaine y a produit un vin sensuel et rond, vêtu d'une robe à peine rosée. Un soupçon de fleur, une touche de fruit... L'expression aromatique est fine. Le **rouge 99 (30 à 49 F)** mérite une citation : élevé en fût, il devra vieillir encore un peu dans votre cave. (20 à 29 F)

Gambini, Dom. de Garbelle, Vieux chemin de Brignoles, 83136 Garéoult, tél. 04.94.04.86.30, fax 04.94.04.86.30 t.l.j. 8h30-12h 14h-18h30

DOM. LA BASTIDE DES OLIVIERS 2000

n.c. 15 000 5 à 8 €

Patrick Mourlan, issu d'une famille de vignerons, signe sa première vinification en 2000. Rouge cerise à reflets violacés, son vin présente une vivacité juvénile tout en révélant d'ores et déjà des arômes de fruits à l'eau-de-vie et des nuances animales. Les tanins sont certes encore présents, mais autorisent une dégustation dans les deux ans à venir. (30 à 49 F)

Patrick Mourlan, 1011, chem. Louis-Blériot, 83136 Garéoult, tél. 04.94.04.03.11, fax 04.94.04.03.11 r.-v.

CH. LA CALISSE 2000**

1 ha 5 000 8 à 11 €

Dans cette ancienne magnanerie reconvertie en vignoble, Patricia Ortelli produit non seulement du vin mais aussi du lavandin et de l'huile d'olive. Son 2000, lumineux, possède une élégante ligne aromatique dans le registre floral (genêt, œillet). La bouche franche s'arrondit tout en préservant sa fraîcheur aromatique. Le **rouge 2000**, cité, bénéficie d'une charpente équilibrée. Evocateur de violette et de réglisse, il est déjà plaisant. (50 à 69 F)

Patricia Ortelli, Ch. La Calisse, 83670 Pontevès, tél. 04.93.99.11.01, fax 04.93.99.06.10 t.l.j. 9h-19h

CH. LAFOUX Cuvée Prestige 2000*

1 ha 3 000 5 à 8 €

L'année 2000 marque un renouveau pour ce domaine qui change de propriétaire et de nom (anciennement domaine du Boulon). Elle est aussi celle de la réussite puisque le **rosé 2000**, frais et gras à la fois, ainsi que ce vin blanc obtiennent une étoile. Ce dernier flatte les sens par sa matière goûteuse et sa continuité aromatique sur les fruits. (30 à 49 F)

SCEA Genevois, Ch. Lafoux, RN 7, 83170 Tourves, tél. 04.94.78.77.86

DOM. DE LA GAYOLLE Syagria 1999*

0,5 ha 2 500 5 à 8 €

Sur l'étiquette de ce vin, dont la production est confidentielle, figure une représentation du sarcophage de la chapelle de La Gayolle du IIe s. Voici un coteaux varois aux arômes de fruits rouges mûrs, nuancés de notes vanillées et épicées héritées d'un élevage en fût de douze mois. La bouche ronde et charnue s'oriente vers une finale fraîche dans ses évocations fruitées et boisées. Un vin typique de son terroir et bien élevé, à déguster dans deux à trois ans. (30 à 49 F)

Jacques Paul, RN 7, 83170 Brignoles, tél. 04.94.59.10.88, fax 04.94.72.04.34, e-mail gayolle@wanadoo.fr r.-v.

DOM. LA ROSE DES VENTS 2000**

8,5 ha 50 000 5 à 8 €

Jean-Louis Baude et son fils, Gilles, travaillent ensemble depuis 1994. En 2000, un troisième associé, Thierry Josselin, s'est joint à eux. Leur Rose des Vents, délicat dans sa robe pâle, est volumineux et rond, empreint de longs arômes exotiques. Ce coteaux varois 2000 était en lice au grand jury des coups de cœur. (30 à 49 F)

EARL Baude, Dom. La Rose des Vents, rte de Toulon, 83136 La Roquebrussanne, tél. 04.94.86.99.28, fax 04.94.86.91.75, e-mail rose.des.vents@infonie.fr t.l.j. sf dim. lun. 9h-12h 14h-18h

LES ABEILLONS DE TOURTOUR 1999**

■ 2,6 ha 16 000 8 à 11 €

Le village de Villecroze (« ville creuse ») doit probablement son nom aux grottes percées dans une impressionnante falaise de tuf. A l'influence romaine se sont conjuguées celles des moines de Saint-Victor de Marseille, puis des Templiers. Ici, il est un domaine viticole bien connu des lecteurs du Guide qui se souviennent du millésime 97 coup de cœur. Le 99 est un vin sombre, au bouquet à la fois sauvage (cuir, animal) et délicat (fruits rouges, épices). La bouche charnue s'exprime avec puissance et caractère jusqu'à une longue finale sur les épices et les fruits rouges compotés. Un plaisir pour aujourd'hui comme pour les trois prochaines années. (50 à 69 F)

SCEA Les Abeillons, 83690 Villecroze, tél. 04.94.70.63.02, fax 04.94.70.67.03 r.-v.
Croquet

LES TERRES DE SAINT-LOUIS 2000**

◪ 74,6 ha 347 000 -3 €

Cette union de coopératives obtient deux distinctions. Le **domaine Le Gavelier rosé 2000** mérite une étoile pour sa présentation irréprochable, sa bouche structurée et chaleureuse. Cette autre cuvée rosée, de teinte plus pâle, est particulièrement odorante. Harmonieuse et généreuse, elle décline ses arômes de manière persistante en bouche. Un excellent rapport qualité-prix. (– 20 F)

Le Cellier de Saint-Louis, ZI Les Consacs, 83170 Brignoles, tél. 04.94.37.21.00, fax 04.94.59.14.84, e-mail cellier-saintlouis@wanadoo.fr r.-v.

DOM. DU LOOU 1998

■ 8 ha 26 000 5 à 8 €

Joliment rubis, ce vin libère un nez floral, souligné de touches d'amande amère et de menthol. La bouche, ample à l'attaque, repose sur une charpente équilibrée ; elle évoque davantage les fruits cuits. A boire dès aujourd'hui. (30 à 49 F)

SCEA Di Placido, dom. du Loou, 83136 La Roquebrussanne, tél. 04.94.86.94.97, fax 04.94.86.80.11 r.-v.

CH. MIRAVAL 2000**

□ 4 ha n.c. 5 à 8 €

Ce domaine est implanté sur la commune du Val, ancien village inscrit dans la vallée de la Ribeirotte. Récolté en légère surmaturité, le rolle s'exprime dans un vin de teinte franche, dont le nez frais s'ouvre généreusement. La bouche expressive et ronde perdure sur de longs arômes fruités. Flatteur, ce vin sera agréable de l'apéritif au dessert. (30 à 49 F)

SA Ch. Miraval, 83143 Le Val, tél. 04.94.86.39.33, fax 04.94.86.46.79 r.-v.

DOM. DE RAMATUELLE 2000*

◪ 5 ha 35 000 3 à 5 €

Le nom de Ramatuelle viendrait de l'arabe *Ramat Allah*, « le bienfait de Dieu ». Les Maures auraient ainsi baptisé le lieu lorsqu'ils s'y installèrent aux VIIe et VIII^e^s. Des bienfaits, le millésime 2000 en a offert à ce vignoble de 30 ha. Ce vin rose franc, expressif, possède tout le gras et le fruité requis. Il formera un bel accord avec une grillade et un gratin niçois. Le **rouge 99**, de nature plus sauvage, se mariera à une daube. Il est cité. (20 à 29 F)

Bruno Latil, Dom. de Ramatuelle, Les Gaëtans, 83170 Brignoles, tél. 04.94.69.10.61, fax 04.94.69.51.41 r.-v.

CH. ROUTAS Pyramus 2000*

□ 4 ha 20 000 5 à 8 €

Cette cuvée s'inscrit dans une production tournée à 75 % vers l'export, et notamment vers les Etats-Unis, le Royaume-Uni et l'Allemagne. Plus expressive en bouche qu'au nez, elle se développe avec rondeur et intègre harmonieusement un boisé délicat. La **cuvée Infernet rouge 99** est également très réussie grâce à un élevage sous bois maîtrisé : ses tanins finiront de s'affiner au cours d'une garde de deux ans. (30 à 49 F)

SARL Rouvière-Plane, 83149 Châteauvert, tél. 04.94.69.93.92, fax 04.94.69.93.61, e-mail rouviere.plane@wanadoo.fr r.-v.

DOM. DE SAINT-JEAN LE VIEUX 1999*

■ 3 ha 15 000 3 à 5 €

Le domaine se situe à la sortie de Saint-Maximin vers Bras. Le bourg est connu pour sa basilique aux trésors inestimables, parmi lesquels son orgue monumental, et pour son festival de musique. Ce vin, souple dès l'attaque, bénéficie d'une structure harmonieuse. De sa matière agréable émanent des flaveurs un peu fauves, fumées et fruitées. Un 99 prêt à boire. De teinte très pâle, le **rosé 2000**, cité, rappelle les fruits frais sur un fond chaleureux et rond. (20 à 29 F)

GAEC Dom. Saint-Jean-le-Vieux, rte de Bras, 83470 Saint-Maximin, tél. 04.94.59.77.59, fax 04.94.59.73.35 r.-v.

CH. SAINT-JULIEN 2000

◪ 2 ha 13 000 5 à 8 €

Depuis deux ans, ce producteur procède à une rénovation complète de sa cave ; tout devrait être prêt pour les prochaines vendanges. S'il est pâle en couleur, ce rosé livre de généreux arômes amyliques et des nuances muscatées. Sa rondeur est marquée. (30 à 49 F)

EARL Dom. Saint-Julien, rte de Tourves, 83170 La Celle, tél. 04.94.59.26.10, fax 04.94.59.26.10 ☑ Y t.l.j. sf dim. 8h-12h 14h-18h
M. Garassin

DOM. DE VALCOLOMBE 1999*

■ 2 ha 13 460 5à8€

Ne soyez pas surpris si, à l'approche des vendanges, une clôture électrique entoure les vignes. Dans cette région du haut Var, les sangliers sont gourmands de raisin. Les vins de Pierre et Marie Léonetti, deux médecins, sont des classiques dans l'appellation. Celui-ci bénéficie de beaux tanins inscrits dans une structure assez souple. L'ensemble est parfumé, original même par ses notes de garrigue, ses accents minéraux et fruités. (30 à 49 F)

Dom. de Valcolombe, chem. des Espèces, 83690 Villecroze, tél. 04.94.67.57.16, fax 04.94.67.57.16 ☑ Y t.l.j. sf mar. ven. dim. 10h-12h 15h-18h30
Léonetti

La Corse

Une montagne dans la mer : la définition traditionnelle de la Corse est aussi pertinente en matière de vins que pour mettre en évidence ses attraits touristiques. La topographie est en effet très tourmentée dans toute l'île, et même l'étendue que l'on appelle la côte orientale - et qui, sur le continent, prendrait sans doute le nom de costière - est loin d'être dénuée de relief. Cette multiplication des pentes et des coteaux, inondés le plus souvent de soleil mais maintenus dans une relative humidité par l'influence maritime, les précipitations et le couvert végétal, explique que la vigne soit présente à peu près partout. Seule l'altitude en limite l'implantation.

Le relief et les modulations climatiques qu'il entraine s'associent à trois grands types de sols pour caractériser la production vinicole, dont la majeure partie est constituée de vins de pays et de vins de table. Le plus répandu des sols est d'origine granitique ; c'est celui de la quasi-totalité du sud et de l'ouest de l'île. Au nord-est se rencontrent des sols de schistes, et, entre ces deux zones, existe un petit secteur de sols calcaires.

Associés à des cépages importés, on trouve en Corse des cépages spécifiques d'une originalité certaine, en particulier le niellucciu, au caractère tannique dominant et qui excelle sur le calcaire. Le sciacarellu, lui, présente plus de fruité et donne des vins que l'on apprécie davantage dans leur jeunesse. En blanc, le malvasia (vermentinu ou malvoisie) est, semble-t-il, apte à produire les meilleurs vins des rivages méditerranéens. En 2000, les superficies revendiquées en AOC ont été de 2 541 ha qui ont produit 110 044 hl.

En règle générale, on consommera plutôt jeunes les blancs et surtout les rosés ; ils iront très bien sur tous les produits de la mer et avec les excellents fromages de chèvre du pays, ainsi qu'avec le brocciu. Les rouges, eux, conviendront, selon leur âge et la vigueur de leurs tanins, aux différentes préparations de viande et, bien sûr, à tous les fromages de brebis.

CORSE

Vins de corse

Les vignobles de l'appellation vins de corse couvrent une superficie de 1 954 ha. Selon les régions et les domaines, les proportions respectives des différents cépages ajoutées aux variétés des sols apportent des tonalités diverses qui, dans la plupart des cas, justifient une indication spécifique de la sous-région dont le nom peut être associé à l'appellation (Coteaux du Cap Corse, Calvi, Figari, Porto-Vecchio, Sartène). Ces vins peuvent en effet être produits partout, excepté dans l'aire de Patrimonio. La majeure partie des 87 050 hl vinifiés est issue de la côte orientale, où les coopératives sont nombreuses.

DOM. D'ALZIPRATU

Calvi Cuvée Fiumeseccu 1999

■ 5 ha 25 000 5à8€

Le domaine d'Alzipratu cultive 31 ha de vignes autour de Zilia, en Haute-Corse. Niellucciu et sciacarellu s'associent pour produire un vin grenat dont les arômes de sous-bois se manifestent au nez comme en bouche. Cette cuvée est prête à boire. (30 à 49 F)

Pierre Acquaviva, 20214 Zilia, tél. 04.95.62.75.47, fax 04.95.60.32.16 t.l.j. sf dim. 8h-12h 14h-19h

JEAN-BERNARDIN CASABIANCA

Centenaire du fondateur 1999*

■ 10 ha 65 000 3à5€

La famille Casabianca est à la tête d'un des plus grands vignobles de la côte orientale (310 ha) ; l'encépagement y est ainsi très varié. Cette cuvée « centenaire », qui rend hommage au fondateur du domaine, annonce sa puissance dès l'olfaction, par des arômes de fruits rouges et d'épices. Elle présente en bouche beaucoup de longueur. Le **vin de corse rouge 99** classique du domaine est également très réussi et bien typé niellucciu. Il est tout aussi apte au vieillissement que le premier. Quant au **Domaine Casabianca blanc 2000**, il obtient une citation. (20 à 29 F)

Jean-Bernardin Casabianca, 20230 Bravone, tél. 04.95.38.81.91, fax 04.95.38.81.91 r.-v.

CASONE 2000**

◪ 40 ha 250 000 3à5€

Sélection haut de gamme de la cave Saint-Antoine à Ghisonaccia, ce vin était en course pour le coup de cœur 2002. Rose clair et brillant, il séduit par sa palette composée de fleurs blanches et d'arômes empruntés au maquis, comme la bruyère. La bouche est légère mais très longue pour garantir le plaisir. Voici une bouteille à servir sur un plat de charcuterie corse ou sur un bouquet de crevettes. Elle se suffit également à elle-même. (20 à 29 F)

Coop. de Saint-Antoine, 20240 Ghisonaccia, tél. 04.95.56.61.00, fax 04.95.56.61.60 r.-v.

CORSICAN 2000*

◪ 50 ha 100 000 -3€

Issu à 90 % de sciacarellu soigneusement vinifié, ce vin rosé s'ouvre sur d'élégantes notes fruitées et épicées. Les caractéristiques du cépage apparaissent en bouche à travers une vivacité assez marquée et une certaine longueur. Un rosé à servir sur un tartare de saumon à l'oseille. Le **Corsican rouge 99** est également très réussi : rubis nuancé de quelques reflets dus à l'évolution, il exprime des arômes de fruits rouges et des notes animales. Il mérite d'être redécouvert en 2003. Autre sélection de la Marana, le **Terra Nostra 99 (20 à 29 F)** est un vin rouge de niellucciu tout en légèreté. Le jury lui accorde une citation. (– 20 F)

SICA Uval, Rasignani, 20290 Borgo, tél. 04.95.58.44.00, fax 04.95.38.38.10, e-mail uval.sica@wanadoo.fr t.l.j. 9h-12h 15h-19h

CLOS CULOMBU

Calvi Cuvée Prestige 1999*

■ 10 ha 35 000 5à8€

Etienne Suzzoni, toujours accueillant, dispose d'un beau terroir d'arênes granitiques. Son 99 se développe en souplesse sur de longs arômes grillés et vanillés. Le dégustateur perçoit une grande expression. A noter les qualités des **vins de corse Calvi blanc** et **rosé 2000**, cités par le jury. L'un est encore un peu timide mais devrait bientôt se révéler ; l'autre décline déjà des arômes floraux. (30 à 49 F)

Etienne Suzzoni, Clos Culombu, chem. San-Pedru, 20260 Lumio, tél. 04.95.60.70.68, fax 04.95.60.63.46, e-mail culombu.suzzoni@wanadoo.fr t.l.j. 9h-12h 15h-20h

DOM. FILIPPI 1999*

■ 30 ha 40 000 5à8€

Coup de cœur l'an dernier pour le millésime précédent, Toussaint Filippi possède un vignoble non loin de la mer à Linguizzetta. Syrah et mourvèdre soutiennent le niellucciu pour produire un vin puissant, très aromatique dans ses expressions de fruits rouges, de cuir et de café. La bouche fait écho aux notes torréfiées, soutenue par une structure tannique bien fondue. Le **vin de corse rosé 2000** obtient une citation pour sa richesse qui le destine à accompagner tout un repas. (30 à 49 F)

Toussaint Filippi, La Ruche Foncière, Arena, 20215 Venzolasca, tél. 04.95.58.40.80, fax 04.95.36.40.55, e-mail la-ruche-fonciere@wanadoo.fr r.-v.

DOM. DE LA FIGARELLA

Calvi Cuvée Prestige 2000

□ 4 ha 7 500 5à8€

Implanté à Calenzana, riche terroir producteur de vin, de miel et de plantes aromatiques, ce domaine cultive 34 ha. Son 2000 affiche une bonne typicité. Avec ses arômes intenses d'agrumes (pamplemousse) et sa bouche vive, il accompagnera les plats de poisson grillé. (30 à 49 F)

Achille Acquaviva, dom. La Figarella, rte de l'Aéroport, 20214 Calenzana, tél. 04.95.65.07.24, fax 04.95.65.41.58 Y mer. sam. 15h-18h

CLOS LANDRY Calvi 1999

■ 8 ha 32 000 5à8€

Créé en 1900, ce domaine se situe à proximité de l'aéroport de Calvi, et peut donc constituer pour l'amateur venu d'ailleurs une première étape dans la découverte des terroirs corses. A côté de **vins de corse Calvi blanc** et **rosé 2000**, le jury cite ce 99 assez léger, aux arômes de fruits rouges. Croquant en bouche, il mérite d'être dégusté avec une entrecôte, au coin du barbecue. (30 à 49 F)

Fabien et Cathy Paolini, Clos Landry, rte de l'Aéroport, 20260 Calvi, tél. 04.95.65.04.25, fax 04.95.65.37.56, e-mail closlandry@wanadoo.fr Y t.l.j. sf dim. 9h-12h 14h-19h; f. déc.

DOM. MAESTRACCI
Calvi E Prove 1998★★

■ 6 ha 32 000 8à11€

Ce domaine a réussi un beau trio avec sa sélection E Prove. Ce vin élevé en fût est complexe et puissant. Soulignés d'une nuance animale, ses arômes de fruits rouges laissent un long souvenir en rétro-olfaction, en s'inscrivant dans une bouche veloutée. A réserver aux plats de gibier. Le **vin de corse Calvi gris 2000**, composé de sciacarellu, étonne par son côté légèrement épicé au nez et sa gaieté en bouche. Il obtient une étoile. Quant au **blanc 2000**, cité, il traduit bien le vermentinu par ses notes d'agrumes. Sous l'étiquette **Calivi Clos Reginu rosé 2000 (30 à 49 F)**, Michel Raoust présente une jolie bouteille dans la tradition des gris de Calvi. Celle-ci obtient une étoile et sera délicieuse sur un tajine d'agneau corse. (50 à 69 F)

Michel Raoust, Clos Reginu, 20225 Feliceto, tél. 04.95.61.72.11, fax 04.95.61.80.16, e-mail clos.reginu@wanadoo.fr Y été t.l.j. sf dim. 9h-12h 14h-19h30

DOM. DU MONT SAINT-JEAN 2000★★

◪ 27 ha 100 000 3à5€

Ce domaine situé à Campo Quercio, sur la commune d'Aléria, fait son entrée dans le Guide cette année grâce à un rosé de sciacarellu brillant. Quelques notes poivrées se manifestent au nez, tandis que la bouche, minérale et légèrement saline, fait preuve d'une remarquable complexité aromatique. Un vin original, à découvrir sur une assiette d'huîtres, un poisson ou à l'apéritif. Cité par le jury, le **vin corse rouge 1999** semble prometteur. (20 à 29 F)

SCA du Mont Saint-Jean, Campo Quercio, 20270 Aléria, tél. 04.95.38.59.96, fax 04.95.38.50.29, e-mail roger.pouyau@wanadoo.fr
R. Pouyau

CLOS D'ORLEA 2000★★

◪ 30 ha 150 000 5à8€

François Orsucci saura vous intéresser à l'île, à sa région d'Aléria et aux activités festives de Corse. En bon épicurien, il vous fera découvrir ce vin rosé ouvert sur des arômes fruités et longs en bouche, idéal sur une entrée à base de légumes frais. Et pour accompagner une simple viande grillée, le **Clos d'Orléa 1999 rouge** développera ses notes épicées et poivrées, ainsi que sa bouche veloutée. Le jury lui a attribué une étoile. Enfin, le **vin blanc 2000**, cité, viendra se marier au fromage pour conclure un repas sympathique. (30 à 49 F)

François Orsucci, SCEA Le Clos Léa, 20270 Aléria, tél. 04.95.57.13.60, fax 04.95.57.09.64 Y t.l.j. sf sam. dim. 9h-12h 14h-19h

DOM. PERO-LONGO Sartène 2000

□ 2 ha 9 000 5à8€

Le lion de Rocapina, situé non loin du domaine, a eu cette année encore un regard bienveillant pour Pierre Richarme. Ce producteur présente un joli blanc de couleur claire,

La Corse

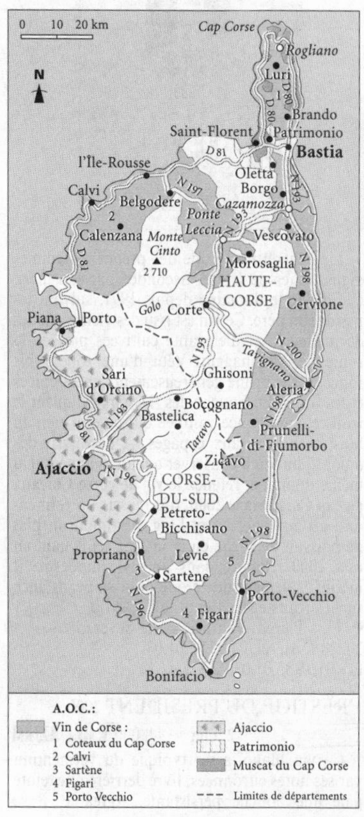

timide au nez, mais à la bouche harmonieuse. Le **rosé**, assez soutenu, exprime généreusement des notes de fruits rouges. Deux vins cités à servir sur des poissons grillés ou des fromages corses de brebis onctueux. (30 à 49 F)

Pierre Richarme, lieu-dit Navara, rte de Bonifacio, 20100 Sartène, tél. 04.95.77.10.74, fax 04.95.77.10.74 r.-v.

DOM. DE PIANA 1999

■ 15 ha n.c. 5à8€

Trois citations récompensent la production de ce domaine, en rouge, en blanc et en rosé. Ce 99, de teinte rubis soutenu, offre des senteurs de fruits rouges. En bouche, il fait preuve de vivacité et de longueur. Légèrement doré, le **vin de corse blanc 2000** décline des arômes citronnés discrets. Son équilibre et sa longueur en font un vin de repas. Le **rosé 2000** sera apprécié à l'apéritif. (30 à 49 F)

Ange Poli, Linguizzetta, 20230 San-Nicolao, tél. 04.95.38.86.38, fax 04.95.38.94.71 r.-v.

DOM. PIERETTI
Coteaux du Cap Corse Sélection Vieilles vignes 1999★★★

■ 2 ha 9 600 5à8€

Lina Pieretti est l'une des premières femmes vigneronnes de Corse. Secondée par son mari, elle dirige le domaine depuis 1991, suivant les pas de son père. Ce vin est issu des vieilles vignes de nielluciu et d'elegante cultivées près de la route de Macinaggio. Vêtu d'une robe rubis foncé, il s'exprime généreusement sur les épices et les fruits. En bouche, les flaveurs évoquent le fruit et une nuance vanillée qui ne doit rien au bois, mais tout aux cépages. A découvrir dès aujourd'hui ou à conserver quelques années. Du même domaine, retenez le **vin de corse Coteaux du cap Corse blanc 2000**, très réussi : un vermentinu aromatique, vif et long, destiné à un plat de poisson de roche en croûte de sel. Quant au **rosé 2000**, élaboré dans un style moderne, il mérite également une étoile pour sa persistance sur les fruits et les fleurs. (30 à 49 F)

Lina Pieretti Venturi, Santa-Severa, 20228 Luri, tél. 04.95.35.01.03, fax 04.95.35.01.03 r.-v.

PRESTIGE DU PRESIDENT 2000

□ 2,5 ha 8 000 5à8€

Ce vin blanc, assez typique du vermentinu par ses notes citronnées, livre derrière une teinte pâle une bouche persistante. Agréable, il se mariera bien avec un poisson ou une viande blanche grillée. Le **vin de corse rouge Président Tradition 98 (20 à 29 F)** mérite également d'être cité, car il présente de la structure en bouche et des arômes intenses d'épices et de sous-bois fumé. Très ouvert, il est à boire en accompagnement d'un figatellu grillé. (30 à 49 F)

Union de Vignerons de L'Ile de Beauté, Cave coop. d'Aléria, 20270 Aléria, tél. 04.95.57.02.48, fax 04.95.57.09.59 r.-v.

DOM. RENUCCI Calvi 2000★★★

◪ 2,3 ha 30 000 5à8€

Ce vin vinifié en partie par saignée est issu en majorité du cépage sciacarellu, complété par le nielluciu et la syrah. Il a impressionné les dégustateurs dès la perception de sa robe saumon clair et de ses arômes de fleurs blanches (acacia, chèvrefeuille). En bouche, l'équilibre se réalise parfaitement entre une attaque vive, une matière empreinte de douceur et des arômes persistants de fruits blancs (pêche et nectarine). Un vin à servir à l'apéritif ou bien en accompagnement d'un plat légèrement épicé ou d'un fromage doux. Le **vin de corse Calvi blanc 2000**, au nez floral et citronné, obtient une citation. (30 à 49 F)

Bernard Renucci, 20225 Feliceto, tél. 04.95.61.71.08, fax 04.95.61.71.08 t.l.j. sf dim. 10h-12h 16h-19h; f. d'oct. à avr.

DOM. SAN'ARMETTO Sartène 2000★

□ 3 ha n.c. 3à5€

Les Seroin père et fils, anciens coopérateurs revenus en cave particulière en 1998, proposent un vin blanc de vermentinu vif et expressif. Aux notes d'agrumes perçues à l'olfaction répond une bouche longue et flatteuse qui le destine à l'apéritif. Le **vin de Corse Sartène rosé 2000** obtient également une étoile : encore timide, il ne tardera cependant pas à révéler son caractère fruité rafraîchissant et sa longue bouche suave. (20 à 29 F)

EARL San Armetto, Les Cannes, 20113 Olmeto, tél. 04.95.76.05.18, fax 04.95.76.24.47 r.-v.

Paul Gilles Serouin

DOM. DE SAN-MICHELE Sartène 2000

◪ 6 ha 35 000 5à8€

Ce rosé issu de la grande propriété San Michele, dont les vignes s'épanouissent sur un sol granitique, est plus fruité que floral : il évoque notamment les fruits rouges. Vif, il viendra rafraîchir les papilles à l'apéritif. (30 à 49 F)

EARL Dom. San-Michele, 24, rue Jean-Jaurès, 20100 Sartène, tél. 04.95.77.06.38, fax 04.95.77.00.60

SANT'ANTONE 2000★

◪ 40 ha 200 000 3à5€

Voici un rosé très aromatique, évocateur de framboise et de fleurs du maquis. On aime sa bouche ronde et souple, qui le destine aux poissons grillés aux herbes. Le **rouge 2000**, issu de nielluciu et de syrah, est également très réussi. Charnu, il décline des arômes de fruits rouges dont il faudra profiter dans les mois à venir. (20 à 29 F)

Coop. de Saint-Antoine, 20240 Ghisonaccia, tél. 04.95.56.61.00, fax 04.95.56.61.60 ☑ Y r.-v.

DOM. DE TANELLA
Figari Cuvée Alexandra 1999★

■ 8 ha 35 000 8 à 11 €

Le domaine de Tanella est situé sur la commune de Figari à l'extrême sud de la Corse, région baignée de soleil et continuellement caressée (quelquefois « rossée ») par le vent. Ses propriétaires ont créé la cuvée Alexandra à la naissance de leur fille. Nielluccíu et sciacarellu sont à l'origine de ce 99 cerise sombre, dont le nez présente un côté minéral et iodé assez typique de la microrégion. Une légère note boisée enrichit la palette. Une belle bouteille à servir sur un gibier et dont les tanins serviront une sauce au vin. (50 à 69 F)

Jean-Baptiste de Peretti della Rocca, Dom. de Tanella, 20114 Figari, tél. 04.95.70.46.23, fax 04.95.70.54.40, e-mail tanella@wanadoo.fr ☑ Y r.-v.

TERRA NOSTRA Cuvée Corsica 1999★★

■ n.c. 40 000 5 à 8 €

Alain Mazoyer, directeur de la cave Marana, s'est investi personnellement dans l'élaboration de ce vin, dont 40 000 bouteilles seulement ont été produites (ce qui est peu pour une cave coopérative). Rubis profond, celui-ci décline des arômes de fruits rouges et de réglisse. Extrêmement puissant et structuré, il livre un boisé fondu et se développe tout en harmonie. S'il est digne d'accompagner les repas de fêtes de fin d'année, il pourra aussi être conservé deux ou trois ans en cave. (30 à 49 F)

Cave coop. de La Marana, Rasignani, 20290 Borgo, tél. 04.95.58.44.00, fax 04.95.38.38.10, e-mail uval.sica@wanadoo.fr Y t.l.j. sf dim. 9h-12h 15h-19h

DOM. DE TORRACCIA
Porto-Vecchio 2000★

◪ 8 ha 25 000 5 à 8 €

Entre rose franc et saumon, ce vin séduit par son nez discrètement fruité composé de pêche et de cerise. Les mêmes arômes se déclinent dans une bouche agréablement fraîche. Une jolie bouteille à découvrir sur un carpaccio de saumon à l'aneth et à l'huile d'olive que produit également le domaine. Le **vin de corse Porto Vecchio blanc 2000 (50 à 69 F)** mérite d'être cité : assez vif, il présente une bonne persistance et pourra être apprécié à l'apéritif. Quant à l'**Oriu rouge 99 (70 à 99 F)**, également cité, il se distingue par un côté épicé hérité du sciacarellu dont il est en partie composé. (30 à 49 F)

Christian Imbert, Dom. de Torraccia, Lecci, 20137 Porto-Vecchio, tél. 04.95.71.43.50, fax 04.95.71.50.03 ☑ Y t.l.j. 8h-12h 14h-18h

DOM. VICO 2000★★

□ 8,5 ha 30 000 5 à 8 €

DOMAINE VICO
MIS EN BOUTEILLE PAR LE PRODUCTEUR À 20270 ALERIA CORSE
PROPRIÉTAIRE RÉCOLTANT PONTE LECCIA PRODUIT DE FRANCE
12%VOL 750ML
CORSE
APPELLATION CORSE CONTRÔLÉE
2000

Le domaine Vico est la seule unité viticole du centre de l'Ile, à Ponte-Leccia. Jean-Marc Venturi, par ailleurs directeur de la cave d'Aléria, s'est allié à Yves Melleray, œnologue de Casinca, pour implanter ce vignoble dans une microrégion difficile en raison des froids intenses de l'hiver et des grandes chaleurs estivales. Le pari est réussi à en juger par ce 2000 blanc limpide et expressif, aux arômes de fleurs blanches et de fruits d'été. La bouche ample et douce est équilibrée par une note acidulée. Une bouteille à découvrir sur un poisson ou un fromage à pâte cuite. Le **vin de corse rosé 2000** du domaine est par ailleurs très réussi : sa bouche ample et son petit côté vineux favorisent les mariages avec une cuisine relevée. Le **rouge 99** mérite lui aussi une étoile car, s'il est encore tout en fruit assez croquant, sa structure lui permettra de patienter quelque temps en cave. (30 à 49 F)

Dom. Vico, 20218 Ponte-Leccia, tél. 04.95.47.61.35, fax 04.95.36.50.26 ☑ Y r.-v.

Ajaccio

Les vignes de l'appellation ajaccio couvrent 200 ha sur les collines dans un rayon de quelques dizaines de kilomètres autour du chef-lieu de la Corse du Sud et de son illustre golfe, sur des terrains en général granitiques, avec une dominante du cépage sciacarellu. Les rouges, que l'on peut laisser vieillir, sont majoritaires (60,5 %), au sein d'une production moyenne d'environ 6 558 hl déclarés en 2000.

DOM. COMTE ABBATUCCI
Cuvée Antoine Abbatucci 2000★

□ 7 ha 15 000 5 à 8 €

Depuis la fin de l'année 2000, le domaine Abbatucci est conduit en agriculture biologique et s'oriente vers la biodynamie. Jean-Charles Abbatucci, actuel président de l'appellation, fait preuve de régularité dans le soin apporté à sa production, comme l'attestent ses vins blanc et **rosé 2000** très réussis, et son **ajaccio rouge cuvée Antoine Abbatucci 99** cité par le jury. L'ajaccio blanc traduit bien le cépage vermentinu dans ses expressions d'agrumes et dans sa bouche ample. Il mérite d'être dégusté sur un fromage peu affiné. Le rosé, très minéral, séduit par sa consistance et sa longueur. (30 à 49 F)

Dom. Comte J.C. Abbatucci, Lieu-dit Chiesale, 20140 Casalabriva, tél. 04.95.74.04.55, fax 04.95.74.04.55, e-mail dom-abbatucci@infonie.fr

J.C. Abbatucci

CLOS D'ALZETO 1996★

■ 10 ha 30 000 5 à 8 €

Un domaine de 43 ha à découvrir : un peu excentré dans l'aire d'appellation, il présente l'originalité d'être le plus haut vignoble de Corse (500 m d'altitude). Secondé par son fils, Pascal Albertini propose un 96 puissant et élégant, issu d'une vinification traditionnelle. Cette bouteille de cinq ans d'âge démontre le potentiel des vins d'AOC ajaccio. L'**ajaccio blanc 2000**, aux arômes discrets de fleurs blanches, est pour sa part cité. (30 à 49 F)

Pascal Albertini, Clos d'Alzeto, 20151 Sari d'Orcino, tél. 04.95.52.24.67, fax 04.95.52.27.27 r.-v.

CLOS CAPITORO 1999★

■ 35 ha 160 000 8 à 11 €

Jacques Bianchetti est, depuis la fin mars 2001, le nouveau maire de Cauro. Son domaine couvre une partie de cette commune ainsi que celle de Porticcio. Issu de sciacarellu et de grenache, ce 99 est riche d'arômes de poivre sur fond de fruits rouges. Sa bouche chaleureuse en fait un parfait compagnon d'un plat de cailles aux raisins. Le clos Capitoro se distingue également par un **ajaccio rosé 2000** très réussi qui décline des notes d'épices. Le **blanc 2000**, floral et frais, mérite une citation. (50 à 69 F)

Jacques Bianchetti, Clos Capitoro, Pisciatella-Cauro, 20166 Porticcio, tél. 04.95.25.19.61, fax 04.95.25.19.33, e-mail info@clos-capitoro.com r.-v.

DOM. ALAIN COURREGES 1999★

■ 4,4 ha 8 000 5 à 8 €

Sur la route de Porto Polo, venez découvrir ce vignoble de 28 ha. Alain Courrèges vous proposera ce vin assez sombre, dont les notes animales s'expriment puissamment au nez comme en bouche, accompagnées d'arômes de sous-bois et de cuir. Un ajaccio structuré, à déguster sur un gibier en sauce. (30 à 49 F)

Alain Courrèges, 20123 Cognocoli, tél. 04.95.24.35.54, fax 04.95.24.38.07 r.-v.

CLOS ORNASCA 2000★

□ n.c. 5 250 5 à 8 €

Vigneronne dynamique dans son appellation, Laetitia Tola, secondée par son père Vincent, démontre ses qualités de vinificatrice grâce à un vin typique du vermentinu. En effet, ce 2000 dévoile un nez d'agrumes alliés à quelques fragrances anisées, puis se prolonge durablement en bouche. L'**ajaccio rosé 2000** est également très réussi. Il s'exprime généreusement dans le registre floral caractéristique du sciacarellu, et pourra être apprécié tant à l'apéritif que sur un poisson rôti. (30 à 49 F)

Laetitia Tola, Clos Ornasca, Eccica Suarella, 20117 Cauro, tél. 04.95.25.09.07, fax 04.95.25.96.05 t.l.j. sf dim. 8h-18h; groupes sur r.-v.

DOM. COMTE PERALDI 2000★

◪ n.c. 54 000 5 à 8 €

La réputation du domaine Comte Péraldi n'est plus à faire. Elaborés par une équipe aussi dynamique que sympathique, le rosé 2000 et le **rouge 1999** sont tous deux très réussis. Pour le premier, on notera la puissance aromatique et la grande rondeur en bouche qui en font une bouteille très élégante. L'ajaccio rouge, de couleur intense, possède une structure bien présente, aux nuances animales et vanillées. Ce vin de plaisir saura patienter dans une bonne cave pour se révéler dans un an ou deux sur une viande rouge marinée ou un plat exotique. (30 à 49 F)

Guy Tyrel de Poix, Dom. Peraldi, chem. du Stiletto, 20167 Mezzavia, tél. 04.95.22.37.30, fax 04.95.20.92.91 r.-v.

DOM. DE PIETRELLA 1999

■ 2 ha 9 000 5 à 8 €

Pour sa première présentation dans le Guide, le domaine de Pietrella, situé dans le secteur d'Eccica Suarella, obtient une double citation pour son **ajaccio rosé 2000** à la robe claire et aux discrets arômes de fruits rouges, et pour ce vin rouge aromatique, tout en finesse et en élégance. Deux bouteilles à déguster sur une cuisine estivale savoureuse. (30 à 49 F)

Toussaint Tirroloni, Dom. de Pietrella, 20117 Cauro, tél. 04.95.25.19.19 r.-v.

DOM. DE PRATAVONE 2000★★

◪ 4 ha 17 000 3 à 5 €

Trilogie de coups de cœur pour Isabelle Courrèges, vigneronne œnologue. Ce vin rosé est issu du sciacarellu planté sur un terroir d'arènes granitiques. Clair et franc, il s'ouvre sur des arômes de fruits rouges (fraise et framboise). Un même fruité apparaît dès l'attaque en bouche et se poursuit longuement pour laisser une impression de fraîcheur fort agréable. A découvrir aussi, l'**ajaccio rouge 98** auquel le jury a attribué une étoile : typique de l'appellation, il s'étire en bouche sur des notes épicées. (20 à 29 F)

Jean et Isabelle Courrèges, Dom. de Pratavone, Pila-Canale, 20123 Cognocoli-Monticchi, tél. 04.95.24.34.11, fax 04.95.24.34.74
t.l.j. sf dim. 8h30-12h 15h30-19h30, hors saison sur r.-v.

Patrimonio

La petite enclave (389 ha en 2000) de terrains calcaires, qui, depuis le golfe de Saint-Florent, se développe vers l'est et surtout vers le sud, présente vraiment les caractères d'un cru bien homogène dans lequel l'encépagement, s'il est bien adapté, permet d'obtenir des vins de très haut niveau. Ce sont le niellucciu en rouge et le malvasia en blanc qui devraient devenir, à brève échéance, les cépages uniques ; ils donnent déjà ici des produits très typés et d'excellente qualité, notamment des rouges somptueux et de bonne garde. La production atteint 17 435 hl dont 3 040 hl de blancs.

CLOS DE BERNARDI
Crème de tête 1999★

n.c. 18 000 5 à 8 €

Jean-Laurent de Bernardi, président actuel de l'appellation, n'en délaisse pas ses vignes et sa cave pour autant. Ainsi propose-t-il un 99 déjà très ouvert, aux senteurs de cuir qui fut coup de cœur pour le millésime précédent. La bouche longue évoque le gibier, laissant augurer un heureux mariage avec une cuisine de chasseur (un sanglier en sauce, par exemple). Ce vin sera également agréable l'été prochain. Le **patrimonio blanc 2000** est cité : si son nez est discret, sa bouche rappelle la noblesse du cépage dont il est issu. (30 à 49 F)

Jean-Laurent de Bernardi, 20253 Patrimonio, tél. 04.95.37.01.09, fax 04.95.32.07.66 r.-v.

DOM. DE CATARELLI 1999★★

2 ha 9 000 8 à 11 €

Le savoir-faire de Laurent Le Stunff, sa connaissance du cépage et du terroir lui ont permis de produire ce 99 légèrement tuilé, issu de parcelles plongeant vers la Méditerranée. Le nez présente un caractère minéral et iodé agréable et plutôt rare en appellation patrimonio. En bouche, la finesse l'emporte sur la puissance, tant les tanins semblent fondus. L'impression minérale se confirme, subtilement mêlée aux arômes de fruits rouges. Un vin à déguster avec un filet de bœuf à la ficelle. Vous pourrez laisser vieillir cette bouteille deux ou trois ans pour mieux la redécouvrir. (50 à 69 F)

EARL Dom. de Catarelli, marine de Farinole, 20253 Patrimonio, tél. 04.95.37.02.84, fax 04.95.37.18.72
t.l.j. sf dim. 9h-12h 15h-18h
Laurent Le Stunff

DOM. GENTILE Sélection noble 1998★★

2 ha 8 000 11 à 15 €

Un grand vin proposé en petite quantité. Issu d'une sélection parcellaire, il est vinifié pour la garde grâce à un passage sous bois maîtrisé. La noblesse du niellucciu apparaît dans la robe grenat légèrement tuilée comme dans les arômes de fruits rouges soulignés d'une touche de sous-bois. En bouche, la puissance est là, mais les tanins sont souples et s'accompagnent d'une longueur aromatique incomparable. La noblesse appelant la noblesse, servez ce 98 sur un chapon au foie gras en pot-au-feu. A retenir également, le **patrimonio blanc 2000 (50 à 69 F)**, aux arômes d'ananas et d'agrumes. Souple et long, typique du vermentinu, il obtient une citation.
(70 à 99 F)

Dom. Gentile, Olzo, 20217 Saint-Florent, tél. 04.95.37.01.54, fax 04.95.37.16.69 t.l.j. sf dim. 9h-12h 14h30-18h30; r.-v. hors saison

DOM. GIACOMETTI
Cru des Agriates 2000★

5,43 ha 20 000 5 à 8 €

Le domaine Giacometti, situé dans le désert des Agriates, présente pour la première fois ses vins à la dégustation du Guide. Le succès est au rendez-vous : les **patrimonio blanc 2000** et **rouge 99** obtiennent une citation, et ce rosé une étoile. Celui-ci, de teinte intense, possède un caractère fruité évocateur de fraise et de cassis. Il pourra être servi lors d'un repas, sur un poisson grillé ou un couscous. Déjà prêt à boire, il saura également attendre le printemps prochain.
(30 à 49 F)

Christian Giacometti, Casta, 20217 Saint-Florent, tél. 04.95.37.00.72, fax 04.95.37.19.49 r.-v.

DOM. GIUDICELLI 2000★★

0,8 ha 3 600 8 à 11 €

Un vignoble de 12 ha soigneusement entretenu, une cave flambant neuve et des méthodes de vinification alliant tradition et modernité ont

CORSE

permis à Michel Giudicelli de produire ce rosé franc et brillant, en course pour le coup de cœur ; il évoque le printemps par ses arômes de fleurs blanches et de cerise. Grâce à sa bouche puissante et fraîche, il pourra patienter en cave jusqu'au printemps. (50 à 69 F)

Muriel Giudicelli, Paese Novu, 20213 Penta di Casinca, tél. 04.95.36.45.10, fax 04.95.36.45.10 r.-v.

DOM. LAZZARINI 2000★★

□ 4 ha 10 000 3à5€

Les trois frères Lazzarini sont des hommes éminemment chaleureux et d'attentifs vignerons. Grâce à leur expérience et à leur souci de la sélection du raisin, ils ont élaboré un vin de vermentinu complexe, tout en puissance et en longueur sur des arômes de fruits exotiques. Servez ce 2000 sur des coquilles Saint-Jacques. Le **patrimonio rosé 2000** et le **rouge 99 (30 à 49 F)**, issus du nielluccìu, obtiennent une étoile. Le premier, de teinte rose clair, rappelle la framboise et la mangue ; le second, raffiné dans sa robe rubis, possède des tanins courtois. (20 à 29 F)

GAEC de la Cave Lazzarini, rte de la Cathédrale, 20217 Saint-Florent, tél. 04.95.37.13.17, fax 04.95.37.13.17 r.-v.

DOM. LECCIA 2000★★

□ 3 ha 16 000 8à11€

Nouveau millénaire et nouveau coup de cœur en blanc pour le domaine Leccia. Ce vin offre une explosion d'arômes de fruits exotiques accompagnés de notes miellées et mentholées. En bouche, il s'exprime sans agressivité, tout en souplesse et en longueur. Une dégustation sur un chapon rôti agrémenté d'une huile d'olive de Balagne s'impose. (50 à 69 F)

Dom. Leccia, 20232 Poggio-d'Oletta, tél. 04.95.37.11.35, fax 04.95.37.17.03 r.-v.

DOM. LECCIA 1999★★

■ 10 ha 40 000 8à11€

Le nielluccìu, cépage difficile, s'exprime parfaitement ici par des notes de fruits rouges et d'épices. La structure soutenue par des tanins fondus s'accompagne d'un long déroulement aromatique. Il y a de la plénitude dans ce vin qui pourra accompagner un gibier ou une viande en sauce. Le **domaine Leccia rosé 2000** est issu de raisin de nielluccìu parvenu à parfaite maturité. Il évoque davantage le fruit que la fleur au nez et développe une bouche grasse qui ne tombe jamais dans la lourdeur. Un vin de repas très réussi, digne d'accompagner un fromage corse peu affiné. (50 à 69 F)

Dom. Leccia, 20232 Poggio-d'Oletta, tél. 04.95.37.11.35, fax 04.95.37.17.03 r.-v.

CLOS MARFISI 2000★

□ 2,56 ha n.c. 8à11€

Le clos Marfisi est un vignoble de 11 ha soigneusement cultivé, dont une partie se situe sur la route de Nonza à l'ouest du cap Corse. De cette jolie vigne est né un 2000 jaune pâle à reflets verts, brillant. Le nez offre un festival d'arômes, parmi lesquels se distinguent des notes d'agrumes (citron) et de pamplemousse caractéristiques du vermentinu. Le **patrimonio rouge 99** est également très réussi. Le cépage nielluccìu s'y exprime par des arômes torréfiés et épicés. Un vin à déguster sur une viande grillée. (50 à 69 F)

Toussaint Marfisi, Clos Marfisi, av. Jules-Yentre, 20253 Patrimonio, tél. 04.95.37.01.16, fax 04.95.37.06.37 t.l.j. sf dim. 9h-19h; f. 1er dec.-31 mars

CLOS MONTEMAGNI
Cuvée Prestige du Menhir 2000★★

□ 1 ha 5 000 8à11€

De couleur claire à reflets verts, ce 2000 évoque les agrumes au nez, accompagnés d'une touche de bonbon anglais inhabituelle dans un vin blanc. La bouche ample et douce marque la personnalité de ce patrimonio croquant et persistant. Celui-ci se révélera sur une salade de fruits de mer et de saumon, ou éveillera les papilles à l'apéritif. Le **patrimonio rouge Prestige du Menhir 99** obtient une étoile : son nez, encore timide mais de bon augure, sa bouche souple sur le fruit, accompagnée de notes animales, le destinent à un heureux mariage avec une caille rôtie aux châtaignes. (50 à 69 F)

SCEA Montemagni, 20253 Patrimonio, tél. 04.95.37.14.46, fax 04.95.37.17.15 t.l.j. 8h-12h 14h-18h

L. Montemagni

DOM. LOUIS MONTEMAGNI 1999★★

■ 20 ha 30 000 5à8€

Ce 99 grenat foncé, tout en puissance et en harmonie, était en lice pour un coup de cœur. Son nez expressif mêle les épices aux fruits rouges. Intenses, ces arômes se retrouvent en bouche, soutenus par une structure finement ciselée. Ce vin saura accompagner dignement une côte de bœuf. Quelques bouteilles vieilliront parfaitement dans votre cave. Le **patrimonio rosé 2000**, très réussi, est à classer dans les vins gris. Il explose d'arômes floraux de rose et de fleur de pommier. La suavité de la bouche en fait une bouteille charmeuse, à déguster à l'apéritif ou sur une salade de mâche en sauce crémeuse. (30 à 49 F)

SCEA Montemagni, 20253 Patrimonio, tél. 04.95.37.14.46, fax 04.95.37.17.15 t.l.j. 8h-12h 14h-18h

ORENGA DE GAFFORY 2000

◪ 13 ha 65 000 ▮🌡 8à11€

Les dégustateurs ont apprécié la couleur claire et la structure à la fois douce et fraîche de ce vin rosé qui accompagnera agréablement une grillade au barbecue. Le **patrimonio rouge Cuvée des Gouverneurs 99** obtient également une citation. Encore marqué par le bois de son élevage de huit mois, il libère des arômes de vanille et de chocolat. Sa structure lui permettra de patienter en cave deux à trois ans. (50 à 69 F)

🔑 GFA Orenga de Gaffory, Morta-Majo,
20253 Patrimonio,
tél. 04.95.37.45.00, fax 04.95.37.14.25,
e-mail orenga.de.gaffory@wanadoo.fr
☑ Y r.-v.

DOM. PASTRICCIOLA 2000

□ 1,45 ha 4 000 ▮🌡 5à8€

Sur la superbe route qui mène de Patrimonio à Saint-Florent, ce domaine, repris en 1989 par trois hommes passionnés par la restructuration de ce vignoble, propose un vin blanc brillant, aux arômes discrets mais très fins. Le vermentinu se manifeste à travers ses notes caractéristiques d'agrumes. Le **patrimonio rosé 2000** est également cité. Tout en légèreté et en arômes de rose, il accompagnera une salade de légumes frais. (30 à 49 F)

🔑 GAEC Pastricciola, rte de Saint-Florent,
20253 Patrimonio, tél. 04.95.37.18.31,
fax 04.95.37.08.83 ☑ Y t.l.j. 9h-19h

DOM. ALISO ROSSI

Fleurs d'Amandiers 2000

□ 1 ha n.c. ▮🌡 11à15€

De ce vin brillant émanent des senteurs fruitées et citronnées héritées du cépage vermentinu. La bouche ronde invite à une alliance avec un poisson en sauce. Le **patrimonio rouge 99 (50 à 69 F)** obtient également une citation ; deux ou trois ans de garde lui permettront de fondre son caractère boisé. (70 à 99 F)

🔑 Dominique Rossi, Dom. Aliso Rossi,
20246 Santo-Pietro-di-Tenda,
tél. 04.95.37.15.96, fax 04.95.37.18.05 ☑ Y r.-v.

DOM. SAN QUILICO 2000*

□ 1,65 ha 8 000 ▮🌡 5à8€

Le domaine San Quilico est une propriété de 35 ha d'un seul tenant, située sur la commune de Poggio d'Oletta. Son patrimonio blanc livre une corbeille d'agrumes et de fruits exotiques, arômes repris dans une bouche volumineuse, souple et longue. Le **rosé 2000** est également très réussi : fait rare, sa palette aromatique s'inscrit dans le même registre que celle du vin blanc. Il saura ainsi accompagner des pâtisseries. Enfin, le **patrimonio rouge 99** est cité pour sa structure agréable et ses flaveurs rafraîchissantes de cerise. (30 à 49 F)

🔑 EARL Dom. San Quilico, Morta Majo,
20253 Patrimonio, tél. 04.95.37.45.00,
fax 04.95.37.14.25 ☑ Y r.-v.

CLOS TEDDI 2000*

◪ 3 ha 8 700 ▮🌡 5à8€

Jeune vigneronne, Marie-Brigitte Poli-Juillard fait son entrée dans le Guide. En 1996, elle a repris les rênes de la propriété familiale située dans le désert des Agriates, sur la commune de Casta. Aidée de son mari, elle obtient pour sa seconde vinification deux récompenses grâce à un **blanc 2000** expressif, cité par le jury, et à ce rosé équilibré. Rafraîchissant dès l'attaque, celui-ci livre toute une palette d'arômes de fleurs et de fruits exotiques. (30 à 49 F)

🔑 Marie-Brigitte Poli-Juillard,
Hameau de Casta, sentier des Agriates,
20217 Saint-Florent,
tél. 04.95.37.24.07, fax 04.95.37.24.07 ☑ Y r.-v.

LE SUD-OUEST

Groupant sous la même bannière des appellations aussi éloignées qu'irouléguy, bergerac ou gaillac, la région viticole du Sud-Ouest rassemble ce que les Bordelais appelaient « les vins du Haut-Pays » et le vignoble de l'Adour. Jusqu'à l'apparition du rail, le premier groupe, qui correspond aux vignobles de la Garonne et de la Dordogne, a vécu sous l'autorité bordelaise. Fort de sa position géographique et des privilèges royaux, le port de la Lune dictait sa loi aux vins de Duras, Buzet, Fronton, Cahors, Gaillac et Bergerac. Tous devaient attendre que la récolte bordelaise soit entièrement vendue aux amateurs d'outre-Manche et aux négociants hollandais avant d'être embarqués, quand ils n'étaient pas utilisés comme vin « médecin » pour remonter certains clarets. De leur côté, les vins du piémont pyrénéen ne dépendaient pas de Bordeaux, mais étaient soumis à une navigation hasardeuse sur l'Adour avant d'atteindre Bayonne. On peut comprendre que, dans ces conditions, leur renommée ait rarement dépassé le voisinage immédiat.

Et pourtant, ces vignobles, parmi les plus anciens de France, sont le véritable musée ampélographique des cépages d'autrefois. Nulle part ailleurs on ne trouve une telle diversité de variétés. De tout temps, les Gascons ont voulu avoir leur vin et, quand on connaît leur individualisme forcené et leur goût du particularisme, on ne s'étonne pas de la découverte de ces terroirs épars et de leur forte personnalité. Les cépages manseng, tannat, négrette, duras, len-de-l'el (loin-de-l'œil), mauzac, fer-servadou, arrufiac ou baroque (cot) ainsi que le raffiat de Moncade au nom charmant sont sortis de la nuit des temps viticoles et donnent à ces vins des accents d'authenticité, de sincérité et de typicité inimitables. Loin de renier le qualificatif de vin « paysan », toutes ces appellations le revendiquent avec fierté en donnant à ce terme toute sa noblesse. La viticulture n'a pas exclu les autres activités agricoles, et les vins côtoient sur le marché les produits fermiers avec lesquels ils se marient tout naturellement. Les cuisines locales trouvent dans les vins de « leur » pays une confraternité qui fait de ce Sud-Ouest l'une des régions privilégiées de la gastronomie de tradition.

Tous ces vignobles sont aujourd'hui en plein renouveau sous l'impulsion de la coopération ou de propriétaires passionnés. Un grand effort d'amélioration de la qualité, tant par les méthodes culturales ou la recherche de clones mieux adaptés que par les techniques de vinification, conduit peu à peu ces vins vers l'un des meilleurs rapports qualité/prix de l'Hexagone.

Cahors

D'origine gallo-romaine, le vignoble de Cahors (4 215 ha pour 254 960 hl en 2000) est l'un des plus anciens de France. Jean XXII, pape d'Avignon, fit venir des vignerons quercinois pour cultiver le châteauneuf-du-pape, et François Ier planta à Fontainebleau un cépage cadurcien ; l'Eglise orthodoxe l'adopta comme vin de messe et la cour des tsars comme vin d'apparat... Pourtant, le vignoble de Cahors revient de loin ! Totalement anéanti par les gelées de 1956, il était retombé à 1 % de sa surface antérieure. Reconstitué dans les méandres de la vallée du Lot avec des cépages nobles traditionnels, le principal étant l'auxerrois qui porte aussi les noms de cot ou malbec représentant 70 % de l'encépagement, complété par le tannat (moins de 2 %) ou le merlot (environ 20 %), le terroir de Cahors a retrouvé la place qu'il mérite parmi les terres productrices de vins de qualité. On assiste d'ailleurs à des tentatives courageuses de reconstitution sur les causses, comme dans les temps anciens.

Les cahors sont puissants, robustes, hauts en couleur (le *black wine* des Anglais) ; ce sont incontestablement des vins de garde. Un cahors peut toutefois être bu jeune : il est alors charnu et aromatique avec un bon fruité, et doit être consommé légèrement rafraîchi, sur des grillades par exemple. Après deux ou trois années où il devient fermé et austère, le cahors se reprend, pour donner toute son harmonie au bout d'un délai égal, avec des arômes de sous-bois et d'épices. Sa rondeur, son ampleur en bouche en font le compagnon idéal des truffes sous la cendre, des cèpes et des gibiers. Les différences de terroir et d'encépagement donneront des vins plus ou moins aptes à la garde, la tendance actuelle étant de produire des vins plus légers et rapidement consommables.

CH. ARMANDIERE 1999★

■ 3 ha 20 000 5à8€

Bernard Bouyssou se retire de la coopérative en 1998 pour élaborer son propre vin. Le nom de l'exploitation ? Armandière, en hommage à son grand-père Armand, fondateur... de la coopérative Côtes d'Olt de Parnac. Le premier millésime a eu les honneurs du Guide. Le suivant est dans la même lignée. Paré d'une robe violacée, il offre une belle présentation. Le nez, encore fermé, laisse deviner une certaine complexité, offrant ici un accent animal, là des notes fruitées qui s'intensifient à l'attaque. La bouche, pleine, donne une impression de force par sa puissance tannique et de douceur par ses tanins enrobés. Un ensemble chaleureux. (30 à 49 F)

Bernard Bouyssou, Port de l'Angle, 46140 Parnac, tél. 05.65.30.72.47, fax 05.65.36.02.23, e-mail armandiere@aol.com
t.l.j. 8h-20h

CH. DU BREL 1999★

■ 11,73 ha 91 700 5à8€

Une couleur sombre à nuances violines, un joli nez, vif et fruité, bien relevé. La bouche apparaît équilibrée entre fraîcheur et chaleur, grasse et étoffée à la fois ; la chair est fruitée. Une aimable harmonie. (30 à 49 F)

GAEC du Noble Cep, Le Brel, 46800 Fargues, tél. 05.65.36.91.08, fax 05.65.36.95.23
r.-v.

Le Sud-Ouest

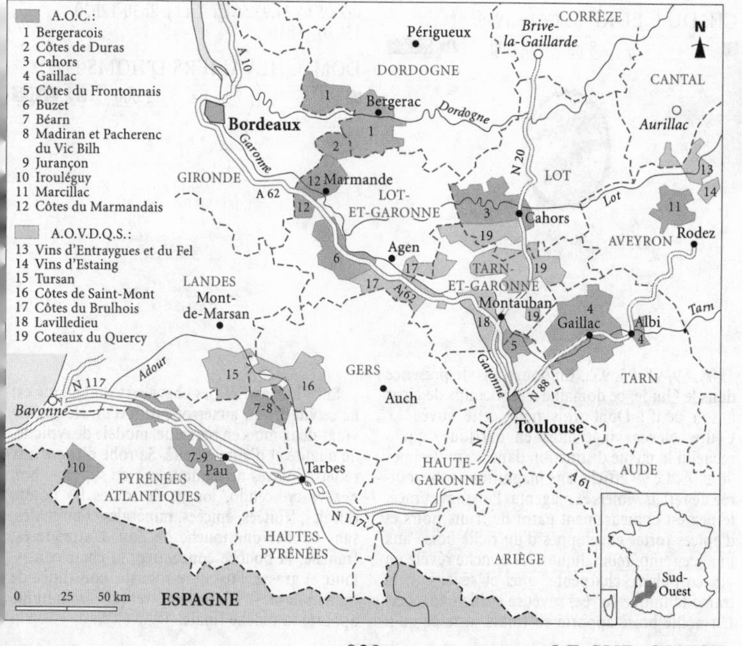

CH. DE CAIX 1999

■ 18 ha 56 000 8 à 11 €

Le vignoble du prince consort du Danemark. Le domaine élabore son vin depuis 1993. Ce 99, s'il ne fait pas oublier le remarquable millésime précédent, a toute la typicité requise pour figurer ici. Il affiche une robe noire à reflets violets. Le premier nez est animal, puis apparaissent des notes boisées, épicées et torréfiées, ainsi qu'un discret fruit noir. La bouche est souple et moelleuse en attaque, puis les tanins font sentir leur présence. On y retrouve les arômes du nez, avec des fruits rouges. (50 à 69 F)

SCEA Prince Henrik, Ch. de Caïx, 46140 Luzech, tél. 05.65.20.80.80, fax 05.65.20.80.81, e-mail vigouroux@g-vigouroux.fr r.-v.

DOM. DE CAUSE
Notre-Dame-des-Champs Elevé en fût de chêne 1999★★

■ 1 ha 6 600 8 à 11 €

Les Costes ont repris l'exploitation familiale en 1994, et le domaine a fait son apparition dans le Guide avec le millésime 96. Cette cuvée, déjà remarquable l'an passé, est née de pur auxerrois. D'un grenat intense et soutenu, elle offre un nez franc et profond, où l'on perçoit d'abord des notes animales et épicées, puis du Zan et des fruits à l'eau-de-vie, et enfin une nuance de terroir avec de la truffe du Quercy. La bouche ronde révèle une matière fruitée et fondue. Le tanin, bien présent, est de qualité, et le boisé élégant. Un vrai Cadurcien. (50 à 69 F)

Serge et Martine Costes, Cavagnac, 46700 Soturac, tél. 05.65.36.41.96, fax 05.65.36.41.95, e-mail montalieu@infonie.fr t.l.j. 9h30-12h 14h-19h; dim. sur r.-v.

CH. DU CEDRE Le Cèdre 1999★★★

■ 8 ha 38 000 23 à 30 €

88, 89, 91, 93, 95... En douze ans de présence dans le Guide, ce domaine a sept coups de cœur à son actif ! Dont trois pour cette cuvée Le Cèdre, élevée vingt mois en barrique, qui a recueilli la même distinction dans les millésimes 96 et 98. Le 99 affiche une magnifique robe moirée de reflets violets et magenta. Puissant et racé, le nez est copieusement garni de fruits noirs et d'épices fortes enveloppés d'un riche boisé aux nuances empyreumatiques. La bouche révèle un vin corpulent, charpenté, gras et séveux, à la trame tannique serrée, soyeuse et bien enrobée. Un noble boisé apporte en finale juste ce qu'il faut de moelleux pour porter loin les arômes. Un vin « haute couture ». Quant à la **cuvée Le Prestige 99 (70 à 99 F)**, elle aussi élevée en barrique, elle obtient deux étoiles. (150 à 199 F)

Verhaeghe, Bru, 46700 Vire-sur-Lot, tél. 05.65.36.53.87, fax 05.65.24.64.36 t.l.j. sf dim. 9h-12h 14h-18h

CH. DE CENAC Eulalie 1998★★

■ 1 ha 5 000 11 à 15 €

Une cuvée 100 % cot élaborée pour la première fois avec ce millésime. Très intense, d'un rouge tirant sur le noir, la robe montre de jolis reflets pourpres. Le nez a beaucoup de relief ; il évolue des fruits rouges et noirs à la violette et aux épices pour finir sur une vague doucement boisée. La bouche riche, bien construite sur une solide structure, d'un beau volume, offre plein d'arômes fruités et boisés qui se prolongent dans une finale chaleureuse. Un ensemble des plus harmonieux. (70 à 99 F)

GAEC de Circofoul-Pelvillain, Circofoul, 46140 Albas, tél. 05.65.20.13.13, fax 05.65.30.75.67 r.-v.

CH. DE CHAMBERT Orphée 1999★

■ 4 ha n.c. 15 à 23 €

Le « repaire » du XVe s. est devenu château au XIXe s. Le vignoble a connu une renaissance à partir de 1973. Sa cuvée Orphée s'annonce par une robe d'un rouge assez soutenu, aux nuances violettes. Fin et élégant, le nez évoque un coulis de fruits rouges sur toast beurré. La bouche est agréable, ronde, chaleureuse, régulière et homogène, avec un fruit bien présent malgré une forte influence boisée en finale. Un vin qui procure un plaisir immédiat. (100 à 149 F)

Joël Delgoulet, Les Hauts Coteaux, 46700 Floressas, tél. 05.65.31.95.75, fax 05.65.31.93.56 t.l.j. 8h30-12h30 13h30-18h30

DOM. CHEVALIERS D'HOMS 1999★★

■ 2,35 ha 12 000 8 à 11 €

Sur l'ancien fief des chevaliers du Quercy est né ce vin de pur auxerrois, fruit d'un élevage de vingt-deux mois en barrique, modèle de typicité, de qualité et d'authenticité. Sa robe d'encre aux reflets violacés ne manque pas de superbe. Son nez va crescendo, jouant de toutes les notes : florales, fruitées, épicées, minérales et animales, sans oublier une touche de Zan. L'attaque est franche, la bouche concentrée, la chair consistante et grasse, l'ossature robuste, constituée de tanins fermes. L'excellent retour aromatique apporte la touche finale. (50 à 69 F)

SCEA Dom. d'Homs, Les Homs, 46800 Saux, tél. 05.65.31.92.45, fax 05.65.31.96.21 t.l.j. 8h30-19h30

CH. CROZE DE PYS 1999*

10,5 ha 80 000 3à5€

La famille Roche a acquis ce château en 1966 et en a reconstitué le vignoble. Elle propose deux cuvées qui ont obtenu la même note : la **cuvée Prestige 99**, élevée en fût, et, dans la fourchette de prix inférieure, cette cuvée classique, beaucoup plus typique. La couleur est belle : un rouge intense. Le nez franc livre à profusion des parfums de fruits rouges et noirs sur un fond de cachou Lajaunie. Le fruit se prolonge dans une bouche d'une grande fraîcheur, d'une structure parfaitement équilibrée, avec des tanins fins. (20 à 29 F)

SCEA des Dom. Roche, Ch. Croze de Pys, 46700 Vire-sur-Lot, tél. 05.65.21.30.13, fax 05.65.30.83.76, e-mail chateau-croze-de-pys@wanadoo.fr t.l.j. sf sam. dim. 9h-12h 14h-19h
Jean Roche

CH. EUGENIE

Cuvée réservée de l'Aïeul 1999**

8 ha 45 000 8à11€

En 1470, l'« aïeul » cultivait déjà le domaine, les archives de Cahors en font foi. Au XVIII[e]s., les tsars de Russie achetaient des vins du lieu. En 1985, le millésime 82 était décrit pour les lecteurs du premier Guide. Voilà pour les lettres de noblesse. Le 99 est digne d'un tel passé, avec sa robe intense et si dense qu'elle en est opaque. Assez expressif au nez, il livre des parfums de fruits noirs confits ou à l'eau-de-vie, portés par un boisé aux accents de café grillé. En bouche, il offre de belles sensations, avec une chair grasse, des arômes puissants, fruités et torréfiés, du volume et une bonne structure qui lui donnent de la présence. (50 à 69 F)

Ch. Eugénie, 46140 Albas, tél. 05.65.30.73.51, fax 05.65.20.19.81 t.l.j. 8h-12h 13h30-19h; dim. et groupes sur r.-v.
Couture

DOM. DE FAGES

Cuvée VIe génération 1998**

0,7 ha 3 200 8à11€

C'est un pur auxerrois, ce vin à la robe rouge très foncé à reflets d'encre. Le nez, encore un peu fermé et copieusement boisé, laisse poindre des arômes complexes de fruits rouges et noirs très mûrs, de réglisse et d'épices. En bouche la matière est belle, dense et riche, avec un joli gras qui enrobe parfaitement les tanins. Un ensemble déjà bien fondu, agréable et prometteur. (50 à 69 F)

Jean Bel, Fages, 46140 Luzech, tél. 05.65.20.11.83, fax 05.65.20.12.99, e-mail belfages@aol.com t.l.j. 9h-12h30 14h-20h; groupes sur r.-v.

DOM. DU GARINET

Elevé en fût de chêne 1998**

1,6 ha 7 000 8à11€

Michael et Susan Spring se sont installés au Boulvé en 1994. Leur cahors est issu exclusivement de cot. Cette domination du cépage cadurcien se traduit par une robe sombre. Le nez, intense et assez complexe, mêle des notes fruitées aux senteurs beurrées et torréfiées du fût. La bouche est équilibrée, avec une chair savoureuse, une fraîcheur agréable, un beau volume et des tanins déjà fondus qui accompagnent les arômes avec élégance. (50 à 69 F)

Michael et Susan Spring, Dom. du Garinet, 46800 Le Boulvé, tél. 05.65.31.96.43, fax 05.65.31.96.43, e-mail mike.spring@worldonline.fr t.l.j. 11h-18h30; dim. 14h-18h30

Cahors

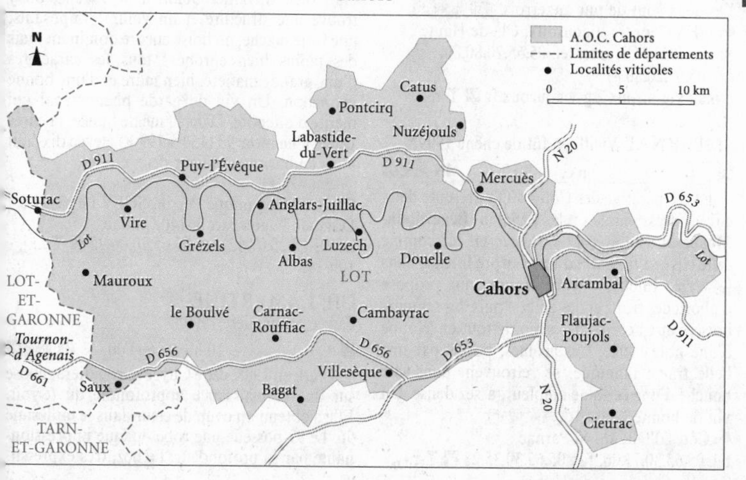

CH. DE GAUDOU Renaissance 1999★★

■ 3,52 ha 21 000 11 à 15 €

Le vignoble date de 1800. Dès avant la Première Guerre mondiale, le grand-père obtient des médailles au Concours agricole, et, dès la première édition du Guide, le domaine recueille deux étoiles. Aujourd'hui, deux de ses cuvées sont jugées dignes de cette note : la **cuvée Château de Gaudou 99 (30 à 49 F)**, aussi élevée en fût, et cette cuvée Renaissance, bien connue des lecteurs du Guide. L'une et l'autre ont pour atouts une robe sombre et intense, un nez expressif, complexe et élégant, mêlant les fruits mûrs aux épices. La différence ? Un travail plus poussé de l'élevage en barrique pour celle-ci, d'où une bouche plus complète, une structure plus solide et une finale copieusement et longuement boisée qui devra encore se fondre. (70 à 99 F)

Durou et Fils, Ch. de Gaudou, 46700 Vire-sur-Lot, tél. 05.65.36.52.93, fax 05.65.36.53.60 r.-v.

CH. DE HAUTE-SERRE Cuvée Prestige Géron Dadine de Haute-Serre 1999★★

■ n.c. 19 000 11 à 15 €

Georges Vigouroux vinifie de nombreux châteaux de l'appellation. Celui de Haute-Serre, présent et très bien noté dès les premières éditions du Guide, offre un 99 remarquable par son potentiel, fruit d'un élevage sous bois soigné. Sa couleur sombre est signe d'une bonne concentration. Au nez, le boisé, très présent à travers des accents vanillés, épicés et torréfiés, enveloppe un cœur de fruits confits. L'attaque franche introduit une bouche trapue, solidement campée sur des tanins encore austères. Cependant, le bois ne masque pas complètement la chair, fraîche et aromatique. Un vin qu'il faut attendre pour lui permettre de s'affiner. Dans la même lignée, signalons la **cuvée Prestige 99 du Château de Mercuès (100 à 149 F**, une étoile). Les deux sont de pur auxerrois. (70 à 99 F)

GFA Georges Vigouroux, Ch. de Haute-Serre, 46230 Cieurac, tél. 05.65.20.80.80, fax 05.65.20.80.81, e-mail vigouroux@g-vigouroux.fr r.-v.

IMPERNAL Vieilli en fût de chêne 1999★

■ n.c. 90 000 8 à 11 €

La coopérative des Côtes d'Olt présente deux cuvées très réussies : le **Château Beauvillain-Monpezat 99 (30 à 49 F)**, élevé en fût comme cette cuvée Impernal, d'un pourpre intense dans le verre. Intense encore le nez, qui propose d'abord des fruits et des épices, puis des senteurs boisées aux accents de cacao, le tout enveloppé d'une note lactée. Ces arômes, portés par une belle trame tannique, se retrouvent dans une bouche d'une certaine ampleur, assez dense. Un vin de bonne facture. (50 à 69 F)

Côtes d'Olt, 46140 Parnac, tél. 05.65.30.71.86, fax 05.65.30.35.28 r.-v.

CH. LA CAMINADE La Commandery 1999★★★

■ 5,12 ha 28 000 8 à 11 €

« Première de la classe », cette cuvée a époustouflé le jury. Ce n'est pas la première fois : c'est une des championnes des étoiles et des coups de cœur de l'AOC (voir les 87, 90 et 93). La robe ? Profonde et noire, elle semble en mouvement tant elle est animée de reflets. Captivant. On se laisse alors doucement envelopper par les fragrances subtiles d'un nez débordant de fruits mûrs et au boisé élégant. La bouche laisse un sentiment de totale plénitude, tant le vin s'y montre puissant, volumineux, rond, harmonieux, plein d'une sève fleurie et épicée, persistante et tellement savoureuse ! (50 à 69 F)

Resses et Fils, SCEA Ch. La Caminade, 46140 Parnac, tél. 05.65.30.73.05, fax 05.65.20.17.04 r.-v.

CH. LAGREZETTE Le Pigeonnier 1998★★★

■ 2,7 ha 6 600 46 à 76 €

Un véritable château Renaissance, avec sa cour d'honneur, voilà pour le décor. Et pour la cave, Michel Rolland. Cela donne des vins issus de longues macérations et d'un long élevage en fût neuf. Voyez comme ce 99, un pur auxerrois élevé vingt-huit mois en barrique, appelle les superlatifs ! La robe ? Dense à l'extrême, noire à reflets pourpres. Le nez ? Riche, profond, concentré, avec un boisé, certes, très présent, mais bien travaillé. Quant à la bouche, on y trouve une structure et un volume imposants, une forte mâche, un boisé encore dominant mais des tanins bien enrobés : tous les caractères d'une grande matière, bien mûre et d'une bonne extraction. Un vin de garde phénoménal qui mérite d'attendre. Dans la même lignée, la **cuvée Dame d'honneur 98 (150 à 199 F)** élevée dix-huit mois en barrique obtient deux étoiles. (300 à 499 F)

Alain-Dominique Perrin, SCEV Lagrezette, Dom. de Lagrezette, 46140 Caillac, tél. 05.65.20.07.42, fax 05.65.20.06.95 t.l.j. 10h-19h

CH. LAMARTINE Cuvée particulière 1999★

■ 10 ha 60 000 8 à 11 €

Créée en 1988, cette Cuvée particulière repose sur une connaissance approfondie du terroir. Elle a obtenu un coup de cœur dans le millésime 96. Le 99 possède une robe opaque impressionnante par sa profondeur. Le nez, très expressif, développe des senteurs de fleurs, d'épices et de fruits frais accompagnées d'une pointe mentholée, le tout soigneusement boisé. Ferme, « tout en muscle », voire « un peu rentre-dedans », pour reprendre les mots d'un dégustateur, la bouche reste cependant équilibrée et assurément prometteuse. Retenue avec la même note, la **cuvée principale 99 (30 à 49 F)** a aussi connu le bois. (50 à 69 F)

SCEA Ch. Lamartine, 46700 Soturac, tél. 05.65.36.54.14, fax 05.65.24.65.31 Y r.-v.

Alain Gayraud

DOM. DE L'ANTENET 1999*

4 ha 15 000 5 à 8 €

Un domaine converti à l'agriculture biologique. Son cahors affiche une robe éclatante, d'un rouge grenat intense. Le nez est réservé, mais laisse percer des senteurs d'épices, de tabac et de cacao. La bouche, plus expressive, avec un fruit plus généreux, est bien construite et repose sur des tanins assez largement fondus. Un vin timide mais d'un bon fond. (30 à 49 F)

Bessières, Dom. de L'Antenet, 46700 Puy-l'Evêque, tél. 05.65.21.32.31 Y t.l.j. 8h-21h

CH. LA REYNE L'Excellence 1999*

0,5 ha 2 600 11 à 15 €

Johan Vidal, installé en 1997, se flatte d'avoir apporté un vent de modernité sur ce domaine familial traditionnel de 20 ha, où cinq générations se sont consacrées au vin. Avant même de prendre sa place sur l'exploitation, il parle de « couper du raisin » (c'est-à-dire vendanger en vert) pour faire une cuvée de prestige au grand scandale du grand-père. Le résultat ? Une robe intense et dense, d'un rouge tirant sur le noir. Un nez engageant évoquant les fruits noirs, la violette et les épices sur un fond boisé doucement vanillé. Et une bouche plutôt démonstrative, concentrée, tout en rondeur, avec du gras et des tanins plaisants, de qualité. Un ensemble harmonieux. (70 à 99 F)

SCEA Ch. La Reyne, Teyssèdre-Vidal, 46700 Leygues, tél. 05.65.30.82.53, fax 05.65.21.39.83 Y t.l.j. sf dim. 9h-12h 14h-18h

Jean-Claude et Johan Vidal

CH. LATUC
Prestige Vieilli en fût de chêne 1998*

5 ha 20 000 5 à 8 €

La robe est d'un beau rouge cerise ; le nez, intense, est enveloppé de notes boisées, de vanille et de torréfaction qui masquent encore le fruit. L'attaque, qui semble moelleuse, se prolonge dans une bouche sans excès d'extraction et d'un volume modeste mais plutôt flatteuse. Le boisé reste marqué. La finale persiste sur une trame de tanins fins. (30 à 49 F)

EARL Ch. Latuc, Laborie, 46700 Mauroux, tél. 05.65.36.58.63, fax 05.65.24.61.57, e-mail duns@latuc.com Y t.l.j. 11h-12h30 16h30-18h30

Colin Duns

CH. LES GRAUZILS Héritage 1998**

0,5 ha 2 500 15 à 23 €

Le « domaine », devenu entre-temps « château », était présent dans le Guide dès la première édition avec un 83 jugé remarquable. Le 98 ne démérite pas ! Issu de pur cot, il affiche une robe intense, presque noire, à reflets encore violacés. Le nez, très ouvert, associe un généreux boisé, aux notes de vanille et de pain grillé, à la violette, à la réglisse et aux fruits noirs. La bouche, très concentrée, grasse et ample, se fait massive et carrée, du fait de tanins dominateurs, et le boisé l'emporte en finale. Puissant, solide, large d'épaules, un vin qui devra s'attendrir. (100 à 149 F)

Philippe Pontié, Gamot, 46220 Prayssac, tél. 05.65.30.62.44, fax 05.65.22.46.09 Y t.l.j. sf dim. 9h-12h 14h-19h

CH. LES IFS 1999**

8 ha 40 000 5 à 8 €

Ce domaine régulier par la qualité a proposé cette année deux remarquables cuvées : la **cuvée Prestige 99, élevée en fût**, et celle-ci, qui n'est pas loin du coup de cœur. Une robe profonde aux nuances violettes, puis un joli nez, frais et copieusement fruité, fait de fruits rouges, de prune et même d'abricot sec, invitent à poursuivre la dégustation. La bouche ravit par son équilibre. Elle est pleine, bien grasse, chaleureuse, fruitée, puissante et persistante. Une très belle harmonie. (30 à 49 F)

Buri et Fils, EARL La Laurière, 46220 Pescadoires, tél. 05.65.22.44.53, fax 05.65.30.68.52, e-mail chateau.les.ifs@wanadoo.fr Y t.l.j. sf dim. 8h-12h 14h-19h

CH. LES RIGALETS
La Quintessence 1999*

2 ha 9 500 15 à 23 €

Cette Quintessence résulte d'une vinification soignée, à la bourguignonne, avec pigeage du chapeau de marc durant toute la durée de la macération. La robe est si soutenue qu'elle paraît noire. Le nez, puissant, est d'abord envahi par les senteurs d'un boisé torréfié (café grillé), puis s'insinuent des notes de fruits très mûrs (cerise, myrtille) mêlées d'épices. Après une attaque soyeuse s'affirme une bouche volumineuse, aux arômes de fruits et d'épices à l'alcool, soutenue par une charpente bien carrée constituée de tanins encore sévères. Un vin sérieux, qui doit « digérer » la barrique. La **cuvée Prestige 99 (50 à 69 F)**, élevée aussi quinze mois sous bois, a obtenu une citation. (100 à 149 F)

Bouloumié et Fils, Les Cambous, 46220 Prayssac, tél. 05.65.30.61.69, fax 05.65.30.60.46 Y t.l.j. 8h-19h; dim. sur r.-v.

METAIRIE GRANDE DU THERON
1999*

12 ha 80 000 5 à 8 €

Une robe très attrayante, intense, grenat à reflets noirs. Le nez, typé, friand et fruité, offre la fraîcheur d'un panier de cerises, de mûres et de myrtilles. Cette impression se prolonge au palais avec une attaque souple, une bouche

SUD-OUEST

expressive, toujours fruitée, une structure déliée, une chair tendre et des tanins fins. Un ensemble net et cohérent, et surtout sympathique. (30 à 49 F)

Barat Sigaud, Métairie Grande du Théron, 46220 Prayssac, tél. 05.65.22.41.80, fax 05.65.30.67.32 r.-v.

DOM. DU PEYRIE 1999★★

■ 13 ha 30 000 5à8€

Une robe attrayante, cerise burlat. Un nez vineux, de forte maturité, où le gibier se mêle à des senteurs de fruits très mûrs ou confiturés. D'une grande présence en bouche, viril, ce vin révèle une extraction poussée, avec une sève riche renforcée par une forte vinosité et des tanins fermes. Un cahors de tradition. (30 à 49 F)

EARL Dom. du Peyrie, 46700 Soturac, tél. 05.65.36.57.15, fax 05.65.36.57.15, e-mail domaine.peyrie@wanadoo.fr t.l.j. sf dim. 8h30-12h 13h30-18h30

CH. PINERAIE
Vieilli en fût de chêne 1998★

■ 30 ha 150 000 5à8€

La famille Burc, établie à Puy-l'Evêque en 1861, est au service du vin depuis cinq générations, et au rendez-vous du Guide depuis ses débuts. Deux de ses cahors ont été retenus : **L'Authentique 98 (70 à 99 F)**, cuvée vieillie dix-huit mois en barrique, très boisée, et celle-ci, élevée un an sous bois, que le jury a préférée. La robe est jeune, cerise burlat à reflets violacés ; mais jeunesse ne rime pas ici avec tendresse : le nez réserve des senteurs viriles, animales et épicées, associées à des notes de torréfaction. La bouche, ronde et puissante, se fait tannique, très marquée par un boisé vanillé en finale. Ce vin a un bon fond, mais doit encore s'affiner. (30 à 49 F)

Jean-Luc Burc, Ch. Pineraie, Leygues, 46700 Puy-l'Evêque, tél. 05.65.30.82.07, fax 05.65.21.39.65 r.-v.

DOM. DU PRINCE
Elevé en fût de chêne 1998

■ 2 ha 12 000 5à8€

Ce domaine tire son nom de l'aïeul de Didier et Bruno Jouves, qui, pour avoir livré du vin au roi, fut surnommé « lou Prince » par les villageois à son retour. Son cahors, de pur cot, est apparu à nos dégustateurs « coulis de fraise à reflets violacés ». De bonne expression, le nez associe les fruits et la violette à une note légèrement boisée. La bouche, fraîche, suave et fruitée, évoque la jeunesse. Une extraction modeste fait entrer ce 98 agréable et harmonieux dans la catégorie des vins faciles à boire. (30 à 49 F)

J. Jouves et Fils, Cournou, 46140 Saint-Vincent-Rive-d'Olt, tél. 05.65.20.14.09, fax 05.65.30.78.94 t.l.j. sf dim. 8h-12h 14h-19h

CLOS RESSEGUIER 1999★

■ 13,54 ha 30 000 3à5€

Le chai a été construit pierre à pierre par l'arrière-grand-père, fondateur de la propriété, qui récupéra les matériaux dans des bâtisses en ruine des alentours. Quant à ce cahors, il ne répond pas à l'image de virilité que l'on se fait des vins de cette appellation : c'est plutôt un tendre ! Faut-il pour autant, comme le suggère un dégustateur, le recommander aux dames ? La robe aubergine est engageante. Le nez, très présent, mêle aux notes de fruits rouges des nuances plus insolites de fruits exotiques et de fougère. L'attaque, souple, se prolonge par une bouche fruitée, dont la structure révèle une extraction modérée. Curieux mais bien fait. (20 à 29 F)

EARL Clos Rességuier, 46140 Sauzet, tél. 05.65.36.90.03 t.l.j. sf dim. 9h-12h 15h-19h

CH. ROUQUETTE
Rêve d'Ange Vieilli en fût de chêne 1999★★

■ 1,89 ha 1 800 11à15€

Ce domaine, créé en 1898, ne met ses vins en bouteilles que depuis 1994, mais il n'a pas perdu de temps : apparu dans le Guide 2000 avec une citation, il gagne une étoile chaque année ! On retrouve dans cette édition la **cuvée d'Honneur 99**, élevée sous bois, très réussie. Quant à ce Rêve d'Ange, il a été proposé pour un coup de cœur. La robe est intense, d'un grenat foncé à reflets violacés. Le subtil boisé du nez s'accorde avec les senteurs de fruits mûrs, de violette et de poivre frais. La bouche souple, grasse, d'un volume suffisant, dévoile une matière aromatique sur un lit de tanins fins. (70 à 99 F)

EARL Ch. Rouquette, Les Roques, 46140 Saint-Vincent-Rive-d'Olt, tél. 05.65.30.76.40, fax 05.65.30.52.99 r.-v.

CH. SAINT DIDIER-PARNAC 1999★★

■ 37 ha 260 000 5à8€

Le domaine de Franck Rigal, maintenant rejoint par son fils David, œnologue, est bien connu des lecteurs du Guide. Baptisée en l'honneur de saint Didier, évêque qui vécut dans ces lieux, cette cuvée est remarquable. Sa robe opaque indique une forte concentration. Le nez, au boisé prononcé mais de belle extraction, se porte dans un deuxième temps sur les fruits noirs et les épices avec, en fond, une note animale. Puissante, dense, tout en muscle, démonstrative, la bouche est renforcée par un riche boisé qui doit encore se fondre. Tout un style. Bien différent, un autre vin des mêmes auteurs, souvent mentionné lui aussi, a obtenu une étoile : il s'agit du **Prieuré de Cénac 99**. Tous deux ont été élevés dix-huit mois en barrique. (30 à 49 F)

SCEA Ch. Saint-Didier-Parnac, 46140 Parnac, tél. 05.65.30.70.10, fax 05.65.20.16.24 t.l.j. 9h-12h 14h-18h

DOM. DU THERON Cuvée Prestige 1999★

■ 5 ha 25 000 11à15€

Un domaine présent dans le Guide depuis son premier millésime, le 97, et une cuvée Prestige toujours retenue. La robe du 99 est d'un grenat intense. Le nez, encore un peu fermé, diffuse quelques senteurs fruitées et épicées sous des notes d'encens. L'attaque, souple et plaisante, se prolonge en une bouche fraîche, ronde, aux tanins fins. Un vin de structure moyenne mais fort agréable. (70 à 99 F)

🔑 SCEA Dom. du Théron, Le Théron, 46220 Prayssac, tél. 05.65.30.64.51, fax 05.65.30.69.20, e-mail domaine.theron@libertysurf.fr ☑ Y r.-v.
🔑 Vic Pauwels

CH. TREILLES 1998*

■ 4 ha 13 000 ⏸ 5à8€

Constitué à la fin des années 1970, ce vignoble propose un 98 issu des trois cépages cadurciens : auxerrois (75 %), merlot (20 %) et tannat (5 %). Un vin aguichant, d'un bel éclat, aux nuances violettes. Le nez, plutôt fin, allie les fruits rouges à un délicat boisé vanillé et beurré. La bouche franche révèle un bon équilibre, une structure et un volume suffisants, et la finale est bien enrobée. (30 à 49 F)
🔑 SARL Dom. de Quattre, 46800 Bagat-en-Quercy, tél. 05.55.86.90.06 ☑ Y r.-v.

CLOS TRIGUEDINA
Balmont de Cahors 1999*

■ n.c. n.c. ⏸ 5à8€

Coup de cœur l'an dernier, le Clos Triguedina propose cette fois une cuvée spéciale, élevée dix-huit mois en barrique. Oh ! la belle robe cerise burlat à reflets sombres ! Et quel nez, chaleureux et concentré, sur le fruit et la réglisse. La bouche ? Puissante, elle révèle une solide matière encore jeune. Les tanins, qui tapissent largement le palais, méritent de s'adoucir. Le mariage du bois et du vin gagnera en harmonie dans deux ou trois ans et pour longtemps. (30 à 49 F)
🔑 Baldès et Fils, Clos Triguedina, 46700 Puy-l'Evêque, tél. 05.65.21.30.81, fax 05.65.21.39.28, e-mail triguedina@crdi.fr ☑ Y t.l.j. 9h-12h 14h-18h; groupes sur r.-v.
🔑 Jean-Luc Baldès

CH. VINCENS Les Graves de Paul 1998*

■ 0,6 ha 3 000 ⏸ 11à15€

Cette propriété, établie sur les coteaux dominant la vallée du Lot, réapparaît dans le Guide avec un 98 à la robe mate, aux nuances bleutées. Le nez, assez intense, livre des notes de fruits surmûris, voire compotés, enveloppées de volutes de fumée. Après une attaque soyeuse, on découvre une bouche dense, suave et savoureuse, dont la douceur rappelle la confiture. L'ensemble évolue sur des tanins de qualité. (70 à 99 F)
🔑 Michel Vincens, Ch. Vincens, 46140 Luzech, tél. 05.65.30.74.78, fax 05.65.30.15.83, e-mail chateau.vincens@aol.com ☑ Y t.l.j. sf dim. 9h-19h30

Coteaux du Quercy AOVDQS

Située entre Cahors et Gaillac, la région viticole du Quercy s'est reconstituée assez récemment. Mais, comme dans toute l'Occitanie, la vigne y était cultivée dès avant notre ère. La vigne connut cependant plusieurs périodes de reflux : au Ier s., à la suite de l'édit de Domitien interdisant toute nouvelle plantation hors d'Italie, au XVe s., en raison de la prépondérance de Bordeaux, puis au début du XXe s., à cause du poids du Languedoc-Roussillon. La recherche de la qualité, qui s'est mise en place à partir de 1965, avec le remplacement des hybrides, a conduit à la définition d'un vin de pays en 1976.

Peu à peu, les producteurs ont isolé les meilleurs cépages et les meilleurs sols. Ces progrès qualitatifs ont débouché sur l'accession à l'AOVDQS le 28 décembre 1999. Le territoire délimité s'étend sur trente-trois communes des départements du Lot et du Tarn-et-Garonne.

L'appellation est réservée aux vins rouges et aux vins rosés. Les vins rouges, d'une couleur pourpre soutenu, sont charnus et généreux, avec une complexité aromatique apportée par l'assemblage de cabernet franc, cépage principal pouvant atteindre 60 %, et de tannat, cot, gamay noir ou merlot, (chacune de ces variétés à hauteur de 20 % maximum). Les vins rosés, fruités et vifs, sont issus du même encépagement.

La production, environ 23 000 hl, issue de près de 500 ha, est assurée par une trentaine de producteurs, dont trois caves coopératives.

DOM. D'ARIES
Cuvée du Marquis des Vignes 2000

■ 14,04 ha 40 000 ▮ 3à5€

A une quinzaine de kilomètres des gorges de l'Aveyron, ce domaine étend ses 126 ha de vignes. Intense et limpide, le vin exprime nettement les fruits noirs mûrs à l'olfaction, puis offre du volume et des tanins enrobés en bouche. Quelques signes d'évolution invitent à le déguster dès aujourd'hui. (20 à 29 F)
🔑 GAEC Belon et Fils, Dom. d'Ariès, 82240 Puylaroque, tél. 05.63.64.92.52, fax 05.63.31.27.49 ☑ Y r.-v.

DOM. DE CAUQUELLE 1999*

■ 10 ha 20 000 ▮🌡 3à5€

Planté sur sol argilo-calcaire, le cabernet franc domine l'assemblage de ce vin. De teinte profonde, celui-ci accompagne ses arômes fruités et épicés de notes de poivron caractéristiques. Il est harmonieux, équilibré en bouche, mais demande quelques années de garde pour s'exprimer pleinement. (20 à 29 F)

🔑 GAEC de Cauquelle, Cauquelle, 46170 Flaugnac, tél. 05.65.21.95.29, fax 05.65.21.83.30 ☑ 🍷 r.-v.
🔑 Sirejol

DOM. DE GUILLAU 2000

◪ 2 ha 6 600 🍾🌡 3à5€

Joliment présenté dans sa robe rose clair, limpide et nuancée de reflets orangés, ce vin offre un nez franc et intense, égrenant les notes de fruits, d'agrumes et de bonbon anglais. Il persiste bien en bouche, avec ampleur et équilibre. A boire sur une paella, un plateau de charcuterie ou des grillades. (20 à 29 F)

🔑 Jean-Claude Lartigue, Saint-Julien, 82270 Montalzat, tél. 05.63.93.17.24, fax 05.63.93.28.06, e-mail jc.lartigue@worldonline.fr ☑ 🍷 r.-v.

JACQUES DE BRION 1999**

■ 5,7 ha 38 000 🍾🌡 3à5€

Cette cuvée habillée d'une robe violacée intense libère des arômes avenants parmi lesquels se distinguent les épices, le végétal (poivron), les fruits rouges (cassis) et les fruits à l'alcool. La bouche dévoile certes sa structure tannique, mais elle reste toujours harmonieuse et aromatique. Déjà excellent aujourd'hui, ce coteaux du quercy pourra être conservé quelques années. (20 à 29 F)

🔑 Cave de Lavilledieu-du-Temple, 82290 Lavilledieu-du-Temple, tél. 05.63.31.60.05, fax 05.63.31.69.11, e-mail cave.lavilledieu@wanadoo.fr ☑ 🍷 r.-v.

DOM. DE LAFAGE 1999*

■ 6 ha 40 000 🍾 5à8€

C'est un vin charmeur qui se dévoile sous une teinte violacée, intense et brillante. Fruits et épices s'allient dans une palette ponctuée d'une note d'évolution et de nuances végétales de poivron. Ces arômes gravitent en bouche, autour de tanins encore un peu fermes mais prêts à s'assouplir dans le temps. Ce 99 devrait bien se marier avec la viande de bœuf. (30 à 49 F)

🔑 Bernard Bouyssou, 82270 Montpezat-de-Quercy, tél. 05.63.02.06.91, fax 05.63.02.04.55 ☑ 🍷 r.-v.

DOM. DE LA GARDE Tradition 1999**

■ 8 ha 20 000 🍾🌡 5à8€

Violacé intense, ce 99 libère des arômes de fruits cuits et d'épices, accompagnés d'une note végétale de poivron due au cabernet franc. La bouche harmonieuse persiste sur des accents de fruits rouges. Un ensemble dont le pouvoir de séduction devrait rester intact pendant deux ans au moins. Le jury a par ailleurs attribué une étoile à la **cuvée 99 élevée en fût de chêne**, qui fait la part belle au fruit sur fond boisé. (30 à 49 F)

🔑 Jean-Jacques Bousquet, Le Mazut, 46090 Labastide-Marnhac, tél. 05.65.21.06.59, fax 05.65.21.06.59 ☑ 🍷 r.-v.

DOM. SAINT-JULIEN 1999*

■ 5 ha 10 000 🍾 3à5€

Castelnau-Montratier est un charmant village situé sur un promontoire. Il offre au visiteur le plaisir de découvrir d'anciennes maisons à arcades, un beffroi, les vestiges d'un château et, à sa sortie nord, trois moulins à vent. C'est ici que le domaine Saint-Julien a produit ce coteaux du quercy. Bien brillant, celui-ci porte les signes de la jeunesse dans sa robe violacée. Le nez, marqué par le cabernet franc, offre des notes fruitées et végétales rappelant le poivron ou l'herbe coupée, tandis que la bouche, ample et fraîche, flatte par ses évocations de fruits épicés. (20 à 29 F)

🔑 GAEC Saint-Julien, Au Gros, 46170 Castelnau-Montratier, tél. 05.65.21.95.86, fax 05.65.21.83.89 ☑ 🍷 t.l.j. 9h-12h 14h-19h
🔑 Vignals

Gaillac

Comme l'attestent les vestiges d'amphores fabriquées à Montels, les origines du vignoble gaillacois remontent à l'occupation romaine. Au XIIIe s., Raymond VII, comte de Toulouse, prit à son endroit un des premiers décrets d'appellation contrôlée, et le poète occitan Auger Gaillard célébrait déjà le vin pétillant de Gaillac bien avant l'invention du champagne: Le vignoble (3 100 ha) se divise entre les premières côtes, les hauts coteaux de la rive droite du Tarn, la plaine, la zone de Cunac et le pays cordais pour une production de 138 700 hl de vins rouges et 45 850 hl de vins blancs.

Les coteaux calcaires se prêtent admirablement à la culture des cépages blancs traditionnels comme le mauzac, le len-de-l'el (loin-de-l'œil), l'ondenc, le sauvignon et la muscadelle. Les zones de graves sont réservées aux cépages rouges, duras, braucol ou fer-servadou, syrah, gamay, négrette, cabernet, merlot. La variété des cépages explique la palette des vins gaillacois.

Pour les blancs, on trouvera les vins secs et perlés, frais et aromatiques, et les vins moelleux des premières côtes, riches et suaves. Ce sont ces vins, très marqués par le mauzac, qui ont fait la renommée du gaillac. Le gaillac mousseux peut être élaboré soit par une méthode artisanale à partir du sucre naturel du raisin, soit par la méthode champenoise, que la législation européenne appelle désormais méthode traditionnelle ; la première donne des vins plus fruités, avec du caractère. Les rosés de saignée sont légers et faciles à boire, les vins rouges dits de garde, typés et bouquetés.

MAS D'AUREL Cuvée Alexandra 1999*

■ 3 ha 20 000 5 à 8 €

Si le **gaillac doux cuvée Clara 2000** mérite une citation, ce vin rouge a la préférence du jury. De teinte cerise limpide, il évoque les fruits rouges (cassis), avec quelques notes de feuilles de menthe et du poivre. La bouche svelte et fruitée fait preuve d'équilibre. La présence des tanins s'affirme dans une finale très aromatique. Un gaillac bien typé. (30 à 49 F)

Mas d'Aurel, 81170 Donnazac, tél. 05.63.56.06.39, fax 05.63.56.09.21 t.l.j. sf dim. 8h-12h 14h-19h

Albert Ribot

DOM. DE BALAGES 2000

1 ha 5 000 5 à 8 €

Le domaine de Balagès est implanté sur la commune de Lagrave, connue pour son château bâti sur un éperon au-dessus du Tarn. Syrah et duras se côtoient dans ce vin couleur fraise. Le nez vineux évoque les fruits rouges, tandis qu'en bouche, une impression fraîche et minérale apparaît dès l'attaque. L'alcool bien présent soutient le fruit en finale. (30 à 49 F)

Claude Candia, Dom. de Balagès, 81150 Lagrave, tél. 05.63.41.74.48, fax 05.63.81.52.12 t.l.j. 9h-12h 14h-19h

DOM. BARREAU
Doux Caprice d'Automne 1999***

□ 5 ha 23 400 8 à 11 €

Ce vin représente bien la nouvelle génération de gaillac, alliant typicité et modernité. Or très brillant, il laisse des larmes abondantes sur les parois du verre avant de livrer ses arômes de grains de raisin rôtis, de miel et d'abricot confit. En bouche, la matière possède une forte concentration, laissant une impression de richesse et de complexité. La finale est tout aussi impressionnante par sa longueur et sa fraîcheur. (50 à 69 F)

Jean-Claude Barreau, Boissel, 81600 Gaillac, tél. 05.63.57.57.51, fax 05.63.57.66.37 r.-v.

BRUMES Doux 1999**

□ 0,42 ha 800 11 à 15 €

Le domaine des Salesses (25 ha) propose ici « une rêverie occitane dans les nuées automnales ». Tout d'or vêtu, ce vin brille intensément dans le verre, invitant à découvrir un nez fin et complexe, aux senteurs de coing, d'ananas confit, de miel et d'épices douces. Dans une bouche grasse, ample et généreusement aromatique, les saveurs s'équilibrent parfaitement. L'ensemble profite longuement d'un bon support d'alcool. Ce gaillac déjà harmonieux peut encore s'épanouir. (70 à 99 F)

Gaillac

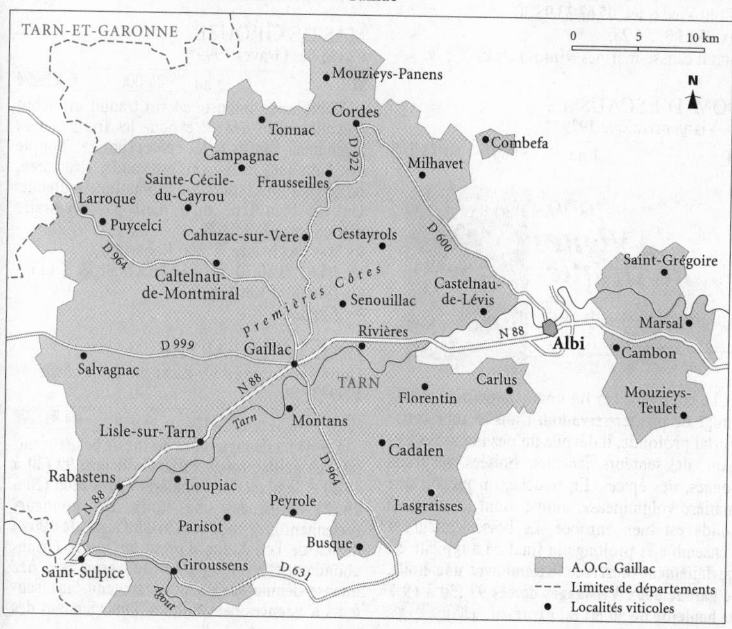

Dom. Les Salesses, Sainte-Cécile-d'Avès, 81600 Gaillac, tél. 05.63.57.26.89, fax 05.63.57.26.89 ☑ 🍷 t.l.j. 8h-12h 14h-19h
Litre

DOM. DES CAILLOUTIS 1999*

■ 4 ha 21 000 3à5€

Bernard Fabre, œnologue, a repris ce vignoble en 1998. Il propose ici un vin de teinte légère et limpide, dont le nez franc est bien marqué par les fruits rouges et noirs (cassis, mûre). D'attaque souple, la bouche équilibrée, gouleyante et fruitée, s'achève sur une finale bien fraîche. Un vin simple et friand, prêt à boire. (20 à 29 F)
Dom. des Cailloutis, 81140 Andillac, tél. 05.63.33.97.63, fax 05.63.33.97.63, e-mail bf@rouge-blanc.com ☑ 🍷 r.-v.
Bernard Fabre

DOM. DE CAUSSE MARINES
Mysterre 1993*

□ 0,25 ha 654 15à23€

Au domaine de Causse Marines, on choisit le nom des cuvées avec talent. Le **gaillac doux Délires d'Automne 99 (150 à 199 F)** est tout aussi réussi que ce vin blanc sec, mais ce dernier présente plus d'originalité encore par son style proche de celui d'un vin jaune. De teinte ambrée à nuances orangées, il possède un nez puissant de type oxydatif (noix fraîche). D'autres arômes se manifestent, comme l'eau-de-vie de prune et de marc, les épices (vanille, cannelle, safran). La bouche étonne car elle se développe, telle une eau-de-vie, sur l'alcool et l'acidité avec un soupçon d'amertume. (100 à 149 F)
Patrice Lescarret, Dom. de Causse Marines, 81140 Vieux, tél. 05.63.33.98.30, fax 05.63.33.96.23, e-mail causse-marines@infonie.fr ☑ 🍷 r.-v.

DOM. D'ESCAUSSES
La Vigne mythique 1999**

■ 1 ha 5 000 8à11€

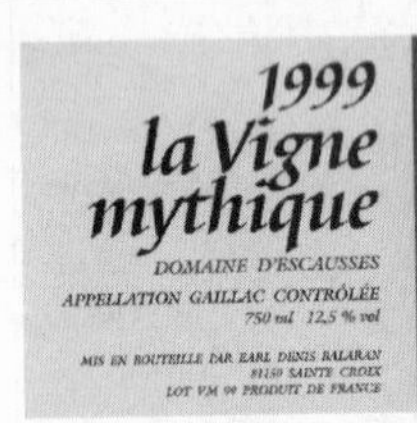

Le coup de cœur fut unanime pour ce gaillac rouge de pur fer-servadou. Dans sa robe cerise burlat profonde, il dévoile un nez intense et élégant : des senteurs richement boisées, des fruits rouges, des épices. En bouche, on perçoit une matière volumineuse, ample, dont la structure solide est bien enrobée. Le boisé s'intègre à l'ensemble et prolonge la finale. La typicité est parfaitement préservée. Retenu avec une étoile, le **gaillac doux Vendanges dorées 99 (50 à 69 F la bouteille de 50 cl)** est expressif. (50 à 69 F)
EARL Denis Balaran, Dom. d'Escausses, 81150 Sainte-Croix, tél. 05.63.56.80.52, fax 05.63.56.87.62, e-mail jean-marc.balaran@wanadoo.fr
☑ 🍷 t.l.j. 9h-19h; dim. et groupes sur r.-v.

FASCINATION Sec 2000*

□ n.c. 30 000 5à8€

Vêtu d'une robe pâle et cristalline, ce vin présente un nez aromatique, ouvert et persistant : il décline de jolies notes de buis, de fleurs blanches et d'agrumes (citron). La bouche harmonieuse, ronde et fruitée bénéficie d'une agréable fraîcheur en accord avec les arômes perçus à l'olfaction. Un gaillac blanc de bonne facture. (30 à 49 F)
Cave de Técou, Técou, 81600 Gaillac, tél. 05.63.33.00.80, fax 05.63.33.06.69, e-mail passion@cavedetecou.fr ☑

DOM. DE GINESTE Grande Cuvée 1999*

■ 1 ha 4 000 11à15€

De nouveaux propriétaires dirigent ce domaine déjà célèbre. Ils proposent non seulement un **gaillac doux cuvée Moine Albert 99 (100 à 149 F)**, jugé très réussi par le jury, mais aussi ce vin rouge sombre à reflets violacés. Le nez profond, encore timide, dévoile un boisé torréfié et mentholé avant de s'orienter sur les fruits noirs et les épices. La bouche grasse et concentrée compte sur des tanins bien présents mais enrobés ; si le boisé reste marqué, il contribue à la bonne structure du vin. Ce gaillac s'affinera après quelques années de garde. (70 à 99 F)
EARL Dom. de Gineste, 81600 Técou, tél. 05.63.33.03.18, fax 05.63.81.52.65, e-mail domainedegineste@free.fr ☑ 🍷 t.l.j. 10h-19h
Mangeais, Delmotte

MAS DE GROUZE
Cuvée des Graves 1999*

■ 5 ha 25 000 3à5€

Rubis assez intense, ce vin traduit un début d'évolution au nez : il évoque les fruits rouges légèrement confits et les épices (poivre). Souple dès l'attaque, la bouche est ronde, structurée, portée par une expression aromatique soutenue. Un vin bien typé qu'il n'est pas nécessaire d'attendre. (20 à 29 F)
Mas de Grouze, 81800 Rabastens, tél. 05.63.33.80.70, fax 05.63.33.79.48 ☑ 🍷 t.l.j. 8h-19h; dim. 10h-12h30
Alquier

DOM. DE LABARTHE
Doux Les Grains d'Or Elevé en fût de chêne 1999**

□ 3 ha 4 000 8à11€

Les 48 ha de vignes ont donné de beaux résultats. Le **gaillac rouge cuvée Guillaume 99 (30 à 49 F)** et le **blanc sec Premières Côtes 2000 (20 à 29 F)** obtiennent une étoile. Les honneurs reviennent à ce moelleux friand, issu de 100 % de len de l'el. Jaune d'or, il laisse des larmes abondantes sur les parois du verre. Son nez intense débute sur un boisé soutenu, aux senteurs d'essences balsamiques. Puis viennent des sensations fraîches de fruits exotiques. Puissante dès l'attaque, la bouche évolue avec vivacité sur une longue gamme aromatique où le bois garde une place prépondérante. La finale laisse une impression chaude et sucrée. (Bouteilles de 50 cl.) (50 à 69 F)

Jean-Paul Albert, Dom. de Labarthe, 81150 Castanet, tél. 05.63.56.80.14, fax 05.63.56.84.81, e-mail jean.albert@wanadoo.fr r.-v.

CH. LABASTIDE 1999*

65 ha 250 000 5 à 8 €

Ce gaillac rouge affiche un bon potentiel, déjà perceptible dans sa robe soutenue à reflets violacés. Le nez assez intense évoque les fruits noirs compotés, avec une note de poivron vert. D'attaque franche, la bouche possède du volume, du gras et de la mâche. La trame de tanins serrés s'affirme davantage encore en finale. (30 à 49 F)

Cave de Labastide de Lévis, 81150 Marssac-sur-Tarn, tél. 05.63.53.73.73, fax 05.63.53.73.74 t.l.j. sf dim. 8h-12h 14h-18h

DOM. DE LA CHANADE
Elevé en fût de chêne 1999*

1,5 ha 8 000 5 à 8 €

Ce domaine ancien ressuscite grâce à un petit-fils passionné, aidé d'un jeune œnologue déjà chevronné. Le vignoble compte 20 ha. Ce vin, de teinte brillante et intense, s'ouvre sur des arômes de torréfaction (pain grillé, café), avant de dévoiler à l'agitation fruits noirs et épices. La bouche, généreuse, grasse et assez aromatique, est soutenue par des tanins soyeux jusqu'à une finale poivrée. (30 à 49 F)

SCEA Dom. de La Chanade, La Chanade, 81170 Souel, tél. 05.63.56.31.10, fax 05.63.56.31.10 t.l.j. 9h-12h 14h-19h

Hollevoet

DOM. LA CROIX DES MARCHANDS
Fraîcheur perlée 2000*

5 ha 30 000 5 à 8 €

Jaune pâle à nuances plus vives, ce perlé est un vin joyeux, délicatement floral et fruité. Une note de poivre relève la palette. La bouche franche, agréablement aromatique, trouve un bon équilibre entre rondeur et fraîcheur. (30 à 49 F)

J.-M. et M.-J. Bezios, av. des Potiers, 81600 Montans, tél. 05.63.57.19.71, fax 05.63.57.48.56, e-mail croixdesmarchands@wanadoo.fr t.l.j. sf dim. 9h-12h 13h30-19h

CH. LARROZE Sec 2000**

5 ha 20 000 5 à 8 €

Ce gaillac séduit par sa jeunesse et sa gaieté. Habillé d'une robe claire à nuances vertes, il libère des parfums délicats, alliant un caractère fleuri à une pointe de miel et à des arômes de citron frais bien nets. Après une attaque fraîche, on perçoit un bon équilibre des saveurs. La bouche est en harmonie avec le nez jusque dans sa finale de fruits frais. (30 à 49 F)

Ch. Larroze, La Colombarié, 81140 Cahuzac-sur-Vère, tél. 05.63.33.92.62, fax 05.63.33.92.49 t.l.j. sf dim. 9h-12h 14h-18h

CH. LASTOURS
Cuvée spéciale Elevé en fût de chêne 1999**

4 ha 17 000 8 à 11 €

Hubert et Pierric de Faramond exploitent un domaine de 40 ha. Si leur **gaillac blanc sec Les Graviers 2000 (30 à 49 F)** est très réussi, ce vin rouge soutenu, nuancé de pourpre, séduit par son nez expressif de confiture de fruits rouges et d'épices. La bouche pleine et ronde possède suffisamment de fraîcheur pour accueillir les arômes épicés et la note finale de cuir. Les tanins fondus complètent cet ensemble charmeur, de bonne tenue. (50 à 69 F)

Hubert et Pierric de Faramond, Ch. Lastours, 81310 Lisle-sur-Tarn, tél. 05.63.57.07.09, fax 05.63.41.01.95 t.l.j. sf dim. 8h-12h 13h30-18h

LE PAYSSEL 2000

n.c. 5 000 3 à 5 €

C'est un vin rosé pâle à reflets gris qui flatte les sens par ses arômes fleuris et légèrement mentholés. Vive à l'attaque, la bouche nette reste fraîche par sa petite pointe perlante vivifiante et ses arômes minéraux et fruités. Légèreté et équilibre. (20 à 29 F)

EARL Louis Brun et Fils, Vignoble Le Payssel, 81170 Frausseilles, tél. 05.63.56.00.47, fax 05.63.56.09.16, e-mail lepayssel@free.fr t.l.j. 9h-12h 14h-18h; sam. dim. 16h-18h

DOM. DE LONG PECH 1999**

1,5 ha 5 600 5 à 8 €

Issu de braucol, de cabernet franc et de duras, ce vin a séduit par sa riche extraction et son potentiel. La robe intense, d'un rubis profond et brillant, invite à découvrir un nez expressif : une corbeille de fruits noirs et rouges bien mûrs, de la cerise à l'eau-de-vie et des épices. La bouche confirme cette concentration par une matière grasse et mûre. La structure est ample, composée de tanins bien enrobés. Quant à la finale, c'est la cerise sur le gâteau ! A noter aussi, le **gaillac rouge cuvée Jean-Gabriel 98 (50 à 69 F)**, élevé en fût, qui a été jugé très réussi. (30 à 49 F)

GAEC Christian Bastide Père et Fils, Dom. de Long-Pech, Lapeyrière, 81310 Lisle-sur-Tarn, tél. 05.63.33.37.22, fax 05.63.40.42.06, e-mail dom.longpech@wanadoo.fr t.l.j. sf dim. 9h-12h30 13h30-18h30

MANOIR DE L'EMMEILLE
Tradition 1999

3 ha 30 000 5 à 8 €

Deux cuvées de ce domaine méritent une citation, le **gaillac sec 2000** et ce vin rouge encore violacé. Le nez fruité rappelle la fraise et la framboise, soulignées d'épices. Souple à l'attaque, la bouche se fait plus vive sur un équilibre satisfaisant. La finale présente une certaine austérité, mais l'ensemble reste plaisant. (30 à 49 F)

SUD-OUEST

🔑 EARL Manoir l'Emmeillé, 81140 Campagnac, tél. 05.63.33.12.80, fax 05.63.33.20.11 ☑ 🍷 t.l.j. sf dim. 9h-12h 14h-19h
🔑 Charles Poussou

CH. MARESQUE Cuvée Thomas 1999★★

■ 2 ha 11 000 8 à 11 €

Béatrice Méhaye, native de Pauillac, et Lucas Schutte, ancien viticulteur en Bourgogne, ont créé ce domaine en mars 1999, sur 12 ha. Leur gaillac grenat intense offre un nez profond et concentré aux senteurs de fruits noirs et d'épices, de réglisse et de poivron vert. La bouche puissante, richement structurée, évolue sur des tanins élégants. L'expression aromatique s'épanouit dans une finale bien enlevée. Ce vin possède un bon potentiel. (50 à 69 F)

🔑 Béatrice Méhaye et Lucas Schutte, Maresque, 81600 Gaillac, tél. 05.63.57.53.32, fax 05.63.57.51.24, e-mail lucas.schutte@wanadoo.fr ☑ 🍷 r.-v.

CH. MIRAMOND Cuvée Antoine Elevé en fût de chêne 1999★★

■ 1,5 ha 3 600 5 à 8 €

Le château Miramond réalise une belle prestation grâce à un **gaillac rouge 99** élevé en cuve, qui obtient une étoile, et à cette cuvée élevée en fût, issue à 60 % de syrah et à 40 % de ferservadou. Une robe teintée de grenat et de nuances sombres introduit la dégustation. Le nez fin exprime un boisé élégant, du fruit et des épices, ainsi qu'une sensation agréable de réglisse et de menthol. Toujours aromatique, la bouche évolue avec fraîcheur, dans un parfait équilibre. (30 à 49 F)

🔑 Pascal Trouche, Mas de Graves, Saint-Laurent, 81600 Gaillac, tél. 05.63.57.14.86, fax 05.63.57.63.44, e-mail ptrouche@online.fr ☑ 🍷 t.l.j. sf dim. 10h-12h 16h-19h

CH. MONTELS Doux Les Trois Chênes Elevé en fût de chêne 1999★★

□ 4 ha 4 200 8 à 11 €

Len de l'el à 85 % et muscadelle à 15 %, raisins vendangés en caissettes et triés après cinq ou six passages dans le vignoble... Le résultat est un vin concentré, ciselé d'or et de cuivre. Le nez expressif rappelle la pomme au four nappée de miel, saupoudrée d'une pointe d'anis étoilé. La bouche, ample et grasse, confirme la palette aromatique en la complétant d'arômes de tilleul et de fruits exotiques. Elle laisse une impression de douceur jusqu'en finale. Le **gaillac rouge cuvée des Trois Chênes 98 (30 à 49 F)** obtient une étoile. (50 à 69 F)

🔑 Bruno Montels, Burgal, 81170 Souel, tél. 05.63.56.01.28, fax 05.63.56.15.46 ☑ 🍷 t.l.j. 10h-12h30 14h-19h; dim. sur r.-v.

DOM. DU MOULIN Vieilles vignes Elevé en fût 1999★

■ 8 ha 32 000 5 à 8 €

La robe rouge foncé et profonde annonce la qualité de la matière. Le nez est encore peu ouvert, vineux et épicé, mais la bouche ronde offre un volume riche et structuré. On perçoit du gras et une chair ample, dont l'expression aromatique devrait se révéler à la garde. Le **gaillac blanc sec Vieilles vignes élevé en fût** est cité. (30 à 49 F)

🔑 GAEC Hirissou, chem. de Bastié, 81600 Gaillac, tél. 05.63.57.20.52, fax 05.63.57.66.67, e-mail domainedumoulin@libertysurf.fr ☑ 🍷 t.l.j. sf dim. 9h30-12h 14h-19h

CH. PALVIE 1999★

■ 1 ha 8 000 8 à 11 €

Syrah et braucol ont produit deux gaillac rouges très réussis : le **Château Palvié 99 élevé en fût (70 à 99 F)** et cette cuvée élevée en cuve. Presque noire à nuances violettes, elle dévoile un nez intense, évocateur de confiture. La bouche confirme cette concentration et cette surmaturation du fruit : elle offre du gras, de la puissance et une forte présence des tanins jusqu'en finale. (50 à 69 F)

🔑 Jérôme Bézios, 81140 Cahuzac-sur-Vère, tél. 05.63.57.19.71, fax 05.63.57.48.56 ☑

DOM. DES PARISES Doux Loin de l'Œil 1999★

□ 1,5 ha 3 500 5 à 8 €

Le domaine de Jean Arnaud fait peau neuve : le vignoble de 21 ha a été entièrement renouvelé, les caves sont en cours de réaménagement. Le résultat est probant, comme en témoigne ce gaillac jaune ambré et brillant, généreux en larmes. Son nez intense exprime les fruits secs ou surmûris, le pain d'épice et la pâte de coing. La bouche apparaît dense et grasse, portée essentiellement par l'alcool. Les arômes perçus à l'olfaction réapparaissent en finale, avec une dominante de fruits macérés dans l'eau-de-vie. (30 à 49 F)

🔑 SCEV Arnaud, rue de la Mairie, 81150 Lagrave, tél. 05.63.41.78.63, fax 05.63.41.78.63 ☑ 🍷 r.-v.
🔑 Jean Arnaud

PERLE D'AMOUR 2000★

□ n.c. 60 000 5 à 8 €

La Cave de Labastide-de-Lévis fut la première coopérative créée dans le Tarn, en 1949. Elle propose ici un gaillac jaune pâle limpide, parsemé de fines perles. Le nez intense décline à la fois les fruits (poire, abricot, litchi) et les fleurs, avec un léger côté beurré. En bouche, le vin est léger, souple et rond ; c'est une bulle parfumée qui s'évanouit sur une pointe d'amertume. (30 à 49 F)

🔑 Cave de Labastide-de-Lévis, 81150 Marssac-sur-Tarn, tél. 05.63.53.73.73, fax 05.63.53.73.74
☑ 🍷 t.l.j. sf dim. 8h-12h 14h-18h

DOM. DE PIALENTOU

Les Gentilles Pierres Elevé en fût de chêne 1999★

■ 6,07 ha 6 000 🛢 8à11€

Ce domaine de 12 ha a été racheté en 1998. Violacé soutenu, le vin semble frais par ses arômes de cerise et de fraise sur fond balsamique. Après une attaque souple, la bouche ronde et légère évolue sur une trame de tanins fins et savoureux. La finale s'enveloppe d'arômes doucement boisés. (50 à 69 F)

🔑 SCEA du Pialentou, Dom. de Pialentou, 81600 Brens, tél. 05.63.57.17.99, fax 05.63.57.20.51, e-mail domaine.pialentou@wanadoo.fr
☑ 🍷 t.l.j. sf dim. 9h-12h 14h-19h
🔑 J. et K. Gervais

MAS PIGNOU

Doux Les Hauts de Laborie 2000★

□ 5 ha 27 000 🍾 5à8€

Riche en reflets verts, ce vin offre un nez assez intense et frais grâce à ses notes mentholées. Les arômes sont à la fois fleuris et fruités (fruit de la Passion). La bouche flatte les sens par son équilibre et sa souplesse ; elle persiste agréablement dans le registre floral. (30 à 49 F)

🔑 Jacques et Bernard Auque, Dom. du Mas Pignou, 81600 Gaillac, tél. 05.63.33.18.52, fax 05.63.33.11.58, e-mail maspignou@free.fr
☑ 🍷 t.l.j. 9h-12h 14h-19h; dim. sur r.-v.

VIN D'AUTAN DE ROBERT PLAGEOLES ET FILS Doux 1999★

□ 3 ha 2 000 🍾 30à38€

Ce vin de noble origine doit son caractère au raisin d'ondenc concentré par passerillage sur souche et au développement maîtrisé de la pourriture noble. La robe jaune d'or annonce un nez puissant évoquant le pain d'épice, la gelée de coing et les fruits secs. Pleine et concentrée, la bouche développe généreusement ses arômes et coule comme du miel. (200 à 249 F)

🔑 EARL Robert Plageoles et Fils, Dom. des Très-Cantous, 81140 Cahuzac-sur-Vère, tél. 05.63.33.90.40, fax 05.63.33.95.64
🍷 t.l.j. 8h-12h 14h-19h; dim. sur r.-v.

RAIMBAULT DES VIGNES 1999★

■ 30 ha 200 000 🍾 3à5€

De teinte cerise burlat, ce vin mêle intensément les fruits rouges, les épices, la violette et la menthe en un bouquet frais. La bouche, souple dès l'attaque, s'exprime autour d'une structure légère, équilibrée sur la fraîcheur. Un ensemble gourmand. (20 à 29 F)

🔑 Cave de Rabastens, 33, rte d'Albi, 81800 Rabastens, tél. 05.63.33.73.80, fax 05.63.33.85.82, e-mail rabastens@vins-du-sud-ouest.com ☑ 🍷 t.l.j. 9h-12h30 14h30-19h

DOM. RENE RIEUX

Doux Concerto Elevé en fût de chêne 1999★★★

□ 1,25 ha 2 000 🛢 11à15€

Ce domaine de 18,5 ha appartient au Centre d'aide par le travail de Boissel. Trois de ses vins sont retenus, dont le **gaillac mousseux demi-sec Symphonie 98 (30 à 49 F)**, qui obtient deux étoiles, et le **gaillac rouge Concerto 99 élevé en fût de chêne**, cité. Le jury a été séduit par ce moelleux or cuivré. Le nez laisse exploser les fleurs blanches, le miel, la pomme au four et l'orange confite, tandis que la bouche concentrée équilibre sa douceur par une grande fraîcheur et une sève aromatique persistante. (70 à 99 F)

🔑 Dom. René Rieux, 1495, rte de Cordes, 81600 Gaillac, tél. 05.63.57.29.29, fax 05.63.57.51.71, e-mail domaine.rene.rieux@wanadoo.fr
☑ 🍷 t.l.j. sf dim. 9h-12h 13h30-19h30
🔑 CAT Boissel

CH. RIVAT 1999★

■ 2 ha 5 000 🍾 5à8€

C'est un vin équilibré et typique qui apparaît derrière la robe rubis bien nette. Le nez présente des notes de griotte à l'eau-de-vie et de poivre, ainsi qu'une touche florale. La bouche forme un volume sphérique, dont l'équilibre est porté par l'alcool et une trame de tanins doux. (30 à 49 F)

🔑 Ch. Rivat, Rivat, 81600 Senouillac, tél. 06.09.88.08.15, fax 06.63.81.29.20 ☑ 🍷 r.-v.
🔑 F. Santandrea

DOM. ROTIER Doux Renaissance 1999★★★

□ 3,6 ha 17 200 🛢 11à15€

Ce gaillac doux donne la vedette au len de l'el, ce cépage typiquement gaillacois. Vêtu d'une robe or cuivré, il libère un bouquet subtil aux fragrances d'orange et d'ananas confit, de tarte Tatin, de fleurs blanches et de miel. Intense dès l'attaque, la bouche exprime une large palette aromatique dans un bon équilibre entre la fraîcheur, le gras et la liqueur. La finale s'étire longuement. Du même producteur, le **gaillac rouge Renaissance 99 (50 à 69 F)** est cité. (70 à 99 F)

🔑 Dom. Rotier, Petit Nareye, 81600 Cadalen, tél. 05.63.41.75.14, fax 05.63.41.54.56, e-mail rotier@terre-net.fr
☑ 🍷 t.l.j. sf dim. 8h-12h 14h-19h
🔑 Alain Rotier et Francis Marre

SUD-OUEST

CH. DE SALETTES Doux 1999★★

☐ 2 ha 8 000 5à8€

Le château de Salettes propose, outre de jolis vins, un hébergement quatre étoiles et un restaurant gastronomique. Son gaillac doux consacre la muscadelle. Tout d'or vêtu et riche en larmes, il apparaît d'emblée fin et complexe dans ses expressions florales de tilleul et de rose, légèrement vanillées. La bouche, vive en attaque, conserve sa ligne fraîche tout en dévoilant beaucoup de concentration et de puissance. Elle se distingue par sa complexité aromatique et l'heureux mariage de la matière avec le bois. (30 à 49 F)

SCEV Ch. de Salettes, 81140 Cahuzac-sur-Vère, tél. 05.63.33.60.60, fax 05.63.33.60.61, e-mail chateau-de-salettes@wanadoo.fr
Y r.-v.
Roger Le Net

BARON THOMIERES Sec 2000★

☐ n.c. 8 000 3à5€

Jaune pâle à reflets verts, ce vin intense semble d'abord frais par ses accents de citron et de menthol, puis il privilégie le fruit compoté et le miel. Franche dès l'attaque, sa bouche souple et svelte révèle un caractère fruité. (20 à 29 F)

Laurent Thomières, La Raffinié, 81150 Castelnau-de-Lévis, tél. 05.63.60.39.03, fax 05.63.53.11.99 Y t.l.j. sf ven. 15h-18h30

DOM. DE VAYSSETTE 1999★

■ 2 ha 14 600 5à8€

Le domaine de Vayssette compte 23 ha de vignes. Son gaillac rouge est né de l'assemblage de syrah, de duras, de braucol et de cabernet franc. Revêtu d'une robe pivoine à nuances violines, il libère une palette subtile, évocatrice de petits fruits (cassis), d'épices et de réglisse. Après une attaque souple, la bouche évolue sur un bon équilibre entre la vivacité et l'alcool. Sa charpente est bien bâtie grâce à des tanins fondus. Retenez également le **gaillac doux 99 (50 à 69 F)**, très réussi, qui marie mauzac et muscadelle. (30 à 49 F)

Dom. de Vayssette, rte de Caussade, 81600 Gaillac, tél. 05.63.57.31.95, fax 05.63.81.56.84 Y r.-v.

CH. VIGNE-LOURAC
Doux Vieilles vignes 1999★

☐ 6 ha 30 000 5à8€

Jaune paille à reflets dorés, ce vin riche et intense mêle le miel, la confiture et la pâte de fruits. Sa bouche ronde et ample propose du gras et une forte concentration. Les arômes persistent puissamment en rétro-olfaction. Un vin de grande maturité, apte à la garde. (30 à 49 F)

Vignobles Philippe Gayrel, BP 4, 81600 Gaillac, tél. 05.63.33.91.16, fax 05.63.33.95.76

Trouver un producteur, un négociant ou une coopérative ? Consultez l'index en fin de volume.

Buzet

Connu depuis le Moyen Age comme partie intégrante du haut-pays bordelais, le vignoble de Buzet s'étageait entre Agen et Marmande. D'origine monastique, il a été développé par les bourgeois d'Agen. Réduit à l'état de souvenir après la crise phylloxérique, il est devenu à partir de 1956 le symbole de la renaissance du vignoble du haut-pays. Deux hommes, Jean Mermillod et Jean Combabessouse, ont présidé à ce renouveau, qui a dû aussi beaucoup à la Cave coopérative des Producteurs réunis, laquelle élève une grande partie de sa production en barriques régulièrement renouvelées. Ce vignoble s'étend aujourd'hui entre Damazan et Sainte-Colombe, sur les premiers coteaux de la Garonne ; il irrigue les villes touristiques de Nérac et Barbaste.

L'alternance de boulbènes, de sols graveleux et argilo-calcaires permet d'obtenir des vins à la fois variés et typés. Les rouges, puissants, profonds, charnus et soyeux, rivalisent avec certains de leurs voisins girondins. Ils s'accordent à merveille avec la gastronomie locale : magret, confit et lapin aux pruneaux. S'étendant sur 1 916 ha, buzet a donné 119 570 hl en 2000 dont 4 858 hl en blanc car si le buzet est rouge par tradition, blancs et rosés complètent une palette consacrée aux harmonies pourpres, grenat et vermillon.

BARON D'ARDEUIL
Elevé en fût de chêne 2000★

☐ 10 ha 40 000 5à8€

Jaune pâle brillant à reflets verts, ce vin moyennement intense présente des arômes de fruits exotiques mêlés à des nuances boisées. Peu vive en attaque, la bouche développe des notes de fruits exotiques et de vanille. Un buzet bien équilibré, rond et gras, prêt à boire. (30 à 49 F)

Les Vignerons de Buzet, BP 17, 47160 Buzet-sur-Baïse, tél. 05.53.84.74.30, fax 05.53.84.74.24, e-mail buzet@vignerons-buzet.fr Y t.l.j. sf dim. 9h-12h 14h-18h

CH. DU BOUCHET 1999★★

■ 18 ha 84 075 5à8€

Le nez puissant et fin à la fois libère des notes de poivron et d'épices. L'attaque douce, équilibrée, laisse d'emblée des notes chocolatées. La structure tannique, ample et ronde, soutient la bouche jusqu'à une longue finale. Ce vin de caractère, agréable dès ses jeunes années, peut

élégamment accompagner une blanquette de veau. (30 à 49 F)
Les Vignerons de Buzet, BP 17, 47160 Buzet-sur-Baïse, tél. 05.53.84.74.30, fax 05.53.84.74.24, e-mail buzet@vignerons-buzet.fr t.l.j. sf dim. 9h-12h 14h-18h
Seava Padere

LES VIGNERONS DE BUZET
Grande Réserve 1998★★

■ 32 ha 96 320 23 à 30 €

GRANDE RÉSERVE
BUZET
APPELLATION BUZET CONTROLÉE
1998 1998
MIS EN BOUTEILLE A LA PROPRIÉTÉ
LES VIGNERONS DE BUZET 47160 BUZET-SUR-BAISE - FRANCE
12,5%vol. N° 03544 750ml

Ce buzet est incontestablement le plus prometteur de la sélection. Le nez complexe libère des arômes de fruits mûrs, soulignés de notes légèrement brûlées. En bouche, les tanins sont particulièrement puissants et harmonieux ; le boisé, hérité d'un élevage en fût de neuf mois, commence à se fondre, tout en apportant des nuances de cuir. Ce vin laisse espérer une grande aptitude au vieillissement. La **cuvée Jean-Marie Hébrard 98 rouge (70 à 99 F)** obtient une étoile. Encore marquée par le bois, elle présente de la rondeur et une finale expressive. C'est un beau vin dense et puissant, à attendre. (150 à 199 F)
Les Vignerons de Buzet, BP 17, 47160 Buzet-sur-Baïse, tél. 05.53.84.74.30, fax 05.53.84.74.24, e-mail buzet@vignerons-buzet.fr t.l.j. sf dim. 9h-12h 14h-18h

CH. DE GACHE 1999★★

■ 18 ha 68 568 5 à 8 €

Ce 99 présente une robe rubis intense. Son nez complexe, puissant et fin à la fois, décline des notes épicées, poivrées et un fruité mûr. La bouche possède du grain et de la longueur aromatique. Les arômes de vin et d'épices sont bien soutenus par une structure dense, enrobée de chair. Ce buzet équilibré et savoureux accompagnera une viande rouge grillée. Le **Château de Bougigues 98**, qui n'a pas connu le bois, obtient une étoile. Il laisse dominer des arômes de cassis au nez, et propose une bouche ample, bien soutenue par des tanins savoureux. A boire dans deux ou trois ans. (30 à 49 F)
Les Vignerons de Buzet, BP 17, 47160 Buzet-sur-Baïse, tél. 05.53.84.74.30, fax 05.53.84.74.24, e-mail buzet@vignerons-buzet.fr t.l.j. sf dim. 9h-12h 14h-18h
J. de Royer

CH. DE GUEYZE 1998★★

■ 78 ha 173 536 8 à 11 €

Le château de Gueyze est l'un des fleurons de la production de la cave de Buzet, avec son vignoble de 78 ha d'un seul tenant. Le boisé fin et puissant enveloppe le fruit mûr par ses notes épicées et grillées. La palette s'accompagne de nuances mentholées et de touches d'eucalyptus fraîches. Les tanins serrés mais souples étayent ce vin dense, harmonieux, qui conviendra à un civet de sanglier. (50 à 69 F)
Les Vignerons de Buzet, BP 17, 47160 Buzet-sur-Baïse, tél. 05.53.84.74.30, fax 05.53.84.74.24, e-mail buzet@vignerons-buzet.fr t.l.j. sf dim. 9h-12h 14h-18h
Sté Gueyze

DOM. DE LA CROIX 1999★★

■ 55 ha 142 015 5 à 8 €

Elégant et floral au nez, ce vin possède une bouche riche et charnue, structurée par des tanins bien présents. Il bénéficie en outre d'une bonne acidité et d'une finale longue. Ce buzet classique et savoureux présente un excellent équilibre et pourra accompagner l'ensemble d'un repas. La **cuvée Vieilles vignes 98 rouge** obtient une étoile. Elle offre un nez de fruits mûrs, marqué par le cabernet, et un boisé discret. La bouche aromatique laisse une impression fruitée fraîche. Ce vin est prêt à boire. (30 à 49 F)
Les Vignerons de Buzet, BP 17, 47160 Buzet-sur-Baïse, tél. 05.53.84.74.30, fax 05.53.84.74.24, e-mail buzet@vignerons-buzet.fr t.l.j. sf dim. 9h-12h 14h-18h

CH. DE PADERE 1998★★

■ 45 ha 137 684 5 à 8 €

La palette d'arômes de fruits rouges, de cassis et de mûre séduit d'emblée. Après une attaque riche sur le fruit, la bouche bénéficie de tanins denses, serrés et savoureux, qui soutiennent une finale fraîche. Ce vin équilibré et élégant pourra être conservé trois ou quatre ans. Il se mariera avec un confit de canard ou un cassoulet. (30 à 49 F)
Les Vignerons de Buzet, BP 17, 47160 Buzet-sur-Baïse, tél. 05.53.84.74.30, fax 05.53.84.74.24, e-mail buzet@vignerons-buzet.fr t.l.j. sf dim. 9h-12h 14h-18h
Seava Padere

CH. SAUVAGNERES 1999★★

■ 0,6 ha 4 000 5 à 8 €

De teinte grenat, ce vin développe des arômes de résine et de petits fruits rouges, soulignés d'une ligne boisée. D'attaque souple, la bouche libère des notes fraîches et épicées, avant que le bois n'égrène ses accents vanillés au sein d'une matière structurée par des tanins carrés. Un buzet à attendre deux ou trois ans, puis à servir sur des brochettes de canard. (30 à 49 F)
Bernard Thérasse, Sauvagnères, 47310 Sainte-Colombe-en-Bruilhois, tél. 05.53.67.20.23, fax 05.53.67.20.86, e-mail bernardtherasse@wanadoo.fr r.-v.

Dans ce guide, la reproduction d'une étiquette signale un vin particulièrement recommandé, un « coup de cœur » de la commission.

SUD-OUEST

Côtes du frontonnais

Vin des Toulousains, le côtes du frontonnais provient d'un très ancien vignoble, autrefois propriété des chevaliers de l'ordre de Saint-Jean-de-Jérusalem. Lors du siège de Montauban, Louis XIII et Richelieu se livrèrent à force dégustations comparatives... Reconstitué grâce à la création des coopératives de Fronton et de Villaudric, le vignoble a conservé un encépagement original avec la négrette, cépage local que l'on retrouve à Gaillac ; lui sont associés le cot, le cabernet franc et le cabernet-sauvignon, la syrah, le gamay, et le mauzac.

Le terroir occupe sur près de 2 000 ha (2 083 ha en 2000) les trois terrasses du Tarn, avec des sols de boulbènes, graves ou rougets. Les vins rouges, à forte proportion de cabernet, gamay ou syrah, sont légers, fruités et aromatiques. Les vins les plus riches en négrette sont plus puissants, tanniques, dotés d'un fort parfum de terroir. Les vins rosés sont francs, vifs, avec un agréable fruité. La production a été de 119 804 hl en 2000.

CH. BELLEVUE LA FORET 1999★★

■ 75 ha 580 000 5à8€

Présent dès la première édition du Guide, ce vaste domaine (110 ha) a permis à un large public de découvrir le côte du frontonnais, grâce aux importants volumes produits. La quantité n'exclut pas la qualité : le **rosé 2000**, tout comme ce rouge, ont frôlé le coup de cœur. Le premier, joli vin de bouche, se distingue par son ampleur et sa rondeur. Le second, très intense en couleur, presque noir, possède un nez profond livrant des senteurs capiteuses de fleurs, d'épices et de fruits noirs. La bouche s'impose d'emblée. Pleine et harmonieuse, assez puissante, plus aromatique encore que le nez, elle repose sur des tanins fins. Une belle vinification. (30 à 49 F)

Ch. Bellevue la Forêt, 4500, av. de Grisolles, 31620 Fronton, tél. 05.34.27.91.91, fax 05.61.82.43.21, e-mail contact@chateaubellevuelaforet.com r.-v.

Patrick Germain

CH. BOUISSEL Cuvée Or 1999★

■ 3 ha 21 000 5à8€

Etabli sur une ancienne terrasse du Tarn, ce domaine avait fait son entrée dans le Guide par la grande porte, avec son premier millésime mis en bouteilles, un superbe 89 salué d'un coup de cœur. Composé de 50 % de négrette, de 25 % de syrah et pour le reste de cabernet franc et de cot vinifiés séparément, ce 99 n'atteint pas de tels sommets : sans doute aurait-il pu avoir plus d'ampleur. Mais c'est un vin bien constitué et sympathique. Ses atouts : une robe engageante, grenat foncé ; un nez profond, assez complexe, mariant les fruits noirs très mûrs, les épices et la réglisse, une attaque fraîche suivie d'une bouche gourmande, soyeuse, équilibrée, riche en fruits. (30 à 49 F)

EARL Pierre Selle, Ch. Bouissel, 82370 Campsas, tél. 05.63.30.10.49, fax 05.63.64.01.22 t.l.j. sf dim. 9h-12h15 14h-19h15; mer 14h-19h15; groupes sur r.-v.

CH. CAHUZAC L'Authentique 1999★★

■ 10 ha 80 000 5à8€

Bernard Ferran nous a habitués à des vins de qualité. Ainsi, cette année, **l'Authentique** a obtenu une étoile en **rosé 2000** et deux en rouge. Intense, limpide et brillant, le vin rouge présente un nez franc, parfaitement typé, où l'on trouve des fruits et des épices, avec de la violette. L'attaque est fraîche et soyeuse ; la bouche, suave, équilibrée, suffisamment volumineuse, se fait chaleureuse et aromatique. On apprécie la maturité du fruit. Le 96 avait obtenu un coup de cœur. (30 à 49 F)

EARL de Cahuzac, Les Peyronnets, 82170 Fabas, tél. 05.63.64.10.18, fax 05.63.67.36.97 r.-v.

Ferran Père et Fils

CH. CLAMENS Cuvée Tradition 1999

■ 5,2 ha 31 200 3à5€

Ce domaine (15,5 ha de vignes) qui ne vinifie en cave particulière que depuis 1998 fait son entrée dans le Guide avec deux vins cités : un **99 vieilli en fût de chêne**, à forte proportion de cabernets (90 %), et cette cuvée Tradition, plus typée (50 % de négrette, à côté du cabernet-sauvignon et d'un rien de syrah). Pourpre dans le verre, elle présente un nez d'intensité moyenne, d'abord animal, puis floral et épicé, avec quelques notes de fruits mûrs. L'attaque souple introduit une bouche modeste, fluide et légère mais aromatique en finale. (20 à 29 F)

Jean-Michel Bègue, 720, chem. du Tapas, lieu-dit Caillol, 31620 Fronton, tél. 05.61.82.45.32, fax 05.62.79.21.73 r.-v.

CH. CLOS MIGNON Villaudric Sélection 1999★★

■ 1,6 ha 13 000 3à5€

Olivier Muzart s'est installé en 2000 sur ce domaine acheté par son grand-père en 1952. Ce vin (20 % de négrette, 40 % de cabernet-sauvignon, 40 % de syrah) affiche une robe d'un pourpre intense, aux nuances violines. Le nez traduit une belle maturité ; profond et complexe, il allie des senteurs animales, des fruits confits, des accents de torréfaction, le tout embelli par une note subtile de pivoine. Après une attaque souple, la bouche apparaît toute ronde, douce. Elle monte en puissance, accompagnée d'arômes de fruits et de cachou, soutenue par des tanins déjà fondus. Un bon fond. (20 à 29 F)

EARL du Ch. Clos Mignon, 31620 Villeneuve-les-Bouloc, tél. 05.61.82.10.89, fax 05.61.82.99.14, e-mail omuzart@aol.com r.-v.

Olivier Muzart

COMTE DE NEGRET
Cuvée Excellence 1999★

n.c. 300 000 3à5€

La Cave de Fronton est régulièrement présente dans le Guide, notamment à travers la marque Comte de Négret, sélectionnée cette année pour deux cuvées toutes deux très réussies : la **cuvée classique rouge 99**, élevée en cuve (500 000 bouteilles !), et la cuvée Excellence. Cette dernière s'annonce par une robe de velours d'un rubis profond. Tout aussi profond, le nez, garni de petits fruits noirs, laisse une impression de douceur et de suavité. A l'attaque franche fait suite une bouche de structure moyenne, assez tendre. La finale, en revanche, présente une trame tannique encore serrée. L'ensemble doit encore s'harmoniser. (20 à 29 F)

Cave de Fronton, av. des Vignerons, 31620 Fronton, tél. 05.62.79.97.79, fax 05.62.79.97.70 t.l.j. sf dim. 8h-12h15 14h-19h

CH. COUTINEL 2000★

4,5 ha 35 000 3à5€

Ce domaine de 44 ha, très souvent représenté dans le Guide, est retenu cette année pour son **99 rouge** (cité), prêt à boire, et pour ce rosé à la robe claire, saumonée. On aime son nez généreux, mêlant les fruits variés et le bonbon anglais, et sa bouche plutôt ronde, aromatique et équilibrée entre acidité et moelleux. Un ensemble de bonne facture. (20 à 29 F)

Jean-Claude Arbeau, BP 1, 82370 Labastide-Saint-Pierre, tél. 05.63.64.01.80, fax 05.63.30.11.42, e-mail coutinel@wanadoo.fr r.-v.

CH. DEVES 1999★

11 ha 36 000 3à5€

Ce vin de longue macération est issu de négrette pour moitié, de cabernets et de syrah pour un quart chacun. Revêtu d'une robe sombre, presque noire, il offre un nez intense, à la fois floral et fruité, minéral et épicé. Soutenue par une forte structure avec des tanins soyeux, la bouche propose un beau volume et une profusion de fruits bien mûrs. Une finale assez longue et chaleureuse conclut la dégustation. (20 à 29 F)

Sté André Abart et Fils, Ch. Devès, 31620 Castelnau-d'Estretefonds, tél. 05.61.35.14.97, fax 05.61.35.14.97 r.-v.

DOM. FAOUQUET Villaudric 1999

18 ha 20 000 3à5€

Ce domaine de 30 ha, qui tirerait son nom du sobriquet donné à l'arrière-grand-père, est établi sur des terrains caillouteux et sablonneux. Il réapparaît dans le Guide avec un 99 rubis aux légères nuances tuilées. De moyenne intensité, le nez associe les fruits rouges et noirs mûrs et les épices. Après une attaque souple, on découvre une bouche ronde, plutôt généreuse et chaude, plus aromatique en finale. Un vin d'abord timide mais finalement plaisant. (20 à 29 F)

Robert Beringuier, 42, chem. des Brugues, 31620 Bouloc, tél. 05.61.82.06.66, fax 05.61.82.06.66 r.-v.

CH. FERRAN 1999★

25 ha 100 000 5à8€

Nicolas Gélis est à la tête de deux domaines bien connus des lecteurs du Guide, vinifiés par le même œnologue : le **château Montauriol**, cité pour sa cuvée **Mons Aureolus rouge 99**, qui ne peut cacher son élevage en fût, et le château Ferran, dont le vin, élevé en cuve, a été préféré. Le second s'annonce par une robe limpide et brillante, d'un rouge intense, et par un nez d'abord animal, puis dominé par les épices. C'est en bouche qu'il s'impose, par son volume, sa forte structure, ses tanins épicés et déjà fondus. Un vin concentré mais équilibré. (30 à 49 F)

Nicolas Gélis, Ch. Ferran, 31620 Fronton, tél. 05.61.35.30.58, fax 05.61.35.30.59, e-mail chateau.ferran@wanadoo.fr r.-v.

CH. FONVIEILLE
Excellence Elevé en fûts de chêne neufs 1999

1 ha 10 000 5à8€

Une nouvelle étiquette en côtes du frontonnais : il s'agit d'un vin proposé par une maison de négoce de Montauban. Ce 99 issu de négrette (50 %), de cabernet-sauvignon, de syrah et de cot s'annonce par une robe dense, grenat à reflets noirs. Le nez, assez intense, est composé de nuances florales, fruitées et végétales, accompagnées d'une légère note boisée. L'attaque souple est suivie d'une bouche franche, d'une bonne fraîcheur et de tanins fins. Le boisé reste discret. Un ensemble cohérent. (30 à 49 F)

SARL Aba, 149, av. Charles-de-Gaulle, 82000 Montauban, tél. 05.63.20.23.15, fax 05.63.03.06.64

CH. JOLIET 1999★★

5 ha 30 000 5à8€

Une exploitation régulièrement retenue pour des vins qui vont de « réussis » à « remarquables », voire exceptionnels. La négrette, les cabernets et la syrah nous valent cette jolie cuvée revêtue d'une éclatante robe rubis. Le nez se distingue par sa fraîcheur et son expression aromatique complexe, avec une palette déclinant les fruits à noyau, les petits fruits rouges et noirs (cassis) et les épices (poivre). Après une attaque douce, la bouche, toujours aromatique, propose un beau volume, une bonne structure, suffisamment de gras. Un vin harmonieux. (30 à 49 F)

SUD-OUEST

François Daubert, Dom. de Joliet, 31620 Fronton, tél. 05.61.82.46.02, fax 05.61.82.34.56, e-mail chateau.joliet@wanadoo.fr r.-v.

CH. LA COUTELIERE
Vieilli en fût de chêne 1999

■ 3,5 ha 20 000 5à8€

D'abord une belle robe cerise, plutôt intense, avec des nuances cuivrées. Puis un nez chaleureux, où des notes vanillées enrobent les fleurs et les fruits ; enfin une bouche douce à l'attaque, souple, assez fraîche, légère : le portrait d'un vin facile à boire. (30 à 49 F)

Denis Bocquier, Entourettes, 31340 Villemur-sur-Tarn, tél. 05.61.82.14.97, fax 05.61.82.14.97

CH. LA PALME Privilège 1999

■ 37 ha 50 000 3à5€

Depuis 1984, Martine Ethuin est à la tête de ce domaine que ses parents avaient racheté en 1963. Elle propose une cuvée traditionnelle où entrent les cinq cépages de l'appellation : négrette (50 %), cabernet, syrah, cot et gamay. D'un rubis légèrement orangé, ce 99 présente un nez d'abord animal qui évolue vers les fruits noirs presque confits, avec des notes d'épices et de violette. La bouche, plutôt svelte, séduit par sa montée aromatique et par une certaine fraîcheur. (20 à 29 F)

Ch. La Palme, 31340 Villemur-sur-Tarn, tél. 05.61.09.02.82, fax 05.61.09.27.01, e-mail chateau.la.palme@wanadoo.fr r.-v.

Ethuin

LE ROC Cuvée Don Quichotte 1999★★

■ 3 ha 15 000 5à8€

Le Roc collectionne les étoiles depuis dix ans ; quant aux coups de cœur, il en a déjà obtenu trois. Cette année sont encore retenues, dans le millésime **99**, deux cuvées vedettes de Frédéric Ribes : la **Cuvée réservée** (dont on n'a pas oublié les 94 et 95) et la cuvée Don Quichotte. Cette dernière se distingue par la forte intensité de sa robe pourpre. Son nez profond, dense, complexe, associe les fruits noirs bien mûrs, la cerise à l'eau-de-vie, les épices macérées avec une note de cuir. Le vin semble encore bien jeune, mais la bouche, parfaitement charpentée, soigneusement boisée, évoluant vers le cachou, est déjà agréable. Une belle extraction pour un bel avenir. (30 à 49 F)

Famille Ribes, Dom. Le Roc, 31620 Fronton, tél. 05.61.82.93.90, fax 05.61.82.72.38 r.-v.

CH. MARGUERITE 2000★

◪ 13,1 ha 104 500 3à5€

Ce domaine de quelque 75 ha vinifie depuis une dizaine d'années en cave particulière. Il propose un rosé de saignée issu des cépages négrette, syrah et cinsault. La robe est claire et limpide, de couleur saumonée. Le nez, agréable et intense, propose de jolis arômes fermentaires ; il évoque les fruits exotiques et le bonbon anglais. Douce à l'attaque, la bouche conserve ce côté aromatique. Plutôt ample et grasse, elle est harmonieuse, même s'il lui manque un rien de vivacité en finale. Un vin caressant et flatteur. (20 à 29 F)

SCEA Ch. Marguerite, 82370 Campsas, tél. 05.63.64.08.21, fax 05.63.64.08.21 r.-v.

CH. PLAISANCE
Thibaut de Plaisance Vieilli en fût de chêne 1999★

■ 2 ha 10 500 5à8€

Ce château, qui dispose de 24 ha de vignes, est mentionné dans le Guide tous les ans depuis sa création (millésime 90). Quant à cette cuvée, elle a obtenu un coup de cœur dans l'édition précédente. Le 99 est d'une belle couleur pourpre, profonde et brillante. Le nez est riche en fruits rouges et en épices, enveloppés de notes fumées avec une pointe de cachou. L'attaque est souple, la bouche ronde et chaleureuse. Un boisé assez marqué s'affirme encore en finale mais devrait bientôt s'harmoniser. Dans la fourchette de prix inférieure, le **Château Plaisance rosé 2000** a obtenu une citation. (30 à 49 F)

EARL de Plaisance, pl. de la Mairie, 31340 Vacquiers, tél. 05.61.84.97.41, fax 05.61.84.11.26 r.-v.

Penavayre

DOM. DE SAINT-GUILHEM
Amadeus 1999★

■ 2 ha 5 000 5à8€

Un domaine créé au XIX[e]s., puis laissé à l'abandon et repris par un jeune viticulteur il y a une dizaine d'années. On retrouve sa cuvée Amadeus, parée d'une robe cerise burlat profonde et soutenue. Le nez franc monte en puissance, mêlant fruits et fleurs à des accents mentholés. L'attaque est souple ; la bouche ronde, corsée, nettement réglissée et doucement boisée se fait plus austère et chaleureuse en finale. L'ensemble n'en donne pas moins toute satisfaction. (30 à 49 F)

Philippe Laduguie, Dom. de Saint-Guilhem, 31620 Castelnau-d'Estretefonds, tél. 05.61.82.12.09, fax 05.61.82.65.59 t.l.j. 8h30-19h30; dim. sur r.-v.

CH. SAINT-LOUIS
L'Esprit Elevé en fût de chêne 1999★

■ 0,4 ha 2 700 5à8€

Voilà dix ans qu'Alain Mahmoudi a racheté ce domaine de 25 ha. La rénovation des chais porte ses fruits, avec une nouvelle cuvée très réussie, issue pour 60 % de négrette et pour 40 % de cabernets. Ce 99 affiche une jolie robe grenat assez intense et un nez ouvert et puissant livrant, sur fond boisé, des fruits surmûris en confiture ou à l'eau-de-vie, relevés d'épices. L'attaque est franche, la bouche équilibrée, avec des tanins mûrs, un boisé charmeur. Un ensemble déjà évolué. (30 à 49 F)

Alain Mahmoudi, 82370 Labastide-Saint-Pierre, tél. 05.63.64.01.80, fax 05.63.30.11.42, e-mail saintlouis@wanadoo.fr r.-v.

Lavilledieu AOVDQS

Au nord du Frontonnais, sur les terrasses du Tarn et de la Garonne, le petit vignoble de Lavilledieu couvre environ 150 ha et produit des vins rouges et rosés. La production, classée en AOVDQS, est encore très confidentielle. La négrette (30 %), le cabernet franc, le gamay, la syrah et le tannat sont les cépages autorisés.

MAISTRE DES TEMPLIERS 1999

■ 10 ha 40 000 3à5€

Ce vin assemble négrette, gamay, syrah, cabernet franc et tannat, issus d'un sol de boulbènes. De teinte brillante, il évoque les fruits rouges, soulignés de notes de sous-bois et d'épices. Après une attaque fraîche, il développe un léger gras autour de tanins de qualité. Il est à boire sur le fruit. Egalement citée, la cuvée **Chevaliers du Temple du Christ 99**, un lavilledieu souple, fruité et épicé. (20 à 29 F)

Cave de Lavilledieu-du-Temple, 82290 Lavilledieu-du-Temple, tél. 05.63.31.60.05, fax 05.63.31.69.11, e-mail cave.lavilledieu@wanadoo.fr r.-v.

Côtes du brulhois AOVDQS

Passés de la catégorie des vins de pays à celle des AOVDQS en novembre 1984, ces vins sont produits de part et d'autre de la Garonne, autour de la petite ville de Layrac, dans les départements du Lot-et-Garonne et du Tarn-et-Garonne sur une superficie d'environ 200 ha. Essentiellement rouges, ils sont issus des cépages bordelais et des cépages locaux tannat et cot. La majeure partie de la production est assurée par deux caves coopératives.

CARRELOT DES AMANTS 2000

◪ 30 ha 80 000 3à5€

La cave des Vignerons du Brulhois connaît un visiteur célèbre, le chanteur Francis Cabrel qui, producteur à Astaffort, lui apporte ses raisins. Cette cuvée de teinte framboise chante les fruits rouges (cerise), avant de développer une agréable souplesse sur des notes de noyau. En rouge, le **Parvis des Templiers 99**, caractérisé par des arômes fruités et une pointe animale, est également cité. (20 à 29 F)

Vignerons du Brulhois, 82340 Dunes, tél. 05.63.39.91.92, fax 05.63.39.82.83 r.-v.

CH. GRAND CHENE

Prestige Elevé en fût de chêne 1999★

■ 20 ha 40 000 5à8€

Cette cuvée doit son nom à la présence d'un chêne vieux de six cents ans à l'entrée du domaine. Vêtue d'une robe intense, elle offre des arômes de fruits (cerise) et d'épices (girofle) qui se retrouvent dans une matière encore marquée par les tanins. Elle mérite de s'assagir au cours d'une garde d'un à deux ans. Citée, la cuvée **Couleur Fruits 2000 (20 à 29 F)** est un **rosé** prêt à boire. (30 à 49 F)

Cave de Donzac, Chaline, 82340 Donzac, tél. 05.63.39.91.92, fax 05.63.39.82.83 t.l.j. sf dim. lun. 9h-12h 14h-18h; groupes sur r.-v.

Côtes du marmandais

Non loin des Graves de l'Entre-deux-Mers, des vins de Duras et de Buzet, les côtes du marmandais sont produits en majorité par les coopératives de Beaupuy et de Cocumont, sur les deux rives de la Garonne. Les vins blancs, à base de sémillon, sauvignon, muscadelle et ugni blanc, sont secs, vifs et fruités. Les vins rouges, à base de cépages bordelais et d'abouriou, syrah, cot et gamay, sont bouquetés et d'une bonne souplesse. Le vignoble occupe environ 1 500 ha qui ont produit 55 hl de vins blancs et 89 525 hl de rouges en 2000.

BARON COPESTAING

Elevé en fût de chêne 1999★★

■ 70 ha 13 000 8à11€

Incontestablement le meilleur de la sélection. Son nez fruité et frais est souligné de notes grillées et vanillées. Si le bois domine en attaque, la bouche évolue sur les fruits rouges et les épices ; les tanins souples et fondus parachèvent l'harmonie générale. En **rosé**, la **cuvée Marescot 2000 (20 à 29 F)** est très réussie par sa palette de fruits rouges et son bon équilibre. (50 à 69 F)

Cave de Cocumont, La Cure, 47250 Cocumont, tél. 05.53.94.50.21, fax 05.53.94.52.84, e-mail cave-cocumont@wanadoo.fr r.-v.

CH. DE BEAULIEU

Cuvée de l'Oratoire 1998★

■ 5 ha 6 000 11à15€

Ce vin revêt une robe d'intensité moyenne, aux nuances légèrement tuilées. Au nez comme en bouche, le boisé domine encore le fruité. L'équilibre entre la matière et le fût devrait se réaliser dans les deux ou trois ans à venir. (70 à 99 F)

SUD-OUEST

Robert et Agnès Schulte, Ch. de Beaulieu, 47180 Saint-Sauveur-de-Meilhan, tél. 05.53.94.30.40, fax 05.53.94.30.40, e-mail chateaudebeaulieu.com t.l.j. 9h-18h; sam. dim. sur r.-v.

PRESTIGE DE BEAUPUY 1999*

6 ha 40 000 5à8€

L'élevage en fût a duré douze mois, un séjour qui se traduit par un boisé qui ne domine pas le vin et laisse s'exprimer les arômes de fruits rouges. La même impression de fruité est perceptible dès l'attaque. Concentré et puissant, ce vin reflète un bon travail de vinification et d'élevage. Le bois devrait se fondre totalement dans les trois ans à venir. (30 à 49 F)

Les Vignerons de Beaupuy, Dupuy, 47200 Marmande, tél. 05.53.76.05.10, fax 05.53.64.63.90, e-mail contact@cavedebeaupuy.com t.l.j. sf dim. 8h30-12h 14h-18h30
J.L. Bagot

DOM. DES GEAIS 1999**

3 ha 25 000 5à8€

Le nez riche et complexe décline les fruits rouges et la mûre. Le vin emplit le palais d'une matière ronde, souple et équilibrée. Les arômes éclatent en milieu de bouche et persistent bien. Les tanins encore très présents devraient se fondre au vieillissement. Le **Domaine Saint-Martin rouge 99 (20 à 29 F)** obtient une étoile pour sa structure puissante et sa typicité. Ce vin n'est commercialisé qu'en grande surface. (30 à 49 F)

Vignobles Boissonneau, Cathélicq, 33190 Saint-Michel-de-Lapujade, tél. 05.56.61.72.14, fax 05.56.61.71.01 r.-v.

LAFON FERRAN 2000*

40 ha 60 000 3à5€

Franc, il mêle les fruits de la Passion et la poire à une note vanillée. Si l'attaque est encore marquée par le bois, les fruits réapparaissent dans un milieu de bouche souple et gras. Tout aussi réussi, le **blanc Prieur Saint-Christophe 2000** évoque les agrumes et les fruits surmûris. (20 à 29 F)

Cave de Cocumont, La Cure, 47250 Cocumont, tél. 05.53.94.50.21, fax 05.53.94.52.84, e-mail cave-cocumont@wanadoo.fr r.-v.

LA TOUR D'ASPE
Vieilli en fût de chêne 1999*

6 ha 40 000 5à8€

Un vin prometteur dès l'analyse olfactive par ses arômes de cassis prononcés, auxquels se joint une touche boisée. Après une attaque souple, la bouche se structure autour de tanins équilibrés et se prolonge dans des évocations de fruits. Un beau potentiel. (30 à 49 F)

Les Vignerons de Beaupuy, Dupuy, 47200 Marmande, tél. 05.53.76.05.10, fax 05.53.64.63.90, e-mail contact@cavedebeaupuy.com t.l.j. sf dim. 8h30-12h 14h-18h30
J.L. Bagot

CH. LESCOUR 1999*

6 ha 40 000 5à8€

Les dégustateurs apprécient d'emblée le nez de fruits mûrs souligné d'une petite note épicée. Le fruit, *leitmotiv* de la dégustation, s'inscrit dans une bouche structurée, pleine, ronde et longue ; le temps devrait bonifier les tanins. Egalement très réussi, le **Château de la Côte de France rouge 99** présente beaucoup de fruité et une certaine fraîcheur. Deux ou trois ans de garde devraient lui permettre de fondre son grain tannique. (30 à 49 F)

Les Vignerons de Beaupuy, Dupuy, 47200 Marmande, tél. 05.53.76.05.10, fax 05.53.64.63.90, e-mail contact@cavedebeaupuy.com t.l.j. sf dim. 8h30-12h 14h-18h30
J.L. Bagot

CH. SARRAZIERE 1999*

75 ha 60 000 8à11€

Ce vin flatteur est caractéristique du millésime par sa souplesse et son fruité. Couleur cerise légère, il dévoile un nez peu puissant mais élégant, fait de fleurs et de fruits rouges. Le fruit se décline tout au long de la dégustation en bouche, dans une matière harmonieuse, aux tanins fondus. La finale chaleureuse laisse une impression de douceur. La **cuvée Mez Vinéa rouge 99 (20 à 29 F)** obtient également une étoile. Grâce à son fruité et à ses tanins agréables, elle est équilibrée et prête à boire. (50 à 69 F)

Cave de Cocumont, La Cure, 47250 Cocumont, tél. 05.53.94.50.21, fax 05.53.94.52.84, e-mail cave-cocumont@wanadoo.fr r.-v.

TAP D'E PERBOS
Vieilli en fût de chêne 1999**

70 ha 25 000 5à8€

Le bouquet particulièrement complexe, se compose de puissantes notes boisées, de café grillé et de cuir. L'équilibre se manifeste dès l'attaque. Car si les tanins sont puissants et riches, laissant une pointe d'austérité en finale, ils n'agressent jamais le palais. Un vin très prometteur. Doté d'une étoile, le **Château Jacquet rouge 99 (20 à 29 F)** évoque les fruits frais, les fruits confits et le sous-bois. Souple et typique de son terroir. (30 à 49 F)

Cave de Cocumont, La Cure, 47250 Cocumont, tél. 05.53.94.50.21, fax 05.53.94.52.84, e-mail cave-cocumont@wanadoo.fr r.-v.

TERSAC 1999*

70 ha 40 000 5à8€

Presque noir, ce côtes du marmandais flatte le nez par ses arômes boisés (vanille, grillé) bien mariés aux notes de cuir, de fruits rouges (cassis) et de fruits cuits. La matière souple et riche s'appuie sur des tanins au grain fin. Encore dominé par le bois, le vin s'affinera et pourra patienter en cave de cinq à dix ans. **La Croix de Tucos rouge 99 (20 à 29 F)**, qui a connu douze mois d'élevage en fût, obtient la même note. Marquée par le cassis au nez, elle emplit la bouche d'une sensation ronde et grasse, sans excès tannique. C'est un vin typique du terroir. (30 à 49 F)

🔑 Cave de Cocumont, La Cure, 47250 Cocumont, tél. 05.53.94.50.21, fax 05.53.94.52.84, e-mail cave-cocumont@wanadoo.fr ☑ 🍷 r.-v.

Vins d'estaing AOVDQS

Entouré par les causses de l'Aubrac, les monts du Cantal et le plateau du Lévezou, le vignoble de l'Aveyron serait plutôt à classer parmi ceux du Massif central. Ces petites appellations sont très anciennes ; leur fondation par les moines de Conques remonte au IX[e]s.

Les vins d'estaing (7 ha) se partagent entre rouges frais et parfumés (cassis, framboise), à base de fer-servadou et de gamay, et blancs très originaux, assemblages de chenin, de mauzac et de rousselou. Ils sont vifs et rocailleux, avec des parfums de terroir.

LES VIGNERONS D'OLT 2000*

□ 0,8 ha 3 500 ▮ 3à5€

Cette cave coopérative a vinifié le chenin et le mauzac pour produire un vin limpide et brillant qui offre au nez des notes fruitées et florales. La bouche est gourmande et fraîche, ponctuée de fines nuances muscatées et minérales. Un mariage avec des charcuteries locales ou des fromages de chèvre s'impose. (20 à 29 F)

🔑 Les Vignerons d'Olt, Z.A. La Fage, 12190 Estaing, tél. 05.65.44.04.42, fax 05.65.44.04.42 ☑ 🍷 r.-v.

Vins d'entraygues et du fel AOVDQS

Les vins blancs d'entraygues (9 ha), cultivés sur d'étroites banquettes à flanc de coteaux abrupts, sont également issus de chenin et de mauzac, sur des sols schisteux ; ils sont frais et fruités à la fois. Ils font merveille sur les truites sauvages et le fromage de Cantal doux. Les vins rouges du fel, solides et terriens, seront bus sur l'agneau des causses et la potée auvergnate.

JEAN-MARC VIGUIER
Cuvée spéciale 1999

□ 0,8 ha 4 000 ▮🌡 5à8€

Fort d'un peu plus de 5 ha, Jean-Marc Viguier est un habitué du Guide. Il propose ici une cuvée exclusivement constituée de chenin, au nez floral et fruité. La bouche fait écho aux arômes perçus à l'olfaction, dans un développement équilibré et plaisant. (30 à 49 F)

🔑 Jean-Marc Viguier, Les Buis, 12140 Entraygues, tél. 05.65.44.50.45, fax 05.65.48.62.72 ☑ 🍷 t.l.j. sf dim. 8h-12h 14h-19h

Marcillac

Dans une cuvette naturelle, le « vallon », au microclimat favorable, le mansoi (fer-servadou) donne aux vins rouges de marcillac une grande originalité empreinte d'une rusticité tannique et d'arômes de framboise. En 1990, cette démarche de typicité, cette volonté d'originalité ont été reconnues par l'accession à l'AOC. L'aire d'appellation recouvre aujourd'hui 146 ha et a produit en 2000 6 796 hl d'un vin reconnaissable entre tous.

DOM. DES COSTES ROUGES 1999

■ n.c. n.c. ▮🛢 3à5€

Le domaine des Costes Rouges est encore peu connu dans le Guide, mais il se distingue dans ce millésime par un vin typé, exprimant les fruits rouges. L'équilibre en bouche est harmonieux et le boisé discret. A boire dès maintenant pour en apprécier le fruit. (20 à 29 F)

🔑 Dom. des Costes Rouges, Combret, 12330 Nauviale, tél. 05.65.72.83.85 ☑
🔑 Vinas Costes

DOM. DU CROS Lo Sang del Païs 1999*

■ 14 ha 60 000 ▮🛢🌡 3à5€

Lo Sang del Païs est la quintessence du fer-servadou récolté sur des éboulis calcaires et des rougiers. De teinte profonde, il libère des arômes de cerise et de cacao, puis offre une bouche savoureuse et équilibrée, empreinte de notes de fruits mûrs. L'expression boisée, héritée d'un passage sous bois de trois mois, est discrète. Cité, le **Domaine du Cros Vieilles vignes 99 (30 à 49 F)** a connu un élevage de dix-huit mois en fût : il est fruité et épicé. (20 à 29 F)

🔑 Philippe Teulier, Dom. du Cros, 12390 Goutrens, tél. 05.65.72.71.77, fax 05.65.72.68.80 ☑ 🍷 r.-v.

JEAN-LUC MATHA Cuvée spéciale 1999*

■ 3 ha 12 000 ▮🛢 5à8€

Ce vin profond présente un nez boisé, torréfié et fruité (fruits rouges et noirs, pruneau). Gourmand et ample en bouche, il accompagnera les

SUD-OUEST

viandes rouges. Le **99 (20 à 29 F)** dans sa version **classique** mérite d'être cité : fruité, épicé et souple, il a été élevé en cuve. (30 à 49 F)

🔑 Jean-Luc Matha, Bruejouls, 12330 Clairvaux, tél. 05.65.72.63.29, fax 05.65.72.70.43 ☑ Y r.-v.

LES VIGNERONS DU VALLON 1999★

■ n.c. 130 000 3à5€

La coopérative vinifie le fruit de 90 ha dans l'appellation. Vêtu d'une robe plutôt intense, ce 99 décline épices et fruits rouges (cerise, framboise). Sa matière souple en fait une bouteille à boire sur son fruit. Les Vignerons du Vallon se signalent également par leur **Cuvée réservée 99 (30 à 49 F)**, citée pour son fruité. (20 à 29 F)

🔑 Les Vignerons du Vallon, RN 140, 12330 Valady, tél. 05.65.72.70.21, fax 05.65.72.68.39 ☑ Y r.-v.

Côtes de millau AOVDQS

L'appellation AOVDQS côtes de millau a été reconnue le 12 avril 1994. La production atteint environ 1 500 hl. Les vins sont composés de syrah et de gamay noir et, dans une moindre proportion, de cabernet-sauvignon et de fer-servadou.

DOM. DU VIEUX NOYER 1999

■ 3 ha 15 000 3à5€

Dans une robe un peu soutenue, ce 99 se distingue par son bouquet composé à la fois de tabac, de feuille de cassis et d'une pointe de mûre. En bouche, il est tout en finesse. Le **rosé 2000** est tendre à l'œil, vif au nez (notes de rose et de banane) comme en bouche. A consommer avec les charcuteries aveyronnaises. (20 à 29 F)

🔑 Dom. du Vieux Noyer, Boyne, 12640 Rivière-sur-Tarn, tél. 05.65.62.64.57, fax 05.65.62.64.57 ☑ Y t.l.j. sf dim. 10h-12h30 14h-19h

🔑 Carmen et Bernard Portalier

Béarn

Les vins du Béarn peuvent être produits sur trois aires séparées. Les deux premières coïncident avec celles du jurançon et du madiran. La zone purement béarnaise comprend les communes qui entourent Orthez et Salies-de-Béarn. C'est le béarn de Bellocq. Cette AOC couvre environ 211 ha. 10 576 hl ont été produits en 2000 dont 67 hl de blancs.

Reconstitué après la crise phylloxérique, le vignoble occupe les collines prépyrénéennes et les graves de la vallée du Gave. Les cépages rouges sont constitués par le tannat, les cabernet-sauvignon et cabernet franc (bouchy), les anciens manseng noir, courbu rouge et fer-servadou. Les vins sont corsés et généreux, et accompagnent garbure (soupe régionale) et palombe grillée. Les rosés de Béarn, les meilleurs produits de l'appellation, sont vifs et délicats, avec des arômes fins de cabernet et une bonne structure en bouche.

BEAU VALLON 2000★

■ 20 ha 100 000 -3€

Le nez s'exprime sur les fruits et les épices, tandis que la bouche offre déjà un beau volume. Deux ans de garde suffiront à parfaire l'harmonie. A noter également en **rosé** et dans le millésime **2000**, le **Domaine d'Oumprès** et le **Domaine Larribère (20 à 29 F)**, cités. (- 20 F)

🔑 Cave des producteurs de Jurançon, 53, av. Henri-IV, 64290 Gan, tél. 05.59.21.57.03, fax 05.59.21.72.06, e-mail cave.gan@adour-bureau.fr ☑ Y t.l.j. sf dim. 8h-12h30 13h30-19h

DOM. LAPEYRE 1999★

■ 3 ha 18 000 8à11€

Le domaine Lapeyre, un habitué du Guide, propose un béarn violacé intense, exprimant les fruits noirs et les épices. La bouche structurée et puissante témoigne d'un bon potentiel mais demande du temps pour s'affiner. (50 à 69 F)

🔑 EARL Pascal Lapeyre, 52, av. des Pyrénées, 64270 Salies-de-Béarn, tél. 05.59.38.10.02, fax 05.59.38.03.98 ☑ Y t.l.j. sf dim. 9h-12h 14h30-19h30; f. en janv.

Irouléguy

Dernier vestige d'un grand vignoble basque dont on trouve la trace dès le XIe s., l'irouléguy (le chacoli, côté espagnol) témoigne de la volonté des vignerons de perpétuer l'antique tradition des moines de Roncevaux. Le vignoble s'étage sur le piémont, dans les communes de Saint-Etienne-de-Baïgorry, d'Irouléguy et d'Anhaux sur quelque 205 ha. En 2000, il a produit 7 778 hl dont 858 en blanc.

Les cépages d'autrefois ont à peu près disparu pour laisser place au cabernet-sauvignon, au cabernet franc et au tannat pour les vins rouges, au courbu et aux gros et petit manseng pour les blancs. La presque totalité de la production est vinifiée par la coopérative d'Irouléguy, mais de nouveaux vignobles sont en train de voir le jour. Le vin rosé est vif, bouqueté et léger, avec une couleur cerise ; il accompagnera la piperade et la charcuterie. L'irouléguy rouge est un vin parfumé, parfois assez tannique, qui conviendra aux confits.

DOM. ABOTIA 1999

■ 5,1 ha 24 000 5à8€

Rouge intense, cet irouléguy développe un nez de fruits noirs et d'épices. La bouche reprend cette tonalité fraîche et épicée qui fera de ce vin un bon compagnon de l'ossau iraty, fromage de brebis local. (30 à 49 F)

Jean-Claude Errecart, Dom. Abotia, 64220 Ispoure, tél. 05.59.37.03.99, fax 05.59.37.23.57 r.-v.

DOM. ARRETXEA Cuvée Haitza 1999★

■ 1,2 ha 6 000 11à15€

Le vignoble du domaine Arretxea est conduit en agriculture biologique. Vin de garde, la cuvée Haitza exprime des notes boisées bien mariées aux arômes de fruits noirs et rouges. A la fois fruitée et épicée, la bouche possède une matière ample, soutenue par des tanins encore très présents. A attendre deux ou trois ans. (70 à 99 F)

Thérèse et Michel Riouspeyrous, Dom. Arretxea, 64220 Irouléguy, tél. 05.59.37.33.67, fax 05.59.37.33.67 r.-v.

DOM. BRANA 1999

□ 11 ha 30 000 8à11€

Le domaine Brana allie les modes de culture traditionnels et biodynamiques sur ses 22 ha de vignes. Il propose ici un vin blanc aux agréables notes de fleurs, de fruits et de miel. Une fraîcheur mentholée lui apporte de la tonicité en bouche. A boire dès aujourd'hui sur un poisson, des crustacés ou un fromage de brebis. (50 à 69 F)

Jean et Adrienne Brana, 3 bis, av. du Jaï-Alaï, 64220 Saint-Jean-Pied-de-Port, tél. 05.59.37.00.44, fax 05.59.37.14.28, e-mail brana.etienne@wanadoo.fr r.-v.

DOM. ETXEGARAYA 1999★

■ 4 ha 16 000 5à8€

Fruits (cassis) et épices caractérisent ce vin équilibré et volumineux. Les dégustateurs ont apprécié sa matière bien présente et sa finale persistante. La **cuvée Lehengoa rouge 99** mérite d'être citée : elle est tout aussi fruitée et épicée. (30 à 49 F)

Joseph et Marianne Hillau, Dom. Etxegaraya, 64430 Saint-Etienne-de-Baïgorry, tél. 05.59.37.23.76, fax 05.59.37.23.76, e-mail etxegaraya@wanadoo.fr r.-v.

DOM. LES TERRASSES DE L'ARRADOY 2000★

◪ 8,93 ha 23 000 5à8€

Sur les grès rouges caractéristiques de cette aire d'appellation, le tannat, associé aux deux cabernets, a produit un rosé fruité. Les notes de bonbon anglais perceptibles au nez annoncent une bouche légèrement acidulée et fraîche. Un vin à boire sur des poissons, des fruits de mer ou du jambon de Bayonne. (30 à 49 F)

Les Vignerons du Pays Basque, CD 15, 64430 Saint-Etienne-de-Baïgorry, tél. 05.59.37.41.33, fax 05.59.37.47.76, e-mail irouleguy@hotmail.com r.-v.

DOM. DE MIGNABERRY 1999★

■ 23,05 ha n.c. 8à11€

Douze mois d'élevage en fût ont achevé l'élaboration de ce vin sombre, aux notes de fruits (griotte) et d'épices. La bouche structurée possède des arômes boisés bien intégrés. A conserver deux ou trois ans en cave. Egalement très réussie, la **cuvée Omenaldi 99 rouge**, élevée en fût de chêne, est toute d'épices et de fruits noirs ; elle mérite d'être attendue un an ou deux. (50 à 69 F)

Les Vignerons du Pays Basque, CD 15, 64430 Saint-Etienne-de-Baïgorry, tél. 05.59.37.41.33, fax 05.59.37.47.76, e-mail irouleguy@hotmail.com r.-v.

Jurançon et jurançon sec

« Je fis, adolescente, la rencontre d'un prince enflammé, impérieux, traître comme tous les grands séducteurs : le jurançon », écrit Colette. Célèbre depuis qu'il servit au baptême d'Henri IV, le jurançon est devenu le vin des cérémonies de la maison de France. On trouve ici les premières notions d'appellation protégée - car il était interdit d'importer des vins étrangers - et même des notions de cru et de classement, puisque toutes les parcelles étaient répertoriées suivant leur valeur par le parlement de Navarre. Comme les vins de Béarn, le jurançon, alors rouge ou blanc, était expédié jusqu'à Bayonne, au prix de navigations parfois hasardeuses sur les eaux du Gave. Très prisé des Hollandais et des Américains, le jurançon parvint à un vedettariat qui ne prit fin qu'avec le phylloxéra. La reconstitution du vignoble (1 013 ha aujourd'hui) fut effectuée avec les méthodes et les cépages anciens, sous l'impulsion de la cave de Gan et de quelques propriétaires fidèles.

Ici plus qu'ailleurs, le millésime revêt une importance primordiale, surtout pour les jurançon moelleux qui demandent une surmaturation tardive par passerillage sur pied. Les cépages traditionnels, uniquement blancs, sont le gros et le petit manseng, et le courbu. Les vignes sont cultivées en hautains pour échapper aux gelées. Il n'est pas rare que les vendanges se prolongent jusqu'aux premières neiges.

Le jurançon sec, 75 % de la production, est un blanc de blancs d'une belle couleur claire à reflets verdâtres, très aromatique, avec des nuances miellées. Il accompagne truites et saumons du Gave. Les jurançon moelleux ont une belle couleur dorée, des arômes complexes de fruits exotiques (ananas et goyave) et d'épices, comme la muscade et la cannelle. Leur équilibre acide-liqueur en fait des faire-valoir tout indiqués du foie gras. Ces vins peuvent vieillir très longtemps et donner de grandes bouteilles qui accompagneront un repas, de l'apéritif au dessert en passant par les poissons en sauce et le fromage pur brebis de la vallée d'Ossau. Meilleurs millésimes : 1970, 1971, 1975, 1981, 1982, 1983, 1987, 1989, 1990, 1995. La production a atteint en 2000, 45 419 hl.

Jurançon

DOM. BELLEGARDE
Cuvée Thibault 1999★★★

☐ 5 ha 10 000 11 à 15 €

Ce domaine de plus de 15 ha a produit le jurançon le plus apprécié de la sélection. Son vin se distingue en effet dans sa robe doré profond à nuances orangées. Le nez remarquablement dense et complexe évoque une corbeille *tutti frutti*, une gerbe de fleurs, un bouquet d'épices, une lampée de miel... Pleine et ample, la bouche révèle sa grande liqueur dans un équilibre irréprochable. Sa matière richement aromatique, soulignée d'un boisé noble, bien dosé, se prolonge dans une finale somptueuse. Le **jurançon sec 2000 (30 à 49 F)**, élevé en cuve, a été retenu avec une étoile. (70 à 99 F)

Pascal Labasse, quartier Coos, 64360 Monein, tél. 05.59.21.33.17, fax 05.59.21.44.40, e-mail domaine.bellegarde@wanadoo.fr ☑ Y t.l.j. sf dim. 10h-12h 14h-18h30

DOM. BORDENAVE
Cuvée des Dames 1999★

☐ 10 ha n.c. 8 à 11 €

S'il semble discret dans sa robe or pâle brillant, il dévoile de l'intensité dans sa palette fraîche de fruits exotiques et de citron confit. Franc, il attaque en douceur avant de livrer une matière pleine, à la fois vive et sucrée, dont les arômes d'agrumes persistent en finale. La **cuvée Savin 99 (100 à 149 F)** est également très réussie grâce à son bon équilibre et à sa puissance aromatique. (50 à 69 F)

Gisèle Bordenave, quartier Ucha, 64360 Monein, tél. 05.59.21.34.83, fax 05.59.21.37.32 ☑ Y t.l.j. 9h-18h

BORDENAVE-COUSTARRET
Le Barou 1999★

☐ n.c. 1 500 11 à 15 €

Un vin de belle présentation, à reflets dorés. A l'agitation, on perçoit des arômes de fumée, de fleurs et de fruits blancs. L'attaque vive introduit une bouche équilibrée, fraîche et délicatement parfumée. (70 à 99 F)

Bordenave-Coustarret, quartier Baouch, 64290 Lasseube, tél. 05.59.21.72.66, fax 05.59.21.72.66 ☑ Y t.l.j. 10h-18h30; dim. sur r.-v.

ETIENNE BRANA
Collection Royale Premières Neiges 2000★

☐ n.c. n.c. 8 à 11 €

Les deux mansengs se marient dans cette cuvée or clair brillant. Le nez intense évoque la pêche, l'abricot, la poire et les fruits exotiques, soulignés d'une note de rose. Franche, assez ample, la bouche séduit par son expression aromatique fine et intense. (50 à 69 F)

Etienne Brana, 3 bis, av. du Jaï-Alaï, 64220 Saint-Jean-Pied-de-Port, tél. 05.59.37.00.44, fax 05.59.37.14.28, e-mail brana-etienne@wanadoo.fr ☑ Y t.l.j. sf sam. dim. 9h-12h 14h-18h

DOM. BRU-BACHE
La Quintessence 1999★★

☐ n.c. n.c. 11 à 15 €

Ce domaine est l'un de ceux - très rares - qui, depuis les dix-huit éditions du Guide, a collectionné le plus d'étoiles et de coups de cœur, le neveu, Claude Loustalot étant à la hauteur de l'oncle. **L'Eminence** avait obtenu deux étoiles et un coup de cœur dans le millésime 98 ; **99 (200 à 249 F)** est remarquable. Toutefois, c'est à La Quintessence que revient la vedette dans cette édition. D'un bel éclat dans ses reflets or pur, elle dévoile un nez intense et élégant : miel toutes fleurs, pâte de fruits, légère note de zeste d'agrumes, épices et nuances boisées. D'abord fraîche, la bouche prend progressivement du volume et répand ses arômes jusqu'à une finale acidulée. L'ensemble est parfaitement fondu. (70 à 99 F)

Dom. Bru-Baché, rue Barada, 64360 Monein, tél. 05.59.21.36.34, fax 05.59.21.32.67 r.-v.

Claude Loustalot

DOM. CAPDEVIELLE
Noblesse d'Automne 1999**

4,5 ha 12 000 8 à 11 €

Devant un **jurançon sec Brise Océane 2000 (30 à 49 F)**, très réussi, se place ce vin or intense, limpide et brillant. Le nez concentré rappelle les fruits confits - souvent exotiques (comme le nashi... pomme-poire asiatique) -, et les épices douces. L'attaque souple annonce une bouche moelleuse et chaleureuse qui ne manque ni d'ampleur ni d'arômes. La finale s'agrémente de fruits secs et de pain d'épice. Un vin original, bien élaboré. (50 à 69 F)

Didier Capdevielle, quartier Coos, 64360 Monein, tél. 05.59.21.30.25, fax 05.59.21.30.25, e-mail domaine.capdevielle@wanadoo.fr t.l.j. 8h30-12h 13h-19h; dim. sur r.-v.

CLOS CASTET
Cuvée spéciale Vieilli en fût de chêne neuf 1999**

2 ha n.c. 11 à 15 €

Des nuances orangées presque abricot, des arômes soutenus de fleurs (chèvrefeuille, jasmin) et de fruits confits (agrumes et raisin de Corinthe), une bouche concentrée, ronde et volumineuse, aux parfums d'orange confite... Un sucre d'orge... (70 à 99 F)

Alain Labourdette, Clos Castet, 64360 Cardesse, tél. 05.59.21.33.09, fax 05.59.21.28.22 t.l.j. 9h-12h 14h-19h

DOM. CAUHAPE
Noblesse du temps 1999**

4 ha 12 000 23 à 30 €

Autodidacte, Henri Ramonteu ? C'est ce qu'il dit, lorsqu'il créa ce domaine en 1980. Depuis, ses vins font le tour du monde, volant de succès en succès. Une robe paille dorée habille ce vin intense. Après des nuances boisées-vanillées apparaissent des arômes de fleur de cédrat, d'acacia et d'abricot confit. La bouche puissante dévoile la concentration de la matière par son gras et sa chaleur, mais une juste fraîcheur équilibre l'ensemble. L'expression aromatique trouve un point d'orgue dans les notes d'épices finales. Un vin de garde et de caractère. Le jurançon vedette du domaine, **Quintessence du Petit-Manseng 99 (plus de 500 F)**, obtient une étoile ; il ne pourra que grandir au fil des années. (150 à 199 F)

Henri Ramonteu, Dom. Cauhapé, quartier Castet, 64360 Monein, tél. 05.59.21.33.02, fax 05.59.21.41.82, e-mail domainecauhape@wanadoo.fr r.-v.

CLOS GASSIOT Elégance 1999*

3 ha 4 500 8 à 11 €

La vigne existe ici depuis le XIV^e^s. et les armes représentées sur l'étiquette montre l'ancienneté de cette famille. Ce vin jaune d'or brillant est habité par les fleurs, le miel, les fruits confits et les épices douces. Franc, il s'anime d'une agréable vivacité. L'équilibre est respecté jusqu'à une longue finale sur les fruits. (50 à 69 F)

Antoine Tavernier, rte de Pau, 64360 Abos, tél. 05.59.60.10.22, fax 05.59.71.58.92 r.-v.

CLOS GUIROUILH Petit Cuyalàa 1999**

1,3 ha 1 600 30 à 38 €

Le **jurançon sec 2000 (30 à 49 F)** est très réussi... Ce moelleux 99 est remarquable... Voyez sa robe ambrée. Humez ses arômes de surmaturité (cire d'abeille, fruits confiturés) que souligne une généreuse ligne boisée, héritée de vingt-deux mois d'élevage en fût. Goûtez sa matière volumineuse et grasse. Si le bois doit encore se fondre dans la concentration du fruit, l'ensemble n'en est pas moins superbe dès aujourd'hui. (200 à 249 F)

Jean Guirouilh, rte de Belair, 64290 Lasseube, tél. 05.59.04.21.45, fax 05.59.04.22.73

CH. JOLYS Epiphanie 1999**

1,8 ha 2 200 46 à 76 €

Le château Jolys était en ruine lorsqu'il fut racheté en 1959. Depuis la plantation des premières vignes en 1964, le vignoble s'est agrandi pour atteindre 36 ha. Jaune doré soutenu, sa cuvée Epiphanie possède déjà un nez puissant et complexe : les arômes de fruits mûrs (châtaigne, nèfle), confits (écorce d'orange, fruits exotiques) ou encore rôtis s'accompagnent d'une note de torréfaction marquée. La bouche ample et grasse témoigne du passerillage des raisins. Ce vin équilibré garde encore l'empreinte de son passage en fût, mais il devrait bien évoluer. Retenez aussi le **jurançon Vendanges tardives 99 (150 à 199 F)**, très réussi. (300 à 499 F)

Sté des Domaines Latrille, Ch. Jolys, 64290 Gan, tél. 05.59.21.72.79, fax 05.59.21.55.61 t.l.j. sf sam. dim. 8h30-12h 13h30-17h30

CAVE DES PRODUCTEURS DE JURANCON Prestige 1999**

100 ha 100 000 8 à 11 €

Si la **Croix du Prince 99 (50 à 69 F)** a été jugée très réussie, cette cuvée Prestige a réuni tous les

SUD-OUEST

suffrages. Car la Cave des producteurs de Jurançon a bel et bien obtenu un moelleux pur, sans artifice. Revêtu d'une robe dorée à reflets intenses, ce vin évoque subtilement la maturité et la fraîcheur du fruit dans sa palette de pêche jaune et de mangue juteuses, de fleurs blanches délicates, de menthe fine. La bouche ample présente un parfait équilibre jusqu'à une finale surprenante de volume et de richesse. Une gourmandise. (50 à 69 F)

Cave des producteurs de Jurançon, 53, av. Henri-IV, 64290 Gan, tél. 05.59.21.57.03, fax 05.59.21.72.06, e-mail cave.gan@adour-bureau.fr ☑ ⊻ t.l.j. sf dim. 8h-12h30 13h30-19h

DOM. LARREDYA
Sélection des terrasses 1999★★

☐ 2 ha 8 000 11 à 15 €

Jaune d'or aux très légers reflets verts, ce vin s'ouvre généreusement à l'agitation sur des arômes fins et complexes de pêche, de mangue et d'orange. La bouche volumineuse ne manque ni de fraîcheur ni de gras. La finale a beau être sur la réserve, l'ensemble est déjà agréable et prometteur. Quant à la **cuvée Simon élevée en fût (150 à 199 F)**, elle a été jugée très réussie. (70 à 99 F)

Jean-Marc Grussaute, La Chapelle-de-Rousse, 64110 Jurançon, tél. 05.59.21.74.42, fax 05.59.21.76.72 ☑ ⊻ r.-v.

DOM. LARROUDE
Un Jour d'Automne 1999★★

☐ 1 ha 1 500 15 à 23 €

Le domaine Larroudé se distingue avec brio dans le millésime 99. Un jour d'automne... est né un vin vieil or, dense, qui laisse de jolies larmes sur les parois du verre. Son nez riche évoque le beurre, le miel, l'écorce d'orange, l'amande grillée et la crème catalane saupoudrée de cannelle. Après une attaque douce, la bouche développe toute sa liqueur et ses parfums pour envoûter les sens d'une impression chaleureuse et riche. (100 à 149 F)

Julien et Christiane Estoueigt, EARL du dom. Larroudé, 64360 Lucq-de-Béarn, tél. 05.59.34.35.92, fax 05.59.34.35.92 ☑ ⊻ r.-v.

DOM. DE MALARRODE
Cuvée Prestige Vieilli en fût de chêne 1999★

☐ 2,5 ha 8 000 8 à 11 €

Un jurançon jaune doré et limpide, au nez assez intense de brioche, de miel, de beurre, ponctué de quelques fruits confits. Il semble déjà gourmand. Après une attaque sur le gras, il développe une matière ample, volumineuse, encore un peu chaleureuse. Un ruban de miel se déroule, accompagné d'un boisé fondu et de notes finales d'épices. (50 à 69 F)

Gaston Mansanné, Dom. de Malarrode, 64360 Monein, tél. 05.59.21.44.27, fax 05.59.21.44.27 ☑ ⊻ r.-v.

DOM. DE MONTESQUIOU
Grappe d'or 1999★★

☐ 2 ha 7 500 8 à 11 €

Derrière une teinte or brillant se dévoile un assortiment de senteurs de fleurs blanches, de fruits secs, de notes vanillées et résinées, un soupçon de truffe blanche. Moelleuse dès l'attaque, la bouche est bien construite autour du gras et de la douceur. Elle préserve l'originalité des arômes de fleurs et de fruits sucrés. (50 à 69 F)

Gérard Bordenave-Montesquieu, Quartier Haut-Ucha, 64360 Monein, tél. 05.59.21.43.49, fax 05.59.21.43.49, e-mail info@domaine-de-montesquiou.com ☑ ⊻ r.-v.

DOM. DE NAYS-LABASSERE 1999★★

☐ 4 ha 20 000 8 à 11 €

Le domaine de Nays-Labassère (7 ha) propose un remarquable représentant de l'appellation. Paille à reflets verts éclatants, il révèle une corbeille de fruits mûrs presque confits, ponctuée de notes de plantes aromatiques. La bouche volumineuse égrène des accents de pâte de fruits et d'épices douces, tout en bénéficiant d'une vivacité rafraîchissante. (50 à 69 F)

Philippe de Nays, La Chapelle-de-Rousse, 64110 Jurançon, tél. 05.59.21.70.57, fax 05.59.21.70.67 ☑ ⊻ r.-v.

CH. DE ROUSSE 1999★

☐ 2 ha 6 500 8 à 11 €

Ancien rendez-vous de chasse d'Henri IV, le château de Rousse possède aujourd'hui 8 ha de vignes. Son jurançon d'un jaune doré prononcé annonce la maturité de la matière par des arômes complexes de fleurs, de fruits exotiques et de cannelle sur fond beurré-toasté. Dense et ample, la bouche évoque la pâte de fruits, mais elle possède aussi beaucoup de fraîcheur jusque dans sa finale fruitée et acidulée. L'ensemble a de l'allant. (50 à 69 F)

Marc Labat, Ch. de Rousse, La Chapelle-de-Rousse, 64110 Jurançon, tél. 05.59.21.75.08, fax 05.59.21.76.54, e-mail mlabat@nomade.fr ☑ ⊻ r.-v.

CLOS THOU Cuvée Julie 1999★

☐ n.c. n.c. 11 à 15 €

Ce sont deux jurançon très réussis que propose ce domaine : le **Suprême de Thou 99 (30 à 49 F)**, élevé dix-huit mois en fût, et cette cuvée intense et complexe. Elle évoque au premier nez les fleurs blanches et les pétales de rose, puis prolonge son expression sur des accents de miel et une corbeille de fruits exotiques. Après une attaque moelleuse, une vivacité ascendante soutient l'équilibre d'un ensemble gras, toujours aromatique. (70 à 99 F)

Henri Lapouble-Laplace, chem. Larredya, 64110 Jurançon, tél. 05.59.06.08.60, fax 05.59.06.08.60 ☑ ⊻ t.l.j. sf dim. 9h-12h 14h-18h

UROULAT 1999★

☐ 5 ha 20 000 11 à 15 €

Ce magnifique terroir argilo-siliceux aime le petit manseng : c'est là qu'il trouve ses plus belles expressions sous la haute autorité de l'une des grandes personnalités de l'AOC. Derrière une robe jaune profond aux nuances orangées se profile une palette puissante, encore dominée par un boisé grillé, mais qui laisse poindre quelques fruits. La bouche ample s'équilibre entre fraîcheur et douceur. Mieux pourvue en fruit que le nez, elle est le signe que l'empreinte du bois se fondra au cours du vieillissement. (70 à 99 F)

🔑 Charles Hours, quartier Trouilh, 64360 Monein, tél. 05.59.21.46.19, fax 05.59.21.46.90 ☑ 🍷 r.-v.

DOM. VIGNAU LA JUSCLE 1998

☐ 3 ha 3 000 ⬤ 8à11€

Cette propriété viticole du XVII[e]s. est longtemps restée à l'abandon avant que Michel Valton ne la reprenne en 1987. Son jurançon est un vin jaune d'or, assez intense dans ses évocations fruitées-fleuries que soutiennent une pointe de miel et quelques notes empyreumatiques. L'attaque vive annonce le bon support acide dont bénéficie la bouche gourmande. Si le volume reste modeste, la palette aromatique persiste bien. L'ensemble procure d'agréables sensations. (50 à 69 F)

🔑 Michel Valton, Dom. Vignau-la-Juscle, 64290 Aubertin, tél. 05.59.83.03.66, fax 05.59.83.03.71 ☑ 🍷 r.-v.

Jurançon sec

CLOS BELLEVUE 2000

☐ 1 ha 6 000 ■🌡 3à5€

Deux vins de ce domaine familial méritent d'être cités : un **jurançon moelleux cuvée traditionnelle 99 (30 à 49 F)**, issu de gros manseng, et ce jurançon sec du même cépage. La robe franche, d'un jaune soutenu, enveloppe des arômes intenses, plutôt fins, à la fois fleuris et légèrement fruités. L'attaque vive introduit une bouche fraîche, encore fruitée, qui se conclut sur une pointe d'amertume. (20 à 29 F)

🔑 Jean Muchada, Clos Bellevue, chem. des Vignes, 64360 Cuqueron, tél. 05.59.21.34.82, fax 05.59.21.34.82 ☑ 🍷 r.-v.

DOM. DE CABARROUY 2000★★

☐ 1 ha 7 000 ■🌡 5à8€

Jaune soutenu, ce vin intense décline des arômes de bonbon anglais, de pamplemousse et de fleurs. Frais dès l'attaque, il développe une bouche ronde, pleine, bien portée par le fruit. Il se prolonge sur un équilibre acidulé. Le **jurançon cuvée Sainte-Catherine 99 (50 à 69 F la bouteille de 50 cl)**, un liquoreux élevé en fût, obtient une étoile. (30 à 49 F)

🔑 Dom. de Cabarrouy, 64290 Lasseube, tél. 05.59.04.23.08, fax 05.59.04.21.85 ☑ 🍷 t.l.j. 9h-12h30 14h-19h; dim. sur r.-v.

DOM. CAUHAPE Noblesse 1999★★

☐ 2 ha 8 000 ⬤ 15à23€

Issu de pur petit manseng, ce jurançon sec a bénéficié d'un élevage en fût avec bâtonnage des lies pendant dix mois. Il revêt aujourd'hui une robe or intense à reflets orangés. Le nez puissant évoque une confiture d'écorces d'oranges au miel, épicée et vanillée. En bouche, une matière étonnamment construite se développe. Un équilibre complexe apparaît entre l'alcool et les arômes d'épices, sur fond empyreumatique. Une belle création. (100 à 149 F)

🔑 Henri Ramonteu, Dom. Cauhapé, quartier Castet, 64360 Monein, tél. 05.59.21.33.02, fax 05.59.21.41.82, e-mail domainecauhape@wanadoo.fr ☑ 🍷 r.-v.

DOM. DU CINQUAU 1999★

☐ 1 ha 3 500 ⬤ 8à11€

Vêtu d'une robe séduisante, jaune soutenu, ce jurançon dévoile un nez intense aux senteurs d'abord boisées (vanille et toast grillé), puis fruitées et miellées. Après une attaque vive, la bouche monte en puissance et gagne en gras. Elle est bien aromatique, mais encore dominée par un fort boisé aux accents empyreumatiques. A noter également, le **jurançon moelleux 99 élevé en fût de chêne (70 à 99 F)**, très réussi. (50 à 69 F)

🔑 Pierre Saubot, Dom. du Cinquau, Cidex 43, 64230 Artiguelouve, tél. 05.59.83.10.41, fax 05.59.83.12.93 ☑ 🍷 r.-v.

CLOS LAPEYRE Cuvée Vitatge Vielh 1999★★★

☐ n.c. 15 000 ⬤ 8à11€

Jean-Bernard Larrieu procède actuellement à la reconversion de son vignoble à l'agrobiologie. Les jurançon secs de ce producteur ont de quoi séduire. La **cuvée Lapeyre 2000 (30 à 49 F)** est déjà remarquable ; élevée en cuve, elle libère un nez complexe de fleurs et de fruits exotiques, puis développe une bouche ronde et équilibrée. Quant à cette cuvée Vitatge Vielh, elle se dévoile sous des atours jaune soutenu et laisse dans son sillage des arômes puissants de fruits secs et confits, de pain d'épice, de miel d'acacia. Franche à l'attaque, juste vive, elle emplit le palais d'une matière grasse et structurée. L'équilibre se réalise parfaitement entre une acidité bien dosée et une sève riche et persistante. (50 à 69 F)

🔑 Jean-Bernard Larrieu, La Chapelle-de-Rousse, 64110 Jurançon, tél. 05.59.21.50.80, fax 05.59.21.51.83, e-mail jean-bernard.larrieu@wanadoo.fr ☑ 🍷 t.l.j. sf dim. 9h-12h 14h-18h

DOM. NIGRI 2000★★

☐ 3 ha 18 000 ■🌡 5à8€

A la tête de 10 ha de vignes, Jean-Louis Lacoste propose ici un jurançon de couleur paille, très intense et plein de jeunesse dans son expression : au nez s'unissent les fleurs et les fruits, accompagnés de quelques notes minérales. L'attaque franche, légèrement perlante, introduit une bouche fraîche et aromatique. L'équilibre est parfait, et la persistance longue et agréable. Retenez aussi le **jurançon moelleux Réserve du domaine Nigri 99 (70 à 99 F)** qui obtient une étoile. (30 à 49 F)

Jean-Louis Lacoste, Dom. Nigri, Candeloup, 64360 Monein, tél. 05.59.21.42.01, fax 05.59.21.42.59 t.l.j. 9h-12h 13h30-19h; dim. sur r.-v.

PRIMO PALATUM Mythologia 1999

0,4 ha 1 200 30 à 38 €

Primo Palatum est une société de négoce éleveur, créée en 1996 par Xavier Copel, œnologue. Ce jurançon, jaune paille soutenu aux nuances dorées, a un nez chaleureux et concentré : des notes empyreumatiques précèdent des arômes de fruits confits, essentiellement exotiques. La même concentration est perceptible dans une bouche grasse, puissante et chaleureuse. Le boisé est encore marqué, mais il saura se fondre avec le temps. (200 à 249 F)

Primo Palatum, 1, Cirette, 33190 Morizès, tél. 05.56.71.39.39, fax 05.56.71.39.40, e-mail primo-palatum@wanadoo.fr r.-v.

CH. ROQUEHORT 2000★★

18 ha 24 000 5 à 8 €

Si le **jurançon sec Grain Sauvage 2000 (20 à 29 F)**, élevé en cuve, mérite d'être cité, le château Roquehort a eu la préférence du jury. Parfaitement limpide, aux jolis reflets verts, il libère une palette intense, riche en fruits (agrumes, poire, litchi), soulignée d'une note florale de genêt. Après une attaque légèrement perlante, la bouche maintient son équilibre tout au long de la dégustation et développe un fruité encore plus marqué que le nez. (30 à 49 F)

Cave des producteurs de Jurançon, 53, av. Henri-IV, 64290 Gan, tél. 05.59.21.57.03, fax 05.59.21.72.06, e-mail cave.gan@adour-bureau.fr t.l.j. sf dim. 8h-12h30 13h30-19h

DOM. DE SOUCH
Cuvée de Marie-Kattalyn 2000★

1,8 ha 4 800 8 à 11 €

Yvonne Hegoburu conduit son vignoble de 6,8 ha en biodynamie. Son jurançon sec, jaune soutenu à reflets verts, décline des senteurs délicates de fleurs blanches, de fruits exotiques et d'épices. L'attaque franche introduit une belle structure en bouche. La finale, encore réservée, révèle une pointe d'amertume. Le **jurançon moelleux Cuvée de Marie-Kattalyn 99 (70 à 99 F)**, élevé en fût, est également très réussi. (50 à 69 F)

Yvonne Hegoburu, Dom. de Souch, 64110 Laroin, tél. 05.59.06.27.22, fax 05.59.06.51.55 r.-v.

Madiran

D'origine gallo-romaine, le madiran fut pendant longtemps le vin des pèlerins de Saint-Jacques-de-Compostelle. La gastronomie du Gers et ses ambassadeurs dans la capitale représentent ce vin pyrénéen. Sur les 1 290 ha de l'appellation déclarés en 2000, le cépage roi est le tannat, qui donne un vin âpre dans sa jeunesse, très coloré, avec des arômes primaires de framboise ; il s'exprime après un long vieillissement. Lui sont associés cabernet-sauvignon et cabernet franc (ou bouchy), fer-servadou (ou pinenc). Les vignes sont conduites en demi-hautain. La production a représenté 70 946 hl en 2000.

Le vin de Madiran est le vin viril par excellence. Quand sa vinification est adaptée, il peut être bu jeune, ce qui permet de profiter de son fruité et de sa souplesse. Il accompagne les confits d'oie et les magrets saignants de canard. Les madiran traditionnels, à forte proportion de tannat, supportent très bien le passage sous bois et doivent attendre quelques années. Les vieux madiran sont sensuels, charnus et charpentés, avec des arômes de pain grillé, et s'allient avec le gibier et les fromages de brebis des hautes vallées.

CH. D'AYDIE Odé d'Aydie 1998★

20 ha 100 000 8 à 11 €

Elégamment habillé d'une robe noire, profonde et brillante, l'Odé d'Aydie laisse dans son sillage des arômes intensément fumés, des senteurs de vanille, de menthol, des notes balsamiques aussi, qui n'occultent jamais le fruit. La même élégance est perceptible en bouche, dans un mariage réussi entre le bois et le vin. Du volume, du velours, de la structure... En **pacherenc du vic-bilh moelleux**, le **Château d'Aydie 99** est tout aussi réussi. (50 à 69 F)

GAEC Vignobles Laplace, 64330 Aydie, tél. 05.59.04.08.00, fax 05.59.04.08.08, e-mail pierre.laplace@wanadoo.fr t.l.j. 9h-12h30 14h-20h

CH. BARREJAT Tradition 1999★★

12 ha 80 000 3 à 5 €

Une cuvée Tradition dans le plus pur style madiran : 60 % de tannat, 25 % de cabernet franc et 15 % de cabernet-sauvignon. Grenat à reflets vermillon, elle propose un nez fin, très expressif dans sa déclinaison de fruits confits (mûre, cassis), de sous-bois et d'humus. La bouche harmonieuse bénéficie de tanins très présents, enrobés par le gras. Aromatique, elle persiste bien. Toujours en madiran, la **cuvée des Vieux Ceps 99 (30**

à 49 F), issue d'un tri effectué sur des vignes âgées de quatre-vingts à cent ans et élevée en fût de chêne, obtient une étoile. Retenez aussi le **pacherenc-du-vic-bilh moelleux, cuvée de la Passion 99 élevée en fût de chêne (30 à 49 F)**, très réussi. (20 à 29 F)

Denis Capmartin, Ch. Barréjat, 32400 Maumusson-Laguian, tél. 05.62.69.74.92, fax 05.62.69.77.54 t.l.j. sf dim. 8h-12h 14h-19h

DOM. BERNET

Vieilli en fût de chêne 1999*

■ n.c. 20 000 5à8€

L'intensité caractérise ce vin, tant par sa robe rouge sombre que par son nez chaleureux exprimant les fruits noirs, la réglisse et la torréfaction. Soyeuse à l'attaque, la bouche monte en puissance. Sa chair onctueuse s'appuie sur une bonne structure au boisé assez présent, avant de s'orienter vers une finale mentholée. (30 à 49 F)

Yves Doussau, Dom. Bernet, 32400 Viella, tél. 05.62.69.71.99, fax 05.62.69.75.08 r.-v.

DOM. BERTHOUMIEU

Cuvée Charles de Batz 1998**

■ 7,5 ha 45 000 8à11€

Habitué aux coups de cœur, Didier Barré nous ravit cette année encore par un madiran remarquable. Noir d'encre et d'une densité extrême, ce vin laisse de longues larmes sur les parois du verre. Le nez intense et élégant exprime les fruits mûrs rouges ou noirs, les fruits à noyau, le cacao, la menthe et la réglisse sur un fond à peine grillé. La bouche confirme la belle maturité du fruit : la mâche est certes encore ferme, mais, déjà, on perçoit du gras et une texture soyeuse. Ce madiran emplit bien le palais et persiste longuement. Distinguée l'an passé dans le millésime 98, la **cuvée Tradition 99 (30 à 49 F)** obtient deux étoiles. Quant au **pacherenc du vic-bilh moelleux Symphonie d'Automne 99 (70 à 99 F)**, il est très réussi. (50 à 69 F)

Didier Barré, 32400 Viella, tél. 05.62.69.74.05, fax 05.62.69.80.64, e-mail barre.didier@wanadoo.fr t.l.j. 8h-12h 14h-19h; dim. sur r.-v.

CH. BOUSCASSE Vieilles vignes 1999*

■ 10 ha 60 000 15à23€

Joli palmarès pour Alain Brumont dans le millésime 99. Couleur d'encre, cette cuvée Vieilles vignes allie les senteurs d'un noble boisé à celles des fruits noirs mûrs. Sa bouche concentrée, ample et grasse, repose sur des tanins fermes mais déjà enrobés par l'onctuosité et qui portent loin la finale. Un beau vin de garde, bien éduqué. Tout aussi réussis, le **Château Montus 99**, le **Château Montus cuvée Prestige 99 (150 à 199 F)** qui comporte 99 % de tannat et le **Château Bouscassé 99 (50 à 69 F)**. (100 à 149 F)

Alain Brumont, Ch. Bouscassé, 32400 Maumusson-Laguian, tél. 05.62.69.74.67, fax 05.62.69.70.46 t.l.j. sf dim. 9h-12h 14h-19h

CANTE PEYRAGUT

Grande Réserve 1998**

■ 100 ha 60 000 5à8€

Noir profond à reflets violets, ce vin puissant marie fruits, épices et notes grillées. Sa bouche d'abord ronde et grasse impose une solide charpente. Avec des tanins bien enrobés, l'ensemble est remarquablement équilibré. Un vin riche et complet qui peut encore attendre entre trois et cinq ans en cave. Les producteurs de Plaimont confirment leur réussite par deux madiran récompensés d'une étoile : **La Mothe Peyran 98 (50 à 69 F)** et **Arte Benedicte Vieilles vignes 98 élevé en fût de chêne (70 à 99 F)**. (30 à 49 F)

Producteurs Plaimont, 32400 Saint-Mont, tél. 05.62.69.62.87, fax 05.62.69.61.68 r.-v.

DOM. CAPMARTIN

Cuvée du Couvent Elevé en fût de chêne neuf 1998**

■ 2 ha 12 000 8à11€

Outre ses **pacherenc du vic-bilh sec 2000 (30 à 49 F)** et **liquoreux Confidences du Couvent 99 (70 à 99 F)**, qui bénéficient ici d'une citation, le domaine Capmartin propose deux madiran. Si la **cuvée Tradition (30 à 49 F)** est très réussie, la cuvée du Couvent remporte les suffrages dans sa robe profonde, irisée de nuances violettes et bleutées. Le nez opulent exprime les fruits noirs et le cacao, la vanille et la réglisse sur fond de pain grillé. A l'attaque grasse et soyeuse répondent un beau volume et une trame tannique de qualité. La chair est savoureuse et les arômes explosent en finale. (50 à 69 F)

Guy Capmartin, Le Couvent, 32400 Maumusson-Laguian, tél. 05.62.69.87.88, fax 05.62.69.83.07 t.l.j. sf dim. 9h-12h30 14h-19h

CHAPELLE LENCLOS 1999*

■ 6,5 ha 30 000 8à11€

Les deux cuvées de madiran proposées par Patrick Ducournau sont très réussies, qu'il s'agisse du **Domaine Mouréou 99 (30 à 49 F)** ou de la Chapelle Lenclos décrite ici. Intense dans sa robe d'encre, celle-ci se fait d'abord discrète au nez, mais elle laisse bientôt s'échapper des fruits noirs mûrs sur un fond doucement boisé et vanillé. La bouche, grasse à l'attaque, évolue vers une matière puissante et concentrée, solidement charpentée. Des tanins au joli grain forment en effet une trame assez serrée mais enveloppée et assurent la persistance de la finale. (50 à 69 F)

SUD-OUEST

🔑 Patrick Ducournau, 32400 Maumusson-Laguian, tél. 05.62.69.78.11, fax 05.62.69.75.87 ☑ Y r.-v.

COURTET LAPERRE
Grande Réserve Vieilles vignes
Elevé en fût de chêne 1998**

■ 120 ha 80 000 🛢 5à8€

Noir à frange rubis et violine, ce vin s'ouvre généreusement sur des senteurs animales avant d'évoluer sur des parfums de fruits et d'épices, soulignés de notes de torréfaction. Il exprime d'emblée beaucoup de maturité et de complexité. En bouche, il surprend par son attaque presque onctueuse, suivie d'une matière puissante, chaleureuse, soutenue par des tanins intenses. Une bouteille à laisser vieillir au moins huit ans en cave. (30 à 49 F)

🔑 Vignoble de Gascogne, 32400 Riscle, tél. 05.62.69.62.87, fax 05.62.69.66.71 ☑ Y r.-v.

CAVE DE CROUSEILLES
Carte d'or 1999**

■ 250 ha 700 000 🍾🌡 5à8€

Un vin de belle présentation dans sa robe grenat. Le nez intense et complexe livre une corbeille de fruits rouges relevés d'épices. L'attaque agréablement suave annonce une bouche aromatique, à la fois grasse et structurée par des tanins enrobés. Un vin harmonieux et long. (30 à 49 F)

🔑 Cave de Crouseilles, 64350 Crouseilles, tél. 05.59.68.10.93, fax 05.59.68.14.33 ☑ Y r.-v.

DOM. DAMIENS
Cuvée vieillie en fût de chêne 1998*

■ 2,5 ha 15 000 🍾🛢🌡 8à11€

Des nuances de cerise burlat éclairent la teinte intense et brillante de ce vin. Le nez montant entre en scène sur des évocations de kirsch, puis décline les arômes épicés et torréfiés. La bouche possède de la mâche et des tanins fermes, tout en respectant l'équilibre entre les saveurs. Un madiran à attendre pour un complet fondu. (50 à 69 F)

🔑 André et Pierre-Michel Beheity, Dom. Damiens, 64330 Aydie, tél. 05.59.04.03.13, fax 05.59.04.02.74 ☑ Y t.l.j. 9h-12h30 14h30-19h; sam. dim. sur r.-v.

CH. DE DIUSSE Tradition 1999

■ 10,5 ha 55 000 🍾🌡 5à8€

Centre d'aide par le travail, Diusse est très régulier dans sa production viticole. Vêtu d'une robe purpurine à reflets brillants, ce madiran semble déjà légèrement évolué par ses senteurs de fruits confits. La bouche équilibrée bénéficie de tanins enrobés et d'une bonne persistance. (30 à 49 F)

🔑 Ch. de Duisse, 64330 Diusse, tél. 05.59.04.02.83, fax 05.59.04.05.77 ☑ Y r.-v.

CLOS FARDET
Cuvée Moutoue Fardet 1998

■ 1,2 ha 4 000 🛢 8à11€

Rubis limpide et brillant, voici un madiran rustique. Au nez, le boisé s'exprime intensément sur des notes grillées et épicées ; les fruits s'y mêlent sous des nuances compotées. La bouche, souple en attaque, évolue sur des tanins encore fermes, mais la matière est fraîche et parfumée. (50 à 69 F)

🔑 SCEA Moutoue Fardet, 3, chem. de Beller, 65700 Madiran, tél. 05.62.31.91.37, fax 05.62.31.91.37 ☑ Y r.-v.

🔑 Savoret

CH. DE FITERE 1999

■ 5 ha 40 000 🍾🌡 5à8€

70 % de tannat et 30 % de cabernet-sauvignon composent ce madiran « gaillard ». Sombre à reflets grenat, le vin s'ouvre sur un éventail d'arômes allant du végétal aux fruits mûrs et aux épices. L'attaque est souple. La bouche intense et épicée présente cependant un retour tannique appuyé par le bois. (30 à 49 F)

🔑 René Castets, 32400 Cannet, tél. 05.62.69.82.36, fax 05.62.69.78.90 ☑ Y t.l.j. sf sam. dim. en hiver 9h-12h 14h-19h

DOM. LABRANCHE LAFFONT
Vieilles vignes 1998*

■ 1,5 ha 9 000 🍾🛢 11à15€

Sombre, dense et soutenu, ce madiran revêt une couleur aubergine à reflets noirs. Son nez profond laisse le souvenir de fruits rouges mêlés de réglisse, de résine et de clou de girofle. La bouche doit son élégance à une belle expression aromatique et à un équilibre réussi. L'ensemble possède toute l'harmonie requise. (70 à 99 F)

🔑 Christine Dupuy, 32400 Maumusson-Laguian, tél. 05.62.69.74.90, fax 05.62.69.76.03 ☑ Y r.-v.

DOM. LAFFONT Hécate 1998**

■ 0,4 ha 2 000 🛢 11à15€

Pierre Speyer propose trois belles cuvées, dont un **pacherenc du vic-bilh sec 99 élevé en fûts de chêne neufs (50 à 69 F)** et deux madiran : la **cuvée Erigone 98 (50 à 69 F)**, très réussie, et cette cuvée Hécate d'un aspect assurément noir et profond, avec des nuances violines. Le nez riche enveloppe les senteurs de fruits à l'eau-de-vie d'un boisé épicé et torréfié. La bouche puissante et ample possède beaucoup de gras : la charpente est solide mais tellement bien enrobée. L'équilibre traduit un élevage presque parfait. (70 à 99 F)

🔑 Pierre Speyer, Dom. Laffont, 32400 Maumusson-Laguian, tél. 05.62.69.75.23, fax 05.62.69.80.27 ☑ Y r.-v.

DOM. LAOUGUE 1999*

■ 2,4 ha 10 000 ▮◖◗ 11à15€

Coup double pour Pierre Dabadie grâce à deux cuvées très réussies : l'une est un **pacherenc du vic-bilh moelleux 99 (50 à 69 F)** de pur petit manseng, l'autre un madiran. Ce dernier, très sombre, révèle progressivement une palette de senteurs boisées (vanille, grillé et fumé) qu'accompagnent quelques notes de fruits noirs. Grasse et onctueuse à l'attaque, la bouche évolue en rondeur ; sa matière concentrée renferme un cœur boisé toujours aromatique. La finale s'appuie sur des tanins enrobés. Un vin équilibré. (70 à 99 F)

Pierre Dabadie, rte de Madiran, 32400 Viella, tél. 05.62.69.90.05, fax 05.62.69.71.41 t.l.j. 9h-12h 14h-18h

DOM. DU PEYROU 1998*

■ 0,3 ha 1 200 ◖◗ 5à8€

Noir profond à nuances violettes, ce vin intense dévoile une palette équilibrée entre fruits et bois : des notes d'épices et une légère torréfaction sont perceptibles. Du velours à l'attaque, une alliance de fraîcheur et de gras en milieu de bouche, une finale bien soutenue, tels sont les caractères qui font la réussite de ce madiran. (30 à 49 F)

Jacques Brumont, Dom. du Peyrou, 32400 Viella, tél. 05.62.69.90.12, fax 05.62.69.90.12 t.l.j. 8h-12h 14h-20h

Georges Brumont

CH. SAINT-BENAZIT 1998**

■ 24 ha 70 000 ◖◗ 5à8€

Une belle concentration de la matière est perceptible dès l'analyse visuelle, à travers un rouge profond à reflets violets. Au premier nez de moka et de café succède une déclinaison de fruits rouges et noirs dans un écrin boisé et épicé. En bouche, les tanins sont encore présents, mais la matière est là, et la finale déjà longue indique un bon potentiel. Cette cave se distingue en outre par son **Château Laroche Vieilla 98 (50 à 69 F)**, très réussi. (30 à 49 F)

Vignoble de Gascogne, 32400 Riscle, tél. 05.62.69.62.87, fax 05.62.69.66.71 r.-v.

DOM. TAILLEURGUET
Elevé en fût de chêne 1998*

■ 1 ha 5 000 ▮◖◗ 5à8€

Le domaine Tailleurguet a réussi deux **madiran**, dont l'un, millésimé **99 (20 à 29 F)**, a été élevé en cuve et l'autre en fût de chêne. Ce dernier, de teinte cerise burlat à reflets violets, s'ouvre doucement sur des notes vanillées et beurrées. Au second nez, des notes de kirsch se libèrent, accompagnées d'épices. Le vin attaque en souplesse, puis devient bientôt frais et fruité dans un corps svelte mais ferme, surtout en finale. A retenir aussi, avec une étoile, le **pacherenc du vic-bilh sec 2000 (20 à 29 F)**. (30 à 49 F)

EARL Tailleurguet, 32400 Maumusson-Laguian, tél. 05.62.69.73.92, fax 05.62.69.83.69 t.l.j. sf dim. 9h-13h 14h-19h

Bouby

Pacherenc du vic-bilh

Sur la même aire que le madiran, ce vin blanc est issu de cépages locaux (arrufiac, manseng, courbu) et bordelais (sauvignon, sémillon) ; cet ensemble apporte une palette aromatique d'une extrême richesse. Suivant les conditions climatiques du millésime, les vins seront secs et parfumés (2 939 hl en 1999) ou moelleux et vifs (5 949 hl). Leur finesse est alors remarquable ; ils sont gras et puissants avec des arômes mariant l'amande, la noisette et les fruits exotiques. Ils feront d'excellents vins d'apéritif et, moelleux, seront parfaits sur le foie gras en terrine.

DOM. DU CRAMPILH Moelleux 1999**

□ 2 ha n.c. ◖◗ 8à11€

Vous apprécierez non seulement le **madiran cuvée Baron 99**, issu de pur tannat, auquel le jury a attribué une étoile, mais aussi ce pacherenc moelleux constitué exclusivement de petit manseng. Jaune doré à reflets verts, il propose un nez intense et frais. Le fruit domine (ananas, fruit de la Passion) et se mêle harmonieusement aux notes vanillées. D'attaque chaleureuse, la bouche se développe, ample et pleine, toujours bien équilibrée, sur des notes toastées. Un vin de bonne facture. (50 à 69 F)

Alain Oulié, 64350 Aurions-Idernes, tél. 05.59.04.00.63, fax 05.59.04.04.97, e-mail domaine-du-crampilh@epicuria.fr t.l.j. sf dim. 9h-12h 14h-19h

FOLIE DE ROI Moelleux 1999*

□ 20 ha 30 000 ◖◗ 8à11€

La cave de Crouseilles propose trois **pacherenc du vic-bilh moelleux** très réussis : **l'Automnal 99 et Grain de Givre 99 (70 à 99 F)**, ainsi que cette Folie de Roi dorée aux légers reflets verts. De bonne intensité, le nez semble frais par ses arômes de fruits dominants, le boisé restant discret. La bouche mêle cette même fraîcheur fruitée aux arômes vanillés pour composer un ensemble charmeur. (50 à 69 F)

Cave de Crouseilles, 64350 Crouseilles, tél. 05.59.68.10.93, fax 05.59.68.14.33 r.-v.

CH. LAFFITTE-TESTON
Sec Cuvée Ericka Elevé en fût de chêne 2000*

□ 3 ha 20 000 ◖◗ 5à8€

L'un des chais les plus intéressants à visiter pour ses installations et les vins élaborés. La cuvée Ericka, couleur paille fraîche à reflets brillants, possède une palette intense composée de fruits exotiques, de miel, de beurre et d'un doux boisé. La fraîcheur est perceptible dès l'attaque en bouche, accompagnée d'une ligne aromatique persistante. Le **madiran Vieilles vignes 99 (50 à 69 F)** a été jugé très réussi. (30 à 49 F)

Jean-Marc Laffitte, 32400 Maumusson, tél. 05.62.69.74.58, fax 05.62.69.76.87 r.-v.

SUD-OUEST

CH. DE LA MOTTE Moelleux 1999★★

☐ 1 ha 3 000 8 à 11 €

A côté d'un **pacherenc du vic-bilh sec 2000 (30 à 49 F)** déjà très réussi, ce moelleux est un petit bijou. La robe dorée, intense et limpide, introduit la dégustation. Le nez, puissant et complexe, rappelle un clafoutis de fruits surmûris : poire, coing, fruits de la Passion, agrumes, accompagné de jolies notes d'évolution. Après une attaque bien grasse, la bouche est parfaitement équilibrée entre sucre, alcool et acidité. Les dégustateurs sont séduits par un volume ample, la puissance, ainsi que par la douceur de ce vin. (50 à 69 F)

Ghislaine Arrat, La Motte, 64350 Lasserre, tél. 05.59.68.16.98, fax 05.59.68.26.83 r.-v.

CH. MONTUS Sec 2000★★

☐ 3 ha 20 000 11 à 15 €

Alain Brumont possède une belle palette de pacherenc du vic-bilh. Devant son **Château Bouscassé sec 2000 (30 à 49 F)**, cité par le jury et son **Vendémiaire doux 2000 (50 à 69 F)** très réussi, ce Château Montus tient la vedette. Jaune d'or plutôt intense, il libère un nez fin, évocateur d'un bouquet de fleurs blanches et d'une corbeille de fruits mûrs (poire, ananas, mangue) sur fond de miel. L'attaque est fraîche, la bouche ample et riche. Sa matière équilibrée est empreinte d'arômes fruités et briochés persistants. (70 à 99 F)

Alain Brumont, Ch. Bouscassé, 32400 Maumusson-Laguian, tél. 05.62.69.74.67, fax 05.62.69.70.46 t.l.j. sf dim. 9h-12h 14h-19h

DOM. DU MOULIE
Moelleux Elevé en fût de chêne 1999★

☐ 1 ha 3 000 8 à 11 €

Jaune clair à reflets verts, ce vin possède un nez de bonne intensité, agréablement frais grâce à sa dominante de fruits exotiques et d'agrumes. S'y ajoutent une pointe de menthe et des notes boisées. Franche dès l'attaque, la bouche se développe jusqu'à une finale sur la vanille et la noix de coco. A retenir aussi le **madiran cuvée Chiffre 99 (30 à 49 F)**, très réussi. (50 à 69 F)

EARL Chiffre Charrier, Dom. du Moulié, 32400 Cannet, tél. 05.62.69.77.73, fax 05.62.69.83.66 t.l.j. sf dim. 8h-19h

Charrier

PRESTIGE DU VIEUX PAYS
Moelleux 1999★

☐ 15 ha 100 000 8 à 11 €

Trois moelleux... trois réussites : **l'Or du Vieux Pays 99 (50 à 69 F)**, le **Saint-Martin vendanges tardives de novembre 99 (70 à 99 F)** et ce Prestige du Vieux Pays, issu de 50 % de gros manseng, 25 % de petit courbu, 5 % de petit manseng et 20 % d'arrufiac. Ce 99, jaune d'or brillant, est expressif et fin dans ses évocations de citron confit, de miel et d'épices. La bouche, nette et équilibrée, révèle une agréable douceur et des arômes de fruits confits persistants. (50 à 69 F)

Vignoble de Gascogne, 32400 Riscle, tél. 05.62.69.62.87, fax 05.62.69.66.71 r.-v.

DOM. SERGENT
Sec Elevé en fût de chêne 2000★

☐ 0,3 ha 2 400 5 à 8 €

De jolis pacherenc que ces deux cuvées très réussies : un **moelleux 99 élevé en fût de chêne (50 à 69 F)** et cette cuvée vinifiée en sec, de teinte paille fraîche. Ce vin possède un nez franc et intense sur des notes de fleurs, de fruits blancs et de brioche. La matière, d'une agréable fraîcheur, respecte l'équilibre entre le fruit et le bois. A retenir aussi, le **madiran 99** du domaine. (30 à 49 F)

EARL Dousseau, Dom. Sergent, 32400 Maumusson, tél. 05.62.69.74.93, fax 05.62.69.75.85 t.l.j. sf dim. 8h-12h30 14h-19h30

CH. DE VIELLA Moelleux 1999★★★

☐ 5 ha 24 000 8 à 11 €

Le coup de cœur a été unanime pour ce pacherenc du vic-bilh constitué à 80 % de petit manseng et à 20 % d'arrufiac. Regardez sa robe pailletée d'or. Humez sa palette puissante aux arômes de surmaturation : le fruit confit, plutôt exotique, s'équilibre merveilleusement avec les notes d'évolution et de sous-bois. Après une attaque chaleureuse, la bouche livre sa matière concentrée, ample et grasse. Les arômes complexes se prolongent durablement. Retenez aussi le **madiran vieilli en fût de chêne 99**, très réussi. (50 à 69 F)

Alain Bortolussi, Ch. de Viella, rte de Maumusson, 32400 Viella, tél. 05.62.69.75.81, fax 05.62.69.79.18 t.l.j. sf dim. 8h-12h30 14h-19h

Tursan AOVDQS

Autrefois vignoble d'Aliénor d'Aquitaine, le terroir de Tursan représente aujourd'hui 460 ha pour une production moyenne de 20 000 hl. Il produit des vins rouges, rosés et blancs (35 %). Les plus intéressants sont les blancs, issus d'un cépage original, le baroque. Sec et nerveux, au parfum inimitable, le tursan blanc accompagne alose, pibale et poisson grillé.

BARON DE BACHEN 1999

□ 17 ha 19 000 11 à 15 €

Le vin d'un grand chef qui a choisi en 1968 le charme d'Eugénie-les-Bains pour son relais gourmand raffiné. Plutôt pâle et limpide, ce 99 a connu un élevage en fût de sept mois et en a gardé le souvenir : des notes grillées s'inscrivent dans une palette composée de miel et de fruits exotiques tout comme la bouche encore marquée par l'empreinte du bois. A attendre encore un peu. (70 à 99 F)

Michel Guérard, Cie hôtelière et fermière d'Eugénie-les-Bains, 40800 Duhort-Bachen, tél. 05.58.71.76.76, fax 05.58.71.77.77 r.-v.
SCA Ch. de Bachen

CH. DE PERCHADE 2000*

■ 3,4 ha 29 000 5 à 8 €

Tannat, cabernet franc et cabernet-sauvignon, plantés sur un sol argilo-calcaire, sont à l'origine de ce vin puissant et fin à la fois, d'une bonne persistance. Des notes de cerise et de réglisse s'égrènent tout au long de la dégustation. Le **Château de Perchade blanc 2000** mérite d'être cité pour sa palette de fruits blancs et de pierre à fusil. (30 à 49 F)

EARL Dulucq, Château de Perchade, 40320 Payros-Cazautets, tél. 05.58.44.50.68, fax 05.58.44.57.75 t.l.j. sf dim. 8h-13h 14h30-19h

LES VIGNERONS DE TURSAN
Haute carte 2000*

□ 40 ha 70 000 3 à 5 €

La coopérative de Tursan-Chalosse se distingue par trois cuvées dans le millésime 2000. Si la cuvée **Haute Carte 2000 rosé** est citée, son *alter ego* blanc obtient une étoile. C'est un vin jaune pâle à reflets verts, dont le nez développe des notes de fruits blancs, ainsi que des nuances minérales de pierre à fusil. Equilibré par une bonne acidité et long, il exprime bien le cépage baroque qui constitue un tiers de son assemblage. A retenir aussi le **tursan rouge Paysage 2000 (moins de 20 F)**, un vin rond, aux arômes de griotte. (20 à 29 F)

Les Vignerons de Tursan, 40320 Geaune, tél. 05.58.44.51.25, fax 05.58.44.40.22, e-mail tursan.vin@wanadoo.fr r.-v.

Côtes de saint-mont AOVDQS

Prolongement du vignoble de Madiran, les côtes de saint-mont sont la dernière-née des appellations pyrénéennes en vins de qualité supérieure (1981). Le vignoble couvre environ 1 000 ha, produisant en moyenne 60 000 hl. Le cépage rouge principal est encore ici le tannat, les cépages blancs se partageant entre la clairette, l'arrufiac, le courbu et les mansengs. L'essentiel de la production est assuré par l'union dynamique des caves coopératives Plaimont. Les vins rouges sont colorés et corsés, et deviennent vite ronds et plaisants. Ils seront bus avec des grillades et de la garbure gasconne. Les rosés sont fins et estimables par leurs arômes fruités. Les blancs ont des parfums de terroir et sont secs et nerveux.

LE PASSE AUTHENTIQUE 2000*

□ 30 ha 200 000 5 à 8 €

Le gros manseng, majoritaire, s'associe au petit courbu et à l'arrufiac pour donner naissance à une cuvée nullement passéiste... La robe dorée est bien brillante ; le nez exprime des notes de fleurs et d'agrumes ; la bouche fine et fruitée laisse une agréable impression de fraîcheur. (30 à 49 F)

Vignoble de Gascogne, 32400 Riscle, tél. 05.62.69.62.87, fax 05.62.69.66.71 r.-v.

DOM. DE MAOURIES 2000

◪ 1,5 ha 12 666 3 à 5 €

Joliment vêtu, ce vin rosé décline des notes de fruits rouges et noirs : cassis, framboise et groseille. Sa bouche est soutenue par une bonne acidité, ce qui lui permettra d'accompagner des charcuteries locales. (20 à 29 F)

GAEC Dufau Père et Fils, Dom. de Maouriès, 32400 Labarthète, tél. 05.62.69.63.84, fax 05.62.69.65.49, e-mail domaine.maouries@wanadoo.fr r.-v.

CH. DE SABAZAN 1999**

■ 16 ha 35 000 11 à 15 €

Coup de cœur pour ce vin rouge intense, au nez avenant de fruits noirs et d'épices. Le boisé est parfaitement intégré dans une bouche puissante, charpentée et ample, qui se prolonge jusqu'à une finale réglissée. Ce vin complet se gardera harmonieusement pendant trois ans au moins. A noter aussi, le **Château de Sabazan rouge 98** qui obtient une étoile, de même que la cuvée **Esprit des vignes 99 (50 à 69 F)**, un rouge issu de vieilles vignes et élevé en fût. En blanc,

SUD-OUEST

la cuvée **Les Hauts de Bergelle 2000 (30 à 49 F)**, élevée en fût, obtient une citation. (70 à 99 F)
Producteurs Plaimont, 32400 Saint-Mont, tél. 05.62.69.62.87, fax 05.62.69.61.68 ☑ Y r.-v.

CH. SAINT-GO 1999**

■ 38 ha 180 000 8à11€

Sombre, ce vin offre de belles notes de fruits noirs, de cuir, de café et d'épices. En bouche, le boisé se fond dans une matière charnue, soutenue par des tanins soyeux. Quelques années de garde ne pourront que magnifier cette cuvée à marier à des viandes rouges, à un magret de canard ou à un gibier. Très réussie, la **cuvée rouge Le Faître 98** devrait bientôt fondre son boisé. Quant au **Monastère de Saint-Mont 98 rouge**, il est cité. (50 à 69 F)
Vignoble de Gascogne, 32400 Riscle, tél. 05.62.69.62.87, fax 05.62.69.66.71 ☑ Y r.-v.

Les vins de la Dordogne

Suite naturelle du vignoble libournais, celui de Dordogne n'en est séparé que par une frontière administrative. Avec des cépages classiques girondins, le vignoble périgourdin est caractérisé par une production très diversifiée et un grand nombre d'appellations. Il s'épanouit en coteaux sur les deux rives de la Dordogne.

L'appellation régionale bergerac comprend des blancs, des rosés et des rouges. Les côtes de bergerac sont des vins blancs moelleux, au bouquet délicat, et des rouges charpentés et ronds, à boire avec des volailles et des viandes en sauce. L'appellation saussignac désigne d'excellents vins moelleux qui possèdent un équilibre idéal entre vivacité et sucre, vins d'apéritif intermédiaires entre le bergerac et le monbazillac. Montravel, proche de Castillon, est le vignoble de Montaigne ; la production s'y divise en montravel blanc sec, très typé par le sauvignon, et en côtes de montravel et haut-montravel, moelleux, élégants et racés, excellents vins de dessert. Le pécharmant est un vin rouge récolté sur les coteaux du Bergeracois, où des sols riches en fer lui donnent un goût de terroir très typé ; vin de garde, au bouquet fin et subtil, il accompagnera les classiques de la cuisine périgourdine. Le rosette est un blanc moelleux issu des mêmes cépages que les bordeaux et récolté dans une petite zone de la rive droite de la Dordogne autour de Bergerac.

Connu depuis le XIVe s., le monbazillac est l'un des vins « liquoreux » les plus célèbres. Son vignoble est exposé au nord sur des terrains argilo-calcaires. Le microclimat qui y règne est particulièrement favorable au développement d'une forme particulière du botrytis : la pourriture noble. D'une belle couleur dorée, les monbazillac ont des arômes de fleurs sauvages et de miel. Très longs en bouche, ils peuvent être bus à l'apéritif, dégustés avec du foie gras, du roquefort et des desserts à base de chocolat. Gras et puissants, ils deviennent en vieillissant de grands liquoreux au goût de « rôti ».

Bergerac

Les vins peuvent être produits dans 90 communes de l'arrondissement de Bergerac ; le vignoble représente 6 447 ha en rouge et rosé et 3 375 ha en blanc. Le rosé, frais et fruité, est souvent issu de cabernet ; le rouge, aromatique et souple, est un assemblage des cépages traditionnels. Leur production a atteint 195 056 hl en blanc et 383 047 hl en rouge et rosé en 2000.

CH. BEYLAT 1999

■ n.c. 6 000 5à8€

Il est à boire maintenant, ce 99. On appréciera alors son joli nez de fruits confits, sa bouche tendre et gouleyante, très « fruits rouges ». Un classique de l'appellation. (30 à 49 F)
EARL les vignobles Beylat, Larroque, 24240 Thénac, tél. 05.53.58.43.71, fax 05.53.24.55.33 ☑ Y r.-v.

CH. BRIAND 2000*

■ 0,75 ha 6 500 5à8€

Ancienne dépendance du château de Bridoire, cette exploitation dispose d'une quinzaine d'hectares. La moitié du vignoble est dévolue aux cépages rouges. Cette cuvée présente un nez assez animal, typique d'un merlot de bonne maturité. La bouche est concentrée et fruitée, avec des tanins bien mûrs aux notes chocolatées. Le **Château Briand rouge 99 vieilli en fût de chêne (50 à 69 F)**, cité, est encore très marqué par le bois. Il devrait gagner en harmonie d'ici deux à trois ans. Le **Château Briand blanc sec 2000** a également été cité pour ses notes d'agrumes et de fruits exotiques. C'est un classique. (30 à 49 F)

Gilbert et Kathy Rondonnier, Les Nicots, 24240 Ribagnac, tél. 05.53.58.23.50, fax 05.53.24.94.63 r.-v.

CH. BUISSON DE FLOGNY 2000*

■ 3 ha 15 000 5à8€

Un vin « noir » : la robe est foncée, à reflets violets. Très fruité au nez, il évoque les fruits mûrs ou cuits. Après une attaque un peu fraîche, il évolue sur des tanins pleins et enrobés. La finale, encore austère, devrait gagner en amabilité avec le temps. (30 à 49 F)

Marc Bighetti de Flogny, Le Buisson, 24610 Saint-Méard-de-Gurçon, tél. 05.53.81.00.87, fax 05.53.80.61.39, e-mail flogny@aol.com r.-v.

SCEA Ch. Saint-Méard

CASANOVA 2000*

■ n.c. 20 000 5à8€

Proposée par la société de négoce de la famille de Conti (voir Moulin des Dames), créée en 1999, cette cuvée Casanova joue comme il se doit sur la séduction avec son nez fruité agréable, sa bouche ronde aux tanins mûrs et prometteurs. La cuvée **Casanova 99 en blanc sec**, citée par le jury, est tout aussi charmeuse avec son nez fruité et grillé. Au palais, elle est très marquée par le bois. (30 à 49 F)

SARL La Julienne, 24500 Saint-Julien-d'Eymet, tél. 05.53.57.12.43, fax 05.53.58.89.49 r.-v.

CH. FAYOLLE-LUZAC

Cuvée Caroline Elevé en fût de chêne 1998

■ 11 ha 8 000 5à8€

Installé en 1998, ce vigneron fait son entrée dans le Guide avec son premier millésime. Le nez révèle un long vieillissement en fût (douze mois) par des notes boisées et vanillées dominantes. En bouche, le vin est puissant et dense. On sent la présence des tanins vanillés, bien fondus en attaque mais plus austères en finale. (30 à 49 F)

SCEA ch. Fayolle, Fayolle, 33220 Fougueyrolles, tél. 05.53.73.51.68, fax 05.53.73.51.69, e-mail ch.fayolle.luzac@wanadoo.fr r.-v.

CH. JONC-BLANC Cuvée Symphonie 2000

■ 12 ha 24 000 5à8€

Jonc Blanc donne un vin rouge : une jolie robe pourpre ; un nez poivré, vanillé, très marqué par le cabernet mûr ; une bouche ronde, fruitée, concentrée, équilibrée et d'une bonne persistance. Une bouteille bien faite, déjà prête, mais apte à une garde de deux à trois ans. C'est le premier millésime de ces vignerons, qui se sont installés en l'an 2000. (30 à 49 F)

SCEA I. Carles et F. Pascal, Le Jonc Blanc, 24230 Vélines, tél. 05.53.74.18.97, fax 05.53.74.18.97, e-mail joncblanc@hotmail.com r.-v.

CH. LA GRANDE PLEYSSADE

Vieilli en fût de chêne 2000

■ 23 ha 66 000 3à5€

Les investissements importants réalisés sur cette exploitation depuis dix ans commencent à porter leurs fruits avec cette cuvée. Net et élégant, le nez livre des notes de griotte et de

Le Bergeracois

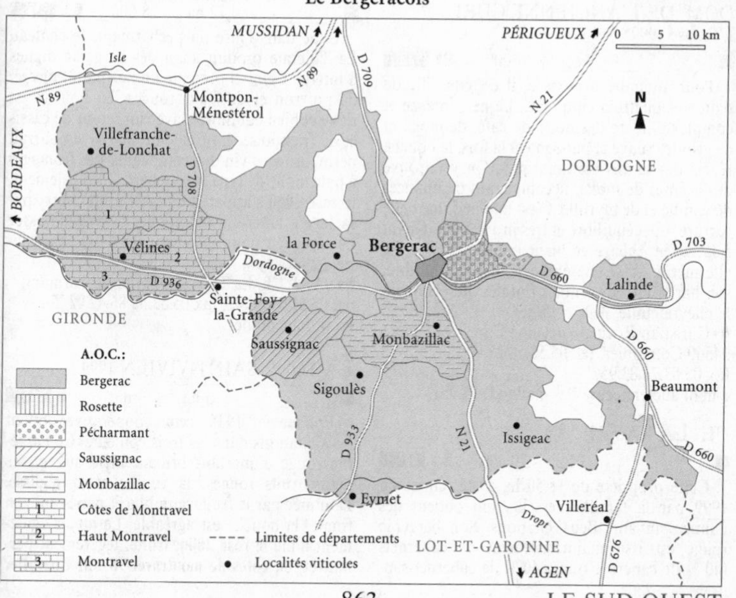

vanille. Ample et d'un certain volume, la bouche présente une longue finale marquée par des tanins un peu austères. Un vin qui sera agréable dans deux à trois ans. (20 à 29 F)
SCEA La Grande Pleyssade, 24240 Mescoulès, tél. 05.53.73.21.79, fax 05.53.24.27.61, e-mail lagrandepleyssade@comp.serve.com r.-v.
Laumond

CH. LAMOTHE BELAIR 1999

10 ha 40 000 3à5€

Portrait d'un vin plaisir: un nez puissant mêlant cassis, griotte et autres fruits rouges, une bouche aux tanins ronds, assez fondus et aux arômes fruités élégants. Tout cela invite à ouvrir cette bouteille maintenant, mais elle peut vieillir deux ou trois ans. (20 à 29 F)
GAEC Jean Puyol et Fils, Ch. Barberousse, 33330 Saint-Emilion, tél. 05.57.24.74.24, fax 05.57.24.62.77 r.-v.

CH. L'ANCIENNE CITADELLE 1999

5 ha 4 000 5à8€

Le nom du domaine fait référence à un donjon, vestige d'une forteresse qui fut l'une des plus puissantes de l'Aquitaine pendant la guerre de Cent Ans. C'est d'ailleurs à quelques kilomètres de la cité que se déroula la bataille décisive qui, en 1453, mit un terme au grand conflit médiéval. Le vignoble grimpe le long du coteau et bénéficie d'une exposition au midi. Il a donné un bergerac rouge sympathique, au nez dominé par les fruits rouges, avec des touches de noisette et de vanille. Friand et léger en bouche, ce vin offre des tanins suaves et un bel équilibre. A boire jeune sur son fruit. (30 à 49 F)
Jean-Luc Favretto, La Petite Rivière, 24230 Montcaret, tél. 05.53.57.59.29, fax 05.53.57.59.29 t.l.j. 9h-12h 14h-17h

DOM. DE L'ANCIENNE CURE

L'Extase 1999*

n.c. 7 000 15à23€

Pour atteindre à l'extase, il est conseillé de patienter quatre à cinq ans... Le nez, intense et complexe, libère des notes de café, de moka et de griotte. Suave et puissante à la fois, la bouche révèle des tanins bien marqués. On y retrouve des arômes de moka, accompagnés de nuances de vanille et de myrtille. C'est un vin d'une belle carrure, bien équilibré et très prometteur. Quant à la cuvée **Abbaye en blanc sec 99 (70 à 99 F)**, elle mérite aussi une étoile pour son équilibre, son harmonie et ses notes florales qui évoquent le chèvrefeuille. (100 à 149 F)
Christian Roche, Ancienne Cure, 24560 Colombier, tél. 05.53.58.27.90, fax 05.53.24.83.95, e-mail anciennecure@wanadoo.fr r.-v.

CH. LA RAYRE 2000

7 ha 20 000 3à5€

Cette propriété de 18,50 ha a été reprise en 1999 par la famille Vesselle, qui obtient dès l'année suivante deux citations. Son bergerac rouge est issu majoritairement de cabernets (40 % de cabernet franc, 40 % de cabernet-sauvignon), cépages qui dominent au nez avec des arômes de poivre et de poivron. Souple et fondue, la bouche est flatteuse. Un vin qui n'a pas l'ambition de braver les ans, mais qui vous charmera maintenant par son harmonie. Le **bergerac sec 2000**, aux arômes d'agrumes (citron), séduit par sa fraîcheur et sa vivacité. (20 à 29 F)
EARL Ch. La Rayre, La Rayre, 24560 Colombier, tél. 05.53.58.32.17, fax 05.53.24.55.58, e-mail vincent.vesselle@wanadoo.fr r.-v.
V. Vesselle

CH. LA SALAGRE 2000*

21,4 ha n.c. 3à5€

La robe sombre tire sur le violet. Bien ouvert, le nez est très plaisant avec ses notes de cerise, de fraise et de cassis. Souple en attaque, la bouche séduit par son fruité exubérant jusqu'à la finale. Un vin aimable et gouleyant. (20 à 29 F)
SCEA vignoble Rocher Cap de Rive, La Salagre, 24240 Pomport, tél. 05.53.24.01.29, fax 05.53.61.39.50 r.-v.

CLOS LA SELMONIE 1999

n.c. 5 000 5à8€

Le merlot (50 %) et les deux cabernets s'équilibrent dans ce bergerac qui témoigne d'une vinification bien maîtrisée. Le premier cépage domine au nez, avec des notes un peu animales. La matière tannique est puissante et élégante, et la finale persistante. Le jury a par ailleurs cité le **côtes de bergerac moelleux 2000**, rafraîchissant par sa vivacité. (30 à 49 F)
Christian Beigner, Les Colombes, 24240 Mescoulès, tél. 05.53.58.43.40, fax 05.53.58.49.81 r.-v.

CH. LA TILLERAIE 2000

4,12 ha 28 000 5à8€

Situé dans l'aire du pécharmant, le château La Tilleraie produit aussi des bergerac dignes d'intérêt. Celui-ci présente un nez plutôt discret de poivron et de fruits rouges. La bouche est riche et bien équilibrée, avec un retour de cassis et de framboise. La finale un peu vive pourrait permettre à ce vin d'accompagner des fromages à pâte molle de type camembert. Cité également, le **rosé 2000** s'apparente plutôt à un clairet par sa légère amertume tannique. Il possède assez de caractère pour accompagner de la charcuterie. (30 à 49 F)
SARL Ch. La Tilleraie, 24100 Pécharmant, tél. 05.53.57.86.42, fax 05.53.57.86.42 r.-v.
B. Fauconnier

LA TOUR SAINT-VIVIEN 1999

3 ha n.c. 3à5€

Fondée en 1935, cette coopérative obtient trois citations dans les trois couleurs. Ce bergerac rouge d'un rubis brillant mêle au nez les petits fruits rouges, la vanille et la réglisse. Dominée par le fruit, tannique et persistante en finale, la bouche est agréable. Le jury a également aimé le **rosé 2000**, fruité, légèrement perlant et, en **côtes de montravel 98**, un **Chevalier**

de Saint-Avit (30 à 49 F), assez moelleux et fruité. (20 à 29 F)

Les viticulteurs réunis de Saint-Vivien-et-Bonneville, 24230 Saint-Vivien, tél. 05.53.27.52.22, fax 05.53.22.61.12 r.-v.

CH. LAULERIE

Vieilli en fût de chêne 1999★★

■ n.c. 120 000 5à8€

Régulièrement mentionné dans le Guide et parfois aux meilleures places (rappelons les superbes 93 et 94), ce bergerac est un grand classique. Le 99 présente un nez très grillé, avec des petits fruits noirs intenses. En bouche, on apprécie le gras et la longueur sur un boisé bien fondu. Un vin particulièrement équilibré et harmonieux. (30 à 49 F)

Vignobles Dubard, Le Gouyat, 24610 Saint-Méard-de-Gurçon, tél. 05.53.82.48.31, fax 05.53.82.47.64, e-mail vignoblesdubard@wanadoo.fr t.l.j. 8h-12h30 14h-19h

CH. LE CASTELLOT

Cuvée Prestige Elevé en fût de chêne 1999★

■ 12 ha 12 000 8à11€

Ce domaine de 55 ha fut à l'origine une commanderie des Templiers. Jean-René Ley l'a hérité de ses parents en 1964 et l'a agrandi. On retrouve en rouge sa cuvée Prestige. Le nez, ouvert, libère des notes de fruits mûrs accompagnées de quelques nuances boisées. En bouche, la structure est dense, avec un boisé bien intégré. Ce vin très prometteur s'exprimera pleinement d'ici deux à trois ans. La même **cuvée Prestige**, en **bergerac blanc 99 (30 à 49 F)**, a été citée pour ses arômes de fruits assortis d'un boisé délicat. La bouche élégante, fondue, ronde et sans excès de vivacité, fera réserver cette bouteille aux poissons en sauce. (50 à 69 F)

GAF Ley, Dom. des Templiers, 24230 Saint-Michel-de-Montaigne, tél. 05.53.58.68.15, fax 05.53.58.79.99 r.-v.

CH. LE PAYRAL Cuvée Emilien 2000★

■ 1 ha 7 000 8à11€

Cette cuvée ne peut cacher son élevage en barrique. La couleur est sombre, très riche. Au nez, c'est le boisé qui domine, pour faire place à l'agitation à des notes de poivron rouge et de bourgeon de cassis. La bouche ample révèle beaucoup de fruit, mais aussi des tanins très présents. A attendre au moins cinq ans. (50 à 69 F)

Thierry Daulhiac, Le Bourg, 24240 Razac-de-Saussignac, tél. 05.53.22.38.07, fax 05.53.27.99.81 r.-v.

DOM. LES BRANDEAUX

Elevé en fût de chêne 1999

■ 2,1 ha 6 200 5à8€

Ce bergerac élevé sous bois attire l'œil par une robe grenat soutenu. Assez fin, le nez propose des arômes boisés et vanillés, mais aussi de la réglisse, du café et des fruits rouges. Après une attaque franche et agréable, la bouche, plutôt pleine et ronde, évolue sur des tanins quelque peu dominés par le bois, ce qui lui donne un côté austère en finale. Dans le même millésime, la **cuvée principale (20 à 29 F)** du domaine, élevée en cuve, est plaisante et harmonieuse, avec une palette aromatique d'une simplicité de bon aloi. Elle obtient la même note. (30 à 49 F)

GAEC Piazzetta, Les Brandeaux, 24240 Puyguilhem, tél. 05.53.58.41.50, fax 05.53.58.41.50 r.-v.

CH. LES MERLES 2000

■ 58 ha 100 000 5à8€

Un vaste domaine (72 ha) pour d'importants volumes d'un bergerac bien fait : son joli nez met quelques touches grillées dans un plaisant fruité. La bouche concentrée révèle des tanins veloutés et finit longuement sur des notes épicées. Ce vin peut vieillir trois à quatre ans. (30 à 49 F)

J. et A. Lajonie, GAEC Les Merles, 24520 Mouleydier, tél. 05.53.63.43.70, fax 05.53.58.06.46 t.l.j. 9h-12h 14h-18h

CH. MAYNE GRAND PEY 2000

■ 15 ha 90 000 3à5€

La robe, d'un rouge grenat assez profond, annonce d'emblée un vin concentré. Le nez, d'une intensité moyenne, est dominé par les fruits rouges. La bouche confirme l'impression visuelle : elle présente une belle ampleur, du fruit et de la densité même si la finale est encore un peu austère. (20 à 29 F)

Domainie de Sansac, Les Lèves, 33220 Sainte-Foy-la-Grande, tél. 05.57.56.02.02, fax 05.57.56.02.22, e-mail franckdelmas@wanadoo.fr r.-v.

L'INSPIRATION DES MIAUDOUX

1999★

■ 2 ha 8 000 8à11€

Une belle ascension pour Gérard Cuisset qui, après avoir été salarié de ce domaine, l'a pris en location en 1986 pour l'acheter en 1991. Sa production, tant en bergerac qu'en saussignac, est régulièrement complimentée dans le Guide. Le millésime **99** lui vaut trois fois une étoile. Cette cuvée spéciale de bergerac rouge mêle au nez des notes grillées caractéristiques de l'élevage en barrique et des fruits rouges cuits. Après une attaque ronde, la bouche aux tanins bien présents fait preuve d'une belle longueur. Le boisé demande encore deux à trois ans pour se fondre. Egalement en **bergerac rouge**, le **Château Miaudoux élevé en fût de chêne (30 à 49 F)** révèle une structure plus souple et une pointe d'acidité en finale. Quant au **saussignac Réserve (100 à 149 F)**, il présente un bon potentiel de vieillissement, mais le boisé doit s'intégrer. (50 à 69 F)

Gérard Cuisset, Les Miaudoux, 24240 Saussignac, tél. 05.53.27.92.31, fax 05.53.27.96.60, e-mail gerard.cuisset@terre-net.fr r.-v.

MIRAGE DU JONCAL 1999★★

■ 1,5 ha 2 860 11à15€

Malgré les difficultés de l'année 99, cette cuvée - habillée d'une étiquette triangulaire très graphique - s'inscrit parfaitement dans la continuité du millésime 98, qui avait aussi obtenu deux étoiles. Fort complexe, sa palette aromati-

SUD-OUEST

que révèle des notes boisées, grillées, toastées, provenant de son élevage de dix-huit mois sous bois, mais aussi du fruité, du gibier, de la réglisse. Dès l'attaque, le vin emplit bien la bouche. Le bois est parfaitement intégré au fruit. Attendre cinq ans. (70 à 99 F)
SCEA Le Joncal, Clos Le Joncal, 24500 Saint-Julien-d'Eymet, tél. 05.53.61.84.73, fax 05.53.61.84.73, e-mail roland.tatard@infonie.fr r.-v.
J. Fonmarty

CH. MONDESIR 2000

■ 10 ha 66 000 3à5€

La couleur sombre, presque noire, est assez caractéristique du millésime. Un peu fermé, le nez est dominé par les fruits mûrs. La bouche est agréable, avec son attaque franche et ses tanins d'une concentration moyenne, sans doute, mais fondus et laissant une saveur chocolatée. La finale ? Un peu austère certes, mais c'est là défaut de jeunesse. (20 à 29 F)
Closerie d'Estiac, Les Lèves, 33320 Sainte-Foy-la-Grande, tél. 05.57.56.02.02, fax 05.57.56.02.22 t.l.j. sf dim. lun. 9h30-12h30 15h30-18h

CH. MONESTIER LA TOUR 2000

■ 5,71 ha 48 000 5à8€

Ce château, dont les origines remontent au XIIIe s., aurait reçu la visite d'Henri IV. Il a été magnifiquement restauré. Elevé dix-huit mois en fût, son bergerac rouge présente un nez d'abord discret, qui s'ouvre sur des notes de fruits. En bouche, si les tanins font encore trop sentir leur présence, la matière est très concentrée. L'ensemble doit évoluer pendant trois à quatre ans. Le jury a également cité le **Clos de Monestier 2000 (20 à 29 F) en bergerac sec**, un vin bien équilibré, aux arômes de sauvignon marqués. (30 à 49 F)
SCEA Monestier La Tour, 24240 Monestier, tél. 05.53.61.87.87, fax 05.53.61.71.09 r.-v.
Haseth Moller

CH. MOULIN CARESSE

Elevé en fût de chêne 1999★★

■ 4,5 ha 28 000 5à8€

Sylvie et Jean-François Deffarge exploitent 23 ha de vignes. Ils nous ont fait connaître d'excellentes cuvées, que ce soit en bergerac ou en montravel. Celle-ci ne pourra que conforter leur réputation : son nez, qui mêle des notes toastées, torréfiées à des parfums de fruits rouges, est des plus élégants ; quant à la bouche, ronde et ample, elle révèle beaucoup de matière sur un boisé fondu. Un vin très concentré, moelleux, qui atteste un élevage en fût bien maîtrisé. Tout cela donne un coup de cœur, comme l'an dernier dans la même AOC ! A attendre trois ans. En **côtes de bergerac 99, la cuvée Prestige de Moulin Caresse (70 à 99 F)** obtient une étoile. Elevée dix-huit mois en barrique, elle est dominée par le boisé malgré des notes de cassis très agréables : il faudra l'attendre quatre à cinq ans. En **montravel, le 99 élevé en fût de chêne (30 à 49 F),** très marqué par le bois en finale, recueille une citation. (30 à 49 F)
EARL Sylvie et Jean-François Deffarge-Danger, Couin, 24230 Saint-Antoine-de-Breuilh, tél. 05.53.27.55.58, fax 05.53.27.07.39, e-mail moulin-caresse@libertysurf.fr t.l.j. 9h-12h 15h-19h; sam. dim. sur r.-v.

MOULIN DES DAMES 2000★★

■ 8 ha 35 000 15à23€

La famille de Conti s'est fait connaître au-delà même de nos frontières par deux vins souvent mentionnés aux meilleures places dans le Guide : la cuvée Moulin des Dames et le Château Tour des Gendres, tous deux élevés sous bois. La première, qui a enthousiasmé le jury par sa concentration, a obtenu un coup de cœur. Le boisé est aujourd'hui dominant, mais l'avenir est tellement prometteur... La cuvée **La Gloire de mon père du Château Tour des Gendres** a donné ces dix dernières années nombre de vins remarquables (dont un coup de cœur, le 96). Le **99 (50 à 69 F)** mérite deux étoiles grâce à sa structure tannique pleine, serrée et ferme. Le vin de garde par excellence, à attendre au moins cinq ans. (100 à 149 F)
SCEA de Conti, Tour des Gendres, 24240 Ribagnac, tél. 05.53.57.12.43, fax 05.53.58.89.49 r.-v.

CLOS DU PECH BESSOU 2000★

■ 2,74 ha n.c. 3à5€

Ce domaine ne commercialise son vin en bouteilles que depuis 1995. Le cabernet est majoritaire dans son bergerac au nez de cassis et de cerise. La bouche surprend agréablement par sa rondeur et son équilibre, offrant un joli retour de fruits (cassis, fraise). A boire aujourd'hui pour le fruit, ou à garder deux ou trois ans pour le servir avec un civet de lapin. (20 à 29 F)
GAEC Thomassin, La Ferrière, 24560 Plaisance, tél. 05.53.24.53.00 t.l.j. sf dim. 9h-12h 13h30-18h

CH. RUINE DE BELAIR
Cuvée Merlot 2000★★

■ 5 ha 15 000 5à8€

Les vignobles Rigal (30 ha) s'étendent à cheval sur les départements de la Dordogne et de la Gironde ; ils produisent des bordeaux et des bergerac. Le millésime 2000 affiche une robe noire, profonde, qui témoigne d'une belle maturité. Le nez, puissant, est dominé par les notes grillées et torréfiées du bois. La bouche monte en puissance ; les tanins s'imposent. Encore quelque peu marqué par la barrique, ce vin sera bien fondu dans trois à quatre ans. Quant au **Domaine du Petit Négreaud 2000**, élevé en cuve, il recueille une citation. Il est plus léger et plus fruité que le précédent. (30 à 49 F)

EARL Vignobles Rigal, Dom. du Cantonnet, 24240 Razac-de-Saussignac, tél. 05.53.27.88.63, fax 05.53.23.77.11 r.-v.
Jean-Paul Rigal

LES VIGNERONS DE SIGOULES
Haute Tradition Vieilli en fût de chêne 2000★

■ 65 ha 100 000 5à8€

Cette coopérative assure la vinification de 1 250 ha de vignes. Elle propose une cuvée dont la commercialisation est assurée par la grande distribution. Le nez, très expressif, est dominé par des notes de caramel. La bouche confirme cette impression avec une attaque charnue, des tanins ronds et denses, un boisé plaisant (bien que la finale se montre un peu austère). De la même cave, le jury a cité le **Foncaussade rouge 2000 (20 à 29 F)**, un vin de concentration moyenne mais bien équilibré. (30 à 49 F)

Cave Montravel Sigoulès, 24240 Sigoulès, tél. 05.53.61.55.00, fax 05.53.61.55.10 t.l.j. sf dim. 9h-12h30 14h-18h30

CH. TOUR D'ARFON
Cuvée Prestige Vieilli en fût de chêne 1999

■ 0,75 ha 6 600 5à8€

Installé en 1998 sur cette propriété de 15 ha, ce producteur est mentionné comme l'an dernier. Au nez, son 99 est très marqué par les fruits rouges, avec des notes grillées. Très fondue, presque fluide, la bouche invite à déguster cette bouteille rapidement. La **cuvée classique 99 (20 à 29 F)**, qui n'a pas connu le bois, très souple et ronde elle aussi, a obtenu la même note. (30 à 49 F)

H. et F. Ferté, La Tour d'Arfon, 24240 Monestier, tél. 05.53.73.36.49, fax 05.53.73.36.49 r.-v.

CH. DU TUQUET DE BERGERAC
1998

■ 3 ha 4 600 3à5€

Michel et Agnès Dameron se sont installés sur cette petite propriété (6,50 ha) en 1998 et nous ont soumis leur premier millésime. La robe grenat attire l'œil. Le nez, assez fruité, mêle les fruits rouges et le pruneau. On retrouve en attaque de plaisantes notes fruitées ; la dégustation finit sur une pointe chaleureuse. (20 à 29 F)

Michel et Agnès Dameron, Le Tuquet, 24100 Bergerac, tél. 05.53.57.59.01, fax 05.53.57.59.01 t.l.j. 10h-18h

CH. VEYRINES Cuvée Tradition 2000

■ 2 ha 10 000 3à5€

Installé en 1996, Eric Lascombes a fait son entrée dans le Guide avec l'édition précédente, pour une cuvée boisée. Cette année, sa cuvée classique passe la barre. Le nez ? De la puissance, un caractère vineux et fruité. La bouche ? Des tanins fort présents certes, mais beaucoup de souplesse et de rondeur. Un vin déjà agréable mais qui peut vieillir de deux à trois ans. (20 à 29 F)

Eric Lascombes, Veyrines, 24240 Ribagnac, tél. 05.53.73.01.34, fax 05.53.73.01.34 r.-v.

Bergerac rosé

DOM. DU BOIS DE POURQUIE 2000★

◪ 1,5 ha 10 000 5à8€

La qualité de ce domaine ne cesse de progresser. La couleur de ce rosé se rapproche de celle d'un clairet. Les arômes de cassis, un peu sauvignonnés, révèlent la présence de cabernet. En bouche, on retrouve ces arômes de cassis, de violette, de buis avec une petite pointe de sucre et de gaz carbonique. Un rosé bien vinifié, moderne, avec du fruit et du corps. Quant à la nouvelle cuvée **Révélation en rouge 99**, elle semble très prometteuse bien qu'encore un peu dominée par le bois. Elle obtient une citation. (30 à 49 F)

Marlène et Alain Mayet, Le Bois de Pourquié, 24560 Conne-de-Labarde, tél. 05.53.58.25.58, fax 05.53.61.34.59 r.-v.

CH. FONTAINE DES GRIVES 2000

◪ 1,3 ha 2 500 3à5€

La couleur est plutôt soutenue pour un rosé. Le cabernet-sauvignon s'exprime au nez par ses notes un peu végétales de cassis et de genêt. La bouche est très ronde en raison d'une forte teneur en sucres mais la vivacité demeure et équilibre la douceur. Pour l'apéritif et les amateurs de rosés plutôt doux. (20 à 29 F)

Mario Zorzetto, Ch. Fontaine des Grives, 24240 Thénac, tél. 05.53.58.46.73, fax 05.53.24.18.49 r.-v.

DOM. LES GRAVES 2000

◪ 0,5 ha 1 350 3à5€

Les amateurs de rosé tendre vont apprécier ce produit. La robe est d'un joli rose pâle. Le nez est fleuri, agréable. On retrouve des notes persistantes de violette en bouche. D'un bon équilibre entre l'acidité et le sucre, c'est un vin d'apéritif ou de début de repas. (20 à 29 F)

Bernard Barse, Dom. Les Graves, 24240 Gageac-Rouillac, tél. 05.53.24.01.11, fax 05.53.24.01.11 r.-v.

SUD-OUEST

LES JARDINS DE CYRANO
Larmandie 2000★★

◪ 1 ha 6 000 3à5€

C'est un vin de négociant qui a emporté à l'unanimité le coup de cœur. Un rosé très pâle. Le nez est intense avec des notes de buis et de pétale de rose. Le fruité est très élégant en bouche. Totalement sec, d'une grande persistance aromatique, il est très agréable mais à boire rapidement. Le jury a cité le **blanc sec Cuvée Quatre Vents 2000** pour ses arômes de fruits mûrs, de muscat. (20 à 29 F)
SARL Pascal Bonnac, 48, rue Joseph-Pères, 33110 Le Bouscat, tél. 05.57.22.87.87, fax 05.57.22.87.86

DOM. DU PETIT PARIS
Cuvée Tradition 2000

◪ 3 ha 13 000 3à5€

La robe rose saumon évolue vers le tuilé. Des arômes de fleurs séchées et de fruits se mêlent au nez. La bouche est plaisante avec du gras, des arômes de fraise écrasée. Elle est harmonieuse grâce à la présence légère de sucres résiduels. (20 à 29 F)
EARL Dom. du Petit Paris, RN 21, 24240 Monbazillac, tél. 05.53.58.30.41, fax 05.53.58.30.27, e-mail petit-paris@wanadoo.fr
t.l.j. 8h-20h; groupes sur r.-v.

CH. TOUR MONTBRUN 2000

◪ 0,85 ha 6 000 3à5€

La propriété est située à l'emplacement de l'ancienne citadelle de Montravel. La couleur vive et intense de ce 2000 attire l'œil. Le nez présente des arômes de fruits, en particulier de poire. Ce fruité très agréable avec ces notes de pomme et de poire ressort bien en bouche. Sympathique à l'apéritif. (20 à 29 F)
Philippe Poivey, Montravel, 24230 Montcaret, tél. 05.53.58.66.93, fax 05.53.58.66.93, e-mail philippe.poivey@wanadoo.fr r.-v.

Bergerac sec

La diversité des sols (calcaire, graves, argile, boulbènes) donne des expressions aromatiques variées. Jeunes, les vins sont fruités et élégants, avec une pointe de nervosité. S'ils sont vinifiés dans le bois, il faudra patienter un an ou deux pour obtenir l'expression du terroir.

CALISTA 2000

☐ 0,68 ha 2 100 15à23€

Parmi les vins du château de la Colline, ce sont deux bergerac secs qui ont retenu l'attention des dégustateurs. La cuvée Calista a gardé dans sa palette le souvenir de son élevage de dix-huit mois en barrique : des notes boisées s'associent au registre floral. En bouche, le bois est encore marqué au sein d'une matière fraîche. Deux ou trois ans de garde permettront d'affiner ce vin. La **cuvée classique 2000 (30 à 49 F)** est également citée : elle présente des arômes de fruits confits. (100 à 149 F)
Charles Martin, Ch. de la Colline, 24240 Thénac, tél. 05.53.61.87.87, fax 05.53.61.71.09, e-mail la.colline.office@wanadoo.fr r.-v.

CH. CAPULLE 2000

☐ 1,16 ha 2 400 -3€

Blanc-vert, ce bergerac sec évoque le sauvignon grâce à ses arômes typiques, très floraux. En bouche, il est frais dès l'attaque, puis développe un fruit savoureux. Un vin classique ? Certes, et plaisant. (– 20 F)
Jean-Paul Migot, Ch. Capulle, 24240 Thénac, tél. 05.53.58.42.67, fax 05.53.58.39.50 r.-v.

DOM. DU CASTELLAT 2000

☐ 6 ha 53 600 3à5€

Présentez-le dès aujourd'hui sur la table avec des fruits de mer, quelques escargots et même un cabécou : ce vin s'en trouvera fort aise. Son nez de fruits mûrs s'harmonise avec une bouche assez grasse et bien équilibrée, qu'une finale vive vient rafraîchir. Un classique. (20 à 29 F)
Jean-Luc Lescure, Le Castellat, 24240 Razac-de-Saussignac, tél. 05.53.27.08.83, fax 05.53.27.08.83 t.l.j. sf dim. 9h-19h

DOM. DE COMBET 2000

☐ 2 ha 8 000 3à5€

Le domaine de Combet (30 ha) a choisi un élevage sur lie pour élaborer ce vin charnu. De teinte jaune clair, celui-ci décline des arômes de fruits confits assez discrets mais fins. La bouche présente un bon équilibre et laisse une sensation fraîche et fruitée. (20 à 29 F)
EARL de Combet, 24240 Monbazillac, tél. 05.53.58.33.47, fax 05.53.58.33.47, e-mail combet@oreka.com r.-v.

CH. DES GANFARDS 2000

☐ 5 ha 18 000 5à8€

Derrière une robe jaune pâle, brillante, se profile un nez intense et complexe, évoquant les fruits mûrs. Harmonieux dès l'attaque, ce bergerac sec laisse une sensation de fraîcheur jusqu'en finale. Il sera le compagnon des poissons et des fruits de mer. (30 à 49 F)

🔑 GAEC des Ganfards Haute-Fonrousse, 24240 Saussignac, tél. 05.53.58.30.28, fax 05.53.58.30.28, e-mail geraud.vins@wanadoo.fr ☑ 🍷 t.l.j. sf dim. 8h-12h 14h-19h
🔑 Serge et Jean-Claude Géraud

CH. HAUT-FONGRIVE 2000*

☐ 4,23 ha 30 000 3à5€

A la fin des années 1980, un couple d'Anglais, séduit par ce château et le point de vue qu'il ménageait sur les coteaux de Thénac, restaura remarquablement les bâtiments. Dix ans plus tard, en 1998, Sylvie et Werner Wichelhaus allaient à leur tour être charmés au point de racheter le domaine de 15 ha. Ils réussissent ici un vin de teinte blanc-vert, brillant. Le nez complexe et délicat est dominé par des notes florales. La bouche offre une matière fruitée et ronde, bien équilibrée. A destiner aux poissons cuisinés et aux viandes blanches. (20 à 29 F)
🔑 Sylvie et Werner Wichelhaus, Château Haut-Fongrive, 24240 Thénac, tél. 05.53.58.56.29, fax 05.53.24.17.75, e-mail hautfongrive@worldonline.fr ☑ 🍷 r.-v.

JULIEN DE SAVIGNAC 2000*

☐ 4 ha 25 000 5à8€

Le sauvignon, qui représente 60 % de l'assemblage, s'exprime nettement au nez par des arômes floraux et des notes d'agrumes. En bouche, ce vin possède du gras, de la finesse et de la longueur sur une fraîcheur agréable. Idéal pour l'apéritif ou des entrées. Sous la même signature, le **rosé 2000** est très réussi : fruité et charnu, il accompagnera un début de repas. Quant au **bergerac rouge 99**, cité, il est déjà prêt à boire grâce à sa bouche ronde. (30 à 49 F)
🔑 Julien de Savignac, av. de la Libération, 24260 Le Bugue, tél. 05.53.07.10.31, fax 05.53.07.16.41, e-mail julien.de.savignac@wanadoo.fr
☑ 🍷 t.l.j. sf lun. 8h45-12h15 14h45-19h15

CH. LA BRIE 2000*

☐ 10,5 ha 80 000 3à5€

Le château La Brie a été acquis par le ministère de l'Agriculture en 1960. Fort de 55 ha, il possède depuis 1994 un chai pédagogique, où ce bergerac typé est né. Celui-ci, marqué par les fruits exotiques (litchi, ananas), propose une attaque enlevée. Car c'est un vin vif et élancé. Si prompt qu'il s'achève bientôt, laissant une impression très flatteuse. Du même producteur, le **monbazillac cuvée Prestige 98 (100 à 149 F)**, élevé en fût de chêne, mérite d'être cité.
(20 à 29 F)
🔑 Ch. La Brie, Lycée viticole, Dom. de La Brie, 24240 Monbazillac, tél. 05.53.74.42.42, fax 05.53.58.24.08, e-mail expl.lpa.bergerac@educagri.fr
☑ 🍷 t.l.j. sf dim. 10h-12h 13h30-17h30; f. jan.

PRESTIGE DE LA GRAPPE DE GURSON Hyacinthe 2000

☐ 12 ha 60 000 3à5€

Difficile de visiter cette coopérative sans découvrir, à quelques pas, l'église romane de Carsac, construite au XIIe s. La Grappe de Gurson a retenu l'intérêt des dégustateurs grâce à ce bergerac floral, en bon héritier du sauvignon. Les arômes de fleurs sont repris dans une bouche soutenue par la vivacité, équilibrée et persistante. (20 à 29 F)
🔑 La Grappe de Gurson, Le bourg, 24610 Carsac-de-Gurson, tél. 05.53.82.81.50, fax 05.53.82.81.60, e-mail grappe.gurson@wanadoo.fr ☑ 🍷 r.-v.

CH. DE LA JAUBERTIE 2000*

☐ 25 ha 160 000 5à8€

A La Jaubertie, on n'hésite pas à vendanger pendant la nuit, de manière à récolter un raisin plus frais qui révélera mieux ses arômes. Le résultat est à la hauteur des efforts déployés. Ce bergerac, marqué par le sauvignon (60 %), possède une matière ronde, du gras et une longueur appréciable. Elaboré avec les mêmes exigences, le **bergerac rosé 2000** mérite également une étoile pour sa fraîcheur, sa souplesse et ses arômes de cassis. (30 à 49 F)
🔑 SA Ryman, Ch. de La Jaubertie, 24560 Colombier, tél. 05.53.58.32.11, fax 05.53.57.46.22, e-mail jaubertie@wanadoo.fr ☑ 🍷 r.-v.

DOM. LA TUILIERE 2000

☐ 1,5 ha 9 300 3à5€

La Tuilière ? Le site était occupé par une fabrique de tuiles au début du XX[e]s., mais ses propriétaires s'orientèrent vers la viticulture. Le domaine compte aujourd'hui 26 ha. Issu exclusivement de sauvignon, ce bergerac sec s'anime de reflets jaune-vert. Son nez marqué par les agrumes exprime les caractères du cépage. Le fruité est tout aussi perceptible dans une bouche équilibrée et longue. A marier avec tous les poissons. (20 à 29 F)
🔑 SCEA Moulin de Sanxet, Belingard-Bas, 24240 Pomport, tél. 05.53.58.30.79, fax 05.53.61.71.84 ☑ 🍷 t.l.j. 9h-19h; sam. dim. 14h-19h
🔑 M-C. Larrue

CH. MALFOURAT 2000**

☐ 3 ha 20 000 3à5€

Une vinification rigoureuse et un élevage sur lie fine bien maîtrisé sont les clés de la réussite de ce bergerac sec. Jaune pâle à reflets verts, ce vin révèle l'empreinte du sauvignon à travers des arômes intenses d'agrumes, de fruits exotiques, qu'accompagne une légère note de fumé. D'attaque fraîche et plaisante, la bouche développe une matière ample, aux saveurs de fruits frais. L'ensemble est harmonieux et sera apprécié à l'apéritif comme sur des entrées. (20 à 29 F)
🔑 EARL Vignobles Chabrol, Malfourat, 24240 Monbazillac, tél. 05.53.58.30.63, fax 05.53.73.86.89, e-mail patchabrol@wanadoo.fr ☑ 🍷 r.-v.

MOULINS DE BOISSE 2000

☐ 0,79 ha 3 000 3à5€

A quelques kilomètres du village médiéval d'Issigeac, le domaine Moulins de Boisse occupe une butte calcaire propice au sémillon qui constitue ce vin. Jaune paille à liseré vert, ce

SUD-OUEST

millésime 2000 possède un nez puissamment floral, à peine ponctué d'une note minérale. La bouche, perlante, laisse percevoir un certain soyeux. Elle décline des arômes de fruits exotiques, puis s'achève sur une pointe d'amertume. (20 à 29 F)

Bernard Molle, Cap del Bourg, 24560 Boisse, tél. 05.53.24.12.01, fax 05.53.24.12.01, e-mail moulins.de.boisse@wanadoo.fr
r.-v.

CH. REPENTY 2000*

□ 4 ha 30 000 3à5€

La palette de cépages vinifiés pour l'élaboration de ce bergerac sec fait la part belle à la muscadelle, variété à tort un peu oubliée. Le nez ne trompe pas avec ses arômes muscatés, intenses et délicats, tandis que la bouche, fruitée, laisse une sensation de rondeur et d'équilibre. Un vin à découvrir pour son originalité. (20 à 29 F)

Jean-Pierre Roulet, Repenty, 24240 Monestier, tél. 05.53.58.41.96, fax 05.53.58.41.96
r.-v.

SEIGNEURS DE BERGERAC 2000*

□ n.c. n.c. -3€

Seigneurs de Bergerac est une marque déclinée dans les trois couleurs. Le millésime 2000 se distingue en blanc. Vêtu d'une robe jaune-vert séduisante, ce vin libère des arômes complexes de fruits confits. Sa bouche soyeuse et aromatique se caractérise par sa finesse et sa bonne longueur. (- 20 F)

SA Yvon Mau, BP 1, 33193 Gironde-sur-Dropt Cedex, tél. 05.56.61.54.54, fax 05.56.71.10.45

DOM. DU SIORAC 2000

□ 3,85 ha 10 000 3à5€

Du sauvignon, majoritaire, et du sémillon est né un vin jaune pâle à reflets verts, très fruité grâce à ses arômes de cassis. L'attaque révèle du gras, signe d'un élevage sur lie, puis la bouche maintient le caractère fruité. Un bergerac équilibré qui peut être conservé pendant un an ou deux. (20 à 29 F)

Dom. du Siorac, 24500 Saint-Aubin-de-Cadelech, tél. 05.53.74.52.90, fax 05.53.58.35.32
t.l.j. sf dim. 9h-12h 15h-18h
Landat Fils

Côtes de bergerac

Cette dénomination ne définit pas un terroir mais des conditions de récolte plus restrictives qui doivent permettre d'obtenir des vins riches et charpentés. Ils sont recherchés pour leur concentration et leur durée de conservation plus longue.

CH. CAILLAVEL

Elevé en fût de chêne 1998**

■ 4 ha 5 000 5à8€

Ce 98 affiche une robe sombre et profonde. La puissance est le fil conducteur de la dégustation. Puissance du nez où se marient harmonieusement des nuances grillées, vanillées, fruitées (cassis, fraise) et réglissées. Puissance de l'attaque où le boisé tend à dominer, et de la bouche où s'impose une superbe matière, bien fondue, aux tanins très présents mais fins, qui devraient s'affiner d'ici quatre à cinq ans. Le château Caillavel a par ailleurs obtenu une étoile pour son **monbazillac 98 (50 à 69 F)** qui mêle le miel à la vanille de la barrique. (30 à 49 F)

GAEC Ch. Caillavel, 24240 Pomport, tél. 05.53.58.43.30, fax 05.53.58.20.31 t.l.j. sf dim. 8h-19h
Lacoste et Fils

CH. COMBRILLAC 1999*

■ 3,41 ha 10 000 11à15€

Une propriété de quelque 17 ha, reprise en 1998. Son 99, produit d'un élevage de seize mois sous bois, se tient d'abord sur sa réserve avant de délivrer un bouquet complexe de fruits noirs, d'épices et de vanille. La bouche est toute richesse et puissance mais apparaît dominée par le bois. La finale, aujourd'hui austère, devrait s'assouplir d'ici un à deux ans. (70 à 99 F)

GFA de Combrillac, Gravillac, 24130 Prigonrieux, tél. 05.53.57.63.61, fax 05.53.58.08.12

DOM. DE GRIMARDY

Elevé en fût de chêne 1999

■ 0,65 ha 5 200 8à11€

Marielle et Marcel Establet ont acquis cette propriété de 12 ha en 1998. D'emblée, leurs vins ont été retenus dans le Guide. Ce 99 allie au nez les fruits rouges du cabernet-sauvignon (40 % de l'assemblage) et les notes animales du merlot (60 %). La bouche allie fraîcheur et rondeur. Elle ne s'impose pas par sa structure mais flatte par son caractère gouleyant et gourmand. Une bouteille à apprécier dans sa jeunesse, et que l'on pourra déboucher sur un pâté en croûte. (50 à 69 F)

Marcel et Marielle Establet, Dom. de Grimardy, 24230 Montazeau, tél. 05.53.57.96.78, fax 05.53.61.97.16, e-mail m.establet@libertysurf.fr r.-v.

CH. LA BARDE-LES TENDOUX

Vieilli en fût de chêne 1999

■ 7,5 ha 9 000 11à15€

Le 98, présenté dans la dernière édition, est un millésime d'anthologie qui peut encore vieillir. Moins structuré, ce 99 devra être consommé plus rapidement. Ce sont les fruits qui s'expriment au premier nez, puis apparaît une touche boisée. L'attaque est vive mais dénuée d'agressivité. Au palais, on trouve peu de volume, mais des tanins déjà bien ronds. La finale offre des arômes séduisants d'épices et de pruneau cuit. (70 à 99 F)

SARL de Labarde, Ch. La Barde, 24560 Saint-Cernin-de-Labarde, tél. 05.53.57.63.61, fax 05.53.58.08.12 r.-v.

DOM. DE LA COMBE
Elevé en fût de chêne 1999*

■ 0,45 ha 3 200 8 à 11 €

Ce 99, élevé treize mois en barrique, reste d'abord quelque peu sur sa réserve, puis livre des notes de fruits dans un joli boisé, discret et bien marié. L'attaque surprend par sa puissance. Des nuances de moka s'allient avec des arômes de cassis et de myrtille pour finir sur une pointe de vanille. Une bien jolie bouteille, harmonieuse et fondue, que l'on appréciera dans deux à trois ans. Le **rosé 2000** du domaine a obtenu la même note pour sa fraîcheur et ses arômes de fruits noirs. (50 à 69 F)

Sylvie et Claude Sergenton, Dom. de La Combe, 24240 Razac-de-Saussignac, tél. 05.53.27.86.51, fax 05.53.27.99.87 r.-v.

CH. LA GRANDE BORIE
Cuvée CL 1998*

■ 1 ha 2 000 11 à 15 €

Claude Lafaye est à la tête depuis dix ans de ce vignoble de 30 ha. Il propose une cuvée haut de gamme, fruit d'une sélection rigoureuse à la vigne et d'un vieillissement en fût. D'abord grillé et toasté, le nez évolue vers les fruits noirs (mûre, cassis), puis apparaît une pointe épicée. A l'attaque, le fruit l'emporte sur le bois. Ample, ronde et charnue, la bouche se fait tannique en finale : une belle extraction de matière qui doit s'affiner. (70 à 99 F)

Claude Lafaye, La Grande Borie, 24520 Saint-Nexans, tél. 05.53.24.33.21, fax 05.53.27.97.74, e-mail cllafaye@wanadoo.fr t.l.j. 9h-12h 14h-19h30

CH. DE LA NOBLE
la Noblesse du Château 1999***

■ 3 ha 3 000 11 à 15 €

Arrivé sur la propriété familiale en 1997, Fabien Charron a montré d'entrée son savoir-faire en obtenant l'an dernier une étoile pour un bergerac. Quant à ce 99, sa robe profonde, couleur d'encre, dit assez sa concentration. Au nez, le fruit très mûr fait alliance avec des notes finement torréfiées, des épices et des nuances chocolatées venant renforcer sa complexité. La bouche révèle une structure tannique exceptionnelle, avec un bois bien présent mais qui sait se faire discret. Un vin de garde qui tiendra sûrement vingt ans : cette Noblesse mérite son titre. Loin de ces hauteurs, mais jouant bien sa partie dans un registre classique et aimable, le **rosé 2000 (20 à 29 F)** du domaine a obtenu une citation pour son côté tendre et fruité. (70 à 99 F)

Fabien Charron, La Noble, 24240 Puyguilhem, tél. 05.53.58.81.93, fax 05.53.58.81.93 r.-v.

CH. LA ROBERTIE
La Robertie Haute Elevé en fût de chêne 1999*

■ 0,5 ha 1 700 5 à 8 €

Ce domaine, fondé en 1736 et resté plus de trois siècles dans la même famille, a été repris en 1998 par les Soulier qui viennent de rénover la cave de vinification. Le vignoble compte 20 ha. Cette Robertie Haute, issue de pur merlot, est d'abord dominée par le boisé, mais le nez laisse rapidement deviner des parfums de fruits rouges bien mûrs. La bouche révèle une belle matière et de la mâche. Les arômes associent le cacao grillé, la vanille et la framboise. Un vin déjà harmonieux mais qui gagnera à attendre cinq ans. On pourra le servir sur un pavé de bœuf. L'exploitation obtient par ailleurs une citation pour le **monbazillac Vendanges de Brumaire 99 (50 à 69 F)**, dont le sucre ne s'est pas encore fondu. Il a besoin d'un peu de temps pour s'harmoniser. (30 à 49 F)

SARL Ch. La Robertie, La Robertie, 24240 Rouffignac-de-Sigoulès, tél. 05.53.61.35.44, fax 05.53.58.53.07, e-mail chateau.larobertie@wanadoo.fr t.l.j. 9h-20h

J.-D. B. Soulier

CH. LES MARNIERES
Cuvée la Côte fleurie 1999*

■ 1,1 ha 1 700 15 à 23 €

Pourquoi « Les Marnières » ? Parce que l'on extrayait autrefois de ces coteaux la marne qui servait à chauler les terres de plaine. Alain et Christophe Geneste exploitent ce domaine de 23 ha depuis 1990. Née d'une parcelle au nom charmant, cette cuvée haut de gamme a été couverte d'étoiles (le 97 a obtenu un coup de cœur). Le millésime 99 a imposé un tri rigoureux aux vendanges, d'où le volume confidentiel de la production cette année. Le nez complexe révèle de belles nuances fruitées de framboise. Riche, ample et plein, le palais est bien structuré, avec des notes de chocolat, d'épices et de cannelle. Un vin déjà harmonieux et fort prometteur. Autre cuvée, le **Château Les Marnières 99 élevé en fût de chêne (30 à 49 F)** a obtenu une citation. Ses tanins sont encore un peu fermes. (100 à 149 F)

Alain et Christophe Geneste, GAEC des Brandines, 24520 Saint-Nexans, tél. 05.53.58.31.65, fax 05.53.73.20.34, e-mail christophe.geneste@wanadoo.fr r.-v.

MALLEVIEILLE
Elevé en fût de chêne 1998

■ 3 ha 12 000 8 à 11 €

La robe est dense et profonde. D'abord épicé, le nez laisse ensuite poindre des notes fruitées (myrtille et framboise). La bouche n'a pas atteint sa pleine harmonie car les tanins boisés demandent à se fondre. Un vin réussi qu'il faut attendre. (50 à 69 F)

🔑 Vignobles Biau, La Mallevieille, 24130 Monfaucon, tél. 05.53.24.64.66, fax 05.53.58.69.91, e-mail chateaudelamallevieille@wanadoo.fr
☑ 🍷 t.l.j. 9h-12h 14h-19h

LADY MASBUREL 1999**

■ 8 ha 13 500 🛢 8 à 11 €

Le vignoble du château Masburel fut fondé en 1740 par un premier consul de Sainte-Foy-la-Grande. Il compte aujourd'hui 23 ha et a été repris en 1997 par Olivia et Neil Donnan qui ont pour ambition de lui donner son lustre d'antan. Ils en prennent le chemin avec deux vins aptes à la garde qui décrochent chacun deux étoiles. Cette Lady Masburel affiche un nez complexe où l'opulence des fruits freine l'ardeur du vanillé. Après une attaque majestueuse, on découvre un festival d'arômes où des notes de grillé et de cuir accompagnent un beau fruité jusqu'à une finale épicée, tout en rondeur. Elevé lui aussi en barrique (quatorze mois), le **Château Masburel 99 (100 à 149 F)** apparaît un peu plus ferme, plus sauvage. Tout ce qu'il faut pour accompagner un chevreuil en sauce Grand Veneur. (50 à 69 F)

🔑 SARL Ch. Masburel, Fougueyrolles, 33220 Sainte-Foy-la-Grande, tél. 05.53.24.77.73, fax 05.53.24.27.30, e-mail chateau.masburel@accesinter.com
☑ 🍷 t.l.j. sf sam. dim. 9h-12h 14h-18h; f. nov.-mars
🔑 Olivia Donnan

L'EXCELLENCE DU CH. TOURS DES VERDOTS
Les Verdots selon David Fourtout 1999*

■ 2,8 ha 9 800 🛢 15 à 23 €

A la tête de 30 ha de vignes, les Fourtout père et fils élaborent des cuvées régulièrement retenues dans le Guide. Celle-ci apparaît discrète au nez, où l'on décèle cependant un joli boisé et des notes de fruits des bois. En bouche, elle laisse s'exprimer le fruit : les fruits frais donnent à l'attaque un côté gourmand et l'emportent à nouveau sur le fût en finale. Les tanins sont d'une souplesse remarquable. Un vin très harmonieux dont il faut apprécier les charmes sans attendre. Le **Clos des Verdots 2000 (30 à 50 F)** a obtenu une citation. L'assemblage est différent du précédent (80 % de merlot et 20 % de cabernet franc, tandis que l'Excellence comporte 60 % de cabernet-sauvignon et 40 % de merlot), et l'élevage a été mené en cuve. C'est une bouteille très flatteuse grâce à sa bouche ronde, charnue et souple. (100 à 149 F)

🔑 GAEC Fourtout et Fils, Les Verdots, 24560 Conne-de-Labarde, tél. 05.53.58.34.31, fax 05.53.57.82.00, e-mail fourtout@terre-net.fr
☑ 🍷 t.l.j. sf dim. 9h30-12h30 14h-19h

Les vins mentionnés en caractère gras dans les notices sont également recommandés par les jurys.

Côtes de bergerac moelleux

Les mêmes cépages que les vins blancs secs, mais récoltés à surmaturité, permettent d'élaborer ces vins moelleux recherchés pour leurs arômes de fruits confits et leur souplesse.

CH. BELLE FILLE La Belle Inconnue 2000

□ 0,5 ha 10 000 🍾 🛢 🌡 5 à 8 €

François de Conti s'est installé en 1999 sur une propriété du XVIII[e]s., où le vignoble est fort ancien. Voici sa première production. Avec des notes de grillé, de noisette et d'amande, le nez est très marqué par le fût. Ronde, vive et moelleuse à la fois, la bouche révèle une même domination du boisé. Une bouteille à attendre deux ans, pour permettre au bois de se fondre et au fruit de mieux s'exprimer. (30 à 49 F)

🔑 EARL François de Conti, Les Eymaries, 24240 Thénac, tél. 05.53.24.52.11, fax 05.53.24.56.29 ☑ 🍷 t.l.j. sf dim. 9h-12h 14h-18h; f. 15 jan.-15 fév.

LES VIGNERONS DE SIGOULES
Haute Tradition 2000*

□ 10 ha 10 000 🍾 🌡 5 à 8 €

La vendange a été effectuée par tries successives, comme pour les liquoreux. Le résultat ? Une cuvée des plus réussies dans un millésime particulièrement délicat. Les arômes de miel et de fruits confits sont bien présents au nez. Après une attaque fraîche, la bouche se développe avec beaucoup de rondeur et de gras. La finale persistante est marquée par une pointe d'amertume. Cette cuvée **Haute Tradition** a été citée en **bergerac sec 2000** pour son équilibre harmonieux entre le fruité et le boisé. Dans la même AOC, la pléthorique cuvée **Perle de Diane 2000** (100 000 bouteilles), d'un grand classicisme, mérite aussi une mention pour sa fraîcheur et son harmonie. (30 à 49 F)

🔑 Cave Montravel Sigoulès, 24240 Sigoulès, tél. 05.53.61.55.00, fax 05.53.61.55.10 🍷 t.l.j. sf dim. 9h-12h30 14h-18h30

Monbazillac

S'étendant sur 2 500 ha, le vignoble de monbazillac produit des vins riches, issus de raisins botrytisés. Le sol argilo-calcaire apporte des arômes intenses ainsi qu'une structure complexe et puissante. En 2000, 45 597 hl ont été déclarés.

CH. BELINGARD
Blanche de Bosredon 1999★★

☐ 5 ha 5 000 🍷 15 à 23 €

Coup de cœur l'an dernier en côtes de bergerac, ce château résume tous les charmes de cette riche et belle région. Ce monbazillac, vinifié et élevé en barrique pendant vingt mois, présente un boisé déjà fondu. Au nez, les arômes de mandarine et d'abricot dominent la vanille et le grillé. La bouche grasse fait la part belle aux notes de fruits confits, de miel et de pruneau. La sucrosité a beau être importante, la finale fraîche évite toute sensation de lourdeur. Un vin harmonieux, à attendre deux ou trois ans. Le jury a décerné une étoile au **bergerac rouge Château Bélingard Grande Réserve 2000 (30 à 49 F)**, dont la structure est particulièrement harmonieuse, ainsi qu'à la **cuvée classique du château en bergerac rouge (30 à 49 F)** dans le millésime **2000**. (100 à 149 F)

SCEA Comte de Bosredon, Belingard, 24240 Pomport, tél. 05.53.58.28.03, fax 05.53.58.38.39, e-mail laurent.debosredon@wanadoo.fr ☑ Y r.-v.

CLOS DES CABANES
Chant d'Arômes 1998

☐ 0,8 ha 2 700 🍷 8 à 11 €

Anne et Georges Lafont ont fait un choix de vie en se reconvertissant dans la viticulture sur ce domaine de plus de 10 ha. Leur première récolte se traduit par un vin au nez grillé et légèrement fruité. D'attaque ronde, la bouche dévoile de la matière, mais le bois masque encore cette richesse. Il faudra attendre un an ou deux pour apprécier pleinement ce monbazillac. (Bouteilles de 50 cl.) (50 à 69 F)

EARL des Vignobles Lafont, Clos des Cabanes, 24100 Saint-Laurent-des-Vignes, tél. 05.53.24.85.03, fax 05.53.24.85.03 ☑ Y t.l.j. sf dim. 8h-12h 14h-18h; f. avril

Georges Lafont

CH. FONMOURGUES
Elevé en barrique 1998★

☐ 5 ha 4 000 🍷 11 à 15 €

Un peu timide dans ses premières expressions, ce vin s'ouvre à l'aération sur des arômes de cuir et de noisette. En bouche, il livre des notes d'agrumes, de fruits confits, de vanille discrète et de réglisse dans un ensemble bien équilibré. La vivacité, perceptible tout au long de la dégustation, lui permettra de vieillir harmonieusement pendant quatre ou cinq ans. Le **côtes de bergerac rouge 98, élevé en barrique (30 à 49 F)**, est cité. Il possède une matière pleine, mais doit encore fondre son côté boisé. (70 à 99 F)

Dominique Vidal, Ch. Fonmourgues, 24240 Monbazillac, tél. 05.53.63.02.79, fax 05.53.27.20.32 ☑ Y r.-v.

GRANDE MAISON
Cuvée du Château 1999★

☐ 11 ha 3 500 🍷 15 à 23 €

1999 ? *Annus horribilis*, déclare Thierry Desprès qui pratique l'agriculture biologique sur ses 20 ha. Et d'ajouter qu'il a fallu trier : quinze pieds de vignes ont été nécessaires pour produire une bouteille, soit un hectare pour une barrique. Mais qu'il se rassure, le résultat est appréciable. Ce monbazillac aromatique et fin, marqué par le fruit, possède du gras et une bonne sucrosité. Les arômes de rôti et de fruits confits se développent longuement dans une finale qui laisse une sensation de grande douceur. Ce vin équilibré mérite d'être bu dans les quatre années à venir. (100 à 149 F)

SARL Desprès et Fils, Grande Maison, 24240 Monbazillac, tél. 05.53.58.26.17, fax 05.53.24.97.36, e-mail grandemaison@aquinet.tm.fr ☑ Y r.-v.

DOM. DU HAUT-MONTLONG
Elevé en fût 1998

☐ 1 ha 3 000 🍷 11 à 15 €

Le nez moyennement expressif évoque la pêche et le coing, un caractère fruité auquel la bouche fait écho. La finale porte toutefois la marque du bois et laisse une impression d'austérité. Le temps y remédiera. Le **bergerac sec 2000 (20 à 29 F)** est également cité par le jury, qui a apprécié son nez de fleurs et d'agrumes typiques du sauvignon, sa bouche harmonieuse et longue. (70 à 99 F)

Alain et Josy Sergenton et leurs Enfants, Dom. du Haut-Montlong, 24240 Pomport, tél. 05.53.58.81.60, fax 05.53.58.09.42, e-mail sergenton-haut-montlong@wanadoo.fr ☑ Y t.l.j. 9h-12h 13h30-20h; sam. dim. sur r.-v.

CH. LADESVIGNES
Automne Elevé en fût de chêne 1999★

☐ 5 ha 5 000 🍷 11 à 15 €

Fruits confits, cire d'abeille, pain grillé et vanille constituent les principaux arômes d'un nez complexe. La bouche, souple dès l'attaque, dévoile de la rondeur, du croquant et une douceur équilibrée par la vivacité de la finale. Ce vin mûr pourra attendre quatre ou cinq ans en cave. Ont été cités, du même château, le **côtes de bergerac rouge Le Petrocore 98 (50 à 69 F)** et le **bergerac sec 99 (30 à 49 F)**. (70 à 99 F)

Ch. Ladesvignes, 24240 Pomport, tél. 05.53.58.30.67, fax 05.53.58.22.64, e-mail chateauladesvignes@wanadoo.fr ☑ Y r.-v.

Monbouché

RESERVE LAJONIE
Vieilli en fût de chêne 1999★

☐ 32 ha 25 000 🍷 11 à 15 €

Un monbazillac équilibré, au nez floral, fruité (abricot, coing et orange) et vanillé. En bouche, le fruit mûr domine dans une matière ronde et puissante. Le boisé est bien fondu et la finale fraîche, avec un retour sur le miel. Le **bergerac sec Château Pintouquet 2000 (30 à 49 F)** est cité pour ses arômes d'agrumes et de fruits exotiques. Vif en attaque puis ample en milieu de bouche, il accompagnera bien les huîtres. (70 à 99 F)

SCEA Lajonie D.A.J., Saint-Christophe, 24100 Bergerac, tél. 05.53.57.17.96, fax 05.53.58.06.46 ☑ Y r.-v.

SUD-OUEST

DOM. DE LA LANDE
Souvenir de Vendanges 1999

☐ 3 ha 4 000 11 à 15 €

Ce jeune viticulteur a repris la propriété familiale en 1999. Il propose ici un monbazillac aux arômes de fruits confits, encore dominé par le bois de l'élevage. Assez gras, ce vin possède beaucoup de fraîcheur et d'élégance, ce qui lui permettra d'être apprécié à l'apéritif. Le **bergerac rouge 2000 (20 à 29 F)** mérite une citation. (70 à 99 F)

Fabrice Camus, Dom. de La Lande, 24240 Monbazillac, tél. 06.08.56.92.36, fax 06.53.24.27.61 r.-v.

CH. MONTDOYEN
Cuvée La Part des Anges 1999★★

☐ 2 ha 2 000 11 à 15 €

Anciennement connu sous la marque Château du Puch, le château Montdoyen propose une jolie gamme de vins. Ce monbazillac porte l'empreinte du botrytis dans sa palette d'arômes confits, rôtis et de notes de fruits mûrs. La bouche ronde et distinguée laisse un long souvenir d'arômes de torréfaction et d'abricot. Un vin riche et harmonieux. **La Part des Anges** se décline également en **bergerac rouge 99 (50 à 69 F)** et en **bergerac sec 99 (30 à 49 F)**, deux vins cités par le jury. Le premier présente de la matière, encore dominée par le chêne ; le second est prêt à offrir ses arômes fruités et son boisé délicat dès aujourd'hui. (70 à 99 F)

SARL des Vignobles J.-P. Hembise, Ch. Le Puch, 24240 Monbazillac, tél. 05.53.58.85.85, fax 05.53.61.67.78, e-mail châteaumontdoyen@wanadoo.fr t.l.j. 8h-12h 14h-18h; sam. dim. sur r.-v.

DOM. DE PECOULA
Cuvée Prestige Vinifié en fût de chêne 1999★★

☐ 17 ha 6 900 11 à 15 €

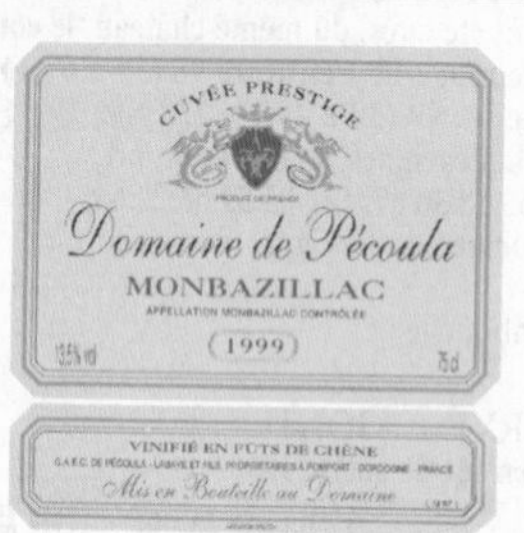

Beaucoup de puissance et de complexité au nez. Si elle reste légèrement marquée par le bois, la palette décline aussi d'agréables arômes de miel, de fruits confits et de coing. La matière emplit bien la bouche, laissant une sensation fruitée et très douce. Le boisé sait alors se faire discret. Il faudra attendre deux ou trois ans avant d'ouvrir cette bouteille, dont le potentiel de garde est grand. (70 à 99 F)

GAEC de Pécoula, 24240 Pomport, tél. 05.53.58.46.48, fax 05.53.58.82.02 r.-v.

GFA Labaye

DOM. DU PETIT MARSALET
Cuvée Tradition Elevé en fût de chêne 1999★

☐ 2,5 ha 1 500 11 à 15 €

Cette cuvée haut de gamme du domaine présente un nez intense, aux évocations de fruits secs, d'abricot et de noisette. Si la bouche attaque en rondeur, elle gagne en vivacité au fur et à mesure de son développement, avant de s'achever sur une finale persistante de fruits confits. Un vin néanmoins très gras et de garde. (70 à 99 F)

Marie-Thérèse Cathal, Le Marsalet, 24100 Saint-Laurent-des-Vignes, tél. 05.53.57.53.36, fax 05.53.57.53.36 r.-v.

CH. POULVERE Cuvée Millénium 1999

☐ 6 ha n.c. 8 à 11 €

Le château Poulvère (86 ha) a produit un vin chaleureux, aux arômes de rôti. Le boisé, délicat à l'olfaction, s'impose en attaque, puis la bouche exprime les fruits confits. La finale présente une certaine fraîcheur. Ce monbazillac mérite de patienter, le temps que le boisé se fonde. (50 à 69 F)

GFA de Poulvère et Barses, Poulvère, 24240 Monbazillac, tél. 05.53.58.30.25, fax 05.53.58.35.87, e-mail poulvere@caves-particulieres.com t.l.j. sf dim. 9h-12h 14h-19h

Borderie

CH. DE SANXET
Millénium Elevé en fût de chêne 1999

☐ 6,36 ha 9 000 8 à 11 €

Le site du château de Sanxet est celui d'une forteresse construite en l'an 1000 et transformée au XVe s. en demeure. Cette cuvée constitue un vin typique de l'appellation, léger et rond. Le nez allie fruits secs et fruits confits avec discrétion. Souple en attaque, la bouche se développe avec fluidité jusqu'à une finale un peu fraîche. (50 à 69 F)

Bertrand de Passemar, Ch. de Sanxet, 24240 Pomport, tél. 05.53.58.37.46, fax 05.53.58.37.46 r.-v.

CH. THEULET
Antoine Alard Elevé en fût de chêne 1998★★

☐ 2,5 ha 4 000 15 à 23 €

Le nez fin décline des arômes de fleurs blanches et de fruits confits, nuancés de notes d'amande et de grillé. Grasse et souple, la bouche reprend les notes d'amande grillée avant de revenir sur le fruit et l'abricot confit. Une impression d'extrême douceur ressort de la dégustation de ce vin à boire dès aujourd'hui. A découvrir, le **bergerac rouge 2000 (30 à 49 F)**, cité par le jury. Elevé en cuve, il est fruité et léger. (100 à 149 F)

SCEA Alard, Le Theulet, 24240 Monbazillac, tél. 05.53.57.30.43, fax 05.53.58.88.28 t.l.j. sf dim. 8h-12h 14h-18h

CH. TIRECUL LA GRAVIERE
Cuvée Madame 1998★★★

☐ 9,16 ha 10 000 +76 €

Tout a été dit sur la cuvée Madame de Bruno Bilancini. Alors, il n'y a plus qu'à déguster et à écouter ses sens. L'œil est flatté par une belle robe jaune doré. Le nez est assailli par d'intenses arômes de fleurs blanches, de fruits confits, d'abricot. Le palais est charmé par tant de richesse et de rondeur. Le boisé n'est peut-être pas tout à fait fondu, mais l'harmonie est déjà superbe. Ce vin remarquable par sa puissance et sa finesse peut vieillir de dix à vingt ans. (Bouteilles de 50 cl) (+ 500 F)

⊶ Claudie et Bruno Bilancini, Ch. Tirecul La Gravière, 24240 Monbazillac, tél. 05.53.57.44.75, fax 05.53.24.85.01, e-mail bruno.bilancini@free.fr Y r.-v.

Montravel

Sur les coteaux, de Port-Sainte-Foy et Ponchapt jusqu'à Saint-Michel-de-Montaigne, le terroir de Montravel produit sur 378 ha des vins blancs secs et moelleux toujours remarqués pour leur élégance. En 2000, le montravel a atteint 13 964 hl, le haut-montravel 2 239 hl tandis que le côtes-de-montravel a donné 3 267 hl.

CH. BONIERES
La Dame de Bonières 2000*

☐ 1,3 ha 4 500 11 à 15 €

Un montravel aux antipodes du sauvignon classique. Le nez est finement toasté avec beaucoup de gras et de fruits. Ce sont les mêmes sensations qui dominent en bouche avec une forte présence boisée. Ce vin devrait gagner à vieillir un à deux ans. En bergerac rouge, la **cuvée Cœur de vendanges 99** possède des arômes de fruits mûrs ainsi que des tanins fins et élégants. Jugé digne d'une citation, ce vin harmonieux a un important potentiel de garde. (70 à 99 F)

⊶ SCEA Vignobles André Bodin, Ch. Bonières, 33220 Fougueyrolles, tél. 05.53.24.15.16, fax 05.53.24.17.77, e-mail stevalentin@free.fr ☑ Y r.-v.

CH. DAUZAN LA VERGNE
Sec Elevé en fût de chêne 1999*

☐ 2 ha 18 000 8 à 11 €

Déjà connu au XIII[e]s., un domaine de 200 ha. Voici un montravel qui a subi un long élevage en barrique. Le nez est particulièrement toasté avec beaucoup de finesse et d'élégance. En bouche, on apprécie une belle matière avec une finale sur le gras et sur le fruit. Encore marqué par le bois, ce vin gagnera à vieillir. Le **haut-montravel 99 (70 à 99 F)** est aussi passé par le bois, mais il présente une belle attaque fraîche et vive et un joli fruité en bouche. (50 à 69 F)

⊶ SNC Ch. Pique-Sègue, Ponchapt, 33220 Port-Sainte-Foy, tél. 05.53.58.52.52, fax 05.53.63.44.97, e-mail chateau-pique-segue@wanadoo.fr ☑ Y r.-v.

⊶ Philip et Marianne Mallard

CH. LE RAZ Sec 2000

☐ 2,6 ha 19 300 3 à 5 €

Un travail de vigneron bien ciselé, avec des vignes effeuillées et éclaircies, ainsi qu'un investissement fonctionnel dans un superbe chai climatisé font la réussite de cette production. Le nez intense évoque les agrumes. L'attaque est vive, carbonique, mais évolue sur un équilibre acide correct. Le jury a aussi apprécié le **bergerac rosé 2000** au nez complexe de fruits rouges et de cassis. La vivacité en bouche est bien rehaussée par une pointe de gaz carbonique. Un vin sympathique autour d'un barbecue. (20 à 29 F)

⊶ Vignobles Barde, Le Raz, 24610 Saint-Méard-de-Gurçon, tél. 05.53.82.48.41, fax 05.53.80.07.47 ☑ Y t.l.j. sf dim. 8h30-12h30 14h-19h; sam. sur r.-v.

Côtes de montravel

DOM. DE LA ROCHE MAROT 1999

☐ 0,16 ha 1 200 8 à 11 €

Les fruits confits, bien présents au nez, témoignent de l'action du botrytis. La bouche est ample, riche de ces arômes confits et de notes d'abricot. L'équilibre entre la vivacité et le gras fait de ce 99 un vin d'apéritif agréable. Quant au **montravel 2000 (20 à 29 F)**, également cité, les dégustateurs ont retenu son côté sauvignon et sa matière ronde. (50 à 69 F)

⊶ Yves et Daniel Boyer, GAEC de La Roche Marot, 24230 Lamothe-Montravel, tél. 05.53.58.52.05, fax 05.53.58.52.05 ☑ Y r.-v.

⊶ Michel Boyer

Haut-montravel

DUC DE MEZIERE 1999

☐ 3 ha 7 000 ◍ 5à8€

Des vendanges manuelles soigneusement triées, ainsi qu'un élevage en barrique pendant sept mois ont présidé à la naissance d'un vin simple et agréable. Le nez libère fruits confits et abricot mêlés de notes boisées, tandis que la bouche, fraîche à l'attaque et ponctuée de notes vanillées, possède du gras, sans aucun excès. (30 à 49 F)

Union de viticulteurs de Port-Sainte-Foy, 78, rte de Bordeaux, 33220 Port-Sainte-Foy, tél. 05.53.27.40.70, fax 05.53.27.40.71, e-mail cavevitipsf@wanadoo.fr ☑ Y t.l.j. sf dim. 9h-12h 14h-18h

CH. LE BONDIEU

Cuvée Gabriel Elevé en fût de chêne 1999*

☐ 1 ha 1 500 ◍ 8à11€

Ce haut-montravel se rapproche d'un vin liquoreux. Son nez puissant exprime une corbeille de fruits confits soulignés de discrètes notes boisées. A l'attaque franche et vive répond une matière fruitée, riche et concentrée, presque onctueuse. Ce vin harmonieux pourra être conservé pendant trois à cinq ans. (Bouteilles de 50 cl.) (50 à 69 F)

EARL d'Adrina, Le Bondieu, 24230 Saint-Antoine-de-Breuilh, tél. 05.53.58.30.83, fax 05.53.24.38.21 ☑ Y r.-v.

Didier Feytout

CH. PUY-SERVAIN Terrement 1999*

☐ 1,5 ha 3 600 ◍ 15à23€

Une étoile pour un millésime difficile après un coup de cœur l'an passé. La réputation des vins de Puy-Servain n'est plus à faire. Dans cette cuvée, le nez est encore un peu fermé, mais il dévoile déjà de la concentration à travers ses arômes de fruits confits. La bouche, ronde et grasse, est équilibrée par une pointe de fraîcheur, tandis que la finale offre un beau retour sur les fruits. Le **montravel cuvée Marjolaine 99 (50 à 69 F)**, élevé en fût de chêne, obtient également une étoile grâce à sa matière bien mûre, soulignée d'un boisé fin. (100 à 149 F)

SCEA Puy-Servain, Calabre, 33220 Port-Sainte-Foy, tél. 05.53.24.77.27, fax 05.53.58.37.43 ☑ Y r.-v.

Hecquet

Pécharmant

Au nord-est de Bergerac, ce « Pech », colline couverte de 400 ha de vignes, donne un vin exclusivement rouge, très riche, apte à la garde. Le millésime 2000 a produit 19 784 hl.

CH. BEAUPORTAIL 1999

■ 4 ha 20 000 ◍ 8à11€

Beauportail est une propriété viticole datant du XVIII[e]s. Aujourd'hui située à l'entrée de Bergerac, elle possède un vignoble de 10 ha. Son 99 livre un nez puissant composé de vanille, d'épices et de fruits. En bouche, les tanins assez ronds s'accompagnent de notes grillées. Bien qu'ils dominent encore en finale, ils ne masquent pas le fruit et structurent bien l'ensemble. (50 à 69 F)

La Truffière Beauportail, rte des Cabernets, 24100 Bergerac, tél. 05.53.24.85.16, fax 05.53.61.28.63, e-mail fabrice.feytout@wanadoo.fr ☑ Y r.-v.

F. Feytout

CH. CHAMPAREL 1999

■ 6,62 ha 45 000 ◍ 5à8€

Au sommet du coteau de Pécharmant, le château Champarel cultive plus de 8 ha de vignes. Il propose ici un vin de teinte soutenue, encore timide au nez, mais qui laisse poindre des notes épicées et vanillées. La matière tannique est riche et puissante. Des notes de fruits, de cuir et des arômes de surmaturation se déclinent en bouche jusqu'à une finale encore un peu austère. Ce vin mérite de vieillir pour s'épanouir. (30 à 49 F)

Françoise Bouché, Pécharmant, 24100 Bergerac, tél. 05.53.57.34.76, fax 05.53.73.24.18 ☑ Y r.-v.

CH. CORBIAC 1999*

■ 13,5 ha 80 000 ◍ 11à15€

La vigne aurait été implantée à Corbiac dès le Moyen Age. Mais au château Corbiac, l'activité viticole peut être datée avec certitude de 1755 grâce aux livres de compte du domaine. Le 99 est un vin au nez fruité, souligné de nuances de chocolat. Sa bouche ronde mais puissante bénéficie de tanins solides qui marquent encore la finale. Attendez-le cinq ou six ans ; il présentera alors un intérêt certain. (70 à 99 F)

Bruno de Corbiac, Ch. de Corbiac, 24100 Bergerac, tél. 05.53.57.20.75, fax 05.53.57.89.98, e-mail corbiac@corbiac.com ☑ Y r.-v.

DOM. DES COSTES 1999

■ 10 ha 30 000 ◍ 8à11€

Nicole Dournel exploite 12 ha de vignes. Dans un millésime difficile en raison des conditions climatiques, elle a produit un vin riche qui devrait se révéler d'ici deux ou trois ans. On perçoit déjà des notes empyreumatiques au nez et des arômes de fruits mûrs en bouche. A ce jour, le bois domine certes la bouche, mais la matière est opulente. (50 à 69 F)

Nicole Dournel, Les Costes, 24100 Bergerac, tél. 05.53.57.64.49, fax 05.53.61.69.08 ☑ Y r.-v.

Lacroix

DOM. DU HAUT PECHARMANT

Cuvée Nicolas Elevé en fût de chêne 1998**

■ 1,5 ha 6 200 ◍ 11à15€

Michel Roches dédie une cuvée à chacun de ses petits-enfants. Souhaitons-lui une longue descendance afin de nous offrir d'autres vins aussi remarquables que celui-ci. Au premier nez, ce sont des notes de fruits rouges (cassis et framboise) qui s'imposent, avant de laisser place à un boisé fin et vanillé. En bouche, l'équilibre est harmonieux entre la puissance des tanins et la matière aux arômes fruités. Le grain tannique devrait se fondre au cours des huit à dix années à venir. La **cuvée Veuve Roches 99 (50 à 69 F)** obtient pour sa part une citation pour son potentiel ; cette bouteille mérite d'être redécouverte dans dix ans. (70 à 99 F)

Michel et Didier Roches, Dom. du Haut-Pécharmant, 24100 Bergerac,
tél. 05.53.57.29.50, fax 05.53.24.28.05 t.l.j. sf dim. 8h-12h 14h-19h

CH. HUGON 1998

■ 1,18 ha 3 000 5à8€

Le château Hugon est un petit vignoble d'un peu plus de 4 ha. Le rendement y est maîtrisé grâce à des vendanges en vert, et la récolte est exclusivement réalisée à la main. Ce pécharmant présente un nez de fruits rouges intense, auquel se fond un boisé vanillé discret. La bouche attaque en douceur avant de monter en puissance, soutenue par des tanins solides et un boisé présent. Ce vin plaisant a besoin de quatre ou cinq ans de vieillissement. (30 à 49 F)

Bernard Cousy, Haut-Pécharmant, 24100 Bergerac, tél. 05.53.63.28.44 t.l.j. 9h-12h 14h-18h

DOM. LA METAIRIE 1998

■ 6 ha 29 350 8à11€

Ce pécharmant évoque son élevage de douze mois sous bois par ses accents toastés prononcés. A l'agitation, des arômes de fruits rouges se libèrent. L'attaque soyeuse introduit une bouche souple, légère. Egalement cité, le **côtes de bergerac Château Fonfrède 98** est un vin gouleyant et fruité, à boire dès à présent. (50 à 69 F)

SARL Dom. La Métairie en Pécharmant, Pommier, 24380 Creyssensac-et-Pissot, tél. 05.53.80.09.85, fax 05.53.80.14.72 r.-v.

CH. LA TILLERAIE
Vieilli en fût de chêne 1999★★

■ 6 ha 30 000 5à8€

Le château La Tilleraie revient en force dans la sélection du Guide, avec un magistral et unanime coup de cœur. Le nez de ce pécharmant, particulièrement élégant, exprime des notes torréfiées et des arômes épicés rappelant le poivre et la cannelle. Le fruit mûr domine dans une bouche concentrée, soutenue par des tanins denses, au grain fin. L'équilibre est parfait entre les tanins, le fruit et l'acidité. Parce que l'élevage de douze mois a été bien maîtrisé, le bois occupe la place qui convient. Ce vin est agréable jeune, mais peut vieillir quatre ou cinq ans. (30 à 49 F)

SARL Ch. La Tilleraie, 24100 Pécharmant, tél. 05.53.57.86.42, fax 05.53.57.86.42 r.-v.
B. Fauconnier

CH. METAIRIE HAUTE 1999★

■ 3 ha 20 000 5à8€

La maison de négoce Producta possède une large gamme de vins, parmi lesquels trois cuvées ont été retenues. Ce Château Métairie Haute, avec son nez boisé très fin et sa bouche aux tanins bien enrobés, est un pécharmant bien fait, qui peut être bu dès aujourd'hui. Le **Château Hautes-Fargues 99**, cité, exprime les fruits (cerise à l'eau-de-vie) et les épices ; ses tanins encore austères devraient gagner en rondeur au cours des trois années à venir. Enfin, le **monbazillac Château Les Marquises 98** obtient une citation pour la finesse de ses arômes. (30 à 49 F)

Producta SA, 21, cours Xavier-Arnozan, 33082 Bordeaux Cedex, tél. 05.57.81.18.18, fax 05.56.81.22.12, e-mail producta@producta.com r.-v.

CH. DU ROOY 1999★

■ 1,2 ha 6 600 5à8€

Le château du Rooy bénéficie d'un large panorama sur Bergerac et la vallée de la Dordogne. Il est l'une des rares exploitations à produire à la fois du pécharmant et du rosette. Dans ce 99, la palette aromatique complexe décline des notes de pruneau, des arômes de surmaturation et un boisé légèrement torréfié. Le dégustateur perçoit des nuances de chocolat et de vanille en bouche, mais c'est surtout la structure tannique qui l'impressionne. Un pécharmant à garder en cave pendant au moins trois ans. Le **rosette 2000** est cité pour ses arômes floraux et minéraux. Frais et sans douceur excessive, il constitue un vin de dessert. (30 à 49 F)

Gilles Gérault, Rosette, 24100 Bergerac, tél. 05.53.24.13.68, fax 05.53.73.87.65 r.-v.

CH. TERRE VIEILLE
Vieilli en fût de chêne 1999

■ 7 ha 35 000 8à11€

Au cœur des vignes, les propriétaires de ce château ont découvert bifaces, racloirs et pointes datant de la préhistoire. Quelque 3 000 pierres qui sont aujourd'hui exposées au domaine. Du même vignoble est né ce pécharmant encore largement dominé par des arômes boisés et grillés. Plaisant en attaque grâce à la présence de fruits mûrs, il possède une bonne matière et mérite d'être redécouvert dans quelques années, lorsque le bois se sera fondu. (50 à 69 F)

Gérôme et Dolorès Morand-Monteil, Ch. Terre-Vieille, 24520 Saint-Sauveur-de-Bergerac, tél. 05.53.57.35.07, fax 05.53.61.91.77, e-mail gerome-morand-monteil@wanadoo.fr t.l.j. sf dim. 9h-19h

CH. DE TIREGAND 1998

■ 35 ha 97 000 8 à 11 €

Créée par Edward Tyrgan, fils naturel d'Henri III d'Angleterre, cette demeure seigneuriale possède un parc à la française et un vignoble de 42 ha. Son pécharmant, vanillé et légèrement animal, libère aussi des arômes de fruits rouges (griotte). Souple à l'attaque, il développe un fruité mûr en bouche, souligné de notes vanillées, avant de s'achever dans une tonalité un peu austère. (50 à 69 F)

Comtesse F. de Saint-Exupéry, Ch. de Tiregand, 24100 Creysse, tél. 05.53.23.21.08, fax 05.53.22.58.49, e-mail chateautiregand@club-internet.fr r.-v.

Rosette

Dans un amphithéâtre de collines dominant au nord la ville de Bergerac et sur un terroir argilo-graveleux, rosette est l'appellation la plus méconnue et la plus confidentielle de la région avec 1 085 hl produits en 2000.

CH. MONTPLAISIR 2000

□ 0,6 ha 3 300 3 à 5 €

Cette propriété de presque 9 ha a connu une importante restructuration jusqu'au milieu des années 1990. Son rosette floral, aux notes de rose et de fleurs blanches, surprend par sa vivacité en bouche, mais sa structure aérienne et sa bonne persistance aromatique séduisent. (20 à 29 F)

J.L. Blanc, Montplaisir, 24130 Prigonrieux, tél. 05.53.58.91.86, fax 05.53.24.68.17, e-mail blanco@wanadoo.fr r.-v.

Saussignac

Loué au XVIe s. par le Pantagruel de François Rabelais, inscrit au cœur d'un superbe paysage de plateaux et de coteaux, ce terroir donne naissance à de grands vins moelleux et liquoreux. La production a atteint 2 154 hl en 2000.

CH. GRINOU
Vinifié en fût de chêne 1998★★

□ 2 ha 1 200 15 à 23 €

Une production modeste en volume mais remarquable. Le nez expressif est un mélange subtil de fruits, de pomme confite et de caramel. Légèrement vanillée en attaque, la bouche s'appuie sur une structure solide, enveloppée d'une matière charnue, dont les arômes persistent longuement. En **bergerac rouge**, le **Grand vin du Château Grinou 99 (50 à 69 F)** ainsi que la **Réserve 99 (30 à 49 F)**, deux vins élevés en fût pendant douze mois, sont cités. Ils méritent d'attendre deux ou trois ans. (100 à 149 F)

Catherine et Guy Cuisset, Ch. Grinou, 24240 Monestier, tél. 05.53.58.46.63, fax 05.53.61.05.66 r.-v.

CH. LA MAURIGNE
Cuvée La Maurigne 1998★

□ 2,2 ha 4 000 8 à 11 €

Propriétaires du domaine depuis 1997, les Gérardin exploitent 5,5 ha de vignes. Leur 98 se caractérise par des arômes fins et complexes, riches en fruits confits. La bouche onctueuse et suave est équilibrée par une bonne acidité et se prolonge longtemps. (Bouteilles de 50 cl.) Le **saussignac 99**, ainsi que le **côtes de bergerac rouge cuvée La Maurigne 99 (30 à 49 F)** méritent d'être cités. (50 à 69 F)

Chantal et Patrick Gérardin, La Maurigne, 24240 Razac-de-Saussignac, tél. 05.53.27.25.45, fax 05.53.27.25.45 t.l.j. 9h-19h

CH. LE CHABRIER Cuvée Eléna 1998★

□ 2,38 ha 1 900 15 à 23 €

Pierre Carle est en train de convertir ses 20 ha de vignes à la culture biologique. Son saussignac se distingue par un nez complexe de fruits confits, surmûris, et par une bouche grasse et ronde. Le bois est bien enrobé. Ce vin peut être dégusté dès aujourd'hui, mais aussi être attendu quelques années. Le **côtes de bergerac rouge cuvée Gros Caillou 99**, ainsi que le **bergerac sec cuvée Il était une fois... 99 (tous deux 30 à 49 F)** obtiennent une étoile. Ils méritent de patienter deux ou trois ans pour fondre l'empreinte du bois. (100 à 149 F)

Pierre Carle, Ch. Le Chabrier, 24240 Razac-de-Saussignac, tél. 05.53.27.92.73, fax 05.53.23.39.03, e-mail chateau.le.chabrier@wanadoo.fr r.-v.

CH. PETITE BORIE 2000★

□ 4 ha 26 000 5 à 8 €

Ce saussignac de type moelleux évoque le sauvignon par ses notes de buis. En bouche, les agrumes (pamplemousse) prennent le relais dans un bon équilibre entre la vivacité et la matière fruitée. Un vin idéal pour l'apéritif. Egalement très réussi, le **Château Court Les Mûts 99 (70 à 99 F)**, élevé dix-huit mois en fût, est un liquoreux aux arômes d'abricot et de fruits confits fondus dans le bois. Il mérite d'être attendu deux ou trois ans. (30 à 49 F)

⊶ Vignobles Pierre Sadoux, Ch. Court-Les-Mûts, 24240 Razac-de-Saussignac, tél. 05.53.27.92.17, fax 05.53.23.77.21 ☑ Ȳ t.l.j. sf dim. 9h-11h30 14h-17h30; sam. sur r.-v.

⊶ P. J. Sadoux

CH. TOURMENTINE 1999*

☐ 1 ha 2 500 ▮▮ 11à15€

Jean-Marie Huré est installé depuis 1986 dans le Bergeracois. Son saussignac possède un nez très fruité, à dominante de coing et d'abricot confit. Ces mêmes arômes se retrouvent en bouche, au sein d'une structure ronde et charnue. La finale est persistante, mais garde une certaine austérité. (Bouteilles de 50 cl.) Le **bergerac rouge 99 élevé en fût de chêne (30 à 49 F)** est également très réussi, car il marie harmonieusement le bois et le fruit. (70 à 99 F)

⊶ Jean-Marie Huré, Tourmentine, 24240 Monestier, tél. 05.53.58.41.41, fax 05.53.63.40.52 ☑ Ȳ t.l.j. sf dim. 9h-12h 14h-18h

CH. DES VIGIERS Marguerite Vigier 1999

☐ 2 ha 2 400 ▮▮ 11à15€

Le nez, assez timide au premier abord, dévoile à l'agitation des notes chocolatées, mentholées, puis des arômes d'orange amère et de fruits confits. La bouche est plus expressive dans ses évocations de rôti et de fruité. Doté d'un équilibre plaisant entre le gras et la vivacité, c'est un vin d'apéritif sympathique. (Bouteilles de 50 cl.) (70 à 99 F)

⊶ SCEA La Font du Roc, Ch. des Vigiers, 24240 Monestier, tél. 05.53.61.50.30, fax 05.53.61.50.31, e-mail vigiers@calvanet ☑ Ȳ r.-v.

⊶ Petersson

CLOS D'YVIGNE
Vendanges tardives 1999**

☐ 3 ha 3 200 ▮▮ 23à30€

Plusieurs coups de cœur ont récompensé ce domaine dans nos précédentes éditions. Le 99 est remarquable, malgré une climatologie difficile. Le nez d'une grande complexité mêle les fruits confits, le rôti, l'abricot, une pointe de cire et un léger boisé. En bouche, la sensation de gras, de rondeur et de puissance domine ; les notes boisées et vanillées se fondent bien à une matière très persistante. (Bouteilles de 50 cl.) Le jury accorde une citation au **côtes de bergerac rouge Le Petit Prince 99 (30 à 49 F)**, élevé en fût. (150 à 199 F)

⊶ Patricia Atkinson, SCEA Clos d'Yvigne, Le Bourg, 24240 Gageac-Rouillac, tél. 05.53.22.94.40, fax 05.53.23.47.67, e-mail patricia.atkinson@wanadoo.fr ☑ Ȳ r.-v.

Côtes de duras

Les côtes de duras sont issus d'un vignoble de près de 2 000 ha qui est le prolongement naturel du plateau de l'Entre-deux-Mers. On raconte qu'après la révocation de l'édit de Nantes, les exilés huguenots gascons faisaient venir le vin de Duras jusqu'à leur retraite hollandaise et marquaient d'une tulipe les rangs de vigne qu'ils se réservaient.

Sur des coteaux découpés par la Dourdèze et ses affluents, avec des sols argilo-calcaires et des boulbènes, les côtes de duras ont accueilli tout naturellement les cépages bordelais. En blanc, sémillon, sauvignon et muscadelle ; en rouge, cabernet-franc, cabernet-sauvignon, merlot et malbec. On trouve également le chenin, l'ondenc et l'ugni-blanc. La gloire de Duras, c'est bien le vin blanc avec 46 136 hl en 2000 : des moelleux suaves, mais surtout des blancs secs à base de sauvignon, qui sont de réelles réussites. Racés, nerveux, au bouquet spécifique, ils accompagnent à merveille fruits de mer et poissons de l'Océan. Les vins rouges (73 133 hl), souvent vinifiés en cépages séparés, sont charnus, ronds et d'une belle couleur.

DOM. DES ALLEGRETS
Vinifié et élevé en fût de chêne 1999**

☐ 0,5 ha 1 700 ▮▮ 5à8€

Le nez puissant et complexe mêle les fruits et le bois. La bouche présente beaucoup de matière et devrait bientôt fondre l'empreinte du fût. Le **côtes de duras moelleux 99 Cuvée Breignes d'Or Vieilles vignes, vieilli en fût de chêne (100 à 149 F)**, a été jugé très réussi. C'est un vin gras, exprimant des arômes de miel et de fruits secs, avec une légère touche boisée. (30 à 49 F)

⊶ SCEA Francis et Monique Blanchard, Dom. des Allégrets, 47120 Villeneuve-de-Duras, tél. 05.53.94.74.56, fax 05.53.94.74.56 ☑ Ȳ t.l.j. 10h-12h 14h-19h

DOM. AMBLARD Sauvignon 2000*

☐ 10 ha 74 000 ▮🌡 3à5€

Le domaine n'a cessé de s'agrandir depuis son achat en 1936 et couvre aujourd'hui 130 ha. Le sauvignon s'exprime dans ce vin par des notes d'agrumes et de pamplemousse, complétées par des arômes de bonbon anglais. La bouche fruitée et souple présente un bon équilibre et une finale agréable. (20 à 29 F)

SUD-OUEST

Guy Pauvert, SCEA Dom. Amblard, 47120 Saint-Sernin-de-Duras, tél. 05.53.94.77.92, fax 05.53.94.27.12 t.l.j. sf dim. 8h-12h30 14h-19h

HAUTS DE BERTICOT
Elevé en fût de chêne 1999*

■ 9 ha 60 000 5à8€

Fruits mûrs et notes de vanille composent un nez agréable ; une attaque franche et douce, des tanins souples et fondus, une finale complexe font une bouche savoureuse. Les cuvées **Duc de Berticot 99 rouge** et **Grande Réserve 99 vieillie en fût de chêne** reçoivent, elles aussi, une étoile. (30 à 49 F)

SCA Vignerons Landerrouat-Duras, Berticot, 47120 Duras, tél. 05.53.83.75.47, fax 05.53.83.82.40 r.-v.

BERTICOT Les Estivales 2000*

□ 3 ha 20 000 5à8€

Dans la gamme Berticot, le jury a apprécié ce vin blanc sec pour ses arômes complexes de fruits de la Passion, de pêche blanche et d'abricot. C'est un côtes de duras souple et gras, doté d'une longue finale, que l'on peut déguster dès aujourd'hui. (30 à 49 F)

SCA Vignerons Landerrouat-Duras, Berticot, 47120 Duras, tél. 05.53.83.75.47, fax 05.53.83.82.40 r.-v.

CH. DES BRUYERES Sauvignon 2000*

□ 0,88 ha 5 800 5à8€

« Heide » : le nom hollandais des propriétaires signifie « bruyères », d'où la désignation du château doté d'un vignoble de plus de 8 ha. Le millésime 2000 leur a donné un vin sympathique, au nez puissant de sauvignon, associé à des notes animales. La bouche souple en attaque évolue sur des arômes fruités, un peu sauvages. (30 à 49 F)

Piet et Annelies Heide, Ch. des Bruyères, 47120 Loubès-Bernac, tél. 05.53.94.22.61, fax 05.53.94.22.61, e-mail piet.heide@wanadoo.fr r.-v.

DOM. DES COURS Sauvignon 2000*

□ 5 ha 20 000 3à5€

Le côte de duras du domaine des Cours est réputé pour son nez intense de buis, de bourgeon de cassis et de genêt. Ce 2000 n'échappe pas à la règle. Il se caractérise en bouche par une matière souple et onctueuse qui reprend les arômes sauvages du sauvignon. La finale fait preuve de complexité et de longueur. (20 à 29 F)

EARL Lusoli, Dom. des Cours, 47120 Sainte-Colombe-de-Duras, tél. 05.53.83.74.35, fax 05.53.83.63.18 r.-v.

DOM. DE FERRANT
Elevé en fût de chêne 1998*

■ 1 ha 3 000 5à8€

Ce vin possède une belle présentation dans sa robe pourpre. Les premiers arômes évoquent les fruits un peu confits et la griotte, puis le boisé apparaît, bien fondu. Souple à l'attaque, la bouche s'équilibre entre le fruit et le merrain, bien que la finale soit encore austère. Un vin plaisant que le temps affinera. (30 à 49 F)

SCEA Dom. de Ferrant, 47120 Esclottes, tél. 05.53.83.73.46, fax 05.53.83.82.80 t.l.j. sf dim. 8h-12h30 14h-19h

DOM. DU GRAND MAYNE
Sauvignon fût de chêne 2000**

□ 1,2 ha 10 000 5à8€

Andrew Gordon exploite 33,5 ha de vignes. Chaque année, il convie ses clients britanniques à un week-end de vendanges. Le raisin de sauvignon ainsi récolté en 2000 a produit un vin puissant dans ses expressions de fruits mûrs, d'ananas et de fruit de la Passion, soulignées de notes finement boisées. L'attaque vive laisse poindre les arômes typiques du cépage à parfaite maturité, mêlés à une pointe vanillée. Le milieu de bouche est complexe, et la finale particulièrement longue, avec une légère nuance boisée. Tel est le résultat d'une réelle maîtrise de la vendange et de l'élevage. La **cuvée classique 2000 (20 à 29 F)**, qui n'a pas connu le bois, obtient deux étoiles pour ses arômes fruités-floraux et la fraîcheur de son équilibre. (30 à 49 F)

SARL Andrew Gordon, Le Grand Mayne, 47120 Villeneuve-de-Duras, tél. 05.53.94.74.17, fax 05.53.94.77.02, e-mail agordon@terre-net.fr r.-v.

DOM. DU GRAND MAYNE
Elevé en fût de chêne 1999***

■ 3,22 ha 28 000 5à8€

Ce vin était proche du coup de cœur. Il ne fut devancé que par le côtes de duras blanc sec. Son nez intense fait la part belle au cassis. L'attaque souple et ronde annonce un grand volume en bouche, soutenu par des tanins déjà fondus. L'équilibre est harmonieux et la persistance aromatique notable. La **cuvée classique rouge 99 (20 à 29 F)** est remarquable, tant ses tanins enrobés étayent une matière fruitée et ronde. (30 à 49 F)

SARL Andrew Gordon, Le Grand Mayne, 47120 Villeneuve-de-Duras, tél. 05.53.94.74.17, fax 05.53.94.77.02, e-mail agordon@terre-net.fr r.-v.

DOM. DE LA CHENERAIE
Prestige 1999

■ 1,5 ha 12 000 3à5€

De teinte légère, ce vin propose une palette agréable de fruits rouges. Il laisse une impression de souplesse en bouche, sur ces mêmes arô-

mes fruités. De structure aérienne et équilibrée, il est prêt à boire. (20 à 29 F)
Alain Mariotto, La Grand-Font, 47120 Esclottes, tél. 05.53.83.76.52, fax 05.53.89.03.06 r.-v.

CH. LA MOULIERE
Sauvignon Grande Réserve 2000**

☐ 10 ha 60 000 3à5€

Intense, fin dans ses évocations d'agrumes bien mûrs, ce vin privilégie le fruit jusque dans sa matière structurée et harmonieuse, qui persiste longuement en finale. La **cuvée rouge classique 99** du château La Moulière obtient une étoile. Elle est souple, fruitée et gouleyante dès aujourd'hui. (20 à 29 F)
Blancheton Frères, La Moulière, 47120 Duras, tél. 05.53.83.70.19, fax 05.53.83.07.30, e-mail blancheton@chateau-la-mouliere.com r.-v.

CH. LA PETITE BERTRANDE
Grande Cuvée Vieilli en fût de chêne 1999**

■ 3 ha 10 000 8à11€

Original, ce côtes de duras l'est par son nez épicé et mentholé qui traduit la présence du malbec dans l'assemblage (20 %). Il évolue sur des notes boisées plus classiques. Après une attaque puissante, sa bouche structurée se fait ronde et charnue, bien qu'une pointe boisée donne une petite austérité à la finale. Ce vin possède suffisamment de matière pour s'affiner au cours des trois années à venir. La **cuvée classique 99 (30 à 49 F)** obtient une étoile : elle révèle un nez de fruits mûrs (pêche et nectarine) et une bouche savoureuse et coulante. (50 à 69 F)
Jean-François Thierry, Vignoble Les Guignards, 47120 Saint-Astier-de-Duras, tél. 05.53.94.74.03, fax 05.53.94.75.27, e-mail vguignards@aol.com t.l.j. sf dim. 10h-12h30 16h-19h
Alain Tingaud

DOM. DE LA SOLLE
Cuvée Fernand Elevé en fût de chêne 1999*

■ 0,4 ha 2 400 8à11€

Originaires du Pays nantais, Jocelyne et Roger Visonneau se sont installés dans le Sud-Ouest en 1994. Ils conduisent désormais un vignoble de 9,5 ha. Leur 99, richement fruité et boisé au nez, possède une bonne structure. Les tanins demandent simplement à se fondre et à s'enrober au fil des années pour composer un bel ensemble. (50 à 69 F)
EARL Visonneau, Boussinet, 47120 Saint-Jean-de-Duras, tél. 05.53.83.07.09, fax 05.53.20.10.54 t.l.j. sf dim. 14h-19h

DOM. DE LAULAN Sauvignon 2000**

☐ 12 ha 60 000 3à5€

Authentique personnalité attachée à l'histoire de sa région, Gilbert Geoffroy joue un rôle moteur pour cette appellation. Ses cuvées ont obtenu de nombreuses étoiles au fil de nos éditions. Ce vin exhale des parfums puissants de cassis et de genêt, traduisant la marque du sauvignon. Franc et vif en attaque, il a de la tenue en bouche par sa complexité et son équilibre, sur fond aromatique d'agrumes. Le **côtes de duras moelleux 99 (70 à 99 F)** a été jugé très réussi grâce à sa palette harmonieuse de fruits confits, de miel, de pruneau et de vanille. Le temps lui permettra de fondre le caractère boisé perceptible en bouche. (20 à 29 F)
EARL Geoffroy, Dom. de Laulan, 47120 Duras, tél. 05.53.83.73.69, fax 05.53.83.81.54, e-mail domaine.laulan@wanadoo.fr t.l.j. sf dim. 8h-12h 14h-18h

CH. LES SAVIGNATTES Sauvignon 2000

☐ 6,2 ha 30 000 3à5€

Buis et genêt marquent le nez de ce vin classique, bien typé sauvignon. La bouche souple et grasse propose des arômes fruités et une note de fraîcheur. Une bouteille qui pourra être présente sur la table dès l'apéritif et accompagner poissons et crustacés. (20 à 29 F)
Maurice Dreux, Les Savignattes, 47120 Esclottes, tél. 05.53.83.72.84, fax 05.53.83.82.97, e-mail bernadettedreux@wanadoo.fr t.l.j. sf dim. 9h-12h 15h-19h; 9h-12h sam.

DOM. DU PETIT MALROME
Elevé en fût de chêne 1999**

■ 1,5 ha 8 000 5à8€

Depuis l'an 2000, Geneviève et Alain Lescaut ont converti l'ensemble de leur domaine de 18,7 ha à l'agriculture biologique. Leur production demeure une valeur sûre en côtes de duras, comme en témoigne ce vin fruité et concentré. Les arômes de framboise se fondent agréablement aux notes boisées. Ronde dès l'attaque, la bouche conserve cette ligne fruitée, et l'harmonie d'ensemble séduit, même si le bois confère une certaine austérité en finale. Le compagnon idéal des viandes rouges. Le **côtes de duras moelleux 99 élevé en fût de chêne** a été jugé très réussi. Au nez de fruits confits, de coing et de vanille répond une bouche concentrée, encore un peu marquée par le bois. (30 à 49 F)
EARL Geneviève et Alain Lescaut, 47120 Saint-Jean-de-Duras, tél. 05.53.89.01.44, fax 05.53.89.01.44 t.l.j. sf dim. 11h-19h

DOM. DU VIEUX BOURG
Sauvignon 2000*

☐ 3 ha 22 000 3à5€

Fort de 30 ha de vignes, ce producteur est établi dans l'ancien village de Pardaillan qui conserve les vestiges d'un château fort du XII[e]s. Il propose un vin blanc sec de qualité, à marier avec des poissons cuisinés. Le nez libère un fruité mûr, puissant, que l'on retrouve dans une bouche équilibrée et pleine. (20 à 29 F)
Bernard Bireaud, Dom. du Vieux Bourg, 47120 Pardaillan, tél. 05.53.83.02.18, fax 05.53.83.02.37, e-mail vieux-bourg2@wanadoo.fr r.-v.

LA VALLEE DE LA LOIRE ET LE CENTRE

Unis par un fleuve que l'on a dit royal, et qui justifierait le qualificatif par sa seule majesté si les rois en effet n'avaient aimé résider sur ses rives, les divers pays de la vallée de la Loire sont baignés par une lumière unique, mariage subtil du ciel et de l'eau qui fait éclore ici le « jardin de la France ». Et dans ce jardin, bien sûr, la vigne est présente ; des confins du Massif central jusqu'à l'estuaire, les vignobles ponctuent le paysage au long du fleuve et d'une dizaine de ses affluents, dans un vaste ensemble que l'on désignera sous le nom de « vallée de la Loire et Centre », plus étendu que ne l'est le Val de Loire au sens strict, sa partie centrale. C'est dire combien le tourisme est ici varié, culturel, gastronomique ou œnologique ; et les routes qui suivent le fleuve sur les « levées », ou celles, un peu en retrait, qui traversent vignobles et forêts sont les axes d'inoubliables découvertes.

Jardin de la France, résidence royale, terre des Arts et des Lettres, berceau de la Renaissance, la région est vouée à l'équilibre, à l'harmonie, à l'élégance. Tantôt étroite et sinueuse, rapide et bruyante, tantôt imposante et majestueuse, calme d'apparence, la Loire en est bien le facteur d'unité ; mais il convient cependant d'être attentif aux différences, surtout lorsqu'il s'agit des vins.

Depuis Roanne ou Saint-Pourçain jusqu'à Nantes ou Saint-Nazaire, la vigne occupe les coteaux de bordure, bravant la nature des sols, les différences de climat et les traditions humaines. Sur près de 1 000 km, plus de 50 000 ha couverts de vignes produisent, avec de grandes variations. En 1999, le volume des vins d'appellation a représenté 2 743 582 hl, soit 9,63 % de la production française. Les vins de cette vaste région ont pour points communs la fraîcheur et la délicatesse de leurs arômes, essentiellement dues à la situation septentrionale de la plupart des vignobles.

La Vallée de la Loire

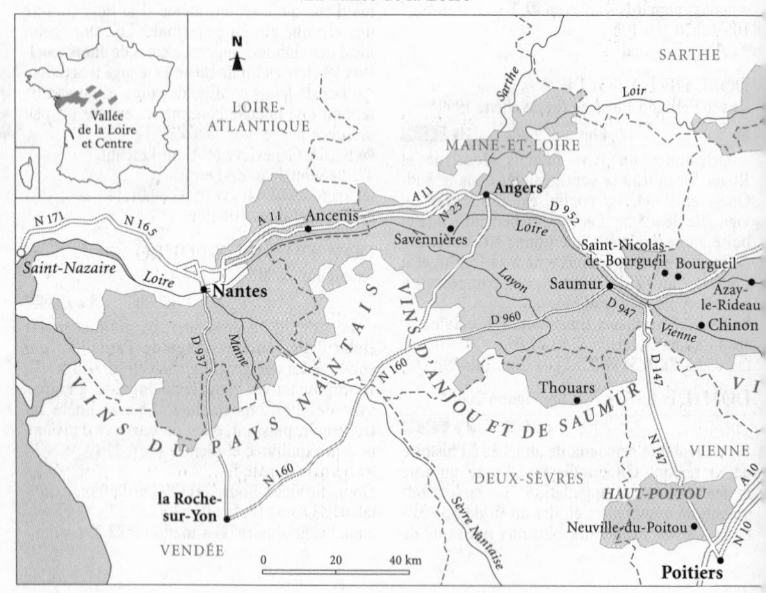

Vouloir désigner toutes ces productions sous le même vocable est un peu audacieux malgré tout, car, bien qu'identifiés comme septentrionaux, certains vignobles sont situés à une latitude qui, dans la vallée du Rhône, subit l'influence climatique méditerranéenne... Mâcon est à la même latitude que Saint-Pourçain et Roanne que Villefranche-sur-Saône. C'est donc le relief qui influe ici sur le climat : le courant d'air atlantique s'engouffre d'ouest en est dans le couloir tracé par la Loire, puis s'estompe peu à peu au fur et à mesure qu'il rencontre les collines du Saumurois et de la Touraine.

Les vignobles formant de véritables entités sont donc ceux de la région nantaise, de l'Anjou et de la Touraine. Mais on y a joint ceux du haut Poitou, du Berry, des côtes d'Auvergne et roannaises ; il faut bien les associer à une grande région, et celle-ci est la plus proche, aussi bien géographiquement que par les types de vins produits. Il paraît donc nécessaire, sur un plan général, de définir quatre grands ensembles, les trois premiers cités, plus le Centre.

Dans la basse vallée de la Loire, l'aire du muscadet et une partie de l'Anjou reposent sur le Massif armoricain, constitué de schistes, de gneiss et d'autres roches sédimentaires ou éruptives de l'ère primaire. Les sols évolués sur ces formations sont très propices à la culture de la vigne, et les vins qui y sont produits sont d'excellente qualité. Encore appelée région nantaise, cette première entité, la plus à l'ouest du Val de Loire, présente un relief peu accentué, les roches dures du Massif armoricain étant entaillées à l'abrupt par de petites rivières. Les vallées escarpées ne permettent pas la formation de coteaux cultivables, et la vigne occupe les mamelons de plateau. Le climat est océanique, assez uniforme toute l'année, l'influence maritime atténuant les variations saisonnières. Les hivers sont peu rigoureux et les étés chauds et souvent humides ; l'ensoleillement est bon. Les gelées printanières viennent cependant parfois perturber la production.

L'Anjou, pays de transition entre la région nantaise et la Touraine, englobe historiquement le Saumurois ; cette région viticole s'inscrit presque entièrement

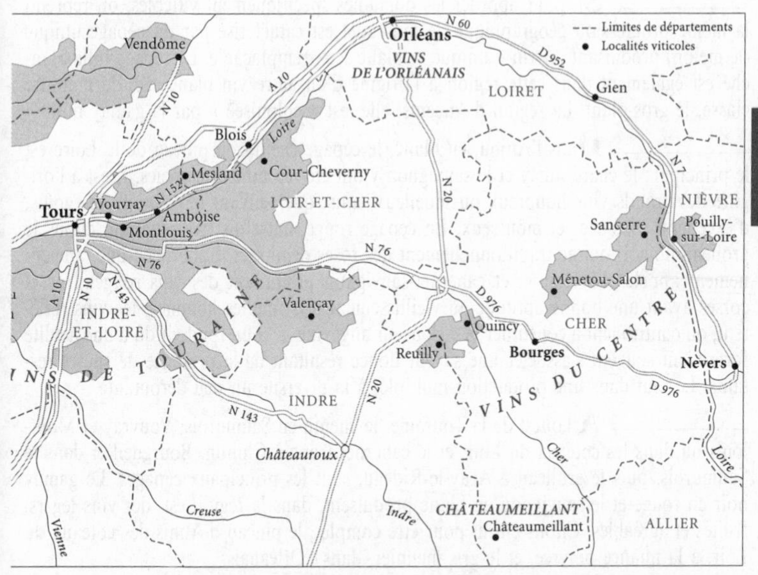

dans le département du Maine-et-Loire, mais géographiquement le Saumurois devrait plutôt être rattaché à la Touraine occidentale avec laquelle il présente davantage de similitudes, tant au point de vue des sols que du climat. Les formations sédimentaires du Bassin parisien viennent d'ailleurs recouvrir en transgression des formations primaires du Massif armoricain, de Brissac-Quincé à Doué-la-Fontaine. L'Anjou se divise en plusieurs sous-régions : les coteaux de la Loire (prolongement de la région nantaise), en pente douce d'exposition nord, où la vigne occupe la bordure du plateau ; les coteaux du Layon, schisteux et pentus, les coteaux de l'Aubance ; et la zone de transition entre l'Anjou et la Touraine, dans laquelle s'est développé le vignoble des rosés.

Le Saumurois se caractérise essentiellement par la craie tuffeau sur laquelle poussent les vignes ; au-dessous, les bouteilles rivalisent avec les champignons de Paris pour occuper galeries et caves facilement creusées. Les collines un peu plus élevées arrêtent les vents d'ouest et favorisent l'installation d'un climat qui devient semi-océanique et semi-continental. En face du Saumurois, on trouve sur la rive droite de la Loire les vignobles de Saint-Nicolas-de-Bourgueil, sur le coteau turonien. Plus à l'est, après Tours, et sur le même coteau, le vignoble de Vouvray se partage avec Chinon - prolongement du Saumurois sur les coteaux de la Vienne - la réputation des vins de Touraine. Azay-le-Rideau, Montlouis, Amboise, Mesland et les coteaux du Cher complètent la panoplie de noms à retenir dans ce riche « jardin de la France », où l'on ne sait plus si l'on doit se déplacer pour les vins, les châteaux ou les fromages de chèvre (Sainte-Maure, Selles-sur-Cher, Valençay) ; mais pourquoi pas pour tout à la fois ? Les petits vignobles des coteaux du Loir, de l'Orléanais, de Cheverny, de Valençay et des coteaux du Giennois peuvent être rattachés à la troisième entité naturelle que forme la Touraine.

Les vignobles du Berry (ou du Centre) constituent une quatrième région, indépendante et différente des trois autres tant par les sols, essentiellement jurassiques, voisins du Chablisien pour Sancerre et Pouilly-sur-Loire, que par le climat semi-continental, aux hivers froids et aux étés chauds. Pour la commodité de la présentation, nous rattachons Saint-Pourçain, les côtes roannaises et le Forez à cette quatrième unité, bien que sols (Massif central primaire) et climats (semi-continental à continental) soient différents.

Si, pour aborder les domaines spécifiquement viticoles, on reprend la même progression géographique, le muscadet est caractérisé par un cépage unique (le melon) produisant un vin « unique », blanc sec irremplaçable. Le cépage folle blanche est également dans cette région à l'origine d'un autre vin blanc sec, de moindre classe, le gros-plant. La région d'Ancenis, elle, est « colonisée » par le gamay noir.

Dans l'Anjou, en blanc, le cépage chenin ou pineau de la Loire est le principal ; le chardonnay et le sauvignon y ont été récemment associés. Il est à l'origine des grands vins liquoreux ou moelleux, ainsi que, suivant l'évolution des goûts, d'excellents vins secs et mousseux. En cépage rouge, autrefois très répandu, citons le grolleau noir. Il donne traditionnellement des rosés demi-secs. Cabernet franc, anciennement appelé « breton », et cabernet-sauvignon produisent des vins rouges fins et corsés ayant une bonne aptitude au vieillissement. Comme les hommes, les vins reflètent, ou contribuent à constituer la « douceur angevine » : à un fond vif dû à une acidité forte vient souvent s'associer une saveur douce résultant de la présence de sucres restants. Le tout dans une production multiple, à la diversité un peu déroutante.

A l'ouest de la Touraine, le chenin en Saumurois, Vouvray et Montlouis ou dans les coteaux du Loir, et le cabernet franc à Chinon, Bourgueil et dans le Saumurois, puis le grolleau à Azay-le-Rideau, sont les principaux cépages. Le gamay noir en rouge et le sauvignon en blanc produisent, dans la région est, des vins légers, fruités et agréables. Citons enfin, pour être complet, le pineau d'Aunis des coteaux du Loir, à la nuance poivrée, et le gris meunier, dans l'Orléanais.

Dans le vignoble du Centre, le sauvignon (en blanc) est roi à Sancerre, Reuilly, Quincy et Menetou-Salon, ainsi qu'à Pouilly, où il est encore appelé blanc-fumé. Il partage là son territoire avec quelques vignobles vestiges de chasselas, donnant des blancs secs et nerveux. En rouge, on perçoit le voisinage de la Bourgogne, puisqu'à Sancerre et Menetou-Salon les vins sont produits à partir de pinot noir.

Pour être exhaustif, il convient d'ajouter quelques mots sur le vignoble du haut Poitou, réputé en blanc pour son sauvignon aux vins vifs et fruités, son chardonnay aux vins corsés, et, en rouge, pour ses vins légers et robustes issus des cépages gamay, pinot noir et cabernet. Sous un climat semi-océanique, le haut Poitou assure la transition entre le Val de Loire et le Bordelais. Entre Anjou et Poitou, la production du vignoble du Thouarsais (AOVDQS) est confidentielle. Quant au vignoble des Fiefs vendéens, terroir AOVDQS anciennement dénommé vin des Fiefs du Cardinal et implanté le long du littoral atlantique, ses vins les plus connus sont les vins rosés de Mareuil, issus de gamay noir et pinot noir ; la curiosité de la région étant constituée par le vin de « ragoûtant », issu du cépage négrette et difficile à trouver.

La Vallée de la Loire

Val de Loire

Rosé de loire

Il s'agit de vins d'appellation régionale, AOC depuis 1974, qui peuvent être produits dans les limites des AOC régionales d'anjou, saumur et touraine. Cabernet franc, cabernet-sauvignon, gamay noir à jus blanc, pineau d'Aunis et grolleau se retrouvent dans ces vins rosés secs qui représentent un volume moyen de 65 000 hl en 2000.

DOM. DES BONNES GAGNES 2000

◪ 1 ha 5 000 ▮🌡 3à5€

En 1020, le fief d'Orgigné a été concédé aux moines de l'abbaye du Ronceray à Angers, pour être planté en vignes. La couleur prononcée à reflets rouges témoigne sans doute d'une cuvaison qui a quelque peu duré. L'olfaction est dense et conduit vers une bouche structurée, bien équilibrée. (20 à 29 F)

⊶ Jean-Marc Héry, Orgigné, 49320 Saint-Saturnin-sur-Loire, tél. 02.41.91.22.76, fax 02.41.91.21.58 ☑ Y t.l.j. 9h-12h30 14h-19h30; dim. sur r.-v.

DOM. CHUPIN Croix de la Varenne 2000*

◪ 8,23 ha 70 000 -3€

Ce domaine de quelque 70 ha s'est principalement orienté dans les années 1970 vers la production de vins rosés pour se diversifier depuis. La robe de ce 2000 est d'un rose printanier un peu pâle. Le nez, bien présent, développe des arômes complexes d'une grande finesse. La bouche, quant à elle, continue de procurer cette subtilité gustative très caractéristique d'un rosé de loire. (- 20 F)

⊶ SCEA Dom. Chupin, 8, rue de l'Eglise, 49380 Champ-sur-Layon, tél. 02.41.78.86.54, fax 02.41.78.61.73 ☑ Y r.-v.

⊶ Guy Saget

DOM. DU FRESCHE 2000*

◪ 0,5 ha 2 900 ▮🌡 3à5€

Un vin à la robe agréable, rose à reflets orangés. L'olfaction, très intense, révèle des nuances fruitées. L'attaque est vive, sans agressivité, et l'évolution en bouche procure bien du plaisir. L'équilibre nez-bouche est remarquable. (20 à 29 F)

⊶ EARL Boré, Dom. du Fresche, 49620 La Pommeraye, tél. 02.41.77.74.63, fax 02.41.77.79.39 ☑ Y r.-v.

LA GUIGNIERE 2000*

◪ 0,35 ha 2 000 ▮🌡 -3€

Tout évoque la vivacité : la couleur d'un rose très pur, le nez des plus expressifs où le végétal s'associe au fruit. La bouche, d'une complexité intéressante et bien équilibrée, procure une sensation harmonieuse, soyeuse, très agréable. Belle réussite qui fait apprécier cette appellation. (- 20 F)

⊶ Laurent Blouin, Les Hardières, 49750 Saint-Lambert-du-Lattay, tél. 02.41.78.30.83, fax 02.41.78.30.83 ☑ Y r.-v.

VIGNOBLE DE L'ARCISON 2000*

◪ 2 ha 5 000 ▮🌡 3à5€

A l'origine exploitation agricole, ce domaine s'est aujourd'hui spécialisé dans la vigne. Son

chai à cuve, aménagé dans une ancienne grange, présente l'arrondi typique des exploitations d'élevage du Choletais. La robe de ce 2000 scintille, très expressive, d'un joli rosé cuivré. Le nez, encore discret, révèle à l'agitation des notes fruitées délicates. La bouche est agréable, ronde, sans excès de structure, mais persistante.
(20 à 29 F)

Damien Reulier, Le Mesnil,
49380 Thouarcé, tél. 02.41.54.16.81,
fax 02.41.54.31.12,
e-mail damien.reulier@wanadoo.fr r.-v.

CH. DE LA ROCHE BOUSSEAU 2000

n.c. n.c. 3à5€

Ce vin montre quelques reflets orangés qui mettent sa robe en valeur ; au nez, c'est le fruit qui parle. La bouche, elle, aurait pu dire plus de choses, mais elle est fraîche et légère.
(20 à 29 F)

François Regnard, Dom. de La Petite-Roche, 49310 Trémont, tél. 02.41.59.43.03,
fax 02.41.59.69.43 r.-v.

CH. DE LA VIAUDIERE 1999

7 ha 2 800 -3€

Ce vignoble, qui appartient à la famille Gélineau depuis quatre siècles, s'est transmis de père en fils. Il propose un rosé à la robe gracieuse, printanière, aux beaux reflets dorés. Le nez est intéressant, d'abord vif, puis fruité. La bouche, marquée par une douceur très harmonieuse, faite de fruité et de floral, se montre parfaitement équilibrée, et d'une belle persistance.
(- 20 F)

EARL Vignoble Gélineau, Ch. de La Viaudière, 49380 Champ-sur-Layon,
tél. 02.41.78.86.27, fax 02.41.78.60.45,
e-mail gelineau@wanadoo.fr r.-v.

LA VIGNE NOIRE 2000*

2,49 ha 2 000 -3€

Nathalie et Guillaume Cauty ne sont à la tête du domaine que depuis quelques mois. Ils obtiennent une étoile pour ce rosé où domine la nuance saumonée du cabernet. Celui-ci apparaît également à l'olfaction où les notes florales se déclinent et se prolongent en une harmonie gustative très intéressante. (- 20 F)

Nathalie et Guillaume Cauty,
La Vigne noire, 79290 Bouillé-Saint-Paul,
tél. 05.49.96.83.19, fax 05.49.68.45.03
t.l.j. sf dim. 8h-19h30

LE CLOS DES MOTELES 2000

1,76 ha 4 000 3à5€

Cette exploitation est située à Sainte-Verge, petite commune des environs de Thouars au sud de l'Anjou viticole, à quelque 30 km de Saumur. Planté sur terrain graveleux, le vignoble a produit un rosé à la belle robe d'un rose soutenu. A l'agitation, le fruité s'épanouit et se prolonge en bouche sur une finale vive et fraîche, bien dans le type de l'appellation. (20 à 29 F)

GAEC Le Clos des Motèles Basset-Baron,
42, rue de la Garde, 79100 Sainte-Verge,
tél. 05.49.66.05.37, fax 05.49.66.37.14 r.-v.

LE LOGIS DU PRIEURE 2000**

4 ha 5 000 3à5€

Le Layon, canalisé sous Louis XVI, fut un temps navigable et servait au transport du charbon et du vin ; Concourson-sur-Layon était le port de départ du canal. Aujourd'hui, ses berges invitent à d'agréables promenades. D'une belle présentation bien dans le type de l'appellation, la nuance de ce rosé est franche et nette. Le nez développe de jolis arômes de fruits rouges frais : cassis, groseille. La bouche ne déçoit pas, pleine, ronde, très harmonieuse et bien équilibrée. Un vin qui fait honneur à l'appellation.
(20 à 29 F)

SCEA Jousset et Fils, Le Logis du Prieuré,
49700 Concourson-sur-Layon,
tél. 02.41.59.11.22, fax 02.41.59.38.18,
e-mail logis.prieure@groupesirius.com
t.l.j. sf dim. 8h-12h 14h-19h

LES VIGNES DE L'ALMA 2000*

n.c. 7 000 3à5€

Ce petit domaine de 10 ha est situé sur un plateau d'où l'on a un magnifique point de vue sur Saint-Florent-le-Vieil et la vallée de la Loire. La robe de ce rosé, très soutenue, tire sur le rouge flamboyant. L'olfaction intense développe des arômes floraux ; la bouche ample, vive, opulente, persistante prolonge cette sensation bien agréable. A découvrir sans tarder !
(20 à 29 F)

Roland Chevalier, L'Alma,
49410 Saint-Florent-le-Vieil,
tél. 02.41.72.71.09, fax 02.41.72.63.77
t.l.j. sf dim. 8h30-12h30 14h-19h

DOM. DE L'ETE 2000

2,5 ha 22 000 3à5€

Le nom du domaine remonterait au XVIIe s. ; des manuscrits datant de 1650 en font déjà mention. Au XXIe s., il a produit ce rosé à la robe claire, d'une nuance rose saumonée éclairée de reflets. Les arômes tout en finesse sont discrets au nez et, à l'agitation, le caractère fermentaire domine. Même si l'attaque en bouche est vive, cette dernière reste harmonieuse. Un rosé tout en subtilité. (20 à 29 F)

Dom. de l'Eté, 49700 Concourson-sur-Layon, tél. 02.41.59.11.63, fax 02.41.59.95.16,
e-mail domedelete@wanadoo.fr r.-v.

Catherine Nolot

DOM. DES MATINES 2000

◪ 3 ha 5 000 3à5€

Depuis quatre générations dans la même famille, ce domaine propose un vin couleur fuschia. Une nuance bleutée lui confère une présentation intéressante qui se poursuit par une olfaction expressive. C'est un rosé à la personnalité bien marquée et bien équilibré. (20 à 29 F)

Dom. des Matines, 31, rue de la Mairie, 49700 Brossay, tél. 02.41.52.25.36, fax 02.41.52.25.50 r.-v.

Etchegaray

CH. MONTBENAULT 2000

◪ 1,8 ha 10 000 3à5€

Ce rosé arbore une robe d'une nuance orangée et sa limpidité fait ressortir cette teinte très printanière. Le premier nez, bien présent, marie les fruits rouges aux notes florales. Le grolleau domine l'assemblage et donne au vin une structure gustative qui s'épanouit à l'aération. (20 à 29 F)

Yves et Marie-Paule Leduc, Ch. Montbenault, 49380 Faye-d'Anjou, tél. 02.41.78.31.14, fax 02.41.78.60.29 t.l.j. sf dim. 9h-12h 14h-19h

CH. DE MONTGUERET 2000

◪ 12,3 ha 70 000 3à5€

En 1987, André Lacheteau et son épouse ont succombé aux charmes de l'Anjou et de ce château de style Napoléon III qui marie avec bonheur le tuffeau, le schiste et la brique. Une robe d'une délicatesse de pivoine enveloppe ce vin au nez très puissant de fruits (framboise) et de fleurs. L'attaque en bouche, fraîche et gaie, se prolonge avec souplesse. (20 à 29 F)

SCEA Ch. de Montguéret, Le bourg, 49560 Nueil-sur-Layon, tél. 02.41.59.59.19, fax 02.41.59.59.02 r.-v.

Lacheteau

CH. DE PASSAVANT 2000*

◪ 6 ha 27 000 3à5€

Passavant-sur-Layon est un agréable village bâti sur les rives d'un lac formé par le Layon qui prend sa source en amont. Vaste exploitation de 60 ha, le château de Passavant jouit d'une solide réputation. Il a produit un vin d'un beau rose prononcé, tirant sur le rouge. S'il est encore fermé au premier nez, des notes fruitées s'expriment à l'agitation. L'attaque est ronde, souple, équilibrée, et on retrouve en finale les notes fruitées perçues à l'olfaction. Un ensemble persistant et harmonieux. (20 à 29 F)

SCEA David-Lecomte, Ch. de Passavant, rte de Tancoigne, 49560 Passavant-sur-Layon, tél. 02.41.59.53.96, fax 02.41.59.57.91, e-mail passavant@wanadoo.fr r.-v.

DOM. DE SAINTE-ANNE 2000*

◪ 5 ha 10 000 3à5€

Six générations se sont succédé de père en fils sur le domaine. Son terroir spécifique a donné ce vin d'un rose profond aux nuances saumonées qui représente bien son appellation. Les arômes fermentaires et variétaux se mêlent à l'olfaction. La bouche, souple, agréable, bien équilibrée, offre une belle persistance aromatique. (20 à 29 F)

EARL Brault, Dom. de Sainte-Anne, 49320 Brissac-Quincé, tél. 02.41.91.24.58, fax 02.41.91.25.87 t.l.j. sf dim. 9h-12h 14h-19h; sam. 9h-12h 14h-18h

DOM. DES TRAHAN

Le Logis de Preuil 2000

◪ 1,3 ha 8 000 3à5€

Sur les 60 ha du domaine situé au sud du vignoble de l'Anjou, dans le département des Deux-Sèvres, un peu plus d'un hectare d'un terroir de graviers de l'Argenton est consacré à ce vin à la teinte soutenue, très franche, aux reflets saumonés. Au nez, le fruité domine avec des nuances prononcées de fruits rouges frais. En bouche, on trouve une bonne fraîcheur, du volume et une finale expressive bien dans le type de l'appellation. (20 à 29 F)

EARL Les Magnolias des Trahan, 26, rue du Moulin, 79290 Cersay, tél. 05.49.96.80.38, fax 05.49.96.37.23 r.-v.

DOM. DES TROIS MONTS 2000*

◪ 10 ha 50 000 3à5€

Chez les Guéneau, on est vigneron de père en fils depuis quatre générations. Le domaine des Trois Monts doit son nom aux trois collines qui forment la commune de Trémont... Très pâle, son rosé est embelli de reflets étincelants. De petites notes de fruits rouges frais apparaissent discrètement au nez. La bouche légère, agréable, procure une impression d'harmonie. (20 à 29 F)

SCEA Hubert Guéneau et Fils, 1, rue Saint-Fiacre, 49310 Trémont, tél. 02.41.59.45.21, fax 02.41.59.69.90 r.-v.

DOM. DU VIEUX PRESSOIR 2000*

◪ n.c. 4 500 3à5€

Cette exploitation bien connue dans le Saumurois pratique l'enherbement. Elle obtient un rosé de saignée des plus séduisants. Les dégustateurs apprécient d'emblée la robe attirante, joyeuse, limpide, où un léger perlant rend le rose étincelant. Le cabernet franc s'exprime admirablement, associant fruits et fleurs. La bouche confirme les sensations olfactives. (20 à 29 F)

EARL B. et J. Albert, 205, rue du Château-d'Oiré, 49260 Vaudelnay, tél. 02.41.52.21.78, fax 02.41.38.85.83 r.-v.

LOIRE

Crémant de loire

Ici encore, l'appellation régionale peut s'appliquer à des vins effervescents produits dans les limites des appellations anjou, saumur, touraine et cheverny. La méthode traditionnelle fait ici merveille ; la production de ces vins de fête atteint environ 38 000 hl. Les cépages sont nombreux : chenin ou pineau de Loire, cabernet-sauvignon et cabernet franc, pinot noir, chardonnay, etc. Si la plus grande part de la production est constituée de vins blancs, on trouve aussi quelques rosés.

DOM. DE BABLUT 1997★★

○ 2 ha 10 000 5à8€

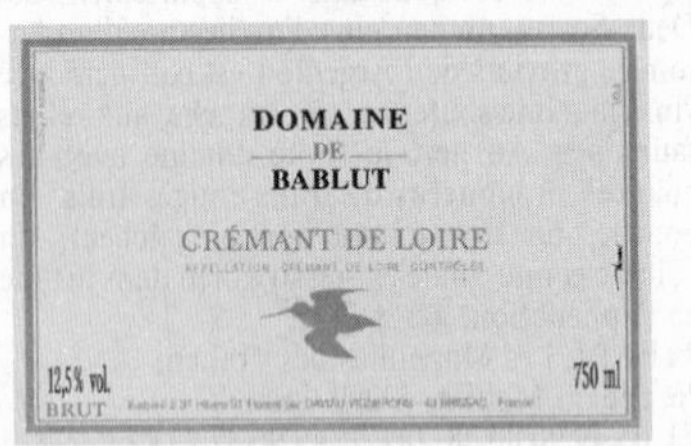

Dans la famille Daviau, on est vigneron depuis 1546, c'est dire si l'on sait ce qu'est un beau vin. Le terroir, lui aussi, sort du commun : il se situe à la rencontre des calcaires du Bassin parisien et des schistes du Massif armoricain. Dans un ancien moulin datant du XIIes., vous pourrez découvrir l'un des plus beaux vins de la dégustation. Un joli cordon de bulles fines monte dans une robe jaune pâle à reflets verts. Complexe, la palette aromatique associe les fruits blancs (pêche) et le pamplemousse se développe en bouche de façon remarquable. A découvrir sans tarder. (30 à 49 F)

SCEA Daviau, Dom. de Bablut, 49320 Brissac-Quincé, tél. 02.41.91.22.59, fax 02.41.91.24.77, e-mail daviau@refsa.fr ☑ Ɪ t.l.j. sf dim. 8h30-12h 14h-18h30

BARONNIE D'AIGNAN 1997★

○ 2 ha 16 000 5à8€

Un crémant qui séduit par sa robe jaune doré. Ses bulles fines et persistantes donnent un cordon régulier. Il crée la surprise en bouche par son onctuosité et sa fraîcheur. (30 à 49 F)

Confrérie des Vignerons de Oisly-Thésée, 41700 Oisly, tél. 02.54.79.75.20, fax 02.54.79.75.29 ☑ Ɪ t.l.j. sf dim. 9h-12h 14h-17h30

DOM. DES BAUMARD
Cuvée Millésimée 1997

○ 5 ha n.c. 8à11€

Les Baumard faisaient déjà des vins à Rochefort en 1634. C'est à Jean Baumard, puis à son fils Florent, que l'on doit le succès du domaine. De fines bulles accompagnent les arômes légèrement floraux. On retrouve avec plaisir ces nuances dans une bouche onctueuse et persistante. (50 à 69 F)

Florent Baumard, SCEA Dom. des Baumard, 8, rue de l'Abbaye, 49190 Rochefort-sur-Loire, tél. 02.41.78.70.03, fax 02.41.78.83.82 ☑ Ɪ r.-v.

BERGER FRERES

○ 1,8 ha 7 000 5à8€

Montlouis est l'un des berceaux des vins de mousse et pétillants. Le crémant de la maison Berger présente un nez complexe où le grillé se mêle au lacté, puis une forte effervescence suivie d'une vivacité douce en feront un bon compagnon des fêtes. (30 à 49 F)

Berger Frères, 70, rue de Chenonceaux, 37270 Saint-Martin-le-Beau, tél. 02.47.50.67.36, fax 02.47.50.21.13 ☑ Ɪ r.-v.

DOM. DES BESSONS★

○ 0,5 ha 3 000 5à8€

Un beau vin à la structure affirmée offrant une mousse abondante, très fine, et un nez floral fort élégant. Assez vif à l'attaque, il révèle une longue finale aux arômes de tilleul. (30 à 49 F)

François Péquin, Dom. des Bessons, 113, rue de Blois, 37530 Limeray, tél. 02.47.30.09.10, fax 02.47.30.02.25 ☑ Ɪ t.l.j. sf dim. 9h-19h

DOM. DE BRIZE

○ 3 ha 16 000 5à8€

La propriété familiale, transmise de père en fils depuis le XVIIIes., est conduite par la cinquième génération, celle de Marc et de Luc Delhumeau. Ils ont réussi leur crémant : agréable à l'œil avec de jolis reflets dorés tirant sur le vert, il offre une palette aromatique complexe faite de nuances fruitées et légèrement grillées. La bouche, ample, fraîche, persistante, finit sur une note un peu acidulée. (30 à 49 F)

SCEA Marc et Luc Delhumeau, Dom. de Brizé, 49540 Martigné-Briand, tél. 02.41.59.43.35, fax 02.41.59.66.90, e-mail delhumeau.scea@free.fr ☑ Ɪ r.-v.

Luc et Line Delhumeau

PAUL BUISSE

○ n.c. 10 000 5à8€

Ce négociant tourangeau propose un crémant au cordon de mousse persistant et aux arômes finement épicés. Un vin souple, équilibré, à la finale harmonieuse. (30 à 49 F)

SA Paul Buisse, 69, rte de Vierzon, 41402 Montrichard Cedex, tél. 02.54.32.00.01, fax 02.54.32.09.78, e-mail contact@paulbuisse.com ☑ Ɪ t.l.j. sf sam. dim. 8h-12h 14h-18h; ven. 8h-12h 14h-17h

FRANCOIS CAZIN 1997

○ 1 ha 5 000 5à8€

Encore jeune, ce crémant aux jolis reflets jaune pâle, aux notes de tilleul et de pêche blanche, offre une mousse fine et persistante. Il devrait bien évoluer. (30 à 49 F)

François Cazin, Le Petit Chambord, 41700 Cheverny, tél. 02.54.79.93.75, fax 02.54.79.27.89 ☑ Ɪ r.-v.

DE CHANCENY Blanc de blancs 1995★

○ 23 ha 100 000 5à8€

La gamme des vins présentés par les Vignerons de La Noëlle, principal groupement régional de producteurs, est très vaste. Celui-ci présente des bulles fines et abondantes dans une robe jaune pâle. Encore discret, le nez révèle des nuances plutôt florales. Le palais fruité, équilibré ne manque pas de finesse. Un vin élégant que l'on suggère de servir sur un sorbet à la mandarine. (30 à 49 F)

Les Vignerons de La Noëlle, bd des Alliés, BP 155, 44150 Ancenis, tél. 02.40.98.92.72, fax 02.40.98.96.70, e-mail vignerons-noelle@cana.fr r.-v.

CHESNEAU ET FILS 1999

○ 0,75 ha 6 700 5à8€

Une dégustation qui décline le mot finesse sous toutes ses formes ; des bulles qui viennent décorer ce vin jaune pâle aux subtils reflets verts, des arômes délicats et une bouche agréable. Un vin d'apéritif. (30 à 49 F)

EARL Chesneau et Fils, 26, rue Sainte-Neomoise, 41120 Sambin, tél. 02.54.20.20.15, fax 02.54.33.21.91 r.-v.

DELAUNAY PERE ET FILS 1999*

○ 3 ha 29 000 5à8€

Ce domaine appartient à la même famille depuis quatre générations. Le jury a trouvé très réussi son crémant jaune pâle à l'effervescence fine et persistante. De légères notes briochées et miellées se déploient dans un ensemble bien équilibré et harmonieux. Un dégustateur le recommande pour accompagner tout un repas. (30 à 49 F)

Dom. Delaunay Père et Fils, Daudet, 49570 Montjean-sur-Loire, tél. 02.41.39.08.39, fax 02.41.39.00.20, e-mail delaunay.anjou@wanadoo.fr r.-v.

DOM. DUBOIS*

◐ 1 ha 5 000 5à8€

Sous le plateau de Saint-Cyr s'enfoncent des carrières de tuffeau particulièrement vastes. Cette seule commune compterait environ 180 km de galeries qui servent souvent de caves. Ce crémant rosé procure bien du plaisir à l'œil. Une bulle fine, de bonne tenue, anime la robe rose pâle. Au nez, le cabernet domine et le fruité est bien présent. Ces parfums introduisent une bouche fraîche, friande, équilibrée et harmonieuse. (30 à 49 F)

Dom. Michel et Jean-Claude Dubois, 8, rte de Chacé, 49260 Saint-Cyr-en-Bourg, tél. 02.41.51.61.32, fax 02.41.51.95.29 r.-v.

XAVIER FRISSANT

○ n.c. 5 000 5à8€

Coup de cœur du Guide 2000, Xavier Frissant propose un crémant d'une belle intensité florale et à la finale rafraîchissante. (30 à 49 F)

Xavier Frissant, 1, chem. Neuf, 37530 Mosnes, tél. 02.47.57.23.18, fax 02.47.57.23.25, e-mail xavierfrissant@wanadoo.fr t.l.j. 8h-12h30 14h-19h; dim. sur r.-v.

DOM. DE GAGNEBERT 1997

○ n.c. 12 000 5à8€

Le domaine compte 60 ha sur une commune où l'on exploita dès le XII^e^s. les schistes ardoisiers du sous-sol. L'accueil des visiteurs se fait d'ailleurs dans une ancienne cave en schiste. On peut y déguster ce crémant typé à la belle robe jaune pâle aux reflets verts. Si le nez reste discret, l'attaque est vive, et de belles notes de groseille et de miel font une entrée remarquée. Ensemble harmonieux. (30 à 49 F)

Daniel et Jean-Yves Moron, Dom. de Gagnebert, 2, chem. de la Naurivet, 49610 Juigné-sur-Loire, tél. 02.41.91.92.86, fax 02.41.91.95.50 t.l.j. sf dim. 9h-12h 15h-19h

FRANCIS ET PATRICK HUGUET

○ 1 ha 4 500 5à8€

Un terroir de sables et de cailloux a donné naissance à ce crémant harmonieux, d'une présentation jaune doré et d'une bonne attaque de mousse qui se fond agréablement en bouche sur des notes briochées. (30 à 49 F)

GAEC Huguet, 12, rue de la Franchetière, 41350 Saint-Claude-de-Diray, tél. 02.54.20.57.36, fax 02.54.20.58.57 r.-v.

DOM. DE LA BESNERIE*

○ 0,6 ha 3 950 5à8€

Ce crémant aux arômes de brioche fraîche, de citron et de fleurs blanches et à la finale équilibrée enchantera vos soirées. (30 à 49 F)

François Pironneau, 41, rte de Mesland, 41150 Monteaux, tél. 02.54.70.23.75, fax 02.54.70.21.89 r.-v.

DOM. DE LA DESOUCHERIE

○ 1 ha 9 000 8à11€

Dans ce crémant à la belle robe pâle, le nez étonne par sa délicatesse, son côté fruité et sa discrétion. Sa timidité est largement compensée en bouche par sa finesse et sa longueur. (50 à 69 F)

Christian Tessier, Dom. de La Désoucherie, 41700 Cour-Cheverny, tél. 02.54.79.90.08, fax 02.54.79.22.48, e-mail christian.tessier@waika9.com r.-v.

MLLE LADUBAY

○ n.c. 100 000 5à8€

Cette maison de négoce, dirigée actuellement par la troisième génération des Monmousseau, est établie à Saint-Hilaire-Saint-Florent, commune qui s'étage sur un coteau entièrement percé de caves, sur la rive gauche du Thouet. Elle propose un crémant qui séduit par une mousse fine et une robe brillante, jaune pâle à reflets verts. Le nez, un peu discret, libère des arômes de fruits blancs. La bouche, fraîche, ronde, généreuse, laisse une impression très harmonieuse. A découvrir sans tarder. (30 à 49 F)

Bouvet-Ladubay, 1, rue de l'Abbaye, 49400 Saint-Hilaire-Saint-Florent, tél. 02.41.83.83.83, fax 02.41.50.24.32, e-mail bouvet-ladubay@saumur.net t.l.j. 8h30-12h 14h-18h

CH. DE LA DURANDIERE 1999*

○ 3,3 ha 18 600 5à8€

La visite de la vieille ville de Montreuil-Bellay vous ravira ; elle a conservé sa physionomie d'antan avec ses ruelles et ses maisons anciennes. A 600 m du superbe château, ce domaine complètera agréablement votre promenade. Il produit un crémant à la mousse fine et à la jolie robe dorée aux reflets verts. Subtil, le bouquet allie des notes de fruits frais et de fruits confits qui se retrouvent en bouche pour notre plus grand plaisir. Un vin bien élaboré et harmonieux. (30 à 49 F)

SCEA Bodet-Lhériau, Ch. de La Durandière, 51, rue des Fusillés, 49260 Montreuil-Bellay, tél. 02.41.40.35.30, fax 02.41.40.35.31, e-mail durandiere.chateau@libertysurf.fr
t.l.j. 8h-19h; sam. dim. sur r.-v.
Hubert et Antoine Bodet

JOSE MARTEAU*

○ 3,5 ha 30 000 5à8€

Le jury a apprécié ce crémant or pâle aux reflets verts, fruité, floral, très souple. Cette souplesse n'est pas très caractéristique du val de Loire. Ce vin est plus typé par le chardonnay que par le chenin, bien qu'il soit constitué des deux cépages. (30 à 49 F)

José Marteau, La Rouerie, 41400 Thenay, tél. 02.54.32.50.51, fax 02.54.32.18.52 t.l.j. 8h-12h15 14h-19h; dim. 8h-12h15

DOM. MICHAUD**

○ 1,6 ha 12 000 5à8€

Un vin superbe où le savoir-faire des vignerons en matière d'assemblage a été primordial. Le fin cordon de mousse, allié aux reflets verts d'une robe or pâle, donne à ce crémant une distinction vraiment royale. Complétant le chardonnay et le chenin, le pinot et le cabernet franc amènent une bouche nette et persistante: la finale est longue comme le fleuve ligérien. Du bonheur sans mélange qui a fait craquer le jury. (30 à 49 F)

EARL Michaud, Les Martinières, 41140 Noyers-sur-Cher, tél. 02.54.32.47.23, fax 02.54.75.39.19 r.-v.

DOM. MOREAU

○ 0,5 ha 2 000 5à8€

Des reflets verts dans un cordon persistant de fines bulles donnent à ce crémant un aspect fort convivial ; le nez offre une touche vanillée ; une forte effervescence marque la dégustation. (30 à 49 F)

Catherine Moreau, Fleuray, 37530 Cangey, tél. 02.47.30.18.82, fax 02.47.30.02.79 r.-v.

DOM. DE NERLEUX*

○ 6 ha 20 000 5à8€

Cette propriété familiale se transmet de père en fils depuis sept générations. Elle est établie sur le tuffeau qui est encore extrait dans une carrière toute proche. Son crémant jaune pâle, animé de bulles très fines, développe un nez à la fois floral et fruité. La bouche, harmonieuse, équilibrée, longue, laisse un sentiment de fraîcheur caractéristique de l'appellation. (30 à 49 F)

SCEA Régis Neau, 4, rue de la Paleine, 49260 Saint-Cyr-en-Bourg, tél. 02.41.51.61.04, fax 02.41.51.65.34, e-mail rneau@terre-net.fr
t.l.j. sf dim. 8h-12h 14-18h; sam. 8h-12h

DOM. DU PETIT CLOCHER 1998*

○ 12 ha 12 000 5à8€

Le domaine exploite actuellement 54 ha, et produit régulièrement de beaux vins comme ce très joli crémant aux bulles persistantes et fines et aux arômes légèrement floraux et épicés. Ce brut, frais, aromatique et souple en bouche, désaltère agréablement. Idéal pour l'apéritif. (30 à 49 F)

A. et J.-N. Denis, GAEC du Petit Clocher, 3, rue du Layon, 49560 Cléré-sur-Layon, tél. 02.41.59.54.51, fax 02.41.59.59.70 r.-v.

CH. PIEGUE 1998**

○ 1 ha 7 000 5à8€

Le château de Piéguë a été bâti en 1840 par M. Monon, notaire. On doit à son fils les premières plantations de pins parasols qui donnent au domaine un air méditerranéen. Le vignoble compte aujourd'hui 25 ha. Ce superbe crémant 98 a fait l'unanimité. Un beau cordon de bulles fines et brillantes enveloppe ce vin d'une étonnante fraîcheur au nez. Il livre des arômes complexes de fruits blancs (pomme-poire) que la bouche ne dément pas. (30 à 49 F)

Ch. Piéguë, Piéguë, 49190 Rochefort-sur-Loire, tél. 02.41.78.71.26, fax 02.41.78.75.03, e-mail chateaupiegue@groupesirius.com
t.l.j. sf dim. 9h-12h 14h-18h
Van der Hecht

DOM. RICHOU 1998

○ 2 ha 10 000 8à11€

Dans la généalogie de la famille Richou, il existe un acte datant de 1550 faisant mention d'un certain Maurice Joyau, vigneron et fournisseur du roi de France. Un beau cordon de fines bulles couronne la robe jaune doré de ce crémant et attire l'œil. Ce vin sent bon les fruits bien mûrs, voire compotés, puis révèle au palais des notes de fruits confits. Un bel ensemble. (50 à 69 F)

GAEC Richou, Chauvigné, 49610 Mozé-sur-Louet, tél. 02.41.78.72.13, fax 02.41.78.76.05 r.-v.

DOM. DE RIS 1998

○ 2 ha 8 000 8à11€

Ancienne seigneurie, ce domaine n'a été planté de vignes qu'à la fin du XIXe s. Il propose un crémant souple, équilibré et aromatique, à l'effervescence fine, qui comblera les amateurs d'apéritifs conviviaux par son velouté et son harmonie. (50 à 69 F)

Dom. de Ris, 37290 Bossay-sur-Claise, tél. 02.47.94.64.43, fax 02.47.94.68.46 t.l.j. sf dim. 17h30-19h; sam. 10h-12h 14h-19h

Gilbert Sabadie

DOM. DE SAINTE-ANNE 1999*

○ 2 ha 10 000 5à8€

Transmis de père en fils depuis six générations, ce vaste domaine est situé sur l'une des croupes argilo-calcaires les plus élevées de Saint-Saturnin-sur-Loire. De ce terroir est né un crémant typique de son appellation, d'une effervescense soutenue et délicate dans une belle robe jaune pâle. Le nez, encore un peu fermé, laisse entrevoir des arômes aux nuances grillées. La bouche, élégante, offre une finale longue, légèrement acidulée. (30 à 49 F)

Dom. de Sainte-Anne, EARL Brault, 49320 Brissac-Quincé, tél. 02.41.91.24.58, fax 02.41.91.25.87 t.l.j. sf dim. 9h-12h 14h-19h; sam. 18h

CAVE DES VIGNERONS DE SAUMUR Cuvée de La Chevalerie 1998

◕ n.c. 60 000 5à8€

Poursuivant ses efforts de modernisation, cette coopérative dispose depuis l'an 2000 d'un nouveau chai, cinquième étape après les puits de vinification de 1957, 1968, 1978 et 1991. La galerie où sont entreposés les vins mesure environ 10 km. La cuvée présentée porte une robe légère, délicate, rose pâle, d'où s'échappent de fines bulles persistantes. Le nez très fruité exprime des nuances de fraise des bois. En bouche, une fraîcheur sans agressivité accompagne le fruité dans une structure bien équilibrée. (30 à 49 F)

Cave des Vignerons de Saumur, rte de Saumoussay, 49260 Saint-Cyr-en-Bourg, tél. 02.41.53.06.06, fax 02.41.53.06.10, e-mail bernardjacob@vignerondesaumur.com t.l.j. sf dim. 9h-12h 14h-18h

DANIEL TEVENOT 1998

○ 0,72 ha 6 000 5à8€

Ce crémant se distingue par sa mousse onctueuse, bien présente, et par sa robe jaune très pâle. Le nez se montre discret mais l'on y décèle des notes briochées. D'un équilibre très réussi, la bouche évoque les fruits blancs. (30 à 49 F)

Daniel Tévenot, 4, rue du Moulin-à-Vent, Madon, 41120 Candé-sur-Beuvron, tél. 02.54.79.44.24, fax 02.54.79.44.24 r.-v.

La région nantaise

Ce sont des légions romaines qui apportèrent la vigne il y a deux mille ans en pays nantais, carrefour de la Bretagne, de la Vendée, de la Loire et de l'Océan. Après un hiver terrible en 1709 où la mer gela le long des côtes, le vignoble fut complètement détruit, puis reconstitué principalement par des plants du cépage melon venu de Bourgogne.

L'aire de production des vins de la région nantaise occupe aujourd'hui 16 000 ha et s'étend géographiquement au sud et à l'est de Nantes, débordant légèrement des limites de la Loire-Atlantique vers la Vendée et le Maine-et-Loire. Les vignes sont plantées sur des coteaux ensoleillés exposés aux influences océaniques. Les sols plutôt légers et caillouteux se composent de terrains anciens entremêlés de roches éruptives. Le vignoble produit 968 000 hl dans les quatre appellations d'origine contrôlée : muscadet, muscadet des coteaux de la loire, muscadet sèvre-et-maine, et muscadet côtes de grand-lieu, ainsi que les AOVDQS gros-plant du pays nantais, coteaux d'ancenis et fiefs vendéens.

Les AOC du Muscadet et le gros-plant du pays nantais

Le muscadet est un vin blanc sec qui bénéficie de l'appellation d'origine contrôlée depuis 1936. Il est issu d'un cépage unique : le melon. La superficie du vignoble est de 13 042 ha. Quatre appellations d'origine contrôlée sont distinguées suivant la situation géographique et ont produit 762 211 hl de vin en 2000 : le muscadet sèvre-et-maine, qui représente à lui seul 9 359 ha et 528 325 hl, le muscadet côtes de grand-lieu (320 ha et 18 416 hl), le muscadet des coteaux de la loire (284 ha, 14 993 hl) et le muscadet (3 077 ha, 200 477 hl).

Le gros-plant du pays nantais, classé AOVDQS en 1954, est également un vin blanc sec. Issu d'un cépage différent, la folle blanche, il est produit sur 2 213 ha en 2000 pour un volume de 162 868 hl.

La mise en bouteilles sur lie est une technique traditionnelle de la région nantaise, qui fait l'objet d'une réglementation précise, renforcée en 1994. Pour bénéficier de cette mention, les vins doivent n'avoir passé qu'un hiver en cuve ou en fût, et se trouver encore sur leur lie et dans leur chai de vinification au moment de la mise en bouteilles ; celle-ci ne peut intervenir qu'à des périodes définies et en aucun cas avant le 1er mars, la commercialisation étant autorisée seulement à partir du troisième jeudi de mars. Ce procédé permet d'accentuer la fraîcheur, la finesse et le bouquet des vins. Par nature, le muscadet est un vin blanc sec, mais sans verdeur, au bouquet épanoui. C'est le vin de toutes les heures. Il accompagne parfaitement les poissons, les coquillages et les fruits de mer, et constitue également un excellent apéritif. Il doit être servi frais, mais non glacé (8 °-9 °C). Quant au gros-plant, c'est par excellence le vin d'accompagnement des huîtres.

Muscadet coteaux de la loire sur lie

DOM. DU CHAMP CHAPRON 2000*

☐ 20 ha 55 000 -3€

Ce domaine s'accroche à des coteaux rocailleux au-dessus du pont Trubert, point de passage entre la Bretagne et l'Anjou où Marguerite la Boiteuse fit prisonnier le duc Jean V en 1420. Son vin a un nez expressif et suave, d'abord floral puis évoluant vers les fruits exotiques. Typique et frais, il révèle en bouche beaucoup de puissance sous la dentelle de sa minéralité. L'idéal pour accompagner un poisson de Loire (alose, sandre). (– 20 F)

EARL Suteau-Ollivier, Le Champ Chapron, 44450 Barbechat, tél. 02.40.03.65.27, fax 02.40.33.34.43, e-mail suteau.ollivier@wanadoo.fr r.-v.

DOM. DES GALLOIRES
Cuvée de Sélection 2000*

☐ 1,25 ha 9 000 3à5€

De l'ancien manoir de la Galloire ne restent qu'une petite chapelle et quelques vestiges de murs auxquels s'appuie la cave actuelle. Elle donne un vin au nez intense et suave d'aubépine. Sa matière fondue et minérale lui confère une très bonne harmonie en bouche. Le domaine propose par ailleurs un **coteau d'ancenis gamay rouge 2000 cuvée de sélection**, cité pour sa bouche ronde aux tanins fondus, où les arômes de fruits rouges sont soutenus par une touche réglissée et épicée. (20 à 29 F)

GAEC des Galloires, Dom. des Galloires, 49530 Drain, tél. 02.40.98.20.10, fax 02.40.98.22.06 r.-v.

DOM. DU HAUT FRESNE 2000

☐ 12 ha 15 000 3à5€

Sur des coteaux très pentus accrochés à la rive gauche de la Loire, ce domaine produit un vin de caractère plutôt minéral, plaisant par son attaque bien perlante. A signaler aussi, deux **coteaux d'ancenis gamay 2000** : l'un **rouge** soutenu, au nez de fruits noirs, épicé, puissant, riche et long en bouche, l'autre **rosé (moins de 20 F)**, gras et frais. (20 à 29 F)

Renou Frères, Dom. du Haut Fresne, 49530 Drain, tél. 02.40.98.26.79, fax 02.40.98.26.79 r.-v.

CH. DE LA VARENNE 2000

☐ 4 ha 29 792 -3€

Dressé sur un escarpement qui longe la Loire, ce château donne un vin au nez de fruits exotiques, de fleurs et d'anis. Vif en attaque, évocateur du terroir, il manifeste une rondeur et une longueur satisfaisantes. Une bouteille bien faite. (– 20 F)

Pascal Pauvert, Le Marais, 49270 La Varenne, tél. 02.40.98.55.58

CH. MESLIERE 2000**

☐ 7,5 ha 20 000 5à8€

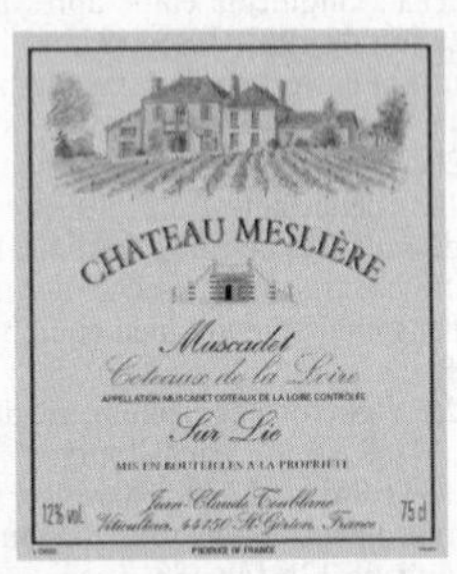

Ce château, magnifiquement situé au-dessus de la Loire sur le site mégalithique des Pierres Meslières, avait déjà obtenu un coup de cœur du Guide 2000. Ce muscadet très pâle au nez d'aubépine attaque sur la fraîcheur, puis déroule une bouche fondue à la minéralité bien présente, très typique des coteaux de la loire. Elle lui confère un caractère de terroir affirmé. A ouvrir à Noël et pendant quelques mois. (30 à 49 F)

🔑 Jean-Claude Toublanc, Les Pierres Meslières, 44150 Saint-Géréon, tél. 02.40.83.23.95, fax 02.40.83.23.95 ☑ 🍷 r.-v.

Muscadet sèvre-et-maine

CLOS DES ALLEES Sur lie 2000

☐ 5 ha 25 000 3à5€

Le paysage du Landreau est joliment ponctué de moulins, dont les plus connus sont ceux du Pé Pucelle. Pierre Luneau-Papin, qui exporte 50 % de sa production, propose une intéressante gamme de muscadets aussi bien en coteaux de la loire qu'en sèvre-et-maine. Celui-ci, à défaut de longueur, est à retenir pour sa présentation jaune pâle à reflets verts et pour son nez minéral, intense et fin. (20 à 29 F)

🔑 Pierre Luneau-Papin, Dom. Pierre de La Grange, 44430 Le Landreau, tél. 02.40.06.45.27, fax 02.40.06.46.62 ☑ 🍷 r.-v.

L'ORIGINAL DE BEDOUET Sur lie 1999★

☐ 2 ha 8 000 5à8€

Michel Bedouet, fort de 18 ha de vignes, est à l'origine de l'association de production intégrée du vignoble de Nantes qui regroupe quarante adhérents. Venu du pittoresque village vigneron du Pé-de-Sèvre, son vin pâle présente un nez fin aux notes florales et beurrées. Riche en bouche, iodé et persistant, bien typé « sur lie », il manifeste beaucoup d'élégance. (30 à 49 F)

🔑 Michel Bedouet, Le Pé-de-Sèvre, 44330 Le Pallet, tél. 02.40.80.97.30, fax 02.40.80.40.68, e-mail michel@bedouet-vigneron.com ☑ 🍷 r.-v.

DOM. DE BEGROLLES Sur lie 2000★

☐ 11 ha n.c. -3€

A l'ouest du bourg de La Haye-Fouassière, le village de Bégrolles n'est pas bien loin du site préhistorique des Cavernes, en bord de Sèvre. Jean-Pierre Méchineau y a produit un vin limpide, encore fermé, mais plein de promesses. Minéral au nez, intense et riche en bouche, celui-ci manifeste un caractère de terroir marqué mais sans excès. (– 20 F)

🔑 Jean-Pierre Méchineau, Bégrolles, 44690 La Haye-Fouassière, tél. 02.40.54.80.95, fax 02.40.54.80.95 ☑ 🍷 r.-v.

DOM. DU BOIS-JOLY Sur lie Harmonie 2000★

☐ 4,5 ha 30 000 3à5€

Née d'un sol de gabbros et de micaschistes caractéristique de la région, cette cuvée racée, au nez minéral, développe après une belle atta-

le Pays nantais

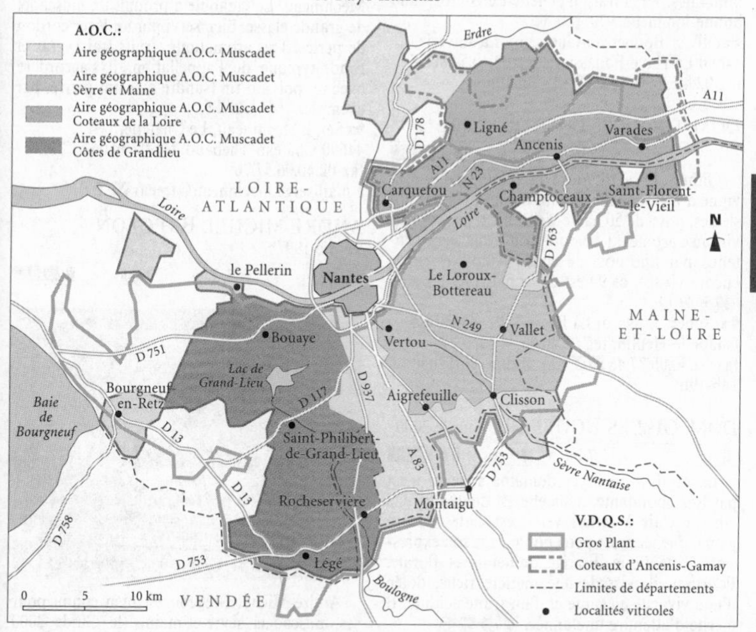

que une bouche ample empreinte d'arômes d'agrumes et de fruits à chair blanche. Elle mérite d'attendre deux ou trois ans. (20 à 29 F)

Henri et Laurent Bouchaud, Le Bois-Joly, 44330 Le Pallet, tél. 02.40.80.40.83, fax 02.40.80.45.85 t.l.j. sf dim. 10h-12h30 13h30-19h

DOM. DU BOIS MALINGE
Sur lie 2000★★

9 ha 50 000 3à5€

Commune maraîchère dans sa partie nord, le long de la Loire, Saint-Julien-de-Concelles devient viticole au sud, sur le coteau. Elle a donné naissance à un beau vin, fin et complexe au nez comme en bouche. Minéral, expressif et légèrement acidulé, ce muscadet sèvre-et-maine remarquablement vinifié donnera sa pleine mesure dans quelques mois. Deux étoiles sont également attribuées au **gros-plant du pays nantais sur lie 2000 Château de La Jousselinière (moins de 20 F)**. Avec ses agréables arômes de fleurs blanches, il pourra attendre quelques années. (20 à 29 F)

GAEC de La Jousselinière, La Jousselinière, 44450 Saint-Julien-de-Concelles, tél. 02.40.54.11.08, fax 02.40.54.19.90

J.-Gilbert Chon

DOM. BONNETEAU-GUESSELIN
Sur lie 2000★

2 ha n.c. 5à8€

Ce domaine ne craint pas de bouleverser les usages en muscadet en apposant sur ses bouteilles une étiquette jaune d'œuf. Son vin est toutefois traditionnel : il affirme au nez comme en bouche des arômes d'aubépine et des notes minérales. Vif et frais, il bénéficie en outre d'une bonne longueur. (30 à 49 F)

Olivier Bonneteau-Guesselin, La Juiverie, 44690 La Haye-Fouassière, tél. 02.40.54.80.38, fax 02.40.36.91.17 t.l.j. 9h-19h

DOM. GILBERT BOSSARD Sur lie 1999★

5 ha n.c. 5à8€

Gilbert Bossard, dont la famille cultive la vigne à La Chapelle-Heulin depuis près de cinq siècles, possède 50 ha de vignoble. Il propose un vin aux arômes développés de fruits secs, soutenus par une note de genêt. Ample et riche, encore vivace, ce 99 est désormais prêt à boire. (30 à 49 F)

Gilbert Bossard, La Basse-Ville, 44330 La Chapelle-Heulin, tél. 02.40.06.74.33, fax 02.40.06.77.48 t.l.j. sf dim. 8h-12h30 14h-19h

DOM. GILLES BOUFFARD Sur lie 2000

1,7 ha 13 300 3à5€

La production de ce domaine angevin n'est pas très abondante, mais elle est de qualité. Ce vin, or clair à reflets verts, est certes encore jeune, une jeunesse perceptible dans son expression aromatique discrète, minérale et florale. Pourtant, il possède une matière riche, dotée d'une vivacité élégante et d'un fruité acidulé. Il mérite d'attendre une année. (20 à 29 F)

Gilles Bouffard, La Brosse, 49230 Saint-Crespin-sur-Moine, tél. 02.41.70.43.42 r.-v.

CLOS DES BOURGUIGNONS
Sur lie 1999★

3 ha 15 000 5à8€

Après les terribles gelées de 1709, ce clos fut l'une des premières parcelles replantées en melon par des vignerons venus de Bourgogne. Son nom leur rend hommage. Ce vin doré offre un nez d'agrumes et de fruits blancs mûrs, puis s'enrichit de notes minérales et grillées. Bien net en attaque, ferme et équilibré, il débouche sur une longue finale rappelant la pomme verte. (30 à 49 F)

SCEA J.Y. Sécher et Associés, Dom. de La Loge, 44330 Vallet, tél. 02.40.33.97.08, fax 02.40.33.91.99, e-mail jysecher@multimania.com t.l.j. 9h-12h 14h30-19h; sam. dim. sur r.-v.

BOURLINGUET Sur lie 2000★

28 ha 200 000 -3€

Avec son nom de fantaisie et son amusante étiquette au marin pêcheur, ce muscadet sèvre-et-maine produit par un grand négociant présente une bonne typicité. Fruité (citron, pomme verte), vif en attaque, il bénéficie d'un bel équilibre. (- 20 F)

Donatien-Bahuaud, La Loge, BP 1, 44330 La Chapelle-Heulin, tél. 02.40.06.70.05, fax 02.40.06.77.11

CH. BRAIRON Sur lie 2000★★

1,3 ha 9 150 3à5€

Situées dans la partie ouest de l'aire AOC, les caves de cette propriété revivent depuis une dizaine d'années sous la houlette de Serge Méchineau. Le vignoble a produit un muscadet de grande classe, bien servi par un léger cordon de perles. Très aromatique (fruits frais), gras et rond, typique de l'appellation, il s'accordera avec un poisson fin (sandre ou saint-pierre, par exemple). (20 à 29 F)

Serge Méchineau, Le Châtelier, 44690 Château-Thébaud, tél. 02.40.06.51.21, fax 02.40.06.57.76, e-mail serge.mechineau@free.fr r.-v.

ANDRE-MICHEL BREGEON
Sur lie 1997★★

7,5 ha 27 000 5à8€

André-Michel Brégeon est bien connu pour ses muscadets sèvre-et-maine (le Guide 2000

avait salué son 93). Il propose ici un 97 au nez de fruits secs et de brioche. Franc et puissant en bouche, légèrement réglissé, ce grand vin présente une pointe d'amertume qui justifie une garde en bouteille : un dégustateur annonce son apogée pour... 2010 ! (30 à 49 F)

André-Michel Brégeon, 5, Les Guisseaux, 44190 Gorges, tél. 02.40.06.93.19, fax 02.40.06.95.91 t.l.j. sf dim. 10h-19h

CH. DE BRIACE Sur lie 2000*

☐ 10 ha 60 000 3à5€

Installé à l'ouest du Landreau dans un château d'inspiration médiévale, mais construit au XIX^e^s., le lycée viticole privé de Briacé figure dans le Guide avec une notable régularité. Son muscadet sèvre-et-maine 2000 ne déroge pas à la règle. Elégant et minéral, il présente au nez un excellent retour d'arômes mêlant fleurs et terroir. Riche et rond en bouche, il dévoile aussi beaucoup de puissance. Un étonnant **muscadet sèvre-et-maine 99 (30 à 49 F)** a également été retenu sans étoile : il est issu d'une macération pelliculaire et a bénéficié d'un passage en fût de chêne. (20 à 29 F)

Ch. de Briacé, Lycée agricole de Briacé, 44430 Le Landreau, tél. 02.40.06.43.33, fax 02.40.06.46.15 r.-v.

CLOS DES BRIORDS Sur lie 2000**

☐ 3 ha 15 000 3à5€

Les dégustateurs ne s'y sont pas trompés. Puissant et riche, ce vin évoque d'emblée de vieilles vignes (soixante-dix ans). Celles-ci lui ont aussi conféré une note de terroir qui soutient à merveille son nez de fruits frais (citron, pamplemousse) et sa bouche volumineuse. Idéal pour accompagner des poissons. (20 à 29 F)

Marc Ollivier, La Pépière, 44690 Maisdon-sur-Sèvre, tél. 02.40.03.81.19, fax 02.40.06.69.85 r.-v.

DOM. DU BROCHET Sur lie 2000**

☐ 10,8 ha 20 000 3à5€

Brochet est un lieu-dit situé à l'ouest du bourg de Vallet. Ce domaine a produit un vin limpide, au nez de fruits secs, d'amande et de fleurs blanches. Souple en bouche, avec une évolution très aromatique conforme au nez et relevée par une touche poivrée, il ne manque ni de fraîcheur ni de gras. Une grande personnalité et une belle expression du terroir. (20 à 29 F)

Charles Fleurance-Hallereau, Le Brochet, 44330 Vallet, tél. 02.40.33.97.19 r.-v.

DOM. DES CANTREAUX Sur lie 2000*

☐ 2,2 ha 13 000 3à5€

Ce vin est issu de vignes sexagénaires plantées sur un coteau de micaschistes. Son nez de jasmin s'enrichit de notes de poire et d'amande. Bien typée et ample, la bouche révèle de la fraîcheur en finale grâce à une pointe perlante. (20 à 29 F)

Patrice Marchais, Les Cantreaux, 44430 Le Loroux-Bottereau, tél. 02.40.33.84.20, fax 02.51.71.90.36 r.-v.

CARDINAL RICHARD Sur lie 2000*

☐ 3 ha 20 000 5à8€

Il porte le nom d'un cardinal parisien, jadis propriétaire du château du Cléray. Quoique discret, son nez révèle des arômes de fruits secs, de poire et de genêt. La bouche possède de la souplesse et de la fraîcheur sur une note épicée. Déjà très agréable, ce vin de terroir patientera volontiers quelques mois. (30 à 49 F)

SA Sauvion et Fils, Ch. du Cléray, 44330 Vallet, tél. 02.40.36.22.55, fax 02.40.36.34.62, e-mail sauvion44@aol.com r.-v.

DOM. DU CENSY
Sur lie Vinifié en fût de chêne 1998**

☐ 0,2 ha 1000 3à5€

Issu d'une parcelle plantée de vignes quinquagénaires vendangées à la main, ce vin élevé en fût de chêne est un produit rare. Dommage, car il en séduira beaucoup grâce à son nez de fleur et de miel, annonciateur d'une bouche ample, où le fruit et le fût s'équilibrent joliment. A servir avec une darne de thon à l'aneth, par exemple. (20 à 29 F)

François Rivière, Le Gast, 44690 Maisdon-sur-Sèvre, tél. 02.40.03.86.28, fax 02.40.33.56.91 r.-v.

CH. DE CHASSELOIR
Sur lie Comte Leloup de Chasseloir
Cuvée des Ceps Centenaires 2000*

☐ 3 ha 20 000 5à8€

Tout, à Chasseloir, paraît démesuré, du cellier aux figures rabelaisiennes, qui accueille le fruit de 20 ha, jusqu'au nom même de ce vin. Et pourtant, les ceps centenaires existent bien. Ils ont donné naissance à un vin d'une puissance aromatique magistrale, qui évoque les fruits secs et les fleurs blanches. Complexe et riche, sa bouche s'achève sur une note citronnée. (30 à 49 F)

Bernard Chéreau, 2, imp. Port de la Ramée, 44120 Vertou, tél. 02.40.54.81.15, fax 02.40.03.19.36, e-mail bernard.chereau@wanadoo.fr t.l.j. sf dim. 9h-18h

VIGNOBLE DU CHATEAU DES ROIS
Sur lie 1996**

☐ 6 ha 30 000 3à5€

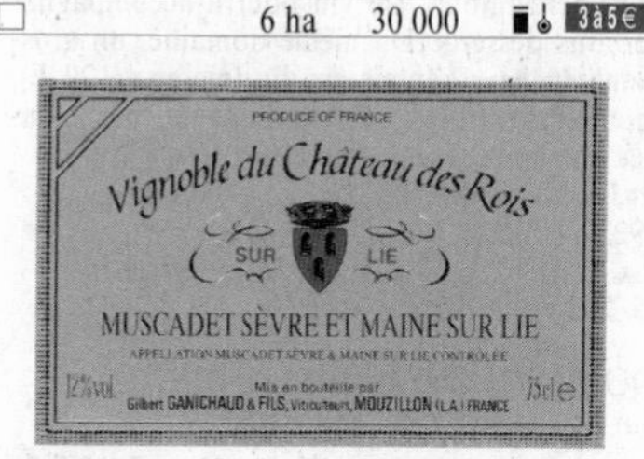

Installé à Mouzillon, à 200 m du pont gallo-romain qui franchit la Sanguèze, Gilbert Ganichaud cultive 27 ha de vignes. L'étiquette de ce Château des Rois porte une couronne de baron. Mais qu'importe : le vin est vraiment royal grâce à son nez imposant qui évolue du raisin de Corinthe, de la gentiane et de la fleur d'oranger vers un côté minéral. Franc, net et élégant en

LOIRE

bouche, ce sèvre-et-maine de caractère accompagnera bien les coquilles Saint-Jacques. (20 à 29 F)

Gilbert Ganichaud et Fils, 9, rte d'Ancenis, 44330 Mouzillon, tél. 02.40.33.93.40, fax 02.40.36.38.79, e-mail oviti@aol.com t.l.j. sf sam. dim. 8h-12h 14h-18h

DOM. DES CHAUSSELIERES
Sur lie Elevé en fût de chêne 1999

0,33 ha 2 400 5à8€

Une petite production pour ce vin de caractère, mais qui n'atteindra sa plénitude que dans un an ou deux. Marqué par le fût, celui-ci développe un nez de fruits secs, de pêche et d'abricot, voire de rhum agricole. Puissant et capiteux en bouche, il n'a pas encore pris toute son ampleur. (30 à 49 F)

Jean Bosseau, Dom. des Chausselières, 12, rue des Vignes, 44330 Le Pallet, tél. 02.40.80.40.12, fax 02.40.80.46.42 r.-v.

PHILIPPE CHENARD
Cuvée des Buttays 2000★★

n.c. 20 000 3à5€

Produit d'une exploitation située sur les coteaux de la Sanguèze, au nord-est du Pallet, ce vin or pâle se montre très subtil au nez comme en bouche. Ses fines notes minérales et confites, perceptibles dans une matière structurée et longue, accompagneront bien les poissons en sauce. (20 à 29 F)

EARL Philippe Chénard, La Boisselière, 44330 Le Pallet, tél. 02.40.80.98.17, fax 02.40.80.44.38 r.-v.

DOM. DU COLOMBIER
Sur lie Cuvée des deux colombes 2000★★

3 ha 20 000 3à5€

Aux confins des Mauges et du pays nantais, Tillières accueille les premières vignes du muscadet. A 600 m du moulin Guillou, Jean-Yves Brétaudeau cultive 27 ha en lutte raisonnée. Coup de cœur dans le Guide 2000, ce sèvre-et-maine confirme le talent de son producteur. Ouvert et expressif, son nez de fleurs blanches et jaunes, puis de fruits mûrs annonce une bouche riche et concentrée. La matière et le gras sont bien perceptibles. Ce vin pourra accompagner certains desserts. Du même domaine, un **gros-plant du pays nantais sur lie (moins de 20 F)**, intensément floral et relevé d'une touche citronnée en finale, a reçu une étoile. (20 à 29 F)

Jean-Yves Brétaudeau, Le Colombier, 49230 Tillières, tél. 02.41.70.45.96, fax 02.41.70.36.17, e-mail bretodo@free.fr r.-v.

DOM. BRUNO CORMERAIS
Sur lie Cuvée Chambaudière 2000★

4 ha 17 000 3à5€

Du sentier pédestre de la vallée de la Maine, le randonneur peut découvrir les chais du domaine Cormerais. Issu d'un sol de limons et de granite de Clisson, ce vin présente une robe légèrement jaune et un nez de fruits confits. Bien charpenté et assez floral, il révèle en bouche une note mentholée. (20 à 29 F)

EARL Bruno et Marie-Françoise Cormerais, La Chambaudière, 44190 Saint-Lumine-de-Clisson, tél. 02.40.03.85.84, fax 02.40.06.68.74 r.-v.

GILDAS CORMERAIS
Sur lie Prestige Vieilles vignes 2000★

2 ha 10 000 3à5€

Plantées sur les coteaux argilo-siliceux de la Maine, entre Saint-Fiacre et Maisdon, les vignes sexagénaires de ce domaine ont produit un vin limpide, riche et puissant. Fruité au nez comme en bouche, ce 2000 possède souplesse et fraîcheur, ce qui lui permettra de se marier à des poissons en sauce. (20 à 29 F)

Dom. Gildas Cormerais, 17, La Bretonnière, 44690 Maisdon-sur-Sèvre, tél. 02.40.36.90.13, fax 02.40.36.99.95 t.l.j. sf dim. 9h-19h

COLLECTION PRIVEE DES FRERES COUILLAUD 1997

n.c. 8 000 8à11€

Les frères Couillaud cultivent 67 ha de vignes autour du château de La Ragotière. Le bâtiment, incendié à la Révolution, a été entièrement reconstruit au début du XIX[e]s. Devant la richesse et la concentration de leur 97, ces vignerons ont opté pour un élevage sur lie pendant vingt-huit mois. Il en résulte un vin au nez de poire bien mûre et aux saveurs de réglisse, dont la structure aérienne invite à une dégustation dès aujourd'hui. Egalement cité, le **muscadet sèvre-et-maine sur lie Château de La Ragotière 2000 (30 à 49 F)** est un vin aromatique, évocateur de fruits exotiques. (50 à 69 F)

Les Frères Couillaud, GAEC de La Grande Ragotière, La Regrippière, 44330 Vallet, tél. 02.40.33.60.56, fax 02.40.33.61.89, e-mail frères.couillaud@wanadoo.fr r.-v.

MICHEL DELHOMMEAU
Sur lie Cuvée Harmonie 2000★

4 ha 20 000 3à5€

Ce vin développe un nez équilibré et expressif. Vif et bien structuré en bouche, il présente un caractère de terroir affirmé. (20 à 29 F)

Michel Delhommeau, La Huperie, 44690 Monnières, tél. 02.40.54.60.37, fax 02.40.54.64.51 r.-v.

DONATIEN-BAHUAUD
Cuvée des Aigles 2000★

28 ha 200 000 -3€

Présentée sous une étiquette vert Empire bien solennelle, cette cuvée destinée pour moitié à l'exportation développe un nez intense et fin de citron, voire de cerise. Souple et ronde, la bouche marie bien la richesse et la vivacité. (– 20 F)

Donatien-Bahuaud, La Loge, BP 1, 44330 La Chapelle-Heulin, tél. 02.40.06.70.05, fax 02.40.06.77.11

SELECTION CHRISTIAN GAUTHIER
Sur lie 2000★★

4 ha 14 000 3à5€

Issu d'un terroir de granite situé à l'extrême sud de l'aire d'appellation, ce vin se signale par

un remarquable nez minéral. Après une belle attaque en bouche, il se révèle frais, fruité et long. Il peut d'ores et déjà être dégusté ou patienter en cave une bonne année. (20 à 29 F)
Christian Gauthier, 19, La Mainguionnière, 44190 Saint-Hilaire-de-Clisson, tél. 02.40.54.42.91, fax 02.40.54.25.83 r.-v.

CH. DES GAUTRONNIERES
Sur lie 2000

☐ 8 ha 59 565 -3€

Etablie entre La Chapelle-Heulin et Le Pallet, cette exploitation, dans la famille depuis sept générations, a produit un vin très sec, dont la robe nuancée de vert annonce bien le nez d'aubépine et de citron. Une amertume prononcée en bouche incite à le laisser patienter quelques mois, mais il est déjà tout indiqué pour composer un kir. (– 20 F)
Claude Fleurance, Ch. des Gautronnières, 44330 La Chapelle-Heulin, tél. 02.40.06.74.06 r.-v.

CH. DES GRANDES NOELLES
Sur lie 2000★

☐ 4 ha 20 000 5à8€

La famille Poiron a plus d'une corde à son arc : outre ses 36 ha de vignes, elle possède une pépinière viticole. Ce vin à la robe verte et dorée développe un nez puissant de fruits frais. Très plaisant en bouche, parfumé et harmonieux, il est à boire avec des fruits de mer ou un fromage de chèvre sec. (30 à 49 F)
SA Henri Poiron et Fils, Les Quatre-Routes, 44690 Maisdon-sur-Sèvre, tél. 02.40.54.60.58, fax 02.40.54.62.05, e-mail poiron.henri@online.fr t.l.j. sf dim. 9h-12h30 14h-18h; sam. 9h-12h30 14h-17h

DOM. DES GRANDES VIGNES
Sur lie 2000★★★

☐ 4 ha n.c. 5à8€

Un vignoble de plus de 15 ha planté sur un sol sablonneux, en coteau. Le terroir est bien là. Avec son nez intense de pierre à fusil et ses arômes de fruits blancs relevés de touches épicées et minérales, ce vin est parfaitement typique de l'appellation. Il se développe en souplesse, toujours soutenu par une bonne fraîcheur jusqu'à une longue finale. Il peut aisément patienter deux ou trois ans. (30 à 49 F)
Hermine, Daniel et Lionel Métaireau, Coursay, 44690 Monnières, tél. 02.40.54.60.08, fax 02.40.54.65.73, e-mail earl.metaireau@free.fr t.l.j. sf dim. 9h-12h 14h-19h; f. 15-31 août

GRAND FIEF DE LA CLAVELIERE
Sur lie 1999★

☐ 1 ha 6 000 3à5€

Cette cuvée très limpide provient de terrains sablonneux proches de la Maine. Elle développe un nez expressif de fruits mûrs, puis une bouche ample et ronde qui s'achève sur une finale grasse. Ce vin est déjà prêt à boire, mais saura attendre deux ou trois ans. (20 à 29 F)
Louis Chatellier et Fils, La Clavelière, 44190 Saint-Lumine-de-Clisson, tél. 02.40.03.80.24, fax 02.40.06.69.02 t.l.j. 9h30-19h

GRAND FIEF DE LA CORMERAIE
Sur lie Grande Réserve du Commandeur 2000★★

☐ 2,5 ha 16 000 5à8€

Les vins de Véronique Günther-Chéreau sont de grands classiques du vignoble nantais. Celui-ci provient d'une ancienne commanderie démantelée après la Révolution et située entre Gorges, Monnières et Maisdon. Le vignoble compte 5 ha. Très bien typé, ce sèvre-et-maine séduit par son nez fin, à la fois fruité et floral, puis par sa bouche riche, longue et bien structurée. Quant au **Château du Coing de Saint-Fiacre 2000** (une étoile), issu de vignes plantées au confluent même de la Sèvre et de la Maine, il se révèle aromatique et fruité au nez comme en bouche. (30 à 49 F)
Véronique Günther-Chéreau, Ch. du Coing, 44690 Saint-Fiacre-sur-Maine, tél. 02.40.54.85.24, fax 02.40.54.80.21 r.-v.

GRAND FIEF DE L'AUDIGERE
Sur lie 2000★

☐ 46 ha 200 000 5à8€

Cette ancienne seigneurie est aujourd'hui une grande propriété viticole de 46 ha, dont les terres s'étendent au sud-ouest de Vallet. Son vin pâle, au nez fin, développe une bouche plaisante, riche, fruitée et bien équilibrée. (30 à 49 F)
Jean Aubron, L'Audigère, 44330 Vallet, tél. 02.40.33.91.91, fax 02.40.33.91.31

ALAIN ET FRANCOISE GRIPON
Sur lie Vieilles vignes 2000★

☐ 3 ha 4 000 3à5€

Ce domaine garde quelques traces de l'ancienne motte féodale à laquelle il doit son nom. Il cultive 18 ha de vignes. Son vin perlant développe un nez intense et fondu, composé de miel et de rose. Frais en début de bouche, il dévoile un équilibre tout en rondeur et décline des arômes de citron, de tilleul et de pierre à fusil. Un ensemble très élégant. (20 à 29 F)
Françoise et Alain Gripon, Manoir de la Mottrie, La Levraudière, 44330 La Chapelle-Heulin, tél. 02.40.06.76.38, fax 02.40.06.76.38, e-mail agri.pont@wanadoo.fr r.-v.

LOIRE

PHILIPPE GUERIN
Elevé en fût de chêne 1999

☐ 0,5 ha 2 600 5à8€

1795 : si cette date figure sur l'étiquette, c'est qu'elle marque la création du domaine de la famille Guérin, transmis de père en fils depuis lors. Aujourd'hui, celui-ci compte 22 ha de vignes. Le fût, très présent, a légué à ce vin des notes de vanille, de cire et de caramel, sans effacer son caractère de terroir. Ce 99 accompagnera dignement les viandes blanches à la crème. (30 à 49 F)

Philippe Guérin, Les Pellerins, 44330 Vallet, tél. 02.40.36.37.34, fax 02.40.36.40.73 r.-v.

DOM. GUITONNIERE Sur lie 2000

☐ 15 ha 15 000 3à5€

Désormais dirigé par Thierry Beauquin, ce domaine familial a produit un vin légèrement perlant, encore un peu fermé au nez mais qui s'exprime bien au palais. Une pointe de gaz confère de la fraîcheur et de l'allant à sa bouche assez ronde. (20 à 29 F)

EARL Beauquin et Fils, La Guitonnière, 44330 Vallet, tél. 02.40.36.33.03 r.-v.

CH. DU HALLAY Sur lie 2000*

☐ 9 ha 65 000 5à8€

Sur une propriété de 35 ha, les vignes couvrent 9 ha. Le château du Hallay a été détruit vers la fin de la Seconde Guerre mondiale. On le retrouve cependant sur l'étiquette originale de ce vin. Couleur paille, celui-ci développe des arômes complexes à dominante fruitée (ananas, pêche blanche, fruits secs), accompagnés de quelques notes de pain et de brioche. Riche et tendre en bouche, bien équilibré, il s'achève sur une pointe d'amertume qui devrait disparaître dans quelques mois. (30 à 49 F)

SCEA Dominique Richard, La Cognardière, 44330 Le Pallet, tél. 02.40.80.42.30, fax 02.40.80.44.37 r.-v.

Marie Richard

HAUTE-COUR DE LA DEBAUDIERE
Sur lie 2000*

☐ 12 ha 105 000 3à5€

Les vignes plantées sur les gabbros des coteaux de la Sanguèze ont donné naissance à un beau muscadet au nez d'agrumes subtil. Déjà bien équilibré et très présent en bouche dès l'attaque, ce vin primesautier demande à mûrir encore. Sa matière en devenir pourra alors s'épanouir pleinement. (20 à 29 F)

Chantal et Yves Goislot, La Débaudière, 44330 Vallet, tél. 02.40.36.30.73, fax 02.40.36.20.23, e-mail ycgoislot@aol.fr r.-v.

DOM. DE LA BAZILLIERE
Sur lie Prestige de La Bazillière 2000*

☐ 2 ha 17 000 3à5€

Implantée sur les coteaux sud du Landreau, au-dessus du ruisseau du Gueubert qui alimente les marais de Goulaine, La Bazillière cultive 16 ha de vignes. Elle propose un vin « terroité », à la bouche ample et aromatique. Vif, frais et souple, ce 2000 ne manque pas de longueur. (20 à 29 F)

Jean-Michel Sauvêtre, La Bazillière, 44430 Le Landreau, tél. 02.40.06.40.14, fax 02.40.06.47.91 r.-v.

DOM. DE LA BERNARDIERE
Sur lie 2000*

☐ 5 ha 12 000 -3€

Ce vignoble compte aujourd'hui de près de 32 ha. A la Révolution, La Bernardière appartenait à un armateur nantais qui exportait ses vins vers Bruges et Hambourg. L'Europe du Nord gagnerait à redécouvrir ce muscadet sèvre-et-maine floral, accompagné d'arômes de fruits à chair blanche bien marqués. Puissant en bouche, avec beaucoup de matière et une note acidulée, il patientera volontiers quelques mois. (– 20 F)

Dominique Coraleau, 14, rue des Châteaux, La Bernardière, 44330 La Chapelle-Heulin, tél. 02.40.06.76.21, fax 02.40.06.76.21 r.-v.

CH. LA BERRIERE Sur lie 2000

☐ 28 ha 196 000 3à5€

Ce joli petit château néoclassique, reconstruit après les guerres de Vendée, est un important producteur de muscadet depuis 1737. Son vignoble de 30 ha a donné un millésime 2000 de teinte pâle, au nez subtilement fruité. La bouche, bien faite, s'inscrit dans le même registre aromatique. (20 à 29 F)

SCEA La Berrière, Ch. de La Berrière, 44450 Barbechat, tél. 02.40.06.34.22, fax 02.40.03.61.96 r.-v.

de Bascher

DOM. DE LA BIGOTIERE Sur lie 2000*

☐ 10 ha 60 000 3à5€

A mi-chemin entre la Sèvre et la Maine, La Bigotière compte 19 ha. Elle a produit un muscadet au nez complexe et mûr : d'abord lacté, celui-ci évolue après aération vers le foin coupé. Gras en bouche, puissant et bien typé mais encore un peu austère, il demande à vieillir quelques mois ; il sera alors parfait pour accompagner les poissons en sauce. (20 à 29 F)

EARL Pascal Batard, La Bigotière, 44690 Maisdon-sur-Sèvre, tél. 02.40.06.67.02, fax 02.40.33.56.79 r.-v.

DOM. DE LA BLANCHETIERE
Sur lie 2000

☐ 21 ha 22 000 3à5€

Un parchemin d'août 1476 l'atteste : les Luneau cultivaient déjà la vigne à La Blanchetière au XVe s. Leur descendant a produit un vin floral, fin et perlant sans agressivité. On retiendra aussi son **gros-plant du pays nantais sur lie 2000**, au nez fruité intense et à la bouche fine, dont la pointe acidulée contribue à l'élégance. (20 à 29 F)

Christophe Luneau, Dom. de La Blanchetière, 44430 Le Loroux-Bottereau, tél. 02.40.06.43.18, fax 02.40.06.43.18 r.-v.

CH. DE LA BOTINIERE Sur lie 2000

☐ 35 ha 260 000 -3€

Partiellement détruite sous la Révolution, La Botinière conserve quelques éléments architecturaux des XVIe et XVII[e]s. Elle a produit un vin au nez original de fleurs jaunes, qui évoque un terroir argileux. S'il n'est pas très long en bouche, il se montre cependant plaisant par sa vivacité et son fruité. (– 20 F)

SE Ch. de La Botinière, 44330 Vallet, tél. 02.40.06.73.83, fax 02.40.06.76.49 r.-v.

Jean Beauquin

CH. DE LA BOURDINIERE Sur lie Tradition 2000★

☐ 15 ha 70 000 5à8€

Ce beau château comprend une tour et des remparts construits par Pierre Landais, trésorier du duc François II et défenseur de l'indépendance bretonne au XV[e]s. Son vignoble a donné naissance à un vin bien constitué et dans l'ensemble fort harmonieux. Le nez intense, fruité et fin, annonce une bouche aromatique, vive et fraîche. (30 à 49 F)

Pierre et Chantal Lieubeau, La Croix de la Bourdinière, 44690 Château-Thébaud, tél. 02.40.06.54.81, fax 02.40.06.51.08, e-mail lieubeau.vigneron@wanadoo.fr r.-v.

DOM. DE LA BRETONNIERE Sur lie 2000★

☐ 4,5 ha 30 000 3à5€

Ce vin est un assemblage des différents terroirs du domaine, ce qui contribue sans doute à le rendre représentatif de l'appellation. Minéral au nez, agrémenté de notes de citron, de fleurs blanches et de café, il se signale en bouche par une attaque souple et de la longueur. Encore un peu austère en finale, il gagnera à patienter quelques mois. (20 à 29 F)

GAEC Charpentier-Fleurance, La Bretonnière, 44430 Le Landreau, tél. 02.40.06.43.39, fax 02.40.06.44.05 r.-v.

CH. DE LA CANTRIE Sur lie 2000★

☐ 14,58 ha 50 000 3à5€

Les très anciennes caves de La Cantrie accueillent tout au long de la saison estivale des expositions artistiques. On y découvrira aussi ce vin aux arômes de fruits blancs et exotiques, soulignés d'une touche de genêt. Très riche et gras en bouche, voire légèrement capiteux, il s'achève sur un soupçon d'amertume qui laisse présager une bonne évolution. (20 à 29 F)

Laurent Bossis, 11, rue Beauregard, 44690 Saint-Fiacre-sur-Maine, tél. 02.40.36.94.64, fax 02.40.54.87.60 r.-v.

DOM. DE LA CHAUVINIERE Sur lie 2000

☐ 7 ha 40 000 3à5€

Yves Huchet cultive 37 ha de vignes sur le terroir de granite spécifique de Château-Thébaud ; son vin, bien équilibré, développe des arômes d'agrumes et de fruits à chair blanche. Il bénéficie en outre d'une belle attaque suivie d'une matière riche et fruitée. (20 à 29 F)

Yves Huchet, La Chauvinière, 44690 Château-Thébaud, tél. 02.40.06.51.90, fax 02.40.06.57.13, e-mail domaine-de-la-chauviniere@wanadoo.fr r.-v.

DOM. DE LA COGNARDIERE Sur lie Bella Verte 2000

☐ n.c. 50 000 3à5€

Cette cuvée du domaine de La Cognardière se présente sous une étiquette aussi originale que son nom. Il s'agit d'un muscadet typique, très pâle à l'œil. Son nez floral possède une bonne intensité, tandis que sa bouche grasse laisse une impression d'équilibre. Un vin prêt à boire. (20 à 29 F)

SARL Fabienne Richard de Tournay, La Cognardière, 44330 Le Pallet, tél. 02.40.80.42.30, fax 02.40.80.44.37 t.l.j. 8h-12h 14h-18h

CH. DE LA CORMERAIS Sur lie 2000

☐ 4,5 ha 30 000 -3€

Cette ancienne seigneurie a appartenu à Richard de Bretagne, frère du duc Jean V. Le château, entouré d'un vignoble de 17 ha, est aujourd'hui en rénovation. Son vin, puissamment fruité au nez, prolonge cette sensation aromatique dans une bouche pleine et assez riche. (– 20 F)

Thierry Besnard, La Cormerais, 44690 Monnières, tél. 02.40.06.95.58, fax 02.40.06.50.76 r.-v.

DOM. DE LA COUR DU CHATEAU DE LA POMMERAIE Sur lie 2000

☐ 15 ha 80 000 3à5€

Terroir renommé de Vallet, La Pommeraie est divisée en de multiples parcelles. Ce muscadet sèvre-et-maine, encore un peu timide, paraît représentatif du millésime grâce à sa bouche élégamment acidulée. (20 à 29 F)

SARL Gilbert Chon, Le Bois Malinge, 44450 Saint-Julien-de-Concelles, tél. 02.40.54.11.08, fax 02.40.54.19.90

Albert Poilane

CH. DE LA FERTE Sur lie 1998★

☐ 2 ha 12 000 3à5€

Ce vin est surprenant. Si la minéralité domine, son nez révèle aussi des notes animales et végétales. Ronde et équilibrée, la bouche s'achève sur une finale puissante, presque envahissante. « Réservé à des palais avertis », prévient un dégustateur. Le **2000** mérite d'être cité pour ses longs arômes d'agrumes. (20 à 29 F)

Jérôme et Rémy Sécher, La Ferté, 44330 Vallet, tél. 02.40.33.95.54, fax 02.40.33.95.54 t.l.j. 9h-13h 14h-18h30

CLOS DE LA FEVRIE Sur lie 1999★

☐ 1 ha 6 000 3à5€

Vincent Caillé s'attache à produire des vins aptes à la garde à partir de ses 36 ha de vignes. Inutile cependant de faire attendre davantage ce 99 au nez brioché et beurré. Bien soutenu en bouche, il témoigne d'une vinification sur lie réussie. (20 à 29 F)

Vincent Caillé, EARL Le Fay-d'Homme, 2, rue du Fief-Seigneur, 44690 Monnières, tél. 02.40.54.62.06, fax 02.40.54.64.20, e-mail lefaydhomme@wanadoo.fr r.-v.

MANOIR DE LA FIRETIERE
Sur lie 2000***

☐ 10 ha 70 000 3à5€

Situé entre Le Loroux et La Chapelle-Heulin, ce manoir a produit un vin jaune pâle à reflets verts, dont le nez floral est bien net. En bouche, ce muscadet de classe et de terroir se révèle ample, gras, riche et long, avec une dominante florale. (20 à 29 F)

Guillaume Charpentier, Les Noues, 44430 Le Loroux-Bottereau, tél. 02.40.06.43.76, fax 02.40.06.43.76 r.-v.

DOM. DE LA FOLIETTE
Sur lie Tradition Vinifié en fût de chêne 1999**

☐ 2 ha 9 000 5à8€

Le domaine de La Foliette compte 32 ha. Vinifié en fût de chêne, son vin surprend agréablement par la complexité et la richesse de ses arômes où se mêlent fruits blancs, agrumes, noix et vanille, ainsi qu'une note grillée. En bouche, il révèle une belle harmonie entre fût et fruit, avant de s'achever sur une pointe de vivacité. (30 à 49 F)

Dom. de La Foliette, 35, rue de la Fontaine, 44690 La Haye-Fouassière, tél. 02.40.36.92.28, fax 02.40.36.98.16, e-mail domaine.de.la.foliette@wanadoo.fr r.-v.

LE GRAND R DE LA GRANGE
Sur lie 2000**

☐ 5 ha 30 000 5à8€

Il y a deux domaines de La Grange, dirigés chacun par l'un des frères Luneau ; le R distingue celui de Rémy : 30 ha. Ce Grand R, assemblage des meilleures cuves de l'année, développe un nez complexe de fleurs et de fruits blancs, relevé d'une note anisée. Bien équilibré en bouche, peu agressif malgré une finale citronnée, il accompagnera un sandre au beurre blanc. Le jury a accordé une étoile à un **gros-plant du pays nantais sur lie Vieilles vignes 2000 (20 à 29 F)** : le nez de fruits frais évolue vers des nuances exotiques, tandis que la bouche fine progresse vers une longue finale citronnée. (30 à 49 F)

Rémy Luneau, dom. R de La Grange, 44430 Le Landreau, tél. 02.40.06.45.65, fax 02.40.06.48.17, e-mail domaine.r.delagrange@wanadoo.fr t.l.j. sf dim. 9h-12h 14h-18h

MANOIR DE LA GRELIERE
Sur lie Vieilles vignes Réserve 2000***

☐ 30 ha 200 000 3à5€

Les vignes les plus âgées (entre cinquante et cent ans) de cette ancienne propriété des ducs de Bretagne ont produit un vin intense et complexe, évocateur de miel et de jasmin. Ample en bouche, celui-ci développe des arômes de poire et de coing. Ce beau sèvre-et-maine gagnera à attendre un peu. A signaler aussi, mais sans étoile, la **cuvée Sélection 2000** du domaine, ronde et acidulée ; elle n'a pas été élevée sur lie. (20 à 29 F)

Branger et Fils, Manoir de la Grelière, 44120 Vertou, tél. 02.40.05.71.55, fax 02.40.31.29.39, e-mail branger.vertou@wanadoo.fr r.-v.

CH. DE LA GUIPIERE
Sur lie Tradition 2000*

☐ 10 ha 60 000 3à5€

A mi-chemin entre Vallet et La Chapelle-Heulin, ce domaine cultive 30 ha. Il a produit un vin bien typé, représentatif de l'appellation. Fruité et minéral au nez, ce 2000 révèle en bouche une attaque assez vive et une excellente charpente. (20 à 29 F)

GAEC Charpentier Père et Fils, La Guipière, 44330 Vallet, tél. 02.40.36.23.30, fax 02.40.36.38.14 t.l.j. 9h-19h; dim. sur r.-v.

LA FLEUR DU CLOS DE LA HAUTE CARIZIERE Sur lie 2000*

☐ 8 ha 50 000 3à5€

Distribué par une maison de négoce de Mouzillon, ce vin est en réalité produit à l'ouest de La Haye-Fouassière. Son nez explosif étonne : ses arômes puissants d'abricot et de noisette évoquent plutôt le sauvignon. Riche et rond en bouche, il a hérité d'agréables notes boisées et vanillées d'un élevage en fût de six mois. Ce muscadet atypique mais bien fait accompagnera le poisson ou les viandes blanches. (20 à 29 F)

Vinival, La Sablette, 44330 Mouzillon, tél. 02.40.36.66.00, fax 02.40.36.26.83

DOM. DE LA LANDELLE
Sur lie Vieilles vignes 2000*

☐ 2,5 ha 10 000 3à5€

Nul ne s'étonnera des arômes de pierre à fusil perceptibles dans ce vin. En effet, ce 2000 provient de vieilles vignes plantées sur les sols de schistes friables du Loroux. Délicat et harmonieux, soutenu par une note de grillé, il possède du caractère et évoque bien son terroir. (20 à 29 F)

Michel Libeau, La Landelle, 44430 Le Loroux-Bottereau, tél. 02.40.33.81.15, fax 02.40.33.85.37, e-mail domainelandelle@libertysurf.fr r.-v.

DOM. DE LA LOUVETRIE
Sur lie Hermine d'Or 1999**

☐ 7 ha 25 700 5à8€

Le Guide a souvent signalé ce domaine situé sur un excellent terroir des rives de la Sèvre, juste en amont de La Haye-Fouassière. Ce vin bien typé développe un nez fin, aux arômes de fruits secs et confits. Equilibré et riche, il manifeste beaucoup de présence et d'ampleur en bouche. Il pourra attendre sereinement un an ou deux. Deux étoiles sont également attribuées au **Domaine de La Louvetrie Etiquette noire 2000 (50 à 69 F)** qui développe un nez puissant de fruits mûrs. Long et équilibré en bouche, doté d'une note de terroir en finale, ce vin forme un ensemble plein de gaieté. Il pourra lui aussi patienter. (30 à 49 F)

Joseph Landron, Les Brandières, 44690 La Haye-Fouassière, tél. 02.40.54.83.27, fax 02.40.54.89.82 r.-v.

LA MAISON VIEILLE Sur lie 2000

☐ 1,5 ha 8 000 3à5€

Site touristique par excellence, avec tout le charme d'un village vigneron au bord de la Sèvre, Le Pé mérite le détour. On y découvrira ce domaine de 20 ha. Christophe Maillard propose un vin jaune paille à reflets verts, dont la constante est un fruité agréable au nez comme en bouche. Son **gros-plant du pays nantais 2000** (1 000 bouteilles seulement) mérite également une citation pour son caractère de fruits frais et son perlant rafraîchissant. (20 à 29 F)

Christophe Maillard, Le Pé-de-Sèvre, 44330 Le Pallet, tél. 02.40.80.44.92 r.-v.

DOM. LA MALONNIERE Sur lie 2000*

☐ 10 ha 60 000 3à5€

Les Vignerons de La Noëlle exportent 40 % de leur production. Le domaine de La Malonnière, implanté sur les sols de micaschistes du Loroux Bottereau, a produit un vin or pâle aux brillants reflets verts. Le nez intense mêle fruits blancs et fleurs blanches. Le caractère aromatique est tout aussi présent en bouche. La matière est fraîche et ample, témoignant d'une vinification réussie. (20 à 29 F)

Les Vignerons de La Noëlle, bd des Alliés, BP 155, 44150 Ancenis, tél. 02.40.98.92.72, fax 02.40.98.96.70, e-mail vignerons-noelle@cana.fr r.-v.

LA MARQUISIERE Sur lie 2000*

☐ 20 ha 150 000 -3€

Marque de négoce créée au début de l'année 2001, La Marquisière fait une entrée très réussie dans le Guide. Ce vin aux arômes d'amande et de fleurs blanches, légèrement minéral, se montre frais en bouche, vif et persistant, sans aucune agressivité. (- 20 F)

Les Caves Saint-Florent, Le Buisson, BP 2, 49410 Chapelle-Saint-Florent, tél. 02.41.72.89.52, fax 02.41.72.77.13 r.-v.

DOM. LANDES DES CHABOISSIERES Sur lie 2000*

☐ 14,5 ha 52 000 5à8€

Vaines pâtures pendant des siècles, les landes des Chaboissières ont aujourd'hui trouvé un usage plus noble : ce sont 22 ha de vignes conduites en lutte raisonnée. Elles ont donné naissance à un vin intensément fruité. Plutôt agrumes au nez, plutôt fruit de la Passion en finale, ce 2000 se développe avec souplesse. (30 à 49 F)

Georges et Guy Desfossés, 44330 Vallet, tél. 02.40.33.99.54, fax 02.40.33.99.54 r.-v.

DOM. DE LA PAPINIERE Sur lie Sélection du Moulin 2000*

☐ 15,5 ha 9 000 3à5€

Sur un coteau découpé par le ruisseau de la Braudière, La Papinière a produit un vin au nez fin et net, minéral et floral. Bien ronde, pleine de fraîcheur, la bouche s'achemine en souplesse vers une finale fruitée. (20 à 29 F)

GAEC Cousseau Frères, Dom. de La Papinière, 49230 Tillières, tél. 02.41.70.46.31, fax 02.41.58.61.51 r.-v.

CH. LA PERRIERE Sur lie 2000

☐ 10 ha 25 000 3à5€

Ce domaine du Pallet (où l'on ne manquera pas de visiter un intéressant musée du Vignoble) propose un muscadet au bon nez de fruits confits. Vif et équilibré en bouche, celui-ci est prêt à boire sur des fruits de mer ou un poisson. (20 à 29 F)

Vincent Loiret, Ch. La Perrière, 44330 Le Pallet, tél. 02.40.80.43.24, fax 02.40.80.46.99 r.-v.

CH. DE LA PINGOSSIERE Sur lie 2000***

☐ 12 ha 40 000 5à8€

« Ni vanité ni foiblesse », proclame l'étiquette. De « foiblesse » ce vin de Vallet n'en a point : très limpide, il développe un nez flatteur d'agrumes et de fruits mûrs, puis charme par son attaque franche et sa fin de bouche réglissée. Ce beau vin de terroir pourra patienter quelques mois. (30 à 49 F)

Guilbaud-Moulin, 1, rue de la Planche, 44330 Mouzillon, tél. 02.40.36.30.55, fax 02.40.36.36.35 r.-v.

DOM. DE LA ROCHE BLANCHE Sur lie 2000*

☐ 13,35 ha 18 000 3à5€

Ce sont 35 ha implantés en coteau sur des sols silico-argileux qui ont donné naissance à un vin typique à tous les égards. Si son nez de pomme et de poire fraîches est encore un peu timide, sa bouche riche, fruitée et élégante s'exprime longuement jusqu'à une pointe d'amertume finale. Ce 2000 pourra être attendu deux ans. (20 à 29 F)

EARL Lechat et Fils, 12, av. des Roses, 44330 Vallet, tél. 02.40.33.94.77, fax 02.40.36.44.31 r.-v.

DOM. LA ROCHE RENARD Sur lie 2000**

☐ n.c. 40 000 3à5€

Ce domaine doit son nom à une roche ferrugineuse, l'alios, jadis surnommée « renard ». Il a produit un vin remarquable dans sa robe jaune paille à reflets verts. D'intensité moyenne, le nez floral cède la place à une bouche très discrètement fruitée. La structure de qualité soutient bien la finale et garantit une heureuse évolution. (20 à 29 F)

Isabelle et Philippe Denis, Les Laures, 44330 Vallet, tél. 02.40.36.63.65, fax 02.40.36.23.96 t.l.j. sf dim. 10h-19h

LA SANCIVE Sur lie 2000

n.c. 172 000 3à5€

Servi sur de nombreuses tables étrangères, ce vin provient du centre de vinification de l'une des plus anciennes maisons de négoce du vignoble nantais. Frais et vif en bouche, avec un léger perlant, il manifeste une minéralité discrète et un bon fruité. Autre vin, le **domaine du Landreau-Village, muscadet sèvre-et-maine sur lie 2000 (30 à 49 F)**, souple et flatteur, obtient une citation. (20 à 29 F)

SA Les Vins Drouet Frères, 8, bd du Luxembourg, 44330 Vallet, tél. 02.40.36.65.20, fax 02.40.33.99.78, e-mail drouetsa@club-internet.fr r.-v.

DOM. DE LA THEBAUDIERE Sur lie 2000

18,62 ha 10 500 -3€

Les vignes de ce domaine (près de 22 ha) sont plantées sur la très renommée butte de La Roche, pointée droit vers le cœur des marais de Goulaine. Né sur un sol composé de sable et de roche volcanique, ce muscadet sèvre-et-maine libère derrière une robe pâle des parfums fins et fruités. Sa bouche riche est de bon augure. (- 20 F)

EARL Philippe Pétard, La Thébaudière, 44430 Le Loroux-Bottereau, tél. 02.40.33.81.81, fax 02.40.33.81.81 r.-v.

CH. LA TOUCHE Sur lie 2000*

10 ha 60 000 3à5€

La Touche, vieille terre noble qui appartint à la famille de Goulaine, exporte 40 % de sa production au Royaume-Uni et aux Etats-Unis. Elle a produit un sèvre-et-maine au caractère de terroir, nettement minéral au nez comme en bouche. Son équilibre et sa finesse témoignent d'un beau travail aux chais. (20 à 29 F)

Boullault et Fils, La Touche, 44330 Vallet, tél. 02.40.33.95.30, fax 02.40.36.26.85, e-mail boullault-fils@wanadoo.fr r.-v.

LA TOUR DU FERRE Sur lie 2000

2 ha 15 000 3à5€

Le Ferré est un célèbre terroir valletais, ainsi nommé depuis des siècles. La tour est celle de la demeure contemporaine de Philippe Douillard. Entre tradition et modernité est né ce vin jaune paille à reflets verts. Le fruité, d'abord discret à l'olfaction, trouve un plus large écho dans une bouche ronde. (20 à 29 F)

Philippe Douillard, La Champinière, 44330 Vallet, tél. 02.40.36.61.77, fax 02.40.36.38.30, e-mail fdouillard@terre-net.fr r.-v.

DOM. DE LA TOURMALINE 2000*

4 ha 30 000 5à8€

Michel et Christophe Gadais viennent de déménager : c'est désormais à l'entrée ouest du bourg de Saint-Fiacre que l'on trouvera leurs chais. Leur vin offre un nez complexe de fleurs blanches et de fruit. Franc en attaque, souple et rond en bouche, il s'achève sur une note de pomme verte rafraîchissante. (30 à 49 F)

Gadais Père et Fils, La Grand'Maison, 44690 Saint-Fiacre, tél. 02.40.54.81.23, fax 02.40.36.70.25 r.-v.

CH. LES AVENEAUX Sur lie 2000*

30 ha 180 000 3à5€

Ce grand domaine de 39 ha se situe entre La Chapelle-Heulin et la Sèvre. Il est sans doute l'une des seules propriétés de la région à exporter une petite partie de sa production vers la Russie. Son sèvre-et-maine développe un nez expressif de fleurs blanches, relevé par une note de café. Généreux en attaque, rond et long, il est très rafraîchissant. (20 à 29 F)

Charpentier Fils, Ch. Les Aveneaux, 44330 La Chapelle-Heulin, tél. 02.40.06.74.40, fax 02.40.06.77.72, e-mail chateau-les-aveneaux@wanadoo.fr r.-v.

LES GRANDS PRESBYTERES Sur lie 2000

3 ha 20 000 5à8€

Nelly Marzelleau a fêté en 2001 ses dix ans d'activité viticole. Elle a produit un muscadet sèvre-et-maine au nez de terroir, ample dès l'attaque. S'il revêt un caractère un peu végétal, ce 2000 bénéficie aussi d'une belle matière, gage d'un avenir favorable. (30 à 49 F)

Nelly Marzelleau, Les Grands Presbytères, 44690 Saint-Fiacre-sur-Maine, tél. 02.40.54.80.73, fax 02.40.36.70.78, e-mail nelly.marzelleau@wanadoo.fr t.l.j. sf dim. 8h-21h

DOM. LES JARDINS DE LA MENARDIERE Sur lie 2000

2 ha 10 000 3à5€

Etablie au cœur du triangle formé par Vallet, La Chapelle-Heulin et Le Pallet, cette exploitation a donné naissance à un vin plein de tendresse. Vêtu d'une robe vive, ce 2000 livre des arômes intenses de fleurs et de pamplemousse rose jusque dans sa matière ronde. (20 à 29 F)

Benoît et Florence Grenetier, La Ménardière, 44330 Vallet, tél. 02.40.33.93.30 r.-v.

LE SOLEIL NANTAIS Sur lie 2000**

25 ha 150 000 5à8€

Présenté en bouteille spéciale et sous étiquette en forme d'hermine bretonne, ce vin est une sélection effectuée par un important négociant de la région. Très expressif, il possède un nez ouvert et généreux en notes minérales. Grâce à son perlant, à sa bonne attaque et à sa fin de bouche aromatique, il a beaucoup de séduction. (30 à 49 F)

Guilbaud Frères, Les Lilas, 44330 Mouzillon, tél. 02.40.36.30.55, fax 02.40.36.36.35, e-mail guilbaud.muscadet@wanadoo.fr
r.-v.

LES PRINTANIERES Sur lie 2000

18 ha 120 000 5 à 8 €

Les Printanières sont l'une des marques d'un important négociant de la région nantaise. Ce vin présente un nez complexe, plutôt minéral et discret. Il s'ouvre davantage en bouche avec une belle attaque assez vive et beaucoup de fruit. (30 à 49 F)

Barré Frères, Beau-Soleil, BP 10, 44190 Gorges, tél. 02.40.06.90.70, fax 02.40.06.96.52 t.l.j. sf sam. dim. 8h-12h30 14h-18h
Guilbaud

DOM. DE L'HYVERNIERE Sur lie Collection Marine 2000*

17,5 ha 133 000 3 à 5 €

Le très moderne centre de vinification de L'Hyvernière (avec une capacité de 70 000 hl, il pourrait traiter 10 % du muscadet !) a assemblé plusieurs terroirs pour produire ce vin. Un nez floral élégant et une bouche fruitée qui s'achève sur une finale aromatique : voici un muscadet représentatif du millésime. (20 à 29 F)

SA Marcel Sautejeau, Dom. de L'Hyvernière, 44330 Le Pallet, tél. 02.40.06.73.83, fax 02.40.06.76.49

DOM. MARTIN-LUNEAU 2000

2 ha 12 000 3 à 5 €

La commune de Gorges, comme celle de Clisson, s'étend sur les deux rives de la Sèvre. Ce domaine de 30 ha est situé au nord de la rivière. Son vin souple et rond dégage des notes aromatiques intéressantes, de café grillé au nez, de fruits secs en bouche. L'exploitation a également produit une **cuvée Tradition 2000** fruitée et tendre : un vin idéal pour l'apéritif, qui mérite d'être cité. (20 à 29 F)

Martin-Luneau, Le Magasin, 44190 Gorges, tél. 02.40.54.38.44, fax 02.40.54.07.23 t.l.j. sf dim. 8h-12h30 14h-18h30

LOUIS METAIREAU Sur lie One 1995

6,5 ha 33 164 11 à 15 €

Difficile de produire tous les ans un chef-d'œuvre comme le Louis Métaireau 25 août 1989, coup de cœur du Guide l'an dernier ! 1995 n'est pas 1989. Très minéral, fin et rond, ce vin conserve en finale une touche d'amertume qui laisse l'avenir ouvert. Toujours chez Louis Métaireau, citons le **muscadet sèvre-et-maine Grand Mouton Huissier 96 (de 50 à 69 F)** (Grand Mouton pour le terroir, Huissier pour l'officier ministériel qui a constaté la mise en bouteilles sur lie !), fruité et minéral, avec un beau milieu de bouche. (70 à 99 F)

Les domaines Louis Métaireau G.I.E, La Févrie, 44690 Maisdon-sur-Sèvre, tél. 02.40.54.81.92, fax 02.40.54.87.83, e-mail manelucemetaireau@hotmail.com
t.l.j. 9h-12h30 14h-18h; sam. dim. sur r.-v.

DOM. DES MORTIERS GOBIN Sur lie 1999

1,3 ha 3 000 5 à 8 €

Ce vin jaune d'or développe un nez complexe et frais, alliant notes minérales et iodées, chèvrefeuille et agrumes (citron vert et pamplemousse). En bouche, il est vif et sec et se mariera avec des crustacés. Garde de deux à quatre ans. (30 à 49 F)

Robert Brosseau, 4, pl. de la Rairie, 44690 La Haye-Fouassière, tél. 02.40.54.80.66
r.-v.

DOM. DE MOTTE CHARETTE Sur lie 2000***

8 ha 59 597 -3 €

Cette propriété de la rive gauche de la Sèvre, située entre Gorges et Monnières, a élaboré un vin à reflets bleutés. Très équilibré, il développe de longs arômes minéraux particulièrement expressifs. Ce 2000 typé et terroité révèle un beau travail de vigneron. (– 20 F)

EARL Dom. de Motte Charette, La Simplerie, 44190 Gorges
Marie-Odile et Pierre Mabit

DOM. DU MOULIN Sur lie 2000**

6 ha 40 000 3 à 5 €

Serré entre la Sèvre et la Maine, qui ne vont pas tarder à se rencontrer, le moulin de La Bourchinière domine les vignes de ce domaine. Celles-ci ont donné naissance à un vin très droit, dont le nez évoque un raisin bien sain. Frais, léger et fruité en bouche, ce 2000 est prêt à boire. (20 à 29 F)

Bernard Déramé, 2, rue du Courtil-Bochet, La Bourchinière, 44690 Saint-Fiacre-sur-Maine, tél. 02.40.54.83.80, fax 02.40.54.80.87, e-mail derame@wanadoo.fr r.-v.

DOM. DU MOULIN DAVID Sur lie 2000

3 ha 10 000 3 à 5 €

Au-dessus de la Sanguèze, qui sépare ici la Bretagne et l'Anjou, ce domaine a produit un vin fruité et rond. C'est un 2000 « terroité » qui accompagnera bien une salade de chèvre chaud. (20 à 29 F)

Didier Blanlœil, Les Corbeillères, 44330 Vallet, tél. 02.40.33.91.23, fax 02.40.51.79.01 r.-v.

ALAIN OLIVIER Cuvée spéciale 1997*

1,8 ha 2 600 5 à 8 €

« C'est un petit bonheur... un poème », assure un dégustateur à propos de ce vin produit sur un sol de gabbros, au nord-ouest de Vallet. Sous une robe délicate, or pâle à reflets verts, ce 97 développe des arômes d'aubépine, d'amande et de grillé. Bien net en bouche, il est agréable sur toute sa longueur. (30 à 49 F)

EARL Alain Olivier, La Moucletière, 44330 Vallet, tél. 02.40.36.24.69, fax 02.40.36.24.69 r.-v.

DOM. DU PARADIS Sur lie 2000*

13 ha 25 400 3 à 5 €

Ce Paradis voisine à Monnières avec une « grotte de Lourdes » élégamment aménagée

LOIRE

au-dessus de la Sèvre. Il est à l'origine d'un vin aux arômes complexes : fruits confits et miel au nez, noisette en bouche. Perlant en attaque, ce 2000 se développe avec souplesse, mais présente encore un peu d'austérité en finale. Il gagnera à attendre quelques mois. (20 à 29 F)

Alain Caillé, 6, rue du Fief Seigneur, 44690 Monnières, tél. 02.40.54.63.57, fax 02.40.54.63.57 r.-v.

STEPHANE ET VINCENT PERRAUD
Sur lie Sélection des Cognettes 2000**

2,8 ha 12 000 3à5€

Stéphane et Vincent Perraud cultivent plus de 32 ha. Ils viennent de lancer une formule de « location de pied de vigne » qui permet à leurs clients de suivre un an à l'avance un vin qu'ils récupéreront après Pâques. Une traçabilité qui devrait trouver ses partisans, à en juger par ce vin au nez intense d'abricot, de poire et d'amande. Equilibré et long, ce 2000 dévoile en fin de bouche une pointe de fermeté, annonciatrice d'une bonne évolution. (20 à 29 F)

Stéphane et Vincent Perraud, Bournigal, 44190 Clisson, tél. 02.40.54.45.62, fax 02.40.54.45.62 t.l.j. sf dim. 8h30-13h 14h-19h

CH. DU POYET
Sur lie Elevé en fût de chêne 1999*

0,7 ha 1 800 5à8€

Cette cuvée spéciale très confidentielle provient d'une unique parcelle plantée en 1948. Neuf mois de passage en fût lui ont apporté de fines notes vanillées. Ces arômes soulignent le vin, en lui conférant de la douceur en fin de bouche. Toutefois, ce sèvre-et-maine ne perd rien de sa typicité grâce à sa vivacité en attaque et à sa souplesse caractéristiques. On le boira aussi bien seul qu'en accompagnement d'un poisson grillé ou d'une côte de veau à la crème. (30 à 49 F)

EARL Famille Bonneau, Le Poyet, 44330 La Chapelle-Heulin, tél. 02.40.06.74.52, fax 02.40.06.77.57, e-mail chateau.dupoyet@wanadoo.fr t.l.j. sf dim. 9h-12h30 14h-19h

PRESTIGE DE L'HERMITAGE
Sur lie 2000*

5 ha 33 000 3à5€

L'Hermitage, situé au-dessus de la Maine sur des pentes au sous-sol de gneiss et de micaschistes, est réputé pour la finesse de ses vins. Celui-ci ne déroge pas à la règle : il présente un nez nuancé de réglisse et d'amande grillée, puis une bouche fruitée et minérale, bien perlante en attaque. (20 à 29 F)

GAEC Moreau, La Petite Jaunaie, 44690 Château-Thébaud, tél. 02.40.06.61.42, fax 02.40.06.69.45 t.l.j. sf dim. 8h-19h

CLOS DES RATELLES Sur lie 1999

1,5 ha 5 000 3à5€

Ce clos de 30 ha situé non loin de la maison des Vins de La Haye-Fouassière (une visite incontournable pour le touriste amateur de vins) a produit un vin rond, frais et acidulé, dont le potentiel a bien été révélé par le travail du vigneron. (20 à 29 F)

Michel Ripoche, 8, rue de la Torrelle, 44690 La Haye-Fouassière, tél. 02.40.36.91.95, fax 02.40.36.73.19 r.-v.

DOM. DAMIEN RINEAU
Sur lie Fleur de Gabbro 2000*

3,3 ha 25 000 5à8€

Dans la géologie très complexe du pays nantais, le gabbro, très basique, tient une place à part. En voici un bon produit, intéressant par son nez de pomme, d'aubépine et de banane. Rond et bien équilibré en bouche, il s'achève sur une note vive et citronnée. (30 à 49 F)

Damien Rineau, La Maison-Neuve, 44190 Gorges, tél. 06.71.98.48.21, fax 02.40.06.98.27 r.-v.

DOM. DES ROUAUDIERES
Sur lie 1997**

2 ha 2 000 5à8€

Implantée au-dessus des méandres de la Sanguèze, La Rouaudière a produit un très beau vin aux arômes complexes d'agrumes, de noisette et de pain grillé. D'attaque vive et flatteuse, ce muscadet développe une bouche fraîche et aromatique, où l'on retrouve les notes de l'olfaction. La bouche complexe, ample et persistante, possède assez de ressources pour autoriser une garde de quelques années. (30 à 49 F)

Jacky Bordet, La Rouaudière, 44330 Mouzillon, tél. 02.40.36.22.46, fax 02.40.36.39.84 r.-v.

DOM. DE L'ABBAYE DE SAINTE-RADEGONDE Sur lie 2000*

18,5 ha 137 604 -3€

De cette abbaye détruite sous la Révolution restent des caves abritant un musée de la Vigne et du Vin. Ce sèvre-et-maine se signale par son nez expressif, où une minéralité latente seconde des arômes de banane et de citron. Egalement très fruité en bouche, légèrement salé, ce vin original reste représentatif de l'appellation. (– 20 F)

SCEA Abbaye de Sainte-Radegonde, 44430 Le Loroux-Bottereau, tél. 02.40.03.74.78, fax 02.40.03.79.91 t.l.j. 9h-12h 14h-18h; sam. dim. sur r.-v.

CH. DU SAUT DU LOUP Sur lie 2000*

2 ha 7 000 -3€

De ce château détruit par un incendie en 1900 ne subsistent que les communs et le portail. Le vignoble est à l'origine d'un vin au nez complexe de fleurs blanches et d'agrumes. Bien fait, ce 2000 révèle en bouche une bonne harmonie, du gras, du fruit et un caractère de terroir. (– 20 F)

Dominique Bouchaud, Le Patis Vinet, 44120 Vertou, tél. 02.40.06.15.37, fax 02.40.06.15.37 r.-v.

DOM. YVES SAUVETRE Sur lie 2000*

7 ha 15 000 3à5€

Produit sur des sols schisteux du terroir du Loroux, ce vin présente un nez fruité complexe.

Après une attaque franche, il se révèle riche et plein, étirant de longs arômes de poire Williams. (20 à 29 F)

Yves Sauvêtre et Fils, La Landelle, 90, rue de la Durandière, 44430 Le Loroux-Bottereau, tél. 02.40.33.81.48, fax 02.40.33.87.67 r.-v.

ANTOINE SUBILEAU
Sur lie Marie-Louise 2000

167 ha 1 160 000 -3€

Pour un vin de très grande diffusion, celui-ci est plus qu'honorable. Il a tout ce qu'il faut là où il faut : une robe limpide, un nez citronné, une bouche légèrement acidulée à l'attaque plaisante. (– 20 F)

SA Antoine Subileau, 6, rue Saint-Vincent, 44330 Vallet, tél. 02.40.36.69.70, fax 02.40.36.63.99, e-mail antoine-subileau@wanadoo.fr

DOM. DU VAL-FLEURI Sur lie 2000*

15 ha 60 000 3à5€

Yves et Jacqueline Delaunay se sont installés en 1992 sur un vignoble de 27 ha. Issu d'un sol de gneiss et d'amphibolites, ce vin à reflets dorés se montre puissant en bouche, riche, gras et équilibré. (20 à 29 F)

Yves et Jacqueline Delaunay, Le Val-Fleuri, 44430 Le Loroux-Bottereau, tél. 02.40.33.86.84, fax 02.40.33.88.99, e-mail y.delaunay@infonie.fr r.-v.

DANIEL ET GERARD VINET
Sur lie 1997**

n.c. n.c. 8à11€

Certaines parcelles du domaine de La Quilla ont appartenu à Charles Héron, l'un des huit vignerons fondateurs de l'appellation muscadet en 1926. Encore très vive, cette cuvée s'adresse aux palais avertis. Ces derniers apprécieront son équilibre, sa bonne expression aromatique (agrumes, fruits secs, touche de réglisse) et sa longueur. (50 à 69 F)

Daniel et Gérard Vinet, La Quilla, 44690 La Haye-Fouassière, tél. 02.40.54.88.96, fax 02.40.54.89.84 t.l.j. sf dim. 8h-12h30 13h30-17h

Muscadet côtes de grand lieu

DOM. DU FIEF GUERIN Sur lie 2000**

17 ha 115 000 3à5€

Sous une robe aux reflets verts, ce 2000 développe un nez intense de pêche blanche. Frais, fin et aromatique, il révèle en outre une touche légèrement salée, typique de l'appellation. A citer, le **Clos de La Sénaigerie 2000**, issu de vignes plantées sur les rives même du lac de Grand-Lieu. (20 à 29 F)

Luc et Jérôme Choblet, 44830 Bouaye, tél. 02.40.65.44.92, fax 02.40.65.58.02 r.-v.

L'ACHENEAU Sur lie 2000*

20 ha 120 000 3à5€

L'Acheneau s'écoule du lac de Grand-Lieu à la Loire ou inversement selon les saisons et les marées. Il a donné son nom à un muscadet souple, charnu et long, qui charme par son équilibre et sa finesse. Dans la belle gamme des Vignerons de La Noëlle, on retiendra aussi le **coteaux d'ancenis gamay rouge La Pierre Couvretière 2000** aux arômes de fruits mûrs et d'épices, qui obtient une citation. (20 à 29 F)

Les Vignerons de La Noëlle, bd des Alliés, BP 155, 44150 Ancenis, tél. 02.40.98.92.72, fax 02.40.98.96.70, e-mail vignerons-noelle@cana.fr r.-v.

DOM. DE LA GUILLAUDIERE
Sur lie Vieilles vignes 2000*

3,6 ha 25 000 -3€

Bien que situé en pleine aire du sèvre-et-maine, le château des Gillières a étendu ses activités aux côtes de grand lieu. Non sans succès ! Après un nez très fruité aux notes de miel et de pêche blanche, ce vin développe une attaque moelleuse et tendre en bouche, puis s'achève sur une longue finale. (– 20 F)

SAS des Gillières, Ch. des Gillières, 44690 La Haye-Fouassière, tél. 02.40.54.80.05, fax 02.40.54.89.56 r.-v.

DOM. DE LA PIERRE BLANCHE
Sur lie 2000

7,5 ha 10 600 -3€

Ce vin a sans conteste une originalité : c'est le seul muscadet vendéen du Guide 2002. Hormis cette particularité, sa robe légèrement perlante, son nez frais et sa bouche à la bonne attaque moelleuse, plus vive en finale, en font un muscadet côtes du grand lieu très typique. (– 20 F)

Gérard Epiard, La Pierre Blanche, 85660 Saint-Philbert-de-Bouaine, tél. 02.51.41.93.42, fax 02.51.41.91.71 r.-v.

Gros-plant AOVDQS

Le gros-plant du pays nantais est un vin blanc sec, AOVDQS depuis 1954. Il est issu d'un cépage unique : la folle blanche, d'origine charentaise, appelée ici gros-plant. La superficie du vignoble est de 2 213 ha et la production moyenne est de l'ordre de 162 868 hl en 2000. Comme le muscadet, le gros-plant peut être mis en bouteilles sur lie. Vin blanc sec, il convient parfaitement aux fruits de mer en général et aux coquillages en particulier ; il doit être servi lui aussi frais, mais non glacé (8 °- 9 ° C).

DOM. DES BEGAUDIERES
Sur lie 2000★★

☐ 3,05 ha 5 000 3à5€

« Un vin fait à la manière des anciens », dit un dégustateur, ce qui n'a rien d'étonnant quand on sait que la culture de la vigne sur le domaine est attestée depuis le XVIIe s. au moins. Bien typique avec son nez de fleurs blanches et sa finesse en bouche, ce vin plaira aux traditionalistes. (20 à 29 F)

GAEC Jauffrineau-Boulanger, Bonne-Fontaine, 44330 Vallet, tél. 02.40.36.22.79, fax 02.40.36.34.90 r.-v.

DOM. DE BEL-AIR Sur lie 2000★

☐ 2 ha 4 000 -3€

Tout proche de l'aéroport international de Nantes-Atlantique, ce domaine produit sur un sous-sol de sables à galets un gros-plant né d'une vigne de trente-cinq ans, pâle, au nez agréable. Le palais se montre équilibré et souple. (- 20 F)

EARL Bouin-Jacquet, Dom. de Bel-Air, 44860 Saint-Aignan-de-Grand-Lieu, tél. 02.51.70.80.80, fax 02.51.70.80.79 t.l.j. sf dim. 14h-19h; sam. 9h-12h

DOM. DE BELLEVUE 2000★★

☐ 2 ha 5 000 -3€

Etabli sur la route de Nantes à Montaignu, peu avant Aigrefeuille, Jean-Yves Templier propose un gros-plant bien typé. Très classique au nez avec ses nuances d'aubépine et d'agrumes, ce vin manifeste en bouche une bonne structure, avec une finale acidulée qui lui donne de la longueur. (- 20 F)

Jean-Yves Templier, Dom. de Bellevue, 44140 Aigrefeuille-sur-Maine, tél. 02.40.03.86.90, fax 02.40.03.86.90 t.l.j. 8h30-19h

DOM. GUY BOSSARD Sur lie 2000★

☐ 2,3 ha 9 000 3à5€

Guy Bossard a opté pour la viticulture biologique en 1972, pour la biodynamie de 1992 à 1996. Il brandit aujourd'hui l'étendard de la révolte contre les OGM. Il produit un gros-plant au nez de fruits mûrs, intense et chaleureux. Fruité en bouche, bien sec, ce vin agréable finit longuement sur des notes citronnées. (20 à 29 F)

Guy Bossard, La Bretonnière, 44430 Le Landreau, tél. 02.40.06.40.91, fax 02.40.06.46.79 r.-v.

DOM. DE CHANTEGROLLE
Prestige Sur lie 2000★

☐ 0,75 ha 7 000 3à5€

Issu d'un sol de granite friable spécifique de Château-Thébaud, ce gros-plant exhale des parfums de fleurs blanches d'une belle intensité. Souple et rond en bouche avec un soupçon de minéralité, il révèle une excellente persistance aromatique. (20 à 29 F)

Jean-Michel Poiron, Chantegrolle, 44690 Château-Thébaud, tél. 02.40.06.56.42, fax 02.40.06.58.02 r.-v.

CLOS DES ROSIERS Sur lie 2000★

☐ 1,5 ha 2 000 -3€

Le Guide a souvent été séduit par le gros-plant des Rosiers. Sous une belle robe perlante, le 2000 se révèle souple, rond et gras tout en restant très typique. Dommage qu'il s'agisse d'une toute petite production. (- 20 F)

Philippe Laure, Les Rosiers, 44330 Vallet, tél. 02.40.33.91.83, fax 02.40.36.39.28 r.-v.

DOM. DU HAUT BOURG Sur lie 2000★

☐ 5 ha 8 000 -3€

Michel Choblet et son fils Hervé sont bien connus pour leur gros-plant. Le 2000 est tout à fait représentatif de l'appellation avec sa robe légèrement perlante traversée de reflets or, son nez floral aux nuances minérales et sa bouche légèrement acidulée qui s'achève sur une finale citronnée. (- 20 F)

Michel et Hervé Choblet, Dom. du Haut-Bourg, 44830 Bouaye, tél. 02.40.65.47.69, fax 02.40.32.64.01 r.-v.

CH. DE LA BOITAUDIERE 2000★

☐ 4 ha 41 318 -3€

Au nord du Landreau, ce grand domaine a produit un gros-plant limpide, aux reflets verts très caractéristiques. Si son nez est un peu fermé, sa bouche aux arômes de pomme verte révèle un bon équilibre avant de s'achever sur des notes minérales et acidulées. (- 20 F)

EARL ch. de La Boitaudière, La Boitaudière, 44430 Le Landreau, tél. 02.40.06.42.69

Serge Sauvètre

LA CHATELIERE Sur lie 2000★★

☐ 40 ha 400 000 -3€

Si la commune de Tillières est située dans le Maine-et-Loire, elle se rattache viticolement à la région nantaise. Et les vins qui en sont originaires sont de bonne naissance, témoin ce gros-plant bien typé, sympathique et long en bouche. Ce que confirment les deux étoiles attribuées au **muscadet sèvre-et-maine sur lie Cave de Val et Mont 2000**, de la même maison, puissant, équilibré et frais, et bien dans le type de l'appellation ; et une étoile qui va au **gros-plant 2000 Cave de La Perrière**, lui aussi très bien typé, sec et droit avec une finale citronnée. (- 20 F)

Rolandeau SA, La Frémonderie, BP 2, 49230 Tillières, tél. 02.41.70.45.93, fax 02.41.70.43.74, e-mail rolandeau@free.fr

DOM. DE LA COGNARDIERE 2000

☐ 1,55 ha 6 000 3à5€

Ce domaine d'entre Sèvre et Goulaine donne un gros-plant aux reflets verts et au nez typique offrant en bouche de classiques arômes de pomme verte relevés d'une note acidulée. (20 à 29 F)

Jean-Claude et Pierre-Yves Nouet, 1, imp. des Pressoirs, La Cognardière, 44330 Le Pallet, tél. 02.40.80.41.72, fax 02.40.80.41.72 r.-v.

CH. LA FORCHETIERE Sur lie 2000★

☐ 20 ha 40 000 -3€

Le vin de ce vaste domaine situé à l'extrême sud de la Loire-Atlantique est un bon ambassadeur du gros-plant. Son nez développé et expressif de fleurs blanches annonce fort bien une bouche souple et gaie, avec juste ce qu'il faut de vivacité. (– 20 F)

SCEA Champteloup La Forchetière, 44650 Corcoué-sur-Logne, tél. 02.40.36.66.00, fax 02.40.36.26.83

DOM. DE LA MOMENIERE Sur lie 2000★★

☐ 5 ha 10 000 3à5€

Au-dessus du Gueubert, qui sépare la commune du Landreau de celle de Vallet, La Momenière produit un gros-plant équilibré, bien représentatif de l'appellation, avec juste ce qu'il faut d'acidité. Il serait intéressant d'en conserver quelques bouteilles en cave car le jury pense qu'il est apte à une petite garde. (20 à 29 F)

EARL Joseph Audouin, Dom. de La Momenière, 44430 Le Landreau, tél. 02.40.06.43.04, fax 02.40.06.47.89 t.l.j. 9h-19h

DOM. DE LA ROCHERIE Sur lie 2000★

☐ 1,5 ha 5 000 -3€

Même si La Rocherie ne lui consacre que 6 % de sa superficie, ce gros-plant mérite un coup de chapeau... après un coup de cœur l'an dernier. Sous une robe perlante très typique, il développe un nez floral et une bouche plutôt minérale, tout en finesse. (– 20 F)

Daniel Gratas, La Rocherie, 44430 Le Landreau, tél. 02.40.06.41.55, fax 02.40.06.48.92 t.l.j. sf dim. 8h-20h

DOM. DE LA TOURLAUDIERE Sur lie 2000

☐ 1,6 ha 9 000 5à8€

Que ce soit pour son muscadet ou son gros-plant, ce domaine est presque toujours présent dans le Guide (avec même un coup de cœur voici deux ans). Ce vin-ci, à défaut d'un nez très intense, est intéressant par sa bouche au caractère « terroité » fort typique. (30 à 49 F)

EARL Petiteau-Gaubert, La Tourlaudière, 44330 Vallet, tél. 02.40.36.24.86, fax 02.40.36.29.72, e-mail contact@tourlaudiere.com t.l.j. 9h30-12h30 14h-19h30

Famille Petiteau

DOM. DE L'AUBINERIE 2000★

☐ 1,5 ha 6 500 3à5€

La viticulture nantaise doit beaucoup à la Sanguèze, dont les méandres lui ont ménagé nombre de coteaux propices. Ce domaine situé au-dessus de l'un d'eux donne un gros-plant à la robe blanche, fleuri au nez et fruité en bouche, long et très vif. (20 à 29 F)

Jean-Marc Guérin, 26, La Barillère, 44330 Mouzillon, tél. 02.40.36.37.06, fax 02.40.36.37.06 r.-v.

LE DEMI-BŒUF Sur lie 2000

☐ 4 ha 11 000 3à5€

Sous ce nom mystérieux (il évoque un repas que les insurgés vendéens de 1793 n'avaient pas eu le temps de finir), on découvre un gros-plant bien typé, odorant au nez et équilibré en bouche. (20 à 29 F)

EARL Michel Malidain, Le Demi-Bœuf, 44310 La Limouzinière, tél. 02.40.05.82.29, fax 02.40.05.95.97 r.-v.

DOM. LES COINS Sur lie 2000★

☐ n.c. 10 000 -3€

Tout au sud de la Loire-Atlantique, les terroirs de Corcoué-sur-Logne sont réputés propices au gros-plant. Celui de Jean-Claude Malidain développe un nez de pain grillé et qui évoque un peu le sauvignon mais il s'avère parfaitement typique en bouche, avec une finale minérale et acidulée. (– 20 F)

Jean-Claude Malidain, Le Petit Coin, 44650 Corcoué-sur-Logne, tél. 02.40.05.95.95, fax 02.40.05.80.99, e-mail jeanclaude.malidain@free.fr r.-v.

CH. DE L'OISELINIERE Sur lie 1999★★

☐ 1,7 ha 2 000 3à5€

L'Oiselinière aurait été la première propriété de la région plantée en melon de Bourgogne, dès 1635. Son architecture à l'italienne, typique de la ville de Clisson, lui vaut d'être classée monument historique. Surtout connue pour son muscadet, elle produit aussi, en petite quantité, du gros-plant. Celui-ci offre un nez minéral et brioché. Ample et gras en bouche, il révèle une structure acide qui lui donne de la fraîcheur, ainsi qu'une bonne persistance aromatique. (20 à 29 F)

SC Aulanier, Ch. de L'Oiselinière, 44190 Gorges, tél. 02.40.06.91.59, fax 02.40.06.98.48, e-mail oiseliniere@chateau-oiseliniere.com r.-v.

DOM. DU PARC Sur lie 2000★

☐ 15 ha 90 000 -3€

Les sous-sols de roche verte (amphibolite) sont réputés favorables au gros-plant. Celui-ci planté sur ce domaine donne un vin aux arômes délicats de fleurs blanches, bien typé et riche en bouche. A découvrir aussi dans ce millésime, le **muscadet côtes de grand lieu Domaine du Parc** (une étoile), typique, riche, rond et équilibré, dominé au nez par des notes minérales, en bouche par des arômes de fruits verts. (– 20 F)

Pierre Dahéron, Le Parc, 44650 Corcoué-sur-Logne, tél. 02.40.05.86.11, fax 02.40.05.94.98 r.-v.

DOM. DES PETITES COSSARDIERES Sur lie 2000★★

☐ 1,8 ha 8 000 -3€

A défaut de quantité, ce gros-plant offre la qualité. Equilibré et bien typé, plein de fraîcheur, ce vin parfaitement élaboré est à boire avec des moules ou des huîtres... ou bien seul, pour le plaisir. (– 20 F)

Jean-Claude Couillaud, 17, rue de la Loire, 44430 Le Landreau, tél. 02.40.06.42.81, fax 02.40.06.49.14 r.-v.

CH. DU ROCHER Sur lie 2000*

4 ha 41 290 -3€

Cette belle propriété du XVIII[e]s. aurait été la première exploitation viticole de la région. Mais comme la culture de la vigne dans ces parages date sans doute des Romains... Son gros-plant développe un nez complexe, floral d'abord, puis évoluant vers les agrumes. Souple et long, il confirme en bouche son caractère bien typé. (- 20 F)

Hervouet et Bes de Berc, Ch. du Rocher, 44310 Saint-Philbert-de-Grand-Lieu, tél. 02.40.78.83.03

Fiefs vendéens AOVDQS

Anciens fiefs du Cardinal : cette dénomination évoque le passé de ces vins, appréciés par Richelieu après avoir connu un renouveau au Moyen Age, ici, comme bien souvent, à l'instigation des moines. La dénomination AOVDQS fut accordée en 1984, confirmant les efforts qualitatifs qui ne se relâchent pas sur les 449 ha complantés.

A partir de gamay, de cabernet et de pinot noir, la région de Mareuil produit des rosés et des rouges fins, bouquetés et fruités ; les blancs sont encore confidentiels. Non loin de la mer, le vignoble de Brem, lui, donne des blancs secs à base de chenin et de grolleau gris, mais aussi du rosé et du rouge. Aux environs de Fontenay-le-Comte, blancs secs (chenin, colombard, melon, sauvignon), rosés et rouges (gamay et cabernet) proviennent des régions de Pissotte et Vix. On boira ces vins jeunes, selon les alliances classiques des mets et des vins.

XAVIER COIRIER
Pissotte Sélection 2000*

10 ha 60 000 5à8€

Pinot noir, gamay et cabernet franc s'allient pour donner ce vin d'un rose bonbon au nez aromatique. Une légère vivacité anime sa bouche expressive aux saveurs de fruits rouges (cerise, cassis, framboise). Il accompagnera bien la charcuterie. (30 à 49 F)

Xavier Coirier, 15, rue des Gélinières, 85200 Pissotte, tél. 02.51.69.40.98, fax 02.51.69.74.15 r.-v.

DOM. DES DAMES
Mareuil Les Agates 2000**

4 ha 14 000 3à5€

Sous la houlette des femmes, ce domaine a assemblé gamay noir, cabernet franc et un peu de négrette pour produire ce vin à reflets rubis et aux arômes de fruits rouges de sous-bois. Assez tannique lors de la dégustation, il gagnera à patienter quelques mois. Le **Mareuil blanc Les Pierres Blanches 2000** obtient aussi deux étoiles pour son bon équilibre et sa persistance. On citera enfin un **Mareuil rosé** bien équilibré, **Les Aigues Marines 2000**. (20 à 29 F)

GAEC Vignoble Daniel Gentreau, Follet, 85320 Rosnay, tél. 02.51.30.55.39, fax 02.51.28.22.36 t.l.j. sf dim. 9h-12h30 14h30-19h30; 15 sept.-15 juin sur r.-v.

DOM. DE LA CHAIGNEE Vix 2000*

5 ha 30 000 5à8€

Situé aux portes de l'étonnant Marais poitevin, ce domaine (qui est aussi l'un des leaders mondiaux de la greffe de vigne) produit un vin couleur rubis au nez fruité. Après une attaque vive, la bouche révèle une note animale et un caractère tannique affirmé, qui incite à patienter quelques mois. (30 à 49 F)

Vignobles Mercier Frères, La Chaignée, 85770 Vix, tél. 02.51.00.65.14, fax 02.51.00.67.60, e-mail info@mercier-groupe.com r.-v.

DOM. DE LA VIEILLE RIBOULERIE
Mareuil Cuvée des Moulins brûlés 2000*

4 ha 8 000 5à8€

Cette cuvée, on s'en doute, doit son nom à un « dommage collatéral » des guerres de Vendée. De couleur framboise, elle développe un nez intense de fruits de sous-bois avec une note poivrée ; en bouche, elle se montre bien équilibrée et suffisamment longue. Le domaine a produit aussi un **Mareuil blanc 2000** très réussi (une étoile) à l'attaque fraîche et aux arômes de pomme bien mûre. (30 à 49 F)

Hubert Macquigneau, Le Plessis, 85320 Rosnay, tél. 02.51.30.59.54, fax 02.51.28.21.80 r.-v.

DOM. DU LUX EN ROC Brem 2000

2,5 ha 5 000 3à5€

Négrette et gamay noir, soutenus par un peu de cabernet-sauvignon, s'allient pour donner ce vin d'un rouge profond que souligne un disque violacé. Equilibré en bouche, il révèle un caractère rustique et très tannique. (20 à 29 F)

Jean-Pierre Richard, 5, imp. Richelieu, 85470 Brem-sur-Mer, tél. 02.51.90.56.84 r.-v.

CH. MARIE DU FOU Mareuil 2000*

3,73 ha 30 000 5à8€

Le Mareuil blanc est un vin peu connu, et c'est dommage à en juger par celui-ci, élevé en fût dans les caves d'une forteresse moyenâgeuse. Si son nez est encore très marqué par le bois, sa bouche se révèle grasse, suffisamment longue et relevée par une légère acidité. (30 à 49 F)

Jean et Jérémie Mourat, 5, rue de la Trémoille, 85320 Mareuil-sur-Lay, tél. 02.51.97.20.10, fax 02.51.97.21.58, e-mail chateau.marie.du.fou@wanadoo.fr t.l.j. sf dim. 8h-12h 14h-18h

CH. DE ROSNAY
Mareuil Vieilles vignes 2000**

◪ 16 ha 50 000 3à5€

Entre l'Yon et le Lay, ce petit château XIX[e]s. a produit un vin d'un rose léger, qui marie pinot noir et gamay noir. Très aromatique au nez (bonbon anglais), il développe en bouche, après une attaque vive, une agréable note de fruits rouges. Du même domaine, le **Mareuil blanc Elégance 2000** et le **Mareuil rouge Prestige 2000** sont tous deux à mentionner avec une étoile, le premier pour ses arômes de pamplemousse et sa fraîcheur en attaque, le second pour son nez intense de fruits rouges et ses tanins prometteurs. (20 à 29 F)

⊶ Jard, 5, rue du Perrot, 85320 Rosnay, tél. 02.51.30.59.06, fax 02.51.28.21.01 ☑ Y r.-v.

DOM. SAINT-NICOLAS
Brem Cuvée Prestige 2000**

◪ 5 ha 18 000 5à8€

Ce grand domaine implanté en bordure des anciens marais salants du pays des Olonnes propose un vin rose bonbon au nez fruité relevé d'une note de genêt. Equilibré et gras, il développe une agréable bouche de framboise et de fraise. On signalera aussi, avec une étoile, la **cuvée Prestige rouge 99 (50 à 69 F)**, très intense et tannique, à laisser patienter un an ou deux. (30 à 49 F)

⊶ M.-J. Michon et Fils, 11, rue des Vallées, 85470 Brem-sur-Mer, tél. 02.51.33.13.04, fax 02.51.33.18.42, e-mail caves.michon@cer85cernet.fr ☑ Y r.-v.

Coteaux d'ancenis AOVDQS

Les coteaux d'ancenis sont classés AOVDQS depuis 1954. On en produit quatre types, à partir de cépages purs : gamay (80 % de la production), cabernet, chenin et malvoisie. La superficie du vignoble est de 253,6 ha et la production a été de 16 556 hl en 2000, dont environ 200 hl en blanc.

DOM. DU BUISSON Gamay 2000

◪ 5 ha 49 600 -3€

A la limite orientale des coteaux d'ancenis, dans la frange angevine du vignoble nantais, ce domaine produit un gamay rosé au nez aimable de mangue et de beurre frais, acidulé en bouche, d'une bonne persistance en finale. A citer aussi, un **gros-plant sur lie 2000**, souple et bien typé. (– 20 F)

⊶ EARL Dom. du Buisson, Le Buisson, 49410 La Chapelle-Saint-Florent, tél. 02.41.72.89.52, fax 02.41.72.77.13 ☑ Y r.-v.

DOM. DES GENAUDIERES
Malvoisie 2000**

☐ 1 ha 5 000 5à8€

Dans la large gamme des Génaudières, cette malvoisie occupe certes une place marginale. Mais elle est intéressante par son nez puissant de fruits exotiques et d'agrumes et par sa bouche ronde, grasse et fondue, où se retrouvent les arômes découverts à l'olfaction. Une très belle bouteille pour l'apéritif ou le dessert. (30 à 49 F)

⊶ EARL Athimon et ses Enfants, Dom. des Génaudières, 44850 Le Cellier, tél. 02.40.25.40.27, fax 02.40.25.35.61 ☑ Y t.l.j. sf dim. 8h30-12h30 14h-18h30

Anjou-Saumur

A la limite septentrionale des zones de culture de la vigne, sous un climat atlantique, avec un relief peu accentué et de nombreux cours d'eau, les vignobles d'Anjou et de Saumur s'étendent dans le département du Maine-et-Loire, débordant un peu sur le nord de la Vienne et des Deux-Sèvres.

Les vignes ont depuis fort longtemps été cultivées sur les coteaux de la Loire, du Layon, de l'Aubance, du Loir, du Thouet... C'est à la fin du XIXe s. que les surfaces plantées sont les plus vastes. Le Dr Guyot, dans un rapport au ministre de l'Agriculture, cite alors 31 000 ha en Maine-et-Loire. Le phylloxéra anéantira le vignoble, comme partout. Les replantations s'effectueront au début du XXe s. et se développeront un peu dans les années 1950-1960, pour régresser ensuite. Aujourd'hui, ce vignoble couvre environ 14 500 ha, qui produisent de 800 000 à un million d'hectolitres selon les années.

Les sols, bien sûr, complètent très largement le climat pour façonner la typicité des vins de la région. C'est ainsi qu'il faut faire une nette différence entre ceux qui sont produits sur « l'Anjou noir », constitué de schistes et autres roches primaires du Massif armoricain, et ceux qui sont produits sur « l'Anjou blanc », ou Saumurois, terrains sédimentaires du Bassin parisien dans lesquels domine la craie tuffeau. Les cours d'eau ont également joué un rôle important pour le commerce : ne trouve-t-on pas encore trace aujourd'hui de petits ports d'embarquement sur le Layon ? Les plantations sont de 4 500-5 000 pieds

LOIRE

par hectare ; la taille, qui était plus particulièrement en gobelet et en éventail, a évolué en guyot.

La réputation de l'Anjou est due aux vins blancs moelleux, dont les coteaux du layon sont les plus renommés. L'évolution conduit cependant désormais aux types demi-sec et sec, et à la production de vins rouges. Dans le Saumurois, ces derniers sont les plus estimés, avec les vins mousseux qui ont connu une forte croissance, notamment les AOC saumur-mousseux et crémant de loire.

Anjou

Constituée d'un ensemble de près de 200 communes, l'aire géographique de cette appellation régionale englobe toutes les autres. On y trouve des vins blancs (57 989 hl en 2000) et des vins rouges (255 358 hl). Pour beaucoup, le vin d'anjou est, avec raison, synonyme de vin blanc doux ou moelleux. Le cépage est le chenin, ou pineau de la Loire, mais l'évolution de la consommation vers des secs a conduit les producteurs à y associer chardonnay ou sauvignon, dans la limite maximale de 20 %. La production de vins rouges est en train de modifier l'image de la région ; ce sont les cépages cabernet franc et cabernet-sauvignon qui sont alors mis en œuvre.

CH. DE BELLEVUE 2000

■ 3 ha 10 000 3à5€

Le château du XIX[e]s. a été acquis par le grand-père en 1894. Dans l'enceinte de son parc se déroule tous les ans, au mois de juillet, la fête des vins liquoreux d'Anjou. L'exploitation (28 ha) est conduite par M. Tijou et son fils. D'un rouge tirant sur le noir à reflets violets, leur anjou libère des arômes de fruits macérés dans l'eau-de-vie. La bouche fruitée est agréable, un peu austère en finale. Un vin bien fait qu'il convient d'attendre un an ou deux. (20 à 29 F)

EARL Tijou et Fils, Ch. de Bellevue, 49190 Saint-Aubin-de-Luigné, tél. 02.41.78.33.11, fax 02.41.78.67.84 r.-v.

DOM. DE BRIZE 2000★★★

■ 3 ha 13 000 3à5€

Ce domaine d'une quarantaine d'hectares est géré par Luc Delhumeau, œnologue, marié à une œnologue. Œnologue encore, la sœur. Quoi d'étonnant à ce que l'exploitation soit couverte d'étoiles au fil des éditions du Guide ? Ce vin est ainsi un modèle pour l'appellation. Tout en lui séduit : sa robe rubis vif, sa palette aromatique subtile où se mêlent les fruits rouges, les fleurs et des notes amyliques, sa bouche moelleuse, laissant une sensation de fruits mûrs et de fraîcheur. Un remarquable équilibre où se conjuguent légèreté et richesse, délicatesse et intensité. (20 à 29 F)

SCEA Marc et Luc Delhumeau, Dom. de Brizé, 49540 Martigné-Briand, tél. 02.41.59.43.35, fax 02.41.59.66.90, e-mail delhumeau.scea@free.fr r.-v.
Luc et Line Delhumeau

DOM. DES CHESNAIES 2000★

■ n.c. 10 000 3à5€

A peine installé sur ce domaine (acquis en 1998), Olivier de Cenival fait son entrée dans le Guide avec cet anjou noir intense, aux arômes tout aussi intenses de fruits rouges et d'épices, à la bouche souple et ample, légèrement austère en finale. Une riche matière, un vin puissant qui doit encore s'affiner : on l'attendra au moins un an. (20 à 29 F)

Olivier de Cenival, La Noue, 49190 Denée, tél. 02.41.78.79.80, fax 02.41.68.05.61, e-mail odecenival@aol.com r.-v.

DOM. DE CLAYOU 2000★

■ 2 ha 14 000 3à5€

J.-B. Chauvin s'est engagé dans la défense des viticulteurs de Saint-Lambert-du-Lattay, la commune la plus viticole de l'Anjou. Son anjou rouge est bien représentatif de l'appellation par sa légèreté et son équilibre. D'un rubis éclatant, il offre des arômes fruités et fumés, assortis de notes d'épices. La bouche est souple, délicate et fraîche. Un vin de caractère, qui peut être bu dans l'année ou conservé au moins deux ans. (20 à 29 F)

SCEA Jean-Bernard Chauvin, 18 *bis*, rue du Pont-Barré, 49750 Saint-Lambert-du-Lattay, tél. 02.41.78.42.84, fax 02.41.78.48.52 t.l.j. sf dim. 9h-12h 14h-19h; f. fin août

CH. DU FRESNE
Chevalier Le Bascle 1999★★★

□ 2,5 ha 6 600 5à8€

Le chevalier François Le Bascle, dernier représentant au XVII[e]s. de la première lignée de propriétaires du château du Fresne, a légué son nom à cette cuvée jaune pâle qui apparaît aux dégustateurs unanimes comme un modèle de l'anjou blanc. Ses arômes de fruits blancs, de fruits mûrs, de fleurs blanches révèlent une vendange triée, tandis que la bouche moelleuse, ample, délicate, donne la sensation de croquer des raisins surmûris, bien dorés. Ce vin fera honneur à un poisson en sauce. (30 à 49 F)

Vignobles Robin-Bretault, Ch. du Fresne, 49380 Faye-d'Anjou, tél. 02.41.54.30.88, fax 02.41.54.17.52, e-mail fresne@voila.fr ☑ Y r.-v.

DOM. GAUDARD 2000**

□ 3,32 ha 10 000 5à8€

Pierre Aguilas est président de la Fédération viticole des vins d'Anjou-Saumur depuis de nombreuses années. Ses responsabilités ne le conduisent pas à négliger son domaine, à en juger par sa production, régulièrement sélectionnée dans le Guide (souvent en bonne place) depuis la première édition. Cet anjou d'un rubis limpide est remarquable par son équilibre, sa fraîcheur et son fruité, qui est le fil conducteur de la dégustation. Son nez délicat mêle les fruits rouges et noirs. On retrouve cette sensation délicieuse de fruité dans une bouche friande. Derrière tous ces agréments, on sent une vendange bien mûre. (30 à 49 F)

Pierre Aguilas, Dom. Gaudard, rte de Saint-Aubin, 49290 Chaudefonds-sur-Layon, tél. 02.41.78.10.68, fax 02.41.78.67.72 ☑ Y t.l.j. sf dim. 9h-12h 14h-19h

DOM. GROSSET Harmonie 1999*

■ n.c. 800 5à8€

Ce domaine travaille « à l'ancienne », avec labours et effeuillage des vignes. Ses vins, notamment les liquoreux, ont un cachet particulier. On découvrira cette année un anjou rouge. Ce 99 montre dans sa robe grenat des reflets légèrement orangés, signe d'évolution. Ses arômes mêlent des accents fruités à des notes de vanille et d'épices. Equilibrée, la bouche révèle des tanins soyeux et prend un caractère boisé en finale. (30 à 49 F)

Serge Grosset, 60, rue René-Gasnier, 49190 Rochefort-sur-Loire, tél. 02.41.78.78.67, fax 02.41.78.79.79 ☑ Y r.-v.

DOM. DES HAUTES OUCHES 1999**

□ 1 ha 4 000 5à8€

Cette exploitation de 43 ha est établie sur un plateau calcaire correspondant au chevauchement du Bassin parisien sur le socle primaire du Massif armoricain. Une fois de plus, elle offre un vin remarquable. Elaboré à partir de vendanges sélectionnées manuellement et vinifiées en barrique, ce 99 jaune à reflets d'or livre des arômes intenses de miel, de fleurs blanches, de fruits secs ou de fruits mûrs. La bouche est puissante et complexe. A découvrir. (30 à 49 F)

EARL Joël et Jean-Louis Lhumeau, 9, rue Saint-Vincent, Linières, 49700 Brigné-sur-Layon, tél. 02.41.59.30.51, fax 02.41.59.31.75 ☑ Y r.-v.

DOM. DES IRIS 2000*

■ 12 ha 93 330 3à5€

Ce vin, orné d'une étiquette élégante, affiche une robe rouge intense et libère des arômes légers et délicats de fruits macérés à l'eau-de-vie, de fruits rouges et de torréfaction. Soutenue par une belle structure tannique, charpentée, la bouche ne manque pas d'agrément. Un vin prêt à boire, mais apte à une garde de quatre ans. (20 à 29 F)

Jack Petit, La Roche Coutant, 49540 Tigné, tél. 02.41.40.22.50, fax 02.41.40.22.60, e-mail j.verdier@wanadoo.fr

DOM. DE LA BELLE ANGEVINE Vieilles vignes Cuvée Or 1999*

□ 0,25 ha 1000 5à8€

La Belle Angevine, prend-on soin de nous indiquer, est l'héroïne d'une vieille légende locale. Quant au domaine, constitué en 1993 et situé dans les coteaux du Layon, il est dirigé par Florence Dufour. Sa production est régulièrement mentionnée dans le Guide. Cette cuvée Or, d'un jaune pâle limpide, possède un équilibre intéressant. Ses arômes d'agrumes (citron, pamplemousse) et sa vivacité en bouche concourent à une impression de fraîcheur et suggèrent de la servir sur des poissons grillés ou des fruits de mer. (30 à 49 F)

Florence Dufour, Dom. de La Belle Angevine, La Motte, 49750 Beaulieu-sur-Layon, tél. 02.41.78.34.86, fax 02.41.72.81.58, e-mail fldufour@club-internet.fr ☑ Y r.-v.

DOM. DE LA CROIX DES LOGES 2000*

■ 10 ha 10 000 3à5€

Ce domaine de 40 ha, régulièrement mentionné dans le Guide, s'est particulièrement distingué en cabernet d'anjou où il a obtenu deux coups de cœur consécutifs. Ses talents ne se limitent pas au rosé : il montre avec ce millésime 2000 qu'il sait élaborer des vins rouges puissants, au fort potentiel (supérieur même à celui que l'on attend dans cette AOC). D'un rouge intense, cet anjou présente des arômes de fruits rouges et d'épices. Equilibré, il possède une bouche riche à la structure tannique assez imposante mais fondue. Il faut l'attendre au moins un an. (20 à 29 F)

SCEA Bonnin et Fils, Dom. de La Croix des Loges, 49540 Martigné-Briand, tél. 02.41.59.43.58, fax 02.41.59.41.11, e-mail bonninlesloges@aol.com ☑ Y r.-v.

DOM. LA GABETTERIE 2000

■ 2 ha 7 000 3à5€

Située à quelques kilomètres du hameau de Bonnezeaux, cette exploitation de 40 ha a présenté un anjou rubis intense dont le bel équilibre

LOIRE

a été apprécié par le jury. La palette aromatique associe les fruits rouges et les fruits macérés à l'eau-de-vie. La bouche est agréable, quoique légèrement astringente en finale. Un vin prêt à boire, mais que l'on peut conserver un an ou deux. (20 à 29 F)

Vincent Reuiller, La Gabetterie, 49380 Faveraye-Machelles, tél. 02.41.54.14.99, fax 02.41.54.33.12 r.-v.

DOM. DE LA GRETONNELLE 2000*

□ 1 ha 1000 3 à 5 €

Un anjou blanc des plus réussis, signé par un domaine situé au nord du département des Deux-Sèvres. Sa palette aromatique est dominée par des parfums liés à la vinification et à une fermentation à bonne température (bonbon anglais, agrumes), auxquels s'ajoutent des fragrances témoignant d'une vendange mûre (fleurs blanches et fruits mûrs). L'ensemble, très équilibré, laisse une sensation de fraîcheur caractéristique des vins blancs de la Loire. (20 à 29 F)

EARL Charruault-Schmale, Les Landes, 79290 Bouillé-Loretz, tél. 05.49.67.04.49 r.-v.

LES VIGNES DE L'ALMA 2000**

■ 3,5 ha 10 000 3 à 5 €

Une petite exploitation de 10 ha établie sur un plateau à l'ouest du département du Maine-et-Loire. Du domaine, on découvre la vallée de la Loire et Saint-Florent-le-Vieil, cité ancienne qui fut le théâtre d'épisodes décisifs lors de la guerre de Vendée (1793-1795). Ces vignes de l'Alma ont donné un vin rouge grenat fort complimenté : le nez associe les fruits mûrs, la grenadine et le fumé ; la bouche moelleuse, friande, laisse une sensation intense de fruits rouges, avec quelques notes végétales de poivron en rétro-olfaction. Un très beau représentant de l'appellation. (20 à 29 F)

Roland Chevalier, L'Alma, 49410 Saint-Florent-le-Vieil, tél. 02.41.72.71.09, fax 02.41.72.63.77 t.l.j. sf dim. 8h30-12h30 14h-19h

LES CAVES DE LA LOIRE
Prestige 2000*

■ 13 ha 100 000 5 à 8 €

Une robe rouge soutenu, des arômes intenses de fruits rouges et noirs, auxquels s'ajoutent quelques notes de poivron en rétro-olfaction et, en finale, une structure tannique intéressante : voilà une cuvée très réussie, prête à boire mais que l'on peut garder un an ou deux. (30 à 49 F)

Les Caves de La Loire, rte de Vauchrétien, 49320 Brissac-Quincé, tél. 02.41.91.22.71, fax 02.41.54.20.36, e-mail loire-wines@vapl.fr r.-v.

DOM. DU LANDREAU 1999*

■ 20 ha 100 000 5 à 8 €

A Saint-Lambert-du-Lattay, célèbre village des coteaux du layon, on peut découvrir, à la belle saison, un intéressant musée de la Vigne et du Vin d'Anjou. Le domaine du Landreau dispose de 50 ha de vignes, dont 20 orientés vers la production d'anjou rouge. Celui-ci présente un nez évoquant la viande et le cuir. La bouche offre une très belle structure. Un vin à servir après aération sur du gibier. (30 à 49 F)

Raymond Morin, Dom. du Landreau, 49750 Saint-Lambert-du-Lattay, tél. 02.41.78.30.41, fax 02.41.78.45.11, e-mail rmorin@domaine-du-landreau.com t.l.j. sf sam. a.-m. et dim. 8h-12h30 14h-19h

VIGNOBLE DE L'ARCISON 2000

■ 3 ha 8 000 5 à 8 €

Ce domaine de 26 ha, situé sur la commune de Thouarcé, propose un vin simple, agréable et bien fait. La robe est d'un rouge soutenu, la palette aromatique associe le poivron, les épices et les fruits rouges ; la bouche est souple, légère et fraîche. Un anjou prêt à boire, mais susceptible d'une petite garde (un à deux ans). (30 à 49 F)

Damien Reulier, Le Mesnil, 49380 Thouarcé, tél. 02.41.54.16.81, fax 02.41.54.31.12, e-mail damien.reulier@wanadoo.fr r.-v.

CH. DE LA ROULERIE
Les Maronis 2000*

■ 4 ha 24 000 5 à 8 €

Pour être situé au pied du coteau de Chaume, haut lieu de la production des grands liquoreux d'Anjou, le château de La Roulerie ne néglige pas pour autant la production des vins rouges. Cet anjou s'annonce par une robe rouge intense et par un nez puissant de fruits rouges. La bouche ample offre une belle structure tannique, une riche matière qui doit s'affiner. Proche d'un anjou-villages, ce vin devra être attendu au moins un an. (30 à 49 F)

Vignobles Germain et Associés Loire, 49380 Thouarcé, tél. 02.41.68.94.00, fax 02.41.68.94.01, e-mail loire@vgas.com r.-v.

DOM. DE LA VILLAINE
Cuvée spéciale 1999*

□ 0,5 ha 1 500 5 à 8 €

Ce domaine, créé à partir de multiples petites exploitations dans les années 1970, compte aujourd'hui 23 ha. Vinifiée et élevée en fût de chêne pendant douze mois, sa Cuvée spéciale, d'un jaune pâle limpide, offre des arômes fruités et floraux associés à des notes boisées. Ample, intense, moelleuse, la bouche est pour le moment dominée par le bois en finale. Un vin quelque peu atypique, certes, mais des plus réussis. (30 à 49 F)

GAEC des Villains, La Villaine, 49540 Martigné-Briand, tél. 02.41.59.75.21, fax 02.41.59.75.21 r.-v.

LEDUC-FROUIN Cuvée Alexine 2000*

□ 1 ha 3 000 5 à 8 €

Ce domaine bien connu des lecteurs du Guide est dirigé aujourd'hui par la jeune génération représentée par Antoine Leduc et sa sœur Nathalie. Leur cuvée Alexine n'avait pas encore exprimé tout son potentiel le jour de la dégustation. Mais sa palette aromatique complexe, associant raisin surmûri, agrumes et fruits mûrs, sa bouche à la fois riche et légère sont des signes qui ne trompent pas ! Un vin prometteur qui surprendra à la fin de l'année 2001. Quant à l'**anjou rouge 2000 Domaine Leduc-Frouin La Seigneurie**, il a recueilli une citation. On peut le boire dès maintenant ou le garder quelques années. (30 à 49 F)

SCEA Dom. Leduc-Frouin, Sousigné, 49540 Martigné-Briand, tél. 02.41.59.42.83, fax 02.41.59.47.90, e-mail domaine-leduc-frouin@wanadoo.fr r.-v.

Nathalie et Antoine Leduc

LE LOGIS DU PRIEURE

Le Gâte-Acier 2000*

0,5 ha 2 500 5à8€

Canalisé sous Louis XVI, le Layon servit de voie navigable jusqu'à la Révolution, et permettait de transporter vin et charbon. C'est sur les pentes dominant cette rivière qu'est établie l'exploitation des Jousset. Sa cuvée Gâte-Acier peut être bue dès à présent ou conservée deux à trois ans. Jaune à reflets or, elle livre des arômes intenses de fleurs blanches et de fruits secs. La bouche, à la fois moelleuse et fraîche, finit sur des notes fruitées avec une touche de noisette. Un mariage réussi entre puissance et finesse. L'**anjou rouge 2000 (20 à 29 F)** du domaine a obtenu la même note pour ses arômes complexes (fruits mûrs, poivron, notes animales) et sa bouche ronde et harmonieuse. Il est à boire dans l'année. (30 à 49 F)

SCEA Jousset et Fils, Le Logis du Prieuré, 49700 Concourson-sur-Layon, tél. 02.41.59.11.22, fax 02.41.59.38.18, e-mail logis.prieure@groupesirius.com t.l.j. sf dim. 8h-12h 14h-19h

DOM. LES GRANDES VIGNES

Varenne de Combre 2000**

1,65 ha 4 800 8à11€

Dirigé par trois frères et sœur qui lui ont donné en peu d'années une solide réputation, ce domaine nous avait proposé un remarquable bonnezeaux l'an dernier. Voici l'anjou blanc sec, issu de vendanges scrupuleusement triées. Jaune pâle à reflets or vert, il présente des arômes rappelant ceux des liquoreux (fruits confits ou concentrés, noix, coing, pomme cuite), une bou-

Anjou et Saumur

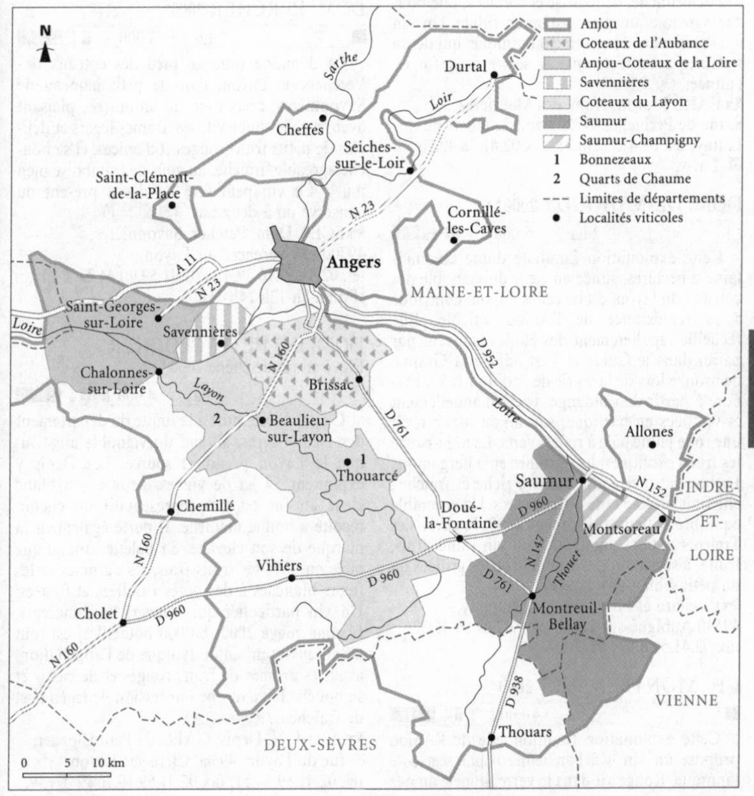

LOIRE

che à la fois moelleuse et fraîche. Il sera à son optimum à la fin de l'année 2001. (50 à 69 F)

GAEC Vaillant, Dom. Les Grandes Vignes, La Roche Aubry, 49380 Thouarcé, tél. 02.41.54.05.06, fax 02.41.54.08.21, e-mail gaecvaillant@worldonline.fr r.-v.

LES TERRIADES 2000**

□ 20 ha 150 000 -3€

Proche du château de Brissac, cette coopérative, créée en 1951, regroupe environ 1 800 ha. Les sélections des Terriades correspondent à des terroirs vinifiés séparément. Cet anjou blanc, d'un jaune pâle limpide, séduit par sa finesse, son élégance et son équilibre. Son nez est délicat, et sa bouche laisse une impression de légèreté très agréable. Un classique de l'appellation, qui sera à son optimum à la fin de l'année 2001. (– 20 F)

Les Caves de La Loire, rte de Vauchrétien, 49320 Brissac-Quincé, tél. 02.41.91.22.71, fax 02.41.54.20.36, e-mail loire-wines@vapl.fr r.-v.

DOM. DES MAURIERES 2000*

■ 0,75 ha 4 000 5à8€

Connu pour ses liquoreux (il exploite même quelques parcelles en quarts de chaume), ce domaine traditionnel a bien réussi son anjou rouge. On lui trouve une robe rubis intense, un nez de prunelle, de réglisse et d'épices, une bouche agréable, un peu austère en finale. Un vin « à l'ancienne », légèrement tannique, qui devra s'affiner avec le temps. A servir à la fin de l'année. (30 à 49 F)

EARL Moron, Dom. des Maurières, 8, rue de Perinelle, 49750 Saint-Lambert-du-Lattay, tél. 02.41.78.30.21, fax 02.41.78.40.26 r.-v.

DOM. DE MIHOUDY 2000**

□ 2 ha 5 000 5à8€

Cette exploitation familiale d'une cinquantaine d'hectares, située au cœur du vignoble des coteaux du layon, est de celles qui ont contribué à la renaissance de l'Anjou viticole. Elle recueille régulièrement des étoiles (souvent par paire) dans le Guide et s'est adjugé la Grappe de bronze lors de la sortie de l'édition 1997. Elaboré à partir de vendanges triées manuellement et vinifiées en barrique, son anjou blanc revêt une robe jaune pâle à reflets verts. Le nez associe les fruits exotiques, les agrumes et la bergamote. La bouche révèle une matière riche et fraîche ; elle finit sur une note de fruits secs. Un ensemble équilibré et délicat. En **rouge 2000, la cuvée Les Tréjeots** obtient une étoile : un vin franc, frais, fruité, à servir sur des viandes rouges grillées ou du petit gibier. (30 à 49 F)

Cochard et Fils, Dom. de Mihoudy, 49540 Aubigné-sur-Layon, tél. 02.41.59.46.52, fax 02.41.59.68.77 r.-v.

CH. MONTBENAULT 2000*

■ 3 ha 10 000 5à8€

Cette exploitation traditionnelle de l'Anjou propose un vin « à l'ancienne » par son côté tannique. Rouge vif dans le verre, il mêle au nez les fruits mûrs à des notes végétales (poivron). Agréable à l'attaque, dominée par les fruits mûrs, la bouche laisse une impression austère en finale. Ce vin devrait être prêt à la fin de l'année 2001. (30 à 49 F)

Yves et Marie-Paule Leduc, Ch. Montbenault, 49380 Faye-d'Anjou, tél. 02.41.78.31.14, fax 02.41.78.60.29 t.l.j. sf dim. 9h-12h 14h-19h

GILLES MUSSET ET SERGE ROULLIER 2000**

□ 1 ha 6 000 5à8€

En matière de conduite de la vigne, de choix de dates de récolte et de soin apporté aux vinifications, ce domaine est une référence du vignoble de la région. Cet anjou blanc est une nouvelle preuve de son savoir-faire. Intense, puissant, il offre une palette aromatique complexe et délicate associant fruits blancs, agrumes, citron et fruits mûrs. Un équilibre remarquable. En **rouge, la cuvée d'Automne 2000** obtient également deux étoiles : elle offre un festival de fruits compotés et d'épices. (30 à 49 F)

Vignoble Musset-Roullier, Le Pélican, 49620 La Pommeraye, tél. 02.41.39.05.71, fax 02.41.77.75.76, e-mail musset.roullier@wanadoo.fr r.-v.

DOM. PERCHER 2000*

■ 3 ha 6 000 3à5€

Ce domaine situé au pied des coteaux des Verchers-sur-Layon, dans le petit hameau de Savonnières, nous livre un anjou très plaisant avec sa robe rouge vif, ses arômes légers et délicats de petits fruits rouges et d'épices, et sa bouche agréable, fraîche, au goût de framboise bien mûre. Ce vin peut être bu dès à présent ou conservé un à deux ans. (20 à 29 F)

SCEA Dom. Percher, Savonnières, 49700 Les Verchers-sur-Layon, tél. 02.41.59.76.29, fax 02.41.59.90.44 t.l.j. sf dim. 8h-12h 14h-18h

DOM. DU PETIT CLOCHER

Elevé en fût de chêne 2000*

□ 1 ha 4 000 5à8€

C'est à Cléré, situé à la limite du département des Deux-Sèvres, au sud du vignoble angevin, que le Layon prend sa source. Les Denis y exploitent 54 ha de vignes. Leur anjou blanc élevé en fût est très représentatif du chenin récolté à bonne maturité. Il porte également la marque de son élevage. Sa palette aromatique mêle en effet les fruits frais, les agrumes et les fleurs blanches à des notes vanillées et fumées. Un vin particulier qui trouvera ses amateurs. L'**anjou rouge 2000** (60 000 bouteilles) est tout aussi réussi ; un anjou typique de l'appellation, avec ses arômes de fruits rouges et de cassis et sa bouche laissant une impression de légèreté et de fraîcheur. (30 à 49 F)

A. et J.-N. Denis, GAEC du Petit Clocher, 3, rue du Layon, 49560 Cléré-sur-Layon, tél. 02.41.59.54.51, fax 02.41.59.59.70 r.-v.

DOM. DES PETITES GROUAS 2000*

■ 2 ha 10 000 3à5€

Situé dans le haut Layon, Martigné-Briand a conservé les vestiges d'un château Renaissance qui fut brûlé pendant la guerre de Vendée. Le domaine des Petites Grouas est situé sur un plateau calcaire correspondant à un chevauchement du Bassin parisien sur les schistes du Massif armoricain. Son anjou rouge, bien fait, possède une belle structure. Aromatiquement, c'est du cassis ! L'ensemble est bien agréable et ne manquera pas d'amateurs. (20 à 29 F)

EARL Philippe Léger, Cornu, 49540 Martigné-Briand, tél. 02.41.59.67.22, fax 02.41.59.69.32 r.-v.

DOM. DES PETITS QUARTS 2000***

■ 1 ha 4 000 3à5€

Le « champion du bonnezeaux » (on n'a pas oublié ses trois coups de cœur successifs dans les millésimes 95, 96 et 97) montre ici que ses talents ne se limitent pas aux liquoreux. Voici en effet un anjou rouge d'anthologie ! Intense la robe grenat, intense le nez, et d'une impressionnante complexité, mêlant les fruits rouges, les fruits noirs, la réglisse et des notes fumées. La bouche ? Délicate, moelleuse et fraîche à la fois. « Un vin parfait », conclut un dégustateur. (20 à 29 F)

Godineau Père et Fils, Dom. des Petits Quarts, 49380 Faye-d'Anjou, tél. 02.41.54.03.00, fax 02.41.54.25.36 t.l.j. sf dim. 8h-12h 14h-18h

CH. DE PIMPEAN
Cuvée du Festival 2000*

■ 13 ha 40 000 5à8€

Le château de Pimpéan a été construit en 1450. Les voûtes de sa chapelle sont décorées de splendides peintures du XVᵉs. A la fin de l'été se déroule sur ces lieux un festival d'art lyrique, d'où le nom de cette cuvée. Le 2000, d'un rubis intense, associe au nez les fruits mûrs ou macérés à l'alcool et le pruneau. La bouche est riche, dense et fraîche. Un vin de caractère qui donne pourtant une impression de légèreté, à la fois charpenté et facile à boire. (30 à 49 F)

SCA Dom. de Pimpéan, 49320 Grézillé, tél. 02.41.68.95.96, fax 02.41.45.51.93, e-mail maryset@pimpean.com t.l.j. 8h-12h 13h30-17h30

Gilles Tugendhat

DOM. DU PRIEURE 2000*

■ 0,56 ha 4 000 3à5€

Franck Brossaud s'est installé en 2000 après avoir passé une thèse de doctorat portant sur l'effet terroir en milieu viticole dans laquelle il y traite notamment des composés phénoliques des vins rouges. Place maintenant aux travaux pratiques ! Voici déjà un résultat encourageant avec cet anjou équilibré, fruité et souple. D'un rouge grenat, il offre des arômes classiques de fruits rouges accompagnés de quelques notes végétales. Agréable et fraîche, la bouche laisse une impression de fruits mûrs. (20 à 29 F)

Franck Brossaud, 1 *bis*, pl. du Prieuré, 49610 Mozé-sur-Louet, tél. 02.41.45.30.74, fax 02.41.45.30.74 r.-v.

CH. DE PUTILLE 2000

□ 2,5 ha 10 000 3à5€

Le château de Putille et son propriétaire, Pascal Delaunay, sont associés au renouveau des vins rouges d'Anjou. Mais leurs blancs sont aussi souvent retenus. Celui-ci a surpris les dégustateurs qui l'ont jugé évolué pour le millésime - dû au caractère tardif de la récolte. Sa robe est d'un jaune intense, son nez est fait de fleurs et d'agrumes, sa bouche est moelleuse, très peu acide. Un vin original, qui trouvera sa place à l'apéritif ou sur des viandes blanches. (20 à 29 F)

Pascal Delaunay, EARL Ch. de Putille, 49620 La Pommeraye, tél. 02.41.39.02.91, fax 02.41.39.03.45 t.l.j. sf dim. 8h30-12h30 14h-19h30

DOM. RICHOU Les Rogeries 1999**

□ 4 ha 10 000 8à11€

Dans la généalogie des Richou, il est fait mention d'un Maurice Joyau, fournisseur en vins du roi en 1550. La famille compte toujours dans l'Anjou viticole : on la trouve associée au renouveau des vins de la région. Voyez cette cuvée, née sur un filon de rhyolite (cendre volcanique acide solidifiée), terroir original des coteaux de l'Aubance. D'un jaune intense, elle révèle des arômes qui évoquent une vendange triée (coing, fruits mûrs, fleurs blanches). Sa bouche moelleuse laisse une impression de finesse. Un vin superbe, à la fois puissant et délicat. (50 à 69 F)

GAEC D. et D. Richou, Chauvigné, 49610 Mozé-sur-Louet, tél. 02.41.78.72.13, fax 02.41.78.76.05 r.-v.

MICHEL ROBINEAU 2000**

■ 1 ha 4 000 3à5€

Michel Robineau a créé son exploitation en 1990. Il sait tout faire, à en juger par les coups de cœur qu'il a à son actif. Cet anjou 2000 donne toute satisfaction, avec sa robe grenat intense, ses arômes puissants de fruits mûrs (cassis, mûre), sa bouche concentrée et riche. Son potentiel est supérieur à celui que l'on trouve ordinairement dans l'appellation. A attendre un à deux ans. (20 à 29 F)

Michel Robineau, 3, chem. du Moulin, Les Grandes Tailles, 49750 Saint-Lambert-du-Lattay, tél. 02.41.78.34.67 r.-v.

CH. DES ROCHETTES 2000**

■ 10 ha 20 000 5à8€

Déjà couvert de ceps au XVᵉs., le fief des Rochettes était une possession de Louis XI. Au milieu du vignoble, planté à flanc de colline, se dressait jadis un moulin à vent autour duquel se livrèrent de violents combats lors de la guerre de Vendée. Si le domaine est célèbre par ses coteaux du layon, maintes fois distingués par des coups de cœur, le reste de la production mérite aussi qu'on s'y attarde. Voyez cet anjou rouge, dont le fruité et l'équilibre lui ont valu deux étoiles. La robe est grenat vif, les arômes délicats évoquent les petits fruits rouges, la bouche fondue et agréable laisse sur une impression de fraîcheur et sur des notes de fruits mûrs. (30 à 49 F)

Jean Douet, Ch. des Rochettes, 49700 Concourson-sur-Layon, tél. 02.41.59.11.51, fax 02.41.59.37.73 r.-v.

DOM. ROMPILLON 2000

■ 0,6 ha 4 500 3 à 5 €

Situé dans les coteaux du Layon, ce domaine s'est récemment agrandi et compte aujourd'hui 15 ha. Son anjou rouge mêle des notes amyliques à des arômes de fruits rouges. Bien vinifié, il est si léger qu'il peut être bu frais comme un rosé de loire. Une bouteille d'initiation aux vins rouges du val de Loire. (20 à 29 F)

Jean-Pierre Rompillon, L'Ollulière, 49750 Saint-Lambert-du-Lattay, tél. 02.41.78.48.84, fax 02.41.78.48.84 r.-v.

DOM. DES SABLONNIERES

Cuvée des Vignes rouges 2000

■ 2 ha 4 000 5 à 8 €

Doué-la-Fontaine est spécialisée dans la culture des roses, mais la vigne y garde ses droits. Le domaine des Sablonnières (16,5 ha) tire probablement son nom du terroir particulier où il est établi, un banc de faluns (sables calcaires riches en fossiles marins). Paré d'une robe rouge intense, son anjou rouge offre des arômes intéressants de fruits rouges et de fumé. Peut-être en raison d'une extraction importante, il est très marqué par des tanins austères en finale. Une rusticité de bon aloi qui a ses amateurs. (30 à 49 F)

EARL Pierre et Eliane Bébin, 387, rue Jean-Gaschet, 49700 Doué-la-Fontaine, tél. 02.41.59.00.41, fax 02.41.59.99.27, e-mail lessablonnieres@wanadoo.fr r.-v.

DOM. SAINT-ARNOUL 2000**

■ 4,17 ha 8 000 3 à 5 €

Georges Poupard, fondateur de ce domaine en 1963, a pris sa retraite en l'an 2000. Son fils aîné Alain, qui l'avait rejoint sur l'exploitation en 1986, vient de s'associer avec Xavier Maury, œnologue, qui était auparavant responsable de l'un des laboratoires du vignoble angevin. Cette fructueuse collaboration est à l'origine d'un anjou élaboré à partir de vendanges bien mûres et très bien vinifiées. Ce millésime 2000 laisse une impression de légèreté, de fruité et d'équilibre qui en font un vin plaisir - autant dire un parfait représentant de l'appellation. (20 à 29 F)

GAEC Poupard et Maury, Dom. Saint-Arnoul, Sousigné, 49540 Martigné-Briand, tél. 02.41.59.43.62, fax 02.41.59.69.23, e-mail saint-arnoul@wanadoo.fr r.-v.

DOM. DES VARENNES 2000**

■ 4 ha 5 000 5 à 8 €

Située dans l'aire des coteaux du Layon, cette propriété de 16 ha, créée en 1930, est exploitée par les Richard, père et fils. Son anjou rouge est aussi remarquable que dans le millésime précédent. D'un rouge cerise, il a été obtenu à partir d'une macération courte et de remontages traditionnels. Il réussit à être léger tout en montrant du caractère. Du nez qui libère des notes de fruits frais après aération à la finale de cerise bien mûre, on apprécie sa belle continuité aromatique. Un ensemble harmonieux. (30 à 49 F)

GAEC A. Richard, 11, rue des Varennes, 49750 Saint-Lambert-du-Lattay, tél. 02.41.78.32.97, fax 02.41.74.00.30 r.-v.

DOM. VERDIER 2000*

■ 1 ha 7 000 3 à 5 €

Cette exploitation familiale de 22 ha, établie dans l'aire des coteaux du Layon, a élaboré un vin puissant, révélant une riche matière, plutôt austère en finale : il dénote des vendanges bien mûres et une extraction très importante, qui le rend un peu atypique pour l'appellation. Sa robe est pourpre intense à reflets noirs, et ses arômes mêlent des notes végétales (bourgeon de cassis) et épicées. (20 à 29 F)

EARL Verdier Père et Fils, 7, rue des Varennes, 49750 Saint-Lambert-du-Lattay, tél. 02.41.78.35.67, fax 02.41.78.35.67 t.l.j. 8h30-12h30 14h-18h30; dim. sur r.-v.; f. 25 août-3 sept.

MANOIR DE VERSILLE 2000*

■ 5 ha 20 000 3 à 5 €

Versillé est un village situé dans la région des coteaux de l'Aubance, sur le versant nord de cette rivière et face au bourg de Saint-Melaine. Le manoir est austère et beau, avec ses deux corps de logis en équerre reliés par une tour carrée du XVIe s. Une même austérité marque son anjou rouge, assez astringent en finale. Sans doute faut-il y voir l'effet d'une extraction importante sur une vendange bien mûre. Mais sa robe d'un rouge profond, ses arômes de fruits compotés, sa bouche fruitée intense, font bonne impression. Une bouteille à attendre au moins un an. (20 à 29 F)

Francine Desmet, EARL du Manoir de Versillé, Versillé, 49320 Saint-Jean-des-Mauvrets, tél. 02.41.45.22.00, fax 02.41.45.22.00, e-mail manoir.versille@wanadoo.fr r.-v.

Anjou-gamay

Vin rouge produit à partir du cépage gamay noir. Sur les terrains les plus schisteux de la zone, bien vinifié, il peut donner un excellent vin de carafe. Quelques exploitations se sont spécialisées dans ce type, qui n'a d'autre ambition que de plaire au cours de l'année de sa récolte. 16 642 hl ont été produits en 2000.

DOM. DES BONNES GAGNES 2000

■ 2 ha 6 000 3 à 5 €

La terre des Bonnes Gagnes fut plantée de vignes par les moines, dès le XIe s. Quelque dix siècles plus tard, elle a donné un vin fort agréable, avec sa robe rubis à reflets roses, ses arômes simples de raisins mûrs et d'épices, sa bouche fruitée et fraîche. Un gamay caractéristique, qui peut accompagner tout un repas. (20 à 29 F)

Jean-Marc Héry, Orgigné, 49320 Saint-Saturnin-sur-Loire, tél. 02.41.91.22.76, fax 02.41.91.21.58 t.l.j. 9h-12h30 14h-19h30; dim. sur r.-v.

DOM. CHUPIN 2000★★

■ 3,8 ha 30 000 3 à 5 €

Ce vaste domaine angevin exploitant environ 80 ha de vignes propose un gamay représentatif de son cépage, avec sa robe grenat violacée, des arômes simples et expressifs de fruits rouges (fraise) associés à des notes amyliques (banane...), sa bouche fraîche, délicate et fruitée. La concentration est remarquable pour le millésime. (20 à 29 F)

SCEA Dom. Chupin, 8, rue de l'Eglise, 49380 Champ-sur-Layon, tél. 02.41.78.86.54, fax 02.41.78.61.73 r.-v.

DOM. PIED FLOND 2000

■ 0,4 ha 3 500 3 à 5 €

Exploitation commandée par une ancienne demeure seigneuriale du XVe s., occupée ensuite par des moines et, depuis 1864, par la famille Gourdon. Simple, léger et agréable, ce vin laisse une sensation de petits fruits rouges et de fraîcheur. A boire dans l'année. (20 à 29 F)

EARL Franck Gourdon, Dom. de Pied Flond, 49540 Martigné-Briand, tél. 02.41.59.92.36, fax 02.41.59.92.36 r.-v.

Anjou-villages

Le terroir de l'AOC anjou-villages correspond à une sélection de terrains dans l'AOC anjou: seuls les sols sains, précoces et bénéficiant d'une bonne exposition ont été retenus. Ce sont essentiellement des sols développés sur schistes, altérés ou non. Les dix communes constituant l'aire géographique de l'AOC anjou-village-brissac, reconnue en 1998, sont situées sur un plateau en pente douce vers la Loire, limité au nord par ce fleuve, et au sud par les coteaux abrupts du Layon. Les sols sont profonds. La proximité de la Loire, qui limite les températures extrêmes, explique également la particularité du terroir. La vendange 2000 a produit 13 800 hl.

DOM. PATRICK BAUDOUIN 1999★

■ n.c. 5 000 8 à 11 €

Patrick Baudouin a quitté sa librairie de Belleville pour devenir vigneron. Il s'est lancé en 1990 après un stage chez Pierre Aguilas, et son exploitation est passée en peu d'années de 2 à 8 ha. S'il se passionne pour le coteaux du layon, il ne néglige pas pour autant ses vignes de cabernet. Son anjou-villages 99 affiche une robe étincelante, pourpre soutenu. Ses arômes de petits fruits flattent le nez. Une attaque riche et généreuse annonce une bouche équilibrée et persistante. Cette bouteille sera à son apogée dans trois ans. (50 à 69 F)

Patrick Baudouin, Prince, 49290 Chaudefonds-sur-Layon, tél. 02.41.78.66.04, fax 02.41.78.66.04, e-mail contact@patrick-baudouin-layon.com r.-v.

DOM. DES BLEUCES

Vignes rouges Vieilli en fût de chêne 1999★

■ 0,3 ha 2 000 5 à 8 €

Benoît Proffit, qui a repris ce domaine en 1994, s'est d'abord attaché à en améliorer le vignoble. Ces « vignes rouges », dont les vendanges ont fait un court séjour dans le bois (neuf mois), ont donné un 99 des plus attirants par sa robe d'un rubis éclatant. Le nez, bien présent, associe le fruité, le grillé et les fruits noirs. Un léger boisé apparaît en bouche, tout en finesse. La finale s'appuie sur des tanins soyeux. (30 à 49 F)

EARL Proffit-Longuet, Dom. des Bleuces, 49700 Concourson-sur-Layon, tél. 02.41.59.11.74, fax 02.41.59.97.64, e-mail domainedesbleuces@coteaux-layon.com t.l.j. sf dim. 8h-12h 14h-17h45

Benoît Proffit

DOM. CHUPIN 1999

■ 4,31 ha 30 000 3 à 5 €

Cet important domaine compte plus de 78 ha. Il appartient à Guy Saget, bien connu pour ses vignobles de la région de Pouilly. Son 99 présente une structure moyenne, ce qui ne l'empêche pas d'être plaisant. Le rubis de la robe est peu profond, mais la teinte est belle. Prunelle, fraise des bois, notes réglissées: son côté aromatique est très apprécié. En bouche, on trouve de la souplesse et une matière bien maîtrisée. (20 à 29 F)

SCEA Dom. Chupin, 8, rue de l'Eglise, 49380 Champ-sur-Layon, tél. 02.41.78.86.54, fax 02.41.78.61.73 r.-v.

SA Guy Saget

DOM. DE GATINES 1999★★

■ 2,5 ha 12 000 5 à 8 €

Le domaine de Gatines, c'est 35 ha dans le haut Layon. La troisième génération en a pris les rênes en 1996. Ici, on est champion de France de taille de vignes, mais on peut aussi, à l'occasion, monter sur le podium en anjou-villages: voyez le 95, coup de cœur du Guide. Ce 99 est dans la même lignée. Très grenat dans le verre, il laisse de riches larmes sur ses bords à l'agitation. Extrêmement dense, le nez est dominé par les fruits noirs bien mûrs. La bouche est généreuse, ample, grasse, avec des tanins puissants mais soyeux. Autant de caractères qui témoignent de raisins récoltés à une maturité optimale et d'une extraction parfaite. Cette remarquable bouteille s'exprimera encore mieux dans quelques années. (30 à 49 F)

EARL Vignoble Dessèvre, Dom. de Gatines, 12, rue de la Boulaie, 49540 Tigné, tél. 02.41.59.41.48, fax 02.41.59.94.44 t.l.j. sf dim. 8h-12h30 14h-19h

DOM. DE LA CROIX DES LOGES
Les Grenuces 1999★★

■ 1 ha 5 000 5à8€

La propriété des Bonnin (40 ha) est située à proximité du village, sur la route de Gennes. Le fils s'est installé en 1998, et les commentaires élogieux suscités par cette cuvée l'encourageront. D'un rubis à reflets bleutés, ce vin, d'abord discret au nez, s'ouvre à l'agitation sur une palette aromatique complexe où les fruits rouges côtoient des notes florales évoquant l'iris ou la pivoine. On retrouve cette suavité en bouche, ainsi qu'une belle présence tannique et une finale longue et gracieuse. (30 à 49 F)

SCEA Bonnin et Fils, Dom. de La Croix des Loges, 49540 Martigné-Briand, tél. 02.41.59.43.58, fax 02.41.59.41.11, e-mail bonninlesloges@aol.com r.-v.

DOM. DE LA MOTTE
Cuvée fût de chêne 1999★★★

■ 0,5 ha 1000 8à11€

Ce domaine familial de 18 ha, fondé en 1935, a été repris en 1995 par Gilles Sorin. Son 99 a été jugé si beau qu'il a été inscrit sur la liste des coups de cœur possibles. C'est le vin de garde par excellence : la robe, d'un grenat soutenu à reflets violets, est bien profonde. Le nez est présent, fait de fruité, d'épices et de torréfaction. La bouche est très structurée, riche, voire opulente. Des raisins vendangés à une maturité idéale et une vinification adaptée sont sans nul doute à l'origine de cette superbe bouteille, qui procurera beaucoup de plaisir dans deux ou trois ans. (50 à 69 F)

Gilles Sorin, 35, av. d'Angers, 49190 Rochefort-sur-Loire, tél. 02.41.78.72.96, fax 02.41.78.75.49 t.l.j. sf dim. 8h30-18h30

CH. DE LA MULONNIERE 1998

■ 3 ha 8 000 5à8€

Situé au bord du Layon, rivière qui traverse le domaine, le château de La Mulonnière a été construit en 1876 par Charles Messe, ancien officier d'artillerie de Napoléon III. Ses actuels propriétaires l'ont acquis en 1991. Leur 98 se pare d'une robe rubis à reflets grenat. Le nez révèle des nuances végétales, un peu boisées. La bouche est pour le moment assez austère. A attendre un an ou deux. (30 à 49 F)

SCEA B. Marchal-Grossat, Ch. de La Mulonnière, 49750 Beaulieu-sur-Layon, tél. 02.41.78.47.52, fax 02.41.78.63.63, e-mail chateau@domaine-mulonniere.com r.-v.

DOM. DU LANDREAU 1999★★

■ 8 ha 15 000 5à8€

Fondée en 1961, cette exploitation s'est régulièrement développée après avoir parié sur la vente particulière. Elle compte aujourd'hui 50 ha. Son anjou-villages 99 inspire d'emblée l'un des dégustateurs, qui trouve sa robe rubis « chantante » ! Tout aussi plaisant, le nez joue avec élégance sur les fruits rouges. La bouche révèle une belle matière, bien structurée, et offre une finale flatteuse. Une bouteille encore un peu jeune, mais que les impatients pourront déboucher dès la sortie du Guide. (30 à 49 F)

Raymond Morin, Dom. du Landreau, 49750 Saint-Lambert-du-Lattay, tél. 02.41.78.30.41, fax 02.41.78.45.11, e-mail rmorin@domaine-du-landreau.com t.l.j. sf sam. a.-m. et dim. 8h-12h30 14h-19h

DOM. DE LA VILLAINE
Les Rôtis Cuvée spéciale Elevé en fût de chêne 1999★

■ 0,5 ha 2 500 5à8€

Un domaine de 23 ha constitué dans les années 1970 et repris en 1997 par Jean-Paul Carré et Pascal Batail. Leur cuvée Les Rôtis, vieillie douze mois en fût, affiche une robe rubis à reflets brillants. Le premier nez propose un fruité fin et agréable auquel viennent s'ajouter des notes grillées et vanillées bien fondues. L'attaque est franche, ample, la finale un peu marquée par les tanins qui ne manqueront pas de se fondre avec une petite garde. (30 à 49 F)

GAEC des Villains, La Villaine, 49540 Martigné-Briand, tél. 02.41.59.75.21, fax 02.41.59.75.21 r.-v.

DOM. LES GRANDES VIGNES 1999

■ 10 ha 62 000 5à8€

Ce domaine de 50 ha est situé à Thouarcé, dans les coteaux du Layon. Ses vins sont souvent mentionnés dans le Guide. Celui-ci, rubis foncé à reflets carmin, offre au nez des arômes de fruits surmûris. La bouche n'est pas des plus longues, et les tanins l'emportent aujourd'hui sur la chair, mais elle possède suffisamment d'équilibre et d'harmonie pour bien évoluer après quelque temps de garde. (30 à 49 F)

GAEC Vaillant, Dom. Les Grandes Vignes, La Roche Aubry, 49380 Thouarcé, tél. 02.41.54.05.06, fax 02.41.54.08.21, e-mail gaecvaillant@worldonline.fr r.-v.

LUC ET FABRICE MARTIN 1999★

■ 1 ha 2 500 5à8€

Luc et Fabrice Martin, qui représentent la quatrième génération sur le domaine, se sont associés en GAEC en 1997. Leur 99 présente une robe dense, de couleur pourpre. Ses arômes sont tout en finesse. L'attaque révèle une bouche structurée, ample, puissante qui persiste sur de beaux tanins. (30 à 49 F)

GAEC Luc et Fabrice Martin, 2 *bis*, rue du Stade, 49290 Chaudefonds-sur-Layon, tél. 02.41.78.19.91, fax 02.41.78.98.25 t.l.j. 8h-12h 14h-20h

CH. DES NOYERS 1999*

■ 8 ha 4 000 3à5€

Le vignoble (18,5 ha) est commandé par un véritable château du XVIᵉs., défendu par trois douves sèches et de grosses tours d'angle. Il a donné un 99 très attirant par sa robe intense et soutenue au disque gracieux. Le nez, suave et assez complexe, évoque les fruits rouges en compote. La bouche, souple, équilibrée et d'une belle persistance, donne beaucoup de plaisir. (20 à 29 F)

SCA Ch. des Noyers, Les Noyers, 49540 Martigné-Briand, tél. 02.41.54.03.71, fax 02.41.54.27.63, e-mail webmaster@chateaudesnoyers.fr r.-v.

Besnard

DOM. OGEREAU 1999**

■ 8 ha 15 000 5à8€

Les résultats de ce domaine sont souvent attendus avec impatience, car le vinificateur, Vincent Ogereau, a produit ces dernières années de brillantes cuvées, tant en liquoreux qu'en rouge. Ainsi, dans cette AOC, il a obtenu deux coups de cœur consécutifs dans les éditions 2000 et 2001. Le 99, issu d'une très longue macération (un mois), affiche une robe pourpre, nuancée de violet. Le nez est bien ouvert sur les fruits rouges, avec une pointe boisée. La bouche est fort agréable, car elle donne une impression de souplesse et de légèreté tout en étant bien structurée et d'une persistance remarquable. (30 à 49 F)

Vincent Ogereau, 44, rue de la Belle-Angevine, 49750 Saint-Lambert-du-Lattay, tél. 02.41.78.30.53, fax 02.41.78.43.55 r.-v.

DOM. DU PETIT METRIS
Clos de Midion 1997**

■ 1,1 ha 5 000 5à8€

Tous les ans, on l'attend en blanc : quarts de chaume, coteaux du layon, savennières... Avec ce 97, le Petit Métris montre qu'il sait aussi faire naître de belles choses du cabernet. Dès l'olfaction, ce joli vin grenat affiche sa richesse et sa générosité en livrant du fruit noir avec prodigalité. Cette impression se confirme en bouche où l'on découvre une matière ample, volumineuse, très fondue. Le secret ? La maturité optimale des raisins et surtout une extraction parfaitement réussie des constituants nobles de la baie. Cette bouteille mérite le détour dès maintenant, mais elle peut attendre trois à cinq ans. (30 à 49 F)

GAEC Joseph Renou et Fils, Le Grand Beauvais, 49190 Saint-Aubin-de-Luigné, tél. 02.41.78.33.33, fax 02.41.78.67.77, e-mail domaine.petit.metris@wanadoo.fr r.-v.

DOM. DE PUTILLE 1999**

■ 0,85 ha 3 500 5à8€

Le domaine de Putille (13 ha) est situé au cœur du Val de Loire, à 30 km d'Angers. Les lecteurs du Guide le connaissent bien, car, à partir des cépages chenin, gamay et cabernet, il propose une riche palette de vins d'Anjou régulièrement retenus par nos jurys. Ce 99, issu d'une longue macération, est sans doute le plus beau rouge qu'il ait proposé dans nos dégustations. La robe, intense, montre à l'agitation un disque d'un grenat éclatant. Puis les fruits rouges compotés marquent un nez d'une remarquable finesse, élégant et complexe. Après une attaque superbe, on découvre une grande matière, une structure ronde, soyeuse, ample, un très bel équilibre. La finale ne finit pas ! (30 à 49 F)

Isabelle Sécher, Dom. de Putille, 49620 La Pommeraye, tél. 02.41.39.80.43, fax 02.41.39.81.91 r.-v.

DOM. JEAN-LOUIS ROBIN-DIOT
Le Haut du Cochet 1999**

■ 2 ha 5 300 8à11€

Ce domaine vient de s'équiper d'une cave à barriques enterrée. C'est justement dans le bois qu'a été élevé ce remarquable anjou-villages. D'un grenat intense, ce 99 montre des reflets indiquant un début d'évolution. Le nez est un pot-pourri de fleurs (violette), de fruits séchés (figue) et de notes empyreumatiques. La bouche, bien fondue, finit sur des tanins soyeux. Une réelle harmonie. (50 à 69 F)

Dom. Jean-Louis Robin-Diot, Les Hauts-Perrays, 49290 Chaudefonds-sur-Layon, tél. 02.41.78.68.29, fax 02.41.78.67.62 r.-v.

MICHEL ROBINEAU 1999*

■ 0,8 ha 3 000 5à8€

Michel Robineau a constitué il y a dix ans une propriété dont il sait tirer le meilleur. Son 99 est d'une couleur pourpre très pur, avec un disque attrayant. Discret au premier nez, il s'ouvre à l'agitation sur des notes animales et épicées. En bouche, il montre un fort bel équilibre. Une très légère astringence s'atténue au cours de la dégustation, laissant place à une harmonie soyeuse. (30 à 49 F)

Michel Robineau, 3, chem. du Moulin, Les Grandes Tailles, 49750 Saint-Lambert-du-Lattay, tél. 02.41.78.34.67 r.-v.

DOM. ROBINEAU CHRISLOU 1999*

■ 0,7 ha 4 500 5à8€

Louis Robineau a repris le domaine familial en 1991. Son 99 se pare d'une robe rubis aux reflets violets étincelants. Le nez, fort présent, développe des notes épicées très suaves. L'attaque souple est suivie d'une bouche bien charpentée. En résumé : équilibre et harmonie. (30 à 49 F)

LOIRE

Louis Robineau, 14, rue Rabelais, 49750 Saint-Lambert-du-Lattay, tél. 02.41.78.42.65, fax 02.41.78.42.65 r.-v.

SAUVEROY Cuvée antique 1999★

■ 5,5 ha 36 000 5à8€

Fondé en 1947, le domaine Sauveroy a connu un développement rapide depuis quinze ans. Il s'attache à gérer ses vinifications par microcuvées, ce qui suppose une surveillance pointue de la maturité des raisins. Ce travail soigné lui permet de signer de beaux vins, comme cette Cuvée antique dont le millésime 96 obtint un coup de cœur. Avec sa robe d'un rubis intense, profond et rutilant, ce 99, issu d'une longue macération, inspire confiance : cette présentation est la marque d'une extraction bien maîtrisée. Très fruité, intense et subtil, le nez confirme cette impression : voilà du raisin bien mûr ! La bouche offre une grande persistance. (30 à 49 F)

Pascal Cailleau, Dom. du Sauveroy, 49750 Saint-Lambert-du-Lattay, tél. 02.41.78.30.59, fax 02.41.78.46.43, e-mail domainesauveroy@terre-net.fr r.-v.

DOM. DES TROTTIERES 1999★

■ 4,57 ha 28 000 3à5€

Créé en 1905, ce vaste domaine compte 80 ha de vignes qui couvrent les coteaux de la vallée du Layon. Il a été repris en 1985 par M. et Mme Lamotte qui l'ont modernisé. Ce 99 présente une robe pimpante, entre rubis et pourpre. Le raisin bien mûr, voire surmûri, marque le nez, accompagné de fruits en compote. La bouche évolue sur des tanins très présents mais onctueux. (20 à 29 F)

Dom. des Trottières, Les Trottières, 49380 Thouarcé, tél. 02.41.54.14.10, fax 02.41.54.09.00, e-mail lestrottieres@worldonline.fr r.-v.

Anjou-villages-brissac

DOM. DE BABLUT 1999

■ n.c. 30 000 5à8€

Le domaine de Bablut (80 ha) est dans la même famille depuis 1546. Le vigneron, qui exploite aussi les vignes du château de Brissac, le reconvertit à l'agriculture biologique. Depuis la première édition du Guide, la propriété, qui produit tous les types de vins d'Anjou, est régulièrement mentionnée. Elle y figure tous les ans pour cette AOC. D'un joli rouge à reflets violets, le 99 révèle des arômes fruités et floraux très flatteurs que l'on retrouve en bouche avec beaucoup de plaisir. S'il n'est pas des plus longs, sa fraîcheur le rend fort agréable. Une belle harmonie. (30 à 49 F)

SCEA Daviau, Dom. de Bablut, 49320 Brissac-Quincé, tél. 02.41.91.22.59, fax 02.41.91.24.77, e-mail daviau@refsa.fr t.l.j. sf dim. 8h30-12h 14h-18h30

CH. DE BRISSAC 1999★

■ n.c. 40 000 5à8€

L'édifice - deux tours rondes et pointues du XVe s. encadrant une façade du XVIIe s. – a été décrit comme un « château neuf à demi-construit dans un château vieux à demi-détruit ». Il demeure la propriété des ducs de Brissac tout comme le vignoble, créé à une date que tous nos lecteurs français mémoriseront sans peine : 1515. Ses 80 ha sont aujourd'hui exploités en agriculture biologique. Lorsque l'on conduit un domaine emblématique de l'appellation, il serait dommage de décevoir. Ce 99 remplit sa mission, avec une robe grenat à reflets violets, un nez mêlant fruits noirs et sous-bois, et une bouche équilibrée, pleine, ronde et longue. Le 96 avait obtenu un coup de cœur. (30 à 49 F)

SCEA Daviau, Dom. de Bablut, 49320 Brissac-Quincé, tél. 02.41.91.22.59, fax 02.41.91.24.77, e-mail daviau@refsa.fr t.l.j. sf dim. 8h30-12h 14h-18h30

Duc de Brissac

DOM. DES CHARBOTIERES Les Richoux 1999★

■ 1,1 ha n.c. 8à11€

Paul-Hervé Vintrou exploite en biodynamie 5 ha de chenin pour les coteaux de l'aubance et 5 ha de cabernets pour l'anjou-villages-brissac, cépages plantés sur schistes argileux. S'il n'est pas angevin, il connaît son sujet, car il est issu d'une famille de négociants en vins et a reçu une formation de sommelier. Avec quoi marier ce 99 de couleur soutenue ? Le nez est dense, concentré, fait de fruits noirs accompagnés de notes torréfiées. La bouche révèle une charpente somptueuse, très tannique, gage de vieillissement. Elle appelle une viande rouge, voire du gibier. Cette bouteille devrait montrer une belle harmonie une fois que les tanins se seront assouplis. (50 à 69 F)

Paul-Hervé Vintrou, Clabeau, 49320 Saint-Jean-des-Mauvrets, tél. 02.41.91.22.87, fax 02.41.66.23.09, e-mail contact@domainedescharbotieres.com r.-v.

DOM. DITTIERE 1999

■ 1,5 ha 9 000 5à8€

Le domaine Dittière a un siècle d'existence. Il est aujourd'hui exploité par deux frères, Joël et Bruno. Le vignoble est implanté sur une formation sablo-graveleuse caractéristique de la commune de Vauchrétien, et qui donne naissance à des vins expressifs. Ceux de la propriété, en particulier les rouges, figurent régulièrement dans le Guide (un 89 eut même un coup de cœur). D'un rubis profond, ce 99 livre des arômes de fruits rouges légèrement compotés ou de pruneau. Ces notes fruitées persistent dans une bouche vive et légère. Un vin harmonieux et bien fait. (30 à 49 F)

Dom. Dittière, 1, chem. de la Grouas, Vauchrétien, 49320 Brissac, tél. 02.41.91.23.78, fax 02.41.54.28.00, e-mail domaine.dittiere@wanadoo.fr r.-v.

DOM. DE GAGNEBERT
Clos de Grésillon 1999★

■ 5 ha 20 000 5à8€

A Juigné, on exploitait le schiste ardoisier dès le XIIe s., et l'on peut voir d'anciennes carrières à ciel ouvert. C'est d'ailleurs dans une cave en schiste que vous pourrez déguster ce 99 très plaisant, né du schiste comme il se doit. La robe est intense, rubis à reflets violacés. Le nez, fin et expressif, associe les fruits rouges avec des notes vanillées et torréfiées, léguées par un élevage d'un an sous bois. En bouche, les arômes montent en puissance, jusqu'à une finale soutenue par des tanins soyeux. Une bonne structure, une belle harmonie. (30 à 49 F)

Daniel et Jean-Yves Moron, Dom. de Gagnebert, 2, chem. de la Naurivet, 49610 Juigné-sur-Loire, tél. 02.41.91.92.86, fax 02.41.91.95.50 t.l.j. sf dim. 9h-12h 15h-19h

DOM. DE MONTGILET 1999★★

■ 5,92 ha 33 000 5à8€

Le domaine (36 ha en plein cœur des coteaux de l'Aubance), tout comme ses étiquettes dans les tonalités gris-bleu, est sous le signe du schiste ardoisier. Il nous a souvent fait connaître de superbes liquoreux, mais excelle aussi en rouge (un anjou-villages 87 fut coup de cœur dans le Guide 1990). Ce 99 grenat aux reflets marron représente dignement l'appellation par ses arômes concentrés associant les fruits noirs à une touche végétale et par sa bouche charnue et opulente aux notes fruitées persistantes. Du plaisir et de l'avenir. (30 à 49 F)

Victor et Vincent Lebreton, Dom. de Montgilet, 49610 Juigné-sur-Loire, tél. 02.41.91.90.48, fax 02.41.54.64.25, e-mail montgilet@terre-net.fr t.l.j. sf dim. 9h-12h 14h-19h

DOM. RICHOU Les Vieilles vignes 1999★

■ 4 ha 22 000 5à8€

Une famille au service du vin depuis le XVIe s. : elle se flatte d'avoir découvert un acte de 1550 faisant mention d'un certain Maurice Joyau, vigneron et fournisseur du roi. Avec de telles racines viticoles, rien d'étonnant à ce qu'elle montre un savoir-faire accompli qui fait de cette exploitation une valeur sûre de l'Anjou. Une de celles qui se sont illustrées dès la première édition du Guide. Intense à l'œil mais discrète au nez, sa cuvée Vieilles vignes s'ouvre sur des notes grillées et du fruit noir. La bouche révèle une matière opulente qui ne demande qu'à s'affiner. A attendre. (30 à 49 F)

Dom. Richou, Chauvigné, 49610 Mozé-sur-Louet, tél. 02.41.78.72.13, fax 02.41.78.76.05 r.-v.

DOM. DE ROCHAMBEAU 1999★★

■ 2 ha 8 000 5à8€

Installé à flanc de coteau, ce vignoble de 17 ha domine l'Aubance. Il est exploité en agriculture biologique. Son 99 donne une sensation de concentration et de richesse à toutes les étapes de la dégustation. Intense, la robe grenat, intense, le nez de fruits noirs (cassis). La bouche ? Souple mais structurée, équilibrée, elle séduit par un fruité qui s'attarde longuement en finale. (30 à 49 F)

EARL Forest, Dom. de Rochambeau, 49610 Soulaines-sur-Aubance, tél. 02.41.57.82.26, fax 02.41.57.82.26, e-mail rochambeau@wanadoo.fr r.-v.

DOM. DES ROCHELLES
La Croix de Mission 1999★★

■ 5 ha 20 000 8à11€

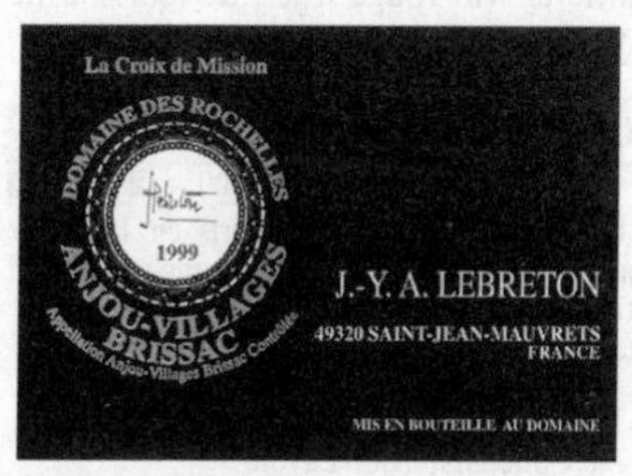

Jean-Yves Lebreton élabore des vins rouges de grande qualité, témoin cette cuvée qui a conquis le jury. La robe très soutenue est profonde et gaie à la fois. Le nez est chaleureux et puissant, ce qui ne l'empêche pas d'être élégant. Sa palette complexe associe les fruits rouges bien mûrs et les fruits noirs en compote. Ample et structurée, la bouche prolonge et développe ces premières impressions. On y retrouve, avec encore plus d'intensité, les arômes perçus à l'olfaction. Une bouteille qui ne se laisse pas oublier ! (50 à 69 F)

J.-Y. A. Lebreton, Dom. des Rochelles, 49320 Saint-Jean-des-Mauvrets, tél. 02.41.91.92.07, fax 02.41.54.62.63, e-mail jy.a.lebreton@wanadoo.fr r.-v.

DOM. DE SAINTE-ANNE 1999★

■ 3 ha 10 000 5à8€

Situé sur l'une des croupes d'argilo-calcaires les plus élevées de Saint-Saturnin-sur-Loire, ce domaine fait preuve d'une belle régularité dans la qualité, puisqu'il est mentionné dans le Guide depuis la première édition. Son anjou-villages-brissac 99 est enveloppé d'une pimpante robe grenat. Il faut l'aérer pour qu'il consente à livrer des notes fruitées qui annoncent un potentiel aromatique intéressant. L'attaque est grasse, riche, friande et la finale laisse dans son sillage des nuances de fruits noirs en confiture. Un vin très attrayant. (30 à 49 F)

Dom. de Sainte-Anne, EARL Brault, 49320 Brissac-Quincé, tél. 02.41.91.24.58, fax 02.41.91.25.87 t.l.j. sf dim. 9h-12h 14h-19h; sam. 18h

Dans ce guide, la reproduction d'une étiquette signale un vin particulièrement recommandé, un « coup de cœur » de la commission.

LOIRE

Rosé d'anjou

Après un fort succès à l'exportation, ce vin demi-sec se commercialise difficilement aujourd'hui. Le grolleau, principal cépage, autrefois conduit en gobelet, produisait des vins rosés, légers, appelés « rougets ». Il est de plus en plus vinifié en vin rouge léger, de table ou de pays.

DOM. DES BLEUCES 2000*

6,1 ha 50 000 -3€

Un domaine de 29 ha, repris en 1994 par Benoît Proffit. D'un joli rose orangé, son rosé offre d'élégants arômes de petits fruits rouges, une bouche fraîche, équilibrée et harmonieuse. (– 20 F)

EARL Proffit-Longuet, Dom. des Bleuces, 49700 Concourson-sur-Layon, tél. 02.41.59.11.74, fax 02.41.59.97.64, e-mail domainedesbleuces@coteaux-layon.com t.l.j. sf dim. 8h-12h 14h-17h45

CH. DE CHAMPTELOUP 2000*

10 ha 60 000 -3€

Cette maison exploite un domaine viticole dont le tiers est orienté vers la production de rosés. Celui-ci, d'un beau rose pâle saumoné, offre à l'olfaction des parfums intenses et délicats de fruits rouges. Suave, élégante, la bouche développe les richesses aromatiques de l'anjou. A découvrir dès maintenant. (– 20 F)

SCEA Dom. de Champteloup, 49700 Brigné-sur-Layon, tél. 02.41.59.65.10, fax 02.41.59.63.60

CHANTAL FARDEAU

Rosé lumineux Demi-sec 2000*

0,62 ha 5 700 5à8€

Le domaine est situé dans le bas Layon, près du confluent de cette rivière et de la Loire, au pied de la corniche angevine. D'un beau rose saumon, ce « rosé lumineux » est discret au nez, mais offre une bouche délicate, harmonieuse et rafraîchissante. (30 à 49 F)

Dom. Chantal Fardeau, Les Hauts Perrays, 49290 Chaudefonds-sur-Layon, tél. 02.41.78.67.57, fax 02.41.78.68.78 r.-v.

FLANERIE DE LOIRE 2000

n.c. 300 000 3à5€

Cette maison de négoce s'était distinguée dans cette appellation avec un très beau 99. Le millésime suivant, plus modeste, offre cependant tout ce que l'on attend d'un rosé avec sa robe rose pâle saumonée, ses élégants parfums fruités et floraux et sa bouche fine, ronde, aux arômes persistants. (20 à 29 F)

SA Lacheteau, ZI de La Saulaie, 49700 Doué-la-Fontaine, tél. 02.41.59.26.26, fax 02.41.59.01.94

DOM. DES HAUTES OUCHES 2000*

3 ha 7 000 3à5€

Ce domaine familial, en plein essor, dispose de 43 ha de vignes. Au fil des éditions du Guide, il montre son savoir-faire en rosé (voir ainsi le coup de cœur obtenu pour le 96 dans cette AOC). Ce 2000 est des plus agréables, avec sa robe limpide, assez soutenue, ses parfums de fruits rouges intenses et élégants, sa bouche suave, équilibrée et fruitée. (20 à 29 F)

EARL Joël et Jean-Louis Lhumeau, 9, rue Saint-Vincent, Linières, 49700 Brigné-sur-Layon, tél. 02.41.59.30.51, fax 02.41.59.31.75 r.-v.

DOM. LEDUC-FROUIN

La Seigneurie 2000**

7 ha 5 000 3à5€

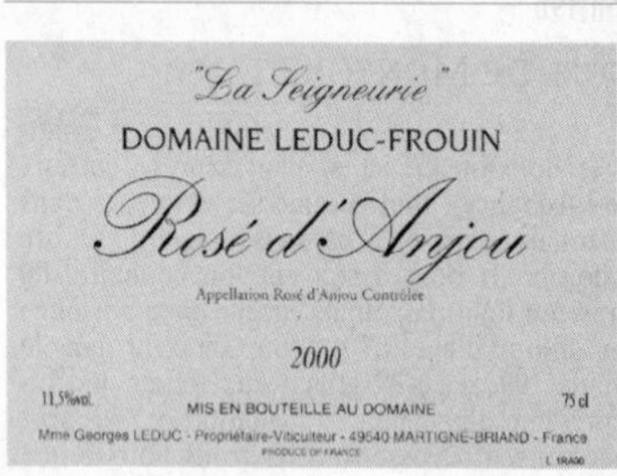

La robe brillante, rose saumon, attire. Au nez surgissent des arômes d'agrumes intenses et élégants. La bouche ronde, vive et longue, laisse une note acidulée très agréable. Le jury est conquis et la Seigneurie accède à la royauté ! (20 à 29 F)

SCEA Dom. Leduc-Frouin, Sousigné, 49540 Martigné-Briand, tél. 02.41.59.42.83, fax 02.41.59.47.90, e-mail domaine-leduc-frouin@wanadoo.fr r.-v.

DOM. LE POINT DU JOUR 2000*

5 ha 30 000 -3€

Une très belle expression pour ce rosé : une jolie robe rose à reflets saumon, des arômes fruités et floraux (violette) qui se développent élégamment en bouche et une bonne persistance aromatique. Que demander de plus ? (– 20 F)

Réthoré, 51 *bis*, rue d'Anjou, 49540 Tigné, tél. 02.41.59.65.10

DOM. DES MAURIERES 2000

1,57 ha 5 000 5à8€

Souvent mentionné en coteaux du layon, ce domaine sait aussi élaborer les rosés : celui-ci, typique, possède une robe rose orangé, un nez intense, floral et fruité. On retrouve ce fruité dans une bouche équilibrée et veloutée. (30 à 49 F)

EARL Moron, Dom. des Maurières, 8, rue de Perinelle, 49750 Saint-Lambert-du-Lattay, tél. 02.41.78.30.21, fax 02.41.78.40.26 r.-v.

CH. DE MONTGUERET 2000*

10 ha 80 000 3à5€

André et Dominique Lacheteau ont racheté ce vaste domaine en 1987. Ils proposent un rosé d'une belle expression : la robe saumon est limpide, l'olfaction déploie une palette aromatique intense qui se développe agréablement en bouche ; le vin finit sur une note acidulée qui apporte du dynamisme à l'ensemble. (20 à 29 F)

SCEA Ch. de Montguéret, Le bourg, 49560 Nueil-sur-Layon, tél. 02.41.59.59.19, fax 02.41.59.59.02 r.-v.

A. et D. Lacheteau

Cabernet d'anjou

On trouve dans cette appellation d'excellents vins rosés demi-secs, issus des cépages cabernet franc et cabernet-sauvignon. A table, on les associe assez facilement, lorsqu'ils sont parfumés et servis frais, au melon en hors-d'œuvre, ou à certains desserts pas trop sucrés. En vieillissant, ils prennent une nuance tuilée et peuvent être bus à l'apéritif. La production a atteint 167 654 hl en 2000. C'est sur les faluns de la région de Tigné et dans le Layon que ces vins sont les plus réputés.

DOM. MICHEL BLOUIN 2000*

1,61 ha 8 000 3à5€

La sixième génération de Blouin commence à pointer son nez. Pour l'heure, Michel Blouin exploite ce domaine de quelque 21 ha où il s'est installé en 1970. Assez pâle dans le verre, son cabernet d'anjou surprend par son intensité et ses arômes acidulés. La bouche confirme l'olfaction : tout en rondeur, en finesse, et très aromatique. Le vin plaisir par excellence. (20 à 29 F)

Dom. Michel Blouin, 53, rue du Canal-de-Monsieur, 49190 Saint-Aubin-de-Luigné, tél. 02.41.78.33.53, fax 02.41.78.67.61 r.-v.

DOM. BODINEAU 2000*

3 ha 3 000 3à5€

Viticulteurs de père en fils depuis 1850, les Bodineau proposent un cabernet d'anjou comme on les aime, d'un rose pâle limpide et brillant, à la palette aromatique sans complication mais expressive, faite d'arômes légers de fruits rouges. La bouche est ronde et équilibrée. Un bel ensemble. (20 à 29 F)

Dom. Bodineau, Savonnières, 49700 Les Verchers-sur-Layon, tél. 02.41.59.22.86, fax 02.41.59.86.21 r.-v.

DOM. DE CLAYOU 2000**

6 ha 50 000 3à5€

Héritier d'une solide tradition viticole, J.-B. Chauvin a fait naître de sols argilo-schisteux un cabernet d'anjou harmonieux et d'une grande délicatesse. La robe rose orangé à reflets cuivrés, le nez intense de fruits rouges, la bouche veloutée, elle aussi très fruitée et agréablement persistante, ont séduit le jury. (20 à 29 F)

SCEA Jean-Bernard Chauvin, 18 *bis*, rue du Pont-Barré, 49750 Saint-Lambert-du-Lattay, tél. 02.41.78.42.84, fax 02.41.78.48.52 t.l.j. sf dim. 9h-12h 14h-19h; f. fin août

COTEAU SAINT-VINCENT 2000*

4 ha 10 000 3à5€

Cette exploitation familiale de 19 ha a été reprise en 1992 par Michel Voisine, rejoint dès 1999 par son fils Olivier, œnologue. Leur cabernet d'anjou est bien agréable. Rose pâle dans le verre, il est certes encore discret au nez, mais la bouche révèle d'élégants arômes très fruités. Elle ne manque ni de vivacité ni de persistance. (20 à 29 F)

Michel et Olivier Voisine, Le Coteau Saint-Vincent, 49290 Chalonnes-sur-Loire, tél. 02.41.78.18.26, fax 02.41.78.18.26, e-mail licheur@infonie.fr r.-v.

DOM. DITTIERE 2000

6 ha 3 000 3à5€

Située en plein cœur du vignoble angevin, cette exploitation de 34 ha, conduite par Joël Dittière, rejoint en 1993 par Bruno, progresse régulièrement. Leur cabernet d'anjou mérite l'attention par sa robe typique, son nez encore fermé mais qui laisse deviner une expression aromatique intéressante. Quant à la bouche, elle est agréable et harmonieuse. (20 à 29 F)

Dom. Dittière, 1, chem. de la Grouas, Vauchrétien, 49320 Brissac, tél. 02.41.91.23.78, fax 02.41.54.28.00, e-mail domaine.dittiere@wanadoo.fr r.-v.

DOM. FARDEAU 2000*

1,29 ha 10 000 5à8€

Stéphanie Fardeau a rejoint son père en 1994 sur cette petite exploitation familiale dont le chai est situé sur les hauteurs de Chaudefonds. Ce cabernet d'anjou est bien représentatif de son appellation avec sa robe rose orangé, ses arômes dominés par les fruits rouges, sa bouche délicate, légèrement acidulée. A boire dès à présent. (30 à 49 F)

Dom. Chantal Fardeau, Les Hauts Perrays, 49290 Chaudefonds-sur-Layon, tél. 02.41.78.67.57, fax 02.41.78.68.78 r.-v.

DOM. DE GATINES 2000

3 ha 20 000 3à5€

Le cadastre de 1765 faisait déjà état du manoir et des terres de Gatines. Ce lieu devint presbytère avant d'être acquis par le grand-père des exploitants actuels. Les Dessèvre sont particulièrement attentifs à la qualité de leur cabernet d'anjou qui a été retenu dans les trois dernières éditions. Le 2000, revêtu d'une pimpante robe rose orangé, a encore été jugé bien représentatif

LOIRE

de son appellation par ses caractères fruités, au nez comme en bouche. Il offre un bel équilibre. (20 à 29 F)

EARL Vignoble Dessèvre, Dom. de Gatines, 12, rue de la Boulaie, 49540 Tigné, tél. 02.41.59.41.48, fax 02.41.59.94.44 t.l.j. sf dim. 8h-12h30 14h-19h

DOM. LA CROIX DES LOGES 2000**

8 ha 8 000 3à5€

Présent dès la première édition du Guide, ce domaine de Martigné-Briand en est à son troisième coup de cœur pour son cabernet d'anjou ! Dans la lignée des 97 et 98, cette cuvée 2000 a été plébiscitée. C'est un vin bien typé avec une expression aromatique délicate et légère, des notes bien fruitées et acidulées, et un excellent équilibre. Très belle harmonie d'ensemble. (20 à 29 F)

SCEA Bonnin et Fils, Dom. de La Croix des Loges, 49540 Martigné-Briand, tél. 02.41.59.43.58, fax 02.41.59.41.11, e-mail bonninlesloges@aol.com r.-v.

DOM. DE L'ANGELIERE 2000*

3,5 ha 6 000 3à5€

Exploité par la cinquième génération, le domaine de l'Angelière produit sur une quarantaine d'hectares une douzaine d'appellations d'origine contrôlée. Paré d'une robe saumonée aux fort beaux reflets, ce cabernet d'anjou offre de très agréables arômes de fruits rouges, une bouche souple, bien équilibrée, d'une remarquable persistance. (20 à 29 F)

GAEC Boret, Dom. de L'Angelière, 49380 Champ-sur-Layon, tél. 02.41.78.85.09, fax 02.41.78.67.10 t.l.j. sf dim. 9h-19h

DOM. DE LA PETITE CROIX 2000*

7 ha 10 000 3à5€

Si ce domaine produit l'un des crus les plus réputés d'Anjou, le bonnezeaux, l'ensemble de ses vins méritent l'attention. Ce cabernet d'anjou séduit par sa robe rose orangé et ses arômes de petits fruits rouges. La bouche, déjà équilibrée, n'a pas atteint sa pleine harmonie. Elle possède cependant assez de tenue pour se bonifier. A attendre quelque temps. (20 à 29 F)

A. Denechère et F. Geffard, Dom. de la Petite Croix, 49380 Thouarcé, tél. 02.41.54.06.99, fax 02.41.54.30.05 r.-v.

DOM. DE L'ARBOUTE 2000

2 ha 8 500 3à5€

Jules Massicot s'est installé en 1955 sur ce vignoble de 19 ha créé au XVIII[e]s. Depuis 1980, l'exploitation est conduite par Yves et sa femme, maintenant rejoints par leur fils Sébastien. Ce cabernet à la robe rose pâle offre des notes de fruits bien mûrs, au nez comme en bouche, et une finale harmonieuse et délicate. Son bel équilibre d'ensemble en fait un « bon petit rosé », à inviter sans façon. (20 à 29 F)

Yves Massicot, L'Arboute, 49380 Faye-d'Anjou, tél. 02.41.54.03.38, fax 02.41.54.40.57 r.-v.

CH. DE LA ROCHE BOUSSEAU 2000

30 ha 100 000 3à5€

Ce cabernet d'anjou revêtu d'une robe rose à reflets orangés offre une belle expression pour ce millésime. Ses arômes floraux et fruités sont associés en bouche à une note acidulée rafraîchissante. Un vin plaisir. (20 à 29 F)

François Regnard, Dom. de La Petite-Roche, 49310 Trémont, tél. 02.41.59.43.03, fax 02.41.59.69.43 r.-v.

LE CLOS DES MOTELES 2000**

1,23 ha 4 000 3à5€

Cette exploitation familiale de quelque 18 ha est établie dans une petite commune située dans la partie méridionale du vignoble angevin, à proximité de Thouars. Planté sur des terrains graveleux ce cabernet a fait l'unanimité avec sa robe rose orangé intense et ses parfums délicats de fruits rouges et de fleurs. La bouche, remarquablement structurée, possède une fraîcheur très agréable. Les petits fruits rouges, la pêche et la nectarine marquent la bouche jusqu'à la finale. Un superbe rosé ! (20 à 29 F)

GAEC Le Clos des Motèles Basset-Baron, 42, rue de la Garde, 79100 Sainte-Verge, tél. 05.49.66.05.37, fax 05.49.66.37.14 r.-v.

LE LOGIS DE PREUIL 2000

1,8 ha 8 000 3à5€

Le Logis du Preuil est une propriété prise en location depuis un an seulement. Jean-Marc Trahan en a tiré un vin d'une jolie couleur pâle, légèrement orangée. La palette aromatique a encore un caractère végétal, avec des notes de lierre. On y trouve aussi des fleurs blanches et des agrumes. La bouche, au fruité bien présent, révèle une belle harmonie. (20 à 29 F)

EARL Les Magnolias des Trahan, 26, rue du Moulin, 79290 Cersay, tél. 05.49.96.80.38, fax 05.49.96.37.23 r.-v.

LE LOGIS DU PRIEURE 2000*

5 ha 5 000 3à5€

Vincent Jousset, arrivé sur le domaine en 1982, a su marquer de son empreinte une exploitation déjà bien établie en Anjou, créée en 1850 et forte de 30 ha de vignes. Son cabernet d'anjou, tout en finesse et en fraîcheur, évoque les fruits frais (fraise) avec une touche vanillée. Un vin plaisir à découvrir dès à présent. (20 à 29 F)

⊶SCEA Jousset et Fils, Le Logis du Prieuré, 49700 Concourson-sur-Layon, tél. 02.41.59.11.22, fax 02.41.59.38.18, e-mail logis.prieure@groupesirius.com ☑ Y t.l.j. sf dim. 8h-12h 14h-19h

LES GRANDS CAVEAUX DE FRANCE Demi-sec Cuvée Chopin 1998

◪ n.c. 2 400 🍷 3à5€

Cette entreprise, fondée en 1991, vend au détail des vins embouteillés dans diverses propriétés. Ce cabernet d'anjou est certes agréable. Associant une belle robe rose pâle à des notes fruitées, il donne une impression de légèreté et de fraîcheur. Un vin friand. (20 à 29 F)

⊶Les Grands Caveaux de France, 5, La Grossinière, 79150 Saint-Maurice-la-Fougereuse, tél. 05.49.65.94.77, fax 05.49.80.31.87 ☑ Y r.-v.

⊶Paul Froger

DENIS MARCHAIS L'Ame du Terroir 2000*

◪ 7 ha 40 000 🍷 -3€

Ce cabernet d'anjou est proposé par une maison établie dans le département de la Loire-Atlantique, sur la rive droite de la Sèvre, près du site préhistorique de la Guérivière. Sa couleur rose intense est des plus attrayantes. Ses arômes puissants associent notes fruitées, briochées et bonbon anglais. Une vivacité assez prononcée marque la bouche et une finale légèrement acidulée conclut agréablement la dégustation. (– 20 F)

⊶Vinival, La Sablette, 44330 Mouzillon, tél. 02.40.36.66.00, fax 02.40.36.26.83

DOM. MATIGNON 2000*

◪ 3 ha 10 000 🍷 3à5€

A l'horizon, les hautes cheminées du château de Martigné-Briand. La propriété, héritée d'un grand-père tonnelier, compte aujourd'hui 37 ha. Ce cabernet séduit par une belle présentation, des arômes fins et délicats, une bouche harmonieuse et rafraîchissante. Sa persistance donne envie de le découvrir dès maintenant. (20 à 29 F)

⊶EARL Yves Matignon, 21, av. du Château, 49540 Martigné-Briand, tél. 02.41.59.43.71, fax 02.41.59.92.34, e-mail domaine.matignon@wanadoo.fr ☑ Y r.-v.

DOM. DES PETITES GROUAS 2000**

◪ 1 ha 5 000 🍷 3à5€

Totalisant 12,5 ha, cette propriété, constituée de nombreuses petites parcelles, a été reprise en 1989 par Philippe Léger. Son cabernet d'anjou a tout pour lui : sa couleur rose intense, ses arômes fruités très intéressants, sa bouche équilibrée, légère et tendre, laissant une fort belle impression d'ensemble. Dommage qu'il y en ait si peu... (20 à 29 F)

⊶EARL Philippe Léger, Cornu, 49540 Martigné-Briand, tél. 02.41.59.67.22, fax 02.41.59.69.32 ☑ Y r.-v.

DOM. SAINT-ARNOUL 2000*

◪ 3,85 ha 15 000 🍷 -3€

Georges Poupard, le fondateur de ce domaine vient de prendre sa retraite en l'an 2000. L'exploitation (29 ha) est maintenant dirigée par Alain Poupard et Xavier Maury, œnologue. Ce cabernet d'un très beau rose livre d'élégants arômes de fruits rouges qui se développent dans une bouche ample et joliment persistante. (– 20 F)

⊶GAEC Poupard et Maury, Dom. Saint-Arnoul, Sousigné, 49540 Martigné-Briand, tél. 02.41.59.43.62, fax 02.41.59.69.23, e-mail saint-arnoul@wanadoo.fr ☑ Y r.-v.

DOM. DES TROIS MONTS 2000*

◪ 10 ha 50 000 🍷 3à5€

Vignerons de père en fils depuis quatre générations dans l'aire des coteaux du layon et de l'anjou villages, les Guéneau ont bien réussi leur cabernet d'anjou. Sa couleur rose intense, ses arômes fruités et floraux, sa bouche vive, ronde, très bien équilibrée, sa finale persistante aux nuances de fraise et de fruits exotiques composent une bouteille fort agréable. (20 à 29 F)

⊶SCEA Hubert Guéneau et Fils, 1, rue Saint-Fiacre, 49310 Trémont, tél. 02.41.59.45.21, fax 02.41.59.69.90 ☑ Y r.-v.

DOM. DES TROTTIERES 2000

◪ 25,59 ha 150 000 🍷 3à5€

Créé en 1905 sur une superficie de 110 ha d'un seul tenant, ce domaine exploite aujourd'hui 80 ha de vignes sur le coteau bordant la vallée du Layon. Acheté en 1985 par M. et Mme Lamotte, il a été modernisé. D'un rose pâle limpide, leur cabernet d'anjou révèle au nez d'intenses arômes de fruits rouges et noirs. La bouche, longue, fraîche, équilibrée, finit cependant sur une pointe d'acidité. (20 à 29 F)

⊶Dom. des Trottières, Les Trottières, 49380 Thouarcé, tél. 02.41.54.14.10, fax 02.41.54.09.00, e-mail lestrottieres@worldonline.fr ☑ Y r.-v.

⊶Lamotte

DOM. DU VIGNEAU 2000

◪ 2 ha 3 000 🍷 3à5€

Un cabernet d'anjou bien représentatif de son appellation par sa robe rose pâle, ses arômes fruités, au nez comme en bouche, et par sa richesse. La bouche légère est rafraîchissante. (20 à 29 F)

⊶Patrick Robichon, pl. de l'Eglise, 49560 Passavant-sur-Layon, tél. 02.41.59.51.04, fax 02.41.59.51.04 ☑ Y r.-v.

Coteaux de l'aubance

La petite rivière Aubance est bordée de coteaux de schistes portant de vieilles vignes de chenin, dont on tire un vin blanc moelleux qui s'améliore en vieillissant. La production a atteint 4 710 hl en 2000. Cette appellation a choisi de limiter strictement ses rendements.

DOM. DE BABLUT Noble 1999★★★

☐ n.c. 7 500 ⏸ 15 à 23 €

Les Daviau exploitent leur domaine en biodynamie. Du millésime 99, ils ont su tirer le meilleur. L'œil est d'emblée attiré par la robe ambrée. Puis se déploie une magnifique palette aromatique : agrumes, fruits confits aux nuances légèrement boisées. La bouche impressionne par sa concentration et son ampleur. Noble, vraiment. (100 à 149 F)

SCEA Daviau, Dom. de Bablut, 49320 Brissac-Quincé, tél. 02.41.91.22.59, fax 02.41.91.24.77, e-mail daviau@refsa.fr ☑ Y t.l.j. sf dim. 8h30-12h 14h-18h30

DOM. DE BABLUT Grandpierre 1999★★★

☐ n.c. 4 000 ⏸ 11 à 15 €

Quelle matière ! Une robe jaune ambré, un nez concentré de fruits secs et confits. En bouche, une explosion aromatique, de l'opulence et un équilibre parfait. Les accords gourmands ? Ceux des liquoreux, mais comme la Cuvée noble, ce vin mérite d'être apprécié pour lui-même. Il est prêt à boire, mais est armé pour une longue garde. La **cuvée Sélection 99 (50 à 69 F)** a obtenu une étoile pour sa typicité et son potentiel. (70 à 99 F)

SCEA Daviau, Dom. de Bablut, 49320 Brissac-Quincé, tél. 02.41.91.22.59, fax 02.41.91.24.77, e-mail daviau@refsa.fr ☑ Y t.l.j. sf dim. 8h30-12h 14h-18h30

DOM. DES CHARBOTIERES
Clos des Huttières 1999★

☐ 0,8 ha 1000 ⏸ 23 à 30 €

Sommelier, Paul-Hervé Vintrou est passé de la table au chai et du Sud-Ouest à l'Anjou. Sur ses terres, il pratique la biodynamie. La robe des ses Huttières évoque de l'or liquide. Le nez, encore un peu fermé, révèle à l'agitation des nuances confites, avec du fruit sec. La bouche, concentrée et fraîche, est typique de l'appellation. Un très beau potentiel. (150 à 199 F)

Paul-Hervé Vintrou, Clabeau, 49320 Saint-Jean-des-Mauvrets, tél. 02.41.91.22.87, fax 02.41.66.23.09, e-mail contact @domainedescharbotieres.com ☑ Y r.-v.

DOM. DES DEUX MOULINS
Cuvée Exception 1999★★

☐ 3 ha 3 500 ⏸ 8 à 11 €

Avec cette cuvée Exception, D. Macault entre par la grande porte dans la rubrique des vins d'appellation. La robe or intense indique d'emblée que l'on sort du tout-venant. Une sensation de gras et de concentration domine la dégustation. Une alliance de miel et de fruits confits préside à l'élégante palette des arômes. Et toujours cette fraîcheur en bouche ! Superbe. (50 à 69 F)

Dom. des Deux Moulins, 20, rte de Martigneau, 49610 Juigné-sur-Loire, tél. 02.41.54.36.05, fax 02.41.54.67.94, e-mail les.deux.moulins@wanadoo.fr ☑ Y r.-v.

DOM. DE HAUTE PERCHE
Les Fontenelles 1999★

☐ 4 ha 4 000 ▮⏸🌡 8 à 11 €

Christian Papin a repris et considérablement agrandi le domaine de Haute Perche, qui compte aujourd'hui 34 ha. Il l'a planté essentiellement en chenin et en cabernet. La robe de ce 99 est d'un doré soutenu. Son nez décline de jolies notes de fruits très mûrs et de fruits secs. On retrouve des nuances confites dans une bouche puissante, riche et grasse, à la finale superbe, vive et structurée. (50 à 69 F)

EARL Agnès et Christian Papin, 9, chem. de la Godelière, 49610 Saint-Melaine-sur-Aubance, tél. 02.41.57.75.65, fax 02.41.57.75.42 ☑ Y r.-v.

DOM. DE MONTGILET
Les Trois Schistes 1999★★★

☐ 12,02 ha 8 726 ▮⏸ 11 à 15 €

Les belles étiquettes du domaine évoquent son terroir de schistes ardoisiers. Ses vins ont déjà obtenu quatre coups de cœur. Celui-ci fait encore figure de modèle. Elaboré à partir de vendanges très mûres, il s'annonce par une robe jaune d'or et des arômes concentrés où se marient fruits exotiques, fruits confits et nuances florales. La bouche est volumineuse, complexe, fraîche et très longue. Un dégustateur suggère une tarte aux figues pour accompagner ce grand liquoreux. **Le Clos Prieur 99 (150 à 199 F)** obtient deux étoiles. Riche, il ne demande qu'à vieillir, mais offre déjà tant de plaisir ! (Bouteilles de 50 cl.) (70 à 99 F)

Victor et Vincent Lebreton, Dom. de Montgilet, 49610 Juigné-sur-Loire, tél. 02.41.91.90.48, fax 02.41.54.64.25, e-mail montgilet@terre-net.fr ☑ Y t.l.j. sf dim. 9h-12h 14h-19h

DOM. RICHOU
Les Trois Demoiselles 1999★★

☐ 4 ha 5 000 ⏸ 15 à 23 €

Henri Richou, et maintenant ses fils, ont donné ses lettres de noblesse à l'exploitation et au vignoble angevin. 97, 96, 94 : trois coups de cœur pour Les Trois Demoiselles du domaine Richou depuis les débuts du Guide (éditions 2000, 1999 et 1996). Et le 99 ? Les dégustateurs ont apprécié sa robe jaune paille et ses arômes de fruits concentrés (fruits secs, exotiques, fruits très mûrs). La bouche, d'une ampleur impressionnante, donne une sensation de gras : un grand liquoreux qui ne demande qu'à s'épanouir. (100 à 149 F)

Dom. Richou, Chauvigné, 49610 Mozé-sur-Louet, tél. 02.41.78.72.13, fax 02.41.78.76.05 r.-v.

Anjou-coteaux de la loire

L'appellation est réservée aux vins blancs issus du pinot de la Loire. Les volumes sont confidentiels (608 hl en 2000) par rapport à l'aire de production (une douzaine de communes), située uniquement sur les schistes et les calcaires de Montjean. Lorsqu'ils sont triés et qu'ils atteignent la surmaturité, ces vins se distinguent des coteaux du layon par une couleur plus verte. Ils sont généralement de type demi-sec. Dans cette région aussi, la reconversion du vignoble se fait peu à peu vers la production de vins rouges.

GILLES MUSSET ET SERGE ROULLIER 2000

☐ 2 ha 4 000 8à11€

Le domaine réserve une vue splendide sur l'église de Montjean-sur-Loire qui semble suspendue au-dessus du vignoble. Jaune pâle, ce coteaux de la loire développe une expression aromatique délicate et légère, des notes de fruits bien mûrs (pomme cuite) et une légère amertume en finale. Très belle harmonie d'ensemble.

(50 à 69 F)

Vignoble Musset-Roullier, Le Pélican, 49620 La Pommeraye, tél. 02.41.39.05.71, fax 02.41.77.75.76, e-mail musset.roullier@wanadoo.fr r.-v.

CH. DE PUTILLE

Cuvée Pierre Carrée 1999★★

☐ n.c. 4 000 8à11€

Sur la route qui mène au château de Putille, on croise les ruines d'anciens fours à chaux. Pascal Delaunay, viticulteur habitué du Guide, a séduit le grand jury avec ce vin remarquable tant par sa superbe robe or intense que par ses arômes de fruits concentrés (fruits secs et exotiques). La bouche donne une impression de gras et l'on y retrouve avec beaucoup de plaisir la fort belle palette aromatique. Un vin proche des très grands. Le deuxième vin présenté par ce domaine, un **Clos du Pirouet 2000 (30 à 49 F)**, ravit par sa légèreté et sa finesse : robe jaune paille à reflets dorés, délicatesse des arômes de coing, de mandarine et de fruits exotiques (mangue). La bouche moelleuse et grasse laisse en finale une sensation de légère acidité qui rehausse les notes de fruits confits. Une belle harmonie d'ensemble qui mérite une étoile.

(50 à 69 F)

EARL Ch. de Putille, 49620 La Pommeraye, tél. 02.41.39.02.91, fax 02.41.39.03.43 t.l.j. sf dim. 8h30-12h30 14h-19h

Pascal Delaunay

Savennières

Ce sont des vins blancs de type sec, produits à partir du chenin, essentiellement sur la commune de Savennières. Les schistes et grès pourpres leur confèrent un caractère particulier, ce qui les a fait définir longtemps comme crus des coteaux de la Loire ; mais ils méritent d'occuper une place à part entière. Cette appellation devrait s'affirmer et se développer. Pleins de sève, un peu nerveux, ses vins vont à merveille sur les poissons cuisinés. La production du savennières et de ses crus coulée-de-serrant et roche-aux-moines atteint 4 769 hl en 2000.

DOM. EMILE BENON

Clos du Grand Hamé Réserve 1999★★

☐ 5,5 ha 6 000 8à11€

Cette exploitation de 13 ha a été créée il y a dix ans. Depuis trois ans, elle se distingue particulièrement dans le Guide, témoin le coup de cœur obtenu l'an dernier dans cette appellation. Ce 99 recueille aussi beaucoup d'éloges. Etonnante, complexe, marquée par des notes florales, sa palette aromatique le rapproche des liquoreux. Ample, ronde, très fruitée, persistante, la bouche offre la pointe d'amertume de rigueur en savennières. Sa minéralité est bien équilibrée par son gras et son ampleur. Un vin magnifique qui prendra du relief avec le temps.

(50 à 69 F)

Dom. Emile Benon, rte de la Lande, Epiré, 49170 Savennières, tél. 02.41.77.10.76, fax 02.41.77.10.07, e-mail earl.benon@wanadoo.fr t.l.j. sf dim. 8h-12h 14h30-19h; f. 15-31 août

DOM. DU CLOSEL Les Vaults 2000★

☐ 6 ha 20 000 8à11€

La cuvée des Vaults tient son nom de la seigneurie d'où est issu ce domaine. De cette terre, qui comprenait déjà des vignes, il est fait men-

LOIRE

tion en 1495. Parmi ses détenteurs figurèrent les Walsh, comtes de Serrant (une famille d'armateurs), puis un marquis de Las Cases, petit-fils du chambellan de Napoléon, dont descendent les propriétaires actuelles, Mmes de Jessey. Le château a pris la physionomie qu'on lui connaît au Second Empire. Le vignoble comprend plusieurs parcelles disposées en éventail sur les coteaux qui dominent Savennières et la vallée de la Loire. La cuvée Les Vaults, d'un jaune pâle engageant, s'annonce par un nez discret mais élégant. En bouche, elle est ample, délicate, complexe et d'un très bel équilibre. Même note pour **Les Caillardières 2000 (70 à 99 F)**. Un vin paré d'une robe jaune à reflets verts, au nez encore un peu fermé, mais à la bouche plaisante, conjuguant vivacité, fraîcheur et richesse.
(50 à 69 F)

Mesdames de Jessey, Dom. du Closel, Ch. des Vaults, 49170 Savennières, tél. 02.41.72.81.00, fax 02.41.72.86.00, e-mail closel@savennieres-closel.com
t.l.j. 9h-12h30 14h-19h

CLOS DE COULAINE 1999

☐ 4 ha 26 000 8 à 11 €

Le vigneron du Clos de Coulaine n'est autre que Claude Papin, producteur marquant en coteaux du layon et anjou rouge, fort disert sur la géologie des terroirs angevins. Il est établi au château Pierre-Bise, qui offre un panorama exceptionnel sur les coteaux du Layon. Jaune pâle à reflets verts, son 99 a retenu l'attention par l'élégance de ses arômes fruités et floraux, que l'on retrouve dans une bouche franche. Sa longueur garantit un certain potentiel.
(50 à 69 F)

Claude Papin, Ch. Pierre-Bise, 49750 Beaulieu-sur-Layon, tél. 02.41.78.31.44, fax 02.41.78.41.24 r.-v.
F. Roussier

CH. D'EPIRE 2000*

☐ 6,5 ha 30 000 8 à 11 €

Ici, on cultivait la vigne dès le haut Moyen Age. Le domaine est resté dans la même famille depuis le XVIIe s. Si le château date de 1850, les chais sont installés depuis 1906 dans un édifice roman, l'ancienne église de la commune. Le vignoble actuel (11 ha dont 9 pour cette AOC) est situé sur les hauts coteaux de l'appellation. Il a donné un savennières typique par sa fraîcheur et son amertume. Sa robe est d'un beau jaune pâle, son nez puissant révèle des arômes de fruits bien mûrs. Quant à la bouche, franche, nette, avec une pointe de minéralité, sa structure indique un bon potentiel. La **Cuvée spéciale 2000** a obtenu également une étoile. Avec sa robe jaune à reflets bronze, ses arômes délicats et flatteurs, son palais gras, ample, légèrement minéral en finale, c'est un classique, facile d'approche. A découvrir dès maintenant ou à attendre quelques années. (50 à 69 F)

SCEA Bizard-Litzow, Chais du château d'Epiré, 49170 Savennières, tél. 02.41.77.15.01, fax 02.41.77.16.23, e-mail luc.bizard@wanadoo.fr
t.l.j. sf dim. 9h-12h 14h-18h30

NICOLAS JOLY 1999*

☐ n.c. 12 000 11 à 15 €

Le nom de Nicolas Joly est associé à la biodynamie, dont il a été un précurseur en France (il s'est converti à ce mode de culture dès le début des années 1980) et reste un ardent défenseur. Avec ses arômes de prunes mûres cuites au four, de fruits un peu blets (poire, sorbe, nèfle), son savennières a pour ainsi dire emmagasiné toutes les senteurs d'automne. La bouche, légère et fraîche, est d'une belle harmonie.
(70 à 99 F)

Nicolas Joly, Ch. de La Roche-aux-Moines, 49170 Savennières, tél. 02.41.72.22.32, fax 02.41.72.28.68, e-mail couleedeserrant@wanadoo.fr
t.l.j. sf dim. 8h30-12h 14h-18h

CH. LA FRANCHAIE 1999**

☐ 2 ha 10 000 8 à 11 €

Ce vin sec et racé étonne par sa richesse aromatique : les fleurs (aubépine, genêt, acacia, tilleul) y côtoient les fruits mûrs, les fruits secs et des notes minérales typiques de l'appellation. La bouche, chaleureuse, montre beaucoup de caractère et un bel équilibre. Elle reflète le chenin, le schiste ardoisier et fait rêver à la douceur de la lumière angevine. (50 à 69 F)

SCEA Ch. La Franchaie, Dom. de La Franchaie, 49170 La Possonnière, tél. 02.41.39.18.16, fax 02.41.39.18.17 r.-v.
Chaillou

DOM. DE LA MONNAIE L'enclos 1998**

☐ 2 ha 2 500 11 à 15 €

Eric Morgat est à la tête de cette exploitation de 5 ha depuis 1995. La maison était autrefois un octroi situé sur les bords de la Loire, ce qui explique le nom du domaine. Ce 98 est bien représentatif de l'appellation. La robe est attirante, d'un jaune soutenu. Intense et complexe, le nez livre des arômes de fruits surmûris qui font penser à ceux des liquoreux. La bouche est grasse, très concentrée, avec une pointe d'amertume en finale. Un fort beau potentiel pour un vin qui devrait encore gagner en expression.
(70 à 99 F)

Eric Morgat, Dom. de la Monnaie, 49170 Savennières, tél. 02.41.72.22.51, fax 02.41.78.30.03 r.-v.

CLOS LA ROYAUTE 1999*

☐ 6 ha 18 000 11 à 15 €

La famille Laffourcade possède le domaine de l'Echarderie. Jaune d'or, ce 99 livre des arômes intenses et complexes de violette, de chèvrefeuille et de miel. Ronde, riche, équilibrée, la bouche conforte l'olfaction en ajoutant des notes grillées et confites. Un vin qui s'affirmera au vieillissement. (70 à 99 F)

Vignobles Laffourcade, Ch. de l'Echarderie, 49190 Rochefort-sur-Loire, tél. 02.41.54.16.54, fax 02.41.54.00.10, e-mail laffourcade@wanadoo.fr r.-v.

CLOS DU PAPILLON
Moelleux Cuvée d'Avant 1999

☐ 1,2 ha 5 000 15 à 23 €

Le château de Chambourea (XVe s. remanié au XVIIe s.) mérite l'intérêt, tant pour son architecture que pour ses vins, que l'on trouve dans le Guide dès la première édition. Le clos du Papillon est une parcelle qui doit son nom à sa forme. Le millésime 99 affiche une robe d'un jaune soutenu. Le nez attire l'attention par sa puissance et ses parfums de fruits confits et de fruits exotiques, caractéristiques d'une vendange bien mûre. La bouche, intense et moelleuse, laisse pourtant sur une impression de fraîcheur. (100 à 149 F)

EARL Pierre Soulez, Ch. de Chambourea, 49170 Savennières, tél. 02.41.77.20.04, fax 02.41.77.27.78 r.-v.

CH. DE PLAISANCE Le Clos 1999*

☐ 1,5 ha 3 000 11 à 15 €

Etabli au milieu du vignoble de Chaume, Guy Rochais réussit bien en liquoreux, pour lesquels il figure régulièrement dans le Guide. Il ne démérite pas pour autant en savennières, témoin ce 99, un classique de l'appellation avec sa robe or intense, ses arômes délicats et élégants de miel et de caramel, sa bouche fraîche, harmonieuse, qui laisse une impression de belle finesse. Un vin gourmand. (70 à 99 F)

Guy Rochais, Ch. de Plaisance, 49190 Rochefort-sur-Loire, tél. 02.41.78.33.01, fax 02.41.78.67.52 r.-v.

DOM. TAILLANDIER Demi-sec 1999*

☐ 7 ha 7 000 8 à 11 €

Deux frères, Eric et Marc Taillandier, ont créé de toutes pièces un vignoble à l'entrée de Savennières, sur un coteau exposé plein sud. D'un jaune légèrement doré, bien brillant, leur 99 offre un nez délicat, fruité où ressortent les fruits confits et le miel. On retrouve la même tonalité aromatique en bouche, marquée par les fruits mûrs. Equilibre, harmonie et longueur sont au rendez-vous. (50 à 69 F)

Dom. Eric Taillandier, Varennes, 49170 Savennières, tél. 02.41.72.23.70, fax 02.41.72.23.70, e-mail MTAILL4788@aol.com r.-v.

CH. DE VARENNES 1999*

☐ 7 ha 45 000 11 à 15 €

Ce vignoble de 7 ha est l'un des domaines angevins repris par Bernard Germain, également propriétaire de vignobles dans le Bordelais. Son 99 présente une belle personnalité. La robe jaune d'or est limpide et brillante, la palette aromatique associe des notes florales et des fruits secs à des nuances grillées et très finement boisées, la bouche est ample et élégante, d'une bonne longueur. De la classe et de l'avenir. (70 à 99 F)

Vignobles Germain et Associés Loire, 49380 Thouarcé, tél. 02.41.68.94.00, fax 02.41.68.94.01, e-mail loire@vgas.com r.-v.

Savennières roche-aux-moines, savennières coulée-de-serrant

Il est difficile de séparer ces deux crus qui ont pourtant reçu une codification particulière, tant ils sont proches en caractères et en qualité. La coulée de serrant, plus restreinte en surface (6,85 ha), est située de part et d'autre de la vallée du petit Serrant. La plus grande partie est en pente forte, d'exposition sud-ouest. Propriété en monopole de la famille Joly, cette appellation a atteint, tant par sa qualité que par son prix, la notoriété des grands crus de France. C'est après cinq ou dix ans que ses qualités s'épanouissent pleinement. La roche-aux-moines appartient à plusieurs propriétaires et couvre une surface de 19 ha déclarés (qui n'est pas totalement plantée) pour une production moyenne de 600 hl. Si elle est moins homogène que son homologue, on y trouve des cuvées qui n'ont cependant rien à lui envier.

Savennières roche-aux-moines

CH. DE CHAMBOUREAU
Cuvée d'Avant 1999*

☐ 5,36 ha 25 000 15 à 23 €

Le coteau de la Roche-aux-Moines correspond à un éperon rocheux surplombant la vallée de la Loire. Le château de Chambourea témoigne de l'ancienneté et du prestige de son vignoble. Sa cuvée d'Avant revêt un bel or pâle. Ses arômes aux nuances florales et miellées sont caractéristiques d'une vendange bien mûre. Ample, puissante, chaleureuse, la bouche est aussi très longue. Un classique de l'appellation. (100 à 149 F)

EARL Pierre Soulez, Ch. de Chambourea, 49170 Savennières, tél. 02.41.77.20.04, fax 02.41.77.27.78 r.-v.

CH. DE CHAMBOUREAU
Chevalier Buhard Cuvée d'Avant Doux 1999***

☐ 0,35 ha 1 500 15 à 23 €

Ce Chevalier Buhard 99 a fermenté et séjourné dix mois sur lie dans une barrique de plus de deux vins. Sans peur et sans reproche,

LOIRE

il affronte le jury vêtu d'une livrée jaune d'or, et procure un immense plaisir tout au long de la dégustation ! Le nez révèle des arômes d'évolution qui font penser à la noix et aux raisins confits. La bouche révèle une matière de grande classe. Vive et moelleuse à la fois, elle offre toute la finesse du terroir. C'est rare et c'est magnifique. (Bouteilles de 50 cl.) (100 à 149 F)
EARL Pierre Soulez, Ch. de Chamboureau, 49170 Savennières, tél. 02.41.77.20.04, fax 02.41.77.27.78 r.-v.

NICOLAS JOLY Clos de la Bergerie 1999★★

n.c. 7 000 15 à 23 €

Selon Nicolas Joly, la biodynamie, qui laisse vivre le sol, est la meilleure garantie de l'authenticité des vins de terroir. « *I don't want a good wine, I want a true wine* », proclame-t-il à l'intention de l'amateur anglophone. Heureusement, les deux objectifs n'ont rien d'incompatible, et ses savennières « sortent » régulièrement dans le Guide. Cette sélection du Clos de la Bergerie a quelque chose d'exubérant, avec ses arômes capiteux de fruits macérés à l'alcool, de fruits mûrs et de fruits secs. La bouche procure une sensation de richesse et de fraîcheur tout à la fois. Un vin de caractère qui sort des sentiers battus. (100 à 149 F)
Nicolas Joly, Ch. de La Roche-aux-Moines, 49170 Savennières, tél. 02.41.72.22.32, fax 02.41.72.28.68, e-mail couleedeserrant@wanadoo.fr t.l.j. sf dim. 8h30-12h 14h-18h

Savennières coulée-de-serrant

NICOLAS JOLY 1999★★

n.c. 26 000 38 à 46 €

Ce domaine historique a été mis en valeur dès le XIIe s. par les cisterciens dont on connaît la contribution à l'histoire viticole européenne. Il bénéficie aujourd'hui d'une renommée mondiale grâce à Nicolas Joly. Ses coulée-de-serrant apparaissent très souvent dans le Guide, depuis le 76 de la première édition. Ils sont vinifiés dans des fûts dont très peu sont neufs pour ne pas masquer le vin. Les 91 et 94 ont obtenu un coup de cœur. Et le 99 ? Ce vin secret n'est pas fait pour les gens pressés. Ses arômes mystérieux évoquent le bois d'ébénisterie, la noix et le sous-bois. La bouche donne une sensation de fraîcheur. L'ensemble rappelle ces journées d'automne faites de douceur, de luminosité et d'introspection. (250 à 299 F)
Nicolas Joly, Ch. de La Roche-aux-Moines, 49170 Savennières, tél. 02.41.72.22.32, fax 02.41.72.28.68, e-mail couleedeserrant@wanadoo.f t.l.j. sf dim. 8h30-12h 14h-18h

Coteaux du layon

Sur les coteaux des vingt-cinq communes qui bordent le Layon, de Nueil à Chalonnes, on a produit, en 2000, 50 249 hl de vins demi-secs, moelleux ou liquoreux. Le chenin est le seul cépage. Plusieurs villages sont réputés : le plus connu est celui de Chaume (78 ha). Six autres noms peuvent être ajoutés à l'appellation : Rochefort-sur-Loire, Saint-Aubin-de-Luigné, Saint-Lambert-du-Lattay, Beaulieu-sur-Layon, Rablay-sur-Layon, Faye-d'Anjou. Vins subtils, or vert à Concourson, plus jaunes et plus puissants en aval, ils présentent des arômes de miel et d'acacia acquis lors de la surmaturation. Leur capacité de vieillissement est étonnante.

DOM. DES BARRES Chaume 2000★★

1,5 ha 2 300 8 à 11 €

Voici dix ans que Patrice Achard s'est installé sur le domaine familial (25 ha). Il a été maintes fois présent dans le Guide grâce à d'excellents vins, comme ce 2000, fruit de quatre tries successives. La recherche d'une vendange surmûrie se traduit par une robe jaune d'or, une palette aromatique caractéristique de la pourriture noble, avec des notes de miel, de fleurs blanches et de fruits concentrés. La bouche conjugue puissance et délicatesse dans une belle harmonie. (50 à 69 F)
Patrice Achard, Dom. des Barres, 49190 Saint-Aubin-de-Luigné, tél. 02.41.78.98.24, fax 02.41.78.68.37 r.-v.

DOM. PATRICK BAUDOUIN Grains nobles 1999★★

5 ha 9 000 30 à 38 €

Etabli depuis 1990 à Chaudefonds-sur-Layon où il exploite 10 ha, Patrick Baudouin a réussi à se faire un nom, tant dans le vignoble qu'à l'étranger, où il écoule 80 % de sa production. Il élabore d'authentiques liquoreux. C'est le cas de celui-ci, issu d'une vendange qui titrait naturellement plus de 17,5 ° et qui a vieilli seize mois en barrique. La robe est jaune orangé, le nez mêle le café et d'autres arômes grillés à la banane confite et au vieux rhum. D'une belle complexité, elle aussi, la bouche est puissante et concentrée. Toute l'expression de la pourriture noble. (200 à 249 F)
Patrick Baudouin, Prince, 49290 Chaudefonds-sur-Layon, tél. 02.41.78.66.04, fax 02.41.78.66.04, e-mail contact@patrick-baudouin-layon.com r.-v.

CHARLES BEDUNEAU
Vieilles vignes 2000*

☐ 10 ha 3 500 5 à 8 €

Créée en 1958, voici une petite exploitation familiale (20 ha tout de même, dont 10 produisent des vins liquoreux). Cette cuvée a fait fort bonne impression, car elle associe richesse et fraîcheur. D'un jaune paille léger, elle délivre avec discrétion des senteurs de fruits mûrs et de fleurs blanches. Délicate et moelleuse, la bouche offre une finale harmonieuse et longue. Un vin prometteur. (30 à 49 F)

Dom. Charles Béduneau, 18, rue Rabelais, 49750 Saint-Lambert-du-Lattay, tél. 02.41.78.30.86, fax 02.41.74.01.46 r.-v.

DOM. MICHEL BLOUIN
Saint-Aubin 2000

☐ 3,22 ha 8 000 5 à 8 €

Le village de Saint-Aubin-de-Luigné, la « Perle du Layon », donne à voir de vieilles demeures et propose au visiteur plusieurs sentiers pédestres. L'exploitation de Michel Blouin est établie en bordure de la rivière. Elle compte un peu plus de 21 ha. Son 2000 est retenu pour sa matière de bonne qualité. Les arômes associent les fruits très mûrs avec une note iodée. La finale révèle une pointe d'amertume. (30 à 49 F)

Dom. Michel Blouin, 53, rue du Canal-de-Monsieur, 49190 Saint-Aubin-de-Luigné, tél. 02.41.78.33.53, fax 02.41.78.67.61 r.-v.

DOM. DES BOHUES
Cuvée des Martyrs 2000**

☐ 0,8 ha 1 800 8 à 11 €

Denis Retailleau, coup de cœur l'an dernier pour un 99, il n'a pas été loin d'obtenir la même distinction pour cette cuvée des Martyrs. Avec une robe jaune intense, un nez exubérant d'abricot, une bouche pleine, grasse et onctueuse, ce vin donne une impression de richesse tout au long de la dégustation. On recommande de l'oublier quelques années en cave. (50 à 69 F)

Denis Retailleau, Les Bohues, 49750 Saint-Lambert-du-Lattay, tél. 02.41.78.33.92, fax 02.41.78.34.11 r.-v.

CH. DU BREUIL
Beaulieu Vieilles vignes 1999*

☐ 8 ha 2 500 11 à 15 €

Vinifiée en barrique, cette cuvée Vieilles vignes mérite vraiment son nom car elle est issue de ceps centenaires. On la retrouve dans le Guide pour la troisième année consécutive. D'un jaune doré, le 99 se montre d'abord réservé au nez ; ce n'est qu'après agitation qu'il consent à livrer de subtils parfums de fruits confits ou macérés dans l'eau-de-vie. La bouche riche et puissante offre une palette aromatique complexe, où se mêlent citron, pamplemousse, miel, tilleul et vanille. Un vin à aérer, et qui surprendra alors par sa délicatesse. (70 à 99 F)

Ch. du Breuil, 49750 Beaulieu-sur-Layon, tél. 02.41.78.32.54, fax 02.41.78.30.03, e-mail ch.breuil@wanadoo.fr r.-v.

Morgat

CH. DE BROSSAY
Sélection de grains nobles 1999**

☐ 3 ha 1 600 11 à 15 €

Situé dans le haut Layon, non loin de la source de cette rivière, le château de Brossay compte 36 ha. Déjà remarquable dans le millésime précédent, cette sélection de grains nobles a été élaborée avec des vendanges dont la richesse naturelle était supérieure à 17,5 °. D'un jaune paille, elle libère à l'aération des arômes de fruits mûrs ou concentrés accompagnés d'épices. La bouche puissante est actuellement dominée par des notes boisées. La longue finale donne une impression de grande richesse. Cette bouteille sera encore meilleure à la fin de l'année et devrait se bonifier pendant un an ou deux. (70 à 99 F)

Raymond et Hubert Deffois, Ch. de Brossay, 49560 Cléré-sur-Layon, tél. 02.41.59.59.95, fax 02.41.59.58.81, e-mail chateau.brossay@wanadoo.fr t.l.j. sf dim. 8h-12h30 14h-19h

DOM. CADY
Saint-Aubin Grains nobles Cuvée Volupté 1999**

☐ 3 ha 2 600 11 à 15 €

Avec des étoiles à foison et plus d'un coup de cœur à son actif, le domaine Cady (20 ha) est une valeur sûre en matière de liquoreux. D'un jaune orangé intense, cette cuvée Volupté mérite son nom par l'impression d'extrême douceur qu'elle procure au palais. Son nez d'épices et de fruits confits est caractéristique de la pourriture noble ; quant à la bouche, sa palette aromatique associant la confiture de pêche et d'abricot à la pâte de fruits lui donne un caractère somptueux. Ce vin gagnera en délicatesse avec les années. Un **coteau du layon Les Varennes 2000 (50 à 69 F)** obtient une étoile. Cette cuvée est issue d'un coteau exposé au sud où affleurent les schistes verts du début de l'ère primaire. Jaune à reflets verts, elle révèle à l'aération des arômes complexes (pêche et abricot mûrs, coing confit, miel et épices) et se montre fraîche et équilibrée en bouche, avec une pointe d'amertume en finale. (Bouteilles de 50 cl.) (70 à 99 F)

Dom. Cady, Valette, 49190 Saint-Aubin-de-Luigné, tél. 02.41.78.33.69, fax 02.41.78.67.79, e-mail cadyph@wanadoo.fr r.-v.

DOM. PIERRE CHAUVIN
Rablay Vieilles vignes 1999*

☐ n.c. 2 500 8 à 11 €

La commune de Rablay-sur-Layon possède un terroir particulier constitué de couches de sables et de graviers atteignant localement plusieurs mètres d'épaisseur qui reposent sur le socle schisteux du Massif armoricain. Ces sols ont ici donné un 99 d'un jaune intense, au nez léger mais délicat où l'on décèle fruits mûrs, fruits blancs en confiture, épices et vanille. Harmonieux et équilibré, finissant sur une note de fruits confits, ce vin joue plutôt sur l'élégance que sur la puissance. (50 à 69 F)

Dom. Pierre Chauvin, 45, Grande-Rue, 49750 Rablay-sur-Layon, tél. 02.41.78.32.76, fax 02.41.78.22.55, e-mail domaine.pierrechauvin@wanadoo.fr r.-v.

DOM. DE CLAYOU 2000*

7 ha 5 000 5 à 8 €

Saint-Lambert-du-Lattay est la commune la plus viticole de l'Anjou. On peut d'ailleurs y visiter un musée de la Vigne et du Vin. Jean-Bernard Chauvin y exploite 21 ha, et deux de ses vins méritent l'attention : cité, un **coteau du layon Saint-Lambert 99 (50 à 69 F)**, de type léger, représentatif de son millésime mais non dénué d'un certain potentiel (cinq ans) et agréable avec ses arômes de fruits secs et de pomme verte, sa bouche fraîche et équilibrée ; et ce 2000, jaune pâle, au nez délicat de fruits mûrs et de miel, et au palais plaisant où se conjuguent vivacité et moelleux. La pointe d'amertume que l'on décèle en finale est caractéristique du millésime et devrait disparaître. Un vin à aérer avant de le servir. (30 à 49 F)

SCEA Jean-Bernard Chauvin, 18 *bis*, rue du Pont-Barré, 49750 Saint-Lambert-du-Lattay, tél. 02.41.78.42.84, fax 02.41.78.48.52 t.l.j. sf dim. 9h-12h 14h-19h; f. fin août

DOM. DU CLOS DES GOHARDS
Cuvée spéciale 2000*

n.c. 6 000 5 à 8 €

Fondé en 1924, ce domaine familial compte aujourd'hui 34 ha. Jaune pâle dans le verre, son coteau du layon 2000 est d'une très belle harmonie pour le millésime, ont écrit les dégustateurs, qui en ont apprécié le nez fin de fleurs blanches et de fruits mûrs, et la bouche expressive et délicate, où l'on retrouve les fruits mûrs. (30 à 49 F)

EARL Michel et Mickaël Joselon, Les Oisonnières, 49380 Chavagnes-les-Eaux, tél. 02.41.54.13.98, fax 02.41.54.13.98 r.-v.

DOM. DES CLOSSERONS
Faye Elevé en fûts de chêne 1999***

2,6 ha 4 000 15 à 23 €

Fondateur du vignoble en 1956, Jean-Claude Leblanc a été rejoint par ses deux fils, Yannick et Dominique, dans les années 1980. L'exploitation, qui compte près de 51 ha, est de celles qui sont parties à la reconquête des coteaux escarpés où prospère le chenin. Avec succès, comme en témoignent les nombreuses cuvées mentionnées dans le Guide ces dernières années. D'une belle couleur ambrée, ce 99 est le produit de quatre tries. Intense et pourtant délicate, sa palette aromatique mêle les fruits concentrés, le coing, le miel et les épices. La bouche ample, à la fois riche et fraîche, finit « en queue de paon ». Le jury est conquis. (100 à 149 F)

EARL Jean-Claude Leblanc et Fils, Dom. des Closserons, 49380 Faye-d'Anjou, tél. 02.41.54.30.78, fax 02.41.54.12.02 r.-v.

DOM. PHILIPPE DELESVAUX
Sélection de grains nobles 1999**

10 ha 6 000 23 à 30 €

Etabli en 1978, Philippe Delesvaux exploite une quinzaine d'hectares. Pratiquant les vendanges par tries, il figure au nombre des producteurs qui ont œuvré à la reconnaissance de la mention « sélection de grains nobles » pour les vins liquoreux d'Anjou. Vinifié et élevé en barrique pendant dix-huit mois, celui-ci affiche une robe jaune paille intense et offre des arômes complexes de fruits mûrs ou concentrés. Ample en bouche, il donne l'impression de croquer le raisin de Corinthe. Un vin puissant qui laisse cependant une sensation de légèreté et de délicatesse caractéristique des grands liquoreux de Loire. (150 à 199 F)

Philippe Delesvaux, Les Essards, La Haie-Longue, 49190 Saint-Aubin-de-Luigné, tél. 02.41.78.18.71, fax 02.41.78.68.06 r.-v.

DOM. DHOMME 1999***

4 ha 1 700 11 à 15 €

Chalonnes-sur-Loire fut un port actif sous l'Ancien Régime : c'est de ce bourg situé au confluent du Layon et de la Loire que partaient les meilleurs vins d'Anjou à destination de la Hollande et de ses colonies. Les Dhommé, qui exploitent un domaine de 18 ha fondé en 1960, étaient représentés dans la première édition du Guide. Ils y opèrent un retour en fanfare avec ce 99 jaune paille, superbe et typique du val de Loire, issu de raisins dont la richesse naturelle était supérieure à 17,5 °. Tout plaît en lui, de son nez complexe et délicat, qui associe des notes minérales et florales, des nuances de fruits secs (raisin de Corinthe, abricot) et d'épices, à sa bouche à la fois concentrée et fraîche. Un grand qui grandira encore. (70 à 99 F)

Dhommé, Le Petit Port-Girault, 49290 Chalonnes-sur-Loire, tél. 02.41.78.24.27, fax 02.41.74.94.91 r.-v.

DOM. DULOQUET Cuvée prestige 2000★

☐ 3 ha 2 320 ▮ 8à11€

Créée par le grand-père, modernisée par le père, l'exploitation a été reprise en 1991 par le petit-fils, Hervé Duloquet, qui a assis sa notoriété. S'il apparaît un peu en deçà de certains grands millésimes précédents, celui-ci ne décevra cependant pas l'amateur : la couleur jaune est dans le type, les arômes sont bien là - des notes de fruits mûrs ou concentrés d'une belle élégance, que l'on retrouve au nez comme en bouche - et le palais offre la richesse et la plénitude attendues. (50 à 69 F)

🔑 Hervé Duloquet, Les Mousseaux, 4, rte du Coteau, 49700 Les Verchers-sur-Layon, tél. 02.41.59.17.62, fax 02.41.59.37.53 ☑ 🍷 r.-v.

DOM. DES EPINAUDIERES Saint-Lambert 2000★

☐ 1 ha 4 000 ⏺ 5à8€

Une belle ascension pour Roger Fardeau, rejoint il y a dix ans par son fils Paul, qui a d'abord pris son vignoble en métayage (en 1966). Le domaine, comptant aujourd'hui 21 ha, est régulièrement au rendez-vous du Guide. Ce millésime 2000 s'annonce par une robe jaune orangé et un nez de fruits secs et de tilleul. La bouche ronde, riche et harmonieuse, finit sur des notes d'abricot. Une bouteille fort réussie qui sera prête à la fin de l'année 2001. (30 à 49 F)

🔑 SCEA Fardeau, Sainte-Foy, 49750 Saint-Lambert-du-Lattay, tél. 02.41.78.35.68, fax 02.41.78.35.50, e-mail fardeau.paul@club-internet.fr ☑ 🍷 r.-v.

DOM. DES FORGES Saint-Aubin Cuvée des Forges 2000★★

☐ 10 ha 3 000 ▮🌡 8à11€

La première parcelle a été acquise en 1890. La propriété compte aujourd'hui 38 ha et a vu l'installation, en 1996, de Stéphane Branchereau, qui représente la cinquième génération. Elle a déjà obtenu trois coups de cœur dans cette appellation. Jaune à reflets verts, cette cuvée des Forges offre des arômes flatteurs d'abricot, de miel et d'épices. La bouche est équilibrée, fraîche et longue. Un vin typique, laissant une double impression d'élégance délicate et de caractère. (50 à 69 F)

🔑 Vignoble Branchereau, Dom. des Forges, rte de la Hale-Longue, 49190 Saint-Aubin-de-Luigné, tél. 02.41.78.33.56, fax 02.41.78.67.51 ☑ 🍷 r.-v.

CH. DU FRESNE Clos des Cocus 1999★

☐ 1,15 ha 2 000 ▮🌡 15à23€

Cette parcelle ne représente qu'une infime partie d'un vaste domaine de 76 ha, mais son nom suffirait à faire sa notoriété... Elle a donné un vin qui mérite d'être apprécié pour ses qualités intrinsèques et non pour une dénomination bien dans la lignée d'une certaine tradition bachique. Jaune paille, ce 99 livre des arômes délicats de fruits mûrs et confits accompagnés de quelques notes végétales. Equilibrée, agréable, la bouche renoue en finale avec le fruit confit (coing, abricot). (100 à 149 F)

🔑 Vignobles Robin-Bretault, Ch. du Fresne, 49380 Faye-d'Anjou, tél. 02.41.54.30.88, fax 02.41.54.17.52, e-mail fresne@voila.fr ☑ 🍷 r.-v.

DOM. DE GATINES Cuvée Juliette 1999★

☐ 3 ha 1 500 ▮ 11à15€

Ce domaine de 35 ha est fier de son titre de champion de France de taille de la vigne. Sa cuvée Juliette a été élaborée à partir d'une quatrième trie, opérée le 16 novembre. Le moût avait un degré naturel de 20,6 °. Intense est sa robe de couleur jaune, intense encore - mais pourtant délicat - son nez où l'on décèle des nuances minérales à côté de notes botrytisées. Quant à la bouche, elle conjugue puissance, élégance et harmonie. (70 à 99 F)

🔑 EARL Vignoble Dessèvre, Dom. de Gatines, 12, rue de la Boulaie, 49540 Tigné, tél. 02.41.59.41.48, fax 02.41.59.94.44 ☑ 🍷 t.l.j. sf dim. 8h-12h30 14h-19h

DOM. GAUDARD Saint-Aubin 2000★

☐ 2 ha 3 500 ▮ 8à11€

Depuis bientôt dix ans, Pierre Aguilas s'est engagé dans la défense du vignoble angevin. Cette année ont été retenus, avec la même note, deux coteaux du layon de style très différents. Celui-ci, un saint-aubin, exprime à toutes les étapes de la dégustation la richesse de la vendange avec laquelle il a été élaboré. Jaune paille dans le verre, il mêle au nez les fleurs blanches, l'abricot, le miel, l'écorce d'orange. La bouche équilibrée laisse une sensation de fruits mûrs et finit sur une aimable pointe d'amertume. La cuvée **Les Varennes 2000 (30 à 49 F)**, d'un jaune clair à reflets paille, est assez peu concentrée mais tellement délicate avec ses arômes subtils de fleurs blanches et de poire ! La bouche ? Fraîcheur et harmonie. (50 à 69 F)

🔑 Pierre Aguilas, Dom. Gaudard, rte de Saint-Aubin, 49290 Chaudefonds-sur-Layon, tél. 02.41.78.10.68, fax 02.41.78.67.72 ☑ 🍷 t.l.j. sf dim. 9h-12h 14h-19h

DOM. GROSSET La Motte à Bory Rochefort 2000★

☐ 1,6 ha 3 500 ⏺ 11à15€

Ce domaine traditionnel est fidèle au labour des vignes et à la vinification en barrique. D'un jaune paille à reflets verts, sa cuvée La Motte à Bory est un vin délicat. Son nez discret laisse toutefois percevoir une palette aromatique complexe où se côtoient pêche, coing, miel, abricot et tilleul. On retrouve le coing et le miel dans une bouche fraîche, équilibrée et légère. Un vin élégant qui donne une bonne image des liquoreux du val de Loire. (70 à 99 F)

🔑 Serge Grosset, 60, rue René-Gasnier, 49190 Rochefort-sur-Loire, tél. 02.41.78.78.67, fax 02.41.78.79.79 ☑ 🍷 r.-v.

DOM. DE LA BERGERIE Cuvée Fragrance 1999★★

☐ 2,5 ha 2 000 ⏺ 23à30€

Régulièrement présent dans le Guide, notamment à travers cette cuvée Fragrance, ce domaine de 34 ha, réputé pour ses liquoreux, réalise un travail de fond à la vigne (taille courte, éclaircissage, maîtrise de la vigueur). La vinification se fait en barrique. Elle a duré quinze mois pour ce vin qui donne une impression de puissance extrême. Il surprend par la richesse de sa gamme aromatique associant les fruits exotiques, la pâte de fruits confits, le miel et les épices. Ce 99 a encore besoin de temps pour exprimer tout son potentiel. Il devrait gagner en finesse et sera vraiment superbe dans quelques années. (Bouteilles de 50 cl.) (150 à 199 F)

Yves Guégniard, Dom. de La Bergerie, 49380 Champ-sur-Layon, tél. 02.41.78.85.43, fax 02.41.78.60.13, e-mail domainede.la.bergerie@wanadoo.fr t.l.j. sf dim. 9h-12h 14h-18h30

DOM. DE LA COUCHETIERE 2000

☐ 1,8 ha 3 500 5à8€

Cette propriété familiale s'est spécialisée dans la viticulture à partir de 1969. Son millésime 2000, d'un jaune intense, mêle au nez les fleurs blanches et les fruits mûrs. La bouche est équilibrée, fraîche et harmonieuse. Un coteau du layon simple, agréable et bien fait, qui sera prêt dès la fin de l'année 2001. (30 à 49 F)

GAEC Brault Père et Fils, Dom. de La Couchetière, 49380 Notre-Dame-d'Allençon, tél. 02.41.54.30.26, fax 02.41.54.40.98 t.l.j. sf dim. 8h30-12h30 14h-19h30

LA DUCQUERIE
Saint-Lambert Prestige 1999★★

☐ 5 ha 4 000 8à11€

Ce domaine a reçu un coup de cœur l'an dernier pour son anjou blanc. Quant à cette sélection, elle a été obtenue à partir de vendanges scrupuleusement sélectionnées et vinifiées en barrique. La robe, d'un jaune intense, présente des reflets ambrés. Le nez ne livre, qu'après aération, des arômes de fleurs blanches (acacia), d'agrumes (pamplemousse) et de fruits mûrs. Concentrée, intense, la bouche finit sur des notes de fruits secs. Un ensemble remarquable. (Bouteilles de 50 cl.) (50 à 69 F)

EARL La Ducquerie, 2, chem. du Grand-Clos, 49750 Saint-Lambert du Lattay, tél. 02.41.78.42.00, fax 02.41.78.48.17 r.-v.

DOM. DE L'ANGELIERE
Faye d'Anjou 1999★

☐ 3 ha 8 000 5à8€

Dans la même famille depuis six générations, ce domaine compte aujourd'hui 40 ha de vignes. La parcelle à l'origine de ce 99 couvre un haut coteau exposé plein sud d'où l'on aperçoit neuf clochers. Le vin laisse une impression d'élégance et de finesse. Ses arômes d'agrumes (mandarine) et de fleurs blanches sont caractéristiques d'une vendange botrytisée. La bouche légère est très agréable. Délicate, cette bouteille peut être appréciée dès maintenant. (30 à 49 F)

GAEC Boret, Dom. de L'Angelière, 49380 Champ-sur-Layon, tél. 02.41.78.85.09, fax 02.41.78.67.10 t.l.j. sf dim. 9h-19h

DOM. DE LA PETITE CROIX 2000★★

☐ n.c. 4 000 8à11€

Avec ce coteaux du layon issu d'une récolte effectuée par tries, ce domaine s'est attiré une foule de compliments. D'un jaune d'or intense, il offre une palette aromatique caractéristique d'une vendange concentrée, avec des notes d'acacia, de fruits compotés et de pâte de fruits. Soyeuse et même voluptueuse, la bouche finit sur une pointe d'amertume qui disparaîtra à l'élevage. (50 à 69 F)

A. Denechère et F. Geffard, Dom. de la Petite Croix, 49380 Thouarcé, tél. 02.41.54.06.99, fax 02.41.54.30.05 r.-v.

DOM. DE LA ROCHE AIRAULT
Rochefort Vieilles vignes 1999★

☐ 1,5 ha 4 000 5à8€

Ce domaine de 14 ha est situé au pied de la corniche angevine, qui surplombe les vallées de la Loire et du Layon. Sa cuvée Rochefort Vieilles vignes avait été remarquable dans le millésime 97. Le 99, jaune à reflets gris vert, est très réussi dans un style assez léger. Le nez associe la pêche, la mûre et la menthe ; la bouche reste fruitée, fraîche et harmonieuse. Elle montre en finale une pointe d'amertume. A attendre un an. (30 à 49 F)

Pascal Audio, La Roche Airault, 49190 Saint-Aubin-de-Luigné, tél. 02.41.78.74.30, fax 02.41.78.89.03 r.-v.

DOM. DE LA ROCHE MOREAU
Chaume Sélection de Grains Nobles Cuvée Alexis 1999★

☐ n.c. n.c. 11à15€

Avant la révolution industrielle, on exploitait du charbon dans la région. Il en reste des galeries de mines dont l'une abrite les vieux millésimes de ce domaine de 21 ha, situé sur la corniche angevine. Son chalet de dégustation offre une vue panoramique sur la vallée de la Loire et les coteaux du Layon. Ses vins méritent aussi le détour ; comme cette cuvée Alexis élaborée à partir de vendanges dont la richesse naturelle était supérieure à 17,5 °. La robe est jaune d'or, les arômes sont ceux de la pourriture noble ; la bouche riche, puissante et moelleuse, est marquée par des notes de miel. A déguster à l'apéritif. (Bouteilles de 50 cl.) (70 à 99 F)

André Davy, Dom. de La Roche Moreau, La Haie-Longue, 49190 Saint-Aubin-de-Luigné, tél. 02.41.78.34.55, fax 02.41.78.17.70, e-mail davy.larochemoreau@wanadoo.fr r.-v.

DOM. LEDUC-FROUIN
Le Grand Clos La Seigneurie 2000★★

☐ 3 ha 2 000 8à11€

Ce domaine de 28 ha était une terre seigneuriale. Il fut acquis en 1933 par la famille Leduc-Frouin qui la cultivait depuis 1873. L'exploitation vient de passer à la nouvelle génération. Voici un vin de caractère : élaboré à partir de vendanges remarquables pour le millésime, il laisse une impression de concentration étonnante. Ses arômes intenses évoquent les fruits secs (raisin, abricot). Sa bouche est puissante,

riche et moelleuse. Une bouteille remarquable qu'il est conseillé d'attendre. (50 à 69 F)
SCEA Dom. Leduc-Frouin, Sousigné, 49540 Martigné-Briand, tél. 02.41.59.42.83, fax 02.41.59.47.90, e-mail domaine-leduc-frouin @wanadoo.fr ☑ Y r.-v.

DOM. LEROY Cuvée Divinité 2000

☐ 2 ha 3 000 8 à 11 €

L'église d'Aubigné-sur-Layon, du XIe s., conserve d'intéressantes fresques en trompe-l'œil du XVIIIe s. En face, vous trouverez ce domaine très ancien, puisqu'il a été fondé en 1612 tandis que son vignoble remonte à 1840. Vous pouvez y goûter un **coteaux du layon Vieilles vignes 2000 (30 à 49 F)**, agréable, simple et bien vinifié. Un vin jaune pâle, mêlant au nez des notes de grillé et de fruits secs (abricot), léger et frais en bouche et qui a obtenu une citation. Ou encore cette Divinité, plus riche, et vinifiée en barrique. Une divinité féminine, si l'on en croit un membre du jury, séduit par son élégance florale. (50 à 69 F)
Jean-Michel Leroy, rue d'Anjou, 49540 Aubigné-sur-Layon, tél. 02.41.59.61.00, fax 02.41.59.96.47 ☑ Y r.-v.

DOM. LES GRANDES VIGNES 2000**

☐ 5,72 ha 9 600 5 à 8 €

Ce domaine de 50 ha est exploité par trois frères et sœur. Ils ont présenté dans les dernières éditions du Guide des cuvées en bonnezeaux ou en coteaux du layon. Celui-ci, élevé un an en fût, suscite de beaux commentaires : il faut l'attendre, dit-on en chœur. Derrière des imperfections de jeunesse, les dégustateurs, tout aussi unanimes, décèlent une grande complexité aromatique, avec des notes de fruits secs (abricot, amande) et d'épices. Tous éprouvent une impression d'harmonie et de finesse étonnante. Cette remarquable bouteille devrait déjà s'être bonifiée à la fin de l'année 2001. (30 à 49 F)
GAEC Vaillant, Dom. Les Grandes Vignes, La Roche Aubry, 49380 Thouarcé, tél. 02.41.54.05.06, fax 02.41.54.08.21, e-mail gaecvaillant@wordonline.fr ☑ Y r.-v.

DOM. OGEREAU
Saint-Lambert Clos des Bonnes Blanches 1999***

☐ 2 ha 5 000 15 à 23 €

La robe est jaune d'or ; les arômes, intenses et complexes - notes de fruits secs, mûrs ou concentrés, d'épices et de miel - sont caractéristiques des vendanges surmûries. La bouche opulente donne la sensation, propre aux grands liquoreux, de croquer dans des raisins de Corinthe. Cette cuvée vient de faire le tour du monde à la voile sur le bateau de Michel Desjoyeaux, vainqueur du Vendée-Globe. On lui souhaite encore de voyager et de se faire connaître sur d'autres continents, car, déjà brillamment distinguée dans les deux derniers millésimes, elle a été jugée championne de l'AOC. Elle confirme le talent d'un vigneron qui, d'anjou en coteaux du layon, collectionne les coups de cœur dans les appellations angevines. (Bouteilles de 50 cl.) (100 à 149 F)
Vincent Ogereau, 44, rue de la Belle-Angevine, 49750 Saint-Lambert-du-Lattay, tél. 02.41.78.30.53, fax 02.41.78.43.55 ☑ Y r.-v.

DOM. OGEREAU
Saint-Lambert Cuvée Prestige 1999***

☐ 6 ha 7 500 11 à 15 €

Voici, dans un autre style, un coteau du layon du même niveau que le précédent. Elevé pour partie en fût et pour partie en cuve, il est moins puissant, mais superbe de finesse et de délicatesse. Jaune paille à reflets ambre, il présente des arômes de surmaturation où ressortent les fruits secs (abricot et noisette) et les fruits mûrs. Très bien équilibrée, la bouche laisse une impression de légèreté malgré sa richesse. (70 à 99 F)
Vincent Ogereau, 44, rue de la Belle-Angevine, 49750 Saint-Lambert-du-Lattay, tél. 02.41.78.30.53, fax 02.41.78.43.55 ☑ Y r.-v.

DOM. DE PAIMPARE
Saint-Lambert 2000

☐ 4 ha 2 000 5 à 8 €

Installé depuis 1990 à Saint-Lambert-du-Lattay, un des fiefs des coteaux du layon, Michel Tessier est régulièrement présent dans le Guide. Bien sûr, ce millésime n'a pas la richesse des deux 97 qu'il avait proposés il y a deux ans. Il faut tenir compte de l'arrière-saison humide de l'année 2000. Cela donne une robe jaune clair, un nez plutôt discret, qui s'ouvre sur des notes de fleurs d'agrumes et de fruits mûrs, une bouche agréable, légère et fraîche. Simple et bien fait, ce vin pourra être bu dès la fin de l'année. (30 à 49 F)
SCEA Michel Tessier, 32, rue Rabelais, 49750 Saint-Lambert-du-Lattay, tél. 02.41.78.43.18, fax 02.41.78.41.73 ☑ Y r.-v.

DOM. DES PETITS-QUARTS
Faye 2000**

☐ 2,3 ha 3 300 8 à 11 €

Le vignoble a été créé en 1887. Les Godineau ont recours à la lutte biologique (selon la technique de la confusion sexuelle). Leurs liquoreux sont d'une qualité régulière, tant en coteaux du layon qu'en bonnezeaux, comme en témoignent plusieurs coups de cœur du Guide. Voyez ce 2000, d'un or intense, aux arômes de miel, de coing et de fruits exotiques, à la bouche moelleuse et longue, marquée par la poire bien mûre. Quelle richesse et quelle finesse ! (50 à 69 F)

LOIRE

Godineau Père et Fils, Dom. des Petits Quarts, 49380 Faye-d'Anjou, tél. 02.41.54.03.00, fax 02.41.54.25.36 t.l.j. sf dim. 8h-12h 14h-18h

DOM. DU PETIT-VAL 2000

2 ha 7 000 5 à 8 €

Vincent Goizil et le domaine du Petit-Val sont mentionnés dans la première édition du Guide. Depuis, l'exploitation a été reprise par son fils Denis (en 1988). Elle est toujours fidèle au rendez-vous d'Hachette, en particulier pour ses liquoreux (sur les 34 ha du domaine, 19 ha sont voués au chenin). Son 2000 est bien représentatif de son appellation et de son millésime. Sa robe est d'un beau jaune, ses arômes ont l'intensité voulue et sa bouche apparaît riche et concentrée. S'il n'a pas encore trouvé son harmonie, il devrait s'être bonifié à la fin de l'année. (30 à 49 F)

EARL Denis Goizil, Dom. du Petit-Val, 49380 Chavagnes, tél. 02.41.54.31.14, fax 02.41.54.03.48 r.-v.

CH. PIERRE-BISE
Rochefort Les Rayelles 2000**

3,57 ha 4 000 11 à 15 €

Ce vignoble fondé en 1910 compte 53 ha. Présent dans le Guide dès la première édition, il brille surtout par ses liquoreux, qui lui ont déjà valu cinq coups de cœur (en coteaux du layon et quarts-de-chaume). La cuvée des Rayelles a obtenu cette distinction pour les millésimes 99 et 97. Le 2000 n'avait pas encore atteint sa plénitude le jour de la dégustation, mais les jurés y ont trouvé tous les signes d'un potentiel remarquable: l'intensité de sa couleur à reflets or paille, la complexité de sa palette aromatique où l'on retrouve l'abricot sec, les fruits confits, le miel, la cire et le chèvrefeuille, la puissance de la bouche aux accents de raisins surmûris. A goûter à la fin de l'année 2001. En **coteaux du layon Chaume, le millésime 2000**, tout en fruits concentrés, devra attendre un an. Il obtient une étoile. (Bouteilles de 50 cl.) (70 à 99 F)

Claude Papin, Ch. Pierre-Bise, 49750 Beaulieu-sur-Layon, tél. 02.41.78.31.44, fax 02.41.78.41.24 r.-v.

CH. DE PLAISANCE
Chaume Les Charmelles 1999**

4 ha 5 000 11 à 15 €

Le premier coup de cœur du Guide dans cette AOC était un 1970 Château de Plaisance. Ce domaine de 30 ha est situé au milieu des vignes du coteau de Chaume, site privilégié de l'appellation. Sa cuvée des Charmelles est très typique des liquoreux de la région, car elle conjugue la délicatesse avec la richesse et la puissance. Complexes, ses arômes évoquent les fleurs blanches (acacia), les agrumes et les raisins mûrs. La bouche séduit par son apparente légèreté, la grande fraîcheur qui s'en dégage et sa longue finale d'une persistance étonnante. Dans cette même appellation, la cuvée **Les Zerzilles 99 (100 à 149 F)** obtient une citation. A laisser mûrir en cave un an ou deux. (70 à 99 F)

Guy Rochais, Ch. de Plaisance, 49190 Rochefort-sur-Loire, tél. 02.41.78.33.01, fax 02.41.78.67.52 r.-v.

DOM. JEAN-LOUIS ROBIN-DIOT
Rochefort Cuvée Intégrale 1999**

3 ha n.c. 15 à 23 €

Installé il y a plus de trente ans, Jean-Louis Robin a été pendant des années le président du Syndicat des coteaux du layon. Il figure au nombre des vignerons à l'origine du renouveau de l'appellation. Sa cuvée Intégrale, vinifiée et vieillie un an en barrique, est née de vignes âgées de soixante ans. Elle est encore dominée par des arômes liés à son élevage sous bois (vanille, fumé, grillé), accompagnés par les nuances caractéristiques des vendanges surmûries (fruits confits, pâte de fruits, coing, cire, tilleul). A la fois riche et délicate, la bouche est harmonieuse. Un superbe équilibre. (Bouteilles de 50 cl.) (100 à 149 F)

Dom. Jean-Louis Robin-Diot, Les Hauts-Perrays, 49290 Chaudefonds-sur-Layon, tél. 02.41.78.68.29, fax 02.41.78.67.62 r.-v.

DOM. JEAN-LOUIS ROBIN-DIOT
La Pierre d'Ardenay 2000*

n.c. 3 000 8 à 11 €

Cette sélection de vieilles vignes en robe jaune pâle séduit par sa délicatesse. Son nez subtil et aérien évoque la rose. Légère, souple, raffinée, la bouche est marquée en finale par d'agréables notes de fruits mûrs (pêche, poire, prune). Jean-Louis Robin a obtenu la même note pour un **Clos du Cochet Rochefort 99, élevé en fût**, né également de vieilles vignes. Jaune à reflets or, ce vin associe au nez les fruits frais (abricot, coing), le miel, le tilleul à des notes boisées. Friand, riche et frais en bouche, il laisse une impression de délicatesse et d'équilibre. Les impatients peuvent déjà l'ouvrir, mais il ne perdra rien à attendre quelques années. (50 à 69 F)

Dom. Jean-Louis Robin-Diot, Les Hauts-Perrays, 49290 Chaudefonds-sur-Layon, tél. 02.41.78.68.29, fax 02.41.78.67.62 r.-v.

MICHEL ROBINEAU
Saint-Lambert Sélection de grains nobles 1999**

2 ha 3 000 11 à 15 €

Installé à son compte depuis 1990, Michel Robineau aime travailler la vigne (taille courte, maîtrise de la charge, récoltes manuelles). Aussi ses vins sont-ils attendus avec impatience. Cette sélection de grains nobles de Saint-Lambert en particulier, dont la plupart des millésimes se sont couverts d'étoiles (le 93 eut un coup de cœur). Le 99 a été élaboré à partir de vendanges dont la richesse naturelle était supérieure à 17,5 °. Cette richesse potentielle est à l'origine de l'impression d'intensité qui se dégage tout au long de la dégustation : intensité de la robe dorée, aux reflets orangés ; des arômes caractéristiques de la pourriture noble ; puissance de la bouche dominée par des notes de fruits. Ce coteaux du layon vivra plus de vingt ans. (70 à 99 F)

Michel Robineau, 3, chem. du Moulin, Les Grandes Tailles, 49750 Saint-Lambert-du-Lattay, tél. 02.41.78.34.67 r.-v.

CH. DES ROCHETTES
Sélection de Vieilles vignes 2000**

□ 4 ha 10 000 8 à 11 €

Trois vins présentés, « sept » étoiles ! Le château des Rochettes est exemplaire. Les deux vins présentés du millésime 2000 ont été tous deux jugés remarquables. Cette sélection Vieilles vignes laisse une impression de fruits mûrs ; elle impressionne par sa puissance et la complexité de sa palette aromatique qui associe notes florales, fruits concentrés et épices. Le **moelleux 2000 (30 à 49 F)**, plus léger, est d'un bel équilibre. Il charme par la délicatesse de son nez où se marient harmonieusement le miel, les fruits blancs et les épices. (50 à 69 F)

Jean Douet, Ch. des Rochettes, 49700 Concourson-sur-Layon, tél. 02.41.59.11.51, fax 02.41.59.37.73 r.-v.

CH. DES ROCHETTES
Sélection de Grains Nobles
Cuvée Folie 1999***

□ 2 ha 2 000 15 à 23 €

Durant la Révolution, ce vignoble fut le théâtre de violents combats entre les Bleus et les Vendéens. Deux siècles plus tard, il s'y mène un combat, pacifique celui-là, pour la promotion et l'excellence des grains nobles. Cette cuvée Folie, qui a trois coups de cœur à son actif, porte haut la renommée de ce type de vin. Issue de vendanges dont la richesse naturelle était supérieure à 20 °, elle a fermenté et vieilli dix-huit mois en barrique. Le résultat ? Un vin surprenant par sa puissance. La robe jaune paille est animée de superbes reflets or. Le nez, fait de fruits compotés, de bergamote et de caramel, invite à la rêverie. La bouche est opulente, la finale époustouflante. Un vin de dessert ? Non, « un dessert à lui tout seul », écrit un dégustateur. A savourer longuement et tranquillement. (Bouteilles de 50 cl.) (100 à 149 F)

Jean Douet, Ch. des Rochettes, 49700 Concourson-sur-Layon, tél. 02.41.59.11.51, fax 02.41.59.37.73 r.-v.

DOM. ROMPILLON
Saint-Aubin Le Defay 1999*

□ 2 ha 2 500 8 à 11 €

Le domaine de Jean-Pierre Rompillon est situé sur la route touristique du vignoble qui, entre Saint-Lambert-du-Lattay et Saint-Aubin-de-Luigné, serpente entre les vignes et passe au pied du célèbre cru quarts de chaume. Né à Saint-Aubin, ce 99 est un classique de son appellation. De couleur jaune paille limpide, il livre des parfums délicats de fruits mûrs (poire) et de fruits concentrés accompagnés de quelques notes boisées. Equilibré, frais et dense au palais, il est dominé en finale par des arômes boisés. A attendre au moins un an. L'exploitation est par ailleurs citée pour un **Clos des Foirières Saint-Lambert 99 (30 à 49 F)**. Un vin qu'il faut aérer pour qu'il consente à livrer ses fragrances de fleurs blanches et de fruits mûrs. Assez léger en bouche, il est frais et harmonieux. (50 à 69 F)

Jean-Pierre Rompillon, L'Ollulière, 49750 Saint-Lambert-du-Lattay, tél. 02.41.78.48.84, fax 02.41.78.48.84 r.-v.

SAUVEROY
Saint-Lambert Cuvée Nectar 1999**

□ 1,04 ha 4 100 11 à 15 €

Créé en 1947, ce domaine familial compte aujourd'hui 27 ha. Ce 99 présente tous les caractères d'un vin élaboré à partir de vendanges surmûries : une robe d'un jaune intense à reflets orangés, des arômes délicats de fruits secs, de fruits concentrés et d'épices, une bouche à la fois puissante et élégante, longue et intense en finale. (70 à 99 F)

Pascal Cailleau, Dom. du Sauveroy, 49750 Saint-Lambert-du-Lattay, tél. 02.41.78.30.59, fax 02.41.78.46.43, e-mail domainesauveroy@terre-net.fr r.-v.

CH. SOUCHERIE
Beaulieu Cuvée de la Tour 1998*

□ 4 ha 2 500 11 à 15 €

Cette exploitation de 30 ha offre un beau point de vue sur les coteaux du Layon et les coteaux de Chaume. Jaune à reflets dorés, sa cuvée de la Tour a été élevée en barrique pendant douze mois. Le nez mêle les fruits mûrs et les fruits secs à des notes fumées et grillées. La bouche agréable associe des notes fruitées et boisées (vanille, noix de coco) ; elle présente une finale délicate marquée par des arômes de miel et de fruits confits. (Bouteilles de 50 cl.) (70 à 99 F)

P.-Y. Tijou et Fils, Ch. Soucherie, 49750 Beaulieu-sur-Layon, tél. 02.41.78.31.18, fax 02.41.78.48.29 r.-v.

DOM. DES VARENNES
Saint-Lambert Cuvée des Varennes 1999*

□ 1 ha 3 000 11 à 15 €

Ce vignoble créé en 1930 a pris le nom de « Varennes » en 1983. Le terme désigne localement les sols pierreux et superficiels qui apparaissent sur le socle schisteux du Massif armoricain. La cuvée des Varennes s'annonce par une couleur intense à reflets orangés. A l'aération, elle s'ouvre sur des arômes rappelant les agrumes (pamplemousse) et d'autres fruits mûrs. Assez légère, équilibrée, la bouche est agréable. Cette bouteille pourra être attendue cinq ans. (70 à 99 F)

GAEC A. Richard, 11, rue des Varennes, 49750 Saint-Lambert-du-Lattay, tél. 02.41.78.32.97, fax 02.41.74.00.30 r.-v.

Bonnezeaux

C'est l'inimitable vin de dessert, disait le Dr Maisonneuve en 1925. A cette époque, les grands vins liquoreux étaient essentiellement consommés à ce moment du repas ou dans l'après-midi, entre amis. De nos jours, on apprécie plutôt ce grand cru à l'apéritif. Très parfumé, plein de sève, le bonnezeaux doit toutes ses qualités au terroir exceptionnel qu'il occupe : plein sud, sur trois petits coteaux de schistes abrupts au-dessus du village de Thouarcé (La Montagne, Beauregard et Fesles).

Le volume de production a atteint, en 2000, 1 964 hl. L'aire de production comprend 130 ha plantables. C'est un vin de grande garde, une valeur sûre.

DOM. DES COQUERIES 1999

☐ 2 ha 5 000 11 à 15 €

Domaine viticole traditionnel de 8,5 ha, repris en 1998 par Philippe Gilardeau, qui s'est illustré dans l'appellation (voir édition 2000). Un bonnezeaux d'un or vert engageant. Le nez, encore discret, révèle des notes de fruits blancs. L'attaque est légère et fraîche. Une belle harmonie générale. (70 à 99 F)

EARL Philippe Gilardeau, Les Noues, 49380 Thouarcé, tél. 02.41.54.39.11, fax 02.41.54.38.84 r.-v.

CH. DE FESLES 1999★

☐ 15 ha 18 000 30 à 38 €

Le premier coup de cœur du Guide dans l'appellation (un 83 dans l'édition 1986...) et celui de la dernière édition (millésime 98). Le château a changé plusieurs fois de mains durant la dernière décennie. Propriété des Boivin, il a été cédé à Gaston Lenôtre en avril 1991, puis revendu à Bernard Germain au printemps 1996. Ce 99 est intense et soutenu dans le verre. Le nez délicat se porte vers la mirabelle. Ces subtils arômes se retrouvent dans une bouche volumineuse mais équilibrée, fraîche et d'une belle persistance. (200 à 249 F)

Vignobles Germain et Associés Loire, 49380 Thouarcé, tél. 02.41.68.94.00, fax 02.41.68.94.01, e-mail loire@vgas.com r.-v.

DOM. DES GAGNERIES
Les Hauts fleuris 1999★★

☐ 4 ha 8 000 8 à 11 €

Acquis par la famille Rousseau en 1890, ce domaine est situé au cœur de l'appellation. Il a déjà révélé de remarquables millésimes aux lecteurs du Guide (96, 95, 90, 89), mais c'est la première fois qu'il « emporte » le coup de cœur. Avec un superbe 99 qui donne à la fois une sensation de concentration et de fraîcheur, et qui impressionne par sa palette aromatique. L'attendre ? Le plus longtemps possible ! (50 à 69 F)

EARL Christian et Anne Rousseau, Dom. des Gagneries, 49380 Thouarcé, tél. 02.41.54.00.71, fax 02.41.54.02.62 r.-v.

DOM. LA CROIX DES LOGES 1999★

☐ 1,5 ha 5 000 11 à 15 €

Située sur la route de Gennes, à proximité de Martigné, cette exploitation de 40 ha est régulièrement retenue dans le Guide. Enveloppé d'un jaune paille des plus attirants, ce 99 frappe par l'intensité de ses parfums, marqués par des nuances de sous-bois que l'on retrouve en attaque. La finale révèle un raisin bien mûr, trié avec la plus grande minutie. Une bouteille à oublier en cave. (70 à 99 F)

SCEA Bonnin et Fils, Dom. de La Croix des Loges, 49540 Martigné-Briand, tél. 02.41.59.43.58, fax 02.41.59.41.11, e-mail bonninlesloges@aol.com r.-v.

DOM. DE LA PETITE CROIX
Cuvée Prestige 2000★

☐ 3,5 ha 3 000 11 à 15 €

Cette cuvée révèle un très beau potentiel. Le premier nez évoque le tilleul, puis apparaissent des notes de surmaturation rappelant l'abricot sec. La bouche est ronde, puissante et fraîche. Cette bouteille s'épanouira dans quelques années. (70 à 99 F)

A. Denechère et F. Geffard, Dom. de la Petite Croix, 49380 Thouarcé, tél. 02.41.54.06.99, fax 02.41.54.30.05 r.-v.

CH. LA VARIERE Les Melleresses 1999★

☐ 2,3 ha 6 000 15 à 23 €

Jacques Beaujeau est l'héritier d'une lignée de vignerons qui remonte à 1850. L'exploitation, 95 ha dont 2,3 ha en bonnezeaux, est installée dans des bâtiments des XIIIe et XVes. Ces Melleresses s'annoncent par une robe jaune paille aux beaux reflets verts. Le nez, qui associe la cire et l'abricot, révèle un début d'évolution. L'attaque apparaît ronde et grasse, sans être volumineuse. Les effluves de pommes au four qui surgissent en finale donnent à celle-ci un côté gourmand. (Bouteilles 50 cl.) (100 à 149 F)

Ch. La Varière, 49320 Brissac, tél. 02.41.91.22.64, fax 02.41.91.23.44, e-mail chateau.la.variere@wanadoo.fr r.-v.

DOM. LES GRANDES VIGNES 1999*

☐ 2,1 ha 4 800 11 à 15 €

Ce 99 séduit par la complexité de sa palette aromatique où l'on trouve des notes florales, fruitées et vanillées. La bouche révèle une matière intense et riche tout en laissant une impression d'élégance et de délicatesse. Cette bouteille pourra se conserver des dizaines d'années. (70 à 99 F)

GAEC Vaillant, Dom. Les Grandes Vignes, La Roche Aubry, 49380 Thouarcé, tél. 02.41.54.05.06, fax 02.41.54.08.21, e-mail gaecvaillant@worldonline.fr r.-v.

DOM. DES PETITS QUARTS
Le Malabé 2000**

☐ 3 ha 3 300 11 à 15 €

Pour avoir quitté récemment l'aire d'appellation bonnezeaux, les Godineau n'en négligent pas pour autant leur « Malabé ». Il faut dire que leur nouvelle demeure, à Faye d'Anjou, dans les coteaux du Layon, n'est éloignée que de 800 m de l'ancienne. Ce vin est un champion des coups de cœur dans l'AOC, puisque, sauf erreur de notre part, il en a obtenu quatre (millésimes 90, 95, 96 et 97). La robe du 2000 est jaune soutenu, les arômes évoquent les fruits exotiques et les fruits confits. La bouche a toutes les qualités de rondeur, de gras, de moelleux, d'équilibre et de longueur que l'on attend d'un grand liquoreux. Une remarquable richesse. (70 à 99 F)

Godineau Père et Fils, Dom. des Petits Quarts, 49380 Faye-d'Anjou, tél. 02.41.54.03.00, fax 02.41.54.25.36
t.l.j. sf dim. 8h-12h 14h-18h

DOM. RENE RENOU
Cuvée Zénith 1999**

☐ 8,36 ha n.c. 38 à 46 €

Le bonnezeaux du Président de l'INAO. A son initiative a été célébré cette année le cinquantenaire de l'appellation. René Renou est un homme de pari, et cette exploitation de quelque 8 ha, dont il a pris la charge en 1995, correspond à une nouvelle étape dans le parcours de celui qui préside le syndicat de l'AOC. On retrouve sa cuvée Zénith d'année en année. Jaune paille légèrement ambré, ce vin livre des parfums d'une bonne intensité, floraux (fleurs blanches) et fruités (pêche blanche), et privilégie l'élégance plutôt que l'opulence. L'attaque est souple, fine, distinguée, et la longue finale révèle un raisin surmûri et parfaitement trié. (250 à 299 F)

René Renou, 1, pl. du Champ-de-Foire, 49380 Thouarcé, tél. 02.41.54.11.33, fax 02.41.54.11.34, e-mail domaine.rene.renou@wanadoo.fr
r.-v.

DOM. DE TERREBRUNE
Séduction 1999*

☐ 2,3 ha 6 000 11 à 15 €

Cette exploitation de 45 ha produit certes du rosé, mais on se souvient qu'elle présenta au Guide un bonnezeaux 92 qui obtint trois étoiles et un coup de cœur. Le 99 demande à être aéré, car il est discret au nez. En bouche, il apparaît beaucoup plus expressif. Puissant, ample et racé, il révélera tout son potentiel dans quelques années. (Bouteilles de 50 cl.) (70 à 99 F)

Dom. de Terrebrune, La Motte, 49380 Notre-Dame-d'Allençon, tél. 02.41.54.01.99, fax 02.41.54.09.06, e-mail domaine-de-terrebrune@wanadoo.fr
r.-v.

Quarts de chaume

Le seigneur se réservait le quart de la production : il gardait le meilleur, c'est-à-dire le vin produit sur le meilleur terroir. L'appellation, qui couvre une quarantaine d'hectares pour un volume de 576 hl en 2000, est située sur le mamelon d'une colline, plein sud, autour de Chaume, à Rochefort-sur-Loire.

Les vignes sont vieilles, en général. La conjonction de l'âge des ceps, de l'exposition et des aptitudes du chenin conduit à des productions souvent faibles et de grande qualité. La récolte se fait par tries. Les vins sont du type moelleux, séveux et nerveux, et ont une bonne aptitude au vieillissement.

DOM. DES FORGES 1999*

☐ 1 ha 2 000 23 à 30 €

D'une belle couleur jaune doré, ce vin frais, complexe, à la structure assez légère, possède des arômes de fruits secs et de miel, et une bouche intense et délicate très harmonieuse. (150 à 199 F)

Vignoble Branchereau, Dom. des Forges, rte de la Hale-Longue, 49190 Saint-Aubin-de-Luigné, tél. 02.41.78.33.56, fax 02.41.78.67.51
r.-v.

DOM. DE LA BERGERIE 1999*

☐ 1,25 ha 2 500 23 à 30 €

La grand-mère d'Yves Guégniard acheta le domaine de la Bergerie en 1961 afin d'agrandir le vignoble familial. C'est, depuis 1979, son petit-fils Yves qui a pris les rênes de l'exploitation. Ce 99 attire par sa robe jaune intense, légèrement dorée. La bouche respire la richesse et l'opulence, et donne l'impression de croquer dans des fruits bien mûrs. A découvrir dès à présent ou à garder en cave pendant des décennies. (150 à 199 F)

Yves Guégniard, Dom. de La Bergerie, 49380 Champ-sur-Layon, tél. 02.41.78.85.43, fax 02.41.78.60.13, e-mail domainede.la.bergerie@wanadoo.fr
t.l.j. sf dim. 9h-12h 14h-18h30

DOM. DE LA POTERIE 1999

☐ 0,88 ha 800 30 à 38 €

Jaune pâle à reflets verdâtres, ce vin possède un nez encore discret. La bouche présente un bel équilibre fruité, dominé actuellement par des notes boisées assez marquées. A attendre. (200 à 249 F)

Guillaume Mordacq, La Chevalerie, 16, av. des Trois-Ponts, 49380 Thouarcé, tél. 02.41.54.12.29, fax 02.41.52.26.41 r.-v.

CH. LA VARIERE Les Guerches 1998★★

☐ 1,3 ha 3 000 30 à 38 €

A quelques pas du château de Brissac, le domaine, composé de bâtiments du XIIIe et du XV[e]s., appartient à la même famille depuis 1850. Le vin qu'il propose revêt une robe jaune doré ; le nez et la bouche révèlent une grande richesse aromatique, mariant notes florales et fruitées aux nuances boisées, mais sans excès. Un 98 au très beau potentiel qui peut dormir en cave des dizaines et des dizaines d'années. (Bouteilles de 50 cl.) (200 à 249 F)

Ch. La Varière, 49320 Brissac, tél. 02.41.91.22.64, fax 02.41.91.23.44, e-mail chateau.la.variere@wanadoo.fr r.-v.

CH. DE L'ECHARDERIE
Clos Paradis 1999★★

☐ 7 ha 16 000 23 à 30 €

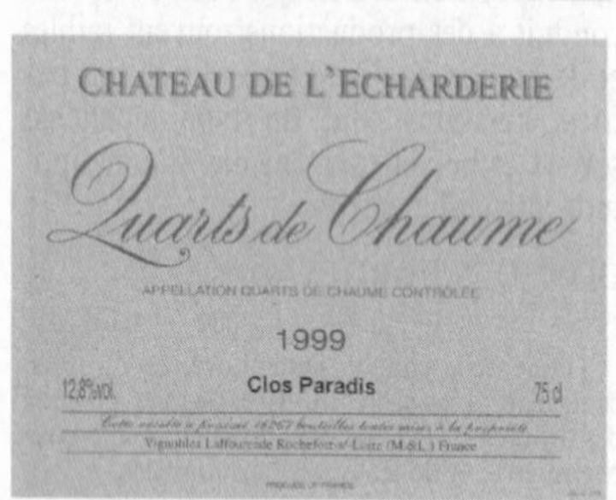

L'Echarderie se situe au cœur de l'AOC quarts de chaume. Les bâtiments du domaine sont les dépendances d'une noble demeure détruite pendant les guerres de Vendée. La vigne pousse sur ce terroir depuis le Moyen Age. La couleur de ce 99 est magnifique et la matière exceptionnelle, avec ses arômes de miel et de fruits secs ; la bouche, puissante et moelleuse, offre une finale marquée par les fruits mûrs. Un grand liquoreux. (150 à 199 F)

Vignobles Laffourcade, Ch. de l'Echarderie, 49190 Rochefort-sur-Loire, tél. 02.41.54.16.54, fax 02.41.54.00.10, e-mail laffourcade@wanadoo.fr r.-v.

CH. PIERRE-BISE 2000★★

☐ 2,75 ha 3 000 23 à 30 €

Claude Papin est surnommé le monsieur Terroir de l'Anjou, et quand on le rencontre, ne serait-ce que quelques instants, on comprend très vite pourquoi. La matière de ce quarts de chaume est imposante. La robe est d'un or très intense ; le nez, discret, s'ouvre superbement à l'agitation et la bouche riche, opulente, reste équilibrée et friande - ce qui est la marque des grands liquoreux. (150 à 199 F)

Claude Papin, Ch. Pierre-Bise, 49750 Beaulieu-sur-Layon, tél. 02.41.78.31.44, fax 02.41.78.41.24 r.-v.

CH. DE PLAISANCE 1999★

☐ 1,5 ha 3 000 23 à 30 €

Seul domaine implanté au milieu des vignes, le château de Plaisance semble être le gardien du site exceptionnel qu'est cette langue de terre de Chaume. La robe de ce 99 est déjà un plaisir en soi ; les arômes, encore discrets à l'olfaction, se révèlent en bouche et égrènent des notes de fruits secs et de fruits confits. Ce vin laisse sur un sentiment de finesse et d'harmonie. (150 à 199 F)

Guy Rochais, Ch. de Plaisance, 49190 Rochefort-sur-Loire, tél. 02.41.78.33.01, fax 02.41.78.67.52 r.-v.

Saumur

L'aire de production (2 735 ha) s'étend sur 36 communes. On y a produit, en 2000, 193 391 hl de vins rouges et blancs secs et nerveux dont 98 664 hl de vins mousseux avec les mêmes cépages que dans les AOC anjou. Leur aptitude au vieillissement est bonne.

Les vignobles s'étalent sur les coteaux de la Loire et du Thouet. Les vins blancs de Turquant et Brézé étaient autrefois les plus réputés ; les vins rouges du Puy-Notre-Dame, de Montreuil-Bellay et de Tourtenay, entre autres, ont acquis une bonne notoriété. Mais l'appellation est beaucoup plus connue par les vins mousseux dont l'évolution qualitative mérite d'être soulignée. Les élaborateurs, tous installés à Saumur, possèdent des caves creusées dans le tuffeau, qu'il faut visiter.

ACKERMAN Cuvée 1811 2000

○ n.c. 390 700 3 à 5 €

Saint-Hilaire-Saint-Florent, qui s'étire sur un coteau entièrement percé de caves depuis le Moyen Age, s'appelait autrefois Saint-Hilaire-des-Grottes. C'est Jean Ackerman, le fils d'un banquier d'Anvers, qui eut l'idée, en 1811, de les utiliser pour transformer des vins selon la méthode de Dom Pérignon. La maison Ackerman est aujourd'hui le plus important producteur de saumur mousseux. Celui-ci attire par sa bonne effervescence animant sa robe jaune pâle à reflets verts. Le nez, intense, est typique du cabernet. La bouche se distingue par sa rondeur et son élégance. (20 à 29 F)

🔑 Laurance Ackerman, BP 47, 49400 Saumur, tél. 02.41.53.03.10, fax 02.41.53.03.19 🍷 t.l.j. sf dim. lun. 9h-12h 14h-18h

CH. DE BEAUREGARD
Blanc de blancs*

○ 4,52 ha 35 000 8 à 11 €

Le château, reconstruit au XIXe s., conserve quelques parties du XVIIe s., et même des vestiges du XIIIe s., époque à laquelle fut construite la vaste collégiale qui domine Le Puy-Notre-Dame, célèbre lieu de pèlerinage au Moyen Age. Issu à 80 % de chardonnay et à 20 % de chenin, le saumur mousseux de Beauregard attire par l'abondance et la finesse de sa bulle. L'olfaction mêle des fruits exotiques et des notes florales. Souple et d'une bonne longueur, la bouche est bien agréable. (50 à 69 F)

🔑 SCEA Alain Gourdon, Ch. de Beauregard, 4, rue Saint-Julien, 49260 Le Puy-Notre-Dame, tél. 02.41.52.25.33, fax 02.41.52.29.62 ✉ 🍷 r.-v.

DOM. DU BOIS MIGNON 2000*

■ 14 ha 20 000 3 à 5 €

Située dans le département de la Vienne, au sud du vignoble, cette exploitation possède plus des deux tiers de sa superficie plantés en cabernet. On ne s'étonnera donc pas de la voir retenue pour un saumur rouge. S'il affiche une robe intense, rouge à reflets violets, ce vin se montre d'abord discret au nez, laissant poindre à l'aération des notes de cerise bien mûre et de clou de girofle. Un peu tannique en finale, la bouche reste équilibrée. Une bonne harmonie d'ensemble. (20 à 29 F)

🔑 SCEA Charier Barillot, Dom. du Bois Mignon, 86120 Saix, tél. 05.49.22.94.59, fax 05.49.22.94.51 ✉ 🍷 r.-v.

BOUVET LADUBAY Trésor 1999**

○ n.c. 60 000 11 à 15 €

Bouvet-Ladubay, comme plusieurs autres maisons de Saint-Hilaire-Saint-Florent, a été fondée vers 1850. La société, dotée d'une école de dégustation, est réputée. Quant à cette cuvée Trésor, elle en est à son troisième coup de cœur (les précédents remontent aux Guides 1992 et 1990). L'abondance de la bulle, au sein d'un bel or soutenu, attire l'œil d'entrée. Si le boisé domine actuellement, il contribuera à parfaire l'élégance gustative. Ample, soyeuse, très équilibrée, la bouche révèle en finale un parfait mariage du bois et du vin. (70 à 99 F)

🔑 Bouvet-Ladubay, 1, rue de l'Abbaye, 49400 Saint-Hilaire-Saint-Florent, tél. 02.41.83.83.83, fax 02.41.50.24.32, e-mail bouvet-ladubay@saumur.net ✉ 🍷 t.l.j. 8h30-12h 14h-18h

DOM. DES CHAMPS FLEURIS 1999**

○ 4 ha 7 000 8 à 11 €

A quelques kilomètres de là, l'abbaye de Fontevraud où reposent Henri II, Aliénor d'Aquitaine et Richard Cœur de Lion. Quant au vignoble, il est situé dans l'aire du saumur-champigny, mais la région, et notamment la « côte » où est établi le domaine, fut un haut lieu de production de blancs, avant d'être colonisée par le cabernet. Elaboré à partir de vendanges triées et élevé un an en barrique, ce 99 jaune pâle à reflets dorés livre des parfums légers et délicats de fruits mûrs, de fleurs et d'épices. La bouche, ronde et moelleuse, finit sur une note boisée. Riche et complexe, un vin qui reflète les efforts réalisés par les vignerons du Saumurois pour offrir des blancs intéressants. (50 à 69 F)

🔑 EARL Rétiveau-Rétif, 50-54, rue des Martyrs, 49730 Turquant, tél. 02.41.38.10.92, fax 02.41.51.75.33 ✉ 🍷 r.-v.

CH. DE CHAMPTELOUP Cuvée Prestige

○ 3 ha 4 000 3 à 5 €

Ce saumur brut est distribué par une maison établie à Mouzillon, dans la région nantaise, mais il a bien été élaboré en Anjou. Des bulles fines, élégantes et persistantes, attirent l'attention. Le nez apparaît à la fois floral et vif. On retrouve ces caractères dans une bouche équilibrée et qui fait preuve d'une belle persistance. (20 à 29 F)

🔑 Vinival, La Sablette, 44330 Mouzillon, tél. 02.40.36.66.00, fax 02.40.36.26.83

DOM. DES CLOS MAURICE 2000*

■ 4 ha 20 000 3 à 5 €

Si Varrains, gros village viticole typique du Saumurois, est une commune phare de l'AOC saumur-champigny, les cépages blancs y ont aussi droit de cité, comme le montre ce domaine retenu dans les deux couleurs. D'un rubis éclatant, ce saumur rouge se déguste comme une friandise. Léger certes, mais d'une souplesse et d'un fruité qui le font aimer. Avec ses parfums de fraise, d'épices et de menthe, le nez est très flatteur, tout comme la bouche qui laisse une sensation de fruits frais. Un vin pour accompagner tout un repas entre amis. Cité par le jury, le **blanc 2000** offre les mêmes qualités : légèreté, arômes (fruits et fleurs blanches), fraîcheur vivifiante. (20 à 29 F)

🔑 Maurice et Mickael Hardouin, 10, rue du Ruau, 49400 Varrains, tél. 02.41.52.93.76, fax 02.41.52.44.32 ✉ 🍷 t.l.j. sf dim. 8h-12h 14h-18h

COMTE DE COLBERT Cuvée spéciale*

○ 1,97 ha 16 000 8 à 11 €

Entouré de douves impressionnantes creusées dans le tuffeau, un vrai château ouvert à la visite, dont les fondations remontent au XIe s. Il

LOIRE

évoque de grandes figures de l'histoire de France, tels Diane de Poitiers (qui avait été l'épouse de Louis de Brézé) ou encore le Grand Condé (qui échangea le château en 1682 avec les ancêtres des actuels propriétaires, les Dreux-Brézé). Quant au vignoble (d'une trentaine d'hectares aujourd'hui), il s'enracine dans la tradition viticole régionale. Son saumur mousseux, issu de chenin à 60 %, complété par du chardonnay et du cabernet à parts égales, attire par sa mousse fine et sa robe brillante, jaune à reflets verts. Le nez délicat offre un fruité élégant, qui se mêle en bouche à des nuances florales. Frais, rond et généreux, un ensemble très flatteur. (50 à 69 F)

Comte Bernard de Colbert, Ch. de Brézé, 49260 Brézé, tél. 02.41.51.62.06, fax 02.41.51.63.92 t.l.j. 10h-17h

DOM. ARMAND DAVID
Vieilles vignes 2000★★

■ 4 ha 20 000 5à8€

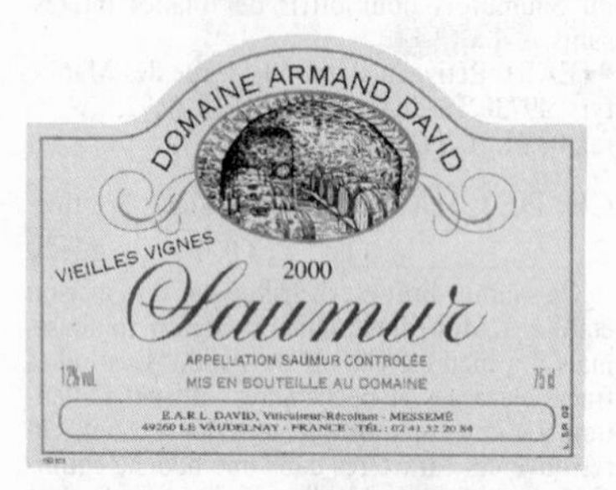

Fondé en 1932, ce domaine de 15 ha, situé sur les formations jurassiques de Vaudelnay, est exploité par la troisième génération. Il pratique l'enherbement de la vigne et vinifie dans des caves troglodytiques. Il s'est d'abord fait connaître dans le Guide, et de brillante manière, par des mousseux (voir les coups de cœur des éditions 1995 et 1996). Ces dernières années, il « sort » aussi en rouge, et confirme son savoir-faire avec ce millésime 2000. D'un pourpre intense à reflets noirs, il mêle au nez la griotte, le cassis, la violette et le sous-bois. Tout aussi complexe, la bouche est charnue et ample. Un saumur prometteur et déjà remarquable. (30 à 49 F)

Dom. Armand David, Messemé, 49260 Vaudelnay, tél. 02.41.52.20.84, fax 02.41.38.28.51 t.l.j. 9h-19h

CH. D'ETERNES 1998★★

■ 12 ha 8 500 11à15€

Ce vignoble (18 ha aujourd'hui) dépendait au Moyen Age de l'abbaye de Fontevraud, qui n'est distante que de 4 km. Il produisait, nous dit-on, le vin préféré des abbesses. Ce qui est certain, c'est que ce 98, rubis intense avec quelques reflets bruns, a vivement séduit le jury de dégustation. Vieilli dix-huit mois en barrique, il sort quelque peu du type de l'appellation, mais emporte l'adhésion par sa remarquable expression aromatique tout au long de la dégustation : fraise, cassis, épices et fumé captivent l'odorat et les papilles. Souple, ronde et riche, la bouche révèle une matière étonnante pour ce millésime difficile. Une bouteille qui donne envie de gibier et d'entrecôte à l'échalote. (70 à 99 F)

EARL Ch. d'Eternes, 86120 Saix, tél. 05.49.22.34.77, fax 05.49.22.34.77, e-mail lea.sherina@libertysurf.fr r.-v.

Marteling

LOUIS FOULON Tête de Cuvée 1997★

○ n.c. 110 000 5à8€

« Doué » vient d'un mot gaulois qui signifiait « source ». On lui adjoignit, de manière quelque peu redondante, le terme de « Fontaine », pour rappeler les travaux de captation d'une source réalisés au XVIIIᵉs. Cette commune qui semble vouée à l'eau est aussi une petite cité du vin. Voici un saumur attirant par sa bonne effervescence, marquée par un cordon intense et persistant. Son nez, assez discret, est d'une agréable légèreté. Quant à la bouche, élégante, bien équilibrée et longue, elle donne toute satisfaction. (30 à 49 F)

SA Lacheteau, ZI de La Saulaie, 49700 Doué-la-Fontaine, tél. 02.41.59.26.26, fax 02.41.59.01.94

DOM. GUIBERTEAU
Cuvée de Printemps 2000★★

■ 1 ha 7 300 5à8€

Un vigneron qui, grandi à la ville, a voulu suivre les traces de son grand-père. Installé en 1996 sur la propriété familiale, il exploite une douzaine d'hectares aux environs de Montreuil-Bellay. Cuvée de Printemps ou **Cuvée d'Automne** ? Deux styles différents, mais ces deux millésimes **2000** sont des plus intéressants ! A tout prendre, on préfère la première cuvée, pour son aménité fruitée. Issue d'une macération de huit jours, elle affiche une robe grenat intense et des arômes variés où l'écorce d'orange et les épices complètent les fruits rouges. La bouche est ronde et fruitée. La seconde (une étoile), produit d'une longue macération (trente-deux jours) et élevée plus longtemps sous bois, révèle davantage d'aspérités et quelques touches végétales. On l'attendra un an ou deux. (30 à 49 F)

EARL Guiberteau, 3, imp. du Cabernet, 49260 Saint-Just-sur-Dive, tél. 02.41.38.78.94, fax 02.41.38.78.94, e-mail domaine.guiberteau@wanadoo.fr r.-v.

DOM. DES GUYONS
Cuvée Vent du Nord 2000★★

□ 0,66 ha 5 400 3à5€

Cette propriété d'une dizaine d'hectares a été reprise par Franck Bimont, qui propose une bouteille remarquable avec ce saumur jaune pâle à reflets verts. Le jury a apprécié les parfums subtils, floraux et fruités de ce 2000, sa bouche fraîche et légère, d'un fort bel équilibre. Un vin très flatteur, qui possède cette harmonie délicate qu'on aime à rencontrer dans les vins du Val de Loire. (20 à 29 F)

Franck et Ingrid Bimont, 6, rue du Moulin, 49260 Le Puy-Notre-Dame, tél. 02.41.52.21.15, fax 02.41.52.21.15 r.-v.

DOM. DES HAUTES VIGNES
Cuvée du Fief aux Moines 2000

■ 3 ha 20 000 5à8€

Créée en 1961 avec un demi ha, cette exploitation en compte 45. Elle est très souvent mentionnée dans le Guide. Le nom de sa cuvée du Fief aux Moines fait-il référence à un ancien prieuré établi à Distré, dont on peut encore voir l'église à la nef romane ? Toujours est-il que ces vignes ont donné naissance à un saumur rouge typique, rubis intense, mêlant au nez les fruits noirs (myrtille), les fruits rouges et la réglisse. La bouche, délicate et souple, est bien agréable. D'une simplicité de bon aloi, voilà une bonne bouteille pour la fin de l'année et qui pourra se garder un an ou deux. (30 à 49 F)

SCA Fourrier et Fils, 22, rue de la Chapelle, 49400 Distré, tél. 02.41.50.21.96, fax 02.41.50.12.83, e-mail a.fourrier@free.fr
r.-v.

CH. DU HUREAU 1999★★★

□ 2,5 ha 10 000 8à11€

Ici, les vendanges sont scrupuleusement sélectionnées : on compte jusqu'à cinq passages sur les vignes. Suit un élevage d'un an en barrique. Cela donne une robe d'un jaune doré éclatant, des parfums exubérants rappelant les fruits surmûris et la confiture, qui se prolongent dans une bouche majestueuse et grasse aux accents de compote de fruits mûrs et de gelée de coing. Un saumur blanc complexe et délicat, et d'un superbe équilibre. (50 à 69 F)

Philippe et Georges Vatan, Ch. du Hureau, 49400 Dampierre-sur-Loire, tél. 02.41.67.60.40, fax 02.41.50.43.35, e-mail philippe.vatan@wanadoo.fr
t.l.j. sf sam. dim. 9h-12h 14h-17h

DOM. JOULIN 2000★

□ 1 ha 1000 5à8€

Philippe Joulin, installé en 1994, exploite 13 ha. Chacé est situé dans l'aire du saumur-champigny, mais c'est par ses saumur blancs que le domaine s'est fait connaître dans le Guide. D'un jaune pâle brillant, ce millésime 2000 sort de sa réserve après aération pour libérer des notes de fleurs blanches et de fruits cuits (pomme, poire). En bouche, il est riche et moelleux. Il faut l'attendre au moins un an pour lui permettre d'exprimer pleinement son potentiel. (30 à 49 F)

Philippe Joulin, 58, rue Emile-Landais, 49400 Chacé, tél. 02.41.52.41.84, fax 02.41.52.41.84 r.-v.

CLOS DE L'ABBAYE 1999

○ 1,3 ha 10 000 5à8€

En 1964, Henri Aupy, originaire d'Algérie, acquiert ce clos réputé qui doit son nom à l'ancienne abbaye d'Asnières. Il a été rejoint par son fils Jean-François. Le domaine est situé à flanc de coteau, et les caves sont constituées par d'immenses galeries creusées dans le tuffeau au Moyen Age. On les utilisait naguère pour la culture des champignons de Paris avant de faire bénéficier les vins de leur température fraîche et constante. Le clos a déjà été remarqué par nos jurys pour ses effervescents. Celui-ci présente de fines bulles, un nez discret, mais fin et assez complexe, dominé par un fruité qui s'affirme en bouche. Son dosage est sensible. (30 à 49 F)

EARL Henri Aupy et Fils, Clos de l'Abbaye, 49260 Le Puy-Notre-Dame, tél. 02.41.52.26.71, fax 02.41.52.26.71, e-mail j.verdier@wanadoo.fr

DOM. DE LA BESSIERE 2000★

□ n.c. 6 000 5à8€

Thierry Dézé est établi à Souzay-Champigny, un village typique du Saumurois, avec son coteau de tuffeau truffé de galeries et d'habitations troglodytiques. Son blanc 2000, agréable et léger, laisse une impression de fraîcheur délicate et de fruité. Un classique de l'appellation. (30 à 49 F)

Thierry Dézé, Dom. de La Bessière, rte de Champigny, 49400 Souzay-Champigny, tél. 02.41.52.42.69, fax 02.41.38.75.41 r.-v.

CH. DE LA DURANDIERE
Vieilles vignes 2000★

■ 3,5 ha 20 000 5à8€

Montreuil-Bellay mérite un détour avec son enceinte médiévale, ses portes fortifiées et son superbe château, rebâti au XV^e^s. La Durandière et son parc sont établis sur les rives du Thouet. Le vignoble (38 ha) a donné un saumur en robe grenat, au fruité discret de fraise et de cassis, à la bouche souple et harmonieuse. Ce millésime 2000 s'exprimera pleinement d'ici quelques mois et pourra se conserver pendant cinq ans. En rendant visite aux vignerons, on ne manquera pas d'observer une chapelle creusée sous une vigne, curiosité du domaine. (30 à 49 F)

SCEA Bodet-Lhériau, Ch. de La Durandière, 51, rue des Fusillés, 49260 Montreuil-Bellay, tél. 02.41.40.35.30, fax 02.41.40.35.31, e-mail durandiere.chateau@libertysurf.fr
t.l.j. 8h-19h; sam. dim. sur r.-v.
Hubert et Antoine Bodet

DOM. DE LA FUYE 2000★

■ 4 ha 24 000 3à5€

Le terme « fuye » désigne un colombier monté sur piliers, typique de l'Anjou. Autre curiosité, les caves du domaine - 3000 m² de galeries voûtées creusées dans le tuffeau - furent utilisées comme prison par la ville de Thouars aux XVe et XVI^e^s. Elles renferment aujourd'hui un saumur grenat à reflets violets, aux arômes de fruits macérés à l'eau-de-vie et de réglisse, à la bouche ample et chaleureuse finissant en beauté sur des notes persistantes de fruits compotés. On notera que cette propriété de 23 ha est conduite en agriculture biologique. (20 à 29 F)

Philippe Elliau, 225, rue du Château, Sanziers, 49260 Vaudelnay, tél. 02.41.52.29.75, fax 02.41.38.87.31 r.-v.

DOM. DE LA GUILLOTERIE 2000★★

■ 15 ha 35 000 5à8€

Cet important domaine familial (50 ha) s'est tiré brillamment de la dégustation à l'aveugle avec ce vin paré d'une robe rouge intense. La

LOIRE

palette aromatique, complexe, associe les épices, le sous-bois et la réglisse aux classiques arômes de fruits rouges, que l'on retrouve en finale. La bouche est ample et harmonieuse. Un excellent ambassadeur de l'appellation. Le **blanc du même millésime** n'est pas mal du tout (une étoile), avec sa robe jaune pâle brillant, ses arômes de fruits frais et de fleurs, sa bouche vive. Il goûtera la compagnie de fruits de mer, mais peut aussi s'apprécier seul. (30 à 49 F)

SCEA Duveau Frères, 63, rue Foucault, 49260 Saint-Cyr-en-Bourg, tél. 02.41.51.62.78, fax 02.41.51.63.14, e-mail dom.guilloterie@wanadoo.fr r.-v.

DOM. LANGLOIS-CHATEAU
Vieilles vignes 2000***

3,5 ha 21 000 8 à 11 €

Ce domaine familial fut voué à la production de mousseux avant d'étendre sa gamme aux vins tranquilles. Il possède aujourd'hui une réelle envergure, avec des vignes non seulement en Anjou, mais dans la région nantaise et le Sancerrois. Cette cuvée Vieilles vignes a été élaborée à partir de raisins récoltés par tries. La fermentation a été effectuée en barrique, et l'élevage, toujours sous bois, a duré un an avec bâtonnage des lies. Un procédé plutôt nouveau dans la région. Dans la lignée du 94, coup de cœur du Guide, ce millésime révèle une matière superbe et offre toute la délicatesse des grandes bouteilles du Val de Loire. A servir sur une volaille ou un poisson en sauce. Du même producteur, le **rouge 2000 (30 à 49 F)**, élevé en cuve, a obtenu une étoile pour ses arômes de fruits noirs compotés et d'épices et pour sa bouche moelleuse et chaleureuse. (50 à 69 F)

Langlois-Chateau, 3, rue Léopold-Palustre, 49400 Saint-Hilaire-Saint-Florent, tél. 02.41.40.21.40, fax 02.41.40.21.49, e-mail langlois.chateau@wanadoo.fr t.l.j. 10h-12h30 14h30-18h30; f. janv.

DOM. DE LA PALEINE 2000**

4 ha 16 000 5 à 8 €

Dominée par les trois flèches de sa collégiale, la cité du Puy-Notre-Dame est établie sur une hauteur couverte de vignes. Pour le géologue, il s'agit d'une butte témoin turonienne. Joël Lévi s'y est établi en 1991. Ce vin possède un velouté comme nombre de ses pareils nés sur sols calcaires. Sa belle structure repose sur des tanins agréablement soyeux. Sa riche palette aromatique mêle les fruits frais, les épices et le fumé. Une bouteille qui laisse une impression d'équilibre et d'harmonie. Citée par le jury, la **méthode traditionnelle** de ce producteur offre un cordon tenace, des arômes de fruits mûrs et de fruits secs grillés et une bouche assez vive mais équilibrée. (30 à 49 F)

Joël Lévi, Dom. de La Paleine, 9, rue de la Paleine, 49260 Le Puy-Notre-Dame, tél. 02.41.52.21.24, fax 02.41.52.21.66 r.-v.

DOM. LES MERIBELLES 2000**

2 ha 5 000 3 à 5 €

Ce domaine familial de 11 ha est établi sur la « côte » de Saumur : un plateau dominant la Loire. Son saumur blanc est bien fait, agréable et délicat. Ses arômes rappellent les fruits frais, notamment les agrumes, et les fleurs blanches. La bouche offre une sensation de fraîcheur en attaque et en finale. Un vin friand à boire dans l'année. (20 à 29 F)

Jean-Yves Dézé, 14, rue de la Bienboire, 49400 Souzay-Champigny, tél. 02.41.67.46.64, fax 02.41.67.73.77 r.-v.

MANOIR DE LA TETE ROUGE
Bagatelle 2000*

0,5 ha 4 000 3 à 5 €

Un nom pittoresque pour ce manoir de 15 ha, repris en 1996 par Guillaume Reynouard et conduit depuis 1999 en agriculture biologique. Cette Bagatelle habillée de jaune doré libère des parfums intenses de fruits cuits. La bouche est moelleuse et riche. Ce vin devrait surprendre agréablement à la fin de l'année 2001. (20 à 29 F)

Guillaume Reynouard, 3, pl. J.-Raimbault, 49260 Le Puy-Notre-Dame, tél. 02.41.38.76.43, fax 02.41.38.29.54, e-mail guillaume-reynouard@free.fr r.-v.

CH. DU MARCONNAY
La Favorite Vieilles vignes Elevé en fût de chêne 1999**

0,3 ha 1 350 8 à 11 €

Hervé Goumain s'est installé en 1997 sur le domaine familial. Sa Favorite, en blanc, n'a pas été délaissée par le jury. Produit d'une fermentation en barrique et d'un élevage sous bois de treize mois, elle est aujourd'hui dominée par le fût. Mais la dégustation révèle une matière remarquable pour le millésime, et qui devrait s'exprimer dès que le boisé se sera estompé. A attendre. (50 à 69 F)

Hervé Goumain, Ch. du Marconnay, 49730 Parnay, tél. 02.41.50.08.21, fax 02.41.50.23.04, e-mail marconnay@wanadoo.fr t.l.j. 10h-12h 14h-18h 1er oct.-31 mars sur r.-v.

DOMINIQUE MARTIN
Vieilles vignes 2000**

2 ha 5 000 5 à 8 €

Proche du château de Brézé, ce domaine familial compte 20 ha. Sa cave creusée dans le tuffeau recèle un vin à la fois riche et délicat, structuré et soyeux, qui reflète bien son terroir calcaire. La très belle finale laisse une sensation de fruits frais. Une bouteille prête à boire, mais aussi apte à une garde de cinq ans. (30 à 49 F)

Dominique Martin, 20, rue du Puits-Aubert, 49260 Brézé, tél. 02.41.51.60.28, fax 02.41.51.60.28, e-mail martin-chantreau@wanadoo.fr r.-v.

DOM. DES MATINES
Cuvée Vieilles vignes 2000**

20 ha 20 000 5 à 8 €

Cette exploitation familiale doit sa notoriété à son « patriarche » qui a creusé la cave dans le roc. Ce millésime 2000 donne une remarquable image des saumur rouges. La robe est rubis intense, le nez offre des arômes puissants de fruits rouges ; la bouche, ronde, gouleyante et fraîche, donne l'impression de croquer des fruits frais. Tout ce qu'il faut pour grillades et volailles, mais un dégustateur goûterait bien ce vin friand avec des fraises. Le **saumur blanc 2000 (20 à 29 F)** du domaine a obtenu une étoile : avec des arômes d'agrumes (mandarine) mêlés de fruits exotiques comme l'ananas, une bouche légère, délicate et harmonieuse, finissant sur une note citronnée, il laisse une agréable sensation de fraîcheur. (30 à 49 F)

Dom. des Matines, 31, rue de la Mairie, 49700 Brossay, tél. 02.41.52.25.36, fax 02.41.52.25.50 r.-v.

CH. DE MONTGUERET 2000★

□ 10 ha 70 000 3à5€

Un vin fort bien fait et typique de son appellation. Jaune pâle dans le verre, il est bien fruité au nez comme en bouche. Le palais harmonieux finit sur une note de fraîcheur. A boire dans l'année. (20 à 29 F)

SCEA Ch. de Montguéret, Le bourg, 49560 Nueil-sur-Layon, tél. 02.41.59.59.19, fax 02.41.59.59.02 r.-v.

A. et D. Lacheteau

LYCEE VITICOLE DE MONTREUIL-BELLAY

Cuvée des Hauts de Caterne 2000★

■ 2,75 ha 22 000 5à8€

Montreuil-Bellay n'est pas seulement un superbe témoin de l'Anjou médiéval. Avec son lycée viticole, établissement public créé en 1967, il forme les vignerons de demain. Assemblant 40 % de cabernet-sauvignon et 60 % de cabernet franc, le millésime 2000 offre des notes de bourgeon de cassis et de poivron un peu surprenantes dans cette appellation. On apprécie sa robe rubis intense et sa présence en bouche. Un vin encore un peu tannique et qui gagnera en amabilité avec le temps. (30 à 49 F)

Lycée prof. agricole de Montreuil-Bellay, rte de Méron, 49260 Montreuil-Bellay, tél. 02.41.40.19.20, fax 02.41.40.19.27 r.-v.

DOM. DU MOULIN DE L'HORIZON 1999★★

○ 1,5 ha 11 240 5à8€

Il n'y a plus de moulin à l'horizon. Celui-ci se dressait sur le vignoble de ce domaine qui, implanté sur la butte témoin du Puy-Notre-Dame, est le plus haut du Val de Loire (118 m). Rien d'étonnant à ce que la tempête de décembre 1999 en ait eu raison. Il reste le vin, et il est particulièrement réussi cette année. Les bulles abondantes et tenaces animent la robe jaune pâle. Des notes grillées, voire fumées, contribuent à la délicatesse de son nez, et le chenin (90 % de l'assemblage) apporte au palais franchise et droiture. Une longue finale conclut agréablement la dégustation. En **rouge 2000**, la **cuvée Symphonie (20 à 29 F)** obtient une étoile pour ses notes délicieuses de cerise mûre. C'est un vin léger à boire jeune. On notera enfin que l'exploitation est conduite en agriculture raisonnée avec enherbement des vignes. (30 à 49 F)

Jacky Clée, 1, rue du Lys, Sanziers, 49260 Le Puy-Notre-Dame, tél. 02.41.52.24.96, fax 02.41.52.48.39 r.-v.

NEMROD

○ 2 ha 5 000 5à8€

Déjà planté en vignes, le « fief des Rochettes », entré dans la famille Douet au XVIIIe s., faisait partie des possessions de Louis XI au XVe s. Ce mousseux présente de belles bulles fines dans une robe jaune pâle. L'olfaction révèle un fruité déjà intense, et qui s'amplifie en bouche. Un bon équilibre. (30 à 49 F)

Jean Douet, Ch. des Rochettes, 49700 Concourson-sur-Layon, tél. 02.41.59.11.51, fax 02.41.59.37.73 r.-v.

DOM. SAINT-JEAN 2000★★

□ 2 ha 8 000 3à5€

Une nouvelle tendance se fait jour en saumur blanc : la recherche de vendanges bien mûres triées manuellement. Cela donne ici un vin riche de matière qui affirmera sa puissance et sa délicatesse à la fin de l'année 2001. Jaune pâle dans le verre, il libère des parfums intenses de fruits surmûris. En bouche, il apparaît rond et moelleux tout en restant frais. Une très belle expression du Val de Loire. (20 à 29 F)

Jean-Claude Anger, 16, rue des Martyrs, 49730 Turquant, tél. 02.41.38.11.78, fax 02.41.51.79.23 r.-v.

DOM. DE SAINT-JUST 2000★★

■ 7 ha 42 000 5à8€

Yves Lambert a repris en 1997 ce domaine de 38 ha. Il n'a pas tardé à s'affirmer dans le monde du vin. Cette année, il montre son savoir-faire avec ce vin rouge grenat à reflets noirs. Le nez ne livre pas d'emblée ses secrets mais révèle une belle complexité, avec des notes de fruits mûrs, de cuir et de fumé. Puissante, chaleureuse et harmonieuse, la bouche présente une finale intense et longue. Une bouteille apte à une garde de plusieurs années. Tout aussi remarquable, le **blanc 2000 La Coulée de Saint-Cyr (70 à 99 F)**, élaboré à partir de vendanges scrupuleusement sélectionnées et vinifié en barrique, libère des parfums flatteurs de fleurs blanches, de fruits exotiques et de vanille. D'un superbe équilibre, le palais laisse une sensation de fraîcheur. Ce vin sera prêt à boire à la sortie du Guide. (30 à 49 F)

Yves Lambert, Dom. de Saint-Just, 12, rue Prée, 49260 Saint-Just-sur-Dive, tél. 02.41.51.62.01, fax 02.41.67.94.51, e-mail domainedesaint-just@wanadoo.fr t.l.j. sf dim. lun. 9h-12h 14h-18h

LOIRE

CAVE DES VIGNERONS DE SAUMUR La Croix verte 2000★

■ 6 ha 50 000 3à5€

Créée en 1957, la cave des Vignerons de Saumur occupe une place importante dans la région : elle regroupe 300 adhérents, vinifie le produit de 1 400 ha de vignes (environ 30 % du volume de chaque AOC). Les vins sont stockés dans 10 km de galeries creusées dans le tuffeau. La coopérative développe les vinifications par lieu-dit. Cette cuvée de La Croix verte est ainsi une sélection de terres d'aubues limono-argileuses. Sa robe est pourpre, son nez s'épanouit à l'aération, libérant des parfums de fruits rouges et de fruits cuits, sa bouche est harmonieuse, ronde et souple. Un vin assez riche qui peut être bu dès à présent ou conservé jusqu'à cinq ans. Quant au **blanc 2000 les Pouches**, cité par le jury, il provient de sols calcico-magnésiques. Elaboré à partir de vendanges mûres, bien fait, il offre des arômes de fruits frais et d'agrumes. La bouche possède la fraîcheur typique des blancs de l'appellation. (20 à 29 F)

Cave des Vignerons de Saumur, rte de Saumoussay, 49260 Saint-Cyr-en-Bourg, tél. 02.41.53.06.06, fax 02.41.53.06.10, e-mail bernardjacob@vignerondesaumur.com t.l.j. sf dim. 9h-12h 14h-18h

VEUVE AMIOT
Cuvée Elisabeth Amiot 1995*

n.c. 8 000 8 à 11 €

Fondée en 1884, Veuve Amiot est spécialisée dans les méthodes traditionnelles. Sa cuvée Elisabeth Amiot (du nom de la veuve méritante, à l'origine de la maison) attire d'emblée par ses bulles persistantes. Au nez, des notes florales s'accompagnent de nuances grillées et de pain d'épice. Ces impressions favorables se confirment au palais dont on apprécie la structure, l'équilibre et les notes miellées qui renforcent la complexité. **L'Esprit de Veuve Amiot (30 à 49 F)**, dernière cuvée proposée par ce négociant, a été cité pour sa robe gracieuse aux bulles fines, son nez intense, fruité et floral, et sa bouche complexe, toujours fruitée et longue. (50 à 69 F)

Veuve Amiot, BP 67, 49426 Saint-Hilaire-Saint-Florent, tél. 02.41.83.14.14, fax 02.41.50.17.66 t.l.j. 9h-18h; f. nov.-avr.

DOM. DU VIEUX PRESSOIR 2000**

10 ha 55 000 3 à 5 €

Assemblage de cabernet franc (70 %) et de cabernet-sauvignon, le millésime 2000 possède beaucoup de caractère. Sa matière remarquable a été bien mise en valeur par le vinificateur. Sa robe pourpre est éclatante, son nez délicat mêle les fruits rouges et noirs. Souple et fraîche, la bouche laisse une impression de fruits frais. (20 à 29 F)

EARL B. et J. Albert, 205, rue du Château-d'Oiré, 49260 Vaudelnay, tél. 02.41.52.21.78, fax 02.41.38.85.83 r.-v.

CH. DE VILLENEUVE
Les Cormiers 1999***

2 ha 9 000 11 à 15 €

Reportez-vous au chapitre « Saumur-champigny » de cette édition 2002, et vous découvrirez un très beau vin rouge. Le château réalise presque un même exploit en blanc avec cette cuvée des Cormiers. Les raisins, récoltés en trois tries, avaient un degré naturel de 14 °2. La vinification s'est faite entièrement en barrique. Complexe et délicate, la palette aromatique évoque les agrumes, les fruits cuits, les fruits mûrs, les fleurs blanches... La dégustation révèle une matière exceptionnelle et qui garde cette fraîcheur caractéristique des vins de Loire. (70 à 99 F)

SCA Chevallier, Ch. de Villeneuve, 3, rue Jean Brevet, 49400 Souzay-Champigny, tél. 02.41.51.14.04, fax 02.41.50.58.24, e-mail jpchevallier@chateau-de-villeneuve.com t.l.j. sf dim. 9h-12h 14h-18h

Cabernet de saumur

Bien qu'elle ne représente que de faibles volumes (3 176 hl en 2000), l'appellation cabernet de saumur tient bien sa place par la finesse de ce cépage, élaboré en rosé et cultivé sur des terrains calcaires.

BOURDIN 2000*

1 ha 3 000 3 à 5 €

Cette petite exploitation familiale de 12 ha, où la nouvelle génération vient de prendre les rênes, propose un rosé qui séduit d'emblée avec sa robe rose pâle délicate et limpide. Les parfums intenses rappellent les fruits blancs et le bonbon acidulé. On retrouve en bouche cette intensité aromatique. Une bonne persistance sert une harmonie générale. (20 à 29 F)

EARL Bourdin, 27, rue des Martyrs, 49730 Turquant, tél. 02.41.38.11.83, fax 02.41.51.47.71 t.l.j. sf dim. 9h-12h 14h-19h

DOM. DES SANZAY 2000

0,54 ha 4 000 3 à 5 €

A la tête du domaine familial depuis 1991, Didier Sanzay a élaboré un cabernet qui attire l'œil avec sa belle robe rose pâle. L'olfaction révèle d'intenses arômes aux notes acidulées que l'on retrouve avec plaisir en bouche. Un ensemble harmonieux. (20 à 29 F)

Didier Sanzay, Dom. des Sanzay, 93, Grand-Rue, 49400 Varrains, tél. 02.41.52.91.30, fax 02.41.52.45.93, e-mail didier-sanzay@domaine-sanzay.com r.-v.

Coteaux de saumur

Ils ont acquis autrefois leurs lettres de noblesse. Les coteaux de saumur, équivalents en Saumurois des coteaux du layon en Anjou, sont élaborés à partir du chenin pur planté sur la craie tuffeau. La production n'a atteint que 110 hl en 2000.

L'ORMEOLE 1999★

□ 2 ha 2 000 11 à 15 €

Cette petite propriété établie à flanc de coteau a été rachetée en janvier 1998. Ce 99 offre une belle robe jaune soutenu, d'intenses arômes de fruits confits très concentrés, une bouche équilibrée, marquée par des notes de fruits bien mûrs. A découvrir. Le 97 avait obtenu un coup de cœur. (70 à 99 F)

EARL Yves Drouineau, 3, rue Morains, 49400 Dampierre-sur-Loire, tél. 02.41.51.14.02, fax 02.41.50.32.00, e-mail yves.drouineau@club-internet.fr r.-v.

Saumur-champigny

En circulant dans les villages aux rues étroites du Saumurois, vous accéderez au paradis dans les caves de tuffeau qui abritent de nombreuses vieilles bouteilles. Si l'expansion de ce vignoble (1 300 ha) est récente, les vins rouges de Champigny sont connus depuis plusieurs siècles. Produits sur neuf communes, à partir du cabernet franc (ou breton), ils sont légers, fruités, gouleyants. La production a été de 85 818 hl en 2000. La cave des vignerons de Saint-Cyr-en-Bourg n'a pas été étrangère au développement du vignoble.

DOM. DU BOIS MIGNON
Le Saut aux Loups 2000

■ 3,5 ha 6 000 5 à 8 €

Située dans la partie méridionale de l'appellation, dans le département de la Vienne, cette petite propriété vient de fêter le centième anniversaire de sa fondation. Avec un « vin de copains », pour reprendre les mots d'un dégustateur : agréable, léger, exubérant, et qui se boit comme une friandise. (30 à 49 F)

SCEA Charier Barillot, Dom. du Bois Mignon, 86120 Saix, tél. 05.49.22.94.59, fax 05.49.22.94.51 r.-v.

DOM. DU BOIS MOZE PASQUIER
Vieilles vignes 2000★

■ 0,5 ha 4 000 5 à 8 €

Un petit domaine familial de 6 ha, créé en 1955, et repris en 1994 par Patrick Pasquier. Sa cuvée Vieilles vignes, d'un grenat intense, présente un nez sur sa réserve mais franc, une bouche puissante mais encore tannique. Elle offre un potentiel intéressant, cependant il faudra l'attendre. Vous cherchez un vin à boire dans l'année ? Tournez-vous vers la cuvée principale **Clos du Bois Mozé 2000**. Plus légère, elle laisse des impressions de fruits frais (fraise, cerise, cassis). Elle a obtenu une citation. (30 à 49 F)

Patrick Pasquier, 9, rue du Bois-Mozé, 49400 Chacé, tél. 02.41.52.42.50, fax 02.41.52.59.73 r.-v.

CH. DE CHAINTRES 2000★

■ 17 ha 120 000 5 à 8 €

Situé au cœur de l'appellation, le village de Chaintres est typique du vignoble avec ses demeures de tuffeau et ses clos. Le château est un manoir du milieu du XVII[e]s. Quant au vignoble, il remonte au moins au XVI[e]s. Son millésime 2000 associe puissance et délicatesse. D'un rubis intense, encore fermé au nez, il révèle une bouche charpentée et friande, qui laisse deviner un fort potentiel. On pourra le servir dès la fin de l'année 2001, sur une viande rouge ou du gibier. (30 à 49 F)

SA Dom. vinicole de Chaintres, 49400 Dampierre-sur-Loire, tél. 02.41.52.90.54, fax 02.41.52.99.92, e-mail chaintres@wanadoo.fr t.l.j. 9h-12h 14h-18h; sam. dim. sur r.-v.

G. de Tigny

DOM. DES CHAMPS FLEURIS 1999★

■ 3 ha 12 000 8 à 11 €

Située sur la « côte » du vignoble de saumur-champigny, voici l'une de ces jeunes exploitations qui, par leur travail et leur savoir-faire, ont donné du lustre à l'appellation. Son 99 se distingue par sa souplesse et son harmonie. Rubis foncé, la robe montre de légers reflets bruns traduisant un début d'évolution. Le nez délicat associe des notes florales (iris, violette) et les fruits rouges. La bouche n'est pas des plus longues, mais elle séduit par son côté fondu. La finale offre d'intéressants arômes de réglisse et de chocolat amer. (50 à 69 F)

EARL Rétiveau-Rétif, 50-54, rue des Martyrs, 49730 Turquant, tél. 02.41.38.10.92, fax 02.41.51.75.33 r.-v.

DOM. DES CLOSIERS 2000

■ 12 ha 10 000 5 à 8 €

Parnay est connu des ornithologues pour son îlot sur la Loire qui abrite d'importantes colonies d'oiseaux marins. Quant aux amateurs de vin, ils tourneront leurs pas dans la direction opposée. La cave du domaine des Closiers, creusée dans le tuffeau, est située sur le chemin étroit qui part du château de Tardé et aboutit en haut du coteau sur le vignoble. Elle propose un vin agréable et bien fait, marqué par les fruits rouges tout au long de la dégustation. Une bouteille simple, à déboucher sans façon. (30 à 49 F)

EARL Elie Moirin, 8, rue Valbrun, 49730 Parnay, tél. 02.41.38.12.32, fax 02.41.38.11.14 r.-v.

DOM. DES COUTURES 2000

■ 11 ha 10 000 5 à 8 €

A 4 km de là se trouve l'abbaye de Fontevraud, nécropole des Plantagenêts. Le domaine a rénové sa cave de vinification en 1999. Son dernier millésime, habillé de rubis léger, offre sans façon des arômes simples de fruits rouges et de poivron. Sa bouche est fraîche, voire vive

LOIRE

en finale. Le type même du vin léger, à consommer frais. (30 à 49 F)

SCA Nicolas et Fils, rue des Martyrs, 49730 Turquant, tél. 05.49.91.63.76, fax 05.49.91.68.21, e-mail marc-rene.nicolas@wanadoo.fr
t.l.j. sf dim. 8h-13h 14h-18h

YVES DROUINEAU Les Beaumiers 2000*

16 ha 80 000 5à8€

Voilà dix ans qu'Yves Drouineau est à la tête d'un domaine de 21 ha, dont la production est régulièrement mentionnée dans le Guide. On retrouve sa sélection des Beaumiers, issue de vignes de cinquante ans, et qui représente les trois quarts des vins de l'exploitation. Sa robe grenat intense et son ampleur en bouche donnent une impression de richesse et laissent deviner un très bon potentiel. Sa finale légèrement tannique incite à l'attendre. (30 à 49 F)

EARL Yves Drouineau, 3, rue Morains, 49400 Dampierre-sur-Loire, tél. 02.41.51.14.02, fax 02.41.50.32.00, e-mail yves.drouineau@club-internet.fr
r.-v.

DOM. DUBOIS Cuvée d'automne 2000**

2 ha 12 000 5à8€

Ce domaine a une solide réputation dans le vignoble et nous a fait connaître plus d'une bouteille remarquable. Sa Cuvée d'automne révèle une structure et une complexité peu communes. Sa robe est grenat intense, son nez libère des arômes de fruits noirs et de sous-bois, sa bouche est longue, harmonieuse et délicate. La **Cuvée de printemps 2000** (une étoile) a aujourd'hui plus d'exubérance, avec ses notes florales (violette, iris) et de fruits frais. Elle laisse en bouche une sensation de fraîcheur et de légèreté bien représentative de l'appellation. (30 à 49 F)

Dom. Michel et Jean-Claude Dubois, 8, rte de Chacé, 49260 Saint-Cyr-en-Bourg, tél. 02.41.51.61.32, fax 02.41.51.95.29 r.-v.

DOM. FOUET
La Rouge et Noire Cuvée Vieilles vignes 1999***

1 ha 5 000 8à11€

Patrice est aux vignes et Julien au chai. Le premier gère le domaine familial depuis plus de vingt ans, et le second, son fils, l'a rejoint en 1995. Un tandem efficace, à en juger par les sélections du Guide : tous les vins qu'ils ont présentés ont été retenus ! La Rouge et Noire, élevée en barrique pendant un an, a fait l'unanimité. Sa robe grenat intense, sa palette aromatique complexe, associant fruits noirs, fruits secs, réglisse et plantes aromatiques, sa bouche puissante et chaleureuse ont emporté l'adhésion. Dans le millésime 2000, la **cuvée Domaine et la cuvée de Printemps (30 à 49 F chacune)**, toutes deux élevées en cuve, obtiennent chacune une étoile pour leur équilibre et la sensation de fruits frais qu'elles laissent en bouche. (50 à 69 F)

Fouet, 3, rue de la Judée, 49260 Saint-Cyr-en-Bourg, tél. 02.41.51.60.52, fax 02.41.67.01.79, e-mail j-fouet@domaine-fouet.com
t.l.j. sf dim. 8h-12h 14h-18h

DOM. DES FROGERES
Cuvée Prestige 2000

9 ha 30 400 5à8€

Ce domaine de 13 ha s'est converti à l'agriculture biologique en 1988. Il pratique également la biodynamie. Sa cuvée Prestige montre des reflets légèrement bruns dans sa robe grenat. Au nez, elle mêle les fruits mûrs et des notes animales. Cette palette aromatique se retrouve dans une bouche souple. Un vin agréable, à boire assez rapidement. (30 à 49 F)

Michel Joseph, 11 *bis*, rue de Champigny, 49400 Chacé, tél. 02.41.52.95.25, fax 02.41.52.95.25 r.-v.

CH. DU HUREAU
Cuvée des Fevettes 2000***

2 ha 10 000 11à15€

Philippe Vatan est à la tête de cette exploitation de 20 ha depuis 1987. Son premier millésime obtint deux étoiles. Quant aux coups de cœur, il en a reçu pas moins de sept en quinze ans... 89, 94, 95, 96, 97, 99 et ce 2000. On retrouve cette cuvée des Fevettes, qui en est à son troisième coup de cœur (après le 96 et le 99). Elle s'annonce par une robe très intense, rubis nuancé de noir, et par une palette de senteurs complexes, où l'on perçoit des fruits compotés, des fruits noirs, des épices et du tabac. Puissante et délicate, la bouche laisse une impression de richesse et d'harmonie. La cuvée **Lisagathe 2000**, plus structurée et moins expressive, devrait être beaucoup plus démonstrative à la fin de l'année 2001. (70 à 99 F)

Philippe et Georges Vatan, Ch. du Hureau, 49400 Dampierre-sur-Loire, tél. 02.41.67.60.40, fax 02.41.50.43.35, e-mail philippe.vatan@wanadoo.fr
t.l.j. sf sam. dim. 9h-12h 14h-17h

DOM. DE LA BESSIERE
Vieilles vignes 2000

2 ha 5 000 5à8€

Avec son plateau de tuffeau cachant un dédale de galeries et d'habitats troglodytiques, Souzay-Champigny est un village caractéristique de l'Anjou viticole. Thierry Dézé y exploite 15 ha depuis 1987. Il propose une cuvée typique de l'appellation par sa légèreté et son fruité. La robe est rubis ; le nez offre des senteurs de fruits rouges, avec quelques notes végétales. Harmonieuse, la bouche est souple, ce qui n'exclut pas une certaine vivacité. A boire dans l'année. (30 à 49 F)

Thierry Dézé, Dom. de La Bessière, rte de Champigny, 49400 Souzay-Champigny, tél. 02.41.52.42.69, fax 02.41.38.75.41 r.-v.

DOM. LA BONNELIERE
Les Poyeux Prestige 2000

■ 2 ha 15 000 5à8€

Le domaine, rebaptisé en 1995, tire son nom de ses créateurs, André Bonneau et son épouse, qui l'ont fondé en 1972, à partir de quelques hectares de vieilles vignes. Leurs deux fils les ont rejoints sur la propriété qui compte aujourd'hui 20 ha. Ils proposent un saumur-champigny bien typé, avec sa robe rubis intense, ses arômes de fruits rouges et noirs, sa bouche ronde et équilibrée. Ce vin laisse une senstation de fruité et de finesse. (30 à 49 F)

EARL Bonneau et Fils, 45, rue du Bourg-Neuf, 49400 Varrains, tél. 02.41.52.92.38, fax 02.41.52.92.38

DOM. DE LA CUNE Charl'Anne 2000**

■ 2,5 ha 15 000 5à8€

Un domaine de 16 ha situé au cœur de l'appellation. On retrouve sa cuvée Charl'Anne, issue d'un terroir argilo-calcaire et d'une macération de vingt-huit jours. Le millésime 2000 est excellent : la robe est grenat intense ; le nez, encore sur sa réserve, laisse poindre des notes de sous-bois, de fruits concentrés et de pâte de fruits ; la bouche impose sa puissance et sa charpente. Cette bouteille sera à son apogée à la fin de l'année 2001. (30 à 49 F)

Jean-Luc et Jean-Albert Mary, Chaintres, 49400 Dampierre-sur-Loire, tél. 02.41.52.91.37, fax 02.41.52.44.13 r.-v.

DOM. DE LA GUILLOTERIE 2000*

■ 25 ha 50 000 5à8€

Plusieurs générations se sont succédé sur ce domaine familial qui a récemment réalisé d'importants travaux d'aménagement des chais et de salle d'accueil. Son dernier millésime, en robe grenat intense, est friand et complexe. Ses arômes délicats évoquent les fruits compotés, les fleurs et la réglisse. Souple, ronde et harmonieuse, la bouche finit en beauté sur des notes persistantes de petits fruits rouges. (30 à 49 F)

SCEA Duveau Frères, 63, rue Foucault, 49260 Saint-Cyr-en-Bourg, tél. 02.41.51.62.78, fax 02.41.51.63.14, e-mail dom.guilloterie@wanadoo.fr r.-v.

DOM. DE LA PERRUCHE
Clos de Chaumont 2000*

■ 4 ha 20 000 8à11€

Sur ce domaine traditionnel se sont succédé cinq générations de vignerons. Un travail important de maîtrise de la vigne a été entrepris, et on vendange à des dates tardives (autour du 23 octobre pour ce millésime). La robe grenat de cette sélection, et ses arômes de sous-bois et de cuir donnent d'entrée une impression de puissance. De fait, la bouche révèle une matière surprenante, qui demande à s'affiner. A attendre un an ou deux. En découvrant ce domaine, on visitera l'un des plus beaux villages de l'Anjou, avec son château où plane le souvenir romantique de la Dame de Montsoreau, évoquée par Alexandre Dumas. (50 à 69 F)

EARL Rouiller, 29, rue de La Maumenière, 49730 Montsoreau, tél. 02.41.51.73.36, fax 02.41.38.18.70 t.l.j. sf dim. 9h30-12h30 14h30-18h30

DOM. DE LA PETITE CHAPELLE 2000*

■ 7 ha 40 000 5à8€

Depuis dix ans, Laurent Dézé exploite 30 ha de vignes. Sa cave, typique du Saumurois, est creusée dans le tuffeau. Elle recèle ce vin grenat intense, aux arômes assez complexes de fruits mûrs et d'épices, assortis de quelques notes animales. La bouche est agréable et ronde, tout en offrant une légère vivacité en finale. Un vin bien fait et plaisant, représentatif du terroir calcaire de son AOC. (30 à 49 F)

Laurent Dézé, 4, rue des Vignerons, 49400 Souzay-Champigny, tél. 02.41.52.41.11, fax 02.41.52.93.48 r.-v.

LA SEIGNERE Clos de la Seignère 2000**

■ 5,4 ha 22 000 5à8€

Le Clos de la Seignère continue sur sa lancée : cette propriété en coteau d'un seul tenant, acquise par Yves Drouineau en 1998, a donné un vin remarquable qui résulte de petits rendements et d'une macération de trente jours environ. Sa bouche riche donne une sensation d'opulence, sa structure tannique est impressionnante. Le type même du vin de garde. A attendre cinq ans. (30 à 49 F)

EARL Yves Drouineau, La Seignère, 3, rue Morains, 49400 Dampierre-sur-Loire, tél. 02.41.51.14.02, fax 02.41.50.32.00, e-mail yves.drouineau@club-internet.fr r.-v.

DOM. LAVIGNE Les Aïeules 2000**

■ 8 ha 49 000 5à8€

Cette cuvée des Aïeules, née de sols argilo-calcaires, est un vin puissant, mais aussi fondu, complexe et subtil. Friand, il donne l'impression de croquer les fruits rouges. Tout ce que l'on attend d'un saumur-champigny. La **cuvée principale du même millésime** est presque du même niveau (une étoile). Elle laisse également une sensation fruitée des plus agréables. (30 à 49 F)

Dom. Lavigne, 15, rue des Rogelins, 49400 Varrains, tél. 02.41.52.92.57, fax 02.41.52.40.87, e-mail sca.lavigne-veron@wanadoo.fr t.l.j. sf dim. 9h-12h 14h-18h

RENE-NOEL LEGRAND
Les Terrages 2000*

■ 2 ha 12 000 5à8€

Ce domaine de 15 ha, situé dans la commune viticole de Varrains, est géré par un passionné de géologie. Ce millésime est plus léger que le précédent, mais équilibré, harmonieux, et fort agréable. Avec sa robe rubis foncé, ses arômes délicats de fruits rouges et noirs, sa bouche ample, élégante et fruitée, il offre un caractère printanier. A boire dans l'année. (30 à 49 F)

LOIRE

René-Noël Legrand, 13, rue des Rogelins, 49400 Varrains, tél. 02.41.52.94.11, fax 02.41.52.49.78 r.-v.

DOM. DES MATINES 2000*

	n.c.	n.c.		5à8€

Ce domaine de 50 ha, situé au cœur du Saumurois, entre Saumur, Montreuil-Bellay et Doué-la-Fontaine, propose un vin rubis foncé, qualifié de « gourmand » par le jury. Avec ses parfums de fruits rouges et de violette, sa bouche toujours fruitée et harmonieuse, il offre de quoi ravir les papilles. (30 à 49 F)

Dom. des Matines, 31, rue de la Mairie, 49700 Brossay, tél. 02.41.52.25.36, fax 02.41.52.25.50 r.-v.

DOM. DE NERLEUX
Clos des Chatains 2000**

	5 ha	20 000		8à11€

Le nom du domaine est attesté dès 1578 : il s'agissait d'une seigneurie. La propriété compte aujourd'hui 45 ha. Sa sélection du Clos des Chatains surprend par sa richesse, que l'on devine déjà à la vue de sa robe presque noire. Le nez, complexe, associe les fruits mûrs, la torréfaction et la vanille. Tout aussi complexe, la bouche apparaît à la fois puissante et harmonieuse. Elle finit sur des tanins soyeux, et sa persistance est peu commune. La cuvée **Les Nerleux 2000 (30 à 49 F)** offre, elle aussi, une belle matière avec des arômes de fruits frais. Elle a obtenu une étoile. (50 à 69 F)

SCEA Régis Neau, 4, rue de la Paleine, 49260 Saint-Cyr-en-Bourg, tél. 02.41.51.61.04, fax 02.41.51.65.34, e-mail rneau@terre-net.fr t.l.j. sf dim. 8h-12h 14-18h; sam. 8h-12h

DOM. DES ROCHES NEUVES
Terres Chaudes 2000**

	6 ha	15 000		8à11€

Ce domaine de 22 ha, repris en 1992 par Thierry Germain, est exploité en agriculture biologique. Elevée douze mois en barrique, sa cuvée Terres Chaudes a été fort remarquée pour sa superbe matière aux accents de fruits compotés, d'épices et de fruits noirs. Ce vin ne donnera toute sa mesure que dans un an ou deux. La **cuvée principale 2000 (30 à 49 F)**, élevée en cuve, séduit par ses arômes complexes où l'on décèle des fruits noirs et du sous-bois. Elle obtient une étoile. (50 à 69 F)

Thierry Germain, 56, bd Saint-Vincent, 49400 Varrains, tél. 02.41.52.94.02, fax 02.41.52.49.30, e-mail thierry-germain@wanadoo.fr r.-v.

DOM. DES SABLES VERTS
Cuvée des Sables verts 2000*

	1 ha	8 000		8à11€

Ce domaine de 15 ha a été repris en 1985 par Alain et Dominique Duveau qui l'exploitent en lutte raisonnée, avec enherbement des vignes. Pourquoi « Sables verts » ? Il s'agit d'une formation calcaire et détritique du turonien supérieur. Cette cuvée, issue de vignes de quarante ans, étonne par sa puissance. Elle n'a pu voir le jour que grâce à un travail rigoureux des vignes. La robe et les arômes de sous-bois, d'épices et de fruits concentrés, donnent d'emblée une impression de richesse. Ce vin de garde exprimera tout son potentiel dans deux à trois ans. En revanche, la **Cuvée ligérienne 2000 (30 à 49 F)**, plus simple et légère, est à boire dans l'année. Elle est citée. (50 à 69 F)

GAEC Dominique et Alain Duveau, 66, Grand-Rue, 49400 Varrains, tél. 02.41.52.91.52, fax 02.41.38.75.32 r.-v.

DOM. SAINT-JEAN Les Vignolles 2000*

	2 ha	16 000		5à8€

Cinq générations se sont succédé sur le domaine géré depuis dix ans par Jean-Claude Anger. Le domaine est passé de 5 ha au début du XX[e]s. à 23 ha aujourd'hui. Très représentative de l'appellation, la sélection des Vignolles laisse une impression de fruits frais tout au long de la dégustation. Elle est prête mais peut être conservée quelques années. La **cuvée classique 2000 (20 à 29 F)** reste dans le même style avec plus de légèreté. Elle est citée. (30 à 49 F)

Jean-Claude Anger, 16, rue des Martyrs, 49730 Turquant, tél. 02.41.38.11.78, fax 02.41.51.79.23 r.-v.

DOM. SAINT-VINCENT
Les Adrialys 2000**

	4 ha	10 000		5à8€

Le domaine a constamment progressé ces dernières années grâce à un travail de qualité à la vigne et aux chais. Cette cuvée des Adrialys, qui obtint un coup de cœur dans le millésime 91, est remarquable cette année : elle conjugue intensité, richesse et puissance avec équilibre, harmonie et délicatesse. Ses arômes ? Fruits rouges et noirs, mais aussi violette et tabac. La cuvée **Les Trézeillières 2000** (60 000 bouteilles) est plus légère et rappelle les fruits frais. Elle reçoit une étoile. (30 à 49 F)

EARL Patrick Vadé, Dom. Saint-Vincent, 49400 Saumur, tél. 02.41.67.43.19, fax 02.41.50.23.28, e-mail pvade@st-vincent.com t.l.j. 9h-12h 14h-18h

DOM. DES SANZAY
Vieilles vignes 2000**

	2 ha	10 000		5à8€

Didier Sanzay, qui a pris les rênes de l'exploitation familiale (27 ha) voilà dix ans, a porté ses efforts sur le travail dans les vignes et a hissé la production à un bon niveau qualitatif. Sa cuvée Vieilles vignes séduit par sa robe soutenue, grenat nuancé de noir, ses arômes de fruits concentrés et sa bouche veloutée. « Grand terroir » et « vendanges parfaites » lit-on sur les fiches de dégustation. La **cuvée principale du même millésime**, plus légère et tout en fruit, mérite aussi l'intérêt. Elle a obtenu une étoile, et les volumes sont quatre fois plus importants. (30 à 49 F)

Didier Sanzay, Dom. des Sanzay, 93, Grand-Rue, 49400 Varrains, tél. 02.41.52.91.30, fax 02.41.52.45.93, e-mail didier-sanzay@domaine-sanzay.com r.-v.

CH. DE TARGE 2000*

■ 20 ha 120 000 5à8€

Si la seigneurie de Targé est entrée dans la famille par un secrétaire de Louis XIV, le château est devenu éminemment républicain : ne servit-il pas de logis à deux pères fondateurs de la IIIe République, Gambetta et Jules Ferry ? Il faut aussi mentionner la part que prirent dans la restructuration du vignoble Fresnette Ferry et son époux Edgar Pisani, lequel fut, en tant que ministre de l'Agriculture du général de Gaulle, un acteur important de la politique agricole européenne dans les années 1960. Le domaine est dirigé depuis 1978 par leur fils Edouard Pisani-Ferry, ingénieur agronome. Le millésime 2000 a donné un vin structuré qui se bonifiera avec les ans. Rubis intense, il présente un nez subtil alliant fruits rouges, fruits noirs et notes de torréfaction, une bouche ample, souple et persistante. On lui trouve du relief et de la délicatesse. (30 à 49 F)

SCEA Edouard Pisani-Ferry, Ch. de Targé, 49730 Parnay, tél. 02.41.38.11.50, fax 02.41.38.16.19, e-mail edouard @chateaudetarge.fr t.l.j. sf dim. 8h-12h30 13h30-18h; sam. mat. sur r.-v.

DOM. DU VAL BRUN

Vieilles vignes Les Folies 2000***

■ 3 ha 10 000 5à8€

Situé sur la « côte » du vignoble, ce domaine est incontournable dans l'appellation. N'a-t-il pas obtenu plusieurs coups de cœur (pour un 85 et pour un 89) ? Affichant une robe intense, presque noire, la cuvée Les Folies a une classe exceptionnelle. Sa palette aromatique, délicate et complexe, mêle les fleurs (iris, pivoine), les épices (clou de girofle) et la réglisse. La bouche ? Ample, puissante, majestueuse. Un vin que l'on pourra apprécier à la fin de l'année 2001. La **cuvée principale 2000** (une étoile), pourtant presque aussi intense à l'œil, est plus légère. Elle laisse en bouche une sensation de fruits frais et de cacao. (30 à 49 F)

Charruau et Fils, 74, rue Val Brun, 49730 Parnay, tél. 02.41.38.11.85, fax 02.41.38.16.22 r.-v.

DOM. DES VARINELLES

Vieilles vignes 2000*

■ 3,5 ha 20 000 8à11€

Fondé en 1850, le domaine des Varinelles (40 ha) marie avec succès la tradition, représentée par la cave profonde creusée dans le tuffeau, et la modernité, assurée par une rutilante batterie de cuves Inox et une parfaite maîtrise des vinifications. Elevée en fût comme la plupart des vins rouges de l'exploitation, cette cuvée Vieilles vignes montre beaucoup de matière. Elle est aujourd'hui austère, barricadée dans ses tanins, mais réservera de bonnes surprises lorsque ces derniers auront gagné en amabilité. (50 à 69 F)

SCA Daheuiller et Fils, 28, rue du Ruau, 49400 Varrains, tél. 02.41.52.90.94, fax 02.41.52.94.63 t.l.j. sf dim. 8h-12h 14h-19h; sam. sur r.-v.

CH. DE VARRAINS 2000***

■ 5 ha 30 000 11à15€

Les Langlois-Chateau exploitent plusieurs domaines dans le val de Loire avec une même démarche de qualité. Résultat d'une sélection rigoureuse des vendanges et d'une vinification parfaitement maîtrisée, cette cuvée a été vinifiée pour un tiers en fût neuf de 500 l. D'un grenat intense, elle délivre des arômes puissants de fruits mûrs, d'épices, avec des notes empyreumatiques. La bouche ronde séduit par le grain particulièrement fin des ses tanins. Superbe ! (70 à 99 F)

Langlois-Chateau, 3, rue Léopold-Palustre, 49400 Saint-Hilaire-Saint-Florent, tél. 02.41.40.21.40, fax 02.41.40.21.49, e-mail langlois.chateau@wanadoo.fr t.l.j. 10h-12h30 14h30-18h30; f. janv.

DOM. DU VIEUX BOURG

Vieilles vignes 2000*

■ n.c. 12 000 8à11€

Cette exploitation traditionnelle se distingue par un travail rigoureux à la vigne comme au chai. Le millésime 2000, encore discret le jour de la dégustation, laissait cependant deviner son beau potentiel par l'intensité de sa robe grenat sombre, la finesse de ses tanins, le moelleux de sa bouche. Un vin en devenir, à attendre quelques mois. (50 à 69 F)

Dom. du Vieux Bourg, 30, Grand-Rue, 49400 Varrains, tél. 02.41.52.91.89, fax 02.41.52.42.43 r.-v.

CH. DE VILLENEUVE 2000***

■ 18 ha 80 000 8à11€

Le château de Villeneuve : un havre de paix dominant la vallée de la Loire et un haut lieu du Saumurois viticole. Le vignoble remonte au XV[e]s., et l'élégant et sobre manoir de tuffeau, au XVIII[e]s. Jean-Pierre Chevallier, œnologue, a repris en 1985 ce domaine de 25 ha acquis par sa famille en 1969. Il a restauré les caves d'antan où les saumur-champigny vieillissent dans des fûts de 500 l (appelés localement tonnes). Eblouissante, la cuvée principale du millésime 2000. D'un grenat sombre intense, elle délivre des parfums des plus prometteurs (fruits compotés, épices, sous-bois, réglisse). La bouche s'impose par son volume et sa finale exceptionnelle. La cuvée **Vieilles vignes 99** (une étoile), entièrement vieillie en fût, est à attendre quelques années. (50 à 69 F)

LOIRE

SCA Chevallier, Ch. de Villeneuve,
3, rue Jean Brevet, 49400 Souzay-Champigny,
tél. 02.41.51.14.04, fax 02.41.50.58.24,
e-mail jpchevallier@chateau-de-villeneuve.com
t.l.j. sf dim. 9h-12h 14h-18h

La Touraine

Les intéressantes collections du musée des Vins de Touraine à Tours témoignent du passé de la civilisation de la vigne et du vin dans la région ; et il n'est pas indifférent que les récits légendaires de la vie de saint Martin, évêque de Tours vers 380, émaillent la *Légende dorée* d'allusions viticoles ou vineuses... A Bourgueil, l'abbaye et son célèbre clos abritaient le « breton », ou cabernet franc, dès les environs de l'an mil, et, si l'on voulait poursuivre, la figure de Rabelais arriverait bientôt pour marquer de faconde et de bien-vivre une histoire prestigieuse. Une histoire qui revit au long des itinéraires touristiques, de Mesland à Bourgueil sur la rive droite (par Vouvray, Tours, Luynes, Langeais), de Chaumont à Chinon sur la rive gauche (par Amboise et Chenonceaux, la vallée du Cher, Saché, Azay-le-Rideau, la forêt de Chinon).

Célèbre il y a donc fort longtemps, le vignoble tourangeau atteignit sa plus grande extension à la fin du XIXe s. Sa superficie (environ 13 000 ha) demeure actuellement inférieure à celle d'avant la crise phylloxérique ; il se répartit essentiellement sur les départements de l'Indre-et-Loire et du Loir-et-Cher, empiétant au nord sur la Sarthe. Des dégustations de vins anciens, des années 1921, 1893, 1874 ou même 1858, par exemple, à Vouvray, Bourgueil ou Chinon, laissent apparaître des caractères assez proches de ceux des vins actuels. Cela montre que, malgré l'évolution des pratiques culturales et œnologiques, le « style » des vins de la Touraine reste le même ; sans doute parce que chacune des appellations n'est élaborée qu'à partir d'un seul cépage. Le climat joue aussi son rôle : le jeu des influences atlantique et continentale ressort dans l'expression des vins, les coteaux formant écran aux vents du nord. En outre, la succession de vallées orientées est-ouest, vallée du Loir, de la Loire, du Cher, de l'Indre, de la Vienne, multiplie les coteaux de tuffeau favorables à la vigne, sous un climat tout en nuances, et en entretenant une saine humidité. Ce tuffeau, pierre tendre, est creusé d'innombrables caves. Dans les sols des vallées, l'argile se mêle au calcaire et au sable, avec parfois des silex ; au bord de la Loire et de la Vienne, des graviers s'y ajoutent.

Ces différents caractères se retrouvent donc dans les vins. A chaque vallée correspond une appellation, dont les vins s'individualisent chaque année grâce aux variations climatiques ; et l'association du millésime aux données du cru est indispensable.

En 1989, année chaude et sèche, les vins étaient riches, pleins, avec une longue promesse de vie. En 1984, année de floraison tardive, de climat plus maussade, les vins blancs étaient plus secs, les rouges plus légers, et ils atteignent aujourd'hui un optimum d'expression. Ainsi est-il possible d'établir une liste des millésimes remarquables des dernières décennies : 1959, 1961, 1964, 1969, 1970, 1976, 1981, 1982, 1983, 1985, 1986, 1988, 1989, 1990, 1995, 1996. Mais classement à moduler, bien sûr, entre les rouges tanniques de Chinon ou de Bourgueil (plus souples quand ils proviennent des graviers, plus charpentés quand ils sont issus des coteaux) et ceux plus légers, et parfois diffusés en primeur, de l'appellation touraine ; entre les rosés plus ou moins secs selon l'ensoleillement, tout comme les blancs d'Azay-le-Rideau ou d'Amboise, et ceux de Vouvray et de Montlouis dont la production va des secs aux moelleux en passant par les vins effervescents. Les techniques d'élaboration des vins ont leur importance. Si les caves de tuffeau permettent un excellent vieillissement à une température constante d'environ 12 °C, les vinifications en blanc se font à température contrôlée ; les fermentations durent quelquefois plusieurs semaines, voire plusieurs mois pour les vins moelleux. Les rouges légers, de type touraine, sont issus de cuvaisons au contraire assez courtes ; en revanche, à Bourgueil et à Chinon, les cuvaisons sont longues : deux à quatre semaines. Si les rouges font leur fermentation malolactique, les blancs et les rosés doivent au contraire leur fraîcheur à la présence de l'acide malique. Globalement, la production, qui durant les bonnes années, approche en moyenne les 700 000 hl, est commercialisée à 55 % par le négoce. Les ventes directes représentent 30 % et les coopératives 15 %.

Touraine

S'étendant des portes de Montsoreau, à l'ouest, jusqu'à Blois et Selles-sur-Cher à l'est, l'appellation régionale touraine recouvre 5 250 ha. Elle est principalement localisée de part et d'autre des vallées de la Loire, de l'Indre et du Cher. Le tuffeau affleure rarement ; les sols surmontent le plus souvent l'argile à silex. Ils sont plantés surtout de gamay noir pour les vins rouges, accompagné selon les terrains de cépages plus tanniques, comme le cabernet franc et le côt. La majorité des vins rouges, dont les vins primeurs, légers et fruités, sont issus de ce gamay noir uniquement. A base de deux ou trois cépages, ils ont une bonne tenue en bouteille. Nés du cépage sauvignon qui depuis quarante ans a détrôné les autres, les blancs sont secs. Une partie de la production des blancs et des rosés est élaborée en mousseux selon la méthode traditionnelle. Enfin, les rosés toujours secs, friands et fruités, sont élaborés à partir des cépages rouges.

Au sud de Tours, il faut noter le renouveau d'un vignoble historique donnant des rosés secs, d'appellation touraine, mais anciennement et à nouveau dénommé « Noble Joué ». Les cépages sont les trois pinots : pinot gris (dominant), pinot meunier et pinot noir.

JACKY ET PHILIPPE AUGIS
Méthode traditionnelle★★

○ 2,5 ha 20 000 5 à 8 €

On dit « méthode traditionnelle » dans le jargon œnologique, eh bien, la tradition a du bon notamment dans cette bouteille très florale, d'une jolie couleur brillante. Le fruité exotique s'exhale en finale, ne laissant place à aucune critique. (30 à 49 F)

GAEC Jacky et Philippe Augis, Le Musa, rue des Vignes, 41130 Meusnes, tél. 02.54.71.01.89, fax 02.54.71.74.15, e-mail paugis@net-up.com t.l.j. sf dim. 8h-12h 14h-19h30; f. 15-31 août

CELLIER DU BEAUJARDIN
Gamay 2000★

■ 30 ha 40 000 -3 €

Plein, ferme, souple, ce gamay exprime bien son cépage par sa couleur typique, son nez finement animal et sa bouche fruitée. Un joli vin de découverte de la Touraine. (– 20 F)

Cellier du Beaujardin, 32, av. du 11-Novembre, 37150 Bléré, tél. 02.47.30.33.44, fax 02.47.30.33.44, e-mail cellier.beaujardin@wanadoo.fr t.l.j. sf dim. 8h-12h 14h-18h30

DOM. BEAUSEJOUR
Cuvée Vincent 2000★★

■ 5 ha 30 000 3 à 5 €

PRODUCE OF FRANCE
DOMAINE
BEAUSEJOUR
Cuvée Vincent
TOURAINE
Appellation Touraine Contrôlée
2000
750 ml 12% vol.
Mis en bouteilles au domaine par G.A.E.C. TROTIGNON et Fils
Propriétaire récoltant 41140 Noyers-sur-Cher

Voici une belle représentation de la Touraine que le jury a salué en lui attribuant un coup de cœur. Cette cuvée Vincent est constituée du seul gamay né sur sable et argile à silex. Une belle robe rubis l'habille. L'intensité florale mêlée de fruits rouges étonne, puis on se plaît à retrouver en bouche cette intensité dans un registre qui sied bien aux vins de cette appellation. Il réjouira les amateurs à la sortie du Guide. (20 à 29 F)

GAEC Trotignon et Fils, Dom. Beauséjour, 10, rue des Bruyères, 41140 Noyers-sur-Cher, tél. 02.54.75.06.73, fax 02.54.75.06.73 t.l.j. 8h-12h 14h-19h

DOM. BEAUSEJOUR
L'Authentique 1999★★

■ 5 ha 5 000 5 à 8 €

Autre très belle cuvée d'assemblage née dans des sols de perruches des premières côtes du Cher ; voici un beau touraine à la robe foncée, aux arômes de réglisse et de boisé affirmés. Puissant, équilibré, il séduira les amateurs de vins de garde. (30 à 49 F)

GAEC Trotignon et Fils, Dom. Beauséjour, 10, rue des Bruyères, 41140 Noyers-sur-Cher, tél. 02.54.75.06.73, fax 02.54.75.06.73 t.l.j. 8h-12h 14h-19h

DOM. DES CAILLOTS Tradition 1999★

■ 3 ha 20 000 3 à 5 €

Quel plaisir de retrouver dans ce flacon le touraine de nos ancêtres qui cultivaient en bonne connaissance de leurs terroirs le cabernet franc et le côt, cépages authentiques de cette belle vallée du Cher. D'apparence rubis plein à reflets tuilés, celui-ci fleure bon la pivoine sur

des notes de fruits rouges et de poivre. Harmonieux, gras en bouche avec un tanin fin et mesuré, c'est un vin de touraine comme on voudrait en trouver souvent. Ce domaine présente un **touraine sauvignon 2000** intéressant par ses notes exotiques et sa structure agréable. Il obtient une citation. (20 à 29 F)
EARL Dominique Girault, Le Grand Mont, 41140 Noyers-sur-Cher, tél. 02.54.32.27.07, fax 02.54.75.27.87 t.l.j. 8h30-12h 14h-19h; dim. sur r.-v.

DOM. CHARBONNIER Sauvignon 2000*

5 ha 6 000 -3€

Daniel, Michel et, depuis 2001, Stéphane proposent une visite « portes ouvertes » du domaine le premier dimanche de décembre. Ce sera l'occasion de goûter - et d'acquérir - ce très beau vin qui offre, en plus des arômes de buis et d'agrumes, une attaque souple et équilibrée avec un peu d'amertume. Un touraine plaisant et bien élaboré. (– 20 F)
GAEC Charbonnier, 4, chem. de la Cossaie, 41110 Châteauvieux, tél. 02.54.75.49.29, fax 02.54.75.40.74 r.-v.

CH. DE CHENONCEAU 1999*

5 ha 26 000 5à8€

Construit en 1513, « bâti sur l'eau, en l'air... », comme le décrit Flaubert, le château de Chenonceau est posé entre les deux rives du Cher. Mais ce n'est pas seulement une belle architecture Renaissance, c'est aussi un château du vin. Produit sur les coteaux de Touraine, là où le chenin, cépage difficile à apprivoiser, fait des miracles, celui-ci possède un nez miellé et un corps d'éphèbe qui raviront les puristes les plus exigeants. A réserver dès maintenant. (30 à 49 F)
SA Chenonceau-Expansion, Ch. de Chenonceau, 37150 Chenonceaux, tél. 02.47.23.44.07, fax 02.47.23.89.91,
e-mail chateau.de.chenonceau@wanadoo.fr
t.l.j. 11h-18h; f. nov.-mars

DOM. DES CHEZELLES
Sauvignon 2000*

10 ha 80 000 5à8€

Vous recherchez en priorité un vin expressif ? Alain Marcadet l'a produit pour vous. Feuilles de cassis, buis, pamplemousse se bousculent en haut du verre, puis la bouche, ample, se gorge de gras. Les notes végétales en finale n'altèrent pas la bonne impression générale. Si vous souhaitez un type **gamay** jeune d'esprit, vous ne serez pas déçu par le **2000 (20 à 29 F)** de cette propriété ; à consommer dès cet automne. Il obtient une étoile. (30 à 49 F)
EARL Alain Marcadet, Le Grand Mont, 41140 Noyers-sur-Cher, tél. 02.54.75.13.62, fax 02.54.75.44.09 t.l.j. sf dim. 8h30-12h 14h-19h

LES VIGNERONS DES COTEAUX ROMANAIS
Sauvignon Cuvée Saint-Vincent 2000*

50 ha 400 000 3à5€

Engagés dans une démarche qualité avec ses apporteurs, la cave coopérative de Saint-Romain propose à votre palais un vin élégant où buis et tabac se répondent. D'un bel équilibre, la bouche offre une finale un peu sévère aujourd'hui mais prometteuse pour cet hiver. A déguster avec un sandre au beurre blanc. (20 à 29 F)
Les Vignerons des Coteaux Romanais, 50, rue Principale, 41140 Saint-Romain-sur-Cher, tél. 02.54.71.70.74, fax 02.54.71.41.75
t.l.j. sf dim. lun. 8h-12h 14h-18h

DOM. DE CRAY Sauvignon 2000*

3,5 ha 31 000 3à5€

Une jolie étiquette proposée par un négociant anglais associé à un viticulteur de Montlouis. Ce vin est tout aussi élégant dans sa robe or pâle à reflets verts. Le nez décèle ici des évocations de fruits exotiques et de brioche. Tendre et coulant, le palais séduit jusque dans la finale harmonieuse. (20 à 29 F)
Boutinot, SARL La Chapelle de Cray, rte de l'Aquarium, 37400 Lussault-sur-Loire, tél. 02.47.57.17.74, fax 02.47.57.11.97,
e-mail chapelledecray@wanadoo.fr r.-v.

DOM. JOEL DELAUNAY
Sauvignon 2000*

7,5 ha 50 000 5à8€

Thierry, fils de Joël Delaunay, a rejoint le domaine en 1998. Ensemble, ils ont proposé un vin sympathique. Les arômes puissants de genêt et le goût rafraîchissant n'altèrent pas l'originalité de cette bouteille. (30 à 49 F)
EARL Thierry et Joël Delaunay, 48, rue de la Tesnière, 41110 Pouillé, tél. 02.54.71.45.69, fax 02.54.71.55.97,
e-mail joeldelaunay@terre-net.fr
t.l.j. sf dim. 9h-12h 14h-18h

VIGNOBLE DUBREUIL Sauvignon 2000

9,5 ha 3 000 3à5€

Le vignoble de cette propriété familiale a été rénové dans les années 1965-70 : aujourd'hui âgées en moyenne de vingt-cinq ans, ces vignes de sauvignon ont donné un vin d'une belle intensité aromatique aux notes de buis et dont la bouche offre de la rondeur et de l'élégance. Un produit désaltérant. Ne pas manquer, au cœur du village, l'église des XIe et XIIe s. (20 à 29 F)
Rémi Dubreuil, La Touche, 41700 Couddes, tél. 02.54.71.34.46, fax 02.54.71.09.64 r.-v.

DOM. DE FLEURAY Sauvignon 2000**

1,52 ha 11 700 -3€

Une petite friture de Loire fera les délices de cette bouteille née d'un sauvignon de vingt ans d'âge. Le jury a été impressionné par l'élégance de ce 2000 au nez très expressif d'agrumes, où domine le citron mûr, et à la persistance aromatique remarquable. (– 20 F)
Dom. Cocteaux, Fleuray, 37530 Cangey, tél. 02.47.30.01.44, fax 02.47.30.05.09 t.l.j. sf dim. 8h-18h30; sam. 8h-13h

CHANTAL ET PATRICK GIBAULT
2000★★

◪ 2 ha 10 000 ▮ 🌡 3à5€

Meusnes possède une église romane du XIe s. ainsi qu'un musée de la Pierre à Fusil. En effet, les rives du Cher sont riches de silex qui ont fourni les armées jusqu'en 1840. Ce rosé est infiniment plus paisible. D'une belle teinte vive, il égrène de subtiles nuances de fruits, et exprime avec insistance une remarquable complexité, rare dans un rosé. La finale est longue, fraîche et équilibrée. On en redemande. Le **sauvignon 2000** obtient une étoile : il est subtil par ses arômes de fruits exotiques et de pamplemousse et sa bouche mûre offre un doux fruité.

(20 à 29 F)

🔑 EARL Chantal et Patrick Gibault, 183, rue Gambetta, 41130 Meusnes, tél. 02.54.71.02.63, fax 02.54.71.58.92, e-mail gibault.earl@wanadoo.fr ☑ 🍷 t.l.j. 8h-19h; dim. 10h-12h

DOM. DU HAUT CHESNEAU
Sauvignon 2000

□ 6 ha 10 000 ▮ 🌡 3à5€

Située sur la rive droite du Cher, cette propriété de 17 ha fut construite en 1789. Elle possède de belles caves creusées dans la roche. Jaune pâle brillant, ce vin offre une note végétale qui atteste sa jeunesse. Doté d'un bon équilibre gras-acidité, il n'en possède pas moins une jolie vivacité qui s'accordera avec des crustacés.

(20 à 29 F)

🔑 Jean-Marc Villemaine, La Ramée, 41140 Thésée, tél. 02.54.71.52.69, fax 02.54.71.52.69 ☑ 🍷 r.-v.

DOM. DE LA BERGEONNIERE
Gamay 2000★★

■ 2,3 ha 10 000 ▮ 🌡 3à5€

Plantées sur un terroir de silex, de vieilles vignes de gamay ont donné ce très joli vin. On sent ici le respect de la vendange et l'amour du travail bien fait. D'une belle robe brillante, cette bouteille dégage des notes florales sur un fond minéral puis laisse découvrir des petits fruits rouges dans une finale rafraîchissante.

(20 à 29 F)

🔑 Jean-Claude Bodin, La Bergeonnière, 41140 Saint-Romain-sur-Cher, tél. 02.54.71.70.43, fax 02.54.71.72.92 ☑ 🍷 r.-v.

La Touraine

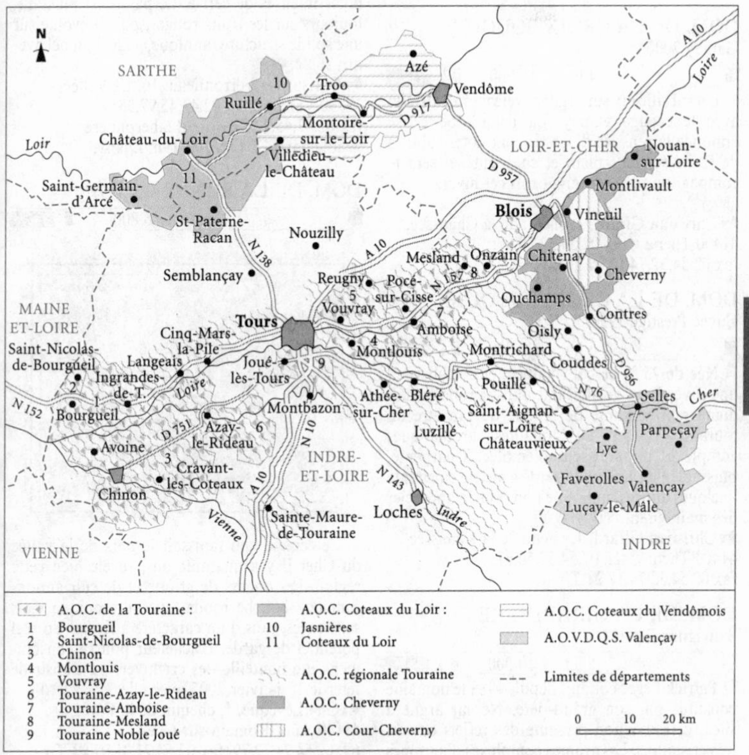

LOIRE

DOM. DE LA BERGEONNIERE
Pinot noir 2000*

◪ 0,5 ha 4 000 3 à 5 €

Une toute petite cuvée sur les 15 ha que possède Jean-Claude Bodin, mais une production intéressante : ce vin gris est plutôt original dans cette région où domine le gamay, car il est produit à partir du pinot noir, ce qui lui donne un nez très expressif. Il lui manque par la suite cette fraîcheur que l'on apprécie dans les vins rosés, mais pourquoi pas ? Il saura résister à des mets solides. (20 à 29 F)

Jean-Claude Bodin, La Bergeonnière, 41140 Saint-Romain-sur-Cher, tél. 02.54.71.70.43, fax 02.54.71.72.92 r.-v.

DOM. DE LA BERGERIE
Cabernet 1999**

■ 4 ha 15 000 3 à 5 €

Issu des sols de perruches de la vallée du Cher, voici un vin classique, très harmonieux, rouge fuchsia. Ce touraine, bien typé par son cépage, révèle des arômes de groseille et développe une belle prestance en bouche. Il séduira sans aucun doute. Le **touraine sauvignon 2000** porte une robe pâle et développe des parfums de bourgeon de cassis sur fond de pamplemousse. Souple, il peut accompagner toutes les entrées. (20 à 29 F)

François Cartier, La Tesnière, 41110 Pouillé, tél. 02.54.71.51.54, fax 02.54.71.74.09 t.l.j. sf dim. 8h-12h 14h-18h

DOM. DE LA CROIX BOUQUIE
Gamay 2000**

■ 4 ha 15 000 5 à 8 €

Un sol siliceux sur argile révèle ici son affinité avec le cépage gamay. La belle robe cerise annonce la réussite de ce vin aux notes subtiles de fruits rouges ; plein et charpenté, il sera le compagnon idéal du gigot rôti cet hiver. (30 à 49 F)

Christian Girard, 1, chem. de la Chaussée, 41400 Thenay, tél. 02.54.32.50.67, fax 02.54.32.74.17 r.-v.

DOM. DE LA CROIX BOUQUIE
Cuvée Prestige 1999**

■ 1,5 ha 5 000 5 à 8 €

Née de 75 % de côt (malbec) et de cabernet, une cuvée Prestige plaisante dans sa robe grenat, digne représentante de ce que devrait être un touraine rouge. Les qualités aromatiques complexes apparaissent d'emblée. Charpenté, puissant, c'est un vin de garde à mettre en attente quelques années, mais que l'on pourra apprécier dès maintenant. (30 à 49 F)

Christian Girard, 1, chem. de la Chaussée, 41400 Thenay, tél. 02.54.32.50.67, fax 02.54.32.74.17 r.-v.

DOM. DE LA GIRARDIERE
Sauvignon 2000**

□ 5 ha 10 000 3 à 5 €

Patrick Léger conduit depuis 1988 le domaine constitué par son grand-père. Né sur argile à silex, ce sauvignon présente des reflets or vert très cristallins. Les arômes complexes d'agrumes et de cassis portent le dégustateur à davantage de curiosité. L'attaque légèrement perlante, puis une évolution harmonieuse laissant la bouche fraîche, en font un vin de plaisir intense. (20 à 29 F)

Patrick Léger, La Girardière, 41110 Saint-Aignan, tél. 02.54.75.42.44, fax 02.54.75.21.14 r.-v.

DOM. DE LA GIRARDIERE
Méthode traditionnelle 1999**

○ 0,45 ha 4 000 5 à 8 €

Un blanc de blancs, ce brut composé de 15 % de chardonnay et de 85 % de chenin. La robe jaune paille est brillante ; le nez bien fruité joue sur la discrétion. Equilibré, sans nulle agressivité, voici un touraine effervescent harmonieux et plaisant, plein de fraîcheur et d'agrément. (30 à 49 F)

Patrick Léger, La Girardière, 41110 Saint-Aignan, tél. 02.54.75.42.44, fax 02.54.75.21.14 r.-v.

LA HERPINIERE Cabernet 1999***

■ 1,5 ha 8 500 5 à 8 €

Les vins vieillissent dans une ancienne carrière datant du XVe s. : des conditions idéales au service d'un bon vinificateur. Elevé en barrique pendant six mois, ce vin assemble cabernet franc (70 %) et cabernet-sauvignon issus d'un sol de perruches. A l''œil, un rubis brillant, au nez, des notes intenses de cerise. Le palais est puissant, toujours sur les fruits rouges, puis il évolue sur une solide structure tannique, gage d'un bel avenir. (30 à 49 F)

Christophe Verronneau, 16, La Vallée, 37190 Vallères, tél. 02.47.45.92.38, fax 02.47.45.92.39, e-mail laherpiniere@aol.com t.l.j. 10h-19h; f. janv.

DOM. DE LA RENNE Côt 1999**

■ n.c. 6 800 3 à 5 €

Ce cépage, qui tapissait le tiers de la vallée du Cher il y a quarante ans, révèle bien cette région. Les odeurs de griotte et de cuir annoncent une bouche ronde, encore tannique mais sans excès, puis d'un caractère affirmé. Un réel potentiel de garde. L'acheteur pourra consommer cette bouteille dès cet hiver, ou choisir de fêter le 1er janvier 2005 avec elle. (20 à 29 F)

Guy Lévêque, 1, chemin de la Forêt, 41140 Saint-Romain-sur-Cher, tél. 02.54.71.72.79, fax 02.54.71.35.07 r.-v.

CH. DE LA ROCHE Sauvignon 2000★

□ 8 ha 60 000 5à8€

Situé à 3 km du Clos Lucé où vous ne manquerez pas de découvrir les merveilleuses « machines » inventées par Léonard de Vinci, ce domaine de 75 ha propose un **touraine gamay 2000**, cité pour sa rondeur et son fruité, et ce joli flacon au nez puissant de litchis et de mangues fraîches. L'attaque vive est suivie d'une évolution onctueuse qui en font un digne représentant de la Touraine. (30 à 49 F)

⊶ SCA Dom. Chainier, Ch. de La Roche, 37530 Chargé, tél. 02.47.30.73.07, fax 02.47.30.73.09 Y r.-v.

DOM. DE LA ROCHETTE Sauvignon 2000★★

□ 15 ha 75 000 3à5€

Situé au cœur de la région des châteaux, le vignoble de François Leclair est essentiellement installé sur les coteaux bordant le Cher en première côte. Sur ces terroirs de perruches où le silex est roi, ce 2000, paré d'une belle robe claire à reflets verts ravira les amateurs. Le nez intense d'orange mûre conduit à une bouche d'une remarquable ampleur. Une bouteille qui donne l'impression de ne pas être encore à son apogée. Une bonne raison pour la garder dans sa cave un an ou deux et la servir, selon l'humeur, avec crustacés ou viande blanche. (20 à 29 F)

⊶ François Leclair, 79, rte de Montrichard, 41110 Pouillé, tél. 02.54.71.44.02, fax 02.54.71.10.94, e-mail info@vin-rochette-leclair.com ☑ Y t.l.j. 8h-11h30 14h-17h30; sam. dim. sur r.-v.

CAVES DE LA TOURANGELLE Sauvignon 2000★

□ n.c. n.c. 3à5€

Une jolie réussite pour ce touraine blanc au nez discret, à la bouche simple mais sans complexes. Un vin désaltérant à consommer entre amis. (20 à 29 F)

⊶ Les caves de La Tourangelle, 26, rue de la Liberté, 41400 Saint-Georges-sur-Cher, tél. 02.54.32.65.75, fax 02.54.71.09.61

DOM. DE L'AUMONIER Gamay 2000★

■ 12,5 ha 40 000 3à5€

Thierry Chardon est à la tête des 32 ha de ce domaine depuis 1996. Paré d'une robe foncée, ce vin offre un nez nuancé de fruits et de notes poivrées. Les premières impressions en bouche sont marquées par la rondeur puis progressivement, un caractère cassis-framboise apparaît bien dans le type. Un ensemble agréable. Aussi bien noté, le **touraine sauvignon 2000** (100 000 bouteilles) offre un ravissant bouquet de fleurs blanches mêlées au bourgeon de cassis. Tendre, équilibrée mais aussi rafraîchissante, une bouteille bien représentative. (20 à 29 F)

⊶ Thierry Chardon, Villequemoy, 41110 Couffy, tél. 02.54.75.21.83, fax 02.54.75.21.56, e-mail domaine-aumoniertchardon@wanadoo.fr ☑ Y r.-v.

PRESTIGE DE LA VALLEE DES ROIS Gamay 2000★

■ 6 ha 50 000 5à8€

Sept viticulteurs créent en 1961 cette coopérative. Aujourd'hui, ils sont cinquante-deux. Cette Vallée des Rois mérite d'être conservée encore quelque temps pour permettre aux tanins de s'assouplir. Cette bouteille aux arômes de fruits rouges dominants est tout à fait réussie. (30 à 49 F)

⊶ Confrérie des Vignerons de Oisly et Thésée, Le Bourg, 41700 Oisly, tél. 02.54.79.75.20, fax 02.54.79.75.29 ☑ Y r.-v.

DOM. LEVEQUE Cabernet 1999★

■ 4 ha 5 000 3à5€

Noyers-sur-Cher possède une église de style angevin du XIII^e^s. C'est au bord de la N 76 qu'est installé ce vignoble. D'une belle intensité colorante, friand et persistant sur des notes de cassis, voici un rouge de cabernet plaisant, à découvrir pour les fêtes de fin d'année. (20 à 29 F)

⊶ Dom. Luc Lévêque, Le Grand Mont, 41140 Noyers-sur-Cher, tél. 02.54.71.52.06, fax 02.54.75.47.65 ☑ Y t.l.j. sf dim. 8h30-12h 14h-18h30

CAVE PIERRE LOUET Cuvée Prestige 1999★

■ 1,5 ha 9 000 3à5€

Au sud de Blois, entre le fleuve Loire et la rivière Cher, cette viticultrice vous fera partager sa passion. Son 99, issu de cabernet, évoque le cassis bien mûr dans sa robe grenat profond. Rond, tannique sans excès, équilibré, il comblera les amateurs de vins simples dans un registre fruité. (20 à 29 F)

⊶ Mme Jacqueline Louet, Cave Pierre Louet, Le Marchais, 41120 Monthou-sur-Bièvre, tél. 02.54.44.01.56, fax 02.54.44.01.18 ☑ Y t.l.j. 8h-12h 14h-18h; sam. dim. sur r.-v.

DOM. LOUET-ARCOURT 1999★

■ 5 ha 7 000 3à5€

Dans le type frais et léger, voici un touraine à la robe rubis intense, aux notes de petits fruits rouges fort sympathiques. Assez rond, d'un acidulé plaisant, il fera un excellent compagnon en toutes occasions. Très réussie également, la **Cuvée de réserve côt 99**, riche et charpentée, à conserver en cave. (20 à 29 F)

🗝 EARL Dom. Louet-Arcourt, 1, rue de la Paix, Labertaudière, 41120 Monthou-sur-Bièvre, tél. 02.54.44.04.54, fax 02.54.44.15.06 ☑ 🍷 r.-v.

LOUET GAUDEFROY Cabernet 1999**

■ 3 ha 9 500 3à5€

Ce touraine, d'un beau grenat profond, a enthousiasmé le jury par son potentiel d'évolution. Les odeurs de sous-bois naissent encore timidement alors qu'un cocktail de fruits rouges explose en bouche. Très équilibré avec de jolis tanins soyeux, il offre une finale persistante. Un vin de plaisir pur. Ces deux vignerons proposent également un **touraine sauvignon 2000**, cité. (20 à 29 F)

🗝 GAEC Louet Gaudefroy, Les Sablons, 41140 Saint-Romain-sur-Cher, tél. 02.54.71.72.83, fax 02.54.71.46.53 ☑ 🍷 t.l.j. 8h-19h

JEAN-CHRISTOPHE MANDARD Sauvignon 2000**

□ 3,56 ha 25 000 5à8€

Etabli sur la rive gauche de la vallée du Cher, Jean-Christophe Mandard a su mettre en valeur de beaux terroirs à silex dans ce sauvignon 2000. Celui-ci offre des arômes intenses d'agrumes mêlés de buis et un goût frais assez vif qui revient en finale. Un vin plaisant, équilibré. Le **touraine tradition 99**, cabernet franc et côt, obtient une citation. Il faudra que les tanins se fondent. (30 à 49 F)

🗝 Jean-Christophe Mandard, Le Haut-Bagneux, 41110 Mareuil-sur-Cher, tél. 02.54.75.19.73, fax 02.54.75.16.70, e-mail mandard.jc@wanadoo.fr ☑ 🍷 r.-v.

GUY MARDON L'Elégante 2000*

□ n.c. 8 000 5à8€

Guy Mardon s'installe en 1961. Jean-Luc Mardon vient le seconder en 1995. Cela s'appelle de la continuité. Voici une bouteille de belle maturité où l'aubépine côtoie l'acacia sur des notes d'orange sanguine. Sur la langue, on trouve beaucoup de velouté avec une pointe carbonique qui rafraîchit la longue finale. Typique et réussi. (30 à 49 F)

🗝 Guy et Jean-Luc Mardon, Dom. du Pré Baron, 41700 Oisly, tél. 02.54.79.52.87, fax 02.54.79.00.45 ☑ 🍷 t.l.j. sf dim. 9h-19h

DOM. JACKY MARTEAU Sauvignon 2000

□ 8,5 ha 55 000 5à8€

A Pouillé, des fouilles ont mis au jour un village gallo-romain de potiers. Jacky Marteau est installé sur 24 ha. Le beau jaune doré brillant de ce vin introduit des notes délicates de pamplemousse mêlées d'acacia. Franc, rehaussé par un léger perlant encore présent lors de la dégustation, le palais se montre de bonne longueur. (30 à 49 F)

🗝 Jacky Marteau, 36, rue de La Tesnière, 41110 Pouillé, tél. 02.54.71.50.00, fax 02.54.71.75.83 ☑ 🍷 r.-v.

DOM. MESLIAND La Pindorgerie 2000**

□ 0,8 ha 6 000 5à8€

Sur la rive droite de la Loire, au nord-est d'Amboise, Limeray est une bourgade intéressante, riche en caveaux et où des circuits de randonnée pédestre permettent de découvrir les paysages. Ne manquez pas ce très bon vin : son nez de printemps mêle seringa et miel sur une note de pain grillé puis le gras et la rondeur emplissent la bouche de manière fort plaisante jusque dans une longue finale. A consommer en apéritif ou sur des fromages. (30 à 49 F)

🗝 Dom. Mesliand, 15 *bis*, rue d'Enfer, 37530 Limeray, tél. 02.47.30.11.15, fax 02.47.30.02.89 ☑ 🍷 t.l.j. 8h-21h; groupes sur r.-v.

DOM. MAX MEUNIER Brut***

○ n.c. 5 000 5à8€

Ce domaine, situé sur les premières côtes de la rive gauche du Cher, a été fondé en 1911. Fort de 15 ha, il propose un magnifique vin de fête. Ce touraine effervescent a taquiné les papilles du jury avec insistance, grâce à une attaque fraîche en parfait équilibre avec la plénitude des arômes fruités que l'on revisite en finale. Il est chaleureux, plein de tendresse. A acheter les yeux fermés. (30 à 49 F)

🗝 Corinne et Max Meunier, 6, rue Saint-Gennefort, 41110 Seigy, tél. 02.54.75.04.33, fax 02.54.75.39.69, e-mail maxmeunier@aol.com ☑ 🍷 r.-v.

DOM. MICHAUD Gamay 2000**

■ 4 ha 22 000 3à5€

Le domaine Michaud est une valeur sûre dans cette belle vallée du Cher et ce gamay 2000 est remarquable par sa structure et son nez légèrement poivré. Les fruits rouges sont bien présents dans ce vin flatteur et délicat. La cuvée **Ad Vitam 99 (30 à 49 F)** reprend la tradition tourangelle de l'assemblage du côt et du cabernet franc. Elle porte une robe grenat profond. Les fruits rouges (cerise) accompagnent toute la dégustation dans un bel équilibre où les tanins sont à la fois présents et fins. La cuvée obtient une étoile. (20 à 29 F)

🗝 EARL Michaud, Les Martinières, 41140 Noyers-sur-Cher, tél. 02.54.32.47.23, fax 02.54.75.39.19 ☑ 🍷 r.-v.

MONMOUSSEAU
Cuvée J. M. Brut blanc de blancs 1997**

○ 42 ha 404 535 5à8€

Filiale d'un groupe luxembourgeois depuis 1986, les caves Monmousseau ont su garder un savoir-faire local dans le domaine des effervescents. Les bulles fines de cette cuvée s'élèvent jusqu'au bord de la coupe ; les nuances fruitées apparaissent d'emblée : une véritable corbeille de fruits exotiques. La finale est équilibrée et harmonieuse. Un vrai vin de fête. (30 à 49 F)

SA Monmousseau, BP 25, 71, rte de Vierzon, 41401 Montrichard Cedex 01, tél. 02.54.71.66.66, fax 02.54.32.56.09, e-mail monmousseau@monmousseau.com ☑ Y t.l.j. 10h-18h; groupes sur r.-v.; f. sam. dim. 1er nov.-31 mars

Bernard Massard

CH. DE MONTFORT 1999*

□ 5,58 ha 10 000 3à5€

Beaucoup de tendresse dans ce vin blanc 99 à base de chenin et à la robe jaune pâle. Son nez très expressif privilégie le miel ; la bouche où les notes miellées reviennent en finale se montre équilibrée. Ce n'est pas écrit sur l'étiquette, mais ce vin correspond à la définition d'un « sec tendre » avec ses 5 g/l de sucres résiduels. (20 à 29 F)

SC Ch. de Montfort, Les Quarts, 37210 Chançay, tél. 02.47.52.14.57, fax 02.47.52.06.09 Y r.-v.

SA Blanc Foussy

DOM. DE MONTIGNY Côt 1999*

■ 1 ha 5 500 3à5€

Depuis 1998, l'entreprise familiale a changé de génération. Voici donc la deuxième vendange pour Annabelle : tout en rondeur comme son étiquette, ce touraine à la robe foncée dégage de fins arômes de griotte mêlés de cuir. Bien structuré, puissant, il ravira les amateurs de ce vieux cépage tourangeau à l'originalité affirmée. (20 à 29 F)

Annabelle Michaud, Dom. de Montigny, 41700 Sassay, tél. 02.54.79.60.82, fax 02.54.79.07.51 ☑ Y r.-v.

DOM. OCTAVIE Sauvignon 2000

□ 10,37 ha 50 000 5à8€

Octavie est le nom de la première propriétaire de ces vignes, en 1885 ; ses descendants, Isabelle et son mari Noë, conduisent aujourd'hui près de 23 ha. La modernité des installations de leur domaine n'a pas modifié l'identité forte de leurs vins. Ce 2000, à la robe pâle, révèle une intensité aromatique complexe où se mêlent agrumes et buis. Souple et enveloppante, la finale est chaleureuse. (30 à 49 F)

Noë Rouballay, Dom. Octavie, Marcé, 41700 Oisly, tél. 02.54.79.54.57, fax 02.54.79.65.20, e-mail octavie@netcourrier.com ☑ Y t.l.j. 9h-12h30 14h-18h30; dim. sur r.-v.

JAMES PAGET Cuvée Tradition 1999*

■ 1,5 ha 8 000 5à8€

James Paget, qui produit d'excellents rosés de touraine-azay-le-rideau, propose un touraine Tradition très flatteur, équilibré, aux tanins soyeux. Ses arômes discrets et sa légèreté agréable au palais en font un vin de viandes blanches. (30 à 49 F)

EARL James Paget, 13, rue d'Armentières, 37190 Rivarennes, tél. 02.47.95.54.02, fax 02.47.95.45.90 ☑ Y r.-v.

CAVES DU PERE AUGUSTE
Côt 1999**

■ 8 ha 20 500 3à5€

Propriété créée en 1850 par les ancêtres de Robert Godeau à 1 km du château de Chenonceau, cette cave est réputée pour l'accueil chaleureux qu'elle réserve aux amateurs. Le lecteur sera aussi séduit par ce vin d'une couleur soutenue, aux arômes de griotte sur une pointe de fraîcheur poivrée. Elégant, doté de tanins adoucis, ce 99 sera sans aucun doute un excellent ambassadeur de la Touraine. Autre vin retenu avec une étoile, le **gamay 2000** est bien structuré ; il sera agréable jusqu'aux vendanges 2002. (20 à 29 F)

Robert Godeau, Caves du Père Auguste, 14, rue des Caves, 37150 Civray-de-Touraine, tél. 02.47.23.93.04, fax 02.47.23.99.58 ☑ Y t.l.j. sf dim. 9h-12h 14h-19h

DOM. DES QUATRE VENTS
Vieilles vignes 1999*

■ n.c. 15 000 5à8€

Un bien joli vin reprenant dans sa composition les cépages originels de la vallée : le côt et le cabernet. D'un bel équilibre, il offre un nez puissant, légèrement vineux, puis des arômes de fruits rouges dans une bouche charnue et longue. (30 à 49 F)

José Marteau, La Rouerie, 41400 Thenay, tél. 02.54.32.50.51, fax 02.54.32.18.52 ☑ Y t.l.j. 8h-12h15 14h-19h; dim. 8h-12h15

CH. DE QUINÇAY 1999

■ 5 ha 8 000 5à8€

Ce château fut construit en 1830. D'une jolie couleur grenat, ce touraine apparaît franc. Ses arômes de pivoine et de venaison acompagnent une belle structure dont les tanins encore très jeunes en finale ne demandent qu'à évoluer avec un à deux ans de garde. Prêt pour cet automne, le **touraine sauvignon 2000 (20 à 29 F)** est cité pour son agréable équilibre et ses parfums floraux. (30 à 49 F)

Cadart Père et fils, Ch. de Quinçay, 41130 Meusnes, tél. 02.54.71.00.11, fax 02.54.71.77.72 ☑ Y r.-v.

SEIGNEUR CLEMENT
DU DOMAINE DE RIS 1999*

■ 2 ha 8 000 5à8€

La Claise, petite rivière, est bordée de beaux coteaux parfois couverts de vigne. On peut la longer pour découvrir ses paysages et ses églises romanes mais aussi des domaines viticoles

LOIRE

comme celui-ci. D'une couleur légèrement évoluée, ce touraine au nez de fraise mêlé de venaison se révèle gouleyant et bien dans le type frais des vins du Val de Loire. A consommer dès cet hiver. (30 à 49 F)

Dom. de Ris, 37290 Bossay-sur-Claise, tél. 02.47.94.64.43, fax 02.47.94.68.46 t.l.j. sf dim. 17h30-19h; sam. 10h-12h 14h-19h

Gilbert Sabadié

JEAN-FRANCOIS ROY Côt 1999*

1,5 ha n.c. 5 à 8 €

Vigneron sur l'appellation valençay, Jean-François Roy cultive également, sur les terroirs de l'AOC touraine, du côt qu'il élève un an sous bois. Celui-ci, d'une agréable couleur vive, révèle de fines notes vanillées sur une belle structure équilibrée. Le boisé domine actuellement et en fait un vin atypique de l'appellation, mais fort intéressant pour les amateurs avertis. Il a suffisamment de matière pour vieillir trois à quatre ans. (30 à 49 F)

Jean-François Roy, 3, rue des Acacias, 36600 Lye, tél. 02.54.41.00.39, fax 02.54.41.06.89 r.-v.

DOM. SAUVETE Privilège 1999*

3 ha 10 000 5 à 8 €

N'hésitez pas à devenir un privilégié en achetant ce beau vin à la robe grenat, aux odeurs de fruits rouges affirmés, né de 70 % de côt et de 30 % de cabernet. La structure gustative apparaît aujourd'hui dominée par les tanins : un certain temps de vieillissement (quatre à cinq ans) permettra de l'apprécier pleinement. (30 à 49 F)

Dom. Sauvète, chemin de La Bocagerie, 41400 Monthou-sur-Cher, tél. 02.54.71.48.68, fax 02.54.71.75.31 t.l.j. sf dim. 9h-12h 14h-19h

DOM. DES SEIGNEURS Pineau d'Aunis 2000*

2 ha 14 500 -3 €

Laurent Avignon a repris le domaine familial en 1994. Il propose un rosé très élégant à la robe grisée et au nez printanier. Ici, le pineau d'Aunis s'exprime discrètement, mais la structure et la longueur en finale sont excellentes. (– 20 F)

Dom. des Seigneurs, Les Tassins, 41110 Couffy, tél. 02.54.75.01.01, fax 02.54.75.39.31 r.-v.

DOM. MICHEL VAUVY Sauvignon 2000

4 ha 10 000 5 à 8 €

D'apparence dorée avec un nez d'une belle complexité, ce vin permettra aux non-initiés de découvrir le touraine blanc en l'associant aux moules marinières. (30 à 49 F)

Michel Vauvy, 81, rue Nationale, 41140 Noyers-sur-Cher, tél. 02.54.75.26.57, fax 02.54.75.26.57 r.-v.

Lumière et odeurs sont les ennemis du vin : attention à votre cave !

Touraine noble-joué

Présent à la cour du roi Louis XI, il est au sommet de sa renommée au XIXe s. Grignoté par l'urbanisation de la ville de Tours, le vignoble, qui faillit disparaître, renaît sous l'impulsion de vignerons qui le reconstituent. Ce vin gris issu des pinot meunier, pinot gris et pinot noir, a aujourd'hui repris sa place historique par sa consécration en AOC.

REMI COSSON 2000

1,7 ha 5 000 3 à 5 €

Dans sa robe œil de perdrix, ce rosé surprend par ses arômes intenses de confiture cuite qui font merveille. En bouche, la cerise domine ; la finale est bien dans le type frais que l'on est en droit d'attendre de cette nouvelle appellation. (20 à 29 F)

Rémi Cosson, La Hardellière, 37320 Esvres-sur-Indre, tél. 02.47.65.70.63 r.-v.

ANTOINE DUPUY 2000

4 ha 15 000 3 à 5 €

L'apparence est gris rosé ; le nez très fin et fort discret ainsi que la bouche bien fraîche font de cette bouteille un excellent vin d'après-midi. La finale est pointue sans exagération. (20 à 29 F)

EARL Antoine Dupuy, Le Vau, 37320 Esvres-sur-Indre, tél. 02.47.26.44.46, fax 02.47.65.78.86 r.-v.

JEAN-JACQUES SARD 2000

3,8 ha 13 000 3 à 5 €

Une robe gris pâle aux flatteurs arômes empyreumatiques très présents. En bouche, rondeur et vivacité se côtoient harmonieusement, laissant une impression d'élégance naturelle. Un joli produit à découvrir. (20 à 29 F)

Jean-Jacques Sard, La Chambrière, 37320 Esvres-sur-Indre, tél. 02.47.26.42.89, fax 02.47.26.57.59 r.-v.

Touraine-amboise

De part et d'autre de la Loire sur laquelle veille le château des XVe et XVIe s., non loin du manoir du Clos-Lucé où vécut et mourut Léonard de Vinci, le vignoble de l'appellation touraine-amboise (150 à 200 ha) produit surtout des vins rouges (10 815 hl) à partir du gamay, du côt et du cabernet franc. Ce sont des vins pleins, avec des tanins légers ; lorsque côt et cabernet dominent, les vins ont une certaine aptitude au vieillissement. Les mêmes cépages donnent des rosés secs et tendres, fruités et bien typés. Secs à demi-secs selon les années, avec une certaine aptitude au vieillissement, les blancs ont représenté 1 799 hl en 2000.

DOM. DES BESSONS
Cuvée François Ier 1999*

■ 1 ha 8 000 3à5€

L'église de Limeray renferme une Sainte-Madeleine en pierre du XVIe s. qui mérite votre visite. Puis, dans la rue de Blois, vous découvrirez ce touraine-amboise de belle facture, aux notes épicées et à l'équilibre parfait dans l'assemblage des trois cépages de cette appellation. Le terroir est bien présent. A consommer tous les dimanches. (20 à 29 F)

François Péquin, Dom. des Bessons, 113, rue de Blois, 37530 Limeray, tél. 02.47.30.09.10, fax 02.47.30.02.25 t.l.j. sf dim. 9h-19h

GUY DURAND
Cuvée HM Moelleux 1999**

□ 1 ha 1 200 8à11€

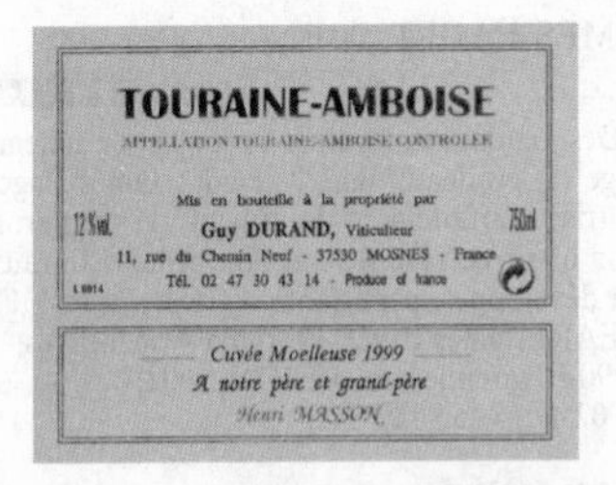
TOURAINE-AMBOISE
APPELLATION TOURAINE-AMBOISE CONTROLEE
Mis en bouteille à la propriété par Guy DURAND, Viticulteur
11, rue du Chemin Neuf - 37530 MOSNES - France
Tél. 02 47 30 43 14 - Produce of France
12 %vol. 750ml
Cuvée Moelleuse 1999
A notre père et grand-père
Henri MASSON

Le chenin est décidément l'un des cépages roi des blancs lorsqu'il est conduit par un vigneron talentueux comme Guy Durand. Un rendement de grand cru, une attente patiente d'une maturité optimale ont permis d'élaborer cette cuvée dédiée au fondateur de ce domaine. De la poire, de la rhubarbe confite, voici un superbe vin de vendange surmûrie, où la finale de miel persistante crée la surprise. (50 à 69 F)

Guy Durand, 11, Chemin-Neuf, 37530 Mosnes, tél. 02.47.30.43.14, fax 02.47.30.43.14 t.l.j. 8h-20h

DOM. DUTERTRE Clos du Pavillon 1999

□ 4 ha 7 000 5à8€

Un domaine où la qualité a toujours été prioritaire, ce que ce blanc sec à l'intensité minérale affirmée ne démentira pas. Encore fermé au moment de la dégustation, ce 99 laisse cependant des notes miellées apparaître en finale, ce qui laisse présager un apogée à la fin de cette année. (30 à 49 F)

Dom. Dutertre, 20-21, rue d'Enfer, 37530 Limeray, tél. 02.47.30.10.69, fax 02.47.30.06.92 t.l.j. 8h-12h30 14h-18h; dim. sur r.-v.

DOM. DE LA PERDRIELLE 2000

◪ 1 ha 5 500 3à5€

Une belle robe saumonée parsemée de fines bulles liées au gaz carbonique encore présent lors de la dégustation : ce rosé de saignée ravira les amateurs de vins aux notes fermentaires affirmées comme la banane. Persistante, la finale est rafraîchissante. (20 à 29 F)

EARL Gandon, Dom. de La Perdrielle, 24, Vallon de Vauriflé, 37530 Nazelles-Négron, tél. 02.47.57.31.19, fax 02.47.57.77.28, e-mail vgandon@club-internet.fr t.l.j. 9h-12h30 14h-19h; dim. sur r.-v.

DOM. DE LA PREVOTE 2000**

◪ 10 ha 15 000 3à5€

La maison Bonnigal fait preuve d'un grand savoir-faire dans l'assemblage des cépages rouges cultivés dans cette appellation. La robe est d'un joli rosé saumoné ; le nez intense de fruits rouges, où se mêlent cassis et fraise, se marie parfaitement avec l'élégance et la fraîcheur de la bouche. (20 à 29 F)

Dom. de La Prévôté, GAEC Bonnigal, 17, rue d'Enfer, 37530 Limeray, tél. 02.47.30.11.02, fax 02.47.30.11.09 r.-v.

DOM. DE LA RIVAUDIERE 2000*

◪ 1 ha 7 000 5à8€

Coup de cœur l'an dernier pour un 98 rouge, ce domaine présente en 2000 un fort joli rosé à la couleur saumonée et tout en fruits rouges. Très rond, équilibré, un brin chaleureux, il finit sur une pointe de fraîcheur agréable. (30 à 49 F)

EARL Perdriaux, 3, Les Glandiers, 37210 Vernou-sur-Brenne, tél. 02.47.52.02.26, fax 02.47.52.04.81 r.-v.

DOM. DE LA TONNELLERIE 1999*

□ 1 ha 1000 3à5€

Un ancêtre tonnelier en 1850 a inspiré le nom du domaine qui possède depuis 1996 une enseigne représentant... le tonnelier et ses douelles. Jeune vigneron amoureux de son métier, Vincent Péquin a réalisé un très beau vin blanc à la couleur dorée qui fleure bon le miel. Il est droit, fort réussi pour le millésime 99. (20 à 29 F)

Vincent Péquin, 71, rue de Blois, 37530 Limeray, tél. 02.47.30.13.52, fax 02.47.30.06.23 t.l.j. sf dim. 8h-20h

L'OREE DES FRESNES 1999

■ 1 ha 6 000 5à8€

Depuis 1990, Xavier Frissant conduit ce domaine. Il a assemblé à parts égales côt et cabernet franc âgés d'une trentaine d'années pour élaborer ce vin qui sera parfait sur le gibier pour les fêtes de fin d'année. Une couleur soutenue et des arômes concentrés et persistants sur des tanins soyeux en font un hôte à inviter à sa table. (30 à 49 F)

⊶ Xavier Frissant, 1, chem. Neuf, 37530 Mosnes, tél. 02.47.57.23.18, fax 02.47.57.23.25, e-mail xavierfrissant@wanadoo.fr
☑ Ɪ t.l.j. 8h-12h30 14h-19h; dim. sur r.-v.

DOM. MESLIAND
La Besaudière Cuvée François Ier 1999★

■ 0,54 ha 4 000 ⏣ 5à8€

Une cuvée François Ier élevée six mois sous bois et fort réussie. Ses arômes complexes mêlent fruits rouges et réglisse. Les tanins présents sont bien fondus dans la richesse et le velouté de ce vin. Le respect des vignes et de la vendange n'est pas étranger à ce très beau résultat. (30 à 49 F)

⊶ Dom. Mesliand, 15 *bis*, rue d'Enfer, 37530 Limeray, tél. 02.47.30.11.15, fax 02.47.30.02.89 ☑ Ɪ t.l.j. 8h-21h; groupes sur r.-v.

ROLAND PLOU ET SES FILS 1999★

□ 3 ha 10 000 ▮🌡 3à5€

Ce domaine familial est situé à 4 km du château d'Amboise. Une superbe intensité aromatique caractérise son blanc 99 qui accompagnera la charcuterie et le poisson. La finale, équilibrée, d'une vivacité modérée, est très appréciée par les dégustateurs. (20 à 29 F)

⊶ EARL Plou et Fils, 26, rue du Gal-de-Gaulle, 37530 Chargé, tél. 02.47.30.55.17, fax 02.47.23.17.02, e-mail rplou@terre-net.fr
☑ Ɪ t.l.j. 9h-13h 15h-19h30

VIGNOBLE DES QUATRE ROUES 1999

■ 1 ha 5 000 ▮ 3à5€

Pocé-sur-Cisse, à 3 km d'Amboise sur la rive droite de la Loire, possédait au XIXes. une fonderie d'art dont on peut voir quelques productions dans l'église. Voici un joli vin de découverte de l'appellation aux odeurs de sous-bois et d'épices qui resurgissent en bouche. Les tanins encore présents au moment de la dégustation devraient s'assouplir rapidement. (20 à 29 F)

⊶ Vignoble des Quatre Roues, 27, Fourchette, 37530 Pocé-sur-Cisse, tél. 02.47.57.26.96, fax 02.47.57.26.96 ☑ Ɪ r.-v.

Touraine-azay-le-rideau

Produits sur 150 ha, répartis sur les deux rives de l'Indre, les vins ont ici l'élégance du château qui se reflète dans la rivière et dont ils ont pris le nom. La moitié sont des blancs (955 hl en 2000) ; secs à tendres, particulièrement fins, vieillissant bien, ils sont issus du cépage chenin blanc (ou pineau de la Loire). Les cépages grolleau (60 % minimum de l'assemblage), gamay, côt (avec au maximum 10 % de cabernets) donnent des rosés secs et très friands (1 689 hl).

Les vins rouges ont l'appellation touraine.

THIERRY BESARD 2000

◪ 0,47 ha 1 500 ▮🌡 3à5€

Ici, c'est le grolleau, cépage qui s'épanouit sur les rives de la Loire et de l'Indre, qui donne ce vrai rosé au fruité affirmé et distingué. Un vin rafraîchissant qu'il conviendra de servir avec une volaille tourangelle à la broche ou des rillettes de Tours. (20 à 29 F)

⊶ Thierry Besard, 10, Les Priviers, 37130 Lignières-de-Touraine, tél. 02.47.96.85.37, fax 02.47.96.41.98 ☑ Ɪ r.-v.

CH. DE LA ROCHE 1999★

□ 1,74 ha 9 800 ▮🌡 5à8€

Magnifique manoir situé au cœur du vignoble, dominant les vallées de la Loire et de l'Indre, le domaine de La Roche bénéficie d'un microclimat très favorable à la culture du pineau de la Loire ou chenin. Ce 99 tout en nuances valorisera vos plats de viandes blanches de Touraine. (30 à 49 F)

⊶ Ch. de La Roche, La Roche, 37190 Cheillé, tél. 02.47.45.46.05, fax 02.47.45.29.60, e-mail gentil.la-roche@wanadoo.fr ☑ Ɪ t.l.j. 9h-12h30 14h-19h

JAMES PAGET 2000★

◪ 2 ha 10 000 ▮🌡 5à8€

Des vendanges tardives et un habile assemblage de grolleau, gamay et côt : James Paget maîtrise parfaitement le travail du vigneron pour offrir ce rosé délicat aux arômes floraux fort développés, persistants et frais. (30 à 49 F)

⊶ EARL James Paget, 13, rue d'Armentières, 37190 Rivarennes, tél. 02.47.95.54.02, fax 02.47.95.45.90 ☑ Ɪ r.-v.

PASCAL PIBALEAU 2000

◪ 3 ha 10 000 ▮ 5à8€

Représentant la quatrième génération de vignerons, Pascal Pibaleau s'est installé en 1996. Il a su, avec ses vignes de grolleau âgées de quarante ans, fournir un rosé friand à la couleur rose vif, très tendre, qui fera merveille sur les charcuteries fines. Cité également, le **blanc 99** bien aromatique. (30 à 49 F)

⊶ EARL Pascal Pibaleau, 68, rte de Langeais, 37190 Azay-le-Rideau, tél. 02.47.45.27.58, fax 02.47.45.26.18, e-mail pascal.pibaleau@wanadoo.fr ☑ Ɪ t.l.j. sf dim. 8h-12h30 13h30-19h

FRANCOIS ROLLAND 1999★

□ 1,07 ha 1000 ▮⏣ 3à5€

L'église de Lignières-de-Touraine, fondée au XIIes., renferme des fresques du XIIIes. Après les avoir admirées, laissez-vous tenter par cette bouteille. Celle-ci devra attendre quelques mois pour permettre aux notes boisées de se fondre dans les notes citronnées fort agréables et dans la richesse en bouche. Une belle image de l'expression du terroir sur le chenin. (20 à 29 F)

Francis Rolland, 30, rue de Villandry, 37130 Lignières-de-Touraine, tél. 02.47.96.83.55, fax 02.47.96.69.08 r.-v.

ERIC TOULME 2000*

◪ 1,86 ha 1 164 3à5€

A Azay-le-Rideau, vous emprunterez la D 57 pour joindre Lignières-de-Touraine, où Eric Toulmé conduit les 5,5 ha du vignoble familial. Sous une robe de couleur crevette brillante, ce rosé aux notes de framboise affirmées présente en bouche des nuances de biscotte et de pain grillé du plus bel effet. Il sera le compagnon des rillons chauds et autres charcuteries. (20 à 29 F)

EARL Eric Toulmé, 2, Les Carrés, 37130 Lignières-de-Touraine, tél. 02.47.96.72.36, fax 02.47.96.69.69 r.-v.

Touraine-mesland

Sur la rive droite de la Loire, au nord de Chaumont et en aval de Blois, le vignoble d'appellation couvre 200 ha. 6 199 hl ont été produits en 2000 dont 851 en blanc ; les sols sont perrucheux (argile à silex à couverture localement sableuse - miocène - ou limono-sableuse). La production de vins rouges est abondante ; issus du gamay assemblé avec du cabernet et du côt, ceux-ci sont bien structurés et typés. Comme les rosés, les blancs (issus surtout du chenin) sont secs.

DOM. D'ARTOIS 2000

■ 10 ha 70 000 3à5€

Sous une robe grenat soutenu, ce vin aux arômes de fruits épicés présente indéniablement des qualités que le vieillissement en bouteille fera ressortir. Le tanin s'exprime mais avec mesure. La finale est douce. (20 à 29 F)

SCEA Dom. d'Artois, La Morandière, 41150 Mesland, tél. 02.54.70.24.72, fax 02.54.70.24.72 r.-v.

J.L. Saget

CH. GAILLARD 2000**

□ 5 ha 30 000 5à8€

Partisan du respect du terroir et de la vigne, Vincent Girault a merveilleusement réussi ce blanc 2000 aux arômes de coing et d'humus. Cette bouteille fait preuve de beaucoup de caractère et de dynamisme en bouche. (30 à 49 F)

Ch. Gaillard, 41150 Mesland, tél. 02.54.70.25.47, fax 02.54.70.28.70 r.-v.

Vincent Girault

CLOS DE LA BRIDERIE Vieilles vignes 2000**

■ n.c. 48 000 5à8€

Voici un touraine-mesland que vous retrouverez sûrement sur toutes les grandes tables étoilées de la région. Cette cuvée a séduit le grand jury par son extrême homogénéité : une robe soutenue ; un nez puissant et complexe où se mêlent fruits mûrs, épices et grillé ; une présence en bouche qui n'en finit plus. Du grand art que les dégustateurs du Guide ont salué d'un coup de cœur. A noter également le joli **rosé 2000**, une étoile, aux notes de pamplemousse toniques. (30 à 49 F)

J. et F. Girault, Clos de La Briderie, 41150 Monteaux, tél. 02.54.70.28.89, fax 02.54.70.28.70 r.-v.

DOM. DE LUSQUENEAU 2000*

◪ n.c. 13 600 3à5€

D'un bel aspect limpide, bien structuré, plein, ferme et frais, ce rosé dévoile des notes de fruits mûrs. Il devrait faire une bouteille agréable à déguster à la sortie du Guide. (20 à 29 F)

SCEA Dom. de Lusqueneau, rue du Foyer, 41150 Mesland, tél. 02.54.70.25.51, fax 02.54.70.27.49

DOM. DE RABELAIS 2000

◪ n.c. n.c. 3à5€

Un rosé puissant, masquant quelque peu le fruité attendu dans ce type de vin. Une finale agréable conclut la dégustation de cette bouteille à la jolie teinte claire. (20 à 29 F)

Chollet, 23, chem. de Rabelais, 41150 Onzain, tél. 02.54.20.79.50, fax 02.54.20.79.50 r.-v.

DOM. DES TERRES NOIRES 2000

◪ 0,4 ha 2 000 3à5€

Les trois frères Rediguère créent leur GAEC en 1993 sur la rive droite de la Loire. Leur rosé est paré d'une jolie robe rose soutenu ; le nez intense de fruits rouges fleure bon le printemps et sa fraîcheur matinale que l'on retrouve en finale sans excès. Un vin à consommer entre amis pour découvrir cette appellation. (20 à 29 F)

GAEC des Terres Noires, 81, rue de Meuves, 41150 Onzain, tél. 02.54.20.72.87, fax 02.54.20.85.12 t.l.j. 9h-19h

JACQUES VEUX 2000

◪ 1 ha 2 400 3à5€

Un rosé de gamay à la robe élégamment grisée. Plein et ferme, il dégage lors de la dégusta-

LOIRE

tion une forte impression de sérénité. Un joli flacon. (20 à 29 F)

Jacques Veux, 3 *bis*, Château-Gaillard, 41150 Mesland, tél. 02.54.70.26.27 t.l.j. 10h-19h

Bourgueil

A partir du cépage cabernet-franc ou breton, 75 598 hl de vins rouges ont été produits en 2000 sur les 1 250 ha du vignoble d'appellation contrôlée bourgueil, à l'ouest de la Touraine et aux frontières de l'Anjou, sur la rive droite de la Loire. Racés, dotés de tanins élégants, ils ont une très bonne aptitude au vieillissement, après une cuvaison longue, s'ils proviennent des sols sur tuffeau jaune des coteaux. Leur évolution en cave peut alors durer plusieurs dizaines d'années pour les meilleurs millésimes (1976, 1989, 1990 par exemple). Ils sont plus gouleyants et fruités s'ils proviennent des terrasses aux sols graveleux à sableux. Quelques centaines d'hectolitres sont vinifiés en rosés secs. Il est à noter que les viticulteurs membres de la coopérative de Restigné (un quart du bourgueil) reprennent leurs vins et les élèvent souvent dans leur propre cave.

YANNICK AMIRAULT
Le Grand Clos 1999★★

■ 1,5 ha n.c. 8 à 11 €

Quel vin faut-il décrire en premier ? Le Grand Clos ou **La Coudraye (30 à 49 F)** ? Deux belles cuvées à faire rêver tous les amateurs de bourgueil qui y trouveront concentration, richesse, volume et tanins soyeux. Le Grand Clos a un nez de mûre très légèrement vanillé, et une finale sans fin. L'harmonie est atteinte. La Coudraye est issue de jeunes vignes ce qui ne lui enlève pas ses mérites, au contraire. On note seulement en cours de dégustation un caractère de fraîcheur qui confirme ses origines. Deux vins remarquables proposés en coup de cœur et qui sont arrivés en troisième et quatrième places dans le grand jury. (50 à 69 F)

Yannick Amirault, 5, Pavillon du Grand Clos, 37140 Bourgueil, tél. 02.47.97.78.07, fax 02.47.97.94.78 r.-v.

JEAN-MARIE AMIRAULT
Cuvée Prestige 1999★

■ 2 ha 5 000 5 à 8 €

Un vin qui jouera son rôle dans un repas familial détendu... Pas compliquée, cette cuvée très fruitée où domine le cassis. La structure tannique souple et ronde, suffisante pour donner du corps sans prétendre à une vocation de garde, finit sur une note élégante. Un 99 flatteur, comme on l'aime parfois à Bourgueil, et que l'on invite à table facilement. (30 à 49 F)

Jean-Marie Amirault, La Motte, 37140 Benais, tél. 02.47.97.48.00, fax 02.47.97.48.00, e-mail jm.amirault.vins@wanadoo.fr r.-v.

HUBERT AUDEBERT
Vieilles vignes 1999★

■ 2 ha 12 000 5 à 8 €

On est assez traditionnels chez les Audebert qui mènent un gentil vignoble de près de 10 ha sur les sables de Restigné. Les vins y sont généralement frais et subtils. C'est le cas de celui-ci, bien construit, sans aspérités, avec un volume suffisant. Les senteurs rappellent le sous-bois et donnent une finale plaisante. Cette bouteille peut prendre patience un ou deux ans en cave. La cuvée **Jolinet 99** est plus marquée par son terroir de sable. Elle obtient une citation et peut être servie à table dès maintenant. (30 à 49 F)

Hubert Audebert, 5, rue Croix-des-Pierres, 37140 Restigné, tél. 02.47.97.42.10, fax 02.47.97.77.53 r.-v.

VIGNOBLE AUGER 1999★

■ 20 ha 15 000 5 à 8 €

C'est déjà un beau vignoble que gère Christian Auger avec ses 20 ha. Les terroirs sont très diversifiés mais Christian les assemble pour faire une seule cuvée qui devrait être représentative de l'appellation. Elle l'est par son nez qui « respire » le cabernet franc, par sa bouche bien structurée, tonique même, tout en étant élégante et harmonieuse. Une belle bouteille qui a la capacité de vieillir. (30 à 49 F)

Vignoble Auger, 58, rte de Bourgueil, 37140 Restigné, tél. 02.47.97.41.37, fax 02.47.97.49.78 r.-v.

CATHERINE ET PIERRE BRETON
Les Galichets 1999★

■ 3 ha 10 000 8 à 11 €

Trois hectares pour cette cuvée des Galichets produite en agriculture biologique soumise à contrôle. L'élevage s'est fait en fût de chêne, ce qui a donné des arômes de vanille bien prononcés au nez et en bouche ; mais conduit avec savoir-faire, il a arrondi et mûri ses tanins autour d'un fruité bien présent. (50 à 69 F)

Pierre et Catherine Breton, 8, rue du Peu-Muleau, Les-Galichets, 37140 Restigné, tél. 02.47.97.30.41, fax 02.47.97.46.49, e-mail catherinetpierre.breton@libertysurf.fr r.-v.

BRUNO ET ROSELYNE BRETON
Elevé en fût de bois 1999★

■ 3 ha 16 000 5 à 8 €

C'est la souplesse des tanins qui étonne le dégustateur dans cette cuvée en provenance d'un terroir de 3 ha sur les 20 ha que cultivent Bruno et Roselyne Breton. De ce fait, la bouche est souple et très fruitée. C'est un vin plaisir à boire

sans attendre, par exemple sur des charcuteries qu'il n'écrasera pas de sa puissance.
(30 à 49 F)
Roselyne et Bruno Breton, EARL du Carroi, 45, rue Basse, 37140 Restigné,
tél. 02.47.97.31.35, fax 02.47.97.49.00 r.-v.

DOM. DU CHENE ARRAULT
Cuvée Vieilles vignes 1999**

■ 1,33 ha 8 000 5à8€

Un regroupement des exploitations des grands-parents paternels et maternels a abouti en 1990 à la constitution de ce joli domaine de 13 ha. Nez fruité qui évoque aussi le sous-bois, tanins d'intensité moyenne sans agressivité et finale qui laisse une impression de cuit : ce joli vin peut encore évoluer si on le souhaite mais le jury l'aime déjà. La **cuvée du Chêne Arrault** a obtenu une citation : elle est souple et légère, prête. (30 à 49 F)
Christophe Deschamps, 4, Le Chêne-Arrault, 37140 Benais, tél. 02.47.97.46.71,
fax 02.47.97.82.90,
e-mail domaine.du.chene.arrault@wanadoo.fr
r.-v.

SERGE DUBOIS Cuvée Prestige 1999*

■ 2,5 ha 15 000 5à8€

Serge Dubois a su mener son entreprise depuis son installation en 1973. Partant de 2 ha, il est maintenant à la tête d'un beau vignoble de 14 ha. Tout récemment, il a construit un chai fonctionnel où il pourra travailler à l'aise. Cette cuvée Prestige offre un nez très développé évoquant successivement le lilas, la fumée et le chêne. Les tanins sont présents mais déjà bien érodés et enrobés par de la matière. L'harmonie est déjà correcte mais deux ou trois ans de garde, voire davantage, ne sont pas interdits : ce vin gagnera encore en complexité. (30 à 49 F)
Serge Dubois, 49, rue de Lossay, 37140 Restigné, tél. 02.47.97.31.60, fax 02.47.97.43.33,
e-mail serge.dubois9@wanadoo.fr r.-v.

LAURENT FAUVY 1999*

■ 3 ha 4 000 3à5€

Sur Benais, les vignerons sont gâtés : lorsque la vinification est bien menée, les vins y sont de belle constitution. C'est bien le cas de celui-ci avec sa bouche ronde, charnue, d'une bonne longueur. Laurent Fauvy présente une **cuvée Vieilles vignes (30 à 49 F)** du même style, aussi bien notée. Deux jolies bouteilles qui devraient faire leur chemin. (20 à 29 F)
Laurent Fauvy, 14, rte de Saint-Gilles,
37140 Benais, tél. 02.47.97.46.67,
fax 02.47.97.95.45 r.-v.

DOM. DES FORGES
Cuvée Vieilles vignes 1999*

■ 4 ha 15 000 5à8€

L'atelier où opérait jadis le maréchal-ferrant est devenu la maison du vigneron, entourée de 18 ha de vignes. Un des ancêtres de Jean-Yves Billet tenait son journal et notait en 1846 qu'il récoltait « un vin de première classe en quantité convenable ». La cuvée Vieilles vignes est certainement de première classe. Pour la quantité, faisons confiance à ce vigneron pour modérer ses rendements. On trouve dans ce vin beaucoup de fruit au nez et en bouche avec une légère évocation de café et de fumée. Les tanins sont à leur place, ce qui lui donne de la rondeur et un bon équilibre. La finale élégante a un petit goût de « revenez-y ». La **cuvée des Bezards 99** obtient la même note : des vins presque jumeaux.
(30 à 49 F)
Jean-Yves Billet, Dom. des Forges, pl. des Tilleuls, 37140 Restigné, tél. 02.47.97.32.87,
fax 02.47.97.46.47,
e-mail J.Y.Billet@wanadoo.fr r.-v.

DOM. DES GALLUCHES
Cuvée Tradition 1999*

■ 3 ha 12 000 5à8€

James Petit a repris en 1997 le domaine de son oncle Jean Gambier aujourd'hui retiré mais qui est resté une personnalité du Bourgueillois. Le vignoble couvre une superficie de plus de 16 ha sur la première terrasse de l'appellation. La robe cerise bien mûre de cette cuvée est plaisante. Le nez discret, droit, « bretonne » puisqu'il évoque le poivron vert caractéristique du cabernet franc. La bouche, richement dotée en arômes de réglisse, noix et tabac, explose. Les tanins pourraient s'atténuer un peu : c'est un travail de un ou deux ans de conservation.
(30 à 49 F)
James Petit, La Petite Mairie, 37140 Restigné, tél. 02.47.97.30.13 r.-v.
Jean Gambier

DOM. DES GELERIES
Cuvée Prestige 1999

■ 1,5 ha 6 000 5à8€

Femme courageuse, Jeannine Rouzier-Meslet a repris le vignoble de son mari lorsqu'il a pris sa retraite. Elle est aujourd'hui aidée par son fils. Elle a reçu Pierre Tchernia récemment et ensemble, entre deux verres, ils ont certainement commenté l'actualité cinématographique. Sa cuvée Prestige élevée trois mois en fût de chêne surprend par sa forte structure. On y sent des tanins soutenus qui mériteraient de mûrir. Le fruit ne manque pas par ailleurs. C'est un vin qui ne risque rien à attendre un peu.
(30 à 49 F)
Jeannine Rouzier-Meslet, 2, rue des Gélé-ries, 37140 Bourgueil, tél. 02.47.97.72.83,
fax 02.47.97.48.73 r.-v.

DOM. DES GESLETS
Cuvée de Garde 1999**

■ 2,1 ha 9 400 8à11€

Vincent Grégoire a pris en 1988 la suite de son père qui avait déjà donné un bon élan au domaine. Il travaille beaucoup en foudres et barriques, soucieux de la constitution de ses vins. Cette cuvée de garde est remarquable par sa grande richesse et la dimension de ses tanins. Ceux-ci, fortement présents, sont bien émoussés et mariés à la matière. Un 99 qui doit absolument attendre en cave un an ou deux.
(50 à 69 F)

🔑 EARL Vincent Grégoire, Dom. des Geslets, 37140 Bourgueil, tél. 02.47.97.97.06, fax 02.47.97.73.95, e-mail domainedesgeslets @oreka.com ☑ 🍷 t.l.j. 9h30-18h30

DOM. HUBERT Vieilles vignes 1999

■ 3 ha 15 000 5à8€

Ce 99 provient de vieilles vignes d'âge plus que respectable (cinquante ans). Les tanins sont un peu sévères aujourd'hui : il faut absolument laisser du temps à ce vin. Il possède un réel potentiel. (30 à 49 F)

🔑 EARL Franck Caslot, La Hurolaie, 37140 Benais, tél. 02.47.97.30.59, fax 02.47.97.45.46 ☑ 🍷 t.l.j. 9h-12h 14h30-19h; dim. sur r.-v.

DOM. DE LA CHANTELEUSERIE Cuvée Vieilles vignes 1999★

■ 4 ha 10 000 5à8€

La Chanteleuserie, un vignoble familial de 20 ha qui remonte à 1822 et où chantent toujours les alouettes. Thierry Boucard soigne sa vendange grâce à une table de tri qui permet d'éliminer les débris végétaux et les grappes abîmées ou pas mûres. Le résultat est probant : le nez est très expressif, tout en fruits rouges et pain grillé. Les tanins sont puissants mais gardent souplesse et élégance. D'une bonne longueur, ce vin est agréable dès à présent mais on peut le faire évoluer en cave avec profit. Une seconde cuvée, **Beauvais 99**, bâtie sur le même type, devra être attendue deux ou trois ans. (30 à 49 F)

🔑 Thierry Boucard, La Chanteleuserie, 37140 Benais, tél. 02.47.97.30.20, fax 02.47.97.46.73, e-mail tboucard@terre-net.fr ☑ 🍷 t.l.j. sf dim. 8h30-12h 14h-19h

DOM. DE LA CHEVALERIE Cuvée des Busardières 1999★★★

■ n.c. 13 000 5à8€

Si la maison est située dans le bas de l'appellation, le vignoble (près de 32 ha presque d'un seul tenant) est implanté sur le coteau, là où se font les grands vins. Creusées dans ce même coteau, les caves profondes sont des espaces de mûrissement quasi parfaits. Pierre Caslot vient de réussir un coup de maître : le nez, déjà, laisse deviner un vin de caractère. Il donne l'impression de fruits très mûrs, presque en surmaturité, accompagnés par une pointe de vanille. Les tanins bien ronds ne sont pas encore tout à fait assagis. Le reste est plein, riche, gras, long. Une bouteille superbe. (30 à 49 F)

🔑 Pierre Caslot, Dom. de La Chevalerie, 37140 Restigné, tél. 02.47.97.37.18, fax 02.47.97.45.87 ☑ 🍷 t.l.j. 9h-12h 14h-18h; dim. sur r.-v.

DOM. DE LA CROIX MORTE 1999

■ 0,5 ha 3 000 5à8€

Fabrice Samson, jeune viticulteur, continue à travailler dans la plus pure tradition bourgueilloise les 3 ha de vignes que son père et son grand-père ont cultivés avant lui. Ce 99 souple, bien équilibré, de longueur moyenne, pourrait être qualifié de vin de printemps par sa fraîcheur et son fruité. A consommer dans une ambiance amicale simple. (30 à 49 F)

🔑 Fabrice Samson, La Croix-Morte, 37140 Restigné, tél. 02.47.97.49.48, fax 02.47.97.49.48 ☑ 🍷 r.-v.

DOM. DE LA LANDE Cuvée Prestige 1999★

■ 2,5 ha 12 000 5à8€

Le fils a rejoint l'exploitation familiale en 1997 mais c'est toujours la tradition qui préside aux destinées de ce beau vignoble de 14 ha : labour des rangs, vendange manuelle et élevage en foudre ; pas de bois neuf. Cette cuvée Prestige montre que l'élevage a été bien conduit : les tanins sont déjà arrondis et les arômes du fruit préservés. De plus, l'équilibre entre les constituants est judicieusement réalisé. Le choix est ouvert : à boire maintenant ou à laisser évoluer. La cuvée des **Graviers 99** des mêmes vignerons a obtenu une citation. (30 à 49 F)

🔑 Delaunay Père et Fils, Dom. de La Lande, 20, rte du Vignoble, 37140 Bourgueil, tél. 02.47.97.80.73, fax 02.47.97.95.65 ☑ 🍷 t.l.j. sf dim. 8h30-12h 14-18h

DOM. DE LA VERNELLERIE 1999★

■ 1 ha 3 000 5à8€

Créé au XVe s., le domaine est constitué aujourd'hui d'une maison et d'un corps de bâtiments imposants noyés au milieu de 15 ha de vigne. La cuvée présentée, bien marquée par les fruits rouges, offre une belle attaque en bouche suivie de tanins discrets. La persistance est suffisante. On est devant un vin tout à fait classique. (30 à 49 F)

🔑 Camille Petit, EARL Dom. de La Vernellerie, 37140 Benais, tél. 02.47.97.31.18, fax 02.47.97.31.18 ☑ 🍷 r.-v.

LE COUDRAY LA LANDE Vieilles vignes 1999

■ 4 ha 18 000 5à8€

Ce domaine a été démantelé en 1905 puis reconstitué en 1980 lors de l'installation de Jean-Paul Morin. Voici encore une cuvée Vieilles vignes de belle facture ; le nez est évolué, de grande finesse ; la bouche est assez soutenue par des tanins bien arrondis. La finale laisse sur une impression d'harmonie ; un vin déjà bien mûri. (30 à 49 F)

🔑 Jean-Paul Morin, Le Coudray-la-Lande, 37140 Bourgueil, tél. 02.47.97.76.92, fax 02.47.97.98.20 ☑ 🍷 r.-v.

DOM. LES PINS Vieilles vignes 1999*

■ 2 ha 10 000 5 à 8 €

Ce domaine d'une taille coquette (18 ha) appartient à cette famille depuis cinq générations. Une bâtisse du XVIe s., sise au cœur du vignoble, atteste son ancienneté. Le domaine propose sa cuvée Vieilles vignes dotée de beaux tanins soyeux. Ronde et pleine, elle présente un petit côté animal ; elle pourrait encore évoluer. Le **rosé 2000** est bien typé bourgueil par son fruité et sa fraîcheur. Il obtient une citation. (30 à 49 F)

Pitault-Landry et Fils, Dom. Les Pins, 1 et 8, rte du Vignoble, 37140 Bourgueil, tél. 02.47.97.47.91, fax 02.47.97.98.69 r.-v.

MICHEL ET JOELLE LORIEUX
Chevrette 1999

■ 2 ha 5 000 5 à 8 €

Michel et Joëlle Lorieux ont reçu de leur grand-père le goût de la vigne et du vin. Aujourd'hui sur leurs 10 ha situés au pied du coteau, ils se souviennent des conseils de l'aïeul et mettent en bouteilles des vins de qualité comme ce 99 rond et souple qui n'a guère besoin de temps pour bien se tenir à table. (30 à 49 F)

Michel et Joëlle Lorieux, Chevrette, 26, rte du Vignoble, 37140 Bourgueil, tél. 02.47.97.85.86, fax 02.47.97.85.86 r.-v.

DOM. LAURENT MABILEAU 1999

■ 3,5 ha 25 000 5 à 8 €

Un vin qui ne perdrait pas à attendre un peu. Il possède un réel potentiel et mérite une évolution bien suivie. Les tanins assez présents peuvent gagner en amabilité. Les arômes du nez et de la bouche se révèleront après deux ou trois ans de mûrissement dans une cave profonde. (30 à 49 F)

Dom. Laurent Mabileau, La Croix du Moulin-Neuf, 37140 Saint-Nicolas-de-Bourgueil, tél. 02.47.97.74.75, fax 02.47.97.99.81, e-mail domaine@mabileau.fr t.l.j. sf dim. 8h-12h 14h-19h

DOM. DES MAILLOCHES
Cuvée Samuel 1999

■ 0,5 ha 3 000 5 à 8 €

Samuel Demont travaille avec son père depuis le 1er janvier 2000. Il a donc sa part de responsabilité dans l'élevage de cette cuvée qui porte d'ailleurs son prénom. Réussie par son équilibre et son côté boisé élégant, elle demande à être attendue un peu : elle gagnera en harmonie, le bois continuera à se fondre. (30 à 49 F)

J.-F. Demont, Les Mailloches, 37140 Restigné, tél. 02.47.97.33.10, fax 02.47.97.43.43, e-mail infos@domaine-mailloches.fr r.-v.

HERVE MENARD Vieilles vignes 1999*

■ 0,5 ha n.c. 5 à 8 €

En 1994, Hervé Ménard reprenait l'exploitation de son grand-père en la portant à plus de 7 ha. Sa cuvée Vieilles vignes offre bien des arguments : nez de fruits rouges intense, très bonne présence en bouche avec une impression de vendanges très mûres presque en surmaturation. Rien à reprocher aux tanins soyeux et longs. C'est un vin typé du millésime qui ne demande qu'à vivre. (30 à 49 F)

Hervé Ménard, N°5 L'Echelle, 37140 Bourgueil, tél. 02.47.97.72.65, fax 02.47.97.72.65 r.-v.

CH. DE MINIERE Cuvée Rubis 1999

■ 7 ha 10 000 5 à 8 €

Situé au cœur d'un vignoble de 7 ha, le château de Minière, construit au XVIIe s. dans la belle pierre de tuffeau de la région, est géré par Jean-Yves Billet. Avec la propriétaire Evelyne de Mascarel, il associe modernité et tradition, servi par un beau terroir. Cela donne un joli vin où le cassis s'arroge la première place. Les tanins sont présents mais sans plus et ne gênent pas la rondeur. La finale élégante s'achève sur une évocation de réglisse. Une bouteille plaisante aujourd'hui. (30 à 49 F)

Ch. de Minière, 37140 Ingrandes-de-Touraine, tél. 02.47.97.32.87, fax 02.47.97.46.47 r.-v.

B. de Mascarel

DOMINIQUE MOREAU 1999

■ 1 ha 5 000 5 à 8 €

C'est à Restigné que commence la haute terrasse de la Loire constituée au quaternaire. On est loin du coteau, et les sols sont sableux et graveleux. On y fait des vins frais au fruit prononcé. Celui-ci n'a pas encore trouvé son équilibre : le nez tarde à s'ouvrir et les tanins y tiennent encore une place importante. Tout cela sera réparé d'ici un an. (30 à 49 F)

Dominique Moreau, L'Ouche Saint-André, 37140 Restigné, tél. 02.47.97.31.93, fax 02.47.96.83.30

DOM. REGIS MUREAU 1999**

■ 4 ha 15 000 5 à 8 €

Avec ses bâtiments impressionnants dotés d'un équipement complet, le domaine de Régis Mureau ne passe pas inaperçu quand on pénètre sur le terroir de Bourgueil, en venant de Tours. Celui-ci a réussi un vin d'équilibre, plein, rond, fruité, aux tanins fondus. Les arômes évoluent tout au long de la dégustation : portés sur l'animal, ils tournent aux fruits rouges pour finir sur les épices. Ce 99 est bien fait et fera carrière. La cuvée **Domaine de La Gaucherie 99** a obtenu une étoile pour son intensité en bouche. (30 à 49 F)

Régis Mureau, 16, rue d'Anjou, 37140 Ingrandes-de-Touraine, tél. 02.47.96.97.60, fax 02.47.96.93.43 t.l.j. sf dim. 8h-12h 14h-19h

NAU FRERES Vieilles vignes 1999*

■ 6 ha 4 000 5 à 8 €

L'exploitation des frères Nau faisait partie autrefois de ces fermes pratiquant la polyculture, produisant des céréales bien sûr, mais aussi des fruits et des légumes quand ce n'était pas du lait... Elles se sont reconverties à la monoculture de la vigne vers les années 1970. Qui s'en plaindrait ? Personne, à la dégustation de ce coloré, fruité, plein mais dont les tanins

LOIRE

dent encore à patienter. Un ou deux ans peut-être. (30 à 49 F)

GAEC Nau Frères, 52, rue de Touraine, 37140 Ingrandes-de-Touraine, tél. 02.47.96.98.57, fax 02.47.96.90.34 t.l.j. sf dim. 8h-19h

ALAIN OMASSON 1999*

1 ha 1 500 5à8€

Saint-Patrice est la première commune de l'appellation que l'on rencontre lorsqu'on pénètre sur le terroir de Bourgueil, là où se constitue la haute terrasse de la Loire faite de graves et de sable. Alain Omasson y cultive un petit vignoble de 4,5 ha. Petit mais à l'origine de belles cuvées telle celle-ci qui a une vocation de garde affirmée. Les tanins sont jeunes, bien présents, mais pas agressifs. Ils ne demandent qu'à rentrer dans le rang. Le reste suivra, d'autant qu'il y a de la matière. (30 à 49 F)

Alain Omasson, 21, rue du Port-Véron, 37130 Saint-Patrice, tél. 02.47.96.90.26, fax 02.47.96.90.26 r.-v.

BERNARD OMASSON 1999*

2 ha 3 000 5à8€

D'une couleur dense, presque pourpre, ce 99 offre un nez encore fermé mais « bretonnant » (on y reconnaît le cabernet franc) et une bouche à la charpente solide avec une finale qui laisse une impression de fruits rouges et de noisettes. Il ne lui manque que quelques mois de cave. (30 à 49 F)

Bernard Omasson, La Perrée, 54, rue de Touraine, 37140 Ingrandes-de-Touraine, tél. 02.47.96.98.20 r.-v.

DOM. DES OUCHES Clos Princé 1999**

3,5 ha 12 000 5à8€

Le chai construit récemment jouxte de très belles caves où le mûrissement des vins est assuré. Comme pour le 98, c'est la cuvée Clos Princé qui se distingue. D'une superbe constitution, elle offre une expression de petits fruits rouges au nez et du volume en bouche, avec une structure tannique serrée et enrobée. Sa nature de vin solide la porte à la garde. La cuvée **Vieilles vignes 99**, au caractère boisé, obtient une citation. (30 à 49 F)

Paul Gambier et Fils, 3, rue des Ouches, 37140 Ingrandes-de-Touraine, tél. 02.47.96.98.77, fax 02.47.96.93.08, e-mail domaine.des.ouches@wanadoo.fr r.-v.

ANNICK PENET 1999

0,8 ha 2 500 5à8€

Annick Penet est installée sur son petit vignoble depuis plus d'un bail ! Une propriété qui s'est transmise de génération en génération depuis que le bourgueil existe, dit-on. Il se trouve même sur la propriété un carré de vignes centenaires, toujours en production. Le travail du sol, des ceps et du vin se fait de façon très traditionnelle. La couleur de ce 99 est d'un rubis brillant. Le nez est encore jeune avec des accents de fruits rouges et de sous-bois. La bouche, après une belle attaque, offre de la rondeur, bien que demeure encore une petite astringence. C'est une bouteille à boire mais qui gagnera en amabilité dans un an. (30 à 49 F)

Annick Penet, 29, rue Basse, 37140 Restigné, tél. 02.47.97.33.68, fax 02.47.97.88.47 r.-v.

DOM. DES PERRIERES
La Cuvée de Vénus 1999**

3 ha 5 000 5à8€

Guy Delanoue représente la sixième génération de la même famille à exploiter ce domaine de 7 ha proche de la petite ville de Bourgueil. Il aime recevoir et ne compte plus les visiteurs de toutes sortes, écrivains, acteurs, réalisateurs de télévision... Tous se passionneront pour cette cuvée de Vénus. Un nez qui « bretonne », une bouche où les senteurs de thym, de laurier le disputent à celles de fruits rouges, et où les tanins, mûrs, sont bien arrondis. Un vin tout en équilibre dont il faut profiter tout de suite pour ne pas perdre son remarquable bouquet. La **cuvée principale** du domaine a obtenu une étoile. (30 à 49 F)

Guy Delanoue, 10, rte du Vignoble, Les Perrières, 37140 Bourgueil, tél. 02.47.97.82.29, fax 02.47.97.48.20 t.l.j. 8h30-13h 14h-19h30; f. janv.

DOM. DU PETIT BONDIEU
Les Couplets 1999**

n.c. 6 500 5à8€

Le souci premier au Petit Bondieu est de maintenir les rendements dans des limites raisonnables pour l'obtention de vins de qualité. On y utilise la technique de l'enherbement pour tempérer les ardeurs des ceps. Un procédé naturel qui a déjà fait ses preuves. En voici une autre avec ce coup de cœur pour la cuvée Les Couplets. La robe est pourpre presque noir, se rapprochant du cassis ; le nez de fruits mûrs est intense et la bouche, ronde et généreuse, où les tanins sont présents dans une belle matière, n'en finit pas. Un vin remarquable qui peut parfaire encore son épanouissement. La cuvée des **Brunetières 99** se fait remarquer aussi ; elle révèle des arômes de chêne prononcés. Elle obtient une citation. Un domaine béni des dieux cette année ! (30 à 49 F)

EARL Jean-Marc Pichet, Le Petit Bondieu, 30, rte de Tours, 37140 Restigné, tél. 02.47.97.33.18, fax 02.47.97.46.57, e-mail jean-marcpichet@wanadoo.fr t.l.j. sf dim. 9h-12h 14h-19h

DOM. PONTONNIER
Cuvée Vieilles vignes 1999*

■ 1,3 ha 9 000 5à8€

Ce domaine sis non loin du coteau comprend 14 ha de vignes plantées en sol argilo-calcaire et bénéficie d'un bon ensoleillement. Les qualités de cette cuvée Vieilles vignes sont évidentes. Le premier nez est assez floral puis évolue vers des senteurs plus fortes de cuir et de marc. Les tanins élégants et persistants sont bien intégrés. Les notes de marc réapparaissent dans une longue finale. On ne risque rien à garder cette bouteille en réserve quelque temps. (30 à 49 F)

Dom. Pontonnier, 4, chem. de L'Epaisse, 37140 Saint-Nicolas-de-Bourgueil, tél. 02.47.97.84.69, fax 02.47.97.48.55 r.-v.

DOM. DES RAGUENIERES
Cuvée Clos de La Cure 1999

■ 1,1 ha 6 000 5à8€

Deux vignerons gèrent ce domaine de près de 19 ha établi sur un sol argilo-calcaire. La visite des caves de tuffeau ne manque pas d'intérêt et l'accueil qui se fait dans une salle de dégustation aménagée avec goût est chaleureux. Voici un 99 de semi-garde. Les senteurs du nez rappellent le cassis ; la bouche offre une attaque fruitée mais montre ensuite une présence tannique marquée. C'est un vin qui demande encore un peu d'évolution : il ne faut pas la lui refuser. (30 à 49 F)

R. Viemont-D. Maître-Gadaix, Dom. des Raguenières,11, rue du Machet-Benais, 37140 Bourgueil, tél. 02.47.97.30.16, fax 02.47.97.46.78 r.-v.

VIGNOBLE DES ROBINIERES 1999

■ 3 ha 7 000 5à8€

Les deux frères Marchesseau travaillent ensemble dans le vignoble des Robinières, situé sur la haute terrasse de Bourgueil dont le sol est argilo-calcaire. Ce vin a un bon potentiel ; encore fermé au nez et tannique en bouche, il demande à mûrir : ses tanins s'arrondiront en développant des arômes de conservation. Lui faire confiance trois ans au moins. (30 à 49 F)

EARL Marchesseau Fils, 16, rue de l'Humelaye, 37140 Bourgueil, tél. 02.47.97.47.72, fax 02.47.97.46.36 t.l.j. sf dim. 9h-19h

DOM. DU ROCHOUARD 1999

■ 2 ha 4 000 5à8€

A la limite des deux appellations bourgueil et saint-nicolas, ce domaine couvre 7 ha sur Bourgueil, implanté sur des graviers aptes à donner des vins frais et fruités. C'est bien le cas de celui-ci qui offre en prime de la rondeur et de la finesse. Réussi, il doit trouver rapidement une place à table. (30 à 49 F)

GAEC Duveau-Coulon et Fils, 1, rue des Géléries, 37140 Bourgueil, tél. 02.47.97.85.91, fax 02.47.97.99.13 t.l.j. 8h30-12h30 14h-19h

JEAN-MARIE ROUZIER
Cuvée Tradition 1999

■ 2 ha 9 000 5à8€

Jean-Marie Rouzier est chinonais par son père et bourgueillois par sa mère... mais peu lui chaut ; c'est toujours du bon cabernet franc dont il faut tirer la « substantifique moelle ». A Bourgueil, il a préparé une cuvée Tradition qui se montre souple et fruitée. Le nez est de bonne intensité et légèrement boisé. Une bouteille à servir aujourd'hui. (30 à 49 F)

Jean-Marie Rouzier, Les Géléries, 37140 Bourgueil, tél. 02.47.97.74.83, fax 02.47.97.48.73 t.l.j. sf dim. 9h-12h30 14h-19h

DOM. THOUET-BOSSEAU
Cuvée Vieilles vignes 1999

■ 1,8 ha 7 000 5à8€

Jean-Baptiste Thouet-Bosseau mène son petit vignoble de 7 ha qu'il tient de son père et gère, en collaboration avec un autre viticulteur, les vignes du clos de l'Abbaye. Voilà donc de quoi faire, mais il trouve le temps de confectionner de jolies cuvées comme celle-ci, dite Vieilles vignes. Souple, construite sur une petite structure intéressante, elle reste équilibrée. Des senteurs animales dominent au nez et en bouche. La laisser reposer une année serait une idée. (30 à 49 F)

Jean-Baptiste Thouet-Bosseau, L'Humelaye, 13, rue de Santenay, 37140 Bourgueil, tél. 02.47.97.73.51, fax 02.47.97.44.65 r.-v.

Saint-nicolas-de-bourgueil

Si les vignobles ont les mêmes caractéristiques que ceux de l'aire contiguë de Bourgueil, la commune de Saint-Nicolas-de-Bourgueil (simple paroisse détachée de Bourgueil au XVIII^{e}s.) possède son appellation particulière.

Son vignoble croît, pour les deux tiers, sur les sols sablo-graveleux des terrasses de Loire. Au-dessus, le coteau est protégé des vents du nord par la forêt ; le tuffeau y est surmonté d'une couverture sableuse. Bien que ce ne soit pas le cas des vins provenant exclusivement du coteau, les saint-nicolas-de-bourgueil, souvent issus d'assemblages, ont la réputation d'être plus légers que les bourgueil. Ils ont produit 56 409 hl en 2000.

YANNICK AMIRAULT La Source 1999*

■ 2 ha 15 000 5à8€

Yannick Amirault, à cheval sur les deux appellations bourgueil et saint-nicolas, fait la surprise cette année de présenter une bouteille de saint-nicolas issue de jeunes vignes. On pouvait penser qu'elles donneraient un vin léger et fruité. Eh bien non ; s'il a du fruité, ce 99 a aussi de la matière et de la rondeur, et on peut lui trouver une aptitude à la garde. Cette cuvée démontre tout l'art de son géniteur qui prouve une fois encore que maîtriser les rendements et soigner les vinifications sont le secret des grands vins. (30 à 49 F)

Yannick Amirault, 5, Pavillon du Grand Clos, 37140 Bourgueil, tél. 02.47.97.78.07, fax 02.47.97.94.78 r.-v.

DOM. AUDEBERT ET FILS 1999

8 ha 40 000 5à8€

Un domaine de 21 ha dont les premières vignes sont adossées au coteau. C'est le fils qui en a la responsabilité depuis 1996. Voici donc l'une de ses premières vinifications, fort encourageante. Le nez est peu développé ; on y décèle néanmoins des notes animales. La bouche est souple, ronde et équilibrée. Ce vin gouleyant s'adaptera à tout un repas familial. (30 à 49 F)

Dom. Audebert et Fils, av. Jean-Causeret, 37140 Bourgueil, tél. 02.47.97.70.06, fax 02.47.97.72.07, e-mail audebert @micro-vidéo.fr t.l.j. 8h30-12h 14h-18h; sam. dim. sur r.-v.

DOM. DES BERGEONNIERES
Cuvée Rondeau 1999★★

1,5 ha 8 000 5à8€

Plein sud, abrités des vents du nord par le coteau, plongeant leurs racines dans des sols de graviers chauds et bien drainés, les ceps des Bergeonnières sont heureux. Reconnaissants, ils ont donné cette cuvée Rondeau qui a failli valoir un coup de cœur à leur propriétaire. Le nez s'ouvre sur les fruits secs et la griotte, et la matière mûre, puissante, occupe longuement la bouche. Les tanins sont discrets et bien assimilés. C'est un vin remarquable dont l'aptitude à la garde est affirmée. La **cuvée principale du domaine 99** a obtenu une étoile. Très typée, fondue et bien construite, elle peut déjà plaire mais saura également vieillir un ou deux ans de plus. (30 à 49 F)

André Delagouttière, Les Bergeonnières, 37140 Saint-Nicolas-de-Bourgueil, tél. 02.47.97.75.87, fax 02.47.97.48.47 r.-v.

DOM. DU BOURG Cuvée Prestige 1999★

2 ha 10 000 5à8€

Installé au centre du bourg de Saint-Nicolas, le chai est très fonctionnel et la tradition y côtoie le modernisme. Cuves en inox, système de thermorégulation et batteries de tonnes et barriques pour le vieillissement sont côte à côte. Une salle de dégustation aménagée avec goût accueille le visiteur. On y déguste de bons vins dont cette cuvée Prestige fruitée et gouleyante à souhait. Elle est à boire dès maintenant. La cuvée **Les Graviers 99**, disponible en quantité (70 000 bouteilles), obtient une mention réussie. (30 à 49 F)

EARL Jean-Paul Mabileau, 6, rue du Pressoir, 37140 Saint-Nicolas-de-Bourgueil, tél. 02.47.97.82.02, fax 02.47.97.70.92, e-mail jean.paul.mabileau@wanadoo.fr r.-v.

CAVE BRUNEAU DUPUY
Vieilles vignes 1999★

5 ha 30 000 5à8€

Bruneau Dupuy est associé maintenant avec son fils Sylvain sur ce beau domaine de 15 ha de vignes dont les deux tiers ont un âge respectable et sont plantés sur le coteau argilo-calcaire. Pas étonnant que dans une telle situation ces vignerons réussissent de bons vins. Celui-ci, souple et fruité, affiche un bon équilibre de ses constituants. Bien travaillé, il est prêt à jouer son rôle. (30 à 49 F)

EARL Bruneau-Dupuy, La Martellière, 37140 Saint-Nicolas-de-Bourgueil, tél. 02.47.97.75.81, fax 02.47.97.43.25, e-mail cave-bruneau.dupuy@netcourrier.com r.-v.

DOM. DU CLOS DE L'EPAISSE
Cuvée des Clos Vieilles vignes 1999★★

2,3 ha 15 000 5à8€

Ce sont des terres argilo-calcaires en provenance du coteau qui ont donné ce remarquable saint-nicolas de garde. La robe très colorée, presque pourpre, laisse fuser des senteurs de fruits rouges bien mûrs avec une note un peu animale. On sent tout de suite la vendange récoltée à point. Une richesse en bouche et une puissance exceptionnelle, des tanins qui occupent une large place sans déborder : c'est une belle construction en équilibre parfait. A garder jalousement pour des gibiers ou des viandes en sauce. (30 à 49 F)

Yvan Bruneau, 50, av. Saint-Vincent, 37140 Saint-Nicolas-de-Bourgueil, tél. 02.47.97.90.67, fax 02.47.97.49.45 r.-v.

BERNARD DAVID Vieilles vignes 1999★

3 ha 11 000 5à8€

Ce domaine de 16 ha propose une cuvée issue de macération carbonique. Elle offre un nez de fruits mûrs, une attaque légèrement fondue et une suite souple et tendre presque interminable : c'est un vin de qualité qui fera son chemin. Mais sur table aujourd'hui, il ne démériterait pas. (30 à 49 F)

Bernard David, La Gardière, 37140 Saint-Nicolas-de-Bourgueil, tél. 02.47.97.81.51, fax 02.47.97.95.05 r.-v.

PATRICE DELARUE
Cuvée vieilles vignes 1999★

0,5 ha 3 000 5à8€

Un vin à boire au printemps en même temps que mûrissent les fraises et les framboises dont il est parfumé. La bouche est souple, fraîche, ronde, de bonne longueur. Les tanins sont parfaitement assimilés, l'équilibre est sûr. Une jolie cuvée plaisir. (30 à 49 F)

Patrice Delarue, La Perrée, 37140 Saint-Nicolas-de-Bourgueil, tél. 02.47.97.94.74 r.-v.

DOM. DES GRAVIERS 1999★

2 ha 15 000 5à8€

« L'élaboration du vin est une œuvre d'art qui nécessite une attention constante du vigneron », disait Hubert David. Aujourd'hui seule, son épouse rappelle ces propos et poursuit courageusement et avec succès l'œuvre entreprise. En témoigne ce saint-nicolas de semi-garde, aux senteurs d'amande grillée et aux tanins bien présents qui ne demandent qu'à mûrir. Il a de la matière et dans deux ans ce vin réservera des surprises. (30 à 49 F)

EARL Hubert David, La Forcine, 37140 Saint-Nicolas-de-Bourgueil, tél. 02.47.97.86.93, fax 02.47.97.48.50 t.l.j. sf dim. 8h30-12h30 14h-19h

DOM. DU GROLLAY 1999**

■ 1,5 ha 10 000 3à5€

C'est un vigneron qui peut être fier de sa réussite. Parti d'un petit carré de vigne en 1977, il est aujourd'hui à la tête d'un domaine de 12 ha, équipé de deux chais et d'une salle de dégustation. Le caractère de ce vin de garde est net : puissance, belle matière abondante et tanins bien faits. Il a un fameux potentiel et on le voit facilement évoluer pendant une dizaine d'années. (20 à 29 F)

Jean Brecq, 1, Le Grollay, 37140 Saint-Nicolas-de-Bourgueil, tél. 02.47.97.78.54, fax 02.47.97.78.54 t.l.j. 9h-12h30 13h30-20h

DOM. GUY HERSARD
Vieilles vignes 1999*

■ 5 ha 20 000 5à8€

Ce domaine de 9,5 ha propose une cuvée née dans la partie basse de l'appellation sur des graves qui donnent des vins légers et fruités. C'est tout à fait le cas de celui-ci avec sa robe rubis, son nez frais un peu poivré, sa bouche d'une belle expression aromatique, qui, construite harmonieusement, se déroule tout en souplesse. Il est avenant et prêt à boire. (30 à 49 F)

Guy Hersard, 5-7, Le Fondis, 37140 Saint-Nicolas-de-Bourgueil, tél. 02.47.97.76.13, fax 02.47.97.92.06 r.-v.

DOM. DE LA COTELLERAIE-VALLEE 1999*

■ 18 ha 80 000 5à8€

Elu coup de cœur l'an dernier pour des Mauguerets 98, Claude Vallée a obtenu une étoile pour les deux cuvées **99, Les Mauguerets** riches en tanin, à vocation franchement de garde, et celle-ci, très sombre, au nez de poivron avec un brin d'épices, à la bouche ronde, riche en matière, et à la finale longue et légèrement boisée. C'est un vin qui peut évoluer encore. (30 à 49 F)

Gérald Vallée, La Cotelleraie, 37140 Saint-Nicolas-de-Bourgueil, tél. 02.47.97.75.53, fax 02.47.97.85.90, e-mail gerald.vallee @fnac.net t.l.j. sf dim. 9h-18h30

VIGNOBLE DE LA JARNOTERIE
Cuvée M R 1999*

■ n.c. 90 000 5à8€

Robe pourpre et fragrances de fruits rouges sont quelques-uns des traits du saint-nicolas-de-bourgueil. Ici on n'en est pas tout à fait là. C'est une cuvée un peu fermée qui cache son potentiel. La bouche est ronde, puissante, et d'une belle longueur, mais laisse le dégustateur sur sa soif. Il faut absolument lui donner le temps de mûrir afin qu'elle gagne en expression. Obtenant la même note, la cuvée **Concerto 99,** issue de vignes de cinquante ans, vêtue de rouge sombre, est déjà équilibrée autour de tanins présents mais qui savent se faire oublier derrière une construction élégante. A boire pendant cinq ans. (30 à 49 F)

EARL Jean-Claude Mabileau et Didier Rezé, La Jarnoterie, 37140 Saint-Nicolas-de-Bourgueil, tél. 02.47.97.75.49, fax 02.47.97.79.98 r.-v.

LES QUARTERONS 1999*

■ 1,36 ha 10 000 5à8€

Un vignoble qui a plus de cent ans et que Thierry, en succédant à son père Claude, figure du terroir de Saint-Nicolas, a sans cesse amélioré. Un jury partagé sur cette cuvée des Quarterons : les uns y voient un vin puissant, assez boisé, les autres considèrent que la matière et le fruité prédisent un grand avenir. Question d'école. Mais tous affirment que c'est une réussite qui s'épanouira avec le temps. La cuvée **Vieilles vignes 99,** élevée douze mois en fût, reste dans les tons boisés également. Elle a obtenu une mention. (30 à 49 F)

Thierry Amirault, Clos des Quarterons, 37140 Saint-Nicolas-de-Bourgueil, tél. 02.47.97.75.25, fax 02.47.97.97.97 r.-v.

MICHEL ET JOELLE LORIEUX 1999

■ n.c. n.c. 5à8€

Comme il arrive souvent, c'est le grand-père qui a fait naître la vocation de vignerons et qui a aidé à l'installation de Michel et Joëlle Lorieux. Bien ancrés à Bourgueil, ils n'exploitent un vignoble à Saint-Nicolas que depuis quelques années. L'attaque de ce 99 est puissante et grasse, et la suite est riche mais construite sur des tanins fins. Au nez comme en bouche, c'est une impression animale qui domine. A laisser vieillir. (30 à 49 F)

Michel et Joëlle Lorieux, Chevrette, 26, rte du Vignoble, 37140 Bourgueil, tél. 02.47.97.85.86, fax 02.47.97.85.86 r.-v.

PASCAL LORIEUX
Les Mauguerets La Contrie 1999*

■ 3 ha 15 000 5à8€

Pascal et Alain Lorieux sont responsables chacun d'un vignoble - l'un à Saint-Nicolas, l'autre à Chinon - mais mettent en commun leur matériel et leurs moyens de commercialisation. Pascal, qui gère celui de Saint-Nicolas, s'attache beaucoup à respecter l'environnement. Sa cuvée Mauguerets-la-Contrie, née sur les graviers du plateau de vignes de douze ans, est d'un bon équilibre. La bouche est ample, riche, ronde et offre une finale élégante. On a l'impression d'une vendange bien mûre. C'est un succès pour ce viticulteur dynamique et sympathique. Un très bon point également pour la **cuvée principale 99,** issue de vignes de trente ans plantées sur des sables éoliens, notée de la même façon, et qui gagnera à vieillir. (30 à 49 F)

LOIRE

EARL Pascal et Alain Lorieux, Le Bourg, 37140 Saint-Nicolas-de-Bourgueil, tél. 02.47.97.92.93, fax 02.47.97.47.88, e-mail earl.lorieux@worldonline.fr ☑ Y r.-v.

FREDERIC MABILEAU Eclipse 1999★★

■ 1 ha 6 000 8à11€

L'Eclipse est une cuvée que l'on voit apparaître de temps en temps dans le Guide, toujours très complimentée. Cette année on retrouve sa richesse et sa rondeur. Les tanins du raisin sont bien atténués, ceux du bois émergent encore un peu mais vont se fondre rapidement tant ils sont élégants. L'ensemble est d'un très bon niveau, et quelques années aideront à atteindre l'harmonie parfaite. C'est une très belle composition où l'habileté du vigneron a joué un grand rôle. Frédéric Mabileau propose également la cuvée des **Rouillères 99 (30 à 49 F)** élevée en cuve. Citée, elle se présente comme un vin léger, souple, offrant une bonne expression de fruits rouges. (50 à 69 F)

Frédéric Mabileau, 17, rue de la Treille, 37140 Saint-Nicolas-de-Bourgueil, tél. 02.47.97.79.58, fax 02.47.97.45.19, e-mail mabileau-frederic@wanadoo.fr ☑ Y r.-v.

JACQUES ET VINCENT MABILEAU
Cuvée Vieilles vignes 1999

■ 4 ha 18 000 5à8€

La Gardière aurait-elle une vocation de vin de garde ? On peut le penser à la dégustation de cette cuvée Vieilles vignes – lesquelles ont aujourd'hui cinquante ans. D'un bon potentiel, avec un support tannique très présent, ce 99 devra se faire. Rendez-vous dans deux ou trois ans. (30 à 49 F)

EARL Jacques et Vincent Mabileau, La Gardière, 37140 Saint-Nicolas-de-Bourgueil, tél. 02.47.97.75.85, fax 02.47.97.98.03 ☑ Y r.-v.

LYSIANE ET GUY MABILEAU 1999★

■ 1,5 ha 10 000 5à8€

Lysiane et Guy Mabileau présentent une cuvée qui est leur cheval de bataille et qui, gageons-le, aura du succès. Joli fruit au nez et en bouche ; cette dernière, ronde, pleine, sans tanins excessifs et fort harmonieuse, donne du plaisir dès maintenant. Une autre cuvée dite **Vieilles vignes 99** obtient une citation et semble avoir une véritable vocation de garde. (30 à 49 F)

GAEC Lysiane et Guy Mabileau, 17, rue du Vieux-Chêne, 37140 Saint-Nicolas-de-Bourgueil, tél. 02.47.97.70.43, fax 02.47.97.70.43 ☑ Y t.l.j. 9h-19h

DOM. OLIVIER
Cuvée du Mont des Olivier 1999★

■ 3 ha 19 000 5à8€

C'est du jus de la treille que l'on récolte au Mont des Olivier ! Dans sa robe rubis brillant, ce vin, doté d'une belle matière dans une bouche ronde aux tanins présents mais déjà bien érodés, est très marqué par les fruits rouges. Une légère évocation de vanille agrémente la finale. L'attendre deux ou trois ans est une recommandation du jury. La **cuvée principale du domaine Olivier 99** (160 000 bouteilles) a obtenu une citation. (30 à 49 F)

EARL Dom. Olivier, La Forcine, 37140 Saint-Nicolas-de-Bourgueil, tél. 02.47.97.75.32, fax 02.47.97.48.18 ☑ Y r.-v.

THIERRY PANTALEON
Haut de la Gardière 1999

■ 2 ha 12 000 5à8€

Dans les Hauts de la Gardière, on dispose de sols argilo-calcaires et surtout d'une exposition privilégiée. C'est suffisant pour obtenir des vins de grande expression. Celui-ci, classé en type léger, aromatique à souhait, est très marqué par les fruits rouges. Il a la bouche assez ronde, coule bien mais accroche encore un peu en finale. Son évolution n'est pas terminée. Dans un an, il sera prêt à accompagner le repas familial. (30 à 49 F)

Thierry Pantaléon, La Gardière, 37140 Saint-Nicolas-de-Bourgueil, tél. 02.47.97.87.26, fax 02.47.97.47.71 ☑ Y r.-v.

LES CAVES DU PLESSIS
Sélection vieilles vignes 1999★

■ 3,3 ha 26 000 5à8€

Calé sur le coteau qui domine le plateau de Saint-Nicolas, le domaine de la famille Renou bénéficie d'un bon ensoleillement. Si vous ajoutez l'âge des vignes (soixante ans) et le talent du père Claude et de son fils Stéphane, vous obtenez ce vin puissant au nez profond, très flatteur. Il est à attendre deux ans. La **Réserve Stéphane 99** a obtenu la même note ; élevée dix mois en fût de chêne, elle se montre plus boisée au nez qu'en bouche, où elle affiche aussi de belles promesses. (30 à 49 F)

Claude Renou, 17, La Martellière, 37140 Saint-Nicolas-de-Bourgueil, tél. 02.47.97.85.67, fax 02.47.97.45.55 ☑ Y r.-v.

DOM. PONTONNIER
Cuvée des Générations 1999★

■ 0,5 ha 4 500 8à11€

Les vignerons du Bourgueillois ont tous une vénération pour les anciens qui ont fait le vignoble et lui ont donné sa notoriété. Guy Pontonnier a appelé sa dernière cuvée « cuvée des Générations » en hommage à ses ancêtres. Il n'y a pas que de la tradition dans ce vin mais aussi un peu de modernisme. Bien suivi par un œnologue, il a séjourné six mois en fût. Il offre une

bouche puissante, équilibrée, d'une bonne rondeur déjà et qui peut encore s'épanouir avec le temps. (50 à 69 F)
Dom. Pontonnier, 4, chem. de L'Epaisse, 37140 Saint-Nicolas-de-Bourgueil, tél. 02.47.97.84.69, fax 02.47.97.48.55 r.-v.

DOM. CHRISTIAN PROVIN
Coteau 1999★★

7 ha 30 000 5à8€

L'une des dernières maisons adossées au coteau, l'Epaisse domine le beau plateau de Saint-Nicolas. Les sols, constitués des éboulis du coteau, riches en argile et reposant sur le tuffeau, sont aptes à donner des vins charpentés. Celui-ci, gras, puissant, doté de tanins solides mais déjà arrondis et harmonieux, est le type même du saint-nicolas de garde. La cuvée **Vieilles vignes 99** peut évoluer encore ; elle obtient une étoile. Quant à la cuvée **Prestige 99**, citée, elle offre un bon équilibre et est à boire dès maintenant. Ces deux dernières bouteilles entrent dans la fourchette **50 à 69 F.** (30 à 49 F)
Christian Provin, L'Epaisse, 37140 Saint-Nicolas-de-Bourgueil, tél. 02.47.97.85.14, fax 02.47.97.47.75 r.-v.

DOM. DU ROCHOUARD 1999★

2 ha 8 500 5à8€

Trier la vendange, c'est écarter avant la mise en cuve feuilles, sarments, grappillons verts et grappes abîmées. C'est une technique indispensable à la recherche de la qualité ; au Rochouard on y est « rodé » depuis un moment. Cette cuvée, rubis brillant, libère au nez des senteurs de fruits rouges frais où la framboise est très présente. La bouche souple, relevée par une touche d'épice, laisse une impression de grande longueur. L'équilibre général est atteint. Ce vin donnera bien des satisfactions dans l'immédiat. (30 à 49 F)
GAEC Duveau-Coulon et Fils, 1, rue des Géléries, 37140 Bourgueil, tél. 02.47.97.85.91, fax 02.47.97.99.13 t.l.j. 8h30-12h30 14h-19h

JOEL TALUAU Le Vau Jaumier 1999★★

3,5 ha 19 000 5à8€

Joël Taluau, l'initiateur d'une belle exploitation de 20 ha, lève le pied progressivement, sans souci pour l'avenir du domaine assuré par l'un de ses gendres formé à bonne école. Le Vau Jaumier, une des dernières acquisitions, couvrant 5 ha sur sol argilo-calcaire, bénéficie d'une exposition généreuse. D'une souplesse et d'un fruité étonnants, ce saint-nicolas représente le type même de l'appellation. Si enthousiasmant, qu'il n'est pas passé loin du coup de cœur. Une **cuvée Vieilles vignes 99 (50 à 69 F)**, notée très réussie, est une satisfaction de plus pour ce vigneron qui n'a jamais transigé avec la qualité et pour l'amateur qui appréciera son fruité. (30 à 49 F)
EARL Taluau-Foltzenlogel, Chevrette, 37140 Saint-Nicolas-de-Bourgueil, tél. 02.47.97.78.79, fax 02.47.97.95.60, e-mail joel.taluau@wanadoo.fr
Joël Taluau

DOM. DES VALLETTES 1999★

14 ha 80 000 5à8€

Cette propriété est toujours restée dans la même famille depuis sa création et se retrouve dans le Guide chaque année depuis 1985. Forte de 18 ha, elle est située au cœur de l'appellation sur des sols de graves. Une robe colorée assez soutenue, une bouche bien ronde issue d'une vendange amenée à bonne maturité et une finale persistante confèrent à ce vin des qualités de garde. Le laisser s'affiner. Le goûter dans un an pour voir, et le servir longtemps. On n'y perdra pas. (30 à 49 F)
Francis Jamet, Dom. des Vallettes, 37140 Saint-Nicolas-de-Bourgueil, tél. 02.41.52.05.99, fax 02.41.52.87.52, e-mail francis.jamet@les-vallettes.com r.-v.

Chinon

Autour de la vieille cité médiévale qui lui a donné son nom et son cœur, au pays de Gargantua et de Pantagruel, l'AOC chinon (2 000 ha) est produite sur les terrasses anciennes et graveleuses du Véron (triangle formé par le confluent de la Vienne et de la Loire), sur les basses terrasses sableuses du val de Vienne (Cravant), sur les coteaux de part et d'autre de ce val (Sazilly) et sur les terrains calcaires, les « aubuis » (Chinon). Le cabernet franc, dit breton, y a donné en moyenne 113 536 hl en 2000 de beaux vins rouges (avec cependant quelques milliers d'hectolitres de rosé sec), qui égalent en qualité les bourgueil : race, élégance des tanins, longue garde - certains millésimes exceptionnels pouvant dépasser plusieurs décennies ! Confidentiel mais très original, le chinon blanc (1 892 hl en 2000) est un vin plutôt sec, mais qui peut devenir tendre certaines années.

G. ET M. ANGELLIAUME
Cuvée Vieilles vignes 1999★

6 ha 35 000 5à8€

C'est une vieille famille du Chinonais qui travaille le vin comme le faisaient les ancêtres, dans des caves remarquables du coteau de Cravant. Sa cuvée Vieilles vignes est très prometteuse. Le nez évoque la griotte et le cassis. L'attaque serait plutôt du côté du café et des épices ; rapidement la matière est là, couverte en partie par des tanins vigoureux : le type même du vin de garde qu'il faut mettre en réserve pour des surprises futures. (30 à 49 F)

LOIRE

🔑 EARL Angelliaume, La Croix de Bois, 37500 Cravant-les-Coteaux, tél. 02.47.93.06.35, fax 02.47.98.35.19 ☑ Y r.-v.

DOM. CLAUDE AUBERT
Cuvée Prestige 1999

■ 2,5 ha 14 000 3 à 5 €

Ce vin sort de cuve avec des tanins bien arrondis qui laissent percer une matière assez riche, le tout donnant une bouche souple, plaisante, d'une belle persistance. Il peut être servi dès maintenant ou gardé quelques années. (20 à 29 F)

🔑 EARL Dom. Claude Aubert, 4, rue Malvault, 37500 Cravant-les-Coteaux, tél. 02.47.93.33.73, fax 02.47.98.34.70, e-mail domaine.c.aubert@libertysurf.fr ☑ Y t.l.j. 9h-12h30 14h-19h30; f. 1er-15 juil.

DOM. DE BEAUSEJOUR 1999★★

■ 27 ha 100 000 5 à 8 €

Le domaine de Beauséjour (30 ha de vignes d'un seul tenant) est une création des années 1970 due à Gérard Chauveau, qui fut architecte et urbaniste avant de devenir vigneron. Il propose un vin bien construit comme il se doit, à l'attaque tendre, où tout de suite le fruit prend la meilleure place, ne laissant aux tanins bien fondus qu'un espace restreint. La finale tout en finesse contraste avec le nez aux arômes intenses. Une très belle bouteille qui devrait évoluer sans dommage mais que l'on prendra plaisir à honorer dans l'immédiat. Du même producteur, la **cuvée Angelot 99** a mérité à juste titre une étoile. (30 à 49 F)

🔑 Gérard et David Chauveau, Dom. de Beauséjour, 37220 Panzoult, tél. 02.47.58.64.64, fax 02.47.95.27.13, e-mail dom.beauséjour @wanadoo.fr ☑ Y r.-v.

DOM. DES BEGUINERIES
Vieilles vignes 1999★

■ 4 ha 20 000 5 à 8 €

Jean-Christophe Pelletier s'est installé en 1995 sur un petit domaine des bords de la Vienne. Toutefois, il a fait ses premières armes dès 1987 au château de Saint-Louand (voir ce nom). Aujourd'hui, il a gardé la responsabilité de ce chai tout en menant son vignoble de 11 ha. Sa cuvée Vieilles vignes est bien faite : belle bouche, harmonieuse, avec de la matière et des tanins peu agressifs. Le boisé ne demande qu'à s'intégrer. Il faudra l'attendre bien sûr. (30 à 49 F)

🔑 Jean-Christophe Pelletier, Clos de la Rue Braie, Saint-Louand, 37500 Chinon, tél. 06.08.92.88.17, fax 06.47.93.37.16 ☑ Y r.-v.

DOM. DE BEL AIR
La Croix Bossée 1999★

■ 1 ha 4 000 11 à 15 €

Installé en 1997, Jean-Louis Loup exploite les 13 ha de son vignoble dans le respect du terroir, vinifiant séparément les différentes parcelles qui le composent. La Croix Bossée est une pièce d'un hectare située face au midi, à flanc de coteau. Le cabernet franc y exprime toute sa puissance. Au nez, fruits rouges et vanille sont très intenses. L'attaque est souple, aromatique, avec un net retour de la vanille. Les tanins, puissants mais de bonne facture, confèrent à ce chinon un caractère quelque peu atypique et imposent une maturation en cave. Du même producteur, le **rosé 2000, cuvée Pauline (20 à 29 F)**, est frais et fruité, de bonne harmonie. Il est cité. (70 à 99 F)

🔑 Jean-Louis Loup, Dom. de Bel Air, 37500 Cravant-les-Coteaux, tél. 02.47.98.42.75, fax 02.47.93.98.30 ☑ Y r.-v.

VINCENT BELLIVIER 1999★

■ 1 ha 5 800 5 à 8 €

Une petite propriété de 3,5 ha bien abritée des vents du nord par la forêt de Chinon. Vincent Bellivier vinifie au plus près de ce qui se faisait autrefois : pas de levurage, pas de filtrage ; les vins viennent le plus naturellement possible, ce qui donne de bons résultats, témoin cette cuvée typique par ses arômes et sa structure tannique. Au nez, elle « bretonne » de façon étonnante ; en bouche, elle a encore le goût du raisin bien mûr. Sa finale est souple et longue. Un joli vin à recommander pour un peu plus tard. La cuvée **Noune de Noune 99** a été citée pour ses qualités de fruit. (30 à 49 F)

🔑 Vincent Bellivier, La Tourette 12, rue de la Tourette, 37420 Huismes, tél. 02.47.95.54.26, fax 02.47.95.54.26 ☑ Y r.-v.

CHRISTIAN CHARBONNIER 1999★★

■ 2 ha 10 000 3 à 5 €

C'est une de ces exploitations céréalières qui se sont reconverties dans la viticulture dans les années 1960 quand des autorisations de plantations nouvelles ont été accordées. Elle dispose aujourd'hui de plus de 12 ha de vignes sur sols argilo-siliceux. Il aurait été dommage que ce vignoble n'existât pas, à en juger par ce superbe 99, au nez de fruits rouges, à la très belle structure prolongée par une finale élégante. Un vin prêt à boire mais apte à la garde. (20 à 29 F)

🔑 EARL Christian Charbonnier, 2, rue Balzac, 37220 Crouzilles, tél. 02.47.97.02.37, fax 02.47.97.02.37 ☑ Y t.l.j. sf dim. 9h-12h 14h-19h

DOM. DANIEL CHAUVEAU
Cuvée Domaine 1999★

■ 4 ha 20 000 5 à 8 €

Cette exploitation de près de 12 ha se répartit en vignes de coteaux et de graves. La cuvée Domaine est issue de ceps âgés de plus de trente ans, implantés sur le coteau. Séduisante par ses arômes et ses tanins harmonieux, elle est ronde, coule bien, tout en restant dans la typicité des cabernets de l'appellation. A servir dès maintenant. (30 à 49 F)

🔑 Dom. Daniel Chauveau, Pallus, 37500 Cravant-les-Coteaux, tél. 02.47.93.06.12, fax 02.47.93.93.06, e-mail domaine.daniel. chauveau@wanadoo.fr ☑ Y r.-v.

DOM. DES CLOS GODEAUX 2000★

◢ 4 ha 20 000 3 à 5 €

Philippe Brocourt possède un beau vignoble de 17 ha couvrant les coteaux de Rivière qui descendent doucement vers la Vienne. Bien souvent loué pour ses vins rouges, il se distingue cette année par un rosé à l'attaque fraîche, au corps soyeux et fruité. La finale est tout en légèreté, de partout fusent des arômes de tabac frais et de pêche de vigne. (20 à 29 F)

Philippe Brocourt, 3, chem. des Caves, 37500 Rivière, tél. 02.47.93.34.49, fax 02.47.93.97.40 r.-v.

DOM. DU COLOMBIER
Cuvée Vieilles vignes 1999*

■ 1,5 ha 7 000 5 à 8 €

L'installation d'une table de tri de la vendange contribue à l'amélioration de la qualité. Chez Yves Loiseau, un tel dispositif fonctionne depuis longtemps et permet, avant la mise en cuve, d'éliminer les débris végétaux qui n'ont rien à faire avec le raisin. Ce sérieux dans les opérations de vinification se reflète dans cette cuvée très typée par le cabernet, mais qui reste ronde et plaisante. Les fruits rouges dominent nettement le nez. La **cuvée principale** du domaine, un **99** également, révèle aussi une forte empreinte du cépage. Elle est citée. Enfin, Yves Loiseau obtient une étoile pour le **blanc 2000 Clos du Centenaire**, un vin très aromatique, à la bouche grasse et élégante. (30 à 49 F)

EARL Loiseau-Jouvault, Dom. du Colombier, 37420 Beaumont-en-Véron, tél. 02.47.58.43.07, fax 02.47.58.93.99, e-mail chinon.colombier@club-internet.fr t.l.j. sf dim. 8h-12h 14h-19h

DOM. COTON 1999*

■ 13 ha 18 000 3 à 5 €

A partir des années 1960, Guy Coton a commencé à spécialiser son exploitation, jusqu'alors vouée à la polyculture et à l'élevage. Depuis une douzaine d'années, le domaine est complètement viticole. Une réorientation judicieuse, à en juger par ce vin d'une grande ampleur, aux tanins bien assagis, et qui a déjà trouvé son équilibre. La finale laisse une impression de fruits mûrs. Il faut profiter maintenant de ces sensations agréables, car ce 99 n'est pas fait pour vieillir. (20 à 29 F)

EARL Dom. Coton, La Perrière, 37220 Crouzilles, tél. 02.47.58.55.10, fax 02.47.58.55.69 r.-v.

CH. DE COULAINE
Clos de Turpenay 1999*

■ 1,1 ha 4 500 8 à 11 €

Rabelais évoque ce domaine dans le récit de la guerre Picrocholine. On y trouve un vrai château (du XVes.) et un vignoble (12 ha aujourd'hui) dont les origines remontent au XIIIes. Depuis une dizaine d'années, la propriété renoue avec une tradition viticole qui avait été éclipsée par la crise phylloxérique. Un renouveau en fanfare, puisque ce Clos de Turpenay, coup de cœur l'année dernière, montre un bon équilibre dans le millésime suivant. Le nez, aux parfums de petits fruits rouges et noirs et la bouche, généreuse en attaque, soutenue par des tanins mûrs et marquée par le cassis en finale composent un chinon qui peut affronter les ans. (50 à 69 F)

Etienne et Pascale de Bonnaventure, EARL Ch. de Coulaine, 37420 Beaumont-en-Véron, tél. 02.47.98.44.51, fax 02.47.93.49.15 r.-v.

COULY-DUTHEIL Clos de l'Echo 1999*

■ 22 ha 80 000 11 à 15 €

La maison Couly fête ses quatre-vingts ans cette année. Dirigée par Pierre et Jacques Couly, elle prend un air de jeunesse avec l'implication croissante de la génération suivante représentée par Bertrand et Arnaud. Le Clos de l'Echo qui appartînt à la famille de Rabelais nous offre une fois encore un rouge de très belle constitution. Le fruité, la matière et les tanins sont bien présents mais masqués pour l'heure par un boisé omniprésent. Quelques années d'attente et le tout se fondra harmonieusement. (70 à 99 F)

SCA Couly-Dutheil Père et Fils, 12, rue Diderot, 37500 Chinon, tél. 02.47.97.20.20, fax 02.47.97.20.25, e-mail webmaster@coulydutheil-chinon.com r.-v.

JEAN-PIERRE CRESPIN
L'Arlequin 1999*

■ 1,4 ha 7 000 5 à 8 €

Issu de petites vignes de coteaux et élevé quinze mois en fût de chêne, c'est un vin élaboré pour une longue garde. Il en a les dispositions par sa matière, son équilibre et surtout son caractère boisé bien affirmé. Il lui faut absolument prendre du temps pour trouver l'harmonie. Mais pourquoi diable ne le réserver qu'aux humanistes, pour reprendre la formule de l'étiquette ? (30 à 49 F)

Jean-Pierre Crespin, 12, rue Grande, 37220 Tavant, tél. 02.47.97.01.48, fax 02.47.97.01.48, e-mail jean-pierre.crespin@mageos.com r.-v.

GFA Champ Martin

RENAUD DESBOURDES
Les Ribottées Cuvée de Printemps 1999*

■ 4 ha 4 500 5 à 8 €

A l'entrée de la propriété, quatre chênes plus que centenaires témoignent de l'ancienneté des lieux. Renaud Desbourdes a repris en 1999 cette exploitation familiale de 12 ha environ, après avoir travaillé pendant quinze ans sur un autre domaine. Il propose une cuvée de Printemps tout en fruit. L'attaque est franche et la suite bien équilibrée, d'une structure tannique légère. Une bouteille à servir, un peu fraîche, sur une grillade. La **Réserve de la Marinière 99 vieillie en fût** a été citée. Elle est plus solide mais demandera un peu d'évolution. (30 à 49 F)

Renaud Desbourdes, La Marinière, 37220 Panzoult, tél. 02.47.95.24.75, fax 02.47.95.24.75 r.-v.

DOM. DOZON 2000**

□ 0,6 ha 4 000 5 à 8 €

Un domaine de 23 ha implanté sur un sol argilo-calcaire : l'assurance d'une production de vins rouges solides, généralement aptes à la garde. Mais ici, cette année, c'est un blanc qui remporte la palme. Le nez, très aromatique, mêle des senteurs de chèvrefeuille, de menthe et de litchi. On retrouve la menthe dans une bouche fraîche, citronnée, dotée d'une longue finale. Ce vin se placera avec bonheur sur un poisson grillé. (30 à 49 F)

Dom. Dozon, Le Rouilly, 37500 Ligré, tél. 02.47.93.17.67, fax 02.47.93.95.93, e-mail dozon@terre-net.fr t.l.j. sf dim. 9h-12h 14h-18h

DOM. DES GELERIES
Cuvée Prestige 1999*

2 ha 6 000 5à8€

Principalement productrice de bourgueil, Jeannine Rouzier-Meslet exploite un petit bien qu'elle tient de son mari. Sa cuvée Prestige est pleine de promesses et très aromatique, au nez comme en bouche. L'attaque formée sur des arômes animaux est suivie de tanins très présents qui n'ont pas fini d'évoluer. Un vin à oublier impérativement en cave pendant quelque temps, pour permettre à sa belle structure de s'arrondir. (30 à 49 F)

Jeannine Rouzier-Meslet, 2, rue des Géléries, 37140 Bourgueil, tél. 02.47.97.72.83, fax 02.47.97.48.73 r.-v.

GOURON ET FILS 2000

1 ha 5 000 3à5€

En sortant de la cave des Gouron, située à flanc de coteau, il faut prendre le temps d'admirer le vignoble de Cravant qui s'étend en contrebas sur les terrasses graveleuses de la Vienne. Chez cette vieille famille chinonaise où trois générations de vignerons se côtoient, on pourra découvrir ce rosé apprécié pour son fruité exubérant. L'attaque fraîche, sans agressivité, est suivie d'une longue présence en bouche. Une jolie bouteille à inviter sous la tonnelle. (20 à 29 F)

GAEC Gouron, La Croix de Bois, 37500 Cravant-les-Coteaux, tél. 02.47.93.15.33, fax 02.47.93.96.73, e-mail info@domaine-gouron.com r.-v.

VIGNOBLE GROSBOIS
Cuvée Printemps 1999

2 ha 18 000 3à5€

Jacques Grosbois exploite 8 ha de vignes très bien situés sur les sols argilo-calcaires des coteaux de Panzoult, face au midi. Il a réussi deux cuvées. Celle-ci, dite de Printemps, est souple à l'attaque, sans richesse excessive de matière et de tanins, ce qui lui donne un côté plaisant, gouleyant, et une belle expression aromatique au nez. Un vin plaisir. La **cuvée Vieilles vignes 99 (30 à 49 F)**, citée également, est chaleureuse et apte à la garde. (20 à 29 F)

Jacques Grosbois, Le Pressoir, 37220 Panzoult, tél. 02.47.58.66.87, fax 02.47.95.26.52, e-mail vignoble.grosbois@wanadoo.fr r.-v.

DOM. HERAULT
Cuvée Vieilles vignes 1999*

2,63 ha 19 000 5à8€

La cave à elle seule mérite que l'on s'arrête chez Eric et Elodie Hérault. Découverte en 1975, elle date du XIII[e]s. et couvre près d'un demi-hectare. Un palmier vous y accueille à l'entrée, témoin de la douceur du climat chinonais. Les vins ne manquent pas non plus d'intérêt, telle cette cuvée Vieilles vignes qui séduit par son élégance. La bouche est ronde, fraîche et d'un bel équilibre. Un ensemble séducteur et facile à boire. (30 à 49 F)

EARL Hérault, Le Château, 37220 Panzoult, tél. 02.47.58.56.11, fax 02.47.58.69.47 r.-v.

DOM. CHARLES JOGUET
Clos du Chêne Vert 1999***

2 ha 10 000 11à15€

Charles Joguet a pris sa retraite en 1997, mais le domaine, fidèle à son esprit, continue à privilégier l'expression des terroirs. Le Clos du Chêne Vert, considéré comme exceptionnel l'année dernière, se voit encore crédité de trois étoiles dans le millésime suivant et frôle le coup de cœur. Le nez intense livre d'abord une belle évocation de fruits mûrs ou de confiture, puis des notes vanillées venant d'un boisé léger. A l'attaque souple et grasse succèdent des tanins au grain fin, tout en élégance. Un chinon plein de promesses, qu'il faut attendre pour permettre au bois, encore dominant, de se fondre. (70 à 99 F)

SCEA Charles Joguet, La Dioterie, 37220 Sazilly, tél. 02.47.58.55.53, fax 02.47.58.52.22, e-mail joguet@charlesjoguet.com r.-v.

DOM. DE L'ABBAYE 1999*

20 ha 100 000 5à8€

A l'origine de cette importante exploitation (50 ha sur huit communes), le domaine de Parilly, déjà réputé pour ses vignes au XI[e]s. Guillaume de Sainte-Maure, seigneur du lieu, en fit don à l'abbaye de Noyers. Celle-ci disparut, mais son nom est resté attaché à la propriété. Le domaine se place toujours à un très bon niveau de qualité, à en juger par les trois cuvées de chinon retenues, chacune avec une étoile. La cuvée principale présente un nez fermé, qui laisse cependant percer des senteurs de cassis. Après une attaque souple et puissante, ce fruit revient en force, explosif. Les tanins sont bien fondus, et la finale est douce. Cette bouteille sera au sommet dans deux ans. La cuvée **Vieilles vignes 99 rouge**, élevée en fût, ne manque pas non plus de ressources. Très réussi aussi, le **rosé 2000**, est frais et fruité. (30 à 49 F)

Michel Fontaine, Le Repos Saint-Martin, 37500 Chinon, tél. 02.47.93.35.96, fax 02.47.98.36.76 t.l.j. 9h-12h 14h-18h30; f. le dim. du 15 nov. au 15 mars

MANOIR DE LA BELLONNIERE
Vieilles vignes 1999**

5 ha 15 000 5à8€

Cette magnifique demeure tourangelle dont les origines remontent au XV[e]s. dispose d'un vignoble de 25 ha dont une partie est établie sur les graves de la Vienne et l'autre (20 %) sur le coteau. Sa cuvée Vieilles vignes séduit par son nez ouvert alliant fruits rouges, fruits secs et réglisse. La bouche à l'attaque franche, bien pourvue en tanins aux grains fins, révèle une élégante matière. Un vin sérieux qui devra patienter un peu en cave. (30 à 49 F)

Béatrice et Patrice Moreau, La Bellonnière, 37500 Cravant-les-Coteaux, tél. 02.47.93.45.14, fax 02.47.93.93.65 r.-v.

CLOS DE LA GRILLE 1999

■ 2,5 ha n.c. 5à8€

Ce domaine de 12 ha, établi sur un coteau calcaire, propose une cuvée retenue par le jury pour son fruité et sa rondeur. Les tanins sont fondus et confèrent à l'ensemble une harmonie que l'on remarque d'emblée. (30 à 49 F)

Marie-Pierre Raffault, Les Loges, 37500 Chinon, tél. 02.47.93.17.89, fax 02.47.93.92.60, e-mail marie-pierre.raffault@wanadoo.fr r.-v.

CH. DE LA GRILLE 1999★★

■ 27 ha 180 000 11à15€

Le château, du XVIe s., a été rénové au XIXe s. par Gustave de Cougny, alors président de la Société française d'archéologie. Il appartient aujourd'hui aux Gosset, vignerons depuis quatorze générations. Alliant traditions et méthodes modernes, le domaine propose dans une élégante bouteille, copie d'un modèle champenois du XVIIIe s., un vin superbe, élevé quinze mois dans le bois. Le nez très expressif, qui évoque nettement le cèdre, donne le ton. Le reste est à l'avenant : attaque souple et volumineuse, équilibre et longueur, rien ne manque. Une bouteille de très grande classe - contenant et contenu - qui fera son chemin. (70 à 99 F)

Laurent et Sylvie Gosset, Ch. de La Grille, BP 205, 37502 Chinon Cedex, tél. 02.47.93.01.95, fax 02.47.93.45.91 r.-v.

DOM. DE LA HAUTE OLIVE
Cuvée Vieilles vignes 1999

■ 4 ha 20 000 5à8€

Une robe rubis foncé, des senteurs de framboise et de cassis au nez comme en bouche, des tanins solides mais dénués de rusticité, une matière que l'on perçoit longuement : un vin intéressant mais qui doit attendre deux ans en cave avant de paraître sur la table. (30 à 49 F)

EARL Dom. de La Haute Olive, 38, rue de la Haute-Olive, 37500 Chinon, tél. 02.47.93.04.08, fax 02.47.93.99.28 r.-v.
Yves Jaillais

BEATRICE ET PASCAL LAMBERT
Cuvée Marie 1999★★★

■ 2 ha 8 500 11à15€

Béatrice et Pascal Lambert, établis sur un vignoble de plus de 10 ha au pied du coteau de Cravant, bénéficient d'une bonne installation vinicole. Ils attachent beaucoup d'importance au vieillissement sous bois et disposent dans leur chai d'alignements de fûts de chêne, dont 30 % sont neufs. Voici un vin qui a dû retenir toute l'attention de ces deux jeunes vignerons tant il est réussi en tout point. D'un rouge intense presque violet, il offre un très joli nez de fruits rouges et noirs avec une nuance de vanille. La bouche pleine, riche et profonde présente un support tannique déjà évolué. Une touche boisée marque la longue finale. Une grande intensité, une belle matière et un élevage parfaitement maîtrisé : tout concourt au coup de cœur. Ce chinon mériterait d'attendre - mais aura-t-on la patience ? (70 à 99 F)

Pascal Lambert, Les Chesnaies, 37500 Cravant-les-Coteaux, tél. 02.47.93.13.79, fax 02.47.93.40.97, e-mail lambertchesnaies@aol.com r.-v.

DOM. DE LA NOBLAIE 1999★★

■ 11,3 ha 35 000 5à8€

La Noblaie, située au Vau breton, est au cœur du Chinonais : le val où croît le « breton » selon Rabelais, qui nommait ainsi le cabernet franc. Créé par Pierre Manzagol en 1952, le domaine a été repris par son gendre, Pierre Billard. Ce 99 est une belle expression du terroir. Les tanins sont souples et élégants avec une impression de puissance. Le nez aux accents de fruits rouges marqués est caractéristique du cépage. Ce vin peut faire un peu de garde mais pas obligatoirement. Un bon point également pour un **blanc 2000** réussi. (30 à 49 F)

SCEA Manzagol-Billard, Dom. de La Noblaie, Le Vau Breton, 37500 Ligré, tél. 02.47.93.10.96, fax 02.47.93.26.13 r.-v.

DOM. DE LA PERRIERE
Vieilles vignes 1999★★

■ 7,5 ha 40 000 5à8€

Aux mains de la même famille depuis six siècles, le vignoble de La Perrière est planté sur les terrasses graveleuses de la Vienne. Il donne naissance à des vins très bouquetés et souvent finement structurés. Celui-ci, issu de vignes de quarante ans, a manqué de peu le coup de cœur. Son nez « bretonne » à n'en plus finir. La bouche, aux accents de café et de réglisse, propose une matière riche et des tanins mesurés. Elle possède une bonne réserve d'évolution. La **Grande Cuvée 99 (70 à 99 F)**, qui ne peut cacher son élevage de quinze mois en fût, obtient une citation, tandis que le **blanc 2000**, dit **Confidentiel (50 à 69 F)**, très boisé, recueille une étoile. (30 à 49 F)

Christophe Baudry, Dom. de La Perrière, 37500 Cravant-les-Coteaux, tél. 02.47.93.15.99, fax 02.47.98.34.57 r.-v.

VIGNOBLE DE LA POELERIE 2000★

◪ n.c. 3 000 3à5€

François Caillé exploite depuis 1990 un domaine de 19 ha implanté sur les alluvions

LOIRE

anciennes de la Vienne. Son rosé fait preuve d'équilibre dès le départ. Le nez, agréable, cherche sa voie entre les fruits et les fleurs. L'attaque est franche, fruitée, d'une bonne plénitude qui se maintient assez longtemps. Un vin tendre et facile à boire. Signalons encore en **rouge 99**, la **cuvée Vieilles vignes (30 à 49 F)**, citée par le jury. Avec sa bouche souple et fruitée, elle est bien dans le type du chinon de graviers. (20 à 29 F)

François Caillé, Le Grand Marais, 37220 Panzoult, tél. 02.47.95.26.37, fax 02.47.58.56.67 r.-v.

DOM. DE LA POTERNE 2000*

0,35 ha 2 000 5à8€

C'est un joli vin bien équilibré, assez charnu pour un rosé, avec du fruit et une finale douce et longue. Très plaisant, il régale par sa fraîcheur et sa spontanéité. Les terres de graves profondes se prêtent sans doute à la production de ces vins plaisir, mais le tour de main du vigneron n'y est pas étranger. (30 à 49 F)

EARL Christian et Robert Delalande, Montet, 37220 L'Ile-Bouchard, tél. 02.47.58.67.99, fax 02.47.58.67.99 r.-v.

DOM. DE LA ROCHE HONNEUR

Diamant Prestige 1999**

3 ha 10 000 5à8€

Ce domaine de 15 ha établi entre Loire et Vienne sur des terroirs divers produit des cuvées d'expressions variées. Celle-ci, élevée quinze mois en fût, est l'enfant chéri de Stéphane Mureau, et elle le lui rend bien. Son nez complexe associe une petite touche boisée à des senteurs de fruits rouges bien mûrs. L'attaque grasse fait vite place à une matière charnue et ample où l'on retrouve le boisé. Des tanins soyeux contribuent à l'équilibre remarquable de ce vin au potentiel de garde certain. On ne négligera pas le **rosé 2000** de la propriété, riche, plein et d'une belle fraîcheur (une étoile). (30 à 49 F)

Dom. de La Roche Honneur, 1, rue de la Berthelonnière, 37420 Savigny-en-Véron, tél. 02.47.58.42.10, fax 02.47.58.45.36, e-mail domaine.de.roche.honneur@libertysurf.fr r.-v.

Stéphane Mureau

CAVES DE LA SALLE

Vieilles vignes 1999*

n.c. 10 000 5à8€

La maison et ses dépendances datent du XVIIIe s., mais les bâtiments d'exploitation ont été édifiés en 1988. Rémi Desbourdes exerce quelques activités annexes, comme le camping à la ferme et l'élevage des ânes. Mais sa passion première reste la vigne. Elu coup de cœur l'année dernière, il est retenu cette année pour trois beaux vins : cette cuvée Vieilles vignes, d'un bel équilibre, aux tanins très doux et aux arômes de cabernet affirmés, à boire dès à présent ; sa cuvée **Fief de La Rougellerie 99**, tout aussi intéressante par ses tanins fondus et sa bonne harmonie (une étoile) ; enfin un **blanc 2000** (cité), dont la palette aromatique est faite de pamplemousse et de notes minérales. (30 à 49 F)

Rémi Desbourdes, La Salle, 37220 Avon-les-Roches, tél. 02.47.95.24.30, fax 02.47.95.24.83 t.l.j. sf dim. 8h-12h 14h-18h

DOM. DE LA SEMELLERIE

Cuvée Déborah Vieilles vignes Elevé en fût de chêne 1999*

1 ha 5 000 5à8€

La semellerie est le nom que l'on donnait autrefois aux meilleurs crus d'un vignoble. Le domaine l'a gardé sans doute en raison de sa situation privilégiée. Il est établi au point le plus élevé de la commune, exposé au sud et doté d'un sol argilo-siliceux riche en cailloux. Issue de vignes de cinquante ans, cette cuvée offre un nez intense, dominé par le cassis, avec quelques notes évoluées et du grillé. La bouche est souple, ronde et d'une longueur appréciable. Restent les tanins qu'il faut laisser mûrir. (30 à 49 F)

Fabrice Delalande, La Semellerie, 37500 Cravant-les-Coteaux, tél. 02.47.93.18.70, fax 02.47.93.94.00 r.-v.

DOM. DE LA TOUR

Cuvée Vieilles vignes 1999

6 ha n.c. 8à11€

Le vignoble de Guy Jamet s'étend sur 14 ha. Situé au point le plus élevé de la commune, il bénéficie d'un ensoleillement généreux. Arrivé à bonne maturité, ce 99 présente une bouche ronde, aux tanins soyeux. La finale laisse une impression de confiture de fruits rouges. Il faut profiter de ses agréments aujourd'hui. Un ensemble très plaisant. (50 à 69 F)

Guy Jamet, Dom. de La Tour, 25, rue de la Buissonière, 37420 Beaumont-en-Véron, tél. 02.47.58.47.61, fax 02.47.58.47.61 r.-v.

DOM. DE LA TRANCHEE 1999

2 ha 5 000 5à8€

Les vignobles de la commune de Beaumont sont plantés en majorité sur sols argilo-calcaires reposant directement sur le tuffeau - des terrains chauds et bien drainés où la vigne se plaît. Heureuse, elle a donné ici un joli vin simple, équilibré, d'une bonne persistance. Il s'adaptera à de nombreuses circonstances. (30 à 49 F)

Pascal Gasné, 33, rue de la Tranchée, 37420 Beaumont-en-Véron, tél. 02.47.58.91.78, fax 02.47.58.85.25, e-mail pascal.gasné@club-internet.fr r.-v.

LE LOGIS DE LA BOUCHARDIERE
Les Clos 1999**

■ 6,3 ha 42 000 ◼ 5à8€

Un domaine de 45 ha implanté pour les trois quarts sur des coteaux et pour le reste sur la terrasse graveleuse de la Vienne. C'est sur les premiers, aux sols argilo-siliceux, qu'est née cette cuvée des Clos, qui donne généralement des vins charnus et tanniques, comme ce 99. Cependant, il est important de préciser que ses tanins, souples et élégants, permettent de le servir dès maintenant. Il n'en est pas moins apte à la garde. (30 à 49 F)

Serge et Bruno Sourdais, Le Logis de la Bouchardière, 37500 Cravant-les-Coteaux, tél. 02.47.93.04.27, fax 02.47.93.38.52 ☑ Y r.-v.

CH. DE LIGRE La Roche Saint-Paul 1999*

■ 5 ha 25 000 ◼ 5à8€

Le domaine, plus de 30 ha sur la rive gauche de la Vienne, est dans la famille depuis trois générations. Sa cuvée de la Roche Saint-Paul, fraîche et franche en attaque, montre ensuite une rondeur plaisante puis des tanins assez présents. C'est tout cela le vin de Ligré, une structure qui ne se fait pas oublier. Une petite attente pourrait lui convenir. Pierre et Fabienne Ferrand ont obtenu également une citation pour un **blanc 2000**, aromatique et élégant. (30 à 49 F)

Pierre Ferrand, Ch. de Ligré, 37500 Ligré, tél. 02.47.93.16.70, fax 02.47.93.43.29, e-mail pierre.ferrand4@wanadoo.fr ☑ Y t.l.j. 8h30-12h 14h-18h; sam. dim. sur r.-v.

DOM. DES MILLARGES
Elevé en fût 1999*

■ 3 ha 12 600 ◼ 5à8€

Le Centre viti-vinicole de Chinon, rattaché à l'enseignement agricole, met à la disposition des vignerons de la région les références dont ils ont besoin pour la sélection de leurs plants et dispense des conseils œnologiques. Sorti d'un chai très bien équipé, voici un vin un peu dominé par le caractère boisé, mais où le fruité et la matière sont là. Encore très marqué par les tanins, il s'exprimera mieux avec le temps. Le Centre a, par ailleurs, obtenu une citation pour un **blanc 2000**, à l'attaque élégante, au corps souple dans un bel équilibre général. Un vin plaisant à servir dès maintenant. (30 à 49 F)

Centre viti-vinicole de Chinon, Les Fontenils, 37500 Chinon, tél. 02.47.93.36.89, fax 02.47.93.96.20 ☑ Y r.-v.

Lycée agricole

DOM. DU MORILLY 2000

◪ 0,6 ha 4 500 ◼ 3à5€

Les chinon rosés sont intéressants par leur structure qui leur permet de tenir leur place à table. Un fruité souvent généreux les classe aussi parmi les vins d'été rafraîchissants qui se prêtent aux accords avec des entrées ou de la charcuterie. Celui-ci, aromatique, frais, léger et d'un bon équilibre, conviendrait bien à un plat exotique pour calmer les ardeurs des épices. (20 à 29 F)

EARL André-Gabriel Dumont, Malvault, 37500 Cravant-les-Coteaux, tél. 02.47.93.24.93, fax 02.47.93.45.05 ☑ Y r.-v.

CLOS DE NEUILLY 1999*

■ n.c. 15 000 ◼ 5à8€

Attaque volumineuse, tanins fins, finale longue sur des fruits rouges, les compliments ne manquent pas. Mais le jury est partagé sur la destination de ce 99 : faut-il le boire ou le laisser vieillir ? Les deux options semblent possibles, suivant les goûts de chacun. La question ne se pose pas pour le **rosé 2000** présenté sous le nom de **Domaine du Carroi Portier (20 à 29 F)** : on pourra profiter des belles journées d'arrière-saison pour l'ouvrir, dès la sortie du Guide. (30 à 49 F)

Dom. Spelty, Le Carroi Portier, 37500 Cravant-les-Coteaux, tél. 02.47.93.08.38, fax 02.47.93.93.50, e-mail spelty@free.fr ☑ Y r.-v.

J.-L. PAGE Cuvée Vieilles vignes 1999*

■ 1,4 ha 5 000 ◼ 5à8€

A sa sortie du lycée viticole, Jean-Louis Page s'est installé en 1997 sur la petite exploitation léguée par son grand-père. Voici donc un des premiers vins élaborés par ce jeune vigneron. Très réussi avec son nez qui « bretonne », il révèle des tanins assez arrondis, une matière abondante et de la puissance. Une belle bouteille de garde. (30 à 49 F)

Jean-Louis Page, 12, rte de Candes, La Halbardière, 37420 Savigny-en-Véron, tél. 02.47.58.96.92, fax 02.47.58.86.65 ☑ Y r.-v.

JAMES PAGET Vieilles vignes 1999*

■ 1,5 ha 7 000 ◼ 5à8€

James Paget, dont les activités principales ont pour cadre le terroir d'Azay-le-Rideau (où il exerce d'ailleurs des responsabilités professionnelles), exploite un petit bien de 1,5 ha sur Chinon. Le sol à tendance graveleuse donne des vins « de printemps ». Celui-ci, bien fait, souple, aux tanins discrets et aux arômes de fruits rouges, s'inscrit dans cette catégorie. Il est à boire maintenant. (30 à 49 F)

EARL James Paget, 13, rue d'Armentières, 37190 Rivarennes, tél. 02.47.95.54.02, fax 02.47.95.45.90 ☑ Y r.-v.

DOM. CHARLES PAIN
Cuvée Prestige 1999**

■ 10 ha 30 000 ◼ 5à8€

Le domaine Charles Pain couvre 25 ha et s'étend sur les trois communes les plus orientales de l'appellation. Sa cuvée Prestige présente bien des qualités : un nez franc de cassis et de framboise bien mûrs, une bouche à l'attaque charnue et aux tanins fins, serrés. D'un beau volume, équilibré, ce chinon devra être attendu. La **cuvée du Domaine 99 (20 à 29 F)**, issue des terrasses sableuses et graveleuses de la Vienne, séduit par ses senteurs de fruits rouges et ses tanins lisses. Elle obtient une étoile, tandis que le **rosé de saignée 2000**, vineux, est cité sans étoile. (30 à 49 F)

EARL Dom. Charles Pain, Chezelet, 37220 Panzoult, tél. 02.47.93.06.14, fax 02.47.93.04.43, e-mail charles.pain@wanadoo.fr ☑ Y r.-v.

LOIRE

DOM. DU PUY Vieilles vignes 1999

■ 6 ha 13 000 3à5€

Créé par Alexis Delalande en 1820, le domaine du Puy a vu se succéder cinq générations de vignerons. Aujourd'hui, fort de 24 ha, il est mené par Patrick Delalande qui travaille dans l'esprit de ses ancêtres, fidèle à la tradition. Son 99 est franc, rond, bien équilibré avec des tanins plaisants. Un vin harmonieux mais de type léger, qui demande à être servi maintenant, dans une ambiance simple et conviviale. (20 à 29 F)

Patrick Delalande, EARL du Puy, RN 11, Le Puy, 37500 Cravant-les-Coteaux, tél. 02.47.98.42.31, fax 02.47.93.39.79 r.-v.

JEAN-MAURICE RAFFAULT 2000*

◪ 2 ha 13 000 3à5€

C'est l'ancêtre de Jean-Maurice Raffault, Mathurin Bottreau, journalier, qui achète la première vigne en 1693. Aujourd'hui, le domaine s'étend sur 45 ha et dispose de terroirs variés. Vous cherchez une bouteille pour un plaisir immédiat ? Choisissez ce rosé, aromatique et frais. A l'opposé, en **rouge 99, la cuvée du Puy (50 à 69 F)**, citée par le jury, doit évoluer encore, même si elle révèle déjà un caractère équilibré. Provenant de coteaux argilo-calcaires et de petits rendements (un éclaircissage est pratiqué en août), elle est élevée en fût neuf pendant près de deux ans. La bouche est donc, sans surprise, envahie par des impressions boisées et torréfiées. Egalement citée dans le même millésime, la cuvée **Clos d'Isoré en rouge (30 à 49 F)**, élevée un an sous bois, serait à boire plus rapidement. (20 à 29 F)

EARL Jean-Maurice Raffault, La Croix, 37420 Savigny-en-Véron, tél. 02.47.58.42.50, fax 02.47.58.83.73, e-mail rodolphe.raffault@wanadoo.fr r.-v.

DOM. DU RAIFAULT 1999*

■ 5 ha 30 000 5à8€

Depuis 1997, Julien Raffault marche sur les traces de son père, disparu trop tôt. Il lui doit ce domaine réputé, établi sur les terrasses de la Vienne (28 ha). Sa cuvée principale séduit d'emblée par sa robe rubis foncé. Le boisé de chêne neuf, très présent au nez, reste agréable, mais masque en bouche les arômes du cabernet. Les tanins sont parfaits et s'accordent avec la vivacité de la finale. Un vin fort réussi, mais que les inconditionnels du vrai chinon laisseront évoluer pour une meilleure harmonie. La **cuvée des Allets 99**, qui a obtenu plusieurs coups de cœur dans le passé (millésimes 92, 93), recueille aussi une étoile pour la bonne intégration du bois et des tanins. (30 à 49 F)

Julien Raffault, 23-25, rte de Candes, 37420 Savigny-en-Véron, tél. 02.47.58.44.01, fax 02.47.58.92.02 t.l.j. 8h-19h; dim. 9h-12h

PHILIPPE RICHARD 1999*

■ 2 ha 5 000 5à8€

Un petit domaine de 6 ha et des caves creusées dans le tuffeau par le père et le grand-père. Son chinon 99, assez animal au nez, évolue vers la framboise après agitation. La bouche, souple en attaque, révèle une belle structure, avec des tanins fins, un peu austères cependant en finale. Fruit d'un élevage bien maîtrisé, c'est un vin qu'il serait dommage de boire trop tôt. (30 à 49 F)

Philippe Richard, Le Sanguier, 37420 Huismes, tél. 02.47.95.52.50, fax 02.47.95.45.82 t.l.j. 9h-19h

DOM. DU RONCEE 1999**

■ 20 ha 100 000 5à8€

Le domaine du Roncée est un ancien fief qui relevait au XIIe s. de la châtellenie de l'Ile-Bouchard. Au XVe s, les vignes étaient entourées de murs et formaient des clos dont les différentes cuvées de l'exploitation portent encore le nom. La cuvée principale résulte, quant à elle, d'un assemblage raisonné des terroirs. Ce vin a beaucoup impressionné le jury. Tout en lui est harmonie, douceur et élégance. Matière et tanins sont fondus, aucun élément ne l'emportant sur l'autre. Cette bouteille a pourtant une réserve d'évolution qui la mènera loin. Du même producteur, la cuvée du **Coteau des Chenanceaux 99 rouge (50 à 69 F)** décroche une étoile mais dans un tout autre style : c'est un vin sévère qui doit s'arrondir. (30 à 49 F)

Dom. du Roncée, La Morandière, 37220 Panzoult, tél. 02.47.58.53.01, fax 02.47.58.64.06, e-mail info@roncee.com r.-v.

DOM. DES ROUET
Cuvée des Battereaux Vieilles vignes 1999

■ 2,3 ha 10 000 5à8€

Très souvent mentionnée dans le Guide, la cuvée des Battereaux mérite d'y figurer cette année pour sa robe presque grenat, sa palette aromatique associant cassis, cerise et même violette, et sa structure ample, témoins d'un élevage sous bois bien conduit. Elle pourrait être invitée dès maintenant à table, mais une petite évolution ne nuira certainement pas à son harmonie. (30 à 49 F)

Dom. des Rouet, Chezelet, 37500 Cravant-les-Coteaux, tél. 02.47.93.19.41, fax 02.47.93.96.58 t.l.j. 9h-18h; dim. sur r.-v.

CH. DE SAINT-LOUAND
Réserve de Trompegueux 1999*

■ 5,75 ha 25 000 5à8€

La propriété qui couvre 6,5 ha a été achetée en 1898 par Charles Walther, chirurgien et président de l'Académie de médecine, qui ne devait pas manquer de recommander le vin de Chinon à ses convalescents. Les vignes plantées sur sols argilo-calcaires dominent la Vienne. Cette Réserve de Trompegueux, d'un rouge profond, s'ouvre au nez sur la cerise et la griotte. En bouche, elle évoque la fumée avant que les tanins ne couvrent les arômes et la matière, que l'on devine en fond. C'est un vin prometteur, mais il faut lui laisser le temps de se révéler complètement. (30 à 49 F)

Bonnet-Walther, Saint-Louand, 37500 Chinon, tél. 02.47.93.48.60, fax 02.47.98.48.54 r.-v.

PIERRE SOURDAIS
Réserve Stanislas 1999*

■ 3,5 ha 20 000 5à8€

Parmi les bâtiments du domaine, une tour panoramique - relativement discrète - permet d'embrasser tout le vignoble de Cravant et de se rendre compte de la situation de chaque terroir. Un assemblage heureux de vins nés de sols siliceux, argileux et de graves avec d'autres issus de vieilles vignes constitue cette Réserve Stanislas. L'attaque, fruitée et souple, ne manque pas d'élégance, mais les tanins font sentir leur présence ; ils sont le gage d'une bonne évolution. (30 à 49 F)

Pierre Sourdais, Le Moulin à Tan, 37500 Cravant-les-Coteaux, tél. 02.47.93.31.13, fax 02.47.98.30.48 r.-v.

CH. DE VAUGAUDRY
Clos du Plessis-Gerbault 1999*

■ 1 ha n.c. 5à8€

Si le château actuel ne date que du XIXᵉs., le site est mentionné par Rabelais dans son récit de la guerre Picrocholine. Etabli sur une terrasse taillée au flanc du coteau de la rive gauche de la Vienne, le domaine fait face à la vieille forteresse de Chinon. Entièrement ceint de murs, le vignoble, qui couvre 12 ha, bénéficie d'un microclimat privilégié. Le millésime 99 est très marqué par les fruits rouges, au nez comme à l'attaque. En bouche, en revanche, les tanins et un boisé puissant font la loi. C'est un vin d'avenir et qui devra patienter longuement en cave pour gagner en amabilité. (30 à 49 F)

SCEA Ch. de Vaugaudry, Vaugaudry, 37500 Chinon, tél. 02.47.93.13.51, fax 02.47.93.23.08 r.-v.
Belloy

Coteaux du loir

Avec le jasnières, voici le seul vignoble de la Sarthe, sur les coteaux de la vallée du Loir. Il renaît après avoir failli disparaître il y a vingt-cinq ans. Les vignes sont plantées sur l'argile à silex qui recouvre le tuffeau. Une production intéressante avec 2 068 hl d'un rouge léger et fruité (pineau d'Aunis, assemblé aux cabernet, gamay ou côt) et de rosé, et 1 175 hl de blanc sec (chenin ou pineau blanc de la Loire).

DOM. DE CEZIN 2000**

□ 4 ha 10 000 5à8€

Le jury n'a pas hésité à décerner un coup de cœur à ce beau vin blanc à l'aspect brillant. L'intensité aromatique surprend puis émerveille par sa complexité : de la mangue, de l'orange puis de la pêche jaune sur un fond de bourgeon de cassis. L'attaque est franche, et l'on retrouve dans une belle continuité les saveurs révélées par le nez. Un produit remarquable, bien typé et qui vieillira sans faillir. (30 à 49 F)

François Fresneau, rue de Cézin, 72340 Marçon, tél. 02.43.44.13.70, fax 02.43.44.13.70, e-mail earl.francois.fresneau@wanadoo.fr r.-v.

BERNARD CROISARD 2000*

□ 1,5 ha 7 000 5à8€

Ce domaine existe depuis deux cents ans ; il demeure depuis lors dans la même famille. Bernard Croisard propose un vin or pâle qui « terroite » ; ce 2000 offre la plus belle expression avec un nez intense et persistant d'agrumes mûrs ; puis le palais bien développé donne une impression de jeunesse. Cette bouteille devra mûrir en cave avant d'être pleinement appréciée. (30 à 49 F)

Bernard Croisard, La Pommeraie, 72340 Chahaignes, tél. 02.43.44.47.12 r.-v.

DOM. DE LA GAUDINIERE 1999*

■ 1,3 ha 6 000 3à5€

Une belle robe rubis clair puis des arômes poivrés alliés au cuir donnent à ce vin une belle stature. Les épices bien présentes en bouche sont un régal d'originalité au travers d'une structure souple, typique du millésime 99. (20 à 29 F)

EARL C. et D. Cartereau, La Gaudinière, 72340 Lhomme, tél. 02.43.44.55.38, fax 02.43.44.55.38 r.-v.

LES MAISONS ROUGES
Pineau d'Aunis Vieilles vignes 1999*

■ 0,35 ha 1000 3à5€

Créé en 1994 avec 50 ares de vignes, ce jeune domaine a acheté depuis de vieilles vignes, comme ce pineau d'Aunis de soixante ans. Ce cépage est bien adapté au terroir de la vallée du Loir. D'apparence rubis clair, ce 99 laisse poindre une note poivrée caractéristique, fraîche, puis les tanins souples tapissent bien la bouche. Un beau résultat. (20 à 29 F)

Elisabeth et Benoît Jardin, Les Maisons Rouges, Les Chaudières, 72340 Ruillé-sur-Loir, tél. 02.43.79.50.09, fax 02.43.44.46.80, e-mail benoit-jardin@libertysurf.fr r.-v.

Jasnières

C'est le cru des coteaux du Loir, bien délimité sur un unique versant plein sud de 4 km de long et de quelques centaines de mètres de large seulement. Une production en 2000 de 2 627 hl de vin blanc, issu du seul cépage chenin ou pineau de la Loire, qui peut donner des produits sublimes les grandes années. Curnonsky n'a-t-il pas écrit : « Trois fois par siècle, le jasnières est le meilleur vin blanc du monde » ? Il accompagne élégamment, dit-on, la « marmite sarthoise », spécialité locale, où il rejoint d'autres produits du terroir : poulets et lapins finement découpés, légumes cuits à la vapeur. Vin rare, à découvrir.

GASTON CARTEREAU 2000*

□ 0,75 ha 4 000 5à8€

Un nez très développé aux senteurs balsamiques et minérales sous une robe brillante aux reflets paille. Ce vin à l'équilibre remarquable est bien typé jasnières. Beaucoup d'harmonie. A découvrir. (30 à 49 F)

Gaston Cartereau, Bordebeurre, 72340 Lhomme, tél. 02.43.44.48.66 r.-v.

DOM. DE CEZIN 2000**

□ 2 ha 10 000 5à8€

Toujours présent dans le Guide, François Fresneau a proposé au jury un vin comme seuls les grands terroirs savent produire. D'une belle couleur jaune paille, c'est un millésime charmeur aux notes d'abricot et de pêche, puis il se montre plus viril avec des notes de pamplemousse et de grillé. Il faudra le conserver quelque temps mais il enchante déjà. Le jury ne s'y est pas trompé : coup de cœur sans faille ! (30 à 49 F)

François Fresneau, rue de Cézin, 72340 Marçon, tél. 02.43.44.13.70, fax 02.43.44.13.70, e-mail earl.francois.fresneau @wanadoo.fr r.-v.

DE RYCKE Cuvée Prestige 2000*

□ 1,5 ha 6 000 5à8€

Installés depuis une dizaine d'années dans le vignoble de Jasnières, ce couple de jeunes techniciens a su parfaitement maîtriser les vieilles vignes de son vignoble. Cette cuvée Prestige séduit par sa générosité et ses arômes délicats ; la finale est très tendre et peut surprendre les puristes du jasnières. (30 à 49 F)

De Rycke, Le coteau de la Pointe, 72340 Marçon, tél. 02.43.44.46.43, fax 02.43.79.63.54 r.-v.

DOM. DE LA GAUDINIERE 2000*

□ 2 ha 8 000 5à8€

Voici un digne représentant de cette petite production sarthoise, présenté sans fards et qui a réjoui le palais des dégustateurs par sa présence et sa sérénité. Nerveux, mais parfaitement équilibré, il sera parfait dans quatre à cinq ans. (30 à 49 F)

EARL C. et D. Cartereau, La Gaudinière, 72340 Lhomme, tél. 02.43.44.55.38, fax 02.43.44.55.38 r.-v.

JEAN-JACQUES MAILLET 2000*

□ 3 ha 10 000 5à8€

Six hectares et ce vin issu de vignes de vingt ans plantées sur argile à silex. C'est une belle bouteille à découvrir où l'intensité du pamplemousse rivalise avec celle des fleurs blanches, le tout sur un fond minéral. A attendre encore quelques mois pour mieux en apprécier l'équilibre et le fondu. A servir sur une marmite sarthoise. (30 à 49 F)

Jean-Jacques Maillet, La Paquerie, 72340 Ruillé-sur-Loir, tél. 02.43.44.47.45, fax 02.43.44.35.30 r.-v.

DOM. J. MARTELLIERE 2000*

□ 1 ha 5 000 5à8€

Le jasnières 2000 de ce domaine souvent cité dans le Guide a beaucoup de présence, tant au nez qu'en bouche ; les notes végétales du début s'estompent pour laisser la place à une agréable finale typée par son terroir. Cette bouteille accompagnera parfaitement une géline de Touraine. (30 à 49 F)

SCEA du Dom. J. Martellière, 46, rue de Fosse, 41800 Montoire-sur-le-Loir, tél. 02.54.85.16.91, fax 02.54.85.16.91 r.-v.

DOM. DES MOLIERES 2000

□ 7,4 ha 50 000 5à8€

René Renou s'est spécialisé dans les vignobles où le chenin, cépage du val de Loire aux multiples facettes, s'est forgé une réputation sans faille notamment en liquoreux. Ici, c'est un grand vin blanc sec, encore austère lors de la dégustation, mais qui devrait mûrir en bouteille. (30 à 49 F)

René Renou, 1, pl. du Champ-de-Foire, 49380 Thouarcé, tél. 02.41.54.11.33, fax 02.41.54.11.34, e-mail domaine.rene.renou@wanadoo.fr r.-v.

Montlouis

La Loire au nord, la forêt d'Amboise à l'est, le Cher au sud limitent l'aire d'appellation (1 000 ha de vignes dont 400 en AOC montlouis). Les sols « perrucheux » (argile à silex), localement recouverts de sable, sont plantés de chenin blanc (ou pineau de la Loire) et produisent des vins blancs vifs et pleins de finesse, secs ou doux, tranquilles ou effervescents (16 480 hl en 2000). Les premiers gagnent à évoluer longuement en bouteille dans les caves de tuffeau. Ils ont un potentiel de garde d'une dizaine d'années.

CLAUDE BOUREAU
Les Maisonnettes Sec 1999

□ 1 ha 2 600 5à8€

Installé depuis 1969 sur un petit domaine de 7 ha, Claude Boureau se dit volontiers « artisan vigneron ». Il soigne sa vigne, travaille le sol, fait des tries méticuleuses et, en cave, ne laisse personne toucher à ses vins. Celui-ci est un sec assez souple, offrant des senteurs d'anis caractéristiques. Facile, simple, il trouvera aisément sa place. (30 à 49 F)

Claude Boureau, 1, rue de la Résistance, 37270 Saint-Martin-le-Beau, tél. 02.47.50.61.39 Y r.-v.

DOM. DES CHARDONNERETS
Demi-sec 1998*

○ 1 ha n.c. 5à8€

Ce domaine, situé à 2 km de l'Aquarium de Touraine, couvre près de 14 ha sur les pentes graveleuses qui descendent doucement vers le Cher. C'est un fidèle du Guide. Cette année, il présente un effervescent demi-sec dont le nez ne se livre pas encore complètement, mais on y décèle une certaine élégance. La bouche, très douce, est faite surtout de miel, et la finale, diablement « chenin », montre que l'on est bien dans le terroir. C'est un vin qu'il faut avoir dans sa cave pour une alliance avec un dessert pas trop sucré. Le **brut 99** du domaine (étiquette ovale) obtient une citation. (30 à 49 F)

GAEC Daniel et Thierry Mosny, 6, rue des Vignes, 37270 Saint-Martin-le-Beau, tél. 02.47.50.61.84, fax 02.47.50.61.84 Y t.l.j. 8h-19h

FRANCOIS CHIDAINE
Les Choisilles Sec 1999*

□ 4 ha 12 000 8à11€

Jaune soutenu à reflets verts, la robe de ce sec séduit d'emblée. Puis les fruits confits s'imposent au nez. Le début de bouche est élégant, la fin montre une structure très présente : c'est un vin réussi avec une alliance heureuse entre le fruit et le boisé. Intéressant, maintenant, il ne doit pas avoir peur de vieillir. François Chidaine, qui pilote en biodynamie une belle exploitation de 15 ha de vignes sur les premières côtes de la Loire, présente un autre sec, le **Clos du Breuil 99 (30 à 49 F)**, parti d'une belle matière. Il est cité. A noter que François Chidaine a ouvert sur le quai de la Loire une salle de dégustation accessible au visiteur pratiquement tous les jours de Pâques aux vendanges, et sur rendez-vous le reste de l'année. (50 à 69 F)

EARL François Chidaine, 5, Grande-Rue, 37270 Montlouis-sur-Loire, tél. 02.47.45.19.14, fax 02.47.45.19.08 Y r.-v.

YVES CHIDAINE
Méthode traditionnelle Brut*

○ 1 ha 8 000 5à8€

Yves Chidaine a longtemps présidé aux destinées du syndicat de Montlouis. Il exploitait en même temps un très beau domaine sur les premières côtes de la Loire. Une carrière bien remplie au service de l'appellation. Le voilà qui se retire complètement, commercialisant encore ses réserves. Il faut profiter de cette méthode traditionnelle issue certainement d'un vin de base riche, bien choisi. La bouche est souple mais sans dosage. C'est un vin un peu atypique mais attrayant, on le dit de « gourmandise » ; il a dû certainement rester sur lattes un moment. Un **pétillant demi-sec**, simple mais sympathique, obtient une citation. (30 à 49 F)

Yves Chidaine, 2, Grande-Rue, Husseau, 37270 Montlouis-sur-Loire, tél. 02.47.50.83.72, fax 02.47.45.02.16 Y t.l.j. sf dim. 8h-12h 14h-19h

FREDERIC COURTEMANCHE
Sec 1999*

□ 1 ha 3 000 5à8€

Frédéric Courtemanche cultive un petit vignoble de 5 ha de façon méticuleuse : labours des rangs, tries à la vendange, élevage sur lie... Cela donne de bons résultats comme le montre ce montlouis sec très minéral, d'un équilibre parfait et d'une longueur en bouche étonnante. Au nez, un petit rappel de la poire confirme que ce vin bien engageant fera vibrer les papilles. (30 à 49 F)

Frédéric Courtemanche, 12, rue d'Amboise, 37270 Saint-Martin-le-Beau, tél. 02.47.50.60.89 Y r.-v.

DELETANG Méthode traditionnelle Brut*

○ 5,6 ha 50 000 5à8€

Après avoir obtenu un coup de cœur l'an passé pour une méthode traditionnelle, ce domaine se distingue encore dans le même type de vin. Les 22 ha de vignes plantés sur les coteaux de la vallée du Cher, très ensoleillés, y sont sans doute pour quelque chose mais il ne faut pas oublier le talent de son élaborateur. Voici une bouteille dont la mousse est fine et le nez fortement marqué par le chenin. Vive sans être agressive, l'empreinte du cépage est à nouveau présente en bouche, mais celle-ci se révèle souple ; la finale ne manque pas d'élégance. (30 à 49 F)

EARL Deletang, 19, rue d'Amboise, 37270 Saint-Martin-le-Beau, tél. 02.47.50.67.25, fax 02.47.50.26.46, e-mail deletang.olivier@wanadoo.fr Y r.-v.

DANIEL FISSELLE 1999*

☐ 1 ha 2 000 ■ 5à8€

Daniel Fisselle a créé son exploitation en 1972 et l'a agrandie au fil des ans. Elle couvre maintenant 8 ha sur les secondes côtes de Montlouis, là où les terres siliceuses reposent sur un sous-sol calcaire. Ce sont des terres chaudes bien drainées qui favorisent la maturation du raisin. Elles ont fait beaucoup pour ce demi-sec à la bouche puissante et élégante et à la finale fruitée, longue et tendre. Un vin qui doit encore développer son caractère avec le temps. Un **blanc sec 99 (20 à 29 F)** a obtenu la même note. Il est à boire dès maintenant. (30 à 49 F)

Daniel Fisselle, Les Caves du Verger, 74, rte de Saint-Aignan, 37270 Montlouis-sur-Loire, tél. 02.47.50.93.59 r.-v.

LA CHAPELLE DE CRAY
Méthode traditionnelle Brut

○ 16 ha n.c. 5à8€

Cette société est née de l'association d'un viticulteur de Montlouis et d'un négociant anglais. La maison pèsera certainement dans l'économie montlouisienne. Elle réserve déjà 15 ha de son vignoble à cette méthode traditionnelle brut. Le nez frais, floral est bien engageant ; la bouche, très envahie par la mousse, laisse en fin de dégustation une impression d'harmonie. Un vin simple à servir en toutes occasions. (30 à 49 F)

Boutinot, SARL La Chapelle de Cray, rte de l'Aquarium, 37400 Lussault-sur-Loire, tél. 02.47.57.17.74, fax 02.47.57.11.97, e-mail chapelledecray@wanadoo.fr r.-v.

DOM. DE LA MILLETIERE
Méthode traditionnelle Demi-sec 1996

○ 2 ha 13 000 5à8€

Vignerons depuis 1545, les Dardeau savent de quoi ils parlent quand il s'agit de traditions à Montlouis puisqu'ils pratiquent labour, vendanges manuelles avec tries sévères et fermentation en barrique. Cette méthode traditionnelle en porte l'empreinte : bulles légères dans une robe jaune paille, nez discret de fleurs, bouche équilibrée, souple, bien fondue et longue. C'est un demi-sec qui ne redoutera pas le dessert pourvu que ce dernier ne soit pas trop sucré. (30 à 49 F)

Jean-Christophe Dardeau, 14, rue de la Miltière, 37270 Montlouis-sur-Loire, tél. 06.85.20.30.98, fax 02.47.50.82.60, e-mail dardeau@club-internet.fr t.l.j. 9h-12h 14h-19h; dim. sur r.-v.

DOM. DE LA TAILLE AUX LOUPS
Cuvée des Loups 1999*

☐ 1 ha 1000 23à30€

Jacky Blot a créé son exploitation en 1989 en regroupant trois petits vignobles sans successeur qu'il a progressivement agrandis. Elle couvre aujourd'hui près de 14 ha complétés sur le terroir de Vouvray par le Clos de Venise. Ses vins sont fermentés et élevés en barrique. Celui-ci, un liquoreux à 80 g de sucre résiduel, supporte allègrement ce caractère boisé par la densité de sa matière. Il s'agit d'un beau travail tant par le tri de la vendange que par la vinification, le sucre et l'acidité se mêlant intimement. Sa longueur est prometteuse. Toujours avec ce trait boisé, la **cuvée Remus (50 à 69 F)** a retenu l'attention du jury qui lui attribue une étoile. Légèrement boisée, elle est apte à un léger vieillissement (trois ans au moins). Quant à la **cuvée principale (30 à 49 F)** du domaine, qui passe huit mois en fût, elle est citée. (150 à 199 F)

Dom. de La Taille aux Loups, 8, rue des Aitres, 37270 Montlouis-sur-Loire, tél. 02.47.45.11.11, fax 02.47.45.11.14, e-mail LA-TAILLE-AUX-LOUPS@wanadoo.fr t.l.j. 9h-19h; f. dim. nov. à fév.

Jacky Blot

DOM. DE L'ENTRE-CŒURS
Méthode traditionnelle Brut**

○ 2 ha 15 000 5à8€

Alain Lelarge est installé sur un domaine de 15 ha implanté sur sol de perruches. Le plus remarquable de ses vins est incontestablement cette méthode traditionnelle brut : nez un peu timide mais qui laisse deviner la fleur, bouche très bien équilibrée avec une belle rondeur, grande finale aux accents également floraux. C'est une bouteille de très bon niveau qu'on pourra servir en apéritif avec un brin de fierté. Le **demi-sec 99,** bien typé, équilibré et persistant, obtient une citation. (30 à 49 F)

Alain Lelarge, 10, rue d'Amboise, 37270 Saint-Martin-le-Beau, tél. 02.47.50.61.70, fax 02.47.50.68.92 r.-v.

CLAUDE LEVASSEUR Sec 1999*

☐ 1,8 ha 8 200 5à8€

De belles caves de vinification et 13 ha de vignes sur les meilleurs coteaux siliceux de Montlouis, proches de la Loire, sont une réelle aubaine. Mais encore faut-il avoir du savoir-faire. Claude Levasseur n'en manque pas. Il propose ce vin sec, fermenté et élevé en barrique avec bâtonnage. Après une attaque fraîche, celui-ci s'équilibre en donnant une impression de volume et de gras. L'ensemble est donc bien structuré. « C'est un vrai montlouis », a dit un membre du jury. A servir dès maintenant. (30 à 49 F)

Claude Levasseur, 38, rue des Bouvineries, 37270 Montlouis-sur-Loire, tél. 02.47.50.84.53, fax 02.47.45.14.85 r.-v.

DOM. DES LIARDS
Vieilles vignes Moelleux 1999*

☐ 2 ha 8 000 ■ 5à8€

Créée en 1959 par deux frères qui passent la main à la jeune génération, cette propriété dispose d'un vignoble de 19 ha couvrant les meilleures pentes de la vallée du Cher. Dans ce très difficile millésime, elle se fait remarquer pour un moelleux dont le bouquet s'ouvre sur des arômes de raisin mûr et de figue. La bouche est ronde et s'équilibre bien avec l'acidité. En finale, il reste une impression de pêche et de poire. Ce vin développera encore son caractère. (30 à 49 F)

Berger Frères, 70, rue de Chenonceaux, 37270 Saint-Martin-le-Beau, tél. 02.47.50.67.36, fax 02.47.50.21.13 r.-v.

DOM. DE L'OUCHE GAILLARD
Sec 1999

☐ 1 ha 4 100 5à8€

C'est un blanc sec réussi dans une année qui n'a pas simplifié les choses ! Mais à l'Ouche Gaillard, Régis Dansault maîtrise bien ses vinifications. La robe, assez claire, est brillante ; le nez offre de légères notes de pêche et de poire alors que la bouche, bien pleine et de bonne longueur, est relevée par une petite pointe de vivacité. Il faudrait l'essayer sur un fromage de chèvre. Deux **méthodes traditionnelles**, l'une **brut** et l'autre **demi-sec**, obtiennent une citation. (30 à 49 F)

SCEA Dansault-Baudeau, 94, av. George-Sand, 37700 La Ville-aux-Dames, tél. 02.47.44.36.23, fax 02.47.44.95.30 r.-v.

CAVE DE MONTLOUIS-SUR-LOIRE
Cuvée réservée Méthode traditionnelle Brut★

○ n.c. n.c. 5à8€

Cette cave coopérative tient une place importante dans l'économie de l'appellation. Elle s'est attaché les services d'un œnologue depuis plusieurs années et sort des produits, en particulier des effervescents, de très bon niveau. La visite de cette cave impressionnante, installée dans le roc, est intéressante. L'accueil est chaleureux. Cette bouteille a passé vingt-quatre mois sur lattes. Elle est une belle expression du terroir. Miel et amande au nez, riche et longue en bouche, elle apparaît bien travaillée. (30 à 49 F)

Cave Coop. des Producteurs de Montlouis-sur-Loire, 2, rte de Saint-Aignan, 37270 Montlouis-sur-Loire, tél. 02.47.50.80.98, fax 02.47.50.81.34, e-mail cave-montlouis@france-vin.com t.l.j. 8h-12h 14h-18h

DOMINIQUE MOYER
Méthode traditionnelle Brut 1998

○ 3 ha 10 000 5à8€

La famille Moyer reçoit avec beaucoup d'attention et de délicatesse dans sa maison du XVIIe s., ancien rendez-vous de chasse du duc de Choiseul. Les vins y ont aussi leur élégance telle cette méthode traditionnelle qui se présente dans une robe jaune doré avec des senteurs de fruits mûrs. La première bouche est tout en finesse, la seconde laisse une impression de pomme. Joli vin d'apéritif ou d'accompagnement de viandes blanches. (30 à 49 F)

Dominique Moyer, 2, rue de la Croix-des-Granges, 37270 Montlouis-sur-Loire, tél. 02.47.50.94.83, fax 02.47.45.10.48 t.l.j. 9h-12h 14h-18h

CH. DE PINTRAY
Cuvée Tradition Sec 1999

☐ 2 ha 3 500 5à8€

Le château de Pintray est une belle demeure qui offre des chambres d'hôte. On peut y jouir non seulement du parc mais aussi du vignoble de près de 7 ha qui l'entoure, implanté sur les argiles à silex des côtes de Lussault. L'influence du fleuve, la Loire, n'est pas étrangère à une bonne maturation. Ce vin sec qualifié de « tendre » par le jury, riche de parfums de fruits mûrs et de miel, est assez représentatif de l'appellation. Rond déjà, il sera servi dès maintenant. (30 à 49 F)

Marius Rault, Ch. de Pintray, 37400 Lussault-sur-Loire, tél. 02.47.23.22.84, fax 02.47.57.64.27 r.-v.

DOM. DE SAINT-JEROME
Moelleux 1999★

☐ 4 ha 2 000 5à8€

Il s'agit d'un beau vignoble de 10 ha sis sur les hauts de Montlouis non loin de la Loire où les argilo-siliceux sont propices à l'élaboration de vins puissants. Celui-ci est riche en matière ; on sent la vendange bien triée. L'équilibre sucre-acide est remarquable. C'est un vin qui est passé en fût de chêne car il reste un boisé assez fondu ne cachant pas d'agréables notes exotiques. On peut le servir sur un chèvre (sainte-maure-de-touraine). (30 à 49 F)

EARL Jacky Supligeau, Dom. de Saint-Jérôme, 7, quai Albert-Baillet, 37270 Montlouis-sur-Loire, tél. 02.47.45.07.75, fax 02.47.45.07.75 t.l.j. 9h-19h30; dim. 9h-12h30; groupes sur r.-v.

J.-C. THIELLIN Sec 1999

☐ 0,75 ha 2 500 5à8€

Les Thiellin comptent parmi ces vieilles familles vigneronnes présentes à Montlouis depuis des lustres et qui ont fait l'appellation. Bien travaillé, ce sec plutôt tendre (7 g de sucre résiduel) est assez présent en bouche. Souple et délicat, il se place dans la tradition des montlouis secs. Un vin droit, prêt pour cet hiver. (30 à 49 F)

Jean-Claude Thiellin, 46, rue des Bouvineries, 37270 Montlouis-sur-Loire, tél. 02.47.45.12.21, fax 02.47.45.08.69 t.l.j. sf dim. 9h-19h

Vouvray

Un long vieillissement en cave et en bouteille révèle toutes les qualités des vouvray, blancs nés au nord de la Loire, sur un vignoble de 2 000 ha qu'écorne au nord l'autoroute A10 (le TGV passe en tunnel) et que traverse la large vallée de la Brenne. Le cépage des blancs de Touraine, chenin blanc (ou pineau de la Loire), donne ici des vins tranquilles de haut niveau, colorés, très racés, secs ou moelleux selon les années, et des vins mousseux ou pétillants, très vineux. Si ces derniers sont bus assez jeunes, les vins tranquilles sont parfaitement aptes à une longue garde, qui leur donne de la complexité aromatique. Poissons, .fromages (de chèvre) iront bien avec les uns, plats fins ou desserts légers avec les autres, qui feront aussi d'excellents apéritifs. Le millésime 2000 a donné 115 909 hl.

AIGLE BLANC
Cuvée Abbé Baudoin 1999*

□ 9 ha 6 500 8à11€

C'est un sec tendre que n'aurait pas renié l'abbé Baudoin, ecclésiastique du XVIII[e]s. qui a fait un grand travail de sélection du chenin blanc à Vouvray et qui a laissé son nom à un clos réputé appartenant à la famille Poniatowski. Paré d'une robe d'un beau jaune soutenu, il offre des senteurs d'agrumes et de noisette. La bouche est équilibrée et de grande fraîcheur. Rond, il se placera admirablement sur des charcuteries tourangelles. (50 à 69 F)

Philippe Edmond Poniatowski, clos Baudoin, vallée de Nouy, 37210 Vouvray, tél. 02.47.52.71.02, fax 02.47.52.60.94, e-mail pep@magic.fr r.-v.

JEAN-CLAUDE ET DIDIER AUBERT
Moelleux 1999*

□ 3 ha 10 000 5à8€

Un tandem père-fils bien équipé pour gérer ce domaine de 21 ha. Les vignes s'étendent sur les meilleures côtes de la Vallée Coquette. Elles dominent la Loire et reçoivent les influences bénéfiques du fleuve, avec pour résultat ce beaux moelleux contenant 20 g de sucre résiduel. Une bonne structure d'ensemble donne une impression de rondeur que soulignent des arômes de fruits cuits : c'est un vin qui ne demande qu'à faire son chemin. L'équipe se fait remarquer également par un **vouvray 99 sec** tout aussi réussi. Les arômes de coing, d'acacia, de pomme même sont puissants. L'attaque vive, franche, surprenante, l'emporterait presque sur l'équilibre et la longueur pourtant bien marqués. (30 à 49 F)

Jean-Claude et Didier Aubert, 10, rue de la Vallée-Coquette, 37210 Vouvray, tél. 02.47.52.71.03, fax 02.47.52.68.38 t.l.j. 8h30-12h30 14h-19h

DOM. DES AUBUISIERES Brut

○ 8 ha 60 000 5à8€

Bernard Fouquet propose une méthode traditionnelle typée. Ce vin a dû rester sur lattes plus des neuf mois réglementaires tant son caractère évolué est affirmé. Une méthode d'élaboration qui lui vaut des arômes de grillé avec une finale évocatrice de café. Un vin d'apéritif qui sort des sentiers battus. (30 à 49 F)

Bernard Fouquet, Dom. des Aubuisières, 37210 Vouvray, tél. 02.47.52.67.82, fax 02.47.52.67.81, e-mail info@vouvrayfouquet.com r.-v.

PASCAL BERTEAU ET VINCENT MABILLE Brut*

○ 17 ha n.c. 5à8€

Le savoir-faire de Pascal Berteau et Vincent Mabille s'exprime dans cet effervescent brut, issu de sept cuvées, bien représentatif du domaine. Ce vouvray étonne par son registre aromatique floral où percent également la noisette et les fruits confits. L'équilibre en bouche lui donne de l'élégance. Un apéritif qui plaira. (30 à 49 F)

GAEC BM, Vaugondy, 37210 Vernou-sur-Brenne, tél. 02.47.52.03.43, fax 02.47.52.03.43 r.-v.

JEAN-PIERRE BOISTARD
Pétillant Demi-sec Cuvée Prestige 1996

○ 0,5 ha 3 500 5à8€

Un beau domaine de 10 ha qu'il maîtrise bien, une situation privilégiée sur les coteaux qui dominent le lit majeur de la Loire, voilà qui permet à Jean-Pierre Boistard de produire un vouvray demi-sec typique. La palette de fruits secs, où domine l'amande, et la structure équilibrée enrobée d'une matière vive, de bon aloi, en font un pétillant plein de gaieté, à marier avec une tarte aux prunes ou aux abricots. (30 à 49 F)

Jean-Pierre Boistard, 216, rue Neuve, 37210 Vernou-sur-Brenne, tél. 02.47.52.18.73, fax 02.47.52.19.95 r.-v.

DOM. BOURILLON-DORLEANS
Brut Cuvée Hélène Dorléans 1997*

○ n.c. 15 000 5à8€

Déjà remarqué l'année dernière pour sa méthode traditionnelle Hélène Dorléans, ce jeune viticulteur se rappelle au bon souvenir des dégustateurs par une nouvelle bouteille très réussie. Le nez frais aux accents de fruits, auxquels se mêle une note empyreumatique, précède une bouche longue, riche, tout en harmonie. Une légère rondeur en fait un apéritif idéal. De ce même producteur, le **vouvray sec Argilo 99 (50 à 69 F)** est cité pour sa bonne texture et sa souplesse. Il n'a pas le caractère de certains de ses aînés, mais c'est l'année qui le justifie, et cela lui donne un côté reposant. (30 à 49 F)

Dom. Bourillon-Dorléans, 30 bis, rue de Vaufoynard, 37210 Rochecorbon, tél. 02.47.52.83.07, fax 02.47.52.83.07 r.-v.

MARC BREDIF Brut

○ n.c. 60 000 8à11€

Un vin rafraîchissant par son équilibre et qui surprend par la présence d'arômes de pomme et de poire. Il est fait pour mettre en bouche avant un repas. Les établissements Brédif qui disposent de magnifiques caves sur les bords de Loire ont une longue expérience des vins effervescents. Ce sont un peu les initiateurs dans ce domaine puisqu'ils en élaborent sur le terroir du vouvray depuis 1893. (50 à 69 F)

Marc Brédif, 87, quai de la Loire, 37210 Rochecorbon, tél. 02.47.52.50.07, fax 02.47.52.53.41, e-mail bredif.loire@wanadoo.fr t.l.j. sf dim. 9h-12h30 14h-18h30

de Ladoucette

YVES BREUSSIN Brut*

○ 3 ha 15 000 5à8€

Si vous avez la chance d'être reçu par Yves Breussin quand vous viendrez à Vaugondy, vous apprendrez beaucoup sur le terroir du vouvray et la vie de ses hommes. Il en parle avec chaleur et érudition. Dans le même temps, vous goûterez sa méthode traditionnelle. Un vin au nez léger, fin, à la bouche souple et très fruitée où pomme et pêche se disputent la prééminence aromatique. Il est jeune, gai, et se laisse apprécier dès aujourd'hui. Le **pétillant demi-sec**, d'un bon équilibre sucre-acide, long, est cité. (30 à 49 F)

GAEC Yves et Denis Breussin, Vaugondy, 37210 Vernou-sur-Brenne, tél. 02.47.52.18.75, fax 02.47.52.13.66 r.-v.

VIGNOBLES BRISEBARRE Brut

○ 10 ha 20 000 5à8€

Philippe Brisebarre vend à l'étranger la plus grande partie de sa production, près de 80 %. Son succès vient de la qualité régulière de ses vins. Celui-ci est une méthode traditionnelle au nez fruité, avec une petite touche florale rappelant le tilleul. Il présente une bouche à l'attaque vive mais dont l'équilibre se rétablit vite. La finale souple évoque la pêche et les agrumes. (30 à 49 F)

Philippe Brisebarre, la Vallée-Chartier, 37210 Vouvray, tél. 02.47.52.63.07, fax 02.47.52.65.59 t.l.j. 9h-19h; dim. sur r.-v.

DOM. GEORGES BRUNET Brut 1997

○ 9 ha 10 000 5à8€

Ce petit domaine appartenait autrefois au château de Sens. La bâtisse dominant la Loire est aujourd'hui la propriété d'une société d'informatique ! Georges Brunet propose une méthode traditionnelle aux arômes de fruits cuits et de pain grillé. Une bouche souple, grasse et assez ronde, grâce à une belle matière, confère à ce vin les qualités d'un bon apéritif. (30 à 49 F)

Dom. Georges Brunet, 12, rue de la Croix-Mariotte, 37210 Vouvray, tél. 02.47.52.60.36, fax 02.47.52.75.38 r.-v.

CLOS DE CHAILLEMONT Moelleux 1999★★★

□ 1,5 ha 5 000 8à11€

Ce vouvray moelleux est superbe : pourtant 1999 est une année réputée difficile. A un nez très floral et miellé succède une bouche très équilibrée, ronde à souhait où se mêlent fruits confits et miel à nouveau. Si ce 99 peut attendre, il s'apprécie déjà à l'apéritif. Quant au **pétillant brut de Jean-François Delaleu (30 à 49 F)**, il est certes vif et encore jeune, mais offre des notes fruitées plaisantes qui lui valent une citation. (50 à 69 F)

Jean-François Delaleu, la Vallée-Chartier, 37210 Vouvray, tél. 02.47.52.63.23, fax 02.47.52.69.27 r.-v.

DOM. CHAMPION Brut 1998

○ 3 ha 4 900 5à8€

La vallée de Cousse est une des vallées les plus pittoresques du Vouvrillon avec ses rangées de maisons adossées au coteau truffé de caves profondes où s'élaborent quelques-uns des meilleurs vins de l'appellation. Ici, c'est une méthode traditionnelle qui a vu le jour dans les caves de ce tandem père-fils qui conduit un domaine de 13 ha. Le nez est largement ouvert, laissant poindre des arômes de vanille et de poire. La bouche surprend par sa vivacité mais ce n'est là que l'expression d'une certaine jeunesse. La finale est élégante. Une bouteille qui mérite d'évoluer un peu. (30 à 49 F)

GAEC Champion, 57, Vallée-de-Cousse, 37210 Vernou-sur-Brenne, tél. 02.47.52.02.38, fax 02.47.52.05.69 t.l.j. sf dim. 8h-12h30 14h-19h

DOM. DU CLOS DES AUMONES Demi-Sec 1999

□ 1,5 ha 8 000 5à8€

« A Vouvray le renom, à Rochecorbon le bon », dit-on volontiers autour d'une vieille bouteille dans les caves de cette commune très proche de Tours et qui résiste à l'urbanisation. Les plus belles côtes de l'appellation sont là, et Philippe Gaultier le sait. Il obtient ici un demi-sec au nez fortement développé, à la bouche fruitée et à l'équilibre d'ensemble fort honorable. Un vin que vous pourrez garder mais qui trouvera aussi sa place à table dès maintenant. (30 à 49 F)

Philippe Gaultier, 10, rue Vaufoynard, 37210 Rochecorbon, tél. 02.47.54.69.82, fax 02.47.42.62.01 r.-v.

CLOS DU PORTAIL Demi-sec 1999

□ 0,4 ha 2 600 8à11€

Les Champalou sont des fidèles du Guide, ce qui est un signe de régularité dans leur production. Dans le millésime 99, ils ont élaboré un demi-sec de belle facture, issu de leur domaine de 19 ha des hauts de Vouvray. Une légère note vanillée de bois neuf laisse le vin exprimer son fruit qui persiste longuement en fin de bouche. Egalement cité, un **vouvray brut** jeune et frais. (50 à 69 F)

Didier et Catherine Champalou, 7, rue du Grand-Ormeau, 37210 Vouvray, tél. 02.47.52.64.49, fax 02.47.52.67.99 r.-v.

MICHEL DUBRAY Brut 1999

○ 1,2 ha 6 000 5à8€

Installé depuis plus de dix ans à La Rauderie, Michel Dubray conduit ce petit vignoble de près de 8 ha situé sur les hauts de Vernou, dans des sols à la fois caillouteux en surface et argileux et frais en profondeur. Travaillant de façon très traditionnelle, il propose cette année un effervescent brut d'une jolie présentation par ses bulles fines qui n'en finissent pas de monter. La bouche vive donne une impression de fraîcheur. (30 à 49 F)

Michel Dubray, 18, La Rauderie, 37210 Vernou-sur-Brenne, tél. 02.47.52.04.22, fax 02.47.52.04.22 r.-v.

FRANCOIS VILLON Brut

○ n.c. 70 000 5à8€

Christian Dumange, qui exerce par ailleurs de nombreuses activités, a repris les vignes du Clos des Pentes de Rochecorbon, d'une superficie de 17 ha. Disposant de belles installations d'élaboration de vins effervescents, il s'est spécialisé dans ce type de produits. Ce brut aux

LOIRE

bulles abondantes et à la robe d'un joli jaune doré présente une bouche souple, plaisante. C'est un vin rafraîchissant. (30 à 49 F)

Christian Dumange, Dom. François Villon, Les Maisons, 37210 Rochecorbon, tél. 02.47.52.54.85, fax 02.47.52.82.05

JEAN-PIERRE FRESLIER Brut Réserve*

○ 2,5 ha 15 000 5à8€

Elu coup de cœur l'année dernière pour un effervescent que le jury avait classé dans les vins de terroir, Jean-Pierre Freslier se distingue ici par un vouvray brut d'une très belle présentation : robe dorée, brillante, aux bulles fines et légères. Le nez livre des arômes de pain grillé que l'on retrouve dans une bouche souple. La finale longue dénote une grande richesse de matière. C'est un vin à forte personnalité, qui pourrait accompagner tout un repas. Le **vouvray pétillant brut**, élevé en fût, mérite pour sa part une citation. (30 à 49 F)

Jean-Pierre Freslier, 92, rue de la Vallée-Coquette, 37210 Vouvray, tél. 02.47.52.76.61, fax 02.47.52.78.65 t.l.j. sf dim. 8h-12h30 13h30-19h30

CLOS DU GAIMONT Sec 1999

□ 4 ha 9 000 5à8€

Le clos du Gaimont comme celui de Nouys comptent parmi les plus réputés du terroir. Ce vin sec, vif, bénéficie d'une forte structure et d'arômes accrocheurs de tabac brun et d'épices. S'il n'offre guère de surprises aujourd'hui, il deviendra sans doute à maturité une bouteille de caractère. (30 à 49 F)

F. Chainier, Clos de Nouys, 46, rue de la Vallée de Nouys, 37210 Vouvray, tél. 02.47.30.73.07, fax 02.47.30.73.09

DOM. GANGNEUX Sec 1999

□ 1 ha 5 700 5à8€

Gérard Gangneux cultive la tradition : « On ne force pas la nature, on l'aide et on l'oriente », se plaît-il à répéter. Son vouvray sec est bien typé : un nez vanillé et une bouche bien construite avec un petit rappel floral. C'est un vin élégant, à déguster dès maintenant. (30 à 49 F)

Gérard Gangneux, 1, rte de Monnaie, 37210 Vouvray, tél. 02.47.52.60.93, fax 02.47.52.67.66 t.l.j. sf dim. 8h-12h 14h-19h

CH. GAUDRELLE Sec 1999**

□ 8 ha 23 000 5à8€

Une gentilhommière très ancienne, puisqu'il en est fait mention au XVIe s. dans les archives départementales, et un vignoble environnant de 14 ha bien situé, voilà de quoi enthousiasmer Alexandre Monmousseau qui gère ce domaine d'exception. Son vouvray sec a fait l'unanimité du jury. Son léger boisé rappelle plutôt la noisette. L'attaque tout en rondeur se prolonge sans transition par une ampleur remarquable et une finale où l'on devine le terroir. Servi sur des coquilles Saint-Jacques, ce vin donnera du bonheur ! (30 à 49 F)

Ch. Gaudrelle, 87, rte de Monnaie, 37210 Vouvray, tél. 02.47.52.67.50, fax 02.47.52.67.98, e-mail gaudrelle1@libertysurf.fr t.l.j. sf sam. dim. 9h-12h 14h-17h30

DOM. SYLVAIN GAUDRON Demi-sec 1999*

□ n.c. 5 000 5à8€

C'est en 1975 que Sylvain Gaudron a acheté de grandes caves creusées au XIII[e]s., pour élaborer ses vouvray de méthode traditionnelle et pour élever ses vins tranquilles. Son fils, Gilles, propose aujourd'hui trois vins de bon aloi. Celui-ci se distingue par son fruité et sa longueur en bouche. Son harmonie générale et sa petite vivacité en attaque lui permettent d'accompagner de nombreux mets. Le **vouvray brut Symphonie du Nouveau Monde 96 (50 à 69 F)** est également très réussi, tandis que le **vouvray sec 99** mérite une citation pour son équilibre. (30 à 49 F)

EARL Dom. Sylvain Gaudron, 59, rue Neuve, 37210 Vernou-sur-Brenne, tél. 02.47.52.12.27, fax 02.47.52.05.05 r.-v.

Gilles Gaudron

DOM. GENDRON Brut Cuvée extra réserve 1997

○ 4 ha 7 200 5à8€

Philippe Gendron a débuté en 1982 sur une toute petite parcelle en s'aidant du matériel de son père. Il s'est agrandi progressivement, et le voilà maintenant à la tête d'un beau domaine de 22 ha. Cette cuvée, doré brillant, laisse dans le verre de fines bulles discrètes. Le nez, agréable mais encore retenu, évoque les fruits exotiques. C'est un vin souple à déguster à l'apéritif. (30 à 49 F)

Philippe Gendron, EARL Dom. Gendron, 5, rue de la Fuye, 37210 Vouvray, fax 02.47.52.74.71 t.l.j. sf dim. 8h-12h 14h-20h

CHRISTIANE GREFFE Brut Tête de Cuvée*

○ n.c. 18 000 5à8€

Christiane Greffe a repris l'entreprise familiale récemment, avec pour objectif de maintenir la qualité qui a toujours été le fort de cette petite maison d'élaboration. Elle présente une méthode traditionnelle Tête de Cuvée qui constitue le haut de gamme de sa production. Le nez dévoile fleurs et fruits à chair blanche. Après une attaque un peu vive, la bouche se montre puissante et ronde, tout en faisant preuve d'une certaine élégance. C'est un vin équilibré. (30 à 49 F)

Christiane Greffe, 35, rue Neuve, 37210 Vernou-sur-Brenne, tél. 02.47.52.12.24, fax 02.47.52.09.56, e-mail jac-savard@club-internet.fr t.l.j. sf sam. dim. 8h-12h 13h30-17h30

Jacques Savard

DOM. GUERTIN BRUNET
Moelleux Vieilles vignes 1999**

☐ 1,5 ha 8 000 ▮ 5à8€

Gérard Guertin a succédé à son beau-père en 1978. Il n'a eu de cesse d'améliorer son vignoble et son chai ; aujourd'hui, il gère 12 ha. La salle de dégustation, installée au cellier de la Verrine sur la nationale qui conduit à Vouvray, lui permet de faire connaître ses vins. Celui-ci offre un nez de miel et d'acacia, auxquels s'ajoutent la vanille, la noisette et l'abricot, qui surprend par sa puissance. La bouche ample et souple donne une impression de raisins fortement surmûris, accompagnés de miel et de notes de café. Volume et longueur sont à l'unisson. On peut, bien entendu, mettre ce vin en cave, mais il est déjà fort plaisant. (30 à 49 F)

Gérard Guertin , 24, rue de la Croix-Mariotte, 37210 Vouvray, tél. 02.47.52.77.77, fax 02.47.52.65.13 t.l.j. 10h-20h

DOM. DE LA BLOTIERE Brut 1998*

○ 3 ha 13 000 ▮ 5à8€

Jean-Michel Fortineau habite l'une de ces maisons tourangelles traditionnelles construites en pierre blanche de tuffeau qui éclaire le paysage vouvrillon. Perchée sur le coteau, entourée de plus de 10 ha de vignes, sa demeure domine des pentes qui descendent doucement vers la Loire. Ce producteur présente une belle méthode traditionnelle, très florale, aux bulles fines et persistantes et à l'attaque vive. L'ensemble est bien équilibré. C'est un apéritif tout indiqué pour les réunions de famille. (30 à 49 F)

EARL Jean-Michel Fortineau, La Blotière, 37210 Vouvray, tél. 02.47.52.74.24, fax 02.47.52.65.11 r.-v.

DOM. DE LA CHATAIGNERAIE
Sec 1999*

☐ 5 ha 9 000 ▮ 5à8€

Benoît Gautier fête cette année le vingtième anniversaire de son installation. Pour ce faire, il inaugure une salle d'accueil et de dégustation. Il fera bon s'y presser pour aller goûter les vins qu'il produit sur les coteaux réputés de Rochecorbon qui dominent la Loire. Le premier à tester sera ce vouvray sec à la robe brillante, bien nanti d'un gras qui lui donne de la longueur et une souplesse d'ensemble agréable. Le nez évoque le tilleul et l'acacia. La petite vivacité de l'attaque s'intègre au corps avec légèreté. Un beau vin qui ne saurait attendre. Une mention du jury également pour le **vouvray de Gautier brut 98**, cité sans étoile. (30 à 49 F)

Benoît Gautier, Dom. de La Châtaigneraie, 37210 Rochecorbon, tél. 02.47.52.84.63, fax 02.47.52.84.65, e-mail info@vouvraygautier.com r.-v.

JEAN-PIERRE LAISEMENT
Blanc 1999*

☐ 1 ha 4 000 ▮ 5à8€

Ce sont les fruits du travail de trois générations que Jean-Pierre Laisement récolte aujourd'hui sur ce beau domaine de 13 ha. Il a apporté sa contribution à l'édifice en construisant une vaste salle de dégustation dont il a soigné l'aménagement et la décoration. De bonnes conditions, en somme, pour élaborer ce demi-sec à 20 g de sucre résiduel. C'est l'équilibre qui surprend le dégustateur, aucun des constituants majeurs ne l'emportant sur les autres. Ce vin élégant coule, tout en douceur. Les arômes de coing sont très présents. Une bouteille classique qui est déjà prête. (30 à 49 F)

Jean-Pierre Laisement, 15 et 22, Vallée-Coquette, 37210 Vouvray, tél. 02.47.52.74.47, fax 02.47.52.65.03 t.l.j. 8h-12h30 13h30-19h; groupes sur r.-v

DOM DE LA MABILLIERE
Moelleux Les Hautbois 1999**

☐ n.c. 2 000 11à15€

Conduit selon les principes de l'agriculture biologique, le domaine de La Mabillière a produit un moelleux de grande classe renfermant 50 g de sucre résiduel. Très typé vouvray, ce vin est dominé par le coing, tout en restant fin et élégant. La structure équilibrée laisse présager un bel avenir. (70 à 99 F)

Pierre Mabille, 16, rue Anatole-France, 37210 Vernou-sur-Brenne, tél. 02.47.52.10.03, fax 02.47.52.14.98 r.-v.

DOM. DE LA POULTIERE
Demi-sec 1999*

☐ 5 ha 3 200 5à8€

Damien Pinon est venu rejoindre son père Michel pour former un GAEC et conduire ce domaine de 17 ha. Très bon vinificateur, Michel Pinon a certainement signé ce demi-sec contenant 30 g de sucre résiduel. Un très joli vin à l'attaque souple et délicate, fruité, et où sucre et acidité s'équilibrent parfaitement. Sa simplicité lui permettra de figurer à table aux côtés des volailles, du veau, des fromages. Michel et Damien Pinon proposent également un **vouvray moelleux 99, élevé en fût**, très réussi. (30 à 49 F)

GAEC Michel et Damien Pinon, 29, rte de Châteaurenault, 37210 Vernou-sur-Brenne, tél. 02.47.52.15.16, fax 02.47.52.07.07 t.l.j. 9h-19h; dim. sur r.-v.

DOM. DE LA ROCHE FLEURIE Brut*

○ 3,5 ha 25 000 3à5€

Michel Brunet a commencé petit, en louant un carré de vigne et une cave. Par son travail et sa ténacité, il a pu s'agrandir, plantant, louant, achetant. Il possède maintenant un beau domaine de près de 13 ha. Son dernier investissement : une salle où il reçoit ses clients. On y déguste des échantillons très réussis dont la méthode traditionnelle qu'il présente ici, florale au nez, avec une bouche assez grasse, de bonne harmonie, et longue. (20 à 29 F)

Michel Brunet, 6, rue Roche-Fleurie, 37210 Chancay, tél. 02.47.52.90.72 t.l.j. sf dim. 8h-12h 14h-19h; f. du 15 au 31 août

DOM. DE LA ROULETIERE Brut 1998

○ 7 ha 60 000 ▮ 5à8€

Le vignoble de 14 ha de cette entreprise familiale est situé à l'endroit même où l'abbaye de Marmoutier avait planté ses premières vignes au

LOIRE

VIe s. Un autre atout : une magnifique cave creusée dans le roc, s'étendant sur deux niveaux, qui a vu naître cette méthode traditionnelle à l'attaque souple et à la bouche équilibrée. Les arômes ne manquent pas, contribuant au caractère plaisant de l'ensemble. Un classique de l'apéritif. (30 à 49 F)

SCEA Gilet, 20, rue de la Mairie, 37210 Parçay-Meslay, tél. 02.47.29.14.88, fax 02.47.29.08.50, e-mail scea.gilet@wanadoo.fr r.-v.

DOM. DE LA TAILLE AUX LOUPS
Sec Clos de Venise 1999*

1 ha 5 000 8à11€

On connaissait le talent de Jacky Blot dans l'élaboration des montlouis, mais le voir en vouvray est une surprise, et tous les amateurs s'en réjouiront. Gageons qu'il y réussira avec le même bonheur. Pour l'heure, ce blanc sec est en tout point réussi. Avec des arômes de pêche blanche et de citronnelle, rond, long, bien fait et bien fini, il laisse une agréable impression en bouche. A servir dès aujourd'hui pour célébrer de petites et de grandes occasions. (50 à 69 F)

Dom. de La Taille aux Loups, 8, rue des Aitres, 37270 Montlouis-sur-Loire, tél. 02.47.45.11.11, fax 02.47.45.11.14, e-mail LA-TAILLE-AUX-LOUPS @wanadoo.fr t.l.j. 9h-19h; f. dim. nov. à fév.

Jacky Blot

DOM. DES LAURIERS
Moelleux Grande Réserve 1999**

1 ha 2 000 11à15€

Une belle lignée de viticulteurs de la même famille a précédé Laurent Kraft sur ce domaine, aujourd'hui fort de 13 ha. La preuve est apportée ici que l'on peut réussir de grands moelleux en année difficile quand on sait choisir ses parcelles et pratiquer des vendanges soigneuses. Le nez évoque intensément les fruits confits tandis que la bouche témoigne d'une récolte très botrytisée par des arômes de fruits confits. Un grand vouvray sans conteste, avec une garantie de très bonne garde. (70 à 99 F)

Laurent Kraft, 29, rue du Petit-Coteau, 37210 Vouvray, tél. 02.47.52.61.82, fax 02.47.52.61.82, e-mail lkraft@wanadoo.fr t.l.j. 8h-19h

DOM. LE CAPITAINE 1999

5 ha 5 000 5à8€

Les frères Le Capitaine, toujours présents dans le Guide, proposent un vin sec qui, malgré l'été 1999, est réussi. Son nez séduit par ses notes minérales et de fleur d'acacia ; sa bouche équilibrée révèle une rondeur que relève une légère vivacité. Une belle bouteille qu'il ne faut pas hésiter à proposer en toutes occasions. (30 à 49 F)

Dom. Le Capitaine, 23, rue du Cdt-Mathieu, 37210 Rochecorbon, tél. 02.47.52.53.86, fax 02.47.52.85.23 r.-v.

DOM. DES LOCQUETS Brut 1999*

8 ha 20 000 5à8€

Stéphane Deniau travaille maintenant avec son père, Michel. A eux deux, ils conduisent 12 ha sur Parçay, là même où l'abbaye de Marmoutier avait implanté un des premiers vignobles de Vouvray. Leur vouvray brut plaira par son équilibre d'ensemble. Le nez est floral, avec une légère note de fumée ; la bouche longue évoque la pêche en finale, accompagnée de touches d'agrumes. (30 à 49 F)

Michel Deniau, 27, rue des Locquets, 37210 Parçay-Meslay, tél. 02.47.29.15.29, fax 02.47.29.15.29 t.l.j. sf dim. 14h-20h

FRANCIS MABILLE Brut 1999*

1,5 ha 13 650 5à8€

Francis Mabille représente la quatrième génération installée sur cette petite structure familiale d'une douzaine d'hectares. Les pentes de la vallée de Vaugondy, assez décapées, ont une solide réputation de terres à vigne. Cette méthode traditionnelle ne saurait renier ses origines. Bien faite, plutôt dans la simplicité, elle donnera du plaisir au dégustateur. Souplesse et fraîcheur, ce pourrait être sa devise. (30 à 49 F)

Francis Mabille, 17, Vallée-de-Vaugondy, 37210 Vernou-sur-Brenne, tél. 02.47.52.01.87, fax 02.47.52.19.41 r.-v.

MARC ET LAURENT MAILLET
Moelleux Coulée d'Or Réserve 1999**

1,75 ha 1 800 8à11€

Les frères Maillet sont installés à La Caillerie sur près de 19 ha. Les pentes caillouteuses et bien orientées de la Vallée Coquette, que Balzac a décrites dans l'*Illustre Godissart*, sont propices à la production de vins moelleux, pourvu que les vendanges aient été soignées. Cette cuvée Coulée d'Or offre de remarquables qualités aromatiques (miel et fruits confits). Tous ses composants ne font qu'un, dans un équilibre parfait. Un très beau vin à conserver si on en a la patience. (50 à 69 F)

EARL Marc et Laurent Maillet, 101, rue de la Vallée-Coquette, 37210 Vouvray, tél. 02.47.52.76.46, fax 02.47.52.63.06 t.l.j. 9h-19h; groupes sur r.-v.

MARECHAL Brut 1997*

1 ha 5 519 5à8€

C'est une vieille maison vouvrillonne installée dans la Vallée Coquette au cœur du terroir. Les caves sont de belles dimensions et bien agencées ; les responsables sont de bons dégustateurs. Il n'en fallait pas plus pour réussir les assemblages et proposer de belles bouteilles. Ce vouvray séduit par sa souplesse et son fruité. La robe d'or et les bulles fines constituent un avantage indéniable. Un vin qui ouvrira l'appétit. (30 à 49 F)

SARL Maréchal, 36, vallée Coquette, BP 1, 37210 Vouvray, tél. 02.47.52.71.21, fax 02.47.52.61.05

DOM. DU MARGALLEAU Brut 1998*

○ 3 ha 20 000 5à8€

Le grand-père a créé l'exploitation en 1938. Ses deux fils lui succèdent en 1955 et ses deux petit-fils prennent le relais en 1995. Aujourd'hui, ces derniers mènent cette exploitation de 25 ha répartis sur les pentes de la vallée de Vaux. Ils proposent une méthode traditionnelle favorablement accueillie par le jury pour ses qualités aromatiques et son élégance. Bien équilibrée, longue, elle possède en outre un air de jeunesse sympathique. Quant au **vouvray tranquille demi-sec 99**, il est cité. (30 à 49 F)

GAEC Bruno et Jean-Michel Pieaux, Vallée de Vaux, rue du Clos-Baglin, 37210 Chançay, tél. 06.08.62.54.92, fax 02.47.52.25.51 r.-v.

METIVIER ET FILS
Brut Cuvée Vincent 1996*

○ n.c. 3 000 5à8€

Mère et fils œuvrent avec savoir-faire sur ce domaine de près de 14 ha implantés sur les pentes qui dominent le lit majeur de la Loire. Ils proposent ici une méthode traditionnelle très souple, élégante et riche en arômes de coing et de noisette. Les bulles fines montent lentement sur un fond jaune paille brillant. Difficile de résister à un tel appel. (30 à 49 F)

GAEC Métivier, 51, rue Neuve, 37210 Vernou-sur-Brenne, tél. 02.47.52.01.95, fax 02.47.52.06.01 r.-v.

MAISON MIRAULT Brut

○ n.c. 20 000 5à8€

Cette maison de tradition est attachée à la sélection des moûts et des vins, ainsi qu'à leur assemblage dans des caves bien équipées. Elle s'est fait une spécialité de la production de vins effervescents. Son vouvray brut, assez vif, possède un côté rafraîchissant. Les arômes de pomme, de fruits secs et même d'agrumes procurent une agréable sensation. Egalement cité, le **vouvray effervescent demi-sec**, aux parfums de fruits mûrs. (30 à 49 F)

Maison Mirault, 15, av. Brûlé, 37210 Vouvray, tél. 02.47.52.71.62, fax 02.47.52.60.90, e-mail maison.mirault@wanadoo.fr t.l.j. 8h-12h 14h-18h30; dim. sur r.-v.

CH. MONCONTOUR Demi-sec 1999

□ n.c. 40 000 5à8€

Le château Moncontour présente un demi-sec d'une grande finesse. Les arômes de miel et de cire qui apparaissent en fin de bouche persistent agréablement. La petite vivacité de l'attaque est synonyme de légèreté. Une bouteille réussie dans une année difficile. (30 à 49 F)

Ch. Moncontour, 37210 Vouvray, tél. 02.47.52.60.77, fax 02.47.52.65.50, e-mail info@moncontour.com t.l.j. 10h-18h

M. et Mme Feray

MONMOUSSEAU Brut 1997*

○ 24,5 ha 173 701 5à8€

La maison Monmousseau, fondée en 1886 et longtemps restée familiale, appartient maintenant au groupe luxembourgeois Bernard Massard. Le savoir-faire vouvrillon demeure vivace dans cet établissement, et la réussite de cette méthode traditionnelle en est la preuve. Les bulles fines montent régulièrement dans une robe brillante. Le nez d'abord floral s'oriente vers les fruits blancs à noyau, une pointe de vanille apparaissant en dernier. En bouche, les mêmes arômes se déclinent dans une matière souple et équilibrée. C'est un vin bien fait, qui donnera toute satisfaction. (30 à 49 F)

SA Monmousseau, BP 25, 71, rte de Vierzon, 41401 Montrichard Cedex 01, tél. 02.54.71.66.66, fax 02.54.32.56.09, e-mail monmousseau@monmousseau.com t.l.j. 10h-18h; groupes sur r.-v.; f. sam. dim. 1er nov.-31 mars

Bernard Massard

CH. DE MONTFORT Demi-sec 1999*

□ 8,2 ha 62 000 3à5€

Le domaine viticole du château de Montfort couvre 23 ha sur le très beau plateau des Quarts, de la commune de Chançay. Le sol y est très caillouteux en surface, avec un fond argileux qui permet aux ceps de se constituer des réserves. Ce demi-sec équilibré et gras s'allonge en bouche sur des arômes de miel. Il a une vocation de semi-garde. (20 à 29 F)

SC Ch. de Montfort, Les Quarts, 37210 Chançay, tél. 02.47.52.14.57, fax 02.47.52.06.09 r.-v.

SA Blanc Foussy

DOM. D'ORFEUILLES Brut 1997**

○ 3 ha 20 000 5à8€

Le siège de l'exploitation se trouve dans les dépendances d'un château médiéval disparu mais dont il reste le nom. Le vignoble s'étendait aux alentours. Aujourd'hui, comprenant 17 ha, il constitue un beau domaine que mène avec maîtrise Bernard Hérivault. La commune de Reugny, dont les sols sont abondamment chargés de silex en surface, semble être vouée à la production des vins de base de qualité pour l'élaboration d'effervescents. Ce brut au nez intense de fleurs et de fruits en apporte la preuve. Dans sa bouche pleine, riche, l'équilibre entre fraîcheur et fruité se réalise tout naturellement. Ce 97 mettra le cœur en fête à l'heure de l'apéritif. Un bon point également pour le **vouvray demi-sec Les Coudraies 99**, cité par le jury. (30 à 49 F)

EARL Bernard Hérivault, La Croix-Blanche, 37380 Reugny, tél. 02.47.52.91.85, fax 02.47.52.25.01, e-mail earl.herivault@france-vin.com r.-v.

VINCENT PELTIER Brut 1997*

○ 1 ha 6 500 5à8€

Vincent Peltier s'est attaché à construire un chai fonctionnel adossé au coteau ; les caves de mûrissement, creusées dans le roc, se trouvent dans sa continuité. C'est à un bel équipement que ce producteur doit sans doute la réussite de son vouvray brut. Le nez brioché de ce vin dévoile des accents floraux de chèvrefeuille. La bouche, ronde et fruitée, se termine certes un peu vite, mais laisse une délicate impression de souplesse. Le **vouvray pétillant demi-sec 97** reçoit également une étoile. (30 à 49 F)

LOIRE

Vincent Peltier, 41 bis, rue de la Mairie, 37210 Chançay, tél. 02.47.52.93.34, fax 02.47.52.96.96 t.l.j. sf dim. 8h-12h30 14h-19h30

CLOS DU PETIT MONT
Moelleux 1999**

□ 2 ha 5 000 5à8€

Daniel Allias, premier magistrat de la ville pendant deux mandats, a décidé de ne plus se représenter. Il revient à sa passion première, la vigne, pour seconder son fils, Dominique qui a mené avec toute sa fougue ce beau domaine de 12 ha sis sur les hauts de la Vallée Coquette. Un retour qui sera bien fêté avec ce 99 moelleux équilibré, aux arômes de botrytis et de fruits confits omniprésents. Un vin corsé, remarquable pour une vendange exigeante. Il offre une garantie d'évolution certaine. (30 à 49 F)

GAEC Allias Père et Fils, 106, rue de la Vallée-Coquette, 37210 Vouvray, tél. 02.47.52.74.95, fax 02.47.52.66.38 t.l.j. sf dim. 8h-12h 14h-19h

DOM. PIERRE DE RONSARD Brut

○ n.c. 40 000 5à8€

Raoul Diard, l'ancien propriétaire de ce vignoble de 18 ha, était une figure marquante du paysage vouvrillon. Son vignoble de grande réputation est maintenant entre les mains de la famille Dumange, spécialiste de la production de vins de méthode traditionnelle. Ce vouvray à la robe jaune pâle brillant, au nez très floral, présente en bouche un bon équilibre. Une petite vivacité d'attaque lui donne une certaine fraîcheur. (30 à 49 F)

Eve Dumange, Dom. Pierre de Ronsard, Les Maisons, 37210 Rochecorbon, tél. 02.47.52.54.85, fax 02.47.52.82.05

VINCENT RAIMBAULT Doux 1999

□ 1 ha 2 000 8à11€

Vincent Raimbault exploite depuis plus de vingt ans 16 ha de vignes sur les coteaux qui bordent la Brenne, affluent de la Loire. Son vignoble bénéficie de l'influence du fleuve qui favorise la maturation du raisin. Ce vouvray moelleux, contenant 48 g/l de sucre résiduel, se place comme un vin doux. Il présente une petite vivacité à l'attaque et un aspect minéral en finale. Il faudra laisser évoluer ce 99 pour que son harmonie puisse se parfaire. (50 à 69 F)

Vincent Raimbault, 9, rue des Violettes, 37210 Chançay, tél. 02.47.52.92.13, fax 02.47.52.24.90 t.l.j. sf dim. 9h30-12h30 14h-19h

CHRISTIAN THIERRY Brut réserve 1997

○ 1 ha 2 500 5à8€

Christian Thierry, installé depuis 1982 sur une dizaine d'hectares répartis sur les pentes de la vallée de Cousse, s'est attaché à parfaire son équipement tout en restant fidèle aux méthodes traditionnelles. Ce vouvray brut présente un nez très élégant de pain grillé. Sa bouche est, certes, vive à l'attaque, mais pleine de fruit et assez longue ; elle laisse une impression générale de jeunesse. Ce vin gagnera à patienter en cave pour mieux s'imposer. (30 à 49 F)

Christian Thierry, 37, rue Jean-Jaurès, la Vallée-de-Cousse, 37210 Vernou-sur-Brenne, tél. 02.47.52.18.95, fax 02.47.52.13.23, e-mail christianthierry-vins@wanadoo.fr t.l.j. 10h-12h 14h-19h, dim. et groupes sur r.-v., f. fin août

CHRISTOPHE THORIGNY*

○ 2 ha 12 000 5à8€

Le domaine, créé en 1989 sur une petite superficie, rassemble aujourd'hui 8 ha de vignes relativement jeunes, mais aptes à produire de beaux vins de base. Ce vouvray, aux bulles légères et fines, développe un nez de coing et de pêche. La bouche, plutôt florale, livre de légers accents de pain grillé. Un vin de bonne facture, destiné à l'apéritif. (30 à 49 F)

Christophe Thorigny, 30, rue des Auvannes, 37210 Parçay-Meslay, tél. 02.47.29.13.33, fax 02.47.29.13.33 t.l.j. sf dim. 9h-12h 14h-19h

DOM. DE VAUGONDY Sec 1999*

□ 4 ha 18 000 5à8€

La vallée de Vaugondy débouche sur celle de la Brenne qui, elle-même, aboutit à la Loire. La Touraine viticole est ainsi faite d'une multitude de vallées aux pentes caillouteuses souvent bien exposées et ouvertes aux influences du fleuve ligérien. Ici, c'est le sol qui a laissé son empreinte, donnant un vouvray sec, vif, au caractère minéral marqué. L'ensemble est léger mais ne manque pas de puissance aromatique dans ses évocations de pomme verte, de foin coupé et de thym. Après deux ans de garde, ce vin gagnera en amabilité. (30 à 49 F)

EARL Perdriaux, 3, Les Glandiers, 37210 Vernou-sur-Brenne, tél. 02.47.52.02.26, fax 02.47.52.04.81 r.-v.

DOM. DU VIEUX VAUVERT
Brut Tête de Cuvée 1999*

○ n.c. 40 000 5à8€

Cette société installée à Vouvray depuis 1966, sur près de 25 ha aujourd'hui, s'est spécialisée dans l'élaboration des méthodes traditionnelles. Elle dispose de caves immenses, adaptées à ce type de production. Ce brut 99, jaune paille doré, laisse monter des bulles fines et légères. Si le nez est discret, la bouche rappelle les fruits exotiques. Vineux et doté d'une bonne longueur, c'est un vin bien construit, conforme à son terroir. (30 à 49 F)

SCA du Vieux Vauvert, 8, rue Vauvert, 37210 Rochecorbon, tél. 02.47.52.54.85, fax 02.47.52.82.05

DOM. VIGNEAU-CHEVREAU
Moelleux 1999**

□ 10 ha 20 000 5à8€

Cinq générations ont participé à la création et à l'agrandissement de ce beau vignoble de 26 ha. La dernière opération, conduite par Michel Vigneau, est la replantation de la parcelle sise dans l'enceinte de l'abbaye de Marmoutier. Selon la légende, saint Martin y aurai planté, en 372, la première vigne du futur vignoble de Vouvray. De ce 99, on retiendra la bouche épanouie où coing, tilleul, miel disputent la première place à une légère nuance de terroir nullement désagréable. La longueur prouve par ailleurs que la matière est riche. Cette bouteille pourra vieillir en toute tranquillité. Du même producteur, deux vins ont été jugés très réussis : un **vouvray moelleux 99**, presque doux par ses 45 g/l de sucre résiduel et qui a connu le bois ; un **vouvray sec Clos de Rougemont 99**, élevé en cuve. (30 à 49 F)

EARL Vigneau-Chevreau, 4, rue du Clos-Baglin, 37210 Chançay, tél. 02.47.52.93.22, fax 02.47.52.23.04 r.-v.

J.-M. Vigneau

Cheverny

Consacré AOC le 26 mars 1993, cheverny était né VDQS en 1973. Dans cette appellation (plus de 2 000 ha délimités, 400 ha en production), dont le terroir à dominante sableuse (des sables sur argile de Sologne aux terrasses de Loire) s'étend le long de la rive gauche du fleuve depuis la Sologne blésoise jusqu'aux portes de l'Orléanais, les cépages sont nombreux. Les producteurs ont réussi à les assembler, en proportions variant légèrement selon les terroirs, pour trouver le « style » cheverny. Les vins rouges (12 563 hl), à base de gamay et de pinot noir, sont fruités dans leur jeunesse et acquièrent, en évoluant, des arômes animaux... en harmonie avec l'image cynégétique de cette région. Les rosés, à base de gamay, sont secs et parfumés. Les blancs (8 887 hl), où le sauvignon est assemblé avec un peu de chardonnay, sont floraux et fins.

PASCAL BELLIER Cuvée Prestige 2000★★

6 ha 27 000 5à8€

Pour cette cuvée née d'un assemblage gamay, pinot et cabernet, le vigneron a élevé pendant quatre mois en fût neuf les 40 % de pinot noir et les 10 % de cabernet. C'est à ce savoir-faire que l'on doit ce très beau vin d'un rouge presque noir qui charme par son nez fin et élégant. Charnu, il remplit bien la bouche. Il termine par une note boisée autour d'arômes de fruits rouges très mûrs. (30 à 49 F)

Dom. Pascal Bellier, 3, rue Reculée, 41350 Vineuil, tél. 02.54.20.64.31, fax 02.54.20.58.19 t.l.j. sf mar. jeu. dim. 14h-19h; sam. 9h-12h 14h-19h

ERIC CHAPUZET Cuvée Les Souchettes 2000★

5 ha n.c. 3à5€

Ancienne ferme dépendant du château de Fougères-sur-Bièvre, cette longère abrite aujourd'hui la famille Chapuzet. Le jury prédit un bel avenir à ce cheverny blanc, aux arômes intenses d'agrumes et de bonbon anglais, à la bouche légère et fruitée. En robe cerise, la **cuvée Mont-Crochet 2000 rouge**, agréable et souple en bouche, est à boire dès cet été. Elle est citée. (20 à 29 F)

Eric Chapuzet, La Gardette, 41120 Fougères-sur-Bièvre, tél. 02.54.20.27.21, fax 02.54.20.28.34, e-mail e.chapuzet@wanadoo.fr r.-v.

CHESNEAU ET FILS 2000★★

0,52 ha 4 000 3à5€

Une réussite pour le domaine qui produit là un vin plein d'attraits, bien représentatif de l'appellation : d'une belle couleur orangée, ce rosé développe des arômes de fleurs et d'amande grillée. Equilibré et d'une bonne longueur en bouche, ce superbe cheverny accompagnera avantageusement grillades et charcuterie. Le **rouge 2000** est cité pour sa robe cerise, son surprenant côté épicé au nez et son bon équilibre en bouche. (20 à 29 F)

EARL Chesneau et Fils, 26, rue Sainte-Neomoise, 41120 Sambin, tél. 02.54.20.20.15, fax 02.54.33.21.91 r.-v.

MICHEL CONTOUR 2000

0,28 ha 1 800 3à5€

En 1984, Michel Contour replante son vignoble en cépages de qualité. Dans cet assemblage, le pinot noir est à égalité avec le gamay, mais c'est lui qui a donné sa jolie structure à ce rosé prêt à être associé à des grillades. (20 à 29 F)

Michel Contour, 7, rue La Boissière, 41120 Cellettes, tél. 02.54.70.40.03, fax 02.54.70.36.68 t.l.j. 8h30-13h 14h-19h; groupes sur r.-v.

DOM. DU CROC DU MERLE 2000

4 ha 10 000 3à5€

Ce domaine au nom évocateur reçut un coup de cœur pour un millésime 98 en rouge. D'un jaune pâle à reflets verts, ce cheverny mérite d'être cité. C'est un vin fort sympathique, franc et vif. (20 à 29 F)

Patrice et Anne-Marie Hahusseau, Dom. du Croc du Merle, 38, rue de La Chaumette, 41500 Muides-sur-Loire, tél. 02.54.87.58.65, fax 02.54.87.02.85 t.l.j. 9h-19h30; dim. 9h-12h

MICHEL DRONNE 2000

3,11 ha 9 300 5à8€

Le gamay (60 %) l'emporte sur le pinot noir dans ce cheverny rouge léger, à la bouche fruitée

LOIRE

et à la finale agréable. A boire légèrement frais entre amis. (30 à 49 F)
Michel Dronne, 1, voie des Perraudières, Cave l'Ebat, 41700 Cheverny, tél. 02.54.79.92.15, fax 02.54.79.92.15 r.-v.

MICHEL GENDRIER Le Pressoir 2000

■ n.c. 20 000 5à8€

Le domaine de Michel Gendrier est en cours de reconversion à la biodynamie. Il propose un vin rouge assemblant 20 % de gamay à 80 % de pinot noir. Celui-ci porte la marque du cépage dominant, au nez comme en bouche. A boire dès maintenant. (30 à 49 F)
Jocelyne et Michel Gendrier, Les Huards, 41700 Cour-Cheverny, tél. 02.54.79.97.90, fax 02.54.79.26.82 t.l.j. 9h-12h 14h-19h; dim. sur r.-v.

HUGUET 2000**

■ 5 ha 16 000 3à5€

Si le cheverny **blanc 2000** est cité pour son nez puissant où les senteurs de buis sont dominantes, c'est ce vin rouge qui a presque fait chavirer les cœurs. Au nez, les arômes de fruits rouges sont complexes et délicats. L'attaque est franche et douce, les tanins veloutés charment jusqu'en finale. Une référence pour le cheverny ; il était à deux doigts d'un coup de cœur. (20 à 29 F)
GAEC Huguet, 12, rue de la Franchetière, 41350 Saint-Claude-de-Diray, tél. 02.54.20.57.36, fax 02.54.20.58.57 r.-v.

DOM. DE LA DESOUCHERIE 2000**

■ 9 ha 35 000 5à8€

Ce domaine remporte sa moisson d'étoiles avec ces trois cheverny. Le **rosé 2000**, d'une couleur soutenue, est intense et délicat au nez ; d'une bonne longueur et bien équilibré en bouche, il reçoit une étoile. Le **blanc 2000 Christian Tessier** « vous câline le palais », dit un des membres du jury : issu d'un raisin mûr à point, il est très rond en bouche après une attaque franche et nette. Mais c'est la cuvée rouge qui a enflammé les cœurs : d'abord une belle robe rubis à reflets violets, un nez intense où dominent les arômes de fruits noirs très mûrs ; puis vient une bouche onctueuse, tout en souplesse et élégante. (30 à 49 F)
Christian Tessier, Dom. de La Désoucherie, 41700 Cour-Cheverny, tél. 02.54.79.90.08, fax 02.54.79.22.48, e-mail christian.tessier@waika9.com r.-v.

DOM. DE LA GAUDRONNIERE Cuvée Laëtitia 2000**

□ 5,14 ha 19 000 5à8€

Quand vous aurez terminé la visite du château de Beauregard qui possède une magnifique collection de carreaux de faïence hollandaise, faites une halte chez Christian Dorléans. Sa cuvée Laëtitia a tout pour plaire : depuis son nez très complexe aux arômes de fleurs blanches et de fruits rehaussés par une note briochée jusqu'à l'attaque souple introduisant une bouche à l'équilibre parfait. (30 à 49 F)
Christian Dorléans, Dom. de La Gaudronnière, 41120 Cellettes, tél. 02.54.70.40.41, fax 02.54.70.38.83 r.-v.

DOM. DE L'AUMONIERE 2000*

□ 3,94 ha 10 000 5à8€

Ce domaine de 17 ha appartient depuis 1836 à la famille de Gérard Givierge. Son joli vin, d'une couleur jaune pâle à reflets dorés, se montre à la fois puissant et élégant - bonne longueur, bon équilibre. Une bouteille à apprécier maintenant sur un poisson. (30 à 49 F)
Gérard Givierge, Dom. de l'Aumonière, 41700 Cour-Cheverny, tél. 02.54.79.25.49, fax 02.54.79.27.06 t.l.j. sf dim. 8h-12h 14h-19h30

LE PETIT CHAMBORD 2000

□ 5 ha 30 000 5à8€

François Cazin dirige le domaine familial de 18 ha, situé à 2 km du château de Cheverny, « l'un des exemples les plus achevés de l'architecture Louis XIII ». Ce vin, à la robe d'une jolie couleur pâle et aux arômes floraux, est surprenant et agréable par sa rondeur en bouche. (30 à 49 F)
François Cazin, Le Petit Chambord, 41700 Cheverny, tél. 02.54.79.93.75, fax 02.54.79.27.89 r.-v.

DOM. LE PORTAIL 2000

□ 8 ha 40 000 3à5€

Ce vin sympathique et bien typé cheverny est le produit d'un assemblage classique de 85 % de sauvignon et de 15 % de chardonnay. Il est intéressant par ses notes de buis et par sa rondeur en bouche. (20 à 29 F)
Michel Cadoux, Le Portail, 41700 Cheverny, tél. 02.54.79.91.25, fax 02.54.79.28.03 r.-v.

DOM. MAISON PERE ET FILS 2000*

□ 20 ha 25 000 5à8€

Les premières vignes furent plantées ici en 1906. Le chardonnay représente 40 % de l'assemblage dans ce vin blanc pâle brillant qui offre au nez des senteurs de fleurs blanches et de cassis. Frais en bouche, il se montrera très agréable sur un poisson. Cité, le **rosé 2000 (20 à 29 F)**, encore timide, tout en souplesse, sera fin prêt à la sortie du Guide. (30 à 49 F)
Dom. Maison Père et Fils, 22, rue de la Roche, 41120 Sambin, tél. 02.54.20.22.87, fax 02.54.20.22.91 t.l.j. 8h-19h
Jean-François Maison

JEROME MARCADET Cuvée de l'Orme 2000*

□ 2 ha 10 000 3à5€

Dans les trois teintes, ce vigneron a charmé le jury. Cette cuvée jaune paille exhale au nez des senteurs florales printanières. Son perlant souligne sa jeunesse et sa fraîcheur. Le **rosé 2000** n'est pas moins réussi avec son nez subtil, sa bouche ronde et sa finale fraîche. Citée, la **cuvée des Gourmets rouge 2000**, encore sur sa jeunesse, livre des senteurs de fruits rouges où domine la framboise. (20 à 29 F)

🔑 Jérôme Marcadet, L'Orme Favras, 41120 Feings, tél. 02.54.20.28.42, fax 02.54.20.28.42 ☑ Ῑ t.l.j. 8h-12h 14h-19h; dim. sur r.-v.

DOM. DE MONTCY
Cuvée Louis de La Saussaye 2000*

■ 3,2 ha 19 000 5à8€

Le domaine produit trois cheverny qui ont tout pour plaire et reçoivent chacun une étoile. Ce beau cheverny à la robe rubis, au nez élégant et complexe ; en bouche, sa structure est souple et sa finale tannique. La **cuvée des Cendres** du même millésime a beaucoup de classe, d'équilibre et l'avenir devant elle. (30 à 49 F)

🔑 R. et S. Simon, La Porte dorée, 32, rte de Fougères, 41700 Cheverny, tél. 02.54.44.20.00, fax 02.54.44.20.50, e-mail domaine-de-montcy@wanadoo.com ☑ Ῑ t.l.j. sf dim. 10h-12h 14h-18h; sam. sur r.-v.; f. 26 août-6 sept.

LES VIGNERONS DE MONT-PRES-CHAMBORD 2000***

■ 25 ha 180 000 5à8€

La cave a fêté ses soixante-dix ans et offre le plus beau des vins. Le jury lui décerne à l'unanimité un coup de cœur pour sa robe intense entre pourpre et rubis et pour son nez complexe qui marie arômes de fruits rouges et notes minérales. Une riche matière tapisse le palais. C'est assurément un fleuron du cheverny. La même coopérative propose également un **rosé 2000**, cité pour sa surprenante complexité aromatique et sa finale pleine de fraîcheur. (30 à 49 F)

🔑 Les Vignerons de Mont-près-Chambord, 816, la Petite-Rue, 41250 Mont-près-Chambord, tél. 02.54.70.71.15, fax 02.54.70.70.65, e-mail cavemont@club-internet.fr ☑ Ῑ t.l.j. sf lun. matin 9h-12h 14h-18h

DOM. DU MOULIN 2000*

■ 4 ha 20 000 5à8€

Outre le château de Beauregard et l'église en partie romane, le bourg de Cellettes offre aux amateurs de patrimoine industriel un moulin à eau conservé en bon état sur le Beuvron. Il y a aussi le domaine du Moulin qui produit un vin aux arômes de fruits rouges où dominent la mûre et la cerise. Les tanins sont présents et souples. Un bel équilibre, et une bouche qui « tourne bien rond ». (30 à 49 F)

🔑 Hervé Villemade, Dom. du Moulin, 41120 Cellettes, tél. 02.54.70.41.76, fax 02.54.70.37.41 ☑ Ῑ r.-v.

LES VIGNERONS DE OISLY ET THESEE 2000*

□ 6 ha 45 000 5à8€

La coopérative existe depuis 1961 ; elle propose un blanc très réussi, limpide et brillant, aux nuances florales. L'intensité des arômes et l'équilibre au palais font le charme de ce cheverny tout en finesse. (30 à 49 F)

🔑 Confrérie des Vignerons de Oisly et Thésée, Le Bourg, 41700 Oisly, tél. 02.54.79.75.20, fax 02.54.79.75.29 ☑ Ῑ r.-v.

DOM. DU SALVARD 2000**

□ 12 ha 50 000 5à8€

Les deux cheverny blancs présentés ont séduit le jury ; davantage peut-être cet assemblage de chardonnay et de sauvignon où ce dernier domine nettement. Un vin qui s'exprime en puissance et en élégance. La **cuvée L'Héritière,** quant à elle, étonne par sa puissance et sa complexité aromatique. D'un bel équilibre, elle tiendra ses promesses et obtient déjà une étoile. (30 à 49 F)

🔑 EARL Delaille, Le Salvard, 41120 Fougères-sur-Bièvre, tél. 02.54.20.28.21, fax 02.54.20.22.54 ☑ Ῑ t.l.j. sf sam. dim. 8h-12h 14h-18h30

DOM. SAUGER ET FILS 2000*

□ 4 ha 10 000 3à5€

Dans la famille Sauger, on est vigneron de père en fils depuis 1870, c'est dire si l'on connaît l'art du vin. Les trois vins présentés ont retenu l'attention du jury, avec une préférence toutefois pour ce cheverny blanc au nez intense de fleurs blanches. La bouche est gracieuse, bien équilibrée et d'une bonne longueur. Quant aux **cheverny rouges**, ils reçoivent chacun une citation : l'un, issu de vignes de vingt-cinq ans d'âge, légèrement boisé, offre une bonne structure en bouche ; le deuxième **(30 à 49 F)**, encore jeune mais élégant, est promis à un bel avenir. (20 à 29 F)

🔑 Dom. Sauger et Fils, Les Touches, 41700 Fresnes, tél. 02.54.79.58.45, fax 02.54.79.03.35 ☑ Ῑ t.l.j. sf dim. 9h-12h 14h-18h; sur r.-v. 15 sept.-15 mars

DOM. PHILIPPE TESSIER
Le Point du Jour 2000*

■ n.c. 11 000 5à8€

Elu coup de cœur l'an passé pour le millésime 99, Philippe Tessier propose dans celui de 2000 deux vins issus de l'agriculture biologique, également salués par le jury. Ce cheverny d'un rouge intense surprend par le mélange d'arômes floraux et de fruits rouges ; l'attaque est souple et le pinot noir très présent en finale ; en cheverny **blanc, La Charbonnerie 2000**, d'une belle couleur dorée, exhale des arômes du terroir ; gracieux en bouche, il est plaisant. (30 à 49 F)

🔑 EARL Philippe Tessier, 3, voie de la rue Colin, 41700 Cheverny, tél. 02.54.44.23.82, fax 02.54.44.21.71 ☑ Ῑ r.-v.

LOIRE

DANIEL TEVENOT 2000

☐ 1,3 ha 7 500 3à5€

Daniel Tévenot n'a pas que la passion du vin ; il s'intéresse à l'histoire et au patrimoine de cette région du nord de la Sologne ; il est l'auteur d'un livre sur Candé et sur Madon, petit hameau habité dès l'époque mérovingienne. L'intérêt historique de cette vallée du Beuvron ne doit pas vous détourner de ce qui fait l'attrait de ce domaine : un vin qui, par la qualité de ses arômes où pointe le cassis et par son bon équilibre en bouche, ne déparera pas votre table. (20 à 29 F)

Daniel Tévenot, 4, rue du Moulin-à-Vent, Madon, 41120 Candé-sur-Beuvron, tél. 02.54.79.44.24, fax 02.54.79.44.24 r.-v.

DOM. DU VIVIER 2000*

■ 3,15 ha 13 000 5à8€

Il a navigué dans la diplomatie, dans la haute politique française et européenne, puis sur les vastes océans. Amoureux de la mer et de la littérature, auteur de nombreux essais et romans, Jean-François Deniau l'est aussi de la terre, puisqu'il a acquis ces vignes près de Cheverny. Un retour aux origines : du côté paternel, ses ancêtres étaient viticulteurs ou forestiers en Sologne. Le vigneron n'est autre que Michel Gendrier. Le vin offre tout ce que l'on attend dans l'appellation : des arômes de fruits rouges, de la fraîcheur et de l'élégance. (30 à 49 F)

Jocelyne et Michel Gendrier, Les Huards, 41700 Cour-Cheverny, tél. 02.54.79.97.90, fax 02.54.79.26.82 t.l.j. 9h-12h 14h-19h; dim. sur r.-v.

Cour-cheverny

Le décret du 24 mars 1993 a reconnu l'AOC cour-cheverny. Celle-ci est réservée aux vins blancs de cépage romorantin, produits dans l'aire de l'ancienne AOS cour-cheverny mont-près-chambord et quelques communes des alentours où ce cépage s'est maintenu. Le terroir est typique de la Sologne (sable sur argile). La vendange de 2000 a représenté 2 262 hl.

PASCAL BELLIER 1999

☐ 0,5 ha 4 100 5à8€

Chez Pascal Bellier, la vendange commence au mois de novembre ; on sait que le romorantin est un cépage tardif. Il trouve ici une belle expression. Le nez d'agrumes et de fleurs blanches avec une pointe briochée est fin. Après une attaque plaisante, la structure s'impose, encore vive. Une bouteille à attendre. (30 à 49 F)

Dom. Pascal Bellier, 3, rue Reculée, 41350 Vineuil, tél. 02.54.20.64.31, fax 02.54.20.58.19 t.l.j. sf mar. jeu. dim. 14h-19h; sam. 9h-12h 14h-19h

DOM. DES HUARDS 1999

☐ n.c. 30 000 5à8€

Le domaine s'est transmis de père en fils depuis 1846 et se reconvertit actuellement à la biodynamie. Il produit un cour-cheverny floral, élégant, frais et agréable. Ce vin est à boire dès maintenant. (30 à 49 F)

Jocelyne et Michel Gendrier, Les Huards, 41700 Cour-Cheverny, tél. 02.54.79.97.90, fax 02.54.79.26.82 t.l.j. 9h-12h 14h-19h; dim. sur r.-v.

DOM. DE LA DESOUCHERIE 1999

☐ 3,4 ha 25 000 5à8€

Cour-Cheverny organise des circuits pédestres qui peuvent intéresser les amateurs de vins qui ne manqueront pas ce domaine. Dans sa robe dorée, ce millésime a du volume, du gras et un bel équilibre en bouche. Le connaisseur ne s'y trompera pas. (30 à 49 F)

Christian Tessier, Dom. de La Désoucherie, 41700 Cour-Cheverny, tél. 02.54.79.90.08, fax 02.54.79.22.48, e-mail christian.tessier@waika9.com r.-v.

DOM. DE LA GAUDRONNIERE
Mûr Mûr de la Gaudronnière 1999*

☐ 1,45 ha 2 200 5à8€

C'est à la fin du mois d'octobre qu'ont été récoltés les raisins de cette cuvée à la belle couleur jaune paille et d'une bonne intensité aromatique où sont parfaitement en harmonie les senteurs de miel, d'acacia, et les notes grillées. Doté d'un bon équilibre en bouche, c'est un vin d'avenir. (30 à 49 F)

Christian Dorléans, Dom. de La Gaudronnière, 41120 Cellettes, tél. 02.54.70.40.41, fax 02.54.70.38.83 r.-v.

LE PETIT CHAMBORD 1999*

☐ 4,3 ha 25 000 5à8€

Le romorantin est le plus vieux cépage planté sur ce domaine. François Cazin a réussi un 99 à la belle robe jaune doré reflétant la très bonne maturité des raisins. La bouche est ample, la finale miellée et minérale. Avec 9 g de sucre résiduel, c'est un vin demi-sec que l'on peut garder en cave. (30 à 49 F)

François Cazin, Le Petit Chambord, 41700 Cheverny, tél. 02.54.79.93.75, fax 02.54.79.27.89 r.-v.

PHILIPPE LOQUINEAU
Fleurs de Lis 1999

☐ 1,5 ha 6 000 5à8€

Issu de vignes en conversion vers la culture biologique, ce vin développe au nez des arômes de tilleul ; très agréable en bouche, il présente une bonne harmonie. (30 à 49 F)

Philippe Loquineau, Dom. de La Plante d'Or, La Demalerie, 41700 Cheverny, tél. 02.54.44.23.09, fax 02.54.44.22.16 r.-v.

DOM. DE MONTCY 2000*

☐ 1,7 ha 5 200 5à8€

Des vignes de quarante ans ont donné ce 2000 très doré, typique de l'appellation. Ses arômes exotiques (mangue) et floraux, ainsi que sa bonne harmonie générale, charmeront l'amateur. Ce domaine fut élu coup de cœur pour le millésime 98. (30 à 49 F)

R. et S. Simon, La Porte dorée, 32, rte de Fougères, 41700 Cheverny, tél. 02.54.44.20.00, fax 02.54.44.20.50, e-mail domaine-de-montcy@wanadoo.com ☑ Y t.l.j. sf dim. 10h-12h 14h-19h; sam. sur r.-v.; f. 26 août-6 sept.

LES VIGNERONS DE MONT-PRES-CHAMBORD 1999

□ 9 ha 30 000 5à8€

Des vignes de quarante ans d'âge ont donné naissance à un vin à la belle robe dorée, encore un peu fermé, mais très équilibré en bouche. Il faudra attendre quelques mois pour l'apprécier pleinement. (30 à 49 F)

Les Vignerons de Mont-près-Chambord, 816, la Petite-Rue, 41250 Mont-près-Chambord, tél. 02.54.70.71.15, fax 02.54.70.70.65, e-mail cavemont@club-internet.fr ☑ Y t.l.j. 9h-12h 14h-18h

PIERRE PARENT 1999

□ 1,13 ha 4 400 5à8€

Ce vin est généreux au nez et offre les nuances d'acacia et de tilleul caractéristiques du romorantin ; très frais en bouche, il est à boire dès maintenant sur un poisson d'eau douce, brochet ou sandre. (30 à 49 F)

Pierre Parent, 201, rue de Chancelée, 41250 Mont-près-Chambord, tél. 02.54.70.73.57, fax 02.54.70.89.72 ☑ Y r.-v.

DOM. PHILIPPE TESSIER 1999★★

□ 2 ha 10 000 5à8€

Le Point du Jour avait obtenu l'an dernier le coup de cœur de l'AOC cheverny dans ce même millésime. Philippe Tessier, installé ici en 1988, l'emporte à nouveau dans le Guide : issu de l'agriculture biologique, ce cour-cheverny possède tous les atouts pour séduire. Le jury d'ailleurs n'a pas résisté. La vendange mûre à point a permis d'obtenir une couleur légèrement ambrée. Ses arômes de miel et de fleurs d'acacia sont charmeurs et de bonne intensité. Très bien équilibré en bouche, ce vin a un bel avenir devant lui. (30 à 49 F)

EARL Philippe Tessier, 3, voie de la rue Colin, 41700 Cheverny, tél. 02.54.44.23.82, fax 02.54.44.21.71 ☑ Y r.-v.

Coteaux du vendômois

Les coteaux du vendômois ont en été reconnus appellation d'origine en 2001.

La particularité, unique en France, de cette appellation produite entre Vendôme et Montoire, est constituée par le vin gris de pineau d'Aunis, dont la robe doit rester très pâle et les arômes exprimer des nuances poivrées. On y apprécie également un blanc de chenin, comme dans les AOC coteaux de loir et jasnières voisines, au terroir similaire.

Depuis quelques années, à la demande des consommateurs, les rouges tendent à se développer. La nervosité légèrement épicée du pineau d'Aunis est tempérée par le calme gamay et rehaussée soit en finesse par le pinot noir, soit en tanin par le cabernet.

La production atteint une moyenne de 10 000 hl. Le touriste pourra apprécier les bords du Loir, les coteaux truffés d'habitations troglodytiques et de caves taillées dans le tuffeau.

DOM. DU CARROIR Tradition 2000★

■ 6 ha 10 000 3à5€

Ronsard le dit dans une de ses chansons épicuriennes, il faut savoir « où le bon vin se vend ». Assurément, il y en a un très réussi dans ce domaine, comme cet assemblage aux arômes de fruits rouges. L'attaque est ferme, les tanins présents et soyeux. L'avenir est à lui. Le **blanc 2000**, généreux, est cité pour sa souplesse et son onctuosité en bouche. Un vendômois de pure souche. (20 à 29 F)

GAEC Jean et Benoît Brazilier, 17, rue des Ecoles, 41100 Thoré-la-Rochette, tél. 02.54.72.81.72, fax 02.54.72.77.13 ☑ Y r.-v.

DOM. CHEVAIS 2000★

□ 0,34 ha 2 500 5à8€

Ce domaine est situé à quelques kilomètres d'un des plus beaux villages du Vendômois, Lavardin, dont l'église possède un ensemble exceptionnel de peintures murales datant pour les plus anciennes du XIIe s. Dans sa robe jaune pâle, ce vin offre des senteurs de pêche blanche et de pomme. D'une bonne attaque et d'une bonne longueur, il est généreux et élégant. Le jury ne dédaigne pas non plus le **vin gris** du domaine ; d'un rose pâle typique, il charme par son élégance et sa fraîcheur, et obtient une citation. (30 à 49 F)

GAEC Chevais Frères, Les Portes, 41800 Houssay, tél. 02.54.85.30.34 ☑ Y r.-v.

LOIRE

PATRICE COLIN Gris 2000★

6 ha 9 000 3à5€

C'est tout d'abord la robe de ce vin gris que l'on trouve attirante - rose à reflets orangés. Puis une bonne intensité aromatique typique du pineau d'Aunis et un bon équilibre viennent confirmer ce que disait la robe ; la **cuvée Pierre-François 2000** en **rouge** est citée pour sa complexité aromatique et sa rondeur en bouche qui la rendent agréable dès maintenant. Quant aux **Pentes des Coutis 2000 (30 à 49 F)**, c'est un chenin jaune pâle encore timide au nez mais dont la personnalité séduit. (20 à 29 F)

Patrice Colin, Dom. Gaudetterie, 41100 Thoré-la-Rochette, tél. 02.54.72.80.73, fax 02.54.72.75.54 r.-v.

DOM. DU FOUR A CHAUX 2000

2 ha 9 000 3à5€

Sur les terres du domaine se trouve un four à chaux comme il y en a dans la région de Thoré-la-Rochette. On peut visiter celui-ci qui a été restauré. Le domaine est intéressant aussi à d'autres égards. Il propose ce vin blanc d'un jaune pâle brillant, élégant, qui mérite d'attendre un an pour se révéler dans sa plénitude. Cité également par le jury, un **coteaux du vendômois rouge 2000** aux nuances violettes, qui charme le palais et que l'on juge sympathique, mais qui doit aussi attendre. (20 à 29 F)

GAEC Dominique Norguet, Berger, 41100 Thoré-la-Rochette, tél. 02.54.77.12.52, fax 02.54.77.86.18 r.-v.

CHARLES JUMERT 2000★

1,3 ha 4 000 3à5€

Sur les trois bouteilles présentées par Charles Jumert, c'est le vin gris qui a eu la préférence du jury. Très caractéristique dans sa robe pâle à reflets saumonés, il étonne par son équilibre et sa fraîcheur en bouche. Le **blanc 2000**, cité, est frais, équilibré, à boire rapidement. Le **rouge 2000**, cité également, décline des arômes de cerise et de myrtille. Il est très surprenant. Jeune en bouche, il est déjà prêt à boire. (20 à 29 F)

Charles Jumert, 4, rue de la Berthelotière, 41100 Villiers-sur-Loir, tél. 02.54.72.94.09, fax 02.54.72.94.09 r.-v.

DOM. DE LA CHARLOTTERIE Gris 2000★

0,75 ha 4 000 5à8€

La robe est d'une tonalité rosée parfaite ; le nez, subtil, exhale des notes florales ; il ne lui manque ni équilibre, ni fraîcheur en finale pour en faire un bel exemple de coteaux du vendômois. Non moins réussi, le **rouge Tradition** qui fut élu coup de cœur dans l'édition 1998 du Guide, offre dans le millésime **2000** tous les gages de succès pour l'avenir : sa belle couleur, signe d'une bonne maturité du fruit, son nez généreux et sa bouche onctueuse aux tanins encore jeunes. Il reçoit aussi une étoile. Le **blanc 2000** est cité pour son élégance et sa générosité au nez. Il est prêt à boire. (30 à 49 F)

Dominique Houdebert, 2, rue du Bas-Bourg, 41100 Villiersfaux, tél. 02.54.80.29.79, fax 02.54.73.10.01 r.-v.

DOM. J. MARTELLIERE Réserve Jean Vivien 2000★

2 ha 6 000 3à5€

Ce domaine propose deux cuvées rouges intéressantes ; celle-ci offre des arômes de petits fruits rouges flatteurs au nez comme au palais. La bouche est ronde, mais les tanins encore jeunes doivent s'assagir. Elle est à attendre alors que la **cuvée Balzac** du même millésime, brillante à l'œil, couleur cerise, harmonieuse en bouche, est déjà prête à boire. Elle est citée comme l'est également la **cuvée Jasmine 2000**, vin gris de pineau d'Aunis à la robe très pâle et aux nuances poivrées typiques du cépage. (20 à 29 F)

SCEA du Dom. J. Martellière, 46, rue de Fosse, 41800 Montoire-sur-le-Loir, tél. 02.54.85.16.91, fax 02.54.85.16.91 r.-v.

CLAUDE MINIER 2000

n.c. n.c. 3à5€

Deux vins cités pour ce domaine : un agréable **rosé 2000**, souple en attaque et bien équilibré, et ce rouge très puissant en bouche, aux arômes de fruits rouges, qui mérite d'attendre quelques mois pour donner sa pleine mesure. (20 à 29 F)

GAEC Claude Minier, Les Monts, 41360 Lunay, tél. 02.54.72.02.36, fax 02.54.72.18.52 r.-v.

DOM. JACQUES NOURY Rouge Tradition 2000★

1,1 ha 6 000 3à5€

Près du village, qui est fort joli, on compte de nombreuses caves creusées dans le coteau ayant servi d'habitats troglodytiques. Le jury a aimé ce vin à la robe bien colorée, aux arômes intenses de griotte et de cassis. Son bon équilibre en bouche et ses tanins encore présents lui prédisent un bel avenir. Le **blanc 2000**, cité, est typique de l'appellation, et saura accompagner un plateau de fruits de mer. (20 à 29 F)

Dom. Jacques Noury, Montpot, 41800 Houssay, tél. 02.54.85.36.04, fax 02.54.85.19.30 r.-v.

LES VIGNERONS DU VENDOMOIS Gris 2000★

9 ha 60 000 3à5€

Les peintures murales de l'église de Villiers-sur-Loir valent une visite. Vous y verrez des scènes de la vie de saint Eloi ainsi qu'une curieuse représentation des « trois morts » et des « trois vifs », bien dans l'esprit du XVIᵉs. Puis, heureux d'appartenir à cette dernière catégorie, passez à la cave des Vignerons du Vendômois. Ils proposent un gris typique des cépages, doté d'un bon équilibre en bouche et d'une belle fraîcheur en finale : un très joli vin ; ou, si vous préférez, le **blanc 2000**, cité, vous désaltèrera grâce à ses arômes légèrement citronnés et sa bouche bien longue. (20 à 29 F)

Cave des Vignerons du Vendômois, 60, av. du Petit-Thouars, 41100 Villiers-sur-Loir, tél. 02.54.72.90.69, fax 02.54.72.75.09 t.l.j. sf dim. lun. 9h-12h 14h-18h

Valençay AOVDQS

Aux confins du Berry, de la Sologne et de la Touraine, la vigne alterne avec les forêts, la grande culture et l'élevage de chèvres. Les sols sont à dominante argilo-siliceuse ou argilo-limoneuse. Le vignoble s'étend sur plus de 300 ha, dont la moitié déclarée en valençay. L'encépagement y est classique de la moyenne vallée de la Loire et les vins sont à boire jeunes le plus souvent. Le sauvignon fournit des vins aromatiques aux touches de cassis ou de genêt, avec un complément apporté par le chardonnay. Les vins rouges assemblent gamay, cabernets, cot et pinot noir. La production 2000 a atteint 1 386 hl en blanc et 3 330 hl en rouge.

Dans cette région marquée par le passage de Talleyrand, la même appellation désigne un fromage de chèvre, qui a obtenu l'AOC en 1998. Ces pyramides s'accordent, selon leur degré d'affinage, avec les vins rouges ou les vins blancs.

JACKY ET PHILIPPE AUGIS 2000★

□ 1,2 ha 8 000 3à5€

Dans sa robe pâle aux reflets verts, ce valençay exhale des arômes complexes de fruits blancs, de miel et d'acacia. D'une belle attaque en bouche, il finit sur une note très rafraîchissante. Du même producteur, le **valençay rouge 2000**, d'une couleur intense, au nez franc et net, et d'une bonne rondeur en bouche obtient une citation. (20 à 29 F)

GAEC Jacky et Philippe Augis, Le Musa, rue des Vignes, 41130 Meusnes, tél. 02.54.71.01.89, fax 02.54.71.74.15, e-mail paugis@net-up.com ☑ Y t.l.j. sf dim. 8h-12h 14h-19h30; f. 15-31 août

DOM. BARDON 2000★

■ 3 ha 15 000 5à8€

Deux valençay présentés, un rouge et un **blanc** ; tous deux reçoivent une étoile. Le premier, dans une jolie robe aux reflets violets, offre au nez une corbeille de fruits rouges. Rond en bouche, c'est un vin flatteur. Le second, du **même millésime**, arbore une couleur jaune doré qui dénote une belle maturation ; il fait honneur à l'appellation. (30 à 49 F)

Dom. Denis Bardon, 22, rue Paul-Couton, 41130 Meusnes, tél. 02.54.71.01.10, fax 02.54.71.75.20 ☑ Y r.-v.

CLOS DU CHATEAU DE VALENCAY 2000★

■ 1,5 ha 12 000 3à5€

Le rouge comme le blanc, tous deux du même millésime, récoltent une étoile. Le rouge affiche un nez encore timide mais prometteur. En bouche, il exprime toute l'harmonie du terroir. C'est un vin facile à boire tout le long du repas. Le **blanc** libère des arômes de bonbon anglais. Très friand, il possède une finale rafraîchissante. (20 à 29 F)

SCEV Clos du Château de Valençay, Chez Hubert Sinson, 41130 Meusnes, tél. 02.54.71.00.26, fax 02.54.71.50.93 ☑ Y r.-v.

DOM. FRANCK CHUET 2000

■ 0,5 ha 4 000 3à5€

Ce valençay à la robe vive est intéressant par ses arômes de fruits rouges accompagnés d'une touche caramélisée. Il est à boire sans attendre. (20 à 29 F)

Dom. Franck Chuet, rue Debussy, 41130 Meusnes, tél. 02.54.71.01.06 ☑ Y t.l.j. sf dim. 8h-12h 13h30-19h

CHANTAL ET PATRICK GIBAULT 2000★

■ 2 ha 12 000 3à5€

Encore un peu jeune, le **blanc 2000** de ce producteur est cité par notre jury qui le trouve prometteur ; quant à cette cuvée, elle est fruits rouges sur toute la ligne. C'est un vin de terroir, surprenant par son harmonie. (20 à 29 F)

EARL Chantal et Patrick Gibault, 183, rue Gambetta, 41130 Meusnes, tél. 02.54.71.02.63, fax 02.54.71.58.92, e-mail gibault.earl@wanadoo.fr ☑ Y t.l.j. 8h-19h; dim. 10h-12h

FRANCIS JOURDAIN Cuvée des Griottes 2000★

■ 1,5 ha 8 000 3à5€

Francis Jourdain, coup de cœur du Guide 2000 pour le millésime 98, propose cette année trois vins qui reçoivent chacun une étoile. La **cuvée Chèvrefeuille en blanc** offre au nez toute la complexité du terroir ; dotée d'un bel équilibre en bouche, elle finit par une note fumée. La **cuvée Terroir en rouge** est issue de l'assemblage gamay, pinot noir, cot ; d'une jolie couleur rubis, souple et soyeuse en bouche, elle est plaisante dès à présent. Quant à cette cuvée-ci, elle arbore une robe soutenue ; son nez généreux livre des senteurs de fruits rouges. Très bien équilibré en bouche, ce vin possède un bon potentiel de garde. (20 à 29 F)

Francis Jourdain, Les Moreaux, 36600 Lye, tél. 02.54.41.01.45, fax 02.54.41.07.56 ☑ Y r.-v.

MONTBAIL 2000★

□ 2 ha 13 000 3à5€

Sauvignon et chardonnay sont à l'origine de ce valençay à la belle robe pâle. Si le nez semble un peu discret, la bouche affiche une générosité et une puissance de bon aloi. Un vin prêt à boire sur un poisson de Loire ou un feuilleté d'escargots. (20 à 29 F)

LOIRE

Dom. Garnier, 81, rue Eugène-Delacroix, Chamberlin, 41130 Meusnes, tél. 02.54.00.10.06, fax 02.54.05.13.36 r.-v.

DOM. JACKY PREYS ET FILS
Cuvée princière 2000

■ n.c. n.c. 3à5€

Deux rouges de ce domaine et du même millésime sont cités : la **cuvée Prestige** issue du gamay, du pinot noir et du cot, qui s'annonce pleine de promesses pour les années à venir, et cette Cuvée princière qui libère au nez des senteurs de rose. Elle apparaît encore jeune, mais peut compter sur les tanins pour lui assurer une bonne longévité. (20 à 29 F)

Dom. Jacky Preys et Fils, Bois Pontois, 41130 Meusnes, tél. 02.54.71.00.34 r.-v.

JEAN-FRANCOIS ROY 1999*

■ 6 ha 48 000 3à5€

Ce beau valençay d'une couleur rouge rubis légèrement orangée est né sur un terroir d'argile à silex et assemble 50 % de gamay, 35 % de pinot noir et 15 % de cot. Il offre au nez toute la subtilité du pinot noir. Son bel équilibre en bouche et son harmonie dans les nuances fruitées en font une réussite. Egalement jugé digne d'une étoile, le **valençay blanc 2000** a été apprécié pour son intensité aromatique, son attaque franche et sa bouche enveloppante aux nuances d'agrumes. (20 à 29 F)

Jean-François Roy, 3, rue des Acacias, 36600 Lye, tél. 02.54.41.00.39, fax 02.54.41.06.89 r.-v.

HUBERT SINSON ET FILS
Prestige 2000*

■ 6 ha 15 000 3à5€

Ce domaine en est à la quatrième génération de vignerons et produit des vins qui savent se faire aimer. Trois cuvées du même millésime en apportent la preuve. Tout d'abord ce valençay rouge (pinot noir et gamay à 40 % chacun, complétés par 20 % de cot), au nez puissant et élégant qui laisse la place à une bouche harmonieuse et racée. Les tanins du cot présents en finale lui assurent une bonne longévité. Le **valençay blanc** possède toute l'élégance d'un blanc jeune et reçoit aussi une étoile. Quant à la **cuvée Michel Denisot rouge**, elle est citée pour ses arômes de fruits (où domine la mûre), sa bouche harmonieuse et sa finale tannique. (20 à 29 F)

GAEC Hubert Sinson et Fils, 1397, rue des Vignes, 41130 Meusnes, tél. 02.54.71.00.26, fax 02.54.71.50.93 t.l.j. 8h-12h 14h-18h; dim. sur r.-v.; f. 15-31 août

CAVE DES VIGNERONS REUNIS DE VALENCAY Terroir 2000

□ 3,7 ha 29 000 3à5€

Cette coopérative créée en 1964 propose deux vins ; tous deux obtiennent une citation : ce sympathique valençay blanc, issu de raisins bien mûrs, qui plaît par sa franchise et sa fraîcheur ; la cuvée **Terroir rouge** qui se montre gouleyante sous des atours rubis. C'est un vin à boire légèrement frais. (20 à 29 F)

Cave des Vignerons réunis de Valençay, 36600 Fontguenand, tél. 02.54.00.16.11, fax 02.54.00.05.55, e-mail vigneronvalençay@aol.com t.l.j. sf dim. 8h-12h 14h-18h; groupes sur r.-v.

Le Poitou

Haut-poitou AOVDQS

Le docteur Guyot rapporte, en 1865, que le vignoble de la Vienne représente 33 560 ha. De nos jours, outre le vignoble du nord du département, rattaché au Saumurois, le seul intérêt porté à la vigne se situe autour des cantons de Neuville et Mirebeau ! Marigny-Brizay est la commune la plus riche en viticulteurs indépendants. Les autres se sont regroupés pour former la cave de Neuville-de-Poitou. Les vins du haut-Poitou ont produit 28 324 hl en 2000 dont 14 320 en blanc.

Les sols du plateau du Neuvillois, évolués sur calcaires durs et craie de Marigny ainsi que sur marnes, sont propices aux différents cépages de l'appellation ; le plus connu d'entre eux est le sauvignon (blanc).

CAVE DU HAUT-POITOU 2000

■ 10 ha 95 000 3à5€

La cave du Haut-Poitou a été créée en 1948. Elle vinifie environ 90 % des vins de l'appellation. Cette cuvée résulte d'un assemblage de trois cépages de l'appellation : gamay, pinot noir, cabernet franc. Elle a la légèreté et l'expression aromatique des vins rouge du val de Loire (notes de fruits rouges comme la fraise, la framboise) avec une sensation de vivacité en bouche. A boire dans l'année. (20 à 29 F)

SA Cave du Haut-Poitou, 32, rue Alphonse-Plault, 86170 Neuville-de-Poitou, tél. 05.49.51.21.65, fax 05.49.51.16.07, e-mail c-h.p@wanadoo.fr r.-v.

DOM. DE LA GRANDE MAISON 2000*

■ 1 ha 7 200 3à5€

Marigny-Brizay est située sur une butte calcaire réputée dans ce vignoble. Le domaine, situé à 3 km du parc du Futuroscope, propose un vin du cépage cabernet qui a de la matière et qui reste facile à boire. Robe grenat intense, arômes floraux, végétaux et nuances de fruits rouges. La bouche est équilibrée, harmonieuse avec une finale légèrement tannique. (20 à 29 F)

GAEC Grassien Lassale, Saint-Léger-la-Palu, 86380 Marigny-Brizay, tél. 05.49.52.08.73, fax 05.49.62.33.73 t.l.j. sf sam. dim. 9h-19h

DOM. DE LA ROTISSERIE

Cabernet 2000*

■ 3,5 ha 10 000 3à5€

Avant la reconnaissance du vignoble du Haut-Poitou en VDQS, ce domaine était dénommé Domaine des Coteaux de Marigny. La cave est creusée dans le tuffeau. Deux vins rouges 2000 obtiennent chacun une étoile. Celui-ci, issu du cabernet, présente une robe rouge vif, des arômes intenses de fruits frais, une bouche agréable et fraîche, un peu austère en finale. L'**autre vin**, issu de gamay, offre des parfums expressifs de fruits rouges avec quelques notes animales et un palais puissant qui traduit une recherche de matière qu'il faut saluer. (20 à 29 F)

Jacques Baudon, 35, rue de l'Habit-d'Or, 86380 Marigny-Brizay, tél. 05.49.52.09.02, fax 05.49.37.11.44 t.l.j. sf sam. dim. 8h-12h 13h30-19h

DOM. DE LA TOUR SIGNY

Cuvée Poitevine 2000**

■ 6 ha 15 000 3à5€

Ce domaine de 15 ha propose un vin qui correspond à un assemblage de cabernets (40 %) et de gamay (60 %) ; il est remarquable par son équilibre et sa finesse. Une robe grenat, des arômes complexes de fruits rouges, d'épices et de vanille, une bouche riche et vive, structurée en font un produit typique de ce vignoble. (20 à 29 F)

Christophe Croux, Dom. de La Tour Signy, 2 rue de Tue-Loup, 86380 Marigny-Brizay, tél. 05.49.55.31.21, fax 05.49.62.36.82 r.-v.

DOM. DES LISES Cabernet 2000

■ 1,2 ha 4 000 3à5€

Pascale Bonneau, œnologue de formation, a repris le vignoble paternel en 1995 et créé en 1996 un chai de vinification. Celui-ci est situé à l'entrée de la cité médiévale de Mirebeau, dans le quartier du château. Son vin a de la matière et laisse en fin de bouche une légère sensation d'astringence. Robe rouge soutenu, arômes intenses de fruits et d'épices, première impression en bouche agréable et fruitée. Un produit et une exploitation à découvrir. (20 à 29 F)

Pascale Bonneau, pl. du Champ-de-Foire, 86110 Mirebeau, tél. 05.49.50.53.66, fax 05.49.50.90.50, e-mail pascale.bonneau@libertysurf.fr t.l.j. sf dim. 18h-19h30; sam. 9h30-19h

Les vignobles du Centre

Des côtes du Forez à l'Orléanais, les principaux secteurs viticoles du Centre occupent les endroits les mieux exposés des coteaux ou plateaux modelés au cours des âges géologiques par la Loire et ses affluents, l'Allier et le Cher. Ceux qui, sur les côtes d'Auvergne, à Saint-Pourçain en partie ou à Châteaumeillant, sont implantés sur les flancs est et nord du Massif central, restent cependant ouverts sur le bassin de la Loire.

Siliceux ou calcaires, toujours bien situés et exposés, les sols viticoles de ces régions portent un nombre restreint de cépages, parmi lesquels ressortent surtout le gamay pour les vins rouges et rosés, et le sauvignon pour les vins blancs. Quelques spécialités émergent çà et là : tressallier à Saint-Pourçain et chasselas à Pouilly-sur-Loire pour les blancs ; pinot noir à Sancerre, Menetou-Salon et Reuilly pour les rouges et rosés, avec encore le délicat pinot gris dans ce dernier vignoble ; et enfin le meunier qui, près d'Orléans, fournit l'original « gris meunier ». Somme toute, un encépagement sélectif.

LOIRE

Tous les vins obtenus dans ces terroirs et avec ces cépages ont en commun légèreté, fraîcheur et fruité, qui les rendent particulièrement attrayants, agréables et digestes. Et combien en harmonie avec les spécialités gastronomiques de la cuisine régionale ! Qu'ils soient d'Auvergne, du Bourbonnais, du Nivernais, du Berry ou de l'Orléanais, pays verts et calmes, aux horizons larges, aux paysages variés, les vignerons savent faire apprécier des vins méritants, issus de vignobles souvent familiaux et artisanaux.

Châteaumeillant AOVDQS

Le gamay retrouve ici les terroirs qu'il affectionne, dans un site très anciennement viticole qui compte 84 ha en 2000 pour une production de 4 770 hl.

La réputation de Châteaumeillant s'est établie grâce à son célèbre « gris », vin issu du pressurage immédiat des raisins de gamay et présentant un grain, une fraîcheur et un fruité remarquables. Les rouges (à boire jeunes et frais), produits de sols d'origine éruptive, allient légèreté, bouquet et gouleyance.

DOM. DU CHAILLOT 2000*

■ 3,5 ha 30 000 5à8€

Issu d'un terroir de micaschistes et de sédiments tertiaires, ce châteaumeillant sent le cassis et le marc de raisins frais. Les tanins savent presque faire oublier leur présence pourtant bien réelle. Sur sa réserve, il est de ceux qui ne se mettent pas en avant mais qui font partie des valeurs sûres. (30 à 49 F)

Dom. du Chaillot, pl. de la Tournoise, 18130 Dun-sur-Auron, tél. 02.48.59.57.69, fax 02.48.59.58.78, e-mail pierre.picot@wanadoo.fr r.-v.
Pierre Picot

VALERIE ET FREDERIC DALLOT
Tradition 1999

■ 3 ha 7 000 3à5€

La touche d'ambre dans ce rubis léger nous rappelle qu'il s'agit d'un 99. Le fruité fait preuve d'élégance et confirme l'évolution par les notes de confiture de cerises. La bouche est facile et finit sur un tanin discret et fondu. (20 à 29 F)

Frédéric et Valérie Dallot, 42, rue Saint-Genest, 18370 Châteaumeillant, tél. 02.48.56.31.84 r.-v.

DOM. GEOFFRENET MORVAL
Cuvée Jeanne Vieilles vignes 2000*

■ 0,5 ha 3 000 5à8€

Laure et Fabien Geoffrenet sont de nouveaux vignerons installés en 2000 sur un ancien vignoble. Leur première cuvée provient de vignes de plus de cinquante ans ; elle est typée par ses nuances d'armoise et de cerise. Les tanins soyeux, avec une pointe d'amertume et une tendance animale, sont les indices d'un bon potentiel. A attendre avant de servir ce 2000 sur une volaille. (30 à 49 F)

EARL Geoffrenet Morval, 2, rue de La Fontaine, 18190 Venesmes, tél. 02.48.60.50.15, fax 02.48.24.62.91 r.-v.

DOM. LANOIX 2000

◪ 3 ha 18 000 3à5€

Le style peut vous dérouter à la première approche. De couleur pelure d'oignon, ce vin présente des arômes de prune cuite et de noyau. Rond, souple, chaleureux, il pourra être bu assurément dès la sortie du Guide. (20 à 29 F)

EARL Dom. Patrick Lanoix, Beaumerle, 18370 Châteaumeillant, tél. 02.48.61.39.59, fax 02.48.61.42.19 r.-v.

LEGIER DE LA CHASSAIGNE 2000*

■ 6,2 ha 43 000 3à5€

Produit par la coopérative, ce vin porte le nom de celui qui importa ici en 1753 un plant lyonnais. Le rubis grenat intense de sa robe se nuance de noir. Des odeurs de fraise et de framboise, enveloppées dans une fumée légère réveillent les papilles. Les tanins, encore un peu excessifs, seront maîtrisés par le temps. A servir sur une viande rouge en sauce. (20 à 29 F)

Cave du Tivoli, rte de Culan, 18370 Châteaumeillant, tél. 02.48.61.33.55, fax 02.48.61.44.92, e-mail chateaumeillant@wanadoo.fr t.l.j. 8h-12h 13h30-17h30; dim. de mai à juil.

DOM. DES TANNERIES 2000*

■ 5 ha 25 000 5à8€

Nohant, pays de George Sand, n'est qu'à 18 km de ce vignoble de Châteaumeillant. Avec son côté épicé très marqué, ses notes poivrées et fumées, on se croirait autour du feu où cuisent les brochettes. Des tanins souriants manifestent leur caractère jeune et rebelle après quelques instants. Un vin bien fait. (30 à 49 F)

Raffinat et Fils, Dom. des Tanneries, 18370 Châteaumeillant, tél. 02.48.61.35.16, fax 02.48.61.44.27 r.-v.

Côtes d'auvergne AOVDQS

Qu'ils soient issus de vignobles des puys, en Limagne, ou des vignobles des monts (dômes) en bordure orientale du Massif central, les bons vins d'Auvergne proviennent du gamay, très anciennement cultivé, ainsi que du pinot noir pour les rouges et rosés, et du chardonnay pour les blancs. Ils ont droit à la dénomination AOVDQS depuis 1977 et naissent de 374 ha de vignes. Les rosés malicieux et les rouges agréables sont particulièrement indiqués sur les fameuses charcuteries locales ou les plats régionaux réputés. Dans les crus, ils peuvent prendre un caractère, une ampleur et une personnalité surprenants. 17 360 hl ont été produits en 2000 dont 496 en blanc.

JACQUES ABONNAT Boudes 2000

■ 2,5 ha 9 000 5à8€

Ce domaine est situé à Chalus, ancienne position stratégique qui gardait le Lembron. Il produit un vin rouge vif et brillant, jeune et généreux, qu'il faut attendre un peu. (30 à 49 F)

Jacques Abonnat, 63340 Chalus, tél. 04.73.96.45.95, fax 04.73.96.45.95 r.-v.

MICHEL BLOT Boudes Cuvée d'Antan 2000*

■ 0,3 ha 1 700 5à8€

La très belle couleur rouge profond de cette cuvée dénote une maturation parfaite. Un nez épicé, une bouche généreuse, onctueuse, s'achevant sur une note chaude complètent le tableau. Les tanins bien présents sont soyeux. C'est un fort joli vin qu'on nous présente là. (30 à 49 F)

Michel Blot, 63340 Boudes, tél. 04.73.96.41.42, fax 04.73.96.58.34, e-mail sauvat@terre-net.fr t.l.j. sf dim. 9h-12h 14h-19h

HENRI BOURCHEIX-OLLIER Chanturgue 2000

■ 1,3 ha 6 600 5à8€

Cette cuvée se montre cerise sur toute la ligne, de la robe au nez. Une pointe acide en finale rend ce côtes d'auvergne rafraîchissant. (30 à 49 F)

Henri Bourcheix, 4, rue Saint-Marc, 63170 Aubière, tél. 04.73.26.04.52, fax 04.73.27.96.46 r.-v.

NOEL BRESSOULALY 2000**

■ 2 ha 10 000 5à8€

Noël Bressoulaly a établi sur son domaine un « conservatoire » des anciens cépages d'Auvergne ; il produit à partir de gamay et de pinot noir ce côtes d'auvergne rouge pourpre à reflets violets, remarquable par la qualité de l'olfaction. Les notes épicées se mêlent intimement aux arômes de griotte et se retrouvent au nez comme au palais. Très équilibré en bouche, ce vin est intéressant par sa tonicité. (30 à 49 F)

Noël Bressoulaly, chem. des Pales, 63114 Authezat, tél. 04.73.24.18.01, fax 04.73.24.18.01 r.-v.

CHARMENSAT Boudes Cuvée Grandes Vignes Elevé en fût de chêne 2000

■ 0,2 ha 1000 5à8€

Boudes a gardé quelques vestiges de son ancien fort ainsi qu'une église romane dont le clocher figure sur l'étiquette de cette cuvée. Au nez, celle-ci livre des notes de tabac. En bouche, ce vin est frais et légèrement acidulé. Il accompagnera un plateau de fromages du pays. (30 à 49 F)

GAEC Charmensat, rue du Coufin, 63340 Boudes, tél. 04.73.96.44.75, fax 04.73.96.58.04, e-mail charmensat@lokace-online.com r.-v.

Les vins du Centre

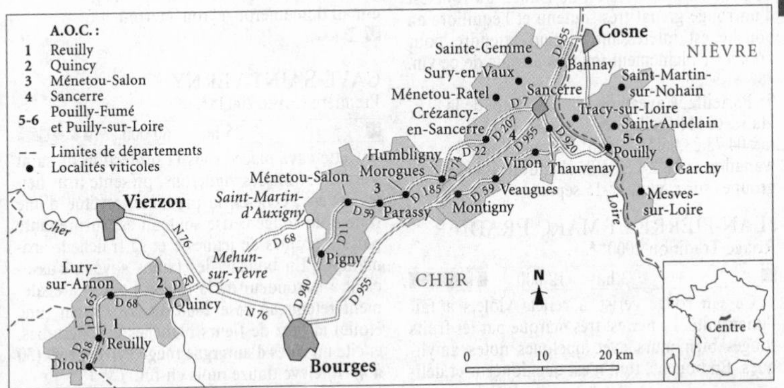

LOIRE

PIERRE GOIGOUX Châteaugay 2000★★

1,7 ha 11 000 3à5€

Domaine situé à quelque 500 m du château de Châteaugay construit au XIVᵉs. et coiffé d'une tour crénelée. Il a produit un vin d'une couleur rose saumon limpide. Les arômes de fruits rouges très mûrs dominent le nez. La bouche a un bon équilibre et une belle harmonie. C'est une référence pour la région. Cité par le jury, un **côtes d'auvergne rouge 2000** du même domaine, à la robe cerise, au nez de fruits rouges, agréable en bouche. (20 à 29 F)

GAEC Pierre Goigoux, 22, rue des Caves, 63119 Châteaugay, tél. 04.73.87.67.51, fax 04.73.78.02.70 t.l.j. 10h-11h30 15h-18h30; sur r.-v. du 15 sep. au 15 avr.

ODETTE ET GILLES MIOLANNE
Volcane 2000★★

1,15 ha 5 000 5à8€

Dans cette belle nuance saumonée, l'association du gamay et du pinot est particulièrement réussie. Les arômes sont fondus et l'équilibre en bouche bien assuré. Cette bouteille fait honneur à l'appellation. (30 à 49 F)

EARL de La Sardissère, 17, rte de Coudes, 63320 Neschers, tél. 04.73.96.72.45, fax 04.73.96.25.79, e-mail gilles.miolanne@wanadoo.fr r.-v.

Odette et Gilles Miolanne

GILLES PERSILIER Gergovia 2000★★

1 ha 4 000 5à8€

Comme le souligne le nom que porte cette cuvée remarquable, le domaine a fait de Vercingétorix sa figure emblématique ; et assurément, il remporte une petite victoire avec ce vin à la robe jaune citron, qui surprend au nez par l'intensité de ses arômes où les notes d'agrumes s'associent à la noisette. Tout en souplesse en bouche, c'est un vin élégant et racé. (30 à 49 F)

Gilles Persilier, 27, rue Jean-Jaurès, 63670 Gergovie, tél. 04.73.79.44.42, fax 04.73.87.56.95 r.-v.

YOHANNA ET BENOIT PORTEILLA
Cuvée de la Louve 2000

1 ha 4 500 5à8€

Cette cuvée est née d'un sol de basalte près du petit village vigneron de Dallet. La robe est d'un rouge grenat très soutenu et l'équilibre en bouche est intéressant. Il faut attendre pour apprécier pleinement tous les attraits de ce vin. (30 à 49 F)

Porteilla, Caveau de Loup, 4, imp. de la Halle, 63111 Dallet, tél. 04.73.83.05.21, fax 04.73.23.05.21, e-mail caveaudeloup@wanadoo.fr t.l.j. 10h-18h; dim. 10h-13h; groupes sur r.-v.; f. 1er-15 sep.

JEAN-PIERRE ET MARC PRADIER
Rouge Tradition 2000★★

3 ha 12 000 3à5€

Ce vin rouge cerise à reflets violets a fait l'unanimité. Le nez est très marqué par les fruits rouges bien mûrs avec quelques notes amyliques. En bouche, tout n'est que douceur et délicatesse. Les tanins soyeux accompagnent une longue finale rappelant les arômes d'olfaction. Le jury accorde une étoile au **blanc 2000** du même domaine. Quant au **rosé 2000 du cru Corent**, d'une belle couleur œil de perdrix, il obtient une citation. (20 à 29 F)

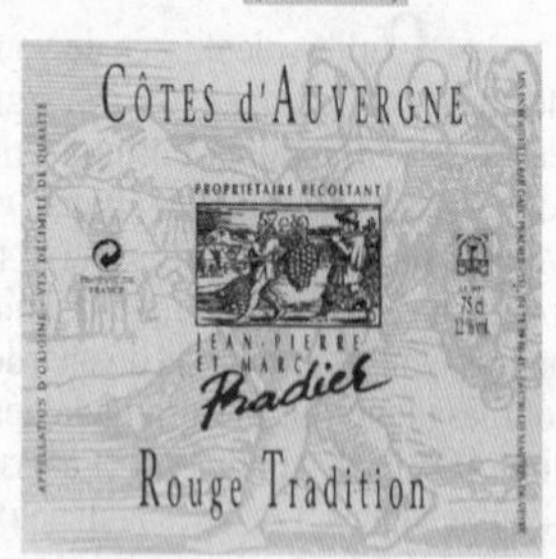

Jean-Pierre et Marc Pradier, 9, rue Saint-Jean-Baptiste, 63730 Les Martres-de-Veyre, tél. 04.73.39.86.41, fax 04.73.39.88.17 r.-v.

CHRISTOPHE ROMEUF 2000★

3,5 ha n.c. 3à5€

D'une très belle couleur rouge grenat aux nuances orangées, ce 2000, généreux au nez, se prolonge par un bon équilibre en bouche. Les tanins soyeux sont très présents en finale. (20 à 29 F)

Christophe Romeuf, 1 bis, rue du Couvent, 63670 Orcet, tél. 06.08.85.01.69, fax 04.73.84.07.83 r.-v.

DOM. ROUGEYRON
Châteaugay Cuvée Bousset d'or 2000★

1,7 ha 13 300 5à8€

Dans les petites Limagnes, chaque église de village possède une statue de saint Verny, patron des vignerons ; celui-ci est généralement représenté nanti de ses attributs : un plant de vigne, une besace, une petite houe ou hoyau, et un tonnelet en bousset. Ce bousset-ci contient un vin à la robe jaune paille, brillante, qui témoigne d'une grande maîtrise de la vinification. Au nez, on perçoit des notes d'amande. La bouche est chaude, onctueuse, puissante. (30 à 49 F)

Michel et Roland Rougeyron, 27, rue de La Crouzette, 63119 Châteaugay, tél. 04.73.87.24.45, fax 04.73.87.23.55, e-mail domainerougeyron@terre-net.fr r.-v.

CAVE SAINT-VERNY
Première Cuvée 2000★★

35 ha 60 000 3à5€

Cette cave placée sous la protection de saint Verny, patron des vignerons, présente trois belles cuvées : celle-ci, la première, revêtue d'une robe d'un rouge cerise soutenu est surprenante par ses arômes de jeunesse et sa fraîcheur aromatique. En bouche, les tanins soyeux s'associent à la rondeur de la finale. Le jury a également retenu un **rosé 2000 du cru Corent** (une étoile) au nez de fleurs blanches et d'agrumes, et cité un **côtes d'auvergne rouge Privilège 99 (30 à 49 F)** élevé douze mois en fût. (20 à 29 F)

Cave Saint-Verny, rte d'Issoire, 63960 Veyre-Monton, tél. 04.73.69.60.11, fax 04.73.69.65.22, e-mail saint.verny@wanadoo.fr r.-v.

SAUVAT
Boudes Prestige Elevage bois 1999**

1,5 ha 4 000 8à11€

Situé non loin de la vallée des Saints où l'érosion a taillé dans les argiles rouges d'étranges figures, ce domaine présente une cuvée à la robe jaune légèrement doré. Le nez, intense et complexe, offre des arômes d'agrumes et de vanille. L'attaque est souple, délicate, la bouche onctueuse. Une note boisée confère à la finale une belle complexité. La **cuvée Prestige Boudes rouge 99 élevé sous bois** obtient une étoile tout comme les **Demoiselles oubliées du Donazat Boudes rouge 2000 (30 à 49 F).** (50 à 69 F)

Claude et Annie Sauvat, 63340 Boudes, tél. 04.73.96.41.42, fax 04.73.96.58.34, e-mail sauvat@terre-net.fr t.l.j. 9h-12h 14h-19h; dim. 15h-19h

Côtes du forez

C'est à une somme d'efforts intelligents et tenaces que l'on doit le maintien d'un bel et bon vignoble (181 ha) sur 21 communes autour de Boën-sur-Lignon (Loire).

La quasi-totalité des excellents vins rosés et rouges, secs et vifs, exclusivement à base de gamay, est issue de terrains du tertiaire au nord et du primaire, au sud. Ils proviennent en majorité d'une belle cave coopérative. On consomme jeunes ces vins qui ont été reconnus en AOC en 2000 et ont produit 6 863 hl.

GILLES BONNEFOY La Madone 2000**

0,4 ha 2 000 3à5€

A Champdieu, vous vous arrêterez à l'église romane bénédictine de style auvergnat puis vous gagnerez ce domaine créé entre 1997 et 1999, dont une partie des vignes sont cultivées sur les pentes du pic de Purchon, au sommet duquel se trouve une statue de la Madone. Le rosé qui en est issu, d'un joli rose vif, livre de beaux et fins parfums d'agrumes, de fruit de la Passion, de tilleul et d'aubépine. La bouche ample et puissante reste tendre et légèrement acidulée. Ce vin flatteur, équilibré et élégant sera apprécié au cours de l'année avec des grillades. (20 à 29 F)

Gilles Bonnefoy, Le Pizet, 42600 Champdieu, tél. 04.77.97.07.33, fax 04.77.97.17.76 r.-v.

LES VIGNERONS FOREZIENS
Cuvée Dellenbach 2000

3,5 ha 10 000 5à8€

Les Vignerons Foréziens ont joué un rôle majeur dans l'accession à l'AOC des côtes du forez en 2000. Ils aiment rappeler que ce vignoble remonte à 980. Cette cuvée pourpre limpide et brillante révèle spontanément des parfums de raisin d'une grande netteté, associés à des nuances de framboise et de clou de girofle évoluant sur la réglisse. D'élégantes notes minérales évoquant ses origines volcaniques composent avec un fruité vif et persistant une bouteille racée prête à être dégustée dans l'année. La **cuvée Tradition du même millésime (20 à 29 F)** a également été citée par le jury. (30 à 49 F)

Les Vignerons Foréziens, Le Pont-Rompu, 42130 Trelins, tél. 04.77.24.00.12, fax 04.77.24.01.76 r.-v.

DOM. DE LA PIERRE NOIRE 2000*

1,5 ha 9 000 3à5€

Les plus jeunes vignes âgées de huit ans sont à l'origine d'un vin du même millésime (cuvée **Jeunes vignes**) cité par le jury, et les plus âgées (soixante ans) sont réservées à une **Cuvée spéciale** dont le **99** a été jugé très réussi. Celles dans la force de l'âge (vingt ans), implantées sur des migmatites, ont donné cette production pourpre intense aux parfums développés et fins de groseille et de framboise. Son fruité plein de fraîcheur qui remplit le palais est secondé par des tanins denses et élégants. Très bien équilibré et typé, ce vin plaisir garnit une bouteille à consommer dans les deux prochaines années avec, par exemple, de la poitrine roulée. (20 à 29 F)

Christian Gachet, Dom. de la Pierre Noire, chem. de l'Abreuvoir, 42610 Saint-Georges-Hauteville, tél. 04.77.76.08.54 t.l.j. sf dim. 9h-12h

DOM. DU POYET 2000

4 ha 30 000 3à5€

Marcilly-le-Châtel est connu pour sa Volerie du Forez où sont dressés des faucons. Après une visite au château Sainte-Anne, vous pourrez découvrir, à 1 km, cette exploitation créée en 1995. Son vin rubis libère des parfums très intenses de framboise qu'accompagnent des notes de cassis et de fraise. Cette production souple, gouleyante et imprégnée par des arômes de fruits rouges très marqués, ne manque pourtant pas de corps. Plaisante, elle est faite pour être bue dans l'année. (20 à 29 F)

Jean-François Arnaud, Dom. du Poyet, au Bourg, 42130 Marcilly-le-Châtel, tél. 04.77.97.48.54, fax 04.77.97.48.71 t.l.j. 8h-20h; groupes sur r.-v.

O. VERDIER ET J. LOGEL
La Volcanique 2000**

3 ha 10 000 3à5€

A quelques kilomètres du château de la Bastie d'Urfé, chef d'œuvre de l'architecture Renaissance qui servit de cadre au roman pastoral d'Honoré d'Urfé, *L'Astrée*, au XVIIe s., vous rendrez visite à Odile Verdier et Jacky Logel qui

LOIRE

ont repris l'exploitation familiale en 1992. Des vignes implantées sur des basaltes ont donné cette cuvée élaborée pour la première fois sous le régime de l'appellation contrôlée ; elle a été élue à l'unanimité coup de cœur. Dotée d'une belle robe rouge profond, elle livre d'intenses et fins parfums de framboise et de cerise très mûre. Après une attaque ronde, sa jolie chair aromatique soutenue par des tanins serrés et gras garnit avec ampleur le palais. Concentré et harmonieux, ce vin d'une grande typicité est à boire dans les deux ans avec une viande rouge. (20 à 29 F)

Odile Verdier et Jacky Logel, La Côte, 42130 Marcilly-le-Châtel, tél. 04.77.97.41.95, fax 04.77.97.48.80, e-mail cave.verdierlogel@wanadoo.fr t.l.j. 9h-12h 14h-19h; dim. sur r.-v.

Coteaux du giennois

Sur les coteaux de Loire réputés depuis longtemps, tant dans la Nièvre que dans le Loiret, s'étendent des sols siliceux ou calcaires. Trois cépages traditionnels, le gamay, le pinot et le sauvignon, ont donné en 2000, 6 947 hl dont 2 923 hl, en vins blancs, légers et fruités, peu tanniques, authentique expression d'un terroir original ; les rouges peuvent être servis jusqu'à cinq ans d'âge, sur toutes les viandes.

Les plantations progressent toujours nettement dans la Nièvre, elles reprennent aussi dans le Loiret, attestant la bonne santé du vignoble, qui atteint 148 ha. Les coteaux du giennois ont accédé à l'AOC en 1998.

JOSEPH BALLAND-CHAPUIS 2000

□ 7,5 ha 60 000 5à8€

Beau domaine de 20 ha, propriété de Jean-Louis Saget depuis 1998. C'est à une promenade de fraîcheur qu'invite ce millésime : franc avec des arômes primaires de type végétal au premier nez, il exprime ensuite un fruité intéressant. Légèreté, souplesse et rondeur caractérisent la bouche. A servir sur des crudités ou de la charcuterie. (30 à 49 F)

SCEA Dom. Balland-Chapuis, 6, allée des Soupirs, 45420 Bonny-sur-Loire, tél. 02.38.31.55.12, fax 02.48.54.07.97 r.-v.

Jean-Louis Saget

DOM. DES BEAUROIS 2000

□ 2,2 ha 15 000 5à8€

Le domaine des Beaurois, situé à 10 km du chantier médiéval de Guédelon, est né d'une reconversion en 1998. De ses sols siliceux est issu un blanc 2000 à l'acidité relevée, aux senteurs florales que viennent côtoyer quelques notes végétales de sous-bois. Pour accompagner une salade composée. (30 à 49 F)

Anne-Marie Marty, Dom. des Beaurois, 89170 Lavau, tél. 03.86.74.16.09, fax 03.86.74.16.09 t.l.j. 11h-12h30 16h-19h

LYCEE AGRICOLE DE COSNE-SUR-LOIRE 2000

□ 1,59 ha 3 400 3à5€

Voici un chemin par lequel pourront passer les futurs vignerons que sont les élèves du Lycée agricole de Cosne-sur-Loire. Le nez commence à s'ouvrir, livrant quelques belles senteurs florales et fruitées. La bouche fait preuve de souplesse et d'équilibre. Frais et aromatique, ce vin pourra être servi sur des asperges. (20 à 29 F)

Lycée agricole de Cosne-sur-Loire, 66, rue Jean-Monnet, BP 132, 58206 Cosne-sur-Loire, tél. 03.86.26.99.84, fax 03.86.26.99.84 t.l.j. sf sam. dim. 8h-12h30 13h30-17h30

CH. DE LA CHAISE 2000*

■ 4 ha 20 000 3à5€

L'intensité olfactive est encore discrète, mais déjà complexe : notes de fruits cuits puis arômes herbacés pour les uns, épicés, de zeste d'orange pour les autres. Les tanins révèlent une bonne maturité. Ce vin, agréable maintenant, pourra être attendu. Le **blanc 2000 (30 à 49 F)**, souple et plaisant, obtient une citation. (20 à 29 F)

Philippe Auchère, 36, rue de Venoire, 18300 Bué, tél. 02.48.78.05.15, fax 02.48.78.05.15, e-mail philippe.auchere@vinsdesancerre.com r.-v.

MICHEL LANGLOIS 1999

◪ 1,2 ha 8 000 5à8€

Catherine et Michel Langlois figurent parmi les jeunes passionnés de la vigne et du vin en coteaux du giennois. D'une belle robe claire, avec quelques éclats orangés, ce rosé 99 est discret et fin, avec des nuances de groseille et de fleurs blanches. Il couvre bien tout le palais et apparaît goûteux. A servir sur des charcuteries ou des plats asiatiques. (30 à 49 F)

Michel Langlois, 58200 Pougny, tél. 03.86.28.06.52, fax 03.86.28.59.29 t.l.j. sf dim. 9h-13h 15h-19h

ALAIN PAULAT
Les Têtes de Chats 1999★★

■ 1,2 ha n.c. 5 à 8 €

La devise d'Alain Paulat « Passion-Respect-Tradition » est tout entière dans ce beau vin. Les premières fragrances, animales un peu vanillées, sont remplacées après aération par de jolies notes épicées. Les tanins sont concentrés. Un coteaux du giennois qui demande à s'arrondir et à s'ouvrir. La cuvée **Les Belles Fornasses rouge 99** obtient une citation. (30 à 49 F)

Alain Paulat, Villemoison, 58200 Saint-Père, tél. 03.86.26.75.57, fax 03.86.28.06.78 r.-v.

POUPAT ET FILS Rivotte 2000★

□ 2,03 ha 17 000 5 à 8 €

Régulièrement présent parmi nos sélections, Philippe Poupat est retenu, en ce millésime 2000, pour ses deux vins. Le blanc, à la structure légère et fraîche en première impression, sait dévoiler dans un deuxième temps du gras et offre une bonne longueur en finale. Ses riches arômes de pêche de vigne et d'agrumes colorent gaiement le paysage et achèvent de convaincre. Le jury a aussi apprécié la **cuvée Trocadéro en rosé 2000** (une étoile). (30 à 49 F)

Poupat et Fils, Rivotte, 45250 Briare, tél. 02.38.31.39.76, fax 02.38.31.39.76 r.-v.

DOM. DES RATAS Les Ratas 2000★

□ 0,3 ha 1 700 5 à 8 €

Emile Balland, descendant d'une famille de vignerons célèbres, est le maître de chai du domaine des Ratas. Ses vins blancs sont fort réussis. Cette cuvée Les Ratas qui a connu le bois, avec son fruité intense, son gras et sa longueur en bouche, sera en parfaite harmonie avec une volaille crémée. Chaleureuse et structurée, elle a tout pour plaire. La **cuvée Domaine** est citée sans étoile. (30 à 49 F)

SCEA Dom. des Ratas, Les Ratas, RN 7, 45420 Bonny-sur-Loire, tél. 02.38.85.31.52, fax 02.38.98.16.61 r.-v.

SEBASTIEN TREUILLET 2000

◪ n.c. 2 500 3 à 5 €

L'apparence est brillante, d'un saumoné pâle, déjà légèrement tuilé. Les arômes nécessitent une aération pour s'exprimer avec une dominante florale (pivoine). La bouche, sans vivacité, est plaisante parce que franche et ronde. Le **rouge 2000**, cité, a plu pour la souplesse de ses tanins. (20 à 29 F)

Sébastien Treuillet, Fontenille, 58150 Tracy-sur-Loire, tél. 03.86.26.17.06, fax 03.86.26.17.06 t.l.j. 8h-12h 13h-19h

DOM. DE VILLARGEAU 2000★★

□ 4,1 ha 32 000 5 à 8 €

La famille Thibault vinifie avec succès dans sa nouvelle cave, mieux adaptée à l'importance qu'a prise la propriété. Après le 99, c'est le 2000 qui est jugé remarquable. Le nez est puissant, très sauvignon dans sa variante genêt sur fond de fruité. Le palais, équilibré, évolue très bien entre souplesse et fraîcheur. L'harmonie générale est très bonne et le jury enthousiaste attribue un coup de cœur. Le **rouge 2000 Les Licotes** obtient une citation. (30 à 49 F)

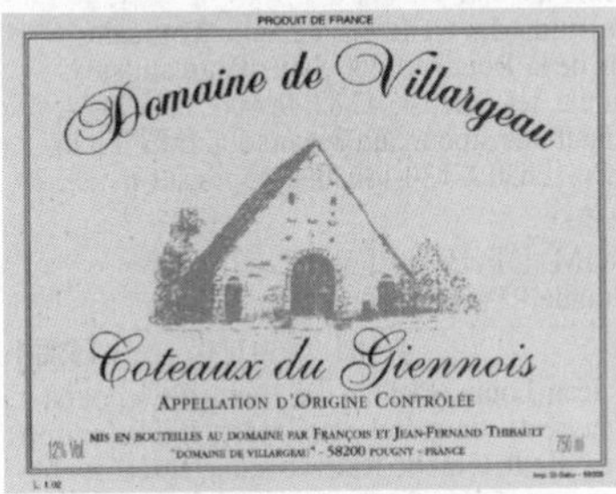

GAEC Thibault, Villargeau, 58200 Pougny, tél. 03.86.28.23.24, fax 03.86.28.47.00, e-mail fthibault@wanadoo.fr r.-v.

DOM. DE VILLEGEAI 2000★

□ 0,72 ha 6 000 5 à 8 €

Il attire l'attention par un or plutôt soutenu, présentant de nets reflets de jeunesse. Les évocations florales plaisent bien au nez. La structure et l'équilibre de l'ensemble satisfont le palais. Vous pourrez aussi apprécier le **rouge 99 Terre des Violettes** qui obtient une citation. (30 à 49 F)

SCEA Quintin Frères, Villegeai, 58200 Cosne-Cours-sur-Loire, tél. 03.86.28.31.77, fax 03.86.28.20.27 r.-v.

Saint-pourçain AOVDQS

Le paisible et plantureux Bourbonnais possède aussi, sur dix-neuf communes, un beau vignoble de 512 ha au sud-ouest de Moulins qui a donné 32 680 hl en 2000.

Les coteaux et les plateaux calcaires ou graveleux bordent la charmante Sioule ou sont proches d'elle. C'est surtout l'assemblage des vins issus de gamay et de pinot noir qui confère aux vins rouges et rosés leur charme fruité.

Les blancs ont fait autrefois la réputation de ce vignoble ; un cépage local, le tressallier, est assemblé avec le chardonnay et le sauvignon, conférant une grande originalité aromatique à ces vins.

ATLANTIS 2000★

□ n.c. 40 000 3 à 5 €

Un beau vin au nom évocateur que ce blanc d'une jolie couleur jaune paille à légers reflets gris. Son nez est très floral. L'attaque souple se prolonge par une belle onctuosité. En finale, on

LOIRE

retrouve d'élégants arômes d'agrumes. Ce saint-pourçain accompagnera un poisson de rivière ou de lac. (20 à 29 F)

Union des vignerons de Saint-Pourçain, rue de la Ronde, 03500 Saint-Pourçain-sur-Sioule, tél. 04.70.45.42.82, fax 04.70.45.99.34, e-mail udv.stpourcain@wanadoo.fr t.l.j. 8h30-12h30 13h30-18h30; groupes sur r.-v.

DOM. DE BELLEVUE
Grande Réserve 2000*

4,9 ha 30 000 3à5€

Jean-Louis Pétillat, le petit-fils, poursuit l'œuvre de son grand-père, Marc, et il le fait fort bien. Cette Grande Réserve d'une agréable couleur jaune pâle offre au nez des arômes de fleurs et d'agrumes. L'attaque est franche, presque vive, et l'on retrouve un bel équilibre en bouche. Un vin de plaisir. La cuvée **Grande Réserve rouge 2000** est citée. (20 à 29 F)

Jean-Louis Pétillat, Bellevue, 03500 Meillard, tél. 04.70.42.05.56, fax 04.70.42.09.75 r.-v.

DOM. DE CHINIERE 2000*

5,3 ha 30 000 3à5€

De passage à Saulcet, où l'on visite l'église romane qui conserve un ensemble important de peintures murales, découvrez ce domaine ; il propose un vin d'un jaune pâle aux nuances vertes qui n'a pas laissé le jury insensible. Si l'intensité aromatique est moyenne, ce saint-pourçain se livre en bouche dans un bel équilibre et développe en finale des arômes de fruits blancs où domine la pêche. (20 à 29 F)

Philippe Chérillat, Chinière, 03500 Saulcet, tél. 04.70.45.45.66, fax 04.70.45.43.16

CAVE COURTINAT 2000*

1,5 ha 8 000 3à5€

Ancien couvent du XIVe s. flanqué d'une tour et d'un pigeonnier typiquement bourbonnais, ce domaine privilégie depuis plusieurs années son activité viticole. Et cela lui réussit puisque ce blanc, après un excellent 99, obtient une étoile. Mariant 90 % de chardonnay au tressallier, d'une très jolie couleur jaune paille, il offre un nez complexe où se mêlent senteurs fruitées et notes végétales. Son bel équilibre et sa souplesse surprennent agréablement. (20 à 29 F)

Cave Courtinat, Venteuil, 03500 Saulcet, tél. 04.70.45.44.84, fax 04.70.45.80.13 t.l.j. 8h-12h30 14h-20h

BERNARD GARDIEN ET FILS
Nectar des Fées 2000*

5 ha 30 000 3à5€

Bernard Gardien et ses fils avaient frappé fort avec un double coup de cœur dans le Guide de l'année dernière. Dans le millésime 2000, leur Nectar des Fées ne démérite pas. Jaune brillant à reflets grisés, ce vin présente au nez des arômes fruités. L'attaque souple se poursuit par une bouche ample où l'on perçoit des notes de pêche blanche. Sur un bon équilibre, la finale citronnée renforce la fraîcheur. (20 à 29 F)

Dom. Gardien, Chassignolles, 03210 Besson, tél. 04.70.42.80.11, fax 04.70.42.80.99, e-mail c.gardien@03.sideral.fr t.l.j. sf dim. 8h-12h 14h-19h

DOM. GROSBOT-BARBARA
Le Vin d'Alon 2000*

1,2 ha 9 600 3à5€

Encore deux belles réussites cette année pour le domaine. Le savoir-faire de deux vignerons associés depuis cinq ans, Elie Groslot et Denis Barbara, a permis la naissance de ces deux blancs ; celui-ci, habillé d'une robe pâle à reflets verts, généreux au nez, exhale des senteurs d'agrumes frais. Il est tout en souplesse en bouche, et sa légère acidité en finale renforce sa fraîcheur. La cuvée **La Vreladière 2000** d'un bel équilibre et d'une bonne longueur est très prometteuse. (20 à 29 F)

Dom. Grosbot-Barbara, Montjournal, rte de Montluçon, 03500 Cesset, tél. 04.70.45.26.66, fax 04.70.45.54.95 t.l.j. 10h-12h 14h-19h

DOM. HAUT DE BRIAILLES 2000*

2 ha 13 000 5à8€

Une chapelle est comme enchâssée dans les vignes du domaine. Outre la **Réserve de la Chapelle 2000 en blanc**, citée pour sa bouche généreuse, le jury a apprécié ce vin à la robe rouge soutenu aux nuances violettes ; le nez livre des senteurs de fruits rouges. Bien équilibré en bouche, peu tannique en finale, il est à boire dès maintenant. (30 à 49 F)

Jean Meunier, Dom. Haut de Briailles, 03500 Saint-Pourcain-sur-Sioule, tél. 04.70.45.38.88, fax 04.70.45.60.07, e-mail jeanmeunier@freesbee.fr r.-v.

DOM. DE LA CROIX D'OR 2000*

3,5 ha 20 000 3à5€

Chemilly marque l'entrée dans le vignoble de Saint-Pourçain et le début d'une route du vin dont l'itinéraire est jalonné par un logo. Par ailleurs, on ne compte pas moins de cinq châteaux sur la commune, dont quatre classés. Ce domaine a élaboré un vin né de quatre cépages, d'une belle couleur jaune paille, au nez complexe mêlant des senteurs de fleurs blanches et d'abricot. Une attaque souple précède une bouche généreuse et bien équilibrée. La finale acidulée renforce la fraîcheur de cette bouteille. (20 à 29 F)

Jean-François Colas, La Croix d'Or, 03210 Chemilly, tél. 04.70.45.42.82, fax 04.70.45.99.34

LAURENT Cuvée Prestige 1999*

3 ha 12 000 5à8€

Ce domaine familial est sis à Saulcet depuis plusieurs siècles. On sait que ce vignoble de Saint-Pourçain est l'un des plus anciens de France et que ses vins avaient la faveur des tables princières. Quant à ce 99, il a séduit le jury par sa complexité au nez, où dominent les senteurs de framboise et de caramel et par son bel équilibre en bouche. (30 à 49 F)

Famille Laurent, Montifaud, 03500 Saulcet, tél. 04.70.45.45.13, fax 04.70.45.60.18, e-mail cave.laurent@wanadoo.fr t.l.j. sf dim. 8h-12h 14h-18h30

NEBOUT Cuvée de la Malgarnie 1999★★

■ 3 ha 15 000 5à8€

Au nez, les senteurs de fleurs blanches se marient aux arômes de fruits bien mûrs. En bouche, ce vin est caressant et de très bonne longueur. S'il est à boire dès maintenant, il peut attendre deux à trois ans. Dominé par le gamay, le **saint-pourçain rouge 2000 (20 à 29 F)** est un séducteur ; il reçoit une étoile pour sa robe un peu orangée révélant la présence de pinot noir, ses notes de fruits rouges et ses nuances grillées. La bouche révèle un bon équilibre et de la fraîcheur en finale. (30 à 49 F)

EARL Nebout, rte de Montluçon, 03500 Saint-Pourçain-sur-Sioule, tél. 04.70.45.31.70, fax 04.70.45.55.85 t.l.j. sf dim. 8h-19h

FRANCOIS RAY Cuvée des Gaumes 2000

■ 2,53 ha 16 000 5à8€

Un vin sympathique de couleur cerise, friand, tout en souplesse et d'une bonne harmonie générale. A boire avec un fromage d'Auvergne. (30 à 49 F)

Cave François Ray, Venteuil, 03500 Saulcet, tél. 04.70.45.35.46, fax 04.70.45.64.96 t.l.j. sf dim. 9h-12h 14h-19h; groupes sur r.-v.

LES VIGNERONS DE SAINT-POURCAIN Vin gris 2000★

◪ n.c. 40 000 3à5€

Un bel exemple de rosé. Dans sa robe œil de perdrix, il se montre très floral au nez avec tous les avantages d'un vin d'été : souplesse, fraîcheur, équilibre. Autre vin cité, la **Réserve spéciale rouge 2000**, facile à boire et plaisante en bouche. (20 à 29 F)

Union des vignerons de Saint-Pourçain, rue de la Ronde, 03500 Saint-Pourçain-sur-Sioule, tél. 04.70.45.42.82, fax 04.70.45.99.34, e-mail udv.stpourcain@wanadoo.fr t.l.j. 8h30-12h30 13h30-18h30; groupes sur r.-v.

Côte roannaise

Des sols d'origine éruptive face à l'est, au sud et au sud-ouest, sur les pentes d'une vallée creusée par une Loire encore adolescente : voilà un milieu naturel qui appelle aussi le gamay.

Quatorze communes (183 ha) situées sur la rive gauche du fleuve produisent d'excellents vins rouges et de frais rosés, plus rares. Des vignerons particuliers soignent attentivement leur vinification (11 344 hl en 2000) ; ils obtiennent des vins originaux et de caractère, auxquels s'intéressent les chefs les plus prestigieux de la région. On évoque les traditions viticoles de la région au Musée forézien d'Ambierle.

Lentement mais sûrement, le vignoble progresse... Cependant, le fait le plus notable réside dans l'intérêt que le négoce et la distribution attachent aux vins de la côte roannaise, confirmant ainsi l'originalité et la qualité du cru.

Quoique très timidement, le chardonnay s'implante localement et fournit des produits non dépourvus de valeur dans la catégorie vin de pays d'Urfé.

ALAIN BAILLON Montplaisir 2000★★

■ 1,7 ha 9 000 5à8€

Ambierle, cité historique dont l'abbaye bénédictine fut dédiée à saint Martin, est un haut lieu touristique mais aussi viticole. Consacrée coup de cœur par le grand jury, cette cuvée grenat foncé, issue de vieilles vignes, exprime en crescendo de beaux parfums à base de fruits très mûrs, de cassis mais aussi de violette, de poivre blanc et de cannelle. Sa riche et harmonieuse matière où ressortent des tanins encore jeunes et prometteurs, et des arômes persistants sont l'expression d'une bonne maîtrise de la vinification. Prête à accompagner des viandes rouges ou en sauce, cette bouteille pourra attendre deux à trois années de plus. (30 à 49 F)

Alain Baillon, Montplaisir, 42820 Ambierle, tél. 04.77.65.65.51, fax 04.77.65.65.65 r.-v.

JEAN-PIERRE BENETIERE Cuvée Vieilles vignes 2000

■ 1,4 ha 9 000 5à8€

Le petit atelier de fabrication de vannerie d'osier n'est pas la première activité de ce domaine viticole, mais il ne manque pas d'intérêt, tout comme cette cuvée Vieilles vignes rubis soutenu aux parfums développés et complexes de pivoine et de sous-bois. Souple, elle laisse au palais d'agréables impressions de poivre et de réglisse. Plaisant et élégant, ce 2000 est à boire dans l'année avec de la charcuterie. (30 à 49 F)

Jean-Pierre et Paul Bénétière, pl. de la Mairie, 42155 Villemontais, tél. 04.77.63.18.29, fax 04.77.63.18.29 r.-v.

LOIRE

CH. DE CHAMPAGNY
Grande Réserve 2000**

■ 1,5 ha 8 000 3à5€

Saint-Haon-le-Vieux est tout proche de la cité médiévale de Saint-Haon-le-Châtel. Après avoir parcouru les ruelles de cette dernière, franchissez les 2 km qui la sépare de ce domaine. Le jury lui a décerné une étoile pour le **château de Champagny 2000**, issu de vignes plus jeunes, et deux étoiles pour cette Grande Réserve rouge sombre au très bon nez de fruits rouges bien mûrs et de cassis associé à des nuances épicées et boisées. Ample, charnu et puissant, ce vin onctueux, chaleureux, aux notes minérales typées, est à déguster au cours des deux à trois prochaines années avec une viande rouge ou en sauce. (20 à 29 F)

André et Frédéric Villeneuve, Champagny, 42370 Saint-Haon-le-Vieux, tél. 04.77.64.42.88, fax 04.77.62.12.55 r.-v.

DOM. DE LA PAROISSE 2000

■ 4 ha 15 000 3à5€

Après avoir visité Saint-Haon-le-Châtel, riche village médiéval aux remparts de porphyre rose, vous pourrez découvrir ce domaine remontant à 1610, régulièrement sélectionné par le Guide. Cette année, il a été cité à la fois pour une **cuvée à « l'ancienne » du même millésime**, et pour ce vin rubis intense aux parfums assez puissants et agréables de fruits rouges, de cassis et d'épices. L'attaque souple et fruitée évolue vers des tanins un peu rustiques complétés par d'originales notes de baies sauvages. Cette production aux « accents du terroir » est à boire dans les deux ans avec de la charcuterie. (20 à 29 F)

Jean-Claude Chaucesse, La Paroisse, 42370 Renaison, tél. 04.77.64.26.10, fax 04.77.62.13.84 r.-v.

MICHEL ET LIONEL MONTROUSSIER Cuvée La Baude 2000*

■ 4 ha 20 000 3à5€

La commune de Saint-André-d'Apchon présente un intérêt touristique certain, avec un château remontant au XV^e^s. et une église de style flamboyant aux vitraux du XVI^e^s. C'est aussi un village viticole depuis le Moyen Age. L'histoire de l'exploitation commence en 1680. En 1999, le fils et le père se sont associés. Dans le même millésime, ils ont vinifié une **cuvée de Bouthéran** citée et cette cuvée La Baude grenat qui développe d'assez puissants et complexes parfums de fruits rouges et de cassis qu'agrémentent des notes de cannelle et de pivoine. Ample et structurée, la bouche aux tanins de belle qualité a de la sève. Ce vin riche et solide pourra attendre deux à trois ans. (20 à 29 F)

GAEC Michel et Lionel Montroussier, La Baude, 42370 Saint-André-d'Apchon, tél. 04.77.65.92.76, fax 04.77.65.92.76 r.-v.

DOM. DU PAVILLON 2000**

■ 7 ha 40 000 5à8€

Situé non loin de l'abbaye d'Ambierle où l'on peut admirer un polyptique de Van der Weyden, et du musée artisanal, ce domaine a élevé un vin grenat intense aux parfums expressifs de fruits et de fleurs mêlés à une pointe de minéralité et d'épices. Remplissant totalement la bouche d'impressions veloutées et d'arômes persistants d'épices et de fleurs, ce riche représentant de l'appellation, équilibré et typé, est à conseiller pour les deux à trois prochaines années. (30 à 49 F)

Maurice Lutz, GAEC Dom. du Pavillon, 42820 Ambierle, tél. 04.77.65.64.35, fax 04.77.65.69.69 r.-v.

JACQUES PLASSE Bouthéran 2000

■ 2,1 ha 19 000 3à5€

Maréchal de France et conseiller d'Henri II (XVI^e^s.), Jacques de Saint-André aménagea le château dont une tour et un corps de logis méritent le détour. Ce domaine également. A la tête de l'exploitation depuis 1999, Jacques Plasse a élaboré un vin rubis soutenu, au nez moyennement intense évoquant les fruits rouges des bois et les épices. Tendre et souple, ce Bouthéran fruité et d'une longueur honorable est à boire dans l'année. (20 à 29 F)

Jacques Plasse, Bel-Air, 42370 Saint-André-d'Apchon, tél. 04.77.65.84.31 r.-v.

ROBERT SEROL ET FILS
Les Vieilles vignes 2000

■ 5 ha 30 000 3à5€

Pour le millésime 2000, ce domaine a modernisé ses étiquettes avec succès. Des vignes âgées de quarante-cinq ans sont à l'origine de cette cuvée Vieilles vignes rubis soutenu aux parfums de bonne intensité évoquant la framboise, la fraise des bois et de façon plus nette le cassis. Sa belle structure équilibrée à base de tanins assez ronds et frais, associée à une vivacité de bon aloi, la feront apprécier au cours des deux prochaines années. Un autre vin du domaine baptisé **Les Originelles** a également été cité par le jury. Rappelons qu'il fut coup de cœur pour le millésime 99. (20 à 29 F)

Robert Sérol et Fils, Les Estinaudes, 42370 Renaison, tél. 04.77.64.44.04, fax 04.77.62.10.87 t.l.j. 8h30-12h30 13h30-19h; dim. sur r.-v.

PHILIPPE ET JEAN-MARIE VIAL 2000

◪ 1 ha 6 000 5à8€

Des vignes implantées sur des sables granitiques sont à l'origine de cette cuvée rose clair, limpide qui s'ouvre sur des notes de fleurs séchées et de kirsch. La bouche agréablement fruitée est d'une bonne vivacité et reste équilibrée. Ce vin acidulé, très rafraîchissant, pourra accompagner un barbecue dans l'année. (30 à 49 F)

GAEC Vial, Bel-Air, 42370 Saint-André-d'Apchon, tél. 04.77.65.81.04, fax 04.77.65.91.99 r.-v.

Trouver un producteur, un négociant ou une coopérative ? Consultez l'index en fin de volume.

L'Orléanais AOVDQS

Parmi les « vins françois », ceux d'Orléans eurent leur heure de gloire à l'époque médiévale. A côté des jardins, des pépinières et des vergers renommés, la vigne prospère (107 ha revendiqués en 2000). La tradition s'est surtout maintenue sur les terrasses sablo-graveleuses de la rive sud de la Loire entre Olivet et Cléry, dont la basilique abrite le tombeau de Louis XI.

Les vins rouges et rosés tirent leur originalité du pinot meunier, utilisé surtout... en Champagne. Les vins rosés, dits parfois « gris », sont souples.

Les vignerons ont su adapter des cépages cités depuis le Xe s. comme venus d'Auvergne, mais identiques à ceux de Bourgogne : auvernat rouge (pinot noir), auvernat blanc (chardonnay) et gris meunier, auxquels est venu s'ajouter le cabernet (ou breton) au bouquet de groseille et de cassis. Il faut les boire sur des perdreaux et des faisans rôtis, des pâtés de gibier de la Sologne voisine et des fromages cendrés du Gâtinais. La production en rouge a atteint 4 628 hl en 2000 ; les vins blancs restent confidentiels (1 050 hl).

VIGNOBLE DU CHANT D'OISEAUX
Gris meunier 2000**

◪ 0,5 ha 3 000 3 à 5 €

Le millésime 2000 semble avoir inspiré Jacky Legroux qui propose un très beau rosé à la robe saumonée, à la bouche agréable, fruitée, et dont l'attaque vive révèle la jeunesse. Ce vin a surpris les jurés tout à la fois par sa richesse et sa fraîcheur. Le **rouge 2000**, vêtu d'une robe rubis, à la bouche équilibrée, encadrée par une attaque franche et une finale légèrement tannique, reçoit une étoile. (20 à 29 F)

Jacky Legroux, 315, rue des Muids, 45370 Mareau-aux-Prés, tél. 02.38.45.60.31, fax 02.38.45.62.35 r.-v.

SAINT AVIT 2000*

◪ 0,58 ha 4 000 3 à 5 €

Ce vin, d'une belle couleur rose léger, est encore timide au nez, mais il est rond et bien agréable en bouche. Deux **rouges** sont cités, l'un issu de cabernet pour ses arômes caractéristiques de poivron qui se retrouvent en bouche, l'autre issu de pinot meunier et de pinot noir, agréable, gouleyant et rafraîchissant en finale. (20 à 29 F)

Javoy Père et Fils, 450, rue du Buisson, 45370 Mézières-lez-Cléry, tél. 02.38.45.66.95, fax 02.38.45.69.77 t.l.j. sf dim. 8h-12h 14h-19h

CLOS SAINT-FIACRE 2000**

■ 6,02 ha 45 000 5 à 8 €

Une nouvelle génération prend la relève avec Bénédicte et son mari Hubert Piel. Laissons-leur le temps de s'installer et savourons ce beau vin dont le raffinement se traduit au nez par des arômes de fruits rouges associés au cacao et aux épices. Il est très bien équilibré en bouche, ses tanins ronds permettent de l'apprécier dès maintenant. Un autre **rouge 2000**, du même domaine, issu de cabernet, reçoit une étoile ; son nez livre des arômes de cassis ; après une bonne attaque, la bouche se montre équilibrée ; c'est un vin que l'on peut garder. Une autre étoile pour le **rosé 2000**, élégant et racé en bouche. (30 à 49 F)

GAEC Clos Saint-Fiacre, 560, rue Saint-Fiacre, 45370 Mareau-aux-Prés, tél. 02.38.45.61.55, fax 02.38.45.66.58 r.-v.

Montigny-Piel

Menetou-salon

Menetou-Salon doit son origine viticole à la proximité de la métropole médiévale qu'était Bourges ; Jacques Cœur y eut des vignes. A l'encontre de nombreux vignobles jadis célèbres, la région est demeurée viticole, et son vignoble de 374 ha est de qualité.

Sur ses coteaux bien adaptés, Menetou-Salon partage, avec son prestigieux voisin Sancerre, sols favorables et cépages nobles : sauvignon blanc et pinot noir. D'où ces vins blancs frais, épicés, ces rosés délicats et fruités, ces rouges harmonieux et bouquetés, à boire jeunes. Fierté du Berry viticole, ils accompagnent à ravir une cuisine classique mais savoureuse (apéritif, entrées chaudes pour les blancs ; poisson, lapin, charcuterie pour les rouges, à servir frais). La production a atteint 24 511 hl en 2000, dont 15 447 hl en vin blanc.

DOM. DE CHATENOY 2000

■ 8 ha 70 000 8 à 11 €

Cette propriété remonterait à 1709 - une des pires années du « petit âge glaciaire », avec un hiver polaire où, dit-on, le vin gelait dans les verres ! Fidèle au rendez-vous du Guide depuis la première édition, elle a même eu un coup de cœur (pour un blanc 91). Ce vin attire d'emblée par sa robe rubis foncé, à reflets violets. Le nez exprime déjà les fruits rouges (cassis, framboise, mûre), mais a besoin de s'ouvrir. Et la bouche, avec ses tanins encore quelque peu nerveux,

LOIRE

ferait bien de calmer ses ardeurs ! Un vin réussi mais à attendre. (50 à 69 F)

SCEA B. Clément et Fils, Dom. de Chatenoy, BP 12, 18510 Menetou-Salon, tél. 02.48.66.68.70, fax 02.48.66.68.71 r.-v.

G. CHAVET ET FILS 2000*

☐ 9,34 ha 75 000 5 à 8 €

Cette exploitation familiale d'une vingtaine d'hectares, présente dans le Guide dès la première publication, a obtenu plus d'un coup de cœur. Une fois de plus, elle se distingue dans cette édition puisque son **millésime 2000** est sélectionné dans les trois couleurs. Ce blanc présente un nez certes discret, mais qui prouve déjà sa complexité par d'agréables notes de réglisse et d'abricot. En bouche, la rondeur ne cède en rien à la fraîcheur. Même note pour le **rosé** équilibré et fruité, le mieux noté de cette appellation. Quant au **rouge**, il obtient une citation. (30 à 49 F)

G. Chavet et Fils, GAEC des Brangers, 18510 Menetou-Salon, tél. 02.48.64.80.87, fax 02.48.64.84.78, e-mail contact@chavet-vins.fr t.l.j. sf dim. 8h-12h 14h-18h

DOM. DE COQUIN 2000

■ 3 ha 25 000 5 à 8 €

Francis Audiot a repris en 1993 l'exploitation familiale de 10 ha et a développé la vente à la propriété. Régulièrement retenu depuis quatre ans, il a obtenu un coup de cœur en blanc l'an dernier dans l'édition 2001 du Guide. Cette année, il propose un bon rouge 2000. La couleur est jolie, d'un rubis soutenu. Le nez est intense, mais nécessite une aération pour être apprécié à sa juste valeur. Equilibré, d'une longueur intéressante, ce vin est bien typé menetou-salon. (30 à 49 F)

Francis Audiot, Dom. de Coquin, 18510 Menetou-Salon, tél. 02.48.64.80.46, fax 02.48.64.84.51 r.-v.

DOM. GILBERT 2000***

■ 13,4 ha 108 000 8 à 11 €

La propriété a cent ans, mais la famille est dans la viticulture depuis 1768... La dernière génération s'est installée en 1998. Ce vin, qui fait un parcours sans faute, a sans doute été particulièrement favorisé par la nature, mais il témoigne aussi d'une parfaite maîtrise de la vinification. Le fruit est intense, rappelant la mûre, le cassis et la cerise. Les tanins sont très souples, fondus. A ces merveilleuses sensations s'ajoutent un bel équilibre et une longue persistance. Le jury unanime a applaudi. Des mêmes auteurs, le **blanc 2000** et le **rouge 99 Les Renardières**, élevé en fût, ont obtenu une citation. (50 à 69 F)

Dom. Gilbert, Les Faucards, 18510 Menetou-Salon, tél. 02.48.66.65.90, fax 02.48.66.65.99 r.-v.

LA TOUR SAINT-MARTIN Morogues 2000**

☐ 6,3 ha 55 000 5 à 8 €

Bertrand Minchin, installé en 1987, s'est affirmé dès la décennie suivante comme l'une des valeurs sûres de l'appellation. Son grand-père, vigneron dans les années 1930, serait sûrement fier de lui car il reçoit, pour la troisième fois, un coup de cœur. À travers ce vin blanc transparaît le raisin mûr, la belle grappe dorée. Le palais a un volume et un gras qui supportent et prolongent longuement des arômes distingués de fleurs et de fruits. Complet, complexe et magnifique. (30 à 49 F)

Albane et Bertrand Minchin, EARL La tour Saint-Martin, 18340 Crosses, tél. 02.48.25.02.95, fax 02.48.25.05.03, e-mail tour.saint.martin@wanadoo.fr r.-v.

LE PRIEURE DE SAINT-CEOLS Cuvée des Bénédictins 1999

☐ 1 ha 8 000 5 à 8 €

Pierre Jacolin est établi dans un très beau bâtiment, ancien prieuré bénédictin qui dépendait de l'abbaye de La Charité-sur-Loire, elle-même fille de Cluny. Le vignoble est récent, puisqu'il a été planté par Pierre Jacolin en 1986. Constant et soigneux dans son travail, ce vigneron est souvent mentionné dans le Guide, en particulier pour cette cuvée des Bénédictins issue des meilleures parcelles. Sobre dans son expression olfactive, avec ses notes minérales et ses nuances de fruits secs, ce 99 se distingue par son gras persistant, égayé d'un juste trait de fraîcheur. Le **rouge 2000** du domaine recueille une citation. (30 à 49 F)

Pierre Jacolin, Le Prieuré de Saint-Céols, 18220 Saint-Céols, tél. 02.48.64.40.75, fax 02.48.64.41.15, e-mail sarl-jacolin@libertysurf.fr t.l.j. 8h-19h; dim. sur r.-v.

DOM. HENRY PELLE Les Cris 2000**

■ 3 ha 22 000 11 à 15 €

Les Pellé défendent depuis les années 1950 l'appellation menetou-salon et sont présents dans le Guide depuis la première édition. Depuis

1995, c'est Anne Pellé et son œnologue Julien Zernott qui président aux destinées de l'exploitation. Parmi les trois vins du domaine retenus dans le **millésime 2000**, le rouge se détache nettement. Assemblage à parts égales de vins élevés en cuve et en fût, il réalise un mariage harmonieux entre le fruité intense et le boisé, une alliance entre la puissance et la finesse. Le **Morogues blanc** obtient une étoile et le **Clos des Blanchais** (qui fut coup de cœur dans le millésime 98) est cité. (70 à 99 F)

Dom. Henry Pellé, rte d'Aubinges, 18220 Morogues, tél. 02.48.64.42.48, fax 02.48.64.36.88 t.l.j. sf sam. dim. 8h-12h 13h30-17h30; f. 15 août-1er sep.

DOM. DU PRIEURE 2000*

■ 8,86 ha 50 000 5à8€

Ce domaine de 19 ha environ propose un vin plein de verve : les épices et le poivre le disputent à la fraise et à la griotte. En bouche, la souplesse est telle que les tanins semblent silencieux, au point de se faire oublier. Le **blanc 2000** du domaine est cité. (30 à 49 F)

SCEA du Prieuré, 14, rte de la Gare, 18510 Menetou-Salon, tél. 02.48.64.88.39, fax 02.48.64.85.95, e-mail gogue-prieure@terre-net.fr r.-v.

DOM. JEAN TEILLER 2000*

□ 7 ha 48 000 5à8€

Un 85 rouge obtint un coup de cœur dans une des premières éditions du Guide. Depuis, les vins de Jean-Jacques Teiller et de son épouse Monique sont régulièrement mentionnés. Celui-ci a du caractère et de l'originalité ; bien charpenté, avec une touche vanillée, il est aussi marqué par le buis et le bourgeon de cassis. Le **rosé 2000** a obtenu la même note. (30 à 49 F)

Dom. Jean Teiller, 13, rte de la Gare, 18510 Menetou-Salon, tél. 02.48.64.80.71, fax 02.48.64.86.92, e-mail domaine-teiller@wanadoo.fr t.l.j. sf dim. 8h30-12h 14h-18h

CHRISTOPHE ET GUY TURPIN

Morogues 1999

◪ 5 ha 3 000 5à8€

Une fermentation longue après un pressurage direct du raisin, suivie d'un élevage sur lies donnent ce beau rosé, aux reflets saumonés et dorés. Ses parfums, doux et suaves, sont à dominante fruitée. L'équilibre est réussi entre le gras et la nécessaire acidité. Un vin plaisant. Léger, gouleyant, le **rouge Morogues 99** a obtenu la même note. (30 à 49 F)

GAEC Turpin Père et Fils, 11, pl. de l'Eglise, 18220 Morogues, tél. 02.48.64.32.24, fax 02.48.64.32.24 r.-v.

Les vins mentionnés en caractère gras dans les notices sont également recommandés par les jurys.

Pouilly-fumé et pouilly-sur-loire

Œuvre de moines, et qui plus est de bénédictins, voilà l'heureux vignoble des vins blancs secs de Pouilly-sur-Loire ! La Loire s'y heurte à un promontoire calcaire qui la rejette vers le nord-ouest, mais dont le sol, moins calcaire cependant qu'à Sancerre, sert de support privilégié au vignoble exposé sud-sud-est. C'est là que l'on retrouve les vignes de sauvignon « blanc fumé », lequel aura bientôt entièrement supplanté le chasselas, pourtant historiquement lié à Pouilly et producteur d'un vin non dénué de charme lorsqu'il est cultivé sur sols siliceux. Le pouilly-sur-loire est produit sur 38 ha alors que le pouilly-fumé représente 1 078 ha. L'ensemble a donné 72 603 hl d'un vin qui traduit bien les qualités enfouies en terres calcaires : une fraîcheur qui n'exclut pas une certaine fermeté, un assortiment d'arômes spécifiques du cépage, affinés par le milieu de culture et les conditions de fermentation du moût.

Ici encore la vigne s'intègre harmonieusement aux paysages de Loire où le charme des lieux-dits (les Cornets, les Loges, le calvaire de Saint-Andelain...) fait pressentir la qualité des vins. Fromages secs et fruits de mer leur conviendront, mais ils seront séduisants aussi en apéritif, servis bien frais.

LOIRE

Pouilly-fumé

MICHEL BAILLY ET FILS

Les Bines 1999*

□ 1 ha 7 000 5à8€

Les bines sont le nom local des cigales que l'on peut entendre chanter aux Loges. Les odeurs végétales (buis et genêt) constituent la principale composante aromatique de ce 99. L'équilibre naît d'une vivacité bien compensée par de la rondeur. Les vignes, plutôt âgées, et le long élevage sur lies apportent du gras. Un ensemble très agréable. (30 à 49 F)

Dom. Michel Bailly et Fils, Les Loges, 58150 Pouilly-sur-Loire, tél. 03.86.39.04.78, fax 03.86.39.05.25, e-mail domaine.michel.bailly@wanadoo.fr r.-v.

CEDRICK BARDIN
Cuvée des Bernadats 2000★★

☐ 1 ha 6 000 8 à 11 €

Voilà dix ans que Cédrick Bardin est à la tête de l'exploitation familiale dont les vignes sont situées aussi bien dans la région de Sancerre qu'autour de Pouilly. 2000 sera une année faste pour lui car ses deux pouilly-fumés ont été fort complimentés, en particulier cette cuvée des Bernadats, née sur un terroir de marnes exceptionnellement favorable. Marquée par un fruité intense, un charnu et une excellente tenue en bouche, c'est une bouteille d'une puissance remarquable. On ne négligera pas la **cuvée principale**, qui a recueilli une étoile pour sa minéralité. (50 à 69 F)

Cédrick Bardin, 12, rue Waldeck-Rousseau, 58150 Pouilly-sur-Loire, tél. 03.86.39.11.24, fax 03.86.39.16.50 r.-v.

DOM. BARILLOT 2000

☐ 4 ha 28 000 5 à 8 €

D'emblée, ce pouilly-fumé séduit par l'intensité et le volume de ses arômes où règne sans conteste le fameux goût de pierre à fusil. L'attaque franche se prolonge par une nervosité certaine, sans doute due à la jeunesse. A boire sur des crustacés. (30 à 49 F)

Barillot Père et Fils, Le Bouchot, 58150 Pouilly-sur-Loire, tél. 03.86.39.15.29, fax 03.86.39.09.52 t.l.j. sf dim. 9h-12h30 13h30-19h; groupes sur r.-v.

FRANCIS BLANCHET 2000

☐ 4,7 ha 17 000 5 à 8 €

L'œil s'arrête un instant sur un net reflet vert qui brille au milieu de l'or. Puis le nez apprécie des fragrances de bonne intensité, associant le fruit et l'acacia fendu. Equilibré en attaque, ce vin révèle encore une subtile pointe d'amertume en finale. Il supportera facilement deux à trois années de garde. (30 à 49 F)

EARL Francis Blanchet, Le Bouchot, 58150 Pouilly-sur-Loire, tél. 03.86.39.05.90, fax 03.86.39.13.19 r.-v.

GILLES BLANCHET 2000★

☐ 4,6 ha 25 000 5 à 8 €

Régulièrement retenu dans le Guide (avec un coup de cœur pour le 96), Gilles Blanchet présente son dixième millésime. D'abord réservé, le nez s'ouvre sur un fruité proche de confit, avant de libérer des nuances citronnées. En bouche, la rondeur fait face à une acidité légère. Une bonne persistance couronne le tout. (30 à 49 F)

Gilles Blanchet, Le Bourg, 58150 Saint-Andelain, tél. 03.86.39.14.03, fax 03.86.39.14.03 r.-v.

BRUNO BLONDELET 2000★

☐ 10,3 ha 60 000 5 à 8 €

Il cultive le paradoxe, comme pour mieux marquer la mémoire, avec son attaque à la fois ample et acide. L'aération le réveille et le révèle. Les arômes de groseille à maquereau et d'abricot s'ouvrent, pour nous captiver de bout en bout. Un vin prometteur. (30 à 49 F)

Bruno Blondelet, Cave des Criots, Le Bouchot, 58150 Pouilly-sur-Loire, tél. 03.86.39.18.75, fax 03.86.39.06.65 r.-v.

BOUCHIE-CHATELLIER
Premier millésime 2000★★

☐ 1,3 ha 10 000 11 à 15 €

Vers 1939, le grand-père défriche les bois, chasse les renards, plante des vignes sur les argiles à silex. Quelque soixante ans plus tard, Bernard Bouchié dispose d'un domaine de 13 ha regardant la vallée de la Loire ; il sait tirer le meilleur de ce merveilleux cépage qu'est le sauvignon. Voyez cette cuvée issue de vignes de quarante-cinq ans. Elle a cette année manqué de peu le coup de cœur. Le nez séduit par des notes florales et des nuances pleines de fraîcheur (mousse et pomme verte). Ferme, complexe et riche, la bouche se prolonge sur le narcisse et la tubéreuse. Un grand vin à attendre. Dans la fourchette de prix inférieure, les cuvées **La Chatellière** et **La Renardière 2000** ont été citées sans étoile. (70 à 99 F)

EARL Bouchié-Chatellier, Dom. La Renardière, 58150 Saint-Andelain, tél. 03.86.39.14.01, fax 03.86.39.05.18, e-mail pouilly.fume.bouchie.chatellier@wanadoo. r.-v.

DOM. DU BOUCHOT 2000★★

☐ 8,5 ha 55 000 5 à 8 €

Cette propriété reprise en 1968 par la famille Kerbiquet compte 9 ha de vignes plantées sur des sols argilo-calcaires, d'exposition sud-ouest. Avec ce millésime 2000, elle remporte un grand succès. Le nez évolue sur des senteurs multiples, du citron mûr aux notes confiturées, des fruits blancs au buis. La jolie bouche, fine et ample, est soutenue par un zeste d'amertume ; le retour aromatique se fait sur des notes de fruits exotiques et de fruits secs. Un remarquable pouilly-fumé que l'on peut boire dès maintenant, mais aussi dans quelques années. Quant à la cuvée **Prestige 2000** dans la fourchette de prix supérieure, elle a obtenu une citation. (30 à 49 F)

Dom. du Bouchot, BP 31, 58150 Saint-Andelain, tél. 03.86.39.13.95, fax 03.86.39.05.92 r.-v.

Kerbiquet

HENRI BOURGEOIS
La Demoiselle de Bourgeois 2000★★

☐ 3,8 ha 26 000 11 à 15 €

Henri Bourgeois exploite 65 ha de vignes autour de Pouilly et dans le Sancerrois. Fidèle au rendez-vous du Guide, cette Demoiselle de Bourgeois a de la grâce et de la classe. L'olfaction, complexe, allie fleurs et fruits mûrs, avec des nuances minérales. L'attaque, chaleureuse, est équilibrée par une fraîcheur gourmande. La bouche est longue et ample. Une remarquable cuvée, qui n'atteindra sa pleine expression que dans deux ou trois ans. (70 à 99 F)

Dom. Henri Bourgeois, Chavignol, 18300 Sancerre, tél. 02.48.78.53.20, fax 02.48.54.14.24, e-mail domaine@bourgeois-sancerre.com r.-v.

HENRY BROCHARD Sélection 2000**

n.c. 25 000 8à11€

Saura-t-il vous enchanter ? Sans aucun doute, si vous savez l'attendre. Car si le nez est encore fermé, il exprime déjà une remarquable finesse. La rondeur et le gras enveloppent la bouche sur un riche fond fruité. Oui, cette sélection est des plus prometteuses. (50 à 69 F)

Dom. Henry Brochard, Chavignol, 18300 Sancerre, tél. 02.48.78.20.10, fax 02.48.78.20.19, e-mail lesvinshenrybrochard@wanadoo.fr

DOM. A. CAILBOURDIN Les Cornets 2000

2,5 ha 16 000 8à11€

Régulièrement mentionnée dans le Guide, cette exploitation de 15 ha vinifie ses cuvées par terroir. Les Cornets ont ainsi des sols argilo-calcaires (marnes kimméridgiennes). Ils ont donné naissance à un vin d'un bel or, à reflets métalliques, au nez subtil, rappelant le coing. Une harmonieuse suite de sensations construit la bouche. Montrant encore une juste amertume, ce millésime 2000 prouvera toutes ses aptitudes dans un an. Provenant d'un coteau calcaire, la cuvée **Les Cris 2000** est citée. (50 à 69 F)

EARL Alain Cailbourdin, Maltaverne, 58150 Tracy-sur-Loire, tél. 03.86.26.17.73, fax 03.86.26.14.73 r.-v.

DOM. CHAMPEAU 2000

14,4 ha 80 000 5à8€

Les arômes rappelant les fleurs jaunes et les amandes amères se livrent avec retenue. Le palais est tout en rondeur, d'une telle souplesse qu'on en oublirait presque que le vin a de l'acidité. D'ici quelques mois, cette bouteille devrait bien s'accommoder d'une viande blanche. (30 à 49 F)

SCEA Dom. Guy et Franck Champeau, Le Bourg, 58150 Saint-Andelain, tél. 03.86.39.15.61, fax 03.86.39.19.44, e-mail domaine.champeau@wanadoo.fr r.-v.

JEAN-CLAUDE CHATELAIN 2000*

19 ha 150 000 8à11€

Jean-Claude Chatelain représente la onzième génération de vignerons sur ce domaine fondé en 1630. Avec l'arrivée de son fils Vincent sur l'exploitation, la relève est assurée. Dans le millésime 2000, la préférence est allée à une cuvée qui n'a rien de confidentiel. Ses arômes sont très marqués par le genêt et le buis, avec des notes florales. Sa bouche se révèle longue et harmonieuse. (50 à 69 F)

SA Dom. Chatelain, Les Berthiers, 58150 Saint-Andelain, tél. 03.86.39.17.46, fax 03.86.39.01.13, e-mail jean-claude.chatelain@wanadoo.fr r.-v.

DOM. CHAUVEAU La Charmette 2000

7 ha 30 000 8à11€

Installé depuis trois ans sur l'exploitation familiale, Benoît Chauveau est mentionné pour la troisième fois dans le Guide. Le style de ce vin est classique, avec un nez de bonne intensité, végétal puis marqué par les agrumes, et une bouche vive, encore peu loquace en finale. (50 à 69 F)

EARL dom. Chauveau, Les Cassiers, 58150 Saint-Andelain, tél. 03.86.39.15.42, fax 03.86.39.19.46, e-mail pouillychauveau@aol.com t.l.j. 9h-12h 14h-20h

GILLES CHOLLET 2000*

3 ha 25 000 5à8€

L'or prononcé de ce millésime annonce une belle maturité. Le nez mêle les fleurs blanches et les agrumes. En bouche, on trouve beaucoup de gras, allié à une malicieuse vivacité, et des notes de réglisse et d'anis. Un vin fort séduisant. (30 à 49 F)

Gilles Chollet, 6 bis, rue Joseph-Renaud, Le Bouchot, 58150 Pouilly-sur-Loire, tél. 03.86.39.02.19, fax 03.86.39.06.13 t.l.j. 9h30-19h; dim. 9h30-13h

PATRICK COULBOIS Les Cocques 2000

8 ha 35 000 5à8€

Ce domaine (8,70 ha) est principalement planté sur les coteaux d'argile à silex de Saint-Andelain. On retrouve cette année sa cuvée Les Cocques très souvent mentionnée dans le Guide. Il en émane des senteurs très prononcées d'orange sanguine, complétées par une touche de tilleul. Ronde et souple, la bouche est marquée par un fruité très mûr, aux accents de fruits exotiques et de compote de prunes. Un vin facile d'accès. (30 à 49 F)

Patrick Coulbois, Les Berthiers, 58150 Saint-Andelain, tél. 03.86.39.15.69, fax 03.86.39.12.14 r.-v.

DIDIER DAGUENEAU En Chailloux 1999*

5 ha n.c. 15à23€

La fermentation effectuée en fût de chêne neuf et l'élevage en cuve valorisent l'expression d'un beau terroir, avec des arômes minéraux aux accents de pierre à fusil, une attaque vive, un développement rond et long sur du fruit. Le type même du bon vin que l'on peut boire maintenant ou garder en réserve plusieurs années. (100 à 149 F)

Didier Dagueneau, Le Bourg, 58150 Saint-Andelain, tél. 03.86.39.15.62, fax 03.86.39.07.61, e-mail Silex@wanadoo.fr r.-v.

LOIRE

JEAN-CLAUDE DAGUENEAU
Cuvée d'Eve Vieilles vignes 1999

☐ 2,5 ha 15 000 8à11€

La cuvée d'Eve est une sélection des meilleures parcelles du domaine des Berthiers. Un vin partiellement élevé en fût de chêne ; on ne sera donc pas surpris de trouver des nuances empyreumatiques (pain grillé) au premier nez. Le fruité se révèle ensuite, intensément. Léger mais typique, ce pouilly-fumé plaira dès maintenant. (50 à 69 F)

SCEA Dom. des Berthiers, Les Berthiers, BP 30, 58150 Saint-Andelain, tél. 03.86.39.12.85, fax 03.86.39.12.94, e-mail claude@fournier-père-fils.fr t.l.j. 9h-17h; sam. dim. sur r.-v.

MARC DESCHAMPS Vieilles vignes 2000

☐ 1,6 ha 10 000 8à11€

Lorsqu'il a repris cette propriété en 1992, Marc Deschamps était déjà un vigneron expérimenté. Issu de vignes âgées de cinquante ans, ce vin est de bonne facture, avec ses arômes d'ananas et d'agrumes. Si la vivacité est aujourd'hui très présente en finale, tout devrait rentrer dans l'ordre après un sage mûrissement. (50 à 69 F)

Marc Deschamps, Les Loges, 58150 Pouilly-sur-Loire, tél. 03.86.69.16.43, fax 03.86.39.06.90 r.-v.

Colette Figeat

JEAN DUMONT
Les Coques Vieilles 2000*

☐ 12 ha 100 000 8à11€

La richesse des arômes fait tout le charme de cette cuvée. Le terroir argilo-calcaire se traduit par un bouquet de fleurs blanches et un cortège de fragrances végétales (genêt, ajonc). En bouche se développent des notes de citron et d'ananas. Un cru typique de l'appellation. Une étoile encore pour la cuvée **Le Grand Plateau 2000**. (50 à 69 F)

Jean Dumont, RN 7, La Castille, 58150 Pouilly-sur-Loire, tél. 03.86.39.56.60, fax 03.86.39.08.30 r.-v.

CH. FAVRAY 2000*

☐ 14 ha 95 000 8à11€

Château Favray garde la mémoire d'une dame d'honneur de la Reine Margot. Son vignoble, détruit par le phylloxéra, a été reconstitué par Quentin David à partir de 1981. Le terroir calcaire a donné un vin particulier, au nez floral à peine teinté de végétal. Sa vivacité de jeunesse évoluera vers de la fraîcheur. Intéressant et original. (50 à 69 F)

Ch. Favray, 58150 Saint-Martin-sur-Nohain, tél. 03.86.26.19.05, fax 03.86.26.11.59 r.-v.

ANDRE ET EDMOND FIGEAT
Côte du Nozet 2000*

☐ 2 ha 10 000 8à11€

André et Edmond Figeat ont pris la suite de cinq générations de vignerons. La photo de leurs aïeux Louis et Ferdinand au pressoir, qui figure en bonne place, dit leur attachement à la tradition. Leur cuvée 2000 recevrait certainement l'approbation des ancêtres, avec ses intenses nuances de fruits exotiques et de racine d'iris. La bouche est encore difficile à goûter en raison de sa fermeté. On a affaire à un vin « de matière » et de tempérament, que le temps doit dompter pour notre agrément. (50 à 69 F)

André et Edmond Figeat, Côte du Nozet, 58150 Pouilly-sur-Loire, tél. 03.86.39.19.39, fax 03.86.39.19.00 r.-v.

DOM. DES FINES CAILLOTTES 2000*

☐ 15 ha 132 000 8à11€

Le domaine, constitué de plus de vingt parcelles, tire son nom des pierres blanches calcaires, appelées localement « caillottes », souvent abondantes dans les terroirs argilo-calcaires. Alain Pabiot sait vendanger à l'extrême maturité, ce qui transparaît à travers cette cuvée : elle offre des arômes intenses, fruités et floraux, déjà accompagnés de nuances de miel et de réglisse. La bouche très ronde et souple, sans aspérité, révèle beaucoup de gras, presque du moelleux. Un style qui devrait bien convenir à des poissons ou des volailles en sauce à la crème. (50 à 69 F)

Jean Pabiot et Fils, 9, rue de la Treille, Les Loges, 58150 Pouilly-sur-Loire, tél. 03.86.39.10.25, fax 03.86.39.10.12 t.l.j. 8h-12h 14h-18h; sam. dim. sur r.-v.

FOUCHER-LEBRUN
Les Deux Collines 2000

☐ n.c. 4 600 8à11€

Fondée en 1921 par un tonnelier, Paulin Lebrun, cette maison de négoce est aujourd'hui dirigée par Jacky Foucher. Son pouilly-fumé 2000 est réussi, avec son nez de buis et de lierre non dépourvu d'une certaine minéralité. L'absence de vivacité rend ce vin très coulant. Il sera prêt dès la sortie du Guide. (50 à 69 F)

Foucher-Lebrun, 29, rte de Bouhy, 58200 Alligny, tél. 03.86.26.87.27, fax 03.86.26.87.20

DOM. DE LA MARNIERE 2000

☐ 5 ha 40 000 8à11€

Or pâle aux reflets verts caractéristiques, ce pouilly-fumé présente un nez assez intense, dominé par des notes végétales typiques du sauvignon. Franc et vif en bouche, il s'accordera avec des crustacés ou des asperges. (50 à 69 F)

Loiret Frères, 44330 Le Pallet, tél. 02.40.80.40.27, fax 02.40.80.41.32

Maurice Parizot

LA MOYNERIE 1999

☐ 26 ha 250 000 8à11€

Les arômes d'agrumes témoignent d'une vinification soignée. Les notes végétales (menthe) apportent l'expression du terroir pour ce millésime. La franchise et la vivacité impressionnent le palais. Un vin qui sait se couler sans bruit dans le moule de l'appellation. (50 à 69 F)

SA Michel Redde et Fils, La Moynerie, 58150 Pouilly-sur-Loire, tél. 03.86.39.14.72, fax 03.86.39.04.36, e-mail thierry.redde@michel-redde.fr r.-v.

Thierry Redde

LES VIEILLOTTES 2000★★★

☐ 6 ha 40 000 8 à 11 €

Fondées en 1948, les Caves de Pouilly-sur-Loire sont un important producteur du vignoble. Elles viennent de s'adjoindre les services d'un nouvel œnologue, Frédéric Jacquet. Le terroir d'argile à silex d'où est issue la cuvée Les Vieillottes se manifeste à travers des notes minérales et un délicat fruité de pêche et de coing. Sa puissance reflète une maturité optimale. Un grand vin qui ne peut que s'affiner encore. Autre valeur sûre de la Cave, la cuvée **Les Moulins à vent 2000** obtient une étoile. (50 à 69 F)

Caves de Pouilly-sur-Loire, Les Moulins à vent, BP 9, 58150 Pouilly-sur-Loire, tél. 03.86.39.10.99, fax 03.86.39.02.28, e-mail caves.pouilly.loire@wanadoo.fr r.-v.

JACQUES MARCHAND 2000

☐ n.c. n.c. 8 à 11 €

Le fruité est le fil conducteur de la dégustation, au nez comme au palais. Un fruité mûr évoquant avant tout les agrumes (orange, pamplemousse), mais aussi, en arrière-plan, la poire. De bonne constitution, la bouche est gourmande, assez ronde à l'attaque. Un ensemble agréable. (50 à 69 F)

SARL Jacques Marchand, Les Loges, rue Francs-Bourgeois, 58150 Pouilly-sur-Loire, tél. 02.48.78.05.01, fax 02.48.78.54.55 r.-v.

PIERRE MARCHAND ET FILS 2000

☐ 2,4 ha 20 000 5 à 8 €

Héritier d'une lignée de vignerons remontant à 1650, Pierre Marchand a su transmettre sa passion à ses deux fils qui travaillent avec lui 14 ha de vignes. Leur pouilly-fumé ne manque pas d'agrément. Le premier nez livre des odeurs fermentaires (banane, cassis) puis évolue vers des nuances florales. Souple et facile à boire, ce vin finit sur une note de pamplemousse. (30 à 49 F)

EARL Pierre Marchand et Fils, Les Loges, 9, rue des Pressoirs, 58150 Pouilly-sur-Loire, tél. 03.86.39.14.61, fax 03.86.39.17.21 t.l.j. 9h-12h30 14h-19h30

JOSEPH MELLOT Le Troncsec 2000

☐ n.c. 84 000 8 à 11 €

Buis et fleurs blanches sont les arômes dominants de ce vin très typé du sauvignon. La bouche révèle un léger perlant et une pointe d'amertume en finale (ce qui n'est pas un défaut). (50 à 69 F)

Vignobles Joseph Mellot Père et Fils, rte de Ménétréol, BP 13, 18300 Sancerre, tél. 02.48.78.54.54, fax 02.48.78.54.55, e-mail alexandre@joseph-mellot.fr t.l.j. 8h-12h 13h30-17h30; sam. dim. sur r.-v.

JEAN-PAUL MOLLET 2000★

☐ n.c. 9 733 8 à 11 €

Première année de production pour Jean-Paul Mollet qui vient de reprendre ce vieux domaine familial... et la réussite est déjà au rendez-vous. Les arômes de ce millésime 2000, tout en subtilité, mêlent les fleurs et les fruits à chair blanche. Le vin emplit bien la bouche. Un pouilly-fumé distingué qui appelle un poisson de rivière, un brochet par exemple. (50 à 69 F)

SCEV des Renardières, 11, rue des Ecoles, Boisgibault, 58150 Tracy-sur-Loire, tél. 02.48.54.02.26, fax 02.48.54.02.26

DOM. DIDIER PABIOT 2000

☐ 12 ha 100 000 8 à 11 €

De la porte de sa cave, Didier Pabiot vous offre un point de vue imprenable sur la vallée de la Loire. A l'intérieur, il vous fera déguster un pouilly-fumé au nez discret de cire, de pain et d'orange, à la bouche souple finissant sur des notes de zeste de pamplemousse. Tout ce qu'il faut pour accompagner un fromage de chèvre. (50 à 69 F)

Didier Pabiot, Les Loges, BP 5, 58150 Pouilly-sur-Loire, tél. 03.86.39.01.32, fax 03.86.39.03.27 r.-v.

DOM. ROGER PABIOT ET SES FILS Silex de Tracy 1999★★

☐ 1,75 ha 15 000 8 à 11 €

Né des sols à silex de Tracy et d'un patient élevage de dix-huit mois, ce vin a tout d'un séducteur. L'intensité olfactive n'exclut en rien la finesse. La rondeur et le gras sont avivés par un léger perlant. La finale est longue, sur un fruité de pêche et de pruneau. Une excellente cuvée. Signalons, du même domaine, le pouilly-fumé **Coteau des Girarmes 2000**, retenu avec une étoile. (50 à 69 F)

Dom. Roger Pabiot et ses Fils, 13, rte de Pouilly, Boisgibault, 58150 Tracy-sur-Loire, tél. 03.86.26.18.41, fax 03.86.26.19.89, e-mail domainerogerpabiot@wanadoo.fr r.-v.

DOM. RAIMBAULT-PINEAU La Montée des Lumeaux 2000★

☐ 1,64 ha 13 000 8 à 11 €

De Pierre-Alexandre, né en 1701, à Lucien, né en 1990, on compte dix générations sur le vignoble. Et la maîtrise du métier transparaît dans cette cuvée très bien faite : un nez d'agrumes flatteur évoque la pulpe d'orange. Souple, plein et d'une bonne longueur, le palais finit sur un beau retour aromatique. Un vin bien équilibré. (50 à 69 F)

Dom. Raimbault-Pineau, rte de Sancerre, 18300 Sury-en-Vaux, tél. 02.48.79.33.04, fax 02.48.79.33.04 t.l.j. 9h-12h 14h-18h; dim. sur r.-v.; f. 1er-15 août

DOM. DE RIAUX 2000

☐ 9 ha 55 000 5 à 8 €

Issue d'argile à silex, cette cuvée est nettement marquée par son origine. Elle est réservée, d'abord farouche, avec son nez minéral aux accents de pierre à fusil, et sa bouche ferme et légèrement empyreumatique. Il faut avoir la patience de la laisser évoluer : on ne sera pas déçu. (30 à 49 F)

GAEC Jeannot Père et Fils, Dom. de Riaux, 58150 Saint-Andelain, tél. 03.86.39.11.37, fax 03.86.39.06.21 r.-v.

GUY SAGET Les Chantalouettes 2000*

☐ 4 ha 30 000 8 à 11 €

Le végétal (fenouil, menthe) côtoie avec grâce le fruité (poire). La bouche n'est pas en reste. D'une belle tenue, elle est égayée par une nervosité aux accents de pomme verte et de pêche blanche. Pour résumer : un tableau panaché, non dénué de panache ! Souvent mentionnée dans le Guide, la cuvée **Les Logères 2000** est citée. (50 à 69 F)

Guy Saget, La Castille, 58150 Pouilly-sur-Loire, tél. 03.86.39.57.75, fax 03.86.39.08.30, e-mail saget@guy-saget.com r.-v.

J.-L. Saget

DOM. TABORDET 2000*

☐ 5,9 ha 50 000 8 à 11 €

Ouvert et flatteur avec ses fragrances de citron confit et de fruits très mûrs, le nez constitue une agréable entrée en matière. Les sensations aromatiques se retrouvent en bouche. Une pointe de vivacité donne du relief et un accent sympathique à un ensemble assez souple. Un style qui a l'élégance et la sobriété du classique. (50 à 69 F)

Yvon et Pascal Tabordet, Chaudoux, 18300 Verdigny, tél. 02.48.79.34.01, fax 02.48.79.32.69 r.-v.

DOM. THIBAULT 2000*

☐ 12,51 ha 87 000 8 à 11 €

Quelles succulentes sensations de fleurs blanches miellées (acacia, sureau) et de fruité (cassis, mirabelle) ! Quant à la bouche, elle est fraîche, souple et gouleyante. Jouant plus la finesse que la puissance, doté d'un bon retour aromatique, voilà un pouilly-fumé fort jovial. (50 à 69 F)

SCEV André Dezat et Fils, Chaudoux, 18300 Verdigny, tél. 02.48.79.38.82, fax 02.48.79.38.24 r.-v.

F. TINEL-BLONDELET
L'Arret Buffatte 2000*

☐ 3,5 ha 28 000 8 à 11 €

Annick Tinel-Blondelet présente l'un de ces vins qui sont des valeurs sûres de l'appellation parce qu'ils sont francs, nets et typiques. Le nez, intense, rappelle la pierre à fusil et le buis. Les sensations gustatives, pour être légères, n'en sont pas moins excellentes (fleurs et fruits blancs). Un ensemble fort élégant. (50 à 69 F)

Dom. Tinel-Blondelet, La Croix-Canat, 58150 Pouilly-sur-Loire, tél. 03.86.39.13.83, fax 03.86.39.02.94 r.-v.

SEBASTIEN TREUILLET 2000*

☐ 1 ha 8 000 5 à 8 €

Née sur un sol argilo-limoneux, cette cuvée révèle un caractère juvénile. Le nez s'ouvre après aération sur du fumé et de la mandarine. Le gaz, encore présent, communique à la finale une acidité citronnée. Ce vin sera prêt à boire à la sortie du Guide ; il est apte à une garde de deux ans. (30 à 49 F)

Sébastien Treuillet, Fontenille, 58150 Tracy-sur-Loire, tél. 03.86.26.17.06, fax 03.86.26.17.06 t.l.j. 8h-12h 13h-19h

Pouilly-sur-loire

DOM. DE BEL AIR 2000*

☐ 0,6 ha 2 500 3 à 5 €

Le domaine de Bel Air couvre 13 ha. Il a particulièrement réussi son pouilly-sur-loire 2000. La maturité du chasselas donne ici de fines odeurs fruitées (pomme) mais surtout des notes typées d'amande. L'équilibre des goûts est harmonieux, la fraîcheur et l'ampleur s'unissant parfaitement. (20 à 29 F)

EARL Mauroy-Gauliez, Dom. de Bel Air, Le Bouchot, 58150 Pouilly-sur-Loire, tél. 03.86.39.15.85, fax 03.86.39.19.52, e-mail mauroygauliez@aol.com t.l.j. 8h30-12h30 13h30-18h30

DOM. CHAMPEAU 2000

☐ 1,8 ha 10 000 5 à 8 €

C'est en face de l'église de Saint-Andelain que vous trouverez ce domaine qui propose ce vin réussi. Les arômes restent légers mais présentent une complexité rare pour un pouilly-sur-loire : fruits exotiques, épices, vanille. Frais et fin, issu de vignes très âgées, comme c'est souvent le cas avec le chasselas, ce 2000 est prêt. (30 à 49 F)

SCEA Dom. Guy et Franck Champeau, Le Bourg, 58150 Saint-Andelain, tél. 03.86.39.15.61, fax 03.86.39.19.44, e-mail domaine.champeau@wanadoo.fr r.-v.

LA MOYNERIE 1999*

☐ 1 ha 6 500 8 à 11 €

Des reflets gris-brun dans un or léger, une expression intense de fleur de tilleul et de noisette fraîche. Rond et plein, ce pouilly-sur-loire surprend fort agréablement par sa structure corpulente et son élégance. Un vin audacieux qui mérite une attention particulière. (50 à 69 F)

SA Michel Redde et Fils, La Moynerie, 58150 Pouilly-sur-Loire, tél. 03.86.39.14.72, fax 03.86.39.04.36, e-mail thierry.redde@michel-redde.fr r.-v.

Thierry Redde

DOM. ROGER PABIOT ET SES FILS 2000*

☐ 0,4 ha 3 000 5 à 8 €

Roger Pabiot et ses fils ont bien su exploiter la faculté du terroir de Tracy à produire de bons vins de chasselas. Les arômes sont ici particulièrement expressifs et élégants, rappelant le coing et la pomme bien mûre. Fraîcheur et équilibre font de ce vin un classique, bien dans le type, qui sera agréable sur un repas léger, de l'apéritif jusqu'au fromage. (30 à 49 F)

Dom. Roger Pabiot et ses Fils, 13, rte de Pouilly, Boisgibault, 58150 Tracy-sur-Loire, tél. 03.86.26.18.41, fax 03.86.26.19.89, e-mail domainerogerpabiot@wanadoo.fr r.-v.

DOM. DE RIAUX 2000★

☐ 0,4 ha 1 500 ■ 5à8€

Des ceps d'environ cinquante ans ont produit ce beau pouilly-sur-loire. La finesse aromatique, évoquant les fleurs blanches et le sous-bois au printemps, est appréciée par les dégustateurs. La bouche est ronde, avec une finale grasse. Un vin de charme. (30 à 49 F)

GAEC Jeannot Père et Fils, Dom. de Riaux, 58150 Saint-Andelain, tél. 03.86.39.11.37, fax 03.86.39.06.21 ☑ r.-v.

Quincy

C'est sur les bords du Cher, non loin de Bourges et près de Mehun-sur-Yèvre, lieux riches en souvenirs historiques du XVIe s., que les vignobles de Quincy et de Brinay s'étendent sur 171 ha, sur des plateaux recouverts de sable et de graviers anciens.

Le seul cépage sauvignon blanc fournit les quincy (10 288 hl en 2000), qui présentent une grande légèreté, une certaine finesse et de la distinction dans le type frais et fruité.

Si, comme l'écrivait le Dr Guyot au XIXe s., le cépage domine le cru, quincy apporte aussi la démonstration que, dans une même région, la même variété peut s'exprimer en vins différents selon la nature des sols ; et c'est tant mieux pour l'amateur, qui trouvera ici l'un des plus élégants vins de Loire, à déguster avec les poissons et les fruits de mer aussi bien qu'avec les fromages de chèvre.

SYLVAIN BAILLY
Les Grands Cœurs 2000★

☐ 4 ha 30 000 ■ 5à8€

Cette cuvée des Grands Cœurs ouvre le sien largement pour délivrer, avec générosité, d'intenses arômes fruités. Ronde avec une certaine fermeté (note citronnée en finale), elle a de l'équilibre et procure l'agrément. (30 à 49 F)

Sylvain Bailly, 71, rue de Venoize, 18300 Bué, tél. 02.48.54.02.75, fax 02.48.54.28.41 ☑ t.l.j. 8h-12h 14h-18h; dim. sur r.-v.

HENRI BOURGEOIS 2000★

☐ 7 ha 55 000 ■ 5à8€

Le domaine Henri Bourgeois, dont les origines se trouvent dans le Sancerrois, présente là un quincy très réussi, produit d'une bonne sélection et d'une vinification soignée. Souple et gras, ce vin emplit complètement la bouche d'arômes fruités, où domine la pêche. Très élégant. (30 à 49 F)

Dom. Henri Bourgeois, Chavignol, 18300 Sancerre, tél. 02.48.78.53.20, fax 02.48.54.14.24, e-mail domaine@bourgeois-sancerre.com r.-v.

DOM. DES BRUNIERS 2000

☐ 10 ha 50 000 ■ 5à8€

A l'œil, un or très clair, aux reflets verts particulièrement prononcés. En bouche, on observe une bonne continuité. Les arômes de fruits et de fleurs colorent le paysage. Un quincy classique. (30 à 49 F)

Jérôme de La Chaise, Les Bruniers, 18120 Quincy, tél. 02.48.51.34.10, fax 02.48.51.34.10 ☑ r.-v.

DOM. DES CAVES 2000

☐ 4,3 ha 35 000 ■ 5à8€

Bruno Lecomte figure parmi ces nombreux vignerons qui ont pris la voie de la viticulture intégrée. Son quincy, puissant au nez, exprime des notes empyreumatiques. La bouche, agréable, révèle cependant encore une pointe d'amertume ; elle demande à mûrir pour s'affirmer. (30 à 49 F)

Bruno Lecomte, 105, rue Saint-Exupéry, 18520 Avord, tél. 02.48.69.27.14, fax 02.48.69.16.42, e-mail bruno.lecomte@wanadoo.fr ☑ r.-v.

DOM. DE CHAMP MARTIN 2000

☐ 4 ha 30 000 ■ 5à8€

Didier Rassat présente un quincy 2000 qui attire immédiatement l'œil par une robe inhabituelle, or soutenu. Sans nul doute, ce vin a son caractère et même du caractère avec ses arômes intenses et sa structure équilibrée, sachant allier souplesse et vivacité. (30 à 49 F)

Didier Rassat, Champ Martin, 18120 Cerbois, tél. 02.48.51.70.19, fax 02.48.51.79.27 ☑ t.l.j. 9h-12h 15h-19h

DOM. DES COUDEREAUX 2000

☐ 8 ha 60 000 ■ 5à8€

Ce quincy, issu d'un vignoble d'une dizaine d'années, est typé du terroir argilo-limoneux d'où il provient. Le nez donne franchement dans le côté minéral du sauvignon. Si les sensations au palais sont quelque peu légères dans leur densité, elles n'en sont pas moins fort agréables dans leur qualité. (30 à 49 F)

SCEA Les Coudereaux, 34, rte de Bourges, 18510 Menetou-Salon, tél. 02.48.64.88.88, fax 02.48.64.87.97 ☑ r.-v.

DOM. DES CROIX 2000

☐ 1,25 ha 8 000 ■ 5à8€

Sylvie Rouzé-Lavault a été la première femme à s'installer comme vigneronne dans l'appellation. Elle réussit un 2000 marqué par le genêt et le buis, bâti sur une nervosité de jeunesse évoquant le pamplemousse. L'ensemble est bien agréable. (30 à 49 F)

Rouzé-Lavault, rte de Lury, 18120 Quincy, tél. 02.48.51.08.51, fax 02.48.51.05.00 ☑ r.-v.

LES VIGNERONS DU DUC DE BERRY 2000*

☐ 8 ha 60 000 5à8€

La maturité transparaît à travers des notes fruitées qui se prolongent longuement. Ce qui n'empêche pas que le tempérament soit vif et même incisif, avec du mordant. Un style qui convient pour les fruits de mer et les coquillages. (30 à 49 F)

SICA Vignerons du Duc de Berry, 34, rte de Bourges, 18510 Menetou-Salon, tél. 02.48.64.88.88, fax 02.48.64.87.97 r.-v.

PIERRE DURET 2000**

☐ n.c. n.c. 5à8€

Ce vignoble, qui porte le nom de son ancien propriétaire, appartient à la maison Joseph Mellot. Son millésime 2000 est plein d'attraits : outre de fins arômes fruités, une rondeur et un gras qui enrobent merveilleusement la vivacité, flattent les papilles. Bref, un vin riche. (30 à 49 F)

SARL Pierre Duret, rte de Lury, 18120 Quincy, tél. 02.48.78.05.01, fax 02.48.78.54.55 r.-v.

Alexandre Mellot

DOM. DU GRAND ROSIERES 2000

☐ 3,8 ha 15 000 5à8€

Depuis son installation en 1994, Jacques Siret agrandit sagement la taille de son exploitation. De l'attaque souple à la finale vive, son vin est équilibré. On pourra le servir en apéritif. (30 à 49 F)

Jacques Siret, Dom. du Grand Rosières, 18400 Lunery, tél. 02.48.68.90.34, fax 02.48.68.03.71 r.-v.

DOM. DE LA COMMANDERIE 2000

☐ 2,95 ha 25 000 5à8€

Mêlant des notes de genêt et d'agrumes, cette sélection est caractérisée par une attaque franche, une légèreté et une souplesse qui lui donnent la gaieté de la jeunesse. A essayer sur un pâté aux pommes de terre. (30 à 49 F)

EARL Jean-Charles Borgnat, 27, rue de Jacques-au-Bois, 18120 Preuilly, tél. 02.48.51.30.16, fax 02.48.51.32.94, e-mail jcborgnat@aol.com r.-v.

DOM. MARDON 2000

☐ 11 ha n.c. 5à8€

Le nez, encore fermé, laisse s'échapper des nuances de fleurs (violette) et de fruits (litchi, pêche). Franc en attaque, le palais fait preuve ensuite d'une juste souplesse. L'ensemble est d'un bon volume. Il faudra savoir attendre ce vin pour apprécier toutes ses qualités. (30 à 49 F)

Dom. Mardon, 40, rte de Reuilly, 18120 Quincy, tél. 02.48.51.31.60, fax 02.48.51.35.55 r.-v.

JOSEPH MELLOT Le Rimonet 1999*

☐ 10 ha 80 000 5à8€

D'un or vert pâle, ce 99 a conservé beaucoup de sa jeunesse. Le nez frais évoque le fruit de la Passion. En bouche, on trouve une belle acidité. Et puis, les sensations de fruits confits apparaissent, traduisant la maturation due à l'âge. Harmonieux et complet, ce vin sera à boire au cours de l'année 2002. (30 à 49 F)

SA Joseph Mellot, rte de Ménétréol, BP 13, 18300 Sancerre, tél. 02.48.78.54.54, fax 02.48.78.54.55, e-mail alexandre@joseph-mellot.fr t.l.j. sf sam. dim. 8h-12h 13h30-17h30

DOM. ANDRE PIGEAT 2000*

☐ 2,45 ha 5 000 3à5€

Créé en 1999, le domaine André Pigeat s'est doté d'une cave fonctionnelle, avec des équipements modernes. Le résultat est très satisfaisant pour le millésime : ce vin séduit par sa fraîcheur aux évocations de pamplemousse et de citron, et par sa bouche structurée. Il devrait s'accorder avec un poisson en sauce. (20 à 29 F)

Dom. André Pigeat, 18, rte de Cerbois, 18120 Quincy, tél. 02.48.51.31.90, fax 02.48.51.31.90 r.-v.

PHILIPPE PORTIER 2000*

☐ 9 ha 70 000 5à8€

Un vignoble implanté sur des sols de graviers avec un sous-sol argileux qui sont de ceux qu'affectionne le sauvignon, un vigneron soigneux et créatif, et une production de qualité. Le 98 avait obtenu un coup de cœur. Le 2000 mêle des senteurs de lierre et de fruits de la Passion, relevées de notes grillées. D'une bonne structure générale, c'est un quincy original. (30 à 49 F)

EARL Philippe Portier, Bois-Gy-Moreau, 18120 Brinay, tél. 02.48.51.09.02, fax 02.48.51.00.96 r.-v.

JACQUES SALLE Silice 1998*

☐ 4 ha 15 000 11à15€

En 1996, Jacques Sallé décide, après avoir beaucoup écrit sur le vin, de passer aux travaux pratiques. Il achète une dizaine de parcelles de vieilles vignes et choisit d'appliquer l'agriculture biologique. Sa cuvée Silice est marquée par son élevage en fût pendant neuf mois, avec bâtonnage hebdomadaire : les notes toastées, vanillées et beurrées dominent. Le style évolué est équilibré en bouche par une heureuse fraîcheur. Pour amateurs avertis. (70 à 99 F)

Jacques Sallé, Chem. des Vignes, 18120 Quincy, tél. 02.54.04.04.48, e-mail jacquessalle@aol.com r.-v.

JEAN-MICHEL SORBE 2000*

☐ 2,5 ha 20 000 5à8€

Ce sont les arômes fermentaires qui se manifestent d'abord avec des nuances de pain. Une aération réveille le raisin et le sauvignon s'exprime alors intensément. La dégustation s'achève sur une note de citron mûr d'une bonne persistance. A boire sur des crustacés. (30 à 49 F)

SARL Jean-Michel Sorbe, La Quervée, 18120 Preuilly, tél. 02.48.51.99.43, fax 02.48.51.35.47 r.-v.

DOM. DU TONKIN 2000

☐ 3,25 ha 25 000 5 à 8 €

Petit à petit, la modeste exploitation de Jacques Masson s'agrandit (3,25 ha aujourd'hui). Son quincy est dominé par des nuances végétales qui s'expriment intensément, complétées par des notes fruitées et minérales. La finale est marquée par un soupçon de sécheresse qui ne nuit pas à l'ensemble. (30 à 49 F)

Dom. du Tonkin, Le Tonkin, 18120 Brinay, tél. 02.48.51.09.72, fax 02.48.51.11.67 r.-v.
Jacques Masson

DOM. DU TREMBLAY
Cuvée Nouzats-Coudereaux 2000★

☐ 3,5 ha 25 000 5 à 8 €

A la tête du domaine du Tremblay (7,5 ha) depuis 1993, Jean Tatin saura vous parler des terroirs de l'appellation. Sa cuvée Nouzats-Coudereaux réunit avec bonheur les récoltes de deux parcelles situées sur les communes de Quincy et de Brinay. La rondeur et l'équilibre offrent un bon support à des arômes qui n'ont pas encore donné le meilleur d'eux-mêmes. (30 à 49 F)

Jean Tatin, Le Tremblay, 18120 Brinay, tél. 02.48.75.20.09, fax 02.48.75.70.50, e-mail jeantatinviticulteur@hotmail.com r.-v.

DOM. TROTEREAU 2000★★

☐ n.c. 45 000 5 à 8 €

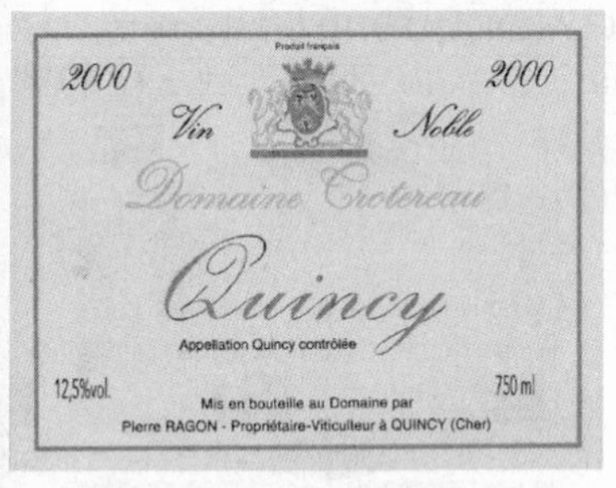

Pierre Ragon nous réjouit, une fois de plus, par le style très personnel qu'il sait imprimer à ses vins,... et au plus haut niveau d'expression. Ce millésime séduit par un fruité suave de mangue, agrémenté de touches végétales et florales. On lui trouve du corps, une rondeur et une plénitude qui confinent au gras. Un vrai vin de terroir qui fait l'unanimité. (30 à 49 F)

Pierre Ragon, rte de Lury, 18120 Quincy, tél. 02.48.51.37.37, fax 02.48.26.82.58 r.-v.

DOM. DE VILLALIN 2000★

☐ 3 ha 16 000 5 à 8 €

Pour sa deuxième année de production, le domaine de Villalin réussit une belle cuvée qui lui permet d'entrer dans le Guide. L'approche est réservée avec un nez subtil. La bouche est impressionnante de présence et de longueur. Une pointe d'acidité et d'amertume nous rendent optimistes quant à la tenue et au devenir de cette bouteille dans le temps. (30 à 49 F)

Dom. de Villalin, Le Grand Villalin, 18120 Quincy, tél. 02.48.51.34.98, fax 02.48.51.34.98 r.-v.
Marchand

Reuilly

Par ses coteaux accentués et bien ensoleillés, ses sols remarquables, Reuilly était prédestiné à la plantation de la vigne.

Sur une superficie de 138 ha, l'appellation recouvre sept communes situées dans l'Indre et le Cher, dans une région charmante traversée par les vertes vallées du Cher, de l'Arnon et du Théols. Elle a produit 8 296 hl en 2000.

Le sauvignon blanc produit l'essentiel des reuilly (4 606 hl en 2000) dans la gamme des blancs secs et fruités, qui prennent ici une ampleur remarquable. Le pinot gris fournit localement un rosé de pressoir tendre, délicat, distingué à souhait, mais qui risque de disparaître, supplanté par le pinot noir dont on tire également d'excellents rosés, plus colorés, frais et gouleyants, mais surtout des rouges pleins, enveloppés, toujours légers, au fruité affirmé.

BERNARD AUJARD 2000★★

■ 1,7 ha 12 000 5 à 8 €

Belles vendanges pour Bernard Aujard qui, après un coup de cœur en rosé l'an dernier, en récolte un en rouge cette année ! Que de senteurs agréables ! Epices, cannelle et poivre, mais aussi poire. Les tanins sont encore un peu sévères, simplement pour nous dire d'attendre deux à trois ans avant de le consommer. Le **blanc 2000** mérite une citation pour sa note minérale suivie d'une touche d'agrumes. (30 à 49 F)

Bernard Aujard, 2, rue du Bas-Bourg, 18120 Lazenay, tél. 02.48.51.73.69, fax 02.48.51.73.69 r.-v.

LES BERRYCURIENS
Les Chatillons 2000

◩ 0,5 ha 3 000 8 à 11 €

La passion du bon vin conduit loin et même à produire le sien. C'est depuis 1995 toute l'histoire des BerryCuriens. La robe de ce 2000 issu du pinot gris implanté sur des alluvions en coteaux rappelle la pivoine claire. Les autres sensations jouent sur une déclinaison de fruité : fruits compotés au nez, fruits frais en bouche, fruits à l'alcool pour la rondeur. Equilibré et agréable. (50 à 69 F)

SCEV des BerryCuriens, 9, rte de Boisgissons, 18120 Preuilly, tél. 02.48.51.30.17, fax 02.48.51.35.47 r.-v.

DOM. HENRI BEURDIN ET FILS 2000

□ 7,25 ha 50 000 5 à 8 €

Situé à 5 km de l'abbaye de Manzay-Limeux, ce domaine reçut un coup de cœur l'an dernier pour le blanc 99. Le vin ne manque pas d'énergie cette année, comme le révèlent sa vivacité et une note d'amertume qui prolongent une bonne onctuosité. Le nez, fleurs et agrumes, est délicat. Un vin original qui a son charme. (30 à 49 F)

SCEV Henri Beurdin et Fils, 14, Le Carroir, 18120 Preuilly, tél. 02.48.51.30.78, fax 02.48.51.34.81 r.-v.

DOM. DU BOURDONNAT 2000

◩ 1,5 ha 8 000 5 à 8 €

D'un rose pâle, légèrement argenté, ce vin possède un nez frais de pêche blanche et d'agrumes. L'impression sucrée domine en attaque avec des arômes de fruits puis la fraîcheur, à peine épicée, est au rendez-vous en finale. Un agréable rosé de pinot gris. (30 à 49 F)

François Charpentier, Dom. du Bourdonnat, 36260 Reuilly, tél. 02.54.49.20.18, fax 02.54.49.29.91 r.-v.

CHANTAL ET MICHEL CORDAILLAT 2000

□ 1,7 ha 12 000 5 à 8 €

A partir d'une parcelle acquise en 1995, Michel Cordaillat bâtit petit à petit une propriété... et un renom. Son blanc 2000 se présente sous un aspect ouvert : teinte jaune or pâle, arômes délicats, floraux et végétaux. Il affirme ensuite franchise et fermeté, pour terminer en montant sur des nuances citronnées. (30 à 49 F)

Chantal et Michel Cordaillat, Le Montet, 18120 Méreau, tél. 02.48.52.83.48, fax 02.48.52.83.09 t.l.j. sf dim. 16h-19h

DOM. DES COUDEREAUX 2000*

□ 0,72 ha 6 000 5 à 8 €

« C'est une sculpture inachevée », écrit un œnologue-dégustateur : les arômes sont encore sur les agrumes, mais le floral commence à percer et le jury assure qu'à l'automne se dévoileront l'équilibre et la belle richesse. Bien dans le type 2000, un vin auquel on peut faire confiance. (30 à 49 F)

SCEA Les Coudereaux, 34, rte de Bourges, 18510 Menetou-Salon, tél. 02.48.64.88.88, fax 02.48.64.87.97 r.-v.

Jean-Paul Godinat

PASCAL DESROCHES
Clos des Varennes 2000*

□ 3,8 ha 30 000 5 à 8 €

Elevé sur lies fines, un Clos des Varennes très réussi. Une olfaction intense de fleurs mêlées d'épices produit une impression chaude et riche. Le palais est en accord par des sensations soyeuses, grasses et, écrit l'un des jurés, « confortables ». L'acidité est présente, sans excès. Il y a de la générosité dans ce reuilly blanc. Dégustez aussi le **rosé 2000 Clos des Lignis** qui reçoit une étoile. (30 à 49 F)

Pascal Desroches, 13, rte de Charost, 18120 Lazenay, tél. 02.48.51.71.60, fax 02.48.51.71.60 r.-v.

JEAN-SYLVAIN GUILLEMAIN 2000

□ 0,8 ha 7 000 5 à 8 €

Des vignes de huit ans pour ce reuilly blanc sur un jeune domaine créé en 1992. Bien sûr, ses arômes d'agrumes sont de nature fermentaire, mais il y a derrière un peu de fleurs des champs. Déjà assez fin, il promet une belle évolution qui devrait préciser et développer le volume et la rondeur. Un vin bien ciselé. (30 à 49 F)

Jean-Sylvain Guillemain, Palleau, 18120 Lury-sur-Arnon, tél. 02.48.52.99.01, fax 02.48.52.99.09 r.-v.

CLAUDE LAFOND La Raie 2000**

□ 7 ha 59 500 5 à 8 €

Claude Lafond honore l'appellation reuilly par la qualité de ses 2000. A tout seigneur, tout honneur : le blanc La Raie a des arômes qui jaillissent comme le feu d'un volcan (pêche de vigne, brioche et beurre, un soupçon de végétal). Rond, gras et tendre à la fois, sur un support finement acidulé, c'est le coup de cœur. Dans ce même millésime, le **rouge Les Grandes Vignes** est retenu avec une étoile. (30 à 49 F)

SARL Claude Lafond, Le Bois-Saint-Denis, 36260 Reuilly, tél. 02.54.49.22.17, fax 02.54.49.26.64, e-mail claude.lafond@wanadoo.fr r.-v.

ALAIN MABILLOT 2000**

■ 1 ha 6 000 5 à 8 €

Lauréat du coup de cœur pour le millésime précédent, Alain Mabillot conduit ce domaine depuis 1990. Ce dixième anniversaire confirme la qualité de sa production. L'œil note le rubis profond et les jambes nettes qui se dessinent sur le verre. Le premier nez est animal, puis se dégage un intense fruité de cassis. Les tanins sont puissants mais souples. Encore très fermé en bouche, ce reuilly a suffisamment de corps et de consistance pour affronter une longue garde. (30 à 49 F)

Alain Mabillot, Villiers-les-Roses, 36260 Sainte-Lizaigne, tél. 02.54.04.02.09, fax 02.54.04.01.33 r.-v.

GUY MALBETE 2000

■ 3 ha 20 000 5à8€

Chez Guy Malbète, la vendange rouge est manuelle et égrappée. Nous découvrons dans son 2000 les arômes à tendance végétale du pinot noir, avec des épices. En bouche, des tanins encore un peu jeunes soulignent la cerise et le sous-bois, mais seront fondus à l'automne pour donner un reuilly gouleyant. (30 à 49 F)

EARL Guy Malbète, 16, chem. du Boulanger, Bois-Saint-Denis, 36260 Reuilly, tél. 02.54.49.25.09, fax 02.54.49.27.49 r.-v.

JOSEPH MELLOT Les Milets 1999

□ n.c. n.c. 5à8€

Alexandre Mellot rappelle sur ses étiquettes que sa maison est née en 1513. Avec ce 99, nous sommes sur des arômes déjà évolués, fruits confits, prune, cire. Bien en cohérence, une agréable douceur s'empare du palais. Une certaine vivacité lui apporte la fraîcheur et montre sa bonne tenue. Peut être bu sans attendre. (30 à 49 F)

SA Joseph Mellot, rte de Ménétréol, BP 13, 18300 Sancerre, tél. 02.48.78.54.54, fax 02.48.78.54.55, e-mail alexandre@joseph-mellot.fr t.l.j. sf sam. dim. 8h-12h 13h30-17h30

DOM. VALERY RENAUDAT 2000*

□ 0,7 ha 3 500 5à8€

Jeune vigneron tout récemment installé (1999), Valéry Renaudat nous offre une belle gerbe d'arômes, de fleurs blanches, de genêt et d'agrumes. Les sensations gustatives sont amenées avec beaucoup de souplesse et de volume. Un vin de charme au fort potentiel. (30 à 49 F)

Valéry Renaudat, Seresnes, 36260 Diou, tél. 02.54.49.21.44, fax 02.54.49.30.42 r.-v.

JACQUES RENAUDAT 2000**

■ 3,12 ha 18 000 5à8€

Une vieille demeure restaurée vous attend pour réserver ce superbe reuilly d'un pourpre violacé intense, émaillé de quelques reflets cerise noire. Le nez, riche, très fruité (mûre, cassis) s'ouvre après aération. Les tanins fondus procurent ampleur et gras. Tout est connivence dans ce vin qu'il faudra savoir oublier quelques années. (30 à 49 F)

Jacques Renaudat, Seresnes, 36260 Diou, tél. 02.54.49.21.44, fax 02.54.49.30.42 t.l.j. 8h-12h 14h-19h; dim. sur r.-v.

DOM. DE REUILLY 2000*

■ 3,7 ha 30 000 5à8€

Rubis par sa couleur, rouge par les fruits qu'il évoque, il a aussi un infime reflet violet et une discrète note de violette. Les tanins sont encore nerveux. Bien élaboré, ce reuilly s'affinera au cours de l'élevage. Les **blancs 2000** pourront retenir votre intérêt : la cuvée **domaine** avec une étoile et la cuvée **Les Pierres Plates**, citée. (30 à 49 F)

SCE Dom. de Reuilly, chem. des Petites-Fontaines, 36260 Reuilly, tél. 02.38.66.16.74, fax 02.38.66.74.69, e-mail denis.jamain@wanadoo.fr t.l.j. 8h-18h

Jamain

JEAN-MICHEL SORBE 2000**

◪ 3 ha 20 000 5à8€

Déjà dans l'apparence, saumoné soutenu et brillant, il a de la séduction. Les arômes sont enchanteurs, dansant sur la rose et la pêche jaune. La bouche, pleine, persiste longtemps sur un fruit frais croquant. A apprécier avec un dessert glacé. Le **reuilly blanc 2000** est réussi et cité sans étoile. (30 à 49 F)

SARL Jean-Michel Sorbe, La Quervée, 18120 Preuilly, tél. 02.48.51.99.43, fax 02.48.51.35.47 r.-v.

JACQUES VINCENT 2000*

□ 2,5 ha 18 000 5à8€

Si le **rosé** réussit régulièrement à passer la rampe (il obtient une fois encore une citation pour ses arômes persistants avec le **2000**), c'est le blanc qui a davantage séduit cette année. La nuance or est à peine marquée, mais les odeurs de bourgeon de cassis sont puissantes. Sans doute s'estomperont-elles au cours de l'élevage pour laisser plus de place au floral et à l'épicé. L'ensemble est souple, équilibré et très enjoué. (30 à 49 F)

Jacques Vincent, 11, chem. des Caves, 18120 Lazenay, tél. 02.48.51.73.55, fax 02.48.51.14.96 t.l.j. 9h-12h 14h-19h; dim. sur r.-v.

LOIRE

Sancerre

Sancerre, c'est avant tout un lieu prédestiné dominant la Loire. Sur onze communes, s'étend un magnifique réseau de collines parfaitement adaptées à la viticulture, bien orientées, exposées et protégées, et dont les sols calcaires ou siliceux conviennent à la vigne et contribuent à la qualité des vins ; 2 541 ha sont plantés et ont produit environ 162 632 hl en 2000 dont 129 774 hl de vin blanc.

Deux cépages règnent à Sancerre : le sauvignon blanc et le pinot noir, deux raisins éminemment nobles, capables de traduire l'esprit du milieu et du terroir, d'exprimer au mieux les dons des sols qui s'épanouissent dans des blancs (les plus nombreux) frais, jeunes, fruités ; dans des rosés tendres et subtils ; dans des rouges légers, parfumés, enveloppés.

Mais Sancerre, c'est aussi un milieu humain particulièrement attachant. Il n'est pas facile, en effet, de produire un grand vin avec le sauvignon, cépage de deuxième époque de maturité, non loin de la limite nord de la culture de la vigne, à des altitudes de 200 à 300 m qui influencent encore le climat local et sur des sols qui comptent parmi les plus pentus de notre pays, d'autant plus que les fermentations se déroulent dans une conjoncture délicate de fin de saison tardive !

On appréciera particulièrement le sancerre blanc sur les fromages de chèvre secs, comme l'illustre « crottin » de Chavignol, village lui-même producteur de vin, mais aussi sur les poissons ou les entrées chaudes peu épicées ; les rouges iront sur les volailles et les préparations locales de viandes.

DOM. AUCHERE 2000*

□ 2 ha 15 000 8à11€

Le domaine familial se niche au cœur d'un cirque naturel où la vigne prospère. Cette cuvée, issue de vieilles vignes, exprime des arômes d'agrumes et d'acacia. Sa vivacité et sa longueur mettront en valeur un plateau de fruits de mer. (50 à 69 F)

Jean-Jacques Auchère, 18, rue de l'Abbaye, 18300 Bué, tél. 02.48.54.15.77, fax 02.48.78.03.46 r.-v.

B. BAILLY-REVERDY 1999*

■ 5 ha 27 000 5à8€

Douze mois de fût pour ce 99 paré d'une belle robe rubis aux reflets tuilés, et au nez fruité (prune) et poivré. La bouche est puissante mais ronde et souple, animée par des arômes de fruits (cerise) et de violette. Un vin à boire dès la sortie du Guide sur des viandes blanches. (30 à 49 F)

SA Bailly-Reverdy, 43, rue de Vénoize, 18300 Bué, tél. 02.48.54.18.38, fax 02.48.78.04.70 r.-v.

DOM. JEAN-PAUL BALLAND 1999*

■ 4,5 ha 30 000 8à11€

Signé par une valeur sûre du Sancerrois, ce vin rouge issu de raisins récoltés manuellement est partiellement vinifié en fût. Son élevage lui confère des notes vanillées, torréfiées qui se fondent aux fruits rouges. En bouche, il évolue vers le musc. A apprécier sur du gibier. Citée, la **Grande Cuvée 99 en blanc (70 à 99 F)** : ses très vieilles vignes s'expriment au travers du fruit et de son équilibre. (50 à 69 F)

Dom. Jean-Paul Balland, chem. de Marloup, 18300 Bué, tél. 02.48.54.07.29, fax 02.48.54.20.94, e-mail balland.jean.paul@wanadoo.fr r.-v.

PASCAL BALLAND 1999*

□ 7,5 ha 50 000 5à8€

Depuis 1984, Pascal Balland continue l'œuvre familiale séculaire. Il a très bien réussi ce 99 au nez puissant et fin à la fois ; des notes fruitées, florales (chèvrefeuille), empyreumatiques et légèrement minérales constituent sa palette. La bouche, vive et surtout très ample, tire sur les agrumes et le poivre. (30 à 49 F)

EARL Pascal Balland, 18300 Bué, tél. 02.48.54.22.19, fax 02.48.78.08.59 t.l.j. 8h-19h; dim. 14h-19h

JOSEPH BALLAND-CHAPUIS
Le Chatillet 2000**

□ 4 ha 32 000 5à8€

Le domaine Joseph Balland-Chapuis se distingue encore cette année par deux belles cuvées 2000. Le Chatillet, aux arômes de beurre et de café, vous surprendra par sa richesse, sa complexité. En bouche, les notes de torréfaction succèdent à la fraîcheur des agrumes. Atypique, ce vin n'en est pas moins remarquable. A découvrir. Quant au **Vallon blanc (50 à 69 F)**, une étoile, il dévoile des notes minérales et fruitées à souhait. Sa vivacité et sa rondeur en font un vin typique du millésime. (30 à 49 F)

SARL Joseph Balland-Chapuis, La Croix-Saint-Laurent, 18300 Bué, tél. 02.48.54.06.67, fax 02.48.54.07.97 r.-v.

CEDRICK BARDIN 2000*

□ 3,2 ha 25 000 8à11€

Le vignoble familial s'étend sur les deux rives de la Loire : au nord, sur l'appellation pouilly-sur-loire, au sud sur les coteaux du Sancerrois. A déguster cet hiver, ce 2000 est particulièrement floral avec quelques notes végétales. Son attaque vive est vite relayée par la rondeur. Un ensemble plein de charme. (50 à 69 F)

Cédrick Bardin, 12, rue Waldeck-Rousseau, 58150 Pouilly-sur-Loire, tél. 03.86.39.11.24, fax 03.86.39.16.50 r.-v.

ROGER BONTEMPS ET FILLES
Cuvée Josyane Bontemps 2000

□ 0,3 ha 1 600 8à11€

L'exploitation est aux mains de la famille Bontemps depuis 1852. Ce vin est marqué par des notes typiques du sauvignon : genêt et agrumes. La bouche est puissante et charpentée ; on y retrouve les arômes du nez avec des senteurs de foin humide. (50 à 69 F)

Roger Bontemps et Filles, rte de Sancerre, 18300 Ménétréol-sous-Sancerre, tél. 02.48.54.25.41, fax 02.48.54.07.63 t.l.j. 8h-12h 14h-18h

HENRI BOURGEOIS
La Côte des Monts Damnés 2000★★

☐ 3,1 ha 18 000 11 à 15 €

Le vaste domaine Henri Bourgeois compte 65 ha. Pilier du Sancerrois, il propose deux très beaux sancerre blancs, tous deux issus des coteaux argilo-calcaires des Monts Damnés. La nouveauté en 2000 ? La mise en service d'un chai gravitaire et panoramique. La Côte des Monts Damnés se dévoile d'abord par la finesse de son nez où se mêlent la pêche, le pamplemousse, puis par sa fraîcheur et sa vivacité rehaussées par le fruité et le mentholé. Très réussie aussi, la **Grande Réserve (50 à 69 F)**, plus proche de son terroir comme le révèlent les notes minérales de ce vin qui accompagnera des viandes blanches. (70 à 99 F)

Dom. Henri Bourgeois, Chavignol, 18300 Sancerre, tél. 02.48.78.53.20, fax 02.48.54.14.24, e-mail domaine@bourgeois-sancerre.com ☑ ⵖ r.-v.

DOM. HUBERT BROCHARD 2000★★

☐ 25 ha 200 000 8 à 11 €

Le vignoble de ce domaine s'étend sur les meilleurs terroirs du Sancerrois. La cuvée principale, typique de l'appellation, exprime une belle harmonie. Son caractère sec et fruité est renforcé par un bon équilibre et des notes minérales. Un avenir certain. La **cuvée Silex (70 à 99 F)**, citée, issue de vieilles vignes plantées sur silex, exhale des arômes de fruits exotiques et de pierre à fusil jusque dans une longue finale. (50 à 69 F)

Dom. Henry Brochard, Chavignol, 18300 Sancerre, tél. 02.48.78.20.10, fax 02.48.78.20.19, e-mail domaine-hubertbrochard@wanadoo.fr ☑

DOM. DES BUISSONNES 2000

■ 1,85 ha 8 000 8 à 11 €

A l'ouest des bois de Charmes, Sury-en-Vaux accueille les amateurs de circuits pédestres. Cette cave propose un vin à attendre : une belle robe rubis foncé, un nez intense de fruits rouges et noirs (griotte, mûre, fraise des bois) et une bouche riche, bien structurée, mais présentant le défaut de sa jeunesse : des tanins un peu austères. (50 à 69 F)

Cave Roger Naudet, SCEA des Buissonnes, Maison Sallé, 18300 Sury-en-Vaux, tél. 02.48.79.34.68, fax 02.48.79.34.68 ☑ ⵖ t.l.j. 8h30-12h 14h-18h

ROGER CHAMPAULT Les Pierris 2000

■ 7 ha 55 000 8 à 11 €

Pour déguster cette bouteille, vous serez accueilli dans un beau colombier du XVIᵉs. Les Pierris est un vin issu d'un sol argilo-calcaire, au nez fruité et animal, au corps ample, sans agressivité. A servir sur des viandes blanches. (50 à 69 F)

Roger Champault et Fils, Champtin, 18300 Crézancy-en-Sancerre, tél. 02.48.79.00.03, fax 02.48.79.09.17 ☑ ⵖ r.-v.

DANIEL CHOTARD 2000★★

◪ 0,64 ha 5 000 8 à 11 €

Les ancêtres de Daniel Chotard étaient vignerons bien avant 1789. Passionné de musique, jouant de l'accordéon et de la guitare, celui-ci organise des rendez-vous musicaux en cave au cours desquels il fait découvrir sa production. Cet harmonieux rosé, très expressif, conjugue finesse, fraîcheur et gras. Ses notes de fraise s'accorderont aux salades exotiques. Très réussi, le **rouge 99** exprime délicieusement le pinot noir. Issu d'une vendange bien mûre, il est tout en fruits rouges, avec un soupçon de vanille. (50 à 69 F)

Daniel Chotard, Hameau de Reigny, 18300 Crézancy-en-Sancerre, tél. 02.48.79.08.12, fax 02.48.79.09.21, e-mail daniel.chotard@wanadoo.fr ☑ ⵖ r.-v.

COMTE DE LA PERRIERE 2000★

☐ 5 ha 35 000 8 à 11 €

Un tiers des parcelles de cette propriété (10 ha sur 30 ha) repose sur des silex. Ce vin exprime son terroir au travers de notes minérales. Sa vivacité, sa rondeur en feront un accompagnement de choix pour des poissons en sauce et des fromages bien affinés. A découvrir également, la cuvée **Mégalithe 99 (70 à 99 F)** au nez complexe, à l'équilibre bois-fruité intéressant. (50 à 69 F)

SA Pierre Archambault, Caves de la Perrière, 18300 Verdigny, tél. 02.48.54.16.93, fax 02.48.54.11.54 ☑ ⵖ r.-v.

J.-L. Saget

DOM. ROBERT ET MARIE-SOLANGE CROCHET 2000★

◪ 0,6 ha 4 800 5 à 8 €

Ce vin rosé séduit par une belle robe rose orangé et par ses arômes de fruits rouges, dont la fraise. Son équilibre et sa longueur sont très réussis. En blanc, la cuvée **Le Chêne Marchand (50 à 69 F)** et **la cuvée principale du domaine (30 à 49 F)**, citées, au nez de poire, d'agrumes pour la première, plus minéral pour la seconde, témoignent du sérieux de la maison. (30 à 49 F)

Robert et Marie-Solange Crochet, Marcigoué, 18300 Bué-en-Sancerre, tél. 02.48.54.21.77, fax 02.48.54.25.10 ☑ ⵖ t.l.j. 9h-19h; dim. sur r.-v.

DANIEL CROCHET 2000

☐ 2,5 ha 20 000 5 à 8 €

Teinte or pâle brillante. Nez agréable avec des nuances de fleurs blanches, et de rhubarbe. Bouche souple, riche et florale : voici le portrait de ce vin né sur caillottes (pierres blanches), à essayer en apéritif. (30 à 49 F)

Daniel Crochet, 61, rue de Venoize, 18300 Bué, tél. 02.48.54.07.83, fax 02.48.54.27.36 ☑ ⵖ t.l.j. 9h-12h 14h-19h

DOM. DOMINIQUE ET JANINE CROCHET 2000

■ 2,5 ha 15 000 8 à 11 €

Ce vin rouge possède un certain potentiel comme le suggère sa belle robe rubis. Toutefois, il faudra patienter un peu afin qu'il s'exprime au mieux. Déjà il exhale des arômes de cerise et de framboise. La bouche est équilibrée, charpentée, et se livre peu. Attendre le printemps 2002. (50 à 69 F)

Dom. Dominique et Janine Crochet, 64, rue de Venoize, 18300 Bué-en-Sancerre, tél. 02.48.54.19.56, fax 02.48.54.12.61 t.l.j. 8h-12h 14h-19h

DOM. DAULNY

Le Clos de Chaudenay 1999*

□ 1 ha 7 500 8 à 11 €

Issue de vignes plantées sur sol argilo-calcaire, la **cuvée principale 2000 (30 à 49 F)**, une étoile, aux reflets or pâle, séduira les amateurs de sancerre par son nez intense, fruité, qui se prolonge en bouche par un bel équilibre. Très réussie, cette cuvée Clos de Chaudenay 99 est née de vieilles vignes plantées sur marnes kimméridgiennes. Une superbe robe dorée, un nez complexe mêlant les fleurs blanches, la pêche, la cire et, pour finir, une bouche ample et très agréable, signent une très belle bouteille. (50 à 69 F)

Etienne Daulny, Chaudenay, 18300 Verdigny, tél. 02.48.79.33.96, fax 02.48.79.33.39 r.-v.

DOM. VINCENT DELAPORTE ET FILS

Vieilles vignes Fût de chêne Cuvée Maxime 2000*

□ 1 ha 5 000 8 à 11 €

Le village de Chavignol est plein de charme ; il est aussi célèbre pour le crottin, fromage de chèvre AOC d'une rare finesse, que pour le vignoble qui l'entoure, planté sur des coteaux superbes. Elevée en fût, cette cuvée offre un nez intense à dominante empyreumatique, avec des notes vanillées et une présence subtile de fruits exotiques. Sa bouche est fine, bien équilibrée. A attendre deux ans avant de la marier à un homard aux épices. Le vin du **domaine (30 à 49 F)**, qui ne connaît pas le bois, se distingue par ses notes florales et muscatées qui persistent longuement. Il reçoit une étoile et pourra être servi dès cet automne à vos amis afin de leur faire découvrir le sancerre. (50 à 69 F)

SCEV Vincent Delaporte et Fils, Chavignol, 18300 Sancerre, tél. 02.48.78.03.32, fax 02.48.78.02.62 r.-v.

DOM. DOUDEAU-LEGER 2000**

◪ 0,09 ha 700 5 à 8 €

Sury mérite un détour, tant pour le paysage environnant que pour le bourg lui-même et son église. A déguster sur les grillades automnales, ce rosé au nez intense de fraise se distingue en bouche par son ampleur, son expression et son équilibre. Très réussi aussi, le **blanc 2000** aux arômes tout en finesse de fleurs blanches et de poire. Vif en attaque, il s'arrondit élégamment ensuite. (30 à 49 F)

Dom. Doudeau-Léger, Les Giraults, 18300 Sury-en-Vaux, tél. 02.48.79.32.26, fax 02.48.79.29.80 r.-v.

Pascal Doudeau

GERARD FIOU

La Cabarette Cuvée Silex 1999

□ 0,3 ha 1 500 11 à 15 €

Sur l'étiquette on voit une femme en frac et haut de forme saluer en scène : La Cabarette est déjà une invitation à la dégustation lors d'une soirée entre amis. Assemblage d'un vin vinifié en cuves Inox et d'un vin élevé sur lies fines en fût de chêne pendant dix mois, cette cuvée peut encore vieillir pour permettre au boisé de se fondre mais déjà apparaissent les notes végétales et minérales. La bouche est bien charpentée et ronde. (70 à 99 F)

Gérard Fiou, 13-15, rue Hilaire-Amagat, 18300 Saint-Satur, tél. 02.48.54.16.17, fax 02.48.54.36.89 r.-v.

CH. DE FONTAINE-AUDON 2000*

□ 8,36 ha 70 000 8 à 11 €

Entièrement regroupé autour du château, le vignoble est établi en demi-coteau exposé plein sud à Sainte-Gemme, au nord du Sancerrois. Les sauvignons sont plantés sur un sol argilo-siliceux (silex) qui s'exprime dans ce vin par des notes minérales. Jeune par sa robe jaune pâle à reflets verts, celui-ci présente un nez complexe où se mêlent les fleurs blanches, le minéral et le végétal. L'attaque est vive et franche. Son acidité en fera un bon accompagnement des crustacés. (50 à 69 F)

Langlois-Chateau, 3, rue Léopold-Palustre, 49400 Saint-Hilaire-Saint-Florent, tél. 02.41.40.21.40, fax 02.41.40.21.49, e-mail langlois.chateau@wanadoo.fr

FOURNIER 2000*

□ 15,57 ha 120 000 5 à 8 €

Le hameau de Chaudoux se trouve sur la D 134 au nord de Verdigny. La famille Fournier présente ici une cuvée très harmonieuse, parée d'une belle robe or pâle. Vous aimerez sa palette aromatique complexe, au nez et en bouche, qui décline des fleurs blanches, des fruits (ananas) et surtout un côté citronné qui s'accordera bien aux fruits de mer et aux poissons de Loire. (30 à 49 F)

Fournier Père et Fils, Chaudoux, BP 7, 18300 Verdigny, tél. 02.48.79.35.24, fax 02.48.79.30.41, e-mail claude@fournier-père-fils.fr t.l.j. 8h-18h30; sam. dim. sur r.-v.

GFA Chanvrières

DOM. MICHEL GIRARD ET FILS 2000**

◪ 0,65 ha 5 000 8 à 11 €

Cette propriété de 13 ha appartient aux Girard depuis sept générations. Elle propose ici un rosé élaboré à partir de pinot noir, bien dans le style de l'appellation : robe rose orangé, arômes fins et fruités (fraise, framboise), bouche

toujours fruitée (fraise, agrumes), riche et persistante. Le **sancerre rouge 2000** du domaine obtient une citation ; d'une belle couleur rubis, il exhale des nuances végétales et de cerise. En bouche, sa légèreté et des arômes fruités en font un vin de plaisir immédiat. (50 à 69 F)
Dom. Michel Girard et Fils, Chaudoux, 18300 Verdigny, tél. 02.48.79.33.36, fax 02.48.79.33.66 r.-v.

DOM. DES GRANDES PERRIERES
Vieilles vignes 2000

☐ 1 ha 7 000 8à11€

Cette cuvée est issue de plants de plus de vingt-cinq ans. Un nez de fleurs blanches et d'agrumes, une bouche vive, grasse, où se retrouvent les arômes du nez, composent une bouteille harmonieuse à servir sur des viandes blanches. (50 à 69 F)
Jérôme Gueneau, Dom. des Grandes-Perrières, 18300 Sury-en-Vaux, tél. 02.48.79.39.31, fax 02.48.79.40.27 r.-v.

PASCAL JOLIVET La Grande Cuvée 1998

☐ 1,7 ha 9 000 15à23€

Créée en 1986, cette jeune maison de négoce s'est dotée d'une nouvelle cuverie en 1999. Après un coup de cœur reçu l'an dernier pour le 98, la cuvée **Le Chêne Marchand blanc 99 (70 à 99 F)** obtient une citation, tout comme cette Grande Cuvée de couleur or, au nez assez évolué malgré la présence d'arômes floraux. Equilibrée, avec une acidité bien présente lui conférant une belle fraîcheur en bouche, elle est à goûter dès à présent. (100 à 149 F)
Pascal Jolivet, rte de Chavignol, 18300 Sancerre, tél. 02.48.27.28.29, fax 02.48.27.28.20, e-mail info@pascal-jolivet.com t.l.j. sf sam. dim. 9h-12h 14h-17h

DOM. DE LA GARENNE 2000*

☐ 6,5 ha 52 000 8à11€

A sa création en 1978, la cuvée Domaine de la Garenne était destinée exclusivement à l'exportation. Maintenant vous pouvez la trouver dans l'Hexagone. Elle présente un nez intense et fin marqué par les fruits exotiques et les agrumes. Après une attaque vive, elle se montre riche, équilibrée et longue. (50 à 69 F)
Bernard-Noël Reverdy, Dom. de la Garenne, 18300 Verdigny-en-Sancerre, tél. 02.48.79.35.79, fax 02.48.79.32.82 r.-v.

SERGE LALOUE
Silex Cuvée réservée 2000*

☐ 2 ha 13 000 8à11€

Serge et Franck Laloue règnent sur 18 ha de vignes plantées sur un sol à dominante argilo-siliceuse. C'est là qu'ils puisent l'essence même de leur cuvée Silex. D'une couleur or pâle, celle-ci se dévoile discrètement au nez grâce aux arômes tout en finesse : seringa, orange, notes végétales. Frais et vif en bouche, le vin gagnera à s'ouvrir avec le temps. Citons par ailleurs le **rouge 99**, un vin non filtré, au nez très flatteur, fait de notes empyreumatiques, de sous-bois et de réglisse. (50 à 69 F)
Serge Laloue, Thauvenay, 18300 Sancerre, tél. 02.48.79.94.10, fax 02.48.79.92.48, e-mail laloue@terre-net.fr r.-v.

DOM. LA MOUSSIERE 2000*

☐ 25 ha 150 000 8à11€

Alphonse Mellot conduit un vaste vignoble de 48 ha. Il réussit ici une belle vinification. Les agrumes, l'anis, la réglisse se dégagent de ce vin à la robe or pâle aux reflets dorés. Générosité et équilibre caractérisent la bouche où reviennent les agrumes. Et pour redécouvrir le **millésime 99, la Génération XIX (100 à 149 F)**, aux notes minérales, empyreumatiques et vanillées ; les tanins du bois se fondent bien dans une bouche vive en attaque, ronde en finale. (50 à 69 F)
Alphonse Mellot, Dom. La Moussière, 18300 Sancerre, tél. 02.48.54.07.41, fax 02.48.54.07.62, e-mail mellot@sfiedi.com r.-v.

DOM. DE LA PERRIERE 2000*

☐ 7 ha 55 000 8à11€

Ce vin traduit bien son cépage d'origine, le sauvignon, par ses arômes d'agrumes, d'asperge, de buis, de fleurs blanches et de fruits exotiques. Elégant, fruité et complexe, il est équilibré et peut être servi en toutes occasions : à l'apéritif, sur un sandre avec un sabayon épicé... (50 à 69 F)
Dom. de La Perrière, Cave de la Perrière, 18300 Verdigny, tél. 02.48.54.16.93, fax 02.48.54.11.54 r.-v.
SA Pierre Archambault

DOM. SERGE LAPORTE 1999

☐ 2,5 ha 16 000 8à11€

La cave est située au cœur du village de Chavignol. Né sur argilo-calcaire et caillottes (pierres blanches), ce vin offre un nez élégant et complexe, composé de notes végétales, d'agrumes, de gingembre et d'amande douce, et a conservé toute sa fraîcheur. Les notes citronnées et minérales persistent longuement. (50 à 69 F)
Dom. Serge Laporte, Chavignol, 18300 Sancerre, tél. 02.48.54.30.10, fax 02.48.54.28.91 r.-v.

DOM. LES GRANDS GROUX 2000

☐ 8,03 ha 35 000 8à11€

En 2000, Benoît Fouassier a rejoint ses aînés sur l'exploitation. Cette cuvée retient l'attention par son nez intense de fruits blancs mêlés à une pointe d'épices et surtout à des agrumes (citron, pamplemousse). La bouche est souple, assez vive ; la finale citronnée. Citons aussi la cuvée **Le Clos de Bannon blanc 2000** qui se distingue par la tonicité de ses arômes et de sa structure. (50 à 69 F)
SA Fouassier Père et Fils, 180, av. de Verdun, 18300 Sancerre, tél. 02.48.54.02.34, fax 02.48.54.35.61, e-mail fouassier@terre-net.fr t.l.j. 9h-12h 14h-18h

LOIRE

DOM. RENE MALLERON 2000*

◪ 0,86 ha 7 400 ▮ 11 à 15 €

Champtin, hameau rattaché à Crézancy, est très agréable. Chèvres, polyculture côtoient la vigne qui a donné ici un rosé de belle qualité. Seul 1 ha sur les 13 ha de l'exploitation familiale est consacré à ce vin issu de récoltes manuelles. La robe est pelure d'oignon, la puissance et le corps n'empêchent pas le fruité et la finesse. (70 à 99 F)

Dom. René Malleron, Champtin, 18300 Crézancy-en-Sancerre, tél. 02.48.79.06.90, fax 02.48.79.42.18 ☑ Y r.-v.

THIERRY MERLIN-CHERRIER

Le Chêne Marchand 1999

□ 0,8 ha 2 000 ▮ 8 à 11 €

Au fond de son vallon, le village de Bué est situé à 5 km au sud-ouest de Sancerre. Vous y trouverez cette cave qui invite à redécouvrir le millésime 99 avec deux vins bien représentatifs. Tout d'abord, ce blanc, produit sur un terroir calcaire ; or pâle dans le verre, il libère des arômes de pêche et de fruits, un peu évolués. La bouche est vive en attaque et s'arrondit ensuite. Le **99 du domaine en rouge** se montre classique, offrant les caractères d'un pinot né sur argilo-calcaire ; la robe rubis légèrement tuilée annonce son âge. Des arômes de fruits rouges bien mûrs accompagnent une bouche légère. A boire cet automne. (50 à 69 F)

Thierry Merlin-Cherrier, 43, rue Saint-Vincent, 18300 Bué, tél. 02.48.54.06.31, fax 02.48.54.01.78 Y t.l.j. sf dim. 9h-12h 14h-18h; f. 15-31 août

DOM. PAUL MILLERIOUX 2000

□ 13,5 ha 90 000 ▮ 🌡 8 à 11 €

Paul Millerioux est un passionné de son art : il vous contera volontiers l'histoire de l'appellation. Il vous fera découvrir ce vin franc, au nez typique du sancerre et à la bouche persistante, vive en attaque, qui présente des notes de buis, de genêt et finit sur l'anis. (50 à 69 F)

Paul Millerioux, Champtin, 18300 Crézancy-en-Sancerre, tél. 02.48.79.07.12, fax 02.48.79.07.63, e-mail millerio@terre-net.fr ☑ Y t.l.j. 8h-12h 14h-20h; dim. sur r.-v.

DOM. FRANCK MILLET 2000*

■ 2 ha 15 000 ▮ ⦀ 🌡 8 à 11 €

Vedette d'un reportage du JT de 20 heures sur France 2, Franck Millet nous dit qu'il n'a que des clients sympathiques. Vous devez, cher lecteur, en faire partie : ce vin brille par sa couleur rubis foncé, qui révèle la maturité du raisin. Les fruits rouges jaillissent au nez et se retrouvent aussi en bouche. Bien équilibrée, celle-ci est ronde et fine à la fois, dotée de tanins bien fondus. A déguster selon vos envies sur des viandes ou de la charcuterie. (50 à 69 F)

Franck Millet, rue Saint-Vincent, 18300 Bué, tél. 02.48.54.25.26, fax 02.48.54.39.85, e-mail franck.millet@wanadoo.fr ☑ Y r.-v.

DOM. GERARD MILLET 2000*

□ 12,5 ha 109 000 ▮ 🌡 8 à 11 €

Gérard Millet, coup de cœur dans le Guide 2000, vous propose ce vin tout en finesse. Discrète, sa robe jaune pâle à reflets verts attire. Délicates, ses fragrances de fleurs des prés au printemps séduisent. Longue, sa bouche comble de plaisir. Sa vivacité renforce la persistance des arômes. (50 à 69 F)

Gérard Millet, rte de Bourges, 18300 Bué, tél. 02.48.54.38.62, fax 02.48.54.13.50, e-mail gmillet@terre-net.fr ☑ Y r.-v.

FLORIAN MOLLET 2000**

□ n.c. 16 000 ▮ 🌡 8 à 11 €

Première récolte pour Florian Mollet, première entrée dans le Guide ! Son sancerre se distingue par son intensité : le nez fruité, légèrement muscaté, trouve un bel écho en bouche, vive en attaque, puis agréablement ronde et persistante, assez chaleureuse. A découvrir aussi, la **cuvée Le Roc de l'Abbaye en blanc**, minérale, exprimant son terroir d'argile à silex, avec des notes de pamplemousse. (50 à 69 F)

EARL Clos du Roc, 84, av. de Fontenay, 18300 Saint-Satur, tél. 02.48.54.02.26, fax 02.48.54.02.26 ☑ Y t.l.j. 9h-12h 14h-18h; dim. sur r.-v.

ROGER MOREUX

Les Monts Damnés 1999*

□ 1 ha 6 000 ▮ 🌡 8 à 11 €

Roger Moreux a réussi un beau vin qui révèle l'âme de son terroir, le célèbre lieu-dit des Monts Damnés. Ce 99 est très intense et très complexe au nez ; tout se bouscule dans le verre : des fleurs, des fruits blancs (pêche), exotiques (litchi, mangue), du minéral, de la vanille. Un vrai cocktail aussi en bouche où, après une attaque vive, la puissance aromatique se développe. (50 à 69 F)

Roger Moreux, Chavignol, 18300 Sancerre, tél. 02.48.54.05.79, fax 02.48.54.09.55, e-mail moreux912@aol.com ☑ Y t.l.j. 8h-12h 14h-19h; dim. 8h-12h

MOULIN DES VRILLERES

Perle blanche 1999*

□ n.c. 6 000 ▮ 🌡 5 à 8 €

D'une faible intensité à l'œil, ce vin surprend davantage par ses arômes tout en finesse : notes minérales et de fleur d'acacia nuancées par la fougère et le buis. En bouche, il révèle ses origines par son côté très minéral. Il est vif et bien équilibré. (30 à 49 F)

Christian Lauvergeat, SCEA Moulin des Vrillères, 18300 Sury-en-Vaux, tél. 02.48.79.38.28, fax 02.48.79.39.49, e-mail lauvergeatchristian@wanadoo.fr ☑ Y r.-v.

DOM. DU NOZAY 2000**

□ 6 ha 45 000 ▮ 5 à 8 €

Implanté dans un vaste cirque, le vignoble de Philippe de Benoist est d'un seul tenant. Appartenant à une famille de longue tradition militaire, celui-ci a choisi il y a trente ans la carrière des vignes, s'installant dans un château du

XVIIIe s. Ses deux cuvées ont été sélectionnées. L'une, le **Château du Nozay blanc 2000 (50 à 69 F)** est commercialisée par le négociant Pascal Jolivet qui a lui-même choisi son assemblage. Elle est superbe, plus chère ; un vrai sancerre sec. L'autre, celle-ci, est peut-être davantage faite pour les Anglo-Saxons : sucres résiduels, 2,8 g/l. Rond, plein, ce vin offre une belle expression du terroir et du raisin. Sa palette mêle mirabelle, coing et fleurs blanches (acacia). Du caractère. (30 à 49 F)

Philippe de Benoist, Dom. du Nozay, Ch. du Nozay, 18240 Sainte-Gemme-en-Sancerrois, tél. 02.48.79.30.23, fax 02.48.79.36.64, e-mail nozay@aol.com r.-v.

PAUL PRIEUR ET FILS 2000★★

9,28 ha 80 000 8 à 11 €

Cette famille a ses racines à Verdigny où est installé un musée du Vigneron. Paul, Didier et Philippe Prieur ont proposé trois vins, tous retenus. Le préféré est ce remarquable blanc aux reflets verts, au nez complexe et élégant (lys, pêche, litchi, genêt, pamplemousse), qui dévoile en bouche un bel équilibre, de la vivacité renforcée par le côté agrumes. Il a manqué de peu le coup de cœur. Le **rouge 99**, fort réussi (une étoile), est très fruité et bien structuré. Enfin, un **rosé 2000**, fin et fruité, obtient une citation. (50 à 69 F)

Dom. Paul Prieur et Fils, rte des Monts-Damnés, 18300 Verdigny, tél. 02.48.79.35.86, fax 02.48.79.38.85 t.l.j. 9h-12h 14h-18h; dim. sur r.-v.

DOM. DU P'TIT ROY 2000★★

2 ha 10 000 8 à 11 €

Ce vin est vinifié à partir du pinot noir implanté sur les célèbres caillottes sancerroises. D'une belle intensité cerise à reflets violacés, sa robe témoigne d'une bonne maturité, comme le confirment les arômes de griotte et de cassis. La bouche séduit par sa rondeur, son équilibre, ses tanins bien fondus. Une bouteille très élégante. (50 à 69 F)

Pierre et Alain Dezat, Maimbray, 18300 Sury-en-Vaux, tél. 02.48.79.34.16, fax 02.48.79.35.81 r.-v.

NOEL ET JEAN-LUC RAIMBAULT Les Chailloux 2000★

1,5 ha 13 300 5 à 8 €

Les Raimbault ont réussi un beau millésime 2000. Tout d'abord grâce à cette cuvée qui se dévoile par l'intensité de sa palette aromatique faite de notes végétales (buis, genêt), d'agrumes et minérales, que l'on retrouve à la dégustation. L'attaque est souple puis la vivacité apparaît : un vin bien dans le type du millésime. D'un bon potentiel dû à une belle maturité de la vendange, la **cuvée rouge Les Cotelins 2000** obtient une citation pour son joli nez de petits fruits confiturés et d'épices qui s'expriment *mezzo voce*. (30 à 49 F)

Noël et Jean-Luc Raimbault, Lieu-dit Chambre, 18300 Sury-en-Vaux, tél. 02.48.79.36.56, fax 02.48.79.36.56 r.-v.

DOM. HIPPOLYTE REVERDY 2000★

10 ha 65 000 8 à 11 €

Elégance et complexité sont les deux atouts de ce vin. Ses arômes fleurent bon la pêche, l'écorce d'orange, le citron, le lys, l'anis... L'attaque est franche et vive, le corps souple et fruité, la finale longue. Essayez un méli-mélo de coquillages en cocotte. A découvrir aussi, le **rouge 2000**, très réussi dans sa robe cerise foncé. La maturité des raisins lors de la récolte donne du caractère à cette bouteille : notes de fruits rouges et noirs, tanins présents mais fins, bonne longueur. (50 à 69 F)

Dom. Hippolyte Reverdy, Chaudoux, 18300 Verdigny-en-Sancerre, tél. 02.48.79.36.16, fax 02.48.79.36.65 r.-v.

PASCAL ET NICOLAS REVERDY 2000★★

7 ha 55 000 5 à 8 €

Déjà coup de cœur pour un sancerre rouge 95, les Reverdy réitèrent l'exploit en blanc cette fois. Paré d'une robe jaune pâle, ce 2000 a surpris agréablement le jury par son nez très intense, où les fruits mûrs dominent les agrumes (pamplemousse), le genêt et le buis. La bouche est très équilibrée, tout aussi gourmande que le nez. L'attaque est franche, la finale, très longue et fruitée. « Osez marier ce vin à une sole aux écorces d'oranges confites », suggère un dégustateur. La **cuvée élevée six mois en fût rouge 2000** a également obtenu deux étoiles. Une robe très foncée l'habille. Les arômes de fruits bien mûrs (framboise, cassis, pruneau) et de violette se partagent le nez et la bouche. Au palais, le vin confirme son caractère par des tanins fins mais présents qui demandent une année de garde. (30 à 49 F)

Pascal et Nicolas Reverdy, Maimbray, 18300 Sury-en-Vaux, tél. 02.48.79.37.31, fax 02.48.79.41.48 t.l.j. sf dim. 14h30-19h

DOM. BERNARD REVERDY ET FILS 2000★★

0,83 ha 6 000 8 à 11 €

Présenté au grand jury parmi les rares candidats au coup de cœur, ce rosé de pressurage direct montre tout le savoir-faire des Reverdy : fort beau, il se présente dans une robe claire, presque rose bonbon, et s'exprime par des notes très fruitées tirant sur la confiture. Sec, gras, franc, et toujours très fruité en bouche, il accompagnera vos repas d'automne ou un fromage à pâte molle. Le **sancerre blanc 2000**, aux senteurs d'agrumes et de banane, est rond et plaisant ; il

obtient une étoile et sera destiné à une viande blanche. (50 à 69 F)
Dom. Bernard Reverdy et Fils, rte des Petites-Perrières, Chaudoux, 18300 Verdigny, tél. 02.48.79.33.08, fax 02.48.79.37.93 r.-v.

JEAN REVERDY ET FILS
La Reine Blanche 2000*

□ 9 ha 60 000 8 à 11 €

Cette Reine Blanche reçut le coup de cœur l'an dernier pour le 99. Née sur calcaire et silex, elle porte dans le millésime 2000 une belle couleur jaune pâle à reflets dorés ; le nez intense joue sur les agrumes, sur un fond de miel. Sa vivacité en attaque se laisse oublier grâce à l'extrême rondeur du développement en bouche. (50 à 69 F)
Jean Reverdy et Fils, 18300 Verdigny, tél. 02.48.79.31.48, fax 02.48.79.32.44 r.-v.

CLAUDE RIFFAULT La Noue 2000

■ 2,3 ha 18 000 5 à 8 €

La cuvée La Noue présente une robe rubis intense et brillante. Le nez délivre des notes végétales puis s'ouvre sur les fruits rouges dont la fraise des bois. L'attaque est franche, les tanins fondus, et le fruit marque aussi la bouche ; jeune encore, ce vin a du potentiel. A servir sur un coq au sancerre. (30 à 49 F)
SCEV Claude Riffault, Maison-Sallé, 18300 Sury-en-Vaux, tél. 02.48.79.38.22, fax 02.48.79.36.22 t.l.j. 8h-12h 14h-19h; dim. sur r.-v.

DOM. DU ROCHOY 2000**

□ 8,2 ha 60 000 8 à 11 €

Une robe d'un bel or, un nez dominé par l'écorce d'orange, une bouche vive, ronde et persistante qui rappelle le nez : ce vin très bien équilibré, typique de l'appellation, rehaussera vos poissons grillés. Très réussi, **La Cresle de Laporte blanc 2000**, issu de vignes plantées sur les caillottes (dénomination locale du calcaire), séduit par ses notes de fleurs blanches. (50 à 69 F)
Laporte, Cave de la Cresle, rte de Sury-en-Vaux, 18300 Saint-Satur, tél. 02.48.78.54.20, fax 02.48.54.34.33 r.-v.

DOM. DE SAINT-PIERRE
Cuvée Maréchal Prieur 1999***

■ n.c. 4 400 11 à 15 €

Pierre Prieur et ses fils exploitent des parcelles dans les meilleurs terroirs du sancerre. Elevée un an en fût, cette cuvée a conquis le jury qui l'a plébiscitée. D'un rouge rubis intense et très jeune, elle offre un nez à la fois floral, animal, vanillé et fruité, représentatif d'un sancerre. La bouche est complexe et fine, concentrée et équilibrée. Ce vin exprime le mariage parfait du pinot, du terroir, du bois et du savoir-faire des vignerons. (70 à 99 F)
SA Pierre Prieur et Fils, Dom. de Saint-Pierre, 18300 Verdigny-en-Sancerre, tél. 02.48.79.31.70, fax 02.48.79.38.87 t.l.j. sf dim. 8h30-12h 14h-18h

DOM. DE SAINT-ROMBLE 2000*

□ 7,5 ha 30 000 5 à 8 €

Une robe pâle pour cette bouteille encore très jeune qui ne s'exprime pas encore. La bouche laisse présager un bel avenir : elle a du gras, beaucoup de gras, et une belle longueur. Patience donc ! Citons aussi le **rouge 99 du domaine**, fruité, léger et souple. Ces vins sont commercialisés par Fournier à Verdigny qui exploite ce domaine depuis 1996. (30 à 49 F)
SARL Paul Vattan, Dom. de Saint-Romble, Maimbray, BP 45, 18300 Sury-en-Vaux, tél. 02.48.79.30.36, fax 02.48.79.30.41, e-mail claude@fournier-pere-fils.fr t.l.j. 9h-12h 14h-18h; sam. dim. sur r.-v.

DOM. CHRISTIAN SALMON 1999**

■ 3,33 ha 26 666 8 à 11 €

Le vignoble de Christian Salmon s'étend sur les coteaux argilo-calcaires de la commune de Bué. Son meilleur vin cette année ? Ce sancerre élevé dix-huit mois en fût, qui trouve toute son ampleur maintenant. Des arômes de fruits bien mûrs, torréfiés et vanillés ; une bouche bien équilibrée tirant sur le fruit et le cacao ; des tanins bien fondus dans un très beau mariage du vin et du bois. Sont cités le **rosé 2000**, vif et fruité, et le **blanc 2000**, aux arômes de fleurs et d'agrumes, élégant. (50 à 69 F)
SA Christian Salmon, Le Carroir, 18300 Bué, tél. 02.48.54.20.54, fax 02.48.54.30.36

CAVE DES VINS DE SANCERRE
Cuvée réservée 2000

□ n.c. 13 300 5 à 8 €

Créée en 1963, la coopérative change de siège cette année. Elle propose un vin bien dans le type de son appellation, grâce à son nez intense dominé par le végétal (buis), sur des notes minérales et fruitées. Après une attaque vive et fraîche, le corps se montre rond, avec en finale une pointe d'épices. (30 à 49 F)
Cave des vins de Sancerre, av. de Verdun, 18300 Sancerre, tél. 02.48.54.19.24, fax 02.48.54.16.44, e-mail infos@vins-sancerre.com r.-v.

GERARD ET HUBERT THIROT
Elevé en fût de chêne Cuvée Pierre 1999*

■ 0,5 ha 3 000 8 à 11 €

Les Thirot sont vignerons ici depuis trois siècles. Mais qui est le Pierre de cette cuvée ? Son

passage en fût de chêne lui confère des notes de vanille, de café et de cacao qui accompagnent le fruit. En bouche, l'attaque est souple mais les tanins sont encore très présents ; il faut attendre qu'ils se fondent. (50 à 69 F)
Gérard et Hubert Thirot, allée du Chatiller, 18300 Bué, tél. 02.48.54.16.14, fax 02.48.54.00.42 r.-v.

DOM. THOMAS Le Pierrier 2000*

11,5 ha 70 000 8à11€

Créé au XVIIe s., ce domaine a fait connaître Sancerre à Paris au début du XXe s. Ce vin, au premier nez minéral, développe ensuite une délicate senteur de poire. La bouche est ample, ronde, puissante et équilibrée. La légère amertume s'estompera avec le temps. La cuvée **Terres Blanches rouge 99** est citée : le passage en bois respecte le fruité du raisin. (50 à 69 F)
Dom. Thomas et Fils, Verdigny, 18300 Sancerre, tél. 02.48.79.38.71, fax 02.48.79.38.14 t.l.j. 9h-12h 14h-19h; dim. sur r.-v.

CLAUDE ET FLORENCE THOMAS-LABAILLE Les Aristides Vieilles vignes 2000*

1,5 ha 7 500 8à11€

Une étiquette originale vous invite à déguster Les Aristides. Le nez est discret, fin et agréable, avec des notes fruitées et minérales. La bouche ronde, d'une belle intensité et d'une réelle finesse, s'accordera au célèbre crottin de Chavignol local. La cuvée **L'Authentique 2000** mérite que l'on s'y attarde aussi ; elle est plus minérale et vive et n'a pas connu le bois. (50 à 69 F)
Claude et Florence Thomas-Labaille, Chavignol, 18300 Sancerre, tél. 02.48.54.06.95, fax 02.48.54.07.80 r.-v.

DOM. DES TROIS NOYERS 2000*

7 ha 30 000 8à11€

Un vin d'une belle couleur or pâle, au nez fin et élégant, dominé par le citron et le pamplemousse. La bouche bien équilibrée, vive, est en parfait accord avec l'olfaction. A recommander sur des moules marinières. Elaboré par la même maison, le **Domaine des Trois Noyers rouge 2000** obtient une étoile. En bouche, les fruits dominent (cerise, framboise) même si les tanins sont encore un peu durs. A attendre un peu. (50 à 69 F)
Reverdy-Cadet et Fils, rte de la Perrière, Chaudoux, 18300 Verdigny, tél. 02.48.79.38.54, fax 02.48.79.35.25 r.-v.

DOM. VACHERON 1999**

11 ha 50 000 8à11€

Le domaine Vacheron, un habitué de ce Guide, est niché sur le célèbre piton de Sancerre. Ce vin a été élevé un an en fût, ce qui lui confère des notes de vanille, de café et de torréfaction. Il gagne en ampleur en bouche où les arômes de fruits cuits, de fruit noirs se font explosifs. Du gras, de la matière, une grande persistance. (50 à 69 F)
Dom. Vacheron, rue du Puits-Poulton, 18300 Sancerre, tél. 02.48.54.09.93, fax 02.48.54.01.74 r.-v.

DOM. ANDRE VATAN Maulin Bèle 2000

0,45 ha 3 900 8à11€

Un sancerre à servir avec une pâtisserie. D'une belle couleur pelure d'oignon, il dégage de puissants arômes de fruits exotiques. Citée aussi, la **cuvée Les Charmes en blanc 2000**, jaune à reflets verts. Elle exprime bien le sauvignon : arômes de buis, de genêt, d'agrumes. La bouche est dominée par les fleurs blanches. Un vin fin et vif. (50 à 69 F)
André Vatan, Chaudoux, 18300 Verdigny, tél. 02.48.79.33.07, fax 02.48.79.36.30 r.-v.

DOM. DU VIEUX PRECHE 2000**

0,5 ha 4 700 8à11€

Une très petite cuvée mais un grand vin : ce coup de cœur charme d'emblée par sa robe d'un rouge franc aux nuances pourpres. Les senteurs de fruits rouges bien mûrs (framboise, cassis, cerise) et de cacao persistent longuement en bouche. Souple, ferme, équilibrée, celle-ci laisse présager un bel avenir. (50 à 69 F)
SCEV Robert Planchon et Fils, Dom. du Vieux Prêche, 3, rue Porte-Serrure, 18300 Sancerre, tél. 02.48.54.22.22, fax 02.48.54.09.31 r.-v.

LOIRE

LA VALLEE DU RHONE

Viril et fougueux, le Rhône file vers le Midi, vers le soleil. Sur ses rives, le long des pays qu'il unit plus qu'il ne les divise, s'étendent des vignobles parmi les plus anciens de France, ici prestigieux, plus loin méconnus. La vallée du Rhône est, en production de vins fins, la seconde région viticole de l'Hexagone après le Bordelais. En qualité aussi, elle peut rivaliser sans honte avec certains de ses crus, suscitant l'intérêt des connaisseurs autant que quelques-uns des bordeaux ou des bourgognes les plus réputés.

Longtemps, pourtant, le côtes du rhône fut mésestimé : gentil vin de comptoir un peu populaire, il n'apparaissait que trop rarement aux tables élégantes. « Vin d'une nuit » qu'une si brève cuvaison rendait léger, fruité et peu tannique, il voisinait avec le beaujolais dans les « bouchons » lyonnais ; mais les vrais amateurs appréciaient pourtant les grands crus et goûtaient un hermitage avec tout le respect dû aux plus grandes bouteilles. Aujourd'hui, grâce aux efforts de 12 000 vignerons et de leurs organismes professionnels, en vue d'une constante amélioration de la qualité, l'image des côtes du rhône s'est redressée. S'ils continuent à couler allègrement sur le zinc des bistrots, ils prennent une place de plus en plus grande sur les meilleures tables, et, tandis que leur diversité fait leur richesse, ils ont regagné désormais le succès que l'histoire, déjà, leur avait accordé.

Peu de vignobles sont en effet capables de se prévaloir d'un passé aussi glorieux que ceux-ci, et, de Vienne jusqu'à Avignon, il n'est pas un village qui ne puisse retracer quelques pages parmi les plus mémorables de l'histoire de France. On revendique en outre, aux abords de Vienne, l'un des plus anciens vignobles du pays, développé par les Romains, après avoir été créé par des Phocéens « montés » depuis Marseille. Vers le IV^e^s. avant notre ère, des vignobles étaient attestés dans les secteurs des actuels hermitage et côte rôtie, tandis que ceux de la région de Die apparaissaient dès le début de l'ère chrétienne. Les Templiers, au XII^e^s., ont planté les premières vignes de Châteauneuf-du-Pape, œuvre poursuivie par le pape Jean XXII deux siècles plus tard. Quant aux vins de la Côte du Rhône gardoise, ils connurent une grande vogue aux XVIIe et XVIII^e^s.

Aujourd'hui, dans le secteur méridional, sur la rive gauche du fleuve, le château médiéval de Suze-la-Rousse s'est reconverti au service du vin : l'université du Vin y siège et y organise stages, formation professionnelle et manifestations diverses.

Tout le long de la vallée, les vins sont produits sur les deux rives, certains experts séparant cependant les vins de la rive gauche, plus lourds et capiteux, de ceux de la rive droite, plus légers. Mais on distingue plus généralement deux grands secteurs nettement différenciés : celui des Côtes du Rhône septentrionales, au nord de Valence, et celui des Côtes du Rhône méridionales, au sud de Montélimar, coupés l'un de l'autre par une zone d'environ cinquante kilomètres où la vigne est absente.

Il ne faut pas oublier non plus les appellations voisines de la vallée du Rhône, qui, si elles sont moins connues du grand public, produisent pourtant des vins originaux et de qualité. Ce sont le coteaux du tricastin au nord, le côtes du ventoux et le côtes du lubéron à l'est, le côtes du vivarais au nord-ouest. Il existe trois autres appellations que leur situation géographique éloigne davantage de la vallée proprement dite : la clairette de die et le châtillon-en-diois, dans la vallée de la Drôme, en bordure du Vercors, et les coteaux de pierrevert, produits dans le département des Alpes-de-Haute-Provence. Il convient enfin de citer les deux appellations de vins doux naturels du Vaucluse : muscat de beaumes-de-venise et rasteau (voir le chapitre consacré aux vins doux naturels).

Selon les variations de sol et de climat, il est encore possible de repérer trois sous-ensembles dans cette vaste région de la vallée du Rhône. Au nord de Valence, le climat est tempéré à influence continentale, les sols sont le plus souvent granitiques ou schisteux, disposés en coteaux à très forte pente ; les vins sont issus du seul cépage syrah pour les rouges, des cépages marsanne et roussanne pour les blancs, et le cépage viognier est à l'origine du château-grillet et du condrieu. Dans le Diois, le climat est influencé par le relief montagneux, et les sols calcaires sont constitués par des éboulis de bas de pente ; les cépages clairette et muscat se sont bien adaptés à ces conditions naturelles. Au sud de Montélimar, le climat est méditerranéen, les sols très variés sont répartis sur un substrat calcaire (terrasses à galets roulés, sols rouges argilo-sableux, molasses et sables) ; le cépage principal est alors le grenache, mais les excès climatiques obligent les viticulteurs à utiliser plusieurs cépages pour obtenir des vins parfaitement équilibrés : la syrah, le mourvèdre, le cinsault, la clairette, le bourboulenc, la roussanne.

Après une nette diminution des superficies plantées au XIXe s., le vignoble de la vallée du Rhône s'est à nouveau étendu, et il demeure aujourd'hui en expansion. Dans son ensemble, il couvre 59 000 ha, pour une production de 2,9 millions d'hectolitres en année moyenne ; près de 50 % de cette production sont commercialisés par le négoce dans le secteur septentrional et 70 % par des coopératives dans la zone méridionale.

Côtes du rhône

L'appellation régionale côtes du rhône a été définie par décret en 1937. En 1996, un nouveau décret a fixé les conditions d'encépagement qui devront être appliquées dès l'an 2004 : en rouge, le grenache devra représenter 40 % minimum, syrah et mourvèdre devant tenir leur place. Cette disposition n'est bien sûr valable que pour les vignobles méridionaux situés au sud de Montélimar. La possibilité d'incorporer des cépages blancs n'existera plus que pour les rosés. L'AOC s'étend sur six départements : Gard, Ardèche, Drôme, Vaucluse, Loire et Rhône. Produits sur quelque 41 000 ha situés en quasi-totalité dans la partie méridionale, ces vins représentent une production de 2 200 000 hl, les vins rouges se taillant la part du lion avec 96 % de la production, rosés et blancs étant à égalité avec 2 %. 10 000 vignerons sont répartis entre 1 610 caves particulières (35 % des volumes) et 70 caves coopératives (65 % des volumes). Sur les trois cents millions de bouteilles commercialisées chaque année, 40 % sont consommées à domicile, 30 % dans la restauration et 30 % sont exportées.

Grâce aux variations des microclimats, à la diversité des sols et des cépages, ces vignobles produisent des vins qui pourront réjouir tous les palais : vins rouges de garde, riches, tanniques et généreux, à servir sur la viande rouge, produits dans les zones les plus chaudes et sur des sols de diluvium alpin (Domazan, Estézargues, Courthézon, Orange...) ; vins rouges plus légers, fruités et plus nerveux, nés sur des sols eux-mêmes plus légers (Puyméras, Nyons, Sabran, Bourg-Saint-Andéol...) ; vins « primeurs » enfin (environ 15 millions de cols), fruités et gouleyants, à boire très jeunes, à partir du 3e jeudi de novembre, et qui connaissent un succès sans cesse grandissant.

La chaleur estivale prédispose les vins blancs et les vins rosés à une structure caractérisée par leur équilibre et leur rondeur. L'attention des producteurs et le soin des œnologues permettent d'extraire le maximum d'arômes et d'obtenir des vins frais et délicats, dont la demande augmente continuellement. On les servira respectivement sur les poissons de mer, sur les salades ou la charcuterie.

DOM. D'AERIA 1998★

■ 2 ha 4 000 ▮ 5à8€

Ce domaine serait situé sur l'antique ville romaine « d'Aéria » d'où son nom de baptême. Le vin issu de cette propriété est, lui, loin d'être antique ! Le millésime 98 le prouve par sa tenue exceptionnelle ; on ressent la plénitude des fruits sauvages sur des senteurs de garrigue. (30 à 49 F)

SARL Dom. d'Aéria, rte de Rasteau, 84290 Cairanne, tél. 04.90.30.88.78, fax 04.90.30.78.38, e-mail domaine.aéria@wanadoo.fr ☑ Y r.-v.

GAP Rolland

DOM. D'ANDEZON Vieilles vignes 2000★

■ 50 ha 200 000 ▮ 5à8€

Pétillante de jeunesse, cette cuvée est une fois de plus très réussie. De la matière, du gras, du fruit, des épices, une bonne longueur... A déguster sans hésiter avec un filet de bœuf. (30 à 49 F)

Les Vignerons d'Estézargues, 30390 Estézargues, tél. 04.66.57.03.64, fax 04.66.57.04.83, e-mail les.vignerons.estezargues@wanadoo.fr ☑ Y t.l.j. sf dim. 8h-12h 14h-18h

CH. DE BASTET Cuvée Saint-Jean 2000

□ 5 ha 16 000 ▮ 5à8€

Ce blanc fruité, flatteur et agréable en finale résulte d'une heureuse alliance entre la biodynamie et une vinification traditionnelle. Viognier, roussanne et clairette donnent ce vin d'une bonne expression, riche de notes de miel et de grillé. (30 à 49 F)

EARL Jean-Charles Aubert, Ch. de Bastet, 30200 Sabran, tél. 04.66.89.69.14, fax 04.66.39.92.01 ☑ Y t.l.j. sf sam. dim. 8h-12h 14h-18h30

CH. BEAUCHENE Grande Réserve 2000

□ 3 ha 20 000 ⦶ 5à8€

Pressurage direct et fermentation à basse température, élevage durant six mois en fût de chêne : c'est un mode classique intéressant qui a donné un vin ample et gras aux notes florales encore trop discrètes aujourd'hui. (30 à 49 F)

Michel Bernard, ch. Beauchêne, rte de Beauchêne, 84420 Piolenc, tél. 04.90.51.75.87, fax 04.90.51.73.36, e-mail chateaubeauchene@worldonline.fr ☑ Y t.l.j. sf sam. dim. 8h-12h 13h30-17h30

CH. DE BEAULIEU Cuvée Prestige 1998★★

■ 2 ha 10 000 ▮ 5à8€

Cette propriété existe depuis le XIVe s., mais le château, lui, est une demeure du XVIIIe s. ; il commande un joli vignoble. Cette cuvée vous mettra en appétit par sa robe pourpre sombre. A fort pourcentage de syrah, c'est un vin ample et généreux, où l'équilibre acide-alcool-tanins est parfaitement réalisé. (30 à 49 F)

SCEA Merle et Fils, Ch. de Beaulieu, rte de Sérignan, 84100 Orange, tél. 04.90.34.07.11, fax 04.90.34.07.11 ☑ Y r.-v.

François Merle

DOM. JEAN-PAUL BENOIT Plateau de Campbeau Cuvée spéciale 1999★

■ n.c. 1000 ▮ 5à8€

Un vin de garde bien en chair. Complexe, le bouquet rappelle le sous-bois, les épices, les fruits rouges et le cuir. Les tanins fins et longs accompagnent la dégustation sur des fruits rouges sûrmuris jusque dans une longue finale où perce une note de Zan. (30 à 49 F)

Jean-Paul Benoit, 584, plateau de Campbeau, 84470 Chateauneuf-de-Gadagne, tél. 04.90.22.29.76 ☑ Y r.-v.

DOM. DU BOIS DE SAINT-JEAN 2000★

□ 1,5 ha 6 000 ▮ 5à8€

La culture du viognier, cépage de Condrieu, sur un terroir sableux du Sud, tout près d'Avignon, peut être une expérience intéressante. Les arômes puissants sont au rendez-vous de ce vin chaleureux et gras qui enchante le palais. La **cuvée du Comte d'Hust et du Saint-Empire en côtes du rhône-villages 99** obtient une citation. Puissante et structurée, elle est intéressante. (30 à 49 F)

EARL Vincent et Xavier Anglès, 126, av. de la République, 84450 Jonquerettes, tél. 04.90.22.53.22, fax 04.90.22.53.22 ☑ Y t.l.j. 8h-12h 14h-20h

HENRY BOUACHON Rhône Prestige 2000★★

□ 40 ha 50 000 ▮ 5à8€

Prestigieuse ! Bien nommée cette cuvée aux reflets dorés ; elle explose au nez par son bouquet de fruits confits miellés qui précède des notes de pain grillé que l'on retrouve en bouche. Gras et généreux, ce vin est cependant soutenu par une bonne fraîcheur qui lui confère une remarquable harmonie. (30 à 49 F)

Henry Bouachon, BP 5, 84230 Châteauneuf-du-Pape, tél. 04.90.83.58.35, fax 04.90.83.77.23 ☑ Y r.-v.

DOM. BOUCHE La Truffière 1999★★

■ 5 ha 26 000 ▮ 8à11€

Une vinification de raisins entiers (grenache et syrah) pour accompagner toutes sortes de viandes rouges. Le cassis et la cerise flattent le nez. La matière en bouche encore un peu rude aujourd'hui va très vite se fondre pour donner une bouteille d'une harmonie remarquable. (50 à 69 F)

Dominique Bouche, chem. d'Avignon, 84850 Camaret-sur-Aigues, tél. 04.90.37.27.19, fax 04.90.37.74.17 ☑ Y r.-v.

DOM. DES BOUMIANES 2000★

■ 13 ha 4 000 ▮ 3à5€

Pour le respect des cépages, le domaine les vinifie séparément. Un ajustement précis est effectué lors de l'assemblage selon le millésime. Surprenant par ses nuances mentholées mêlées à des notes de poivron et de fruits cuits, ce 2000

évolue sur des tanins fins et fondus bien équilibrés. La finale joue dans le registre cacao.
(20 à 29 F)
GAEC des Boumianes,
chem. des Bohémiennes, 30390 Domazan,
tél. 04.66.57.29.35, fax 04.66.57.09.48
t.l.j. sf sam. dim. 9h-12h 14h-18h
Philippe Meger

CH. DE BOUSSARGUES 2000*

2 ha n.c. 3à5€

27 ha de vignes s'étalent au pied d'un très bel édifice, ancienne commanderie de Templiers devenue château du vin. Ce rosé porte une robe soutenue. Le nez citronné, tout en finesse, annonce une bouche nerveuse et fraîche. Ses notes aromatiques s'amplifient lentement en

La Vallée du Rhône (partie septentrionale)

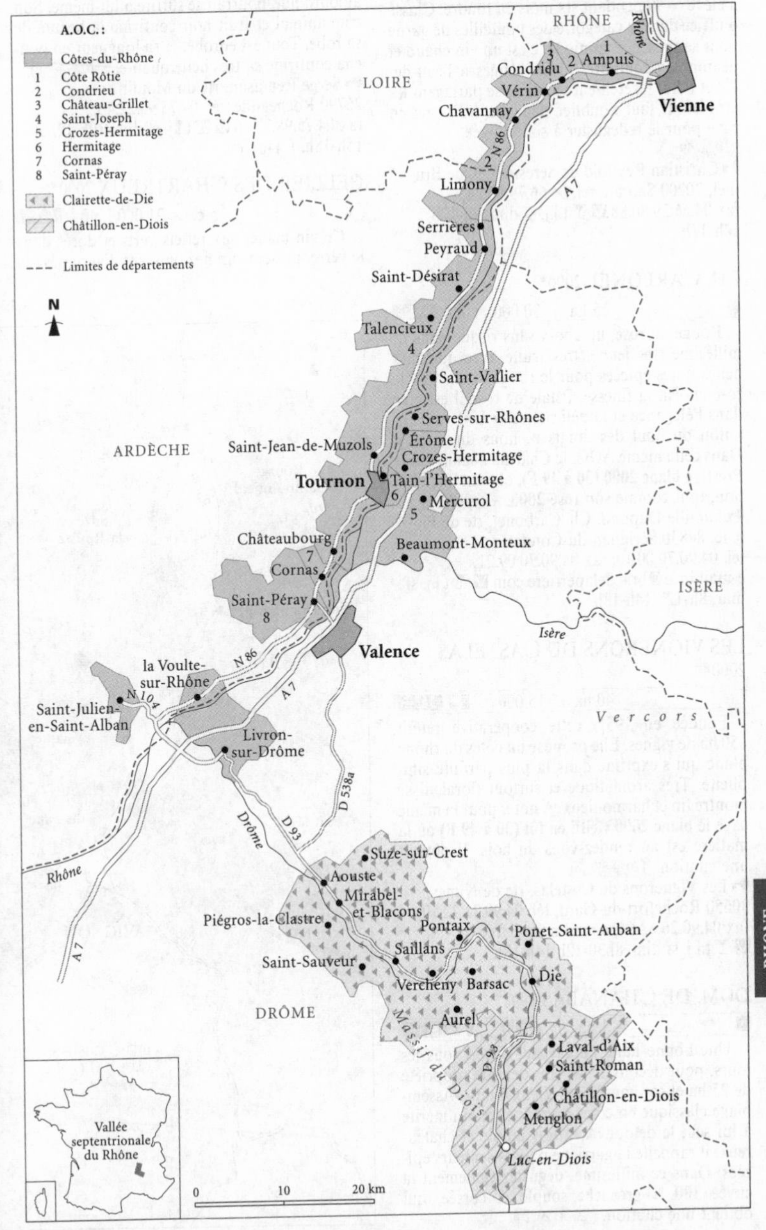

bouche pour évoluer sur une jolie finale. Pour une soupe au pistou. (20 à 29 F)
Chantal Malabre, Ch. de Boussargues Colombier, 30200 Sabran, tél. 04.66.89.32.20, fax 04.66.79.81.64 t.l.j. 9h-19h

CH. DE BRUTHEL 1999*

■ 1,1 ha 8 500 5à8€

Ce château a été fondé à la fin du XVII[e]s. ; il a élevé ce 99 pendant six mois en foudre. Classé d'office dans la catégorie des bouteilles de garde pour sa présence tannique, c'est un vin chaud et néanmoins équilibré. Fruits rouges à l'eau-de-vie et notes légèrement vanillées se partagent les arômes. Il faut l'oublier deux ou trois ans en cave pour le redéguster à son apogée. (30 à 49 F)
Christian Reynold de Seresin, Ch. de Bruthel, 30200 Sabran, tél. 04.66.79.96.24, fax 04.66.39.80.88 t.l.j. sf dim. 9h-12h 14h-17h

CH. CARBONEL 2000*

■ 15 ha 90 000 3à5€

Rouge ou **rosé**, un choix sans risque dans ce millésime très jeune, très fruité avec quelques belles notes épicées pour le rouge tandis que le rosé choisit la finesse. Pétale de rose il est créé dans l'élégance et la délicatesse. « Une fermentation du bout des doigts », nous dit le jury. Dans cette même AOC, le **Château Joanny cuvée Prestige blanc 2000 (30 à 49 F)**, obtient une citation, tout comme son **rosé 2000**. (20 à 29 F)
Famille Dupond, Ch. Carbonel, rte de Piolenc, 84830 Sérignan-du-Comtat, tél. 04.90.70.00.10, fax 04.90.70.09.21, e-mail info@bracdelaperriere.com t.l.j. sf mar. 8h-12h 14h-18h

LES VIGNERONS DU CASTELAS 2000**

□ 40 ha 15 000 3à5€

Fondée en 1951, cette coopérative réunit 650 ha de vignes. Elle propose un côtes du rhône blanc qui s'exprime dans la plus parfaite simplicité. Très aromatique et surtout floral, il se montre fin et harmonieux. A noter pour la même cave le **blanc 2000 vieilli en fût (30 à 49 F)** où la matière est au rendez-vous du bois. Il obtient une citation. (20 à 29 F)
Les Vignerons du Castelas, rte de Nîmes, 30650 Rochefort-du-Gard, tél. 04.90.31.72.10, fax 04.90.26.62.64, e-mail ncha@free.fr t.l.j. sf dim. 8h30-12h 14h-18h

DOM. DE CHANABAS 1998*

■ 1 ha 6 000 3à5€

Une bonne halte au caveau, ouvert tous les jours, pour découvrir les vins de cette propriété de 25 ha et son musée des Vieux Outils. Assemblage classique en côtes du rhône, ce vin mérite à lui seul le détour. A la fois ample et chaleureux, il rappelle la garrigue par ses senteurs épicées. Dans ce millésime, dégustez également la cuvée **100 % grenache** souple et corsée, qui obtient une citation. (20 à 29 F)
Robert Champ, Dom. de Chanabas, 84420 Piolenc, tél. 04.90.29.63.59, fax 04.90.29.55.67, e-mail domaine-chanabas@wanadoo.fr r.-v.

DOM. CHAPOTON 1999**

■ 15 ha 20 000 5à8€

Il faudra choisir entre le canard et le bœuf bourguignon pour accompagner ce vin qui, dès aujourd'hui, pourrait se suffire à lui-même. Son côté animal et fruit noir confirme la beauté de sa robe. Tout est enrobé, et sa longueur en bouche confirme sa très belle qualité. (30 à 49 F)
Serge Remusan, rte du Moulin, 26790 Rochegude, tél. 04.75.98.22.46, fax 04.75.98.22.46 t.l.j. sf dim. 10h-12h30 15h-18h; f. jan. fév.

CELLIER DES CHARTREUX 2000*

□ n.c. 21 000 5à8€

Ce vin blanc, aux reflets verts et dorés dans le verre, présente un nez puissant d'agrumes ; la

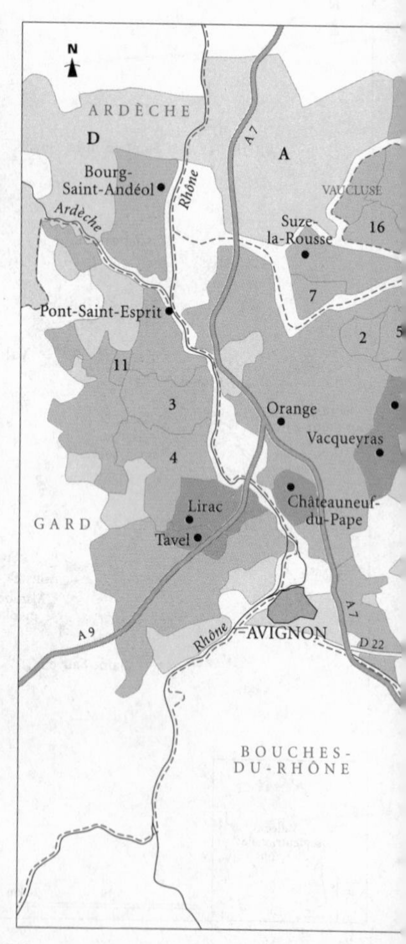

bouche équilibrée surprend par son harmonie. La maîtrise parfaite des apports de qualité laisse espérer de bons résultats après l'installation de cette cave (fondée en 1929) dans les nouveaux chais qu'elle construit pour le millésime 2001. (30 à 49 F)

SCA Cellier des Chartreux, 216, chem. des Vignerons, 30150 Sauveterre, tél. 04.66.82.53.53, fax 04.66.82.89.07 r.-v.

DOM. CHARVIN 1999

13 ha 34 000 5à8€

Un bon gigot à l'ail pour apprécier à sa juste valeur ce vin à majorité de grenache (85 %). Puissant et rustique, il est légèrement évolué ce qui le rend très agréable dès maintenant et lui procure des arômes intenses et épicés. Il pourra se consommer dans les deux ans. (30 à 49 F)

EARL Gérard Charvin et Fils, Dom. Charvin, chem. de Maucoil, 84100 Orange, tél. 04.90.34.41.10, fax 04.90.51.65.59, e-mail domaine.charvin@free.com r.-v.

CH. CHEVALIER BRIGAND 1999

6 ha 15 000 5à8€

Depuis 1609, la famille de Jean-Marie Saut exerce le superbe métier de vigneron. Le lecteur connaît l'exigence que requiert cette activité puisqu'il faut surveiller chaque pied de vigne : de cela dépend la qualité du vin. Celui-ci est marqué par la syrah (60 % de l'assemblage). Elle lui donne un nez très animal. Le grenache apporte la chaleur méridionale. (30 à 49 F)

Jean-Marie Saut, Le Pont de Codolet, 30200 Codolet, tél. 04.66.90.18.64, fax 04.66.90.11.57 t.l.j. sf sam. dim. 9h-12h 14h-18h30

DOM. CLAVEL 2000

1,93 ha 13 000 3à5€

Beaucoup de soins et beaucoup d'attention sont régulièrement portés aux produits du domaine. Cette année, c'est le rosé de saignée qui ressort. Il est très agréable à l'œil, au nez et en bouche. (20 à 29 F)

La Vallée du Rhône (partie méridionale)

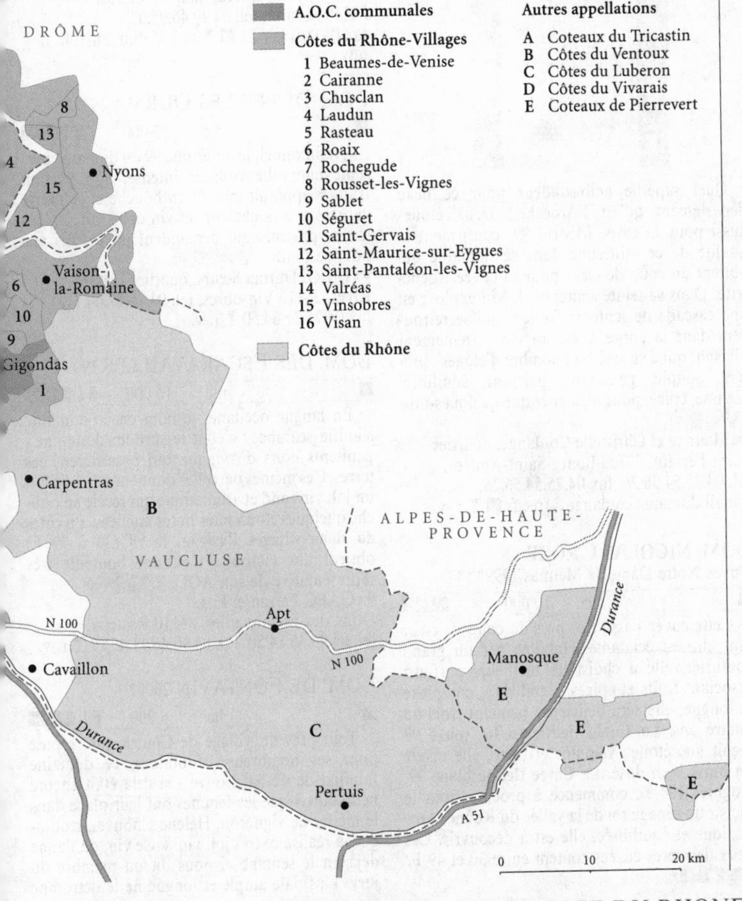

RHONE

🔑 Denis Clavel, rue du Pigeonnier,
30200 Saint-Gervais, tél. 04.66.82.78.90,
fax 04.66.82.74.30 ☑ 🍷 t.l.j. sf dim. 9h-12h
14h-18h

CAVE COSTES ROUSSES
Cuvée réservée 2000*

◪ 30 ha 7 848 🍾 3à5€

Bernard Roustand, œnologue réputé, a pris la direction de cette cave en 1998. Il a réalisé ce rosé qui, sur une pointe de vivacité, reste fruité et élégant. Ce vin se mariera avec toutes sortes de charcuteries. (20 à 29 F)

🔑 SCA Cave Costes Rousses, 2, av. des Alpes,
26790 Tulette, tél. 04.75.97.23.18,
fax 04.75.98.38.61 ☑ 🍷 r.-v.

DOM. COULANGE
Cuvée Rochelette 1999**

■ 5 ha 1 660 🍾 5à8€

Quel superbe ambassadeur pour ce beau département qu'est l'Ardèche ! Deux étoiles aussi pour la **cuvée Mistral 99**, confirment la qualité de ce millésime dans ce domaine qui obtient un coup de cœur pour sa cuvée Rochelette. Dans sa teinte soutenue, le vin explose en une cascade de senteurs fruitées qui se retrouvent dans la gorge. C'est un vin extrêmement plaisant qui a suscité bon nombre d'éloges : présent, souple, persistant, puissant, équilibré, réglissé, épicé, pour n'en citer que quelques-uns. (30 à 49 F)

🔑 Maurice et Christelle Coulange, quartier
Saint-Ferréol, 07700 Bourg-Saint-Andéol,
tél. 04.75.54.56.26, fax 04.75.54.56.26,
e-mail domaine.coulange@free.fr ☑ 🍷 r.-v.

DOM. NICOLAS CROZE
Cuvée Notre Dame de Mélinas 1999***

■ n.c. 10 000 3à5€

Cette cuvée passe très près du coup de cœur tant elle est éclatante. Habillée par un grand couturier, elle a choisi les meilleurs parfums associant fruits et épices. Equilibrée, complexe et longue, elle sera délicieuse pendant trois ou quatre ans. La **Cuvée vieillie en fût rouge 99** reçoit une étoile : veloutée et riche, elle révèle un boisé bien dosé. La **Cuvée fleurie blanc 99**, viognier 100 %, commence à procurer tout le plaisir du cépage roi de la vallée du Rhône. Aromatique et équilibrée, elle est à découvrir. Ces deux dernières cuvées coûtent entre 30 et 49 F. (20 à 29 F)

🔑 Maurice et Nicolas Croze, 1, rue Max-Ernst,
07700 Saint-Martin-d'Ardèche,
tél. 04.75.04.67.11, fax 04.75.04.62.28 ☑ 🍷 r.-v.

CELLIER DES DAUPHINS
Cuvée Grand Millésime 1998

■ 140 ha 500 000 🍾 3à5€

Enorme structure rhodanienne, cette union de coopératives propose avec cette cuvée un vin bien typé, fruité, construit sur de fins tanins équilibrés qui permettent de le boire dès à présent. (20 à 29 F)

🔑 Cellier des Dauphins, BP 16, 26790 Tulette,
tél. 04.75.96.20.47, fax 04.75.96.20.22,
e-mail cellier.des.dauphins@wanadoo.fr

DOM. JEAN DAVID 1999*

■ 10 ha 14 000 🍾 5à8€

Un vin issu de raisins de l'agriculture biologique dans lequel le grenache domine les cinq autres cépages méridionaux. C'est très réussi car le nez est puissant, avec des parfums de fruits rouges, et la bouche est déjà harmonieuse. Inutile de le laisser vieillir. (30 à 49 F)

🔑 Dom. Jean David, quartier Le Jas,
84110 Séguret, tél. 04.90.46.95.02,
fax 04.90.46.86.21 ☑ 🍷 t.l.j. sf dim. 9h-19h; f. nov.

DOM. DES FILLES DURMA 1999**

■ n.c. 12 000 🍾 5à8€

Traditionnel, le millésime 99 du domaine présente une robe violacée intense. Son parfum fruité réapparaît très tôt en bouche et se marie au gras et à la chaleur du vin construit sur des tanins présents qui demandent un à trois ans pour se fondre. (30 à 49 F)

🔑 EARL Durma Sœurs, quartier Hautes-Rives, 26110 Vinsobres, tél. 04.75.27.64.71,
fax 04.75.27.64.50 🍷 r.-v.

DOM. DES ESCARAVAILLES 1999*

■ n.c. 10 000 🍾 3à5€

En langue occitane, le nom de ce domaine signifie scarabée : c'était le surnom donné aux pénitents noirs d'Avignon qui possédèrent ces terres. Ces mêmes parcelles donnent aujourd'hui un joli vin rond et aromatique qui recèle en bouche quelques étonnantes notes miellées. En **côtes du rhône-villages Rasteau, le 99 (30 à 49 F)** obtient une citation ; c'est une bouteille très représentative de son AOC. (20 à 29 F)

🔑 GAEC Ferran et Fils,
Dom. des Escaravailles, 84110 Rasteau,
tél. 04.90.46.14.20, fax 04.90.46.11.45 ☑ 🍷 r.-v.

DOM. DE FONTAVIN 2000*

◪ 1 ha 6 000 🍾 5à8€

Tout près du village de Courthézon, réputé pour ses nombreuses fontaines, ce domaine familial de 42 ha prouve - si cela était encore nécessaire - que les femmes ont leur place dans le métier de vigneron. Hélène Chouvet, œnologue, a réalisé ce très joli vin. « Ce vin, on l'aime déjà en le sentant », nous dit un membre du jury. La finale ample et longue ne le détrompe

pas. Le **vin blanc du domaine** dans ce millésime obtient une citation. Vif et frais, ce qui est rare dans les côtes du rhône blancs méridionaux, il accompagnera les coquillages. (30 à 49 F)
EARL Hélène et Michel Chouvet, Dom. de Fontavin, 1468, rte de la Plaine, 84350 Courthézon, tél. 04.90.70.72.14, fax 04.90.70.79.39, e-mail helene-chouvet@fontavin.com t.l.j. sf dim. 9h-12h30 14h-18h30; été 9h-19h

GALLIFFET 2000*

□ 4 ha 5 300 15à23€

A chaque élection présidentielle la question revient : le domaine de La Présidente, qui a élaboré ce vin, est-il la résidence privée de l'épouse du président de la République ? Non ! Ce sont les qualités de l'épouse du président du Parlement de Provence qui ont donné ses lettres de noblesse au domaine. Ce blanc typé viognier offre beaucoup de gras, des arômes de fruits mûrs, et quelques notes d'amande. Signalons que la cuvée principale **Domaine de La Présidente rosé 2000 (50 à 69 F)** obtient la même note. Fraîche, délicate, elle est très élégante. (100 à 149 F)
SCEA Max Aubert, Dom. de La Présidente, 84290 Sainte-Cécile-les-Vignes, tél. 04.90.30.79.73, fax 04.90.30.72.93, e-mail aubert@presidente.fr r.-v.

CH. GIGOGNAN Vigne du Prieuré 2000*

◪ 0,5 ha 3 300 5à8€

Le « classique » des rosés de la vallée du Rhône : cet assemblage grenache et cinsault, l'un pour la chaleur, l'autre pour ses parfums, le tout vinifié en saignée, se montre très équilibré. Ses arômes, son gras et sa finesse sont sans reproche. Joli mariage à envisager avec une volaille. (30 à 49 F)
Ch. Gigognan, chem. du Castillon, 84700 Sorgues, tél. 04.90.39.57.46, fax 04.90.39.15.28, e-mail info@chateau-gigognan.fr t.l.j. 10h-12h 14h-18h; dim. sur r.-v.
Callet

DOM. DES GIRASOLS Cuvée bienveillante 1998*

■ 1,5 ha 10 200 8à11€

De ce prestigieux terroir de Rasteau, le Domaine des Girasols a tiré un millésime 98 charmeur. La cuvée **Vieilles vignes**, citée, associe le grenache à 10 % de cinsault : les fruits rouges confiturés dominent mais on perçoit de légères notes chocolatées. Quant à cette cuvée plus classique, elle est épicée et florale au nez, ample et structurée en bouche, encore très jeune. Une étoile également en **côtes du rhône-villages Rasteau 98** ; les tanins, florissants, assurent à l'ensemble un bon équilibre. (50 à 69 F)
Famille Paul Joyet, Dom. des Girasols, 84110 Rasteau, tél. 04.90.46.11.70, fax 04.90.46.16.82, e-mail domaine@girasols.com t.l.j. 8h-12h 14h-19h

DOM. DES GRANDS DEVERS 1999*

■ 2,81 ha 15 000 5à8€

Au cœur de l'Enclave des Papes, ce domaine occupe des coteaux où le grenache voisine parfois avec... des truffes ! De type septentrional, ce vin 100 % syrah a charmé le jury par ses arômes de fruits puis de fleurs (violette). Bien enrobée, son attaque est souple et ronde puis les tanins très fins se prolongent jusque dans une finale fort agréable. (30 à 49 F)
Paul-Henri Bouchard et ses Frères, Dom. des Grands-Devers, 84600 Valréas, tél. 04.90.35.15.98, fax 04.90.34.49.56, e-mail phbouchard@grandsdevers.com r.-v.

DOM. DU GROS PATA Cuvée Sabine Vieilli en fût de chêne 1999*

■ 1,53 ha 10 666 5à8€

Est-ce le rapt des Sabines par Romulus qu'évoque cette étiquette ? L'illustration pourrait le laisser penser. Le nom du domaine rappelle le paiement de l'octroi de Vaison-la-Romaine toute proche. Nous sommes bien là au cœur de l'histoire. Un encépagement classique a donné ce vin ample et généreux où des parfums de fruits à noyau s'expriment sur des notes grillées. D'un bel équilibre, ce 99 pourra vieillir quelques lunes sans perdre aucune de ses qualités. (30 à 49 F)
Gérald Garagnon, Dom. du Gros-Pata, 84110 Vaison-la-Romaine, tél. 04.90.36.23.75, fax 04.90.28.77.05 r.-v.

DOM. JAUME 1999**

■ 23 ha 150 000 3à5€

Les trois couleurs en côtes du rhône sont retenues : le **rosé 2000**, cité, chaud et agréable, accompagnera les charcuteries ; le **blanc 2000** aux parfums intenses, voire puissants, est un véritable jardin fleuri. Il reçoit une étoile. Quant à ce vin rouge 99, doté d'une structure solide, il développe des arômes de fruits frais mêlés à de jolies notes réglissées. Sa finale est superbe. (20 à 29 F)
Dom. Jaume, 24, rue Reynarde, 26110 Vinsobres, tél. 04.75.27.61.01, fax 04.75.27.68.40 t.l.j. sf dim. 8h-12h 13h30-19h

LA BASTIDE SAINT DOMINIQUE 1999

■ 4 ha 21 000 5à8€

Le pigeage, technique aujourd'hui bien implantée dans les côtes du rhône, donne souvent de bons résultats sur une matière première irréprochable. C'est le cas pour ce domaine qui propose un vin aux tanins très enrobés et aux jolies notes de fruits confiturés. (30 à 49 F)
Gérard Bonnet, La Bastide-Saint-Dominique, 84350 Courthézon, tél. 04.90.70.85.32, fax 04.90.70.76.64, e-mail contact@bastide-st-dominique.com t.l.j. 9h-12h 13h30-18h30; dim. sur r.-v.

RHONE

LA CABOTTE 1999★

■ 27 ha 50 000 5à8€

45 ha d'un seul tenant au cœur du massif d'Uchaux, il n'en fallait pas moins pour séduire Marie-Pierre Plumet en 1981 ; elle en fit sans tarder l'acquisition. Conseillé sur un lapin aux pruneaux, ce vin dans sa robe simple reste très discret au nez ; cependant les fruits apparaissent en bouche, et on découvre un équilibre onctueux et persistant. (30 à 49 F)

Marie-Pierre Plumet, La Cabotte, 84430 Mondragon, tél. 04.90.40.60.29, fax 04.90.40.60.62 r.-v.

DOM. LA CHARADE Vieilli en fût 1999★

■ 22 ha n.c. 5à8€

Elaboré avec beaucoup d'attention, ce vin est passé en fût de chêne. Il conserve des arômes complexes vanillés et grillés, et sa structure puissante lui permet d'acquérir une étoile. Citée, du même domaine, la **cuvée non boisée (20 à 29 F)** est très franche. (30 à 49 F)

M. et L. Jullien, Dom. La Charade de Peyrolas, 30760 Saint-Julien-de-Peyrolas, tél. 04.66.82.18.21, fax 04.66.82.33.03 t.l.j. sf dim. 9h-12h 14h-19h

DOM. DE LA CHARITE 1999★★★

■ 16 ha 100 000 3à5€

Le grand jury plébiscite ce vin élaboré selon les meilleures règles à partir d'un assemblage où le grenache (60 %) et la syrah (30 %) sont associés au carignan. Le vigneron et son œnologue Noël Rabot ont tiré de ce terroir argilo-calcaire un exceptionnel côtes du rhône : sa robe sombre n'a d'égal que son nez où cassis et groseille - confiturés - s'allient à la réglisse. Volumineux et onctueux, le palais est construit sur des tanins puissants mais bien enrobés. Déjà superbe, il sera de belle garde. Le **Domaine de La Charité blanc 2000** obtient une citation : il a tous les caractères des blancs méridionaux avec une réelle domination du grenache (70 %) sur le viognier. (20 à 29 F)

EARL Valentin et Coste, 5, chem. des Issarts, 30650 Saze, tél. 04.90.31.73.55, fax 04.90.26.92.50, e-mail earlvc@club-internet.fr t.l.j. sf dim. 14h-19h

Plus une vigne est âgée, meilleur est son vin.

DOM. DE LA CHARTREUSE DE VALBONNE Cuvée de La Font des Dames 1999★★

■ 1,6 ha 12 000 5à8€

Nichée au fond d'un vallon, joyau architectural, lieu monastique jusqu'à la Révolution, et aujourd'hui Centre d'Aide par le Travail, la chartreuse se consacre aux activités viticoles et culturelles. Sur un terroir excentré et très particulier, ses vins sont souvent originaux. Celui-ci est intense ; la violette et les épices côtoient joyeusement les fruits des bois. La dégustation est remarquable en bouche : harmonie, structure, complexité et longueur seront au rendez-vous avec un agneau de Nîmes pendant les trois prochaines années. (30 à 49 F)

ASVMT, Dom. de La Chartreuse de Valbonne, 30130 Saint-Paulet-de-Caisson, tél. 04.66.90.41.24, fax 04.66.90.41.23, e-mail chartreuse.de.valbonne@wanadoo.fr r.-v.

DOM. DE LA CROIX-BLANCHE 1999★

■ 0,3 ha 2 000 5à8€

A l'ombre fraîche des murs de pierre, au cœur d'un magnifique village de l'Ardèche, vous pourrez découvrir une large palette de vins de qualité, notamment celui-ci. D'une couleur soutenue, il offre un nez intense, des arômes de bois fumé. Bien équilibré, il appréciera d'être servi avec du gibier. (30 à 49 F)

Daniel Archambault, Dom. de La Croix-Blanche, 07700 Saint-Martin-d'Ardèche, tél. 04.75.04.65.07, fax 04.75.98.77.25, e-mail daniel.archambault@free.fr r.-v.

CH. LA CROIX CHABRIERES 2000★

□ n.c. 9 000 5à8€

Bollène ne manque pas d'intérêt, le plus grand étant la collégiale Saint-Martin fondée au XIe s. Non loin, ce domaine de 34 ha propose **La Festivalière 98** et **Terre Nette 99**, toutes deux en **rouge**, toutes deux une étoile, comme ce château en blanc, issu de grenache, de roussanne et de marsanne à parts égales. Souple et structuré, doté de jolis parfums d'agrumes, il est à découvrir dans sa présentation toujours très soignée sur des filets de daurade. (30 à 49 F)

Ch. La Croix Chabrière, rte de Saint-Restitut, 84500 Bollène, tél. 04.90.40.00.89, fax 04.90.40.19.93 t.l.j. 9h-12h 14h-18h; dim. 9h-12h; groupes sur r.-v.

Patrick Daniel

CH. LA DECELLE 1999★

□ 3 ha 5 000 5à8€

Tout proche du village troglodytique du Barry, le château La Decelle élabore un blanc de repas. Encore plus intense en bouche qu'au nez, cet assemblage judicieux de marsanne et de viognier est puissant. Il sera le bon compagnon d'une lotte à l'armoricaine. (30 à 49 F)

Ch. La Décelle, rte de Pierrelatte, D 59, 26130 Saint-Paul-Trois-Châteaux, tél. 04.75.04.71.33, fax 04.75.04.56.98, e-mail anne-marie.seroin@wanadoo.fr t.l.j. 9h-12h 14h30-18h30; groupes sur r.-v.

Seroin

LA DEVEZE 1999

■ 6,5 ha 8 928 3à5€

Il est prêt à boire sur des grillades. Son nez frais et épicé donne une impression de puissance, mais les tanins déjà soyeux incitent à le boire dans l'année. (20 à 29 F)

EARL Dionysos, 28 bis, av. F.-Mistral, BP 18, 84101 Orange, tél. 04.90.34.06.07, fax 04.90.34.79.85 r.-v.

Farjon

DOM. LA FAVETTE 2000*

■ 6 ha 23 000 3à5€

En reprenant l'exploitation familiale depuis peu, Philippe Faure affiche ses ambitions. Il nous présente son 2000 paré d'une robe profonde. Le nez est marqué par les fruits rouges macérés dans l'alcool. Très long, bien équilibré par des tanins fins, il est très intéressant. La cuvée **Roche-Sauve 99 (50 à 69 F)**, élevée en fût, a un certain potentiel. Elle obtient une citation. (20 à 29 F)

Philippe Faure, Dom. La Favette, rte des Gorges, 07700 Saint-Just-d'Ardèche, tél. 04.75.04.61.14, fax 04.75.98.74.56 r.-v.

DOM. DE LA FAVIERE 1999*

□ 0,2 ha 1 300 11à15€

Né sur un terroir essentiellement granitique, ce viognier révèle une remarquable aptitude à la garde. Son nez épanoui, sa bouche équilibrée et aromatique, longue et fine, permettent également de le goûter dès maintenant sur la rigotte de chèvre de Condrieu. (70 à 99 F)

Pierre Boucher, Dom. de La Favière, 42520 Malleval, tél. 04.74.87.15.25, fax 04.74.87.15.25, e-mail domainedelafaviere @.com r.-v.

DOM. LAFOND ROC EPINE 1999*

■ 17 ha 125 000 5à8€

Au pays des grands rosés peuvent aussi naître de beaux vins rouges tel celui-ci, tout en finesse. Après une attaque équilibrée, l'ensemble révèle sa fraîcheur et affirme une harmonie très agréable, dans une robe idéale. C'est un joli côtes du rhône. (30 à 49 F)

Dom. Lafond, rte des Vignobles, 30126 Tavel , tél. 04.66.50.24.59, fax 04.66.50.12.42, e-mail lafondrocepine @wanadoo.fr r.-v.

DOM. LA FOURMENTE 2000*

■ 6 ha 12 000 5à8€

Des reflets violines dans une robe franche, un nez de fruits rouges frais, une bouche structurée mais fine, fruitée, élégante : un sommelier, membre du jury, le conseille sur un dessert aux fruits rouges ou, dans un an, après une légère évolution, sur des viandes cuisinées aux fruits. Le **rosé 2000** reçoit la même note grâce à sa puissance et à sa complexité aromatique. Il est d'une grande tendresse. (30 à 49 F)

Jean-Louis Pouizin, Grange-Neuve, 84820 Visan, tél. 04.90.41.91.87, fax 04.90.41.91.87, e-mail domainelafourmente@wanadoo.fr t.l.j. sf dim. 10h-12h 14h-19h

LA GAILLARDE Cuvée Pied Vaurias 2000

◢ 10 ha 12 600 3à5€

La coopérative de Valréas vinifie 1 660 ha de vigne. Elle propose un rosé de saignée à la robe pâle, aux fins arômes floraux et à la bouche vive et fraîche. Ce vin est destiné aux entrées. (20 à 29 F)

Coop. vinicole La Gaillarde, av. de l'Enclave-des-Papes, BP 95, 84602 Valréas Cedex, tél. 04.90.35.00.66, fax 04.90.35.11.38 r.-v.

DOM. DE LA GRAND'RIBE

Les Garrigues d'Eric Beaumard et Christophe Lambert 1999**

■ 11 ha 70 000 8à11€

Deux dédicataires pour cette très belle cuvée élevée douze mois en fût. Le côté boisé très discret apporte finesse et élégance avec quelques jolies notes grillées. La structure, pourtant bien présente, n'en est pas moins équilibrée. A servir pendant deux ou trois ans sur une côte de veau aux girolles. (50 à 69 F)

Jérôme Muratori, Dom. de La Grand'Ribe, rte de Bollène, 84290 Sainte-Cécile-les-Vignes, tél. 04.90.30.83.75, fax 04.90.30.76.12 t.l.j. sf sam. dim. 9h-12h 14h-18h

Abel Sahuc

DOM. DE LA GUICHARDE

Cuvée Ninon Vieilli en fût de chêne 1999*

■ n.c. 3 000 8à11€

Un beau millésime 99 pour ce domaine où deux cuvées sont retenues par le jury. La cuvée Ninon : ses arômes rappelant les sous-bois, les épices et d'intéressantes notes grillées et fumées s'exprimant dans une bouche ample ; elle sera bientôt prête pour un civet de lapin de garenne aux champignons des bois. Et **Le vin rouge d'Isabelle**, issu à 100 % du cépage grenache, fruité avec quelques notes de pierre à fusil. Son attaque est franche et onctueuse, et les fruits mûrs se retrouvent également en bouche. Une dégustation plus immédiate que celle de Ninon. (50 à 69 F)

Arnaud et Isabelle Guichard, Dom. de La Guicharde, Derboux, 84430 Mondragon, tél. 04.90.30.17.84, fax 04.90.40.05.69 t.l.j. sf dim. 10h-18h

DOM. DE LA JANASSE 2000*

□ 1,5 ha 6 000 8à11€

Au domaine, la vendange manuelle est de mise, tout comme la lutte raisonnée bien maîtrisée pour parvenir à la pleine expression du grenache blanc, cépage capricieux mais élégant. Agrémenté de clairette et de bourboulenc, ce vin exprime toute la typicité du côtes du rhône blanc. (50 à 69 F)

EARL Aimé Sabon, 27, chem. du Moulin, 84350 Courthézon, tél. 04.90.70.86.29, fax 04.90.70.75.93 t.l.j. 8h-12h 14h-19h; sam. dim. sur r.-v.

DOM. DE L'AMANDINE 2000*

□ 1 ha n.c. 5à8€

Un domaine de 50 ha créé en 1973 à Séguret, village classé adossé à une colline qui accueille

RHONE

bien des artistes. 250 000 bouteilles de **L'Amandine rouge 2000** obtiennent une citation. C'est ce vin blanc qui emporte l'adhésion du jury. Roussanne et viognier à parts égales donnent des arômes d'agrumes et de citronnelle qui perdurent dans une bouche vive et fraîche faite pour les coquillages. (30 à 49 F)

Jean-Pierre Verdeau, rte de Roaix, 84110 Séguret, tél. 04.90.46.12.39, fax 04.90.46.16.64, e-mail domaine.amandine @wanadoo.fr ☑ ⊻ t.l.j. sf dim. 9h-12h 14h-18h

DOM. DE LA MORDOREE
La Dame rousse 2000*

■ n.c. n.c. 5à8€

Venu du Gard, d'un terroir où naît le tavel, voici un vin rouge proposé par un excellent domaine. D'une robe profonde aux jolis reflets violacés, la cuvée Dame rousse possède des qualités odorantes intenses de fruits mûrs et de confiture de cerises. Elle est chaleureuse, et ses tanins sont veloutés. Alliance de la puissance et de l'élégance, c'est une valeur sûre. (30 à 49 F)

Dom. de La Mordorée, chem. des Oliviers, 30126 Tavel, tél. 04.66.50.00.75, fax 04.66.50.47.39 ☑ ⊻ t.l.j. 8h-12h 14h-17h30

Delorme

DOM. LA REMEJEANNE
Les Arbousiers 2000*

■ 5,5 ha 40 000 5à8€

Deux cuvées toujours présentes parmi les grands côtes du rhône. Chacune a ses atouts et participe à une gamme de très haute lignée. Ces Arbousiers, grenache (60 %) et syrah, ne s'encombrent pas de détour. La bouche, par son intensité, laisse s'exprimer les fruits mûrs et la confiture de coings. La cuvée **Les Chèvrefeuilles** est plus discrète et néanmoins très marquée par les fruits rouges. (30 à 49 F)

EARL Ouahi et Rémy Klein, Dom. La Réméjeanne, Cadignac, 30200 Sabran, tél. 04.66.89.44.51, fax 04.66.89.64.22, e-mail remejeanne@wanadoo.fr ☑ ⊻ r.-v.

LE CLOS DE LASCAMP 2000**

■ 15 ha 20 000 5à8€

Fruité, structuré, équilibré, long en bouche avec quelques notes amyliques : voici quelques qualificatifs qui en disent long sur ce vin. Quant au **blanc 2000 (20 à 29 F)** de ce domaine, il est cité : l'association des cépages viognier et grenache est parfaitement maîtrisée et permet de donner la quintessence de chaque cépage. Le vin est riche et puissant, flatté par des arômes de fleurs et de pêche blanche. (30 à 49 F)

EARL Clos de Lascamp, Cadignac, 30200 Sabran, tél. 04.66.89.69.28, fax 04.66.89.62.44 ☑ ⊻ r.-v.

Imbert

DOM. DES LAUSES Vieilles vignes 1999*

■ 3 ha 14 000 5à8€

C'est sur un terroir de grès que prend naissance la cuvée Vieilles vignes du domaine. Les nuances odorantes sont intenses et variées, et les notes boisées enrobent le tout à la perfection. La présence d'épices (poivre et vanille) enchante le palais dès la première dégustation. (30 à 49 F)

Dom. des Lauses, quartier des Pessades, 84830 Sérignan-du-Comtat, tél. 04.90.70.09.13, fax 04.90.70.09.13 ☑ ⊻ r.-v.

Gilbert Raoux

DOM. DE LA VERDE 1999*

■ 10 ha 60 000 3à5€

La volonté du vinificateur - ici, une femme - de beaucoup extraire la matière est nettement perçue par les dégustateurs. Ignorant que ce vin est issu d'un terroir venté par le mistral (puisque la dégustation est à l'aveugle), le jury a aimé une « matière saine », une belle présence en bouche où le fruité et les épices dialoguent aimablement. Conseillé sur des volailles. (20 à 29 F)

Dom. de La Verde, La Grand-Comtadine, 84190 Vacqueyras, tél. 04.90.65.85.91, fax 04.90.65.89.23 ☑ ⊻ r.-v.

Annie Camalonga

LA VIGNERONNE
Cuvée des Templiers 2000

◪ n.c. 15 000 3à5€

La cuvée des Templiers honore les adhérents de cette cave. Ce vin est issu d'un assemblage à parts égales de grenache et de syrah, ce qui explique la robe plus soutenue que la moyenne et qui donne une jolie structure douce et agréable. (20 à 29 F)

Cave La Vigneronne, 84110 Villedieu, tél. 04.90.28.92.37, fax 04.90.28.93.00 ☑ ⊻ r.-v.

LE CLOS DU CAILLOU
Bouquet des garrigues 2000**

□ 2 ha 10 000 5à8€

Né sur sables et galets roulés, ce vin est désaltérant. Sa robe légèrement dorée et éclatante invite à s'attarder sur son caractère fruité et doux. Apaisant, il est d'une rare complexité ; tout en finesse, sa longueur en bouche vous surprendra. (30 à 49 F)

Jean-Denis Vacheron, Clos du Caillou, 84350 Courthézon, tél. 04.90.70.73.05, fax 04.90.70.76.47 ☑ ⊻ t.l.j. sf dim. 8h30-12h 13h30-17h30

DOM. LE COUROULU 1999

■ 3 ha 21 000 5à8€

Ce domaine, créé en 1930, dispose de 20 ha. Ce côtes du rhône venu de Vacqueyras est élevé six mois en fût. Bien que la vendange ait été égrappée, les tanins sont encore légèrement agressifs, mais ils devraient se fondre dans un an. La dégustation joue sur le fruit rouge, au nez comme en bouche. (30 à 49 F)

Guy Ricard, Dom. Le Couroulu, La Pousterle, 84190 Vacqueyras, tél. 04.90.65.84.83, fax 04.90.65.81.25 ☑ ⊻ r.-v.

DOM. LE PUY DU MAUPAS
Cuvée Isabelle Elevé en fût de chêne 1999*

□ 1 ha 3 200 8à11€

Puyméras, situé aux environs de Vaison-la-Romaine, possède les ruines d'un château détruit lors de la Révolution de 1789. Ce domaine du Puy du Maupas a été restauré il y a un peu moins de vingt ans, et il donne de jolis vins tel celui-ci élevé en fût de chêne. Le boisé est fondu, tandis que la bouche affiche beaucoup de finesse et d'équilibre. Les arômes bien présents au nez se retrouvent en finale. Très intéressante, mais aussi très confidentielle, cette cuvée est à découvrir sur un poisson blanc à la crème dans les deux ans. (50 à 69 F)

Christian Sauvayre, Dom. Le Puy du Maupas, 84110 Puyméras, tél. 04.90.46.47.43, fax 04.90.46.48.51 t.l.j. 9h-12h 14h-19h

CH. LES AMOUREUSES
La Barbare 2000*

■ 1 ha 4 000 8à11€

Coup de cœur l'an dernier, ce domaine propose un assemblage syrah (70 %) et grenache issus d'un terroir argilo-calcaire très ensoleillé ; une récolte manuelle, des vignes cultivées en lutte raisonnée sont autant d'atouts pour ce vin très typique, gras et long. Parmi des arômes complexes on perçoit du chocolat et des fruits à noyau. L'attendre un à deux ans. (50 à 69 F)

Alain Grangaud, chem. de Vinsas, 07700 Bourg-Saint-Andéol, tél. 04.75.54.51.85, fax 04.75.54.66.38, e-mail alain.grangaud @wanadoo.fr r.-v.

LES BROTTIERS Prestige 1998*

■ 12 ha 60 000 5à8€

Encore très jeune, ce 98 porte une robe rubis profond à reflets violacés. Le nez est mûr, finement boisé (réglisse, vanille et notes toastées). Ample et généreuse, la bouche se révèle complexe et équilibrée. Un vin à boire pendant trois ans sur un gibier. (30 à 49 F)

Laurent-Charles Brotte, Le Clos, BP 1, 84231 Châteauneuf-du-Pape, tél. 04.90.83.70.07, fax 04.90.83.74.34, e-mail brotte@wanadoo.fr t.l.j. 9h30-12h 14h-18h

DOM. DE L'OLIVIER 2000*

□ 1,9 ha 12 000 3à5€

Sans aucun doute un vignoble très bien tenu et une cave parfaitement équipée ont permis de réaliser ce vin de caractère. Des arômes fins et complexes, une attaque pleine, une structure équilibrée, une longueur plus qu'honorable : un bien joli représentant de l'appellation. Par ailleurs, **L'Olivier rouge 99** reçoit une étoile d'un jury enchanté par ses arômes légèrement épicés, par son caractère plutôt animal ; il demande à s'épanouir avec les années. (20 à 29 F)

Eric Bastide, EARL Dom. de L'Olivier, 1, rue de la Clastre, 30210 Saint-Hilaire-d'Ozilhan, tél. 04.66.37.08.04, fax 04.66.37.00.46 r.-v.

DOM. DE LUMIAN 1998

■ 5 ha 35 000 5à8€

Sous une robe aux nuances légèrement orangées on découvre un vin chaud, épicé et poivré qui sent bon les îles. En bouche on distingue de réels arômes de chocolat. A consommer dès cet hiver. (30 à 49 F)

Gilles Phétisson, Dom. de Lumian, 84600 Valréas, tél. 04.90.35.09.70, fax 04.90.35.18.38, e-mail domainedelumian@terre-net.fr t.l.j. 8h-20h

CH. MALIJAY
Les Genévriers Réserve du château 1999*

■ 100 ha 200 000 3à5€

Ce château, véritable mémoire historique de la région depuis le XIᵉs., a été racheté en 1989 par la compagnie des Salins du Midi. Le vin produit pour ce millésime est très réussi ; dans sa robe légère, il développe des arômes de fruits à chair blanche. Aromatique et gouleyant il est très agréable. (20 à 29 F)

Ch. Malijay, 84150 Jonquières, tél. 04.90.70.33.44, fax 04.90.70.36.07 r.-v.

DOM. MARIE-BLANCHE 1999*

■ 10 ha 30 000 3à5€

Jean-Jacques Delorme est quasiment obligé de réussir sa cuvée chaque année puisqu'il l'a baptisée du prénom de son épouse. Pas de souci pour le 99 ; il est friand, tout en finesse, très rond et déjà prêt à boire. (20 à 29 F)

Jean-Jacques Delorme, Dom. Marie-Blanche, 30650 Saze, tél. 04.90.31.77.26, fax 04.90.26.94.48 r.-v.

CH. DE MARJOLET 2000*

□ 3 ha 17 000 3à5€

L'expérience acquise par ce producteur dans le domaine des arômes, sa spécialité, rejaillit sur cette cuvée très expressive où la persistance en bouche confirme le gras bien présent. A noter, son excellent rapport qualité-prix. (20 à 29 F)

Bernard Pontaud, Vignobles de Marjolet, 30330 Gaujac, tél. 04.66.82.00.93, fax 04.66.82.92.58, e-mail marjolet@fr.pachard-bell.org r.-v.

CLOS DES MIRAN 1999**

■ 15,15 ha 9 000 3à5€

Romain Flésia a découvert des vestiges de ferme romaine sur une parcelle de la propriété qu'il a achetée en 1998 aux portes de l'Ardèche. Si la **cuvée des Proxumes rouge 99 (30 à 49 F)** est gratifiée d'une étoile pour sa bonne intensité et sa franchise boisée, la cuvée traditionnelle obtient deux étoiles pour sa remarquable structure et sa grande richesse aromatique (fruits noirs confits, épices, fruits secs...). A attendre un an ou deux. (20 à 29 F)

Romain Flésia, clos des Miran, plaine de mas Conil, 30130 Pont-Saint-Esprit, tél. 04.66.82.76.94, fax 04.20.78.77.21 r.-v.

CH. MONGIN 1999*

■ 4 ha 20 000 3à5€

Une très belle carte de visite pour ce lycée professionnel ; issu d'une vinification très bien maîtrisée grâce à une cave fonctionnelle, ce vin harmonieux, aux arômes de sous-bois et de cuir, possède un grand potentiel de garde. (20 à 29 F)

RHONE

🔑 Lycée viticole d'Orange, Ch. Mongin, 2260, rte du Grès, 84100 Orange, tél. 04.90.51.48.04, fax 04.90.51.11.92 ☑ 🍷 r.-v.

CH. DE MONTFAUCON 1999★★

■ 5 ha 30 000 🍾🌡 5à8€

Bien que jeune dans l'appellation le château est déjà connu, reconnu et remarqué. Non seulement pour son architecture néo-médiévale, puisqu'il fut reconstitué au XIXᵉs., mais aussi pour ses vins. Celui-ci est remarquable. De puissants arômes de venaison sur des fruits rouges surmûris s'expriment au nez aussi bien qu'en bouche. Sa très belle structure, avec beaucoup de gras et de persistance, le classe une fois de plus parmi les grands côtes du rhône. (30 à 49 F)

🔑 Rodolphe de Pins, Ch. de Montfaucon, 30150 Montfaucon, tél. 04.66.50.37.19, fax 04.66.50.62.19 ☑ 🍷 t.l.j. sf sam. dim. 14h-18h; groupes sur r.-v.

DOM. DU MOULIN 2000★★

□ 2 ha 5 000 🍾🌡 5à8€

Avec de constants investissements matériels, ce domaine tient une belle place parmi les côtes du rhône. Macération pelliculaire et pressurage doux précèdent la fermentation thermorégulée pour donner un vin remarquable: attaque agréable, beaucoup de finesse, bonne structure et finale persistante. Coquillages ou poissons fumés lui conviendront. (30 à 49 F)

🔑 Denis Vinson, Dom. du Moulin, 26110 Vinsobres, tél. 04.75.27.65.59, fax 04.75.27.63.92 ☑ 🍷 t.l.j. sf dim. 8h-12h 13h30-19h

DOM. MOULIN DU POURPRE 1998

■ 4,5 ha 32 666 🍾🌡 3à5€

Syrah et grenache à parts égales : un assemblage classique mais sûr. Françoise Simon a bien maîtrisé la vinification. Si le nez de ce vin est aujourd'hui discret, ses arômes se développent en bouche. Celle-ci, ronde et bien construite, est prête pour un rôti. (20 à 29 F)

🔑 Françoise Simon, Colombier, 30200 Sabran, tél. 04.66.89.73.98, fax 04.66.89.73.98 ☑ 🍷 t.l.j. 8h-20h

CH. DE PANERY 2000

◪ 1 ha 5 000 🍾🌡 3à5€

Ce domaine qui est une ancienne ferme du château de Pouzilhac (une des plus grandes propriétés du Gard avec ses 528 ha) nous présente un vin rosé très bien fait dont les arômes jouent sur la richesse d'un panier de fruits rouges et sur des notes amyliques. (20 à 29 F)

🔑 SCEA Ch. de Panery, rte d'Uzès, 30210 Pouzilhac, tél. 04.66.37.04.44, fax 04.66.37.62.38, e-mail chateaudepanery@wanadoo.fr ☑ 🍷 t.l.j. 10h-18h

🔑 Roger Gryseels

DOM. DU PARC SAINT CHARLES
Cuvée Saint-Charles 1998★

■ 3 ha 3 850 🍾🌡 5à8€

Tout au sud des côtes du Rhône, sur la rive droite, ce domaine est situé sur un magnifique plateau caillouteux. Les amateurs ne s'y tromperont pas et ils apprécieront la dégustation de cette cuvée pour la subtilité de l'équilibre de ses composants. Le **côtes du rhône rouge 98 élevé en fût (50 à 69 F)** obtient une citation. Il est déjà prêt. (30 à 49 F)

🔑 SCEA du Parc Saint-Charles, Dom. du Parc Saint-Charles, 30490 Montfrin, tél. 04.66.57.22.82, fax 04.66.57.54.41, e-mail florent.combe@wanadoo.fr ☑ 🍷 r.-v.

🔑 Combe Frères

DOM. PELAQUIE 2000

□ 5 ha 15 000 🍾🌡 5à8€

Incontournable pour les amateurs de blancs méridionaux, ce domaine présente cette année un vin flatteur, toujours très puissant, aux caractères aromatiques floraux, issu de l'assemblage de roussanne, de grenache blanc et de clairette. Sans surprise, il est très typique du terroir. Le **rouge 99** est également cité et retenu pour ses tanins intenses et ses notes légèrement épicées. A servir sur côtelettes ou baron d'agneau. (30 à 49 F)

🔑 Dom. Pélaquié, 7, rue du Vernet, 30290 Saint-Victor-la-Coste, tél. 04.66.50.06.04, fax 04.66.50.33.32, e-mail domaine@pelaquie.com ☑ 🍷 t.l.j. sf dim. 9h-12h 14h-18h

🔑 GFA du Grand Canet

DOM. ROGER PERRIN
Prestige blanc 2000★

□ 1 ha 4 000 🍾🌡 5à8€

Ce blanc est élevé sur lies fines. Ses arômes sont intenses et complexes et sa bouche équilibrée et harmonieuse. Sa rondeur invite à le servir sur une viande blanche. (30 à 49 F)

🔑 Dom. Roger Perrin, rte de Châteauneuf-du-Pape, 84100 Orange, tél. 04.90.34.25.64, fax 04.90.34.88.37 ☑ 🍷 t.l.j. sf dim. 8h30-12h 14h-19h

🔑 Luc Perrin

CLOS PETITE BELLANE 2000★

■ 3,5 ha 24 260 🍾🌡 5à8€

Une cave résolument moderne qui applique des cuvaisons de six jours pour ce vin qui allie finesse et charpente fruitée : son bouquet de cassis, de groseille et de fruits des bois ajoute à sa complexité. A noter le **blanc**, cité, composé d'autant de roussanne que de viognier plantés sur un terroir argilo-calcaire, chaud et ensoleillé : une sensation de chaleur sur des arômes intenses de fruits pour un vin qui a du volume. (30 à 49 F)

🔑 SARL sté nouvelle Petite Bellane, rte de Vinsobres, chem. de Sainte-Croix, 84600 Valréas, tél. 04.90.35.22.64, fax 04.90.35.19.27 ☑ 🍷 r.-v.

🔑 Olivier Peuchot

DOM. PHILIPPE PLANTEVIN 1998★★

■ 0,8 ha 4 000 🍾🛢🌡 5à8€

Une harmonie remarquable émane de ce 98 né d'un assemblage de grenache (65 %), de syrah (30 %) et de carignan. Ces cépages nobles de la vallée du Rhône donnent ce vin profond et équilibré ; travaillé en bois douze mois, celui-ci a été

vinifié traditionnellement et atteint aujourd'hui son apogée. Il est digne d'un petit gibier à plume mais peut être également servi tout au long du repas. (30 à 49 F)
EARL Plantevin Père et Fils, La Daurelle, 84290 Cairanne, tél. 04.90.30.71.05, fax 04.90.30.77.75 r.-v.

DOM. RIGOT Jean-Baptiste Rigot 2000**

■ 8 ha 10 000 5à8€

Le millésime 99 célébra le centenaire de ce domaine. Toujours dédiée au fondateur, la cuvée 2000 est remarquable. Grenache et syrah à parts égales sont parfaitement mis en valeur par le vinificateur. Une belle extraction a donné une couleur pourpre à reflets violines. Chaleureuse et veloutée, la matière tapisse le palais sans nous faire oublier les agréables senteurs de fruits mûrs perçues au nez. Bel accord gourmand pour une tarte aux myrtilles. (30 à 49 F)
Camille Rigot, Les Hauts Débats, 84150 Jonquières, tél. 04.90.37.25.19, fax 04.90.37.29.19 r.-v.

CH. ROCHECOLOMBE 1999**

■ 8 ha 40 000 3à5€

Sur les coteaux ensoleillés de Bourg-Saint-Andéol en Ardèche, les vignes (plantées par un auteur-compositeur belge et aujourd'hui conduites par sa fille et son petit-fils) ont donné trois jolis vins : un **Rochecolombe blanc 2000** 100 % clairette - ce qui est rare en côtes du rhône - cité pour son nez intense et son potentiel, un **Rochecolombe rosé 2000**, une étoile, rond, gras et aromatique, et celui-ci, ample, structuré, de belle prestance dans sa robe burlat à reflet mauve - signature d'une belle vinification. Le reste suit, du fruit rouge écrasé aux épices, sur un registre superbe. (20 à 29 F)
EARL G. Herberigs, Ch. Rochecolombe, 07700 Bourg-Saint-Andéol, tél. 04.75.54.50.47, fax 04.75.54.80.03 t.l.j. 9h-12h 14h-19h

CAVE DE ROCHEGUDE 2000*

□ 2 ha 8 000 3à5€

Le fort pourcentage du cépage viognier (85 %) marque ce vin dans son volume. Les fruits s'expriment tout au long de la dégustation. Equilibré, ce 2000 se montre à la fois puissant et élégant, ce qui n'est pas antinomique. (20 à 29 F)
Cave des Vignerons de Rochegude, 26790 Rochegude, tél. 04.75.04.81.84, fax 04.75.04.84.80 t.l.j. 9h-12h 14h-18h

DOM. DE ROCHEMOND Fût de chêne 1999**

■ 2 ha 10 000 5à8€

Deux cuvées de grande qualité ont été présentées par ce domaine de 85 ha : la cuvée principale **Rochemond rouge 2000 (20 à 29 F)**, très jeune dans sa robe vive, rubis « cœur de pigeon », qui allie un côté fruité à de jolies notes végétales, le tout sur des tanins très fondus. Elle obtient une étoile ; et celle-ci, un 99 élevé en barrique, au nez intense de figue blanche associée au pruneau, puissante et onctueuse. Ses notes boisées sont parfaitement bien intégrées et la longueur en bouche est remarquable. Digne d'un gibier - ou pour ceux qui n'aiment pas la chasse, d'une pintade aux raisins. (30 à 49 F)
EARL Philip-Ladet, Eric Philip, Dom. Rochemond, 1, chem. des Cyprès, 30200 Sabran, tél. 04.66.79.04.42, fax 04.66.79.04.42 r.-v.

DOM. DES ROCHES FORTES 1999*

■ 2 ha 12 000 5à8€

Ce domaine fut coup de cœur dans le Guide 2000 pour la cuvée du millésime 97, élaborée avec 100 % de syrah. En millésime **99 la cuvée Prestige** obtient une citation : étiquette blanche, elle est typée et le bois réglissé est bien intégré (jolie note de Zan). Par ailleurs le vin portant étiquette dorée - celui-ci - est habillé d'une parure légère mais éclatante. Ce vin se veut agréablement floral et gouleyant. L'ensemble est élégant. (30 à 49 F)
EARL Brunel et Fils, Dom. des Roches Fortes, quartier Le Château, 84110 Vaison-la-Romaine, tél. 04.90.36.03.03, fax 04.90.28.77.14 t.l.j. sf dim. 10h30-12h 13h30-18h30

CH. SAINT-ESTEVE D'UCHAUX Jeunes vignes 1999*

□ 2 ha 8 000 5à8€

La D 11 qui permet d'atteindre Uchaux en venant d'Orange emprunte le tracé de la voie romaine qui traversait déjà le massif calcaire du bois de la Montagne. Sur un sol maigre et peu profond, les jeunes vignes de viognier conduites en culture raisonnée s'expriment fort bien : la puissance aromatique à l'olfaction se retrouve en bouche sur un équilibre gras, fin et généreux. Autre cuvée, **Vionysos 99 (70 à 99 F)**, 100 % viognier, obtient également une étoile. Florale et fruitée, mêlant tilleul et miel, elle est à la fois onctueuse et fraîche. Sa longueur impressionne. (30 à 49 F)
Ch. Saint-Estève d'Uchaux, 84100 Uchaux, tél. 04.90.40.62.38, fax 04.90.40.63.49 t.l.j. sf dim. 9h-12h 14h-18h
Gérard et Marc Français

CH. SAINT NABOR 2000

□ 2 ha 25 000 3à5€

La roussanne (90 %), bien mûrie sur les coteaux du magnifique village de Cornillon, a donné, avec une pincée de grenache blanc et de clairette, un vin aux arômes de fruits exotiques et d'agrumes qui lui confèrent une grande fraîcheur. (20 à 29 F)
Gérard Castor, EARL Vignobles Saint-Nabor, 30630 Cornillon, tél. 04.66.82.24.26, fax 04.66.82.31.40 t.l.j. 8h-12h 14h-18h

DOM. DE SERVANS 2000***

□ 0,53 ha 1 200 8à11€

Vinifié et élevé en barrique, ce côte-du-rhône presque confidentiel est issu du seul viognier. Il se montre digne des plus grands vins septentrionaux. Le grand jury applaudit sans réserve le savoir-faire tant ce vin est irréprochable. Quelle complexité d'arômes : tout en nuances, on retrouve du miel, des fruits secs, des fleurs puis des fruits avec surtout de jolies notes d'abricot.

Vin de pâtisserie. Il y aura peu d'élus mais ils seront heureux. (50 à 69 F)

Pierre et Philippe Granier, av. de Provence, 26790 Tulette, tél. 04.75.98.31.47, fax 04.75.98.31.47, e-mail domainedeservans@wanadoo.fr r.-v.

CH. SIMIAN

Saint Martin de Jocundaz 2000★★

□ 0,8 ha 2 000 11 à 15 €

Sur ce terroir exceptionnel, bien abrité du mistral, situé sur les pentes sud du massif d'Uchaux, les Serguier réalisent des prouesses : trois couleurs bien notées. Ce vin blanc, 100 % viognier, issu d'un terroir « village », floral et persistant ; le **rosé 2000 (30 à 49 F)** de saignée, une étoile, gras et fruité ; et le **rouge 99**, deux étoiles, puissant, rond, à l'esprit encore très jeune, pour lequel il est conseillé un vieillissement de deux à cinq ans. (70 à 99 F)

Jean-Pierre Serguier, Ch. Simian, 84420 Piolenc, tél. 04.90.29.50.67, fax 04.90.29.62.33, e-mail chateau-simian@wanadoo.fr t.l.j. 9h-19h30

DOM. DU SOLEIL ROMAIN

Dame Laurence 2000

□ 1 ha 2 000 5 à 8 €

De l'exotisme, de la chaleur dans cette bouteille. L'intensité des arômes d'ananas s'appuie sur un équilibre flatteur. Le jury propose un accord avec un poisson grillé ou pourquoi pas avec un gâteau au citron. Egalement cité, le **rosé 2000** est gras et plein en bouche, doté d'une belle structure. (30 à 49 F)

GAEC Giely et Fils, quartier Saint-Martin, 84110 Vaison-la-Romaine, tél. 04.90.36.12.69, fax 04.90.28.71.89 r.-v.

DOM. SOLEYRADE

Cuvée Champaneö 1999★

■ 4 ha 5 500 5 à 8 €

Le grand-père, surnommé Champaneö dans le village, a donné son nom à cette cuvée du domaine que tous les dégustateurs ont qualifiée de subtile. L'attaque fraîche et franche laisse la place à toute une palette de fruits rouges persistants. Equilibrée et élégante, une bouteille qui peut accompagner une daube provençale et aussi tous les rôtis. (30 à 49 F)

Denis Raymond, quartier La Combe, 84830 Sérignan-du-Comtat, tél. 04.90.70.07.79, fax 04.90.70.07.79 t.l.j. 9h-13h 15h-20h, dim. sur r.-v.

DOM. DES TAMARIS 1998

■ 20 ha 10 000 5 à 8 €

Les côtes du rhône « ardéchois » sont cette année très présents dans le Guide. L'effort qualitatif de ce secteur se retrouve chez presque tous les producteurs. Ici on est en présence d'un vin assemblant grenache et syrah. Légèrement évolué, il offre des notes chocolatées et reste très friand. Prêt à boire, il peut cependant attendre deux bonnes années encore. (30 à 49 F)

EARL Faure-Paulat, Dom. des Tamaris, rte des Gorges, 07700 Saint-Just-d'Ardèche, tél. 04.75.98.79.16, fax 04.75.98.74.68 r.-v.

Bernadette Faure

DOM. DE VAL FRAIS 1998★

■ n.c. 7 000 5 à 8 €

« Le grenache tel qu'on l'aime ». Présent pour 80 % dans cette cuvée aux notes légèrement évoluées, il développe des arômes de fruits mûrs et de pruneau. Sa bouche ample et généreuse, et aussi cacaotée, et sa finale épicée sont chaleureuses. « Un vin très sensuel », note en conclusion un dégustateur. (30 à 49 F)

SCEA André Vaque, Dom. de Val-Frais, 84350 Courthézon, tél. 04.90.70.84.33, fax 04.90.70.73.61 t.l.j. sf dim. 9h-12h 14h-18h

DOM. DU VIEUX CHENE

Cuvée de la Haie aux Grives 1999★

■ 10 ha 40 000 5 à 8 €

Jean-Claude Bouche, œnologue, s'est installé en 1978 sur ce très beau domaine où il pratique l'agriculture biologique. Ses cuvées reçoivent au fil des éditions de belles notes. Dans le difficile millésime 99, il s'illustre par cette cuvée au joli nom qui suggère que vous pourrez le découvrir et l'apprécier sur un gibier à plume. Issu d'un assemblage sélectif c'est un vin ample et d'une rondeur notable, très harmonieux dès le premier regard porté sur sa robe profonde. Il est doté d'une grande aptitude au vieillissement (trois à cinq ans). Cette cuvée fut coup de cœur pour le millésime 86. (30 à 49 F)

Jean-Claude et Béatrice Bouché, rte de Vaison-la-Romaine, rue Buisseron, 84850 Camaret-sur-Aigues, tél. 04.90.37.25.07, fax 04.90.37.76.84, e-mail contact@bouche-duvieuxchene.com t.l.j. sf dim. 9h-12h 14h-18h

DOM. DU VIEUX COLOMBIER 1999★★

■ 6 ha 30 000 5 à 8 €

L'étiquette de la **cuvée du XXes.** rappelle quelques-unes des intentions techniques qui ont marqué les cent dernières années. Le contenu de la bouteille intéressera le lecteur. Gratifié d'une étoile, il est cependant dépassé par cette cuvée de base mieux notée à la dégustation pour sa puissance, sa complexité aromatique, ses tanins fins et sa jolie robe violine. Ce vin laisse en finale une impression de plaisir parfait. Le vigneron et son œnologue Bruno Sabatier ont bien travaillé ! (30 à 49 F)

Jacques Barrière et Fils, Dom. du Vieux Colombier, 30200 Sabran, tél. 04.66.89.98.94, fax 04.66.89.98.94 r.-v.

Côtes du rhône-villages

A l'intérieur de l'aire des côtes du rhône, quelques communes ont acquis une notoriété certaine grâce à des terroirs qui produisent des vins (environ 184 000 hl) dont la typicité et les qualités sont unanimement reconnues et appréciées. Les conditions de production de ces vins sont soumises à des critères plus restrictifs en matière notamment de délimitation, de rendement et de degré alcoolique par rapport à ceux des côtes du rhône.

Il y a d'une part les côtes du rhône-villages pouvant mentionner un nom de commune, seize noms historiquement reconnus et qui sont : Chusclan, Laudun et Saint-Gervais dans le Gard ; Beaumes-de-Venise, Cairanne, Sablet, Séguret, Rasteau, Roaix, Valréas et Visan dans le Vaucluse ; Rochegude, Rousset-les-Vignes, Saint-Maurice, Saint-Pantaléon-les-Vignes et Vinsobres dans la Drôme, et qui recouvrent vingt-cinq communes pour une superficie déclarée de 4 787 ha pour une production de 192 773 hl.

Il y a d'autre part les côtes du rhône-villages sans nom de commune, dont la délimitation vient de s'achever sur le reste de l'ensemble des communes du Gard, du Vaucluse et de la Drôme dans l'aire côtes du rhône.

Soixante-dix communes ont été retenues. Cette délimitation avait pour premier objectif de permettre l'élaboration de vins de semi-garde. Il s'en déclare actuellement 3 239 ha pour une production de 143 376 hl.

DOM. AMIDO 1999

■ 5,25 ha 30 000 5à8€

A la fois producteur de tavel et de côtes du rhône-villages, ce domaine propose un 99 bien typé. Son fruit, ses épices, ses fins tanins, son équilibre et sa persistance aromatique en font un joli vin. (30 à 49 F)

Christian Amido, rue des Carrières, 30126 Tavel, tél. 04.66.50.04.41, fax 04.66.50.04.41 r.-v.

DOM. DE BEAUMALRIC Beaumes de Venise 1999★

■ 5 ha 25 000 5à8€

Un vin bien fait, qui se montre typique tout en affichant une certaine personnalité avec ses senteurs animales et ses notes de sous-bois. La bouche, équilibrée, déploie élégamment ses arômes de fruits rouges, et la robe rubis garde toute sa jeunesse. (30 à 49 F)

EARL Begouaussel, Dom. de Beaumalric, BP 15, 84190 Beaumes-de-Venise, tél. 04.90.65.01.77, fax 04.90.62.97.28 r.-v.

DOM. BEAU MISTRAL Rasteau Sélection du Terroir 2000★

◪ 3 ha 6 000 5à8€

Nous sommes ici soumis au mistral qui joue un rôle bénéfique sur les raisins. C'est sans doute la raison du nom de ce domaine dont le rosé de saignée séduit par une robe brillante, pétale de rose, et par la finesse d'un nez où se mêlent anis, menthol et fruits rouges. Ces derniers arômes se retrouvent dans une bouche d'une grande fraîcheur. (30 à 49 F)

Jean-Marc Brun, Le Village, rte d'Orange, 84110 Rasteau, tél. 04.90.46.16.90, fax 04.90.46.17.30 r.-v.

DOM. DE BEAURENARD Rasteau 1999

■ 4 ha 50 000 5à8€

Venu de Châteauneuf-du Pape, un *villages* boisé et fruits rouges à l'olfaction, fruits rouges encore, mais macérés cette fois, dans une bouche tannique qui devrait s'affiner avec le temps. On reconnaît ici les effets d'une longue cuvaison et des mois d'élevage en fût. Une bouteille flatteuse dans sa robe grenat. (30 à 49 F)

SCEA Paul Coulon et Fils, Dom. de Beaurenard, av. Pierre-de-Luxembourg, 84231 Châteauneuf-du-Pape, tél. 04.90.83.71.79, fax 04.90.83.78.06, e-mail paul.coulon@beaurenard.fr t.l.j. sf dim. 9h-12h 13h30-17h30; groupes sur r.-v.

DOM. DE BELLE-FEUILLE 1999★

■ 3 ha 18 000 5à8€

Le domaine a énormément investi dans le matériel de vinification et d'élevage : il en recueille les fruits avec cette cuvée, que l'on conservera pour mieux l'apprécier. Sa robe est d'un grenat profond. Le nez, complexe, passe des épices aux notes musquées. Après une attaque franche, on découvre une bouche équilibrée, qui révèle un bon potentiel de vieillissement. Le **côtes du rhône blanc 99 (20 à 29 F)** de Gilbert Louche obtient une étoile : frais, complexe et long, c'est un vin de poisson blanc. (30 à 49 F)

Gilbert Louche, Dom. de Belle-Feuille, 30200 Vénéjan, tél. 04.66.79.27.33, fax 04.66.79.22.82 t.l.j. sf dim. 8h-12h 13h-18h30

LOUIS BERNARD 2000★

■ n.c. 300 000 5à8€

Après un nez habité par la fraise des bois, on découvre une bouche de belle longueur, équilibrée, portée par les tanins. Le **Domaine Sarrelon 2000** a été cité. (30 à 49 F)

Les Domaines Bernard, rte de Sérignan, 84100 Orange, tél. 04.90.11.86.86, fax 04.90.34.87.30, e-mail sagon@domaines-bernard.fr

RHONE

DOM. BOISSON Cairanne 1999

■ 8 ha 35 000 5 à 8 €

Une exploitation qui comptait 8 ha en 1945 et en possède aujourd'hui 40. Retenons deux cuvées dans le millésime 99 : le **Clos de la Brussière (50 à 69 F)**, agréable par ses saveurs réglissées, obtient une citation. Le cairanne, plus typé grâce à ses notes de poivre, d'épices et de cuir, présente un bon équilibre et des arômes persistants. (30 à 49 F)

Régis Boisson, Les Sablières, 84290 Cairanne, tél. 04.90.30.70.01, fax 04.90.30.89.03 t.l.j. sf dim. 9h30-12h 14h-19h30; groupes sur r.-v.

DOM. BRESSY-MASSON

Cuvée la Souco d'or Rasteau 1999★★

■ 2 ha 6 000 8 à 11 €

Ce domaine a su remporter, avec deux de ses cuvées, deux coups de cœur ! Le super jury exprime une légère préférence pour la Souco d'or, avec son nez d'iris, de cacao, d'épices, relevés d'une harmonie de fruits noirs (cassis, mûre, myrtille) qui reviennent en fin de dégustation. Mais avant cela, ce sont de solides tanins que l'on découvre en bouche, du bois bien fondu, une finale ronde, très épicée, à dominante poivrée. La **Cuvée Paul-Emile 99** s'avère tout aussi agréable. (50 à 69 F)

Marie-France Masson, Dom. Bressy-Masson, rte d'Orange, 84110 Rasteau, tél. 04.90.46.10.45, fax 04.90.46.17.78 t.l.j. 9h-12h 14h-19h; groupes sur r.-v.

DOM. BRUSSET

Cairanne Coteaux des Travers 2000

□ 2 ha 4 000 5 à 8 €

Vaste domaine de 87 ha, qui reçut sous le nom de Laurent Brusset un coup de cœur en 2000 pour une autre cuvée. On sent la trace de raisins très mûrs à l'ampleur et à la richesse de ce 2000. Floral au nez, il déploie dans la suite de la dégustation des arômes de girofle et de fruits blancs, soutenus par une bonne acidité qui rehausse agréablement la fin de bouche. (30 à 49 F)

Dom. Brusset, 84290 Cairanne, tél. 04.90.30.82.16, fax 04.90.30.73.31 r.-v.

CAVE DE CAIRANNE

Cuvée antique 1998★

■ 80 ha 65 000 8 à 11 €

Pleine de puissance et de promesses : telle est cette cuvée de prestige, au nez intense, fruité, nuancé de cuir et de notes animales. Les fins tanins de la bouche y ajoutent leur complexité, parachevant la très grande harmonie de ce 98. Pour un tournedos Rossini. (50 à 69 F)

Cave de Cairanne, 84290 Cairanne, tél. 04.90.30.82.05, fax 04.90.30.74.03 r.-v.

CASTEL MIREIO

Cairanne Prestige Elevé en fût de chêne neuf 1999★

■ 5 ha 15 000 8 à 11 €

Cette cuvée au joli nom provençal est issue d'un domaine de 24 ha. Le nez intense associe des notes animales et des fruits rouges à une touche épicée et boisée en finale. On apprécie sa charpente ainsi que ses arômes de fruits rouges confits. Les tanins sont fondus et réglissés. (50 à 69 F)

Dom. Michel et André Berthet-Rayne, rte d'Orange, 84290 Cairanne, tél. 04.90.30.88.15, fax 04.90.30.83.17 r.-v.

DOM. DIDIER CHARAVIN

Rasteau Les Parpaïouns 1999★

■ 2 ha 7 000 8 à 11 €

« L'incarnation même de l'AOC », a estimé le jury. Avec sa belle structure, sa longueur en bouche, ses tanins fins, ses arômes persistants de fruits rouges et surtout ses épices (poivre), c'est un vin qui devra être gardé deux ans. La cuvée principale **rouge 99 (30 à 49 F)**, citée, révèle le grenache et la syrah bien mûris sur les coteaux de Rasteau, avec son nez et sa bouche aux notes animales et épicées et ses tanins fondus. (50 à 69 F)

Didier Charavin, rte de Vaison, 84110 Rasteau, tél. 04.90.46.15.63, fax 04.90.46.16.22 t.l.j. 9h-12h 14h-18h

DOM. CHAUME-ARNAUD

Vinsobres Cuvée La Cadène 1999★

■ 2 ha 8 800 11 à 15 €

Ici l'on décèle tout de suite les arômes des trois cépages principaux de l'AOC. Mûres et myrtille à l'olfaction, en bouche des tanins fondus et du fruit rouge : ce vin brille par son équilibre. Le **blanc 2000** du domaine, floral et puissant au nez, gras et fruité en bouche, atteste une vinification bien maîtrisée avec sa jolie robe dorée. Il obtient une citation, ainsi que le **rosé 2000**, tout aussi agréable à déguster. Leur prix : 30 à 49 F. (70 à 99 F)

EARL Chaume-Arnaud, Les Paluds, 26110 Vinsobres, tél. 04.75.27.66.85, fax 04.75.27.69.66 r.-v.

DOM. DU CORIANCON

Vinsobres Le Haut des Côtes 1999

■ 3 ha 5 000 11 à 15 €

Vaste propriété familiale conduite par François Vallot depuis 1976, Coriançon élabore une cuvée spéciale qui associe pour ce millésime 80 % de grenache à 15 % de syrah et à 5 % de mourvèdre. Trente jours de macération ont permis d'extraire une couleur profonde et des tanins déjà arrondis. Confits et épicés, les arômes sont francs et nets. Un vin à attendre deux ans afin que le boisé se fonde. (70 à 99 F)

🔑 François Vallot, Dom. du Coriançon,
26110 Vinsobres,
tél. 04.75.26.03.24, fax 04.75.26.44.67,
e-mail françois.vallot@wanadoo.fr
☑ 🍷 t.l.j. sf dim. 9h-12h 14h-19h

DOM. DES COTEAUX DES TRAVERS
Rasteau Cuvée Prestige 1999★★

■ n.c. 14 000 🛢 8à11€

Une très belle bouteille en robe rouge profond. Intense et puissante à l'olfaction, elle se distingue par son attaque en bouche, suivie d'arômes très soutenus de fruits rouges et de sous-bois. D'harmonieux tanins étayent l'ensemble, qui ne déparera pas vos repas de fête. Deux étoiles échoient également au **Cairanne (50 à 69 F)** du même producteur.
(50 à 69 F)

🔑 Robert Charavin, Dom. des Coteaux des Travers, BP 5, 84110 Rasteau,
tél. 04.90.46.13.69, fax 04.90.46.15.81,
e-mail robert.charavin@wanadoo.fr ☑ 🍷 r.-v.

CH. COURAC Laudun 1999★★

■ 9,64 ha 53 000 🍾 5à8€

C'est un château perché sur les hauteurs de Tresques et entouré par son vignoble. Les jeunes propriétaires ont installé un caveau où vous pourrez déguster ce *villages* à la robe sombre et profonde. Le nez est puissant, animal, corsé, riche de nuances de fruits frais et de laurier. La bouche est pleine et mûre ; la belle structure de ses tanins doux et soyeux s'y allie avec des arômes persistants de prune noire confite.
(30 à 49 F)

🔑 SCEA Frédéric Arnaud, Ch. Courac,
30330 Tresques, tél. 04.66.82.90.51,
fax 04.66.82.94.27 ☑ 🍷 r.-v.

DU PELOUX 1998★

■ n.c. n.c. 5à8€

Un vin très agréable avec sa robe grenat profond. Légèrement fermé, le nez évolue vers le petit fruit rouge ; en bouche la charpente est belle ; les arômes animaux et ceux de sous-bois s'avèrent de bonne longueur. (30 à 49 F)

🔑 Vignobles Du Peloux, quartier Barrade,
RN 7, 84350 Courthézon, tél. 04.90.70.42.00,
fax 04.90.70.42.15 ☑ 🍷 r.-v.

DOM. DE DURBAN
Beaumes-de-Venise 1999★

■ 17,74 ha 67 000 🍾🌡 5à8€

Avec le panorama qu'elle livre de la région, la promenade jusqu'au domaine est magnifique. Et la gamme de vins à découvrir à l'arrivée ne déçoit pas : ainsi ce *villages* mûri sur des coteaux bien ensoleillés. Son nez parle de fruits et d'épices, sa bouche, agréablement équilibrée, est ronde, et de fins tanins nous conduisent jusqu'à une finale fruitée. (30 à 49 F)

🔑 SCEA Leydier et Fils, Dom. de Durban,
84190 Beaumes-de-Venise, tél. 04.90.62.94.26,
fax 04.90.65.01.85 ☑ 🍷 t.l.j. sf dim. 9h-12h 14h-17h30

DOM. REMY ESTOURNEL
Laudun 2000★

□ 1 ha 3 000 🍾 5à8€

Situé à 150 m du vieux village, ce domaine est bien connu des lecteurs. Ce vin gardois est très joli, dans sa robe jaune clair à reflets dorés. Floral, puissant au nez, il évoque aussi les fruits à chair blanche et l'abricot. En bouche, on lui trouve un bel équilibre, ainsi que du gras et beaucoup de fraîcheur. Le **côtes du rhône blanc 2000** est typique des blancs méridionaux. Il obtient une étoile. (30 à 49 F)

🔑 Rémy Estournel, 13, rue de Plaineautier,
30290 Saint-Victor-la-Coste, tél. 04.66.50.01.73,
fax 04.66.50.21.85 ☑ 🍷 r.-v.

DOM. DE FENOUILLET
Beaumes-de-Venise Cuvée des Générations 1999★★

■ 1,5 ha 4 000 🛢 8à11€

Quelle magnifique cuvée, mariant le fruit et le bois. Aujourd'hui, c'est ce dernier qui domine, non sans finesse, avec des nuances épicées et vanillées, mais les fruits rouges ne sont pas absents. Un vin à oublier dans sa cave. On servira en revanche dès maintenant la **Cuvée Yvon Soard 99** qui obtient une étoile. (50 à 69 F)

🔑 GAEC Patrick et Vincent Soard,
Dom. de Fenouillet, allée Saint-Roch,
84190 Beaumes-de-Venise, tél. 04.90.62.95.61,
fax 04.90.62.90.67, e-mail pv.soard@freesbee.fr
☑ 🍷 r.-v.

FERDINAND DELAYE Visan 1999★

■ 17 ha 90 000 🍾🌡 5à8€

Intéressante, cette cuvée présentée par la cave des coteaux de Visan. Le jury la dit rustique et solide ; les arômes de fruits mûrs s'y déploient sur une bonne base tannique. Un produit équilibré, qui témoigne d'une belle maturité.
(30 à 49 F)

🔑 Cave Les Coteaux, B.P. 22, 84820 Visan,
tél. 04.90.28.50.80, fax 04.90.28.50.81,
e-mail cave@coteaux-de-visan.fr 🍷 r.-v.

DOM. FOND CROZE 1998★★

■ 3 ha 8 600 🍾🌡 5à8€

Tout jeune domaine, établi sur un vignoble qui travaillait jusque-là en cave coopérative, Fond Croze réussit un millésime brillant, au fruité agréable (fruits noirs et confits). La bouche n'est qu'harmonie, puissance, rondeur et équilibre. Nous souhaitons de nombreux autres succès à ces deux frères. (30 à 49 F)

Dom. Fond Croze, Le Village, 84290 Saint-Roman-de-Malegarde, tél. 04.90.28.94.30, fax 04.90.28.97.07, e-mail fondcroze@hotmail.com r.-v.
Bruno et Daniel Long

DOM. DU GOURGET Rochegude 2000*

□ 1 ha 3 200 8à11€

Quelle fraîcheur dans ce vin ! Son nez est d'une discrète élégance. En bouche, on admire l'équilibre entre alcool et acidité. Des arômes de miel, de fruits à chair blanche : ce Rochegude accompagnera fort bien une viande blanche en sauce ou un poisson. (50 à 69 F)

Mme Tourtin-Sansone, Dom. du Gourget, 26790 Rochegude, tél. 04.75.04.80.35, fax 04.75.98.21.21 r.-v.

CH. DU GRAND MOULAS

Cuvée de l'Ecu Grande Réserve 1999*

■ 2 ha n.c. 8à11€

La syrah (95 %) et le sol argilo-calcaire sont à l'origine de cette cuvée parée d'une robe profonde. La feuille de cassis et les fruits rouges s'expriment au nez et en bouche. Celle-ci, bien équilibrée, laisse poindre une note poivrée en finale. (50 à 69 F)

Marc Ryckwaert, Ch. du Grand Moulas, 84550 Mornas, tél. 04.90.37.00.13, fax 04.90.37.05.89, e-mail ryckwaert@grand.moulas.com r.-v.

DOM. GRAND NICOLET

Rasteau 1999***

■ 5 ha 15 000 5à8€

Infiniment typique de l'appellation, voici un Rasteau issu pour l'essentiel de grenache et complété par 20 % de syrah : le résultat est exceptionnel. La robe grenat, le nez très intense de cacao et d'épices préludent à une bouche superbe par ses tanins fins et soyeux. Le cacao revient en fin de dégustation associé aux fruits noirs, le tout d'une grande persistance aromatique. (30 à 49 F)

Jean-Pierre Bertrand, quartier Petit-Paris, 84110 Rasteau, tél. 04.90.46.12.40, fax 04.90.46.11.37, e-mail cave-nicolet-leyraud@wanadoo.fr r.-v.

DOM. JAUME Vinsobres 1999**

■ 4 ha 25 000 5à8€

L'arrière-grand-père de l'actuel propriétaire a participé à la reconnaissance de Vinsobres en dénomination *villages* en 1937. Aujourd'hui, ses descendants proposent un vin à la robe profonde et soutenue. Le nez, puissant, est marqué par des notes de fleurs et de pain d'épice. Dans la bouche, ronde et fondue, on observe une solide union entre des tanins vanillés et le fruit rouge. Le bois et le raisin se marient avec élégance. Une bouteille équilibrée qui pourra attendre quatre ou cinq ans. (30 à 49 F)

Dom. Jaume, 24, rue Reynarde, 26110 Vinsobres, tél. 04.75.27.61.01, fax 04.75.27.68.40 t.l.j. sf dim. 8h-12h 13h30-19h

CH. JOANNY 1999*

■ 7 ha 35 000 5à8€

On mesure le savoir-faire de cette exploitation à l'élégance de ce rouge bien vinifié. Sa robe est pourpre, son nez embaume les fruits des bois qui réapparaissent en bouche. Equilibre, finesse, tout est réuni pour constituer une belle bouteille. Le **Château La Renjardière 99** est le vin de négoce des établissements Pierre Dupond de Villefranche. Il obtient la même note. (30 à 49 F)

Famille Dupond, Ch. Carbonel, rte de Piolenc, 84830 Sérignan-du-Comtat, tél. 04.90.70.00.10, fax 04.90.70.09.21, e-mail info@bracdelaperriere.com t.l.j. sf mar. 8h-12h 14h-18h

DOM. DE LA CHARTREUSE DE VALBONNE

Cuvée Terrasses de Montalivet 2000

□ 1,3 ha 5 000 8à11€

Nichée dans un magnifique écrin de verdure, cette chartreuse aux tuiles vernissées évoque l'histoire d'amour que la Bourgogne a toujours entretenue avec la vallée du Rhône. Son blanc 2000, exclusivement issu de viognier, se présente sous une teinte pâle à reflets verts. Le nez parle de fleurs et de fruits blancs et laisse place à une bouche équilibrée, pleine de gras et de maturité : une belle bouteille. (50 à 69 F)

ASVMT, Dom. de La Chartreuse de Valbonne, 30130 Saint-Paulet-de-Caisson, tél. 04.66.90.41.24, fax 04.66.90.41.23, e-mail chartreuse.de.valbonne@wanadoo.fr r.-v.

DOM. LA COMBE JULLIERE

Rasteau 2000

■ 3,5 ha 16 000 5à8€

Une cuvée jeune encore, avec sa robe grenat à reflets rubis, son nez très fin d'épices et notamment de poivre. Les tanins sont présents, les arômes de fruits rouges persistants. Une garde d'une année apportera à ce vin toute la maturité demandée. (30 à 49 F)

EARL Le Bouquet, 84110 Rasteau, tél. 04.90.12.32.42, fax 04.90.12.32.49
M. Laurent

LA FONT D'ESTEVENAS

Cairanne 1999*

■ 2 ha 8 000 8à11€

L'arbre généalogique des Alary remonte à 1692, date à laquelle cette famille est déjà sur ces terres. Cette cuvée à base de grenache et de syrah est très agréable dans sa robe mi-grenat mi-rubis. Fortement concentré, le nez évoque les fruits rouges confits que l'on retrouve dans une bouche aux tanins bien présents. C'est un vin de garde. (50 à 69 F)

Dom. Daniel et Denis Alary, La Font d'Estévenas, rte de Rasteau, 84290 Cairanne, tél. 04.90.30.82.32, fax 04.90.30.74.71 t.l.j. sf dim. 8h-12h 14h-19h

DOM. DE LA MONTAGNE D'OR
Séguret 1999

■ 3 ha 10 000 5à8€

Sous une robe rouge cerise à reflets violacés, on découvre des parfums de petits fruits rouges saupoudrés de poivre. La bouche équilibrée par des tanins légers conclut sur une note épicée. Un vin déjà prêt. (30 à 49 F)

Alain Mahinc, La Combe, 84110 Vaison-la-Romaine, tél. 04.90.36.22.42, fax 04.90.36.22.42 t.l.j. 8h-12h 14h-18h

DOM. LA REMEJEANNE
Les Eglantiers 2000*

■ 1 ha 4 800 11à15€

Ces Eglantiers ont reçu un coup de cœur pour leur 98... en côtes-du-rhône, dans le Guide 2000. C'est aujourd'hui un *villages* très jeune, - mais si prometteur. Par sa complexité d'abord : son nez, encore fermé, est déjà bien concentré et évoque le fruit noir. Puis la structure tannique de la bouche marie le boisé et un support de grande maturité. Le fruit, les épices sont là : il ne vous reste plus qu'à trouver la patience de l'attendre jusqu'en mars 2002. (70 à 99 F)

EARL Ouahi et Rémy Klein, Dom. La Réméjeanne, Cadignac, 30200 Sabran, tél. 04.66.89.44.51, fax 04.66.89.64.22, e-mail remejeanne@wanadoo.fr r.-v.

DOM. DE LA RENJARDE
Réserve de Cassagne 1999**

■ 10 ha 20 000 8à11€

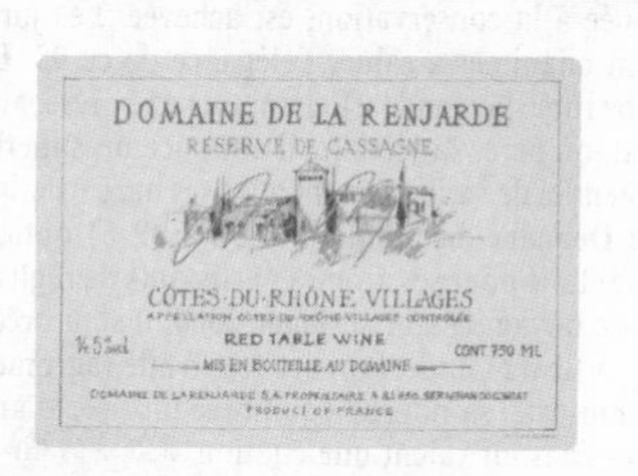

Le domaine est situé sur un ancien *oppidum* romain. Son exposition au midi, ses cultures en terrasse et la nature de ses sols donnent des vins très généreux et de grande qualité. Pour preuve ces deux cuvées 99, dont La Réserve de Cassagne issue exclusivement de grenache et de mourvèdre. En robe grenat profond, elle déploie un nez complexe de torréfaction, de vanille, de résiné, d'épices et de réglisse. L'attaque en bouche est franche ; une belle densité se manifeste ensuite, faite de fruits cuits, de tabac et d'une pointe de café... La cuvée **Domaine de la Renjarde (30 à 49 F)**, dans le même millésime, a été jugée très réussie. (50 à 69 F)

Dom. de La Renjarde, rte d'Uchaux, 84830 Sérignan-du-Comtat, tél. 04.90.83.70.11, fax 04.90.83.79.69, e-mail alaindugas@chateau-la-nerthe.com r.-v.

DOM. LA SOUMADE
Rasteau Prestige 1999

■ 8 ha 30 000 11à15€

La première impression est chaleureuse et généreuse : on sent ici la présence du grenache bien mûr, cépage roi du Sud. Le nez nous fait passer de la fraise au laurier, et puis la bouche complexe, aux tanins fondus et aux arômes de sous-bois, se montre équilibrée. (70 à 99 F)

André Romero et Fils, 84110 Rasteau, tél. 04.90.46.11.26, fax 04.90.46.11.69 t.l.j. sf dim. 9h-11h30 14h-18h

LAURUS Cairanne 1999**

■ 2 ha 3 000 8à11€

Gamme de prestige de ce négociant, Laurus propose un Cairanne remarquable d'harmonie, où fermentation et élevage ont été également soignés. Le boisé y est plein de finesse, avec des arômes de vanille, de grillé, de torréfaction et un support de tanins ciselés. Vin de propriété, le **Château La Diffre 2000 en Séguret (30 à 49 F)** obtient deux étoiles ; il est tout en fruits sauvages et épices. (50 à 69 F)

Gabriel Meffre, Le Village, 84190 Gigondas, tél. 04.90.12.30.22, fax 04.90.12.30.29, e-mail gabriel-meffre@meffre.com r.-v.

DOM. DE LA VALERIANE 1999*

■ 2 ha 3 500 5à8€

A quelques kilomètres d'Avignon, des terrasses de galets roulés, exposées plein sud, où mûrissent grenache et syrah : tel est le berceau de ce vin de garde, à la profonde teinte violacée. La puissance du nez est faite d'épices, de réglisse, de torréfaction. Les tanins sont encore fermes mais ils sauront se fondre dans un an ou deux. Avec quel plaisir on retrouve les épices et la réglisse en finale. Le **côtes du rhône blanc 2000 (20 à 29 F)**, vin de coquillages, obtient une citation. (30 à 49 F)

Mesmin Castan, rte d'Estézargues, 30390 Domazan, tél. 04.66.57.04.84, fax 04.66.57.04.84 r.-v.

LA VINSOBRAISE Vinsobres 1999

■ 4 ha 13 000 5à8€

La cave de Vinsobres et ses vignerons proposent un 99 à la robe rubis brillant. Le nez puissant et épicé précède une bouche agréable, légèrement épicée. Cette cuvée est prête à boire. (30 à 49 F)

Cave La Vinsobraise, 26110 Vinsobres, tél. 04.75.27.64.22, fax 04.75.27.66.59 t.l.j. 8h-12h 14h-18h

DOM. LE CLOS DU BAILLY 2000*

◪ 2 ha 7 000 3à5€

Après une visite au pont du Gard, arrêtez-vous donc au domaine pour y déguster ce très joli rosé à la robe saumonée. Le nez fumé décline des notes de jasmin et de roses séchées, ainsi que de fruits rouges ; ces derniers se retrouvent en bouche avec beaucoup de finesse et de fraîcheur. Un grand plaisir pour un prix minime. (20 à 29 F)

Richard Soulier, 17, rue d'Avignon, 30210 Remoulins, tél. 04.66.37.12.23, fax 04.66.37.38.44 r.-v.

DOM. LES HAUTES CANCES

Cairanne Cuvée Col du Débat 1998*

■ 2,85 ha 7 600 8à11€

Joli travail pour ce vigneron qui a résolument misé sur l'agriculture biologique. Une robe grenat profond, un nez aux notes boisées mêlées de fruits secs ouvrent la dégustation de cette cuvée. La bouche déploie ensuite des arômes de réglisse, d'amande douce et de vanille, sur un tapis de tanins qui concourent à former une belle charpente. (50 à 69 F)

SCEA Achiary-Astart, quartier Les Travers, 84290 Cairanne, tél. 04.90.30.76.14, fax 04.90.38.65.02, e-mail contact@hautescances.com r.-v.

LES QUATRE CHEMINS Laudun 2000*

□ 5 ha 20 000 3à5€

Pierre Pappalardo, directeur, nous réjouit les papilles avec les très jolis vins blancs qu'il élabore et dont la cave s'est fait une spécialité depuis sa création. Celui-ci se signale par un nez de pamplemousse et de fleurs blanches, avant de nous amener aux agrumes plus mûrs de la bouche. Equilibre, élégance, tout y est. (20 à 29 F)

Cave des Quatre-Chemins, 30290 Laudun, tél. 04.66.82.00.22, fax 04.66.82.44.26 t.l.j. sf dim. 8h-12h 14h-18h

CH. LES QUATRE FILLES

Cairanne Elevé en fût de chêne 1999*

■ 5 ha 4 200 8à11€

En cours de reconversion à l'agriculture biologique, ce domaine propose une cuvée spéciale. Une longue cuvaison et un vieillissement de neuf mois en fût ont donné un vin de garde, à la robe carmin foncé. Le nez s'épanouit en arômes de fruits confits et de chêne brûlé que l'on retrouve en bouche avec des notes de truffe ; les tanins s'affineront avec le temps. (50 à 69 F)

Roger Flesia, Ch. Les Quatre-Filles, rte de Lagarde-Paréol, 84290 Sainte-Cécile-les-Vignes, tél. 04.90.30.84.12, fax 04.90.30.86.15, e-mail 4filles@worldonline.fr t.l.j. 8h-20h

DOM. DE L'ORATOIRE SAINT-MARTIN

Cairanne Réserve des Seigneurs 1999**

■ 10 ha 40 000 8à11€

Coup de cœur l'an dernier, ce domaine de 25 ha porte le nom d'un oratoire édifié en 1948 avec de vieilles pierres et des tuiles romaines. Grenache, mourvèdre et syrah, les trois cépages par excellence de l'AOC, implantés sur le magnifique terroir de Cairanne, ne pouvaient donner qu'un vin remarquable... La finesse des fruits rouges s'allie à l'élégance des fleurs. En bouche, les tanins encore présents sont néanmoins fondus. Déjà prêt, ce grand vin pourra attendre trois à quatre ans. (50 à 69 F)

Frédéric et François Alary, Dom. l'Oratoire St-Martin, rte de Saint-Roman, 84290 Cairanne, tél. 04.90.30.82.07, fax 04.90.30.74.27 t.l.j. sf mer. dim. 8h-12h 14h-19h

MARQUIS DE LA CHARCE

Saint Maurice Cuvée Prestige 1998**

■ 4 ha 8 000 5à8€

Un très joli produit, cette cuvée en robe foncée, au nez puissant de fruits noirs confits : sa belle charpente repose sur des tanins qui s'expriment avec beaucoup d'équilibre, sans jamais éclipser le fruit. (30 à 49 F)

Cave des Coteaux de Saint-Maurice, 26110 Saint-Maurice-sur-Eygues, tél. 04.75.27.63.44, fax 04.75.27.67.32 r.-v.

MAS DE LIBIAN 1999*

■ 3 ha 15 000 8à11€

Des coteaux bien exposés de Saint-Marcel-d'Ardèche nous vient cette cuvée à la robe grenat. Fin et élégant, le nez est tout en fruits rouges ; fruits rouges en bouche également, avec une note réglissée en finale. Ample, bien construit, un vin d'une belle richesse. (50 à 69 F)

Thibon, Mas de Libian, 07700 Saint-Marcel-d'Ardèche, tél. 04.75.04.66.22, fax 04.75.98.66.38 r.-v.

DOM. DU MOULIN

Vinsobres Cuvée Charles Joseph 1998*

■ 1,5 ha 5 500 8à11€

La seconde cave du domaine, souterraine et vouée à la conservation, est achevée. Les jurés sont unanimes à saluer l'élégance de ce 98. En robe rubis profond, affichant un nez poivré, animal, où perce la violette, il annonce un superbe potentiel de vieillissement avec ses beaux tanins. Le **Domaine du Moulin 99 (30 à 49 F)** obtient une étoile pour ses arômes persistants de réglisse et de noyau. Quant au **blanc 2000**, il sera prêt à la sortie du Guide. Son nez très fruité (agrumes) et muscaté, sa bouche équilibrée tapissée d'arômes frais lui valent une citation. (50 à 69 F)

Denis Vinson, Dom. du Moulin, 26110 Vinsobres, tél. 04.75.27.65.59, fax 04.75.27.63.92 t.l.j. sf dim. 8h-12h 13h30-19h

DOM. DE MOURCHON

Séguret Grande Réserve 1999*

■ 3 ha 18 000 8à11€

Deux tiers de grenache, un tiers de syrah, bien mûris sur les coteaux du magnifique village de Séguret : telle est la base de cette cuvée prometteuse par son nez d'épices et de fruits noirs confiturés. La bouche est jeune, ample ; épices encore et cassis y font bon ménage et y déploient des notes bien concentrées. Un bel avenir en perspective. (50 à 69 F)

Dom. de Mourchon, 84110 Séguret, tél. 04.90.46.70.30, fax 04.90.46.70.31, e-mail mourchon@free.fr r.-v.

DOM. DU PETIT BARBARAS
Sélection 1999

■ 7 ha 6 000 5à8€

La robe de ce 99, pourpre, est belle, et le nez évolue sur des arômes secondaires. Puis c'est la bouche qu'on découvre, intense jusque dans sa finale boisée. Un vin agréable et élégant, qui accompagnera viandes rouges et grillades. (30 à 49 F)

SCEA Feschet Père et Fils, Dom. du Petit-Barbaras, 26790 Bouchet, tél. 04.75.04.80.02, fax 04.75.04.84.70 t.l.j. sf dim. 9h-12h 14h-18h; groupes sur r.-v.

CLOS PETITE BELLANE
Valréas Les Echalas 2000*

■ 1,5 ha 6 300 8à11€

Valréas, cité de l'Enclave des papes, mérite une étape de vacances pour le charme de ses monuments et son activité viticole. De création récente, ce domaine propose cette cuvée 100 % syrah qui a retenu l'attention de nos dégustateurs. D'un rouge profond, violacé, elle développe des senteurs de fruits rouges ; et c'est encore le fruit qu'on trouve en bouche sur des tanins soyeux. (50 à 69 F)

SARL sté nouvelle Petite Bellane, rte de Vinsobres, chem. de Sainte-Croix, 84600 Valréas, tél. 04.90.35.22.64, fax 04.90.35.19.27 r.-v.

Olivier Peuchot

DOM. DE PIAUGIER
Sablet Montmartel 1999*

■ 2 ha n.c. 11à15€

Après deux ou trois ans de cave, il sera prêt à déguster. Pour l'instant, le fût domine, mais quel plaisir de humer déjà ce joli nez de fruits cuits (pruneau) et de réglisse ! La bouche, structurée par des tanins fermes qui commencent à peine à se fondre, finit sur des notes de réglisse encore et d'épices, qui nous laissent sur une impression boisée. (70 à 99 F)

Jean-Marc Autran, Dom. de Piaugier, 3, rte de Gigondas, 84110 Sablet, tél. 04.90.46.96.49, fax 04.90.46.99.48, e-mail piaugier@wanadoo.fr r.-v.

DOM. DU POURRA
Séguret La Combe 1999*

■ 7,5 ha 34 700 5à8€

1997 marque la reprise de ce domaine familial par J.-C. Mayordome. Cultivé sur le terroir de Séguret, vinifié à Sablet, ce vin à la robe cerise est très agréable par son nez de fruits rouges. En bouche, la structure est bonne, on y trouve du gras et de la rondeur sur un fond de cacao. Une bouteille prête à passer à table et à déguster jusqu'en 2003. (30 à 49 F)

J.-C. Mayordome, SCEA Dom. du Pourra, rte de Vaison, 84110 Sablet, tél. 04.90.46.93.59, fax 04.90.46.98.71 t.l.j. sf sam. dim. 8h-17h30

CAVE DE RASTEAU
Rasteau Tradition 2000*

■ 250 ha 300 000 5à8€

65 % de l'appellation Rasteau seraient aujourd'hui vinifiés par la cave. Une couleur grenat d'une belle intensité habille ce vin au nez puissant, confituré, aux notes d'épices et de figue. La bouche, franche et chaleureuse, est encore marquée par les tanins dont on appréciera la longueur. (30 à 49 F)

Cave de Rasteau, rte des Princes-d'Orange, 84110 Rasteau, tél. 04.90.10.90.10, fax 04.90.46.16.65, e-mail rasteau@rasteau.com r.-v.

DOM. ROC FOLASSIERE
Elevé en fût de chêne 1999

■ 4,5 ha 25 200 5à8€

Cuvée Prestige d'une coopérative qui vinifie 700 ha. Grenache et syrah entrent à égalité dans ce vin à la robe foncée, nuancée de violet. Les tanins sont bien présents. Un élégant boisé accompagne des notes de fruits confits dans une bouche équilibrée. (30 à 49 F)

Les Vignerons producteurs de Saint-Hilaire-d'Ozilhan, av. Paul-Blisson, 30210 Saint-Hilaire-d'Ozilhan, tél. 04.66.37.16.47, fax 04.66.37.35.12, e-mail contact@cotesdurhone-wine.com t.l.j. sf dim. 9h-12h30 14h-18h30

DOM. ROCHE-AUDRAN Visan 1998**

■ 4 ha 12 000 5à8€

Nous avons là un très beau 98, remarquable par sa finesse et son élégance. Sa robe grenat est encore vive, son nez complexe évoque les fruits rouges et le cassis. Pleine d'agrément et de rondeur, la bouche s'équilibre sur de fins tanins, et ses arômes persistants s'achèvent sur des notes de truffe et de fruits confits. (30 à 49 F)

Vincent Rochette, Dom. Roche-Audran, 84110 Buisson, tél. 04.90.28.96.49, fax 04.90.28.90.96, e-mail vincent.rochette@mnet.fr r.-v.

DOMINIQUE ROCHER Cairanne 1999**

■ 4,72 ha 25 150 8à11€

Il s'agit d'un domaine créé en 1996, dont l'exploitant a dû faire preuve d'une grande rigueur pour obtenir cette belle réussite. Puissant, le nez de cassis cède la place à une bouche concentrée, persistante, où l'équilibre s'établit entre fruit et tanins fondus. Un très beau *villages*, à garder plusieurs années. La cuvée **Monsieur Paul (70 à 99 F)**, élevée en fût, obtient une étoile. Ses tanins restent un peu trop présents, mais devraient peu à peu s'harmoniser avec le fruit. (50 à 69 F)

Dominique Rocher, rte de Saint-Roman, 84290 Cairanne, tél. 04.90.30.87.44, fax 04.90.30.80.62, e-mail contact@rocher-vin.com t.l.j. sf dim. 8h-12h 14h-19h

DOM. DES ROMARINS 1998*

■ 5 ha 12 000 5à8€

Née de grenache et de syrah mûris sur les galets roulés de Domazan, cette cuvée 98 est encore très animale et sauvage. Mais elle est prometteuse, et mérite d'attendre au fond de votre cave... (30 à 49 F)

SARL Dom. des Romarins, rte d'Estézargues, 30390 Domazan, tél. 04.66.57.05.84, fax 04.66.57.14.87, e-mail domromarin@aol.com ☑ Y mer. ven. sam. 15h-19h
Francis Fabre

DOM. ROUGE GARANCE

Rouge Garance 1999

■ 5 ha 20 000 5à8€

En revenant du pont du Gard, arrêtez-vous donc dans ce domaine auquel s'est associé Jean-Louis Trintignant. La bouteille est ornée d'une belle étiquette de Bilal. Ce vin à la teinte sombre, aux arômes de bois brûlé, de café torréfié et de cacao se montre charnu ; ses tanins lui confèrent tous les caractères d'un vin de garde. (30 à 49 F)

SCEA Dom. Rouge Garance, chem. de Massacan, 30210 Saint-Hilaire-d'Ozilhan, tél. 06.14.41.52.88, fax 04.66.37.06.92, e-mail rougegarance@waika9.com ☑ Y r.-v.

DOM. SAINTE-ANNE

Saint-Gervais 1999★★★

■ 2 ha 10 000 8à11€

Voici l'un des domaines qui fait partie du cercle très restreint de ceux qui, depuis dix-sept ans, ont obtenu un grand nombre de coups de cœur. A côté de sa **cuvée Notre-Dame des Cellettes 1999**, une étoile, à base de grenache et de syrah, le jury a applaudi ce Saint-Gervais. Du cuir, de la réglisse, des tonalités de garrigue, d'épices et de fruits cuits : tels sont les arômes qu'elle offre à l'olfaction et que l'on retrouve en bouche, celle-ci étant enrobée de tanins veloutés. Mourvèdre et grenache encore se marient ici pour former une grande bouteille, promise à une belle garde. (50 à 69 F)

EARL Dom. Sainte-Anne, Les Cellettes, 30200 Saint-Gervais, tél. 04.66.82.77.41, fax 04.66.82.74.57 ☑ Y t.l.j. sf sam. dim. 14h-18h; 9h-11h sur r.-v.
Steinmaier

DOM. SAINT-ETIENNE

Les Galets 2000★★

■ n.c. n.c. 5à8€

Ces Galets sont remarquables par leur fruité : cerise et cassis dialoguent avec élégance. La bouche équilibrée, ronde, offre aussi beaucoup de fraîcheur. A la sortie du Guide, ce vin se révélera davantage. Le **côtes du rhône Les Albizzias 2000 rouge (20 à 29 F)** obtient une étoile. Floral et fin au nez, il est équilibré et affiche une jolie finale fruitée (cerise et framboise). (30 à 49 F)

Michel Coullomb, Dom. Saint-Etienne, fg du Pont, 30490 Montfrin, tél. 04.66.57.50.20, fax 04.66.57.22.78 ☑ Y r.-v.

DOM. DE SAINT-GEORGES

Chusclan 1998★

■ 7,5 ha 40 000 8à11€

Ce domaine s'illustre avec cette cuvée qui méritera d'accompagner un bon gibier. En robe évoluée, légèrement orangée, elle déploie un nez intense et sauvage de fruits mûrs et de cuir. Animale en bouche, elle évoque aussi le fruit cuit et fait preuve d'une bonne persistance aromatique. (50 à 69 F)

André Vignal, Dom. de Saint-Georges, 30200 Vénéjan, tél. 04.66.79.23.14, fax 04.66.79.20.26 ☑ Y r.-v.

CAVE DES VIGNERONS DE SAINT-GERVAIS

Saint-Gervais Cuvée spéciale SG 1999★

■ 15 ha 10 000 5à8€

Nos dégustateurs se sont longuement penchés sur cette Cuvée spéciale au nez très flatteur de truffe, d'épices et de sous-bois. Ces senteurs laissent place aux fruits rouges, et à des tanins qui évoluent dans un bel ensemble. La cuvée **Prestige 99** est citée sans étoile. (30 à 49 F)

Cave des Vignerons de Saint-Gervais, Le Village, 30200 Saint-Gervais, tél. 04.66.82.77.05, fax 04.66.82.78.85, e-mail cave@saint-gervais.com.fr ☑ Y t.l.j. sf sam. dim. 8h30-12h 14h30-18h

DOM. SAINT-LUC 1999★

■ 15 ha 36 000 5à8€

Un pintadeau et une purée à l'ail avec un filet d'huile d'olive, accompagnera ce vin aux tanins soyeux, bien fait, aux arômes de fruits rouges persistants. Une bouteille fraîche et élégante. (30 à 49 F)

Ludovic Cornillon, Dom. Saint-Luc, 26790 La Baume-de-Transit, tél. 04.75.98.11.51, fax 04.75.98.19.22 ☑ Y r.-v.

CH. SAINT-MAURICE L'ARDOISE

Laudun Vieilles vignes Elevé en fût de chêne 1999★

■ 5 ha 21 000 8à11€

Christophe Valat exploite une centaine d'hectares. Cette cuvée, issue de vignes cinquantenaires, plaît par ses arômes de fruits rouges et de vanille. En bouche, l'attaque est bonne, l'équilibre assuré par des tanins légèrement boisés. (50 à 69 F)

Christophe Valat, Ch. Saint-Maurice, L'Ardoise, 30290 Laudun, tél. 04.66.50.29.31, fax 04.66.50.40.91 ☑ Y r.-v.

CH. SAINT-NABOR Clos de Roman 1998

■ 2 ha 10 000 5à8€

Ce 98 encore jeune joue sa partition sur la violette et les fruits rouges. En bouche, ses tanins sont soyeux, et sa fine structure marie le bois, la cerise noire, la vanille. Un vin à déguster à la cave du château, où l'on trouvera un accueil familial bien agréable. (30 à 49 F)

Gérard Castor, EARL Vignobles Saint-Nabor, 30630 Cornillon, tél. 04.66.82.24.26, fax 04.66.82.31.40 t.l.j. 8h-12h 14h-18h

DOM. DU SEIGNEUR Laudun 1999**

■ 16 ha 80 000 5à8€

Sur la route de Saint-Victor-la-Coste, vous trouverez ce joli domaine entouré de ses vignes bien exposées et bien ensoleillées. D'où ce remarquable 99 d'un rouge foncé intense. Intense aussi son nez de cassis et d'épices, arômes que l'on retrouve en bouche avec une longue persistance. D'un équilibre parfait, « un vin de grande qualité », résume la commission. (30 à 49 F)

Frédéric Duseigneur, rte de Saint-Victor, 30126 Saint-Laurent-des-Arbres, tél. 04.66.50.02.57, fax 04.66.50.02.57, e-mail freduseigneur@infonie.fr r.-v.

DOM. DU SERRE-BIAU Laudun 2000

□ 2 ha 2 600 5à8€

Un aqueduc gallo-romain est tout proche de ce domaine. Grenache et clairette, cultivés sur un terroir sablonneux, donnent à ce blanc toute la finesse et l'harmonie désirées. Le nez évoque les fruits blancs et les épices. La bouche est grasse, équilibrée, et l'on y retrouve des arômes de fruits blancs complétés par les agrumes. A servir avec des queues de lotte à la provençale. (30 à 49 F)

Faraud et Fils, 4, chem. des Cadinières, 30290 Saint-Victor-la-Coste, tél. 04.66.50.04.20, fax 04.66.50.04.20 t.l.j. 9h-12h 14h-19h; dim. sur r.-v.

DOM. DU TERME Sablet 2000*

□ 1 ha 4 000 5à8€

Un blanc que l'on dégustera dans le caveau situé sur la petite place de Gigondas. Issu pour moitié de roussanne, pour moitié de viognier bien mûris grâce à une exposition favorable, c'est un joli vin jaune clair à reflets verts, au nez puissant de fruits blancs. La bouche est marquée par des arômes bien persistants de pêche et une amertume de bon aloi en finale signant la fraîcheur. (30 à 49 F)

Rolland Gaudin, Dom. du Terme, 84190 Gigondas, tél. 04.90.65.86.75, fax 04.90.65.80.29 r.-v.

TERROIR DU TRIAS
Beaumes de Venise 1999*

■ 73 ha 80 000 8à11€

La Cave des vignerons de Beaumes-de-Venise est surtout connue pour son muscat, mais ses autres productions valent aussi le détour. Ainsi ce 99 à la teinte grenat très profond : puissant par son nez de fruits cuits aux notes sauvages, ample et généreux en bouche, il laisse la part belle aux tanins ; mais ceux-ci sont bien fondus. (50 à 69 F)

Cave des Vignerons de Beaumes-de-Venise, quartier Ravel, 84190 Beaumes-de-Venise, tél. 04.90.12.41.00, fax 04.90.65.02.05, e-mail vignerons@beaumes-de-venise.com r.-v.

DOM. DE VERQUIERE Sablet 1997*

■ 5 ha 16 000 8à11€

Ici, la maison de maître date du XVII[e]s. Ce *villages* a déjà quatre ans ; il reste encore présent grâce à son équilibre. Le nez, toujours frais et vif, évoque les fruits rouges ; fruits à nouveau, mais confits cette fois, s'expriment assez longuement en bouche. (50 à 69 F)

Bernard Chamfort, 84110 Sablet, tél. 04.90.46.90.11, fax 04.90.46.99.69 r.-v.

CH. DU VIEUX TINEL 1999

■ 27 ha 120 000 3à5€

« Etonnant, ce 1999 est à l'image des productions d'autrefois », note un dégustateur. Tout habillé de noir, il est carré, massif, et montre une certaine rusticité. Il est destiné aux consommateurs qui aiment les vins riches en mâche. (20 à 29 F)

La Compagnie Rhodanienne, Chemin-Neuf, 30210 Castillon-du-Gard, tél. 04.66.37.49.50, fax 04.66.37.49.51 r.-v.

DOM. VIRET
Saint-Maurice Maréotis 1999**

■ 3 ha 8 500 11à15€

Ce viticulteur est un adepte de la cosmoculture. Sa cave a été construite avec des pierres de trois à six tonnes provenant des carrières du Gard. Sa cuvée Maréotis se présente en robe d'un grenat profond et concentré. Son nez, intense et d'une grande finesse, est dominé par la violette puis le fruit mûr et les épices. Des arômes fruités reparaissent dans la bouche équilibrée, où les tanins sont harmonieux. Un bel avenir en perspective... (70 à 99 F)

Dom. Philippe Viret, EARL Clos du Paradis, quart. les Escoulenches, 26110 Saint-Maurice, tél. 04.75.27.62.77, fax 04.75.27.62.31 r.-v.

Côte rôtie

Situé à Vienne, sur la rive droite du fleuve, c'est le plus ancien vignoble de la vallée du Rhône. Il représente 8 591 hl en 2000 sur 200 ha de production, répartis entre les communes d'Ampuis, de Saint-Cyr-sur-Rhône et de Tupins-Sémons. La vigne est cultivée sur des coteaux très abrupts, presque vertigineux. Et si l'on peut distinguer la Côte Blonde et la Côte Brune, c'est en souvenir d'un certain seigneur de Maugiron, qui aurait, par testament, partagé ses terres entre ses deux filles, l'une blonde, l'autre brune. Notons que les vins de la Côte Brune sont les plus corsés, ceux de la Côte Blonde les plus fins.

Le sol est le plus schisteux de la région. Les vins sont uniquement des rouges, obtenus à partir du cépage syrah, mais aussi du viognier, dans une proportion maximale de 20 %. Le vin de côte rôtie est d'un rouge profond, et offre un bouquet délicat, fin, à dominante de framboise et d'épices, avec une touche de violette. D'une bonne structure, tannique et très long en bouche, il a indéniablement sa place au sommet de la gamme des vins du Rhône et s'allie parfaitement aux mets convenant aux grands vins rouges.

CH. D'AMPUIS 1997

■ 6 ha 25 000 30 à 38 €

Imprimée en taille-douce, l'étiquette représente le château d'Ampuis, belle propriété devenue le siège de l'entreprise et des domaines de Marcel Guigal. Ce millésime difficile, le troisième sous sa signature, paré d'une robe rouge ambrée, est très marqué par le fût dans lequel il a séjourné trente-huit mois. L'élevage n'est pas encore intégré, mais le fond semble bien droit. Attendons que le boisé s'assagisse. (200 à 249 F)

E. Guigal, Ch. d'Ampuis, 69420 Ampuis, tél. 04.74.56.10.22, fax 04.74.56.18.76, e-mail contac@guigal.com r.-v.

DE BOISSEYT-CHOL Côte Blonde 1999

■ 0,6 ha 3 000 23 à 30 €

Si ce vin s'est fait remarquer c'est pour sa touche de cerise très fine au nez. La bouche n'est pas de grande concentration, la rondeur dominant très largement. A boire dès la sortie du Guide. (150 à 199 F)

De Boisseyt-Chol, RN 86, 42410 Chavanay, tél. 04.74.87.23.45, fax 04.74.87.07.36, e-mail deboisseyt.chol@net-up.com t.l.j. sf dim. 9h-12h 14h-18h; f. 15 août-15 sep.

Didier Chol

DOM. DE BONSERINE 1999★★★

■ 7 ha 23 000 15 à 23 €

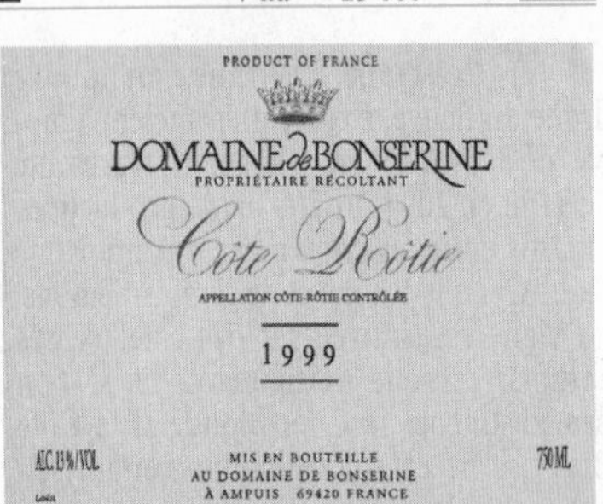

Magnifiques bouteilles proposées par cet excellent domaine. La cuvée principale, celle-ci, est à la hauteur de toutes les cuvées les plus spéciales ! Elle dispose d'un énorme potentiel, ce que déjà sa robe pourpre cardinalice confirme. Le nez encore très jeune s'ouvre sur des fruits noirs et des notes vanillées. On trouve en bouche du gras, des tanins puissants, de la longueur et un boisé qui devra s'estomper. A garder dix ans en cave. (100 à 149 F)

Dom. de Bonserine, 2, chem. de la Viallière, 69420 Ampuis, tél. 04.74.56.14.27, fax 04.74.56.18.13 t.l.j. 9h-18h; sam. dim. sur r.-v.

DOM. DE BONSERINE Les Moutonnes 1999★★★

■ n.c. n.c. 38 à 46 €

Alors que la cuvée principale comporte 3 % de viognier, celle-ci est un pur produit de la syrah sur un terroir exceptionnel. Le fût lui a donné un nez austère pour le moment, mais la bouche très complète, équilibrant parfaitement gras et alcool, ne peut qu'évoluer merveilleusement après cinq à dix ans de garde. La cuvée **La Garde 99** est remarquable. (250 à 299 F)

Dom. de Bonserine, 2, chem. de la Viallière, 69420 Ampuis, tél. 04.74.56.14.27, fax 04.74.56.18.13 t.l.j. 9h-18h; sam. dim. sur r.-v.

BERNARD BURGAUD 1999★

■ 4 ha 20 000 15 à 23 €

Sombre à reflet grenat, un vin au nez de violette, de cassis, de fruits cuits et d'épices, comme on aime ! La bouche est bien équilibrée, jeune, vive, aromatique. Ce 99 a l'avenir devant lui. (100 à 149 F)

Bernard Burgaud, Le Champin, 69420 Ampuis, tél. 04.74.56.11.86, fax 04.74.56.13.03 r.-v.

CAVES DES PAPES La Serine 1999

■ n.c. 6 000 15 à 23 €

Un groupe important né de la fusion de marques de négociants. Douze mois de fût pour ce vin équilibré, sans agressivité, offrant d'agréables sensations de cuir et d'épices. Bien dans le style des 99. Trois ou quatre ans de garde. (100 à 149 F)

Ogier-Caves des Papes, 10, bd Pasteur, 84230 Châteauneuf-du-Pape, tél. 04.90.39.32.32, fax 04.90.83.72.51, e-mail ogier.caves.des.papes@ogier.fr t.l.j. sf sam. dim. 8h-17h

M. CHAPOUTIER La Mordorée 1999★★

■ 3 ha 7 000 +76 €

Une cuvée vedette en côte rôtie, qu'il faut avoir goûté une fois dans sa vie. Si le prix vous fait hésiter, choisissez la cuvée **Les Bécasses 98 (200 à 249 F)**, qui recueille une étoile et remplira harmonieusement sa fonction. Mais celle-ci a tout pour durer dix ans au moins : une très belle matière et une excellente maîtrise du bois, ce qui rend les tanins soyeux à souhait. Ces deux vins sont destinés au gibier d'eau. (+ 500 F)

M. Chapoutier, 18, av. du Dr-Paul-Durand, 26600 Tain-l'Hermitage, tél. 04.75.08.28.65, fax 04.75.08.81.70, e-mail chapoutier@chapoutier.com r.-v.

EDMOND ET DAVID DUCLAUX 1999★★★

■ 4,5 ha 20 000 ⏸ 23 à 30 €

Ce domaine, situé dans le parc régional du Pilat, confirme le coup de cœur reçu l'an dernier avec ce 99 appartenant à l'aristocratie de l'AOC. Il faudra un peu de temps pour que le bois soit complètement marié au vin. Celui-ci possède tous les atouts (gras, équilibre) avec en prime une bouche longue où l'on se délecte des épices et des fruits rouges. (150 à 199 F)

Edmond et David Duclaux, RN 86, 69420 Tupin-Semons, tél. 04.74.59.56.30, fax 04.74.56.64.09 r.-v.

DOM. ANDRE FRANCOIS 1999★

■ 3 ha 10 000 ⏸ 15 à 23 €

Un vin flatteur qu'il faudra savoir attendre. S'il finit sur une légère pointe d'amertume - ses tanins étant encore vifs - il est plein de promesses. « Tout y est », note le jury. Le bois est élégant, et la complexité des arômes associe café, réglisse, fruits rouges. Une belle palette de sensations. (100 à 149 F)

André François, Mornas, 69420 Ampuis, tél. 04.74.56.13.80, fax 04.74.56.19.69 r.-v.

PIERRE GAILLARD 1999★★

■ 2,5 ha 10 000 ⏸ 15 à 23 €

Pierre Gaillard exporte déjà 50 % de sa production. Il faut donc se précipiter pour avoir quelques bouteilles de ce grand vin puissant et long, bien rond grâce à une bonne maîtrise du bois et laissant déjà paraître le fruit. La cuvée **Rose pourpre 99 (200 à 249 F)** (est-ce une allusion au superbe film de Woody Allen *La Rose pourpre du Caire* ?) obtient une étoile pour son joli nez de pruneau à l'eau-de-vie, son ampleur, son boisé bien fondu et sa longueur. (100 à 149 F)

Pierre Gaillard, lieu-dit Chez Favier, 42520 Malleval, tél. 04.74.87.13.10, fax 04.74.87.17.66, e-mail vinsp.gaillard@wanadoo.fr r.-v.

JEAN-MICHEL GERIN
Champin le Seigneur 1999★★★

■ 5 ha 25 000 ⏸ 23 à 30 €

Cette cuvée de Jean-Michel Gerin a reçu des pluies d'étoiles pour les millésimes précédents. Celui-ci n'attire que des compliments : « Magnifique, très grande bouteille, excellent vin... ». Son nez confituré de fruits noirs gorgés de sucre signe une belle matière première. En bouche, un boisé fondu vient enrober le gras. A garder plus de dix ans... si vous en avez la patience. (150 à 199 F)

Jean-Michel Gerin, 19, rue de Montmain, Vérenay, 69420 Ampuis, tél. 04.74.56.16.56, fax 04.74.56.11.37, e-mail gerin.jm@wanadoo.fr r.-v.

LAURUS 1999★

■ 1 ha 3 600 ⏸ 23 à 30 €

Longue cuvaison, dix-huit mois de fût pour cette cuvée Laurus, d'un rouge profond et brillant à reflets violacés. Le nez de sous-bois vanillé est complexe. La bouche se tapisse de fruits bien mûrs, de truffe et de bon café, soutenue par des tanins présents et des plus agréables. (150 à 199 F)

Gabriel Meffre, Le Village, 84190 Gigondas, tél. 04.90.12.30.22, fax 04.90.12.30.29, e-mail gabriel-meffre@meffre.com r.-v.

B. LEVET 1998★

■ 3,5 ha 15 000 ⏸ 15 à 23 €

Bernard Levet a pris la succession de ses beaux-parents en 1983. Elevé en demi-muid (fût de chêne de 450 l), son côte rôtie offre une grande intensité visuelle (pourpre presque noir). Le grillé le dispute à la violette dans un nez remarquable. La bouche, massive cependant, n'a pas encore atteint son équilibre. Il faudra attendre entre trois et cinq ans que les tanins s'assouplissent. (100 à 149 F)

Bernard Levet, 26, bd des Allées, 69420 Ampuis, tél. 04.74.56.15.39, fax 04.74.56.19.75 r.-v.

MARQUIS DES TOURNELLES 1999

■ n.c. 12 000 ⏸ 15 à 23 €

Un vin de négociant du Sud (Châteauneuf-du-Pape) dans cette AOC septentrionale. La robe n'est pas très intense ; le nez floral, discret, joue sur le même registre. Les tanins soyeux, souples, sans agressivité, en font une bouteille à découvrir bien plus tôt que les autres. (100 à 149 F)

Caves Saint-Pierre, BP 5, 84230 Châteauneuf-du-Pape, tél. 04.90.83.58.35, fax 04.90.83.77.23 t.l.j. sf dim. 9h-12h 14h-17h

MONTEILLET 1999

■ 0,4 ha 1 800 ⏸ 38 à 46 €

Tout d'abord une macération d'une semaine à froid, puis à chaud trois semaines. Eraflage à 100 %. Elevage 100 % fût neuf. Pour l'instant, c'est l'élevage qui domine : le nez est fermé mais on ressent une belle matière dans cette bouteille à attendre quatre ou cinq ans. (250 à 299 F)

Vignobles Antoine et Stéphane Montez, Le Monteillet, 42410 Chavanay, tél. 04.74.87.24.57, fax 04.74.87.06.89, e-mail stephane.montez@worldonline.fr r.-v.

ANDRE ET JEAN-CLAUDE MOUTON 1999★

■ 0,5 ha 2 100 ⏸ 15 à 23 €

Le père et le fils se sont réunis pour vous présenter un 99 de belle facture. L'œil admire une robe jeune et vive. Le nez joue sur la réglisse, les fruits rouges concentrés, le boisé, dans un ensemble élégant. Animal en finale, le vin développe une grande concentration et un beau potentiel. Il lui faudra cinq ans pour assagir sa fougue. (100 à 149 F)

André et Jean-Claude Mouton, Le Rozay, 69420 Condrieu, tél. 04.74.87.82.36, fax 04.74.87.84.55 t.l.j. 9h-12h 14h-18h; groupes sur r.-v.

DOM. DE ROSIERS 1999*

■ 7 ha 35 000 15 à 23 €

Coup de cœur pour son 97, ce producteur est une valeur sûre. « Solide et élégant », écrit un dégustateur de ce vin encore sur la réserve, « un brin rigide », selon un autre juré. Il est d'une belle franchise dans sa robe soutenue, profonde et brillante. Sa structure prometteuse et sa persistance florale affichent ses atouts pour une garde de trois ans ou plus. (100 à 149 F)

Louis Drevon, 3, rue des Moutonnes, 69420 Ampuis, tél. 04.74.56.11.38, fax 04.74.56.13.00, e-mail idrevon@terre-net.fr r.-v.

SAINT COSME 1999

■ n.c. 6 000 15 à 23 €

Louis et Cherry Barruol ont monté leur petite maison de négoce en 1997. Ce vin, rubis profond à reflets grenat, laisse s'exprimer une dominante boisée dont il lui faudra s'affranchir ; il a de la fraîcheur. L'attendre deux à trois ans. (100 à 149 F)

EARL Louis Barruol, Ch. de Saint-Cosme, 84190 Gigondas, tél. 04.90.65.80.80, fax 04.90.65.81.05 r.-v.

DANIEL ET ROLAND VERNAY 1998

■ 4,47 ha 10 000 15 à 23 €

Un vin qui a dérouté le jury ; réussi techniquement, il ne rassemble pas les canons de l'appellation : il se montre souple et fruité tout au long de la dégustation. Du fruit exotique, d'ailleurs, comme une curiosité. A ouvrir dans un an. (100 à 149 F)

GAEC Daniel et Roland Vernay, Le Plany, 69560 Saint-Cyr-sur-Rhône, tél. 04.74.53.18.26, fax 04.74.53.63.95 r.-v.

DOM. GEORGES VERNAY
Maison rouge 1998

■ 0,5 ha 4 000 23 à 30 €

Georges Vernay, grand vigneron de Condrieu, propose ici un côte rôti de belle facture. Il a sans doute recherché la délicatesse d'une architecture élégante sur des fondations solides : Le fruit est bien présent dans ce vin où 10 % de viognier épaulent la syrah. A ouvrir dans deux ans et pendant cinq ans sur du gibier à poil. (150 à 199 F)

Dom. Georges Vernay, 1, rte Nationale, 69420 Condrieu, tél. 04.74.56.81.81, fax 04.74.56.60.98 r.-v.

DOM. J. VIDAL-FLEURY
La Chatillonne Côte Blonde 1998**

■ 0,8 ha 3 500 30 à 38 €

Les louanges du jury ne laissent aucun doute sur cette Côte Blonde : « Proche de la perfection », « Une bouteille obligée pour l'amateur ». L'expression remarquable des arômes de muscade et de fruits rouges très mûrs n'a d'égale que l'équilibre des saveurs et des tanins. A attendre cinq ans et à boire pendant dix ans. La cuvée principale de **Vidal-Fleury Côtes Brune et Blonde 98 (100 à 149 F)** obtient une étoile. C'est un vin de plaisir immédiat mais qui saura attendre cinq à huit ans. (200 à 249 F)

J. Vidal-Fleury, 19, rte de la Roche, 69420 Ampuis, tél. 04.74.56.10.18, fax 04.74.56.19.19 r.-v.

Condrieu

Le vignoble est situé à 11 km au sud de Vienne, sur la rive droite du Rhône et sur des sols granitiques. Seuls les vins provenant uniquement du cépage viognier peuvent bénéficier de l'appellation. L'aire d'appellation, répartie sur sept communes et trois départements, n'a qu'une superficie de 102 ha. Ces caractéristiques contribuent à donner au condrieu une image de vin très rare puisqu'il ne produit que 4 222 hl en 2000. Blanc, il est riche en alcool, gras, souple, mais avec de la fraîcheur. Très parfumé, il exhale des arômes floraux - où domine la violette - et des notes d'abricot. Un vin unique, exceptionnel et inoubliable, à boire jeune (sur toutes les préparations à base de poisson), mais pouvant se développer en vieillissant. Il apparaît depuis peu une production de vendanges tardives avec des tries successives des raisins (allant parfois jusqu'à huit passages par récolte).

GILLES BARGE 1999*

☐ 1 ha 4 000 15 à 23 €

Bien implanté dans les appellations septentrionales du Rhône, Gilles Barge est plus attendu en côte rôtie - où est installé le domaine à Ampuis. Pourtant il est présent en condrieu depuis vingt ans. Rien d'étonnant à le voir sélectionné pour ce vin souple et rond, légèrement fruité et ne manifestant aucun excès. Tout est mesuré, le fût parfaitement dosé apportant une élégance bien venue. (100 à 149 F)

Gilles Barge, 8, bd des Allées, 69420 Ampuis, tél. 04.74.56.13.90, fax 04.74.56.10.98 t.l.j. sf dim. 9h-12h 14h-18h

CAVE DE CHANTE-PERDRIX 1999*

☐ 1 ha 4 500 15 à 23 €

On se souvient que Chante-Perdrix fut coup de cœur pour son condrieu 97. Dans le millésime 99 un subtil assemblage entre cuve et fût (30 %) donne ce vin très rond, au boisé présent mais fondu. Le nez discret laisse poindre quelques notes de réglisse. Gras et équilibré ce vin devra attendre un à deux ans avant de s'exprimer pleinement. A servir sur un gratin de légumes avec une viande blanche. (100 à 149 F)

Philippe Verzier, Izeras, La Madone, 42410 Chavanay, tél. 04.74.87.06.36, fax 04.74.87.07.77, e-mail chanteperdrix.verzi@free.fr r.-v.

DOM. FARJON
Les Graines dorées 1999***

☐ 0,35 ha 600 23 à 30 €

Une production ultraconfidentielle, expression d'un art consommé : rien ne manque à ce vin liquoreux ; la surmaturité des raisins a été atteinte. Tous les superlatifs peuvent être énoncés, aucun ne sera inapplicable à cette cuvée superbe, feu d'artifice d'arômes typés (épices douces, fruits confits) d'un équilibre parfait. (150 à 199 F)

Thierry Farjon, Morzelas, 42520 Malleval, tél. 04.74.87.16.84, fax 04.74.87.16.84 r.-v.

PHILIPPE FAURY La Berne 2000

☐ 0,5 ha 3 000 23 à 30 €

Dégusté trop tôt, ce vin a été élevé sur lies fines et ne confie encore que peu de secrets. Cependant, sa structure charnue emporte l'adhésion du jury tout comme sa teinte or soutenu à reflet vert, très prometteuse. A laisser vieillir quatre ou cinq ans en cave. (150 à 199 F)

EARL Philippe Faury, La Ribaudy, 42410 Chavanay, tél. 04.74.87.26.00, fax 04.74.87.05.01 r.-v.

PIERRE GAILLARD 2000**

☐ 2 ha 8 000 15 à 23 €

Un condrieu sec et un condrieu liquoreux : tous deux sont grands et méritent votre intérêt. Le second, **Fleurs d'automne 2000 (150 à 199 F)** est soyeux et long, onctueux, tout en notes exotiques et confites ; il est puissant, mais sans démesure ; déjà plaisant mais capable de vivre plus de dix ans. Le premier, qui n'a passé que six mois en fût, est vêtu d'or soutenu ; il offre un nez concentré où le grillé léger répond aux fruits mûrs (abricot et pêche). La bouche suit sur le même registre, dans un équilibre parfait. Rappelons que le millésime 99 fut coup de cœur l'an dernier. (100 à 149 F)

Pierre Gaillard, lieu-dit Chez Favier, 42520 Malleval, tél. 04.74.87.13.10, fax 04.74.87.17.66, e-mail vinsp.gaillard@wanadoo.fr r.-v.

LA GALOPINE 1999*

☐ n.c. 13 000 15 à 23 €

Le jury semble avoir eu beaucoup de plaisir à goûter ce vin : sa robe scintille, annonçant la puissance d'un nez où se mêlent le pamplemousse, la mandarine et le miel. On retrouve tout cela en bouche, avec en plus une note d'abricot confit. Gras et onctueux, très persistant, un 99 dans sa plénitude. (100 à 149 F)

Delas Frères, ZA de l'Olivet, 07302 Tournon-sur-Rhône, tél. 04.75.08.60.30, fax 04.75.08.53.67, e-mail jacques-grange@delas.com r.-v.

DOM. DU MONTEILLET 1999**

☐ 1,6 ha 5 000 15 à 23 €

Cultivé depuis des siècles sur ces terrasses infertiles, tentant aujourd'hui des implantations outre-Atlantique ou en Australie, le viognier trouve ici sa plus belle expression. Même lorsqu'il est élaboré selon des techniques de macération pelliculaire et un maintien à 0 °C pendant quinze jours, il garde toute la typicité d'un condrieu avec ses notes d'abricot et de réglisse. Le palais est plein, gras et rond à souhait. (100 à 149 F)

Vignobles Antoine et Stéphane Montez, Le Monteillet, 42410 Chavanay, tél. 04.74.87.24.57, fax 04.74.87.06.89, e-mail stephane.montez@worldonline.fr r.-v.

ANDRE ET JEAN-CLAUDE MOUTON Côte Châtillon 2000*

☐ 0,7 ha 1 900 15 à 23 €

Côte Châtillon assemble des vins élevés pour 40 % en cuve et 60 % en fût alors que **Côte Bonnette 2000** compte 40 % de fût pour 60 % de cuve. Tous deux obtiennent une étoile. Le premier apparaît plus plein. Un boisé délicat soutient le bouquet floral très ouvert. Une richesse intéressante s'affirme dans une bouche équilibrée où perce un côté minéral de bon aloi. (100 à 149 F)

André et Jean-Claude Mouton, Le Rozay, 69420 Condrieu, tél. 04.74.87.82.36, fax 04.74.87.84.55 t.l.j. 9h-12h 14h-18h; groupes sur r.-v.

ANDRE PERRET Chery 1999**

☐ 3 ha 8 000 23 à 30 €

André Perret est biologiste. Dans les années 1980, il choisit de développer le secteur viticole du domaine familial. Fort de 10 ha, il propose de belles cuvées dont celle-ci, provenant d'un assemblage de vin élevé pour deux tiers en barrique et pour un tiers en cuve, avec fermentation

RHONE

malolactique. Jaune paille très agréable à l'œil, ce 99 offre une grande complexité aromatique où dominent l'abricot sec et les épices. Harmonieux et d'une remarquable longueur, ce vin pourra accompagner des écrevisses à la nage. (150 à 199 F)

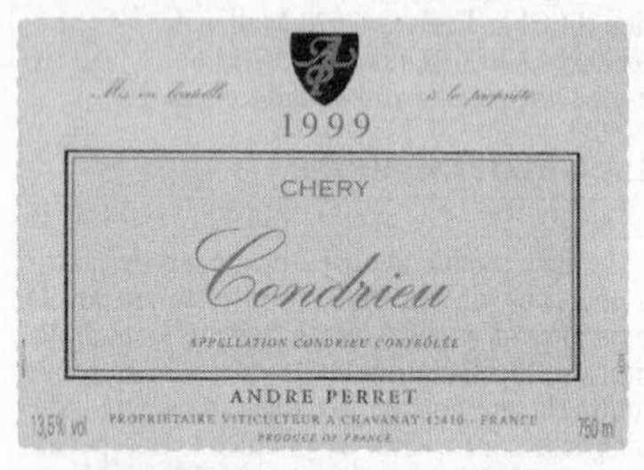

André Perret, Verlieu, 42410 Chavanay, tél. 04.74.87.24.74, fax 04.74.87.05.26 r.-v.

CHRISTOPHE PICHON 2000*

	4 ha	17 000	15 à 23 €

Une étiquette ivoire pour le condrieu sec, une étiquette vert bouteille pour le condrieu **moelleux 2000**. Le second est encore trop jeune pour confier ses arômes de surmaturité ; il est cité, car prometteur. Le sec a la préférence, même s'il est, lui aussi, encore fermé ; sa structure souple et légère est d'une grande harmonie. Sa fraîcheur et sa finesse en font un vin plaisir. (100 à 149 F)

Christophe Pichon, Le Grand Val, Verlieu, 42410 Chavanay, tél. 04.74.87.06.78, fax 04.74.87.07.27, e-mail christophe.pichon@terre-net.fr r.-v.

DOM. DE PIERRE BLANCHE 1999

	0,7 ha	3 000	15 à 23 €

Michel et Xavier Mourier ont créé leur vignoble sur ces coteaux abrupts en 1990. Entièrement vinifié en fût de chêne avec bâtonnage, ce condrieu porte une étiquette qui reflète bien le caractère du vin : une peinture naïve dans un écrin de verdure. Le côté floral apporte beaucoup de fraîcheur, le boisé n'apparaissant pas dans la dégustation tant il est bien maîtrisé. Une matière intéressante à réserver, dans un ou deux ans, aux poissons d'eau douce. (100 à 149 F)

Xavier Mourier, RN 86, Verlieu, 42410 Chavanay, tél. 04.74.87.04.07, fax 04.74.87.04.07 r.-v.

CAVE DE SAINT-DESIRAT 2000*

	2 ha	8 000	15 à 23 €

Créée en 1961, la coopérative a investi dans un chai de vieillissement en barrique. Pour ses installations, elle mérite qu'on s'y arrête. Le vin, lui aussi, justifie le détour : il dispose d'un certain potentiel ; très aromatique, il possède une belle matière. On pourra le goûter sur la célèbre rigotte de condrieu. (100 à 149 F)

Cave de Saint-Désirat, 07340 Saint-Désirat, tél. 04.75.34.22.05, fax 04.75.34.30.10 r.-v.

DOM. GEORGES VERNAY
Les Chaillées de l'Enfer 1999**

	1 ha	4 000	23 à 30 €

Ce domaine signe de grandes cuvées dans ce millésime : le **coteau de Vernon 99 (200 à 249 F)** obtient une étoile (équilibre et arômes) tout comme **Les Terrasses de l'Empire 99 (100 à 149 F)** qui ne connaissent pas le bois. La préférence va à ces Chaillées qui ne nous mènent pas en enfer mais au paradis, et sans purgatoire : tout est générosité et rondeur. L'abricot, la réglisse et le genièvre accompagnent une douceur moelleuse et riche. Sa longueur concourt à son élection. (150 à 199 F)

Dom. Georges Vernay, 1, rte Nationale, 69420 Condrieu, tél. 04.74.56.81.81, fax 04.74.56.60.98 r.-v.

FRANCOIS VILLARD
Quintessence 1999*

	1 ha	3 500	30 à 38 €

Condrieu propose de plus en plus de vins liquoreux. Cette Quintessence est issue de tries dont la première a débuté le 10 octobre. Vinifiée et élevée en fût, elle possède 110 g/l de sucres résiduels et réjouira l'amateur par ses arômes très intenses. Déjà l'œil admire une couleur d'or cuivré « comme le soleil ». L'intensité n'exclut pas la finesse. C'est un vin plein de fraîcheur mêlée à des notes de fruits exotiques confits. (200 à 249 F)

François Villard, Montjoux, 42410 Saint-Michel-sur-Rhône, tél. 04.74.56.83.60, fax 04.74.56.87.78 r.-v.

Saint-joseph

Sur la rive droite du Rhône, dans le département de l'Ardèche, l'appellation saint-joseph s'étend sur vingt-six communes de l'Ardèche et de la Loire et totalise environ 900 ha. Les coteaux sont constitués de pentes granitiques rudes, qui offrent de belles vues sur les Alpes, le mont Pilat et les gorges du Doux. Issus de syrah, les saint-joseph (34 972 hl en 2000) sont élégants, fins, relativement légers et tendres, avec des arômes subtils de framboise, de poivre et de cassis, qui se révéleront sur les volailles grillées ou sur certains fromages. Les vins blancs (3 432 hl), issus des cépages roussanne et marsanne, rappellent ceux de l'hermitage. Ils sont gras, avec un parfum délicat de fleurs, de fruits et de miel. Il est conseillé de les boire assez jeunes.

GABRIEL ALIGNE 1999★

■ 1 ha 4 000 8 à 11 €

Une véritable « offensive » des négociants du Beaujolais dans les appellations de la vallée du Rhône, offensive réussie avec ce saint-joseph encore très jeune. Des fruits rouges mûrs, très intenses, s'expriment au nez et en bouche. Celle-ci, puissante, apporte une belle plénitude. (50 à 69 F)

Les Vins Gabriel Aligne, La Chevalière, 69430 Beaujeu, tél. 04.74.04.84.36, fax 04.74.69.29.87 t.l.j. sf sam. dim. 8h-12h 14h-18h

DOM. DES AMPHORES
Les Mésanges 1999★

■ 0,5 ha 2 500 8 à 11 €

Lorsque vous visiterez Chavanay en faisant le circuit du Pélussinois dans le parc régional du Pilat, ne manquez pas ses vestiges médiévaux et ses maisons des XVIe et XVIIes.. Non loin de là, ce domaine propose un vin d'une excellente typicité. Plein, reposant sur des tanins fins, ce 99 laisse s'exprimer les fruits (cassis) jusque dans une longue finale où l'on retrouve clou de girofle et autres épices du nez. (50 à 69 F)

Véronique et Philippe Grenier, Dom. des Amphores, Richagnieux, 42410 Chavanay, tél. 04.74.87.65.32, fax 04.74.87.65.32 r.-v.

DE BOISSEYT-CHOL 1999

■ 5 ha 25 000 11 à 15 €

Métayers sous l'Ancien Régime, les Chol ont acquis en 1797 le vignoble de Boissie. Ainsi est né ce domaine que Didier Chol dirige depuis 1988. Une syrah de trente-cinq ans dont le côté sauvage et jeune était dominant le jour de la dégustation. Très concentré, structuré, tannique, ce vin a un nez animal et réglissé. Il a besoin de temps pour être dompté. (70 à 99 F)

De Boisseyt-Chol, RN 86, 42410 Chavanay, tél. 04.74.87.23.45, fax 04.74.87.07.36, e-mail deboisseyt.chol@net-up.com t.l.j. sf dim. 9h-12h 14h-18h; f. 15 août-15 sep.

Didier Chol

BOUCHER Cuvée panoramique 1999

■ 0,6 ha 2 500 8 à 11 €

Un saint-joseph prêt à boire sur le rôti du dimanche. D'une belle couleur intense, il se révèle agréable par ses arômes de fruits rouges frais et ses tanins déjà fondus. (50 à 69 F)

GAEC Michel et Gérard Boucher, Vintabrin, 42410 Chavanay, tél. 04.74.87.23.38, fax 04.74.87.08.36 r.-v.

CALVET
Cuvée JM Calvet Elevé en fût de chêne 1999★

■ n.c. 20 000 8 à 11 €

La grande maison bordelaise dans ses œuvres rhodaniennes. Ce vin a de l'élégance, de la simplicité : paré d'une robe très foncée, presque noire, il avance un nez de fruits rouges et de cacao. La bouche est, elle aussi, chocolatée ; la présence tannique est certaine mais très fondue et longue. A attendre deux ou trois ans. (50 à 69 F)

Calvet, 75, cours du Médoc, BP 11, 33028 Bordeaux Cedex, tél. 05.56.43.59.00, fax 05.56.43.17.78, e-mail calvet@calvet.com

M. CHAPOUTIER Les Granits 1999

■ 2 ha 5 000 38 à 46 €

Les Granits blanc 2000 et ce rouge 99 reçoivent la même distinction. Très jeunes, ils possèdent tous deux un fort potentiel inexploité à l'heure de la dégustation. Le rouge allie, dans une noble matière, gras et tanins encore juvéniles. Il faudra attendre que ceux-ci se fondent et que le fruit l'emporte sur le boisé épicé qui s'exprime aujourd'hui. (250 à 299 F)

M. Chapoutier, 18, av. du Dr-Paul-Durand, 26600 Tain-l'Hermitage, tél. 04.75.08.28.65, fax 04.75.08.81.70, e-mail chapoutier@chapoutier.com r.-v.

DOM. DU CHENE 1999★

□ 1,5 ha 4 000 8 à 11 €

Déjà présent sur trois continents, ce domaine propose deux très belles cuvées : **Anaïs 98 rouge (70 à 99 F)** élevée dix-huit mois sous bois, qu'il faudra attendre jusqu'en 2003, et cette cuvée principale, au joli nez de pêche et d'abricot un peu surmûris. Cette surmaturité est très intéressante. Bien que le vin apparaisse encore assez fermé, on perçoit sa grande longueur et son élégance. (50 à 69 F)

Marc et Dominique Rouvière, Le Pêcher, 42410 Chavanay, tél. 04.74.87.27.34, fax 04.74.87.02.70 r.-v.

CLOS DE CUMINAILLE 1999★★

■ 4 ha 13 000 11 à 15 €

Il a manqué de peu le coup de cœur ce très beau Clos ! Un bon apport du bois lui confère une complexité remarquable. Fruits rouges et épices se partagent un nez jeune et intense. La bouche est grande, franche, tannique, grillée mais le fruit n'en est pas absent. Grand potentiel de garde. La **cuvée principale blanc 2000**, légèrement boisée, obtient une étoile, tout comme la cuvée **Les Pierres en rouge 99 (100 à 149 F)**, très épicée et à attendre trois ans. (70 à 99 F)

Pierre Gaillard, lieu-dit Chez Favier, 42520 Malleval, tél. 04.74.87.13.10, fax 04.74.87.17.66, e-mail vinsp.gaillard@wanadoo.fr r.-v.

DOM. DU CORNILHAC 1999*

■ 2 ha 8 000 11 à 15 €

Depuis 1997, les trois enfants Salette se sont convertis à la biodynamie. Après le gel subi en 1998, on les retrouve sur le millésime 99, vendangé à bonne maturité, peut-être surmûri à en croire les notes de fruits cuits et de cannelle qui accompagnent une matière très concentrée, structurée par de bons tanins qui commencent à se fondre. (70 à 99 F)

SCEA Salette, Dom. du Cornilhac, Le Cornilhac, 07300 Tournon, tél. 04.75.08.02.80, fax 04.75.82.95.08 r.-v.

DOM. COURBIS Les Royes 1999**

■ 5 ha 19 000 15 à 23 €

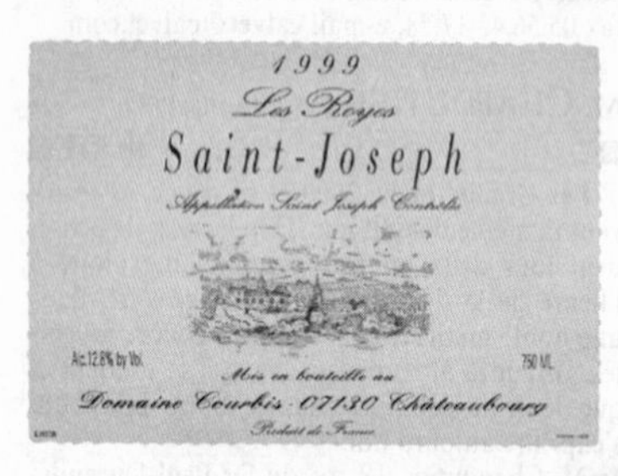

Voici le saint-joseph ! Doté d'une très belle matière qui fait ressortir un savant équilibre entre arômes et structure, entre les tanins soyeux et la rondeur charnue, ce vin ne recherche pas la puissance mais la complexité. Notez la beauté du nez où les fruits noirs très mûrs répondent au clou de girofle, au poivre, à la vanille. La cuvée principale **Domaine de Courbis rouge 99 (70 à 99 F)** obtient une étoile. C'est une très belle bouteille. (100 à 149 F)

Dom. Courbis, rte de Saint-Romain, 07130 Châteaubourg, tél. 04.75.81.81.60, fax 04.75.40.25.39, e-mail domaine-courbis@wanadoo.fr r.-v.

PIERRE COURSODON
Le Paradis Saint-Pierre 1999**

□ 0,8 ha 2 400 15 à 23 €

Pierre Coursodon et son fils Jérôme ont déposé cette marque, petite cuvée 100 % marsanne, récoltée à dos d'homme car les coteaux sont si pentus qu'aucune machine ne peut vendanger. Les raisins devaient être superbes dans ce millésime si l'on en croit les commentaires élogieux des dégustateurs. Ils ont donné un très joli vin, doté d'un bon potentiel de vieillissement ; il est très pur, très élégant, et laisse éclater sa fraîcheur aussi bien au nez qu'en bouche. En rouge **99**, trois cuvées obtiennent chacune une étoile : **Le Paradis Saint-Pierre**, **L'Olivaie** et **La Sensonne** aux tanins soyeux et longs et au nez mêlant épices, boisé et notes de gibier. (100 à 149 F)

EARL Pierre Coursodon, pl. du Marché, 07300 Mauves, tél. 04.75.08.18.29, fax 04.75.08.75.72 t.l.j. 8h-12h 14h-18h

DIASKOT Cuvée Prestige 1999*

■ n.c. 5 000 8 à 11 €

Ce négociant a su faire ses achats pour réaliser cette cuvée fruitée, puissante et longue. C'est le nez qui est parfaitement réussi, offrant d'intenses notes de fruits rouges et noirs. Une complexité retrouvée dans une bouche charnue qui demande deux ou trois ans de garde avant d'accompagner un faisan. (50 à 69 F)

Etablissements Diaskot, 6, rue Yves-Farge, 69700 Givors, tél. 04.72.49.50.20, fax 04.78.73.16.87

ERIC ET JOEL DURAND
Les Coteaux 1999

■ 4 ha 16 000 11 à 15 €

Bien que le vin n'ait été élevé que pour partie en fût (70 %), le boisé reste très présent. Or la structure est déjà souple, légère, ouverte, harmonieuse. Il faut donc savoir en profiter dans les deux ou trois ans à venir. (70 à 99 F)

Eric et Joël Durand, imp. de la Fontaine, 07130 Châteaubourg, tél. 04.75.40.46.78, fax 04.75.40.29.77 r.-v.

DOM. FARJON 1999*

□ 0,26 ha 1 300 8 à 11 €

Le dixième millésime de Thierry Farjon, élevé sur lies avec bâtonnage pendant six mois en barrique. Celle-ci transparaît : de très bonne qualité, le boisé est flatteur et laisse s'exprimer la pêche blanche, la violette, les fleurs blanches et les épices. Ronde et équilibrée, la bouche est plaisante, tout en douceur. (50 à 69 F)

Thierry Farjon, Morzelas, 42520 Malleval, tél. 04.74.87.16.84, fax 04.74.87.16.84 r.-v.

PHILIPPE FAURY
La Gloriette Vieilles vignes 1999*

■ 1 ha 4 500 11 à 15 €

Troisième millésime de cette cuvée spéciale de Philippe Faury qui, depuis 1979, travaille ses 11 ha et obtient de nombreux succès dans ce Guide. Cette Gloriette se révèle déjà agréable et elle grandira dans les deux ou trois ans à venir. La robe très jeune, très brillante, engage à la dégustation de ce vin boisé, d'une grande fraîcheur aromatique. Les tanins fins, les fruits rouges et l'élevage se relaient avec élégance. A essayer sur une viande blanche. (70 à 99 F)

EARL Philippe Faury, La Ribaudy, 42410 Chavanay, tél. 04.74.87.26.00, fax 04.74.87.05.01 r.-v.

PIERRE FINON Les Rocailles 1999**

■ 2 ha 5 000 11 à 15 €

La cuvée principale **Pierre Finon rouge 99 (50 à 69 F)** obtient une étoile et pourra être servie pendant cinq ans. Elaborée à partir de vignes plus âgées, cette cuvée se distingue par sa complexité aromatique (fruits rouges, épices et notes florales) relayée par des tanins présents mais bien intégrés. Une bouteille d'une parfaite typicité, très élégante. (70 à 99 F)

Pierre Finon, Picardel, 07340 Charnas, tél. 04.75.34.08.75, fax 04.75.34.06.78 r.-v.

GILLES FLACHER Cuvée Prestige 1999

■ 1,5 ha 5 000 11 à 15 €

Dégusté le 30 mars 2001, ce vin était encore fermé et difficile à juger, car le boisé était omniprésent. Pourtant, il a de la matière et n'a passé que quatorze mois en barrique. Il est bien structuré, d'une superbe couleur. Aussi le jury fait-il confiance à cette bouteille, à attendre de quatre à cinq ans. La **cuvée principale en blanc 99 (50 à 69 F)** obtient la même note ; elle est ronde et souple, jouant sur les épices douces et les fruits blancs. (70 à 99 F)

Gilles Flacher, 07340 Charnas, tél. 04.75.34.09.97, fax 04.75.34.09.96 r.-v.

DOM. FLORENTIN
Clos de l'Arbalestrier 1998

■ 4 ha 16 000 11 à 15 €

Entouré de murs, voici un vrai clos dont l'origine remonte au XVIe s. A partir de vignes cinquantenaires, il propose une **cuvée blanche 99** prête à boire, et ce vin, dont la robe montre des signes d'évolution et qui marque sa présence par un côté animal mêlé à des effluves de pruneau. Les tanins sont fins mais demandent encore quelques années de garde. (70 à 99 F)

Dom. Florentin, 32, av. Saint-Joseph, 07300 Tournon, tél. 04.75.08.60.97, fax 04.75.08.60.96 r.-v.

PIERRE GONON 1999★★

■ 5,5 ha 27 000 11 à 15 €

« Un vin nature qui doit ses qualités à celles du raisin », écrit un dégustateur que ne contredit aucun des propos des autres membres du jury tout aussi enthousiastes : nous avons donc affaire à un bon viticulteur qui propose une bouteille pleine d'avenir, encore fermée mais dont la robe profonde révèle dès le premier regard l'ampleur et la richesse. La cuvée de **saint-joseph blanc Les Oliviers 99** obtient une étoile pour son joli bouquet. A boire pendant deux ans. (70 à 99 F)

Pierre Gonon, 11, rue des Launays, 07300 Mauves, tél. 04.75.08.07.95, fax 04.75.08.65.21 r.-v.

BERNARD GRIPA 1999★

■ 6 ha 28 000 11 à 15 €

Bernard Gripa a trente ans de savoir-faire derrière lui et il fait partie des valeurs sûres de l'AOC. Ce vin est encore marqué par l'élevage sous bois. Il faudra attendre quatre à cinq ans que la sensation boisée se dissipe. Pour l'instant, la bouche est plus complexe que le nez car l'on y découvre des épices, du fruit rouge et une puissance tannique très longue. (70 à 99 F)

Bernard Gripa, 5, av. Ozier, 07300 Mauves, tél. 04.75.08.14.96, fax 04.75.07.06.81 r.-v.

PASCAL JANET Côte Sud 1999

■ 0,5 ha 1 600 8 à 11 €

Pascal Janet suit des études au lycée viticole de Beaune puis s'installe en 1992 pour constituer son domaine. C'est à partir de très jeunes vignes de cinq ans implantées sur micaschistes et gneiss qu'il a élaboré cette première cuvée au nez fin dominé par des notes de torréfaction. Assez léger, il pourra accompagner dès cet hiver une daube accompagnée de pommes de terre en ragoût. (50 à 69 F)

Pascal Janet, RN 86, 07370 Arras-sur-Rhône, tél. 04.75.07.09.61, fax 04.75.07.09.61 r.-v.

DOM. DE LA FAVIERE 1999★

□ 0,3 ha 1 600 8 à 11 €

Malleval, village médiéval, est situé dans le parc régional du Pilat. Depuis 1970, Pierre Boucher conduit ce domaine. Si le **rouge 99** obtient une citation et doit attendre quelques mois en cave, cette petite cuvée de blanc se révèle très réussie. Assemblage classique de marsanne (85 %) et de roussanne, elle ne connaît pas le bois. Pâle et brillante, elle est nette, fraîche, ronde, et, possédant assez de gras, persistante. Elle devrait d'ailleurs mieux s'exprimer dans deux à trois ans. (50 à 69 F)

Pierre Boucher, Dom. de La Favière, 42520 Malleval, tél. 04.74.87.15.25, fax 04.74.87.15.25, e-mail domainedelafaviere@.com r.-v.

LES COMBAUD 1999★

■ 1,5 ha 8 000 11 à 15 €

Viticulteur depuis vingt ans, Sylvian Bernard pratique l'agriculture biologique. Il offre avec cette cuvée un vin complet, au nez puissant de violette et de fruits des bois. Equilibré, bien structuré et très persistant, ce 99 est de bonne garde. Le **Domaine de Fauterie rouge 99 (50 à 69 F)** est cité pour sa bonne typicité. (70 à 99 F)

Sylvain Bernard, Dom. de Fauterie, 07130 Saint-Péray, tél. 04.75.40.46.17, fax 04.75.81.06.60 r.-v.

J. MARSANNE ET FILS 1999

□ 0,4 ha 1 800 8 à 11 €

Ce domaine est passé à la commercialisation directe il y a plus de trente ans. Né sur argile reposant sur arènes granitiques, ce vin limpide et brillant offre un nez de miel, de fruits secs et d'épices. Franc, rond, assez généreux, il est à boire dans les deux ans. (50 à 69 F)

Jean Marsanne et Fils, 25, av. Ozier, 07300 Mauves, tél. 04.75.08.86.26, fax 04.75.08.49.37 r.-v.

MAS DU PARADIS 1999

■ 4 ha 10 000 8 à 11 €

Il faudra cinq ans pour atteindre ce Paradis encore engoncé dans des tanins juvéniles. Profonde, la robe annonce le nez animal et épicé. Sachez qu'il s'agit ici d'un vin mis en bouteille par le négociant Gabriel Meffre. (50 à 69 F)

André Morion, Epitalion, 42410 Chavanay, tél. 04.90.12.32.42, fax 04.90.12.32.49

DOM. DU MONTEILLET
Cuvée du Papy 1999★★

■ 2,5 ha 9 000 11 à 15 €

La célèbre cuvée du Papy, toujours bien notée par nos jurys. Tout le saint-joseph est incarné dans ce vin qui a manqué d'une voix le coup de cœur. Puissant et harmonieux à la fois, complexe, il est typique des grands saint-joseph qui se développent sur des tanins souples et fondus, équilibrés, garants d'une jolie garde. Un dégustateur n'écrit-il pas : « L'élevage en cave doit se poursuivre pour transcender la matière »... Le **Domaine de Monteillet blanc 99 (50 à 69 F)** reçoit une étoile ; il est destiné à un poisson à la crème. La cuvée **La Cabriole en rouge 99** devra elle aussi attendre. Elle obtient une étoile. (70 à 99 F)

Vignobles Antoine et Stéphane Montez, Le Monteillet, 42410 Chavanay, tél. 04.74.87.24.57, fax 04.74.87.06.89, e-mail stephane.montez@worldonline.fr r.-v.

DIDIER MORION Les Echets 1999*

■ 0,4 ha 3 500 8 à 11 €

Les schistes sont le terroir de prédilection de la syrah qui, lorsqu'elle atteint trente ans comme ici, donne le meilleur d'elle-même. D'un rouge très foncé à reflets violets presque noirs, ce vin est très jeune, encore marqué par l'élevage : les notes de réglisse, de Zan, de vanille forment un joli nez complexe dont on retrouve les caractères en bouche. Celle-ci se montre franche et fraîche, charnue et longue ; elle demande quelques années de bonne cave pour révéler le fruit (trois ans minimum). (50 à 69 F)

Didier Morion, Epitaillon, 42410 Chavanay, tél. 04.74.87.26.33, fax 04.74.87.26.33 r.-v.

ALAIN PARET 420 Nuits 1999*

■ 2 ha 13 500 15 à 23 €

Notre coup de cœur l'an dernier pour le millésime 98. Le suivant a montré le sérieux du travail du vigneron qui élève avec rigueur son vin selon les méthodes appliquées par son grand-père. Cela donne un vin harmonieux, paré d'une robe profonde à reflets violets. Epicé, boisé, le nez ne néglige pas les fruits que l'on retrouve en bouche. Poivre, cannelle s'expriment jusque dans une longue finale de tanins fondus qui laisse parler la vendange. (100 à 149 F)

Alain Paret, pl. de l'Eglise, 42520 Saint-Pierre-de-Bœuf, tél. 04.74.87.12.09, fax 04.74.87.17.34 r.-v.

CUVEE PARSIFAL 1999

■ 9 ha 50 000 8 à 11 €

Avec un nom pareil on aurait pu s'attendre à un vin wagnérien. Il n'en est rien mais le plaisir se rapproche davantage d'une œuvre de Debussy : l'ouverture est légère et délicate, puis l'enchaînement joue sur la souplesse et l'onctuosité. Equilibrée, une cuvée à boire pendant cinq ans sur du petit gibier à plume. (50 à 69 F)

Les Vignerons de Rasteau et de Tain-l'Hermitage, rte des Princes-d'Orange, 84110 Rasteau, tél. 04.90.10.90.10, fax 04.90.10.90.36, e-mail vrt@rasteau.com

ANDRE PERRET Les Grisières 1999*

■ 1 ha 4 000 11 à 15 €

Après des études de biologie, André Perret a suivi une formation en viticulture et œnologie pour rejoindre le domaine familial. Ses Grisières sont constituées de syrah cinquantenaire. Elevées dix-huit mois en barriques (dont 20 % neuves), elles ne cachent pas le boisé dominant mais de qualité. Autres atouts, la robe cerise mûre à reflets violines, d'une superbe jeunesse, et le nez réglissé mêlé à des notes animales et à des arômes de fruits noirs. Les tanins longs et élégants sont très prometteurs. (70 à 99 F)

André Perret, Verlieu, 42410 Chavanay, tél. 04.74.87.24.74, fax 04.74.87.05.26 r.-v.

CAVE DES VIGNERONS RHODANIENS Cuvée réservée 1999

■ n.c. n.c. 8 à 11 €

Coopérative née en 1929, reconvertie à l'AOC en 1970. Ici, on a voulu beaucoup extraire. Aussi la bouche est-elle très tannique. L'attaque est franche, laissant entrevoir une onctuosité vite disparue au profit des tanins. Le nez puissant et complexe (cassis, truffe, épices) a mis l'eau à la bouche. Il faudra donc attendre trois à cinq ans cette bouteille. (50 à 69 F)

Cave des Vignerons Rhodaniens, 35, rue du Port-Vieux, 38550 Le Péage-de-Roussillon, tél. 04.74.86.20.69, fax 04.74.86.57.95, e-mail vignerons.rhodaniens@wanadoo.fr

DOM. RICHARD Vieilles vignes 1999**

■ 1 ha 6 000 11 à 15 €

Hervé Richard a repris en 1989 le domaine fondé par son grand-père. Cette petite cuvée élaborée à partir de ceps de syrah âgés de trente-cinq ans a séduit le jury par son équilibre entre le fruit et le bois bien dosé. Brillante, la robe est profonde, presque noire à reflets violets, le nez est d'une superbe complexité mêlant le fruit rouge au cassis, au cuir, aux épices et aux notes animales très fines. Le palais est franc, tapissé de tanins charnus que le boisé accompagne. La cuvée **Tradition rouge 99 (50 à 69 F)** passe la barre avec une citation. (70 à 99 F)

Hervé et Marie-Thérèse Richard, Verlieu, 42410 Chavanay, tél. 04.74.87.07.75, fax 04.74.87.05.09 r.-v.

CAVE DE SAINT-DESIRAT 2000*

□ 15 ha 50 000 8 à 11 €

Cette coopérative a monté une « vigne pédagogique », sorte de petit conservatoire des cépages régionaux. Cette cuvée principale de saint-joseph offre une belle fraîcheur sur des notes de noisette et de miel de toutes fleurs. La matière offre un côté charnu dans un bel équilibre entre le gras et la fraîcheur. (50 à 69 F)

🔑 Cave de Saint-Désirat, 07340 Saint-Désirat, tél. 04.75.34.22.05, fax 04.75.34.30.10 ☑ 🍷 r.-v.

CAVE DE SARRAS
Cuvée Champtenaud Elevé en fût de chêne 1998*

■ 7 ha n.c. 🛢 8à11€

Cette cave, située dans le Haut-Vivarais sur la rive droite du Rhône à hauteur de Saint-Vallier, a très bien réussi trois cuvées rouges dans le millésime 98, avec la même fourchette de prix : **La Mandragore** et **Domaine de Bonarieux**. Décrivons Champtenaud : très typée par son millésime, elle présente des tanins fins et équilibrés sur un complexe aromatique riche où fruits mûrs et épices se répondent. Attendre 2004 pour ouvrir ces trois bouteilles. (50 à 69 F)

🔑 Cave de Sarras, Le Village, 07370 Sarras, tél. 04.75.23.14.81, fax 04.75.23.38.36 ☑ 🍷 r.-v.

CAVE DE TAIN L'HERMITAGE
Nobles Rives 1999

■ n.c. n.c. 🛢 8à11€

L'importante cave de Tain a pratiqué un élevage en barrique pour ce vin à la robe profonde et au nez de garrigue agrémenté de notes empyreumatiques. Après une attaque fraîche et franche, la bouche se révèle harmonieuse, dotée de tanins bien intégrés qui garantissent un vieillissement de trois à cinq ans. (50 à 69 F)

🔑 Cave de Tain-l'Hermitage, 22, rte de Larnage, BP 3, 26601 Tain-l'Hermitage Cedex, tél. 04.75.08.20.87, fax 04.75.07.15.16, e-mail commercial.france@cave-tain-hermitage.com ☑ 🍷 r.-v.

DOM. DE VALLOUIT 1999*

□ 0,6 ha 2 300 🛢 11à15€

L'un des vins servis - millésime plus ancien bien sûr - pour le bicentenaire de la Révolution à l'Elysée ; dix ans après, cet assemblage de 70 % de marsanne et de 30 % de roussanne, vinifié et élevé en barrique de chêne, offre une belle matière. Le boisé se marie à la pêche blanche donnant un sentiment de rondeur accentuée par une note de cire d'abeille. Tout aussi réussi, le **Domaine de Vallouit rouge 99** obtient une étoile. Sa jeunesse s'exprime par des tanins puissants qui demandent deux à cinq ans pour s'affiner. (70 à 99 F)

🔑 Dom. de Vallouit, 24, av. Désiré-Valette, BP 61, 26240 Saint-Vallier, tél. 04.75.23.10.11, fax 04.75.23.05.58 ☑ 🍷 r.-v.

DOM. GEORGES VERNAY 1999

■ 1,5 ha 6 000 🛢 11à15€

Douze mois de barriques dont 20 % neuves ont donné ce vin plaisant tout entier sur le fruit mûr, voire compoté. L'attaque est franche, pleine de fraîcheur. La bouche ronde évoque les fruits à l'alcool. A ouvrir dans un an ou deux. (70 à 99 F)

🔑 Dom. Georges Vernay, 1, rte Nationale, 69420 Condrieu, tél. 04.74.56.81.81, fax 04.74.56.60.98 ☑ 🍷 r.-v.

Crozes-hermitage

Cette appellation, couvrant des terrains moins difficiles à cultiver que ceux de l'hermitage, s'étend sur onze communes environnant Tain-l'Hermitage. C'est le plus grand vignoble des appellations septentrionales : la superficie de production est de 1 238 ha pour 57 628 hl. Les sols, plus riches que ceux de l'hermitage, donnent des vins moins puissants, fruités et à boire jeunes. Rouges, ils sont assez souples et aromatiques ; blancs, ils sont secs et frais, légers en couleur, à l'arôme floral, et, comme les hermitage blancs, ils iront parfaitement sur les poissons d'eau douce.

DOM. BERNARD ANGE
Rêve d'Ange 1998*

■ 0,8 ha 3 000 🛢 11à15€

Etabli dans un ancien hôtel en bordure de rivière, Bernard Ange a obtenu un coup de cœur l'an dernier pour cette cuvée 97. Le millésime suivant, paré d'une robe intense, possède beaucoup de fruit et une bonne et harmonieuse présence tannique. La **cuvée principale 99 (50 à 69 F)** se révèle plus austère. Elle obtient une citation. (70 à 99 F)

🔑 Bernard Ange, Pont-de-l'Herbasse, 26260 Clérieux, tél. 04.75.71.62.42, fax 04.75.71.62.42 ☑ 🍷 t.l.j. sf dim. 9h-19h

JEAN BARONNAT 1999*

■ n.c. n.c. 5à8€

Maison familiale du Beaujolais conduite par le petit-fils du fondateur. Son crozes-hermitage se révèle équilibré et fin. Il a un côté friand dès l'attaque puis les tanins fins s'épanouissent sur la cerise noire (burlat bien mûr). (30 à 49 F)

🔑 Maison Jean Baronnat, Les Bruyères, 491, rte de Lacenas, 69400 Gleizé, tél. 04.74.68.59.20, fax 04.74.62.19.21, e-mail info@baronnat.com ☑ 🍷 r.-v.

BOIS FARDEAU 1999

■ 4 ha 20 000 5à8€

Deux cuvées se retrouvent ici à égalité : **Les Murières 99 rouge** et ce Bois Fardeau qui, l'une et l'autre, jouent moins sur la puissance que sur l'harmonie immédiate dans des effluves épicés. (30 à 49 F)

🔑 Gabriel Meffre, Le Village, 84190 Gigondas, tél. 04.90.12.30.22, fax 04.90.12.30.29, e-mail gabriel-meffre@meffre.com 🍷 r.-v.

M. CHAPOUTIER Les Varonniers 1999**

■ 2,5 ha 5 300 🛢 38à46€

« Sept ans de réflexion »... Mais quel plaisir alors : proposé au grand jury et proche du coup de coeur, ce vin est grand. Depuis la robe intense jusqu'à la finale où cannelle et vanille répondent aux fruits noirs en passant par un palais puissant, construit sur de fins tanins serrés, tout séduit le dégustateur. (250 à 299 F)

M. Chapoutier, 18, av. du Dr-Paul-Durand, 26600 Tain-l'Hermitage, tél. 04.75.08.28.65, fax 04.75.08.81.70, e-mail chapoutier@chapoutier.com r.-v.

DOM. BERNARD CHAVE

Tête de cuvée 1999★★★

■ 3,6 ha 16 670 11 à 15 €

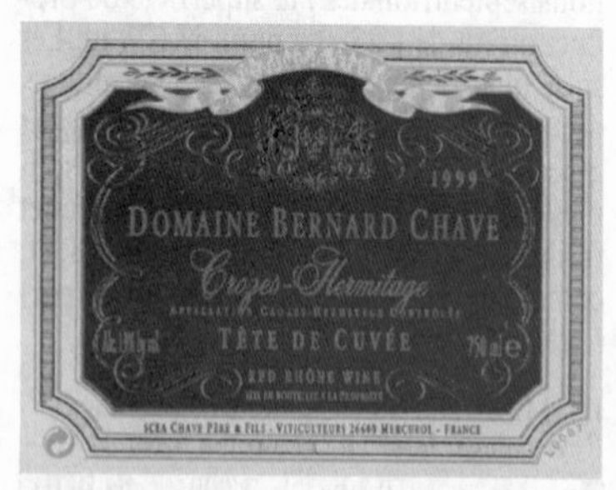

La dégustation à l'aveugle ne dément pas la logique qui veut que la Tête de cuvée sorte la tête haute de la confrontation avec les autres vins, y compris ceux du domaine qui ne déméritent cependant pas, la **Cuvée traditionnelle 99 rouge (50 à 69 F)** et ce même **Domaine Bernard Chave 99 en blanc** obtenant chacun une étoile. Les lauriers se tressent donc pour cette Tête de cuvée à la robe presque noire et brillante, au nez où se mêlent fruits noirs, notes boisées et chocolatées. Le palais n'est pas en reste, d'une grande concentration, ample, volumineux, généreux et d'une longueur exceptionnelle qui appelle à une grande garde. (70 à 99 F)

Yann Chave, La Burge, 26600 Mercurol, tél. 04.75.07.42.11, fax 04.75.07.47.34 r.-v.

Bernard Chave

CAVE DES CLAIRMONTS 1999★

■ 18 ha 113 500 8 à 11 €

Rénovée en 1997, cette maison propose deux crozes qui recueillent la même note. La **cuvée des Pionniers 99 rouge** qui connaît le bois a une aptitude au vieillissement plus importante (cinq ans). Ronde et puissante, elle laisse s'exprimer les fruits rouges et noirs, les épices. Pour une consommation plus immédiate, préférez cette cuvée, Cave des Clairmonts, très typée de l'appellation. (50 à 69 F)

SCA Cave des Clairmonts, Vignes-Vieilles, 26600 Beaumont-Monteux, tél. 04.75.84.61.91, fax 04.75.84.56.98 t.l.j. sf dim. 9h-12h 14h-18h; groupes sur r.-v.

DOM. COLLONGE 1999

■ 30 ha 30 000 5 à 8 €

Un domaine de 44 ha, une étiquette classique et élégante pour un vin qui se cherche encore - et c'est normal à cet âge - mais qui promet. Tout entier sur le fruit et peu puissant, il devrait être prêt dans un an ou deux. (30 à 49 F)

GAEC Collonge, La Négociale, 26600 Mercurol, tél. 04.75.07.44.32, fax 04.75.07.44.06 t.l.j. 8h30-12h 13h30-18h30; dim. 9h30-12h; groupes sur r.-v.

DOM. DU COLOMBIER

Cuvée Gaby 1999★★

■ n.c. 15 000 11 à 15 €

Cuvée de prestige de ce domaine de 14 ha, Gaby est élevée un an sous bois. Elle a charmé le jury qui l'a présentée au grand jury. Elle fait donc partie des plus belles bouteilles. Des sensations de cannelle, de clou de girofle, beaucoup de matière, un excellent soutien tannique : il ne lui manque que le temps du vieillissement. Le **Domaine du Colombier, en cuvée principale rouge 99** et **blanc 2000 (50 à 69 F)**, reçoivent une étoile. (70 à 99 F)

Dom. du Colombier, SCEA Viale, Mercurol, 26600 Tain-l'Hermitage, tél. 04.75.07.44.07, fax 04.75.07.41.43 r.-v.

Viale

DOM. COMBIER 1999★

■ n.c. 30 000 8 à 11 €

Ce domaine, dont les vignes sont cultivées en agriculture biologique, propose sa cuvée principale élevée dix mois sous bois. Elle offre un bel équilibre, et se révèle très typique de l'AOC, construite sur des tanins présents mais soyeux, laissant apparaître le fruit. (50 à 69 F)

EARL Dom. Combier, RN 7, 26600 Pont-de-l'Isère, tél. 04.75.84.61.56, fax 04.75.84.53.43 r.-v.

CH. CURSON 1999★★

■ 7 ha 23 000 11 à 15 €

Un domaine de 18 ha qui propose un **crozes-hermitage 2000 blanc** très réussi, encore marqué par le bois mais d'une grande fraîcheur (une étoile), et ce 99 également élevé en fût, qui possède un remarquable potentiel comme le révèlent sa riche matière, sa concentration et ses tanins fondus. (70 à 99 F)

Dom. Pochon, Ch. de Curson, 26600 Chanos-Curson, tél. 04.75.07.34.60, fax 04.75.07.30.27 r.-v.

DELAS Les Launes 1999★

■ n.c. 180 000 8 à 11 €

Une nouvelle cuverie, un réaménagement des chais à barriques, le président Frédéric Rosset ne ménage pas ses efforts pour que cette très ancienne maison demeure l'un des acteurs vinicoles de la région. Cette cuvée, parée d'une robe très foncée à reflets violines, se révèle très agréable, tant au nez qu'en bouche où les tanins fondus sont accompagnés d'une élégante note de truffe. (50 à 69 F)

Delas Frères, ZA de l'Olivet, 07302 Tournon-sur-Rhône, tél. 04.75.08.60.30, fax 04.75.08.53.67, e-mail jacques-grange@delas.com r.-v.

GUYOT Le Millepertuis 1999

■ 50 ha 55 000 8 à 11 €

De la puissance et de la fermeté dans ce vin qui rudoie un peu le palais par ses tanins très présents qui devraient s'assouplir après quelques mois de cave - 30 % de barriques neuves peuvent expliquer cette sensation. (50 à 69 F)

SA Guyot, montée de l'Eglise, 69440 Taluyers, tél. 04.78.48.70.54, fax 04.78.48.77.31, e-mail guyotvin@vins-guyot.com
jeu. ven. sam. 8h30-12h 13h30-18h

LA CHASSELIERE 1998

n.c. 12 000 5 à 8 €

Exploitant 45 ha de vignes, ce domaine familial est dirigé par Robert Michelas depuis quarante ans. C'est sur une terrine de sanglier aux trois baies que vous pourrez servir, dès cet hiver, ce 98 net et classique, aux tanins fondus. (30 à 49 F)

Dom. Michelas Saint Jemms, Bellevue-les-Chassis, 26600 Mercurol, tél. 04.75.07.86.70, fax 04.75.08.69.80, e-mail michelas.st.jemms@wanadoo.fr
r.-v.

LA MAURELLE 1999*

50 ha 40 000 8 à 11 €

Le jury affirme que deux ans sont nécessaires pour obtenir l'expression totale de ce vin qui révèle des notes de fruits mûrs confits. Un joli volume s'impose en bouche, accompagné de tanins déjà fondus. (50 à 69 F)

Henry Bouachon, BP 5, 84230 Châteauneuf-du-Pape, tél. 04.90.83.58.35, fax 04.90.83.77.23
r.-v.

LE GRAND COURTIL 1999*

1,5 ha 6 000 15 à 23 €

Un vin issu de raisin en culture biodynamique avec une vinification non égrappée en cuve de bois ouverte avec remontage deux fois par jour. Cela donne une bonne bouteille de garde (cinq ans et plus), encore très tannique mais équilibrée. Des odeurs de cerise noire et d'épices, une attaque franche, puis des arômes de réglisse engagent à l'attendre. (100 à 149 F)

Ferraton Père et Fils, 13, rue de la Sizeranne, 26600 Tain-l'Hermitage, tél. 04.75.08.59.51, fax 04.75.08.81.59, e-mail ferraton.pereetfils@wanadoo.fr
r.-v.

DOM. DU MURINAIS
Cuvée Vieilles vignes 1999*

2,5 ha 12 000 8 à 11 €

Luc Tardy, désireux de se lancer dans la grande aventure, reprend l'exploitation familiale en 1998 et crée une cave afin de ne plus livrer le vin à la coopérative. Voici son second millésime avec une petite cuvée qui a « fait sa malo » en barrique. Elle porte une robe très profonde à reflets violets. Le nez de fruits noirs et d'épices est très agréable. La bouche offre un joli volume sur une trame tannique en retrait. Attendre un an ou deux qu'elle s'exprime davantage. (50 à 69 F)

Luc Tardy, Champ-Bernard, 26600 Beaumont-Monteux, tél. 04.75.07.34.76, fax 04.75.07.35.91 r.-v.

LES ALLEGORIES D'ANTOINE OGIER 1999*

n.c. 6 000 8 à 11 €

Une vaste maison de négoce méridionale dans ses œuvres septentrionales : si l'on ne peut vous préciser ce que sont ces « allégories », si ce n'est que l'étiquette représente une coupe tenue par deux angelots, on est en mesure de vous recommander cette cuvée aux tanins doux et soyeux où le fruit fait son apparition. La cuvée **Oratorio 99** lui ressemble. (50 à 69 F)

Ogier-Caves des Papes, 10, bd Pasteur, 84230 Châteauneuf-du-Pape, tél. 04.90.39.32.32, fax 04.90.83.72.51, e-mail ogier.caves.des.papes@ogier.fr t.l.j. sf sam. dim. 8h-17h

DOM. PRADELLE 2000

18 ha 100 000 8 à 11 €

Un beau reflet violet traverse la robe sombre et prometteuse. Le nez intense débute sur des notes animales ; puis apparaissent le cassis et la violette, sensations qui restent présentes tout au long de la dégustation. Les tanins fins permettent de servir ce vin dès cet hiver. (50 à 69 F)

GAEC Pradelle, 26600 Chanos-Curson, tél. 04.75.07.31.00, fax 04.75.07.35.34 t.l.j. sf dim. 8h-12h 14h-18h

DOM. DES REMIZIERES
Cuvée Christophe 1999*

n.c. 12 000 11 à 15 €

Saint-Christophe, patron des voyageurs, n'a sans doute rien à voir avec le nom de cette cuvée mais cela nous permet de rappeler qu'il ne faut jamais abuser de l'alcool. Ce 99, qui est donc à déguster avec modération, ne vous apportera que des bonheurs dans trois ou quatre ans. L'œil est séduit par la robe soutenue, mais le nez ne s'exprime pas encore. La bouche serrée, dense, laisse le fruit rouge et les épices dialoguer à l'aération : un vin à décanter. On note une belle harmonie entre les tanins et les fruits. (70 à 99 F)

Cave Desmeure, rte de Romans, 26600 Mercurol, tél. 04.75.07.44.28, fax 04.75.07.45.87
r.-v.

MESSIRE LOUIS REVOL 1999

2 ha 10 000 5 à 8 €

Un vin qui désaltère si l'on en juge par la répétition du mot « fraîcheur » sur toutes les fiches de dégustation. Le fruit rouge (cerise) suit une attaque franche et légère. (30 à 49 F)

Léon Revol, 6, rue Yves-Farges, 69700 Givors, tél. 04.72.49.50.29, fax 04.78.73.16.87

ERIC ROCHER Chaubayou 2000*

1,4 ha 4 800 8 à 11 €

Rouge intense à reflets violets, ce vin laisse une impression de fraîcheur par son fruité qui court tout au long de la dégustation. Une cuvée qui se révèle équilibrée. Un moment de plaisir. (50 à 69 F)

Eric Rocher, Dom. de Champal, quartier Champal, 07370 Sarras, tél. 04.78.34.21.21, fax 04.78.34.30.60, e-mail vignobles-rocher@wanadoo.fr r.-v.

CAVE DE TAIN L'HERMITAGE
Nobles Rives 1999★★

■ n.c. n.c. 8 à 11 €

On devrait applaudir cette cave qui a réussi le rare exploit d'obtenir deux coups de cœur décernés par le grand jury : **Les Hauts du Fief 98 rouge** aux tanins soyeux, prêts à vous plaire, et ces Nobles Rives, de grande garde et qui ne demandent qu'à s'exprimer. Aujourd'hui tout est puissance contenue, les tanins aux grains serrés montent encore la garde mais la matière est dense, concentrée, volumineuse, superbe et d'une remarquable longueur. (50 à 69 F)

Cave de Tain-l'Hermitage, 22, rte de Larnage, BP 3, 26601 Tain-l'Hermitage Cedex, tél. 04.75.08.20.87, fax 04.75.07.15.16, e-mail commercial.france@cave-tain-hermitage.com r.-v.

CHARLES ET FRANCOIS TARDY
Les Pends 1999★

□ 1 ha 5 000 11 à 15 €

Le coteau des Pends est argilo-calcaire. La marsanne représente 80 % de l'encépagement, accompagnée de roussanne. Le jury a beaucoup apprécié cette cuvée vinifiée avec application en fût et sur lies ; la fermentation a duré plus d'un mois. Il en résulte un boisé bien intégré dans une atmosphère de fraîcheur. Des notes grillées et d'abricot accompagnent la dégustation de ce vin que l'on peut offrir à une viande blanche ou à un homard grillé. En **rouge 99, Les Machonnières** obtiennent une citation. (70 à 99 F)

Dom. des Entrefaux, quartier de la Beaume, 26600 Chanos-Curson, tél. 04.75.07.33.38, fax 04.75.07.35.27 r.-v.

DOM. DE THALABERT 1999★★

■ 40 ha n.c. 15 à 23 €

Michel, Philippe et Jacques Jaboulet proposent sur tous les continents des cuvées prestigieuses saluées par les meilleures notes de nos jurys depuis la première édition du Guide (millésime 83). Le 99 ne déroge pas. La profondeur de la robe impressionne, tant elle est noire et intense, annonçant un vin volumineux. Concentrée, grasse, ample, offrant un cocktail d'épices, de notes boisées et de fruits noirs d'une grande longueur, cette bouteille est de grande garde. (100 à 149 F)

Paul Jaboulet Aîné, Les Jalets, BP 46, 26600 La Roche-de-Glun, tél. 04.75.84.68.93, fax 04.75.84.56.14, e-mail info@jaboulet.com r.-v.

THOMAS FRERES 1999★

■ n.c. 50 000 5 à 8 €

D'un rouge intense, ce vin offre un nez très concentré, tout entier sur la mûre, le cassis et les fruits compotés. On reste sur le fruit en bouche, dans une impression de surmaturité et de générosité. (30 à 49 F)

Thomas Frères, BP 6, 21071 Nuits-Saint-Georges Cedex, tél. 03.80.62.42.00, e-mail thomasfrères@wanadoo.fr t.l.j. 10h-18h

Hermitage

Le coteau de l'Hermitage, très bien exposé au sud, est situé au nord-est de Tain-l'Hermitage. La culture de la vigne y remonte au IVe s. av. J.-C., mais on attribue l'origine du nom de l'appellation au chevalier Gaspard de Sterimberg qui, revenant de la croisade contre les Albigeois en 1224, décida de se retirer du monde. Il édifia un ermitage, défricha et planta de la vigne.

L'appellation couvre environ 131 ha. Le massif de Tain est constitué à l'ouest d'arènes granitiques, terrain idéal pour la production de vins rouges (les Bessards). Dans les parties est et sud-est, formées de cailloutis et de lœss, se trouvent les zones ayant vocation à produire des vins blancs (les Rocoules, les Murets).

L'hermitage rouge (4 570 hl) est un très grand vin tannique, extrêmement aromatique, qui demande un vieillissement de cinq à dix ans, voire vingt ans, avant de développer un bouquet d'une richesse et d'une qualité rares. C'est donc un grand vin de garde, que l'on servira entre 16 °C et 18 °C, sur le gibier ou les viandes rouges goûteuses. L'hermitage blanc (1 102 hl) - cépage roussanne, et surtout marsanne - est un vin très fin, peu acide, souple, gras et très parfumé. Il peut être apprécié dès la première année, mais atteindra son plein épanouissement après un vieillissement de cinq à dix ans. Cependant les grandes années, en blanc comme en rouge, peuvent supporter un vieillissement de trente ou quarante ans.

DOM. BERNARD CHAVE 1999**

■ 1,12 ha 5 970 30 à 38 €

Yann est le fils de Bernard Chave. Il travaille sur ce domaine depuis 1996. Elevé en demi-muids, ce vin très jeune a tout du chien fou qui court dans tous les sens, mais quand il se sera assagi, il révélera un énorme potentiel : il sera magnifique, foi de dégustateurs (et ceux-ci sont parmi les meilleurs). Rien n'est vulgaire dans ce 99. Tout est puissant : le cuir, les fruits rouges très mûrs (burlat), les tanins élégants et racés. A attendre au moins quatre ans en cave. Puis le boire lentement car la « dernière bouteille sera toujours la meilleure ». (200 à 249 F)
Yann Chave, La Burge, 26600 Mercurol, tél. 04.75.07.42.11, fax 04.75.07.47.34 r.-v.
Bernard Chave

DOM. JEAN-LOUIS CHAVE 1998***

□ 5 ha n.c. 46 à 76 €

D'une élégance folle, cet hermitage est tout en finesse et délicatesse. Des notes de freesia paraissent dès le premier nez, puis très vite se développe une palette toujours florale, faite de mille nuances dans un registre aérien, dans la veine du millésime précédent. Mais ne vous y trompez pas : ce sera, comme les grands vins blancs de cette appellation, une bouteille de longue garde, car sa finesse n'exclut pas le gras et la richesse. Cet équilibre parfaitement mesuré procure un intense plaisir. (300 à 499 F)
Jean-Louis Chave, 37, av. du Saint-Joseph, 07300 Mauves, tél. 04.75.08.24.63, fax 04.75.07.14.21

DOM. JEAN-LOUIS CHAVE 1998***

■ 10 ha n.c. 46 à 76 €

Un dégustateur très averti note en conclusion de sa dégustation : « Abondance de biens ne nuit pas ». En effet, tous les jurés ont décrit la grande richesse de ce vin profond, concentré, d'un caractère affirmé. Parfaitement élevé, cet hermitage propose un bouquet intense. Il évolue sur des tanins soyeux qui perdurent longuement en bouche. Heureux ceux qui pourront goûter une telle bouteille. (300 à 499 F)
Jean-Louis Chave, 37, av. du Saint-Joseph, 07300 Mauves, tél. 04.75.08.24.63, fax 04.75.07.14.21

DOM. DU COLOMBIER 1998

■ 1,5 ha 7 000 30 à 38 €

Surprenant comme le cassis domine la dégustation de cet hermitage déjà prêt à servir sur une viande rouge, tant il est souple et un brin racoleur. (200 à 249 F)
SCEA Viale, Dom. du Colombier, Mercurol, 26600 Tain-l'Hermitage, tél. 04.75.07.44.07, fax 04.75.07.41.43 r.-v.

PAUL JABOULET AINE
Le Chevalier de Sterimberg 1999*

□ 5 ha n.c. 38 à 46 €

L'une des plus grandes maisons de France par sa renommée et sa célèbre étiquette emblématique de l'AOC. Ce chevalier est très présentable dans sa tunique jaune paille à reflets verts. Très floral (aubépine), accompagné par un discret boisé, il se montre équilibré, rond et gras, bien harmonieux. Le laisser quatre ans dans un bon hermitage avant de l'offrir à un grand poisson. (250 à 299 F)
Paul Jaboulet Aîné, Les Jalets, BP 46, 26600 La Roche-de-Glun, tél. 04.75.84.68.93, fax 04.75.84.56.14, e-mail info@jaboulet.com r.-v.

LES DIONNIERES 1999

■ n.c. 8 000 46 à 76 €

Ce domaine travaille en biodynamie, mais exerce également une activité de négoce. Rouge vif à reflets violacés, ce vin mêle les notes de fruits cuits et confiturés à des nuances d'eau-de-vie. Boisé mais rond et presque fondu, il devra attendre deux à trois ans que sa finale trouve l'harmonie. (300 à 499 F)
Ferraton Père et Fils, 13, rue de la Sizeranne, 26600 Tain-l'Hermitage, tél. 04.75.08.59.51, fax 04.75.08.81.59, e-mail ferraton.pereetfils@wanadoo.fr r.-v.

LES ALLEGORIES D'ANTOINE OGIER 1999*

■ n.c. 1000 23 à 30 €

La maison castelpapale propose un bel hermitage 99 qui rentre dans les canons de son AOC. Bien structuré, doté d'une belle matière, il est encore très boisé et devra attendre de quatre à cinq ans. (150 à 199 F)
Ogier-Caves des Papes, 10, bd Pasteur, 84230 Châteauneuf-du-Pape, tél. 04.90.39.32.32, fax 04.90.83.72.51, e-mail ogier.caves.des.papes@ogier.fr t.l.j. sf sam. dim. 8h-17h

DOM. DES REMIZIERES
Cuvée Emilie 1999***

■ n.c. 11 000 23 à 30 €

Une longue cuvaison d'un mois a permis d'extraire toute la substance de la vendange pour donner ce vin de grande race. Sa robe, presque noire, est brillante. Le nez puissant s'appuie sur des notes de torréfaction et de fruits rouges très mûrs. Les tanins du vin et du bois sont bien polis mais présents ; ils demandent quatre ans de cave. Ce vin représentatif de l'appellation sera de grande garde. Cette **même cuvée en blanc 99** obtient une étoile. (150 à 199 F)

Cave Desmeure, rte de Romans, 26600 Mercurol, tél. 04.75.07.44.28, fax 04.75.07.45.87 r.-v.

LES VIGNERONS REUNIS A TAIN L'HERMITAGE 1996

□ 1,5 ha 6 000 11 à 15 €

Un vin à boire dès la sortie du Guide - c'est un 96 - et qui ne vous laissera pas insensible : jolie robe à reflets verts, nez floral (acacia) capiteux qui continue son chemin sur des notes miellées. Avec en prime, ce qui n'est pas négligeable, de la fraîcheur et beaucoup de rondeur. (70 à 99 F)

Les Vignerons de Rasteau et de Tain-l'Hermitage, rte des Princes-d'Orange, 84110 Rasteau, tél. 04.90.10.90.10, fax 04.90.10.90.36, e-mail vrt@rasteau.com

CAVE DE TAIN-L'HERMITAGE Nobles Rives 1999**

□ 130 ha n.c. 15 à 23 €

Puisque le jury le dit à l'unanimité, c'est un beau vin ! Ce 99 se montre très riche, tant dans son expression aromatique que dans sa structure. Sa personnalité s'affiche par des notes d'abricot, de noisette, de brioche vanillée et par une bouche alliant gras et fraîcheur. (100 à 149 F)

Cave de Tain-l'Hermitage, 22, rte de Larnage, BP 3, 26601 Tain-l'Hermitage Cedex, tél. 04.75.08.20.87, fax 04.75.07.15.16, e-mail commercial.france@cave-tain-hermitage.com r.-v.

Cornas

En face de Valence, l'appellation (93 ha) s'étend sur la seule commune de Cornas. Les sols, en pente assez forte, sont composés d'arènes granitiques, maintenues en place par des murets. Le cornas (4 233 hl) est un vin rouge viril, charpenté, qu'il faut faire vieillir au moins trois années (mais il peut attendre parfois beaucoup plus) afin qu'il puisse exprimer ses arômes fruités et épicés sur viandes rouges et gibier.

CHANTE-PERDRIX 1997*

■ n.c. 10 000 15 à 23 €

Cette maison, fondée en 1835, appartient au Champagne Deutz, lui-même faisant partie du groupe Roederer. Cette cuvée, issue d'une bonne vendange, atteint sa maturité. Même si sa robe est encore très jeune avec ses notes violacées, les tanins du bois sont fins : vanille et sous-bois ne cachent pas le fruit. Servez cette bouteille avec un gibier accompagné de champignons sauvages. (100 à 149 F)

Delas Frères, ZA de l'Olivet, 07302 Tournon-sur-Rhône, tél. 04.75.08.60.30, fax 04.75.08.53.67, e-mail jacques-grange@delas.com r.-v.

DOM. CLAPE 1999***

■ 4 ha 18 000 23 à 30 €

Sombre et profonde, la robe de ce millésime est impressionnante. Des notes de marc frais gorgé de jus de raisin apparaissent au premier nez, suivies d'évocations florales (iris et violette) persistantes. Très jeune, ce vin s'impose en bouche avec force mais sans agressivité. Son équilibre et son ampleur plaident pour une très longue garde. Une grande bouteille à mettre dix ans en cave et que vous devez dénicher chez les meilleurs cavistes. Elle mérite votre ardeur à la découvrir. (150 à 199 F)

SCEA Dom. Clape, 146, rte Nationale, 07130 Cornas, tél. 04.75.40.33.64, fax 04.75.81.01.98 r.-v.

A. et P. Clape

CHARLES DESPESSE Les Côtes 1999

■ 0,3 ha 1 500 11 à 15 €

Nouveau venu dans le Guide, Jérôme Despesse propose une petite cuvée qui a retenu l'attention du jury. Des vignes de cinquante ans ont produit ce très beau cornas à l'ancienne, élevé quatorze mois en fût de chêne. Tout traduit parfaitement le terroir de granit qui lui a donné naissance : ce vin est rude et fermé dans sa jeunesse et il lui faudra du temps pour se laisser connaître. Sa robe intense, sa bouche bien tannique sont pleines de promesses : dans cinq ans, il sera épanoui. (70 à 99 F)

Jérôme Despesse, 10, Basses-Rues,
07130 Cornas, tél. 04.75.80.03.54,
fax 04.75.80.03.26 r.-v.
Charles Despesse

DUMIEN-SERRETTE Vieilles vignes 1999

1,8 ha 5 000 11 à 15 €

Domaine dirigé aujourd'hui par la troisième génération : les vignes ont cinquante ans et ce millésime est bien typé, digne de son appellation ; une robe très soutenue annonce un beau nez qui balance encore entre le fruit et la fleur. Ce vin possède assez d'ampleur pour pouvoir évoluer convenablement dans deux ou trois ans. (70 à 99 F)

Dumien-Serrette, 18, rue du Ruisseau,
07130 Cornas, tél. 04.75.40.41.91,
fax 04.75.40.41.91 r.-v.

ERIC ET JOEL DURAND 1999★★

2,5 ha 13 200 15 à 23 €

« De la race des seigneurs », écrit un dégustateur qui admire la distinction de ce vin. Nous dirons que c'est un bel athlète au corps bien fait, enrobé par une matière qui apporte rondeur en même temps que structure. Paré d'une superbe robe intense et profonde, il a des arômes très expressifs jusque dans une belle finale de mûre et de cassis. Un vin qui résume tous les caractères de l'AOC. (100 à 149 F)

Eric et Joël Durand, imp. de la Fontaine,
07130 Châteaubourg, tél. 04.75.40.46.78,
fax 04.75.40.29.77 r.-v.

LES EYGATS 1999★

1,5 ha 7 000 23 à 30 €

Le domaine Courbis, avec ses 24 ha, a proposé trois cuvées de cornas, toutes trois retenues par un jury exigeant qui a eu à examiner vingt-six vins de l'AOC. **La Sabarotte 99 (200 à 249 F)**, a passé seize mois en barrique. « C'est du cornas, et du vrai », s'est exclamé un dégustateur, car le fruit n'est pas gommé, la bouche est structurée, complexe. Son élégance lui vaut une étoile. La cuvée **Champelrose 99 (100 à 149 F)** est plus torréfiée alors qu'elle a passé moins de temps en fût. Elle obtient une citation. Quant à ces Eygats, certes boisés, ils sont prometteurs : fruits rouges et épices (réglisse), complexité, élégance : un ensemble fort réussi. (150 à 199 F)

Dom. Courbis, rte de Saint-Romain,
07130 Châteaubourg, tél. 04.75.81.81.60,
fax 04.75.40.25.39,
e-mail domaine-courbis@wanadoo.fr r.-v.

JOHANN MICHEL 1999★

2,5 ha 7 300 15 à 23 €

François Michel fut l'homme de la reconnaissance de l'AOC. Son arrière-petit-fils Johann perpétue depuis 1997 la tradition familiale tout en introduisant la modernité avec un élevage en barrique de douze mois. Cette note supplémentaire ne corrompt pas l'âme de l'appellation. Elle l'accompagne et la magnifie : une belle démonstration que l'AOC ne signifie ni immobilisme ni sclérose. La robe pourpre intense annonce une belle matière équilibrée et longue qui s'éveillera dans deux à trois ans pour accompagner viande rouge ou gibier. (100 à 149 F)

Johann Michel, 52, Grand-Rue, 07130 Cornas, tél. 04.75.40.43.16, fax 04.75.40.43.16
t.l.j. 8h-12h 14h-18h

DOM. DE ROCHEPERTUIS 1999

9 ha 20 000 11 à 15 €

Des vignes de quarante-cinq ans, un élevage de douze mois en barrique : c'est le bois qui domine aujourd'hui, s'exprimant par des notes de torréfaction et de moka. Ce 99 est néanmoins équilibré et plein de promesses. Peut-être n'est-il pas très « cornas », mais il plaira au Nouveau Monde lorsque tout se sera bien fondu. (70 à 99 F)

Jean Lionnet, 48, rue de Pied-la-Vigne,
07130 Cornas, tél. 04.75.40.36.01,
fax 04.75.81.00.62 r.-v.

DOM. DU TUNNEL 1999★

1 ha 3 693 11 à 15 €

Situé sur la commune de Saint-Péray, ce tunnel ne voit plus passer les trains à vapeur et est entouré de très vieilles vignes reprises par Stéphane Robert en 1994. Les lecteurs apprécient ses cornas solides et de caractère comme celui-ci. Rubis à nuances violines, il laisse poindre un nez où les fruits rouges répondent à des notes épicées (poivre et réglisse) très puissantes. La bouche joue sur le même registre avec des tanins riches et nobles. A attendre trois ans. La **cuvée Prestige 1999 (de 150 à 199 F)**, élaborée avec des vignes presque centenaires, est encore très fermée, affichant un beau boisé et quelques évocations de cassis. A attendre trois à quatre ans. (70 à 99 F)

Stéphane Robert, Dom. du Tunnel,
20, rue de la République, 07130 Saint-Péray,
tél. 04.75.80.04.66, fax 04.75.80.06.50 t.l.j.
14h-20h

Saint-péray

Situé face à Valence, le vignoble de Saint-Péray (62 ha, 2 600 hl) est dominé par les ruines du château de Crussol. Un microclimat relativement plus froid et des sols plus riches que dans le reste de la région sont favorables à la production de vins plus acides, secs et moins riches en alcool, remarquablement bien adaptés à l'élaboration de blanc de blancs par la méthode traditionnelle. C'est d'ailleurs la principale production de l'appellation, et l'un des meilleurs vins effervescents de France.

DOM. DARONA 1996*

○ 2,5 ha 15 000 5 à 8 €

Un effervescent dominé par la marsanne (93 %). Il laisse s'épanouir des bulles fines dans des notes végétales où l'anis le dispute à la réglisse. Quelques notes d'évolution bien naturelles pour un 96 mais qui n'empêchent pas un bel équilibre et une bonne longueur. (30 à 49 F)

Dom. Darona, Les Faures, 07130 Saint-Péray, tél. 04.75.40.34.11, fax 04.75.81.05.70 t.l.j. sf dim. 8h30-12h30 14h-19h30

DOM. DE FAUTERIE 1999

□ 1 ha 5 000 5 à 8 €

Un vin d'apéritif. Le nez libère des arômes de camomille et de verveine complétés par des notes de grillé et des nuances de pêche très délicates. (30 à 49 F)

Sylvain Bernard, Dom. de Fauterie, 07130 Saint-Péray, tél. 04.75.40.46.17, fax 04.75.81.06.60 r.-v.

BERNARD GRIPA 1999**

□ 2 ha 8 000 8 à 11 €

Si le nez avait été un peu plus expressif, c'eût été le coup de cœur assurément ; mais c'est un vin prometteur. Il est encore sur la réserve. L'attaque est légère aux arômes fleuris d'acacia complétés par une pointe d'agrumes (pamplemousse puis citron en fin de bouche). On le recommande sur des filets de rouget. (50 à 69 F)

Bernard Gripa, 5, av. Ozier, 07300 Mauves, tél. 04.75.08.14.96, fax 04.75.07.06.81 r.-v.

CAVE DE TAIN-L'HERMITAGE Nobles Rives 1999**

□ 65 ha n.c. 5 à 8 €

Ces Nobles Rives sont d'une belle couleur claire et limpide. On ferait volontiers halte sur leurs bords pour s'y désaltérer car cette cuvée a tout d'un vrai saint-péray : nervosité, fraîcheur, mais tout ceci maintenu dans un bel équilibre. Les arômes agréables de fleur d'acacia et d'agrumes se retrouvent au nez et en bouche. Un dégustateur le recommande sur un lapereau en terrine. (30 à 49 F)

Cave de Tain-l'Hermitage, 22, rte de Larnage, BP 3, 26601 Tain-l'Hermitage Cedex, tél. 04.75.08.20.87, fax 04.75.07.15.16, e-mail commercial.france@cave-tain-hermitage.com r.-v.

JEAN-LOUIS ET FRANCOISE THIERS Brut*

○ 4 ha 21 000 5 à 8 €

Ce domaine propose deux cuvées, l'une effervescente, l'autre tranquille ; toutes deux reçoivent une étoile. D'abord celle-ci : un vin de fête. De la jeunesse, de la vivacité et des notes citronnées. Fleur blanche à l'attaque, la bouche se montre printanière. La seconde, un **blanc 99**, est issue de vignes de cinquante ans d'âge et a été élaborée uniquement avec de la marsanne. Il ressort au nez un côté minéral marqué auquel se mêlent pêche blanche, épices et agrumes. On inclinerait plutôt à le proposer sur un gratin d'huîtres tièdes au beurre blanc. (30 à 49 F)

Jean-Louis Thiers, EARL du Biguet, 07130 Toulaud, tél. 04.75.40.49.44, fax 04.75.40.33.03 r.-v.

DOM. DU TUNNEL 2000

□ 0,8 ha 3 962 5 à 8 €

Des vignes ont été plantées tout autour d'un tunnel en pierre de taille qui a donné son nom au domaine. Bien que la **cuvée Prestige (50 à 69 F)** - dont 30 % du volume est élevé en fût neuf - et la cuvée traditionnelle, toutes deux du même millésime, aient obtenu la même distinction, cette dernière semble la plus représentative de l'appellation. D'une bonne fraîcheur et d'un bel équilibre, elle développe des arômes de fruits à chair blanche (pêche) et d'agrumes. (30 à 49 F)

Stéphane Robert, Dom. du Tunnel, 20, rue de la République, 07130 Saint-Péray, tél. 04.75.80.04.66, fax 04.75.80.06.50 t.l.j. 14h-20h

Gigondas

Au pied des étonnantes Dentelles de Montmirail, le célèbre vignoble de Gigondas ne couvre que la commune de Gigondas et est constitué d'une série de coteaux et de vallonnements. La vocation viticole de l'endroit est très ancienne, mais son réel développement date du XIVe s. (vignobles du Colombier et des Bosquets), sous l'impulsion d'Eugène Raspail. D'abord côtes du rhône, puis, en 1966, côtes du rhône-villages, gigondas obtient ses lettres de noblesse en tant qu'appellation spécifique en 1971. L'AOC couvre aujourd'hui environ 1 250 ha.

Les caractéristiques du sol et son climat font que les vins de gigondas (44 316 hl en 2000) sont, dans une très grande proportion, des vins rouges à forte teneur en alcool, puissants, charpentés et bien équilibrés, tout en présentant une finesse aromatique où se mêlent réglisse, épices et fruits à noyau. Bien adaptés au gibier, ils mûrissent lentement et peuvent garder leurs qualités pendant de nombreuses années. Il existe également quelques vins rosés, puissants et capiteux.

PIERRE AMADIEU
Romane-Machotte 1999

■ 60 ha 100 000 8à11€

Si le mourvèdre, la syrah et, dans une moindre mesure, le cinsault sont bien présents, ce vin est très marqué par le grenache. Son nez mêle le fruit et le végétal (fenouil), puis sa bouche, ronde dès l'attaque, révèle un bon équilibre. A boire sur un petit gibier. (50 à 69 F)

Pierre Amadieu, 84190 Gigondas, tél. 04.90.65.84.08, fax 04.90.65.82.14, e-mail pierre.amadieu@pierre-amadieu.com r.-v.

Jean-Pierre Amadieu

HENRI BOUACHON
Grande Tradition Gourmet 1998★

■ 45 ha 30 000 8à11€

La région a laissé son empreinte dans ce vin sombre, légèrement ambré. Des senteurs de garrigue émanent d'un nez puissant et pourtant subtil. Les arômes de fruits noirs mûrs et confits vont de pair avec une bouche ronde et équilibrée, qui se prolonge sur des notes de garrigue. La **cuvée Duc de Montfort 98 rouge (70 à 99 F)** est aussi très réussie : son nez au boisé discret laisse percer quelques touches de fruits rouges. La finale est de qualité. (50 à 69 F)

Caves Saint-Pierre, BP 5, 84230 Châteauneuf-du-Pape, tél. 04.90.83.58.35, fax 04.90.83.77.23 t.l.j. sf dim. 9h-12h 14h-17h

DOM. DE CASSAN 1999

■ 7,5 ha n.c. 8à11€

Ce vin présente de l'originalité dans ses arômes quelque peu balsamiques (menthol) prolongés par des notes de fumée et de tabac. La matière repose sur des tanins au grain serré. La puissance de ce 99 ne le rend pas austère, mais lui donne un potentiel et un caractère qui ne demandent qu'à s'exprimer avec le temps. (50 à 69 F)

Dom. de Cassan, SCIA Saint-Christophe, Lafare, 84190 Beaumes-de-Venise, tél. 04.90.62.96.12, fax 04.90.65.05.47, e-mail domainedecassan@wanadoo.fr t.l.j. sf dim. 10h-12h 14h-18h

Famille Croset

DOM. DU CAYRON 1999★

■ 16 ha 60 000 8à11€

Le nez de cerise associée à une pointe animale se prolonge sur une discrète note boisée. Déjà ronde, la bouche donne d'autant plus de plaisir qu'elle est étayée par des tanins de qualité, au grain serré et soyeux. Un vin élégant à laisser en cave. (50 à 69 F)

EARL Michel Faraud, Dom. du Cayron, 84190 Gigondas, tél. 04.90.65.87.46, fax 04.90.65.88.81 r.-v.

CLOS DU JONCUAS 1999★

■ n.c. n.c. 11à15€

Toute la plénitude due à de vieilles vignes s'exprime dans ce vin chaleureux. Les fruits bien mûrs évoluent vers des arômes de kirsch en finale. Ample et généreux, ce gigondas ne livre pas encore tous ses atouts. Attendre un ou deux ans, mais pas davantage au risque de voir l'alcool prendre le dessus. (70 à 99 F)

Fernand Chastan, Clos du Joncuas, 84190 Gigondas, tél. 04.90.65.86.86, fax 04.90.65.83.68 t.l.j. sf sam. dim. 8h-12h 14h-17h30

DOM. DES ESPIERS
Cuvée Tradition 1999

■ 2,5 ha 11 000 11à15€

Epices, réglisse, muscade... Pourtant, ce vin semble encore sur la réserve. Typique de l'appellation, doté d'une attaque solide et de tanins déjà assez fondus, il devrait gagner des galons en acquérant plus de maturité. (70 à 99 F)

Philippe Cartoux, rte de Jaison, 84190 Vacqueyras, tél. 04.90.65.81.16, fax 04.90.65.81.16 r.-v.

DOM. DE FONTAVIN
Cuvée Les Terrasses 1999★

■ 2,5 ha 9 300 8à11€

Un premier essai pour cette cuvée où se mêlent grenache et mourvèdre. Le nez livre des arômes de fruits à noyau, de cassis très mûr et de cuir, tandis que la bouche laisse une impression de puissance et de volume. (50 à 69 F)

EARL Hélène et Michel Chouvet, Dom. de Fontavin, 1468, rte de la Plaine, 84350 Courthézon, tél. 04.90.70.72.14, fax 04.90.70.79.39, e-mail helene-chouvet@fontavin.com t.l.j. sf dim. 9h-12h30 14h-18h30; été 9h-19h

DOM. GIROUSSE 1999★

■ 1,36 ha 4 500 8à11€

Ce tout petit domaine dont les vignes sont plantées en coteaux dans la vallée du Trignon démontre que faible volume est synonyme de qualité. Le nez, encore légèrement dominé par le bois, exprime aussi de jolies notes de réglisse et de fumée. La bouche, ronde et équilibrée, s'appuie sur des tanins élégants, fondus. D'ici peu de temps, ce vin sera un régal. (50 à 69 F)

Girousse, Le Cours, 84410 Bédoin, tél. 04.90.12.81.47, e-mail benoit.girousse@free.fr r.-v.

DOM. DU GRAND BOURJASSOT
Cuvée Cécile 1998★

■ 2 ha 4 000 11à15€

Cette cuvée a séduit par son nez puissant de réglisse et de fruits noirs mûrs intimement mariés. Equilibrée, elle illustre un bon terroir et une vinification traditionnelle de qualité. La **cuvée rouge Goutte noire 99 (150 à 199 F)** et le

rosé 2000 (50 à 69 F) méritent également une étoile. (70 à 99 F)
Pierre Varenne, quartier Les Parties, 84190 Gigondas, tél. 04.90.65.88.80, fax 04.90.65.89.38 t.l.j. sf dim. 10h-12h 14h30-18h30

DOM. DU GRAND MONTMIRAIL
Cuvée Vieilles vignes Vieilli en fût de chêne 1999*

5 ha 20 000 8 à 11 €

Vêtu d'une robe soutenue, cette cuvée révèle un mariage harmonieux des fruits confits et des épices. Elle présente un bon équilibre entre le gras et les tanins dus à l'élevage en barrique. On l'attendra deux ou trois ans. (50 à 69 F)
Dom. du Grand-Montmirail, ferme du Grand-Montmirail, 84190 Gigondas, tél. 04.90.65.00.22 r.-v.

DOM. DU GRAPILLON D'OR 1999

14 ha 55 000 11 à 15 €

La robe presque noire comme le nez profond de fruits mûrs, de cuir et de tabac laissent deviner la maturité du raisin. La bouche attaque avec franchise puis développe une matière chaleureuse et puissante. Un vin à attendre. (70 à 99 F)
Bernard Chauvet, Le Péage, 84190 Gigondas, tél. 04.90.65.86.37, fax 04.90.65.82.99 t.l.j. 9h-12h 14h-17h30

LABASTIDE 1999*

0,9 ha 6 000 15 à 23 €

Le trio de cassis, de réglisse et de girofle perceptible à l'olfaction s'accompagne en bouche d'une curieuse ligne de fruits rouges qui apporte de la fraîcheur à ce vin équilibré et bien travaillé. L'apogée devrait se situer vers cinq à huit ans. (100 à 149 F)
Gabriel Liogier, 21420 Aloxe-Corton, tél. 03.80.26.44.25, fax 03.80.26.43.57

LA BASTIDE SAINT VINCENT
Costevieille 1999**

1 ha 4 000 11 à 15 €

Un exemple à suivre en matière d'élevage. Bien que le boisé soit sensible au premier nez, une palette d'arômes persistants se développe : épices et surtout fruits noirs (cassis, mûre, myrtille). Les dégustateurs ont jugé ce vin soyeux, tendre, remarquable d'onctuosité et d'harmonie. (70 à 99 F)
Guy Daniel, La Bastide Saint-Vincent, 84150 Violès, tél. 04.90.70.94.13, fax 04.90.70.96.13, e-mail bastide.vincent@free.fr t.l.j. 8h30-12h 14h30-19h; f. 1er-15 jan.

DOM. LA BOUISSIERE 1999**

5,1 ha 20 000 8 à 11 €

La profondeur de la robe n'a d'égale que la concentration de la matière première. Le nez intense et complexe joue sur un trio de réglisse, de cassis et de vanille. La bouche finit d'impressionner favorablement le jury par sa densité. La vinification a certainement été méticuleuse pour réaliser ce gigondas digne des grandes cuvées d'autrefois. La **cuvée La Font de Tonin 99 rouge (100 à 149 F)**, élevée en fût, est très réussie et mérite d'être attendue. Quant au **rosé 2000**, il est cité. (50 à 69 F)

EARL Faravel, rue du Portail, 84190 Gigondas, tél. 04.90.65.87.91, fax 04.90.65.82.16 r.-v.

DOM. DE LA MAVETTE 1999

6 ha 22 000 8 à 11 €

Les arômes classiques de fruits rouges s'accompagnent de notes de ciste, de thym et de laurier pour finir sur un caractère plus animal (cuir surtout). La longueur caractérise la bouche ample et soyeuse. Déja plaisant, ce vin s'accommodera d'une viande rouge. (50 à 69 F)
EARL Lambert et Fils, Dom. de La Mavette, 84190 Gigondas, tél. 04.90.65.85.29, fax 04.90.65.87.41, e-mail mavette@club-internet.fr r.-v.

DOM. DE LA TOURADE
Cuvée Morgan Fût de chêne 1999*

1,45 ha 6 800 15 à 23 €

Le nez explose d'arômes de fruits confits, de notes réglissées, d'épices, de miel, de pain grillé et de vanille. Les tanins sont encore bien perceptibles, mais la rondeur s'annonce déjà. Un peu de patience... (100 à 149 F)
EARL André Richard, Dom. de La Tourade, 84190 Gigondas, tél. 04.90.70.91.09, fax 04.90.70.96.31 t.l.j. 9h-19h

LAURUS 1999*

6,5 ha 25 000 11 à 15 €

La gamme Laurus correspond aux cuvées de prestige de Gabriel Meffre. Ce gigondas est riche, plein, structuré par des tanins veloutés. En rétro-olfaction, on perçoit longtemps les arômes de fruits rouges (cerise), accompagnés de truffe et de sous-bois. Le **Domaine de La Daysse 99 rouge**, propriété de Jack Meffre, est également très réussi. (70 à 99 F)
Gabriel Meffre, Le Village, 84190 Gigondas, tél. 04.90.12.30.22, fax 04.90.12.30.29, e-mail gabriel-meffre@meffre.com r.-v.

LES REINAGES 1999**

n.c. 20 000 11 à 15 €

Le type même de l'appellation. Des arômes de griotte, de cassis, de cerise noire bien mûre, de bois et d'épices composent la palette. En bouche, l'équilibre se réalise entre structure et rondeur grâce à des tanins d'une grande finesse. (70 à 99 F)

Delas Frères, ZA de l'Olivet, 07302 Tournon-sur-Rhône, tél. 04.75.08.60.30, fax 04.75.08.53.67, e-mail jacques-grange@delas.com r.-v.

L'OUSTAU FAUQUET
Cuvée Cigaloun 1999**

4 ha 15 000 11 à 15 €

Les fleurs sont l'entrée en matière d'un bouquet subtil et élégant, mais aussi puissant et complexe (fruits noirs, aubépine, épices, genièvre). La valeur n'attendant pas le nombre des années, ce vin possède déjà des tanins fondus dans une bouche ample et ronde. Toutefois, ceux qui auront la patience de l'attendre quelques années seront sûrement récompensés. Pendant ce temps, la **Cuvée traditionnelle du Petit Montmirail 99** pourra être servie : elle est citée. (70 à 99 F)

Roger Combe et Filles, Dom. La Fourmone, rte de Bollène, 84190 Vacqueyras, tél. 04.90.65.86.05, fax 04.90.65.87.84 t.l.j. 9h30-12h 14h-18h; f. fév.

MONTIRIUS 1999

16 ha 30 000 11 à 15 €

Après un nez subtil et franc, la bouche associe les fruits rouges aux notes grillées et épicées qui apparaissent en finale. Mûr et corsé, ce vin possède le gras et la trame caractéristiques d'un gigondas prêt à boire. (70 à 99 F)

Christine et Eric Saurel, SARL Montirius, Le Deves, 84260 Sarrians, tél. 04.90.65.38.28, fax 04.90.65.38.28, e-mail montirius@wanadoo.fr r.-v.

CH. DE MONTMIRAIL
Cuvée de Beauchamp 1999

24 ha 100 000 8 à 11 €

Prenez le temps de le humer à deux ou trois reprises pour apprécier l'évolution des arômes : fruits, kirsch puis torréfaction. Les tanins s'inscrivent dans une matière ronde qui se finit en points de suspension... (50 à 69 F)

Archimbaud-Bouteiller, Ch. de Montmirail, cours Stassart, BP 12, 84190 Vacqueyras, tél. 04.90.65.86.72, fax 04.90.65.81.31, e-mail chateau-montmirail@interlog.fr t.l.j. sf dim. 9h-12h 14h-18h30

MOULIN DE LA GARDETTE
Cuvée Ventabren 1998*

2 ha 10 000 15 à 23 €

Une maturation des raisins sous un soleil de plomb a marqué le caractère de ce gigondas : le nez révèle ainsi des arômes de pruneau et de fruits à l'eau-de-vie, puis de truffe et de sous-bois. La bouche montante et chaleureuse rappelle, par de subtiles notes vanillées, qu'une partie de la cuvée a été élevée en fût. L'ensemble est équilibré. La **cuvée Tradition 99 rouge (50 à 69 F)** est citée : c'est un vin solidement bâti pour affronter le temps. (100 à 149 F)

Jean-Baptiste Meunier, Moulin de la Gardette, pl. de la Mairie, 84190 Gigondas, tél. 04.90.65.81.51, fax 04.90.65.86.80 r.-v.

DOM. NOTRE DAME DES PALLIERES Fût neuf 1999

1 ha 2 700 11 à 15 €

Ce vin a bénéficié d'un élevage sous bois bien maîtrisé pendant un an. L'empreinte du fût se manifeste encore au nez comme en bouche par des notes vanillées, mais l'harmonie est déjà appréciable ; on pourra garder cette bouteille quelques années. On peut dès à présent déguster le **rosé 2000 (50 à 69 F)**, à la fois acidulé et subtil. Cette finesse lui vient du cépage cinsault qui domine l'assemblage. (70 à 99 F)

Jean-Pierre et Claude Roux, Dom. Notre-Dame des Pallières, chem. des Tuileries, 84190 Gigondas, tél. 04.90.65.83.03, fax 04.90.65.83.03, e-mail nd¯pallieres@hotmail.com r.-v.

DOM. DE PIAUGIER 1999*

3,4 ha n.c. 11 à 15 €

Si le nez est réservé, il n'en est pas moins fin dans ses expressions de fruits et d'épices. La matière chaleureuse s'exprime déjà, mais il faudra attendre entre deux et cinq ans pour que la petite touche de mourvèdre s'épanouisse et fasse de ce vin un digne représentant de l'appellation. (70 à 99 F)

Jean-Marc Autran, Dom. de Piaugier, 3, rte de Gigondas, 84110 Sablet, tél. 04.90.46.96.49, fax 04.90.46.99.48, e-mail piaugier@wanadoo.fr r.-v.

PREFERENCE BOSQUETS 1999**

2 ha 6 800 23 à 30 €

Les fruits rouges mûrs laissent bientôt la place à des arômes de torréfaction, de sous-bois et de champignon pour composer un bouquet complexe. La bouche équilibrée, volumineuse et bien structurée par des tanins présents mais fins, assurera à ce vin une bonne évolution. Le **Domaine des Bosquets 99 rouge (70 à 99 F)** est cité pour son nez de fruits rouges mêlés de violette et de réglisse, et sa matière ronde. (150 à 199 F)

Dom. des Bosquets, 84190 Gigondas, tél. 04.90.65.80.45, fax 04.90.65.80.45 r.-v.

CH. RASPAIL 1999**

42 ha 20 000 8 à 11 €

Le nez complexe décline avec discrétion des notes empyreumatiques, fruitées et florales fort

RHONE

prometteuses. La solide structure tannique se fond déjà pour dessiner une ligne très pure, longue et harmonieuse. Ce vin typé est cependant loin d'avoir dévoilé tous ses atours ; il s'exprimera pleinement dans cinq à huit ans. (50 à 69 F)

Christian Meffre, Ch. Raspail, 84190 Gigondas, tél. 04.90.65.88.93, fax 04.90.65.88.96, e-mail château.raspail@wanadoo.fr t.l.j. sf sam. dim. 8h-12h30 13h30-17h30; f. 15-31 août

DOM. RASPAIL-AY 1998

■ 18 ha 50 000 8à11€

Résultat d'un assemblage classique de grenache (80 %), de syrah et de mourvèdre, ce vin présente un caractère aromatique et élégant. Il propose une bouche déjà ronde qui invite à une dégustation dès aujourd'hui. (50 à 69 F)

Dominique Ay, Dom. Raspail-Ay, 84190 Gigondas, tél. 04.90.65.83.01, fax 04.90.65.89.55 r.-v.

CH. REDORTIER 1999

■ 5 ha 22 000 8à11€

Volume et élégance ne sont pas antinomiques dans ce vin pourpre à reflets violets. Le nez décline des arômes champêtres : garrigue, genévrier, thym, tandis que la bouche laisse en mémoire des flaveurs de girolle et de sanguine associées aux petits fruits rouges. (50 à 69 F)

EARL Ch. Redortier, 84190 Suzette, tél. 04.90.62.96.43, fax 04.90.65.03.38 r.-v.

Etienne de Menthon

DOM. DU ROUCAS DE SAINT PIERRE Le coteau de mon père 1999*

■ 1,3 ha 6 000 8à11€

Grenat intense, ce vin libère un nez de cacao, de fruits rouges confits, de grillé, de réglisse et de fumée. La bouche, tout aussi aromatique, monte en puissance sans rien perdre de son équilibre. La finale se prolonge sur le chocolat. Une bouteille à laisser vieillir en cave. (50 à 69 F)

Dom. du Roucas de Saint-Pierre, 84190 Gigondas, tél. 06.10.44.02.98 r.-v.

Yves Chéron

CH. DE SAINT COSME 1999*

■ 15 ha 60 000 8à11€

Deux vins présentés, deux réussites. Ce gigondas a été remarqué pour sa finesse et son caractère aimable grâce à des tanins soyeux. La **cuvée Valbelle 98 (70 à 99 F)**, également très réussie, devra patienter pour révéler tout son potentiel. (50 à 69 F)

EARL Louis Barruol, Ch. de Saint-Cosme, 84190 Gigondas, tél. 04.90.65.80.80, fax 04.90.65.81.05 r.-v.

DOM. SAINT-DAMIEN 1999

■ 4 ha 4 000 8à11€

La concentration de la matière a joué en faveur de cette cuvée de grenache et de mourvèdre. Des arômes de fruits cuits et de cuir émanent de la palette, tandis que la bouche enrobe sa puissante structure d'un gras abondant. Les tanins demandent à s'affiner au cours d'une garde de cinq ans. (50 à 69 F)

SCEA Joël Saurel, Dom. Saint-Damien, 84190 Gigondas, tél. 04.90.70.96.42, fax 04.90.70.96.42 r.-v.

DOM. SAINT-GAYAN Fontmaria 1999**

■ 1 ha 2 000 15à23€

Cette cuvée laisse sans voix. Elle libère des arômes de fruits confits (pruneau, figue) d'une rare puissance qu'elle prolonge dans une bouche ronde. Elle témoigne ainsi d'un élevage bien maîtrisé. Le **Domaine Saint Gayan 99 rouge (70 à 99 F)** est remarquable. Inscrit dans le registre de la réglisse et de la cannelle, il possède un caractère onctueux et équilibré. (100 à 149 F)

EARL Jean-Pierre et Martine Meffre, Dom. Saint-Gayan, 84190 Gigondas, tél. 04.90.65.86.33, fax 04.90.65.85.10 r.-v.

ANDEOL SALAVERT Elevé en fût de chêne 1999

■ n.c. 30 000 8à11€

Des notes originales d'amande grillée et de vanille confèrent de la finesse à ce vin rouge grenat. La maîtrise de l'élevage en fût se traduit par un boisé discret, bien marié à une matière fondue et persistante. (50 à 69 F)

Caves Salavert, Les Mures, rte de Saint-Montan, 07700 Bourg-Saint-Andéol, tél. 04.75.54.77.22, fax 04.75.54.47.91, e-mail caves.salavert@wanadoo.fr

DOM. DU TERME 2000

◪ 0,5 ha 3 000 8à11€

Paré d'une robe brillante à reflets soutenus, ce vin possède un nez discret mais agréable. Il laisse en bouche une impression chaleureuse et assez persistante. Un gigondas prêt à boire. (50 à 69 F)

Rolland Gaudin, Dom. du Terme, 84190 Gigondas, tél. 04.90.65.86.75, fax 04.90.65.80.29 r.-v.

DOM. DES TOURELLES 1999*

■ 9 ha 30 800 8à11€

Le nez semble déjà riche et puissant, mais il devrait s'ouvrir davantage avec le temps. Car cette cuvée issue de vignes de quarante-cinq ans (une majorité de grenache, un peu de syrah et un faible pourcentage de mourvèdre et de cinsault) est loin d'avoir atteint son apogée. Elle possède aujourd'hui une structure imposante et une chair abondante qui enrobe les tanins. (50 à 69 F)

Roger Cuillerat, SCEA Les Tourelles, le Village, 84190 Gigondas, tél. 04.90.65.86.98, fax 04.90.65.89.47, e-mail domaine-des-tourelles@wanadoo.fr r.-v.

DOM. DES TROIS EVEQUES 1999**

■ 1 ha 3 500 8à11€

La palette aromatique dominée par l'amande et les épices devrait gagner en complexité et se transformer en un superbe bouquet avec le temps. Encore marqué par les tanins, ce vin possède en outre suffisamment de gras pour parvenir à un fondu complet d'ici trois à cinq ans. (50 à 69 F)

🔑 Jérôme Evesque, Quartier Cabassole, 84190 Vacqueyras, tél. 04.90.65.80.58, fax 04.90.65.87.10 ☑ 🍷 r.-v.

DOM. VARENNE Vieux fût 1999★★

■ n.c. 6 000 11à15€

Est-ce dans les vieux fûts que l'on fait ses meilleures cuvées ? Ce 99 semble en témoigner. Il offre une palette champêtre composée de griotte, de cèpe, de sous-bois et de vanille. Il possède du corps et beaucoup d'harmonie jusqu'à sa finale de cerise, de framboise et de fruits des bois. A découvrir aussi, le remarquable **rosé 2000 (50 à 69 F)** dont la bouche est intense et équilibrée. La **cuvée principale 99 rouge du Domaine (50 à 69 F)** est citée. (70 à 99 F)

🔑 Dom. Varenne, Le village, 84190 Gigondas, tél. 04.90.65.86.55, fax 04.90.12.39.28 ☑ 🍷 t.l.j. 10h-12h 14h-18h; f. jan.

Vacqueyras

L'appellation d'oigine contrôlée vacqueyras, dont les conditions de production ont été définies par décret du 9 août 1990, est la treizième et dernière-née des AOC locales des côtes du rhône.

Elle rejoint gigondas et châteauneuf-du-pape à ce niveau hiérarchique dans le département du Vaucluse. Situé entre Gigondas au nord et Beaumes-de-Venise au sud-est, son territoire s'étend sur les deux communes de Vacqueyras et de Sarrians. Les 1 236 ha de vignes produisent un peu plus de 48 084 hl dont 628 hl de blanc.

Vingt-trois embouteilleurs, une cave coopérative ainsi que trois négociants-éleveurs commercialisent 1,5 million de cols en vacqueyras.

Les vins rouges (95 %), élaborés à base de grenache, syrah, mourvèdre et cinsaut, sont aptes au vieillissement (trois à dix ans). Les rosés (4 %) sont issus d'un encépagement similaire. Les blancs restent confidentiels (cépages: clairette, grenache blanc, bourboulenc, roussanne).

DOM. DES AMELERAIES
Fût de chêne 1999★

■ 5,2 ha 24 000 5à8€

Au nez, la complexité atteint des sommets : fraises mûres, réglisse, pain d'épice, notes grillées. L'élevage sous bois est ici bien marqué. En bouche, de subtils arômes de caramel et de cuir prolongent une attaque charnue et un développement rond, presque sensuel. Encore quelques années de patience. (30 à 49 F)

🔑 La Compagnie rhodanienne, chemin Neuf, 30210 Castillon-du-Gard, tél. 04.66.37.49.50, fax 04.66.37.49.51 🍷 r.-v.

LOUIS BERNARD 1999★★

■ n.c. 20 000 5à8€

Un intense parfum de fruits cuits, de pruneau, de griotte et de confit se dégage dès que l'on approche le nez. L'élevage sous bois, encore perceptible, est ici du meilleur effet. La charpente, à peine un peu rude, est à la hauteur de l'édifice. Les tanins sont fondus ; la bouche est fraîche, ample... Un vrai bonheur qui pourrait presque être consommé tout de suite, mais mieux vaut attendre deux à trois ans. (30 à 49 F)

🔑 Les Domaines Bernard, rte de Sérignan, 84100 Orange, tél. 04.90.11.86.86, fax 04.90.34.87.30, e-mail sagon@domaines-bernard.fr

DOM. CHAMFORT 1999★★

■ 10 ha 40 000 5à8€

Des galets roulés sur argilo-calcaire, des vignes de trente ans, un élevage bien mené, ont donné un vin qui plaît et qui saura se tenir à table. Le nez puissant mêle garrigue, fruits rouges, épices. Il est à la fois séducteur, flatteur et typique. Les tanins veloutés et élégants participent pleinement à l'excellente harmonie de ce millésime. (30 à 49 F)

🔑 Denis Chamfort, La Pause, 84110 Sablet, tél. 04.90.46.94.75, fax 04.90.46.99.84, e-mail denis.chamfort@wanadoo.fr ☑ 🍷 r.-v.

LA BASTIDE SAINT-VINCENT 1999★

■ 5 ha 24 000 5à8€

Depuis le XVIII[e]s., la famille de Guy Daniel possède ce domaine qui aujourd'hui, avec ses 21 ha, fait partie des incontournables. Son 99 ? Griotte et kirsch. Frais ou secs, ce sont les fruits rouges qui dominent jusqu'à une finale chaleureuse. Entre-temps, de jolis tanins participent à la typicité de ce vin d'un style traditionnel. (30 à 49 F)

🔑 Guy Daniel, La Bastide Saint-Vincent, 84150 Violès, tél. 04.90.70.94.13, fax 04.90.70.96.13, e-mail bastide.vincent@free.fr ☑ 🍷 t.l.j. 8h30-12h 14h30-19h; f. 1er-15 jan.

RHONE

DOM. DE LA CHARBONNIERE 1999*

■ 4,33 ha 20 000 11 à 15 €

Une dégustation qui se déroule comme un long fleuve tranquille : à l'amont, les fruits à l'alcool, d'une bonne intensité, commencent à s'exprimer, relevés de quelques notes poivrées ; l'ampleur et le gras donnent du volume, puis, à l'aval, de la chaleur. Pas de grande cascade, ni de méandre : tout est agréable et harmonieux. (70 à 99 F)

Michel Maret, Dom. de La Charbonnière, 26, rte Courthézon, 84230 Châteauneuf-du-Pape, tél. 04.90.83.74.59, fax 04.90.83.53.46 r.-v.

LA FONT DE PAPIER 1999*

■ n.c. n.c. 8 à 11 €

Les vignes, cultivées en agriculture biologique, ont donné ce joli vin fruité et frais destiné à un plaisir immédiat. S'il n'est pas fait pour durer des décennies, il présente néanmoins une belle bouche intense, dotée de tanins fondus très agréables. (50 à 69 F)

Fernand Chastan, Clos du Joncuas, 84190 Gigondas, tél. 04.90.65.86.86, fax 04.90.65.83.68 t.l.j. sf sam. dim. 8h-12h 14h-17h30

DOM. LA FOURMONE
Trésor du Poète 1999**

■ 11 ha 20 000 8 à 11 €

Un vin complet et complexe comme le sont la plupart des cuvées de ce domaine, détenteur de coups de cœur (voir chapitre gigondas). Les arômes de fruits secs, d'épices et de garrigue sont fins et une petite note mentholée y ajoute en originalité. Le volume et la puissance sont imposants. Rond et ample, ce Trésor du Poète est lyrique, et sa postérité sera longue ; il laisse actuellement une impression de grande fraîcheur. A découvrir impérativement. La **cuvée des Ceps d'Or 99 (70 à 99 F)**, fine et très réussie, comblera les plus exigeants. (50 à 69 F)

Roger Combe et Filles, Dom. La Fourmone, rte de Bollène, 84190 Vacqueyras, tél. 04.90.65.86.05, fax 04.90.65.87.84 t.l.j. 9h30-12h 14h-18h; f. fév.

DOM. LA GARRIGUE
Cuvée de l'Hostellerie 1999**

■ 30,58 ha 12 000 5 à 8 €

Un domaine bien provençal de 65 ha dans cette même famille depuis 1850. Les notes de sous-bois et animales (cuir) sont bien assorties à l'image de garrigue évoquée par le nom du domaine. La bouche, ample et corsée, s'appuie sur une structure fine. La chaleur du breuvage, les tanins fondus... tout concourt à faire de ce vacqueyras un très beau vin qui pourra sans aucun souci progresser encore pour atteindre son apogée dans cinq à dix ans. (30 à 49 F)

EARL A. Bernard et Fils, Dom. La Garrigue, 84190 Vacqueyras, tél. 04.90.65.84.60, fax 04.90.65.80.79 t.l.j. 8h-12h 14h-19h30; dim. sur r.-v.

DOM. LA MONARDIERE
Cuvée Vieilles vignes 1999**

■ 2,5 ha 9 500 11 à 15 €

Ce sont en effet de vieilles vignes de soixante ans qui ont donné naissance à cette cuvée qui n'usurpe pas son nom. Le nez est encore discret quoique expressif. Le passage en bois marque ce vin au très bel équilibre et au style élégant. Il est bâti pour durer. Le mourvèdre, en proportion notable (20 %), n'a pas encore livré tous ses trésors. En attendant, dégustez la **Réserve des deux Monardes 99 (50 à 69 F)** dont les arômes de résine et les notes balsamiques ont excité la curiosité des dégustateurs. La bouche est d'un style plutôt agréable voire souple. (70 à 99 F)

Dom. La Monardière, Les Grès, 84190 Vacqueyras, tél. 04.90.65.87.20, fax 04.90.65.82.01, e-mail monardiere@wanadoo.fr t.l.j. sf dim. 10h-12h 14h-19h

Christian Vache

DOM. LE CLOS DE CAVEAU
Cuvée Prestige 1998*

■ 2 ha 5 000 8 à 11 €

En agriculture biologique depuis 1989, ce domaine propose un gîte rural. Son 98 ? Quel joli nez puissant et complexe et pourtant si classique avec ses notes de cassis et d'épices (réglisse) ! Ce vacqueyras paré d'une robe sombre est très harmonieux ; sa charpente solide, ses tanins au grain serré participent à son équilibre et à sa longueur en bouche. « Présence et persistance » pourraient être sa devise. (50 à 69 F)

SCA Dom. Le Clos de Caveau, rte de Montmirail, chem. de Caveau, 84190 Vacqueyras, tél. 04.90.65.85.33, fax 04.90.65.83.17 r.-v.

H. Bungener

DOM. LE CLOS DES CAZAUX
Cuvée de Saint Roch 1999**

■ 7 ha 30 000 5 à 8 €

Elu coup de cœur de la première édition du Guide 1986, ce domaine a patiemment constitué son vignoble. Souvent monté depuis sur la plus haute marche du podium, il s'en est fallu de peu qu'il réalise le même exploit. Car ce 99, bien sûr, est encore un peu fermé mais déjà on devine le sous-bois, les champignons et la réglisse. Les tanins sont présents, mais la bouche est équilibrée et ample. La matière première est de haut niveau : elle évoque un terroir de haute expression. (30 à 49 F)

EARL Archimbaud-Vache, Dom. Le Clos des Cazaux, 84190 Vacqueyras, tél. 04.90.65.85.83, fax 04.90.65.83.94 t.l.j. sf sam. dim. 9h-11h 14h-18h

Maurice Vache

DOM. LE SANG DES CAILLOUX
Cuvée Doucinello 1999**

■ 4 ha 12 000 11 à 15 €

Elu coup de cœur historique de la première édition du Guide Hachette 1986, ce domaine bénéficie d'un beau terroir de galets roulés sur argilo-calcaire. Ce millésime est dans la lignée de ses grandes cuvées : le jury a aimé le nez de fruits noirs associés à d'autres arômes prometteurs. Les tanins ajoutent du relief à la fin de bouche, alors que le développement est tout en harmonie et souplesse. De jolies notes de fruits grillés apparaissent alors. L'ensemble laisse présager une belle évolution. (70 à 99 F)

Dom. Le Sang des Cailloux, rte de Vacqueyras, 84260 Sarrians, tél. 04.90.65.88.64, fax 04.90.65.88.75, e-mail le-sang-des-cailloux@wanadoo.fr ☑ Y r.-v.

S. Férigoule

LES GRANDS CYPRES 1998

■ 25 ha 40 000 5à8€

Les parcelles situées au pied des Dentelles de Montmirail sont entourées de cyprès qui ont donné leur nom à cette cuvée au nez subtil et typique du vacqueyras ; il devrait s'épanouir sans trop tarder. L'intensité moyenne en bouche est assez harmonieuse. Chaleureux, ce vin fera bonne figure lors d'un repas dominical familial. (30 à 49 F)

Gabriel Meffre, Le Village, 84190 Gigondas, tél. 04.90.12.32.42, fax 04.90.12.32.49

DOM. DE L'ESPIGOUETTE 1999★

■ 3,5 ha 7 000 5à8€

Confiture de cerises à la cannelle, fruits cuits vanillés ou réglisse : le ton est donné. La bouche, ample et ronde, tout entière sur les fruits mûrs, est des plus agréables. Ce vacqueyras de belle constitution est à la fois puissant et fin. Il conviendrait parfaitement sur un perdreau ou un autre petit oiseau. (30 à 49 F)

Bernard Latour, EARL Dom. de L'Espigouette, 84150 Violès, tél. 04.90.70.95.48, fax 04.90.70.96.06 ☑ Y r.-v.

GABRIEL LIOGIER Montpezat 1999★

■ 0,5 ha 2 000 15à23€

Bien que ce vin assemble quatre cépages, c'est indéniablement le grenache qui prend ici le dessus, donnant un style bien dans la tradition des vacqueyras d'autrefois. Assez fruité, rond et agréable, il demande malgré tout à s'affiner un peu en bouteille car il est encore trop sérieux actuellement. Penser à lui pour un canard aux olives. (100 à 149 F)

Gabriel Liogier, 21420 Aloxe-Corton, tél. 03.80.26.44.25, fax 03.80.26.43.57

DOM. DE L'OISELET 1999★

■ n.c. n.c. 8à11€

Au nez, une grande maturité se dégage des arômes de cuir, de fruits bien mûrs, d'épices douces, d'amande. L'attaque franche et l'harmonie générale compensent la légère réserve aromatique en bouche. Les dégustateurs sont convaincus que le temps en fera un vin de très belle gamme d'ici deux à quatre ans. (50 à 69 F)

Vignobles du Peloux, quartier les Barrades, RN 7, 84350 Courthézon, tél. 04.90.70.42.00, fax 04.90.70.42.15 ☑ Y r.-v.

DOM. L'OUSTAU DES LECQUES

Cuvée Bernardin 1999★

■ 2 ha 6 000 5à8€

Bernard Chabran a pris en main les destinées du domaine familial en 1996. Sa cuvée Bernardin, bien travaillée, possède une attaque franche et une structure ferme. Certains la voient austère, d'autres écrivent « virile », mais tout le monde est unanime quant à sa réussite. L'attendre un à deux ans. (30 à 49 F)

Dom. L'Oustau des Lecques, Les Lecques, 84190 Vacqueyras, tél. 04.90.65.84.51, fax 04.90.65.81.19, e-mail oustau.des.lecques@wanadoo.fr ☑ Y r.-v.

Bernard Chabran

CLOS MONTIRIUS 1999

■ 8,5 ha 30 000 8à11€

Cinquante-quatre hectares constituent ce domaine qui se consacre à la vigne et à la biodynamie. Ce clos était en friche il y a onze ans. Aujourd'hui, il donne ce vin au bouquet d'arômes intenses où les fruits rouges et les épices côtoient les notes de sous-bois. La bouche n'a pas encore tout dit : l'harmonie commence à se rythmer ; le support tannique, la rondeur et la longueur joueront bientôt à l'unisson pour accompagner les grillades. (50 à 69 F)

Christine et Eric Saurel, SARL Montirius, Le Deves, 84260 Sarrians, tél. 04.90.65.38.28, fax 04.90.65.38.28, e-mail montirius@wanadoo.fr ☑ Y r.-v.

CH. DE MONTMIRAIL

Cuvée des deux Frères 1999★

■ 10 ha 40 000 8à11€

L'exemple même d'un mariage réussi entre le terroir et les cépages. Très jeune et encore sur le fruit, ce vin laisse paraître des notes de garrigue. Frais, équilibré et rond, il est jugé très représentatif de son appellation. La **Cuvée de l'Ermite 99** est déjà prête. Elle obtient une étoile. (50 à 69 F)

Archimbaud-Bouteiller, Ch. de Montmirail, cours Stassart, BP 12, 84190 Vacqueyras, tél. 04.90.65.86.72, fax 04.90.65.81.31, e-mail chateau-montmirail@interlog.fr ☑ Y t.l.j. sf dim. 9h-12h 14h-18h30

DOM. DE MONTVAC 1999

■ 10 ha n.c. 5à8€

Fruits rouges et sous-bois dominent au nez. La surprise vient de la bouche, tout à la fois fraîche et ample, légère et longue. L'harmonie devrait progresser avec le temps. (30 à 49 F)

Cécile Dusserre, Dom. de Montvac, 84190 Vacqueyras, tél. 04.90.65.85.51, fax 04.90.65.82.38 ☑ Y t.l.j. sf sam. dim. 9h-12h 14h-18h

OGIER-CAVES DES PAPES

Les Truffiers 1999

■ n.c. 60 000 5à8€

Sa belle expression permet de l'apprécier dès maintenant : le nez complexe de fruits, d'épices et de notes animales annonce un bouquet très puissant à son apogée. L'ampleur et la longueur en bouche sont intéressantes. De l'encépagement à la vinification, tout est ici traditionnel, et c'est bon ! (30 à 49 F)

Ogier-Caves des Papes, 10, bd Pasteur, 84230 Châteauneuf-du-Pape, tél. 04.90.39.32.32, fax 04.90.83.72.51, e-mail ogier.caves.des.papes@ogier.fr t.l.j. sf sam. dim. 8h-17h

DOM. DES TROIS EVEQUES 1999

■ 8 ha 10 000 5 à 8 €

Entourée de collines boisées, la commune de Vacqueyras appartient pleinement à la Provence. Ce domaine de 12 ha propose un vin particulier par ses arômes de résine au nez ; il se distingue de la même façon par sa finale minérale. D'une austérité monacale, il devrait attendre un à deux ans en cave. (30 à 49 F)

Jérôme Evesque, Quartier Cabassole, 84190 Vacqueyras, tél. 04.90.65.80.58, fax 04.90.65.87.10 r.-v.

DOM. DE VERQUIERE 2000

■ 2,5 ha 13 000 5 à 8 €

Grenache (75 %), syrah et cinsault, vinifiés traditionnellement, ont donné ce vin charnu, élégant et généreux, qualités qui conviennent bien à sa jeunesse. Les fruits rouges sont encore à l'honneur. Les tanins soyeux laissent présager une heureuse évolution. (30 à 49 F)

Bernard Chamfort, 84110 Sablet, tél. 04.90.46.90.11, fax 04.90.46.99.69 r.-v.

Châteauneuf-du-pape

Le territoire de production de l'appellation, la première à avoir défini légalement ses conditions de production en 1931, s'étend sur la quasi-totalité de la commune qui lui a donné son nom et sur certains terrains de même nature des communes limitrophes d'Orange, Courthézon, Bédarrides, Sorgues (3 084 ha). Ce vignoble est situé sur la rive gauche du Rhône, à une quinzaine de kilomètres au nord d'Avignon. Son originalité provient de son sol, formé notamment de vastes terrasses de hauteurs différentes, recouvertes d'argile rouge mêlée à de nombreux cailloux roulés. Les cépages sont très divers, avec prédominance du grenache, de la syrah, du mourvèdre et du cinsault. Le rendement ne dépasse pas 35 hl/ha.

Les châteauneuf-du-pape ont toujours une couleur très intense. Ils seront mieux appréciés après un vieillissement qui varie en fonction des millésimes. Amples, corsés et charpentés, ce sont des vins au bouquet puissant et complexe, qui accompagnent avec succès les viandes rouges, le gibier et les fromages à pâte fermentée. Les blancs, produits en petite quantité (7 266 hl), savent cacher leur puissance par leur saveur et la finesse de leurs arômes. La production globale atteint les 110 380 hl.

ANCIEN DOMAINE DES PONTIFES
Cuvée Elise 1999*

□ n.c. n.c. 11 à 15 €

Ce vin se caractérise par une grande finesse. Le bâtonnage en fût l'a nourri de façon régulière et lui a donné un caractère flatteur. On peut noter son côté amande et noisette. A boire dans les trois ans sur un poisson en sauce. (70 à 99 F)

Françoise Granier, 13, rue de l'Escatillon, 30150 Roquemaure, tél. 04.66.82.56.73, fax 04.66.90.23.90 r.-v.

DOM. PAUL AUTARD
Cuvée La Côte ronde 1999*

■ 12 ha n.c. 30 à 38 €

Grenache et syrah à parts égales ont donné ce vin tout en puissance et doté d'arômes de fruits rouges et d'épices. La longueur est satisfaisante avec une finale vanillée née d'un élevage de dix-huit mois en fût. Si vous passez au domaine, ne manquez pas de visiter la cave creusée dans la colline. (200 à 249 F)

Dom. Paul Autard, rte de Châteauneuf-du-Pape, 84350 Courthézon, tél. 04.90.70.73.15, fax 04.90.70.29.59, e-mail jean-paul.autard@wanadoo.fr t.l.j. sf dim. 9h-12h30 15h-18h30

CH. BEAUCHENE
Vignobles de La Serrière 1999**

■ 4 ha 4 000 11 à 15 €

Propriété de Michel Bernard depuis 1971, ce château a proposé deux cuvées remarquables. L'une, le **Domaine de La Serrière 99 rouge**, l'autre, celle-ci, portant une subtile distinction en dénomination. Les deux sont appréciées de manière identique par nos jurys : bien élevées avec une touche de bois mesurée, elles portent une robe sombre et s'expriment sur le fruit noir légèrement vanillé. Equilibrées et d'une belle typicité, elles sont à garder cinq à six ans et à réserver à un civet de lièvre. (70 à 99 F)

Michel Bernard, ch. Beauchêne, rte de Beauchêne, 84420 Piolenc, tél. 04.90.51.75.87, fax 04.90.51.73.36, e-mail chateaubeauchene@worldonline.fr t.l.j. sf sam. dim. 8h-12h 13h30-17h30

DOM. DE BEAURENARD 1999***

■ 23,73 ha 80 000 11 à 15 €

Il s'en est fallu de peu que le grand jury ne lui décerne le coup de cœur mais cela n'empêche pas cette bouteille d'être exceptionnelle : outre sa richesse aromatique, on peut apprécier sa structure forte et élégante et une parfaite harmonie gustative. C'est un vin de longue garde (cinq à dix ans). La **cuvée Boisrenard 99 (150 à 199 F)**, caractérisée par un élevage sous bois plus long,

obtient une étoile. Tannique et puissante, elle devra se fondre. (70 à 99 F)
SCEA Paul Coulon et Fils, Dom. de Beaurenard, av. Pierre-de-Luxembourg, 84231 Châteauneuf-du-Pape, tél. 04.90.83.71.79, fax 04.90.83.78.06, e-mail paul.coulon@beaurenard.fr t.l.j. sf dim. 9h-12h 13h30-17h30; groupes sur r.-v.

DOM. BERTHET-RAYNE 1999**

n.c. 2 600 8 à 11 €

Courthézon donne à voir de beaux remparts du XIIe s. Après la visite du bourg, vous emprunterez la D 72 à l'ouest de l'A 7 pour vous rendre à ce domaine qui propose un joli vin riche et complexe dont la palette florale et mentholée est élégante. La bouche est bien équilibrée et longue, avec une belle expression de fruits secs et de miel. C'est une bouteille à avoir dans sa cave pour être sûr de ne pas se tromper, ni de se ruiner. On pourra aussi choisir la cuvée **rouge vieillie en fût de chêne 99 (70 à 99 F)** qui obtient une étoile pour son joli nez où se mêlent fruits mûrs et notes boisées. A laisser trois à quatre ans en cave. (50 à 69 F)
Christian Berthet-Rayne, 2334, rte de Caderousse, 84350 Courthézon, tél. 04.90.70.74.14, fax 04.90.70.77.85 t.l.j. 8h-19h; sam. dim. sur r.-v.

MAS DE BOISLAUZON 2000*

1 ha 3 000 11 à 15 €

Seulement 3 000 bouteilles de ce vin très fleuri et expressif. En bouche l'attaque est vive puis elle s'arrondit sur du fruit mûr. A boire à l'apéritif, par exemple. (70 à 99 F)
Monique et Daniel Chaussy, quartier Boislauzon, 84100 Orange, tél. 04.90.34.46.49, fax 04.90.34.46.61 t.l.j. sf dim. 10h-12h 13h-18h; groupes sur r.-v.; f. 15-30 sept.

BOSQUET DES PAPES 1999

2 ha 6 000 15 à 23 €

Sur la collerette, vous devrez voir écrit « cuvée grenache » pour reconnaître cette cuvée produite par un domaine situé à 300 m du château de Châteauneuf-du-Pape. Ce vin est d'un rouge limpide et doté d'un nez de fruits rouges. La bouche, ronde, aux tanins bien mûrs, affirme un beau potentiel et devrait atteindre sa plénitude dans trois à quatre ans. (100 à 149 F)
Maurice Boiron, Dom. Bosquet des Papes, 18, rte d'Orange, 84230 Châteauneuf-du-Pape, tél. 04.90.83.72.33, fax 04.90.83.50.52 r.-v.

LAURENT-CHARLES BROTTE 1998

9 ha 40 000 15 à 23 €

C'est un vin bien fait, au nez frais et fruité. Après une bonne attaque en bouche, on apprécie la continuité aromatique entre le nez et le palais très élégant. A laisser vieillir cinq ans pour que les tanins puissent s'arrondir. Du même négociant, le **Clos Bimard 98 rouge** obtient une citation : il est à boire dans les deux ans à venir. Egalement cité, le **gigondas 98 rouge (70 à 99 F)**. Confiture de fruits noirs, poivre, note et torréfaction sur fond de garrigue, donnent un réel caractère à cette bouteille solidement campée sur ses tanins. (100 à 149 F)
Laurent-Charles Brotte, Le Clos, BP 1, 84231 Châteauneuf-du-Pape, tél. 04.90.83.70.07, fax 04.90.83.74.34, e-mail brotte@wanadoo.fr t.l.j. 9h30-12h 14h-18h

DOM. DU CAILLOU 1999

6 ha n.c. 11 à 15 €

Un beffroi avec campanile du XVIIe s. est l'un des nombreux attraits de Courthézon. Le vin, ici, est réussi, autant pour la **cuvée Réserve 99 rouge (150 à 199 F)** élevée seize mois en fût, que pour la cuvée principale qui ne passe qu'un an sous bois. Cette dernière présente déjà un caractère évolué apporté par l'élevage. La robe possède des reflets ambrés ; l'arôme dominant est le fruit à l'alcool. Cette bouteille est caractéristique des vinifications à l'ancienne. Elle peut être gardée pendant quelques années. (70 à 99 F)
Jean-Denis Vacheron, Clos du Caillou, 84350 Courthézon, tél. 04.90.70.73.05, fax 04.90.70.76.47 t.l.j. sf dim. 8h30-12h 13h30-17h30

DOM. CHANTE CIGALE 2000*

4,5 ha 21 000 8 à 11 €

C'est le grand-père de M. Favier qui créa en 1930 ce domaine au joli nom évoquant la Provence dont on retrouve les fragrances dans ce vin en devenir, mais déjà si riche de notes de miel, de fruits confits et d'aubépine. Plein et de belle longueur ; une jolie bouteille à goûter pendant cinq ans. (50 à 69 F)
Dom. Chante-Cigale, av. Louis-Pasteur, BP 46, 84230 Châteauneuf-du-Pape, tél. 04.90.83.70.57, fax 04.90.83.58.70 t.l.j. sf dim. 8h-18h
Favier

DOM. CHANTE PERDRIX 1999*

19 ha 60 000 8 à 11 €

Le père et le fils mènent ce domaine créé en 1896 à l'ouest de Châteauneuf sur la D 17. Leurs 6 500 bouteilles de **blanc 2000 (70 à 99 F)** obtiennent une étoile : généreux et encore vif, il demande à s'arrondir pendant deux ou trois ans. Quant à cette cuvée rouge, elle propose une évocation du printemps par ses notes fraîches de cerise et de fraise. En bouche, c'est la typicité du grenache qui s'exprime par ses notes épicées. L'élevage en foudre réjouira les amateurs allergiques au fût. C'est un vin qui attendra sagement deux ans dans une bonne cave. (50 à 69 F)
Guy et Frédéric Nicolet, Dom. Chante-Perdrix, BP 6, 84230 Châteauneuf-du-Pape, tél. 04.90.83.71.86, fax 04.90.83.53.14, e-mail chante-perdrix@wanadoo.fr t.l.j. sf dim. 9h-11h30 15h-19h; f. sept.

CLOS SAINT-MICHEL
Cuvée réservée 1998**

4 ha 15 000 15 à 23 €

Trois jolis vins présentés par ce domaine de 30 ha. Tout d'abord cette cuvée dont la robe sombre, presque noire, séduit d'emblée. Le nez

RHONE

n'est pas en reste : profond, il exprime les fruits mûrs, le chocolat et la vanille. La bouche, ample, repose sur des tanins pleins ; le boisé est harmonieux. C'est une superbe bouteille bien typée que l'on peut garder cinq ans. La cuvée principale du **Clos Saint-Michel 99 rouge (70 à 99 F)** est moins puissante mais bien agréable. Elle reçoit une étoile tout comme le **Clos Saint-Michel 99 blanc (70 à 99 F)** floral à souhait, prêt pour l'apéritif. (100 à 149 F)

EARL Vignobles Guy Mousset et Fils, Le Clos Saint-Michel, rte de Châteauneuf, 84700 Sorgues, tél. 04.90.83.56.05, fax 04.90.83.56.06 t.l.j. 9h-18h

DOM. DE CRISTIA 1999*

10 ha 20 000 8 à 11 €

Un vin bien fait, en pleine maturité. Bon maintenant, alors pourquoi l'attendre. Profitez de son nez de fruits rouges et de son bon équilibre structurel. Il accompagnera un magret de canard grillé au feu de bois. (50 à 69 F)

Alain Grangeon, 33, fbg Saint-Georges, 84350 Courthézon, tél. 04.90.70.89.15, fax 04.90.70.77.43, e-mail grangeonbaptiste @hotmail.com r.-v.

DIFFONTY Cuvée du Vatican 1999

20 ha 57 000 11 à 15 €

Ce vin a bénéficié d'un vieillissement traditionnel de dix-huit mois en foudre de chêne qui apporte ces notes de fruits à l'alcool. C'est la cuvée faite pour les amateurs de châteauneuf à l'ancienne. A garder au moins cinq ans en cave avant de le servir sur du gibier longuement mariné. (70 à 99 F)

SCEA Félicien Diffonty et Fils, 10, rte de Courthézon, BP 33, 84231 Châteauneuf-du-Pape Cedex, tél. 04.90.83.70.51, fax 04.90.83.50.36, e-mail cuvée-du-vatican@mnet.fr r.-v.

DOM. DURIEU 1999

20 ha n.c. 11 à 15 €

Ce 99 est à conseiller aux amateurs de vins très boisés, possédant une bonne cave. En effet, il demandera du temps pour assagir ses tanins (trois à cinq ans). Ses notes animales et sa matière puissante annoncent un mariage gourmand avec un civet de lièvre. (70 à 99 F)

Paul Durieu, 10, av. Baron-le-Roy, 84230 Châteauneuf-du-Pape, tél. 04.90.37.28.14, fax 04.90.37.76.05 r.-v.

CH. DES FINES ROCHES 2000

4,5 ha 21 000 11 à 15 €

Grand-père du propriétaire actuel, Louis Mousset acquit cet étonnant château d'inspiration médiévale qui orne l'étiquette. Voici un vin réussi et plaisant, idéal pour un apéritif ou un fromage de chèvre. Le nez est floral sans excès, la bouche, bien équilibrée, décline des notes de kiwi et d'agrumes. A déguster en toute occasion sans arrière-pensée. (70 à 99 F)

SCEA des Ch. des Fines Roches et du Bois de La Garde, 1, av. du Baron-Leroy, 84230 Châteauneuf-du-Pape, tél. 04.90.83.51.73, fax 04.90.83.52.77, e-mail scea.chateau.des.fines.roches@libertysur t.l.j. sf dim. 9h-19h; f. jan. fév.

Robert Barrot

CH. FORTIA 1998

22 ha 80 000 11 à 15 €

Le baron Le Roy fut, avant-guerre, l'un des grands concepteurs de l'appellation d'origine et le créateur, en 1935, de ce qui devint l'Institut national des Appellations d'origine. Ce domaine propose aujourd'hui un joli vin fruité et frais qui offre une palette aromatique de fruits rouges où la cerise domine. Elégant, il est à boire dans sa jeunesse. Mais il se gardera quelques années dans une bonne cave. A déguster sur une viande grillée (côte de bœuf). (70 à 99 F)

Bruno Le Roy, SARL Ch. Fortia, BP 13, 84231 Châteauneuf-du-Pape Cedex, tél. 04.90.83.72.25, fax 04.90.83.51.03 r.-v.

DOM. DU GALET DES PAPES Tradition 1999*

9 ha 20 000 11 à 15 €

Créé sous Napoléon III, ce domaine dispose de parcelles réparties sur des terroirs divers. L'assemblage donne une cuvée Tradition d'une jolie couleur tuilée, aux arômes de pruneau et d'épices. En bouche, on peut savourer des tanins soyeux. C'est un vin à déguster d'ici trois à cinq ans. (70 à 99 F)

Jean-Luc Mayard, Dom. Galet des Papes, 15, rte de Bédarrides, 84230 Châteauneuf-du-Pape, tél. 04.90.83.73.67, fax 04.90.83.50.22, e-mail galet.des.papes@terre-net.fr t.l.j. sf dim. 9h-12h 14h30-18h30

DOM. DU GRAND TINEL 1999**

2 ha 9 000 11 à 15 €

Une fermentation soignée a donné à ce vin une qualité remarquable. Le nez est riche de notes florales et de fruits secs. La bouche possède une longueur exceptionnelle où s'exprime un subtil équilibre entre l'acidité et la rondeur. Cette bouteille se bonifiera quatre à cinq ans sans peine en cave. (70 à 99 F)

Les Vignobles Elie Jeune, rte de Bédarrides, 84230 Châteauneuf-du-Pape, tél. 04.90.83.70.28, fax 04.90.83.78.07, e-mail eliejeun@terre-net.fr t.l.j. 9h-12h 14h-18h; sam. dim. sur r.-v.; f. août

DOM. GRAND VENEUR La Fontaine 2000*

40 ha n.c. 15 à 23 €

Orange et son théâtre antique, où chaque année se déroulent les Chorégies qui célébrèrent cet été le centième anniversaire de la mort de Verdi, n'est distant que d'une dizaine de kilomètres de Châteauneuf-du-Pape. Les amateurs de musique sont souvent de fins œnophiles, et ce vin ne pourra que les satisfaire : très marqué par la roussanne, il exhale des notes de fleurs blanches et de miel. En bouche, l'équilibre entre le fruit et le boisé vanillé est très réussi. Une bouteille à servir pendant quatre à cinq ans. (100 à 149 F)

Alain Jaume, Dom. Grand Veneur, rte de Châteauneuf-du-Pape, 84100 Orange, tél. 04.90.34.68.70, fax 04.90.34.43.71, e-mail jaume@domaine-grand-veneur.com r.-v.

LA BASTIDE-SAINT-DOMINIQUE 2000*

□ 1,8 ha 5 000 11 à 15 €

Une trilogie équilibrée de grenache blanc, de clairette et de roussanne a conduit à ce vin souple et agréable. Le nez est riche d'agrumes et de fleurs blanches. A déguster sur une salade de chèvre chaud. (70 à 99 F)

Gérard Bonnet, La Bastide-Saint-Dominique, 84350 Courthézon, tél. 04.90.70.85.32, fax 04.90.70.76.64, e-mail contact@bastide-st-dominique.com t.l.j. 9h-12h 13h30-18h30; dim. sur r.-v.

LA BELLE DU ROY 1999*

□ n.c. 15 000 8 à 11 €

Un joli vin de négociant unanimement apprécié pour sa qualité et son prix. Son nez est fleuri avec de l'acacia et de la glycine rehaussé de miel et de cire. En bouche, on découvre des fruits mûrs. Une bouteille qui peut être gardée pendant quatre ans. (50 à 69 F)

Caves Salavert, Les Mures, rte de Saint-Montan, 07700 Bourg-Saint-Andéol, tél. 04.75.54.77.22, fax 04.75.54.47.91, e-mail caves.salavert@wanadoo.fr

DOM. LA BOUTINIERE 1999*

■ n.c. 10 000 11 à 15 €

Familial depuis 1920, ce domaine dispose de 9,5 ha. Son vin se caractérise par de l'élégance et de la légèreté. Ne le bousculez pas, prenez-en soin et découvrez son côté frais et animal servi par des épices et du menthol. A boire sur un mets délicat qui ne l'écrasera pas. (70 à 99 F)

Gilbert Boutin, Dom. La Boutinière, 17, rte de Bédarrides, 84230 Châteauneuf-du-Pape, tél. 04.90.83.75.78, fax 04.90.83.76.29 r.-v.

DOM. DE LA CHARBONNIERE Cuvée Vieilles vignes 1999**

■ 1,3 ha 6 000 15 à 23 €

Les parcelles de ce domaine sont idéalement situées sur le plateau aux galets roulés. Il a réussi un **blanc 2000** (une étoile) à la belle robe lumineuse, au nez intéressant d'agrumes, de miel, de vanille, à la bouche ample et équilibrée. Mieux encore, ce vin rouge à la robe profonde, au nez puissant, tout entier sur du fruit mûr, à la bouche ample et complexe, possède une structure tannique solide et prometteuse. Une bouteille de garde (cinq à huit ans) à servir sur un gibier. (100 à 149 F)

Michel Maret, Dom. de La Charbonnière, 26, rte Courthézon, 84230 Châteauneuf-du-Pape, tél. 04.90.83.74.59, fax 04.90.83.53.46 r.-v.

DOM. DE LA COTE DE L'ANGE Cuvée Vieilles vignes 1999**

■ 0,6 ha 2 000 15 à 23 €

Une chapelle au milieu des vignes et un ange tenant un ciboire - ou un verre ? - orne l'étiquette de cette excellente cuvée Vieilles vignes. On peut mentionner un long élevage d'un an en fût de chêne. Il s'agit ici d'un vin animal aux tanins encore sauvages. Il faut laisser le temps le dompter un peu (cinq à huit ans). Il devrait bien s'entendre avec un bon gibier. (100 à 149 F)

Jean-Claude Mestre et Yannick Gasparri, La-Font-du-Pape, BP 79, 84230 Châteauneuf-du-Pape, tél. 04.90.83.72.24, fax 04.90.83.54.88 t.l.j. 9h-12h 14h-19h

LA CRAU DE MA MERE 1999

■ 8 ha 35 000 11 à 15 €

Cette cuvée possède une belle charpente tannique presque rustique. Les arômes sont ceux du cassis et de la cerise à l'alcool. C'est un vin qui attendra facilement trois à quatre ans, ce qui n'est pas long pour une parcelle centenaire. (70 à 99 F)

Dom. du Père Pape, 24, av. Baron-le-Roy, 84230 Châteauneuf-du-Pape, tél. 04.90.83.70.16, fax 04.90.83.50.47 r.-v.

Mayard

DOM. LA DESTINEE 1998

■ 1 ha 3 000 11 à 15 €

Acheté en 1997, ce domaine dispose de vignes cinquantenaires. Pour sa deuxième vinification, il a élaboré un vin complexe et noble d'une bonne vivacité. Ses arômes de garrigue, de fruits rouges et ses notes mentholées sont élégants. Déjà plaisant, ce millésime pourra aussi attendre deux ou trois ans. (70 à 99 F)

Pierre Folliet, Ch. de La Gironde, 84100 Orange, tél. 04.90.11.06.85, fax 04.90.11.06.85 r.-v.

DOM. DE LA FONT DU ROI 1999*

■ 16 ha 65 000 11 à 15 €

Dans ce vin assemblant le grenache (60 %), le cinsault et la syrah (15 % chacun), il y a 10 % de muscardin, cépage que l'on ne trouve qu'à Châteauneuf et que Pierre Galet décrit dans son *Dictionnaire encyclopédique des cépages*. Cette bouteille de grande tenue sera de longue garde. Les tanins sont présents mais de bonne qualité, et il faudra les laisser évoluer et se fondre quatre à cinq ans. On pourra alors apprécier ses arômes de fruits noirs, d'épices et de sous-bois. (70 à 99 F)

EARL Cyril et Jacques Mousset, Ch. des Fines-Roches, 84230 Châteauneuf-du-Pape, tél. 04.90.83.73.10, fax 04.90.83.50.78, e-mail domaines-mousset@enprovence.com t.l.j. 10h-19h; f. jan. fév.

CH. DE LA GARDINE 1999**

■ 48 ha 200 000 15 à 23 €

Sur le plateau caillouteux caractéristique du terroir type de l'AOC est né ce grand vin de garde, riche et généreux. Aujourd'hui, il se tait mais le potentiel tannique est magnifique. On pourra, dans quatre ans et pendant dix ans,

RHONE

recommander ce 99 sur un gibier. Demandez au propriétaire de donner l'une de ses recettes : vous ne serez pas déçu si vous avez son talent. (100 à 149 F)

Brunel, Ch. de La Gardine, rte de Roquemaure, BP 35, 84230 Châteauneuf-du-Pape, tél. 04.90.83.73.20, fax 04.90.83.77.24, e-mail chateau@gardine.com ☑ Y t.l.j. sf sam. dim. 8h30-12h 13h-18h

CH. DE LA GARDINE 2000*

☐ 5 ha 17 000 15 à 23 €

Ce vin nous amène sur un véritable parcours initiatique depuis la fleur blanche, en passant par des saveurs sucrées (un miel onctueux) pour arriver à la cire. Non, on n'entend pas l'abeille mais on retrouve pourtant le boisé de la ruche. Soyez cigale et goûtez-le sur un poisson en sauce. (100 à 149 F)

Brunel, Ch. de La Gardine, rte de Roquemaure, BP 35, 84230 Châteauneuf-du-Pape, tél. 04.90.83.73.20, fax 04.90.83.77.24, e-mail chateau@gardine.com ☑ Y t.l.j. sf sam. dim. 8h30-12h 13h-18h

DOM. DE LA JANASSE 1999*

■ 5 ha 12 000 15 à 23 €

Christophe Sabon a rejoint son père en 1991 sur ce beau domaine où de vieux ceps de quarante-cinq ans sont complantés sur galets roulés. Elevé un an en fût (20 %) et en foudre (80 %), ce vin est bien structuré par de jolis tanins charnus, et offre des notes de petits fruits rouges et d'épices. La longueur est remarquable (sept caudalies). C'est une bouteille à boire aujourd'hui sur le fruit mais elle peut attendre cinq ans afin que se développent des notes plus complexes. A noter pour ce domaine, la cuvée **Chaupin (150 à 199 F)** et la cuvée **Vieilles vignes (200 à 249 F) en rouge 99.** (100 à 149 F)

EARL Aimé Sabon, 27, chem. du Moulin, 84350 Courthézon, tél. 04.90.70.86.29, fax 04.90.70.75.93 ☑ Y t.l.j. 8h-12h 14h-19h; sam. dim. sur r.-v.

DOM. DE LA JANASSE Prestige 1999**

☐ 0,5 ha 1000 30 à 38 €

Un élevage en fût de quatorze mois a nourri ce vin avec beaucoup de délicatesse. Le nez est intense sur la fleur puis le grillé. L'harmonie générale est divine. Malheureusement seules 1 000 bouteilles ont été produites de ce nectar. Ce 99 peut attendre cinq à six ans. A marier avec une poularde de Bresse. (200 à 249 F)

EARL Aimé Sabon, 27, chem. du Moulin, 84350 Courthézon, tél. 04.90.70.86.29, fax 04.90.70.75.93 ☑ Y t.l.j. 8h-12h 14h-19h; sam. dim. sur r.-v.

DOM. DE LA MORDOREE
Cuvée de la Reine des Bois 1999***

■ 3,5 ha 14 000 23 à 30 €

L'un des domaines phares de l'AOC, à nouveau élu coup de cœur ! Cette fois c'est la Reine des Bois qui est couronnée : une robe fabuleuse, violine et pourpre ; un nez de griotte et de fruits mûrs, superbe. En bouche, après une très belle attaque, la rondeur s'affirme jusque dans une finale tout en puissance. Le bois est discret, bien intégré. D'une longueur aromatique exceptionnelle, c'est un vin qui doit encore attendre cinq à huit ans pour être servi sur un sanglier ou toute autre viande de caractère. (150 à 199 F)

Dom. de La Mordorée, chem. des Oliviers, 30126 Tavel, tél. 04.66.50.00.75, fax 04.66.50.47.39 ☑ Y t.l.j. 8h-12h 14h-17h30
Delorme

CH. LA NERTHE 2000**

☐ 6 ha 28 000 15 à 23 €

Le lecteur-voyageur connaît cet élégant château et le voyageur-œnophile prendra plaisir à découvrir ce vin remarquable élaboré avec un soin extrême : une fermentation pour partie en fût suivie d'un élevage sous bois pour 30 % de la cuvée. Alain Dugas et Philippe Capelier ont obtenu ainsi un boisé très fondu propre à soutenir le vin de longues années, la mise en bouteilles étant réalisée sept mois après la récolte. C'est une bouteille de prestige à servir sur les poissons les plus délicats. (100 à 149 F)

SCA Ch. La Nerthe, rte de Sorgues, 84230 Châteauneuf-du-Pape, tél. 04.90.83.70.11, fax 04.90.83.79.69, e-mail la.nerthe@wanadoo.fr ☑ Y t.l.j. 9h-12h 14h-18h
Pierre Richard

CH. LA NERTHE
Cuvée des Cadettes 1998**

■ 3 ha 11 000 30 à 38 €

Ces Cadettes composent la cuvée prestige de La Nerthe. Son originalité tient dans la proportion très élevée de mourvèdre (37 %) qui apporte une grande structure. D'une attaque franche et douce, beaucoup de finesse aromatique, une longueur inégalée ; si le bois neuf est bien fondu, le vin n'en est pas moins de grande garde : cinq ans minimum. (200 à 249 F)

SCA Ch. La Nerthe, rte de Sorgues, 84230 Châteauneuf-du-Pape, tél. 04.90.83.70.11, fax 04.90.83.79.69, e-mail la.nerthe@wanadoo.fr ✉ 🍷 t.l.j. 9h-12h 14h-18h

DOM. DE LA SOLITUDE 1999*

■ 30 ha 100 000 11 à 15 €

C'est un rouge très soutenu qui habille ce vin. Le nez est intense, doté de notes de fruits et de violette. La bouche, aux tanins présents, est charnue. La finale fruitée, rehaussée d'une pointe de vanille, est de bonne longueur. Peut attendre deux à trois ans ; à servir sur une viande en sauce. (70 à 99 F)

SCEA Dom. Pierre Lançon, Dom. de La Solitude, BP 21, 84230 Châteauneuf-du-Pape, tél. 04.90.83.71.45, fax 04.90.83.51.34 ✉ 🍷 t.l.j. 8h-18h

LA TIARE DU PAPE 1998*

■ 20 ha 30 000 15 à 23 €

C'est un beau vin de négociant qui s'inscrit d'emblée sous le signe de la durée. En effet, doté d'un potentiel élevé, il ne s'exprimera qu'après quatre à cinq ans de vieillissement dans une bonne cave. Sa robe profonde à reflets violines, ses arômes aux touches animales et épicées, et sa structure solide, plaident pour l'avenir. A réserver pour un bon gibier ou une viande en sauce. (100 à 149 F)

Henry Bouachon, BP 5, 84230 Châteauneuf-du-Pape, tél. 04.90.83.58.35, fax 04.90.83.77.23 ✉ 🍷 r.-v.

DOM. DE LA VIEILLE JULIENNE Réservé 1999*

■ 2,1 ha 6 600 23 à 30 €

Un domaine de 32 ha et une cuvée réservée à ceux qui ont les moyens d'attendre quatre à cinq ans l'assouplissement des tanins. Ce 99 présente un bon équilibre alcool-acidité, et le bois n'est pas trop marqué. La finale réglissée est prometteuse. Une bouteille destinée à une bécasse accompagnée de petits légumes... en julienne. (150 à 199 F)

EARL Daumen Père et Fils, Dom. de La Vieille Julienne, Le Grès, 84100 Orange, tél. 04.90.34.20.10, fax 04.90.34.10.20, e-mail jpdaumen@club-internet.fr ✉ 🍷 r.-v.

DOM. LOU FREJAU 1999*

□ 1 ha 1 600 11 à 15 €

On nous dit qu'en patois « Lou Fréjau » signifie « galets roulés ». On comprend aisément le choix de cet idiome. Voici un vin plus qu'honnête. Le nez est fin, agrémenté de notes de fruits secs. La bouche, ronde, présente un bel équilibre. Cette bouteille se gardera trois à cinq ans. (70 à 99 F)

SCEA Dom. Lou Fréjau, chem. de la Gironde, 84100 Orange, tél. 04.90.34.83.00, fax 04.90.34.48.78

Serge Chastan

MARQUIS ANSELME MATHIEU Vignes centenaires 1998

■ 2,5 ha 11 500 15 à 23 €

Cette cuvée a bénéficié d'un élevage de dix-huit mois en fût. Très marqué par le grenache, le vin est doté de notes animales et épicées, évoluant vers les fruits à l'alcool. Les tanins sont fondus mais présents. A servir pendant deux à trois ans. (100 à 149 F)

Dom. Mathieu, rte de Courthézon, 84230 Châteauneuf-du-Pape, tél. 04.90.83.72.09, fax 04.90.83.50.55, e-mail dnemathieu@aol.com ✉ 🍷 t.l.j. 9h-12h 14h-18h; sam. dim. sur r.-v.; f. 1er-10 déc.

GABRIEL MEFFRE Cuvée du Concordat 1999*

■ 4,5 ha 20 000 11 à 15 €

La Cuvée du Concordat due au négoce possède une attaque franche et des tanins bien dosés. Les arômes évoquent le fruit (pruneau) et les épices (poivre et coriandre). Ce vin équilibré, à attendre au moins cinq ans, pourra accompagner une viande rôtie. (70 à 99 F)

Gabriel Meffre, Le Village, 84190 Gigondas, tél. 04.90.12.32.42, fax 04.90.12.32.49

MOILLARD 1999*

■ n.c. 10 000 15 à 23 €

Si vous visitez la cave de ce négociant vous ne serez pas à Châteauneuf mais à Nuits-Saint-Georges. En effet depuis le XIXes., les maisons de Bourgogne qui avaient la maîtrise de la mise en bouteilles, achetaient du vin et vendaient des bouteilles de châteauneuf. Cette cuvée est généreuse, fruitée, réglissée, épicée, et construite sur des tanins élégants d'un beau potentiel. A servir sur une selle d'agneau, par exemple. (100 à 149 F)

Moillard, 2, rue François-Mignotte, 21700 Nuits-Saint-Georges, tél. 03.80.62.42.22, fax 03.80.61.28.13, e-mail nuicave@wanadoo.fr ✉ 🍷 t.l.j. 10h-18h; f. janv.

CH. MONGIN 1999

■ 2 ha 9 000 11 à 15 €

Tous les lycées viticoles doivent disposer d'un beau vignoble, théâtre de la mise en pratique de l'enseignement théorique des maîtres. Formant les acteurs de la filière, le lycée d'Orange dispose de vignes d'âge respectable. Une couleur profonde à frange violine habille ce vin au nez intense et animal. L'attaque en bouche se fait sur le fruit et y reste ! Il est donc facile à associer avec une viande en sauce, par exemple. (70 à 99 F)

Lycée viticole d'Orange, Ch. Mongin, 2260, rte du Grès, 84100 Orange, tél. 04.90.51.48.04, fax 04.90.51.11.92 ✉ 🍷 r.-v.

CH. MONT-REDON 1999

■ 84 ha 360 000 15 à 23 €

Anselme Mathieu, poète provençal, fut l'un des propriétaires de ce très ancien domaine viticole qui saura vous donner sa généalogie sur... six siècles. Un boisé bien dosé conforte la jolie structure de ce 99. Son côté animal demande un petit temps d'aération. En bouche on peut apprécier les arômes de fruits rouges. C'est un vin à boire dans les deux à trois ans en le décantant. (100 à 149 F)

Famille Abeille-Fabre, Ch. Mont-Redon, BP 10, 84230 Châteauneuf-du-Pape, tél. 04.90.83.72.75, fax 04.90.83.77.20, e-mail chateaumontredon@wanadoo.fr r.-v.

DOM. MOULIN-TACUSSEL 1999★★

■ 8,5 ha 15 000 11 à 15 €

C'est l'une des petites-filles du fondateur qui développe depuis 1976 ce domaine. Elle présente un vin de bonne facture doté d'une structure tannique imposante. Le boisé apporté par un élevage en fût d'un an est bien fondu. Aussi, cette bouteille va-t-elle encore s'épanouir et développer son côté épicé et mentholé. De bonne garde, il faut savoir l'oublier au fond de sa cave trois à quatre ans. (70 à 99 F)

Dom. Moulin-Tacussel, 10, av. des Bosquets, 84230 Châteauneuf-du-Pape, tél. 04.90.83.70.09, fax 04.90.83.50.92 r.-v.

DOM. DE NALYS 2000★★

□ 10 ha 40 000 11 à 15 €

Créé au XVIIIe s., Nalys dispose de 51 ha et appartient depuis 1976 à Groupama. Ce domaine se caractérise par une qualité remarquable et constante au fil des ans et par des prix qui restent sages. Alors venez découvrir son grain de folie qui réveille les papilles par des notes de fleurs blanches. La bouche est dominée par le grenache qui le rend très complet. C'est un vin qui s'apprécie dès aujourd'hui sur des crustacés ou du poisson : essayez donc avec une daurade grillée. Le **Nalys 99 rouge** obtient une citation. Equilibré, il joue une partition de fruits noirs, d'épices et de notes empyreumatiques. (70 à 99 F)

Dom. de Nalys, rte de Courthézon, 84230 Châteauneuf-du-Pape, tél. 04.90.83.72.52, fax 04.90.83.51.15 t.l.j. sf dim. 8h-12h 13h30-18h; sam. sur r.-v.

Groupama

DOM. DE PANISSE 1999★

■ 6 ha 8 000 11 à 15 €

Maître d'hôtel du roi Louis XII en 1498, Dominique de Panisse venait sans doute rarement ici. Jean-Marie Olivier conduit ce domaine de 18 ha depuis 1992. Son vin ? Une robe sombre avec beaucoup de larmes, mais c'est tout le contraire d'une tragédie. Le nez est tout en fruits noirs et en coulis de mûres. D'un bon équilibre entre l'alcool et les tanins, ce 99 harmonieux possède un potentiel de vieillissement de trois à cinq ans. (70 à 99 F)

Jean-Marie Olivier, Dom. de Panisse, 161, chem. de Panisse, 84350 Courthézon, tél. 04.90.70.78.93, fax 04.90.70.81.83, e-mail panisse@viticulture.net t.l.j. sf dim. 9h-12h 13h15-18h

DOM. DES RELAGNES
La Cuvée vigneronne 1999★

■ 2 ha 6 400 15 à 23 €

Voici une belle Cuvée vigneronne. La vendange n'est pas éraflée et bénéficie d'un élevage en barrique sur lies fines. Les arômes dominants évoquent le fruit rouge et la réglisse. Harmonieuse, la structure tannique est bien présente. A boire dans les cinq ans. (100 à 149 F)

SCEA Dom. des Relagnes, rte de Bédarrides, 84230 Châteauneuf-du-Pape, tél. 04.90.83.73.37, fax 04.90.83.52.16 r.-v.

Henri Boiron

DOM. SAINT-BENOIT
Soleil et Festins 1999★

■ 4 ha 19 000 15 à 23 €

Un domaine qui, en 1999, fort de son chiffre à l'export, s'engage dans une activité de négociant. Ces deux cuvées de châteauneuf, celle-ci et **Truffière 98 (150 à 199 F)**, ont été notées à égalité. Ce sont toutes deux des cuvées de garde (au moins cinq ans). Achetez les deux millésimes et essayez de les départager. (100 à 149 F)

Marc Cellier, EARL Saint-Benoît, rte de Sorgues, BP 72, 84232 Châteauneuf-du-Pape Cedex, tél. 04.90.83.51.36, fax 04.90.83.51.37 r.-v.

DOM. SAINT-LAURENT 1999★

■ 3 ha n.c. 11 à 15 €

François Sinard fonda ce domaine à la fin du XIXe s. ; il fournissait l'archevêché en vin de messe. C'est le rouge qui a été présenté au jury. Sa couleur évolue doucement vers l'œil de perdrix ; son nez de fruits noirs est en harmonie avec un palais aérien. La persistance aromatique est flatteuse. On peut accorder cette bouteille avec un gibier à plume dès aujourd'hui. (70 à 99 F)

Robert-Henri Sinard, 1375, chem. Saint-Laurent, 84350 Courthézon, tél. 04.90.70.87.92, fax 04.90.70.78.49, e-mail sinard@domaine.saint-laurent.com r.-v.

DOM. DES SENECHAUX 2000★★

□ 3 ha 14 000 11 à 15 €

C'est un vin élégant au nez discret et fin évoquant les fleurs blanches. La bouche, ample et harmonieuse, souligne des raisins de grande maturité. Une jolie étiquette idéale pour bien commencer un grand repas de fête avec des coquilles Saint-Jacques, par exemple. On peut déguster ce châteauneuf maintenant ou dans quatre ans. (70 à 99 F)

Pascal Roux, Dom. des Sénéchaux, 3, rue de la Nouvelle-Poste, 84231 Châteauneuf-du-Pape, tél. 04.90.83.73.52, fax 04.90.83.52.88 t.l.j. sf dim. 8h30-12h30 13h30-19h; groupes sur r.-v.

CH. SIMIAN 1999★★

■ 3,35 ha 15 000 11 à 15 €

Le château Simian réalise encore un élevage en foudre de chêne de huit mois. Cela donne un vin aux arômes de fruits à l'alcool intenses qui se retrouvent en bouche. On peut le servir sur un bon civet, de lièvre ou de sanglier, car il est structuré, d'un beau volume et généreux ; on pourra aussi l'attendre quatre à cinq ans. (70 à 99 F)

Jean-Pierre Serguier, Ch. Simian, 84420 Piolenc, tél. 04.90.29.50.67, fax 04.90.29.62.33, e-mail chateau-simian@wanadoo.fr
t.l.j. 9h-19h30

DOM. PIERRE USSEGLIO ET FILS 1999★★

■ 15 ha 50 000 11 à 15 €

Un domaine réputé pour son sérieux qui élabore un vin de garde remarquable. Le premier nez est sur le fruit puis le second évolue vers la confiture. La bouche est riche et grasse, la finale tannique ; mais ce sont des tanins mûrs qui se fondront avec le temps. C'est une bouteille solide, au grand équilibre gustatif, à garder au minimum quatre à cinq ans. C'est un joli coup de cœur. (70 à 99 F)

Dom. Pierre Usseglio et Fils, rte d'Orange, 84230 Châteauneuf-du-Pape, tél. 04.90.83.72.98, fax 04.90.83.72.98 r.-v.

DOM. RAYMOND USSEGLIO ET FILS 1999★★

■ 10 ha 10 000 11 à 15 €

La relève par le fils unique, Stéphane Usseglio, est assurée depuis 1998, et sa cuvée 1999, superbe, est dans le droit fil de ce que faisait son père. C'est un vin de longue garde très bien équilibré, d'un grand caractère, doté de tanins soyeux. Le jury a adoré ses arômes de fruits rouges et d'épices. (70 à 99 F)

Raymond Usseglio et Fils, 16, rte de Courthézon, BP 29, 84230 Châteauneuf-du-Pape, tél. 04.90.83.71.85, fax 04.90.83.50.42 t.l.j. sf dim. 9h-12h 13h30-19h

DOM. DE VAL FRAIS Cuvée Prestige 1998

■ 3 ha 3 600 15 à 23 €

Du contraste dans cette cuvée Prestige. Car c'est un vin généreux et chaud, mais tendre aussi. Dix-huit mois de fût ont apporté un boisé fort présent. A laisser évoluer encore quatre à cinq ans. (100 à 149 F)

SCEA André Vaque, Dom. de Val-Frais, 84350 Courthézon, tél. 04.90.70.84.33, fax 04.90.70.73.61 t.l.j. sf dim. 9h-12h 14h-18h

CH. DE VAUDIEU 2000★

□ 10 ha 10 500 15 à 23 €

Le château du XVIII[e]s. étant le siège du Club des belles Italiennes, on ne pouvait manquer de voir dans ce blanc une mécanique de prestige réalisée par un metteur au point hors pair. Le nez offre une palette riche et complexe pour un plaisir qui se poursuit en bouche grâce à une harmonie subtile. On peut déjà l'apprécier, mais il s'épanouira dans deux à trois ans. (100 à 149 F)

Ch. de Vaudieu, 84230 Châteauneuf-du-Pape, tél. 04.90.83.70.31, fax 04.90.83.51.97
r.-v.
Brechet

DOM. VERDA 1999★

■ 2 ha 3 000 11 à 15 €

Beaucoup d'ampleur dans ce vin aux arômes de fruits et d'épices. Les tanins, grâce à une longue cuvaison, sont bien présents et associés à un alcool chaleureux. A boire sans plus attendre sur une côte de bœuf. (70 à 99 F)

Dom. André Verda, 2749, chem. de la Barotte, 30150 Roquemaure, tél. 04.66.82.87.28, fax 04.66.82.87.28 t.l.j. sf dim. 8h-12h 14h-18h

Lirac

Dès le XVIe s., Lirac produisait des vins de qualité que les magistrats de Roquemaure authentifiaient en apposant sur les fûts, au fer rouge, les lettres « C d R ». Nous y trouvons à peu près le même climat et le même terroir qu'à Tavel, au nord, sur une aire répartie entre Lirac, Saint-Laurent-des-Arbres, Saint-Geniès-de-Comolas et Roquemaure. Depuis l'accession de vacqueyras à l'AOC, ce n'est plus le seul cru méridional qui offre les trois couleurs. L'appellation offre trois sortes de vins : les rosés et les blancs, tout de grâce et de parfums, qui se marient agréablement avec les fruits de la Méditerranée toute proche et se boivent jeunes et frais ; les rouges, puissants, au goût de terroir prononcé, généreux, et qui accompagnent parfaitement les viandes rouges. En 2000, Lirac a produit 29 750 hl sur près de 700 ha.

DOM. AMIDO 1999★★

■ 6 ha 30 000 5 à 8 €

Grenache, syrah, mourvèdre : une trilogie de cépages libère ici un maximum d'arômes. Truffe, poivre, abricot, pruneau et caramel, c'est décidément un beau vin, équilibré, aux tanins

RHONE

fondus, en robe rouge intense à reflets bruns. Et il sera de garde. (30 à 49 F)
Christian Amido, rue des Carrières, 30126 Tavel, tél. 04.66.50.04.41, fax 04.66.50.04.41 r.-v.

CH. D'AQUERIA 1999

n.c. 66 000 8à11€

Belle évolution pour ce 99 présenté par le château d'Aquéria. Rouge soutenu, aux légers reflets tuilés, il déploie un nez de cuir et d'épices - et c'est encore le cuir que l'on retrouve dans une bouche généreuse, relevé d'une pointe de tabac. A boire. (50 à 69 F)
SCA Jean Olivier, Ch. d'Aquéria, 30126 Tavel, tél. 04.66.50.04.56, fax 04.66.50.18.46, e-mail contact@aqueria.com
t.l.j. sf dim. 8h-12h 14h-18h; sam. sur r.-v.
V. de Bez

DOM. DE CASTEL OUALOU 2000

10 ha 60 000 8à11€

Son côté confit vous saute au nez. En un mélange de marc et de confiture de figues, ce 2000 tapisse bien le palais. Ce sera un rosé de mets plutôt que d'apéritif : à boire sur des plats asiatiques. (50 à 69 F)
Assémat, 30150 Roquemaure, tél. 04.66.82.65.65, fax 04.66.82.86.76 r.-v.

DOM. DUSEIGNEUR 1999

12,5 ha 70 000 8à11€

La cave et le caveau se trouvent au milieu des vignes, plantées sur d'anciennes garrigues. Vous y serez cordialement reçus pour déguster ce vin en robe foncée aux reflets bleutés. Un nez tout de fruits confits et d'aromates y précède une bouche très agréable qui évoque la confiture de fraises et des notes de fumé, avant de s'achever sur les épices. (50 à 69 F)
Frédéric Duseigneur, rte de Saint-Victor, 30126 Saint-Laurent-des-Arbres, tél. 04.66.50.02.57, fax 04.66.50.02.57, e-mail freduseigneur@infonie.fr r.-v.

DOM. DU JONCIER 1999

13 ha 55 000 5à8€

« Joncier », cela veut dire « genêt » en provençal. On les trouvait au milieu des arbousiers avant que ce terroir devienne viticole en 1970. Voici un vin de garde, au nez animal. Il plaît par l'élégance de ses tanins bien présents, ainsi que par une note d'écorce d'orange confite. Il faudra néanmoins le conserver cinq ans pour qu'il calme ses ardeurs. (30 à 49 F)
Marine Roussel, rue de la Combe, 30126 Tavel, tél. 04.66.50.27.70, fax 04.66.50.34.07 t.l.j. sf dim. 8h-12h 14h-18h; sam. sur r.-v.

DOM. LAFOND ROC-EPINE 1999

12 ha 50 000 8à11€

Une cuvaison de vingt jours et quatre mois de vieillissement en fût concourent à extraire un maximum d'arômes, tels l'abricot, la noix de coco et le fruit confit. En bouche, on observe une égale richesse, sur un fond de torréfaction et de cacao. (50 à 69 F)
Dom. Lafond Roc-Epine, rte des Vignobles, 30126 Tavel, tél. 04.66.50.24.59, fax 04.66.50.12.42, e-mail lafond.roc-epine@wanadoo.fr r.-v.

DOM. LA GENESTIERE
Cuvée Raphaël 1999

20 ha 40 000 5à8€

Les dégustateurs estiment qu'il sera prêt à boire fin 2001 : alors les fruits rouges et les noyaux se feront encore plus intenses au nez. La bouche, elle, grasse et ronde mais équilibrée, est déjà harmonieuse. (30 à 49 F)
Jean-Claude Garcin, Dom. La Genestière, 30126 Tavel, tél. 04.66.50.07.03, fax 04.66.50.27.03, e-mail genestiere@paewan.fr t.l.j. 8h-18h; sam. dim. sur r.-v.

DOM. DE LA MORDOREE
Cuvée de la Reine des Bois 2000*

n.c. n.c. 8à11€

Sa robe est brillante, limpide, légèrement dorée, son nez intense et complexe à dominante d'ananas. C'est ce fruité qui marque encore la bouche, avec un bel équilibre, du gras et une longueur appréciable. Saluée d'une étoile également, la **Cuvée de la Reine des Bois 99 rouge (70 à 99 F)** affiche une réelle jeunesse ; elle livre à l'olfaction toute la fraîcheur des fruits rouges. Les arômes de la bouche sont enrobés de tanins très fins, et la dégustation s'achève sur de délicats fruits à l'eau-de-vie. (50 à 69 F)
Dom. de La Mordorée, chem. des Oliviers, 30126 Tavel, tél. 04.66.50.00.75, fax 04.66.50.47.39 t.l.j. 8h-12h 14h-17h30
Delorme

DOM. LA ROCALIERE 1999**

3,7 ha 18 600 5à8€

Grenache, mourvèdre et syrah, cultivés sur un terroir ensoleillé de galets roulés, nous donnent ce magnifique rouge à la robe foncée, nuancée de bleu. Aux arômes de réglisse, de sous-bois, de fruits mûrs, le nez est intense, et la bouche de toute beauté grâce à la structure bien enrobée de ses tanins. On sent une belle maturité dans ce vin de garde. (30 à 49 F)
Dom. La Rocalière, Le Palai-Nord, BP 21, 30126 Tavel, tél. 04.66.50.12.60, fax 04.66.50.23.45, e-mail rocaliere@wanadoo.fr
t.l.j. 8h-12h 14h-18h; sam. dim. sur r.-v.
Borrelly-Maby

LAURUS 1999*

3 ha 8 000 8à11€

Cette maison de négoce a fait le bon choix pour l'élevage de ce lirac. Sa robe sombre, légèrement orangée, annonce un nez animal (cuir) accompagné de nuances de torréfaction et de fruits secs. Au palais, on découvre de l'ampleur, du gras, des tanins fondus, puis une finale sur la cerise confite et les épices. (50 à 69 F)
Gabriel Meffre, Le Village, 84190 Gigondas, tél. 04.90.12.30.22, fax 04.90.12.30.29, e-mail gabriel-meffre@meffre.com r.-v.

CH. LE DEVOY MARTINE 2000

■ 30 ha 100 000 ▮🌡 5à8€

Aujourd'hui très jeune, ce vin devra attendre pour libérer tous ses arômes qui restent encore concentrés, autrement dit fermés. Le fruit rouge transparaît toutefois dans un nez de violette, et les tanins sont bien là qui assurent l'équilibre. Deux ans de vieillissement à prévoir. (30 à 49 F)

🔑 SCEA Lombardo, Ch. Le Devoy Martine, 30126 Saint-Laurent-des-Arbres, tél. 04.66.50.01.23, fax 04.66.50.43.58 ☑ 🍷 t.l.j. 9h-12h 14h-17h

LES LAUZERAIES

Elevé en fût de chêne 1999

■ 10 ha 30 000 ▮🛢🌡 5à8€

Une réussite que ces Lauzeraies, cuvée élevée en fût de chêne, parée d'une robe rubis à reflets orangés. Le nez de fruit cuit s'accompagne d'un léger boisé qui se retrouve en bouche. Des tanins très fondus, une finale de vanille et de cannelle : c'est un vin bien fait. (30 à 49 F)

🔑 Les Vignerons de Tavel, 30126 Tavel, tél. 04.66.50.03.57, fax 04.66.50.46.57, e-mail tavel.cave@wanadoo.fr ☑ 🍷 t.l.j. 9h-12h 14h-18h

DOM. MABY La Fermade 1999

■ 20 ha 60 000 ▮🛢 5à8€

Restructurée en 1995, la propriété a réalisé ici un très joli vin avec sa robe intense. Le nez de fruit cuit et d'épices est de qualité ; la bouche puissante est élégante grâce aux notes de sous-bois que libère le cépage mourvèdre. Une bouteille de garde qui fera des heureux. (30 à 49 F)

🔑 Dom. Roger Maby, rue Saint-Vincent, 30126 Tavel, tél. 04.66.50.03.40, fax 04.66.50.43.12 ☑ 🍷 t.l.j. sf sam. dim. 8h-12h 13h30-17h30

CH. MONT-REDON 2000*

◪ n.c. 5 300 8à11€

Il suffit au producteur de traverser le Rhône pour aller travailler son vignoble dans l'AOC lirac ; la mise en bouteilles se fait au château. Son rosé, en robe limpide et brillante, se présente à l'olfaction sous une palette intense de fruits rouges (groseille, fraise). Sa fraîcheur, son gras, son équilibre en font un beau vin, à boire bien frappé. Elu coup de cœur l'an dernier pour le millésime 99. (50 à 69 F)

🔑 Famille Abeille-Fabre, Ch. Mont-Redon, BP 10, 84230 Châteauneuf-du-Pape, tél. 04.90.83.72.75, fax 04.90.83.77.20, e-mail chateaumontredon@wanadoo.fr ☑ 🍷 r.-v.

DOM. DES MURETINS 1999

■ n.c. 8 000 🛢 8à11€

Malgré ses huit mois de fût, ce 99 a gardé toute sa fraîcheur sous sa robe d'un pourpre violacé. Le nez est puissant, marqué par les parfums de garrigue, de buis et de ciste. Le palais, équilibré et persistant, possède du grain et de la rondeur. (50 à 69 F)

🔑 Les Domaines Bernard, rte de Sérignan, 84100 Orange, tél. 04.90.11.86.86, fax 04.90.34.87.30, e-mail sagon@domaines-bernard.fr
🔑 J.-L. Roudil

DOM. PELAQUIE

Vitis Flora Le Prestige 1999*

■ 4 ha 6 000 🛢 8à11€

Une impression de grande finesse se dégage de ce 99 au nez de fruits mûrs compotés, épicés avec douceur. L'élevage en fût a été bien dosé ; le palais aux tanins soyeux s'avère harmonieux. Un équilibre et une élégance qui incitent à boire ce vin dès maintenant. (50 à 69 F)

🔑 Dom. Pélaquié, 7, rue du Vernet, 30290 Saint-Victor-la-Coste, tél. 04.66.50.06.04, fax 04.66.50.33.32, e-mail domaine@pelaquie.com ☑ 🍷 t.l.j. sf dim. 9h-12h 14h-18h

CH. SAINT-ROCH

Cuvée confidentielle 2000**

□ 0,5 ha 2 500 🛢 11à15€

C'est un long savoir-faire qu'atteste cette magnifique cuvée issue de grenache et de clairette, au nez intense de fruits, de fleurs blanches et de vanille. La fermentation en barrique n'a pas nui à son équilibre, et son boisé discret accompagne avec élégance ses arômes floraux. Une très belle bouteille. La **Cuvée confidentielle 99 rouge** obtient une citation ; elle sera prête pour les fêtes de fin d'année. Ses parfums réglissés, sa bouche ronde et structurée, sa persistance aromatique sur des notes de fruits confiturés, annoncent un beau mariage avec une viande mitonnée. (70 à 99 F)

🔑 Maxime et Patrick Brunel, Ch. Saint-Roch, chem. de Lirac, 30150 Roquemaure, tél. 04.66.82.82.59, fax 04.66.82.83.00, e-mail brunel@chateau-saint-roch.com ☑ 🍷 t.l.j. sf sam. dim. 8h-12h 14h-17h

CELLIER SAINT-VALENTIN 2000

◪ 7,14 ha 40 000 ▮ 5à8€

Un rosé de couleur tendre, au nez fruité et agréable. D'un joli équilibre, la bouche est ronde en même temps que vive. Des notes de fruits des bois accompagnent la finale. (30 à 49 F)

🔑 SCA Cellier Saint-Valentin, 1, rue des Vignerons, 30150 Roquemaure, tél. 04.66.82.82.01, fax 04.66.82.67.28 ☑ 🍷 r.-v.

DOM. VERDA Cuvée de la Barotte 1999

■ 3,5 ha 2 000 🛢 8à11€

Il s'agit manifestement de vendanges très mûres : d'où ce nez puissant de fruits macérés, relevés d'une touche de menthol. En bouche, le fruit surmûri revient en force, soutenu par des tanins soyeux. (50 à 69 F)

🔑 Dom. André Verda, 2749, chem. de la Barotte, 30150 Roquemaure, tél. 04.66.82.87.28, fax 04.66.82.87.28 ☑ 🍷 t.l.j. sf dim. 8h-12h 14h-18h

Tavel

Considéré par beaucoup comme le meilleur rosé de France, ce grand vin de la vallée du Rhône provient d'un vignoble situé dans le département du Gard, sur la rive droite du fleuve. Sur des sols de sable, d'alluvions argileuses ou de cailloux roulés, c'est la seule appellation rhodanienne à ne produire que du rosé, sur le territoire de Tavel et sur quelques parcelles de la commune de Roquemaure, soit 938 ha ; la production est de 42 992 hl en 2000. Le tavel est un vin généreux, au bouquet floral puis fruité, qui accompagnera le poisson en sauce, la charcuterie et les viandes blanches.

BALAZU DES VAUSSIERES 2000**

3 ha 5 000 5 à 8 €

Ce petit vignoble, Christian Charmasson l'a hérité de son grand-père, surnommé Balazu. En achetant des parcelles, il a pu constituer 3 ha de vignes en tavel. Son 2000 est un vin de repas. Vêtu d'une robe harmonieuse, il libère un nez fin, épicé, ponctué d'une touche de menthe poivrée. La bouche, chaleureuse, prend des accents confits persistants. (30 à 49 F)

Dom. Christian et Nadia Charmasson, chem. de la Vaussière, 30126 Tavel, tél. 04.66.50.44.22, fax 04.66.50.44.22 t.l.j. 8h-21h

LOUIS BERNARD 2000**

n.c. 75 000 5 à 8 €

Rose bonbon brillant, ce tavel présente un nez de fraise et de caramel. Des fruits bien mûrs emplissent la bouche ronde et grasse. La structure équilibrée autorise une dégustation sur des poissons en sauce ou des viandes blanches. (30 à 49 F)

Les Domaines Bernard, rte de Sérignan, 84100 Orange, tél. 04.90.11.86.86, fax 04.90.34.87.30, e-mail sagon@domaines-bernard.fr

DOM. LAFOND ROC-EPINE 2000**

38 ha 200 000 8 à 11 €

Le type même de l'appellation : issu d'un assemblage de cinq cépages (grenache, clairette, cinsault, syrah et bourboulenc), ce vin élégant dévoile une grande finesse florale nuancée de petits fruits rouges. Agréablement frais, les arômes de fruits persistent en bouche, accompagnés de cannelle et de réglisse. La charpente équilibrée complète l'harmonie générale. (50 à 69 F)

Dom. Lafond Roc-Epine, rte des Vignobles, 30126 Tavel, tél. 04.66.50.24.59, fax 04.66.50.12.42, e-mail lafond.roc-epine@wanadoo.fr r.-v.

LA FORCADIERE 2000**

18,51 ha 100 000 5 à 8 €

Cette ancienne exploitation familiale est reconnue pour la qualité de ses tavel. Ce 2000 revêt une robe brillante, légèrement violine. Le nez fin évoque la groseille et la framboise, tandis que la bouche se développe avec élégance grâce à un bel équilibre entre chaleur et vivacité. Les notes de petits fruits rouges et d'amande apportent de la fraîcheur en rétro-olfaction. (30 à 49 F)

Dom. Roger Maby, rue Saint-Vincent, 30126 Tavel, tél. 04.66.50.03.40, fax 04.66.50.43.12 t.l.j. sf sam. dim. 8h-12h 13h30-17h30

Roger Maby

DOM. LA ROCALIERE 2000*

23 ha 138 000 5 à 8 €

Habillé d'une robe corail, ce vin possède un nez minéral. Il dévoile aussi des arômes de fruits confiturés dans une bouche puissante et concentrée. L'équilibre est atteint. (30 à 49 F)

Dom. La Rocalière, Le Palai-Nord, BP 21, 30126 Tavel, tél. 04.66.50.12.60, fax 04.66.50.23.45, e-mail rocaliere@wanadoo.fr

t.l.j. 8h-12h 14h-18h; sam. dim. sur r.-v.

Borrelly-Maby

LA ROUVIERE 2000*

28 ha 100 000 8 à 11 €

Un joli rosé à la robe cerise, brillante. Le nez de fruits rouges et de noisette s'harmonise avec une bouche longue. On perçoit en rétro-olfaction une pointe épicée et une note acidulée en finale. (50 à 69 F)

Henry Bouachon, BP 5, 84230 Châteauneuf-du-Pape, tél. 04.90.83.58.35, fax 04.90.83.77.23 r.-v.

LES ESPERELLES 2000*

20 ha 100 000 5 à 8 €

De teinte corail à reflets violets, ce tavel libère un nez confituré de fruits rouges. La bouche possède de la fraîcheur et une bonne longueur sur des arômes de cerise. (30 à 49 F)

Les Vignerons de Rasteau et de Tain-l'Hermitage, rte des Princes-d'Orange, 84110 Rasteau, tél. 04.90.10.90.10, fax 04.90.10.90.36, e-mail vrt@rasteau.com

PRIEURE DE MONTEZARGUES 2000

34 ha 100 000 8 à 11 €

Un vignoble de quelque 55 ha entoure le prieuré. Le tavel qui y est né se présente sous une robe soutenue et brillante. Le nez est élégant, évocateur de griotte et de framboise. La bouche dévoile de la fraîcheur grâce à ses notes minérales. (50 à 69 F)

Allauzen Lucenet Gaff, Prieuré de Montézargues, 30126 Tavel , tél. 04.66.50.04.48, fax 04.66.50.30.41 r.-v.

DOM. ROC DE L'OLIVET 2000**

◪ 2 ha 8 660 5à8€

Deux hectares de vignes trentenaires pour 8 660 bouteilles d'un beau vin saumoné. Le nez, frais et fruité, révèle en outre une pointe épicée qui réapparaît en bouche avec finesse. (30 à 49 F)

Thierry Valente, chem. de la Vaussière, 30126 Tavel, tél. 04.66.50.37.87, fax 04.66.50.37.87 r.-v.

LES VIGNERONS DE TAVEL
Cuvée royale 2000*

◪ 12 ha 70 000 5à8€

Un assemblage de six cépages (grenache, cinsault, syrah, clairette, bourboulenc et carignan) a donné naissance à ce tavel de teinte saumonée. Le nez de fruit s'accompagne d'une ligne d'amande et d'épices. Après une attaque franche, la bouche révèle du gras et une finale acidulée. La **cuvée Tableau 2000** obtient une étoile. (30 à 49 F)

Les Vignerons de Tavel, 30126 Tavel, tél. 04.66.50.03.57, fax 04.66.50.46.57, e-mail tavel.cave@wanadoo.fr t.l.j. 9h-12h 14h-18h

CH. DE TRINQUEVEDEL 2000**

◪ 30 ha 120 000 5à8€

Gérard Demoulin conduit 30 ha de vignes en AOC tavel. Il a produit un vin brillant aux nuances violines, dont la palette décline de fines notes de groseille et de griotte cuite. La bouche présente un bel équilibre entre la rondeur et la fraîcheur avant de s'achever sur des arômes de petits fruits rouges persistants. (30 à 49 F)

Ch. de Trinquevedel, 30126 Tavel, tél. 04.66.50.04.04, fax 04.66.50.31.66, e-mail f30trinque@aol.com r.-v.
Demoulin

DOM. VERDA 2000*

◪ 2,2 ha 4 000 5à8€

André Verda est un nouveau venu en AOC tavel. Pour une première, c'est une réussite. Brillant à reflets violines, ce vin livre un nez frais de framboise et de cassis. L'ensemble est équilibré et élégant. (30 à 49 F)

Dom. André Verda, 2749, chem. de la Barotte, 30150 Roquemaure, tél. 04.66.82.87.28, fax 04.66.82.87.28 t.l.j. sf dim. 8h-12h 14h-18h

Clairette de die

La clairette de die est l'un des vins les plus anciennement connus au monde. Le vignoble occupe les versants de la moyenne vallée de la Drôme, entre Lucen-Diois et Aouste-sur-Sye. On produit ce vin mousseux essentiellement à partir du cépage muscat (75 % minimum). La fermentation se termine naturellement en bouteilles. Il n'y a pas adjonction de liqueur de tirage. C'est la méthode dioise ancestrale. La production a atteint 75 045 hl en 2000.

CAROD Tradition 1999*

○ 35 ha 250 000 5à8€

Les Carod ont l'ambition de produire des vins de qualité très typés ; ils ont aussi le souci de faire connaître cette appellation et les traditions dioises du début du siècle, et pour ce faire ont ouvert un musée. Cette cuvée a été vinifiée à partir d'un savant dosage, trois quarts de muscat et un quart de clairette ; celui-ci s'est imposé avec le temps. La mousse est extrêmement fine et le côté muscaté reste discret. En bouche ressortent des arômes de pêche et d'abricot. (30 à 49 F)

Carod Frères, RD 93, 26340 Vercheny, tél. 04.75.21.73.77, fax 04.75.21.75.22, e-mail info@caves-carod.com t.l.j. 8h-12h 14h-18h

DIDIER CORNILLON Tradition 1999*

○ 10 ha 60 000 5à8€

Une mousse fine et abondante qui éclate dès l'ouverture de la bouteille. Une harmonie de blancheur, qui associe fruits et fleurs, exprime un bel équilibre. Le côté muscaté apporte une touche aérienne. (30 à 49 F)

Didier Cornillon, 26410 Saint-Roman, tél. 04.75.21.81.79, fax 04.75.21.84.44 t.l.j. 10h30-12h30 14h-19h; oct. à mars sur r.-v.

JAILLANCE Tradition*

○ 70 ha 540 000 5à8€

Cette coopérative présente une belle trilogie en clairette de die : la **cuvée issue de l'agriculture biologique**, la **Cuvée impériale** et cette cuvée Tradition. Toutes trois ont reçu une étoile. La cuvée Impériale est marquée par la clairette (90 %) et la biologique par le muscat (100 %) ; celle-ci a su allier le muscat (85 %) à la clairette pour donner un nez muscaté, franc et net mais additionné de litchi et de rose. Une grande délicatesse soulignée par sa belle finale. (30 à 49 F)

Cave coop. de Die Jaillance, 26150 Die, tél. 04.75.22.30.00, fax 04.75.22.21.06 r.-v.

ALAIN POULET Tradition 1999

○ 12 ha 76 000 5à8€

Une clairette de die d'apéritif. Une petite mousse accompagnée de bulles fines donne un caractère printanier à ce vin. De la fraîcheur et de la légèreté. (30 à 49 F)

Alain Poulet, la Chapelle, 26150 Pontaix, tél. 04.75.21.22.59, fax 04.75.21.20.95 r.-v.

RASPAIL Tradition 1999

○ 3,5 ha 23 000 5à8€

Ce domaine sait accueillir. Que l'on opte pour le gîte rural ou pour le camping-car, on appréciera la relation directe avec le vigneron et sa patience à expliquer son savoir-faire. Une attaque (litchi et rose très délicate) distingue cette

RHONE

clairette. En bouche se déploient des saveurs de fruits blancs confits et exotiques. Un fort bel équilibre entre arômes et fraîcheur. (30 à 49 F)
EARL Georges Raspail, rte du Camping municipal, La Roche, 26340 Aurel, tél. 04.75.21.71.89, fax 04.75.21.71.89 r.-v.

JEAN-CLAUDE RASPAIL
Tradition 1999★★
○ n.c. 29 659 5à8€

Jean-Claude Raspail pratique l'agriculture biologique ; il produit une clairette remarquable. Une belle mousse fine libère des arômes de fleurs blanches et de pêche blanche. Son élégant côté muscaté et sa très bonne longueur en font un vin à ne pas manquer. (30 à 49 F)
Jean-Claude Raspail, Dom. de la Mûre, 26340 Saillans, tél. 04.75.21.55.99, fax 04.75.21.57.57 t.l.j. 9h-12h 14h-18h; f. 5-31 janv.

SALABELLE Tradition Cuvée Adline 1999★
○ n.c. n.c. 5à8€

Ce domaine date de 1845 et a opté pour la lutte raisonnée. Il produit une clairette très réussie. Jaune paille à reflets verts, ce vin exprime une grande franchise. Des arômes de pêche et de pamplemousse rose en attaque sont suivis par des notes de mangue. C'est un vrai cocktail de fruits. (30 à 49 F)
GAEC Salabelle, 26150 Barsac, tél. 04.75.21.70.78, fax 04.75.21.70.78 r.-v.

Crémant de die

Le décret du 26 mars 1993 a reconnu l'AOC crémant de die, produite uniquement à partir du cépage clairette selon la méthode dite traditionnelle de seconde fermentation en bouteille.

CAROD 1998★
○ 3,5 ha 26 000 5à8€

On découvre des notes de sous-bois et de noisette dans cet effervescent qui garde un côté chaleureux tout au long de la dégustation. Pâle à reflets verts, agrémenté d'une très fine mousse persistante, il pourra accompagner des viandes blanches. (30 à 49 F)
Carod Frères, RD 93, 26340 Vercheny, tél. 04.75.21.73.77, fax 04.75.21.75.22, e-mail info@caves-carod.com
t.l.j. 8h-12h 14h-18h

CHAMBERAN 1997
○ 2,8 ha 15 000 5à8€

Sept vignerons ont tout mis en commun pour former un seul domaine de 61 ha qu'ils gèrent ensemble, de la vigne à la commercialisation (sous la marque Chambéran). Situé au pied du parc naturel du Vercors, le vignoble est installé sur des coteaux pierreux, difficiles à travailler mais ensoleillés. Le crémant 97 fait preuve d'une effervescence marquée en bouche. Ses arômes évoquent discrètement la fleur blanche. Un ensemble équilibré et agréable. (30 à 49 F)
Union des Jeunes Viticulteurs récoltants, rte de Die, 26340 Vercheny, tél. 04.75.21.70.88, fax 04.75.21.73.73, e-mail ujvr@terre-net.fr
t.l.j. 8h30-12h 14h-18h30

DIDIER CORNILLON
Brut absolu 1998★★★
○ 1 ha 5 000 5à8€

Il est arrivé deuxième dans le grand jury des coups de cœur de cette appellation. Ce vin ample et gras, aux notes beurrées et briochées qui paraissent sans fin, est d'un parfait équilibre. Il pourra accompagner tout un repas. (30 à 49 F)
Didier Cornillon, 26410 Saint-Roman, tél. 04.75.21.81.79, fax 04.75.21.84.44 t.l.j. 10h30-12h30 14h-19h; oct. à mars sur r.-v.

JAILLANCE★★
○ 4 ha 26 000 5à8€

Clairette à 100 %, cette cuvée est issue de l'agriculture biologique. Bulles fines et cordon persistant traversent une robe jaune pâle à reflets clairs : voici un vin très fruité (poire mûre, fruits blancs et ananas) d'une bonne longueur. A noter également, la **Cuvée traditionnelle** qui reçoit une étoile pour son harmonie. (30 à 49 F)
Cave coop. de Die Jaillance, 26150 Die, tél. 04.75.22.30.00, fax 04.75.22.21.06 r.-v.

MARCEL MAILLEFAUD ET FILS
1997★★★
○ 0,75 ha 5 000 5à8€

« Un crémant qui peut accompagner tout un repas », dit un membre du jury. Ce vin possède le gras et l'ampleur qui lui permettront de durer longtemps. Riche de notes beurrées et grillées, il est doté d'une longueur exceptionnelle. (30 à 49 F)
Marcel Maillefaud et Fils, GAEC des Adrets, 26150 Barsac, tél. 04.75.21.71.77, fax 04.75.21.75.24 t.l.j. 8h-12h 14h-18h

Les vins mentionnés en caractère gras dans les notices sont également recommandés par les jurys.

Châtillon-en-diois

Le vignoble du châtillon-en-diois occupe 50 ha, sur les versants de la haute vallée de la Drôme, entre Luc-en-Diois (550 m d'altitude) et Pont-de-Quart (465 m). L'appellation produit des rouges (cépage gamay), légers et fruités, à consommer jeunes, ou des blancs (cépages aligoté et chardonnay), agréables et nerveux. Production totale : 3 288 hl en 2000.

CLOS DE BEYLIERE 1999**

□ 0,5 ha 2 500 5à8€

Ce domaine a remarquablement réussi ses blancs cette année. Ce 99 remporte les félicitations du jury. Il possède de la finesse et de la complexité. Ananas, poire, abricot, une vraie corbeille de fruits offerte avec générosité. L'**aligoté 2000 (20 à 29 F)** du domaine a été jugé remarquable par son côté fruité intense (pamplemousse). (30 à 49 F)

Didier Cornillon, 26410 Saint-Roman, tél. 04.75.21.81.79, fax 04.75.21.84.44 t.l.j. 10h30-12h30 14h-19h; oct. à mars sur r.-v.

DOM. DE LA GOUYARDE 2000

□ 1,57 ha 10 000 3à5€

Cette coopérative présente un aligoté dans lequel le jury perçoit un potentiel intéressant bien que le nez soit encore légèrement fermé. Généreux, il offre souplesse et fraîcheur. C'est un bon vin d'apéritif. (20 à 29 F)

Cave coop. de Die Jaillance, 26150 Die, tél. 04.75.22.30.00, fax 04.75.22.21.06 r.-v.

DOM. DE MAUPAS 2000**

□ 1,4 ha 8 400 5à8€

Pour certains travaux, ce vigneron utilise encore des percherons, ces grands et forts chevaux de trait. En revanche, pas de lourdeur pour ce vin, tout en franchise et vivacité. De délicieux arômes de poire au nez font qu'il est tout indiqué pour une tarte Tatin. (30 à 49 F)

Jérôme Cayol, Dom. de Maupas, 26410 Châtillon-en-Diois, tél. 04.75.21.18.81, fax 04.75.21.14.54, e-mail domaine-de-maupas@wanadoo.fr r.-v.

Coteaux du tricastin

Cette appellation couvre 2 000 ha répartis sur vingt-deux communes de la rive gauche du Rhône, depuis La Baume-de-Transit au sud, en passant par Saint-Paul-Trois-Châteaux, jusqu'aux Granges-Gontardes, au nord. Les terrains d'alluvions anciennes très caillouteuses et les coteaux sableux, situés à la limite du climat méditerranéen, ont produit environ 121 634 hl de vin en 2000. Cette appellation vient d'être redélimitée.

DOMAINES ANDRE AUBERT
Le Devoy Vieilli en fût de chêne 1998*

■ n.c. 4 500 5à8€

Une production assez confidentielle pour cette cuvée dont l'originalité réside dans un nez floral, mêlé d'arômes d'infusion et de foin coupé. La bouche se développe harmonieusement sur de jolis tanins : le passage en fût est imperceptible. A déguster sur un picodon, par exemple. (30 à 49 F)

GAEC Aubert Frères, Le Devoy, 26290 Donzère, tél. 04.75.51.63.01, fax 04.75.51.63.01 r.-v.

DOM. DE GRANGENEUVE
Cuvée Vieilles vignes 1999*

■ 20 ha 100 000 5à8€

Entre 1964 et 1970, Odette et Henri Bour ont planté la vigne sur les terrasses caillouteuses envahies par la garrigue et les chênes truffiers. Leur vignoble couvre à présent 65 ha, et leurs cuvées obtiennent un même succès. Celle-ci, issue de vieilles vignes, est si enrobée et structurée, qu'elle pourra être appréciée dès aujourd'hui. La **cuvée Tradition 99 rouge** offre un bouquet de fruits et de poivre classique, très réussi. Les amateurs de vins élevés en fût de chêne privilégieront la **cuvée de La Truffière 99 rouge (50 à 69 F)**, mais ils devront patienter un à deux ans pour la déguster. (30 à 49 F)

Domaines Bour, Dom. de Grangeneuve, 26230 Roussas, tél. 04.75.98.50.22, fax 04.75.98.51.09, e-mail domainesbour@wanadoo.fr r.-v.

CH. LA CROIX CHABRIERE 2000*

■ 2 ha 14 000 3à5€

Un saisissant contraste entre la richesse des arômes (épices, noyau, fruits) et l'aspect simple mais si agréable de la bouche. La raison en est peut-être la proportion relativement importante de cinsault. A déguster entre amis sur une brouillade aux truffes. Pour l'apéritif, choisissez le **blanc 2000 (30 à 49 F)**, équilibré et long, au nez marqué par le duo noix de coco-mangue. (20 à 29 F)

🔑Ch. La Croix Chabrière, rte de Saint-Restitut, 84500 Bollène, tél. 04.90.40.00.89, fax 04.90.40.19.93 ☑ 🍷 t.l.j. 9h-12h 14h-18h; dim. 9h-12h; groupes sur r.-v.
🔑 Patrick Daniel

CH. LA DECELLE 1999

■ 6 ha 20 000 5à8€

Les arômes de fraise écrasée rejoints par d'autres senteurs font la richesse du bouquet. Ce nez enchanteur est sans doute à l'origine de la préférence donnée à cette cuvée. Mais n'oubliez pas la **cuvée S 99 rouge**, issue de vieilles vignes, dont le nez est encore plus puissant dans un style différent : animal (même gibier). Pourtant, le fruit persiste en bouche. Un vin à laisser en cave quelque temps. (30 à 49 F)

🔑Ch. La Décelle, rte de Pierrelatte, D 59, 26130 Saint-Paul-Trois-Châteaux, tél. 04.75.04.71.33, fax 04.75.04.56.98, e-mail anne-marie.seroin@wanadoo.fr ☑ 🍷 t.l.j. 9h-12h 14h30-18h30; groupes sur r.-v.
🔑 Seroin

LE DOME D'ELYSSAS
Cuvée des Echirouses 1999

■ 55 ha 11 000 3à5€

Des senteurs de garrigue à foison... La **cuvée du Gros Chêne 99 (30 à 49 F)** présente déjà de la rondeur dans sa bouche chaleureuse. Elle mérite d'être citée. Mais la préférence est donnée à la cuvée des Echirouses, qui s'inscrit dans un style plus puissant et structuré. Des arômes de violette se mêlent à une pointe d'épices pour former un subtil bouquet. Un vin prêt à boire, mais pouvant attendre. (20 à 29 F)

🔑SARL d'Elyssas, quartier Combe d'Elyssas, 26290 Les Granges Gontardes, tél. 04.75.98.61.55, fax 04.75.98.63.12 ☑ 🍷 t.l.j. sf dim. 9h-12h 15h-19h; groupes sur r.-v.

DOM. DE MONTINE
Elevé en fût de chêne 1999★★

■ 10 ha 20 000 5à8€

Rubis sombre pour la robe, nez complexe d'épices mêlées de notes animales et vanillées intenses. Attaque franche, développement harmonieux, longueur extrême et saveur en bouche. Tout y est. La structure ne tardera pas à prendre du velouté. Le **rouge 98**, très réussi, se distingue par son nez de violette et une persistance en bouche notable. Un vin de caractère. (30 à 49 F)

🔑Jean-Luc et Claude Monteillet, Dom. de Montine, GAEC de la Grande Tuilière, 26230 Grignan, tél. 04.75.46.54.21, fax 04.75.46.93.26, e-mail domainedemontine@wanadoo.fr ☑ 🍷 r.-v.

RABASSIERE 1999

■ n.c. 26 000 3à5€

Cet assemblage traditionnel a bénéficié d'un passage en fût bien maîtrisé. La vanille se mêle harmonieusement aux arômes de noyau, de fruits à l'eau-de-vie. La **cuvée Le Lutin 2000 rosé (moins de 20 F)** possède un agréable côté acidulé en fin de bouche. Elle mérite également une citation. (20 à 29 F)

🔑SCV La Suzienne, 26790 Suze-la-Rousse, tél. 04.75.04.80.04, fax 04.75.98.23.77 ☑ 🍷 r.-v.

DOM. RASPAIL
Réserve du Domaine 2000★

■ n.c. 80 000 3à5€

La puissance est le maître-mot de la dégustation. Les arômes évoquent des fruits concentrés et des notes animales. La bouche est à l'avenant : matière intense et tanins veloutés. Tel est le résultat d'une fructueuse collaboration vigneron-vinificateur. La **cuvée Louis Bernard 2000 rouge** est également très réussie. (20 à 29 F)

🔑Les Domaines Bernard, rte de Sérignan, 84100 Orange, tél. 04.90.11.86.86, fax 04.90.34.87.30, e-mail sagon@domaines-bernard.fr

DOM. DU VIEUX MICOCOULIER 1999★

■ 100 ha 250 000 5à8€

Le résultat d'une maturité parfaite : la robe sombre est en harmonie avec les fruits mûrs et les épices intenses. La chaleur des galets roulés est restituée intacte dans une bouche solidement structurée, intense et persistante. Les tanins sont agréables. La synergie du terroir et du savoir-faire du vigneron. (30 à 49 F)

🔑SCGEA Cave Vergobbi, Le Logis de Berre, 26290 Les Granges-Gontardes, tél. 04.75.04.02.72, fax 04.75.04.41.81 ☑ 🍷 t.l.j. 9h30-12h 14h30-18h30; dim. sur r.-v.

Côtes du ventoux

A la base du massif calcaire du Ventoux, « le géant du Vaucluse » (1 912 m), des sédiments tertiaires portent ce vignoble qui s'étend sur cinquante et une communes (6 888 ha), entre Vaison-la-Romaine au nord et Apt au sud. Les vins produits sont essentiellement des rouges et des rosés. Le climat, plus froid que celui des Côtes du Rhône, entraîne une maturité plus tardive. Les vins rouges sont de moindre degré alcoolique, mais frais et élégants dans leur jeunesse ; ils sont cependant davantage charpentés dans les communes situées le plus à l'ouest (Caromb, Bédoin, Mormoiron). Les vins rosés sont agréables et demandent à être bus jeunes. La production totale a atteint 307 850 hl en 2000.

DOM. AYMARD Prestige 1999★

■ 1 ha 4 000 5à8€

Très soucieuse de respecter l'environnement, la famille Aymard procède à une protection raisonnée de son vignoble. Sa cuvée Prestige possède un bouquet complexe où se mêlent un bois bien fondu et quelques arômes de fruits rouges confits. Charme et élégance sont les principales caractéristiques de ce 99, qui devra attendre encore deux ans. (30 à 49 F)

Dom. Aymard, Les Galères, Serres, 84200 Carpentras, tél. 04.90.63.35.32, fax 04.90.67.02.79 r.-v.

CAVE DE BEAUMONT DU VENTOUX Vieilli en fût de chêne 1999

4 ha 20 000 5à8€

Un joli vin rouge vif brillant à reflets grenat, au nez assez puissant de fruits rouges et de cassis, accompagnés de notes animales. Le palais exprime les fruits à l'eau-de-vie et un boisé bien équilibré. Il faudra lui laisser deux ou trois ans pour qu'il se découvre pleinement. (30 à 49 F)

Coopérative vinicole de Beaumont-du-Ventoux, rte de Carpentras, 84340 Malaucène, tél. 04.90.65.11.78, fax 04.90.12.69.88 r.-v.

CH. BLANC 1999**

10,18 ha 60 000 3à5€

Le domaine est situé à Roussillon qui, avec ses falaises d'ocre, passe pour l'un des plus beaux villages de France. Ce n'est pourtant pas l'ocre mais le grenat qu'évoque la robe de ce 99, au bouquet développé de fruit mûr (abricot sec), aux arômes épicés s'achevant sur le bois. Sa belle et généreuse structure dévoile une subtile élégance. Il est à boire. (20 à 29 F)

SCEA Ch. Blanc, quartier Grimaud, 84220 Roussillon, tél. 04.90.05.64.56, fax 04.90.05.72.79 t.l.j. 8h-19h; groupes sur r.-v.

Chasson

CAVE DE BONNIEUX Elevé en fût de chêne 1999*

5 ha 5 021 5à8€

La doyenne des caves coopératives du Vaucluse présente un 99 de teinte pourpre profond, au nez encore un peu fermé, mais dont le caractère se traduit par une bouche pleine et équilibrée. D'une belle harmonie, ce vin est actuellement sur sa réserve car ses tanins s'affirment. Ils s'estomperont toutefois avec le temps. (30 à 49 F)

Cave vinicole de Bonnieux, quartier de la Gare, 84480 Bonnieux, tél. 04.90.75.80.03, fax 04.90.75.92.73, e-mail vignerons-bonnieux@wanadoo.fr t.l.j. sf dim. 9h-12h 14h-18h

DOM. DU BON REMEDE 2000

0,5 ha 2 400 3à5€

Brillant à reflets roses tirant sur le violacé, c'est un rosé au nez intensément fruité : pamplemousse, ananas, fraise... Ses arômes persistants, sa vivacité et sa puissance lui donneront une bonne tenue dans le temps, mais rien n'interdit de le boire prochainement, sur de la charcuterie ou des brochettes de viande. (20 à 29 F)

Frédéric Delay, 1248, rte de Malemort, 84380 Mazan, tél. 04.90.69.69.76, fax 04.90.69.69.76 r.-v.

DOM. DE FENOUILLET 2000

0,6 ha 4 000 5à8€

Après avoir cultivé la vigne pendant cent cinquante ans, les Soard décident de vinifier eux-mêmes en 1989. Leur rosé, vin d'été, se laisse « cheminer » sans aspérités en bouche. C'est rond, fondu, rehaussé d'une pointe de fruits rouges et d'un soupçon de fruits exotiques. (30 à 49 F)

GAEC Patrick et Vincent Soard, Dom. de Fenouillet, allée Saint-Roch, 84190 Beaumes-de-Venise, tél. 04.90.62.95.61, fax 04.90.62.90.67, e-mail pv.soard@freesbee.fr r.-v.

DOM. DE FONDRECHE Cuvée Persia 1999***

3 ha 6 000 8à11€

Palissage, ébourgeonnage, vendange en vert : les efforts qualitatifs réalisés par le domaine se trouvent ici récompensés. D'un grenat intense qui flatte l'œil, cette cuvée Persia possède un nez puissant, riche, concentré et complexe, à la fois fleuri et fruité, épicé par des notes confites et musquées. Les superlatifs n'ont pas manqué sous la plume des jurés : exceptionnel, superbe, magnifique, très élégant... Séduits, ils lui ont décerné un coup de cœur à l'unanimité. La **cuvée Persia 2000 blanche** témoigne d'un excellent mariage entre le vin et le bois. Ses arômes grillés ne cachent pas le côté fruité qui la caractérise. Un pot-au-feu de chapon aux truffes sera digne de ses deux étoiles. Même note pour la **cuvée Nadal 99 rouge (30 à 49 F)** : mûre, myrtille, griotte et une charpente encore solide. A apprécier sur un civet de lièvre ou de sanglier dans deux ou trois ans. (50 à 69 F)

Dom. de Fondrèche, quartier Fondrèche, 84380 Mazan, tél. 04.90.69.61.42, fax 04.90.69.61.18 r.-v.

Vincenti et Barthélémy

DOM. DES HAUTES ROCHES Cuvée Les Pourrats 1999

11 ha 60 000 5à8€

Un nouveau venu dans le Guide, et pour cause : l'exploitation a été fondée en avril 1999. On « se mettra en bouche » avec son **Pourrats rosé 2000**, également cité ; mais c'est l'âme du domaine qu'on explorera avec cette cuvée : son nez, encore fermé, distille des arômes de prunelle et de fleurs capiteuses. La bouche est plus simple et plus traditionnelle. (30 à 49 F)

SCEA Bourgue-Hardoin, Dom. des Hautes-Roches, Roquefure, 84400 Apt,
tél. 04.90.74.19.65, fax 04.90.74.19.65,
e-mail sceabourguehardoin@free.fr
t.l.j. 9h-12h30 15h-19h
Lionel Bourgue

DOM. DE LA BASTIDONNE
Elevé en fût de chêne 1999★★

■	n.c.	10 000	5à8€

Cette propriété familiale se situe sur la route touristique qui relie Fontaine-de-Vaucluse et Gordes. Une longue macération puis un vieillissement d'un an en barrique ont donné un 99 à la robe profonde, vive, violacée à reflets noirâtres. A des parfums de fruits à l'eau-de-vie succède un palais boisé, nuancé de vanille. C'est un vin un peu atypique mais vraiment plaisant, qui conviendra bien à un plat de résistance. Très réussi, le **rosé 2000** se montre expressif et sera apprécié tout au long d'un repas. (30 à 49 F)

SCEA Dom. de La Bastidonne,
84220 Cabrières-d'Avignon,
tél. 04.90.76.70.00, fax 04.90.76.74.34 t.l.j. sf dim. 9h-12h 14h-18h
Gérard Marreau

CH. DE LA BOISSIERE 1999★

■	n.c.	20 000	3à5€

M. Rambaud, directeur de la cave, a réussi cette cuvée aux arômes plaisants de fruits très mûrs. Bien représentative de l'appellation, elle sera agréable à déguster sur un plat provençal ou une viande rouge, dès la sortie du Guide. (20 à 29 F)

Cave La Montagne Rouge, 84570 Villes-sur-Auzon, tél. 04.90.61.82.08, fax 04.90.61.89.94
t.l.j. sf dim. 8h-12h 14h-18h

DOM. DE LA COQUILLADE 2000★

□	1 ha	4 000	3à5€

La Coquillade est un hameau datant du XIIIes., proche du pont Julien, le plus vieux pont romain de France, et de Roussillon, commune réputée pour ses ocres. Les beaux reflets dorés du blanc que l'on y produit enveloppent un nez très fin de fleurs blanches, puis des arômes d'agrumes accompagnés de notes boisées et vanillées. C'est un vin harmonieux, qui devrait évoluer très favorablement. Une étoile aussi au **rouge 99 (30 à 49 F)**, élevé en fût de chêne, dont un juré note avec éloquence : « De la structure à tous les stades de la dégustation. » (20 à 29 F)

Dom. de La Coquillade, Hameau de La Coquillade, 84400 Gargas, tél. 04.90.74.54.67, fax 04.90.74.71.86 t.l.j. sf dim. 10h-12h 15h-19h; f. déc. fév.
M. et W. Pluck

LA COURTOISE Cuvée le Courtois 2000★

■	n.c.	50 000	-3€

Une belle robe pourpre revêt ce vin au nez intense de cassis et de mûre, au palais souple, aux tanins soyeux. Très intéressant et plaisant, il possède une grande harmonie et pourra attendre deux ou trois ans. (– 20 F)

SCA La Courtoise, 84210 Saint-Didier,
tél. 04.90.66.01.15, fax 04.90.66.13.19 r.-v.

DOM. DE LA FERME SAINT-MARTIN Clos des Estaillades 1999

■	1,3 ha	4 500	5à8€

Belle présentation pour ce 99 aux nuances odorantes de réglisse et de cassis, aux arômes épicés, poivrés, aux tanins bien présents. Il devra attendre deux ans pour vraiment s'épanouir. (30 à 49 F)

Guy Jullien, Dom. de la Ferme Saint-Martin, 84190 Suzette, tél. 04.90.62.96.40, fax 04.90.62.90.84 r.-v.

DOM. DE LA VERRIERE
Le Haut de la Jacotte Elevé en fût de chêne 1999★

■	1,2 ha	6 930	5à8€

On sait que c'est sur cette propriété que le roi René de Provence installa au XVes. des verriers venus d'Italie. Aujourd'hui domaine viticole, La Verrière propose un joli **rosé 2000**, une étoile, et cette cuvée, également fort réussie, marquée par la barrique mais bien accompagnée par des fruits rouges confits. Ce vin possède une très belle matière qui se porte garante de son vieillissement. (30 à 49 F)

Jacques Maubert, Dom. de La Verrière, 84220 Goult, tél. 04.90.72.20.88, fax 04.90.72.40.33, e-mail laverriere2@wanadoo.fr t.l.j. sf dim. 9h-12h 14h-18h

DOM. LES HERBES BLANCHES
2000★★

■	n.c.	58 000	3à5€

Très bon rapport qualité-prix pour ce rouge 2000 au bouquet si provençal de thym et de sariette, aux arômes plaisants de poivre et de genièvre. Vin de garde, il exaltera un gibier ou une viande en sauce d'ici trois, voire quatre ans. (20 à 29 F)

Les Domaines Bernard, rte de Sérignan, 84100 Orange,
tél. 04.90.11.86.86, fax 04.90.34.87.30,
e-mail sagon@domaines-bernard.fr

LES ROCHES BLANCHES
Vieilles vignes 2000★★

■	n.c.	n.c.	3à5€

Grenat très intense, ce vin au nez d'abord un peu fermé s'ouvre ensuite sur des notes minérales et des fruits rouges. Doté d'un palais de belle ampleur, il possède à la fois matière, souplesse et rondeur. (20 à 29 F)

Cave Les Roches blanches, 84570 Mormoiron, tél. 04.90.61.80.07, fax 04.90.61.97.23
t.l.j. sf dim. 8h-12h 14h-18h

DOM. LES TERRASSES D'EOLE
2000★★

□	2,5 ha	16 000	5à8€

On a récemment découvert, dans la commune de Mazan, une amphore vinaire gallo-romaine de 40 av. J.-C. Elle serait digne de ce vin blanc à la présentation parfaite, au bouquet subtil d'amande verte, d'agrumes et de noisette. A déguster en dehors d'un repas ou sur un dessert aux fruits, pour se faire plaisir dès maintenant. La **cuvée Lou Mistrau 99 rouge (50 à 69 F)** obtient la même note pour son nez complexe et odorant : sous-bois, musc, café grillé et fruits rouges. (30 à 49 F)

Claude et Stéphane Saurel,
chem. des Rossignols, 84380 Mazan,
tél. 04.90.69.84.82, fax 04.90.69.84.90,
e-mail terrasses.eole@online.fr r.-v.

DOM. LE VAN 1999*

■ 5,5 ha 18 100 5à8€

Au pied du mont Ventoux, le domaine a été créé en 1993. La ferme, sous l'Ancien Régime, était une chapelle Notre-Dame des Vents... Rubis, ce 99 se montre expressif dès l'olfaction dominée par les fruits rouges (mûre, griotte) et des « notes fines de garrigue ensoleillée », selon les mots d'un juré enthousiaste. En bouche, il est rond, volumineux et s'achève sur des tanins bien enrobés. A boire pendant trois à cinq ans sur un plat en sauce. (30 à 49 F)

Mertens-Sax, SCEA Le Van,
rte de Carpentras, 84410 Bédoin,
tél. 04.90.12.82.56, fax 04.90.12.82.57,
e-mail domaine.levan@wanadoo.fr t.l.j. 8h30-19h30; 1er oct.-31 mars sur r.-v.

CAVE DE LUMIERES
Les Quatre Vents 2000*

◩ 10 ha 1 800 3à5€

Ce rosé de saignée s'affiche en jolie robe rose clair à reflets vifs. Le nez de fleurs et de fruits rouges est intense, la bouche ample et ronde, agrémentée de notes très fines de fruits des bois. A proposer en apéritif, accompagné d'une charcuterie. (20 à 29 F)

Cave de Lumières, 84220 Goult,
tél. 04.90.72.20.04, fax 04.90.72.42.52,
e-mail info@cavedelumières.com r.-v.

MARQUIS DE SADE 1998*

■ 8 ha 50 000 5à8€

Il est à boire, ce 98 au bouquet de fruits rouges dominés par le cassis bien mûr : les tanins si soyeux de sa finale en sont le signe. La **cuvée Canteperdrix 2000 blanc (moins de 20 F)** recueille la même note : dans sa robe lumineuse à reflets verts, elle se présente avec puissance à l'olfaction (fruits mûrs), puis la bouche nous fait passer d'arômes très floraux à ceux de la banane mûrie à point. On boira ce vin sur des coquillages ou un poisson grillé. N'oublions pas enfin la **cuvée Prestige 98 rouge (20 à 29 F)**, qui obtient, elle aussi, une étoile pour son abondante matière. D'ici deux ou trois ans, elle s'exprimera pleinement sur une viande rouge ou un gibier. (30 à 49 F)

Les Vignerons de Canteperdrix,
rte de Caromb, BP 15, 84380 Mazan,
tél. 04.90.69.70.31, fax 04.90.69.87.41 t.l.j. sf dim. 8h-12h 14h-18h

DOM. PELISSON 2000

■ n.c. n.c. 5à8€

Cette cave située au pied de Gordes semble perdue au milieu des cultures. Inconditionnel du biologique - depuis la vigne jusqu'au légume - le producteur signe toujours des vins d'une intensité de couleur remarquable. Bien typé syrah, celui-ci devrait nous surprendre d'ici deux ans. (30 à 49 F)

Patrick Pelisson, 84220 Gordes,
tél. 04.90.72.28.49, fax 04.90.72.23.91 r.-v.

CH. PESQUIE Perle de rosée 2000*

◩ 0,6 ha 3 700 5à8€

Si son architecture actuelle date du XVIIIe s., Pesquié est connu depuis le XIIIe s. Il n'a pas attendu les modes pour réfléchir à des méthodes culturales raisonnées. Cette belle demeure présente un magnifique rosé en habit d'apparat : bouteille givrée, étiquette prestigieuse, robe pétale de rose. Le nez, frais, est très floral, la bouche tout en fruits rouges (cassis et groseille). Une vraie « perle de rosée »... (30 à 49 F)

GAEC Ch. Pesquié, rte de Flassan,
BP 6, 84570 Mormoiron, tél. 04.90.61.94.08,
fax 04.90.61.94.13, e-mail pesquier@infonie.fr
r.-v.

Chaudière

CAVE SAINT-MARC 2000*

□ 5,2 ha 35 000 3à5€

L'accueil est particulièrement sympathique dans ce caveau lumineux, lieu idéal pour les expositions de peintures et d'outils agricoles anciens. On y goûtera ce vin plein d'élégance et de finesse, élaboré avec soin par Olivier Andrieu, le maître de chai. Original par ses arômes minéraux et fruités (agrumes), il est à boire. La **cuvée du Sénéchal 99 rouge (30 à 49 F)** obtient, elle aussi, une étoile pour son nez complexe de musc, d'humus et de truffe, à dominante animale. (20 à 29 F)

Cave Saint-Marc, 84330 Caromb,
tél. 04.90.62.40.24, fax 04.90.62.48.83,
e-mail cave@st-marc.com
t.l.j. 8h-12h30 14h-19h

CH. SAINT-SAUVEUR 1998

■ 1,1 ha 6 600 5à8€

A la sortie d'Aubignan, vous ne pourrez pas manquer cette chapelle romane du XIIe s. qui sert aujourd'hui de lieu de dégustation. Il y fait frais l'été, et l'accueil est chaleureux : tout à l'image du vin présenté, agréable, qui incite à se laisser bercer par la déclinaison de ses arômes. (30 à 49 F)

EARL les Héritiers de Marcel Rey,
Ch. Saint-Sauveur, rte de Caromb, 84810 Aubignan, tél. 04.90.62.60.39, fax 04.90.62.60.46
r.-v.

Guy Rey

DOM. DE TARA Hautes Pierres 1999*

■ 1 ha 3 700 8à11€

De la syrah (90 %) et du grenache (10 %), vinifiés traditionnellement, donnent un 99 au nez intense, vanillé et épicé, aux nuances odorantes de minéraux et de fruits mûrs (cassis, myrtille). Son ample matière et ses tanins encore jeunes, élégants, en font un vin bien équilibré dont la finale épicée est très agréable. A conseiller pendant deux ou trois ans sur un rôti de magret farci aux cèpes. Une citation échoit au

Hautes pierres 99 blanc (50 à 69 F) pour son attaque ronde et sa persistance. (50 à 69 F)
Dom. de Tara, Les Rossignols, 84220 Roussillon, tél. 04.90.05.74.87, fax 04.90.05.71.35
t.l.j. sf dim. 14h-18h
Droux

TERRE DU LEVANT 2000★★

	n.c.	n.c.		3à5€

Ce 2000 à la belle couleur pourpre intense a séduit le jury par la puissance de son bouquet, dominé par les fruits rouges mûrs qui s'exprimeront encore davantage avec le temps. Une réelle ampleur, des tanins souples, où s'épanouit à merveille la syrah, lui permettront d'être servi pendant trois à quatre ans sur un carré d'agneau aux herbes de Provence. (20 à 29 F)
Cellier de Marrenon, BP 13, 84240 La Tour d'Aygues, tél. 04.90.07.40.65, fax 04.90.07.30.77, e-mail marrenon@marrenon.com t.l.j. 8h-12h 14h-18h (été 15h-19h); dim. 8h-12h

DOM. TROUSSEL 1999

	2,5 ha	1 300		8à11€

Issue à parts égales de grenache et de syrah, cette cuvée est un joli vin dont les tanins demandent encore à se fondre avec ceux du bois. A conseiller dans deux ans sur une viande blanche ou un fromage. (50 à 69 F)
Dom. Troussel, 2059, av. Saint-Roch, 84200 Carpentras, tél. 04.90.67.28.35, fax 04.90.60.68.99 r.-v.

DOM. DES YVES 2000★★

	15 ha	n.c.		3à5€

Du grenache (70 %), complété de syrah, entre dans la composition de cette cuvée au bouquet complexe, qui tire une certaine originalité de sa dominante animale. Il s'agit d'un vin de garde, à apprécier dans trois ou quatre ans sur un civet ou une viande en sauce. Deux des dégustateurs conseillent de le décanter. (20 à 29 F)
Cellier Val de Durance, Le Grand Jardin, 84360 Lauris, tél. 04.90.08.26.36, fax 04.90.08.28.27

Côtes du luberon

L'appellation côtes du luberon a été promue AOC par décret du 26 février 1988. Le vignoble des trente-six communes que compte cette appellation, s'étendant sur les versants nord et sud du massif calcaire du Luberon, représente près de 3 000 ha et a produit, en 2000, 169 132 hl. L'appellation donne de bons vins rouges marqués par un encépagement de qualité (grenache, syrah) et un terroir original. Le climat, plus frais qu'en vallée du Rhône, et les vendanges plus tardives expliquent la part importante des vins blancs (25 %) ainsi que leur qualité, reconnue et recherchée.

CAVE COOPERATIVE DE BONNIEUX Cuvée Prestige 2000★

	5 ha	19 020		3à5€

Vinifiée par saignée à partir d'un pourcentage égal de syrah et de grenache, cette cuvée Prestige se présente dans une robe brillante à la couleur pétale de rose. Elle exhale des arômes bien présents de fruits exotiques (mangue) et de fruits rouges (cassis). A déguster sur une grillade. La **cuvée Tradition en 2000 blanc (moins de 20 F)**, également citée, offre beaucoup de fraîcheur, un bon équilibre et une belle persistance en bouche. A recommander sur un poisson grillé. (20 à 29 F)
Cave vinicole de Bonnieux, quartier de la Gare, 84480 Bonnieux, tél. 04.90.75.80.03, fax 04.90.75.92.73, e-mail vignerons-bonnieux@wanadoo.fr
t.l.j. sf dim. 9h-12h 14h-18h

DOM. CHASSON Vitis Flora 1999

	2 ha	3 000		8à11€

Ce 99 est élaboré à partir de grenache et de syrah à parts égales ; ceci ne s'exprime pourtant guère actuellement tant le bois domine tout au long de la dégustation. Il faudra attendre un an ou deux qu'il se fonde. (50 à 69 F)
SCEA Ch. Blanc, quartier Grimaud, 84220 Roussillon, tél. 04.90.05.64.56, fax 04.90.05.72.79 t.l.j. 8h-19h; groupes sur r.-v.

DOM. CHATEAU D'AIGUES 2000★

	8 ha	40 000		3à5€

Bien belle robe rouge burlat pour cette cuvée au bouquet très intense marqué par la truffe, les épices, le laurier, le thym, auxquels s'ajoutent des arômes de fruits rouges. Une bouteille tout en harmonie qui peut attendre un an avant d'être servie sur une viande rouge en sauce. Cette maison a obtenu deux citations : le **Domaine de Messery 2000 rouge** et le **Domaine de La Devention 2000 rouge**, deux vins très fruités prêts à être servis. (20 à 29 F)
Cellier Val de Durance, Le Grand Jardin, 84360 Lauris, tél. 04.90.08.26.36, fax 04.90.08.28.27

CH. DE CLAPIER Cuvée réservée 2000★

	1 ha	5 000		5à8€

Ancienne propriété des marquis de Mirabeau, le domaine de Clapier appartient à la famille Montagne depuis 1880. Thomas Montagne a pris la tête de l'exploitation en 1995 et l'a progressivement modernisée. Il a tout lieu d'être fier de sa Cuvée réservée, au nez boisé encore un peu fermé marqué de notes vanillées très agréables. Sa belle structure et sa finale en douceur en font un produit fort réussi. (30 à 49 F)
Thomas Montagne, Ch. de Clapier, RN 96, 84120 Mirabeau, tél. 04.90.77.01.03, fax 04.90.77.03.26, e-mail thomas.montagne@wanadoo.fr
t.l.j sf dim. mar. 9h-12h 13h30-17h30

CH. CONSTANTIN-CHEVALIER
Cuvée des Fondateurs 2000★★

☐ 6 ha 4 500 5à8€

Les terres de Constantin sont bordées par l'Aygues Brun. Cette rivière qui a creusé la combe de Lourmarin a laissé sur ses rives une couche de galets roulés. Outre cette particularité géologique, le domaine bénéficie d'un microclimat privilégié. Une fin de fermentation en barrique puis quatre mois d'élevage ont donné cette cuvée d'une très grande fraîcheur, aux notes de fruits frais, bien équilibrée et d'une persistance aromatique particulièrement longue. Un vin remarquable pour accompagner crustacés ou poissons grillés. (30 à 49 F)

EARL Constantin-Chevalier et Filles, Ch. de Constantin, 84160 Lourmarin, tél. 04.90.68.38.99, fax 04.90.68.37.37 r.-v.

DOM. FAVEROT 1999

■ 3 ha 13 000 5à8€

Etabli dans un mas provençal du XVIII^e^s. reconverti à la viticulture dans les années 1920, ce domaine est nouveau venu dans le Guide - et pour cause : c'est son premier millésime présenté au Guide. Il réussit d'ailleurs assez bien quoique l'on puisse être surpris par la présence importante de carignan dans ce vin au nez complexe et massif qui exhale des senteurs de garrigue, d'olive noire, de réglisse en bâton. Les tanins sont fondus et accompagnés de griottes confites. (30 à 49 F)

Dom. Faverot, L'Allée, BP 9, 84660 Maubec, tél. 04.90.76.65.16, fax 04.90.76.65.16 r.-v.

DOM. FONDACCI Cuvée spéciale 2000

◪ 10 ha 18 500 5à8€

Issu pour moitié par saignée et pour moitié par pressurage, ce rosé gouleyant présente des arômes flatteurs de fruits des bois (fraise, framboise) relevés par une pointe citronnée. « C'est un vin agréable à boire frais sous les tilleuls », propose un des membres du jury. (30 à 49 F)

Guy Fondacci, quartier La Sablière, 84580 Oppède, tél. 04.90.71.40.38, fax 04.90.71.40.38 r.-v.

DOM. DE GERBAUD 1999★

■ 2 ha 8 000 5à8€

Syrah et grenache à parts égales sont à l'origine de ce 99 à la robe intense violacée, au nez puissant de fruits noirs très mûrs, aux arômes de cacao, de vanille et de fruits confits. C'est un vin bien structuré, chaleureux, qui peut attendre deux à trois ans. (30 à 49 F)

SCA Cave de Lourmarin-Cadenet, montée du Galinier, 84160 Lourmarin, tél. 04.90.68.06.21, fax 04.90.68.25.84 t.l.j. sf dim. 8h-12h 14h-18h

GRANDE TOQUE 2000★

☐ n.c. n.c. 3à5€

Le cellier de Marrenon créé en 1966 est une union de treize caves coopératives. Il propose dans la même cuvée deux vins également récompensés d'une étoile. Le premier, en robe jaune, légèrement dorée et brillante, issu de grenache blanc (60 %) et de vermentino (40 %), développe des notes intenses de fruits à chair jaune (dont la banane). A recommander sur un poisson blanc ou un fromage de chèvre. En **rosé 2000**, la même cuvée revêt une robe rose cerise superbe et exhale des nuances odorantes de fruits rouges (framboise, cerise, mûre). Un joli équilibre s'établit entre acide, gras et alcool. C'est une bouteille harmonieuse, élégante. (20 à 29 F)

Cellier de Marrenon, BP 13, 84240 La Tour d'Aygues, tél. 04.90.07.40.65, fax 04.90.07.30.77, e-mail marrenon@marrenon.com t.l.j. 8h-12h 14h-18h (été 15h-19h); dim. 8h-12h

CH. LA CANORGUE 2000★

☐ 10 ha n.c. 5à8€

Le château qui date du XVII^e^s. est un lieu magnifique. Jean-Pierre Margan qui dirige le domaine a opté depuis quinze ans déjà pour l'agriculture biologique. Il produit deux vins très appréciés par le jury ; ce blanc 2000, à la robe jaune pâle et aux reflets verts brillants, se révèle complexe et tout en finesse. Il se distingue par une grande persistance des arômes de fruits et de fleurs blanches. C'est une bouteille équilibrée qui accompagnera sans décevoir des rougets de Méditerranée. Le **château La Canorgue 99 rouge (50 à 69 F)**, à la robe rouge violacé intense, au nez de griotte et d'épices douces, encore un peu fermé mais qui possède un réel potentiel d'évolution, obtient aussi une étoile. La bouche est marquée par le cuir et le poivre, et les arômes sont d'une grande complexité. Il pourra attendre deux ou trois ans pour vraiment s'épanouir, notamment, sur un gigot d'agneau en croûte. (30 à 49 F)

EARL Jean-Pierre et Martine Margan, Ch. La Canorgue, 84480 Bonnieux, tél. 04.90.75.81.01, fax 04.90.75.82.98, e-mail chateaucanorgue.margan@wanadoo.fr r.-v.

DOM. DE LA CITADELLE
Cuvée Le Châtaignier 2000★

☐ 1,2 ha 8 000 5à8€

Ménerbes, ancienne place forte du XVI^e^s. souvent comparée à un navire avec sa citadelle en figure de proue, attend en 2002 l'ouverture d'une maison de la Truffe et du Vin. Le domaine nous propose sa cuvée Le Châtaignier, au nez très fin, aux arômes de fleurs, de cire d'abeille et de miel. Equilibré, très frais, il ira fort bien avec un poisson en sauce blanche. La même cuvée reçoit une citation pour son **rosé 2000**, bien équilibré et gouleyant, conseillé avec un mets exotique. (30 à 49 F)

Yves Rousset-Rouard, Dom. de La Citadelle, 84560 Ménerbes, tél. 04.90.72.41.58, fax 04.90.72.41.59, e-mail citadelle@pacwan.fr t.l.j. 9h-12h 14h-18h; f. dim. en hiver

CH. LA DORGONNE
L'Expression du terroir 2000★

☐ 0,75 ha 2 500 5à8€

Tout près de La Tour-d'Aygues, gros bourg agricole au centre duquel s'élèvent les ruines d'un château du XVI^e^s., ce domaine propose une cuvée Expression du terroir particulièrement réussie, de l'avis unanime du jury. A la fois florale et fruitée, elle exhale des nuances odorantes de pomme, de poire mûre, puis de fleurs blanches. Elle est conseillée sur un poisson de la Méditerranée. Du même domaine, le **rosé 2000**, d'une couleur très pâle, obtient une citation. (30 à 49 F)

SCEA Dom. de La Dorgonne, rte de Mirabeau, 84240 La Tour d'Aygues, tél. 04.90.07.50.18, fax 04.90.07.56.55 t.l.j. 8h-20h

DOM. DE LA ROYERE
Cuvée spéciale 1999

3 ha 9 300 5à8€

Anne Hugues mène son domaine en maîtresse femme. Sa cuvée, dans une très belle robe rouge sombre, offre un bouquet intense de fruits mûrs, de poivre, de cuir et de garrigue. C'est un vin d'une belle harmonie et d'un bon potentiel. Il peut attendre deux ans pour être apprécié sur une viande en sauce. La **cuvée spéciale 2000 en blanc** obtient la même note. (30 à 49 F)

Anne Hugues, Dom. de La Royère, 84580 Oppède, tél. 04.90.76.87.76, fax 04.90.20.85.37, e-mail info@royere.com t.l.j. sf dim. 9h-12h 14h30-18h30; f. déc.-mars

LES BUGADELLES 2000

n.c. n.c. 3à5€

La robe est jaune pâle, brillante ; ce vin de négociant présente un nez complexe à la fois floral (jasmin) et fruité (pêche de vigne, agrumes) ; en bouche, il se distingue par des notes florales (fleurs de sureau), des nuances de miel et de citron, un bon équilibre, et une honorable persistance. (20 à 29 F)

Vignobles du Peloux, quartier les Barrades, RN 7, 84350 Courthézon, tél. 04.90.70.42.00, fax 04.90.70.42.15 r.-v.

DOM. LES VADONS 2000**

1 ha 7 000 3à5€

Cette propriété familiale a été reprise en 1998 par Louis-Michel Brémond qui a créé un chai de vinification. Il a fort bien fait car sa cuvée 2000 est remarquable : robe rouge violine, nuances odorantes de fruits rouges et de confiture de cassis, bouche souple très agréable. Un vin à découvrir avec du petit gibier. En **rouge**, la **cuvée Aquarelle 2000** du même domaine est citée : robe grenat, nez fin de fruits rouges, bouche soyeuse, ample et onctueuse ; elle sera en accord avec un sabayon à la framboise. (20 à 29 F)

EARL Dom. Les Vadons, La Resparine, 84160 Cucuron, tél. 06.03.00.10.29, fax 04.90.77.13.40, e-mail vadonbreba@terre-net.fr r.-v.

Louis-Michel Brémond

CH. DE L'ISOLETTE
Cuvée Prestige Vieilles vignes 1999

15 ha 60 000 8à11€

Construit en des lieux sauvages où subsistent de nombreux vestiges et où est attestée une occupation par l'homme dès l'âge de pierre, le château de l'Isolette, souvent salué par le Guide, produit un vin qui a séjourné dans le bois et qui ne le masque pas. C'est cela aussi l'art du vigneron. Cette bouteille est prête à boire ; aussi les dégustateurs invitent-ils à jouir sans tarder de l'onctuosité et de l'ampleur du palais ainsi que des senteurs de menthe, de poivre et autres épices. (50 à 69 F)

Ch. de l'Isolette, rte de Bonnieux, 84400 Apt, tél. 04.90.74.16.70, fax 04.90.04.70.73 t.l.j. sf dim. 8h-12h 14h-17h30

EARL Luc Pinatel

DOM. DE MAYOL
Cuvée l'Antique 1998**

1,2 ha 3 000 11à15€

Ce domaine qui a opté pour l'agriculture biologique manque de très peu le coup de cœur. Le jury n'en exprime pas moins son admiration pour ce 98, à la robe très foncée presque noire ; le nez est dominé par les fruits rouges (cassis). La bouche, très équilibrée, finit sur des notes de réglisse. Ce vin peut attendre encore deux à trois ans, et sera parfait sur une volaille ou une viande blanche. Quant au **rouge 99 vieilli en fût de chêne (50 à 69 F)** du même domaine, son bouquet complexe de fruits noirs cuits, d'épices et de cuir, lui permet d'obtenir une étoile. (70 à 99 F)

Bernard Viguier, Dom. de Mayol, rte de Bonnieux, 84400 Apt, tél. 04.90.74.12.80, fax 04.90.04.85.64, e-mail mayol@worldonline.fr t.l.j. sf dim. 9h-12h 14h30-19h

CH. SAINT ESTEVE DE NERI
Cuvée de garde 1999

1 ha 6 000 5à8€

Situé à 1 km d'Ansouis, village perché aux maisons dominées par les terrasses du château, ce domaine présente deux cuvées du même millésime, toutes deux citées ; cependant, la cuvée de Garde l'emporte sur la **cuvée Grande Réserve rouge fût de chêne**. Le vin est très bien travaillé mais il faudra un peu de temps pour qu'il s'ouvre. Il joue sur le grillé, la griotte et la framboise. (30 à 49 F)

SA Ch. Saint Estève de Néri, 84240 Ansouis, tél. 04.90.09.90.16, fax 04.90.09.89.65, e-mail saintestevedeneri@free.fr r.-v.

Rousselliers

CH. SAINT-PIERRE DE MEJANS 2000

3,5 ha 5 300 5à8€

Ancien prieuré bénédictin du XIIe s. doté d'une belle cour intérieure, ce domaine produit un rosé d'une couleur soutenue, fortement dominé par le cinsault (60 %), qui ne cherche ni le gras ni la puissance. Son côté fruité (framboise et fraise des bois) donne une impression de fraîcheur et de légèreté. (30 à 49 F)

Laurence Doan de Champassak, 84160 Puyvert, tél. 04.90.08.40.51, fax 04.90.08.41.96, e-mail bricedoan@yahoo.fr r.-v.

CH. VAL JOANIS 2000

□ 10 ha 60 000 5à8€

Vaste domaine de 165 ha, Val Joanis est la propriété des Chancel depuis 1977. Associant grenache blanc et roussanne à parts égales, ce vin jaune pâle à reflets verts exhale un bouquet floral intense de fleurs blanches et de camomille. Gras et long, il peut aussi bien être dégusté à l'apéritif ou accompagné d'un plat en sauce blanche ou d'un poisson. (30 à 49 F)

SC du Ch. Val Joanis, 84120 Pertuis, tél. 04.90.79.20.77, fax 04.90.09.69.52, e-mail info.visites@val-joanis.com Y r.-v.

DOM. DES VAUDOIS 2000*

□ 10 ha 10 000 3à5€

Le domaine est un ancien fief vaudois appartenant à la famille depuis le XVIIes. Il possède une cave voûtée datant de 1604, autrefois habitat troglodytique. Une agréable fraîcheur, un bel équilibre, une bonne acidité et une jolie longueur en bouche pour cette cuvée 2000 fort réussie, au bouquet floral très subtil et qui séduit par son élégance. Ce même domaine reçoit une citation pour son **rosé 2000**, élégant et fruité, à servir sur un plat méridional. (20 à 29 F)

François Aurouze, rue du Temple, 84240 Cabrières-d'Aigues, tél. 04.90.77.60.87, fax 04.90.77.69.44 Y r.-v.

Coteaux de pierrevert

Dans le département des Alpes-de-Haute-Provence, la majeure partie des vignes se trouve sur les versants de la rive droite de la Durance (Corbières, Sainte-Tulle, Pierrevert, Manosque...), et couvre environ 210 ha. Les conditions climatiques, déjà rigoureuses, cantonnent la culture de la vigne dans une dizaine de communes sur les quarante-deux que compte légalement l'aire d'appellation. Les vins rouges, rosés et blancs (17 896 hl), d'assez faible degré alcoolique et d'une bonne nervosité, sont appréciés par ceux qui traversent cette région touristique. Les coteaux de pierrevert ont été reconnus en appellation d'origine contrôlée en 1998.

DOM. LA BLAQUE Réserve 1998*

■ 5 ha 25 000 8à11€

Trois vins présentés, trois vins retenus : la **cuvée 2000 blanc (30 à 49 F)** et la **cuvée principale 2000 rouge** obtiennent chacune une citation. Issue d'une longue macération suivie d'un élevage pendant un an en barrique, cette Réserve d'un rouge foncé intense offre un nez complexe de fruits noirs, de réglisse, de torréfaction. En bouche, les arômes de caramel et de vanille sont particulièrement agréables. C'est un vin équilibré, aux tanins bien présents mais souples. Il peut attendre deux ans. (50 à 69 F)

Gilles Delsuc, Dom. de Châteauneuf, 04860 Pierrevert, tél. 04.92.72.39.71, fax 04.92.72.81.26, e-mail domaine.lablaque@wanadoo.fr Y r.-v.

CH. DE ROUSSET 2000

◪ 6,5 ha n.c. 5à8€

Ce beau château du XVIIes. propose en 2000 un rosé à robe soutenue, vinifié par saignée à partir de grenache et de syrah à parts égales. Il possède un bouquet très amylique de type primeur. Il est gouleyant, agréable, bien équilibré et devra être bu dès cet automne. (30 à 49 F)

H. et R. Emery, Ch. de Rousset, 04800 Gréoux-les-Bains, tél. 04.92.72.62.49, fax 04.92.72.66.50 Y t.l.j. sf dim. 14h-18h30; sam. sur r.-v.

Côtes du vivarais

A la limite nord-ouest des Côtes du Rhône méridionales, les Côtes du Vivarais chevauchent les départements de l'Ardèche et du Gard, sur 577 ha. Les communes d'Orgnac (célèbre par son aven), Saint-Remèze et Saint-Montan peuvent ajouter leur nom à celui de l'appellation. Les vins, produits sur des terrains calcaires, sont essentiellement des rouges à base de grenache (30 % minimum), de syrah (30 % minimum), et des rosés, caractérisés par leur fraîcheur et à boire jeunes. Notez que ce VDQS a été reconnu en AOC en mai 1999 et qu'il a produit 26 980 hl en 2000.

BEAUMONT DES GRAS 1999*

■ n.c. 100 000 -3€

Cette coopérative, qui exporte la moitié de sa production, propose un joli vin dont le bouquet mêle fruits et épices. La bouche garde la même harmonie grâce à sa trame veloutée. S'il se laisse facilement déguster dès aujourd'hui, ce 2000 n'en est pas moins riche. (- 20 F)

Les Vignerons Ardéchois, quartier Chaussy, 07120 Ruoms, tél. 04.75.39.98.00, fax 04.75.39.69.48, e-mail vpc@uvica.fr Y t.l.j. sf dim. 8h-12h 15h-19h

DOM. DU BELVEZET 1999*

■ 8 ha 8 000 3à5€

Les vins de ce domaine trouvent preneurs aussi bien dans l'Hexagone qu'en Allemagne et

aux Pays-Bas. Ce 99 saura être apprécié. Un peu fermé ? Peut-être, mais il possède une bouche équilibrée, structurée par de solides tanins qui laissent présager une bonne évolution. A servir sur un plat d'automne ou d'hiver. (20 à 29 F)
René Brunel, rte de Vallon-Pont-d'Arc, 07700 Saint-Remèze, tél. 04.75.04.05.87, fax 04.75.04.05.87, e-mail belvezet.brunel@wanadoo.fr
r.-v.

DOM. DE COMBELONGE 2000

□ n.c. 13 000 -3€

Les vins blancs ne sont pas la spécialité de cette région à la caillasse calcaire pourtant bien blanche. Celui-ci, assemblage de grenache blanc et de marsanne, a retenu l'attention par son intensité aromatique et sa sève. Il est prêt à boire. (– 20 F)
Denis Manent, Dom. de Combelonge, 07110 Vinezac, tél. 04.75.36.92.54, fax 04.75.36.99.59 r.-v.

DOM. DE LA BOISSERELLE 1999

■ 4 ha 20 000 3à5€

La syrah, qui domine par 70 % le grenache dans cet assemblage, marque la robe d'un rouge profond. Le vin semble avoir gardé l'empreinte de son terroir : un plateau au climat contrasté et sec. Il dévoile encore les senteurs de fruits qui lui donnent de la gaieté. (20 à 29 F)
Richard Vigne, Dom. de La Boisserelle, 07700 Saint-Remèze, tél. 04.75.04.24.37, fax 04.75.04.24.37, e-mail domainedelaboisserelle@wanadoo.fr
r.-v.

UNION DES PRODUCTEURS Réserve 1999

■ 60 ha 80 000 3à5€

En ouverture, une robe intense et un concentré de fruits. La bouche suit sur le même registre, sans fausse note. Le **rosé 2000**, pour sa fraîcheur et sa vivacité, est également recommandé sur les charcuteries locales (ou d'ailleurs). (20 à 29 F)
Union des Producteurs, 07150 Orgnac l'Aven, tél. 04.75.38.60.08, fax 04.75.38.65.90
t.l.j. sf sam. dim. 8h-12h 14h-18h

LES VIGNERONS DE LA CAVE DE SAINT-MONTAN 2000

◪ 10 ha 13 000 -3€

Ce rosé à dominante de grenache issu du plateau ardéchois dévoile de la matière. Ses arômes fruités et légèrement floraux s'associent harmonieusement. Le **côtes du vivarais 99 rouge** mérite aussi d'être cité : chaleureux, il pourra accompagner des grillades. (– 20 F)
SCA les Vignerons la Cave de Saint-Montan, Bas Viressac, 07220 Saint-Montan, tél. 04.75.52.61.75, fax 04.75.52.56.51, e-mail cavesaintmontan@free.fr r.-v.

DOM. DE VIGIER Cuvée Prestige 1999

■ 2 ha 13 000 3à5€

Ce domaine, proche des gorges de l'Ardèche, a produit un vin rouge aux senteurs animales. Rond, celui-ci semble convivial et invite à déguster un plat de charcuterie. Du même domaine, le **côtes du vivarais 2000 blanc**, issu de clairette, de grenache et de marsanne, mérite d'être cité pour ses arômes très frais d'agrumes. Il pourra être apprécié à l'apéritif après une promenade dans la vallée de l'Ibie. (20 à 29 F)
Dupré et Fils, Dom. de Vigier, 07150 Lagorce, tél. 04.75.88.01.18, fax 04.75.37.18.79 r.-v.

BERNARD VIGNE 2000★★

■ 2 ha 13 000 3à5€

Issu à parts égales de grenache et de syrah, ce vin rouge livre un nez expressif de violette et de cassis. Cette ligne aromatique se poursuit en bouche. L'équilibre est atteint, permettant une dégustation dès aujourd'hui, mais laissant également espérer une bonification dans le temps. (20 à 29 F)
Bernard Vigne, Vallée de l'Ibie, 07150 Lagorce, tél. 04.75.37.19.00 r.-v.

LES VINS DOUX NATURELS

Dès l'Antiquité, les vignerons du Roussillon ont élaboré des vins liquoreux de haute renommée. Au XIIIe s., Arnaud de Villeneuve découvrit le mariage miraculeux de la « liqueur de raisin et de son eau-de-vie » : c'est le principe du mutage qui, appliqué en pleine fermentation sur des vins rouges ou blancs, arrête celle-ci en préservant ainsi une certaine quantité de sucre naturel.

Les vins doux naturels d'appellation d'origine contrôlée se répartissent dans la France méridionale : Pyrénées-Orientales, Aude, Hérault, Vaucluse, et Corse, jamais bien loin de la Méditerranée. Les cépages utilisés sont les grenaches (blanc, gris, noir), le macabeu, la malvoisie du Roussillon, dite tourbat, le muscat à petits grains et le muscat d'Alexandrie. La taille courte est obligatoire.

Les rendements sont faibles, et les raisins doivent, à la récolte, avoir une richesse en sucre de 252 g minimum par litre de moût. La libération à la récolte se fait après un certain temps d'élevage, variable selon les appellations. L'agrément des vins est obtenu après un contrôle analytique. Ils doivent présenter un taux d'alcool acquis de 15 à 18 °, une richesse en sucre de 45 g minimum à plus de 100 g pour certains muscats, et un taux d'alcool total (alcool acquis plus alcool en puissance) de 21,5° minimum. Certains sont commercialisés tôt (muscats), d'autres le sont après trente mois d'élevage. Vieillis sous bois de manière traditionnelle, c'est-à-dire dans des fûts, ils acquièrent parfois après un long élevage des notes très appréciées de rancio. Il a été produit 447 538 hl de vins doux naturels en 2000.

Les vins doux naturels

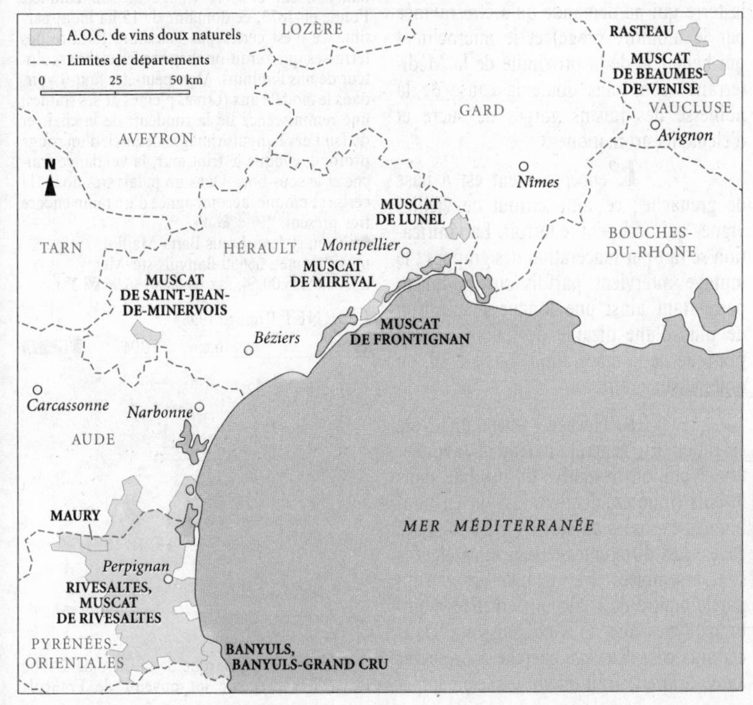

Banyuls et banyuls grand cru

Voici un terroir exceptionnel, comme il en existe peu dans le monde viticole : à l'extrémité orientale des Pyrénées, avec des coteaux en pente abrupte sur la Méditerranée. Seules les quatre communes de Collioure, Port-Vendres, Banyuls-sur-Mer et Cerbère bénéficient de l'appellation. Le vignoble (1 400 ha environ) s'accroche le long des terrasses installées sur des schistes dont le substrat rocheux est, sinon apparent, tout au plus recouvert d'une mince couche de terre. Le sol est donc pauvre, souvent acide, n'autorisant que des cépages très rustiques, comme le grenache, avec des rendements extrêmement faibles, souvent moins d'une vingtaine d'hectolitres à l'hectare : la production de banyuls et de banyuls grand cru a atteint 29 289 hl en 2000.

En revanche, l'ensoleillement optimisé par la culture en terrasses (culture difficile où le vigneron entretient manuellement les terrasses, en protégeant la terre qui ne demande qu'à être ravinée par le moindre orage) et le microclimat qui bénéficie de la proximité de la Méditerranée sont sans doute la cause de la noblesse des raisins gorgés de sucre et d'éléments aromatiques.

L'encépagement est à base de grenache ; ce sont surtout de vieilles vignes qui occupent le terroir. La vinification se fait par macération des grappes ; le mutage intervient parfois sur le raisin, permettant ainsi une longue macération de plus d'une dizaine de jours ; c'est la pratique de la macération sous alcool, ou mutage sur grains.

L'élevage joue un rôle essentiel. En général, il tend à favoriser une évolution oxydative du produit, dans le bois (foudres, demi-muids) ou en bonbonnes exposées au soleil sur les toits des caves. Les différentes cuvées ainsi élevées sont assemblées avec le plus grand soin par le maître de chai pour créer les nombreux types que nous connaissons. Dans certains cas, l'élevage cherche à préserver au contraire le fruit du vin jeune en empêchant toute oxydation ; on obtient alors des produits différents aux caractéristiques organoleptiques bien précises : ce sont les rimages. Il faut noter que, pour l'appellation grand cru, l'élevage sous bois est obligatoire pendant trente mois.

Les vins sont de couleur rubis à acajou, avec un bouquet de raisins secs, de fruits cuits, d'amandes grillées, de café, d'eau-de-vie de pruneau. Les rimages gardent des arômes de fruits rouges, cerise et kirsch. Les banyuls se dégustent à une température de 12 ° à 17 °C selon leur âge ; on les boit à l'apéritif, au dessert (certains banyuls sont les seuls vins à pouvoir accompagner un dessert au chocolat), avec un café et un cigare, mais également avec du foie gras, un canard aux cerises ou aux figues, et certains fromages.

Banyuls

BERTA-MAILLOL Rimage 1999

■ 4 ha 9 000 8 à 11 €

Aristide Maillol, né à Banyuls en 1861, revenait souvent dans le village de son enfance. Fondé en 1873, ce domaine de 15 ha lui appartint. Ce n'est certes pas l'ossature linéaire des terrasses qui aurait pu inspirer le célèbre sculpteur de nus féminins. Mais peut-être faut-il voir, dans le modelé aux formes pleines de ses statues, une réminiscence de la rondeur, de la chair et du fruit des banyuls rimage. Celui-ci, d'un rouge profond, évoque le fruit mûr, la vendange fraîche et le sous-bois. Dans un palais très doux, la cerise se croque, accompagnée d'un tanin encore très présent. (50 à 69 F)

Yvon et Jean-Louis Berta-Maillol, mas Paroutet, 66650 Banyuls-sur-Mer, tél. 04.68.88.00.54, fax 04.68.88.36.96 r.-v.

CORNET Rimage 1998★★★

■ n.c. 5 304 11 à 15 €

Cornet est une marque de la Cave de l'Abbé Rous, qui perpétue le souvenir de François

Rous, un des pionniers de la vente directe dans les années 1880. Elle ne vend qu'aux professionnels (cavistes et restaurateurs), auprès desquels il faudra vous adresser pour goûter ce magnifique rimage. Ce 98 affiche sa jeunesse tant par sa robe très soutenue que par son nez aux parfums intenses de fruits rouges surmûris (griotte) sur fond de cuir et de sous-bois. Les fruits et les épices sont complices dans un palais ample et riche, charpenté et pourtant velouté. Avec quel mets le marier ? Une soupe de fruits, un canard aux cerises ? Laissons la parole aux grandes toques... La Cave a été également retenue avec une étoile pour un **Rimage cuvée Régis Boucabeille 99**. (70 à 99 F)

La Cave de L'Abbé Rous, 56, av. Charles-de-Gaulle, 66650 Banyuls-sur-Mer, tél. 04.68.88.72.72, fax 04.68.88.30.57

CROIX-MILHAS**

■ n.c. 13 000 5 à 8 €

A la fin du XIXᵉs., la famille Violet fit de la cité médiévale de Thuir la capitale de l'apéritif à base de vin aromatisé. Témoins de cette époque, les chais et le hall de gare de 95 m de long, dû à l'atelier d'Eiffel, qui servit jusqu'en 1989 à l'expédition des divers produits de la maison (dont le Byrrh qui fit sa fortune). Rachetée en 1961 par Cusenier, la société fait partie du groupe Pernod-Ricard. 13 000 bouteilles, ce n'est pas rien, mais ce n'est qu'une goutte dans ce temple du gigantisme où la « plus grande cuve en chêne du monde » (1 000 200 l), constitue une attraction touristique. L'approche tuilée de ce banyuls révèle un léger élevage, de même que la palette aromatique où l'on trouve du pruneau, des fruits confits et une touche épicée de vieux foudre. Ample, gras, bien équilibré, le palais, où le grillé accompagne bien la matière fruitée du vin, débouche sur une remarquable finale aux notes d'épices et de tabac. (30 à 49 F)

Cusenier, 6, bd Violet, BP 1, 66300 Thuir, tél. 04.68.53.05.42, fax 04.68.53.31.00 t.l.j. 9h-11h45 14h30-17h45; f. 1ᵉʳ-15 jan.

DOMINICAIN
Vieilli en fût de chêne 1991**

■ n.c. 20 000 8 à 11 €

Lumineux petit port de la Côte Vermeille, Collioure a conservé un riche patrimoine architectural. Le couvent des dominicains, fondé en 1290, a connu à la Révolution le sort de nombre d'établissements monastiques : il est devenu bien national et a été alors affecté à l'armée. En 1926, les vignerons de la commune ont acheté les bâtiments subsistants, essentiellement une église gothique. On peut visiter toute l'année cette cave située au sud de la ville, sur la route de Port-Vendres. Il faut découvrir cet excellent banyuls tuilé aux nuances acajou, qui libère des senteurs de café et de schiste chaud. Gras, fondu et doux au palais, ce 91 montre un équilibre parfait. Il est marqué par des arômes de pruneau et de fruits confits qui cèdent la place en finale à des notes de torréfaction. (50 à 69 F)

Cave Le Dominicain, pl. Orfila, 66190 Collioure, tél. 04.68.82.05.63, fax 04.68.82.43.06, e-mail le.dominicain@wanadoo.fr t.l.j. 9h-12h 14h-18h

DOM. DE LA CASA BLANCA 1999*

□ 1 ha 2 000 8 à 11 €

Le domaine « coup de cœur » de la dernière édition du Guide (pour un 97) figure cette année pour un rare banyuls blanc né de vignes de quatre-vingts ans. Ce 99 assemble à parts égales grenache blanc et grenache gris, cépage qui marque sa présence par des reflets argentés. Genêt et fleurs de maquis miellés vous accueillent. Puis une attaque souple dévoile le fruit, vite rejoint par l'amande amère. La dégustation se conclut par une finale très fraîche. D'un équilibre un peu sec, ce vin offre une expression réussie du terroir. (50 à 69 F)

Dom. de La Casa Blanca, rte des Mas, 66650 Banyuls-sur-Mer, tél. 04.68.88.12.85, fax 04.68.88.04.08 r.-v.

Soufflet et Escapa

DOM. LA TOUR VIEILLE Vintage 1999*

■ 1 ha n.c. 11 à 15 €

On retrouve sans surprise le domaine géré avec passion par Vincent Cantié et Christine Campadieu, car leurs vins, qu'ils soient secs ou doux, sont régulièrement distingués dans le Guide. L'exploitation figure aussi au nombre de celles qui exportent largement leur production (40 % de ses vins sont appréciés à l'étranger). D'un rouge profond, ce jeune Vintage est très marqué par la cerise mûre, arôme que l'on retrouve en bouche, mêlé à de la fraise. Doux et souple en attaque, il révèle des tanins puissants qui laissent présager une belle longévité. (70 à 99 F)

Dom. La Tour Vieille, 3, av. du Mirador, 66190 Collioure, tél. 04.68.82.44.82, fax 04.68.82.38.42 r.-v.

L'ETOILE
Cuvée spéciale 75ᵉ anniversaire***

■ 3 ha 6 000 23 à 30 €

Cette coopérative vinifie le produit de 140 ha de vignes. Elle a à son actif de nombreux coups de cœur du Guide pour ses banyuls et banyuls grand cru, et ce dès la première édition. De la production présentée cette année, tout est à retenir : l'**Extra-Vieux 88** est toujours aussi bon que l'an dernier, le **Macéré tuilé 89** est dans la même lignée, tout comme cette cuvée, célébrant le 75ᵉ anniversaire de la cave. Un vin surprenant, dépouillé, cuivré roux, au nez mêlant la noisette grillée et l'eau-de-vie de noyau. Superbe, ample, pleine, dominée par des arômes de fruits secs et de torréfaction entre noisette et café, la bouche offre une finale interminable sur des notes de noix et de rancio. (150 à 199 F)

Sté coopérative L'Etoile, 26, av. du Puig-del-Mas, 66650 Banyuls-sur-Mer, tél. 04.68.88.00.10, fax 04.68.88.15.10 t.l.j. sf sam. dim. 8h-12h 14h-18h

LES CLOS DE PAULILLES
Rimage mise tardive 1998

■ 2 ha 6 000 11 à 15 €

Implanté sur des pentes vertigineuses qui plongent dans une des plus jolies anses de la Côte Vermeille, au sud du Cap Béar, ce vignoble constitue l'un des fleurons viticoles de la famille

Dauré, bien connu à l'étranger (les Clos exportent 60 % de leur production). Le vinificateur en a tiré un banyuls qui, à la différence du rimage classique, subit un court élevage sous bois avant la mise en bouteilles. Ce procédé vise à obtenir une évolution tout en gardant du fruit et une belle espérance de vie. Cela donne une robe d'un rouge encore intense et un nez où la mûre et la cerise au kirsch rencontrent l'épice. Chaleureuse, poivrée, avec des notes de cerise et de petits fruits acides, la bouche possède un caractère tannique garant d'un bon avenir. (70 à 99 F)

Les Clos de Paulilles, baie de Paulilles, 66660 Port-Vendres, tél. 04.68.38.90.10, fax 04.68.38.91.33, e-mail daure@wanadoo.fr ☑ Y t.l.j. 10h-23h; f. 1er oct.-1er juin

Famille Dauré

DOM. PIETRI-GERAUD 1999*

□ 1 ha 3 000 11 à 15 €

Les banyuls blancs représentent à peine 10 % de la production de l'appellation. Pourtant voici le deuxième spécimen retenu dans le Guide, lui aussi très réussi. Il est signé par Maguy Piétri-Géraud et sa fille Laetitia, qui gèrent l'exploitation familiale (32 ha) fondée en 1890 et dont le siège se trouve au cœur de Collioure. Issu de vignes de grenache blanc âgées de soixante ans, ce 99 s'annonce par une robe d'or et dévoile un parfum de fleurs miellées. Fondu, gras et ample, le palais associe pour notre plus grand plaisir une touche grillée à des arômes de pain d'épice. (70 à 99 F)

Maguy et Laetitia Piétri-Géraud, 22, rue Pasteur, 66190 Collioure, tél. 04.68.82.07.42, fax 04.68.98.02.58 ☑ Y t.l.j. 10h-12h30 15h30-18h30; f. dim. lun. hors vacances scolaires

CELLIER DES TEMPLIERS
Rimatge 1999

■ n.c. 106 900 11 à 15 €

Avec plusieurs coups de cœur à son palmarès (dont un pour un rimatge 85), le Cellier des Templiers est une valeur sûre de la région. Toute l'expression du grenache noir se dévoile dans les banyuls rimatge (« récolte » en catalan) qui sont élaborés sans élevage oxydatif pour préserver leur fruit. Celui-ci affiche une robe rubis profond qui dit sa jeunesse. Ce caractère juvénile se retrouve dans la vivacité de ses arômes de cerise, de cassis et de vendange fraîche, accompagnés de fruits à l'eau-de-vie et de tanins très épicés. Un bel ensemble. (70 à 99 F)

Cellier des Templiers, rte du Mas-Reig, 66650 Banyuls-sur-Mer, tél. 04.68.98.36.70, fax 04.68.98.36.91 ☑ Y t.l.j. 10h-19h30

DOM. DU TRAGINER 1996*

■ 3 ha 6 000 11 à 15 €

Sur les étroites terrasses de Banyuls, le travail de la vigne imposa longtemps la collaboration de l'homme et de la mule. Installé depuis 1975 sur son domaine modeste par la superficie (un peu moins de 9 ha) mais fort connu à l'étranger (il exporte la moitié de ses vins), Jean-François Deu reste fidèle à la rustique et ancestrale bête de somme pour ses travaux de labour. De là vient le nom de sa propriété : *traginer* signifie « muletier » en catalan. Fruit de cette alliance de la force et de l'intelligence, ce banyuls reflète aussi le « coup de patte » du vigneron et l'apport du grenache gris qui entre pour 30 % dans l'assemblage. La robe montre des nuances fauves ; les vieux foudres donnent des notes de cuir, de venaison et de cacao. En bouche, le fondu des tanins joue avec le fruit confit, et avec une touche plus sèche de cacao et de tabac brun du plus bel effet. (70 à 99 F)

Dom. du Traginer, 56, av. du Puig-del-Mas, 66650 Banyuls-sur-Mer, tél. 04.68.88.15.11, fax 04.68.88.31.48 ☑ Y r.-v.

Banyuls grand cru

LES VIGNERONS CATALANS 1995*

□ 4 ha 12 000 8 à 11 €

Pour leur entrée dans le Guide en banyuls, les Vignerons Catalans ont misé sur le grand cru et l'élevage sous bois. Ils offrent ainsi un vin mature. La robe est d'un beau tuilé ; le nez mêle le sous-bois, le pruneau, les épices et le tabac. La bouche souple et veloutée laisse apparaître des notes grillées aux accents de cacao. Un vin prêt à servir sur un dessert au chocolat. (Bouteilles de 50 cl.) (50 à 69 F)

Vignerons Catalans, 1870, av. Julien-Panchot, 66011 Perpignan Cedex, tél. 04.68.85.69.03, fax 04.68.55.25.62, e-mail vignerons.catalans@wanadoo.fr Y r.-v.

CLOS CHATART 1990***

■ 0,5 ha 750 23 à 30 €

A côté d'un **banyuls 98** remarqué, Jacques Laverrière a présenté cette cuvée confidentielle qui témoigne d'une réelle maîtrise de l'élevage. Un vin au tuilé chaleureux et à la palette aromatique complexe où se côtoient cuir, tourbe, cacao et fruits secs. Ample, harmonieux et fondu, il finit sur une note de torréfaction. On le dégustera avec du chocolat, du café ou un havane. (150 à 199 F)

Clos Chatart, 66650 Banyuls-sur-Mer, tél. 04.68.88.12.58, fax 04.68.88.51.51 ☑ Y r.-v.

J. Laverrière

JEAN D'ESTAVEL Prestige*

■ n.c. n.c. 8 à 11 €

Si de nombreux producteurs de banyuls volent désormais de leurs propres ailes, le négoce local continue à s'investir dans la production. La maison Destavel propose ainsi un grand cru fort réussi. Encore riche en couleur, il livre des senteurs de pruneau, de cacao et de torréfaction qui soulignent son élevage de trente mois en fût. Le palais ample décline des notes de tabac, de tourbe, de chocolat et de fruits à l'eau-de-vie, qui invitent à la découverte. (50 à 69 F)

SA Destavel, 7 *bis*, av. du Canigou, 66000 Perpignan, tél. 04.68.68.36.00, fax 04.68.54.03.54 ☑

LA CAVE DE L'ABBE ROUS
Cuvée Christian Reynal 1993**

■ n.c. 5 387 30 à 38 €

Cette filiale du GICB réserve sa production aux restaurateurs et aux cavistes. Avec un **Cornet 95 (100 à 149 F)** fort apprécié (largement une étoile) et cette cuvée Christian Reynal, qui a donné plus d'un remarquable millésime, elle offre de quoi satisfaire pleinement l'amateur. Elevé six ans en fût, ce vin présente une robe au tuilé proche du rancio. De fait, le fruit rouge a cédé le pas à la noisette, au raisin sec et à la noix. La bouche confirme ces premières impressions : on y décèle de la figue, du coing et des épices avant de retrouver la noix dans une finale relevée et très longue. (200 à 249 F)

La Cave de L'Abbé Rous, 56, av. Charles-de-Gaulle, 66650 Banyuls-sur-Mer, tél. 04.68.88.72.72, fax 04.68.88.30.57

L'ETOILE Doux paillé Hors d'âge***

■ 3 ha 6 700 23 à 30 €

Cette coopérative bien connue des lecteurs du Guide devrait ajouter d'autres étoiles à son fronton ! Le nouveau tirage de son doux paillé est en effet une pure merveille. Un élevage en foudre, le passage en bonbonnes exposées au soleil et le repos en cuve, autant de soins patients apportés par Jean-Paul Ramio et son œnologue Patrick Terrier. Au fil du temps, le rouge de la robe est devenu un bel ambré roux brillant. Le nez s'exprime avec force et élégance, déclinant la noix, le tabac blond, le foin, le miel, l'abricot sec... On retrouve ce dernier arôme dans une bouche sublime, ample et généreuse ; il y côtoie les fruits confits et le grillé. La finale apporte une note rancio, à l'infini. (150 à 199 F)

Sté coopérative L'Etoile, 26, av. du Puig-del-Mas, 66650 Banyuls-sur-Mer, tél. 04.68.88.00.10, fax 04.68.88.15.10 t.l.j. sf sam. dim. 8h-12h 14h-18h

CELLIER DES TEMPLIERS
Cuvée Président Henry Vidal 1988**

■ n.c. 57 500 23 à 30 €

Si vous avez visité la cave du Cellier des Templiers à Banyuls-sur-Mer, vous avez vu les vieux foudres aux formes variées et les demi-muids qui mûrissent au soleil. Vous avez certainement côtoyé ceux où vieillissent le superbe **Mas de la Serra 93 (70 à 99 F)**, une étoile et cette cuvée Président Henry Vidal dont les millésimes décrits dans le Guide au fil des éditions successives vont du remarquable à l'exceptionnel. Que dire de ce 88 ? Certes, l'approche est sans défaut, le nez riche de promesses, mais c'est en bouche que le plaisir réside ; dans un palais souple, élégant, tout en finesse mais bien présent, où la noisette grillée, le tabac et le cacao épousent le fruit confit. Un ensemble harmonieux, prêt à servir sur un dessert chocolaté ou en accompagnement du café ou d'un havane. (150 à 199 F)

Cellier des Templiers, rte du Mas-Reig, 66650 Banyuls-sur-Mer, tél. 04.68.98.36.70, fax 04.68.98.36.91 t.l.j. 10h-19h30

VIAL-MAGNERES
Cuvée André Magnères 1991**

■ 1,25 ha 4 000 15 à 23 €

Monique et Bernard Sapéras figurent le plus souvent dans le Guide pour leurs banyuls blancs de type Vintage et leurs vieux banyuls, mais on se souvient qu'ils avaient déjà été présents en grand cru avec cette même cuvée, coup de cœur dans le millésime 88. Dans sa robe dépouillée, ce 91 laisse deviner une note de rancio que viennent confirmer des senteurs de fruits à noyau, d'eau-de-vie et de grillé. Dominé par la noix et la note huilée du rancio, le palais surprend agréablement par son gras, son ampleur et son côté velouté. Un remarquable ensemble. (100 à 149 F)

Dom. Vial-Magnères, Clos Saint-André, 14, rue Edouard-Herriot, 66650 Banyuls-sur-Mer, tél. 04.68.88.31.04, fax 04.68.55.01.06, e-mail al.tragou@wanadoo.fr r.-v.

M. et B. Sapéras

Rivesaltes

Quantitativement, c'est la plus importante des appellations des vins doux naturels : elle atteignait 14 000 ha et 264 000 hl en 1995. Le Plan rivesaltes a prévu une restructuration de ce vignoble qui connaît des difficultés économiques : en 1996, près de 4 000 ha ont été retirés de la production et celle-ci est tombée en dessous de 200 000 hl. En 2000, elle a atteint 131 000 hl. Le terroir du rivesaltes est situé en Roussillon et dans une toute petite partie des Corbières, sur des sols pauvres, secs, chauds, favorisant une excellente maturation. Quatre cépages sont autorisés : grenache, macabeu, malvoisie et muscat. Cependant, malvoisie et muscat n'interviennent que très peu dans l'élaboration de ces produits. La vinification se fait en général en blanc, mais aussi, pour des grenaches noirs, avec une macération, afin d'avoir le maximum de couleur et de tanin.

L'élevage des rivesaltes est fondamental pour la détermination de la qualité. En cuve ou dans le bois, ils développent des bouquets bien différents. Il existe une possibilité de repli dans l'appellation « grand roussillon ».

Les couleurs varient de l'ambre au tuilé. Le bouquet rappelle la torréfaction, les fruits secs, et le rancio dans les cas les plus évolués. Les rivesaltes rouges ont, dans leur phase de jeunesse, des arômes de fruits rouges : cerise, cassis, mûre. A boire à l'apéritif ou au dessert, à une température de 11 ° à 15 °C, selon leur âge.

ARNAUD DE VILLENEUVE
Ambré Hors d'âge 1982**

□ n.c. 8 980 15 à 23 €

Le plus dur, finalement, c'est d'attendre quasiment vingt ans que le mariage parfait des vieux ambrés - muscat et grenache - soit enfin consommé. Ici, l'ambre s'est patiné au contact des vieux fûts et se teinte de roux. L'écorce d'orange confite domine la note exotique du kumquat et le rancio fumé du boisé. Fondu, doux, soutenu par la fraîcheur de l'alcool, l'ensemble est ample, tout d'agrumes, avant une finale où les notes de torréfaction sont adoucies par la noisette. (100 à 149 F)

Les Vignobles du Rivesaltais, 1, rue de la Roussillonnaise, 66602 Rivesaltes-Salses, tél. 04.68.64.06.63, fax 04.68.64.64.69, e-mail vignobles.rivesaltais@wanadoo.fr r.-v.

CH. BELLOCH Vieux Hors d'âge**

□ 7 ha 5 000 8 à 11 €

Entre Perpignan et Méditerranée, les dernières terrasses de la Têt portent la vigne jusqu'à l'étang, offrant au promeneur un dégradé vert bleu du plus bel effet. Le bois a teinté ce vin d'ambre et de roux. Les notes de raisin passerillé, de fruits au sirop, d'agrumes et de pâte de coing traduisent un raisin très mûr. La bouche est en continuité, mûre, pleine : le fruit confit est agréablement relevé par des touches de torréfaction et d'amande grillée. (50 à 69 F)

Cibaud SA ch. Miraflors et Belloch, rte de Canet, 66000 Perpignan, tél. 04.68.34.03.05, fax 04.68.51.31.70, e-mail vins.cibaud@wanadoo.fr t.l.j. sf dim. 9h-13h 15h-19h

Cibaud

DOM. JOSEPH BORY 1999***

■ 10 ha 1 500 5 à 8 €

A Bages, ce domaine est un passage obligé pour tout amateur : architecture, amabilité et qualité de la gamme des vins proposés sont de solides atouts. La robe de ce 99 est très soutenue, profonde et riche. Suit un bonheur de senteurs mêlées de fruits mûrs, cerise dans la chair et fraise sur fond d'épices. La bouche est à l'avenant, ample, structurée, tout en fruit avec déjà un fondu remarquable. L'équilibre est parfait. (30 à 49 F)

Mme Andrée Verdeille, Dom. Joseph Bory, 6, av. Jean-Jaurès, 66670 Bages, tél. 04.68.21.71.07, fax 04.68.21.71.07 t.l.j. sf dim. 9h-12h 15h-18h

DOM. BOUDAU Sur grains 1999**

■ 5 ha 10 000 8 à 11 €

Véronique Boudau est le maître de chai de ce domaine de 80 ha. Il faut la rencontrer et la faire parler de ses grenaches âgés, des galets roulés, du mutage sur grains, des longues macérations. Souriante, elle vous demandera : « Alors, ça vous plaît ? » Choisissez bien sûr ce 99 à la robe rouge profond ; la fraîcheur de la cerise et de la mûre s'exprime tout d'abord. Puis le fruit s'impose sur un tanin soyeux : l'équilibre est remarquable. (50 à 69 F)

Dom. Véronique et Pierre Boudau, 6, rue Marceau, 66600 Rivesaltes, tél. 04.68.64.45.37, fax 04.68.64.46.26 t.l.j. sf dim. 10h-12h 15h-19h de juin à sept.

CH. DE CALADROY
Tuilé Cuvée Bacchus

■ 5 ha 15 000 5 à 8 €

L'histoire de ce château, établi sur l'ancienne frontière qui séparait le Roussillon et le royaume de France, se perd dans la nuit des temps. Rachetée en 1999, la propriété repart pour un nouveau millénaire. Le passage en vieux foudres apporte à sa cuvée Bacchus un beau tuilé, un nez de pruneau caractéristique et une douceur réglissée. Le fruit confit dispute la bouche au pruneau à l'alcool jusque dans une finale étonnante où perce l'agrume. (30 à 49 F)

SCEA ch. de Caladroy, 66720 Bélesta, tél. 04.68.57.10.25, fax 04.68.57.27.76, e-mail chateau.caladroy@wanadoo.fr t.l.j. sf sam. dim. 8h-12h 13h30-17h30

CAVE DE CASES DE PENE
Vieux Hors d'âge Tuilé Vieilli en fût de chêne*

■ 7 ha 4 000 5 à 8 €

Passé cinq ans d'élevage, le rivesaltes peut prétendre au hors d'âge, mais il faut aussi un savoir-faire tant en matière de cépage que de vinification et de vieux foudres. C'est le cas pour cette cuvée dont le tuilé orange se patine d'ambre. L'élevage dévoile des senteurs intenses de pruneau, de coing et de foin. Le maître mot est ensuite « équilibre », entre gras du fruit et fondu des tanins, entre tabac miellé et amertume du cacao. Ce vin est prêt à boire ; le dessert doit être à la hauteur. (30 à 49 F)

Ch. de Pena, 2, bd Mal-Joffre, 66600 Cases-de-Pène, tél. 04.68.38.91.91, fax 04.68.38.92.42, e-mail chateau-de-pena@wanadoo.fr t.l.j. sf dim. 8h-12h 14h-18h

DOM. CAZES Cuvée Aimé Cazes 1976***

□ 6,7 ha 10 000 46 à 76 €

La difficulté chez Cazes, c'est de choisir. Le jury a retenu un beau **vintage 95** (une étoile), le superbe **ambré 91** (deux étoiles), tout en finesse, d'un excellent rapport qualité-prix **(70 à 99 F)**, et cette incontournable cuvée Aimé Cazes 76, hommage au père exceptionnel, récemment disparu. Après vingt-deux ans en fût de chêne, l'or a des reflets cuivrés. Au nez, orange amère et abricot sec se mêlent à la douceur lactée de la noix de coco. Le plaisir est surtout en bouche où l'équilibre est parfait, le vin suave, fondu et ample. Tabac miellé, foin coupé sont de la fête avant une finale magnifique relevée par une note citronnée. (300 à 499 F)

André et Bernard Cazes, 4, rue Francisco-Ferrer, BP 61, 66602 Rivesaltes, tél. 04.68.64.08.26, fax 04.68.64.69.79, e-mail info@cazes-rivesaltes.com ☑ Ꭹ r.-v.

COLLECTION Ambré 1995**

□ 4 ha 12 000 5à8€

Principal opérateur en côtes du Roussillon, les Vignerons Catalans ont avec la Collection mis en avant le savoir-faire de l'entreprise en rivesaltes. Kumquat, abricot sec s'échappent d'une robe ambre cuivré. La finesse prend le pas sur l'ampleur ; le vin est délicat, soyeux. L'orange et l'abricot accompagnent une touche de boisé. A boire sur des gâteaux secs. (Bouteilles de 50 cl.) (30 à 49 F)

Vignerons Catalans, 1870, av. Julien-Panchot, 66011 Perpignan Cedex, tél. 04.68.85.69.03, fax 04.68.55.25.62, e-mail vignerons.catalans@wanadoo.fr Ꭹ r.-v.

CH. DE CORNEILLA Rubis 1989***

■ 2,5 ha 6 000 11à15€

Un château du XII[e]s., œuvre des Templiers, un domaine familial de plus de cinq cents ans, une famille portant les couleurs françaises dans les compétitions internationales d'escrime et d'équitation ; l'histoire continue en viticulture, avec ce vin dont la robe joue entre le tuilé et l'acajou. La douceur lactée du chocolat, le soyeux des tanins, les notes miellées de tabac blond, le grillé du cacao et pour finir un soupçon de malt concourent à l'harmonie d'une bouteille exceptionnelle. (70 à 99 F)

EARL Jonquères d'Oriola, Ch. de Corneilla, 66200 Corneilla-del-Vercol, tél. 04.68.22.73.22, fax 04.68.22.43.99, e-mail chateaudecorneilla@hotmail.com ☑ Ꭹ r.-v.

Philippe Jonquères d'Oriola

LES VIGNERONS DES COTES D'AGLY

Tuilé Cuvée François Arago Vieilli en fût de chêne 1994*

■ 10 ha n.c. 8à11€

Le cœur de la vallée de l'Agly bat à Estagel qui, en hommage au savant et homme politique du XIX[e]s., François Arago, propose une cuvée haute en couleur. Rouge acajou et sauvage, ce vin dévoile des arômes de prune à l'eau-de-vie et de havane. Solide, construite encore sur le fruit, la bouche s'exprime sur des notes de fumé et de foin coupé. A apprécier avec un café ou un cigare. (50 à 69 F)

Les Vignerons des Côtes d'Agly, Cave coopérative, 66310 Estagel, tél. 04.68.29.00.45, fax 04.68.29.19.80, e-mail agly@little-france.com

☑ Ꭹ t.l.j. sf sam. dim. 8h-12h 14h-18h

CROIX-MILHAS Ambré*

□ n.c. 50 000 5à8€

La maison Cusenier, à Thuir, c'est une part d'histoire dans un lieu unique où l'architecture d'Eiffel cohabite avec celle, variée, de huit cents foudres de bois. A voir. On peut aussi y goûter cette cuvée : le travail du vin s'exprime d'entrée par un ambré vieil or limpide et brillant d'où s'exhalent la note miellée de la patine du bois, l'abricot sec et un soupçon d'agrumes. La bouche confirme cette palette aromatique avec rondeur et souplesse. La finale joue les fruits à l'eau-de-vie. (30 à 49 F)

Cusenier, 6, bd Violet, BP 1, 66300 Thuir, tél. 04.68.53.05.42, fax 04.68.53.31.00 ☑ Ꭹ t.l.j. 9h-11h45 14h30-17h45; f. 1er-15 jan.

DOM BRIAL Ambré 1996***

□ n.c. 15 000 5à8€

Ce moine déluré a depuis longtemps pris ses quartiers dans le Guide, travaillant plus dans l'enluminure des VDN ambrés que dans l'or du remarquable retable de Baixas. L'ambre roux de ce 96 est limpide ; le nez explose : miel, cire, tabac blond, foin coupé, quel plaisir ! Ample, riche, la bouche se fond, fine et fraîche. Le confit et le grillé s'équilibrent. L'ensemble, harmonieux, se termine sur des notes de noisette. (30 à 49 F)

Cave des Vignerons de Baixas, 14, av. Mal-Joffre, 66390 Baixas, tél. 04.68.64.22.37, fax 04.68.64.26.70, e-mail baixas@smi-telecom.fr ☑ Ꭹ r.-v.

DOM. ELS BARBATS Garance 1998***

■ 2 ha 1 866 8à11€

Voisin de la station expérimentale des vins du Roussillon dont les travaux remarquables sont un outil précieux pour les vignerons, ce domaine de 18 ha propose une superbe cuvée Garance à l'approche tuilée avenante, aux senteurs évoluées de pruneau, de cuir et de fruits secs. Le palais, riche et fondu, est dominé par le fruit confit relevé par des notes grillées. La finale torréfiée appelle café et chocolat. (50 à 69 F)

Paul Milhe Poutingon, Mas Els Barbats, 66300 Tresserre, tél. 04.68.83.28.51, fax 04.68.83.28.51 r.-v.

DOM. JOLIETTE Vintage 1998

■ 2 ha 6 000 8 à 11 €

Superbe domaine avec vue sur la mer et les étangs où le rouge de l'argile du sol cède doucement la place aux marnes noires. Joliette, le mot est faible ! De la robe rouge profond émanent des senteurs sauvages de sous-bois puis de cerise mûre. Solide, puissante, la matière est là ; il faudra laisser au temps le soin de l'amadouer. Ensuite, ce vin sera le compagnon du chocolat. (50 à 69 F)

A. et Ph. Mercier, Dom. Joliette, rte de Vingrau, 66600 Espira-de-l'Agly, tél. 04.68.64.50.60, fax 04.68.64.18.82 r.-v.

CH. LA CASENOVE Tuilé 1998

■ 20 ha 6 000 11 à 15 €

En bordure du capricieux Réart, construite depuis des siècles, une bâtisse des Templiers abrite aujourd'hui un vigneron convaincu et talentueux. L'extraction a donné ici une robe rouge intense et des senteurs dominées par la griotte et la mûre. Très présent dès l'attaque, le tanin accompagne le fruit. A conseiller sur une soupe de fruits. (70 à 99 F)

Ch. La Casenove, 66300 Trouillas, tél. 04.68.21.66.33, fax 04.68.21.77.81 t.l.j. sf dim. 10h-12h 16h-20h

Montes

DOM. DE LA MADELEINE Tuilé 1997*

■ 3 ha n.c. 8 à 11 €

Situé entre ville et mer, sur l'ancien tracé de la via Domitia, le domaine a été repris en 1996 par Georges Assens qui présente avec succès son premier millésime. Le tuilé laisse percer un début d'évolution, mais le vin reste tout en fruit, charnu. Le pruneau transparaît et se laisse entourer de tanins soyeux. L'ensemble est harmonieux et prêt à boire. (50 à 69 F)

Dom. de La Madeleine, chem. de Charlemagne, 66000 Perpignan, tél. 04.68.50.02.17, fax 04.68.50.02.17 mer. sam. 9h-13h

DOM. LA ROUREDE Hors d'âge***

□ 1 ha 1 500 15 à 23 €

Leader viticole charismatique, Jean-Luc Pujol a souhaité prendre un peu de recul et retrouver ses vignes, sa cave, gardant entière la passion qui présage un retour attendu. Dix ans d'élevage sous bois pour ce vin ambré roux lumineux, riche en senteurs miellées de tabac, d'épices, de figue et de zeste d'orange. La bouche séduit par l'ampleur, le gras, le fondu, la présence d'abricot confit puis par la finale tout en fruits secs et torréfaction. (100 à 149 F)

Jean-Luc Pujol, EARL La Rourède, Dom. La Rourède, 66300 Fourques, tél. 04.68.38.84.44, fax 04.68.38.88.86, e-mail vins-pujol@wanadoo.fr t.l.j. sf dim. 9h-12h 15h-18h30

CH. LES PINS Ambré 1995**

□ n.c. 5 000 11 à 15 €

Soleil, terrasses caillouteuses, vieilles vignes, et certainement la touche de malvoisie, cépage mythique appelé aussi tourbat : la recette est au point. Laissez reposer deux ans en barrique neuve, et vous aurez cet ambré vieil or, l'intensité de l'orange confite et du tabac blond, l'équilibre harmonieux des saveurs, la touche d'exotisme, le grillé du bois et la finale finement mentholée. (70 à 99 F)

Cave des Vignerons de Baixas, 14, av. Mal-Joffre, 66390 Baixas, tél. 04.68.64.22.37, fax 04.68.64.26.70, e-mail baixas@smi-telecom.fr r.-v.

MAS CRISTINE 1997

□ 4 ha 13 000 11 à 15 €

Ici, le chêne-liège cède la place à la vigne, la montagne à la mer. Vous êtes au début de la superbe côte rocheuse, au mas Cristine. Dans une robe d'ambre clair, le vin hésite entre le miel du pain d'épice et le grillé de l'amande. L'agrume vient en bouche concilier le tout. L'alcool ajoute fraîcheur et longueur. (70 à 99 F)

Mas Cristine, château de Jau, 66600 Cases-de-Pène, tél. 04.68.38.90.10, fax 04.68.38.91.33, e-mail daure@wanadoo.fr

Famille Dauré

CH. MOSSE Hors d'âge 1967***

□ 3 ha 4 000 46 à 76 €

Le village est un bijou posé sur un écrin sur fond de Méditerranée et de Canigou. Sublime, ce hors d'âge à l'approche brou de noix à reflets rancio ! Et dire qu'à l'origine il s'agit de vin blanc. Eau-de-vie de noix, vieux foudre, tourbe, tabac brun, musc, les senteurs se bousculent. Le palais est immense : le fondu huileux typique du rancio accompagne la figue confite, la chair du pruneau, puis la réglisse, le tabac, la tourbe qui n'en finissent pas. (300 à 499 F)

Jacques Mossé, Ch. Mossé, 66300 Sainte-Colombe-de-la-Commanderie, tél. 04.68.53.08.89, fax 04.68.53.35.13 r.-v.

CH. DE NOUVELLES Tuilé 1994*

■ 4 ha 4 000 (I) 8 à 11 €

Référence en AOC fitou, ce vieux domaine familial mérite le détour - une véritable oasis dans les Corbières, où errer de foudre en foudre est un plaisir. Le passage sous bois confère au vin un regard acajou et des notes sourdes de foin, de sous-bois humide et de cacao. La bouche est veloutée et souple. Le fruit à l'alcool s'allie au grillé des tanins, puis tabac et chocolat apportent une touche d'amertume qui donne de la longueur. (50 à 69 F)

EARL R. Daurat-Fort, Ch. de Nouvelles, 11350 Tuchan, tél. 04.68.45.40.03, fax 04.68.45.49.21 r.-v.

DOM. PAGES HURE Grenat 1998

■ 3 ha 8 000 8 à 11 €

Dix ans après avoir repris à plein temps la propriété familiale riche de deux siècles d'expérience viticole, Jean-Louis Pagès garde toute sa passion. La robe de cette cuvée est très soutenue. Le cuir, la réglisse et l'épice précèdent un vin souple, très velouté, fin, dont la finale poivrée est encore solide. (50 à 69 F)

SCEA Pagès Huré, 2, allée des Moines, 66740 Saint-Génis-des-Fontaines, tél. 04.68.89.82.62, fax 04.68.89.82.62 r.-v.

LES VIGNERONS DE PEZILLA Hors d'âge***

□ 250 ha 10 000 (I) 8 à 11 €

Du village, la route du col de la Donne permet de découvrir à la fois le vignoble et la diversité des terroirs du Roussillon. Le vin hésite entre ambre et or. L'orange confite est omniprésente ; l'eau-de-vie de noyau tente de l'accompagner. Le jury a apprécié l'équilibre, l'ampleur, le mariage de l'agrume et des fruits secs torréfiés où la noix apparaît en finale. (50 à 69 F)

Les Vignerons de Pézilla, 66370 Pézilla-la-Rivière, tél. 04.68.92.00.09, fax 04.68.92.49.91 r.-v.

DOM. DE RANCY Ambré 4 ans d'âge Elevé en fût de chêne**

□ n.c. n.c. (I) 8 à 11 €

Au rebours des modes, fidèle aux vins doux naturels, J.-H. Verdaguer continue à prouver que l'on peut vivre de sa passion. Encore un vin pour initiés ! Il s'approche, entre ambre et acajou, et dévoile des notes bourrues de cuir et de tabac, puis d'eau-de-vie de noix. Pas d'hésitation, on est en pays rancio, où fruits confits, tabac brun, malt, pruneau s'effacent devant la noix, à l'infini. (50 à 69 F)

Jean-Hubert Verdaguer, Dom. de Rancy, 11, rue Jean-Jaurès, 66720 Latour-de-France, tél. 04.68.29.03.47, fax 04.68.29.06.13 r.-v.

DOM. ROSSIGNOL Tuilé 1997*

■ 1 ha 2 000 (I) 11 à 15 €

Après deux générations de coopérateurs, le petit-fils, Pascal Rossignol, rêve d'indépendance. A partir de 1995, il vinifie lui-même. Après un **ambré 96**, voici ce tuilé 97 à la robe encore jeune, surprenante par son élégance. La bouche est souple, fondue, tout en fruit confit ; la finale grillée, lactée, laisse sur la douceur de la noisette. (70 à 99 F)

Pascal Rossignol, rte de Villemolaque, 66300 Passa, tél. 04.68.38.83.17, fax 04.68.38.83.17 t.l.j. sf dim. 10h30-12h30 16h30-19h30

DOM. ROZES Muté sur grain 1992**

■ n.c. 12 000 8 à 11 €

Réputé pour son muscat, le domaine se distingue cette année avec ce muté sur grain de 92. L'approche est sauvage mais, dès la mise en bouche, le vin s'exprime parfaitement, à la fois souple et riche, très « kirsché ». Ensuite, le tanin s'efface et laisse la place au fruit. (50 à 69 F)

SCEA Tarquin - Dom. Rozès, 3, rue de Lorraine, 66600 Espira-de-l'Agly, tél. 04.68.38.52.11, fax 04.68.38.51.38, e-mail rozes.domaine@wanadoo.fr r.-v.

SIGNATURE RENE SAHONET Ambré Elevage en fût 1997*

□ 5 ha 4 000 (I) 8 à 11 €

Ce n'est que récemment que René Sahonet, issu d'une très ancienne lignée de vignerons, a fortement investi dans un caveau de dégustation et d'élevage. Son ambré 97, encore sur le fruit, se dévoile lentement sur un fond de tabac miellé, tout habillé d'ambre roux. L'agrume surprend en entrée de bouche, puis l'abricot s'impose sur une matière charnue ; des tanins légers donnent au vin une intensité appréciable. (50 à 69 F)

René Sahonet, 13, rue Saint-Exupéry, Clos de Bacchus, 66450 Pollestres, tél. 06.60.87.60.12 r.-v.

DOM. SARDA MALET La Carbasse 1999

■ 2 ha 3 000 11 à 15 €

A deux pas de la ville de Perpignan, calé dans le vallonnement des premières collines, ce domaine de 48 ha est bien loin du tumulte citadin. Suzy Malet aime dire que l'esprit de Bacchus souffle sur ses terres. Ce vin grenat, à l'approche classique tout en cerise, est très souple en attaque puis dévoile sa structure et ses tanins encore jeunes. Cette belle bouteille devra être attendue de quatre à cinq ans. (70 à 99 F)

Dom. Sarda-Malet, Mas Saint-Michel, chem. de Sainte-Barbe, 66000 Perpignan, tél. 04.68.56.72.38, fax 04.68.56.47.60 r.-v.

Suzy Malet

CH. DE SAU Ambré Hors d'âge**

□ 2 ha 4 500 (I) 11 à 15 €

Enre Perpignan et Thuir, l'agriculture est arboricole ou viticole. L'eau pour l'un, le seul soleil pour l'autre. Hervé Passama a, lui, fait son choix comme le prouve ce remarquable ambré. Le début de rancio est perceptible à l'œil et se confirme au nez. La bouche suit, entre l'agrume et la pêche au miel qui compensent avec douceur les notes de torréfaction, de tourbe et un soupçon de cannelle. La finale est marquée par la noix. (70 à 99 F)

Hervé Passama, Ch. de Saü, 66300 Thuir, tél. 04.68.53.21.74, fax 04.68.53.29.07, e-mail chateaudesau@aol.com r.-v.

CAVE DE TAUTAVEL Tuilé 1983*

■ 75 ha 12 000 8 à 11 €

Tautavel est un haut lieu de la préhistoire. C'est aussi un terroir au superbe potentiel viticole bien mis en valeur par la coopérative qui propose de très beaux vintages. L'élevage en fût de ce tuilé a apporté des senteurs patinées de vieux foudres, mêlées à des notes de cire et de vieil armagnac. Ample et rond, le palais se décline de fruits confits à fruits secs sur fond d'épices avant de finir sur une note de chocolat noir. (50 à 69 F)

Les Maîtres Vignerons de Tautavel, 24, av. Jean-Badia, 66720 Tautavel, tél. 04.68.29.12.03, fax 04.68.29.41.81, e-mail vignerons.tautavel@wanadoo.fr t.l.j. 8h-12h 14h-18h; groupes sur r.-v.

TERRASSOUS
Ambré Vinifié en fût de chêne 1995

□ 5 ha 5 000 8 à 11 €

A l'écart des grands axes, entre Canigou et Méditerranée, Terrats est le cœur des Aspres, et il ne bat que pour la vigne. Son ambré 95 est souple, l'évolution légère. Le mutage en barrique confère une touche « Cointreau » sans masquer pour autant une surprenante note florale. Fin, délicat, tout en fleurs miellées, ce vin est prêt pour un apéritif accompagné de fruits secs. (50 à 69 F)

SCV Les Vignerons de Terrats, BP 32, 66302 Terrats, tél. 04.68.53.02.50, fax 04.68.53.23.06, e-mail scv-terrats@wanadoo.fr t.l.j. sf dim. 8h-12h 14h-18h

TERRE ARDENTE**

■ n.c. 10 000 5 à 8 €

Le terroir de Fitou se prête à l'élaboration de beaux rivesaltes. Le rouge des terres argilo-calcaires, l'ardeur du soleil justifient ici le nom de la cuvée, mais que dire du travail de l'homme ! Ce vin a une très belle allure : le brun roux de sa robe est en phase avec les arômes d'épices, de pruneau, de cuir et de torréfaction. La bouche veloutée est équilibrée ; le grillé des tanins et une note de cacao appellent le dessert. (30 à 49 F)

Vignerons de La Méditerranée, ZI Plaisance,12, rue du Rec-de-Veyret, BP 414, 11104 Narbonne Cedex, tél. 04.68.42.75.00, fax 04.68.42.75.01, e-mail rhirtz@listel.fr r.-v.

VAQUER Post scriptum 1995*

■ n.c. 3 000 11 à 15 €

Une touche d'humour pour le nom de ce vin « oublié » cinq ans en cuve et qui écrit une nouvelle page au chapitre vigneron de la famille Vaquer. L'approche est avenante, faite d'un beau tuilé et de senteurs de sous-bois, de cuir, mêlées de fruits cuits. En bouche, figue et fruits confits attendent le tabac. L'ensemble est relevé par une fine amertume qui prolonge le vin. (Bouteilles de 50 cl.) (70 à 99 F)

Dom. Bernard Vaquer, 1, rue des Ecoles, 66300 Tresserre, tél. 04.68.38.89.53, fax 04.68.38.84.42 r.-v.

DOM. DU VIEUX CHENE Vieux 1989*

□ 10 ha 16 000 15 à 23 €

Le Vieux Chêne occupe une situation unique ; la beauté des terroirs n'a d'égale que celle du cadre qui offre une vue splendide sur le Roussillon. Mais l'important pour le lecteur qui n'aura pas la chance de découvrir cette région superbe, c'est aussi la qualité de vins comme celui-ci. L'ambré roux prend des teintes d'abricot. Le fruit est confit, la bouche ample et généreuse. D'une grande harmonie, la palette aromatique allie foin séché, épices, tabac, et offre une finale d'orange amère. (100 à 149 F)

Dom. du Vieux Chêne, 6600 Espira-de-l'Agly, tél. 04.68.38.92.01, fax 04.68.38.95.79 r.-v.

Denis Sarda

Maury

Le terroir (1 700 ha) recouvre la commune de Maury, au nord de l'Agly, et une partie des communes limitrophes. Ce sont des collines escarpées couvertes de schistes aptiens plus ou moins décomposés, où l'on a produit 32 094 hl de vin en 2000, à partir du grenache noir. La vinification se fait souvent par de longues macérations, et l'élevage permet d'affiner des cuvées remarquables.

Grenat lorsqu'ils sont jeunes, les vins prennent par la suite une teinte acajou. Le bouquet est d'abord très aromatique, à base de petits fruits rouges. Celui des vins plus évolués rappelle le cacao, les fruits cuits et le café. Ils sont appréciés à l'apéritif et au dessert, et peuvent également se prêter à des accompagnements sur des mets à base d'épices et de sucre.

CHABERT DE BARBERA 1983**

■ 1,85 ha 5 000 30 à 38 €

On ne se lasse pas du Chabert des Vignerons de Maury. Une approche surprenante, ambré roux, des senteurs de noisette, de tabac miellé et de figue confite, une bouche conquérante de fruits confits, d'épices, de grillé sur fond de cerneau de noix : ce 83 ne se laisse pas oublier. Havane, forêt-noire, gâteau aux noix, tout est permis... (200 à 249 F)

SCAV Les Vignerons de Maury, 128, av. Jean-Jaurès, 66460 Maury, tél. 04.68.59.00.95, fax 04.68.59.02.88 r.-v.

DOM. DE LA COUME DU ROY
Cuvée Agnès 1998*

■ 19,3 ha 20 000 11 à 15 €

Cet ancien domaine, dans la même famille depuis cinq générations, recèle dans ses caves de très vieux millésimes. Un vin au féminin : après Paule de Volontat, c'est Agnès de Volontat-Bachelet qui gère le domaine, avec Hélène Grau pour le suivi œnologique. D'un rouge profond, cette cuvée Agnès offre des senteurs intenses de cerise et d'épices qui se prolongent en bouche ; le fruit se croque autour de solides tanins. On servira ce vin sur une soupe de fruits, à moins que l'on ne sache attendre... (70 à 99 F)

Agnès Bachelet, Dom. de la Coume du Roy, 5, rue Emile-Zola, 66460 Maury, tél. 04.68.59.67.58, fax 04.68.59.67.58, e-mail de.volontat.bachelet@wanadoo.fr r.-v.

CAVE JEAN-LOUIS LAFAGE
Prestige Vieilli en fût de chêne 1988**

■ 0,42 ha 1 250 11 à 15 €

Un **92 rancio élevé six ans sous bois** a été fort apprécié du jury (une étoile), mais c'est avec ce 88 élevé en foudre que Jean-Louis Lafage a remporté la plus haute distinction. La robe est d'un rouge tuilé encore soutenu. Fruits cuits, bois grillé sur fond de garrigue estivale se partagent le nez, puis, ample, généreux, le fruit cède le pas au grillé du cacao. Un coup de cœur avait également salué ce vin dans le millésime 86. (70 à 99 F)

Jean-Louis Lafage, 13, rue Dr-Pougault, 66460 Maury, tél. 04.68.59.12.66, fax 04.68.59.13.14 r.-v.

MAS AMIEL 1980**

■ 10 ha 40 000 30 à 38 €

Le Mas Amiel a changé de mains en 1999. On suivra avec attention l'évolution de ce domaine qui a porté haut les couleurs de l'appellation. Présent dès la première édition du Guide, il a produit pas moins de cinq coups de cœur et de huit vins exceptionnels au cours de la dernière décennie. Ceux qui ont été présentés cette année ont été élaborés par l'ancien propriétaire : un **dix ans d'âge (70 à 99 F)** très remarqué (une étoile) et ce superbe vingt ans d'âge. D'une couleur encore très soutenue, il s'exprime à l'aération en notes de cuir, de cacao et de tabac brun. Le palais est intense, ample, généreux, velouté. La douceur du fruit y accompagne le tabac et le cacao. Une finale rancio remarquable conclut la dégustation. (200 à 249 F)

Dom. du Mas Amiel, 66460 Maury, tél. 04.68.29.01.02, fax 04.68.29.17.82 t.l.j. 10h-12h 14h-17h30

O. Decelle

DOM. POUDEROUX Hors d'âge**

■ 2 ha 2 000 11 à 15 €

Que ce soit avec la force remarquée (une étoile) d'un type jeune (un **99**) ou avec ce Hors d'âge tout en fondu, R. Pouderoux nous permet de découvrir toute la palette d'un grenache noir. D'une teinte acajou, très dépouillé, ce vin évoque d'abord le sous-bois puis évolue à l'aération vers des notes de pruneau et de tabac brun. Suave, fin, équilibré, le palais aux tanins soyeux s'achève par une longue finale aux accents de cacao. (70 à 99 F)

Dom. Pouderoux, 2, rue Emile-Zola, 66460 Maury, tél. 04.68.57.22.02, fax 04.68.57.11.63 r.-v.

DOM. DES SCHISTES La Cerisaie 1999

■ 3 ha 4 000 11 à 15 €

Ce domaine nous a fait connaître de fort beaux rivesaltes et côtes du roussillon-villages. On ne s'étonnera pas de trouver ici un maury : les schistes ne constituent-ils pas le terroir de prédilection de ce vin doux naturel ? De très vieilles vignes (cinquante ans), une longue macération sous alcool et un court passage sous bois ont donné un 99 d'un rouge profond, déjà marqué par le pruneau autour de la patine du bois. D'un beau fondu, la chair du fruit accompagne l'épice jusqu'à une finale légèrement cacaotée. (70 à 99 F)

Jacques Sire, 1, av. Jean-Lurçat, 66310 Estagel, tél. 04.68.29.11.25, fax 04.68.29.47.17 r.-v.

Muscat de rivesaltes

Sur l'ensemble du terroir des rivesaltes, maury et banyuls, le vigneron peut élaborer du muscat de rivesaltes, lorsque l'encépagement se compose à 100 % de cépages muscat. La superficie de ce vignoble représente plus de 4 000 ha, pour une production de 149 215 hl en 2000. Les deux cépages autorisés sont le muscat à petits grains et le muscat d'Alexandrie. Le premier, souvent appelé muscat blanc ou muscat de Rivesaltes, est précoce et se plaît dans des terrains relativement frais et si possible calcaires. Le second, appelé aussi muscat romain, est plus tardif et très résistant à la sécheresse.

La vinification s'opère soit par pressurage direct, soit avec une macération plus ou moins longue. La conservation se fait obligatoirement en milieu réducteur, pour éviter l'oxydation des arômes primaires.

Les vins sont liquoreux, avec 100 g minimum de sucre par litre. Ils sont à boire jeunes, à une température de 9 à 10 °C. Ils accompagnent parfaitement les desserts – tartes au citron, aux pommes ou aux fraises, sorbets, glaces, fruits, touron, pâte d'amandes... ainsi que le roquefort.

DOM. AMOUROUX 1999★★

☐ 10 ha 5 000 5à8€

Situé en plein cœur des Aspres, le domaine Amouroux (70 ha) s'est particulièrement distingué cette année avec ce 99 vieil or aux subtiles notes d'évolution. Les arômes complexes évoquent les fruits exotiques, le raisin surmûri et l'orange confite. La bouche est fort ample et persistante. Un très beau produit dans le style évolué, que l'on pourra découvrir au magasin de vente et de dégustation du domaine établi à Argelès-sur-Mer. (30 à 49 F)

Dom. Jean Amouroux, 15, rue du Pla-del-Rey, 66300 Tresserre, tél. 04.68.38.87.54, fax 04.68.38.89.90 r.-v.

DOM. D'AUBERMESNIL
Cuvée Apinae 1999★

☐ 15 ha 28 000 5à8€

Etape pour les navigateurs grecs de l'Antiquité, le village de Leucate tire son nom de la blancheur (du nom grec *leucos*: blanc) de sa falaise qui surplombe la mer. Ce terroir calcaire est particulièrement propice à la culture du muscat à petits grains. Ce 99 est typique de ce cépage arrivé à bonne maturité. D'un vieil or brillant, il offre des arômes de raisin surmûri avec des nuances d'agrumes et de miel. Un beau muscat de dessert, gras, puissant et long. (30 à 49 F)

Vignerons de La Méditerranée, ZI Plaisance,12, rue du Rec-de-Veyret, BP 414, 11104 Narbonne Cedex, tél. 04.68.42.75.00, fax 04.68.42.75.01, e-mail rhirtz@listel.fr r.-v.

CH. AYMERICH 2000

☐ 2,15 ha 6 000 8à11€

Ce domaine familial est établi à Estagel, importante commune viticole des Fenouillèdes. Son muscat 2000 présente une robe brillante, or pâle à reflets argentés. Le nez mêle de légères notes florales avec des nuances d'agrumes (citron, pamplemousse) et de fruits frais (pêche). L'attaque agréable, sur des notes de pêche au sirop, est suivie d'une bouche équilibrée et persistante. (50 à 69 F)

Jean-Pierre et Catherine Grau-Aymerich, Ch. Aymerich, 52, av. Dr-Torreilles, 66310 Estagel, tél. 04.68.29.45.45, fax 04.68.29.10.35, e-mail aymerich-grau-vins@wanadoo.fr r.-v.

CH. BELLOCH 2000

☐ 9,5 ha 3 000 5à8€

Ce domaine de 25 ha est consacré à la production de vins doux naturels. Son muscat 2000 offre un aspect avenant, limpide et frais. Ses arômes sont doux, citronnés avec des nuances de fruits exotiques (fruits de la Passion, ananas, banane). Bien équilibré, le palais finit sur une note de vivacité intéressante. (30 à 49 F)

SA Cibaud-Ch. Miraflors et Belloch, rte de Canet, 66000 Perpignan, tél. 04.68.34.03.05, fax 04.68.51.31.70, e-mail vins.cibaud@wanadoo.fr t.l.j. sf dim. 9h-13h 15h-19h

DOM. BERTRAND-BERGE 2000★★

☐ 2 ha 5 300 8à11€

Le domaine Bertrand-Bergé s'inscrit dans un paysage superbe, à deux pas des forteresses cathares de Quéribus et Peyrepertuse. Son muscat 2000 a conquis le jury car il conjugue puissance et légèreté. La robe est or très pâle ; le nez fin, citronné et floral, évoque le genêt et l'acacia. La bouche révèle une belle ampleur, ainsi qu'une extraordinaire palette aromatique associant rose, miel, verveine, fleur de citrus et fruits exotiques. Tout cela mérite bien un coup de cœur ! (50 à 69 F)

Dom. Bertrand-Bergé, av. du Roussillon, 11350 Paziols, tél. 04.68.45.41.73, fax 04.68.45.41.73 t.l.j. 8h-12h 13h30-19h

DOM. DE BESOMBES SINGLA
Vieilles vignes 2000

☐ 0,7 ha 4 000 8à11€

Situé près de Salses, ce très ancien domaine est dans la famille depuis 1760. Le travail de la nouvelle génération est récompensé par ce vin puissant, à la robe d'or soutenu. Les arômes évoquent le raisin mûr, les agrumes, avec en bouche des notes de marmelade d'orange et de citron confit. Un beau muscat traditionnel. (50 à 69 F)

Dom. de Besombes-Singla, 4, rue de Rivoli, 66250 Saint-Laurent-de-la-Salanque, tél. 04.68.28.30.68, fax 04.68.28.30.68, e-mail ddbs@libertysurf.fr r.-v.

DOM. BONZOMS 2000

☐ 5 ha 2 500 5à8€

Situé dans les Fenouillèdes, au cœur d'un cirque de montagnes arides, le village de Tautavel est mondialement connu pour son important gisement préhistorique. Le terroir produit une appellation communale de côtes du roussillon-villages. Les muscats y sont aussi d'excellente facture. Celui-ci, d'un bel or paille, mêle au nez les fleurs blanches et le thé vert. La bouche se développe sur des nuances d'agrumes et de raisin frais, dans un équilibre élégant, fait de fraîcheur et d'onctuosité. (30 à 49 F)

EARL Dom. Bonzoms, 2, pl. de la République, 66720 Tautavel, tél. 04.68.29.40.15, e-mail domaine.bonzoms@clubinternet.fr t.l.j. 10h-12h30 15h-19h; f. 1er oct.-31 mars

DOM. BOUDAU 2000★

6 ha 20 000 8 à 11 €

Depuis plusieurs années, Pierre et Véronique Boudau équipent leur cave de manière à mieux révéler les différents terroirs de leur vaste domaine (80 ha). Les lecteurs du Guide ont pu découvrir de superbes cuvées (95, 97, 98...) élaborées à la propriété. Voici encore un muscat d'une belle expression où se mêlent harmonieusement l'abricot frais, la pêche jaune cuite et les fruits exotiques. Bien équilibrée, la bouche allie fraîcheur et onctuosité. (50 à 69 F)

Dom. Véronique et Pierre Boudau, 6, rue Marceau, 66600 Rivesaltes, tél. 04.68.64.45.37, fax 04.68.64.46.26 t.l.j. sf dim. 10h-12h 15h-19h de juin à sept.

DOM. CAZES 2000★

35 ha 140 000 11 à 15 €

Ce domaine est l'un des plus vastes (160 ha) et des plus célèbres de la région car il offre une production variée, abondante et de qualité. D'un or clair, limpide et brillant, son muscat 2000 se distingue par la finesse et l'élégance de ses arômes de fruits exotiques (mangue, ananas) et de raisin mûr, accompagnés d'une touche anisée et d'un soupçon de violette fraîche. La bouche, florale et citronnée, montre un très beau volume. Encore merci aux Cazes pour leur constance dans leur art de vignerons. (70 à 99 F)

André et Bernard Cazes, 4, rue Francisco-Ferrer, BP 61, 66602 Rivesaltes, tél. 04.68.64.08.26, fax 04.68.64.69.79, e-mail info@cazes-rivesaltes.com r.-v.

LES VIGNERONS DES COTES D'AGLY 2000★

80 ha 30 000 5 à 8 €

Cette coopérative vinifie la production de 1 250 ha de vignes. Très lumineux, d'un beau jaune pâle à reflets verts, son muscat mêle les fruits exotiques, le citron et la rose. Le palais, frais à l'attaque puis rond et liquoreux, se distingue par son équilibre. La finale est marquée par une délicate note d'abricot. (30 à 49 F)

Les Vignerons des Côtes d'Agly, Cave coopérative, 66310 Estagel, tél. 04.68.29.00.45, fax 04.68.29.19.80, e-mail agly@little-france.com t.l.j. sf sam. dim. 8h-12h 14h-18h

HENRI DESBŒUFS Le Vieux Bailli 2000★

2 ha 2 000 8 à 11 €

Proche de Rivesaltes, Espira-de-l'Agly s'est développé autour d'un prieuré fondé au XIIe s., dont il subsiste une belle église romane fortifiée. C'est dans cette commune qu'Henri Desbœufs exploite un vignoble de 25 ha. Son muscat offre une remarquable constance dans la qualité. Le millésime 2000 est d'un bel or paillé. Ses arômes intenses, légèrement évolués, évoquent l'écorce d'orange confite, le raisin sec et le miel. La bouche est onctueuse, ample et persistante. (50 à 69 F)

Henri Desbœufs, 39, rue du 4-Septembre, 66600 Espira-de-l'Agly, tél. 04.68.64.11.73, fax 04.68.38.56.34 r.-v.

DOM BRIAL 2000★★

n.c. 70 000 5 à 8 €

Non loin de Perpignan, le village de Baixas a conservé une bonne partie de son enceinte et de ses portes fortifiées. Vinifiant la récolte de 2 100 ha de vignes, la cave de Baixas est un des principaux producteurs de muscat en Roussillon. Dans ce magnifique village, quantité rime avec qualité. Preuve en est ce somptueux muscat 2000 qui réunit toutes les qualités : robe brillante, or jaune à reflets verts ; finesse, complexité et élégance de la palette aromatique, bouquet de fleurs (rose, mimosa) et de fruits (fruit de la Passion, ananas, mangue et citron) ; équilibre remarquable fait d'onctuosité et de fraîcheur. « Le muscat comme on l'aime », pour citer le jury qui lui a décerné ce coup de cœur sans hésiter. (30 à 49 F)

Cave des Vignerons de Baixas, 14, av. Mal-Joffre, 66390 Baixas, tél. 04.68.64.22.37, fax 04.68.64.26.70, e-mail baixas@smi-telecom.fr r.-v.

LES VIGNERONS D'ELNE Passion de Pyrène 2000

4 ha 5 000 8 à 11 €

Elne est l'ancienne Illibéris des Ibères. Il faut s'y arrêter pour visiter sa cathédrale romane au cloître magnifique. On goûtera au passage ce joli muscat de la coopérative à la robe légère et brillante, or clair à reflets verts. Le nez, fin et complexe, associe les fruits frais (pêche blanche, poire), les agrumes (citron confit) et des nuances de verveine. L'équilibre en bouche est plaisant, onctueux et chaleureux. (50 à 69 F)

Les Vignerons d'Elne, 67, av. Paul-Reig, 66200 Elne, tél. 04.68.22.06.51, fax 04.68.22.83.31 t.l.j. sf dim. 8h-12h 14h-18h; sam. 8h-12h

LES VIGNERONS DE FOURQUES 2000

20 ha n.c. 8 à 11 €

Situé dans les Aspres, le village de Fourques a conservé des vestiges de son enceinte. La coopérative vinifie les vendanges de 420 ha de vignes. Son muscat 2000 affiche une robe brillante, or jaune à reflets verts. Ses arômes, francs et intenses, évoquent un univers de fleurs (capucine, rose, œillet, acacia...) et de fruits frais (litchi, kumquat, poire). L'acidulé, la chair et l'onctuosité s'équilibrent bien en bouche. (50 à 69 F)

SCV les Vignerons de Fourques, 1, rue des Taste-Vin, 66300 Fourques, tél. 04.68.38.80.51, fax 04.68.38.89.65 r.-v.

CH. DE JAU 2000

10 ha 40 000 8 à 11 €

Etabli à Cases-de-Pène, dans les Fenouillèdes (entre Corbières et Roussillon), ce vaste domaine de 134 ha est un fidèle du Guide. Dans sa nouvelle présentation (bouteille de 50 cl), le muscat 2000 demeure un bon classique de l'appellation. D'un or jaune brillant aux nuances vertes, il offre des arômes francs, fins et complexes : raisin mûr, fruits blancs, citronnelle, gingembre et reine-claude. Un beau vin de dessert à servir sur des tartes au citron ou aux prunes. (50 à 69 F)

Ch. de Jau, 66600 Cases-de-Pène, tél. 04.68.38.90.10, fax 04.68.38.91.33, e-mail daure@wanadoo.fr r.-v.

Famille Dauré

CELLIER DE LA BARNEDE

Cuvée du 3e Millénaire 2000

23 ha 10 000 8 à 11 €

Dans cette cave importante de la région des Aspres sont nés les « vins verts » du Roussillon, ancêtres de l'AOC côtes du roussillon blanc. La coopérative vinifie la récolte de 500 ha de vignes et produit quelque 25 000 hl par an. Sa cuvée du Troisième Millénaire est dominée par des arômes de fruits à chair blanche (poire, pêche). La bouche est charnue, d'un équilibre très agréable et de bonne longueur. (50 à 69 F)

SCV Les Producteurs de La Barnède, 66670 Bages, tél. 04.68.21.60.30, fax 04.68.37.50.13 r.-v.

DOM. LAFAGE 2000*

15 ha 40 800 8 à 11 €

Jean-Marc et Eliane Lafage, jeunes œnologues, ont repris ce domaine de 72 ha en 1995 et sont en train d'asseoir sa réputation. Le jury a choisi leur muscat 2000 pour la qualité de ses arômes (poire, orange confite, banane, raisin frais) et pour sa structure, ample et liquoreuse, sans lourdeur aucune. Un ensemble puissant. (50 à 69 F)

SCEA Dom. Lafage, mas Llaro, rte de Canet, 66100 Perpignan, tél. 04.68.67.12.47, fax 04.68.62.10.99, e-mail enofool@aol.com r.-v.

CH. LES FENALS 2000

5,26 ha 7 000 8 à 11 €

Le neveu de Voltaire, régisseur du château, approvisionnait la cour de Louis XV de sa « liqueur du Cap de Salses ». Le domaine compte aujourd'hui 17,5 ha. Il a été repris par une sage-femme reconvertie en vigneronne, qui a mis au monde en 2000 ce ravissant muscat. Le bébé est doré, vif et musclé. S'il fleure la menthe fraîche et le citron, il sait aussi se montrer rond et aimable. (50 à 69 F)

Roustan Fontanel, Les Fenals, 11510 Fitou, tél. 04.68.45.71.94, fax 04.68.45.60.57 t.l.j. sf dim. 9h-12h 14h30-18h30; f. a.-m. hors saison

DOM. LES MILLE VIGNES 2000*

0,5 ha 3 000 11 à 15 €

Pourquoi les « Mille vignes » ? Parce que ce petit domaine, situé sur la rive nord de l'étang de Leucate, a été fondé en 1979 avec mille plants de vignes... Lové entre étang et garrigue, il possède un charme tout particulier. Dans sa bouteille de 50 cl, le muscat 2000 offre un bel aspect brillant, aux nuances d'or jaune. Le nez se développe sur des notes de fruits frais (poire, pêche blanche, banane) et de berlingot. La bouche, où l'on découvre des nuances de rose et de pomelo, possède beaucoup de gras et d'onctuosité. Un ensemble harmonieux. (70 à 99 F)

J. et G. Guérin, Dom. Les Mille Vignes, 24, av. Saint-Pancrace, 11480 La Palme, tél. 04.68.48.57.14, fax 04.68.48.57.14 r.-v.

CAVE DE LESQUERDE 2000*

7,5 ha 30 000 5 à 8 €

La cave de Lesquerde est surtout réputée pour sa production de côtes du roussillon-villages Lesquerde. Mais elle nous a régalés plus d'une fois avec un muscat d'une belle finesse. Comme celui-ci, or clair brillant, au nez dominé par les agrumes (citron, citron vert, écorce d'orange), à la bouche très bien équilibrée, aux nuances exotiques d'ananas et de gingembre. A découvrir. (30 à 49 F)

SCV Lesquerde, rue du Grand-Capitoul, 66220 Lesquerde, tél. 04.68.59.02.62, fax 04.68.59.08.17 t.l.j. sf dim. 8h-12h 14h-18h

CH. L'HOSPITALET 1999**

1,5 ha 9 900 8 à 11 €

Le domaine (aujourd'hui 1 000 ha dont 60 ha de vignes) a été créé en 1561 par les moines hospitaliers, dans le massif de la Clape. Le visiteur pourra y faire une agréable halte culturelle et gastronomique. Il pourra aussi y déguster ce remarquable 99 à la robe d'or clair et au nez mêlant vendange surmûrie, pierre à fusil, bourgeon de cassis et fleur d'oranger. Un vin original, un peu atypique, mais d'une très grande complexité. (50 à 69 F)

Dom. de L'Hospitalet, 11100 Narbonne, tél. 04.68.45.27.10, fax 04.68.45.27.17, e-mail info@domaine.hospitalet.com r.-v.

DOM. DU MAS CREMAT 2000*

4 ha 9 000 8 à 11 €

Le mas tire son nom des sols de schistes noirs à l'aspect brûlé. De ce terroir exceptionnel, Jean-Marc Jeannin a toujours su tirer des vins de belle expression. Voyez ce muscat 2000, paré d'une robe or brillant à reflets verts, tout en élégance et en finesse. Ses arômes évoquent le tilleul, les fleurs blanches et les agrumes, avec une pointe d'eucalyptus. La bouche est équilibrée et longue. (50 à 69 F)

🔑 Jeannin-Mongeard, Dom. du Mas Cremat, 66600 Espira-de-l'Agly, tél. 04.68.38.92.06, fax 04.68.38.92.23 ☑ Ⲧ r.-v.

CH. MOSSE 1998★★

☐ n.c. 23 000 ▮🌡 8à11€

La robe or pâle est demeurée extrêmement jeune ; les arômes présentent, eux, un début d'évolution intéressante avec des notes de tilleul, d'eau-de-vie de muscat et d'abricot sec. La bouche intense, fraîche et liquoreuse, fait preuve en outre d'une très bonne longueur. (50 à 69 F)

🔑 SA Destavel, 7 *bis*, av. du Canigou, 66000 Perpignan, tél. 04.68.68.36.00, fax 04.68.54.03.54 ☑

DOM. PARCE 2000

☐ 4,6 ha 6 300 ▮🌡 5à8€

Ce domaine familial s'est orienté vers la qualité en 1982 lorsqu'il a décidé de remplacer les variétés à gros rendements par des cépages améliorateurs, et de mettre en bouteille à la propriété. Son muscat 2000, d'un or pâle brillant à reflets verts, livre des arômes finement mentholés rappelant aussi les fruits blancs (pêche), le citron et le tilleul. Ample et frais, bien équilibré, le palais présente une finale agréable. (30 à 49 F)

🔑 EARL A. Parcé, 21 *ter*, rue du 14-Juillet, 66670 Bages, tél. 04.68.21.80.45, fax 04.68.21.69.40 ☑ Ⲧ t.l.j. sf dim. 9h30-12h15 16h-19h30

LES VIGNERONS DE PEZILLA
Cuvée Prestige 2000★

☐ n.c. 5 000 ▮🌡 5à8€

Créée en 1935, la cave de Pézilla vinifie 800 ha de la région. Sa cuvée Prestige à la belle robe d'or pâle brillant et aux parfums finement végétaux (verveine, tilleul) et floraux a été remarquée. La bouche, en harmonie avec le nez, révèle en outre une touche exotique. Le tout est bien équilibré, long et gras. (30 à 49 F)

🔑 Les Vignerons de Pézilla, 66370 Pézilla-la-Rivière, tél. 04.68.92.00.09, fax 04.68.92.49.91 ☑ Ⲧ r.-v.

DOM. PIETRI-GERAUD 2000

☐ 3,2 ha 4 000 ▮🌡 8à11€

Le vignoble (32 ha) a été constitué dans les années 1890. Il est actuellement conduit par Maguy Piétri-Géraud et sa fille Laetitia. Vous trouverez leur cave dans une des rues ombreuses de la lumineuse cité de Collioure. D'un or très pâle à reflets verts, leur muscat 2000 exhale des fragrances fraîches de fleurs d'oranger et de menthe coupée. En bouche, il révèle une grande douceur. L'équilibre est maintenu grâce à une finale délicatement citronnée. (50 à 69 F)

🔑 Maguy et Laetitia Piétri-Géraud, 22, rue Pasteur, 66190 Collioure, tél. 04.68.82.07.42, fax 04.68.98.02.58 ☑ Ⲧ t.l.j. 10h-12h30 15h30-18h30; f. dim. lun. hors vacances scolaires

DOM. PIQUEMAL
Coup de Foudre 1997★★

☐ 1 ha 4 000 ▮▮ 15à23€

Pierre et Franck Piquemal exploitent 60 ha. Habitués du Guide, ils ont proposé cette année une rare cuvée de vin vieux élevée deux ans en foudre de chêne. De couleur paille, elle offre une palette aromatique d'une belle complexité, associant fruits confits, cannelle, vanille, caramel et cardamome. L'équilibre est liquoreux et très fondu. Un ensemble riche et original. La **cuvée principale 2000 (50 à 69 F)**, une étoile, séduit aussi par sa complexité : fruits exotiques, poire et pêche blanche s'allient au miel et aux épices (macis, gingembre confit). Le vin est puissant, et la longue finale suggère un accord avec des mets aux fromages persillés (feuilleté au roquefort). (100 à 149 F)

🔑 Dom. Pierre et Franck Piquemal, 1, rue Pierre-Lefranc, 66600 Espira-de-l'Agly, tél. 04.68.64.09.14, fax 04.68.38.52.94, e-mail contact@domaine-piquemal.com ☑ Ⲧ r.-v.

CH. PRADAL 2000

☐ 8 ha 30 000 ▮🌡 5à8€

Créé en 1810, voici un vignoble d'« irréductibles » qui résiste à l'extension de la ville de Perpignan (il se trouve aujourd'hui à deux pas de la gare). Il propose avec ce millésime 2000 un vin or clair, aux arômes intenses de fruits mûrs (banane) et de fruits à l'eau-de-vie. La bouche est onctueuse, liquoreuse, avec des nuances de citron confit et de mimosa. (30 à 49 F)

🔑 André Coll-Escluse, Ch. Pradal, 58, rue Pépinière-Robin, 66000 Perpignan, tél. 04.68.85.04.73, fax 04.68.56.80.49 ☑ Ⲧ t.l.j. sf dim. 10h-12h30 17h-19h30

RIERE CADENE 2000★★

☐ 5 ha 5 000 ▮🌡 5à8€

Ce domaine de 40 ha, exploité par la quatrième génération, s'est particulièrement distingué cette année avec ce muscat or brillant à reflets verts. La palette aromatique complexe associe fruits exotiques, fruits surmûris (raisin, abricot), écorce de citron, acacia et sève de tulipier de Virginie. La note résineuse se retrouve en bouche, soutenue par un parfait équilibre entre fraîcheur et onctuosité. (30 à 49 F)

🔑 Laurence et Jean-François Rière, Mas Bel-Air, chem. Saint-Genis-de-Tanyères, 66000 Perpignan, tél. 04.68.63.87.29, fax 04.68.63.87.29, e-mail riere@club-internet.fr ☑ Ⲧ t.l.j. sf sam. dim. 9h-12h 14h-18h

ROC DU GOUVERNEUR 2000

☐ n.c. 15 000 ▮🌡 8à11€

Cette coopérative vinifie les vendanges de 3 000 ha. Roc du Gouverneur est une de ses deux marques. Le millésime 2000 présente une robe brillante, jaune pâle à reflets verts. Le nez, finement muscaté, mêle les fleurs blanches, les fruits à chair blanche (poire), les fruits exotiques (litchi) et des notes légèrement végétales. Avec une attaque souple, beaucoup d'ampleur et de gras et une finale fraîche, la bouche apparaît bien équilibrée. (50 à 69 F)

🔑 Les Vignobles du Rivesaltais,
1, rue de la Roussillonnaise, 66602 Rivesaltes-Salses, tél. 04.68.64.06.63, fax 04.68.64.64.69,
e-mail vignobles.rivesaltais@wanadoo.fr
☑ 🍷 r.-v.

RENE SAHONET 2000

☐ 4 ha 9 000 🍾 5à8€

En 1662, la famille Sahonet cultivait déjà la vigne. Son domaine, situé à Pollestres, sur la route des vins de l'Aspre, compte 12 ha. L'exploitation s'est équipée en 1999 d'un vaste hall de stockage et d'un chai à barriques destiné à l'élevage des vins doux naturels. Son muscat 2000, d'un bel or clair brillant, témoigne du soin apporté à la vinification. Ses arômes sont fins, légèrement floraux, avec des nuances de fruits mûrs (poire, pomme, ananas) et d'agrumes. L'équilibre général est fort agréable. (30 à 49 F)

🔑 René Sahonet, 13, rue Saint-Exupéry, Clos de Bacchus, 66450 Pollestres, tél. 06.60.87.60.12
☑ 🍷 r.-v.

DOM. SALVAT 2000*

☐ 6 ha 10 000 🍾 8à11€

De 1258 à 1659, Saint-Paul-de-Fenouillet a marqué la frontière du royaume de France. La cité des Fenouillèdes est proche des gorges de Galamus entaillées par l'Agly. Les Salvat exploitent 70 ha de vignes dans les environs. Ils proposent un bien joli muscat paré d'une robe claire et brillante à reflets verts. Le nez, intense, est marqué par des notes florales, citronnées et mentholées. La bouche est à l'avenant, légère, vive et d'une très bonne longueur. Une plaisante impression de fraîcheur. (50 à 69 F)

🔑 Dom. Salvat, 8, av. Jean-Moulin,
66220 Saint-Paul-de-Fenouillet,
tél. 04.68.59.29.00, fax 04.68.59.20.44,
e-mail salvat.jp@wanadoo.fr ☑ 🍷 r.-v.

DOM. SAN MARTI Muscat de Noël 2000*

☐ 1,5 ha 4 600 🍾 8à11€

Ce domaine de 31 ha, fondé en 1914, est maintenant exploité en agriculture biologique. Son muscat de Noël, jaune d'or aux nuances argentées, offre un nez intense d'agrumes (zeste de citron, pamplemousse), d'ananas et de banane mûre. Après une attaque franche et fraîche, on découvre une bouche équilibrée aux arômes de géranium poivré et de gingembre, harmonieusement liquoreuse en finale. (50 à 69 F)

🔑 Clos Saint-Martin, 20, av. Lamartine,
66430 Bompas, tél. 04.68.63.26.09,
fax 04.68.63.14.04,
e-mail domaine-san-marti@free.fr ☑ 🍷 r.-v.
🔑 Coronat

CH. VALFON 2000

☐ 1,17 ha 4 000 🍾 5à8€

Le domaine Valfon (28 ha) est né, en 2000, de la réunion de deux vignobles. La robe de son 2000 est brillante, or clair aux nuances vertes. Le nez, franc et vif, livre des notes florales (chèvrefeuille, jasmin) et fruitées (raisin, pêche de vigne, poire). Bien équilibrée, d'une belle fraîcheur, la bouche est en harmonie avec l'olfaction. (30 à 49 F)

🔑 Denis Valette, 11, rue des Rosiers,
66300 Ponteilla, tél. 06.22.08.03.56,
fax 06.68.53.06.74 ☑ 🍷 r.-v.

Muscat de frontignan

En ce qui concerne l'appellation frontignan, il faut noter qu'elle autorise l'élaboration de vins de liqueur, avec mutage sur le moût avant fermentation, ce qui donne des produits beaucoup plus riches en sucre (125 g environ). Dans certains cas, un élevage des muscats dans de vieux foudres provoque une légère oxydation donnant au vin un goût particulier de raisins secs.

CH. DE LA PEYRADE Solstice 2000

☐ 26 ha 4 000 🍾 8à11€

Beaucoup d'originalité et de fraîcheur dans cette cuvée à la robe claire montrant des reflets verts. Les arômes sont à l'avenant, avec des notes de pierre à fusil et de groseillier sanguin. La bouche discrète est finement acidulée. A déguster à l'apéritif. (50 à 69 F)

🔑 Yves Pastourel et Fils, Ch. de La Peyrade,
34110 Frontignan, tél. 04.67.48.61.19,
fax 04.67.43.03.31 ☑ 🍷 r.-v.

CH. DE LA PEYRADE Cuvée Prestige 2000**

☐ 26 ha 30 000 🍾 8à11€

Le château de La Peyrade renoue cette année avec les coups de cœur : c'est la cinquième fois qu'il obtient cette distinction, après les très beaux millésimes 91, 93 et 95 (sans parler des vins jugés exceptionnels, dans les millésimes 87, 88, 90, 94, 96 !). Comme à l'accoutumée, la famille Pastourel joue sur le registre de l'élégance. La cuvée Prestige 2000, habillée d'or très pâle à reflets verts, offre des arômes d'une grande fraîcheur : poire, fruits exotiques (ananas), fleur de laurier-tin se mêlent avec bonheur. La bouche, charnue et vive, révèle des nuances d'anis et de pomelo. (50 à 69 F)

🔑 Yves Pastourel et Fils, Ch. de La Peyrade, 34110 Frontignan, tél. 04.67.48.61.19, fax 04.67.43.03.31 ☑ 🍷 r.-v.

DOM. DU MAS ROUGE 1999*

☐ 4,5 ha 16 000 5 à 8 €

La robe est brillante, couleur paille. Le nez, très frais, mêle nuances végétales, pomelo et citronnelle, tandis qu'apparaissent en bouche des notes confites d'écorce d'orange. Très onctueux et gras, le palais est agréablement relevé par une pointe de perlant. (30 à 49 F)

🔑 Anne-Marie Jeanjean, Dom. du Mas Rouge, 34110 Vic-la-Gardiole, tél. 04.67.88.80.01, fax 04.67.96.65.67

CH. DE SIX TERRES 2000*

☐ n.c. 37 000 8 à 11 €

Dominant l'étang de Thau, face à la ville de Sète, le domaine est vinifié par la cave coopérative. D'un or jaune soutenu, son millésime 2000 présente des arômes confits avec des nuances de pâte de fruit, de sirop et de verveine. En bouche, on découvre la poire mûre et l'orange confite. L'équilibre est liquoreux, finement soutenu par une certaine vivacité. Un beau classique de l'appellation. (50 à 69 F)

🔑 SCA Coop. de Frontignan, 14, av. du Muscat, 34110 Frontignan, tél. 04.67.48.12.26, fax 04.67.43.07.17 ☑ 🍷 t.l.j. 9h-12h 14h-18h30; groupes sur r.-v.

Muscat de beaumes-de-venise

Au nord de Carpentras, sous les impressionnantes Dentelles de Montmirail, le paysage doit son aspect à des calcaires grisâtres et à des marnes rouges. Une partie des sols est formée de sables, de marnes et de grès, une autre de terrains tourmentés avec des failles datant du trias et du jurassique. Ici encore, le seul cépage est le muscat à petits grains ; mais dans certaines parcelles, une mutation donne des raisins roses ou rouges. Les vins (13 929 hl en 2000) doivent avoir au moins 110 g de sucre par litre de moût ; ils sont aromatiques, fruités et fins, et conviennent parfaitement à l'apéritif ou sur certains fromages.

DOM. DE BEAUMALRIC 2000*

☐ 7,83 ha 31 000 8 à 11 €

Un domaine fréquemment mentionné dans le Guide. Or clair à reflets verts, son muscat 2000 se distingue par la finesse de son nez, associant nuances végétales, exotiques et poire verte. En bouche apparaît une pointe de citronnelle. L'attaque est ample, et l'équilibre frais et onctueux. (50 à 69 F)

🔑 EARL Begouaussel, Dom. de Beaumalric, BP 15, 84190 Beaumes-de-Venise, tél. 04.90.65.01.77, fax 04.90.62.97.28 ☑ 🍷 r.-v.

BOIS DORE 1998**

☐ 50 ha 20 000 11 à 15 €

La couleur est soutenue et les arômes de fruits confits, de tilleul et de liqueur de verveine, d'une incroyable intensité, s'harmonisent avec de fortes nuances vanillées. La dégustation s'achève sur des notes de café brûlé qui persistent longuement. (70 à 99 F)

🔑 Cave des Vignerons de Beaumes-de-Venise, quartier Ravel, 84190 Beaumes-de-Venise, tél. 04.90.12.41.00, fax 04.90.65.02.05, e-mail vignerons@beaumes-de-venise.com ☑ 🍷 r.-v.

HENRY BOUACHON

☐ 50 ha 10 000 11 à 15 €

Il donne du baume au cœur ! On lui trouve un côté lourd, certes, mais aussi beaucoup d'onctuosité. Un velours épais qui enveloppe le côté muscaté. Point d'exubérance, une certaine retenue mais qui n'est pas dénuée de profondeur. (70 à 99 F)

🔑 Henry Bouachon, BP 5, 84230 Châteauneuf-du-Pape, tél. 04.90.83.58.35, fax 04.90.83.77.23 ☑ 🍷 r.-v.

DOM. BOULETIN 2000*

☐ 6 ha 24 000 8 à 11 €

De couleur paille clair, ce muscat est d'une grande fraîcheur. Le nez évoque le fruit frais (poire, abricot, pêche verte) et le tilleul. La bouche, ample, aux nuances de liqueur de mandarine, est relevée en finale par une pointe perlante. (50 à 69 F)

🔑 EARL Bouletin et Fils, quartier Les Plantades, 84190 Beaumes-de-Venise, tél. 04.90.62.95.10, fax 04.90.62.98.23 ☑ 🍷 r.-v.

DOM. DE FONTAVIN 2000**

☐ 3,59 ha 7 500 8 à 11 €

Un muscat né dans un lieu-dit au nom prédestiné : Costebelle. Le millésime précédent avait obtenu un coup de cœur. Celui-ci, d'un or jaune brillant, est dans la même lignée. Aux arômes très frais d'écorce de citron se mêlent en bouche des nuances de bois parfumé de tulipier de Virginie et de confiture de cédrat. A déguster avec gourmandise sur un fromage frais. (50 à 69 F)

🔑 EARL Hélène et Michel Chouvet, Dom. de Fontavin, 1468, rte de la Plaine, 84350 Courthézon, tél. 04.90.70.72.14, fax 04.90.70.79.39, e-mail helene-chouvet@fontavin.com ☑ 🍷 t.l.j. sf dim. 9h-12h30 14h-18h30; été 9h-19h

DOM. DE LA PIGEADE 2000**

☐ 23 ha 92 000 8 à 11 €

Ce cinquième millésime depuis la création du domaine a été élu coup de cœur à l'unanimité. Le terroir et l'art d'un jeune vigneron nous

VDN

valent un vin or clair au nez d'une exceptionnelle intensité. La palette aromatique, complexe, associe l'eau de rose, dominante, à la poire et aux fruits exotiques. A goûter sur des pâtisseries orientales. (50 à 69 F)

Thierry Vaute, Dom. de La Pigeade, 84190 Beaumes-de-Venise, tél. 04.90.62.90.00, fax 04.90.62.90.90, e-mail th.vaute@lapigeade.fr r.-v.

LES MUSCADIERES 1998*

☐ 2 ha 8 000 8 à 11 €

Un soin attentif a été apporté à la vendange : table de tri, macération pelliculaire, refroidissement avant départ en fermentation, laquelle s'est effectuée à 18 °C. Cela donne un vin jaune pâle au nez explosif et pourtant délicat associant la violette à des notes résinées, et au caractère muscaté bien fondu. Il impose sa présence par son élégance. (50 à 69 F)

Pascal, rte de Gigondas, 84190 Vacqueyras, tél. 04.90.65.85.91, fax 04.90.65.89.23 r.-v.

DOM. DES RICHARDS 1999

☐ n.c. 30 000 11 à 15 €

D'un bel aspect vieil or aux reflets brillants, cette cuvée mêle le citron, la mandarine et la pâte de coing. En bouche apparaît l'écorce d'orange confite sur un support liquoreux et légèrement acidulé. Un équilibre très agréable. (70 à 99 F)

Gabriel Meffre, Le Village, 84190 Gigondas, tél. 04.90.12.32.42, fax 04.90.12.32.49 r.-v.

RESERVE J. VIDAL-FLEURY 2000*

☐ 3 ha 12 000 11 à 15 €

Cette maison de négoce, fondée en 1781, se flatte d'être la plus ancienne de la vallée du Rhône et d'avoir reçu Thomas Jefferson lors de son périple en Europe. D'une couleur doré soutenu, son dernier millésime présente un nez marqué par la maturité avec des notes d'évolution rappelant l'abricot confit et l'ananas mûr. En bouche, des nuances de rose fanée soutiennent une finale particulièrement aromatique. (70 à 99 F)

J. Vidal-Fleury, 19, rte de la Roche, 69420 Ampuis, tél. 04.74.56.10.18, fax 04.74.56.19.19 r.-v.

Muscat de lunel

Situé autour de Lunel, le terroir se caractérise par des terres rouges à cailloutis qui s'étendent sur des nappes alluviales. Il s'agit d'un paysage classique de cailloux roulés sur des terres d'argile rouge avec une localisation du vignoble sur les sommets des coteaux. Ici encore, seul le muscat à petits grains est utilisé ; les vins doivent avoir au minimum 125 g de sucre. 10 191 hl ont été agréés dans le millésime 2000.

CLOS BELLEVUE
Cuvée Vieilles vignes 2000*

☐ 5 ha 13 000 11 à 15 €

Dix ans de présence dans le Guide, deux coups de cœur et des étoiles à profusion : Francis Lacoste est passé maître dans l'art d'élaborer des muscats d'une grande finesse. Ce millésime 2000 est bien dans ce style avec sa robe d'or clair à reflets argent et ses arômes légers de groseillier sanguin et de bonbon acidulé. L'équilibre en bouche est à l'avenant : vif, charnu et élégant. (70 à 99 F)

Francis Lacoste, Dom. de Bellevue, rte de Sommières, 34400 Lunel, tél. 04.67.83.24.83, fax 04.67.71.48.23, e-mail muscatlacoste@wanadoo.fr t.l.j. sf dim. 9h-19h; groupes sur r.-v.

CH. GRES SAINT-PAUL Sévillane 1999*

☐ 8,15 ha 15 000 8 à 11 €

Une cuvée de caractère, à la somptueuse couleur vieil or. Ses arômes expriment des nuances d'évolution : rose séchée, abricot confit, zeste de pomelo et écorce d'orange. En bouche, la chair est relevée par une belle vivacité. Pour les amateurs de vin à maturité. (50 à 69 F)

Ch. Grès Saint-Paul, rte de Restinclières, 34400 Lunel, tél. 04.67.71.27.90, fax 04.67.71.73.76, e-mail contact@gres-saint-paul.com t.l.j. sf dim. 10h-12h 15h-19h

DOM. DE SAINT-PIERRE DE PARADIS Vendanges d'Automne 1999**

☐ n.c. 5 200 8 à 11 €

Cette cuvée originale est marquée par la maturité et une certaine évolution avec sa couleur ambrée et son nez associant nuances camphrées, champignon et vanille. La bouche, finement torréfiée, s'achève sur des notes de café et de gentiane. Un boisé harmonieux et une très bonne ampleur complètent l'équilibre. (50 à 69 F)

Les Vignerons du Muscat de Lunel, rte de Lunel-Viel, 34400 Vérargues, tél. 04.67.86.00.09, fax 04.67.86.07.52 r.-v.

CH. TOUR DE FARGES 1999★★

☐ n.c. 2 400 ▮🌡 5à8€

Ce vignoble, le plus ancien de l'appellation, est aujourd'hui vinifié par la cave coopérative. D'un bel or brillant et soutenu, son 99 a fait l'unanimité. Les arômes sont remarquables par leur intensité et leur complexité : le grain mûr de muscat, l'abricot, l'orange confite se mêlent à des notes végétales de menthe et de verveine. Le palais se montre vif, liquoreux, et d'une très bonne longueur. (30 à 49 F)

🗝 Les Vignerons du Muscat de Lunel,
rte de Lunel-Viel, 34400 Vérargues,
tél. 04.67.86.00.09, fax 04.67.86.07.52 ☑ 𝕐 r.-v.

Muscat de mireval

Ce vignoble s'étend entre Sète et Montpellier, sur le versant sud du massif de la Gardiole, et est limité par l'étang de Vic. Les sols sont d'origine jurassique et se présentent sous forme d'alluvions anciennes de cailloux roulés, avec une dominante calcaire. Le cépage est uniquement le muscat à petits grains ; il a donné, en 2000, 7 343 hl de vins doux naturels.

Le mutage est effectué assez tôt, car les vins doivent avoir un minimum de 125 g de sucre ; ils sont moelleux, fruités et liquoreux.

DOM. DU MAS NEUF 2000★★

☐ 68,4 ha 77 000 ▮🌡 5à8€

Bleue comme la Méditerranée toute proche, la bouteille évoque les flacons d'eau de fleur d'oranger. Dans cet habillage original, la cuvée de B.-P. Jeanjean est remarquable de jeunesse et d'élégance. La robe est brillante, doré clair aux nuances vertes. Vert aussi le nez, avec un soupçon de bourgeon de cassis. Toute la complexité de ce muscat s'exprime dans la bouche où se mêlent fruits exotiques, fleurs blanches, résine et zeste de pamplemousse. Une dégustation en crescendo qui appelle le coup de cœur. Le 94 avait obtenu la même distinction. (30 à 49 F)

🗝 Bernard-Pierre Jeanjean, Mas neuf
des Aresquiers, 34110 Vic-la-Gardiole,
tél. 04.67.78.37.44, fax 04.67.78.37.46

DOM. DU MOULINAS 1999

☐ 16 ha n.c. ▮🌡 5à8€

La robe est brillante, paille clair. Les arômes intenses révèlent des nuances évoluées : fruit confit, abricot, liqueur de verveine. Cette dernière domine en bouche, relevée par une pointe de citron vert. Bien équilibré entre charnu et vivacité, un bon classique. (30 à 49 F)

🗝 SCA Les Fils Aymes, Dom. du Moulinas,
24, av. du Poilu, BP 1, 34114 Mireval,
tél. 04.67.78.13.97, fax 04.67.78.57.78 ☑ 𝕐 r.-v.

Muscat de saint-jean de minervois

Ce muscat est produit par un vignoble perché à 200 m d'altitude et dont les parcelles s'imbriquent dans un paysage classique de garrigue. Il s'ensuit une récolte tardive, près de trois semaines environ après les autres appellations de muscat. Quelques vignes se trouvent sur des terrains primaires schisteux, mais la majorité est implantée sur des sols calcaires où apparaît parfois la coloration rouge de l'argile. Là encore, seul le muscat à petits grains est autorisé ; les vins obtenus doivent avoir un minimum de 125 g de sucre. Ils sont très aromatiques, avec beaucoup de finesse et des notes florales caractéristiques. C'est la plus petite AOC de muscat sur le continent avec une production de 4 808 hl en 2000.

DOM. DE BARROUBIO 1999★

☐ 1 ha 5 000 ▮🌡 5à8€

Un domaine familial que l'on ne présente plus : n'a-t-il pas déjà obtenu trois coups de cœur dans les éditions précédentes ? Habillé d'or jaune clair, ce 99 offre un joli nez de raisin mûr et de tilleul. La bouche évoque l'abricot confit, le zeste d'orange et la feuille de verveine. Un beau classique. (Bouteilles de 50 cl.) (30 à 49 F)

Raymond Miquel, Dom. de Barroubio, 34360 Saint-Jean-de-Minervois, tél. 04.67.38.14.06, fax 04.67.38.14.06 t.l.j. 9h30-12h 15h-19h

DOM. DE BARROUBIO
Vieilles vignes Cuvée Nicolas 1999*

n.c. 5 000 15 à 23 €

Cette cuvée spéciale est proposée en bouteilles de 50 cl. D'un bel or roux légèrement ambré, elle présente des arômes extrêmement originaux aux nuances de fruits macérés dans l'alcool. La prune à l'eau-de-vie marque ainsi la bouche, qui se développe sur un équilibre chaleureux et s'achève en une finale agréablement amère. (100 à 149 F)

Raymond Miquel, Dom. de Barroubio, 34360 Saint-Jean-de-Minervois, tél. 04.67.38.14.06, fax 04.67.38.14.06 t.l.j. 9h30-12h 15h-19h

LES VIGNERONS DE SEPTIMANIE
Petit Grain

30 ha 60 000 8 à 11 €

La teinte vieil or de la robe évoque déjà la maturité, tout comme la palette aromatique aux nuances de coing, de mandarine confite et de pêche cuite. Des notes végétales et des impressions de fleur séchée apparaissent en bouche. La finale est relevée par une pointe d'amertume savoureuse. (50 à 69 F)

Vignerons de La Méditerranée, ZI Plaisance,12, rue du Rec-de-Veyret, BP 414, 11104 Narbonne Cedex, tél. 04.68.42.75.00, fax 04.68.42.75.01, e-mail rhirtz@listel.fr r.-v.

Rasteau

Tout à fait au nord du département du Vaucluse, ce vignoble s'étale sur deux formations distinctes : sols de sables, marnes et galets au nord ; terrasses d'alluvions anciennes du Rhône (quaternaire), avec des galets roulés, au sud. Partout, le cépage utilisé est le grenache. Il donne du blanc (189 hl en 2000) et du rouge (876,53 hl).

DOM. BEAU MISTRAL
Vieilli en fût de chêne 1999*

2 ha 4 000 5 à 8 €

Issu de vieilles vignes (cinquante ans) de grenache plantées sur leur terrain de prédilection, ce rasteau élevé un an en fût hésite entre l'acajou et l'ambré roux. Un vin tout en fruits secs, sur fond de grillé, où l'amande et le raisin à l'eau-de-vie précèdent un surprenant début de rancio. (30 à 49 F)

Jean-Marc Brun, Le Village, rte d'Orange, 84110 Rasteau, tél. 04.90.46.16.90, fax 04.90.46.17.30 t.l.j. 9h-12h 14h-18h

DOM. BRESSY MASSON 1999*

n.c. 4 000 8 à 11 €

Connu pour son rancio, le domaine se distingue cette année par un rouge de macération, soutenu, intense et généreux. Très marquée par les fruits rouges, sur fond d'épices, la bouche évoque la cerise. Ample, avec des tanins fermes, ce vin puissant, déjà agréable, saura également bien se tenir dans le temps. (50 à 69 F)

Marie-France Masson, Dom. Bressy-Masson, 84110 Rasteau, tél. 04.90.46.10.45, fax 04.90.46.17.78 t.l.j. 9h-12h 14h-19h

CAVE DE RASTEAU Signature 1995

3 ha 10 500 8 à 11 €

Regroupés en coopérative depuis 1925, les vignerons de Rasteau ont su donner au grenache noir les meilleures expressions, tant en vin sec qu'en vin doux. Brillant, d'un rouge profond, ce 95 dévoile des senteurs de cerise. Au palais, il est souple, velouté, mais puissant. Le fruit est omniprésent. Un vin encore en devenir. (50 à 69 F)

Cave de Rasteau, rte des Princes-d'Orange, 84110 Rasteau, tél. 04.90.10.90.10, fax 04.90.46.16.65, e-mail rasteau@rasteau.com r.-v.

Muscat du cap corse

L'appellation muscat du cap corse a été reconnue par décret en date du 26 mars 1993. C'est l'aboutissement des longs efforts d'une poignée de vignerons regroupés sur les terroirs calcaires de Patrimonio et ceux, schisteux de l'AOC vin de corse-coteaux du cap corse, soit 17 communes de l'extrême nord de l'île qui ont produit sur 84 ha 2 095 hl en 2000.

Désormais, seuls les vins élaborés à partir de muscat blanc à petits grains, répondant aux conditions de production des vins doux naturels et titrant au moins 95 g/l de sucres résiduels pourront prétendre à l'appellation.

CLOS DE BERNARDI 2000

5 ha 2 000 8 à 11 €

Le clos existe depuis 1884. Le père de Jean-Laurent de Bernardi fut un grand défenseur des appellations corses, en particulier du patrimo-

nio. Le millésime 2000 de l'exploitation présente une jolie robe dorée. Le nez, aux notes muscatées bien marquées, est agréable, la bouche apparaît équilibrée. Une valeur sûre.
(50 à 69 F)
Jean-Laurent de Bernardi, 20253 Patrimonio, tél. 04.95.37.01.09, fax 04.95.32.07.66
r.-v.

DOM. DE CATARELLI 2000*

□ 2 ha 6 000 11 à 15 €

Le domaine de Catarelli est une très belle propriété de 11 ha, située sur le territoire de la commune de Farinole, du côté ouest du Cap Corse. Son muscat 2000 séduit par sa palette aromatique marquée par les fruits exotiques et par sa bouche équilibrée. Il faut l'essayer sur un foie gras frais aux morilles. Ce vin attendra sagement en cave l'occasion d'un grand repas.
(70 à 99 F)
EARL Dom. de Catarelli, marine de Farinole, 20253 Patrimonio, tél. 04.95.37.02.84, fax 04.95.37.18.72 t.l.j. sf dim. 9h-12h 15h-18h
Le Stunff

DOM. GENTILE 2000

□ 3,5 ha 16 000 11 à 15 €

Le muscat de Dominique Gentile se distingue cette année encore par son intensité et son caractère. La robe est d'un joli jaune paille, le nez libère des notes d'agrumes que l'on retrouve dans une bouche puissante. Un style traditionnel. (70 à 99 F)
Dom. Gentile, Olzo, 20217 Saint-Florent, tél. 04.95.37.01.54, fax 04.95.37.16.69 t.l.j. sf dim. 9h-12h 14h30-18h30; r.-v. hors saison

DOM. GIUDICELLI 2000*

□ 5,17 ha 16 000 8 à 11 €

Une belle régularité pour cette jeune vigneronne patrimoniaise, installée en 1997. Muriel Giudicelli présente cette année un muscat très aromatique issu d'une vinification alliant tradition et modernité. Son vin paille dorée offre des notes originales de loukoum à la rose et de noix de coco. La bouche est tout aussi élégante. Ce vin se servira à l'apéritif et reviendra sur un dessert à base de fruits exotiques. (50 à 69 F)
Muriel Giudicelli, Paese Novu, 20213 Penta di Casinca, tél. 04.95.36.45.10, fax 04.95.36.45.10 r.-v.

DOM. LECCIA 2000*

□ 3 ha 10 000 11 à 15 €

En vins secs comme en vins doux, la réputation du domaine Leccia n'est plus à faire. Présent dans le Guide dès les débuts de l'appellation, il a souvent proposé des muscats remarquables. Celui-ci, dans sa robe dorée à reflets paille, se tourne vers la tradition. Le nez, complexe, libère des notes muscatées accompagnées de nuances de fruits secs et d'amande. La bouche, très douce, est d'une grande longueur.
(70 à 99 F)
Dom. Leccia, 20232 Poggio-d'Oletta, tél. 04.95.37.11.35, fax 04.95.37.17.03 r.-v.

CLOS MARFISI 2000*

□ 3,5 ha 10 000 11 à 15 €

Toussaint Marfisi, vigneron à Patrimonio depuis 1956, a toujours été attentif à la qualité de la vendange. Il présente un muscat à la robe claire et brillante. Un vin tout en douceur et en élégance. Des arômes muscatés, enrichis de quelques notes mentholées, tapissent la bouche. Cette bouteille est à boire sans attendre avec quelques figues au vin... de muscat bien sûr !
(70 à 99 F)
Toussaint Marfisi, Clos Marfisi, av. Jules-Yentre, 20253 Patrimonio, tél. 04.95.37.01.16, fax 04.95.37.06.37 t.l.j. sf dim. 9h-19h; f. 1er dec.-31 mars

CLOS MONTEMAGNI
Cuvée Prestige du Menhir 2000**

□ 7 ha 10 000 8 à 11 €

La Corse est célèbre par ses statues-menhirs de la préhistoire dont l'une a été découverte près de Patrimonio. Une référence ancienne pour ce vin moderne à la robe très pâle, au nez floral marqué aussi par le miel et l'abricot. En bouche, l'équilibre si difficile à obtenir entre le sucre résiduel et l'alcool est parfait. Une cuvée qui a frôlé le coup de cœur. (50 à 69 F)
SCEA Montemagni, 20253 Patrimonio, tél. 04.95.37.14.46, fax 04.95.37.17.15 t.l.j. 8h-12h 14h-18h

ORENGA DE GAFFORY 2000**

□ 7,56 ha n.c. 11 à 15 €

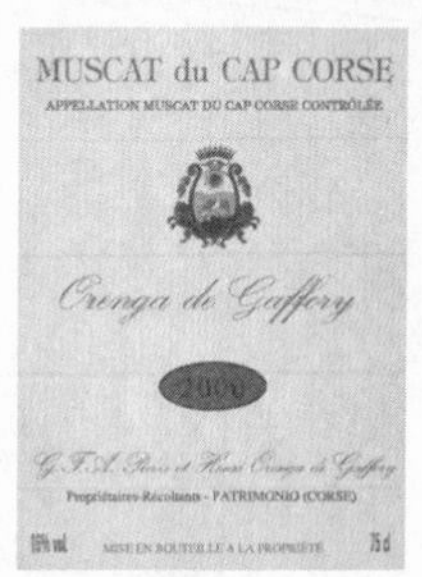

Le domaine Orenga de Gaffory en est à son quatrième coup de cœur dans cette appellation ! Cette distinction consacre un muscat issu d'un terroir argilo-calcaire. Un vin résolument moderne. Sa palette aromatique, riche et nuancée, évoque les fleurs blanches et le miel d'asphodèle. L'équilibre entre le sucre et l'alcool est parfait, fait de douceur et de puissance. Un vin à servir sur une viande blanche grillée ou sur une simple salade de fruits frais. Il peut aussi attendre quelques mois en cave avant d'être dégusté frais et non frappé. (70 à 99 F)
GFA Orenga de Gaffory, Morta-Majo, 20253 Patrimonio, tél. 04.95.37.45.00, fax 04.95.37.14.25, e-mail orenga.de.gaffory@wanadoo.fr
r.-v.
H. Orenga et P. de Gaffory

DOM. PIERETTI 2000*

☐ 0,75 ha 3 200 11 à 15 €

L'ancienne cave date du XVIIe s. Et, jusqu'en 1992, la vinification s'est effectuée, comme au bon vieux temps, avec foulage aux pieds. Lina Pieretti Venturi, installée en 1991, a introduit la modernité. Elle a implanté une partie de son muscat à Pietracorbara, sur une parcelle baignée par les vents d'ouest, qui vient très tôt à maturité. Voici son troisième millésime. C'est un vin clair, au nez discret mais fin. En bouche, quelques nuances de fruits secs se mêlent aux arômes caractéristiques du cépage. A essayer sur un fromage persillé. (70 à 99 F)

Lina Pieretti Venturi, Santa-Severa, 20228 Luri, tél. 04.95.35.01.03, fax 04.95.35.01.03 ☑ r.-v.

DOM. SAN QUILICO 2000*

☐ n.c. n.c. 8 à 11 €

Le domaine San Quilico, très belle propriété d'un seul tenant, est géré par Henri Orenga de Gaffory. Il nous a présenté ces dernières années de superbes muscats (dont un 98 qui fut coup de cœur). Dans sa robe cristalline animée de quelques reflets citron, celui-ci est de style moderne. Le nez, très ouvert, livre des fragrances grillées et vanillées que l'on retrouve lors de la mise en bouche. Ce vin accompagnera de manière fort agréable une coupe de fruits frais. Il sera également un bon partenaire des débuts de soirée. (50 à 69 F)

EARL Dom. San Quilico, Morta Majo, 20253 Patrimonio, tél. 04.95.37.45.00, fax 04.95.37.14.25 r.-v.

LES VINS DE LIQUEUR

L'appellation contrôlée ne s'appliquait qu'au pineau des charentes pour la dénomination « vin de liqueur » (désignation communautaire VLQPRD), à l'exception très rare de quelques frontignans ; le 27 novembre 1990, le floc de gascogne et le 14 novembre 1991, le macvin du jura ont rejoint l'appellation contrôlée « vin de liqueur ». Ce produit est le fruit d'un assemblage de moût en fermentation avec une eau-de-vie d'origine vinique. En tout état de cause, les produits « vins de liqueur » auront un titre alcoométrique compris entre 16 et 22 % vol. L'addition de l'eau-de-vie sur le moût est appelée « mutage » ; dans les deux cas, l'eau-de-vie et le moût sont originaires de la même exploitation.

Pineau des charentes

Le pineau des charentes est produit dans la région de Cognac qui forme un vaste plan incliné d'est en ouest d'une altitude maximum de 180 m, et qui s'abaisse progressivement vers l'océan Atlantique. Le relief est peu accentué. Le climat, de type océanique, est caractérisé par un ensoleillement remarquable, avec de faibles écarts de température qui favorisent une lente maturation des raisins.

Le vignoble, traversé par la Charente, est implanté sur des coteaux au sol essentiellement calcaire et couvre plus de 83 000 ha, dont la destination principale est la production du cognac. Celui-ci va être « l'esprit » du pineau des charentes : ce vin de liqueur est en effet le résultat du mélange des moûts des raisins charentais partiellement fermentés avec du cognac.

Selon la légende, c'est par hasard qu'au XVIe s. un vigneron un peu distrait commit l'erreur de remplir de moût de raisin une barrique qui contenait encore du cognac. Constatant que ce fût ne fermentait pas, il l'abandonna au fond du chai. Quelques années plus tard, alors qu'il s'apprêtait à vider la barrique, il découvrit un liquide limpide, délicat, à la saveur douce et fruitée : ainsi serait né le pineau des charentes. Le recours à cet assemblage se poursuit aujourd'hui encore, de la même façon artisanale à chaque vendange, car le pineau des charentes ne peut être élaboré que par les viticulteurs. Restée locale pendant longtemps, sa renommée s'étendit peu à peu à toute la France, puis au-delà de nos frontières.

Les moûts de raisins proviennent essentiellement, pour le pineau des charentes blanc, des cépages ugni blanc, colombard, montils et sémillon auxquels peuvent être adjoints les merlot et cabernet franc ou sauvignon, et, pour le rosé, des cabernet franc, cabernet-sauvignon et merlot. Les ceps doivent être conduits en taille courte et cultivés sans engrais azotés. Les raisins devront donner un moût dépassant les 10 ° en puissance. Le pineau des charentes vieillit en fût de chêne pendant au minimum une année.

Il ne peut sortir de la région que mis en bouteilles. Comme en matière de cognac, il n'est pas d'usage d'indiquer le millésime. En revanche, un qualificatif d'âge est souvent spécifié. Le terme « vieux pineau » est réservé au pineau de plus de cinq ans et celui de « très vieux pineau » au pineau de plus de dix ans. Dans ces deux cas, il doit passer son temps de vieillissement exclusivement en barrique et la qualité de ce vieillissement doit être reconnue par une commission de dégustation. Le degré alcoolique doit être compris entre 17 ° et 18 ° et la teneur en sucre non fermenté de 125 à 150 g ; le rosé est par essence généralement plus doux et plus fruité que le blanc, lequel est plus nerveux et plus sec. La production annuelle dépasse 100 000 hl : 55 % de blanc et 45 % de rosé. Cinq cents producteurs-récoltants et sept coopératives élaborent et commercialisent le pineau des charentes. Cent négociants représentent plus de 40 % du marché de détail.

Nectar de miel et de feu, dont la merveilleuse douceur dissimule une certaine traîtrise, le pineau des charentes peut être consommé jeune (à partir de deux ans) ; il donne alors tous ses arômes de fruits, encore plus abondants dans le rosé. Avec l'âge, il prend des parfums de rancio très caractéristiques. Par tradition, il se consomme à l'apéritif ou au dessert ; cependant, de nombreux gastronomes ont noté que sa rondeur accompagne le foie gras et le roquefort, que son moelleux intensifie le goût et la douceur de certains fruits, principalement le melon (charentais), les fraises et les framboises. Il est utilisé également en cuisine pour la confection de plats régionaux (mouclades).

ANDRE ARDOUIN*

☐ 4 ha n.c. 8 à 11 €

Jouissant d'un exceptionnel environnement touristique avec l'église romane d'Aulnay (4 km), cette propriété, viticole depuis six générations, est située dans le nord de la Charente-Maritime. Si la robe est d'un or très brillant, le nez est peu intense mais élégant et subtil. La bouche fruitée, avec une pointe d'acidité, est bien équilibrée. (50 à 69 F)

André Ardouin, 6, rue des Anges, 17470 Villemorin, tél. 05.46.33.12.52, fax 05.46.33.14.47 r.-v.

CLAUDE AUDEBERT Vieux*

☐ 6 ha 5 000 15 à 23 €

Eglises romanes et théâtre gallo-romain se rencontrent dans les environs de cette exploitation charentaise traditionnelle aux bâtiments de pierre de la région et au porche du XVIIIe s. L'élégante robe ambrée aux reflets dorés et brillants annonce un nez fait de notes de fruits secs, de noisette, dominé par le bois, mais plaisamment. La bouche est ronde et parfumée ; les arômes de fruits secs sont toujours présents, accompagnés par un rancio bien fondu et un fin boisé. (100 à 149 F)

Claude Audebert, Les Villairs, 16170 Rouillac, tél. 05.45.21.76.86, fax 05.45.96.81.36, e-mail erclaude@wanadoo.fr t.l.j. 7h30-13h 14h-20h

BARBEAU ET FILS Sélection

◪ 0,95 ha 10 000 8 à 11 €

Depuis plus d'un siècle, les Barbeau se transmettent un savoir-faire qui a fait ses preuves. Dans une robe rose foncé à reflets orangés s'expriment des notes de cassis, de groseille et de framboise. Très ample et onctueux, ce pineau présente en finale une certaine fraîcheur bien agréable. (50 à 69 F)

Maison Barbeau et Fils, Les Vignes, 17160 Sonnac, tél. 05.46.58.55.85, fax 05.46.58.53.62 r.-v.

MICHEL BARON
Vieux Logis du Coudret**

☐ 2 ha 4 000 11 à 15 €

Vieux Pineau des Charentes
MICHEL BARON
Logis du Coudret

Situé à 5 km de Cognac, le Logis du Coudret s'inscrit dans le vignoble des Borderies. Il appartient à la famille Baron depuis 1851. Ce vieux blanc est vêtu d'une robe claire, jaune paille, étincelante. Le nez léger, faiblement rancioté, offre des nuances de citron et de fruits exotiques. Très ronde, la bouche est riche d'arômes complexes ; le miel adoucit les notes citronnées et épicées. D'une très bonne longueur, elle possède un rancio fondu et délicat. Un nouveau coup de cœur pour un producteur qui en obtint déjà beaucoup. (70 à 99 F)

Michel Baron, Logis du Coudret, 16370 Cherves-Richemont, tél. 05.45.83.16.27, fax 05.45.83.18.67, e-mail veuvebaron@wanadoo.fr t.l.j. sf dim. 14h-18h30

RAYMOND BOSSIS*

◪ 4 ha 6 000 8 à 11 €

Habitué du Guide, coup de cœur l'an dernier, Raymond Bossis a passé la main à son fils Jean-Luc en 1993. Une fois encore, le rosé fait partie de la sévère sélection de nos jurys. Dans sa robe de couleur rubis intense, limpide et brillant, il exprime des arômes de cerise et de violette. Après une attaque souple et ronde, la bouche longue et volumineuse laisse sur des sensations de fruits confits. (50 à 69 F)

SCEA Les Groies, 17150 Saint-Bonnet-sur-Gironde, tél. 05.46.86.02.19, fax 05.46.70.66.85 t.l.j. 9h-12h 14h-19h

Raymond Bossis

BRARD BLANCHARD**

☐ 1,31 ha 24 000 8 à 11 €

Vignoble situé sur les coteaux argilo-calcaires dominant la Charente, aux portes de Cognac. L'originalité de l'encépagement (ugni blanc, colombard et montils) et la pratique de l'agriculture biologique donnent un pineau typé et original. Derrière une belle couleur jaune pâle, délicate et limpide aux reflets d'or, le nez se montre complexe, mêlant fruits blancs, pêche de vigne très mûre, fruits exotiques et fruits secs. Son évolution est ample et riche. Les arômes de rétro-olfaction offrent des notes d'agrumes (mandarine, kumquat). La bouche, d'une grande

persistance sur les fruits secs (figue), la banane et l'abricot, est très jolie. Un pineau blanc d'excellente facture. (50 à 69 F)
GAEC Brard-Blanchard, 1, chem. de Routreau, Boutiers, 16100 Cognac,
tél. 05.45.32.19.58, fax 05.45.36.53.21 ☑ ⫪ t.l.j. sf dim. 9h-12h 14h-18h; f. 15 août-1er sept.

FREDDY BRUN*

☐ 2 ha 4 000 ⬮ 5à8€

Assemblage original de colombard (50 %), de sémillon (30 %) et d'ugni blanc (20 %) de vignes de trente ans plantées sur des sols argilo-calcaires, ce pineau, paré d'une robe brillante aux reflets jaune d'or, possède un nez riche et complexe où se mêlent des nuances évoluées et un boisé bien mesuré. Assez puissant en bouche, il fait un joli parcours sur des notes fruitées et des arômes miellés. (30 à 49 F)
Freddy Brun, chez Babœuf, 16300 Barret,
tél. 05.45.78.00.73, fax 05.45.78.98.81 ☑ ⫪ r.-v.

CALISINAC Extra vieux*

☐ 50 ha 2 500 8à11€

La coopérative du Liboreau, créée en 1953, vinifie les récoltes d'une centaine de viticulteurs, sur environ 230 ha de vignes. Les différentes productions sont le cognac, le pineau et des vins de pays. Ce pineau de belle couleur vieil or à multiples reflets d'une limpidité parfaite possède un nez très fin avec des notes de fleurs d'oranger, de miel, de noix et un rancio très apprécié. La bouche, onctueuse et bien longue, laisse dominer la rondeur dans une parfaite harmonie. (50 à 69 F)
SCA Cave du Liboreau, 18, rue de l'Océan, 17490 Siecq, tél. 05.46.26.61.86,
fax 05.46.26.68.01, e-mail cave.du.liboreau@wanadoo.fr ☑ ⫪ r.-v.

JEAN-NOEL COLLIN

◪ 3 ha 3 000 ⬮ 8à11€

Le vignoble, situé en Grande Champagne sur des sols argilo-calcaires, fut créé en 1850. De couleur rosée à reflets orangés, limpide, très brillant, ce pineau offre des arômes de fraise et de groseille très subtils et persistants qui sont bien présents en bouche ; celle-ci est onctueuse, où se conjuguent des notes de fruits rouges et une vivacité très appréciée. A déguster avec un dessert chocolaté. (50 à 69 F)
Jean-Noël Collin, La Font-Bourreau, 16130 Salles-d'Angles, tél. 05.45.83.70.77,
fax 05.45.83.66.89, e-mail jean-noel.collin@wanadoo.fr ☑ ⫪ t.l.j. 8h-20h

RICHARD DELISLE*

☐ n.c. 15 000 ⬮ 8à11€

Maison de négoce située en Grande Champagne, à proximité du château de Bourg-Charente et de l'église Saint-Jean-Baptiste. La robe dorée tire sur l'orange cuivré, légèrement tuilé. Le nez intense de fleurs et de figue est nuancé par un boisé équilibré. En bouche, la douceur domine, avec un goût de fruits secs, de figue et un rancio bien structuré. (50 à 69 F)
SARL Hawkins Distribution, Moulineuf, 16200 Bourg-Charente, tél. 05.45.81.11.30,
fax 05.45.81.11.31,
e-mail contact@hawkinsdistribution.com ☑

DROUET ET FILS Vieux X'Cep*

☐ 1 ha 2 000 ⬮ 15à23€

Assemblage réussi de colombard (25 %) et d'ugni blanc (75 %), ce vin de liqueur, issu d'une agriculture traditionnelle à fumure limitée, n'a subi ni collage ni filtration. D'une couleur ambrée aux reflets de feu, il présente un rancio léger et un boisé équilibré au milieu de nuances de fruits secs. Très long en bouche, il reste léger grâce à une acidité plaisante s'harmonisant totalement avec le bois et le rancio. Des arômes de fruits exotiques ajoutent une typicité à ce pineau finement élaboré. (100 à 149 F)
Patrick et Stéphanie Drouet,
1, rte du Maine-Neuf, 16130 Salles-d'Angles,
tél. 05.45.83.63.13, fax 05.45.83.65.48 ☑ ⫪ t.l.j. 9h-19h; dim. sur r.-v.

DUPUY Très vieux*

☐ n.c. n.c. ⬮ 8à11€

Située au cœur de la ville de Cognac, cette maison familiale, fondée en 1852, élabore cognacs et pineau selon des méthodes traditionnelles. Dans sa robe vieil or à multiples reflets légèrement orangés, ce très vieux blanc offre de beaux arômes d'écorces d'orange, d'abricot et de miel. Le bon équilibre en bouche s'accompagne de sensations de fruits confits. (50 à 69 F)
A. Edmond Dupuy, 32, rue de Boston,
BP 62, 16102 Cognac Cedex, tél. 05.45.32.07.45,
fax 05.45.32.52.47,
e-mail c-b-g@cognac-dupuy.com ☑

HENRI GEFFARD**

☐ 1 ha 9 000 ⬮ 8à11€

Cette exploitation viticole familiale est située à proximité de la vallée du Né où a été tourné le film *Va savoir* avec Gérard Klein. Indéniablement, ce pineau est à connaître, avec sa robe jaune intense et très limpide, son nez fin, floral avec des parfums d'agrumes, de citron, de miel et de tilleul. L'attaque est souple, d'une puissance limitée, mais vite apparaissent des arômes de pêche et de pamplemousse très persistants, accompagnés en finale par une note légèrement acidulée, plaisante et rafraîchissante. (50 à 69 F)
Henri Geffard, La Chambre, 16130 Verrières, tél. 05.45.83.02.74, fax 05.45.83.01.82
☑ ⫪ t.l.j. 8h-12h15 13h30-19h

GUILLON-PAINTURAUD Extra vieux*

◪ 0,61 ha 1000 ⬮ 15à23€

Cette exploitation familiale, créée en 1610, est située au cœur de la Grande Champagne, premier cru du Cognac. Durant la période estivale, de nombreuses animations y sont organisées. Dans sa robe de couleur rosée montrant des reflets tuilés acquis au cours des longues années de vieillissement, ce pineau développe des notes de confiture d'oranges, de bois et un rancio très puissant. Le jury apprécie ses nuances fruitées

très présentes en bouche et le parfait équilibre de ses flaveurs. (100 à 149 F)
Guillon-Painturaud, Biard, 16130 Ségonzac, tél. 05.45.83.41.95, fax 05.45.83.34.42, e-mail guillon-painturaudepicuria@wanadoo.fr r.-v.

DOM. DE LA PETITE FONT VIEILLE*

0,5 ha 3 000 5 à 8 €

Consacré à la vigne et à la production laitière jusqu'à la fin des années 1970, ce domaine s'est spécialisé dans la vigne, achetant alors un alambic. D'une belle couleur bouton d'or limpide et étincelante, issu d'ugni blanc, ce vin de liqueur offre un nez flatteur aux notes d'évolution. Equilibré et fruité, c'est un bon pineau classique et harmonieux. (30 à 49 F)
Eric et Carole Aiguillon, 10, rue Grimard, 17520 Jarnac-Champagne, tél. 05.46.49.55.54, fax 05.46.49.55.54 r.-v.

DOM. DE LA VILLE**

n.c. 1000 5 à 8 €

Créé en 1934, ce vignoble situé sur les coteaux dominant l'estuaire de la Gironde est implanté sur des terres argilo-calcaires. Ce pineau rosé, dans sa brillante robe rubis foncé à reflets carminés, révèle des parfums de raisin parfaitement mûri. Le jury apprécie aussi ses arômes de fraise, de framboise et la douceur onctueuse de sa bouche ; le fruité est amplifié en finale où se confirme une parfaite harmonie. (30 à 49 F)
SA Dom. de La Ville, 17150 Saint-Thomas-de-Conac, tél. 05.46.86.03.33, fax 05.46.70.67.00, e-mail domainedelaville@voila.fr r.-v.

CH. DE L'OISELLERIE Gerfaut rubis

5 ha 2 000 8 à 11 €

La cour de France faisait dresser ici des rapaces ; lorsque François Ier fut libéré par Charles Quint, il vint dans ce château auprès de sa sœur Marguerite d'Angoulême et pratiqua la chasse au faucon. Aujourd'hui lycée agricole, L'Oisellerie élabore ce pineau d'une belle couleur rosée à reflets orangés, limpide et brillant, aux arômes de fraise et de groseille très subtils. Bien équilibrée, la bouche offre des notes de fruits rouges et une finale vive. (50 à 69 F)
Lycée agricole L'Oisellerie, 16400 La Couronne, tél. 05.45.67.36.89, fax 05.45.67.16.51, e-mail expl.legta-angouleme@educagri.fr r.-v.

MARQUIS DE DIDONNE*

50 ha 80 000 8 à 11 €

Le Marquis de Didonne se distingue une fois de plus ! Il est issu de l'assemblage d'ugni blanc et de colombard plantés sur groies argilo-siliceuses par les adhérents de cette coopérative proche de Royan. Sa jolie robe jaune paille offre des reflets de cuivre. Le fruit s'impose au nez avec des parfums de coing, de figue, un soupçon de fraise et des notes plus évoluées. La bouche, où le bois domine les notes de fruits, est d'une bonne longueur. (50 à 69 F)
Vignerons des Côtes de Saintonge, BP 5, Fontbedeau, 17200 Saint-Sulpice-de-Royan, tél. 05.46.06.01.01, fax 05.46.06.92.72, e-mail info@didonne.com r.-v.

MENARD*

n.c. 20 000 8 à 11 €

Depuis 1946, la famille Ménard jouit d'une réputation devenue légendaire en Charente, réputation soulignée par les éditions successives du Guide. Cette année, le rosé, très limpide dans sa robe à reflets saumon, laisse poindre des arômes de cassis, de mûre et de cerise à l'eau-de-vie. Après une bonne attaque, il se montre onctueux et agréable ; les notes fruitées se prolongent dans une finale persistante. Le **très vieux pineau blanc (100 à 149 F)** aux arômes de miel et de fruits secs obtient lui aussi une étoile. (50 à 69 F)
J.-P. Ménard et Fils, 2, rue de la Cure, BP 16, 16720 Saint-Même-les-Carrières, tél. 05.45.81.90.26, fax 05.45.81.98.22, e-mail menard@cognac-menard.com t.l.j. sf sam. dim. 8h-12h 14h-18h

J.Y. ET F. MOINE Très vieux*

2 ha 4 000 15 à 23 €

Les deux frères Moine ont repris l'exploitation familiale en 1970. Dès 1990, ils imaginent le « circuit du chêne », promenade touristique proposant la visite de leur distillerie, d'une tonnellerie et de l'atelier d'un fendeur de merrain. Jaune doré aux reflets orangés très brillants, leur très vieux pineau blanc livre des notes de bois vanillé associées aux fruits confits. Bien présente, onctueuse, la bouche révèle beaucoup de souplesse, de rondeur et une parfaite harmonie des arômes. (100 à 149 F)
Jean-Yves et François Moine, Villeneuve, 16200 Chassors, tél. 05.45.80.98.91, fax 05.45.80.96.01, e-mail lesfreres.moine@wanadoo.fr r.-v.

LISCA MONT*

0,5 ha 750 8 à 11 €

Jeunes viticulteurs installés depuis 1994 en Petite Champagne à proximité de Pons où l'on peut visiter le donjon et le château des Enigmes. Leur pineau d'un or très clair et limpide s'anime de reflets safran. Le nez puissant est floral, accompagné de notes de miel et de thé. La bouche fruitée mêle la noix, le miel et un rancio très perceptible. (50 à 69 F)
Lisca Mont, 8, rue de la Mare, 17800 Biron, tél. 05.46.91.36.49, fax 05.46.91.36.49, e-mail cognac.mont@cognac.fr t.l.j. 9h-20h

DOM. DE MONTLAMBERT**

0,31 ha 2 676 11 à 15 €

Cette exploitation viticole appartient à la famille Tourny depuis 1850. A la disparition de son grand-père, Rémy Tourny, Marie-Laure Saint-Martin a créé la marque de Montlambert. Son pineau, d'un vieil or très limpide, présente un nez franc, assez puissant, riche d'arômes de fruits à chair blanche. Souple, bien équilibrée, la bouche a ce qu'il faut de vivacité et révèle des notes d'évolution. (70 à 99 F)

SARL de Montlambert, Dom. de Montlambert, 16100 Louzac-Saint-André, tél. 05.45.82.27.86, fax 05.45.82.91.32, e-mail remytourny@wanadoo.fr r.-v.

GERARD PAUTIER*

	1,32 ha	2 000	8 à 11 €

Un magnifique domaine au bord de la Charente dont le chemin de halage permet de paisibles promenades. Le vignoble a donné un joli pineau rosé dont la robe soutenue, d'une belle limpidité, offre des reflets grenat ; des notes de cassis, de groseille et de framboise se retrouvent au nez comme en bouche. Celle-ci se révèle onctueuse, ronde et longue. (50 à 69 F)

Gérard Pautier, SCA de la Romède, Veillard, 16200 Bourg-Charente, tél. 05.45.81.24.89, fax 05.45.81.04.44 t.l.j. 9h-18h

ROBERT POUILLOUX ET SES FILS Rubis

	4 ha	n.c.	8 à 11 €

Exploités depuis 1764 par la même famille, ces terroirs calcaires ont donné un pineau d'une couleur rosé intense à reflets rouge carminé. Ses notes de cassis, de myrtille et de confiture de fruits rouges surprennent très agréablement. Onctueux, souple, généreux, montrant beaucoup de caractère, il laisse une belle impression. (50 à 69 F)

EARL Robert Pouilloux et ses Fils, Peugrignoux, 17800 Pérignac, tél. 05.46.96.41.41, fax 05.46.96.35.04 t.l.j. 8h-20h

DAVID RAMNOUX*

	1 ha	3 600	8 à 11 €

Créé en 1946, le domaine Ramnoux est cultivé en biodynamie depuis 1993. Ce pineau est le premier certifié, résultat de l'assemblage des récoltes 97 et 98. La robe est brillante, jaune d'or. Le nez évolué est dominé par des parfums de fleurs et de miel. Bien équilibrée, la bouche offre une réelle fraîcheur en finale qui s'harmonise parfaitement avec le fruit et le miel. (50 à 69 F)

David Ramnoux, Le Bourg, 16170 Mareuil, tél. 05.45.35.43.88, fax 05.45.96.46.94, e-mail david-ramnoux@hotmail.com r.-v.

REMY MARTIN*

	50 ha	80 000	8 à 11 €

Cette grande maison de négoce, fondée en 1724, commercialise des cognacs de Grande et de Petite Champagne sur tous les continents, mais aussi du pineau. D'une couleur paille soutenue aux reflets cuivrés, celui-ci offre un nez déjà bien évolué avec un début de rancio (noix) et des notes florales et boisées. Puissant en bouche, le rancio domine largement le fruité. Cette bouteille pourra accompagner un roquefort. (50 à 69 F)

Rémy Martin, 20, rue de la Société-Vinicole, B.P. 37, 16100 Cognac, tél. 05.45.35.76.00, fax 05.45.35.02.85 r.-v.

ROUSSILLE Rosé spécial*

	3,35 ha	7 000	8 à 11 €

Située à 6 km d'Angoulême, cette exploitation est menée par la même famille depuis près d'un siècle. Son pineau présente une robe rosé foncé, voire rubis, avec des reflets orangés. Les arômes de fruits rouges confits sont d'une grande finesse. La bouche, d'une rondeur surprenante, se montre très onctueuse et laisse une excellente impression. (50 à 69 F)

SCA Pineau Roussille, 16730 Linars, tél. 05.45.91.05.18, fax 05.45.91.13.83 t.l.j. 9h-12h 13h-19h
Pascal Roussille

ANDRE THORIN Extra vieux*

	2 ha	6 000	11 à 15 €

Vignoble familial situé en Grande Champagne sur des terrains argilo-calcaires. Issu d'ugni blanc, ce vieux pineau paille clair et brillant présente un nez légèrement boisé où la cerise et les fruits mûrs dominent. Il est fondu et souple en bouche, où un léger rancio est associé à des arômes de cerise et d'épices. (70 à 99 F)

Claude Thorin, chez Boujut, 16200 Mainxe, tél. 05.45.83.33.46, fax 05.45.83.38.93 t.l.j. sf dim. 9h30-19h

Floc de gascogne

Le floc de gascogne est produit dans l'aire géographique d'appellation bas armagnac, ténarèze et haut armagnac, ainsi que dans toutes les communes répondant aux dispositions du décret du 6 août 1936, définissant l'aire géographique d'appellation armagnac. Cette région viticole fait partie du piémont pyrénéen et se répartit sur trois départements : le Gers, les Landes et le Lot-et-Garonne. Afin de donner une force supplémentaire à l'antériorité de leur production, les vignerons du floc de gascogne ont mis en place un principe nouveau qui n'est ni une délimitation parcellaire telle qu'on la rencontre pour les vins, ni une simple aire géographique telle qu'on la rencontre pour les eaux-de-vie. C'est le principe des listes parcellaires approuvées annuellement par l'INAO.

Les blancs sont issus des cépages colombard, gros manseng et ugni blanc, qui doivent ensemble représenter au moins 70 % de l'encépagement, et ne peuvent dépasser seuls 50 % depuis 1996, avec pour cépages complémentaires le baroque, la folle blanche, le petit manseng, le mauzac, le sauvignon, le sémillon ; pour les rosés, les cépages sont le cabernet franc et le cabernet-sauvignon, le cot, le fer servadou, le merlot et le tannat, ce dernier ne pouvant dépasser 50 % de l'encépagement.

Les règles de production mises en place par les producteurs sont contraignantes : 3 300 pieds/ha taillés en guyot ou en cordon, nombre d'yeux à l'hectare toujours inférieur à 60 000, irrigation des vignes strictement interdite en toute saison, rendement de base des parcelles inférieur ou égal à 60 hl/ha.

Chaque viticulteur doit, chaque année, souscrire la déclaration d'intention d'élaboration destinée à l'INAO, afin que ce dernier puisse vérifier réellement sur le terrain les conditions de production. Les moûts récoltés ne peuvent avoir moins de 170 g/l de sucres de moût. La vendange, une fois égrappée et débourbée, est mise dans un récipient où le moût peut subir un début de fermentation. Aucune adjonction de produits extérieurs n'est autorisée. Le mutage se fait avec une eau-de-vie d'armagnac d'un compte d'âge minimum 0 et d'un degré minimum de 52 % vol. Le mélange ainsi réalisé sera laissé au repos pendant neuf mois au moins. Il ne peut sortir des chais avant le 1er septembre de l'année qui suit la récolte. Tous les lots de vins sont dégustés et analysés. En raison de l'hétérogénéité toujours à craindre de ce type de produit, l'agrément se fait en bouteilles.

BAUT BARON*

◢ 1,33 ha 8 450 8 à 11 €

A quelques coups de pédales de Notre-Dame-des-Cyclistes, à Labastide-d'Armagnac, la coopérative a effectué un bon emballage final puisqu'elle place ses deux flocs à l'arrivée ! Ce rosé, d'un rouge foncé brillant, aux arômes de fruits surmûris, procure une sensation contrastée sucre-acidité qui reste harmonieuse. Le **blanc** est cité pour ses arômes de fruits secs et sa rondeur qui le rend gouleyant. (50 à 69 F)

Cave coop. de vinification de Cazaubon, rte de Mont-de-Marsan, 32150 Cazaubon, tél. 05.62.08.34.00, fax 05.62.69.50.98 r.-v.

DOM. DE BILE

□ 1,84 ha 3 249 5 à 8 €

Le domaine de Bilé reste l'une des rares propriétés viticoles de la région du Haut-Armagnac. La famille Della-Vedove n'en a que plus de mérite à offrir un floc blanc dans la plus pure tradition. Jaune paille avec un nez de fruits secs (amandes), il connaît une bonne évolution en bouche. Sympathique. (30 à 49 F)

EARL Della-Vedove, Dom. de Bilé, 32320 Bassoues-d'Armagnac, tél. 05.62.70.93.59, fax 05.62.70.93.59 t.l.j. 8h-20h

BORDENEUVE-ENTRAS**

◢ 1,04 ha 13 500 8 à 11 €

Située au cœur de la Ténarèze, cette propriété reconnue parmi ses pairs, propose deux produits de bonne facture. Ce rosé, de couleur brillante assez soutenue, offre un nez de fruits confits. Légèrement boisé, il procure au palais un réel plaisir dû à sa rondeur, à son équilibre et à une certaine longueur marquée délicatement par l'armagnac. Le **blanc** est cité pour sa belle présentation jaune paille soutenu ; il est aussi bien structuré au nez qu'en bouche. (50 à 69 F)

GAEC Bordeneuve-Entras, 32410 Ayguetinte, tél. 05.62.68.11.41, fax 05.62.68.15.32 t.l.j. 9h-18h; été (9h-20h); groupes sur r.-v.

Maestrojuan

DOM. DES CASSAGNOLES***

◢ 5 ha 6 200 5 à 8 €

Un floc rosé coup de cœur, ce n'est pas une surprise, tant les produits élaborés par la famille Baumann sont de qualité. D'un rouge intense et profond, il offre un nez délicat et complexe marqué par le cassis. La bouche, riche de fruits rouges, possède du gras et de la rondeur ; parfaitement équilibrée, elle est longue... et donne tant de plaisir. Succès appuyé aussi par un **floc blanc** très réussi (robe jaune cristalline, nez subtil et floral et bouche tout en finesse très harmonieuse). Une juste reconnaissance d'un élevage parfaitement maîtrisé et de la grande qualité de l'armagnac. (30 à 49 F)

J. et G. Baumann, Dom. des Cassagnoles, EARL de la Ténarèze, 32330 Gondrin, tél. 05.62.28.40.57, fax 05.62.28.42.42, e-mail tenareze@club-internet.fr t.l.j. 8h30-17h30; dim. sur r.-v.

CH. DE CASSAIGNE*

□ 15 ha 11 000 8 à 11 €

Ce château du XIIIe s. est un des sites les plus visités du Gers pour sa cuisine du XVIe s. et ses chais situés dans l'ancienne salle d'armes. Son floc est d'un jaune paille aux reflets intenses. Il offre au nez comme au palais des arômes un peu lourds qui lui donnent une note légèrement évoluée mais reste d'une belle élégance. A déguster sur un foie gras... du Gers, bien sûr. (50 à 69 F)

Ch. de Cassaigne, 32100 Cassaigne, tél. 05.62.28.04.02, fax 05.62.28.41.43, e-mail chateaudecassaigne@teleparc.net t.l.j. 10h-12h 14h-19h; groupes sur r.-v.; f. fév.

DOM. DE CAZEAUX

10 ha 4 000 11 à 15 €

On raconte qu'ici est née la première bouteille de floc de Gascogne. Celle-ci, parée d'une couleur jaune clair, possède un nez fruité et des arômes de coing en bouche. Le **rosé**, aux reflets rubis, joue davantage sur les fruits rouges confits. Il est rond en bouche sans être lourd. Deux flocs dans la tradition de la famille Kauffer. (70 à 99 F)

Eric Kauffer, Dom. de Cazeaux, 47170 Lannes, tél. 05.53.65.73.03, fax 05.53.65.88.95, e-mail domaine.de.cazeaux@wanadoo.fr t.l.j. 9h-18h; groupes sur r.-v.

DOM. DE CHIROULET

5 ha 16 000 8 à 11 €

Le *chiroulet* (« sifflet » en gascon) de la famille Fezas n'est pas prêt de se taire : il est encore cité pour son floc rosé de couleur vive et soutenue, au nez de fruits rouges (mûre, fraise, framboise) puissant, fin et complexe. Souple, grâce à une bonne onctuosité, il est agréable. (50 à 69 F)

EARL Famille Fezas, Dom. de Chiroulet, 32100 Larroque-sur-l'Osse, tél. 05.62.28.02.21, fax 05.62.28.41.56 r.-v.

CAVE DES COTEAUX DU MEZINAIS★★

0,1 ha 910 5 à 8 €

Cette coopérative, située au nord de la Ténarèze, a une structure familiale, les adhérents participant de très près à l'élaboration des produits. Elle a présenté deux flocs : ce blanc aux reflets verts, très élégant tant au nez qu'au palais avec ses arômes floraux intenses. Le **rosé** obtient une étoile : rose pâle brillant, il offre un nez de fruits mûrs et une bouche sucrée. Deux produits très équilibrés et représentatifs de l'AOC. Ne manquez pas de visiter, à 500 m de la coopérative, le musée du Bouchon et du Liège. (30 à 49 F)

Cave des Coteaux du Mézinais, 1, bd Colome, 47170 Mézin, tél. 05.53.65.53.55, fax 05.53.97.16.73, e-mail ccm3@libertysurf.fr t.l.j. sf lun. 9h-12h30 15h-18h

CH. GARREAU★

12 ha 40 000 8 à 11 €

Qui ne connaît le docteur Garreau en Armagnac ? Toujours en lutte contre la féodalité des différentes administrations, il n'en est pas moins un viticulteur sérieux. Son floc, jaune bouton d'or, très floral, présente une bouche un peu chaude due à l'armagnac. Il conserve néanmoins des nuances de miel et de fruits mûrs. Une étoile méritée. (50 à 69 F)

Ch. Garreau, Côtes de la Jeunesse, Ecomusée de l'Armagnac, 40240 Labastide-d'Armagnac, tél. 05.58.44.84.35, fax 05.58.44.87.07, e-mail chateau.garreau@wanadoo.fr r.-v.

CH. DE JULIAC★★

35 ha n.c. 8 à 11 €

Ce château, construit sur les ruines d'une ancienne forteresse, est situé en bas Armagnac sur des sols dits « sables fauves ». Il a agréablement surpris le jury avec ce floc d'un jaune pâle très brillant, au nez très aromatique de fruits secs. Impressions qui se retrouvent au palais, couplées avec une belle douceur (miel). Equilibre et harmonie. (50 à 69 F)

Pierre Cassagne, Dom. de Juliac, 40240 Betbezer-d'Armagnac, tél. 05.58.44.88.64, fax 05.58.44.81.16 t.l.j. 8h-18h

CH. DE LAUBADE

6 ha 18 000 5 à 8 €

Le château de Laubade, très connu pour ses bas-armagnacs de grande qualité, a proposé à notre palais un floc blanc bien structuré, fin et délicat, doté d'une bonne finale « armagnacaise ». (30 à 49 F)

SCA Ch. de Laubade, 32110 Sorbets, tél. 05.62.09.06.02 r.-v.

Lesgourgues

DOM. DE LAUROUX★

1,2 ha 5 000 8 à 11 €

Habitué du Guide, Rémy Fraisse est une fois de plus récompensé. Jaune paille très brillant, son floc est floral, vif et frais au nez. En bouche, les arômes sont légers et équilibrés. Un produit typique. Le **rosé** est cité pour sa présentation, son nez et son palais fins et subtils. (50 à 69 F)

Rémy Fraisse, EARL de Lauroux, 32370 Manciet, tél. 05.62.08.56.76, fax 05.62.08.57.44 r.-v.

CH. DE MONS★★★

1 ha 6 500 8 à 11 €

Le domaine de Mons, propriété de la Chambre d'agriculture du Gers, est également le siège du Centre technique de la vigne et du vin. Il joue parfaitement son rôle dans l'AOC : ses deux flocs sont tous deux retenus. Le blanc, de couleur jaune pâle, au nez frais et très complexe, rappelant un peu la pêche, offre une bouche très équilibrée, à dominante florale, et une grande persistance aromatique ; en un mot : il a de la classe. Le **rosé** (une étoile), très marqué par les fruits rouges mûrs, présente une douceur certaine mais reste bien équilibré et charmeur. (50 à 69 F)

Dom. de Mons, Chambre d'agriculture du Gers, 32100 Caussens, tél. 05.62.68.30.30, fax 05.62.68.30.35, e-mail chateau.mons.cda.32@wanadoo.fr r.-v.

CH. DE PELLEHAUT★

1 ha n.c. 8 à 11 €

Présente depuis plus de trois cents ans dans la région, la famille Béraut est établie en Ténarèze dans un château du XVIIIe s. construit au bord d'une ancienne voie romaine. Elle a su élaborer à partir de sols argilo-calcaires complantés d'ugni blanc et de colombard, un floc jaune paille doré, au nez complexe de notes florales, de miel et de noisette. Légèrement marqué par le bois (vanille), il offre en bouche une bonne sucrosité avec une finale que signe l'armagnac. Un produit très réussi réservé aux initiés ou à ceux qui aiment l'aventure. (50 à 69 F)

SCV Béraut, Ch. de Pellehaut, 32250 Montréal-du-Gers, tél. 05.62.29.48.79, fax 05.62.29.49.90, e-mail chateau@pellehaut.com r.-v.

DOM. DE POLIGNAC*

5 ha 12 000 5à8€

Le domaine de Polignac est implanté sur des sols argilo-calcaires caillouteux. Il a proposé deux flocs qui ont reçu chacun une étoile. Ce rosé, d'une belle couleur, offre des arômes de cassis et de framboise, à la fois fins et puissants. D'attaque franche, la bouche est tout aussi aromatique. Le **blanc**, d'un jaune d'or brillant et limpide, avec des arômes floraux, est légèrement marqué par l'armagnac. (30 à 49 F)

EARL Gratian, Dom. de Polignac, 32330 Gondrin, tél. 05.62.28.54.74, fax 05.62.28.54.86 t.l.j. 10h-13h 15h-20h

DOM. SAN DE GUILHEM

3 ha 20 000 8à11€

Le président de l'appellation obtient deux citations cette année. Son blanc, jaune pâle, aux arômes de pêche, est aérien en bouche. Le **rosé** aux reflets bruns a un nez et un palais de fruits confits d'une bonne persistance. Deux flocs à consommer sans se poser de questions. (50 à 69 F)

Alain Lalanne, Dom. San de Guilhem, 32800 Ramouzens, tél. 05.62.06.57.02, fax 05.62.06.44.99, e-mail domaine@sandeguilhem.com t.l.j. sf dim. 8h-12h 14h-18h

CH. DU TARIQUET***

n.c. n.c. 8à11€

Les Grassa, propriétaires de ce château du XVIIe s., ne sont plus à présenter tant leurs produits sont connus dans le monde, où Tariquet rime avec qualité. Ce floc a flirté avec le coup de cœur car il est exceptionnel : paré d'une robe jaune d'or brillant, il offre un nez très aromatique à touches florales. Il s'impose surtout par sa bouche riche, légèrement miellée, d'une grande ampleur et persistante. La qualité de l'armagnac n'est pas étrangère à cette réussite. (50 à 69 F)

SCV Ch. du Tariquet, Saint Amand, 32800 Eauze, tél. 05.62.09.87.82, fax 05.62.09.89.49, e-mail contact@tariquet.com

Famille Grassa

TERRES DE GASCOGNE*

n.c. 40 000 5à8€

Condom, capitale de la Ténarèze, possède un riche passé historique. Les producteurs de la cave, afin de profiter des retombées touristiques, se doivent d'élaborer des produits de qualité et ils y réussissent parfaitement : ce sont des habitués du Guide. Cette année, c'est un floc blanc qui reçoit une étoile : jaune pâle aux reflets verts, doté d'arômes fins, fruités, il offre une attaque franche et alerte puis procure une sensation de fraîcheur tout au long de la dégustation. Très floc ! (30 à 49 F)

Cave coop. de Condom-en-Armagnac, 59, av. des Mousquetaires, 32100 Condom, tél. 05.62.28.12.16, fax 05.62.28.23.94

DOM. DE TOUADE*

n.c. n.c. 5à8€

Une étoile pour le floc blanc présenté par ce producteur qui fait son entrée dans le Guide. Au pays du rugby, on appelle cela un essai qu'il faudra transformer... l'année prochaine ! D'un jaune pâle à reflets dorés, il se montre complexe au nez et en bouche : après une attaque florale, il évolue sur des arômes épicés. Une impression de chaleur longue et douce. (30 à 49 F)

GAEC de Touade, 32190 Mourède, tél. 05.62.06.40.82, fax 05.62.06.40.82 r.-v.

ISABELLE ZAGO*

1,5 ha 1 520 5à8€

Chez les Zago, tout est tradition. Même la vendange du floc est manuelle, c'est dire ! Cela permet une meilleure maîtrise de la qualité. La preuve, ce blanc très réussi, jaune paille soutenu, qui allie arômes de fleurs blanches et de fruits secs (noisette). La bouche connaît une bonne évolution faite de vivacité et de longueur. Belle alliance en perspective avec une croustade. (30 à 49 F)

EARL de Cassagnaous, Au Cassagnaous, 32250 Montréal-du-Gers, tél. 05.62.29.44.81, fax 05.62.29.44.81, e-mail isabelle.zago@freesbee.fr r.-v.

Isabelle Zago

Macvin du jura

Il aurait aussi bien pu s'appeler galant, car c'est le nom qui lui était donné au XIVe s. alors que Marguerite de France, duchesse de Bourgogne, femme de Philippe le Hardi, en faisait son préféré.

Tirant probablement son origine d'une recette des abbesses de l'abbaye de Château-Chalon, le macvin - anciennement maquevin ou marc-vin - a été reconnu en AOC sous le nom de macvin du jura par décret du 14 novembre 1991. C'est en 1976 que la Société de Viticulture engagea pour la première fois une démarche de reconnaissance en AOC pour ce produit très original. L'enquête fut longue car il fallait trouver un accord sur l'utilisation d'un procédé unique d'élaboration. En effet, au cours du temps, le macvin, d'abord vin cuit additionné d'aromates ou d'épices, est devenu mistelle, élaboré à partir du moût concentré par la chaleur (cuit), puis vin de liqueur muté soit au marc, soit à l'eau-de-vie de vin de Franche-Comté. La méthode la plus courante a été finalement retenue ; il s'agit pour l'AOC d'un vin de liqueur mettant en œuvre du moût ayant subi un tout léger départ en fermentation, muté avec l'eau-de-vie de marc de Franche-Comté à appellation d'origine, issue de la même exploitation que les moûts. Le moût doit provenir des cépages et de l'aire de production ouvrant droit à l'AOC. L'eau-de-vie doit être « rassise », c'est-à-dire vieillie en fût de chêne pendant 18 mois au moins.

Après cette ultime association qui se fait sans filtration, le macvin doit se « reposer » pendant un an en fût de chêne, puisque sa commercialisation ne peut se faire avant le 1er octobre de l'année suivant la récolte.

La production, en évolution, se situe à 1 700 hl environ (sur 36 ha). Le macvin du jura connaît un bon développement, car il est très apprécié, notamment localement. C'est un apéritif d'amateur qui, lorsqu'il est bien réussi, rappelle les produits jurassiens à forte influence du terroir. Il complète la gamme des appellations comtoises et s'associe parfaitement à la gastronomie régionale.

CH. D'ARLAY

■ 0,25 ha 2 400 11 à 15 €

Il y a peu de macvins rouges. Le comte de Laguiche offre donc là un produit original mais néanmoins en accord avec les règles de l'appellation. Le pinot noir a donné une robe rouge cerise très soutenu, marquée par des reflets violines. Le nez n'est certes pas habituel, mais la gamme des petits fruits rouges est agréable. L'attaque est ronde, et la bouche reprend harmonieusement la palette aromatique du nez. Surprenant mais honorable. (Bouteilles de 37,5 cl.) (70 à 99 F)

Alain de Laguiche, Ch. d'Arlay, rte de Saint-Germain, 39140 Arlay, tél. 03.84.85.04.22, fax 03.84.48.17.96, e-mail chateau@arlay.com t.l.j. sf dim. 8h-12h 14h-18h

BERNARD BADOZ*

■ 0,06 ha 800 11 à 15 €

Le poulsard est un cépage typiquement jurassien. Bernard Badoz l'a choisi pour son macvin. C'est sous une robe rose soutenu, agrémentée de reflets violines, que ce vin de liqueur se montre à nous. Le nez est marqué à la fois par le moût et par l'eau-de-vie : un subtil mélange de fruits rouges et d'odeurs de marc. La bouche est harmonieuse, équilibrée, sur un fond fruité. Un macvin original par sa couleur mais fort bien fait. (70 à 99 F)

Bernard Badoz, 15, rue du Collège, 39800 Poligny, tél. 03.84.37.11.85, fax 03.84.37.11.18 t.l.j. 8h-19h

DOM. BAUD PERE ET FILS**

□ 0,5 ha 4 000 11 à 15 €

La famille Baud a déjà deux coups de cœur à son actif dans cette appellation. Elle a entièrement rénové son caveau de dégustation en 2000 pour mieux vous faire apprécier ses vins, dont ce macvin au nez presque idéal, entre miel, fruits à l'alcool et raisin de Corinthe. Le passage en bouche se fait tout en harmonie, même si la complexité aromatique est moins marquée au palais. Un vin prêt à boire. (70 à 99 F)

Dom. Baud Père et Fils, rte de Voiteur, 39210 Le Vernois, tél. 03.84.25.31.41, fax 03.84.25.30.09 r.-v.

BERNARD FRERES*

□ n.c. 1 200 11 à 15 €

Le nez, intense et complexe, associe les fruits à l'alcool, le pain d'épice, les raisins secs et le marc. On retrouve les mêmes composantes aromatiques en bouche. L'alcool, bien fondu, laisse une fin de bouche agréable. Il y a dans ce macvin un côté vieux marc qui peut paraître un peu déroutant. Ce n'est pas le côté fruité qui le caractérise mais il laisse une très bonne impression. L'élevage en fût, qui a duré six ans, explique sans doute ce caractère. (70 à 99 F)

Bernard Frères, 15, rue Principale, 39570 Gevingey, tél. 03.84.47.33.99 r.-v.

CAVEAU DES BYARDS*

□ 0,5 ha 2 300 11 à 15 €

Le moût qui entre dans l'assemblage est issu de chardonnay. Le premier nez est un peu marqué par le marc, puis on découvre le raisin sec, la figue sèche et le caramel. La bouche offre une bonne rondeur même si la finale est un peu dominée par la douceur. Un beau macvin prêt à boire mais qui pourra se bonifier si on le laisse vieillir. A déguster sur un melon. (70 à 99 F)

Caveau des Byards, 39210 Le Vernois, tél. 03.84.25.33.52, fax 03.84.25.38.02 r.-v.

D. ET P. CHALANDARD

■ 0,5 ha 1 500 11 à 15 €

Même s'ils ne sont pas légion, les macvins rouges existent. Daniel et Pascal Chalandard semblent s'en être fait une spécialité. Celui-ci, qui assemble le marc au pinot noir, a la teinte de la cerise et des reflets violacés. Le nez très fin évoque un peu la confiture de griottes. La bouche ronde, voire un peu chaude, offre des nuances de kirsch. (70 à 99 F)

GAEC du Vieux Pressoir, rte de Voiteur, BP 30, 39210 Le Vernois, tél. 03.84.25.31.15, fax 03.84.25.37.62 r.-v.

JEAN-MARIE COURBET*

□ 0,5 ha 2 500 11 à 15 €

Jean-Marie Courbet sait, en tant que président de la société de viticulture du Jura, le temps qu'il a fallu pour que la « grande liqueur ances-

VDL

trale » soit reconnue en AOC. C'est un macvin de haute lignée qu'il a élaboré à partir de marc et de moût de savagnin. Rond et équilibré en bouche, il peut encore se bonifier au vieillissement. (70 à 99 F)

Jean-Marie Courbet, rue du Moulin, 39210 Nevy-sur-Seille, tél. 03.84.85.28.70, fax 03.84.44.68.88 r.-v.

DOM. VICTOR CREDOZ*

0,5 ha 2 500 11 à 15 €

Le moût provient ici du savagnin. La robe n'est pas très limpide mais la couleur jaune paille est séduisante. Le premier nez, plutôt végétal, évolue ensuite sur le fruit confit. La bouche, ronde, offre un bel équilibre entre marc et jus de raisin. Ce macvin harmonieux sera particulièrement apprécié à l'apéritif. (70 à 99 F)

Dom. Victor Credoz, 39210 Menétru-le-Vignoble, tél. 06.80.43.17.44, fax 06.84.44.62.41 t.l.j. 8h-12h 13h-19h

DOM. GENELETTI*

0,3 ha 1 800 11 à 15 €

Le terme employé pourra paraître peu appétissant aux néophytes, mais l'eau-de-vie qui participe à l'élaboration du macvin du jura doit être rassise, c'est-à-dire avoir vieilli pendant au moins dix-huit mois. Cette eau-de-vie marque d'ailleurs, de manière assez intense, le macvin de Michel Geneletti, tant au nez qu'en bouche. La finesse est néanmoins au rendez-vous. Le moût ? Il provient du chardonnay. (70 à 99 F)

Dom. Michel et David Geneletti, 373, rue de l'Eglise, 39570 L'Etoile, tél. 03.84.47.46.25, fax 03.84.47.38.18 r.-v.

DOM. GRAND FRERES*

n.c. 7 000 11 à 15 €

Ce macvin a été élaboré à partir de vieilles vignes (cinquante ans) de chardonnay. Sa robe est jaune clair, mais très brillante. Son nez apparaît concentré, dans le registre des agrumes, de l'amande et des fruits secs. En bouche, on trouve juste ce qu'il faut de sucre et d'alcool pour conjuguer douceur et équilibre ; malgré une petite touche brûlante en finale, l'ensemble laisse une impression d'élégance. (70 à 99 F)

Dom. Grand Frères, rue du Savagnin, 39230 Passenans, tél. 03.84.85.28.88, fax 03.84.44.67.47 t.l.j. 9h-12h 14h-18h; f. sam. dim. en jan. et fév.

CH. GREA**

0,2 ha 500 11 à 15 €

Presque cuivré, en tout cas très ambré, il s'affiche à l'œil mais n'ose se dévoiler au nez. Encore fermé, il libère cependant quelques parcimonieuses notes d'épices et de caramel. La bouche est ronde, voire soyeuse. Des épices, du caramel et de la vanille dessinent un joli développement aromatique. L'alcool est bien fondu, et aucune agressivité ne se dégage de ce macvin. C'est la douceur même, mais il possède néanmoins une bonne personnalité. Le moût qui entre dans sa composition est issu exclusivement de savagnin, le cépage du vin jaune. (70 à 99 F)

Nicolas Caire, Ch. Gréa, 39190 Rotalier, tél. 06.81.83.67.80, fax 06.84.25.05.47 r.-v.

CAVEAU DES JACOBINS*

0,45 ha 5 200 11 à 15 €

L'alcool est très présent au nez, mais sans violence. Dans la même veine, la bouche est ronde, presque chaude. L'harmonie générale est pourtant là, et l'envie des paradoxes se fait jour : pourquoi ne pas essayer l'accord avec une glace ? (70 à 99 F)

Caveau des Jacobins, rue Nicolas-Appert, 39800 Poligny, tél. 03.84.37.01.37, fax 03.84.37.30.47, e-mail caveaudesjacobins@free.fr t.l.j. 9h30-12h 14h-18h30

CLAUDE JOLY**

0,5 ha 2 000 11 à 15 €

Dans le Jura, et notamment au sud du Revermont, où sont établis Claude et Cédric Joly, presque toutes les propriétés élaborent du macvin. Celui-ci attire d'emblée par sa présentation, avec une robe jaune paille soutenu à reflets argentés. Le nez intense signe un bon assemblage ; on y trouve du fruit confit, de l'abricot et du raisin frais. La bouche offre une superbe harmonie dans la complexité et l'équilibre. (70 à 99 F)

EARL Claude et Cédric Joly, chem. des Patarattes, 39190 Rotalier, tél. 03.84.25.04.14, fax 03.84.25.14.48 r.-v.

DOM. DE LA PINTE*

2 ha 3 000 11 à 15 €

Dans ce domaine où le savagnin est roi, il fallait bien que le cépage du vin jaune ait une place de choix dans l'élaboration du macvin. Cette variété constitue 80 % du moût. Le nez est très franc, concentré et légèrement vanillé. Cette note de vanille se retrouve dans une bouche homogène où la figue amuse aussi les sens. « Bien sur toute la ligne », résume un des dégustateurs. (70 à 99 F)

Dom. de La Pinte, rte de Lyon, 39600 Arbois, tél. 03.84.66.06.47, fax 03.84.66.24.58 t.l.j. 9h-12h 13h30-18h; dim. sur r.-v.

DOM. DE LA TOURNELLE*

0,2 ha 2 500 11 à 15 €

Pascal Clairet a choisi d'assembler au marc un moût de chardonnay. Il en a résulté un macvin jaune clair montrant quelques reflets argentés. Le nez n'est pas très puissant mais s'accorde bien avec une bouche ronde et assez équilibrée. (70 à 99 F)

Pascal Clairet, 5, Petite-Place, 39600 Arbois, tél. 03.84.66.25.76, fax 03.84.66.27.15 t.l.j. sf dim. 10h-12h30 14h30-19h

CH. DE L'ETOILE**

0,5 ha 5 000 11 à 15 €

Autant il est voyant dans sa robe cuivrée, autant est-il discret au nez. Des notes de pain d'épice, de fruits secs, de figue, de caramel, et d'orange confite forment néanmoins une palette aromatique mature. Bien constitué en bouche et laissant une impression très agréable, ce macvin

saura charmer les uns à l'apéritif et les autres au dessert. Le moût qui a été muté provient du chardonnay. (70 à 99 F)
Vandelle et Fils, Ch. de L'Etoile,
994, rue Bouillod, 39570 L'Etoile,
tél. 03.84.47.33.07, fax 03.84.24.93.52 r.-v.

LIGIER PERE ET FILS**

0,5 ha 2 500 11 à 15 €

Nos amis belges et suisses qui absorbent presque un quart de la production de l'exploitation ne diront pas le contraire : macvin et mousse au chocolat, c'est une valeur sûre de la gastronomie. Surtout que le macvin de ce domaine est particulièrement réussi. Le marc est fort présent mais bien lié au moût (issu de savagnin). Aucune fausse note, tant au nez qu'en bouche. De la finesse, de l'équilibre, de la longueur et une belle complexité aromatique (fruits secs et grillés). C'est le vin des amoureux par excellence.
(70 à 99 F)
Dom. Ligier Père et Fils, 7, rte de Poligny,
39380 Mont-sous-Vaudrey, tél. 03.84.71.74.75,
fax 03.84.81.59.82,
e-mail ligier@netcourrier.com r.-v.

DOM. DE MONTBOURGEAU

0,5 ha n.c. 11 à 15 €

Le moût qui a été muté provient du chardonnay. Une bonne odeur de macvin se dégage du verre : du caramel, des fruits secs mais aussi de l'eau-de-vie. Si la structure est un peu décousue en bouche, les matières premières employées semblent de bonne qualité, et le résultat est agréable. Une bouteille recommandée à l'apéritif. (70 à 99 F)
Jean Gros, Dom. de Montbourgeau,
39570 L'Etoile, tél. 03.84.47.32.96,
fax 03.84.24.41.44 r.-v.

DESIRE PETIT ET FILS

0,6 ha 5 800 11 à 15 €

Noël et Jour de l'an sont les deux seuls jours de fermeture de la cave de Gérard et Marcel Petit. Il reste trois cent soixante-trois jours pour venir apprécier ce macvin à la robe très flatteuse. Sa couleur ambrée plaît, tout comme son nez intense de fruits macérés. Déjà évolué, il est à boire. (70 à 99 F)
Dom. Désiré Petit, rue du Ploussard,
39600 Pupillin, tél. 03.84.66.01.20,
fax 03.84.66.26.59 r.-v.
Gérard et Marcel Petit

FRUITIERE VINICOLE DE PUPILLIN*

2 ha 10 000 11 à 15 €

Dans cette petite coopérative située au cœur du vignoble, on utilise seulement le chardonnay pour le macvin. Celui-ci présente une robe jaune doré avec quelques reflets ambrés. Le nez est assez complexe, dans les tons abricot, pain d'épice et fruits confits. Si le marc domine encore la bouche, l'assemblage est de qualité. L'ensemble fait bonne impression, notamment grâce à sa persistance aromatique. (70 à 99 F)
Fruitière vinicole de Pupillin, 39600 Pupillin, tél. 03.84.66.12.88, fax 03.84.37.47.16
r.-v.

XAVIER REVERCHON*

0,2 ha 1 500 11 à 15 €

Dans cette maison, on recommande le chocolat comme accord gastronomique avec le macvin. Une bonne idée. Il y a de l'intensité dans cette robe jaune paille et dans ce nez où l'alcool s'affiche. L'attaque est ronde, avec une présence marquée de l'eau-de-vie. La dégustation livre encore quelques notes d'agrumes (citron, pamplemousse) et la certitude que ce beau produit va gagner à attendre. (70 à 99 F)
Xavier Reverchon, EARL de Chantemerle,
2, rue de Clos, 39800 Poligny,
tél. 03.84.37.02.58, fax 03.84.37.00.58 r.-v.

PIERRE RICHARD**

0,5 ha 2 000 11 à 15 €

« Je suis tout à vous », semble vouloir dire ce macvin avec sa robe jaune paille, brillante et limpide, et son nez ouvert où les raisins secs, le miel et les épices nous accueillent dans l'élégance et la fraîcheur. La bouche ? Une attaque vive pour stimuler les sens et une rondeur bienvenue ensuite. L'alcool est là, mais fondu, sans agressivité aucune. Un équilibre et une légèreté qui hissent haut ce produit. (70 à 99 F)
Dom. Pierre Richard, 39210 Le Vernois,
tél. 03.84.25.33.27, fax 03.84.25.36.13 r.-v.

ANDRE ET MIREILLE TISSOT*

1 ha 4 000 11 à 15 €

Ce domaine, en reconversion à l'agriculture biologique depuis 1999, propose un macvin dont le moût est issu de poulsard et de savagnin à parts égales. La robe est ocre jaune, légèrement cuivrée. Le nez laisse une bonne impression : au marc se mêlent figue, caramel, abricot et cannelle. L'alcool se montre assez présent en bouche mais il est fort heureusement de bonne qualité, ce qui imprime un caractère harmonieux à l'ensemble. (70 à 99 F)
André et Mireille Tissot, 39600 Montigny-lès-Arsures, tél. 03.84.66.08.27,
fax 03.84.66.25.08 r.-v.
André et Stéphane Tissot

JACQUES TISSOT*

2 ha 8 000 11 à 15 €

Du savagnin entre dans l'assemblage à l'origine de ce macvin, qui ne passe pas inaperçu dans sa robe jaune doré. Du marc, des fruits

confits, de l'abricot : le nez développe une intéressante palette aromatique. En bouche, le marc ne domine pas mais tient sa juste place. La finale est d'une bonne longueur sur des arômes de raisins secs. Un style un peu dur mais qui plaira.
(70 à 99 F)
Jacques Tissot, 39, rue de Courcelles, 39600 Arbois, tél. 03.84.66.14.27, fax 03.84.66.24.88 ☑ Y r.-v.

JEAN TRESY ET FILS*

☐ 0,3 ha 2 500 11 à 15 €

C'est du moût de chardonnay qui entre dans l'assemblage. Si la robe apparaît légère en couleur, le nez est puissant et complexe. Ce macvin offre du fruit et de l'élégance même s'il est un peu chaud. Le temps devrait arranger les choses : cette bouteille sera alors parfaite pour l'apéritif.
(70 à 99 F)
Jean Trésy et Fils, rte des Longevernes, 39230 Passenans, tél. 03.84.85.22.40, fax 03.84.44.99.73, e-mail tresy.vin@wanadoo.fr ☑ Y r.-v.

FRUITIERE VINICOLE DE VOITEUR***

☐ 2 ha 12 000 11 à 15 €

Située au pied de ce temple du vin jaune qu'est Château-Chalon, la coopérative de Voiteur montre qu'elle sait aussi réussir le macvin. D'une grande richesse aromatique au nez (miel, épices, herbe sèche, cire d'abeille), celui-ci incite à s'assurer de la solidité de l'assemblage en bouche. Pari gagné : après une première pointe d'agrumes rafraîchissante, les raisins secs, l'abricot et la pêche s'invitent au palais. Le mariage sucre-alcool est d'un superbe équilibre. Un ensemble persistant qui donne aussi une grande impression de douceur : un « vin de dames » ? Les messieurs pourraient bien y succomber.
(70 à 99 F)
Fruitière vinicole de Voiteur, 60, rue de Nevy-sur-Seille, 39210 Voiteur, tél. 03.84.85.21.29, fax 03.84.85.27.67, e-mail voiteur@fruitiere-vinicole-voiteur.fr ☑ Y r.-v.

LES VINS DE PAYS

Si l'expression « vins de pays » est employée depuis 1930, ce n'est que récemment qu'elle est devenue familière pour désigner officiellement certains « vins de table portant l'indication géographique du secteur, de la région ou du département d'où ils proviennent ». C'est en effet par le décret général du 4 septembre 1979 modifié, qu'une réglementation spécifique a déterminé leurs conditions particulières de production, recommandant notamment l'utilisation de certains cépages et fixant des rendements plafonds. Des normes analytiques, tels la teneur en alcool, l'acidité volatile ou les dosages de certains additifs autorisés, ont été établies, permettant de contrôler et de garantir au consommateur un niveau de qualité qui place les vins de pays parmi les meilleurs vins de table français. Comme les vins d'appellations, les vins de pays sont soumis à une procédure d'agrément rigoureuse complétée par une dégustation spécifique ; mais, alors que les vins d'AOC sont placés sous la tutelle de l'INAO, c'est l'Office national interprofessionnel des vins (ONIVINS) qui assure celle des vins de pays. Avec les organismes professionnels agréés et les syndicats de défense de chaque vin de pays, l'ONIVINS participe en outre à leur promotion, tant en France que sur les marchés extérieurs, où ils ont pu conquérir une place relativement importante.

Il existe trois catégories de vins de pays, selon l'extension de la zone géographique dans laquelle ils sont produits et qui compose leur dénomination. Les premiers sont désignés sous le nom du département de production, à l'exclusion bien sûr des départements dont le nom est aussi celui d'une AOC (Jura, Savoie ou Corse) ; les seconds, vins de pays de zone ; les troisièmes sont dits « régionaux », issus de quatre grandes zones regroupant plusieurs départements et pour lesquels des assemblages sont autorisés afin de garantir une expression constante. Il s'agit du vin de pays du Jardin de la France (Val de Loire), du vin de pays du Comté tolosan, du vin de pays d'Oc, et du vin de pays des Comtés rhodaniens. Chaque catégorie de vin de pays est soumise aux conditions générales de production dictées par le décret de 1979. Mais pour chaque vin de pays de zone et chaque vin de pays régional, il existe en plus un décret spécifique mentionnant les conditions de production plus restrictives auxquelles ces vins sont soumis.

Les vins de pays, dont 7,8 millions d'hectolitres font l'objet d'un agrément, sont essentiellement vinifiés par des coopératives. Entre 1980 et 1992, les volumes agréés en vin de pays ont pratiquement doublé (4 à 7,8 millions hl). Les vins de pays agréés en « vin primeur ou nouveau » représentent aujourd'hui 200 à 250 000 hl. Les vinifications en vin de cépage prennent également beaucoup d'importance. La plus grande part (85 %) est issue des vignobles du Midi. Vins simples mais de caractère, ils n'ont d'autre prétention que d'accompagner agréablement les repas quotidiens, ou de participer, dans les étapes des voyages, à la découverte des régions dont ils sont issus, accompagnant les mets selon les usages habituels de leurs types. L'ensemble des zones de production est présenté ci-dessous selon le découpage régional de la législation spécifique des dénominations de vins de pays, qui ne correspond pas à celui des régions viticoles d'AOC ou AOVDQS. Notez que le décret du 4 mai 1995 exclut des zones autorisées à produire des vins de pays les départements du Rhône, du Bas-Rhin, du Haut-Rhin, de la Gironde, de la Côte-d'Or et de la Marne.

Les vins de pays

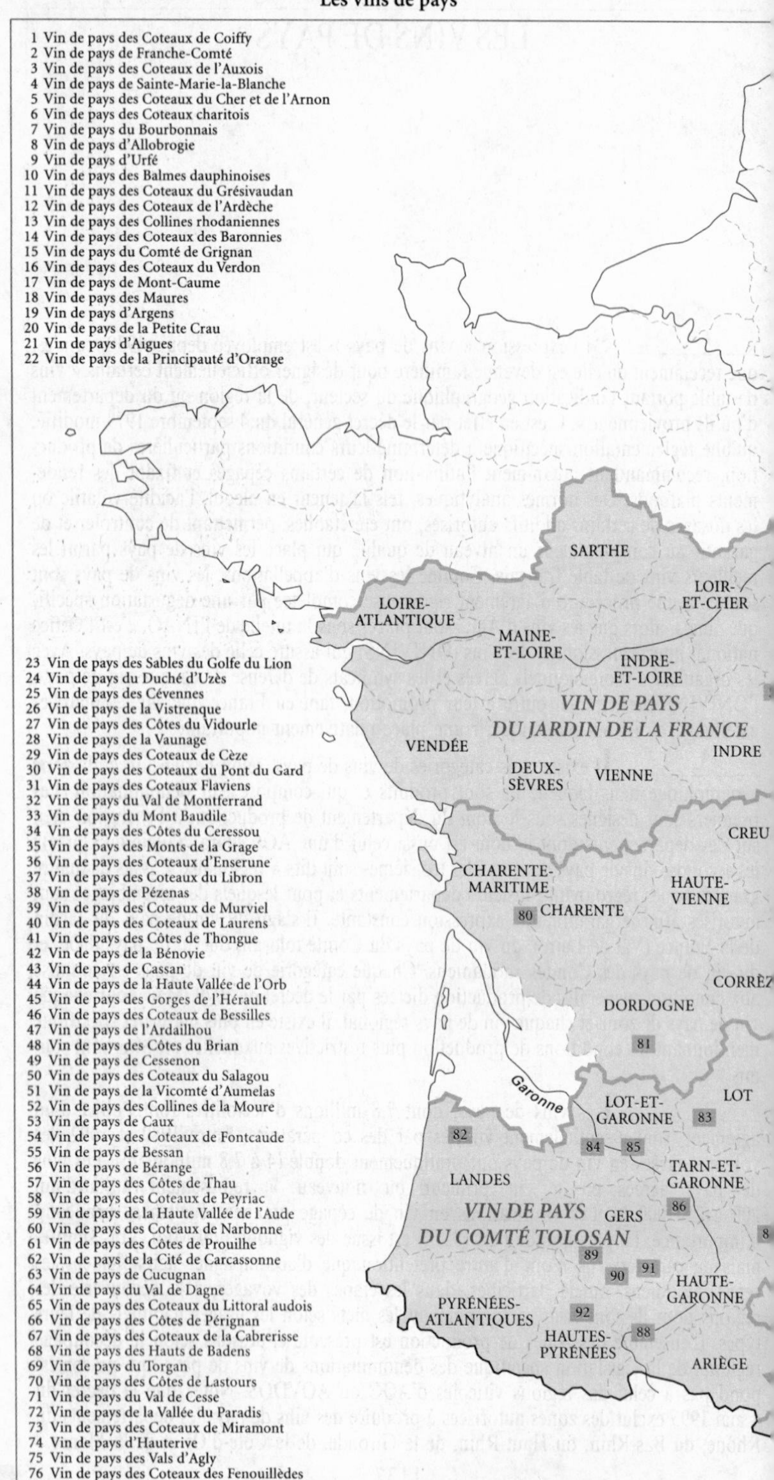

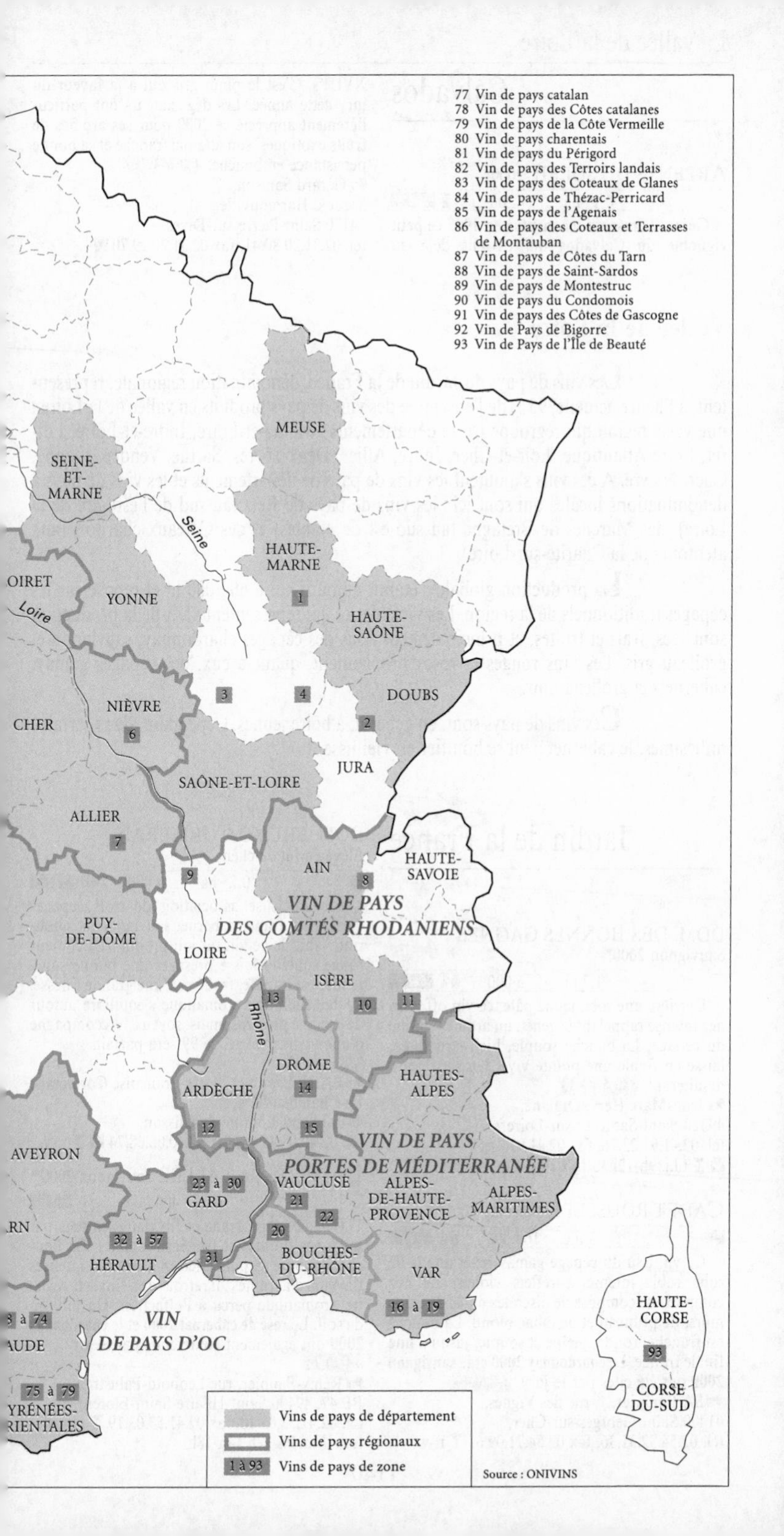

77 Vin de pays catalan
78 Vin de pays des Côtes catalanes
79 Vin de pays de la Côte Vermeille
80 Vin de pays charentais
81 Vin de pays du Périgord
82 Vin de pays des Terroirs landais
83 Vin de pays des Coteaux de Glanes
84 Vin de pays de Thézac-Perricard
85 Vin de pays de l'Agenais
86 Vin de pays des Coteaux et Terrasses de Montauban
87 Vin de pays de Côtes du Tarn
88 Vin de pays de Saint-Sardos
89 Vin de pays de Montestruc
90 Vin de pays du Condomois
91 Vin de pays des Côtes de Gascogne
92 Vin de Pays de Bigorre
93 Vin de Pays de l'Île de Beauté
MEUSE
SEINE-ET-MARNE
Seine
HAUTE-MARNE
YONNE
Loire
HAUTE-SAÔNE
DOUBS
NIÈVRE
CHER
JURA
SAÔNE-ET-LOIRE
ALLIER
AIN
HAUTE-SAVOIE
VIN DE PAYS DES COMTÉS RHODANIENS
PUY-DE-DÔME
LOIRE
ISÈRE
Rhône
DRÔME
HAUTES-ALPES
ARDÈCHE
VIN DE PAYS PORTES DE MÉDITERRANÉE
AVEYRON
GARD
VAUCLUSE
ALPES-DE-HAUTE-PROVENCE
ALPES-MARITIMES
HÉRAULT
BOUCHES-DU-RHÔNE
VAR
HAUTE-CORSE
CORSE-DU-SUD
VIN DE PAYS D'OC
AUDE
1
2
3
4
6
7
8
9
10
11
12
13
14
15
16 à 19
20
21
22
23 à 30
31
32 à 57
75 à 79
93
Vins de pays de département
Vins de pays régionaux
1 à 93 Vins de pays de zone
Source : ONIVINS

Calvados

ARPENTS DU SOLEIL 2000*

☐ 0,15 ha 1 200 ▮ 5à8€

Gérard Samson a reconstitué en 1995 ce petit vignoble du Calvados qui existait déjà au XVIIIe s. C'est le pinot gris qui a la faveur du jury cette année. Les dégustateurs ont particulièrement apprécié ce 2000 pour ses arômes de fruits exotiques, son attaque franche et sa bonne persistance en bouche. (30 à 49 F)

Gérard Samson,
3, rue d'Harmonville,
14170 Saint-Pierre-sur-Dives,
tél. 02.31.20.80.41, fax 02.31.20.29.70

Vallée de la Loire

Les vins de pays du Jardin de la France, dénomination régionale, représentent, à l'heure actuelle, 95 % de l'ensemble des vins de pays produits en vallée de la Loire ; une vaste région qui regroupe treize départements : Maine-et-Loire, Indre-et-Loire, Loiret, Loire-Atlantique, Loir-et-Cher, Indre, Allier, Deux-Sèvres, Sarthe, Vendée, Vienne, Cher, Nièvre. A ces vins s'ajoutent les vins de pays de départements et les vins de pays à dénominations locales qui sont ici : les vins de pays de Retz (au sud de l'estuaire de la Loire), des Marches de Bretagne (au sud-est de Nantes) et des Coteaux charitois (aux alentours de la Charité-sur-Loire).

La production globale s'établit aujourd'hui à 600 000 hl et repose sur les cépages traditionnels de la région. Les vins blancs qui représentent 45 % de la production sont secs, frais et fruités, et principalement issus des cépages chardonnay, sauvignon et grolleau gris. Les vins rouges et rosés proviennent, quant à eux, des cépages gamay, cabernets et grolleau noir.

Ces vins de pays sont, en général, à boire jeunes. Cependant, dans certains millésimes, le cabernet peut se bonifier en vieillissant.

Jardin de la France

DOM. DES BONNES GAGNES
Sauvignon 2000*

☐ 1,7 ha 5 000 ▮ 5à8€

Derrière une robe jaune pâle, ce vin offre un nez intense rappelant le genêt, un arôme typique du cépage. La bouche souple, bien structurée, laisse en finale une pointe vive. Un sauvignon désaltérant. (30 à 49 F)

Jean-Marc Héry, Orgigné,
49320 Saint-Saturnin-sur-Loire,
tél. 02.41.91.22.76, fax 02.41.91.21.58
t.l.j. 9h-12h30 14h-19h; dim. sur r.-v.

CADET ROUSSELLE Gamay 2000**

■ n.c. 160 000 ▮ -3€

Ce vin issu du cépage gamay revêt une belle robe rubis intense à reflets violets. Le nez complexe se compose de discrètes notes de fruits mûrs, de pruneau et de tabac blond. La bouche est franche, ronde, pleine et souple, jusqu'à une finale fruitée. Le **chardonnay 2000** et le **sauvignon 2000** ont été cités par le jury. (– 20 F)

SA Bougrier, 1, rue des Vignes,
41400 Saint-Georges-sur-Cher,
tél. 02.54.32.31.36, fax 02.54.71.09.61 r.-v.

DOM. BRUNO CORMERAIS
Elevé en fût de chêne 1999*

■ 0,75 ha 4 000 5à8€

La judicieuse association de trois cépages - cabernet franc, cabernet-sauvignon et abouriou - fait de ce vin un joli produit. La couleur rouge soutenu laisse présager une bonne suite. Le nez est intense, fruité et d'une grande finesse. La bouche aussi aromatique s'équilibre autour de tanins présents mais soyeux. Accompagné d'une viande rouge, ce 99 sera parfait. (30 à 49 F)

EARL Bruno et Marie-Françoise Cormerais,
La Chambaudière,
44190 Saint-Lumine-de-Clisson,
tél. 02.40.03.85.84, fax 02.40.06.68.74 r.-v.

DAME DE LA VALLEE Sauvignon 2000*

☐ n.c. 400 000 -3€

Ce sauvignon franc et fin flatte les sens par ses notes florales et fruitées (banane). En bouche, il monte en puissance en libérant d'intenses flaveurs d'agrumes ; il retrouve en finale le registre aromatique perçu à l'olfaction. Un joli vin de soif. Le **rosé de cabernet 2000** et le **chardonnay 2000** ont également été retenus par le jury. (– 20 F)

Rémy-Pannier, rue Léopold-Palustre,
BP 47, 49400 Saint-Hilaire-Saint-Florent,
tél. 02.41.53.03.10, fax 02.41.53.03.19 t.l.j. sf lun. dim. 9h-12h 14h-18h

DE PREVILLE Chardonnay 2000*

☐ 6,5 ha n.c. -3€

Ce vin aux reflets gris-vert demeure discret, mais très fin au nez avec des notes grillées. Il est vif, franc et harmonieux en bouche, empreint d'arômes de noisette. Le **sauvignon blanc De Préville 2000** obtient également une étoile. (- 20 F)

SA Lacheteau, ZI La Saulaie, 282, rue Lavoisier, 49700 Doué-la-Fontaine, tél. 02.41.59.26.26, fax 02.41.59.01.94

DESTINEA Sauvignon 2000***

☐ n.c. 80 000 5à8€

Ce vin de sauvignon, dernier né d'une maison fort connue du sancerrois viticole, n'a rien à envier à son grand-frère d'appellation. Sans complexe mais avec modestie, il dévoile ses atouts. Vêtu de jaune clair à reflets paille, orné d'une couronne de senteurs estivales, c'est par sa présence, son sens de l'équilibre et sa finesse dans l'expression que ce vin harmonieux dévoile sa grandeur d'âme. (30 à 49 F)

SA Joseph Mellot, rte de Ménétréol, BP 13, 18300 Sancerre, tél. 02.48.78.54.54, fax 02.48.78.54.55, e-mail alexandre@joseph-mellot.fr ☑ Y t.l.j. 8h-12h 13h30-17h30; sam. dim. sur r.-v.

DOM. DES DEUX MOULINS Chardonnay 2000*

☐ 0,33 ha 2 500 3à5€

Jaune pâle légèrement doré, ce 2000 livre un nez franc aux arômes de fruits mûrs et de fleurs. C'est un chardonnay léger, agréable et fringant grâce à une finale sur les agrumes. Un vin de soif à réserver à l'apéritif. (20 à 29 F)

Dom. des Deux Moulins, 20, rte de Martigneau, 49610 Juigné-sur-Loire, tél. 02.41.54.36.05, fax 02.41.54.67.94, e-mail les.deux.moulins@wanadoo.fr ☑ Y r.-v.

Macault

PRIVILEGE DE DROUET Chardonnay Cuvée Prestige 2000**

☐ 20 ha 35 000 3à5€

Jaune-vert très clair, ce chardonnay présente un nez intense. Les nuances végétales perceptibles à la première agitation font place progressivement à des arômes plus complexes alliant des notes florales à des nuances de fruits mûrs (banane) et de viennoiserie (brioche). La bouche équilibrée possède beaucoup de rondeur, soulignée d'un léger boisé en finale. Un vin élégant à attendre au moins un an. (20 à 29 F)

SA Drouet Frères, 8, bd du Luxembourg, 44330 Vallet, tél. 02.40.36.65.20, fax 02.40.33.99.78, e-mail drouetsa@club-internet.fr ☑ Y r.-v.

DOM. DE FLINES Grolleau 2000***

■ 10 ha 4 800 3à5€

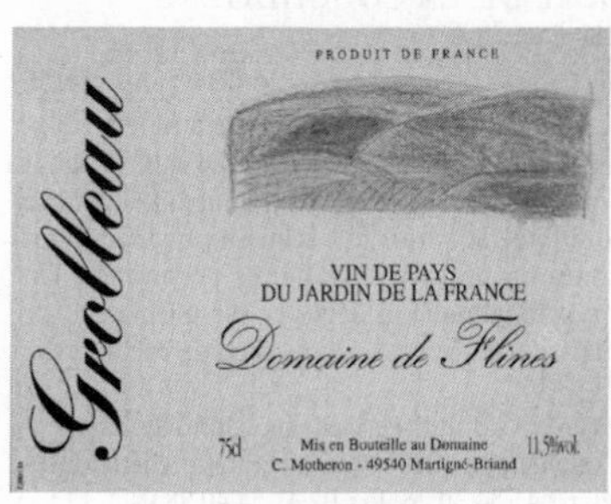

Ce vin de teinte soutenue libère un nez intense de fruits rouges. Harmonieux, il bénéficie d'une bouche ronde, ample et persistante. Les arômes de fruits mûrs accompagnent des tanins bien fondus. (20 à 29 F)

Dom. de Flines, 102, rue d'Anjou, 49540 Martigné-Briand, tél. 02.41.59.42.78, fax 02.41.59.45.60 ☑ Y r.-v.

C. Motheron

DOM. DES HAUTS DE SEYR Le Montaillant Pinot noir 1999*

■ 2,5 ha 25 000 5à8€

En 1991, ce producteur a rénové un ancien vignoble détruit par les guerres, dont l'origine remonte au IVe s. et qui fut la propriété de l'abbaye de Cluny et du Prieuré de La Charité-sur-Loire. Son pinot noir dévoile un nez intense de fruits rouges et de fleurs. La bouche structurée et équilibrée se prolonge bien. A boire. (30 à 49 F)

Dom. des Hauts de Seyr, Le Bourg, 58350 Chasnay, tél. 03.86.69.20.93, fax 03.86.69.28.57 ☑ Y t.l.j. sf sam. dim. 14h-18h

HUTEAU-HALLEREAU Gamay 2000*

■ 1,33 ha 12 000 3à5€

C'est un gamay plaisant, à la robe rubis dévoilant de légers reflets grenat. Le bon nez discret dévoile des arômes de petits fruits rouges bien mûrs. La bouche est franche, bien structurée et aromatique. Un vin persistant, prêt à boire. (20 à 29 F)

EARL Huteau-Hallereau, 41, rue Saint-Vincent, 44330 Vallet, tél. 02.40.33.93.05, fax 02.40.36.29.26 ☑ Y r.-v.

DOM. DE LA COCHE Grolleau gris Pays de Retz 2000*

☐ 0,5 ha 2 000 -3€

Ce vin blanc à la robe très claire brille de légers reflets jaunes. Le nez est vif avec des notes discrètes de citron vert. En bouche, c'est la fraîcheur qui prédomine. On retrouve le côté citron

vert du nez finement allié à des nuances aromatiques rappelant le pamplemousse. Un grolleau équilibré, prêt à boire. (- 20 F)
Emmanuel Guitteny, La Coche, 44680 Sainte-Pazanne, tél. 02.40.02.44.43, fax 02.40.02.44.43, e-mail eguitteny@aol.com r.-v.

DOM. DE LA COUCHETIERE
Grolleau 2000*

2 ha 18 000 -3€

Vêtu d'une robe rouge intense à reflets violacés, ce grolleau fait la part belle aux fruits et notamment à la cerise bien mûre. La bouche équilibrée et ample fait écho aux nuances odorantes du nez avec une bonne persistance. Un vin sympathique, à déguster sur un plateau de charcuterie : rions d'Anjou, pied de cochon, etc. (- 20 F)
GAEC Brault Père et Fils, Dom. de La Couchetière, 49380 Notre-Dame-d'Allençon, tél. 02.41.54.30.26, fax 02.41.54.40.98 t.l.j. sf dim. 8h30-12h30 14h-19h

DOM. DE LA COUPERIE
Cabernet 2000*

2,5 ha 10 000 3à5€

Ce vin de cabernet franc (85 %) et de cabernet-sauvignon possède une palette intense et complexe. La bouche n'est pas en reste, tant elle est souple et structurée. Un vin déjà généreux qui se bonifiera encore au fil des mois. (20 à 29 F)
EARL Claude Cogné, La Couperie, 49270 Saint-Christophe-la-Couperie, tél. 02.40.83.73.16, fax 02.40.83.76.71 r.-v.

LA DIVA Sauvignon 2000**

n.c. 100 000 5à8€

Ce sauvignon aux nuances jaune pâle possède un nez franc et assez intense d'agrumes et de fruits secs (amande, noisette). La bouche structurée, souple, s'achemine vers une finale délicate et persistante. Le **chardonnay La Diva 2000** a été retenu avec une citation. (30 à 49 F)
Donatien-Bahuaud, La Loge, BP 1, 44330 La Chapelle-Heulin, tél. 02.40.06.70.05, fax 02.40.06.77.11

DOM. DE LA GRETONNELLE
Sauvignon 2000*

0,8 ha 2 000 3à5€

Le domaine de La Gretonnelle couvre 25 ha à Bouillé-Loretz, petite commune des Deux-Sèvres, à l'extrême sud des terroirs viticoles de l'Anjou. Il propose un sauvignon jaune pâle à reflets verts. Le nez intense décline des nuances florales, puis la bouche se développe harmonieusement jusqu'à une longue finale. Un vin prêt à boire. (20 à 29 F)
EARL Charruault-Schmale, Les Landes, 79290 Bouillé-Loretz, tél. 05.49.67.04.49, fax 05.49.67.12.52 r.-v.

DOM. DE LA GUENIPIERE
Cabernet Vieilli en fût de chêne 2000*

0,88 ha 5 300 -3€

La famille Suteau est installée au Landreau depuis 1921 ; elle cultive désormais 17 ha de vignes. Son cabernet-sauvignon, rouge grenat, livre un nez tout en finesse et complexe sur les fruits rouges et les épices. En bouche, les tanins fondus assurent une bonne souplesse. Une harmonie d'ensemble que l'on peut découvrir sans plus attendre. (- 20 F)
Patrick Suteau, Dom. de La Guenipière, 44690 Le Landreau, tél. 02.40.06.42.08, fax 02.40.06.47.63 r.-v.

DOM. LA PRAIRIE DE LA MOINE
Gamay 2000*

1,5 ha 2 000 -3€

Issu de gamay, ce rosé est l'archétype du vin de pays, plaisant et amical. Le jury a apprécié le fruité (cerise) au nez comme en bouche, le caractère léger et gouleyant. N'hésitez pas à le goûter entre amis autour d'une grillade. (- 20 F)
Hubert Chapeleau, La Garnière, 49230 Saint-Crespin-sur-Moine, tél. 02.41.70.41.55, fax 02.41.70.49.44 r.-v.

DOM. DE LA ROCHERIE
Cabernet Vieilli en fût de chêne 1999**

1 ha 6 000 -3€

Ce pur cabernet a séjourné douze mois en fût de chêne. Le nez mêle ainsi les fruits rouges confits et un léger boisé dans un ensemble très fin. Suit une bouche bien structurée, équilibrée et tapissée de tanins fondus. Des arômes vanillés sont perceptibles dans la matière. (- 20 F)
Daniel Gratas, La Rocherie, 44430 Le Landreau, tél. 02.40.06.41.55, fax 02.40.06.48.92 t.l.j. sf dim. 8h-20h

DOM. DE LA ROULIERE
Chardonnay 2000*

7 ha 80 000 -3€

Jaune-vert, brillant, ce chardonnay développe au nez des arômes printaniers associés à des notes de fruits exotiques. La bouche fruitée et fraîche se prolonge avec équilibre. A boire ou à attendre un an. (- 20 F)
René Erraud, Ch. de La Roulière, 44310 Saint-Colomban, tél. 02.40.05.80.24, fax 02.40.05.53.89 r.-v.

HUBERT LEGRAND Gamay 2000*

n.c. 150 000 3à5€

D'une couleur rouge sombre à reflets pourpres, ce 2000 traduit bien la typicité du cépage. Il possède des arômes de fruits rouges évoluant vers des notes de sous-bois. Après une attaque franche, la bouche laisse exprimer son fruit. Les tanins sont présents, mais bien fondus. Ce vin est d'ores et déjà à boire. (20 à 29 F)
Hubert Legrand, 58150 Pouilly-sur-Loire, tél. 03.86.39.57.75, fax 03.86.39.08.30

LE MOULIN DE LA TOUCHE
Pays de Retz Chardonnay 2000★★★

□ n.c. 12 000 3à5€

Souvenez-vous : dans la précédente édition du Guide, nous présentions le chardonnay de Joël Herissé comme une valeur sûre. Le chardonnay 2000 le confirme en obtenant l'appréciation la plus haute du jury. Le nez intense aux nuances étonnantes de chèvrefeuille et de pamplemousse invite à découvrir une bouche éclatante de fraîcheur et d'équilibre. En finale, des arômes d'agrumes enchantent le palais. Le **sauvignon 2000 du Pays de Retz** obtient une étoile. (20 à 29 F)

Joël Hérissé, Le Moulin de la Touche, 44580 Bourgneuf-en-Retz, tél. 02.40.21.47.89, fax 02.40.21.47.89 r.-v.

DOM. DE L'EPINAY
Cabernet Elevé en fût de chêne 1999★

■ 1,1 ha 6 000 5à8€

Ce domaine cultive 28 ha à proximité de la ville médiévale de Clisson. Habillé d'une robe rubis foncé, son vin de cabernet livre un nez intense. Il est aussi très bien structuré en bouche. (30 à 49 F)

EARL Albert Paquereau, Dom. de L'Epinay, 44190 Clisson, tél. 02.40.36.13.57, fax 02.40.36.13.57 r.-v.

DOM. DE L'ERRIERE Cabernet 2000★★

■ 1,98 ha 6 000 -3€

Rouge soutenu à reflets violacés, ce cabernet développe un nez intense aux notes de fruits rouges (fraise, cassis). La bouche harmonieuse bénéficie de tanins soyeux et d'arômes de fruits rappelant ceux du nez. Un vin bien fait, représentatif de sa catégorie. A boire dès maintenant ou à attendre un ou deux ans. (– 20 F)

GAEC Madeleineau Père et Fils, Dom. de L'Errière, 44430 Le Landreau, tél. 02.40.06.43.94, fax 02.40.06.48.82 r.-v.

DOM. DE L'IMBARDIERE
Chardonnay 2000★

□ 1,7 ha 4 000 -3€

Ce chardonnay harmonieux et bien équilibré se déroule en nuances de fleurs blanches. Après une bonne attaque, la bouche vive évoque des arômes délicats et printaniers. (– 20 F)

Joseph Abline, L'Imbardière, 49270 Saint-Christophe-la-Couperie, tél. 02.40.83.90.62, fax 02.40.83.74.02 r.-v.

MARQUIS DE GOULAINE
Chardonnay 2000★★

□ 20 ha 50 000 -3€

D'une couleur pâle à reflets verts, ce vin harmonieux décline de fines notes de tilleul et de pamplemousse. Sa bouche est intensément aromatique et laisse une impression d'ensemble de délicatesse. (– 20 F)

Vinival, La Sablette, 44330 Mouzillon, tél. 02.40.36.66.00, fax 02.40.33.95.81

DOM. DE MONTGILET Grolleau 2000★

■ 6 ha 15 000 3à5€

Le nez intense de fruits rouges (mûre, cerise, myrtille) s'accompagne de subtiles nuances végétales et animales. La bouche ample et charnue s'inscrit dans le même registre fruité. Sa structure lui assure équilibre et longueur. (20 à 29 F)

Victor et Vincent Lebreton, SCEA Dom. de Montgilet, 49610 Juigné-sur-Loire, tél. 02.41.91.90.48, fax 02.41.54.64.25, e-mail montgilet@terre-net.fr t.l.j. sf dim. 9h-12h 14h-19h

DOM. DU PETIT VAL Grolleau 2000★★

■ 0,5 ha 6 000 -3€

Une bonne maîtrise de la vinification acquise avec le temps et des investissements judicieux dans les équipements ont permis d'obtenir un grolleau de grand caractère. Très intense, fruité, ce vin peut compter sur des tanins de qualité pour se bonifier dans le temps. (– 20 F)

EARL Denis Goizil, Dom. du Petit-Val, 49380 Chavagnes, tél. 02.41.54.31.14, fax 02.41.54.03.48 r.-v.

DOM. DES PRIES
Pays de Retz Grolleau 2000★

◪ 2,25 ha 10 000 3à5€

Les spécialistes décrivent ainsi la robe de ce vin : teinte « œil-de-gardon ». Il faut comprendre rose pâle, typique des rosés de grolleau du Pays de Retz. Le nez dévoile des arômes fruités aux nuances complexes de petits fruits des bois, de groseille et d'agrumes (pamplemousse). En bouche, on retient la fraîcheur de l'attaque, l'équilibre et la persistance des arômes. (20 à 29 F)

Gérard Padiou, Les Priés, 44580 Bourgneuf-en-Retz, tél. 02.40.21.45.16, fax 02.40.21.47.48 r.-v.

DOM. DU PRIEURE
Rouge du Prieuré 2000★

■ 1,14 ha 2 000 -3€

Très coloré, ce vin de grolleau (80 %) et de gamay livre un nez puissant et fin. La bouche franche garde des arômes prononcés de cerise griotte qui persistent bien. (– 20 F)

Franck Brossaud, 1 *bis*, pl. du Prieuré, 49610 Mozé-sur-Louet, tél. 02.41.45.30.74, fax 02.41.45.30.74 r.-v.

DOM. DES QUATRE ROUTES
Gamay 2000★

◪ 0,69 ha n.c. 3à5€

Henri Poiron et ses fils possèdent deux domaines couvrant une superficie totale de 36 ha : Le Manoir et Les Quatre Routes. Ce dernier vignoble a produit un vin au nez fin et discret. La bouche souple se développe tout en fruit et en rondeur. Ce rosé accompagnera l'ensemble du repas. (20 à 29 F)

SA Henri Poiron et Fils, Les Quatre-Routes, 44690 Maisdon-sur-Sèvre, tél. 02.40.54.60.58, fax 02.40.54.62.05, e-mail poiron.henri@online.fr r.-v.

CLOS SAINT-FIACRE Gamay 2000**

■ 2,67 ha 30 000 3à5€

Ce vin de couleur intense présente des notes animales dominantes. Bien structuré en bouche, il est soutenu par des tanins fondus et donne une impression de rondeur. (20 à 29 F)

GAEC Clos Saint-Fiacre, 560, rue Saint-Fiacre, 45370 Mareau-aux-Prés, tél. 02.38.45.61.55, fax 02.38.45.66.58 r.-v.

Montigny-Piel

YVONNICK ET THIERRY SAUVETRE
Marches de Bretagne Gamay 2000**

■ 1,5 ha 6 000 -3€

Ce vin de cépage gamay a beaucoup plu par son expression typée. Il se distingue par sa finesse et son élégance. Au nez, l'amateur découvrira des nuances de mûre, de cassis et de pruneau. En bouche, une jolie matière entoure des tanins fondus et fins. (- 20 F)

Yves Sauvêtre et Fils, La Landelle, 90, rue de la Durandière, 44430 Le Loroux-Bottereau, tél. 02.40.33.81.48, fax 02.40.33.87.67 r.-v.

La Vienne

AMPELIDAE Le K 1999**

■ 2 ha 10 000 11à15€

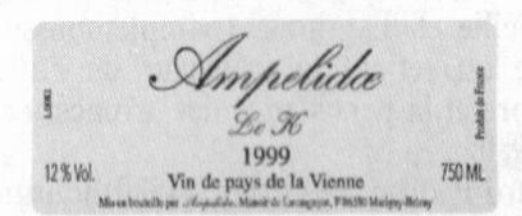

Accroché au sommet des coteaux de Marigny-Brizay, commune de la Vienne viticole, le vignoble du manoir de Lavauguyot est exploité depuis 1995 par la famille Brochet. Le rouge K Ampelidae 1999 témoigne d'une grande maturité du raisin et d'un élevage parfaitement maîtrisé : finesse des arômes, rondeur, équilibre, volupté des tanins. Ce vin demande entre un et deux ans de garde avant d'être servi sur une viande de bœuf ou une pièce de gibier. (70 à 99 F)

Brochet, Manoir de Lavauguyot, 86380 Marigny-Brizay, tél. 05.49.88.18.18, fax 05.49.88.18.85, e-mail ampelidae@amplelidae.com t.l.j. 9h-12h30 14h-18h

Nièvre

JEAN TREUILLET Sauvignon 1999

□ 2 ha 10 000 3à5€

Les arômes beurrés dominent la palette de ce sauvignon qui sait aussi se montrer finement fruité. La bouche débute tout en douceur avant de prendre un élan de vivacité en finale. Des notes de fruits secs et d'agrumes signent l'ensemble. (20 à 29 F)

Madeleine Treuillet, 58150 Tracy-sur-Loire, tél. 03.86.26.17.06, fax 03.86.26.17.06 t.l.j. 8h-12h 13h-19h

Aquitaine et Charentes

Entourant largement le Bordelais, c'est la région formée par les départements de Charente et Charente-Maritime, Gironde, Landes, Dordogne et Lot-et-Garonne. La production y atteint 60 000 hl, avec une majorité de vins rouges souples et parfumés dans le secteur aquitain, issus des cépages bordelais que complètent quelques cépages locaux plus rustiques (tannat, abouriou, bouchalès, fer). Charentes et Dordogne donnent surtout des vins de pays blancs, légers et fins (ugni blanc, colombard), ronds (sémillon, en assemblage avec d'autres cépages) ou corsés (baroque). Charentais, Agenais, Terroirs landais et Thézac-Perricard sont les dénominations sous-régionales ; Dordogne, Gironde et Landes constituent les dénominations départementales.

Charentais

HENRI DE BLAINVILLE 2000*

◪ 10 ha 15 000 -3€

Ce domaine né dans les années 1950 était d'abord voué à la production de cognac, puis de pineau des charentes. Il se tourna dans les années 1980 vers l'élaboration de vins de pays. Son rosé présente une matière à la fois ronde et fraîche qui le rend particulièrement gouleyant. Il constituera un accord idéal avec des plats légers. (- 20 F)

SCA Cave du Liboreau, 18, rue de l'Océan, 17490 Siecq, tél. 05.46.26.61.86, fax 05.46.26.68.01, e-mail cave.du.liboreau@wanadoo.fr r.-v.

BRARD BLANCHARD 2000*

□ 1,56 ha 16 000 3à5€

Des arômes de bonbon acidulé émanent de ce vin blanc vif. La bouche légère et fine s'achemine vers une finale fraîche assez persistante. Cette bouteille accompagnera à merveille les plats froids et les fruits de mer. (20 à 29 F)

GAEC Brard Blanchard, 1, chem. de Routreau, Boutiers, 16100 Cognac, tél. 05.45.32.19.58, fax 05.45.36.53.21 t.l.j. sf dim. 9h-12h 14h-18h; f. 15 août-1er sept.

DOM. DU BREUIL Sauvignon 2000*

0,6 ha 4 800 -3€

Jaune doré, ce vin de sauvignon a connu un élevage sur lies pendant deux mois. Il développe une bouche ample et grasse, et perdure assez longuement en finale. Des plats de poissons et de crustacés lui iront bien. (- 20 F)

Guy et Jean-Pierre Morandière, Le Breuil, 17150 Saint-Georges-des-Agoûts, tél. 05.46.86.02.76, fax 05.46.70.63.11 t.l.j. 9h-19h

DOM. BRUNEAU Merlot 2000*

6 ha 10 000 3à5€

Depuis vingt ans, cette propriété a abandonné la polyculture au profit de la vigne. Cette activité lui réussit à en juger ce vin de couleur franche, dont le caractère fruité se manifeste au nez comme en bouche. Un merlot gouleyant. (20 à 29 F)

Alain Pillet, Chez Bruneau, 17130 Rouffignac, tél. 05.46.49.04.82 r.-v.

COULON ET FILS
Ile d'Oléron Sauvignon 2000

2,4 ha 14 000 3à5€

Installé sur l'île d'Oléron, ce producteur cultive une trentaine d'hectares. Ses vignes de sauvignon n'en sont qu'à leur sixième feuille, mais ont produit un vin de belle tenue, jaune pâle. Au nez discret succède une bouche souple et fruitée, dont la finale est intéressante. (20 à 29 F)

EARL Coulon et Fils, Saint-Gilles, 17310 Saint-Pierre-d'Oléron, tél. 05.46.47.02.71, fax 05.46.75.09.74 r.-v.

DOM. GARDRAT Colombard 2000*

2 ha 20 000 3à5€

Ce producteur vend 20 % de sa production en Allemagne. Il présente ici un vin de colombard jaune pâle, au nez intense et fin, typique du cépage. Après une attaque souple, la bouche se développe en rondeur avant de prendre de l'allant grâce à une finale vive. (20 à 29 F)

Jean-Pierre Gardrat, La Touche, 17120 Cozes, tél. 05.46.90.86.94, fax 05.46.90.95.22, e-mail lionel.gardrat@wanadoo.fr r.-v.

THIERRY JULLION 2000*

4 ha 40 000 3à5€

Thierry Jullion cultive plus de 31 ha de vignes sur cette propriété familiale depuis cinq générations. Son vin de merlot (75 %) et de cabernet-sauvignon possède du fruit et un caractère chaleureux. La bouche souple en fait une bouteille prête à boire. (20 à 29 F)

Thierry Jullion, Montizeau, 17520 Saint-Maigrin, tél. 05.46.70.00.73, fax 05.46.70.02.60 t.l.j. sf sam. dim. 14h-19h

DOM. DE LA CHAUVILLIERE
Chardonnay 2000*

9,5 ha 45 000 3à5€

Ce producteur a choisi de produire des vins aimables dès leur jeunesse. Son chardonnay répond bien à cette orientation. Après une attaque agréable, la bouche laisse exploser les arômes et garde sa ligne aromatique jusque dans une longue finale. La vivacité est de bon aloi. (20 à 29 F)

EARL Hauselmann et Fils, Dom. de La Chauvillière, 17600 Sablonceaux, tél. 05.46.94.44.40, fax 05.46.94.44.63 r.-v.

DOM. LE PETIT COUSINAUD
Chardonnay 2000*

2 ha 6 000 5à8€

Couleur paille, ce chardonnay livre des arômes floraux agréables. Sa matière vive emplit la bouche, en laissant une légère touche végétale ; la finale est persistante. Un vin destiné aux plats de poissons ou de fruits de mer. (30 à 49 F)

Maurice Denis, Le petit Cousinaud, 16480 Guizengeard, tél. 05.45.98.72.68, fax 05.45.98.45.20 r.-v.

MOULIN DE MERIENNE Merlot 1999

6 ha 20 000 3à5€

Le merlot a vingt ans d'âge sur ce domaine, dont le symbole est un moulin du XVIIIe s. Il a donné naissance à un vin fruité (cerise, fruits surmûris), riche en matière. Un petit côté végétal est encore apparent, mais ne déséquilibre pas l'ensemble. Ce 99 prêt à boire saura attendre quelques mois en cave. (20 à 29 F)

SCA du Clos de Mérienne, 1, chemin du Clos de Mérienne, BP 87, 16200 Gondeville, tél. 05.45.81.13.27, fax 05.45.81.74.30, e-mail cognac-charpentron@hotmail.com r.-v.
Charpentron

DOM. PIERRIERE GONTHIER 2000*

2,5 ha 16 000 3à5€

Les premiers pieds de vignes rouges ont été plantés en 1993 sur ce domaine de 21 ha. Il fallut attendre 1996 pour voir naître le premier millésime. En 2000, l'assemblage merlot cabernet-sauvignon exprime de puissantes notes animales et des arômes de café. Sa bouche structurée promet une bonne tenue à la garde. (20 à 29 F)

Pascal Gonthier, Nigronde, 16170 Saint-Amant-de-Nouère, tél. 05.45.96.42.79, fax 05.45.96.42.79 r.-v.

ROSE DES DUNES Ile de Ré 2000*

75 ha 300 000 -3€

Cette bouteille doit son nom aux dunes qui recouvrent l'île de Ré, plantées de pins et de tamaris. Elégamment vêtue, elle est plein d'allant à la dégustation. Une note végétale rafraîchit le nez, tandis que la bouche se prolonge agréablement. (- 20 F)

Coop. des Vignerons de L'île de Ré, 17580 Le Bois-Plage-en-Ré, tél. 05.46.09.23.09, fax 05.46.09.09.26 r.-v.

SORNIN Cabernet 2000★

■ 15 ha 40 000 -3€

Ce cabernet mérite de vieillir encore un peu, mais il se montre déjà typique du cépage. Il présente une belle structure et un caractère affirmé qui s'accordera avec la cuisine charentaise. La cuvée **Privilège rouge 99** reçoit également une étoile. (– 20 F)

SCA Cave de Saint-Sornin, Les Combes, 16220 Saint-Sornin, tél. 05.45.23.92.22, fax 05.45.23.11.61, e-mail contact@cavesaintsornin.com r.-v.

Agenais

DOM. DE CAMPET

Moelleux Vin de Novembre 2000★

□ 2,4 ha 2 400 5à8€

Issue du gros manseng, récolté le 10 novembre 2000, cette cuvée pourra accompagner un foie gras. D'un beau jaune paille à reflets d'or, brillant et limpide, voici un vin aux senteurs fines et discrètes, où le miel côtoie la poire au sirop et le coing. On retrouve la poire encore en bouche. Celle-ci se révèle grasse et ronde, et repose sur un bel équilibre acidité-sucre. (30 à 49 F)

SCEA du dom. de Campet, 47170 Sos, tél. 05.53.65.63.60, fax 05.53.65.36.79, e-mail domainecampet@club-internet.fr r.-v.

COTES DES OLIVIERS 2000★

■ 2 ha 7 300 3à5€

Le domaine produit aussi des pruneaux d'Agen et des noix... mais ce sont les fruits rouges et le poivron que l'on perçoit au nez, dans une atmosphère de vendanges mûres. En bouche l'attaque est souple, puis on découvre un vin riche, concentré, à la finale longue mais encore un peu tannique. Belle robe de pourpre sombre. (20 à 29 F)

Jean-Pierre Richarte, Les Oliviers, 47140 Auradou, tél. 05.53.41.28.59, fax 05.53.49.38.89 t.l.j. 9h-12h 14h-19h

LOU GAILLOT Prestige 2000★

■ 4 ha 8 000 3à5€

Repris depuis 1999 par le fils Gilles, voici un domaine équipé de foudres de chêne centenaire : cette cuvée Prestige est élaborée à partir du seul merlot. Rubis brillant, elle développe des senteurs d'épices, de vanille et de fruits mûrs (confits ou à l'eau-de-vie). L'équilibre entre alcool, acidité et tanins est réussi. Tout en souplesse et en rondeur, avec beaucoup de volume et une longue finale onctueuse, c'est un vin de rôti. Pour un magret de canard, choisissez la cuvée **Réserve 99 (30 à 49 F)** élevée neuf mois en barrique ; elle obtient une étoile. (20 à 29 F)

Gilles Pons, Les Gaillots, 47440 Casseneuil, tél. 05.53.41.04.66, fax 05.53.01.13.89 t.l.j. 9h-12h30 14h-19h30; groupes sur r.-v.

CAVE DES SEPT MONTS

Sauvignon Instant choisi 2000★

□ 5 ha 32 000 3à5€

Une coopérative née dans les années 1960, qui vinifie aujourd'hui 10 000 hl. Cette cuvée se présente dans une robe or pâle, limpide et cristalline. Le nez est fin, citronné, doté de notes florales et exotiques. Une touche de buis révèle le sauvignon en bouche, où la souplesse s'allie au gras et à la rondeur. Un « instant » qui se prolonge longuement. (20 à 29 F)

Cave des Sept Monts, ZAC de Mondésir, 47150 Monflanquin, tél. 05.53.36.33.40, fax 05.53.36.44.11 t.l.j. 9h-12h30 15h-18h30

DOM. DU SERBAT Cuvée Orival 2000★

■ 0,4 ha 2 933 3à5€

Centre d'Aide par le Travail, ce domaine a choisi une belle étiquette pour orner cette cuvée 100 % merlot à la belle robe profonde, entre pourpre et grenat. Son nez amylique et floral évoque aussi les fruits à l'eau-de-vie, les fruits rouges et le cassis. C'est un vin aux tanins déjà ronds, prêt à accompagner un rôti. (20 à 29 F)

CAT Lamothe-Poulin, Dom. du Serbat, 47340 Laroque-Timbaut, tél. 05.53.95.71.07, fax 05.53.95.79.61, e-mail domaine-serbat@wanadoo.f r t.l.j. sf dim. 8h30-17h30; sam. 8h30-12h

Thézac-Perricard

VIN DU TSAR Le Bouquet 1999★

■ 4 ha 34 000 3à5€

Ce fut le Président Fallières qui, dit-on, initia le tsar Nicolas II aux vins de l'Agenais. Ce 99 se présente dans une belle robe grenat, à peine tuilée, d'où s'échappe un nez d'épices et de fruits exotiques. De l'équilibre, de la rondeur s'affirme en bouche avec des arômes puissants de fruits rouges. En finale, on retrouve les épices et des tanins qui gagneraient à s'attendrir encore. (20 à 29 F)

Les Vignerons de Thézac-Perricard, Plaisance, 47370 Thézac, tél. 05.53.40.72.76, fax 05.53.40.78.76, e-mail info@vin-du-tsar.tm.fr t.l.j. 8h15-12h15 14h-18h; dim. 14h-18h

Périgord

LE RELAIS DE KREUSIGNAC 1998★

■ 0,5 ha 3 400 11à15€

60 % de merlot, 30 % de cabernet-sauvignon et 10 % de cabernet franc entrent dans la composition de ce 98 rubis profond et brillant. Boisé

au nez, avec des arômes de vanille et de fruits mûrs, il se dévoile en bouche par une attaque souple, puis la charpente s'affirme, puissante. La présence du bois se fond dans l'harmonie d'ensemble. A attendre encore. (70 à 99 F)
SCEA Dom. de Kreusignac, Pommier, 24380 Creyssensac-et-Pissot, tél. 05.53.80.09.85, fax 05.53.80.14.72

Terroirs landais

GAILANDE 2000*

□ 10 ha 40 000 -3€

Comme la pinède landaise illustrant son étiquette, ce 2000 est riche d'arômes (fleurs blanches) sous sa belle robe soutenue. Issu de vendanges mûres, il offre une bonne persistance. A boire. Autre cuvée de la coopérative, **Fleur des Landes rouge 2000**, issue de cabernet et de tannat, obtient une citation pour son fruité léger. (- 20 F)
Les Vignerons Landais Tursan-Chalosse, 40320 Geaune, tél. 05.58.44.51.25, fax 05.58.44.40.22 r.-v.

MICHEL GUERARD 2000*

■ n.c. n.c. 5à8€

Depuis 1983, Michel Guérard, le grand cuisinier d'Eugénie-les-Bains, restaure le domaine viticole de Bachen. Il a proposé ce vin issu de merlot noir à 100 %. Le nez est légèrement grillé, et la bouche fruitée nous parle de vendanges mûres... Souple, rond, long en bouche, il est prêt. (30 à 49 F)
Michel Guérard, Cie hôtelière et fermière d'Eugénie-les-Bains, 40800 Duhort-Bachen, tél. 05.58.71.76.76, fax 05.58.71.77.77 r.-v.

DOM. DE HAUBET 2000

□ 14 ha n.c. -3€

Au cœur du pays de l'Armagnac, cette propriété est située sur une commune comptant sept églises. Coup de cœur en 1994 pour son millésime 92, le vin du domaine ne renouvelle certes pas son exploit, mais, par sa belle robe pâle, sa fraîcheur et sa vivacité en bouche, il accompagnera agréablement des fruits de mer. (- 20 F)
Philippe Gudolle, EARL de Haubet, 40310 Parleboscq, tél. 05.58.44.95.99, fax 05.58.44.95.99 r.-v.

DOM. DE LABAIGT 2000*

□ 2 ha 14 000 3à5€

Vif à l'œil, un vin blanc dont le nez, plein de finesse, déploie des arômes de fruits exotiques et surtout d'ananas. « Tendre », note un dégustateur évoquant l'attaque souple et l'équilibre de la bouche. A boire. (20 à 29 F)
Dominique Lanot, Dom. de Labaigt, 40290 Mouscardès, tél. 05.58.98.02.42, fax 05.58.98.80.75 t.l.j. sf dim. 8h30-12h 14h-18h30

DOM. DE LABALLE Sables fauves 2000*

□ 17 ha 110 000 -3€

Dans la famille depuis 1820, quand l'ancêtre Jean-Dominique Laudet s'y établit après une carrière marchande aux Antilles. Aujourd'hui, le domaine nous présente un joli vin en belle robe pâle, brillante, à reflets citronnés. Discret mais équilibré, le nez ouvre une dégustation qui s'achève sur des notes de fruits mûrs (chair de nectarine) avec une bonne persistance. (- 20 F)
Noël Laudet, Le Moulin de Laballe, 40310 Parleboscq, tél. 05.58.44.33.39, fax 05.58.44.92.61, e-mail n.laudet@wanadoo.fr t.l.j. 9h-12h 14h-17h

LA FLEUR D'ESPERANCE Tradition 2000*

□ 15 ha 13 000 -3€

Une propriété remontant au XVIIe s., longtemps productrice d'armagnac, et qui aujourd'hui accueille des séminaires de cuisine dirigés par des chefs réputés. Le blanc présenté au jury, associant à parts égales ugni blanc, colombard, sauvignon et gros manseng, s'annonce dans une belle robe pâle, brillante et limpide. A un nez fin et floral, tout en harmonie, succède une bouche équilibrée, de bonne longueur. (- 20 F)
Claire de Montesquieu, Dom. d'Espérance, 40240 Mauvezin-d'Armagnac, tél. 05.58.44.89.93, fax 05.58.44.85.93, e-mail info@esperance.com.fr r.-v.

DOM. PERCHADE 2000*

■ 0,9 ha 9 800 3à5€

40 % de cabernet, autant de sauvignon et le reste de tannat entrent dans l'élaboration de ce vin à la robe soutenue, au nez fruité et jeune, à la longue bouche puissante. Rondeur, souplesse : il est à boire. (20 à 29 F)
EARL Dulucq, Château de Perchade, 40320 Payros-Cazautets, tél. 05.58.44.50.68, fax 05.58.44.57.75 t.l.j. sf dim. 8h-13h 14h30-19h

SABLOCEAN Sables de l'Océan 2000*

◪ n.c. n.c. 3à5€

Il s'agit de la reconstitution d'un célèbre vignoble remontant au moins à 1691, implanté sur sables purs entre la forêt et l'Océan. Son rosé 2000, de couleur brillante, livre un nez fin, discret, élégant par ses notes de fruits rouges. L'attaque est souple, fraîche, substantielle, suivie d'une finale tout à la fois fondue et d'une désaltérante vivacité. (20 à 29 F)
Les vignes du Chemin de Camentron, Camentron, 40660 Messanges, tél. 05.58.48.99.08
M. Dutirou

DOM. DU TASTET Coteaux de Chalosse Elevé en fût de chêne 2000*

■ 0,5 ha 4 000 3à5€

Le domaine date de 1684. Son dernier-né : un rouge 2000 rubis profond, aux senteurs puissantes tant au nez qu'en bouche. On y reconnaît la présence massive du tannat (80 % de l'assemblage), dont les tanins ont assuré une évolution favorable pendant l'élevage et seront un garant pour l'avenir. (20 à 29 F)

EARL J.-C. Romain et Fils, Dom. du Tastet, 2350, chem. d'Aymont, 40350 Pouillon, tél. 05.58.98.28.27, fax 05.58.98.27.63, e-mail domaine-tastet@voila.fr t.l.j. 8h-19h; dim. 8h-12h30

Pays de la Garonne

Avec Toulouse en son cœur, cette région regroupe dans la dénomination « vin de pays du Comté tolosan » les départements suivants : l'Ariège, l'Aveyron, la Haute-Garonne, le Gers, le Lot, le Lot-et-Garonne, les Pyrénées-Atlantiques, les Hautes-Pyrénées, le Tarn et le Tarn-et-Garonne. Les dénominations sous-régionales ou locales sont : les côtes du Tarn ; les coteaux de Glanes (Haut-Quercy, au nord du Lot ; rouges pouvant vieillir) ; les coteaux du Quercy (sud de Cahors ; rouges charpentés) ; Saint-Sardos (rive gauche de la Garonne) ; les coteaux et terrasses de Montauban (rouges légers) ; les côtes de Gascogne, les côtes du Condomois et les côtes de Montestruc, (zone de production de l'armagnac dans le Gers ; majorité de blancs) ; et la Bigorre. Haute-Garonne, Tarn-et-Garonne, Pyrénées-Atlantiques, Lot, Aveyron et Gers sont les dénominations départementales.

L'ensemble de la région, d'une extrême variété, produit environ 200 000 hl de vins rouges et rosés et 400 000 hl de blancs dans le Gers et le Tarn. La diversité des sols et des climats, des rivages atlantiques au sud du Massif central, alliée à une gamme particulièrement étendue de cépages, incite à l'élaboration d'un vin d'assemblage de caractère constant, ce que s'efforce d'être depuis 1982, le vin de pays du Comté tolosan ; mais sa production est encore réduite : 40 000 hl dans un ensemble produisant environ quinze fois plus.

> Le tanin est une substance qui se trouve dans le raisin et qui apporte au vin certaines de ses propriétés gustatives ; il lui assure une longue conservation.

Comté tolosan

TOUR DES CASTELLANES 2000**

■ 12 ha 100 000 -3€

Qui aime les vins de pays rouges, jeunes, vifs, presque « friands » ne sera pas déçu. Les arômes envahissent le nez alors que la bouche, ronde et souple tout en restant vive, apporte ses nuances de petits fruits rouges. Sans rien enlever à la rondeur, les tanins discrets et fondus assurent une longue finale. (– 20 F)

Ets Nicolas, 4, imp. Abbé-Arnoult, 31620 Fronton, tél. 05.62.22.97.40, fax 05.62.22.97.49

LIBRA 2000*

□ 250 ha 200 000 3à5€

Ce comté tolosan marie deux des principaux cépages aromatiques de la Gascogne : colombard et gros manseng. Le résultat est irréprochable, avec ce qu'il faut de nerf et de gras. Une belle occasion de découvrir la Gascogne. (20 à 29 F)

Producteurs Plaimont, 32400 Saint-Mont, tél. 05.62.69.62.87, fax 05.62.69.61.68 r.-v.

Côtes du Tarn

COSTE BLANCHE 2000**

■ 8,24 ha 90 000 -3€

Les épices que livre le nez ne peuvent laisser indifférent : ils sont puissants et fins. Le même caractère se retrouve en bouche où les épices se mêlent aux arômes de fruits rouges bien mûrs, et où les tanins sont fins et harmonieux. (– 20 F)

David, Les Fortis, 81310 Lisle-sur-Tarn, tél. 05.63.40.47.80, fax 05.63.40.45.08, e-mail clement-termes@wanadoo.fr r.-v.

DOM. DE LA BELLE Muscadelle 2000*

□ 2 ha 15 000 3à5€

La muscadelle est un cépage difficile à mettre en valeur car elle est discrète, fine, tout en nuance. Pascale Roc-Fonvielle a su ici lui donner toute sa noblesse. On y distingue des arômes de fleur d'oranger, d'églantine. En bouche, on dirait presque de la soie : un beau travail. (20 à 29 F)

Pascale Roc-Fonvieille, Saint-Salvy, 81310 Lisle-sur-Tarn, tél. 05.63.40.47.46, fax 05.63.40.31.93, e-mail borie-vieille.pascale@wanadoo.fr t.l.j. 9h-12h 14h-18h; sam. dim. sur r.-v.

LES PASTELIERS 2000**

◪ 25 ha 250 000 -3€

La cave de Rabastens vinifie toute une gamme de vins hauts en couleur. C'est la souplesse, la rondeur, l'équilibre qui décrivent le mieux ce rosé à la robe d'un joli rose saumon.

La note amylique du nez, comme en bouche, domine au milieu d'arômes puissants. Le gamay, issu d'une vinification particulièrement réussie, mérite aussi des éloges. (– 20 F)

Cave de Rabastens, 33, rte d'Albi, 81800 Rabastens, tél. 05.63.33.73.80, fax 05.63.33.85.82, e-mail rabastens@vins-du-sud-ouest.com t.l.j. 9h-12h30 14h30-19h

LES RIALS 2000*

□ 4,1 ha 36 000 3à5€

On trouve beaucoup d'atouts dans ce domaine des Rials. Sa robe jaune pâle invite à la dégustation. Le nez, fin et complexe, est à la fois floral et fruité. La même richesse d'arômes, où dominent la poire et la pêche, se retrouve en bouche. (20 à 29 F)

SCEA Dom. de La Chanade, 81170 Souel, tél. 05.63.56.31.10, fax 05.63.56.31.10 t.l.j. 9h-12h 14h-19h

Hollevoet

Saint-Sardos

CAVE DES VIGNERONS DE SAINT-SARDOS Cuvée Pech de Boisgrand 1996**

■ 3,5 ha 7 800 5à8€

Le Saint-Sardos a toujours eu du caractère. Ce 96 n'y déroge pas. Bien qu'âgé de cinq ans, il est encore dans la force de l'âge. Les tanins fins mais puissants sont aussi présents au nez qu'en bouche. Celle-ci n'en finit pas de combler le dégustateur : du gras, du volume, de la souplesse, ainsi qu'une longueur qui témoigne de la puissance de ses arômes. A ne pas manquer. (30 à 49 F)

Cave des vignerons de Saint-Sardos, Le Bourg, 82600 Saint-Sardos, tél. 05.63.02.52.44, fax 05.63.02.62.19 r.-v.

Côtes de Gascogne

DOM. DE BRACHIES Tannat 1998*

■ n.c. 20 000 3à5€

Vinifier un tannat en vin de pays n'est pas facile : il faut lui laisser exprimer son caractère sans le rendre trop agressif. Jean-Claude Fontan y est parvenu : les arômes de cassis et d'épices y sont bien mis en valeur. Les tanins fins et fondus lui donnent volume, gras et longueur. (20 à 29 F)

Jean-Claude Fontan, Dom. de Maubet, allée du Colombard, 32800 Noulens, tél. 05.62.08.55.28, fax 05.62.08.58.94, e-mail alinefontan@wanadoo.fr r.-v.

LA GASCOGNE PAR ALAIN BRUMONT Gros manseng-sauvignon 2000*

□ 25 ha 266 666 3à5€

Alain Brumont sait mettre en valeur toute une gamme de cépages. Mono-cépage ou bi-cépage, passés ou non en fût, ses produits témoignent, comme ce gros manseng-sauvignon, de la richesse de ce vignoble aux confins de la Gascogne et des Pyrénées-Atlantiques. Nez d'agrumes, bouche longue où l'on trouve les arômes de fruits exotiques accompagnés d'une note fumée : voici un bel exemple parmi une grande variété de vins de pays que nous propose ce domaine. (20 à 29 F)

SA Dom. et Ch. d'Alain Brumont, Ch. Bouscassé, 32400 Maumusson, tél. 05.62.69.74.67, fax 05.62.69.70.46 t.l.j. 9h-12h 14h-19h

DOM. DES CASSAGNOLES 2000*

■ 3 ha 22 000 -3€

Le domaine des Cassagnoles vinifie des vins de pays qui ont tous du caractère. Celui-ci, à la robe soutenue et au nez franc et puissant, offre une bouche exubérante aux arômes prononcés de poivron. Il est gouleyant, rond et souple. Du caractère ! (– 20 F)

J. et G. Baumann, EARL de la Ténarèze, 32330 Gondrin, tél. 05.62.28.40.57, fax 05.62.28.42.42, e-mail tenareze@club-internet.fr t.l.j. 8h30-17h30; dim. sur r.-v.

CAPRICE DE COLOMBELLE 2000*

□ 400 ha 450 000 3à5€

Si la Colombelle primeur continue encore cette année de faire la réputation de Plaimont, le Caprice de Colombelle ne renie pas ses origines. Il a encore plus de caractère, avec des arômes d'agrumes qui envahissent le nez et la bouche. (20 à 29 F)

Producteurs Plaimont, 32400 Saint-Mont, tél. 05.62.69.62.87, fax 05.62.69.61.68 r.-v.

DOM. DE LA HIGUERE Cuvée boisée 1999*

■ 15 ha 18 000 5à8€

La Higuère a sa place depuis longtemps parmi les domaines qui proposent des vins de pays rouges bien élaborés. Cet assemblage de cabernet-sauvignon et de merlot à la robe soutenue, grenat, et au nez complexe, affiche en bouche des notes de fumée et de fruits rouges. Il est rond, il a du volume. Le passage en fût, discret et bien mené, contribue à affirmer le gras et la structure, tout en laissant s'exprimer les arômes primaires des cépages. (30 à 49 F)

Paul et David Esquiro, Dom. de la Higuère, 32390 Mirepoix, tél. 05.62.65.18.05, fax 05.62.65.13.80, e-mail esquiro@free.fr r.-v.

DOM. DE MONLUC Moelleux 1999***

□ 15 ha 55 000 3à5€

Véritablement une merveille ! Réussir aussi bien un moelleux tout en lui donnant le cachet des cépages de Gascogne, c'est rare. C'est pourtant ce qu'a réussi le domaine de Monluc avec ce gros manseng. (20 à 29 F)

🔑 Dom. de Monluc,
Ch. de Monluc, 32310 Saint-Puy,
tél. 05.62.28.94.00, fax 05.62.28.55.70,
e-mail monluc-sa-office@wanadoo.fr
☑ 🍷 t.l.j. 10h-12h 15h-19h; f. janv. et dim mat.

DOM. DE SAINT-LANNES 2000★★

□ 31,75 ha 200 000 3à5€

Ce domaine fait référence en Gascogne avec ses vins de grande facture. Il a toujours su mettre en valeur les cépages de la Gascogne. Le 2000 ne fait pas exception : une bouche aussi ample, complexe, fruitée se situe dans la lignée des vins de pays qui ont fait la réputation des Côtes de Gascogne. (20 à 29 F)

🔑 Michel Duffour, Dom. de Saint-Lannes,
32330 Lagraulet-du-Gers,
tél. 05.62.29.11.93, fax 05.62.29.12.71,
e-mail duffour.michel@wanadoo.fr ☑ 🍷 r.-v.

DOM. DU TARIQUET Sauvignon 2000★★

□ 38 ha 445 000 🍾🌡 5à8€

Quelle puissance, quelle intensité, quelle typicité chez ce sauvignon aux arômes de buis, légèrement citronnés ! Il se fait ainsi l'ambassadeur de toute une gamme de vins de pays de cépages que le domaine de Tariquet offre depuis longtemps. (30 à 49 F)

🔑 SCV Ch. du Tariquet,
Saint Amand, 32800 Eauze,
tél. 05.62.09.87.82, fax 05.62.09.89.49,
e-mail contact@tariquet.com ☑
🔑 Famille Grassa

Lot

LE GRAVIS 2000★

◪ 4 ha 12 000 🍾🌡 3à5€

Très belle robe rose pâle avec une légère teinte violacée. Le nez est vif. En bouche, il a du gras, du volume et ce qu'il faut de nerf. Si les arômes de fleurs dominent, s'y mêlent aussi ceux de la banane. (20 à 29 F)

🔑 Maradenne-Guitard, EARL de Nozières,
46700 Vire-sur-Lot, tél. 05.65.36.52.73 ☑ 🍷 t.l.j. 8h-12h 14h-18h; dim. sur r.-v.

Coteaux de Glanes

LES VIGNERONS DU HAUT-QUERCY
Cuvée des Fondateurs 2000★★

■ 3 ha 21 000 🍾 5à8€

Cette coopérative viticole au nord du Lot ajoute à la beauté du paysage un vin de pays réellement charmeur. Après un nez puissant, épicé, la bouche commence par une attaque souple. Puis les tanins s'éveillent progressivement pour soutenir une longue finale. C'est l'occasion de découvrir un vignoble qui ne manque pas de charme. (30 à 49 F)

🔑 Les Vignerons du Haut-Quercy,
46130 Glanes,
tél. 05.65.39.75.42, fax 05.65.38.68.68 ☑ 🍷 r.-v.

Corrèze

MILLE ET UNE PIERRES
Elevé en fût de chêne 1999★★

■ 11,5 ha 80 000 🛢 5à8€

Ce 99 associe le merlot à 80 % de cabernet franc. Dans sa robe brillante, limpide, grenat soutenu à reflets violets, il déploie un nez complexe où les fruits rouges, les vendanges mûres, le vanillé du bois côtoient quelques notes animales (cuir et gibier). Puis il attaque souplement et évolue dans une bouche ronde et grasse, avec de la matière, de la persistance, et un boisé, qui parachève son harmonie. Un vin digne d'une omelette avec truffes. (30 à 49 F)

🔑 Cave viticole de Branceilles, Le Bourg,
19500 Branceilles, tél. 05.55.84.09.01,
fax 05.55.25.33.01 ☑ 🍷 t.l.j. sf dim. 10h-12h 15h-18h

Côtes du Condomois

COROLLE 2000★

■ 30 ha 100 000 🍾🌡 3à5€

Les Côtes du Condomois, îlot de rouges parmi les blancs du Gers, offrent ici un vin de pays jeune, fruité, aux arômes de cassis. Ses tanins, sans excès et discrets, assurent une finale agréable. A déguster en toutes occasions. (20 à 29 F)

🔑 Les producteurs de la Cave de Condom,
59, av. des Mousquetaires, 32100 Condom,
tél. 05.62.28.12.16, fax 05.62.28.23.94 🍷 r.-v.

Coteaux et terrasses de Montauban

DOM. DU BIARNES 2000★★

◪ 1,6 ha 3 000 3à5€

Splendide robe rose pâle, brillante. Si son nez est intense et complexe, c'est surtout en bouche que l'on apprécie à la fois la richesse, l'intensité et la complexité des arômes. Ce vin est rond, souple, avec du volume et la pointe de nerf que l'on recherche dans un rosé. Une très belle réussite. Du même chai, un **rouge 2000** tout aussi attrayant et plein de promesses. (20 à 29 F)

Léo Béteille, Dom. du Biarnès, 82230 La Salvetat-Belmontet, tél. 05.63.30.42.43, fax 05.63.30.42.43 r.-v.

DOM. DE MONTELS 2000★

■ 2 ha 6 000 3à5€

Ce moelleux tout en nuance est fait d'équilibre entre douceur et vivacité, ce qui lui confère toute son harmonie. Les arômes de miel s'épanouissent aussi. (20 à 29 F)

Philippe et Thierry Romain, Dom. de Montels, 82350 Albias, tél. 05.63.31.02.82, fax 05.63.31.07.94 t.l.j. sf dim. 8h-12h 14h-19h

Pyrénées-Atlantiques

CABIDOS Petit manseng 2000

□ 3 ha 13 000 5à8€

Les Pyrénées-Atlantiques nous offrent quelques rares vins de pays : ils n'en sont pas moins typés pour autant ! Ce Cabidos avec sa belle robe dorée exhale des arômes mentholés perceptibles au nez comme en bouche. A découvrir. (30 à 49 F)

Vivien de Nazelle, Ch. de Cabidos, 64410 Cabidos, tél. 05.59.04.43.41, fax 05.59.04.43.41 t.l.j. sf sam. dim. 8h-12h 14h-17h30

Languedoc et Roussillon

Vaste amphithéâtre ouvert sur la Méditerranée, la région Languedoc-Roussillon décline ses vignobles du Rhône aux Pyrénées catalanes. Premier ensemble viticole français, elle produit près de 80 % des vins de pays. Les départements de l'Aude, du Gard, de l'Hérault et des Pyrénées-Orientales représentent les quatre dénominations départementales. A l'intérieur, les vins faisant référence à une zone plus restreinte sont très nombreux. Ces deux premières catégories représentent près de 5,5 millions d'hectolitres. Enfin, la dénomination régionale « Vin de Pays d'Oc » continue sa progression. La production atteint 2,6 millions d'hectolitres en 1996/1997 (rouges 60 %, rosés 16 %, blancs 24 %).

Obtenus par la vinification séparée de vendanges sélectionnées, les vins de pays de la région Languedoc-Roussillon sont issus non seulement de cépages traditionnels (carignan, cinsault et grenache, syrah pour les rouges, clairette, grenache blanc, macabeu pour les blancs) mais aussi de cépages non méridionaux : cabernet-sauvignon, merlot ou pinot noir pour les vins rouges ; chardonnay, sauvignon et viognier pour les vins blancs.

Oc

ARNAUD DE VILLENEUVE
Chardonnay Elevé en barrique de chêne 2000★

□ n.c. 20 000 5à8€

Le nom de l'alchimiste catalan du Moyen Age, à qui l'on doit les vins doux naturels, ne mésied pas à ce vin à la robe d'or pur. Le nez, agréablement boisé, a de la finesse ; quant à la bouche, très bien structurée, elle est persistante et aussi ample que vive. (30 à 49 F)

Les Vignobles du Rivesaltais, 1, rue de la Roussillonnaise, 66602 Rivesaltes, tél. 04.68.64.06.63, fax 04.68.64.64.69, e-mail vignobles.rivesaltais@wanadoo.fr r.-v.

DOM. DE BACHELLERY Merlot 2000★

■ 10 ha 15 000 -3€

Un domaine situé sur la route qu'emprunte le tracé de la voie Domitia. De robe grenat soutenu et brillant, voici un merlot élevé en foudre. Son nez fin et fruité n'oublie pas les épices. Equilibrée, la bouche a de l'ampleur et l'on retrouve les mêmes arômes dans une longueur fort honorable. On pourra, si l'on veut, le laisser un peu vieillir. (– 20 F)

Bernard Julien, Dom. de Bachellery, rte de Bessan, 34500 Béziers, tél. 04.67.62.36.15, fax 04.67.35.19.38, e-mail vinbj@club-internet.fr

DOM. DE BAUBIAC
Viognier roussanne 1999*

☐ 0,97 ha 2 100 5 à 8 €

Ce sont de jeunes vignes de quatre ans qui ont donné ce vin de pays : les deux cépages se partagent à égalité l'assemblage : la belle robe d'or, le nez finement boisé et fumé, introduisent une bouche ample et équilibrée, soyeuse. (30 à 49 F)

SCEA Philip Frères, Dom. de Baubiac, 30260 Brouzet-lès-Quissac, tél. 04.66.77.33.45, fax 04.66.77.33.45, e-mail philip@dstu.univ-montp2.fr r.-v.

DOM. BELOT Viognier 2000**

☐ 1 ha 3 700 5 à 8 €

Karine et Lionel Belot, deux enfants des fondateurs, ont repris le flambeau de cette exploitation sise dans un ancien rendez-vous de chasses royales du XVIIe s. Ils ont produit un vin d'une teinte légère à reflets dorés qui s'annonce pourtant puissant dès l'olfaction ; intensément floral, ce 2000 développe une bouche ample, équilibrée et de bonne longueur. Il allie la force à l'élégance. (30 à 49 F)

Karine et Lionel Belot, rte de Cazedarnes, 34360 Pierrerue, tél. 04.67.38.08.96, fax 04.67.38.14.14 t.l.j. 9h-12h30 13h30-19h; f. jan.

VIGNERONS DU BERANGE
Merlot 2000*

■ n.c. 11 000 -3 €

Elle est bien jolie la robe pourpre à reflets violets brillants de ce vin élaboré par la cooopérative de Bérange. Fruité et élégant, le nez précède une bouche tout en souplesse. L'ensemble est aussi harmonieux que gouleyant. (– 20 F)

Groupement de producteurs Gres, 19, rue de la Coopérative, 34740 Vendargues, tél. 04.67.87.68.68, fax 04.67.87.68.69 t.l.j. sf dim. 9h-12h 14h-18h

DOM. BOIS BORIES
Chardonnay Les Peyrades Elevé en fût de chêne 2000**

☐ 2,18 ha 6 500 5 à 8 €

Depuis 1919, le vignoble est cultivé par les Raymond. Il propose une cuvée remarquable, d'une teinte éclatante. Le nez est aromatique tout en fraîcheur grâce à ses notes d'agrumes. Très élégante, la bouche exprime un délicat boisé, de même que des nuances épicées et florales de bonne persistance. (30 à 49 F)

SCEA Paul Raymond et Fils, Les Bories, 34800 Clermont-L'Hérault, tél. 04.67.96.98.03, fax 04.67.96.98.03 r.-v.

DOM. DU BOSQUET
Cabernet-sauvignon 2000*

■ 13,57 ha 148 000 3 à 5 €

La vendange se déroule la nuit - nous dit-on - pour éviter les températures estivales languedociennes. Mis en bouteilles par le groupe Virginie, à Béziers, ce vin est très réussi. Rouge vif et clair de la robe, fruits rouges d'un nez plein de finesse et de discrétion. Quant à la bouche elle est agréable, bien équilibrée. (20 à 29 F)

SCI Dom. du Bosquet, Dom. La Grangette, 34440 Nissan-les-Enserune, tél. 04.67.11.88.00, fax 04.67.49.38.39

CALVET DE CALVET Chardonnay 2000*

☐ n.c. 65 000 3 à 5 €

Brillant, très clair à l'œil, ce vin blanc évoque finement le miel et les fleurs blanches. En bouche il est équilibré et frais, et ses arômes ont toute la longueur qu'il faut. (20 à 29 F)

Calvet, 75, cours du Médoc, BP 11, 33028 Bordeaux Cedex, tél. 05.56.43.59.00, fax 05.56.43.17.78, e-mail calvet@calvet.com

DOM. CAMPRADEL 2000*

■ n.c. 100 000 3 à 5 €

Un grenat profond habille ce vin discret à l'olfaction, où percent des notes fumées. Rond et bien charpenté, doté d'arômes de fruits rouges mûrs, il pourra être bu ou patienter quelque temps. (20 à 29 F)

Les Domaines Bernard, rte de Sérignan, 84100 Orange, tél. 04.90.11.86.86, fax 04.90.34.87.30, e-mail sagon@domaines-bernard.fr

DOM. CAZAL-VIEL Cuvée Finesse 2000*

☐ 8 ha 20 000 5 à 8 €

Outre son **viognier 2000**, également très réussi, Henri Miquel propose une cuvée Finesse. Elle n'usurpe pas son nom avec sa robe légère et brillante, ses senteurs florales à nuances muscatées (le cépage entre pour un quart dans le subtil assemblage qui réunit aussi par quart le sauvignon, le viognier et le chardonnay). Un bel équilibre entre arômes et fraîcheur caractérise la suite de la dégustation. (30 à 49 F)

Ch. Cazal-Viel, Hameau Cazal-Viel, 34460 Cessenon-sur-Orb, tél. 04.67.89.63.15, fax 04.67.89.65.17 t.l.j. 9h-12h30 14h-18h; sam. dim. sur r.-v.

Henri Miquel

CIGALUS 2000**

☐ n.c. 12 000 23 à 30 €

Chardonnay (70 %), viognier (25 %) et sauvignon sont élevés huit mois en fût : doré, à reflets chauds, ce vin affirme dès l'olfaction un boisé bien fondu, aux notes de vanille associé à des nuances de fruits cuits. Grasse et veloutée, très harmonieuse, la bouche déploie ensuite des arômes de bonne persistance. (150 à 199 F)

Gérard Bertrand, Dom. Cigalus, 11100 Bizanet, tél. 04.68.42.68.68 r.-v.

DOM. COSTEPLANE
Cuvée Terroir 2000*

■ 3,3 ha 13 300 5 à 8 €

Un chêne vert de cinq cent ans jouxte cette propriété plus vieille encore qui pratique l'agriculture biologique. Assemblant grenache et syrah à parts égales cette cuvée, en belle robe grenat intense, parle de garrigue à l'olfaction. Cette puissance est confirmée par la bouche ronde et ample, bien structurée, épicée, s'achevant sur une finale chaleureuse. Des tanins de

qualité sont les garants de son harmonie ainsi que d'un possible vieillissement, si l'on ne désire pas la boire dès maintenant. (30 à 49 F)
Françoise et Vincent Coste, Mas Costeplane, 30260 Cannes-et-Clairan, tél. 04.66.77.85.02, fax 04.66.77.85.47, e-mail vetf.coste@free.fr r.-v.

DOM. DE COUDOULET
Muscat sec de petits grains 2000**

1 ha 6 600 5à8€

Ce beau domaine de 43 ha sis dans le Minervois est dirigé par Pierre-André et Jean-Yves Ournac. On reconnaît le muscat (100 %) rien qu'au bouquet intense et très floral de ce vin. Sous sa belle robe pâle à reflets d'or, on découvre ensuite une bouche vive, fraîche, bien équilibrée, de belle longueur. A boire. (30 à 49 F)
GAEC Dom. de Coudoulet, chem. de Minerve, 34210 Cesseras, tél. 04.68.91.15.70, fax 04.68.91.15.78 r.-v.

DOM. COUSTELLIER
Rosé de syrah 2000*

1,6 ha 9 000 -3€

Revenir au village natal était le rêve de Roland Coustellier. Il achète sa première vigne en 1967. Les nouvelles générations ont pris la relève. Voici leur rosé : il s'habille d'une belle robe brillante, vermillon soutenu. Assez intense, le nez est friand avec ses notes de fruits rouges. A la fois nerveux et ample en bouche, ce vin est harmonieux et bien équilibré. (- 20 F)
GAEC Coustellier, 16, rue Gal-Montbrun, 34510 Florensac, tél. 04.67.77.01.42, fax 04.67.77.94.39, e-mail gaec.coustellier@wanadoo.fr r.-v.

DOM. DES CROZES-SENACQ
Merlot Elevé en fût de chêne 1999*

5 ha 40 000 5à8€

Proche d'Alès, le vignoble d'Euzet appartient au beau pays des Cévennes. Elevé par la coopérative, grenat limpide et brillant, son vin livre un nez fin, dominé par des notes de fruits. Ample, ronde et grasse, la bouche est soutenue par un boisé bien fondu qui lui permettra d'accompagner les viandes blanches. (30 à 49 F)
Cave d'Euzet-les-Bains, rte d'Alès, 30360 Euzet, tél. 04.66.83.51.16, fax 04.66.83.68.33 t.l.j. 9h-12h 14h-19h

DOM. ELLUL-FERRIERES
Vieilles vignes 1998*

3 ha 12 000 5à8€

Son premier millésime, le 97, est entré dans le Guide 2000 avec une étoile. Voici le second, avec cette cuvée 100 % grenache. Flatteur dans sa robe rubis soutenu, ce 98 évoque intensément les fruits surmûris ou séchés. La bouche est bien structurée, tout à la fois ample, fraîche et soyeuse. Une belle harmonie. (30 à 49 F)
Dom. Ellul-Ferrières, 151, rue Jacques Bounin, 34070 Montpellier, tél. 06.15.38.45.01, fax 04.67.16.04.49, e-mail ellulferrieres@aol.com t.l.j. 17h-19h

LOUIS FABRE Sauvignon 2000**

3 ha 26 000 3à5€

« Or vénitien » : ainsi le décrit un dégustateur admiratif. Et le jury n'a pas été déçu par son nez, concentré et complexe, aux senteurs d'agrumes, de fruits exotiques et de fruits confits. Quant à la bouche, vive et ample, elle révèle de la structure, du gras, et des arômes de bonne persistance. (20 à 29 F)
Louis Fabre, rue du Château, 11200 Luc-sur-Orbieu, tél. 04.68.27.10.80, fax 04.68.27.38.19, e-mail chateau.luc@aol.com r.-v.

DOM. DE FLORIAN
Les Chênes blancs 1998**

n.c. 3 000 5à8€

Autrefois propriété de l'écrivain Jean-Pierre Claris de Florian, académicien et petit-neveu de Voltaire... On aime ce vin à la belle robe rubis très sombre, relevée de violet. Subtil, le nez évoque intensément les épices, les fruits et la garrigue. Quant à la bouche, ample, capiteuse, elle assure à l'ensemble, par sa structure, une grande harmonie. (30 à 49 F)
SCEA Dom. de Florian, rte d'Anduze, 30610 Logrian, tél. 04.66.77.48.22, fax 04.66.77.48.22 t.l.j. sf dim. 9h-12h 13h30-18h30
Louis Rico

DOM. GALETIS
Cabernet-sauvignon 2000**

10 ha 120 000 -3€

Cette propriété familiale depuis 1855 propose en 2000 un vin à la belle robe pourpre brillante. Le nez intense développe puissamment ses notes d'épices, et la bouche apparaît vive mais bien équilibrée par des arômes persistants. Mis en bouteilles par le groupe Virginie. (- 20 F)
SCI du Dom. Galetis, 11170 Moussoulens, tél. 04.67.11.88.00, fax 04.67.49.38.39

DOM. DU GRAND CRES 1999**

2 ha 8 000 8à11€

Beau domaine des Corbières, le Grand Crès a enthousiasmé le jury avec cette cuvée associant 35 % de viognier, 60 % de roussanne et 5 % de muscat vinifiés en macération pelliculaire. Remarquable tout simplement, par sa teinte d'or rehaussé de vert. Son nez est fin et complexe par ses notes de fruits et de fleurs. L'attaque en bouche de qualité est suivie d'un développement équilibré qui confirme l'élégance de l'ensemble. (50 à 69 F)
Hervé et Pascaline Leferrer, Dom. du Grand Crès, 40, av. de la Mer, 11200 Ferrals-les-Corbières, tél. 04.68.43.69.08, fax 04.68.43.58.99 r.-v.

GRANGE DES ROUQUETTE
Agrippa 2000**

2 ha 8 000 5à8€

Les Rouquette sont une branche de la famille, et la grange un bâtiment abritant autrefois la cave, le moulin à huile et la bergerie. Le vin possède une belle robe sombre, presque noire, à reflets violacés. Intense, le nez évoque les fruits mûrs. Souplesse et richesse : la bouche est équilibrée, et ses arômes de bonne longueur. Une bouteille bien élégante. (30 à 49 F)

Vignobles Boudinaud, 30210 Fournes, tél. 04.66.37.27.23, fax 04.66.37.27.23, e-mail boudinaud@infonie.fr r.-v.

DOM. DE LA BAUME 1998★

■ 8,1 ha 22 680 8à11€

Assemblage de merlot et de carbernet-sauvignon à parts égales, rubis à l'œil, puissant et complexe au nez, où il allie le boisé et les notes de fruits, c'est décidément un vin bien présent. Il le confirme en bouche avec un bel équilibre, des tanins chauds et charnus, et un joli développement aromatique. La même note échoit au **blanc 98** de ce domaine. (50 à 69 F)

Dom. de La Baume, rte de Pezenas, 34290 Servian, tél. 04.67.39.29.49, fax 04.67.39.29.40, e-mail charlotte-habit@labaume.com r.-v.

LA CHAPELLE DES PENITENTS
Chardonnay viognier 1999★★

□ n.c. 13 600 15à23€

Marque de Daniel Bessière, négociant, ce vin paille à reflets d'or s'annonce par un nez concentré, complexe, aux notes beurrées et miellées. Cette élégance se confirme dans une bouche ample, charnue et ronde, équilibrée par une bonne fraîcheur. Une bouteille très harmonieuse, que l'on pourra même se permettre d'attendre un peu. (100 à 149 F)

SA Bessière, 40, rue du Port, 34140 Mèze, tél. 04.67.18.40.40, fax 04.67.43.77.03

DOM. LA CONDAMINE BERTRAND
Cabernet-sauvignon Cuvée Promesse 1999★★

■ 0,5 ha 2 000 23à30€

Il est flatteur, dans sa robe pourpre foncé à reflets ambrés. Son nez sait se montrer riche et complexe avec ses notes d'épices, de fruits mûrs et de sous-bois. Quant à la bouche, aromatique, persistante, elle s'équilibre sur des tanins bien fondus. Une belle charpente, qui permettra à ce 99 d'être gardé quelque temps encore. (150 à 199 F)

Bertrand Jany et Fils, Ch. Condamine Bertrand, 34230 Paulhan, tél. 04.67.25.27.96, fax 04.67.25.07.55, e-mail chateau.condamineber@free.fr r.-v.

DOM. DE LA DEVEZE
Viognier Elevé en barrique de chêne 2000★★

□ 0,7 ha n.c. 8à11€

Vaste domaine de 30 ha, La Devèze est située en plein cœur de la faille des Cévennes, en terre d'Histoire. Une belle robe d'or enveloppe ce vin au nez fin, riche d'intenses senteurs florales. Boisée, la bouche est élégante, bien structurée. Ses arômes sont remarquablement longs. (50 à 69 F)

Marcel Damais, GAEC du Dom. de la Devèze, 34190 Montoulieu, tél. 04.67.73.70.21, fax 04.67.73.32.40, e-mail domaine@deveze.com r.-v.

DOM. DE LA FERRANDIERE
Grenache gris 2000★

6 ha 60 000 3à5€

Ce domaine, créé au début du XXe s., exploite 70 ha de vigne et 25 ha de pommier. Ce grenache gris, en robe rose chair, se développe tout en finesse et en élégance à l'olfaction. La bouche est vive, fraîche, bien équilibrée. A servir sur les charcuteries. (20 à 29 F)

SARL Les Ferrandières, 11800 Aigues-Vives, tél. 04.68.79.29.30, fax 04.68.79.29.39, e-mail fergau@terre-net.fr t.l.j. sf sam. dim. 8h-12h 14h-18h

DOM. LALANDE
Cabernet-Sauvignon 2000★★

■ 10,03 ha 60 000 -3€

Le canal du Midi passe au bas des coteaux du domaine situé à 3 km de Carcassonne. D'un rouge cerise brillant, voilà un beau 2000 au nez fin d'épices. Ample, équilibrée, la bouche est bien charpentée, et ses arômes ont de la longueur. Un temps de garde l'amènera à sa perfection. (- 20 F)

SCEA Ch. Lalande, Dom. Lalande, 11610 Pennautier, tél. 04.67.37.22.36 r.-v.

B. Montariol

DOM. LALAURIE Merlot 1999★

■ 12 ha 15 000 5à8€

Neuvième génération de viticulteurs présents sur le domaine : une belle fidélité. D'une teinte grenat profond, ce vin élevé pour 70 % en fût, développe un nez complexe, boisé, aux notes de cuir et de sous-bois. La bouche est charpentée par des tanins de bon aloi. Une bouteille très harmonieuse prête pour le petit gibier ou le rôti. (30 à 49 F)

Jean-Charles Lalaurie, 2, rue Le-Pelletier-de-Saint-Fargeau, 11590 Ouveillan, tél. 04.68.46.84.96, fax 04.68.46.93.92, e-mail jean-charles.lalaurie@libertysurf.fr r.-v.

DOM. LAMARGUE Merlot 2000★

■ 2,33 ha 10 000 8à11€

Le jury a apprécié à égalité la **syrah 2000** du domaine, et ce merlot qui se présente dans une robe grenat soutenu. Finement boisé avec des notes fruitées, le nez précède une bouche puissante et ample, reposant sur une bonne structure tannique sans aspérité. A boire ou à attendre. (50 à 69 F)

SCI du Dom. de Lamargue, rte de Vauvert, 30800 Saint-Gilles, tél. 04.66.87.31.89, fax 04.66.87.41.87, e-mail domaine.de.lamargue@wanadoo.fr r.-v.

C. Bonomi

DOM. DE LA VALMALE
Cuvée Alphonse 2000★

■ 5 ha 25 000 -3€

Ce sont les petits enfants des fondateurs qui gèrent, depuis 1994, ce domaine de 76 ha. Cette cuvée allie grenache (60 %), syrah (25 %) et merlot. Sous la belle robe pourpre brillant à reflets violets se cache un vin structuré. Intense, l'olfaction est dominée par le fruit très mûr ; la bouche, déjà plaisante, révèle des arômes qui persistent longtemps. (- 20 F)

Alain Clarou, Dom. de la Valmale, 34550 Bessan, tél. 01.43.54.42.49, fax 01.40.46.89.01 r.-v.

DOM. LE CLAUD
Cuvée sélectionnée comtesse Louis de Boisgelin 1999*

■ n.c. 5 600 5à8€

Aux portes de Montpellier (4 km), ce domaine est situé dans un village qui témoigne de la présence de l'homme depuis un million d'années. Le vignoble est ici infiniment plus récent ; il a été entièrement rénové en 1976. En habit de pourpre à reflets ambrés, voici un 99 au nez finement boisé. La bouche est agréable par son harmonieux équilibre, et ses arômes qu'elle sait longuement faire durer. (30 à 49 F)

SCEA de Boisgelin, Dom. Le Claud, 12, rue Georges-Clemenceau, 34430 Saint-Jean-de-Védas, tél. 04.67.27.63.37, fax 04.67.47.28.72 r.-v.

LE CORDON DE ROYAT Syrah 2000*

■ n.c. n.c. 3à5€

Thierry Boudinaud, responsable des vinifications de cette vaste structure, dont le siège est à Gigondas, a proposé ce vin de marque. Une robe pourpre intense et profonde habille ce 2000 au nez aromatique, évoquant les fruits rouges et la violette. La bouche, équilibrée, est ronde et souple : une bouteille très harmonieuse. (20 à 29 F)

Domaines du Soleil, Ch. Canet, 11800 Rustiques, tél. 04.90.12.32.42, fax 04.90.12.32.49

LES COLLINES DU BOURDIC
Muscat 2000**

□ 5 ha 27 000 3à5€

Né sur les marnes des coteaux de Bourdic, dans le Gard, ce vin, clair et brillant à l'œil, se montre muscat de bout en bout : tant au nez, très intense, qu'en bouche, où l'on trouve fraîcheur et équilibre. Le jury a par ailleurs attribué une étoile au **chardonnay 2000** et au **cabernet-sauvignon 2000** de la coopérative. (20 à 29 F)

SCA Les Collines du Bourdic, chem. de la Gare, 30190 Bourdic, tél. 04.66.81.20.82, fax 04.66.81.23.20 r.-v.

LES JAMELLES Sauvignon 2000*

□ 10,5 ha 70 000 5à8€

Vinifié par un couple de Bourguignons de Côte-d'Or, mis en bouteilles en Saône-et-Loire, ce vin de cépage sauvignon porte une robe jaune pâle à reflets verts et affirme un nez intensément floral. La bouche, vive et fraîche, se montre équilibrée et persistante. (30 à 49 F)

Badet Clément et Cie, 39, rte de Beaune, 21220 L'Etang-Vergy, tél. 03.80.61.46.31, fax 03.80.61.42.19, e-mail contact@badetclement.com t.l.j. sf sam. dim. 9h-12h 14h-17h

LES QUATRE CLOCHERS
Cabernet-sauvignon Vieilles vignes Elevé en fût de chêne 1999*

■ n.c. n.c. 8à11€

Aux portes de Limoux, cette cave coopérative est l'un des acteurs majeurs de la viticulture française. Grande spécialiste des blancs, la voici dans ses œuvres rouges : dans sa robe pourpre intense, ce 99 fleure bon les épices et le boisé. Equilibré, bien structuré en bouche, il révèle la présense de tanins de qualité. A boire déjà ou à attendre. (50 à 69 F)

Aimery-Sieur d'Arques, av. de Carcassonne, BP 30, 11303 Limoux Cedex, tél. 04.68.74.63.00, fax 04.68.74.63.12, e-mail servico@sieurdarques.com r.-v.

DOM. LES YEUSES Chardonnay 2000*

□ 3 ha 10 000 5à8€

C'était bien l'yeuse (le chêne vert) qui couvrait ce domaine jusqu'au XVIIIe s., avant qu'il ne se convertisse à la vigne. On ne perd pas au change, avec ce blanc qui évoque à l'œil un or limpide. Intense, floral, le nez ouvre avec puissance une dégustation qui se poursuit en bouche dans un équilibre fait d'ampleur et de gras. Belle harmonie d'ensemble. (30 à 49 F)

Jean-Paul et Michel Dardé, Dom. Les Yeuses, rte de Marseillan, 34140 Mèze, tél. 04.67.43.80.20, fax 04.67.43.59.32, e-mail jp.darde@worldonline.fr t.l.j. sf dim. 9h-12h 15h-19h

DOM. DE MAIRAN Chasan 2000*

□ 5 ha 30 000 3à5€

Sur le site d'une ancienne *villa* romaine, le domaine produit un « chasan » (cépage issu du croisement du listan et du chardonnay qui donne habituellement des vins peu alcooliques. Ce n'est pas le cas ici puisque cette cuvée titre 13 % vol.). Sa robe claire et éclatante est relevée de reflets verts. Une dominante d'agrumes marque le nez, et la bouche s'avère bien structurée, prête. Une note égale échoit au **cabernet-sauvignon 98**, du même producteur. (20 à 29 F)

Jean Peitavy, Dom. de Mairan, 34620 Puisserguier, tél. 04.67.93.74.20, fax 04.67.93.83.05 t.l.j. 9h-12h 14h-19h

DOM. DE MALAVIEILLE Merlot 2000*

■ 2 ha 6 000 3à5€

Un seigneur de Malavieille, fuyant vers la Louisiane, laissa en friche son domaine que racheta alors le lointain ancêtre de l'actuelle productrice. Son merlot ? Un beau rouge de teinte rubis, au nez finement boisé, grillé et floral. Des épices, de longs arômes forment une bouche ronde et gouleyante. (20 à 29 F)

Mireille Bertrand, Malavieille, 34800 Mérifons, tél. 04.67.96.34.67, fax 04.67.96.32.21 r.-v.

DOM. PAUL MAS
Cabernet-sauvignon merlot 2000**

■ 18,2 ha 27 000 5à8€

La chapelle du château de Cornas, restaurée en 1985, mérite votre visite, tout comme sa cave où sont élevés les vins depuis 1995. Une robe

pourpre foncé à reflets ambrés annonce un nez riche et complexe (notes épicées). La puissance se retrouve en bouche. Bien équilibrée, celle-ci se révèle aromatique et longue. (30 à 49 F)
Dom. Paul Mas, Ch. de Conas, 34210 Pezenas, tél. 04.67.90.16.10, fax 04.67.98.00.60, e-mail info@paulmas.com r.-v.

DOM. DU MAS DE PIQUET
Chardonnay 2000**

□ 3,34 ha n.c. 3à5€

Brillant, très limpide, légèrement perlé : ainsi se présente le chardonnay du lycée agricole. Avec sa belle palette aromatique (fleurs, fruits, notes épicées), le nez ne déçoit pas, non plus que la bouche soyeuse, équilibrée, pleine d'élégance et de vivacité. (20 à 29 F)
Lycée Agropolis, Dom. du Mas de Piquet, rte de Ganges, 34790 Grabels, tél. 04.67.52.26.59, fax 04.67.52.26.59, e-mail piquet-dom@educagri.fr t.l.j. sf dim. 9h-12h 15h-19h; sam. 9h-13h

MAS MEYRAC 1999*

■ 16,5 ha 20 000 8à11€

Acheté en juillet 2000, ce domaine investit six millions de francs dans la modernisation des chais. Ce millésime est donc antérieur. Dans sa belle robe sombre, grenat à reflets ambrés, c'est un 99 qui sent intensément le fruit - fruits rouges à noyau, fruits confits. La bouche est ample, ronde, très agréable. (50 à 69 F)
Ch. Capendu, pl. de la Mairie, 11700 Capendu, tél. 04.68.79.00.61, fax 04.68.79.08.61 r.-v.

MAS MONTEL Cuvée Jéricho 1999*

■ 3 ha 15 000 5à8€

Rubis brillant et soutenu, ce vin développe un riche bouquet d'épices, de garrigue, d'eucalyptus. Une complexité que l'on retrouve dans les arômes persistants de la bouche, ample et équilibrée. (30 à 49 F)
EARL Granier, Mas Montel, 30250 Aspères, tél. 04.66.80.01.21, fax 04.66.80.01.87, e-mail montel@wanadoo.fr t.l.j. sf dim. 9h-12h 14h-19h

DOM. DE MOLINES
Sauvignon Réserve 2000*

□ 2 ha 15 000 5à8€

Michel Gassier regrette que ce terroir de Molines n'ait pas été classé en AOC, mais il rêve d'y faire de grands vins. Il a choisi un cépage plutôt septentrional, le sauvignon. Paille à reflets d'or, ce dernier brille autant dans le verre qu'au nez où s'expriment fleurs et aneth. On retrouve ces arômes en bouche avec du gras, de la richesse. (30 à 49 F)
Vignobles Michel Gassier, Ch. de Nages, chem. des Canaux, 30132 Caissargues, tél. 04.66.38.44.30, fax 04.66.38.44.21, e-mail m.gassier@chateaudenages.com r.-v.

OPUS TERRA Merlot et syrah 2000*

■ 12 ha 100 000 3à5€

Connaissez-vous le vignoble de l'Orpailleur, au Québec ? Il a été créé par Hervé Durand. Voici son vin languedocien : la belle robe pourpre brillant est en harmonie avec son bouquet fruité, fin et élégant. Bien équilibrée, la bouche révèle des arômes élégants. « Un vin au charme indéniable », observe un dégustateur. Prêt à boire, il peut aussi attendre. (20 à 29 F)
Hervé et Guilhem Durand, 30300 Beaucaire, tél. 04.66.59.19.72, fax 04.66.59.50.80 r.-v.

LE BLANC D'ORMESSON 2000*

□ 4 ha 10 000 5à8€

Etonnant assemblage de sauvignon (30 %), de roussanne (30 %), de viognier (20 %) et de petit manseng. Légère, brillante, la teinte de ce vin est à l'image du nez, si fin avec ses notes de fleurs blanches. Nerveuse et fraîche, la bouche est très aromatique. Ont également été cités le **sauvignon 2000** et le **cabernet-sauvignon 99** du même domaine. (30 à 49 F)
Jérôme d'Ormesson, Le Château, 34120 Lézignan-la-Cèbe, tél. 04.67.98.29.33, fax 04.67.98.29.32 t.l.j. 9h-12h 14h-18h

DOM. DE PANERY 2000*

■ 2 ha 10 000 3à5€

Venu de l'une des vastes propriétés du Gard, ce vin associe 70 % de merlot à la syrah. Drapé dans sa pourpre profonde, il s'éveille pour nous livrer un nez d'épices (poivre nuancé de vanille). Equilibrée, la bouche est ample et ronde, harmonieuse. (20 à 29 F)
SCEA Ch. de Panery, rte d'Uzès, 30210 Pouzilhac, tél. 04.66.37.04.44, fax 04.66.37.62.38, e-mail chateaudepanery@wanadoo.fr t.l.j. 10h-18h
Roger Gryseels

PAVILLON DU BOSC
Cabernet franc 2000*

◪ 2 ha 4 000 5à8€

Deux vins sélectionnés chez ce producteur : le **Moulin du Domaine du Bosc, rouge 2000**, une étoile, et ce rosé à la belle robe saumonée. Après un nez intense, à dominante végétale légèrement réglissée, il se montre rond, chaleureux, très aromatique en bouche. Un vin plein d'élégance. (30 à 49 F)
SICA Delta Domaines, Dom. du Bosc, 34450 Vias, tél. 04.67.21.73.54, fax 04.67.21.68.38 r.-v.

LES VIGNERONS DU PIC
Sauvignon 2000**

□ n.c. 10 000 3à5€

Il est plaisant à voir ce blanc de teinte légère, brillante, à reflets verts. Un nez joyeux et fin, aux notes de fleurs blanches, d'acacia, de pêche blanche, précède une bouche où l'on retrouve ces arômes intenses et persistants. Bel équilibre entre l'ampleur et la nervosité. (20 à 29 F)
Les Vignerons du Pic, 285, av. de Sainte-Croix, 34820 Assas, tél. 04.67.59.62.55, fax 04.67.59.56.39 t.l.j. sf lun. 9h-12h 14h-18h; groupes sur r.-v.

DOM. DE POUSSAN LE HAUT
Chardonnay 2000*

☐ n.c. 26 000 5à8€

Une robe légère, brillante à reflets verts, tel est l'habit de ce vin au nez fin et puissant, riche d'arômes floraux et fruités. Vive et ronde à la fois, la bouche se révèle à son tour aromatique, équilibrée, de bonne persistance. Belle harmonie d'ensemble. Mentionnons également, proposés par la même Union de coopératives dans ce millésime : les **syrah du domaine des Rosiers** et du **domaine de La Barrère**, citées, le **chardonnay du domaine des Guillardes**, la **cuvée Mythique**, une étoile, chacun. (30 à 49 F)

Vignerons de La Méditerranée, ZI Plaisance,12, rue du Rec-de-Veyret, BP 414, 11104 Narbonne Cedex, tél. 04.68.42.75.00, fax 04.68.42.75.01, e-mail rhirtz@listel.fr r.-v.

DOM. REYNAUD Chardonnay 2000*

☐ 2,75 ha 4 000 3à5€

Une robe claire, éclatante, revêt ce vin au nez délicat, finement aromatique. La bouche fraîche et ronde exprime un fruité bien équilibré. A citer également, le **merlot 2000** du même producteur. (20 à 29 F)

EARL Reynaud, Dom. Reynaud, 30700 Saint-Siffret, tél. 04.66.03.18.20, fax 04.66.03.12.95 t.l.j. sf dim. 10h-12h 16h-18h

DOM. SAINT JEAN DE CONQUES
2000*

◪ 1 ha 8 000 3à5€

Une jolie robe rose nuancée de violine, un nez fin aux arômes de fruits secs, de fruits rouges et d'épices : plaisante ouverture que celle de ce rosé, qui ne déçoit pas ensuite grâce à sa rondeur en bouche et à sa belle fraîcheur finale. (20 à 29 F)

François-Régis Boussagol, Dom. Saint-Jean de Conques, 34310 Quarante, tél. 04.67.89.34.18, fax 04.67.89.35.46 r.-v.

DOM. SAINT MARTIN DE LA GARRIGUE Chardonnay 1999**

☐ 2,08 ha 13 000 8à11€

Une chapelle du IXᵉs., un château auquel chaque époque a ajouté sa touche : tel est le cadre dans lequel est né ce remarquable vin à la belle robe paille à reflets dorés. Le nez, intense, exprime des notes de fleurs et de fruits confits. Structure et équilibre en bouche, où l'on retrouve les arômes avec une bonne persistance. (50 à 69 F)

SCEA Saint-Martin de la Garrigue, 34530 Montagnac, tél. 04.67.24.00.40, fax 04.67.24.16.15, e-mail jczabalia@stmartingarrigue.com t.l.j. 8h-12h 13h-17h; sam. dim. sur r.-v.

F. DE SKALLI Merlot 1998*

■ n.c. 28 000 15à23€

L'un des plus importants opérateurs en vins de pays, dont le siège est établi dans la ville où est né Valéry. Cette cuvée élevée dix-huit mois en fût est parée d'une robe grenat éclatante. Le nez est intensément boisé et la bouche très charpentée se révèle chaleureuse mais bien équilibrée. (100 à 149 F)

Les vins Skalli, 278, av. du Mal.-Juin, BP 376, 34204 Sète Cedex, tél. 04.67.46.70.00, fax 04.67.46.71.99, e-mail info@vinskalli.com r.-v. sf juil. août 10h-13h 14h-18h

SYRCAB Comte cathare 1999*

■ n.c. 10 000 11à15€

Le nom de ce vin ? Tout simplement venu de l'assemblage de syrah et de cabernet (80 %) qui le composent. Sa belle robe grenat soutenu ouvre agréablement une dégustation que marque ensuite la richesse d'un nez complexe, frais et boisé tout à la fois. Equilibrée, persistante, la bouche a de la matière ; une matière qui permettra à cette bouteille d'être appréciée dès à présent ou de patienter. (70 à 99 F)

Grands Vignobles en Méditerranée, La Tuilerie, 34210 La Livinière, tél. 04.68.91.42.63, fax 04.68.91.62.15, e-mail franboissier@compuserve.com r.-v.

TERRE D'AMANDIERS 1998**

☐ n.c. 50 000 11à15€

Philippe Maurel et Stéphane Vadeau dirigent leur maison de négoce qui exporte 90 % de sa production. Ce vin, issu du seul chardonnay, est harmonieux de bout en bout. Par sa teinte paille à reflets d'or, et par son nez plein de finesse et d'intensité, aux notes complexes de fruits et de fleurs ; et par sa bouche enfin, qui conjugue fraîcheur et ampleur, et déploie des arômes de bonne longueur. (70 à 99 F)

Maurel Vedeau, ZI La Baume, 34290 Servian, tél. 04.67.39.21.20, fax 04.67.39.22.13

DOM. DE TERRE MEGERE
Merlot 1999**

■ 3 ha 30 000 3à5€

Vêtu de pourpre brillant, aux reflets ambrés, ce merlot se montre riche et complexe au nez. Puis on découvre une bouche souple, aux tanins parfaitement fondus. (20 à 29 F)

Michel Moreau, Dom. de Terre Mégère, Cœur de Village, 34660 Cournonsec, tél. 04.67.85.42.85, fax 04.67.85.25.12, e-mail terremegere@wanadoo.fr t.l.j. sf dim. 15h-19h; sam. 9h-12h30

TERRES BLANCHES Muscat sec 2000*

☐ 22,5 ha 100 000 5à8€

La coopérative de Frontignan vinifie 630 ha. A côté de son vin doux naturel, elle élabore un intéressant muscat sec. Sous sa belle robe d'or, ce 2000 offre un nez aux fines senteurs florales, typiques du cépage. De belle persistance, la bouche fraîche, aromatique, est très élégante. (30 à 49 F)

SCA Coop. de Frontignan, 14, av. du Muscat, 34110 Frontignan, tél. 04.67.48.12.26, fax 04.67.43.07.17 t.l.j. 9h-12h 14h-18h30; groupes sur r.-v.

VERMEIL DU CRES Chardonnay 2000*

□ 3 ha 20 000 3à5€

Non pas vermeille, mais brillante et relevée de vert, la robe légère de ce chardonnay recèle sous ses plis de fines notes fruitées. Vive, ample, la bouche possède équilibre et harmonie. (20 à 29 F)

SCAV les Vignerons de Sérignan, av. Roger-Audoux, 34410 Sérignan, tél. 04.67.32.23.26, fax 04.67.32.59.66 t.l.j. sf dim. 9h-12h 15h-18h

EXCELLENCE DE VIRGINIE n° 10 2000*

■ n.c. 100 000 -3€

Ici, on numérote les cuvées comme Chanel ses parfums ! Ce « numéro 10 », donc, s'affiche dans une robe rouge sombre. Il assemble syrah (50 %), cabernet-sauvignon (20 %), merlot (20 %) et grenache. Son nez finement boisé décline notes grillées et épicées. La bouche ample et aromatique possède une structure pleine d'élégance. A boire déjà, ou à attendre. (– 20 F)

Les domaines Virginie, av. Jean-Foucault, ZI du Capiscol, 34500 Béziers, tél. 04.67.11.88.00, fax 04.67.49.38.39

Sables du Golfe du Lion

DOM. DU PETIT CHAUMONT 2000*

■ 5 ha 35 000 3à5€

Un vignoble cultivé par la même famille depuis cinq générations, replanté de cépages « nobles » depuis 1973. Son rouge 2000 ? Pourpre profond, évoquant au nez les épices et les fruits rouges, il plaît par une bouche équilibrée, élégante, aux arômes persistants. A boire. (20 à 29 F)

GAEC Bruel, Dom. du petit Chaumont, 30220 Aigues-Mortes, tél. 04.66.53.60.63, fax 04.66.53.64.31, e-mail chaumont@caves-particulieres.com t.l.j. sf dim. 9h-12h 15h-18h30; goupes sur r.-v.

Gard

DOM. DE TAVERNEL 2000**

□ 10,58 ha 30 000 3à5€

Le mas appartint jadis à la famille du poète occitan, Frédéric Mistral. Inspiré, ce vin issu de vermentino et muscat l'est sans aucun doute. Sous sa belle robe très légère mais éclatante, on découvre un joli bouquet floral, tout en finesse et en complexité, puis une bouche nerveuse, fine, équilibrée. Les arômes persistants parachèvent l'harmonie. (20 à 29 F)

GFA Dom. de Tavernel, rte de Fourques, 30300 Beaucaire, tél. 04.66.58.57.01, fax 04.66.59.38.30, e-mail tavernel.domaine@libertysurf.fr t.l.j. sf dim. 10h-18h; sam. sur r.-v.

M. Amphoux

Côtes de Thongue

DOM. BOURDIC Grenache 1999**

■ 0,85 ha 3 800 5à8€

Partisans de l'agriculture biologique, les exploitants de ce domaine allient méthodes modernes et traditionnelles. Le jury salue l'équilibre et l'harmonie de ce vin. En belle robe pourpre à reflets ambrés, ce 99 développe un nez typé, finement boisé. La bouche soyeuse, aromatique, est bien agréable... A boire dès maintenant. (30 à 49 F)

Christa Vogel et Hans Hürlimann, Dom. Bourdic, 34290 Alignan-du-Vent, tél. 04.67.24.98.08, fax 04.67.24.98.96, e-mail bourdic2@wanadoo.fr r.-v.

DOM. LA CROIX BELLE N° 7 1998**

■ 3,5 ha 13 000 11à15€

Il n'entre pas moins de six cépages dans cet assemblage, où la syrah domine. De teinte profonde, moirée, ce vin est plein de finesse à l'olfaction, où l'on décèle des notes boisées. La bouche remarquablement structurée offre une excellente persistance aromatique. « Un produit de très haut niveau », salue un dégustateur. (70 à 99 F)

Jacques et Françoise Boyer, Dom. La Croix-Belle, 34480 Puissalicon, tél. 04.67.36.27.23, fax 04.67.36.60.45 r.-v.

DOM. DE L'ARJOLLE Paradoxe 1999*

■ 4 ha 15 000 15à23€

Dans sa robe grenat soutenu, voici une cuvée au fin nez de vanille. Syrah, cabernet franc et merlot ont donné un vin charpenté que seize mois d'élevage en fût ont rendu encore austère. Bien équilibré cependant, ce 99 verra fondre ses tanins et donnera d'ici quelques mois une jolie bouteille. (100 à 149 F)

Dom. de L'Arjolle, 6, rue de la Côte, 34480 Pouzolles, tél. 04.67.24.81.18, fax 04.67.24.81.90 t.l.j. sf dim. 9h-12h30 14h-18h

LES VIGNERONS DE MONTBLANC Chardonnay 2000**

□ 29 ha 30 000 3à5€

Un vin harmonieux et élégant. Eclatant dans sa robe limpide, il déploie un nez complexe très agréable par ses notes d'agrumes, de fruits exotiques et de fleurs blanches. La bouche est fraîche, équilibrée, aromatique, et sa longueur ne laisse rien à désirer. (20 à 29 F)

⊶ Les Vignerons de Montblanc, av. d'Agde, 34290 Montblanc, tél. 04.67.98.50.26, fax 04.67.98.61.00 ☑

DOM. DE MONT D'HORTES
Cabernet-sauvignon 2000★

■ 5,5 ha 40 000 3 à 5 €

Ce vin foncé à reflets ambrés exhale un nez fin, tout en fruits surmûris et confits. Puissance, longueur et équilibre caractérisent la bouche où apparaît une touche de réglisse. Harmonieux et agréable, ce 2000 peut être bu dès à présent. (20 à 29 F)

⊶ Dom. de Mont d'Hortes, 34630 Saint-Thibéry, tél. 04.67.77.88.08, fax 04.67.30.17.57 ☑ Y r.-v.
⊶ J. Anglade

DOM. MONTROSE Les Lézards 2000★★

■ 3 ha 17 000 5 à 8 €

Dans une robe noire à reflets violets, ce 2000 se distingue par son nez complexe et intense de fruits mûrs. Ample, capiteux en bouche, il se révèle séducteur grâce à sa richesse aromatique. A citer également, le **rosé 2000** du même domaine. (30 à 49 F)

⊶ Bernard Coste, Dom. Montrose, RN 9, 34120 Tourbes, tél. 04.67.98.63.33, fax 04.67.98.65.27 ☑ Y r.-v.

DOM. SAINT-GEORGES D'IBRY
Chardonnay 1999★★★

□ 3,62 ha 3 000 8 à 11 €

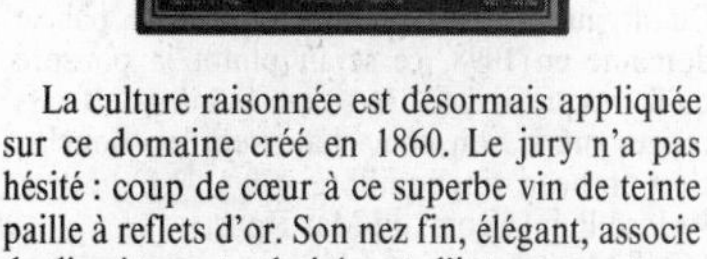

La culture raisonnée est désormais appliquée sur ce domaine créé en 1860. Le jury n'a pas hésité : coup de cœur à ce superbe vin de teinte paille à reflets d'or. Son nez fin, élégant, associe de discrètes notes boisées et d'intenses senteurs florales. Puis la bouche se développe, longue, ample, équilibrée... N'attendez pas pour apprécier cette belle harmonie d'ensemble. (50 à 69 F)

⊶ Michel Cros, Dom. Saint-Georges-d'Ibry, rte d'Espondeilhan, 34290 Abeilhan, tél. 04.67.39.19.18, fax 04.67.39.07.44, e-mail st-georges-ibry@worldonline.fr Y r.-v.

Les vins mentionnés en caractère gras dans les notices sont également recommandés par les jurys.

Coteaux de Murviel

DOM. DE RAVANES
Les Gravières du Taurou Grande Réserve 1998★★

■ 1,18 ha 5 500 15 à 23 €

Il s'agirait d'une ancienne *villa* gallo-romaine, vouée à la production viticole. Quelques siècles plus tard... ce 98 à la belle robe intense, au nez puissant, complexe, alliant le fruit au boisé (vanille). La bouche structurée joue sur des tanins bien fondus et des arômes persistants. Prêt à servir. (100 à 149 F)

⊶ Guy et Marc Benin, Dom. de Ravanès, 34490 Thézan-les-Béziers, tél. 04.67.36.00.02, fax 04.67.36.35.64, e-mail ravanes@wanadoo.fr ☑ Y r.-v.

Côtes de Thau

RESSAC Le Muscat des Garrigues 2000★★

□ 20 ha 10 000 5 à 8 €

Issu de muscat à 100 %, ce vin paille à reflets d'or développe avec puissance des notes de fleurs blanches. La bouche, équilibrée, souple et fraîche, se caractérise en outre par des arômes persistants. Le **cabernet-sauvignon 2000**, autre produit de la coopérative de Florensac, obtient une étoile. (30 à 49 F)

⊶ Cave coopérative de Florensac, BP 9, 34510 Florensac, tél. 04.67.77.00.20, fax 04.67.77.79.66 ☑ Y r.-v.

Hérault

LE ROUGE DE L'ABBAYE DU FENOUILLET Cuvée Barroque 1999★

■ 5,5 ha 20 000 11 à 15 €

Cette ancienne abbaye se trouve sur un site dont la première mention remonte à 1293. De sa « Cuvée Barroque », élevée en barriques dont 20 % sont en chêne américain, on appréciera la robe sombre à reflets pourpres, le nez intense où dominent les notes de grillé, de torréfaction, de fruits noirs. Quant à la bouche, elle est bien charpentée, ample, aromatique : un vin harmonieux. (70 à 99 F)

⊶ Toni Schuler, SARL Abbaye du Fenouillet, 34270 Vacquières, tél. 04.67.59.03.15, fax 04.67.59.03.15, e-mail toni.schuler@schuler.ch ☑ Y r.-v.

DOM. LA FADEZE Sauvignon 2000*

□ 4,8 ha 30 000 5à8€

Vinifié en macération pelliculaire, ce sauvignon clair et brillant exprime des notes de fruits et de pierre à fusil. La bouche est vive et équilibrée, l'ensemble harmonieux. A servir avec des fruits de mer. (30 à 49 F)

GAEC Dom. La Fadèze, 34340 Marseillan, tél. 04.67.77.26.42, fax 04.67.77.20.92 t.l.j. sf dim. 9h-12h 14h-19h

DOM. DE MOULINES Merlot 2000*

■ 10,8 ha 110 000 3à5€

Le domaine appartient à la famille depuis 1914 et s'est développé au fil des trois générations successives. Son merlot se présente dans une robe d'un pourpre profond. Puissant, expressif, le nez parle de fruits mûrs... et engage à poursuivre. La suite ne déçoit pas : après une belle attaque, la bouche révèle sa charpente et ses arômes persistants. (20 à 29 F)

Michel Saumade, GFA Mas de Moulines, 34130 Mudaison, tél. 04.67.70.20.48, fax 04.67.87.50.05 t.l.j. sf dim. 9h-12h 14h-19h

DOM. DE PETIT ROUBIE
L'Arbre blanc 1999*

■ 1,5 ha 10 000 8à11€

Olivier Azan, propriétaire de ce domaine depuis vingt ans, applique les règles de l'agriculture biologique. Sous sa belle robe grenat sombre, ce vin de pure syrah s'annonce riche et complexe avec son nez de sous-bois et d'épices (vanille, cannelle). La bouche, grâce à des tanins soyeux, possède un bon équilibre. (50 à 69 F)

Olivier Azan, EARL Les dom. de Petit Roubié, BP 4, 34850 Pinet, tél. 04.67.77.09.28, fax 04.67.77.76.26, e-mail roubie@club-internet.fr r.-v.

DOM. DU POUJOL La Bête noire 1998*

■ 2 ha 9 000 8à11€

Cette cuvée assemble 50 % de carignan au cabernet-sauvignon. Le vin a vieilli seize mois en fût de chêne. Rubis intense, brillant, il déploie des senteurs complexes de fruits mûrs et de sous-bois. La bouche, bien charpentée et longue, séduit par son équilibre. A boire dès maintenant, ou à attendre un peu. (50 à 69 F)

Dom. du Poujol, rte de Grabels, 34570 Vailhauquès, tél. 04.67.84.47.57, fax 04.67.84.43.50, e-mail cripps.poujol@wanadoo.fr r.-v.

Hauterive

DOM. DE CRUSCADES 1999*

■ 3 ha 20 000 5à8€

Ce domaine a été repris tout récemment par un ingénieur agronome de retour de Chine populaire... On s'en félicite, à en juger son rouge 99 (première année de sa production). Rubis sombre à reflets violets, il se caractérise par un nez de fleurs et de petits fruits rouges. De la structure en bouche, une bonne charpente : tout se conjugue pour en faire un vin équilibré. (30 à 49 F)

Régis Loevenbruck, 2, rue de la République, 11200 Cruscades, tél. 04.68.27.68.88, fax 04.68.27.16.56, e-mail loevenbruck@terre-net.fr r.-v.

Coteaux des Fenouillèdes

DOM. SALVAT Fenouill 2000**

■ 15 ha 48 000 3à5€

Merlot (50 %), syrah (40 %) et grenache composent ce vin venu du pays cathare. Rubis brillant à l'œil, il a le nez puissant, riche et complexe par ses notes de garrigue et de caramel. Cette expressivité se retrouve dans une bouche au développement aromatique intense. Ce 2000 est prêt à boire. (20 à 29 F)

Dom. J.-Ph. Salvat, 8, av. Jean-Moulin, 66220 Saint-Paul-de-Fenouillet, tél. 04.68.59.29.00, fax 04.68.59.20.44, e-mail salvat.jp@wanadoo.fr t.l.j. sf sam. dim. 10h-12h 14h-18h

Catalan

DOM. DU MAS ROUS
Cabernet-sauvignon Elevé en fût de chêne 1998*

■ 2,5 ha 14 000 5à8€

Le bisaïeul de l'actuel propriétaire était blond, « ros » en catalan. D'où « el Mas del ros », « le Mas du rous », puis « le Mas Rous ». Quant au cabernet-sauvignon produit par le domaine en 1998, ce serait plutôt la pourpre qu'il évoque à l'œil. Avec ses arômes de fruits rouges mûrs, son côté chaleureux en bouche, c'est un beau vin, équilibré. (30 à 49 F)

José Pujol, Dom. du Mas Rous, 66740 Montesquieu-des-Albères, tél. 04.68.89.64.91, fax 04.68.89.80.88 r.-v.

DOM. MOSSE Carignan 1998*

■ 3,25 ha 5 000 8à11€

Un carignan grenat à reflets violets. Le nez est de fruits rouges mûrs, légèrement épicé, la bouche équilibrée et harmonieuse. Saluons la souplesse des tanins. (50 à 69 F)

Jacques Mossé, Ch. Mossé, BP 8, 66301 Ste-Colombe-de-la-Commanderie, tél. 04.68.53.08.89, fax 04.68.53.35.13, e-mail chateau.mosse@worldonline.fr r.-v.

Côtes catalanes

DOM. BOUDAU Le Petit Closi 2000**

◪ 4 ha 15 000 3à5€

Véronique et Pierre Boudau, frère et sœur, sont la troisième génération à la tête de cette propriété. D'un rose chair brillant, leur vin déploie un nez fruité et une bouche équilibrée, à la fois vive et ample. L'ensemble est tout en élégance. (20 à 29 F)

Dom. Véronique et Pierre Boudau, 6, rue Marceau, BP 60, 66602 Rivesaltes, tél. 04.68.64.45.37, fax 04.68.64.46.26 t.l.j. sf dim. 10h-12h 15h-19h de juin à mi-sept.

Aude

DOM. DE MARTINOLLES
Pinot noir Grande Réserve 1999*

■ 1,3 ha 4 300 8à11€

Dans sa belle robe rubis, ce pinot noir déploie à l'olfaction des notes fines de fruits rouges mûrs. La bouche équilibrée et chaleureuse révèle des tanins bien fondus. Un vin harmonieux. (50 à 69 F)

Vignobles Vergnes, Dom. de Martinolles, 11250 Saint-Hilaire, tél. 04.68.69.41.93, fax 04.68.69.45.97, e-mail martinolles@wanadoo.fr t.l.j. sf sam. dim. 8h-12h 13h30-18h30; groupes sur r.-v.

Cévennes

DOM. DE BARUEL
Cuvée Fontanilles 1998**

■ 1,5 ha 4 000 15à23€

Le domaine, réputé pour ses truffes, existerait depuis l'époque des Camisards. Une longue tradition, donc, dont l'aboutissement est ce 98 sombre à reflets moirés. Le nez est encore un peu fermé, mais s'annonce complexe et riche par ses notes animales et fruitées. En bouche, une remarquable structure, de l'ampleur, de la densité forment un ensemble très harmonieux... à faire vieillir quelques années de plus. (100 à 149 F)

SCEA Baruel, Dom. de Baruel, 30140 Tornac, tél. 04.66.77.54.03, fax 04.66.77.58.52 r.-v.

Coudene

DOM. DE GOURNIER
Chardonnay 2000*

□ 5 ha 35 000 3à5€

Dans sa robe claire rehaussée de vert, c'est un chardonnay fleurant bon le miel et les fleurs blanches. En bouche, il s'avère bien équilibré, avec un boisé fin et des arômes persistants. Le **sauvignon 99** du même domaine obtient la même note. (20 à 29 F)

SCEA Barnouin, Dom. de Gournier, 30190 Sainte-Anastasie, tél. 04.66.81.20.28, fax 04.66.81.22.43 r.-v.

Coteaux d'Ensérune

PUECH AURIOL 2000*

◪ 0,5 ha 1 600 3à5€

Un coteau calcaire riche en huîtres fossiles, s'élevant aux portes de Béziers : tel est le cadre dans lequel grenache (30 %) et carignan (20 %) ont mûri pour donner naissance à ce rosé brillant. Les arômes fruités accompagnent toute la dégustation. La bouche fraîche offre une réelle harmonie. (20 à 29 F)

Stéphane Yerle, La Courtade, rte de Capestang, 34500 Béziers, tél. 06.14.03.21.83, fax 04.67.28.30.68, e-mail la-cepa@wanadoo.fr r.-v.

Cassan

DOM. SAINTE MARTHE
Syrah Elevé en fût 2000*

■ n.c. n.c. 3à5€

Grenat intense, ce vin s'annonce puissant dès l'olfaction, avec des notes de boisées tirant sur le grillé. La bouche ample et de bonne longueur est construite comme une charpente d'église romane. On conseille de l'attendre encore un peu. (20 à 29 F)

Olivier Bonfils, Dom. de Sainte-Marthe, rte Pouzolles, 34320 Roujan, tél. 04.67.93.10.10, fax 04.67.93.10.05

Coteaux du Libron

DOM. LA COLOMBETTE
Lledoner pelut 1998*

■ 3 ha 10 000 11à15€

Le lledoner pelut est un cépage originaire d'Espagne *(garnacha peluda)*, rare en France. Ce 98 est très harmonieux. La robe, rouge sombre à reflets ambrés, annonce l'élégance d'un nez fin et discret, aux notes boisées de grillé et de vanille. Structure et complexité s'allient dans une bouche de belle longueur. A boire ou à attendre. (70 à 99 F)

François Pugibet, Dom. de La Colombette, anc. rte de Bédarieux, 34500 Béziers, tél. 04.67.31.05.53, fax 04.67.30.46.65 t.l.j. 8h-12h 14h-19h

Provence, basse vallée du Rhône, Corse

Majorité de vins rouges dans cette vaste zone, constituant 70 % des 700 000 hl produits dans les départements de la région administrative Provence-Alpes-Côte d'Azur. Les rosés (25 %) sont surtout issus du Var, et les blancs, du Vaucluse et du nord des Bouches-du-Rhône. On retrouve dans ces régions la diversité des cépages méridionaux, mais ceux-ci sont rarement utilisés seuls ; selon des proportions variables et en fonction des conditions climatiques et pédologiques, ils sont employés avec des cépages plus originaux, d'ancienne tradition locale ou, au contraire, d'origine extérieure : counoise et roussanne du Var, par exemple, pour les premiers ; cabernet-sauvignon ou merlot, cépages bordelais, pour les seconds, auxquels s'ajoute la syrah venue de la vallée du Rhône. Les dénominations départementales s'appliquent au Vaucluse, aux Bouches-du-Rhône, au Var, aux Alpes-de-Haute-Provence, aux Alpes-Maritimes et aux Hautes-Alpes ; les dénominations sous-régionales ou locales sont les suivantes : principauté d'Orange, Petite Crau (au sud-est d'Avignon), Mont Caumes (à l'ouest de Toulon), Argens (entre Brignoles et Draguignan, dans le Var), Maures, Coteaux du Verdon (Var), Aigues (Vaucluse), reconnues récemment, et île de Beauté (Corse).

Ile de Beauté

DOM. AGJHE VECCHIE
Vecchio Chardonnay 2000★★★

☐ 0,83 ha 2 000 5à8€

Ce vin a bénéficié d'un élevage sous bois pendant neuf mois. S'il peut patienter en cave un ou deux ans pour atteindre sa plénitude, il présente déjà beaucoup d'agrément. Des reflets dorés animent sa robe, puis des arômes intenses se libèrent, rappelant le beurre et la noisette. La bouche se révèle puissante et longue. Le **pinot noir Vecchio 2000** mérite une étoile pour ses accents typiques de griotte. (30 à 49 F)

Jacques Giudicelli, 20230 Canale di Verde, tél. 06.09.50.73.36, fax 04.95.38.03.37, e-mail jerome.girard@attglobal.net ☑ Y r.-v.

A TORRA 2000★★

◪ 50 ha 30 000 -3€

De teinte claire légèrement saumonée, ce rosé présente beaucoup d'élégance dans ses expressions fruitées et épicées. Ses arômes persistent dans une bouche équilibrée et franche. (– 20 F)

Cavec coop. d'Aghione, Samuletto, 20270 Aghione, tél. 04.95.56.60.20, fax 04.95.56.61.27 ☑ Y t.l.j. sf sam. dim. 8h-12h 14h-18h

GASPA MORA 2000★

■ 20 ha 200 000 -3€

La marque Gaspa Mora de la cave coopérative se distingue en **rosé 2000** par une citation. Mais c'est en rouge qu'elle gagne ses galons. Habillée d'une robe grenat intense, elle offre un nez délicatement fruité. Sa bouche équilibrée et structurée se prolonge bien. (– 20 F)

Coop. Saint-Antoine, 20240 Ghisonaccia, tél. 04.95.56.61.00, fax 04.95.56.61.60 ☑ Y r.-v.

DOM. DE LISCHETTO
Chardonnay 2000★★★

☐ 60 ha 140 000 5à8€

Le domaine de Lischetto, exploité par la cave de La Marana, couvre une soixantaine d'hectares sur des sols argilo-schisteux. Si le chardonnay 99 avait obtenu le coup de cœur, le millésime 2000 ne démérite pas. De teinte paille et limpide, ce vin livre avec une bonne intensité les arômes de beurre et de crème caractéristiques du chardonnay. La bouche est bien équilibrée et franche. (30 à 49 F)

Cave coop. de La Marana, Rasignani, 20290 Borgo, tél. 04.95.58.44.00, fax 04.95.38.38.10, e-mail uval.sica@wanadoo.fr ☑ Y t.l.j. sf dim. 9h-12h 15h-19h

MODERATO 2000

☐ 33 ha 104 000 8à11€

Issue de muscat à petits grains dont le moût a été partiellement fermenté, cette cuvée originale présente 100 g/l de sucres résiduels. Elle offre tout naturellement une bouche onctueuse et livre des arômes de miel et de fruits typiques du cépage. (50 à 69 F)

Jean-Bernardin Casablanca, 20230 Bravone, tél. 04.95.38.81.91, fax 04.95.38.81.91 Y r.-v.

MONTE E MARE 2000**

■ 20 ha 210 000 -3€

Une majorité de nielluciu assemblée à 20 % de merlot compose ce vin rubis. Le nez fruité d'une bonne intensité est en harmonie avec les saveurs de la bouche. L'attaque est souple et les tanins fins. (- 20 F)

Coop. Saint-Antoine, 20240 Ghisonaccia, tél. 04.95.56.61.00, fax 04.95.56.61.60 ☑ Y r.-v.

DOM. DU MONT SAINT-JEAN Aleatico 2000*

■ 7 ha 30 000 3à5€

L'aleatico est un cépage italien assez rare en Corse. Ses raisins légèrement musqués, que l'on peut également savourer frais, ont donné naissance à un vin clair et limpide, aux arômes de fleurs et de fruits. La bouche franche bénéficie de tanins fins et légers. (20 à 29 F)

SCA du Mont Saint-Jean, Campo Quercio, 20270 Aléria, tél. 04.95.38.59.96, fax 04.95.38.50.29, e-mail roger-pouyau@wanadoo.fr ☑ Y r.-v.

Roger Pouyau

VIGNERONS DES PIEVE Cabernet-sauvignon Terra Mariana 2000**

■ 100 ha 150 000 -3€

Deux vins rouges de la gamme Terra Mariana ont retenu l'attention du jury. Le **Terra Mariana merlot 2000** obtient une étoile. C'est une jolie cuvée encore discrète au nez, mais bien équilibrée. Ce cabernet-sauvignon, dans sa robe grenat intense, se révèle puissant et fruité. Sa bouche équilibrée et aromatique laisse une impression de souplesse. (- 20 F)

Uval, Rasignani, 20290 Borgo, tél. 04.95.58.44.00, fax 04.95.38.38.10, e-mail uval.sica@wanadoo.fr Y r.-v.

VIGNERONS DES PIEVE Cabernet-sauvignon Cuvée San Michelone 1999**

■ 50 ha 50 000 5à8€

Elevé huit mois en fût, ce vin laisse paraître sa concentration dès la première étape de la dégustation : sa robe est d'un rubis profond. Le nez puissant développe des arômes de fruits noirs et d'épices. Les promesses se confirment dans une bouche longue, à la fois concentrée et souple. (30 à 49 F)

Uval, Rasignani, 20290 Borgo, tél. 04.95.58.44.00, fax 04.95.38.38.10, e-mail uval.sica@wanadoo.fr Y r.-v.

PRATICCIOLI 2000*

■ 6 ha n.c. -3€

Implanté sur des arènes granitiques, ce domaine couvre 14 ha. Son vin de teinte grenat léger semble encore un peu jeune, mais il n'en est pas moins agréable. (- 20 F)

GFA de Praticcioli, Linguizzetta, 20230 San Nicolao, tél. 04.95.38.86.38, fax 04.95.38.94.71 Y r.-v.

Poli

TERRA VECCHIA Vermentino 2000***

□ n.c. n.c. 3à5€

Ce vin livre une belle expression du vermentino, cépage typique de la Corse et de la Sardaigne. Il offre un nez de fleurs blanches caractéristique, dont les notes sont également perceptibles en rétro-olfaction. La bouche équilibrée laisse une impression de gras. (20 à 29 F)

SICA Coteaux de Diana, Les vins Skalli, Dom. Terra Vecchia, 20270 Tallone, tél. 04.95.57.20.30, fax 04.95.57.08.98

DOM. TERRA VECCHIA 2000***

□ n.c. n.c. 8à11€

Le domaine Terra Vecchia se distingue dans les trois couleurs. Le **Terra Vecchia Merlot 2000 (20 à 29 F)**, ainsi que le **rosé 2000 (20 à 29 F)** obtiennent chacun une étoile. La meilleure note revient à cet assemblage de chardonnay et de vermentino, dont les arômes floraux sont à la fois puissants et délicats. Ce vin se révèle totalement dans une bouche équilibrée, longue et ample. A servir sur des fruits de mer. (50 à 69 F)

SICA Coteaux de Diana, Les vins Skalli, Dom. Terra Vecchia, 20270 Tallone, tél. 04.95.57.20.30, fax 04.95.57.08.98

Portes de Méditerranée

DOM. LA BLAQUE Viognier 2000**

□ 6 ha 28 000 5à8€

Un viognier dont les notes florales de violette sont rémanentes au nez comme en bouche. Ce vin conserve son élégance d'un bout à l'autre de la dégustation. Il comblera le palais à l'apéritif ou accompagnera des mets exotiques sucrés-salés. (30 à 49 F)

Gilles Delsuc, Dom. de Châteauneuf, 04860 Pierrevert, tél. 04.92.72.39.71, fax 04.92.72.81.26, e-mail domaine.lablaque@wanadoo.fr ☑ Y r.-v.

LE VIOGNIER DU PESQUIE 2000

□ 3,5 ha 14 000 5à8€

Le château Pesquié a diversifié sa gamme en présentant un vin de pur viognier sous cette récente dénomination régionale, créée en 1999. Le résultat méritait l'attention du jury. Jaune pâle à reflets verts, ce 2000 possède un nez intense d'abricot. Tout aussi fruité en milieu de bouche, il parvient à un bon équilibre entre moelleux et vivacité, puis s'oriente vers une finale épicée. (30 à 49 F)

GAEC Ch. Pesquié, rte de Flassan, BP 6, 84570 Mormoiron, tél. 04.90.61.94.08, fax 04.90.61.94.13, e-mail pesquier@infonie.fr r.-v.

Chaudière Bastide

Principauté d'Orange

DOM. DANIEL ET DENIS ALARY
La Grange 2000*

■ 5 ha 30 000 5à8€

Equilibre et élégance résument la dégustation de ce vin né d'un sol riche en galets. Grenat soutenu, animé de reflets mauves, celui-ci décline des arômes de fruits rouges confiturés, avant d'emplir la bouche d'une matière fruitée et épicée qui persiste bien. Les tanins sont déjà fondus. (30 à 49 F)

Dom. Daniel et Denis Alary, La Font d'Estévenas, rte de Rasteau, 84290 Cairanne, tél. 04.90.30.82.32, fax 04.90.30.74.71 t.l.j. sf dim. 8h-12h 14h-19h

Petite Crau

CAPRICE DE LAURE 2000**

■ n.c. 66 000 -3€

Merlot et cabernet-sauvignon composent cette cuvée d'un rouge profond. Des notes confites et grillées émanent du nez, tandis que la bouche développe une matière ample et bien structurée jusqu'à une belle finale. Un an de garde permettra à ce vin de s'affiner pour procurer plus de plaisir encore. Deux autres cuvées ont été jugées remarquables : la **cuvée 2000 d'Amour rouge** et la **cuvée Prestige rouge 99 (30 à 49 F)**, élevée huit mois en fût. (- 20 F)

SCA Cellier de Laure, 1, av. agricol-Viala, 13550 Noves, tél. 04.90.94.01.30, fax 04.90.92.94.85 t.l.j. sf dim. 8h-12h 14h-18h

Mont-Caume

DOM. DU PEY-NEUF 2000*

□ 2 ha 12 000 3à5€

Epaulé par la clairette et l'ugni blanc, le rolle, *alias* vermentino, constitue 30 % de ce vin à la jolie expression. Jaune clair à reflets verts, le voici qui décline ses notes fruitées de coing, de poire et d'abricot au nez comme en bouche. Un 2000 tendre et friand. Le **Domaine du Pey-Neuf 2000 rouge**, élevé en cuve et en fût, obtient une citation. (20 à 29 F)

Guy Arnaud, Dom. du Pey-Neuf, 367, rte de Sainte-Anne, 83740 La Cadière-d'Azur, tél. 04.94.90.14.55, fax 04.94.26.13.89 r.-v.

Maures

DOM. DE L'ANGLADE 2000

◪ 4 ha 12 500 5à8€

Un rosé bi-cépage (cinsault et grenache), de teinte pâle. Le nez d'intensité moyenne présente des notes de fruits rouges bien marquées, soulignées de quelques arômes amyliques. Ce fruité persiste en bouche et accompagne une impression chaleureuse. Le **merlot 2000** du domaine de l'Anglade, vin rouge élevé en cuve, obtient lui aussi une citation. (30 à 49 F)

Bernard Van Doren, Dom. de l'Anglade, av. Vincent-Auriol, 83980 Le Lavandou, tél. 04.94.71.10.89, fax 04.94.15.15.88 r.-v.

DOM. DE L'ESPARRON Syrah 2000

■ 2 ha 10 000 -3€

Les vins de syrah ont été peu représentés dans les dégustations de vins de pays, car ce plant est souvent destiné à l'élaboration de cuvées d'assemblage dans le Var. Celui-ci a retenu l'attention du jury tant il exprime avec fidélité les caractères du cépage rhodanien : arômes de réglisse, belle charpente, tanins enrobés. Le **cabernet-sauvignon 2000** de ce domaine mérite également d'être cité. (- 20 F)

EARL Migliore, Dom. de l'Esparron, 83590 Gonfaron, tél. 04.94.78.32.23, fax 04.94.78.24.85 t.l.j. 8h-12h 13h30-19h30

DOM. DE REILLANNE
Plan Genet 2000*

◪ 7 ha 60 000 -3€

Ce vin de pays est issu des cépages cinsault et tibouren. Selon la légende, ce dernier cépage aurait été planté à la fin du XVIIIe s. dans le golfe de Saint-Tropez, rapporté de voyage par un capitaine de Marine nommé Antiboul. Il est aujourd'hui encore réputé pour la délicatesse qu'il apporte aux vins rosés. Une réputation non usurpée : le nez comme la bouche de ce 2000 s'inscrivent dans le registre floral, laissant le dégustateur sur une impression d'élégance. (– 20 F)

Comte G. de Chevron Villette, Ch. Reillanne, rte de Saint-Tropez, 83340 Le Cannet-des-Maures, tél. 04.94.50.11.70, fax 04.94.47.92.06 t.l.j. sf sam. dim. 8h-12h 14h-17h

Vaucluse

CANORGUE Chardonnay 2000

1 ha 2 600 8 à 11 €

Les dégustateurs n'ont pas eu le loisir d'admirer la bouteille élégamment étiquetée de ce vin... Anonymat oblige ! Mais les qualités de ce chardonnay bien frais ont retenu leur attention. Le nez décline les fleurs blanches, tandis que la bouche, ample, s'oriente vers les fruits à chair blanche et garde longtemps ce caractère aromatique. (50 à 69 F)

EARL Jean-Pierre et Martine Margan, Ch. La Canorgue, 84480 Bonnieux, tél. 04.90.75.81.01, fax 04.90.75.82.98, e-mail chateaucanorgue.margan@wanadoo.fr r.-v.

DOM. DE COMBEBELLE 2000

4 ha 2 500 3 à 5 €

Ce domaine a un pied dans le Vaucluse, ce qui permet à son propriétaire de présenter ce vin aimable, de teinte rose pâle. Les fruits rouges sont bien présents au nez, accompagnés de notes d'aneth. La matière glisse sous les papilles tant elle est ronde. Une bouteille pour grillades et côtes d'agneau. (20 à 29 F)

Eric Sauvan, EARL Dom. de Combebelle, 26110 Piegon, tél. 04.75.27.18.96, fax 04.75.27.15.62 t.l.j. sf dim. 9h-12h15 14h-19h

DORE DE FENOUILLET
Muscat à petits grains 2000

0,5 ha 5 600 5 à 8 €

Ce vin doré ne pouvait être issu que du muscat à petits grains. Vinifié de façon moderne, il exhale les arômes du raisin avec franchise et développe une bouche charnue, dont la finale est très douce. A réserver à un dessert. (30 à 49 F)

GAEC Patrick et Vincent Soard, Dom. de Fenouillet, allée Saint-Roch, 84190 Beaumes-de-Venise, tél. 04.90.62.95.61, fax 04.90.62.90.67, e-mail pv.soard@freesbee.fr r.-v.

DOM. DE LA BASTIDONNE
Viognier 2000*

1,5 ha 3 000 5 à 8 €

D'accord, la robe or paille est belle et les notes florales sont délicieuses à humer. Mais le plaisir augmente encore en bouche tant la matière est ample, marquée par les arômes d'abricot et de nectarine. Un vin typé et joliment vinifié. (30 à 49 F)

SCEA Dom. de La Bastidonne, 84220 Cabrières-d'Avignon, tél. 04.90.76.70.00, fax 04.90.76.74.34 t.l.j. sf dim. 9h-12h 14h-18h

Gérard Marreau

DOM. DE LA CITADELLE
Chardonnay 2000*

1,3 ha 8 000 5 à 8 €

Ce chardonnay séduit par son nez floral, légèrement amylique. La bouche soyeuse mêle, aux arômes de petites fleurs, des notes de banane. Le domaine de La Citadelle a également produit un **viognier 2000 (50 à 69 F)** très réussi : floral à l'olfaction, ce vin livre une matière onctueuse marquée par l'abricot. (30 à 49 F)

Yves Rousset-Rouard, Dom. de La Citadelle, 84560 Paris, tél. 04.90.72.41.58, fax 04.90.72.41.59, e-mail citadelle@pacwan.fr t.l.j. 9h-12h 14h-18h; f. dim. en hiver

DOM. DE LA VERRIERE
Viognier Elevé en fût de chêne 2000

1,3 ha 4 400 5 à 8 €

Des arômes d'agrumes marquent le nez de ce viognier, nuancé d'une légère note de vanille héritée d'un élevage de six mois en fût. La bouche est onctueuse, ponctuée de touches de réglisse et d'abricot confit typique. Ce vin sera à sa place sur une darne de saumon juste grillée et caramélisée par une cuillerée de sucre cristallisé. (30 à 49 F)

Jacques Maubert, Dom. de La Verrière, 84220 Goult, tél. 04.90.72.20.88, fax 04.90.72.40.33, e-mail laverriere2@wanadoo.fr t.l.j. sf dim. 9h-12h 14h-18h

DOM. LES CONQUES-SOULIERE
Chardonnay 2000*

1,6 ha 1000 3 à 5 €

Le chardonnay très amylique a su séduire le jury : des arômes de banane mûre au nez, une bouche onctueuse voire voluptueuse avec ses notes compotées (pomme, banane). Pour ajouter à cette séduction, une délicieuse vivacité. Un poisson grillé ne refusera pas le mariage. (20 à 29 F)

GAEC Lanchier-Degioanni, bd du nord, 84160 Cucuron, tél. 04.90.77.20.87, fax 04.90.77.15.29

DOM. DE MAROTTE 2000

5,8 ha 24 000 5 à 8 €

Jolie robe jaune pâle pour ce vin issu de trois cépages de la vallée du Rhône (grenache blanc, viognier, roussanne). Si au nez les arômes floraux (jacinthe) s'imposent, en bouche ce sont les notes de fruits à chair blanche qui prédominent. La matière onctueuse invite à une alliance avec un poisson ou des blancs de volaille. (30 à 49 F)

⊶ EARL La Reynarde, Dom. de Marotte, petit chem. de Serres, 84200 Carpentras, tél. 04.90.63.43.27, fax 04.90.67.15.28, e-mail marotte@wanadoo.fr ☑ Y r.-v.
⊶ Van Dykman

DOM. MEILLAN-PAGES Viognier 2000*

□ 0,34 ha 3 000 5à8€

Après une entrée remarquée dans le Guide 2001 grâce à un coup de cœur, Jean-Pierre Pagès propose un viognier expressif, à la robe jaune paille animée de reflets or. Le nez intense de fleurs et d'abricot sec laisse une impression d'élégance. Dans une bouche charnue, la même palette aromatique se décline, renforçant ainsi l'harmonie générale. Une note de gingembre confit apparaît en finale. Un vin prêt à boire. (30 à 49 F)

⊶ Jean-Pierre Pagès, Quartier La Garrigue, 84580 Oppède, tél. 04.90.76.94.78, fax 04.90.76.94.78 ☑ Y t.l.j. 10h-20h

DOM. DU VIEUX CHENE Cuvée de la Dame Vieille 2000

■ 2 ha 13 000 5à8€

Les vieilles vignes de grenache qui ont donné naissance à cette cuvée en marquent les caractères organoleptiques. Le nez est complexe dans ses expressions de cuir, d'épices et de pruneau. La bouche offre encore des tanins bien présents qui devraient se fondre dans les douze mois à venir. Un vin à servir sur une côte à l'os. (30 à 49 F)

⊶ Jean-Claude et Béatrice Bouché, rte de Vaison-la-Romaine, rue Buisseron, 84850 Camaret-sur-Aigues, tél. 04.90.37.25.07, fax 04.90.37.76.84, e-mail contact@bouche-duvieuxchene.com ☑ Y t.l.j. sf dim. 9h-12h 14h-18h

Bouches-du-Rhône

DOM. DE BEAULIEU Syrah 2000*

◩ 10 ha 80 000 -3€

Plus que la couleur rose soutenu de la robe, c'est par la puissance de ses arômes floraux (rose) que ce vin étonne. La bouche intense et chaleureuse se développe longuement, avec équilibre. A servir sur un tian de légumes ou, à l'apéritif, en accompagnement de toasts à la tapenade ou au caviar d'aubergine. (- 20 F)

⊶ Ch. de Beaulieu, 13840 Rognes, tél. 04.42.50.13.72, fax 04.42.50.19.53 ☑ Y t.l.j. sf dim. lun. 9h-12h 14h-17h

DOM. HOUCHART Syrah-cabernet 2000*

■ 3 ha 15 000 -3€

Bien habillé dans sa robe rouge profond à reflets violacés, ce vin est encore un peu timide au nez, mais promet de s'ouvrir dans l'année. Après une attaque souple, sa bouche présente un grain serré, élégant, et une longueur notable. Une bonne alliance de cabernet-sauvignon et de syrah que l'on appréciera sur des plats gratinés ou des viandes grillées. (- 20 F)

⊶ Vignobles Jérôme Quiot, av. Baron-Le-Roy, 84231 Châteauneuf-du-Pape, tél. 04.90.83.73.55, fax 04.90.83.78.48, e-mail vignobles@jeromequiot.com ☑ Y r.-v.

DOM. LA MICHELLE 2000

◩ 1,5 ha 8 000 5à8€

2000 est le premier millésime vinifié au domaine. Il se traduit dans un rosé issu à 100 % de grenache. Robe pâle, nez fruité, bouche douce : ce vin semble répondre au qualificatif de féminin. Il est prêt à boire sur des plats légers. (30 à 49 F)

⊶ Les Vignerons du Garlaban, 8, chem. Saint-Pierre, 13390 Auriol, tél. 04.42.04.70.70, fax 04.42.72.89.49 ☑ Y r.-v.

DOM. DE L'ILE SAINT PIERRE 2000

□ 30 ha 30 000 -3€

Or pâle à reflets verts, ce 2000 s'exprime élégamment sur les fleurs et les fruits exotiques, avec une subtile note muscatée (le muscat entre pour 15 % dans un assemblage dominé par le chardonnay et le sauvignon). La bouche dévoile de la complexité et s'enveloppe d'une bonne chair. La finale chaleureuse traduit le caractère méridional du vin, mais sans aucune lourdeur. Un poisson grillé sera un bon compagnon de cette bouteille. (- 20 F)

⊶ Marie-Cécile et Patrick Henry, Dom. de l'Isle-Saint-Pierre, 13104 Mas Thibert, tél. 04.90.98.70.30, fax 04.90.98.74.93 ☑ Y r.-v.

DOM. L'OPPIDUM DES CAUVINS Cassus 2000*

■ n.c. 25 000 -3€

Grenache, syrah et cabernet-sauvignon composent ce vin équilibré. Des reflets pourpres marquent la robe. Le nez de fruits rouges s'harmonise bien avec la bouche, dont la matière enrobe des tanins déjà fondus. Le **sauvignon 2000** mérite également une étoile. (- 20 F)

⊶ Rémy Ravaute, Dom. l'Oppidum des Cauvins, 13840 Rognes, tél. 04.42.50.13.85, fax 04.42.50.29.40 ☑ Y r.-v.

DOM. DE LUNARD Cabernet-sauvignon 1999*

■ 3,5 ha 15 000 5à8€

Elevé douze mois en fût, ce cabernet-sauvignon s'habille d'une robe légèrement tuilée. Le nez est marqué par les arômes de cuir et de sous-bois, tandis qu'en bouche des notes confites sont soulignées d'un boisé discret. Une matière chaleureuse se développe. Le **rosé Sélection 2000**, un vin à base de deux cépages (caladoc et grenache), a également été jugé très réussi. (30 à 49 F)

⊶ EARL Dom. de Lunard, 13140 Miramas, tél. 04.90.50.93.44, fax 04.90.50.73.27 ☑ Y t.l.j. 9h-12h 15h-19h

MAS DE LONGCHAMP 2000*

◩ 22 ha 40 000 -3€

Une robe de teinte soutenue habille ce vin qui se distingue en bouche par sa rondeur. Le nez est certes encore discret, mais l'harmonie est déjà perceptible. La tentation est grande de servir cette bouteille sur un plat provençal. (– 20 F)

SCIEV, Quartier de la Gare, BP 17, 13940 Molleges, tél. 04.90.95.19.06, fax 04.90.95.42.00 t.l.j. sf dim. 9h-12h 14h-18h

MAS DE REY Caladoc 2000*

10 ha 20 000 5à8€

Croisement de grenache noir et de cot, le caladoc doit son nom à une composition linguistique entre Galabert (étang des Bouches-du-Rhône) et Languedoc. Il donne naissance à des vins rosés élégants, tel ce 2000 de teinte rose franc. Légèrement amylique au nez, celui-ci se développe avec souplesse et longueur en bouche. A noter que le **chasan blanc 2000** a également été jugé très réussi pour sa complexité et ses originales notes exotiques. (30 à 49 F)

M. Mazzoleni, SCA Mas de Rey, Trinquetaille, 13200 Arles, tél. 04.90.96.11.84, fax 04.90.96.59.44, e-mail mas.de.rey@provnet.fr t.l.j. 9h-12h 14h-19h; f. dim. de nov. à mars

LES VIGNERONS DE MISTRAL
Cuvée Notre Dame 2000*

50 ha n.c. 3à5€

Un bel équilibre général ressort de la dégustation de ce vin. Fruit de l'assemblage du caladoc (70 %) et de la syrah (30 %) vinifiés séparément, ce 2000 offre au nez des arômes de fruits rouges, en bouche de la souplesse. A servir sur une gardiane. (20 à 29 F)

Les Vignerons de Mistral, av. de Sylvanes, 13130 Berre l'Etang, tél. 04.42.85.40.11, fax 04.42.74.12.55 t.l.j. sf dim. 9h-12h 14h-18h

LES VIGNERONS DU ROY RENE
Cabernet-sauvignon 2000

5 ha 20 000 -3€

La couleur cerise à reflets violacés de ce vin est engageante. Au nez, des arômes de venaison apparaissent d'emblée, puis la bouche, souple en attaque, ne tarde pas à affirmer sa structure. Des notes de cassis sont perceptibles en rétro-olfaction. Une bouteille destinée à un barbecue. (– 20 F)

Les Vignerons du Roy René, RN 7, 13410 Lambesc, tél. 04.42.57.00.20, fax 04.42.92.91.52 r.-v.

DOM. DE VALDITION
Tête de cuvée 2000*

4 ha 7 000 3à5€

Or pâle, ce vin de macabéo et de chasan séduit par sa palette délicate composée de douces notes de sous-bois. Cette finesse se retrouve en bouche, dès l'attaque. C'est complexe, c'est riche et équilibré. En finale, quelques arômes minéraux apparaissent et invitent à un mariage avec des fruits de mer. (20 à 29 F)

GFA Valdition, Dom. de Valdition, rte d'Eygalières, 13660 Orgon, tél. 04.90.73.08.12, fax 04.90.73.05.95, e-mail valdition@wanadoo.fr t.l.j. sf dim. 9h-17h30

Var

LES CAVES DU COMMANDEUR
Cabernet 2000**

30 ha 26 000 5à8€

Plus encore que le **merlot 2000 (20 à 29 F)**, jugé très réussi, c'est ce vin de cabernet-sauvignon qui a retenu l'attention du jury. L'intensité de la robe (couleur encre), la palette de cacao, de genêt et de réglisse subtile, ainsi que la structure de la bouche ont marqué la dégustation. Cette bouteille a un potentiel de garde de trois à cinq ans, mais l'on peut dès à présent l'apprécier sur une pièce de bœuf grillée. (30 à 49 F)

Les caves du Commandeur, 19, Grand-Rue, 83570 Montfort-sur-Argens, tél. 04.94.59.59.02, fax 04.94.59.53.71 r.-v.

LE MAS DES ESCARAVATIERS 2000*

4,41 ha 30 000 -3€

Un vin de pays élégant issu de 70 % de cabernet-sauvignon et de 30 % de carignan. Chacun de ces cépages apporte structure et matière. Ainsi de cette bouteille harmonieuse qui s'appuie sur des tanins serrés et fins pour persister longtemps en bouche. La palette aromatique est en outre complexe : fruits noirs et fruits mûrs, épices. (– 20 F)

SCEA Domaines B.-M. Costamagna, Dom. des Escaravatiers, 83480 Puget-sur-Argens, tél. 04.94.19.88.22, fax 04.94.45.59.83, e-mail costam@wanadoo.fr r.-v.

DOM. DE GARBELLE 2000

0,75 ha 2 600 5à8€

Les cuvées de vermentino pur ne sont pas nombreuses. Celle-ci affiche une teinte jaune clair avant de libérer ses arômes floraux de genêt et d'aubépine. La bouche trouve un bon équilibre et s'achève sur des notes d'agrumes. Un vin destiné à l'apéritif ou à des poissons grillés. (30 à 49 F)

Mathieu Gambini, Dom. de Garbelle, Vieux chemin de Brignoles, 83136 Garéoult, tél. 04.94.04.86.30, fax 04.94.04.86.30 t.l.j. 8h30-12h 14h-18h30; 19h en été

CELLIER DE LA CRAU Merlot 2000**

10 ha 10 000 -3€

Un merlot tout de noir vêtu qui déroule un long ruban d'arômes de girofle, de poivre, d'épices et de garrigue. En bouche, la matière est riche et concentrée. Ce vin ne doit pas faire oublier le **cabernet-sauvignon 2000**, également remarquable, ainsi que le **vin de pays des Maures Cellier de la Crau 2000**, assemblage de merlot et de carignan très réussi. (– 20 F)

Cellier de La Crau, 35, av. de Toulon, 83260 La Crau, tél. 04.94.66.73.03, fax 04.94.66.17.63 r.-v.

DOM. DE LA GAYOLLE
Chardonnay 2000*

☐ 3 ha 12 000 5à8€

Très expressif chardonnay que celui de La Gayolle. La palette aromatique est à dominante d'agrumes (notamment pamplemousse et citron) tant au nez qu'en bouche. L'équilibre entre vivacité et rondeur est réussi. A associer à des gambas ou à une sole meunière. (30 à 49 F)

Jacques Paul, Dom. de La Gayolle, RN 7, 83170 Brignoles, tél. 04.94.59.10.88, fax 04.94.72.04.34, e-mail gayolle@wanadoo.fr t.l.j. 9h30-12h30 14h30-19h en été

DOM. DE LA LIEUE Chardonnay 2000

☐ 4 ha 20 000 5à8€

Ce domaine de près de 80 ha pratique l'agriculture biologique. Sa cuvée de chardonnay présente une expression fruitée et florale au nez. La bouche, davantage marquée par les fruits, est nette et sans lourdeur. L'équilibre entre rondeur et fraîcheur est réussi. (30 à 49 F)

Jean-Louis Vial, Ch. La Lieue, rte de Cabasse, 83170 Brignoles, tél. 04.94.69.00.12, fax 04.94.69.47.68, e-mail chateau.la.lieue@wanadoo.fr t.l.j. 9h-12h30 14h-19h

LES VIGNERONS DE LA SAINTE-BAUME Chardonnay 2000*

☐ 5 ha 15 000 3à5€

Les deux vins de cépage présentés par cette coopérative ont été jugés très réussis par le jury. Ce chardonnay, de teinte or brillant, dévoile des notes de fleurs d'agrumes. La bouche vive en attaque laisse bientôt une impression de structure et d'équilibre sans rien perdre de sa finesse. La **syrah 2000** est un rosé rond et gourmand, aux arômes amyliques. (20 à 29 F)

Les Vignerons de La Sainte-Baume, rte de Brignoles, 83170 Rougiers, tél. 04.94.80.42.47, fax 04.94.80.40.85 r.-v.

DOM. DE L'ESCARELLE
Cuvée Frédéric Mistral Chardonnay 2000*

☐ n.c. 10 000 5à8€

Outre sa robe jaune clair, ce chardonnay offre un nez tout en finesse avec des notes d'agrumes auxquelles se mêlent quelques nuances grillées. En bouche, on appréciera la structure et l'équilibre. Les arômes grillés - voire épicés - complètent l'approche de ce vin intéressant dont la longueur est à noter. Parfait à l'apéritif ou sur une terrine de poisson. (30 à 49 F)

Dom. de L'Escarelle, 83170 La Celle, tél. 04.94.69.09.98, fax 04.94.69.55.06, e-mail l'escarelle@free.fr r.-v.

THUERRY
L'Exception Cabernet-sauvignon 2000*

■ 2,5 ha 11 000 8à11€

Le résultat d'un bon travail du cépage cabernet-sauvignon. Le nez évoque les épices, les fruits mûrs (mûres), soulignés de touches vanillées, résultat d'un élevage en fût de dix mois. La matière ample et puissante est construite autour de tanins mûrs qui contribuent à l'harmonie générale. A associer à un gibier. (50 à 69 F)

SCEA Les Abeillons, Ch. Thuerry, 83690 Villecroze, tél. 04.94.70.63.02, fax 04.94.70.67.03 r.-v.

Croquet

DOM. DE TRIENNES
Sainte Fleur 2000**

☐ 5,11 ha n.c. 8à11€

Puissance et équilibre sont les qualités de ce viognier. Le nez, déjà marqué par l'abricot et les fruits secs, s'ouvrira davantage dans quelques mois. La bouche laisse exploser dès l'attaque des arômes de fruits à chair blanche. La finale est de belle longueur. Cette bouteille formera un bel accord avec des viandes blanches. A découvrir, le **domaine de Triennes gris 2000 (30 à 49 F)**, un rosé issu du cinsault, qui obtient une étoile. (50 à 69 F)

Dom. de Triennes, RN 560, 83860 Nans-les-Pins, tél. 04.94.78.91.46, fax 04.94.78.65.04, e-mail triennes@triennes.com r.-v.

J. Seysses

VAL D'IRIS Cabernet-sauvignon 2000**

■ 3,35 ha 6 500 5à8€

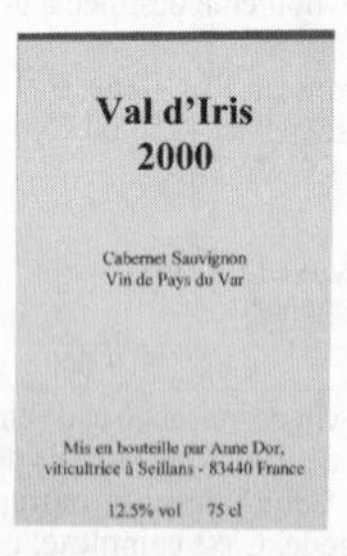

Les dégustateurs ont été unanimes devant ce vin riche et complexe. La robe violacée et profonde invite à découvrir un nez composé d'épices, de poivron et de fruits noirs. La bouche possède de la matière et des tanins veloutés, laissant une impression d'ensemble de générosité. Un cabernet-sauvignon qui pourra être conservé de deux à trois ans. (30 à 49 F)

Anne Dor, Val d'Iris, chem. de la Combe, 83440 Seillans, tél. 04.94.76.97.66, fax 04.94.76.89.83, e-mail valdiris@wanadoo.fr r.-v.

Hautes-Alpes

DOM. ALLEMAND 2000

□ 2 ha 12 000 3à5€

Bien que l'étiquette ne mentionne pas le nom du cépage vinifié, cette bouteille provient exclusivement du muscat à petits grains. Aux légères notes muscatées du nez répond une bouche plutôt florale. Rond, ce vin sera plaisant à l'apéritif. (20 à 29 F)

EARL Allemand et Fils, La Plaine de Théus, 05190 Théus, tél. 04.92.54.40.20, fax 04.92.54.41.50 t.l.j. sf dim. 9h-12h 14h-18h

LA VALSERROISE 2000

■ 10 ha 14 000 -3€

Le mollard est un cépage noir typique des Hautes-Alpes, mais en régression certaine dans l'encépagement. Il entre pour 10 % dans cet assemblage dominé par le cabernet-sauvignon et le merlot. Rouge à reflets violacés, le vin se caractérise par un nez puissant et net. La bouche vive conserve un caractère de jeunesse. A servir sur un plateau de charcuterie de montagne. (– 20 F)

Cave La Valserroise, 05130 Valserres, tél. 04.92.54.33.02, fax 04.92.54.31.34 r.-v.

Alpes-de-Haute-Provence

LA MADELEINE

Cabernet-sauvignon 2000★★

■ 1,5 ha 10 000 3à5€

A l'évidence, le terroir argilo-calcaire de ce domaine convient parfaitement au cabernet-sauvigon, loin de son Bordelais natal. La robe rouge intense, nette et brillante de ce vin flatte l'œil ; les arômes de fruits rouges charment le nez. La bouche montre certes de la puissance, mais elle garde toute sa finesse et prolonge le plaisir par une impression de fondu. Tout aussi remarquable, le **merlot 2000**, élevé en cuve, mérite d'être découvert. (20 à 29 F)

Pierre Bousquet, Cave de la Madeleine, 04130 Volx, tél. 04.92.72.13.91 t.l.j. sf dim. 9h-12h 14h-18h30

DOM. DE REGUSSE

Muscat blanc Moelleux 2000★★★

□ 15 ha 30 000 5à8€

Un vin moelleux intense dans ses arômes finement muscatés. Ce 2000 réunit tous les éloges : élégant, fin, équilibré. Son caractère invite à le déguster sur un roquefort. Du domaine Régusse, le **chardonnay vieilli en fût de chêne 2000** a également retenu l'attention des dégustateurs. (30 à 49 F)

M. Dieudonné, Dom. de Régusse, rte de Bastide-des-Jourdans, 04860 Pierrevert, tél. 04.92.72.30.44, fax 04.92.72.69.08 t.l.j. 8h-12h 14h-19h

DOM. DE ROUSSET Viognier 2000★★

□ 1 ha 5 000 5à8€

Limpide et brillant, ce viognier évoque la violette et l'abricot, arômes variétaux par excellence. Cette palette est reprise dans une bouche grasse et longue, toujours harmonieuse. Un vin à servir à l'apéritif ou sur un poisson en sauce. (30 à 49 F)

Ch. de Rousset, 04800 Gréoux-les-Bains, tél. 04.92.72.62.49, fax 04.92.72.66.50 t.l.j. sf dim. 14h-18h30; sam. sur r.-v.

H. et R. Emery

Mieux vaut ne pas transporter des vins de qualité au cœur de l'été ou de l'hiver ; il faut les préserver des températures extrêmes.

Alpes et pays rhodaniens

De l'Auvergne aux Alpes, la région regroupe les huit départements de Rhône-Alpes et le Puy-de-Dôme. La diversité des terroirs y est donc exceptionnelle et se retrouve dans l'éventail des vins régionaux. Les cépages bourguignons (pinot, gamay, chardonnay) et les variétés méridionales (grenache, cinsault, clairette) se rencontrent. Ils côtoient les enfants du pays que sont la syrah, la roussanne, la marsanne dans la vallée du Rhône, mais aussi la mondeuse, la jacquère ou le chasselas en Savoie, ou encore l'étraire de la Dui et la verdesse, curiosités de la vallée de l'Isère. L'usage des cépages bordelais (merlot, cabernet, sauvignon) se développe également, enrichissant encore la gamme des vins.

Dans une production en progression, atteignant 450 000 hl, l'Ardèche et la Drôme contribuent largement à la primauté des rouges ; la tendance est partout à l'élaboration de vins de cépage pur. Ain, Ardèche, Drôme, Isère et Puy-de-Dôme sont les cinq dénominations départementales. Huit dénominations régionales couvrent la région : Allobrogie (Savoie et Ain, 7 000 hl de blancs, en forte majorité), coteaux du Grésivaudan (moyenne vallée de l'Isère, 2 000 hl), Balmes dauphinoises (Isère, 1 000 hl), Urfé (vallée de la Loire entre Forez et Roannais, 2 000 hl), collines rhodaniennes (10 000 hl, majorité de rouges), comté de Grignan (sud-ouest de la Drôme, 25 000 hl, rouges surtout), coteaux des Baronnies (sud-est de la Drôme, 35 000 hl de rouges) et coteaux de l'Ardèche (320 000 hl en rouge, rosés et blanc).

Il existe également deux vins de pays de grande zone. Un vin de pays régional, créé en 1989 - les Comtés rhodaniens (environ 25 000 hl) -, produit sur les huit départements de la région Rhône-Alpes (Ain, Ardèche, Drôme, Isère, Loire, Rhône, Savoie, Haute-Savoie). Et un vin de pays créé en 1999, dénommé Portes de Méditerranée, produit sur sept départements (Alpes-de-Haute-Provence, Hautes-Alpes, Alpes-Maritimes, Ardèche, Drôme, Var et Vaucluse).

Allobrogie

LE CELLIER DE JOUDIN
Jacquère 2000*

□ 4 ha 40 000 -3€

Ce domaine familial fait preuve d'une grande régularité dans sa production. Amateurs du cépage jacquère, vous serez comblés par ce millésime 2000. Jaune pâle étincelant, ce vin se caractérise par un nez minéral aux nuances de fleur de vigne et de rhubarbe. Vif, légèrement perlant, il s'accordera avec une alose à l'oseille ou plus simplement une raclette. (- 20 F)

Pierre Demeure, Le Cellier de Joudin, Dom. Demeure-Pinet, 73240 Saint-Genix-sur-Guiers, tél. 04.76.31.61.74, fax 04.76.31.61.74 t.l.j. sf dim. a.-m. 9h-12h 14h-18h

Coteaux des Baronnies

DOM. LA ROSIERE Viognier 1999

□ 3,5 ha 10 000 5à8€

Serge Liotaud et son fils Valéry, œnologue, produisent régulièrement des vins expressifs. Ce viognier passé quatre mois en fût est doté d'une jolie robe jaune d'or. L'expression olfactive est intense : abricot sec, amande grillée avec quelques nuances de bourgeon de cassis. Ce 99 souple se déguste volontiers à l'apéritif ou sur des fromages de chèvre frais. (30 à 49 F)

EARL Serge Liotaud et Fils, Dom. La Rosière, 26110 Sainte-Jalle, tél. 04.75.27.30.36, fax 04.75.27.33.69, e-mail vliotaud@yahoo.fr t.l.j. 9h-19h

DOM. ROCHE BUISSIERE 2000*

■ 4 ha 5 000 5à8€

Cette cuvée à base de raisins issus de l'agriculture biologique est un assemblage de grenache et de syrah. Le nez frais de petits fruits rouges et de poivron est expressif. En bouche, les tanins sont présents mais l'ensemble demeure agréable. A découvrir sur de la tapenade. (30 à 49 F)

Antoine Joly, rte de Vaison, 84110 Faucon, tél. 04.90.46.49.14, fax 04.90.46.49.11 t.l.j. 10h-12h 15h30-19h30; f. nov-avril

Comté de Grignan

DOM. ROCHE BUISSIERE 2000*

■ 1 ha 6 000 5à8€

Le vignoble de cette cave particulière est en agriculture biologique depuis plus de vingt ans et un soin tout particulier est apporté à la vinification. Pour ce vin issu de 90 % de cabernet-sauvignon et de 10 % de grenache, la vendange a été soigneusement triée et encuvée par gravité jusqu'aux cuves ouvertes permettant le pigeage. Il en résulte un 2000 coloré, au nez complexe. Les arômes de cuir, de champignon et même de venaison trouvent un bel écho dans une bouche chaleureuse, ample et bien soutenue par les tanins. A déguster dans quelques temps sur du jambon de sanglier fumé ou un vieux gouda. (30 à 49 F)

Antoine Joly, rte de Vaison, 84110 Faucon, tél. 04.90.46.49.14, fax 04.90.46.49.11 t.l.j. 10h-12h 15h30-19h30; f. nov-avril

Collines rhodaniennes

EMMANUEL BAROU
Syrah Cuvée des Vernes 2000★

■ 1 ha 4 000 5à8€

Emmanuel Barou pratique l'agriculture biologique et produit des vins de caractère. Une vinification traditionnelle confère à cette cuvée une robe pourpre profond, un nez de fruits rouges, nuancé de cuir, et une bouche souple. A déguster sur des hors-d'œuvres. (30 à 49 F)

Emmanuel Barou, Picardel, 07340 Charnas, tél. 04.75.34.02.13, fax 04.75.34.02.13, e-mail e-barou@club-internet.fr r.-v.

DOM. POCHON 2000★★

■ 4 ha 28 000 3à5€

Belle réussite pour ce millésime issu d'un assemblage de syrah et de merlot. Les dégustateurs sont séduits par la robe pourpre soutenu et les arômes de petits fruits rouges compotés, de cacao et de tabac blond. La bouche, charnue, est tout aussi flatteuse. Beaucoup d'ampleur et d'allonge pour ce vin harmonieux, à boire sur une terrine de foies de volaille et des poivrons grillés. (20 à 29 F)

Dom. Pochon, Ch. de Curson, 26600 Chanos-Curson, tél. 04.75.07.34.60, fax 04.75.07.30.27 r.-v.

Coteaux de l'Ardèche

CAVE COOP. D'ALBA Pinot noir 2000★

■ 33 ha 75 000 5à8€

Cette cave coopérative est l'une des vingt-sept caves des Vignerons ardéchois dont la réputation n'est plus à faire. Son pinot noir, issu de vendanges manuelles entièrement égrappées, dévoile une robe rouge grenat aux reflets bruns, un nez intense de griotte et de vanille. On retrouve ces arômes dans une bouche souple et charnue, soutenue par des tanins fondus. Cette cuvée, passée à 35 % en fût de chêne, révélera toute son harmonie sur la charcuterie ardéchoise. (30 à 49 F)

Cave coop. d'Alba, La Planchette, 07400 Alba-la-Romaine, tél. 04.75.52.40.23, fax 04.75.52.48.76, e-mail cave.alb@free.fr t.l.j. sf dim. 9h-12h 13h30-18h

LES VIGNERONS ARDECHOIS
Syrah Cuvée Prestige 1999★★

■ n.c. 40 000 3à5€

Voici encore une preuve, si besoin en était, de la démarche qualitative entreprise il y a plus de trente ans par ce groupement réunissant vingt-sept caves coopératives du sud de l'Ardèche. La syrah 99, à déguster dès aujourd'hui, enthousiasme le jury et obtient le coup de cœur. Les arômes de fruits confits, de cacao, d'épices et de vanille s'accompagnent d'une bouche charnue et structurée. Deux autres belles réussites également avec le **merlot de la cuvée Paysage 99**, aux notes de fruits rouges cuits, de pruneau, d'épices et de truffe (deux étoiles), et le **Prestige 99** assez tannique, fruit d'un assemblage de merlot, de syrah et de cabernet-sauvignon, parfaits compagnons d'une brouillade et d'une daube provençale. (20 à 29 F)

Les Vignerons Ardéchois, quartier Chaussy, 07120 Ruoms, tél. 04.75.39.98.00, fax 04.75.39.69.48, e-mail vpc@uvica.fr t.l.j. sf dim. 8h-12h 15h-19h

DOM. DE CHAZALIS
Merlot -MILLESIM2000★

■ 1,5 ha 5 000 3à5€

C'est en respectant la tradition familiale que Gérard Champetier élabore cet élégant merlot à la teinte grenat et aux arômes subtils de fruits rouges et de rose. La bouche est ronde et harmonieuse. A savourer sur un salmis de pigeonneaux. (20 à 29 F)

Champetier, Dom. de Chazalis, 07460 Beaulieu, tél. 04.75.39.32.09, fax 04.75.39.38.81, e-mail chazalis@terre-net.fr r.-v.

DOM. DE COMBELONGE
Cuvée des Pérèdes 2000★★

■ n.c. 9 500 3à5€

Comme à son habitude, ce domaine dont les vignes sont plantées sur les coteaux de Vinezac, nous offre un millésime soigné. Cette cuvée 100 % cabernet-sauvignon, vendangé manuellement, est dotée d'une robe rouge grenat. Le nez puissant est composé d'arômes de fruits rouges cuits, de cannelle et de vanille. La bouche, à l'identique, est ample et racée. A déguster dans les deux ans à venir sur du saucisson de sanglier et des viandes en daube. (20 à 29 F)

Denis Manent, Dom. de Combelonge, 07110 Vinezac, tél. 04.75.36.92.54, fax 04.75.36.99.59 r.-v.

GEORGES DUBOEUF
Viognier Or blanc 2000*

□ n.c. 40 000 5à8€

Le hameau en Beaujolais de Georges Dubœuf est devenu une étape incontournable pour les amateurs de vins. A côté de vins d'AOC, le négociant propose ce viognier très frais. Les notes d'agrumes, de pêche et d'abricot en font une bouteille agréable qui s'accordera avec les hors-d'œuvre et le pélardon. (30 à 49 F)

SA Les Vins Georges Dubœuf, quartier de la Gare, BP 12, 71570 Romanèche-Thorins, tél. 03.85.35.34.20, fax 03.85.35.34.25, e-mail mcvgd@csi.com t.l.j. 9h-18h au Hameau en Beaujolais; f. 1er-15 jan.

CAVE LA CEVENOLE
Chatus Cuvée Monnaie d'or 1999*

■ 10 ha 8 000 5à8€

La cave de Rosières a entrepris depuis 1989 la réhabilitation du chatus, cépage traditionnel rouge des Cévennes ardéchoises, décrit dès 1599 par Olivier de Serres. Le millésime 2000 représente parfaitement la typicité de ce cépage. La robe est rouge grenat profond. Le nez de fruits rouges à l'alcool, de pain d'épice et de notes de grillé est puissant. La bouche structurée et corsée laisse apparaître des arômes d'épices aux nuances vanillées apportées par un élevage en fût de chêne de seize mois. Les tanins, encore très présents, invitent à déguster ce vin sur un civet de sanglier d'ici trois à quatre ans. (30 à 49 F)

Cave coop. La Cévenole, Le Grillou, 07260 Rosières, tél. 04.75.39.52.09, fax 04.75.39.92.30 r.-v.

LOUIS LATOUR
Chardonnay Grand Ardèche 1999**

□ 50 ha 250 000 8à11€

La célèbre maison bourguignonne Louis Latour, installée sur les terres ardéchoises depuis 1979, a une fois de plus séduit nos dégustateurs, à tel point que le millésime 1999 reçoit le coup de cœur. Ce chardonnay, élevé dix mois en fût de chêne, présente une robe limpide jaune d'or, un nez puissant, fin et élégant soutenu par des notes subtiles d'épices, de vanille, de fruits exotiques et de miel. La bouche, ronde et charnue à souhait, vient confirmer le nez : des arômes de miel et de pain d'épice emplissent le palais et contribuent à une finale longue et élégante. Ce vin harmonieux et racé, qui symbolise l'équilibre entre le bois et le chardonnay, saura attendre deux ans avant d'être dégusté sur un feuilleté de blanc de turbot, ou, plus original, sur des volailles rôties. (50 à 69 F)

Maison Louis Latour, La Téoule, 07400 Alba-la-Romaine, tél. 04.75.52.45.66, fax 04.75.52.87.99 r.-v.

MAS DE BAGNOLS
Cuvée Marjorie 2000*

■ 2 ha 14 000 3à5€

Depuis 1999, cette propriété familiale s'est installée dans un nouveau chai. Cette cuvée, où domine le merlot, présente une robe rouge profond ; un nez de fruits mûrs, de cacao et même de confiture de fraises, fait remarquer un membre du jury. La bouche est puissante, charnue et les tanins sont bien fondus. La cuvée Marjorie est un vin réussi et harmonieux qui saura accompagner un « gigot de sept heures » ou un magret de canard grillé. (20 à 29 F)

Pierre Mollier, Mas de Bagnols, 07110 Vinezac, tél. 04.75.36.83.10, fax 04.75.36.98.04 t.l.j. sf dim. 8h-12h 14h-18h

LES CHAIS DU PONT D'ARC
Chardonnay 2000*

□ 3 ha 4 000 5à8€

Cette cave coopérative qui se situe à une dizaine de kilomètres de la fameuse grotte Chauvet présente un vin paré d'une robe brillante jaune paille et qui exprime tous les arômes issus de la macération pelliculaire : pamplemousse, pêche, mangue. Frais, rond et souple, ce 2000 accompagnera parfaitement les petits poissons de rivière et les fromages de chèvre locaux. (30 à 49 F)

SCA Les Chais du Pont d'Arc, rte de Ruoms, 07150 Vallon-Pont-d'Arc, tél. 04.75.88.02.16, fax 04.75.88.11.50 r.-v.

CAVE DE VALVIGNERES
Viognier 2000*

□ 60 ha 25 000 5à8€

Beaucoup de fraîcheur et de fruité pour ce viognier 2000 planté au cœur d'une superbe vallée. Les notes d'agrumes, de pêche et d'abricot en font un vin agréable qui s'accordera avec les hors-d'œuvre et le pélardon. (30 à 49 F)

Cave coop. de Valvignères, quartier Auvergne, 07400 Valvignères, tél. 04.75.52.60.60, fax 04.75.52.60.33, e-mail cavevalvigneres@free.fr t.l.j. sf dim. 9h-12h 13h30-18h

DOM. DE VIGIER Syrah 2000*

■ 4 ha 32 000 5à8€

Ce vin de cépage syrah élevé huit mois en fût de chêne est un digne représentant du domaine Vigier construit en 1789. Robe rouge sombre aux reflets bleutés ; nez intense de fruits noirs et de bois de rose ; bouche suave de cassis, de réglisse et de vanille. Le domaine vinifie également la **cuvée Thomas 2000** issue d'un assemblage de

cabernet-sauvignon et de merlot, élevée en fût de chêne, aux tanins encore jeunes. (30 à 49 F)
Dupré et Fils, Dom. de Vigier, 07150 Lagorce, tél. 04.75.88.01.18, fax 04.75.37.18.79 r.-v.

Drôme

CAVE DE LA VALDAINE Syrah 2000**

■ n.c. 6 900 -3€

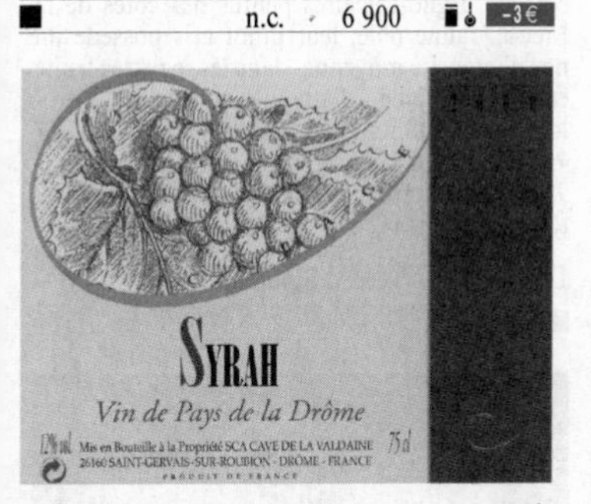

Consécration cette année avec un coup de cœur pour cette cave coopérative située près de Montélimar. Régulièrement mentionnée, la cave de La Valdaine récolte ici le fruit de longues années passées à améliorer son vignoble et ses techniques de vinification. La robe étincelante de cette syrah est grenat foncé et profonde. Le nez, certes encore un peu fermé, dévoile des arômes de fruits rouges, de violette et de pivoine. C'est en bouche que ce vin se libère : l'attaque est franche, la structure est puissante et tous les arômes floraux éclatent en bouche. Ce 2000 aux tanins présents fera merveille sur une entrecôte grillée aux sarments ou une daube de mouton. A noter également le **rosé 2000**, fin et élégant, à base de cabernet-sauvignon. (– 20 F)
Cave de La Valdaine, rue Marx-Dormoy, 26160 Saint-Gervais-sur-Roubion, tél. 04.75.53.80.08, fax 04.75.53.93.90 r.-v.

Régions de l'Est

On trouvera ici des vins originaux, fort modestes, vestiges de vignobles décimés par le phylloxéra mais qui eurent leur heure de gloire, bénéficiant du voisinage prestigieux de la Bourgogne ou de la Champagne. Ce sont d'ailleurs les cépages de ces régions que l'on retrouve ici, avec ceux de l'Alsace ou du Jura, vinifiés le plus souvent individuellement ; les vins ont donc alors le caractère de leur cépage : chardonnay, pinot noir, gamay ou pinot gris (pour les rosés). Dans les assemblages, on leur associe parfois l'auxerrois.

Vins de pays de Franche-Comté, de la Meuse ou de l'Yonne, ils sont tous le plus souvent fins, légers, agréables, frais et bouquetés ; en augmentation, surtout pour les vins blancs, la production n'est encore que de 3 000 hl.

Saône-et-Loire

VIN DES FOSSILES Chardonnay 1999*

□ n.c. n.c. 3à5€

Un vin qui a d'abord séduit le jury par sa présentation (un jaune affirmé, avec des reflets sombres). Intense à l'olfaction, franche et néanmoins élégante, il livre des senteurs de fruits mûrs. La bouche se révèle d'une belle complexité aromatique, fraîche et ample. Le **gamay 99 Vieilles vignes** obtient une citation ; c'est une cuvée généreuse et réussie. (20 à 29 F)
Jean-Claude Berthillot, Les Chavannes, 71340 Mailly, tél. 03.85.84.01.23

HAUT-BRIONNAIS 2000*

■ 2,37 ha 16 800 3à5€

Des vignes cinquantenaires pour un 2000 à la teinte rubis, au nez plutôt discret mais fin, où les fruits rouges (framboise, groseille) dominent. Franche et vive, la bouche reste fruitée. Un beau 2000 typé gamay, à boire pour le plaisir. (20 à 29 F)
Les Coteaux du Brionnais, 71340 Mailly, tél. 03.85.84.19.21, fax 03.85.84.19.21 sam. 9h-12h

Franche-Comté

VIGNOBLE GUILLAUME
Pinot noir Vieilles vignes 1999***

■ 3 ha 18 000 5à8€

Soulignons la constance dans la qualité de cette maison. Ce pinot noir vieilles vignes a été élu coup de cœur à l'unanimité du jury. Dans sa très belle robe, profonde et limpide, d'un rouge franc, il nous livre un nez remarquablement intense où s'expriment le fruit rouge typique du cépage et des notes animales. La bouche est à l'image du bouquet : ronde et franche à l'attaque, fruitée encore sur une texture soyeuse, avec une finale où de précieux tanins se fondent. A boire ou à attendre. La cuvée **pinot noir 99** issue de vignes plus jeunes obtient une étoile pour son équilibre et ses tanins fins et fondus. La cuvée **chardonnay vieilles vignes 99** reçoit deux étoiles : puissant, gras et ample, le vin se marie à un boisé harmonieux. (30 à 49 F)

Vignoble Guillaume, 70700 Charcenne, tél. 03.84.32.80.55, fax 03.84.32.84.06 r.-v.

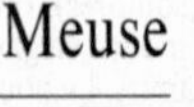

Meuse

E. ET PH. ANTOINE Gris 2000*

◪ 2 ha 20 000 3à5€

Les trois cuvées présentées par ce domaine ont été retenues. La préférence va à ce vin gris issu de 75 % de gamay et de 25 % d'auxerrois, qui joue la fraîcheur et la vivacité. Le **blanc 2000** est également très réussi : assemblage de chardonnay et d'auxerrois à parts égales, il présente un nez intense de fruits exotiques et d'agrumes ; sa bouche est souple et équilibrée. Enfin, le **rouge 99 (30 à 49 F)** mérite d'être cité. Ce pinot noir bénéficie d'une structure souple qui invite à le boire dès aujourd'hui. (20 à 29 F)

Philippe Antoine, 6, rue de l'Eglise, 55210 Saint-Maurice, tél. 03.29.89.38.31, fax 03.29.90.01.80 r.-v.

DOM. DE COUSTILLE Chardonnay 2000

□ 1,5 ha 4 500 3à5€

De couleur jaune à reflets verts, ce chardonnay livre des arômes floraux, soulignés de nuances de noisette. Il allie agréablement souplesse et vivacité en bouche. Un vin à déguster dans sa jeunesse. (20 à 29 F)

SCEA de Coustille, 23, Grand-Rue, 55300 Buxerulles, tél. 03.29.89.33.81, fax 03.29.90.01.88 r.-v.

Philippe

LAURENT DEGENEVE Gris 2000

◪ 1,25 ha 10 000 -3€

Laurent Degenève possède un vignoble de 3 ha, mais il produit aussi la fameuse mirabelle de Lorraine. Son vin gris, rose saumoné, laisse deviner les fruits à l'olfaction. Sa bouche légère reprend les arômes de fruits rouges. (- 20 F)

Laurent Degenève, 7, rue des Lavoirs, 55210 Creuë, tél. 03.29.89.30.67, fax 03.29.89.30.67 t.l.j. 8h-12h 13h30-19h

L'AUMONIERE Chardonnay 2000

□ 2,3 ha 7 000 -3€

Ce chardonnay présente à l'œil et au nez une bonne intensité. Après une attaque agréable et équilibrée, la bouche s'achemine vers des notes d'évolution. Un vin prêt à boire. (- 20 F)

GAEC de L'Aumonière, Viéville-sous-les-Côtes, 55210 Vigneulles-les-Hattonchâtel, tél. 03.29.89.31.64, fax 03.29.90.00.92 t.l.j. 8h-20h

DOM. DE MONTGRIGNON 2000

□ 1 ha 5 800 -3€

Les frères Pierson cultivent 6 ha sur les coteaux argilo-calcaires pentus des côtes de la Meuse. Jaune pâle, leur pinot gris possède un nez d'intensité moyenne, dans les registres fruité et floral. Fraîche à l'attaque, la bouche se prolonge sur cette impression de vivacité. (- 20 F)

GAEC de Montgrignon Pierson Frères, 9, rue des Vignes, 55210 Billy-sous-les-Côtes, tél. 03.29.89.58.02, fax 03.29.90.01.04 r.-v.

DOM. DE MUZY Pinot noir 1999**

■ n.c. 8 000 5à8€

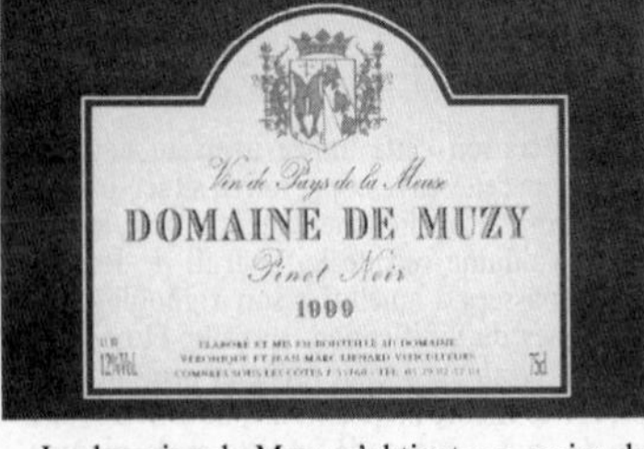

Le domaine de Muzy n'obtient pas moins de deux coups de cœur. Ce pinot noir, d'un rouge cerise assez soutenu, a fait l'unanimité grâce à ses arômes intenses et à sa bouche équilibrée et structurée. S'il peut déjà être apprécié, il saura attendre encore deux ans. Le **gris 2000 (20 à 29 F)**, à base de 70 % de gamay, de 20 % d'auxerrois et de 10 % de pinot noir, est tout aussi remarquable. Il offre un nez de framboise, puis une bouche souple et longue. (30 à 49 F)

Véronique et Jean-Marc Liénard, Dom. de Muzy, 3, rue de Muzy, 55160 Combres-sous-les-Côtes, tél. 03.29.87.37.81, fax 03.29.87.35.00 r.-v.

Coteaux de Coiffy

FLORENCE PELLETIER
Pinot noir Vieilli en fût de chêne 1999

■ 1 ha 4 290 5à8€

Un vignoble courageusement replanté voici cinq ans et qui donne ici ses premiers fruits. Ce vin au nez fruité reste discret en bouche. Il a

cependant de la souplesse, de la rondeur mais s'achève sur une finale plus tannique.
(30 à 49 F)
Florence Pelletier, Caves de Coiffy, 52400 Coiffy-le-Haut, tél. 03.25.90.21.12, fax 03.25.84.48.69, e-mail caves-de-coiffy@wanadoo.fr r.-v.

Haute-Marne

LE MUID MONTSAUGEONNAIS
Pinot noir Elevé en fût de chêne 1999*

■ 1,3 ha 10 200 5 à 8 €

Ce vignoble a été reconstitué, voilà quelques années, après un siècle d'interruption due à la crise phylloxérique. Le résultat : un vin à la robe profonde et dense, au nez d'abord grillé puis fruité (cerise), avec des notes de cuir. Bois et cerise se prolongent en bouche. Bien structuré, rond, dominé par des tanins encore présents, ce pinot noir pourra attendre un à deux ans.
(30 à 49 F)
SA Le Muid Montsaugeonnais, 2, av. de Bourgogne, 52190 Vaux-sous-Aubigny, tél. 03.25.90.04.65, fax 03.25.90.04.65 r.-v.

Yonne

DOM. LA FONTAINE AUX MUSES
Pinot noir 2000*

■ 0,5 ha 2 000 3 à 5 €

La Fontaine aux muses, vieille demeure de 1670 restaurée dans les années 1960, est un hôtel-restaurant réputé autant qu'un domaine viticole. Son pinot noir, beau à voir dans sa robe profonde et uniforme, affirme un nez intense, aux notes épicées. La bouche est bien constituée, concentrée, ample, avec une finale encore tannique. Attendre deux ans afin que ce vin gagne en amabilité. (20 à 29 F)
Vincent Pointeau-Langevin, La Fontaine aux Muses, 89116 La Celle-Saint-Cyr, tél. 03.86.73.40.22, fax 03.86.73.48.66 t.l.j. sf lun. 10h-22h

Coteaux de l'Auxois

DEVILLAINES LES PREVOTES ET VISERNY Pinot noir 2000*

■ 1 ha 6 000 5 à 8 €

Deux tiers élevés en cuve, un tiers en fût pendant dix mois : ce pinot noir se présente dans une robe violacée. Puis ce sont les fruits rouges (cerise) qui s'imposent, tant au nez qu'en bouche. Léger et souple, un vin à boire un peu frais sur une grillade, par exemple. (30 à 49 F)
SA des Coteaux Villaines-les-Prévôtes Viserny, 21500 Villaines-les-Prévôtes, tél. 03.80.96.71.95, fax 03.80.96.71.95 t.l.j. sf dim. 14h-18h; sam. 9h-13h

VIGNOBLE DE FLAVIGNY
Pinot noir Fût de chêne 1999*

■ 2,34 ha 6 000 5 à 8 €

A 2 km du site d'Alésia, ce vignoble a produit un 99 plaisant. Entre rouge et noir à reflets violacés, il révèle au nez une bonne intensité : cerise, mûre, fruits cuits, confiture, cuir... A cette déclinaison succède une bouche grasse et moelleuse, de la mâche, des tanins puissants et néanmoins fondus, de la longueur. Cette alliance originale entre force et finesse sera mise en valeur par un plat en sauce. (30 à 49 F)
SCEA Vignoble de Flavigny, Dom. du Pont Laizan, 21150 Flavigny-sur-Ozerain, tél. 03.80.96.25.63, fax 03.80.96.25.63 r.-v.
Vermeere

Sainte-Marie-la-Blanche

LES CAVES DE LA VERVELLE
Melon 2000

□ 0,33 ha 3 400 3 à 5 €

Un vin issu du cépage melon, de teinte jaune pâle brillant. Le nez franc, net et plein de finesse, affiche une dominante fruitée (agrumes). Après une attaque franche, la bouche se révèle ronde en même temps que fraîche. Son équilibre séduit le jury autant que sa persistance aromatique. Le **pinot noir 2000** obtient également une citation : il faudra attendre un ou deux ans que ses tanins se fondent. (20 à 29 F)
Caves de La Vervelle, rte de Verdun, 21200 Sainte-Marie-la-Blanche, tél. 03.80.26.60.60, fax 03.80.26.54.47 t.l.j. sf dim. 8h-12h 14h-18h

LES VINS DU LUXEMBOURG

Petit Etat prospère au cœur de l'Union européenne, situé à la charnière des mondes germanique et latin, le grand-duché de Luxembourg est un pays viticole à part entière. La consommation de vin y est proche de celle que l'on observe en France et en Italie. Le vignoble s'inscrit le long du cours sinueux de la Moselle, dont les coteaux portent des ceps depuis l'Antiquité. Il donne des vins blancs secs, vifs et aromatiques.

La production vinicole du grand-duché est confidentielle (160 000 hl), à la mesure de sa modeste superficie (1 350 ha). Le vin est cependant pris au sérieux dans ce pays, qui possède un ministre de l'Agriculture et de la Viticulture, et où l'on produit des vins réputés depuis l'Antiquité.

On sait l'importance que prit le vignoble mosellan au IVe s., lorsque Trèves - très proche de la frontière actuelle du Grand Duché - devint résidence impériale et l'une des quatre capitales de l'Empire romain. Aujourd'hui, de Schengen à Wasserbillig, les coteaux de la rive gauche de la Moselle forment un cordon continu de vignobles, autour des cantons de Remich et de Grevenmacher. Orientés au sud et au sud-est, ceux-ci bénéficient de l'effet bienfaisant des eaux du fleuve, qui estompent les courants d'air froid venant du nord et de l'est, et modèrent l'ardeur du soleil de l'été. En raison de leur latitude septentrionale (49 degrés de latitude N.), ils produisent presque exclusivement des vins blancs. Près de 35 % d'entre eux proviennent du cépage rivaner (ou müller-thurgau). L'elbling, cépage typique du Luxembourg (12 % de la surface viticole), donne un vin léger et rafraîchissant. Les vins les plus recherchés proviennent des cépages auxerrois, riesling, pinot blanc, chardonnay, pinot gris, pinot noir et gewurztraminer. Les coopératives représentent plus des deux tiers de la surface viticole. Remich est le siège d'un centre de recherche et de l'organisation officielle de la viticulture.

Créée en 1935, la marque nationale des vins de la Moselle luxembourgeoise a pour objet d'encourager la qualité et de permettre au consommateur de réaliser ses choix sous la garantie officielle de l'Etat. En 1985 est apparue l'appellation contrôlée moselle luxembourgeoise. Il existe aussi une hiérarchie des vins (marque nationale - appellation contrôlée, vin classé, premier cru, grand premier cru). L'originalité du classement des vins, en fonction de leur notation lors de chaque agrément, mérite d'être soulignée : les vins qui ont obtenu entre 18 et 20 points sont qualifiés de grand premier cru, entre 16 et 17,9 de premier cru, entre 14 et 15,9 de vin classé, entre 12 et 13,9 de vin de qualité sans mention particulière et en dessous de 12 points de simple vin de table. En 1991 naissait l'appellation crémant du luxembourg.

Moselle luxembourgeoise

CEP D'OR

Stadtbredimus Primerberg Pinot gris 1999★★

☐ Gd 1er cru 0,8 ha 4 000 8 à 11 €

Déjà distingué l'an dernier par un coup de cœur pour son crémant, le domaine dirigé par la famille Vesque continue à récolter des louanges. Son pinot gris revêtu d'une robe jaune-vert affiche un nez bien prononcé, très fin mais d'une grande puissance, aux arômes fruités et floraux. En bouche, il conserve cette puissance tout en restant élégant avec des nuances de citronnelle. D'une très bonne longueur en bouche, ce vin est équilibré et harmonieux. Le **crémant de Luxembourg** du domaine est cité : une mousse persistante et fine accompagne un nez discret, étonnant d'élégance. En bouche, une attaque franche et une mousse bien présente révèlent le côté racé du crémant. (50 à 69 F)

SA Cep d'Or, 15, rte du Vin, 5429 Hëttermillen, tél. 76.83.83, fax 76.91.91, e-mail cepdor@pt.lu r.-v.

Famille Vesque

DOM. CLOS DES ROCHERS

Domaine et Tradition Riesling 1999

☐ 0,75 ha 4 831 5à8€

Un disque limpide et brillant couronne la robe d'or pâle à reflets verdâtres. Le nez marie des nuances florales et fruitées (agrumes). La bouche est gouleyante et légère après une attaque nerveuse. En rétro-olfaction apparaissent des notes de fruits acidulés. Ce vin bien équilibré ne manque pas de fraîcheur. (30 à 49 F)

Dom. Clos des Rochers, 8, rue du Pont, 6773 Grevenmacher, tél. 75.05.45, fax 75.06.06, e-mail bermas@pt.lu t.l.j. sf dim. 9h30-18h; f. 1er nov.-1er avr.

DOM. CHARLES DECKER

Remerschen Kreitzberg Riesling Aiswäin 1999**

☐ n.c. n.c. 23à30€

Charles Decker offre avec ce vin de glace quelque chose de précieux. Des reflets topaze illuminent la robe jaune couronnée d'un disque cristallin et brillant. Le nez livre des arômes somptueux de miel très parfumé, de fruits secs et de raisin de Corinthe. La bouche donne la tonalité finale au tableau : ample, élégante, ronde, charnue avec une touche ultime d'abricot confit. (150 à 199 F)

Dom. Charles Decker, 7, rte de Mondorf, 5441 Remerschen, tél. 60.95.10, fax 60.95.20, e-mail deckerch@pt.lu r.-v.

DOM. MME ALY DUHR

Ahn Hohfels Pinot gris 1999

☐ 2 ha 6 000 8à11€

Ce pinot gris jaune-vert est animé de reflets brillants. Puissant et élégant à la fois, le nez livre des nuances florales très complexes. Une matière puissante et des arômes minéraux typiques du cépage tapissent le palais. La bouche est volumineuse. Cité également, le **riesling 99 Wormeldange Nussbaum** est intense et complexe avec ses arômes de fruits confits dans un nez épanoui. Une belle attaque introduit un palais long et concentré. (50 à 69 F)

Dom. Mme Aly Duhr, 9, rue Aly-Duhr, 5401 Ahn, tél. 76.00.43, fax 76.05.47

DOM. GALES

Domaines et tradition Auxerrois 1999**

☐ 0,33 ha 2 000 5à8€

Aujourd'hui le domaine, planté principalement en riesling et en pinot gris, est dirigé par Marc Gales, petit-fils du fondateur ; Thomas Hein, œnologue, l'a assisté pour élaborer cet auxerrois à la robe jaune pâle qui a enchanté le jury par la complexité de ses arômes de miel, de citron et de raisin sec grâce aux raisins partiellement surmûris. Ce vin opulent, merveilleusement équilibré, a conservé une certaine fraîcheur. On le quitte à regret sur une finale à la nuance de caramel, et l'impression d'élégance et d'harmonie est longue à se dissiper. Il peut vieillir longtemps. (30 à 49 F)

Caves Gales, BP 49, 5501 Remich, tél. 69.90.93, fax 69.94.34 r.-v.

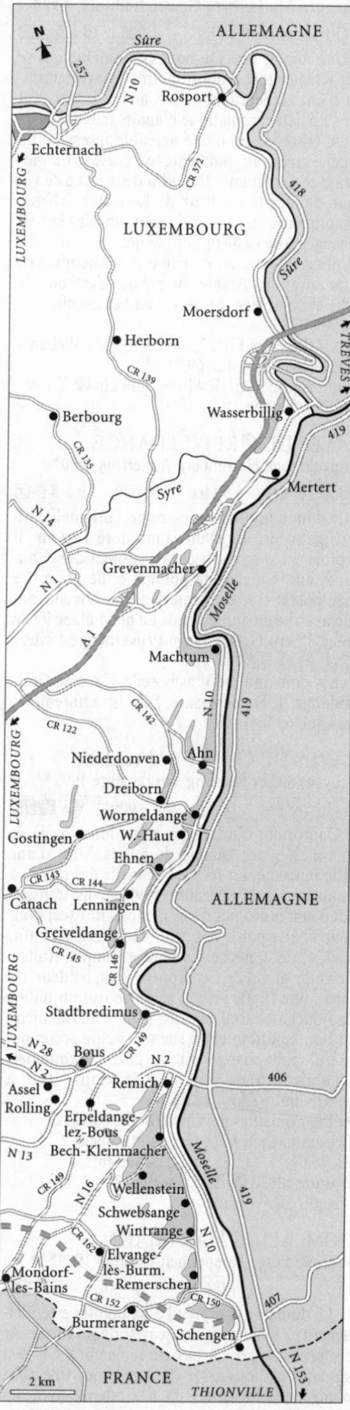

A. GLODEN ET FILS

Schengen Markusberg Gewurztraminer 1999*

☐ Gd 1er cru 0,14 ha 1 900 5 à 8 €

Une double réussite pour ce domaine qui se voit féliciter tout d'abord pour ce gewurztraminer d'une couleur jaune doré, au nez intéressant par sa palette aromatique d'épices (cumin) et de fleurs (rose jaune) d'une agréable intensité. La bouche apparaît puissante et corsée, harmonieuse et persistante. Il faudra deux ans à ce vin pour donner le meilleur de lui-même. Mêmes compliments (une étoile) pour un **riesling 99 Schengen Markusberg** dont le nez épanoui mêle les notes d'agrumes, d'ananas à des nuances de surmaturation. Ample au palais, c'est un vin riche et complexe, promis à un bel avenir. (30 à 49 F)

A. Gloden et Fils, 2, Albaach, 5471 Wellenstein, tél. 69.83.24, fax 69.81.32, e-mail a.gloden-fils@village.uunet.lu r.-v.
Jules Gloden

CAVES DE GREIVELDANGE

Greiveldange Herrenberg Auxerrois 2000*

☐ Gd 1er cru 5,39 ha 20 000 5 à 8 €

Il donne la pleine mesure de l'originalité du cépage auxerrois. D'un jaune doré flatteur, il déploie au nez une richesse aromatique étonnante aux nuances de pomme et de poire. Ce beau potentiel se confirme dans une bouche fondue avec beaucoup de gras. Le **pinot blanc 99 du grand 1er cru Greiveldange Primerberg** est cité. (30 à 49 F)

Les domaines de Vinsmoselle, Cave de Greiveldange, 1, Hamersgaase, 5427 Stradtbredimus, tél. 69.83.14

CAVES DE GREVENMACHER

Grevenmacher Riesling Vin de glace 1999**

☐ Gd 1er cru 1,1 ha 900 15 à 23 €

Couronnée d'un disque cristallin, la robe de ce vin de glace chatoie de reflets dorés d'une belle intensité. La récolte manuelle des raisins a commencé le 21 décembre 1999, ce qui transparaît dans les arômes d'une complexité exceptionnelle libérés par le nez : fruits secs, raisin confit, miel, abricot, pêche. La bouche, ample, fruitée, élégante et racée, se montre à la hauteur du sujet ; une finale vive et acidulée suit un milieu de bouche charnu et gras. Ce vin harmonieux au bon équilibre entre sucre et acide accompagnera - pour changer du foie gras - un entremets à l'abricot. Mais vous avez le temps : deux à quatre ans. (100 à 149 F)

Les domaines de Vinsmoselle, Caves de Grevenmacher, 6718 Grevenmacher, tél. 75.01.75, fax 75.95.13, e-mail info@vinsmoselle.lu t.l.j. sf dim. 10h-17h; 1er sept.- 30 avr. sur r.-v.

DOM. ALICE HARTMANN

Wormeldange Koeppchen Riesling 1999***

☐ 0,6 ha 3 500 8 à 11 €

Le domaine comprend 3 ha plantés essentiellement en vieilles vignes de riesling sur un terroir en terrasses qui n'a pas été remembré. Ce 99 a suscité l'enthousiasme du jury. Sous une robe d'une belle brillance, un nez intense livre des senteurs d'agrumes (citron, pamplemousse). L'attaque, fraîche, vive, légère, est suivie par une bouche tout en finesse. De ce vin émane beaucoup d'élégance et de fraîcheur. (50 à 69 F)

SA Dom. Alice Hartmann, rue Principale 72-74, 5480 Wormeldange, tél. 76.00.02, fax 76.04.60

DOM. R. KOHLL-LEUCK

Rousemen Pinot gris 2000***

☐ Gd 1er cru n.c. 2 000 5 à 8 €

Ce domaine familial existe depuis la fin du XIXe s. Raymond et Marie-Cécile le dirigent depuis vingt-neuf ans et pensent à la relève que doit assurer bientôt leur fils. En attendant, ils offrent là un vin d'exception. Les louanges n'en finissent pas : couleur seyante, fraîcheur et finesse des arômes floraux, souplesse d'une attaque tout en dentelle, harmonie d'ensemble. Ce pinot gris apparaîtra dans toute sa splendeur dans deux à trois ans. Le même domaine obtient une citation en **crémant de luxembourg** pour sa **cuvée Gust Kohll (50 à 69 F)** aux arômes de fruits secs et de caramel accompagnés d'une mousse persistante. Après une bonne attaque, le palais se montre harmonieux et très fruité. (30 à 49 F)

Dom. viticole Raymond Kohll-Leuck, 4, an der Borreg, Ehnen, 5419 Wormeldange, tél. 76.02.42, fax 76.90.40

DOM. MICHEL KOHLL-REULAND

Crémant de luxembourg La cuvée du domaine 1999***

○ n.c. n.c. 5 à 8 €

Michel Kohll-Reuland est à la tête du domaine depuis 1973. Ses 5 ha de vignes s'étendent sur les coteaux de calcaire coquillier de Ehnen et de Wormeldange. La cave est taillée dans le versant de la colline. Son crémant est bien dans le style de l'appellation et lui fait grand honneur. Jaune à reflets verts, il déploie au nez des arômes de fruits bien mûrs. La bouche est équilibrée et d'une structure imposante. C'est un vin que ne renieraient pas les ancêtres du maître de céans. (30 à 49 F)

Michel Kohll-Reuland, 5, am Stach, 5418 Ehnen, tél. 76.00.18, fax 76.06.40, e-mail mkohll@pt.lu r.-v.

KRIER FRERES

Remich-Primerberg Riesling Givré 1999***

☐ 0,2 ha 800 38 à 46 €

Jaune doré, d'une belle brillance, ce vin de glace remporte la palme. Son nez exhale de délicieuses senteurs fruitées - pêche blanche, mangue, litchi. Après une attaque moelleuse et élégante, la bouche déploie beaucoup de finesse. La rondeur du milieu de bouche mène harmonieusement vers une finale douce ponctuée par une agréable pointe de fraîcheur. Deux autres vins présentés par cette cave sont cités : le **crémant du Luxembourg Saint-Cunibert (30 à 49 F)** qui a surpris le jury par sa forte personnalité, la finesse et la richesse de la bouche et le fruité dominant au nez. Enfin, le **pinot noir Rubis 99, Bech-Kleinmacher Enschberg (30 à 49 F)** à l'expression aromatique puissante, très axée vers les fruits rouges (groseille, fraise). Bien représentatif de l'appellation, ce vin offre fraîcheur, équilibre et fruité. (250 à 299 F)

🔑 Caves Krier Frères, 1, montée Saint-Urbain, 5501 Remich GDL, tél. 69.82.82, fax 69.80.98, e-mail cave@krierfreres.lu ☑ 🍷 r.-v.

DOM. KRIER-WELBES

Bech-Kleinmacher Jongeberg Gewurztraminer 1999*

□	0,2 ha	n.c.	5 à 8 €

De délicats arômes de rose et d'épices fines se déclinent au nez de ce gewurztraminer corsé et bien charpenté, pâle à reflets jaunes et verts. Tout au long de la dégustation, ce vin se déploie en finesse sur un bel équilibre alcool-sucre-acidité qui lui confère son charme. Il sera du meilleur effet avec un fromage de caractère ou un mets exotique bien relevé. Du même domaine, le **Grand 1er cru Wellenstein Foulschette en pinot gris 2000** est cité par le jury ; il se démarque par ses intenses arômes de raisin mûr. Son acidité élégante et fine, sa belle longueur et son équilibre en font un vin d'une bonne structure. Il se révélera pleinement dans un an. (30 à 49 F)

🔑 Dom. viticole Krier-Welbes, 3, rue de la Gare, 5690 Ellange-Gare, tél. 67.71.84, fax 66.19.31, e-mail guykrier@pt.lu ☑ 🍷 r.-v.
🔑 Guy Krier

LAURENT BENOIT

Crémant de luxembourg*

○	0,5 ha	7 000	5 à 8 €

Ce domaine obtient une citation pour son **grand 1er cru riesling 2000 Kolteschberg (50 à 69 F)** aux arômes d'agrumes et de fruits blancs caractéristiques du cépage. Un vin vif, équilibré, long et harmonieux auquel le jury prédit un bel avenir. Quant à ce crémant, sa mousse intense et persistante, ses bulles fines en font un vin très réussi. En bouche, une structure d'une agréable vivacité enveloppe des saveurs subtiles. (30 à 49 F)

🔑 Laurent et Benoît Kox, 6A, rue des Prés, 5561 Remich, tél. 69.84.94, fax 69.81.01, e-mail kox@pt.lu ☑ 🍷 r.-v.

CAVES LEGILL

Schengen Markusberg Pinot blanc 1999

□ Gd 1er cru	0,28 ha	2 700	5 à 8 €

Chez les Legill on est viticulteur de père en fils depuis six générations. En millésime 99, le domaine propose deux beaux vins, l'un blanc, l'autre rouge : ce grand 1er cru issu de pinot blanc, un vin harmonieux aux arômes typiques du cépage ; la bouche repose sur une structure légère mais élégante et laisse une impression de fraîcheur. Le deuxième vin, un **pinot noir Coteaux de Schengen (50 à 69 F)**, est cité pour la belle intensité de sa robe rubis foncé aux reflets violacés qui enveloppe un nez de petits fruits rouges (cerise). La bouche est plaisante et complexe aussi. A servir dans trois ou quatre ans sur une pièce de viande rouge. (30 à 49 F)

🔑 Caves Legill et Fils, 27, rte du Vin, 5445 Schengen, tél. 66.40.38, fax 60.90.97 ☑ 🍷 r.-v.

DOM. JEAN LINDEN-HEINISCH

Ehnen Wousselt Riesling 1999

□ Gd 1er cru	0,4 ha	4 500	5 à 8 €

Ce vin ne manque pas d'attraits. La robe est brillante, limpide. Le cépage s'exprime dans des arômes d'agrumes, de miel avec une pointe minérale. La dégustation se déroule dans le plus grand équilibre : la bouche se révèle ample, vive, élégante à l'attaque, puis tout en rondeur dans un deuxième temps avant de terminer sur une finale bien fondue. (30 à 49 F)

🔑 Jean Linden-Heinisch, 8, rue Isidore-Cones, Ehnen, 5417 Wormeldange, tél. 76.06.61, fax 76.91.29 ☑ 🍷 r.-v.

MATHES ET CIE

Crémant de luxembourg Sélection 2000

○	2,64 ha	21 500	11 à 15 €

Une mousse fine et abondante ; une robe jaune doré ; un crémant généreux, corsé, d'une belle harmonie : nous tenons là une bouteille qui mérite une citation. (70 à 99 F)

🔑 Dom. Mathes, BP 3, 5507 Wormeldange, tél. 76.93.93, fax 76.93.90, e-mail mathes@pt.lu ☑ 🍷 r.-v.

POLL-FABAIRE

Crémant de luxembourg**

○	5 ha	50 000	5 à 8 €

Les domaines de Vinsmoselle constituent un groupement de six caves coopératives réparties dans toute la Moselle luxembourgeoise. Celles-ci ont en commun l'usage de la marque Poll-Fabaire. Le crémant de la cave de Wormeldange présente des reflets jaune paille dans une robe brillante et limpide. Ses arômes s'expriment subtilement sur des nuances de fleurs blanches et de pêche. La bouche révèle toute la finesse et l'équilibre d'un vin racé. La **cave de Grevenmacher** livre, quant à elle, un **crémant de Luxembourg**

Poll-Fabaire très réussi, qui assortit des arômes de caramel et de fleurs blanches au nez, avant de développer une fraîche harmonie. Les **crémants Poll-Fabaire des caves de Stadtbredimus et de Wellenstein** méritent d'être cités. (30 à 49 F)

Les Domaines de Vinsmoselle, 115, rte du Vin, 5481 Wormeldange, tél. 76.82.11, fax 76.82.15, e-mail info@vinsmoselle.lu r.-v.

CAVES DU SUD REMERSCHEN

Schengen Markusberg Pinot gris 1999

Gd 1er cru 17,11 ha 27 593 5 à 8 €

Sur les quelque 210 ha vinifiés par cette cave coopérative, 17 ha sont consacrés à ce vin issu à 100 % de pinot gris. Celui-ci, jaune à reflets verts, laisse poindre au nez des arômes floraux et fruités bien prononcés et très agréables. La bouche possède une matière puissante, équilibrée avec des notes miellées et onctueuses. Ce vin donne une impression d'harmonie que l'on a envie de faire partager. (30 à 49 F)

Les Domaines de Vinsmoselle, Caves du sud Remerschen, 32, rte du Vin, 5440 Remerschen, tél. 66.41.65, fax 66.41.66, e-mail info@vinsmoselle.lu r.-v.

CAVES HENRI RUPPERT

Schengen Markusberg Pinot blanc 1999★★

0,2 ha 1 350 5 à 8 €

Ce domaine de moins de 5 ha existe depuis 1920. Le savoir-faire acquis au cours des générations se retrouve dans ce pinot blanc. Le jury salue son nez très fruité aux nuances d'agrumes et de fruits des bois. Après une attaque moelleuse, la bouche, au diapason, égrène les notes fruitées sur un bon équilibre. Une élégante acidité caractérise la belle finale. Du même domaine et du **même millésime**, un **auxerrois** est cité pour ses nuances florales (lilas) et fruitées (ananas, pomme). Chaleureux, de bonne persistance, déployant finesse et harmonie, il atteindra son apogée dans trois à cinq ans, mais il est déjà plaisant. (30 à 49 F)

Henri Ruppert, rte du Vin, 100, 5445 Schengen, tél. 66.42.30, fax 66.44.83 r.-v.

CAVES SAINT-REMY-DESOM

Remich Primerberg Pinot gris 2000★

Gd 1er cru 0,85 ha 8 000 5 à 8 €

Cette maison de négoce qui existe depuis 1922 occupe des bâtiments du XVIIIe s. Au fil des ans les caves ont été agrandies. Son pinot gris a été fort apprécié ; sous une belle robe claire à reflets verts apparaît un nez frais de fruits confits et de pêche, avec une légère note de fumé. Un bel équilibre alcool-sucre-acidité confère à ce vin tout son charme. Charpenté, rond et long, le palais opulent présente une saveur caractéristique qui s'accordera à un magret de canard. Un **grand 1er cru pinot blanc 2000 Remich Primerberg (20 à 29 F)** est cité pour la parfaite maturité de ses raisins, sa bouche vive et généreuse et sa finale qui mêle notes citronnées et nuances florales. (30 à 49 F)

Caves Saint-Rémy-Desom, 9, rue Dicks, 5521 Remich, tél. 69.93.47, fax 69.93.47 r.-v.

CAVES JEAN SCHLINK-HOFFELD

Cuvée personnelle Wormeldange Heiligenhäuschen Pinot gris 2000

Gd 1er cru 0,15 ha 1 200 5 à 8 €

C'est un pinot gris brillant et limpide, à la belle robe jaune doré et au nez expressif d'agrumes et de pêche blanche avec une pointe fumée que présente ce domaine dirigé par René et Jean-Paul Schlink depuis 1993. Ce vin capiteux, opulent et corsé, s'appuie sur une bonne structure. La finale est longue, fine et subtile. Un filet de porc aux petits légumes lui conviendra parfaitement. (30 à 49 F)

Caves Jean Schlink-Hoffeld, 1, rue de l'Eglise, 6841 Machtum, tél. 75.84.68, fax 75.92.62, e-mail cschlink@pt.lu t.l.j. sf dim. 8h-18h; groupes sur r.-v.

SCHMIT-FOHL

Ahn Goellebour Gewürztraminer 2000★

0,5 ha 2 000 5 à 8 €

Un gewurztraminer jaune pâle à légers reflets verts. Le nez, fermé au départ, s'ouvre au cours de la dégustation sur des notes fraîches de fleurs (rose) et d'épices. La bouche bien typée est harmonieuse dans son expression aromatique et sa structure. Attendons deux ou trois ans car ce vin tiendra ses promesses. (30 à 49 F)

Maison viticole Schmit-Fohl, 8, rue de Niederdonven, 5401 Ahn, tél. 76.02.31, fax 76.91.46, e-mail hsf@pt.lu r.-v.

Armand Schmit

DOM. PIERRE SCHUMACHER-LETHAL ET FILS

Wormeldange Heiligenhäuschen Pinot blanc 2000

Gd 1er cru n.c. 3 500 5 à 8 €

Ce pinot blanc 2000 est paré de reflets vert pâle bien dans la tonalité du nez qui est d'une délicatesse et d'une élégance exquises. Des nuances florales très fines tapissent le palais. Ample par sa matière, ce vin séduit par son équilibre, et on aimerait bien l'avoir dans sa cave. (30 à 49 F)

Dom. Schumacher-Lethal et Fils, 114, rue Principale, 5450 Wormeldange, tél. 76.01.34, fax 76.85.04 r.-v.

CAVES DE STADTBREDIMUS

Stadtbredimus Dieffert Pinot blanc 1999★

Gd 1er cru 3,33 ha 6 600 5 à 8 €

Le nez libère des arômes très fins aux accents de melon et de miel. Une acidité discrète donne une fraîcheur plaisante à ce vin. Comme un écho de l'olfaction, la bouche apparaît tout miel et tout fruit. (30 à 49 F)

Les domaines de Vinsmoselle, Caves de Stadtbredimus, Kellereiswe, 5450 Stadtbredimus, tél. 69.83.14, fax 69.91.89 r.-v.

DOM. THILL FRERES

Crémant de luxembourg Cuvée Victor Hugo 1998★★★

1 ha n.c. 5 à 8 €

Ce domaine fut coup de cœur l'an passé pour un pinot blanc. Cette année le jury a jugé exceptionnel ce crémant qui porte le nom de l'auteur du dessin qui figure sur l'étiquette : Victor Hugo. Accompagné d'une belle mousse persistante, le nez s'exprime avec une grande richesse aromatique. Lui succède une bouche nerveuse et d'une bonne vinosité. Une cuvée élégante, équilibrée, étoffée qui fait honneur au nom qu'elle porte. (30 à 49 F)

Dom. Thill Frères, 39, rte du Vin, 5445 Schengen, tél. 75.05.45, fax 75.06.06, e-mail bermas@pt.lu r.-v.

CAVES DE WELLENSTEIN

Bech-Kleinmacher Naumberg Sélection des vignerons Pinot gris 1999★

☐ Gd 1er cru 30,87 ha 1000 8 à 11 €

Un peu plus de 30 ha sont consacrés à ce grand 1er cru. Le jury a aimé sa présentation jaune pâle à reflets verts introduisant un nez aux arômes floraux bien prononcés. Des notes complexes de fruits mûrs apparaissent dans une bouche équilibrée et moelleuse. Un vin au plus près de l'harmonie. (Bouteilles de 50 cl.) (50 à 69 F)

Les domaines de Vinsmoselle, Caves de Wellenstein, 13, rue des Caves, 5471 Wellenstein, tél. 66.93.21, fax 69.76.54, e-mail info@vinsmoselle.lu r.-v.

CAVES DE WORMELDANGE

Wormeldange Mohrberg Pinot blanc 2000★★

☐ Gd 1er cru 3 ha 25 000 5 à 8 €

Paré d'une belle couleur soutenue à reflets jaunes, ce pinot blanc offre au nez une corbeille de fruits exotiques. En bouche, tout est puissance et concentration. Un vin qui a fait « craquer » le jury, lequel le voit déjà sur un poisson en sauce. (30 à 49 F)

Les Domaines de Vinsmoselle, 115, rte du Vin, 5481 Wormeldange, tél. 76.82.11, fax 76.82.15, e-mail info@vinsmoselle.lu r.-v.

LES VINS SUISSES

Comparé à ses voisins européens, le vignoble suisse est modeste avec ses 14 900 ha de superficie. Il s'étend à la naissance des trois grands bassins fluviaux drainés par le Rhône à l'ouest des Alpes, par le Rhin au nord et par le Pô au sud de cette chaîne. Il compte ainsi une grande diversité de sols et de climats qui forment autant de terroirs différents malgré leur relative proximité. Traditionnellement cultivée sur les coteaux ensoleillés, très pentus ou en terrasses, la vigne compose le paysage. On distingue trois régions viticoles principales en fonction du découpage linguistique du pays. Cependant celles-ci sont loin d'être uniformes, tant les contrastes qu'elles présentent sont saisissants. A l'ouest, le vignoble de la Suisse romande couvre plus des trois quarts de la surface viticole du pays. De Genève, il s'étire jusqu'au cœur des Alpes dans le canton du Valais, en longeant les rives du lac Léman, dans le canton de Vaud. Plus au nord, il s'approprie encore les rives des lacs de Neuchâtel, de Morat et de Bienne (Canton de Berne) sur les contreforts du Jura. Beaucoup plus éparpillé, le vignoble de la Suisse alémanique totalise 17 % de la surface viticole. Il s'égrène tout au long de la vallée du Rhin où, à partir de Bâle, il remonte le cours du fleuve jusqu'à l'est du pays. Il pénètre également loin à l'intérieur du territoire sur les meilleurs sites des coteaux dominant de nombreux lacs et vallées. En Suisse italophone, la vigne se concentre dans les vallées méridionales du Tessin où les conditions naturelles du versant sud des Alpes se distinguent nettement de celles des autres régions viticoles. Outre toute une gamme de « spécialités », les vignerons de Suisse romande privilégient par tradition le cépage blanc chasselas. Le pinot noir est ici le cépage rouge le plus cultivé, suivi du gamay. Le pinot noir domine en Suisse alémanique où il côtoie le cépage blanc müller-thurgau et diverses variétés locales très recherchées par les amateurs. En Suisse italienne, c'est le merlot qui fait la renommée des vins de cette partie du pays où les cépages blancs sont peu représentés. Signalons enfin un événement majeur de la vie viticole suisse : la fête des Vignerons de Vevey. Remontant au Moyen Age, cette manifestation somptueuse associe l'ensemble des vignerons et des habitants et célèbre leur travail dans la vigne. La dernière s'est déroulée en août 1999 ; la prochaine se tiendra entre 2021 et 2023.

Canton de Vaud

Au Moyen Age, les moines cisterciens ont défriché une grande partie de cette région de la Suisse et constitué le vignoble vaudois. Si, au milieu du siècle passé, celui-ci était le premier canton viticole devant le vignoble zurichois, les ravages du phylloxéra exigèrent une reconstitution complète. Aujourd'hui, avec 3 850 ha, il vient en deuxième position derrière le Valais.

Depuis plus de quatre cent cinquante ans, le vignoble vaudois s'est donné une véritable tradition viticole reposant aussi bien sur ses châteaux - on en compte près d'une cinquantaine - que sur l'expérience des grandes familles de vignerons et de négociants.

Les conditions climatiques déterminent quatre grandes zones viticoles : les rives vaudoises du lac de Neuchâtel et celles de l'Orbe produisent des vins friands aux arômes délicats. Les rives du Léman, entre Genève et Lausanne, protégées au nord par le Jura et bénéficiant de l'effet régulateur thermique du lac, donnent naissance à des vins tout en finesse. Les vignobles de Lavaux, entre Lausanne et Château-de-Chillon, avec en leur cœur les vignobles en terrasses du Dézaley, bénéficient à la fois de la chaleur accumulée dans les murets et de la lumière reflétée par le lac ; ils produisent des vins structurés et complexes qui se distinguent souvent par des notes de miel et des saveurs grillées. Enfin, les vignobles du Chablais sont situés au nord-est du Léman et remontent la rive droite du Rhône. Les terroirs se caractérisent par des sols pierreux et un climat très marqué par le foehn ; les vins sont puissants avec des arômes de pierre à fusil.

La spécificité du vignoble vaudois tient à son encépagement. C'est la terre d'élection du chasselas (70 % de l'encépagement) qui atteint ici sa pleine expression.

Les cépages rouges représentent quant à eux 27 % : 15 % de pinot noir et 12 % de gamay. Ces deux cépages souvent assemblés sont connus sous l'appellation d'origine contrôlée *salvagnin.*

Quelques « spécialités » (variétés) représentent 3 % de la production : pinot blanc, pinot gris, gewurztraminer, muscat blanc, sylvaner, auxerrois, charmont, mondeuse, plant-robert, syrah, merlot, gamaret, garanoir, etc.

ANTAGNES
Ollon Vieilli en fût de chêne 1997★★

■ 0,3 ha 1 170 8 à 11 €

Cet assemblage de pinot noir et de gamay s'habille d'une robe moyennement soutenue, avec quelques reflets noirs. Le nez intense s'inscrit dans le registre des fruits rouges (framboise, fraise et cerise). Il se complète d'un léger caractère confit et d'une subtile touche vanillée-brûlée due à l'élevage de douze mois en fût. Le vin a su préserver une belle fraîcheur en dépit de son âge : il emplit la bouche d'un fruité très présent, tandis que sa structure est assurée par des tanins fins, enrobés de gras. La finale élégante persiste bien. (50 à 69 F)

Hugues Baud, av. du Chamossaire 14, 1860 Aigle, tél. 024.466.47.27, fax 024.466.47.27 ☑ Y r.-v.

ANCIENNE PROPRIETE AUBERJONOIS
Tartegnin Chasselas 2000★

□ 1 ha 8 000 5 à 8 €

Une jolie peinture figurant un couple de vendangeurs illustre l'étiquette de cette bouteille. Elle est l'œuvre de René Auberjonois (1872-1957), fils de l'ancien propriétaire du domaine. C'est un chasselas tout aussi harmonieux qui se découvre dans le verre. Bien ouvert, il décline une palette florale (tilleul) et fruitée (pêche, abricot). La bouche est très douce, équilibrée par une discrète acidité. Après des arômes fruités et minéraux, la finale laisse une sensation légèrement amère. (30 à 49 F)

SA Marcel Berthaudin, 11, rue Ferrier, 1202 Genève, tél. 022.732.06.26, fax 022.732.84.60, e-mail info@berthaudin.ch Y r.-v.

Alfred Maréchal

DOM. DE BEAU-SOLEIL
Mont-sur-Rolle Chasselas 2000★★

□ 5 ha 55 000 5 à 8 €

Ce domaine de 6 ha ménage une remarquable vue sur le lac Léman et les Alpes. Le chasselas y a trouvé une expression exotique, le citron et l'ananas dominant légèrement le caractère floral. La bouche friande et veloutée révèle une pointe saline avant de s'achever sur une finale fraîche. (30 à 49 F)

Thierry Durand, rte de la Noyère 5, 1185 Mont-sur-Rolle, tél. 021.825.49.21, fax 021.825.49.21, e-mail t.durand@bluewin.ch ☑ Y r.-v.

DOM. DES BIOLLES
Founex Chasselas 2000★★

□ 3 ha 25 000 5 à 8 €

Ce chasselas agréablement frais conviendra à l'apéritif. Ses arômes d'agrumes, de citron et de pamplemousse se perpétuent en bouche, où la vivacité se marie à une matière veloutée. La finale est encore un peu austère, mais elle devrait se fondre d'ici un an pour renforcer le caractère friand. (30 à 49 F)

Jean-Pierre Debluë, rue du Vieux-Pressoir 2, Chataigneriaz, 1297 Founex, tél. 079.632.58.58, fax 072.776.05.43 ☑ Y r.-v.

DOM. BOVY
Saint-Saphorin Chasselas 2000★★

□ 3 ha 18 000 8 à 11 €

De grands foudres de chêne ornés de peintures occupent la cave de ce domaine de 7 ha. Ce chasselas, qui n'a pas connu le bois, révèle la typicité du terroir argilo-calcaire. Entre le tilleul et la pêche, il développe une matière tendre et veloutée. La finale puissante et persistante présente une pointe amère caractéristique. Le **Saint-Saphorin Chasselas Vieilles vignes 2000** est tout aussi remarquable. (50 à 69 F)

Dom. Bovy, rue du Bourg-de-Plaît 15, 1071 Chexbres, tél. 021.946.51.25, fax 021.946.51.26, e-mail info@domaine-bovy.ch ☑ Y t.l.j. sf dim. 9h-18h; sam. 9h-12h

DOM. DES CAILLATTES
Tartegnin Chasselas 2000★★

□ Gd cru 1,5 ha 13 000 5 à 8 €

Les arômes de tilleul se doublent d'une ligne légèrement citronnée pour composer un nez pur et frais. En bouche, le velouté de la matière équilibre parfaitement la légère vivacité jusqu'à une finale tout en fruit. Ce vin présente ainsi un profil élégant. (30 à 49 F)

SA Hammel, Les Cruz, 1180 Rolle, tél. 021.825.11.41, fax 021.825.47.47, e-mail hammel@span.ch ☑ Y r.-v.

CHANT DES RESSES
Yvorne Chasselas 2000*

☐ 6,6 ha 90 000 5 à 8 €

Des arômes d'épices et de poivre complètent la palette de ce vin également minéral, floral (tilleul) et fruité (ananas). La bouche friande se développe dans le même registre tout en présentant un caractère légèrement amer en finale. (30 à 49 F)

Association viticole d'Yvorne, Les Maisons Neuves, case postale 95, 1853 Yvorne, tél. 024.466.23.44, fax 024.466.59.19, e-mail avy@span.ch r.-v.

ALEXANDRE CHAPPUIS ET FILS
Saint-Saphorin En Lavaux Chasselas 2000**

☐ 2 ha 15 000 8 à 11 €

Ce chasselas floral et minéral révèle une personnalité très tendre en bouche. Il est en effet gras et structuré, mais ne cède jamais à la lourdeur. L'amertume de la finale signe en outre sa fidélité au terroir. (50 à 69 F)

Alexandre Chappuis et Fils, Bons-Voisins, 1812 Rivaz, tél. 021.946.13.06, fax 021.946.13.06, e-mail info@vins-chappuis.ch r.-v.

HENRI CHOLLET
Villette Plant-robert 1999***

■ 0,5 ha 5 000 8 à 11 €

Rubis à reflets noirs, ce vin complexe livre des arômes fruités évocateurs de pruneau et de cerise noire. Les épices - poivre et cannelle - soulignent la palette. La bouche riche présente un bon équilibre ; les tanins sont fins et serrés. La finale persistante et élégante parachève la dégustation de ce vin apte à la garde. (50 à 69 F)

Henri et Vincent Chollet, Dom. du Graboz, 1091 Villette, tél. 021.799.24.85 r.-v.

CLOS DE LA GEORGE
Yvorne Chasselas 2000**

☐ Gd cru 4 ha 25 000 11 à 15 €

Cet ancien vignoble couvre aujourd'hui plus de 6 ha entre 380 et 500 m d'altitude sur un coteau pentu. Les vignes, ceintes de murs, bénéficient de la protection des vents offerte par le val. Les sols sont constitués d'éboulis graveleux et d'argilo-calcaires. De ce terroir est né un chasselas complexe et riche. Derrière sa robe pâle, il offre un nez minéral (brûlon) et fruité (agrumes). Ample et très gras, il se structure autour d'une vivacité friande qui le conduit à une finale minérale typée. (70 à 99 F)

Clos de la George, 1852 Versvey-Roche, tél. 021.825.11.41, fax 021.825.47.47 r.-v.
Famille Rolaz-Thorens

CLOS DU ROCHER
Yvorne Chasselas 2000**

☐ Gd cru 10 ha 80 000 11 à 15 €

10 ha implantés en terrasses bien abritées composent ce domaine, dont le chasselas est ici le représentant. Le brûlon se distingue dans une palette également riche en arômes d'ananas et de tilleul. La tendresse de la matière est équilibrée par une amertume de bon aloi qui affirme la personnalité de ce vin. S'il est difficile de prévoir l'évolution d'un chasselas, celui-ci devrait être apte à une garde de cinq ans. (70 à 99 F)

SA Obrist, av. Reller 26, 1800 Vevey, tél. 021.925.99.25, fax 021.925.99.15, e-mail obrist@obrist.ch r.-v.

DOM. DE CROCHET
Mont-sur-Rolle Merlot 1999**

■ Gd cru 0,25 ha 700 15 à 23 €

Ce domaine se distingue par deux vins rouges remarquables. L'un est un assemblage de syrah, de cabernet franc, de cabernet-sauvignon, de merlot et de viognier. C'est la **cuvée Charles Auguste du grand cru Mont-sur-Rolle**, élevée douze mois en fût. L'autre est un merlot élégant, dont le nez évoque la prune et la cannelle avec subtilité. Les tanins fins, serrés, se fondent dans une matière ronde et aromatique, parfaitement équilibrée par une juste fraîcheur. Une finale persistante signe ce merlot charnu. (100 à 149 F)

Michel Rolaz, Chem. porchat 4, 1180 Rolle, tél. 021.825.11.41, fax 024.818.25.11 r.-v.

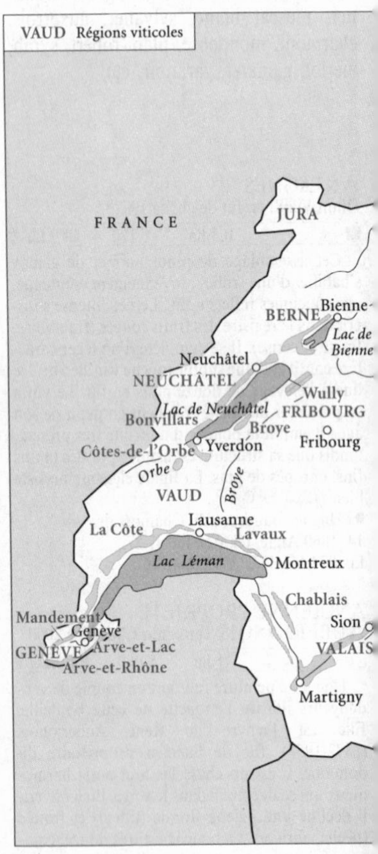

HENRI CRUCHON
Morges Chardonnay Cuvée gourmande 1999★★★

□ 4 ha 16 000 11 à 15 €

Elevé neuf mois en fût, ce chardonnay s'habille d'une robe dorée. Il livre des arômes intenses d'agrumes, de vanille, de pêche et de brûlon. La bouche persistante trouve un bel équilibre entre richesse et fraîcheur. Elle révèle les arômes d'un raisin bien mûr avec toutes les nuances exprimées au nez. (70 à 99 F)

Henri Cruchon, Cave du Village SA, 1112 Echichens, tél. 021.801.17.92, fax 021.803.33.18 t.l.j. sf dim.10h-12h 14h-18h; sam. 8h-12h

DOM. DU DALEY
Villette Chasselas Réserve du domaine 2000★★

□ Gd cru 4,7 ha 10 000 8 à 11 €

Ce domaine fut la propriété des moines du Chapitre de Saint-Nicolas à Fribourg pendant plus de cinq cents ans. C'est en 1937 que sa destinée fut prise en main par la famille Bujard. Le chasselas dévoile une expression typique de tilleul, accompagnée d'arômes de pêche. La bouche tout en douceur bénéficie d'une vivacité discrète qui la rend plus friande encore, tandis que la finale présente l'amertume caractéristique. La **Réserve du domaine Barrique Assemblage rouge 99 (70 à 99 F)** obtient également deux étoiles : elle réunit gamaret, garanoir et pinot noir. (50 à 69 F)

Dom. du Daley, chem. des Moines, 1095 Lutry, tél. 021.791.15.94, fax 021.791.58.61 r.-v.

Paul Bujard

CHRISTIAN DUGON
Côtes de l'Orbe Gamaret 1999★★

■ 0,4 ha 3 000 5 à 8 €

Le gamaret est un cépage suisse obtenu par croisement entre le gamay noir et le reichensteiner. Il est réputé produire des vins colorés et riches en tanins. Celui-ci revêt en effet une robe intense, ainsi qu'une bouche ronde soutenue par des tanins fins et enrobés. Les arômes persistants évoquent la mûre et la cannelle soulignées d'une touche de violette. Christian Dugon signe en outre un remarquable **Côte de l'Orbe cuvée Arpège rouge 99 (50 à 69 F).**

Suisse

Christian Dugon, La Grande-Ouche, 1353 Bofflens, tél. 024.441.35.01, fax 024.441.35.36 r.-v.

ES EMBLEYRES

Dézaley Chasselas 2000**

☐ 1,2 ha 12 000 11 à 15 €

Les 3,7 ha de vignes qui forment ce domaine sont plantés à 90 % de chasselas. Le mariage du terroir de Dézelay avec le chasselas trouve ici une belle illustration : robe claire, nez floral et minéral, bouche ronde et vive à la fois, inscrite dans la même ligne aromatique. Ce vin est encore réservé ? Peut-être, mais il devrait s'affirmer dans les cinq ans à venir. (70 à 99 F)

Jean-François Chevalley, Dom. de la Chenalettaz, 1096 Le Treytorrens-en-Dézaley, tél. 021.799.13.00, fax 021.799.39.21, e-mail jf.chevalley@lavaux.ch r.-v.

DENIS FAUQUEX

Epesses Chasselas 2000**

☐ 0,41 ha 4 200 8 à 11 €

Les vins d'Epesses sont généralement aptes à la garde. Si ce chasselas mérite d'être attendu, il ne tardera pas à révéler sa personnalité. Déjà floral et légèrement minéral, il développe une bouche grasse et la pointe d'amertume typique du terroir. (50 à 69 F)

Denis Fauquex, rte de la Corniche 17, 1097 Riex, tél. 021.799.11.49, fax 021.799.11.49, e-mail denis-fauquex @bluewin.ch r.-v.

GROGNUZ FRERES ET FILS

Saint-Saphorin Syrah 1999***

■ 0,12 ha 1000 15 à 23 €

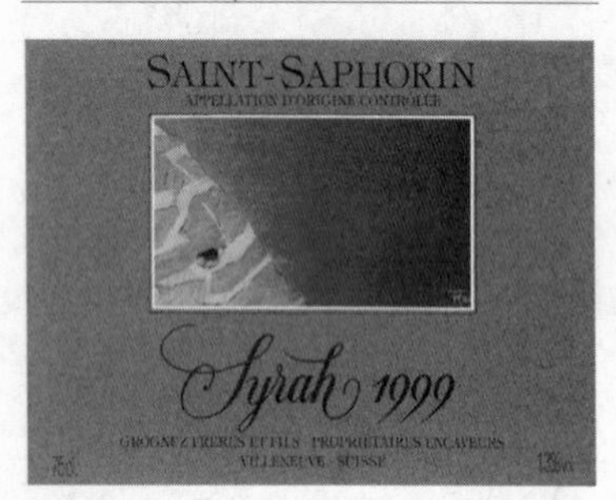

C'est une syrah de teinte soutenue, à reflets noirs, qui a séduit le jury. Très expressive au nez et typée, elle décline des arômes de poivre, de violette et de cannelle. Une même complexité est perceptible dans sa bouche veloutée, au grain bien enrobé. La finale est particulièrement persistante. Cette belle matière est apte à une garde de dix ans. A découvrir également, le **chasselas Chez les Rois 2000 (50 à 69 F)** qui obtient une étoile. (100 à 149 F)

Grognuz Frères et Fils, chem. des Bulesses 91, 1814 La tour-de-Peilz, tél. 021.944.41.28, fax 021.944.41.28 r.-v.

DOM. DE LA CAPITE

Luins Chasselas 2000***

☐ 4 ha 20 000 5 à 8 €

Une note saline vient compléter une palette discrètement minérale, florale et fruitée : le tilleul, la pêche et le citron... Elle réapparaît en bouche dans un bon équilibre entre gras et fraîcheur. La structure dense et sans lourdeur devrait autoriser une garde de cinq à sept ans. (30 à 49 F)

Claude Berthet, La Capite-Luins, 1268 Begnins, tél. 022.366.11.16, fax 022.366.11.16 r.-v.

LA CELESTE Vinzel Chasselas 2000**

☐ 1,5 ha 10 000 5 à 8 €

La Céleste est le nom d'une gamme de vins blancs créée en 1998. Les cépages sauvignon et chasselas en sont les vedettes. Une belle étiquette orange et or figurant un cep invite à découvrir ce chasselas citronné et floral, encore réservé. La bouche structurée s'appuie sur un bon équilibre entre rondeur et fraîcheur. Les arômes de citron et d'ananas se marient à une douce matière avant de laisser place à une amertume de bon aloi. (30 à 49 F)

Gustave et Yann Menthonnex, Dom. Delaharpe, La Tourelle, 1183 Bursins, tél. 021.824.22.30, fax 021.824.22.30, e-mail menthonnex@hotmail.com r.-v.

DOM. LA COLOMBE

Mont-sur-Rolle Petit Clos Chasselas 2000**

☐ 1,5 ha 10 000 8 à 11 €

Une colombe figure sur les armoiries de la famille Paccot et donne son nom à ce domaine. Du Petit Clos, un parchet situé à 500 m d'altitude, est né ce chasselas. Légèrement salin, il évoque les fleurs, la pêche de vigne et une note citronnée discrète. La bouche friande reprend ces arômes dans une parfaite harmonie. Un vin d'apéritif et de gastronomie. (50 à 69 F)

Raymond Paccot, Dom. La Colombe, 1173 Féchy, tél. 021.808.66.48, fax 021.808.52.84, e-mail raypaccot@ freesurf.ch r.-v.

LA MAISON DU LEZARD

Yvorne Pinot noir Vinifié et élevé en barrique de chêne 1999**

■ 1 ha 9 510 15 à 23 €

Ce domaine réserve une place à part au pinot noir sur les sols calcaires d'Aigle, d'Ollon et d'Yvorne. Ce dernier terroir a vu naître un vin rouge à reflets noirs, tout en fruits : fraise, framboise et cerise ; le boisé hérité de la barrique sait rester discret. Bien typée pinot, la bouche se structure autour de tanins enrobés et développe un fruité frais. La vanille apparaît subtilement dans une finale persistante. (100 à 149 F)

Henri Badoux, av. du Chamossaire 18 1860 Aigle, tél. 024.468.68.88, fax 024.468.68.89, e-mail badoux.vins@ bluewin.ch r.-v.

LA TRINQUETTE
Epesses Chasselas 2000**

☐ 1,05 ha 7 500 8 à 11 €

Des reflets or animent la robe de ce chasselas. Encore réservé, le nez n'en dévoile pas moins le caractère minéral typique et un côté floral. La bouche empreinte de tendresse présente des flaveurs de brûlon derrière lesquelles se glissent des notes de tilleul. A découvrir dès l'automne et pendant trois ans. (50 à 69 F)

Pascal Fonjallaz-Spicher, La Place, 1098 Epesses, tél. 021.799.37.56, fax 021.799.37.56, e-mail pascal.fonjallaz@urbanet.ch r.-v.

LE CAVISTE Ollon Chasselas 2000**

☐ 15 ha 100 000 8 à 11 €

Le tilleul marque la palette de ce chasselas, à peine nuancée d'une note de brûlon due au terroir. La rondeur et la fraîcheur s'équilibrent pour créer une impression d'ensemble harmonieuse. Le vin d'apéritif par excellence. (50 à 69 F)

Association viticole d'Ollon, rue Demesse, 1867 Ollon, tél. 024.499.11.77, fax 024.499.24.48, e-mail info@avollon.ch r.-v.

LES BLASSINGES
Saint-Saphorin Chasselas 2000**

☐ 1,2 ha 12 000 8 à 11 €

Planté sur des terrasses en pierre sèche, le chasselas est parvenu à parfaite maturité. De teinte or, il livre des arômes fruités ainsi que les notes de tilleul attendues. Une légère ligne minérale souligne la palette. La bouche ronde et fine évoque l'ananas et la pêche de vigne légèrement poivrée. La finale persiste bien. (50 à 69 F)

Pierre-Luc Leyvraz, chem. de Baulet 4, 1071 Chexbres, tél. 021.946.19.40, fax 021.946.19.45, e-mail pl.leyvraz@freesurf.ch r.-v.

LE SENDEY
Blonay Montreux Chasselas 2000**

☐ 0,6 ha 6 500 8 à 11 €

Ce chasselas suave ouvrira l'appétit par ses arômes de gelée de cassis et de tilleul. Sa douceur et sa légère amertume en bouche en font un vin de terroir. A boire dans les deux ou trois ans à venir. (50 à 69 F)

Henri et François Montet, Chaucey 14, 1807 Blonay, tél. 021.943.53.35, fax 021.943.53.35 r.-v.

LES FOSSES
Saint-Saphorin Chasselas 2000***

☐ n.c. 30 000 8 à 11 €

S'il est déjà prêt à boire, ce chasselas dispose aussi d'un bon potentiel de garde. Vêtu d'une robe claire, il laisse dans son sillage des senteurs intenses de fleurs soulignées d'une élégante touche minérale. Il se fait tendre et friand en bouche grâce à cette ligne aromatique, légèrement épicée. L'équilibre se prolonge dans une finale persistante dotée de cette pointe d'amertume typique du terroir. (50 à 69 F)

Les Fils Rogivue, rue Cotterd 6, 1071 Chexbres, tél. 021.946.17.39, fax 021.946.32.83, e-mail info@rogivue.ch r.-v.

CH. DE LUINS
Luins Chasselas Réserve du propriétaire 1998***

☐ 10,08 ha n.c. 5 à 8 €

Tout doré, ce chasselas a hérité de son élevage en fût des arômes d'épices, de poivre et de cannelle qui se fondent à la palette florale et fruitée (pêche, abricot). Riche, friande, la bouche bénéficie d'une discrète vivacité qui soutient les arômes jusqu'en finale. Un exemple d'évolution accomplie pour ce vin qui a élargi sa palette aromatique. (30 à 49 F)

Rémi Baechtold, Ch. de Luins, 1184 Luins, tél. 021.824.13.84, e-mail lbaechto@worldcom.ch r.-v.

CH. MAISON BLANCHE
Yvorne Chasselas 2000***

☐ Gd cru 6,44 ha 70 000 8 à 11 €

Le terroir d'Yvorne repose sur un sol graveleux et calcaire profond. Le village fut en effet détruit en 1584 par un éboulement qui recouvrit les terres ; ces éboulis portent le nom d'ovaille, « orvale » signifiant désastre en vieux français. Le chasselas y trouve l'une de ses plus belles expressions. Une palette minérale, florale et fruitée introduit ce 2000 tendre et gras, au beau fruité de pêche en rétro-olfaction. Le caractère minéral et l'amertume finale témoignent de ses origines. (50 à 69 F)

SA ch. Maison Blanche, CP 76, 1180 Rolle, tél. 021.822.02.02, fax 021.822.03.99 r.-v.

DOM. DE MARCELIN
Morges Chasselas 2000**

☐ 2,42 ha 12 500 5 à 8 €

Le domaine de Marcelin (7,47 ha) appartient à l'Ecole d'agriculture et de viticulture de Morges. Il est à l'origine d'un chasselas très pur dans ses évocations de tilleul. La bouche conserve cette fraîcheur florale ; elle trouve son équilibre entre rondeur et vivacité. Un vin à marier avec un fromage à pâte dure. (30 à 49 F)

Dom. de Marcelin, av. Marcelin, 1110 Morges, tél. 021.803.08.33, fax 021.803.08.36 r.-v.

DOM. DU MARTHERAY
Féchy Chasselas 2000★★

☐ Gd cru 13,85 ha 100 000 5 à 8 €

Clair et brillant, ce chasselas livre un nez assez puissant. Le brûlon s'associe à la pêche, à l'ananas et au tilleul. Sphérique, la bouche bénéficie d'une légère vivacité. Elle s'équilibre ainsi autour d'arômes fruités et minéraux jusqu'à une jolie amertume finale. Un vin persistant et typique du terroir, qu'un vacherin accompagnerait bien. (30 à 49 F)

SA dom. du Martheray, CP 76, 1180 Rolle, tél. 021.822.02.02, fax 021.822.03.99 r.-v.

LE CELLIER DU MAS
Tartegnin Pinot-gamay 2000★

■ 1 ha 6 000 8 à 11 €

Un assemblage de 60 % de pinot et de 40 % de gamay se traduit dans le verre par un vin rouge rubis, intense et frais. Le nez mêle la cerise noire et la violette, tandis que la bouche développe le fruité sur un bon support tannique. Une discrète vivacité se fond dans la matière. La finale garde encore l'empreinte des tanins, mais ceux-ci devraient être fondus à la fin 2002. (50 à 69 F)

Blanchard Frères, Le Cellier-du-Mas, 1185 Mont-sur-Rolle, tél. 021.825.19.22, fax 021.825.49.03, e-mail fblanchard@blue-win.ch r.-v.

Fernand Blanchard

P.A. MEYLAN
Ollon Gamaret Elevé en barrique 2000★★

■ 0,65 ha 3 000 23 à 30 €

Le vignoble de 4,2 ha s'étend autour d'une maison savoyarde du XVIIIᵉs. Le gamaret s'appuie sur 15 % de garanoir pour produire un vin tout en rondeur. Les arômes de mûre, de cerise noire et de poivre se mêlent à un vanillé présent mais jamais excessif. La bouche riche se développe autour de tanins enrobés jusqu'à une finale assez persistante. (150 à 199 F)

Meylan et Cavé, Le Raisin, 1867 Ollon, tél. 024.499.37.07, fax 024.499.37.08, e-mail chapellelaroche@bluewin.ch r.-v.

PIERRE MONACHON
Saint-Saphorin Merlot 1999★★★

■ 0,1 ha 600 15 à 23 €

Des caves voûtées du XVIIIᵉs. ont accueilli ce merlot rouge-noir pendant un an. La palette complexe et fine rappelle le tabac, la cannelle, la fumée, la prune et la cerise noire. Veloutée, la bouche est étayée par des tanins serrés et enrobés de gras. La finale tout en fruits signe la dégustation de ce vin mûr et parfaitement vinifié qui pourra être apprécié pendant cinq à huit ans. (100 à 149 F)

Pierre Monachon, Cave de Dereyjeu, 1812 Rivaz, tél. 021.946.15.97, fax 021.946.37.91 r.-v.

PARFUM DE VIGNE
Coteau de Vincy Grain noir 2000★★

■ 0,4 ha 3 500 11 à 15 €

Ce sont tous les cépages rouges vaudois que l'on retrouve dans ce vin : gamaret, garanoir, diolinoir et pinot noir. Les voilà qui se marient dans une robe soutenue, au disque légèrement violacé, signe de jeunesse. Les arômes expressifs évoquent les fruits rouges et noirs, telles la framboise, la mûre et la cerise. S'y ajoute une touche de violette et de poivre. La bouche charnue est marquée par les tanins en attaque, mais elle évolue vers une sensation de velouté. La finale est tout en fruits. A attendre une année pour un meilleur fondu. (70 à 99 F)

Jean-Jacques Steiner, Sous-Les-Vignes, 1195 Dully, tél. 021.824.11.22, fax 021.824.23.38, e-mail jjcsteiner@smartfree.ch r.-v.

PONNAZ ET FILS
Calamin Chasselin 2000★★

☐ Gd cru 0,5 ha 5 000 8 à 11 €

L'or de la robe annonce l'opulence du nez de ce chasselas : pêche, abricot, mangue et tilleul. L'exotisme... La bouche savoureuse harmonise sa légère douceur à une vivacité friande. Après les arômes fruités-floraux vient la pointe d'amertume finale caractéristique du terroir. (50 à 69 F)

Ponnaz et Fils, rte de Vevey 7, 1096 Cully, tél. 021.799.13.18, fax 021.799.13.26, e-mail ponnaz-et-fils@bluewin.ch r.-v.

RESERVE DU PATRON
Vully Pinot noir Elevé en barrique de chêne 2000★

■ 0,25 ha 1 700 11 à 15 €

Des reflets noirs se dessinent dans la robe rouge léger de ce vin. Au nez intense de petits fruits (framboise et cerise noire) répond un boisé encore présent. La bouche reprend les arômes fruités dans une matière structurée par des tanins assez puissants et enrobés. (70 à 99 F)

Daniel Matthey, pl. du Village, 1586 Vallamand-Dessus, tél. 026.677.13.30, fax 026.677.31.64, e-mail info@mattheydaniel.ch r.-v.

ROBIN DES VIGNES
Villette Chasselas 2000★

☐ 2,5 ha 25 000 8 à 11 €

Des senteurs de petite pêche de vigne accompagnent les arômes typiques de tilleul. L'or de la robe annonce un vin mûr, dont la douceur s'équilibre à une vivacité agréable. L'amertume typique est au rendez-vous en finale. (50 à 69 F)

⊶ Association viticole de Lutry, Chem. Culturaz 21, 1095 Lutry, tél. 021.791.24.66, fax 021.791.67.24, e-mail avl@i-net.ch ☑ Y t.l.j. sf dim. 8h30-12h 13h30-18h; sam. 8h-12h.; groupes sur r.-v.

LOUIS-PHILIPPE ROUGE ET FILS
Epesses Chasselas La Réserve du Vigneron 2000***

☐ 1 ha 6 000 15 à 23 €

Des fleurs, une pointe minérale, du fruit aussi... Tout est là pour composer un vin ample et riche. La bouche savoureuse se développe longuement sur des flaveurs de tilleul, de pêche, d'épices et de pierre à feu. Un vin d'apéritif, certes, mais aussi de gastronomie car des plats de poisson, de viandes blanches et de fromages lui iront bien. (100 à 149 F)

⊶ Louis-Philippe et Philippe Rouge, cave de la Cornalle, 1098 Epesses, tél. 021.799.41.22, fax 021.799.26.64 ☑ Y r.-v.

DOM. SERREAUX-DESSUS
Luins Chasselas 2000***

☐ Gd cru 6,5 ha 20 000 8 à 11 €

C'est fin, très fin... et si harmonieux. Ce chasselas de couleur pâle évoque un grand terroir par ses arômes de tilleul, ses notes minérales et salines. La vivacité et la rondeur s'allient pour bâtir une structure élancée qui perdure en finale. Un beau potentiel de garde. (50 à 69 F)

⊶ Hoirie Matringe, Serreaux-Dessus, 1268 Begnins, tél. 022.366.29.47, fax 022.366.28.57, e-mail serreauxdessus@bluemail.ch ☑ Y r.-v.

SYMPHONIE DOREE Epesses 2000**

☐ 0,2 ha 700 15 à 23 €

Le sylvaner apporte sa contribution (10 %) à la symphonie du chasselas dans ce vin doré. Le nez prend un caractère légèrement confit dans ses évocations de pêche, d'abricot et de mandarine. Liquoreuse à souhait, la bouche s'appuie sur une juste vivacité pour équilibrer sa richesse jusqu'à une finale persistante. (100 à 149 F)

⊶ Michel Blanche, Dom. d'Aucrêt, 1091 Bahyse-sur-Cully, tél. 021.799.36.75, fax 021.799.38.14, e-mail cave.aucret@worldcom.ch ☑ Y t.l.j. 8h-12h 13h30-18h

TRIADE Réserve Elevé en barrique 1999**

■ 0,2 ha 2 100 11 à 15 €

Pinot noir, gamaret et garanoir forment cette triade remarquable. D'une intense teinte à reflets noirs, le vin décline des arômes de poivre, de cannelle et de petits fruits, soulignés d'une légère touche boisée. Il emplit la bouche d'une matière ronde soutenue par des tanins serrés. La vanille reste discrète dans une finale persistante. Une bouteille apte à une garde d'au moins cinq ans. (70 à 99 F)

⊶ Association vinicole de Corseaux, rue du Village 20, 1802 Corseaux, tél. 021.921.31.85, fax 021.821.31.10, e-mail info@avc-vins.ch ☑ Y r.-v.

VALLON DE L'AUBANNE
Lavigny Chasselas Elevé sur lie 2000**

☐ 0,5 ha 4 100 8 à 11 €

Un chasselas de gastronomie qui s'accommoderait fort bien d'un poisson en sauce. De teinte or, il livre sa palette florale nuancée d'une pointe saline. La bouche friande et fraîche laisse une impression de rondeur. Ce vin devrait bien évoluer dans les cinq ans à venir. (50 à 69 F)

⊶ Jacques et Stéphane Schmidt, cave du Vallon, 1175 Lavigny, tél. 021.808.61.92, fax 021.808.61.92, e-mail info@caveduvallon.ch ☑ Y r.-v.

DOM. DE VILLAROSE
Vully Chardonnay Fleur de vigne 2000*

☐ 0,3 ha n.c. 8 à 11 €

Joliment doré, ce chardonnay s'ouvre sur des arômes frais d'agrumes et de pêche. La bouche conserve ce caractère fruité, encore souligné par une vivacité friande. La finale révèle une certaine rondeur et une bonne persistance. Un vin à boire sur sa fraîcheur. (50 à 69 F)

⊶ Alain Besse, Dom. de Villarose, 1787 Mur, tél. 026.673.12.40, fax 026.673.14.95, e-mail p.a.besse@bluewin.ch ☑ Y r.-v.

CH. DE VINZEL Vinzel Chasselas 2000**

☐ Gd cru 8,34 ha 70 000 5 à 8 €

Le vignoble du château de Vinzel, qui jusqu'au XVIIIe s. ne formait qu'un seul domaine avec son voisin du château La Bâtie, couvre aujourd'hui 8,34 ha. Son chasselas possède un caractère minéral et légèrement salin dans sa palette de tilleul et de pêche de vigne. Tendre et gras, il doit sa typicité à cette incontournable pointe d'amertume qui signe le terroir vaudois. (30 à 49 F)

⊶ SA Ch. de Vinzel, CP 76, 1180 Rolle, tél. 021.822.02.02, fax 021.822.03.99 ☑ Y r.-v.

Canton du Valais

Pays de contrastes, la vallée du Haut-Rhône a été façonnée au cours des millénaires par le retrait du glacier. Un vignoble a été implanté sur des coteaux souvent aménagés en terrasses.

Le Valais, un air de Provence au cœur des Alpes : à proximité des neiges éternelles, la vigne côtoie l'abricotier et l'asperge. Sur le sentier des bisses (nom local des canaux d'irrigation), le promeneur rencontre l'amandier et l'adonis, le châtaignier et le cactus, la mante religieuse et le scorpion ; il peut palper le long des murs, l'absinthe et l'armoise, l'hysope et le thym.

Plus de quarante cépages sont cultivés dans le Valais, certains introuvables ailleurs tels l'arvine et l'humagne, l'amigne et le cornalin. Le chasselas se nomme ici fendant et, dans un heureux mariage, le pinot noir et le gamay donnent la dôle, tous deux crus AOC qui se distinguent selon les divers terroirs par leur fruité ou leur noblesse.

ARDEVINE Chamoson 1999*

■ 1 ha 6 000 11 à 15 €

Elevé un an en fût, cet assemblage de cabernet-sauvignon, syrah, humagne et merlot libère un nez intense mais fin, aux notes épicées. La bouche charnue et soyeuse porte encore la marque des tanins en finale ; cependant l'harmonie promet d'être belle d'ici deux ans. (70 à 99 F)

Michel Boven, Latigny 4, 1955 Chamoson, tél. 027.306.28.36, fax 027.306.74.00, e-mail michel.boven@revaz.com ☑ Y r.-v.

ANTOINE ET CHRISTOPHE BETRISEY

Saint-Léonard Pinot noir Elevé en fût de chêne 1999*

■ 0,3 ha 3 000 11 à 15 €

Issu d'un sol léger, calcaro-graveleux avec une part importante d'ardoise, ce pinot noir se présente sous une teinte rubis intense. Ses arômes traduisent son élevage en fût de dix mois : notes torréfiées, toastées, vanillées. De beaux tanins encadrent une matière ample et structurée, encore marquée par les arômes boisés. Un vin à découvrir d'ici un à trois ans. (70 à 99 F)

Antoine et Christophe Bétrisey, rue du Château, 12, 1958 Saint-Léonard, tél. 027.203.11.26, fax 027.203.40.26, e-mail betrisey@bluewin.ch ☑ Y r.-v.

ALBERT BIOLLAZ

Belle Provinciale Petite arvine 2000**

□ 0,2 ha 3 000 11 à 15 €

Cette Belle Provinciale s'habille d'une robe jaune à reflets dorés et laisse dans son sillage un parfum floral, aux notes de glycine. Vive et franche à l'attaque, elle présente une bouche fraîche, bien structurée. La cuvée **Renaissance Humagne rouge 2000** obtient une étoile. (70 à 99 F)

Les Hoirs Albert Biollaz, rue du Prieuré 5, 1956 Saint-Pierre-de-Clages, tél. 027.306.28.86, fax 027.306.62.50, e-mail info@biollaz-vins.ch ☑ Y r.-v.

CHARLES BONVIN FILS

Humagne blanche 1999**

□ n.c. 2 000 15 à 23 €

En 1992, la maison Charles Bonvin, dont l'histoire débute à la fin du XVIIIe s., s'est alliée à la maison Varone à Champsec. Si les installations sont ainsi partagées, chacune conserve son autonomie. Ce vin sec, jaune pâle à reflets gris, finement floral, offre une bouche fraîche. Les arômes fruités de pêche et d'abricot cèdent place en finale à une élégante pointe d'amertume. Le jury a attribué une étoile à deux vins : l'**Heida 2000**, un vin blanc sec qui allie puissance et fraîcheur, et la **dôle du Château Cuvée réservée 2000**. (100 à 149 F)

Charles Bonvin Fils, Grand Champsec 30, 1950 Sion 4, tél. 027.203.41.31, fax 027.203.47.07, e-mail info@charlesbonvin.ch ☑ Y t.l.j. sf dim. 10h-12h 14h-18h30

CAPRICE DU TEMPS

Coteaux de Sierre Chardonnay 2000*

□ 0,23 ha 2 000 8 à 11 €

Le temps aura été complice d'un terroir calcaire exposé au sud et du chardonnay pour composer ce vin déjà agréable. Animé de reflets denses dans sa robe jaune pâle, celui-ci égrène ses notes florales au nez, puis des arômes d'agrumes persistants dans une bouche concentrée, bien équilibrée par une pointe de fraîcheur. (50 à 69 F)

Hugues Clavien et Fils, Cave Caprice du Temps, rte la Coin-du-Carro , 3972 Miège, tél. 027.455.76.40, fax 027.455.76.40, e-mail clavien@capricedutemps.com ☑ Y r.-v.

CHAMPORTAY Martigny Dôle 2000**

■ n.c. n.c. 8 à 11 €

Des murs de pierre sèche soutiennent ce vignoble de 14 ha cultivé en terrasses sur le coteau de Martigny. Cette dôle, rouge profond à reflets violacés, décline des arômes de fruits mûrs (fraise, cassis et framboise) avant d'emplir le palais d'une matière ronde et structurée par des tanins présents mais enrobés. L'harmonie est déjà atteinte, cependant cette bouteille pourra être appréciée pendant encore trois bonnes années. Le **gamay de Champortay 2000** est tout aussi remarquable. (50 à 69 F)

Gérald et Patricia Besse, Les Rappes, 1921 Martigny-Combe, tél. 027.722.78.81, fax 027.723.21.94 ☑ Y r.-v.

CAVE CHANTEVIGNE

Petite arvine 2000*

□ 0,1 ha 700 8 à 11 €

Raphaël Vergère a créé cette cave familiale en 1984. En matière de cépages, il est un spécialiste puisque qu'il exerce aussi le métier de pépiniériste. Sa petite arvine, issue de schistes noirs argileux, chatoie de reflets dorés, puis embaume les fruits exotiques et les agrumes. D'abord vive et franche, elle laisse une impression de moelleux et de structure en milieu de bouche. En finale, ses arômes de pamplemousse et de citron cèdent la place à une touche saline typique. (50 à 69 F)

Raphaël Vergère, Cave de Chantevigne, rue de Conthey 25, 1963 Vetroz, tél. 027.346.34.48, e-mail r.vergere@netplus.ch ☑ Y r.-v.

THIERRY CONSTANTIN

Johannisberg Larme de décembre 1999★★★

□ 0,28 ha 900 15 à 23 €

LARME DE DÉCEMBRE
AOC VALAIS
JOHANNISBERG
surmaturé sur souche
50cl 1999 14% vol.

Depuis avril 2001, Thierry Constantin a ouvert un caveau de dégustation sur ce domaine de 5,5 ha. Il y propose ce vin liquoreux issu de johannisberg (*alias* sylvaner). La robe d'or à reflets jaune paille invite à découvrir une palette intense composée de sous-bois, de poire confite et de châtaigne. Gras et onctueux, le palais révèle des notes de *Botrytis* bien présentes et s'appuie sur un réel équilibre pour flatter encore longtemps les sens. Une bouteille à attendre trois ans (Bouteilles de 50 cl.). Le jury a attribué deux étoiles à un autre liquoreux : le **Larme d'or Petite arvine 99 (70 à 99 F ; bouteilles de 37,5 cl.)** (100 à 149 F)

Thierry Constantin, rte de Savoie, 1962 Pont-de-la-Morge, tél. 079.433.16.81, fax 077.346.60.20, e-mail tyconstantin@tvsznet.ch ☑ Y r.-v.

CAVE CORBASSIERE

Saillon Malvoisie 2000★★

□ 0,3 ha 3 000 11 à 15 €

Des reflets dorés annoncent la prestance de ce vin liquoreux aux arômes de raisins secs et de coing. Sa bouche équilibrée entre douceur et fraîcheur perdure sur des notes de noisette. Ce millésime mérite d'être attendu deux ans. Pendant ce temps, vous pourrez apprécier le très réussi **Johannisberg de Saillon 2000 (50 à 69 F)**, un vin blanc sec très rond, laissant le souvenir de l'amande grillée et de la fleur d'oranger. (70 à 99 F)

Cave Corbassière, rte de Traux, 1913 Saillon, tél. 027.744.14.03, fax 027.744.39.20, e-mail info@cave-corbassière.ch ☑ Y r.-v.

CORNULUS Cornalin Antica 1999★★★

■ 0,6 ha 2 500 15 à 23 €

Le cornalin, appelé aussi vieux rouge du Valais, est un cépage typique de Suisse qui trouve son origine dans la région alpine. Son nom apparaît dans le registre d'Anniviers de 1313. Aujourd'hui devenu rare, ce cépage trouve dans cette cuvée une merveilleuse illustration. Rubis intense à reflets violacés, celle-ci décline la griotte, les fruits rouges, les épices et des notes minérales. Un très beau fruit épicé s'inscrit dans une bouche riche et puissante, parfaitement structurée par des tanins bien présents. La finale s'étire longuement. Le domaine Cornulus propose également une remarquable cuvée **Octoglaive Hermitage Grain noble 99 (150 à 199 F)** et un **Clos des Corbassières chasselas Vieilles vignes 2000 (50 à 69 F)** très réussi. (100 à 149 F)

Dom. Cornulus, Stéphane Reynard et Dany Varone, 1965 Saviese, tél. 027.395.25.45, fax 027.395.25.45, e-mail cornulus@bluewin.ch ☑ Y r.-v.

PIERRE-ANTOINE CRETTENAND

Gamaret 2000★

■ 0,3 ha 1000 15 à 23 €

Le gamaret récolté sur les sols schisteux de ce domaine a donné naissance à un vin rouge intense, au nez épicé. L'attaque est vive, mais le milieu de bouche laisse paraître un corps volumineux, soutenu par de beaux tanins. La finale est persistante. (100 à 149 F)

Pierre-Antoine Crettenand, rte de Tobrouk, 1913 Saillon, tél. 027.744.29.60, fax 027.744.29.60 ☑ Y r.-v.

JEAN-YVES CRETTENAND

Saillon Humagne rouge 2000★

■ n.c. 1000 8 à 11 €

Des reflets violets signent la jeunesse de ce vin, dont le nez n'en est pas moins intense dans ses évocations de fleurs de lierre. D'abord vive, la bouche se prolonge sur des arômes de sous-bois et de violette grâce à une bonne structure. Une garde de deux à cinq ans permettra aux tanins de se fondre totalement. (50 à 69 F)

Jean-Yves Crettenand, 1913 Saillon, tél. 027.744.12.73, fax 027.744.21.08 ☑ Y r.-v.

PHILIPPE DARIOLY

Ermitage Grains nobles 1999★

□ 0,13 ha 900 23 à 30 €

L'ermitage n'est autre que la marsanne, cépage caractéristique de la vallée du Rhône. Ses grains nobles ont donné naissance à un vin or ambré, aux senteurs de truffe blanche, de liqueur de framboise, de sous-bois et d'orange confite. L'attaque liquoreuse annonce une bouche puissante et confite, mais équilibrée par une certaine fraîcheur. La finale est d'une bonne longueur. (150 à 199 F)

Philippe Darioly, Fusion 160, 1920 Martigny, tél. 027.723.27.66 ☑ Y r.-v.

DESFAYES-CETTENAND

Leytron Syrah 2000★★

■ 1 ha 6 000 11 à 15 €

Une syrah des sols schisteux de Leytron dont la jeunesse est belle. Intense à reflets violets, elle livre un bouquet d'épices (poivre notamment). Sa bouche semble déjà parfaitement équilibrée, et ses tanins présents devraient assurer à ce vin un bon vieillissement au cours des quatre années à venir. (70 à 99 F)

Desfayes-Cettenand, 1912 Leytron, tél. 027.306.28.07, fax 027.306.28.84 ☑ Y r.-v.

GILBERT DEVAYES
Leytron Petite arvine 2000*

☐ 0,5 ha 2 700 11 à 15 €

De vieilles caves voûtées du XVIIIe s. accueillent les vins de ce domaine familial. Elles ont vu naître une petite arvine jaune à reflets verts, dont les arômes évoquent les fruits exotiques et les agrumes avec intensité. Fraîche dès l'attaque, la bouche fait écho aux notes fruitées - pêche et mûre - avant de s'achever sur une pointe saline. Le **fendant de Leytron 2000 (30 à 49 F)** obtient aussi une étoile. (70 à 99 F)

Gilbert Devayes, Cave La Dôle Blanche, ruelle de la Cotze, 1912 Leytron, tél. 027.306.25.96, fax 027.306.63.46 r.-v.

BLAISE DUBUIS Lentine Fendant 2000*

☐ 0,25 ha n.c. 8 à 11 €

Le tilleul émane de ce vin jaune pâle qui laisse une agréable impression de fraîcheur. La bouche allie un caractère fruité à des notes minérales persistantes. L'harmonie d'ensemble est très réussie. (50 à 69 F)

Blaise Dubuis, rte de Drône, 1965 Saviese, tél. 079.606.52.46 r.-v.

HENRI DUMOULIN
Savièse Fendant 2000*

☐ 0,5 ha 5 000 5 à 8 €

Un chasselas bien fruité et typé que l'on réservera à des mets au fromage et à des poissons. De la robe jaune pâle émanent des arômes intenses de fleur de tilleul. Franc et vif en attaque, ce vin est gouleyant. (30 à 49 F)

Henri Dumoulin, rte de Zambotte, 1965 Savièse, tél. 027.395.10.60, fax 027.395.10.69, e-mail eddydumoulin@bluewin.ch r.-v.

SIMON FAVRE-BERCLAZ
Humagne rouge 1999**

■ 0,45 ha 2 900 8 à 11 €

Des notes de cuir, légèrement animales, émanent de ce vin rouge sombre à reflets violacés. Les mêmes arômes s'inscrivent dans une bouche puissante et structurée par des tanins présents. Un vin sauvage mais typé qu'il conviendra d'attendre quatre ou cinq ans. Les plus patients d'entre vous veilleront une dizaine d'années sur le **chardonnay Grain noble 98 (100 à 149 F)**, vendangé à la fin janvier 1999. Elevé en fût, ce vin puissant dans son expression aromatique est remarquable. (50 à 69 F)

Simon Favre-Berclaz, Cave d'Anchettes, 3973 Venthône, tél. 027.455.14.57, fax 027.455.14.57 r.-v.

HERVE FONTANNAZ
Amigne de Vétroz 2000*

☐ Gd cru 0,5 ha 2 800 11 à 15 €

Ecorce de mandarine, mandarine confite au nez... Ananas bien mûr dans une bouche puissante, dont la légère douceur est due aux 4 g/l de sucres résiduels... Finale intense marquée par des tanins subtils... Cette amigne pourra accompagner un magret de canard sauce au miel. (70 à 99 F)

Hervé Fontannaz, chem. du Repos 8, 1963 Vétroz, tél. 027.346.47.47, fax 027.346.47.47, e-mail info@cavelatine.ch t.l.j. sf dim. 8h-12h 13h30-18h; sam. 8h-12h; lun. 13h30-18h

JO GAUDARD
Leytron Humagne blanc 2000*

☐ 0,1 ha 800 8 à 11 €

Si l'humagne existait déjà au XIIe s., elle est aujourd'hui devenue rare, implantée sur une dizaine d'hectares dans le canton du Valais. Ce vin, jaune pâle à reflets dorés, en est un bon représentant. Expressif au nez par ses arômes de fleur de tilleul, il laisse en bouche des notes subtiles de résine, suivies d'accents fruités qui accompagnent longtemps une agréable fraîcheur. (50 à 69 F)

Jo Gaudard, rte de Chamoson, 1912 Leytron, tél. 027.306.60.69, fax 027.306.72.18, e-mail jogaudard@bluewin.ch r.-v.

MAURICE GAY Dôle les Mazots 2000**

■ 3 ha 25 000 8 à 11 €

Dans la gamme Les Mazots, trois vins ont retenu l'attention du jury. Une étoile a ainsi été attribuée à la **petite arvine Les Mazots 99 (70 à 99 F)**, un vin blanc sec élevé en fût, qui garde tout son fruité sur fond toasté et vanillé. Il en est de même du **fendant de Sion Les Mazots 2000 (30 à 49 F)**. La dôle a eu la préférence pour son caractère expressif et harmonieux. Elle offre un nez friand et concentré de petits fruits rouges, puis une bouche franche et fraîche. A boire dès aujourd'hui. (50 à 69 F)

SA Maurice Gay, Vignoble de Ravanay, 1955 Chamoson, tél. 027.306.53.53, fax 027.306.53.88, e-mail mauricegay@mauricegay.ch t.l.j. sf sam. dim. 8h-17h; f. 23 juil.-10 août

ROBERT GILLIARD Syrah 1999**

■ 2 ha 15 000 15 à 23 €

Sur un sol de schistes et de grès, Robert Gilliard cultive 40 ha de vignes, dont un parchet - le domaine de la Cotzette - est soutenu par un mur de pierre sèche haut de 20 m. Sa syrah décline des arômes floraux accompagnés de baies des bois et d'épices. La matière complexe et structurée est tout aussi florale ; ces flaveurs intenses et typées se prolongent agréablement. Le **Vendémiaire Pinot noir 99 (70 à 99 F)**, ainsi que la cuvée **Antarès rouge 98 (70 à 99 F)**, deux vins également élevés en fût, obtiennent chacun une étoile. (100 à 149 F)

SA Robert Gilliard, rue de Loèche 70, 1950 Sion, tél. 027.329.89.29, fax 027.329.89.27, e-mail vins@gilliard.ch r.-v.

MAURICE ET XAVIER GIROUD-POMMAR
Chamoson Fendant 2000*

☐ 0,5 ha 4 500 5 à 8 €

Tout tilleul et minéral comme il se doit, ce chasselas trouve son originalité dans une bouche fruitée aux arômes d'ananas et de citron qui persistent bien. L'équilibre entre rondeur et vivacité est atteint. (30 à 49 F)

🔑 Maurice et Xavier Giroud-Pommar, Pommey 21, cave la Sisezarche, 1955 Chamoson, tél. 027.306.44.52, fax 027.306.90.19 ☑ Y r.-v.

DOM. DU GRAND-BRULE
Petite arvine 2000*

☐ 0,58 ha 2 400 11 à 15 €

L'Etat du Valais a choisi ce terroir calcaro-graveleux couvert de buissons et de taillis de pins sylvestres pour créer un domaine d'essai. La petite arvine fait partie des vingt-quatre cépages cultivés ici. Elle a produit un vin complexe, aux arômes de fleurs et de pamplemousse. La bouche, vive et franche, souligne d'une saveur saline une déclinaison fruitée persistante. (70 à 99 F)

🔑 Vignoble de l'Etat du Valais, 1912 Leytron, tél. 027.306.21.05, fax 027.306.36.05 ☑ Y r.-v.

GRANDGOUSIER Fendant 2000**

☐ 6 ha 35 000 5 à 8 €

Une robe brillante à reflets dorés habille ce fendant floral et fruité, dont les notes de tilleul se font discrètes. La bouche est élégante et friande. Tel est le résultat d'un heureux mariage entre le cépage et le sol calcaro-schisteux de ce domaine. (30 à 49 F)

🔑 SA Les Fils Maye, Rte des Caves, 1908 Riddes, tél. 027.305.15.00, fax 027.305.15.01 ☑ Y r.-v.

O. HUGENTOBLER
Le Préféré Pinot noir 2000*

■ 1 ha 25 000 8 à 11 €

Ce pinot noir sera peut-être votre préféré dès l'automne pour accompagner une viande rouge ou un plateau de fromages. Sous sa robe rubis intense, il joue le registre des petits fruits rouges. Ses tanins présents mais déjà fondus lui assurent une belle harmonie. (50 à 69 F)

🔑 Vins O. Hugentobler, Varenstr. 50, 3970 Salgesch, tél. 027.455.18.62, fax 027.455.18.56 ☑ Y r.-v.

IMESCH VINS SIERRE
Petite arvine 2000**

☐ 2 ha n.c. 15 à 23 €

Depuis la fin du XIXe s., la famille Imesch exploite des vignes dans le canton du Valais. Son vignoble compte aujourd'hui 50 ha, dont 10 ha dans la région de Sierre. Sa petite arvine, jaune-vert à reflets brillants, ponctue sa palette de fruits exotiques (ananas) d'une touche minérale et iodée. Fraîche et puissante en attaque, elle préserve son fruité jusqu'en finale et signe sa typicité d'une note saline. Egalement remarquable, la **marsanne Noble cépage 99** possède du gras et de la puissance. Quant au **pinot noir Les Communes Soleil de Sierre 2000 (70 à 99 F)**, il est très réussi. (100 à 149 F)

🔑 SA Imesch Vins Sierre, place Beaulieu 8, 3960 Sierre, tél. 027.452.36.80, fax 027.452.36.89, e-mail imesch.vins@swissonline.ch Y r.-v.

CAVE LABACHOLLE
Chamoson Humagne rouge 2000

■ 0,3 ha 2 000 8 à 11 €

Des reflets violacés marquent encore la robe rouge foncé. Des notes animales se marient aux fruits rouges pour composer un nez concentré. Le fruité domine en bouche. Si les tanins sont encore présents, ils commencent déjà à se fondre dans le gras. A attendre entre un et deux ans. (50 à 69 F)

🔑 Jacques Remondeulaz et Fils, chem. neuf 11, 1955 Chamoson, tél. 079.332.12.44, fax 077.306.51.44 ☑ Y r.-v.

CAVE DE LA COMBE
Chamoson Johannisberg 2000*

☐ 0,2 ha 2 000 5 à 8 €

Bertrand Gaillard a repris le domaine familial en 2000. Il signe ici son premier millésime et entre dans le Guide grâce à ce vin harmonieux. Jaune à reflets or vert, ce johannisberg sent bon le fruit et l'amande amère. Il se développe avec fraîcheur et dans le même registre aromatique, avant de s'achever sur une légère amertume caractéristique. Ce vin peut déjà être apprécié. (30 à 49 F)

🔑 Bertrand Gaillard, Cave de La Combe, rue de la Combe, 1957 Ardon, tél. 027.306.13.33, fax 027.306.59.87 ☑ Y r.-v.

CAVE DE LA CRETTAZ
Venthône Humagne blanche 2000*

☐ 0,1 ha 830 11 à 15 €

A moins de 1 km du château de Venthône, le lieu-dit La Crettaz se distingue par sa culture d'humagne blanche. Jaune clair, ce 2000 exprime des arômes de miel et des notes minérales. Des accents de pierre à fusil se retrouvent dans une bouche très fraîche. Un vin à déguster dès aujourd'hui sur un carpaccio de thon au soja et à l'huile de sésame. (70 à 99 F)

🔑 Guy Berclaz, chem. de Fontanay, 3973 Venthône, tél. 027.456.16.32, fax 027.456.16.32, e-mail guyberclaz@bluewin.ch ☑ Y r.-v.

CAVE LA MADELEINE
Amigne de Vétroz 2000**

☐ Gd cru 0,4 ha 2 000 11 à 15 €

Sur les terrasses schisteuses de Vétroz, l'amigne exprime des notes minérales intenses qu'elle associe dans ce 2000 à des arômes de mandarine. La bouche franche et ronde possède une bonne structure et de la persistance. Un vin prêt à boire. Le **fendant de Vétroz 2000 (30 à 49 F)** obtient également deux étoiles. (70 à 99 F)

🔑 André Fontannaz, Cave La Madeleine, 1963 Vétroz, tél. 027.346.45.54, fax 027.346.45.54 ☑ Y r.-v.

CAVE DE L'ANGELUS
Lacrima Grain noble Confidentiel 1996*

☐ n.c. 2 700 23 à 30 €

Pinot gris, ermitage (marsanne) et johannisberg (sylvaner) composent ce vin liquoreux qui répond à la charte de qualité « Grain noble » (vignes de quinze ans d'âge minimum, teneur minimale en sucre naturel lors de la vendange, élevage sous bois d'au moins douze mois, etc.).

Des reflets orangés à ocre intense ponctuent la robe, annonçant une palette concentrée de miel, de noix et d'abricot. Le palais est empreint d'arômes de chocolat noir, de raisins secs et de caramel. Gras et long, il doit son équilibre à une pointe fraîche bienvenue. (150 à 199 F)
G. Liand et Fils, cave de L'Angélus, rte de Bonse, 1965 Saviese, tél. 027.395.12.33, fax 027.395.12.06, e-mail guyliand@bluewin.ch r.-v.

LA TORNALE
Chamoson Chasselas 2000★★

n.c. 15 000 5 à 8 €

Des reflets verts animent la robe claire de ce vin fruité et minéral. La fraîcheur est perceptible dès l'attaque, soulignée en milieu de bouche par un côté perlant. Un joli fruit revient. (30 à 49 F)
Vincent Favre - La Tornale, rue des Plantys 22, 1955 Chamoson, tél. 027.306.22.65, fax 027.306.64.43, e-mail jd.favre@bluewin.ch r.-v.

LA TOURMENTE
Chamoson Humagne rouge 1998★★★

n.c. 1 800 11 à 15 €

Sur les schistes argileux issus du cône de déjection de Chamoson il y a plus de cinq mille ans, ce vignoble exposé plein sud a produit un vin d'une typicité exemplaire. Dans sa robe rouge-noir à reflets beutés, ce 98 exhale un fruité caractéristique du cépage, soutenu par des notes de violette et de tabac. Plein et riche, il bénéficie d'une fraîcheur agréable et de tanins fondus qui lui confèrent de l'élégance. A attendre de deux à cinq ans. Le jury a attribué deux étoiles à la **syrah de Chamoson 98**. (70 à 99 F)
Bernard Coudray et Fils, Cave La Tourmente, Tsavez 6, 1955 Chamoson, tél. 027.306.18.32, fax 027.306.34.56, e-mail tourmente.cave@bluewin.ch r.-v.

LE BOSSET Humagne rouge 2000★

0,6 ha 4 000 11 à 15 €

En 1999, Romaine Blaser-Michellod a repris seule le domaine qu'elle menait depuis dix ans avec son père. Elle propose un vin charpenté par des tanins déjà soyeux. Les arômes de cerise noire perçus à l'olfaction sont relayés par des flaveurs de baies sauvages, de chocolat et d'épices. (70 à 99 F)
Michellod et Romaine Blaser, Cave Le Bosset, chem. des Ecoliers, 1912 Leytron, tél. 027.306.18.80, fax 027.306.18.80 r.-v.

LES FUMEROLLES Fendant 2000★

1 ha 10 000 8 à 11 €

Ce domaine est implanté sur la colline de Montorge qui bénéficie de l'influence d'un petit lac. Ce chasselas reflète bien l'harmonie du paysage. Jaune pâle à reflets verts, il décline des arômes de fleur de tilleul et de citron au nez, avant de céder la place à des notes minérales en rétro-olfaction. La bouche fraîche est également structurée et longue. (50 à 69 F)
SA Cave de Montorge, La Muraz, 1950 Sion, tél. 027.327.50.60, fax 027.395.13.60 t.l.j. sf sam. dim. 8h-12h 13h30-17h45

LEUKERSONNE
Pinot gris Strohwein 2000★

0,15 ha 415 15 à 23 €

Des baies séchées sur un lit de paille ont donné naissance à ce vin or intense. Le miel et le coing se libèrent avec puissance du verre. La bouche présente un bel équilibre entre douceur et fraîcheur, et se poursuit durablement. Ce vin pourra être apprécié pleinement d'ici trois ans et pendant une dizaine d'années. (100 à 149 F)
Weinkellerei Leukersonne - R. Seewer et Söhne, Sportplatzste 5, 3952 Susten, tél. 027.473.20.35, fax 027.473.40.15, e-mail info@leukersonne.ch r.-v.
René Seewer

L'ORMY Chasselas 2000★★★

0,3 ha 3 000 8 à 11 €

Jaune pâle à reflets verts, ce chasselas très typé offre des arômes de banane et de citron intenses. Le fruité apparaît dès l'attaque en bouche ; l'équilibre entre vivacité et rondeur est des plus réussis. Un vin prêt à boire qui laissera une impression durable et plaisante de fraîcheur en finale. (50 à 69 F)
Nicolas Zufferey, rte des Bernunes, 3960 Sierre, tél. 027.656.51.41, fax 027.456.51.10 r.-v.

L'ORPAILLEUR Petite arvine 2000★

0,1 ha 750 8 à 11 €

Voilà trois ans que Frédéric Dumoulin exerce le métier de vigneron parallèlement à son activité d'œnologue dans une cave. Il cultive près de 3 ha en propriété ou en location. Sa petite arvine affiche une belle typicité derrière sa robe jaune à reflets verts. Les fruits exotiques (ananas) et les agrumes se libèrent volontiers du verre. Ample, la bouche présente beaucoup de gras, accompagné de tendres évocations de glycine et de pamplemousse. La finale est fraîche et élégante. (50 à 69 F)

SUISSE

🔑 Frédéric Dumoulin, rue du Chemin de Fer 140, 1958 Uvrier, tél. 079.640.90.21, fax 077.203.37.10, e-mail orpailleur@bluewin.ch ☑ 🍷 r.-v.

MABILLARD-FUCHS

Venthône Gamay 2000★

■ 0,22 ha 1 800 🍾 5à8€

Un gamay comme il se doit : rouge violacé, intensément fruits noirs et mûre, frais et fruité en bouche, accompagné de tanins présents mais souples. Il possède l'équilibre souhaité pour accompagner des charcuteries ou des grillades. Le **chasselas de Venthôme** est tout aussi réussi grâce à son harmonie entre fraîcheur et rondeur, et à ses élégants arômes de fleur de tilleul. (30 à 49 F)

🔑 Madeleine et Jean-Yves Mabillard-Fuchs, 3973 Venthône, tél. 027.455.34.76, fax 027.456.34.00 ☑ 🍷 r.-v.

MAJOR ROUGE

Salquenen Pinot noir 1998★

■ 0,4 ha 2 500 🍾 8à11€

Cette petite exploitation familiale a été fondée par Arthur Schmid en 1959. Elle est aujourd'hui dirigée par les frères Reinhard et Christian Schmid. Le pinot noir 98 possède beaucoup de caractère. Très fruité au nez comme en bouche, il est soutenu par de bons tanins et sait être plaisant par sa rondeur et sa souplesse. (50 à 69 F)

🔑 Famille Arthur Schmid, Weinschmiede, Tschuetrigstrasse 27, 3970 Salgesch, tél. 079.329.21.65, fax 077.322.80.61, e-mail chris.family3@bluewin.ch ☑ 🍷 r.-v.

ADRIAN MATHIER Cornalin 1999★★

■ n.c. 2 500 🛢 15à23€

Implanté sur des éboulis calcaires, le cornalin s'exprime dans ce vin rubis à reflets violacés. Aux épices et à la giroflée succède un fruité fringant en rétro-olfaction. Les tanins souples s'intègrent bien dans une bouche élégante et longue. Retenez aussi le **johannisberg Weidmannstrunk 2000 (50 à 69 F)** et le **pinot noir œil-de-perdrix La Matze 2000 (50 à 69 F)**, un blanc sec et un rosé très réussis. (100 à 149 F)

🔑 Adrian Mathier, Nouveau Salquenen SA, Bahnofstrasse 50, 3970 Salgesch, tél. 027.455.75.75, fax 027.456.24.13, e-mail info@mathier.com ☑ 🍷 r.-v.
🔑 Yvo Mathier

SIMON MAYE ET FILS

Chamoson Syrah 2000★★★

■ 1,5 ha 7 000 🍾 8à11€

Saint-Pierre-de-Clages est un joli village, fier de son église romane du XIᵉs. et de ses vignobles implantés sur des sols calcaro-graveleux. Cette syrah sera aussi un motif de fierté pour son producteur. Profondément colorée, elle offre un nez persistant aux nuances de cerise, de cassis et de clou de girofle. Sa grande structure soutient une matière mûre inscrite de tanins présents mais fondus. La bouche laisse ainsi une impression suave et harmonieuse. Un vin à déguster d'ici trois ans. L'**humagne rouge de Chamoson 2000 (70 à 99 F)** a été jugée remarquable. (50 à 69 F)

🔑 Simon Maye et Fils, Collombey 3, 1956 Saint-Pierre-de-Clages, tél. 027.306.85.82, fax 027.306.80.02, e-mail simon.maye@swissonline.ch ☑ 🍷 r.-v.

BERNARD MERMOUD

Petite arvine 2000★★

□ 0,1 ha 800 🍾🌡 5à8€

Des reflets dorés font briller ce vin moelleux dans le verre. Les agrumes et les fruits exotiques marquent le nez, tandis qu'en bouche les arômes de pamplemousse se précisent. L'harmonie se prolonge jusqu'à une touche saline typique de la petite arvine. Ce 2000 peut être apprécié dès aujourd'hui et dans les six prochaines années. (Bouteilles de 50 cl.) (30 à 49 F)

🔑 Bernard Mermoud, Cave l'Or du Vent, chem. des Vendanges, 3968 Veyras, tél. 027.455.88.20, fax 027.455.88.20, e-mail bernardmermoud@swissonline.ch ☑ 🍷 r.-v.

MITIS

Amigne de Vétroz Grains nobles confidentiel 1998★★★

□ n.c. n.c. 🛢 15à23€

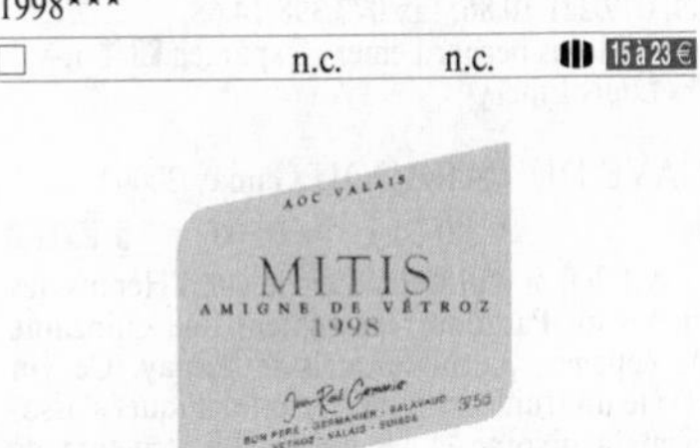

L'amigne est un ancien cépage romain qui ne couvre aujourd'hui plus que 24 ha dans le monde, dont 18 ha dans le vignoble de Vétroz. Ce vin liquoreux s'en fait le porte-drapeau. Jaune intense à reflets or et verts, il dévoile un nez fruité intense, mêlant poire, abricot confit, safran. Un léger caractère empyreumatique s'y ajoute. Riche dès l'attaque, la bouche présente un bel équilibre entre douceur et fraîcheur. Elle se prolonge durablement en finale. Cette marque se distingue aussi par deux vins remarquables : un assemblage de gamay et de diolinoir, le **Gally 99 rouge**, et l'**Humagne rouge 99**. Le **fendant de Vétroz 2000 (30 à 49 F)** obtient une étoile. (100 à 149 F)

🔑 SA Germanier Bon Père Balavaud,
1963 Vétroz, tél. 027.346.12.16,
fax 027.346.51.32, e-mail wine@bonpere.com
☑ 🍷 r.-v.
🔑 Jean-René Germanier

DOM. DU MONT D'OR
Saint-Martin Johannisberg 1999★★★

☐	2 ha	3 500	15 à 23 €

Le johannisberg est implanté depuis 1870 sur ce terroir calcaro-schisteux et gréseux. Fort de ce passé, il offre à l'aube du nouveau millénaire un vin tout doré, intensément odorant : raisins de Corinthe, fruits confits. Ample et voluptueux, il emplit longuement la bouche de saveurs de raisin confit sans jamais perdre sa finesse. Et pour confirmer son excellence, ce même cépage se distingue avec deux étoiles dans la cuvée **Premier décembre 99 (150 à 199 F).** La **dôle Perle Noire 2000 (50 à 69 F)** parvient à une honorable place sur le podium avec une étoile. (100 à 149 F)

🔑 Dom. du Mont d'Or SA-Sion, Pont-de-la-Morge, case postale 240, 1964 Conthey 1,
tél. 027.346.20.32, fax 027.346.51.78,
e-mail montdor@montdor-wine.ch ☑ 🍷 r.-v.

OPALINE Petite arvine 2000★

☐	6 ha	6 000	11 à 15 €

Un carnotzet est une galerie souterraine réaménagée. Louis-Bernard Emery en possède un à Saint-Léonard, juste sous le vignoble. Il en a fait un joli caveau de dégustation. On y découvrira une petite arvine de teinte dorée, dont le nez mêle les arômes de miel et de noix fraîche. Frais en attaque, ce vin développe une sève généreuse, tout en rondeur, avant de s'achever sur une note saline typique du cépage. (70 à 99 F)

🔑 Cave Emery, Argnou, 1966 Ayent,
tél. 079.221.10.86, fax 077.398.14.68,
e-mail louis.bernard.emery@span.ch ☑ 🍷 r.-v.
🔑 Louis Emery

CAVE DU PARADOU Gamay 2000★

■	0,2 ha	1 500	5 à 8 €

A 1 200 m d'altitude dans le val d'Hérens, les vignes du Paradou représentent une quinzaine de cépages, parmi lesquels le gamay. Ce vin révèle un fruité expressif (griotte) auquel s'associent la pivoine et les épices. La structure de qualité, grâce à des tanins soyeux, soutient le déroulement aromatique. (30 à 49 F)

🔑 Cave du Paradou, La Villettaz, 1973 Nax,
tél. 027.203.23.59, fax 027.203.60.13 ☑ 🍷 r.-v.

PERLES DU SOLEIL
Coteaux de Sierre Fût de chêne 1999★

☐	0,5 ha	1 600	15 à 23 €

Les 4,5 ha de vignes plantées sur les coteaux très calcaires de Sierre bénéficient d'une exposition ensoleillée. Chardonnay et petite arvine en ont tiré profit pour composer un ensemble harmonieux. Jaune doré, ce vin décline agrumes et fruits exotiques sans ambages, puis cette touche saline incontournable en présence du cépage valaisan. Son équilibre lui assure un potentiel de garde de dix ans. Le **Fendant des coteaux de Sierre (30 à 49 F)** obtient également une étoile. (100 à 149 F)

🔑 Claudy Clavien, Les Champs, 3972 Miège,
tél. 027.455.24.23, fax 027.455.24.23 ☑ 🍷 r.-v.

LES FRERES PHILIPPOZ
Leytron Marsanne 1999★★★

☐	0,4 ha	2 000	11 à 15 €

99 est un millésime mémorable chez les Philippoz. Cette marsanne jaune d'or aux reflets éclatants exprime puissamment la truffe blanche et l'eau-de-vie de framboise. Son palais ample et gras maintient un subtil équilibre et dévoile toute la complexité du cépage. Un vin d'une grande finesse. Egalement exceptionnelle, la **malvoisie flétrie de Leytron 99 (200 à 249 F)** : ce vin liquoreux qui a séjourné dix-huit mois en fût - selon la chartre de qualité Grains nobles - inscrit un boisé délicat dans une matière dense et complexe. La **petite arvine flétrie de Leytron Grains nobles 99 (200 à 249 F)** ne démérite pas et obtient deux étoiles. (70 à 99 F)

🔑 Philippoz Frères, rte de Riddes
13, 1912 Leytron, tél. 027.306.30.16,
fax 027.306.71.33 ☑ 🍷 r.-v.

PLANCHE-BILLON Petite arvine 2000★

☐	0,36 ha	2 100	11 à 15 €

En 1928, Oswald Valloton commença à constituer son domaine en rachetant les vignes de la Combe d'Enfer, des Claives et de Planche-Billon. De ce dernier parchet, au sol de gneiss, naît aujourd'hui un vin jaune clair à reflets verts dont les senteurs évoquent une treille de glycine et une corbeille d'agrumes. L'équilibre entre douceur et fraîcheur est réussi, prolongeant le plaisir d'arômes de pamplemousse soulignés de notes salines. (70 à 99 F)

🔑 Henri Valloton, rue Morin, 1926 Fully,
tél. 027.746.28.89, fax 027.746.28.38, e-mail
vallotonhenri@bluewin.ch ☑ 🍷 r.-v.

LA CAVE A POLYTE
Chamoson Pinot blanc 2000★

☐	0,1 ha	700	11 à 15 €

La noisette et une note exotique émanent de ce vin pâle à reflets verts. Toute douce en attaque, la bouche développe une sensation de gras avant de trouver en finale une expression vive. (70 à 99 F)

🔑 Jacques Disner, La Cave à Polyte SA,
5, rue de la Place, 1955 Chamoson,
tél. 079.220.35.11, fax 077.306.26.66,
e-mail info@polyte.ch ☑ 🍷 r.-v.

PRIMUS CLASSICUS Cornalin 2000★★★

■	2 ha	10 000	15 à 23 €

Remarquable dans le millésime 99, exceptionnel en 2000 : belle progression pour le cornalin des Caves Orsat. Rouge intense illuminé de reflets violacés, il révèle ce bouquet d'épices, de griotte, de cerise noire et de framboise que ses amateurs connaissent bien. Sa bouche structurée et volumineuse bénéficie de tanins doux qui lui assurent un déroulement tout en finesse. Un vin déjà appréciable, mais qui saura vieillir. Le **Primus Classicus petite arvine 2000 (70 à 99 F)** obtient deux étoiles pour son caractère aromatique et frais. (100 à 149 F)

SA Caves Orsat, rte du Levant 99, 1920 Martigny, tél. 027.721.01.01, fax 027.721.01.03, e-mail info@cavesorsat.ch r.-v.

PROVINS-VALAIS
Corbassières Fendant 2000*

☐ 1 ha 5 000 5à8€

Ce petit vignoble de 2 ha implanté sur des schistes a produit un chasselas à la fois rond et frais, d'une belle persistance. Les arômes de tilleul et les notes minérales participent à l'harmonie générale. (30 à 49 F)

Provins Valais, rue de l'Industrie 22, 1950 Sion, tél. 027.328.66.66, fax 027.328.66.60, e-mail madeleine.cay@provins.ch r.-v.

PIERRE-LUC REMONDEULAZ
Chardonnay 2000*

☐ 0,12 ha 950 8à11€

Ce vin jaune doré, floral et fruité, développe une agréable fraîcheur. Les arômes d'agrumes prolongent le plaisir d'un vin harmonieux à découvrir sur un filet de sole ou un reblochon. (50 à 69 F)

Pierre-Luc Remondeulaz, rue de Latigny 27, cellier de la Dzaquette, 1955 Chamoson, tél. 027.306.55.68, fax 027.307.14.08 r.-v.

CAVE DES REMPARTS Muscat 2000*

☐ 0,2 ha 1 500 8à11€

Un joli muscat pâle à reflets dorés dont les arômes de pétale de rose sont à la fois puissants et fins. La bouche se déroule tout en dentelle après une attaque franche et puissante. Le gras est bien présent et la finale persistante. (50 à 69 F)

Yvon Cheseaux, Cave des Remparts, 1913 Saillon, tél. 027.744.33.76, fax 027.744.33.76, e-mail cavedesremparts@bluewin.ch r.-v.

JEAN-MARIE REYNARD Dôle 2000*

■ 0,3 ha 2 100 8à11€

Pinot noir, diolinoir et gamay composent cette dôle rouge intense. Les fruits rouges et le cassis se déclinent à l'olfaction, repris fidèlement dans une bouche structurée. Les tanins bien présents mais souples autorisent une dégustation dès aujourd'hui. (50 à 69 F)

Jean-Marie Reynard, 1965 Romaz/Savièse, tél. 027.395.24.23 r.-v.

RIVES DU BISSE
Cornalin Fût de chêne 2000***

■ 1 ha 8 500 15à23€

Récolté sur les sols calcaires issus de cônes de déjection, le long des rives du Bisse, le cornalin a produit un vin de teinte soutenue. Les arômes hérités d'un élevage de huit mois en fût se marient aux fruits rouges. L'élégance de la bouche résulte d'une ligne fruitée, épicée, de belle longueur, d'une matière riche et puissante et de tanins structurés. La **petite arvine 2000 (50 à 69 F)** et l'**humagne rouge 2000 (70 à 99 F)**, deux vins élevés en cuve, ont été jugés remarquables. (100 à 149 F)

SA Gaby Delaloye et Fils, Vins Rives du Bisse, rue de la Fonderie 5, 1957 Ardon, tél. 027.306.13.15, fax 027.306.64.20 r.-v.

ELOI ET GERARD RODUIT
Fully Humagne blanche 2000*

☐ 0,3 ha 1 500 11à15€

Ce domaine familial implanté à Fully est fortement morcelé ; ses 7 ha se dispersent jusqu'à une altitude de 800 m. L'humagne s'inscrit ici dans un registre floral au nez, puis livre des notes citronnées dans une bouche fraîche. Un vin prêt à boire sur des plats de poisson. (70 à 99 F)

Eloi et Gérard Roduit, chem. de Liaudise 31, 1926 Fully, tél. 027.746.28.10, fax 027.746.28.10 r.-v.

SERGE ROH Cornalin 2000**

■ 0,15 ha 1 800 11à15€

Griotte, voire cerise noire : telle est la teinte de la robe, tels sont les arômes de ce vin structuré et puissant. Déjà harmonieux, ce 2000 se bonifiera encore au cours des quatre prochaines années. La **syrah élevée en barrique 99 (100 à 149 F)** est également remarquable et apte à la garde. (70 à 99 F)

Serge Roh, Cave Les Ruinettes, rue de Conthey 43, 1963 Vétroz, tél. 027.346.13.63, fax 027.346.50.53, e-mail serge.roh@bluewin.ch r.-v.

ROUGE D'ENFER
Cuvée du Maître de chais 1999***

■ 10 ha 10 000 15à23€

Cette coopérative créée en 1930 voit sa production régulièrement saluée dans le Guide. Son Rouge d'Enfer est un assemblage de cornalin, de syrah et de pinot noir. Sous une teinte rubis foncé se déclinent des arômes intenses de petits fruits rouges. L'attaque puissante annonce un vin structuré et complexe. La matière riche se prolonge de façon persistante. Une bouteille à attendre de cinq à huit ans. Retenez également l'**amigne de Vétroz 99 (70 à 99 F)**, vin blanc sec remarquable, ainsi que trois vins très réussis : la **cuvée Tourbillon Vin de l'Evêché 99 (200 à 249 F)**, blanc liquoreux de marsanne, la **petite arvine de Fully 2000 (70 à 99 F)** et le **johannisberg de Chamoson 2000 (70 à 99 F)**. (100 à 149 F)

Provins Valais, rue de l'Industrie 22, 1950 Sion, tél. 027.328.66.66, fax 027.328.66.60, e-mail madeleine.cay@provins.ch r.-v.

ROUVINEZ Johannisberg 2000***

0,7 ha 7 600 8 à 11 €

Sur la rive droite du Rhône comme sur les collines inscrites dans la plaine, Jean-Bernard Rouvinez cultive une quarantaine d'hectares. Son johannisberg, issu d'un sol granitique léger, se pare d'une teinte jaune clair et livre des arômes d'ananas, soulignés d'amande. Attendri par un léger gras, il se prolonge sur des saveurs de fruits mûrs. Le **Château Lichten rouge 2000 (70 à 99 F)** et le **Château Lichten Petite arvine 2000 (70 à 99 F)** obtiennent deux étoiles, tandis que la **dôle rosé 2000** a été jugée très réussie. (50 à 69 F)

Vins Rouvinez, Colline de Géronde, 3960 Sierre, tél. 027.452.22.52, fax 027.452.22.44, e-mail info@rouvinez.com r.-v.

SAINTE-ANNE Humagne rouge 2000*

0,3 ha 4 000 8 à 11 €

Trois domaines constituent cette cave, l'un à Molignon, l'autre à Crêtalonza et le dernier à Chamoson. La chapelle Sainte-Anne de Molignon donne son nom à cette gamme de vins, tous très réussis. A côté du **johannisberg Sainte-Anne 2000** et du **pinot noir Sainte-Anne 2000**, l'humagne rouge a été appréciée pour sa présentation rouge sombre et brillant, ses arômes de cannelle et de cerise noire, soulignés d'une légère note de lierre propre au cépage. La bouche se structure autour de tanins souples qui laissent une impression de soyeux. (50 à 69 F)

SA Cave Héritier et Favre, av. Saint-François 2, case postale, 1950 Sion 2 Nord, tél. 027.322.24.35, fax 027.322.92.21, e-mail heritierfavre@swissonline.ch r.-v.

SOLEIL NOIR 2000*

0,5 ha 3 000 8 à 11 €

Le Soleil noir naît des vignes de pinot noir, de diolinoir et de syrah cultivées sur la colline de Gérande. Epicé, structuré par des tanins présents, il sait prolonger le plaisir de la dégustation et peut accompagner vos repas dès aujourd'hui. (50 à 69 F)

Frédéric Zufferey, rue de Fond-Villa 16, 3965 Chippis, tél. 029.213.26.80, fax 027.455.19.31, e-mail zuffereyfrederic-vins@netplus.ch r.-v.

FREDERIC VARONE
Petite arvine 2000***

1,5 ha 10 000 11 à 15 €

Un sol d'ardoise et de schiste portent les vignes de petite arvine. Doré brillant, ce vin puissant évoque les fruits, la rhubarbe et le pamplemousse à l'olfaction. De légères notes minérales apparaissent dans une bouche équilibrée, accompagnées de fines touches salines qui perdurent en finale. L'expression aboutie de la typicité du cépage. Le **cornalin 2000 (100 à 149 F)** et le **Valroc pinot noir 2000** méritent deux étoiles. (70 à 99 F)

Vins Frédéric Varone, av. Grand Champsec 30, 1950 Sion 4, tél. 027.203.56.83, fax 027.203.47.07, e-mail info@varone.ch t.l.j. sf dim. 10h-12h 14h-18h30

VERTIGES Fendant 2000*

1 ha 10 000 5 à 8 €

Le vignoble de Jean-Louis Mathieu couvre trois crêtes argilo-calcaires, sur une superficie de 11 ha. Le chasselas y trouve une expression typée. Nuancé de vert clair, il libère la palette caractéristique de fleur de tilleul et de citron au nez. La bouche mêle à un fruité exotique une touche minérale fraîche. (30 à 49 F)

Jean-Louis Mathieu, rte du Téléphérique, 3966 Chalais-Sierre, tél. 027.458.27.63, fax 027.458.42.44, e-mail je.matieu@bluewin.ch r.-v.

CAVE DE VIDOMNE
Chamoson Fendant 2000*

1 ha 10 000 5 à 8 €

Une raclette ou une fondue savourée entre amis ne saurait être réussie sans ce chasselas floral et fruité. Une pointe de pierre à fusil relève le nez, tandis qu'une belle structure assure un bon développement en bouche. De la fraîcheur, des arômes persistants en finale... L'ensemble est complet. (30 à 49 F)

Albert Gaillard et Fils, Cave du Vidômne, rue du Prieuré 8, 1956 Saint-Pierre-de-Clages, tél. 027.306.27.80, fax 027.306.27.02 r.-v.

CAVE VILLA SOLARIS
Chamoson Pinot gris 2000**

0,09 ha 600 15 à 23 €

Installé à l'entrée de Saint-Pierre-de-Clages, ce domaine familial propose un vin moelleux aux arômes délicats et très frais de mousse. La bouche citronnée et fruitée s'inscrit dans la durée grâce à un bon équilibre des saveurs. (100 à 149 F)

Sylvio-Gérald Magliocco, Villa Solaris, rte de Bessoni, 1956 Saint-Pierre-de-Clages, tél. 027.306.64.45, fax 027.306.64.29, e-mail s-g.magliocco@chamoson.ch jeu. ven. 17h-21h; sam. dim. 11h-21h

Canton de Genève

Déjà présente en terre genevoise avant l'ère chrétienne, la vigne a survécu aux vicissitudes de l'histoire pour s'épanouir pleinement dès la fin des années 1960.

Avec un climat tempéré dû à la proximité du lac, à un très bon ensoleillement et à un sol favorable, le vignoble genevois se partage entre trente-deux appellations. Les efforts entrepris pour améliorer le potentiel des vins genevois, par des méthodes culturales respectueuses de l'environnement, le choix de cépages moins productifs et appropriés à un sol généralement caractérisé par une forte teneur en calcaire, permettent de garantir au consommateur un vin de haute qualité. Les exigences contenues dans les textes de loi traduisent autant la volonté des autorités que celle de la profession de mettre sur le marché des vins qui satisfont aux normes des AOC.

La palette des cépages s'est diversifiée avec l'apport des spécialités. Outre les principaux crus provenant du chasselas pour les blancs, du gamay et du pinot noir pour les rouges, les spécialités comme le chardonnay, le pinot blanc, l'aligoté, le gamaret et le cabernet rencontrent un franc succès auprès de l'amateur avisé.

DOM. DES ABEILLES D'OR

Chouilly Chasselas 2000*

☐ 11 ha 6 000 5à8€

Ce domaine doit son nom aux armoiries des Desbaillet, ancienne famille genevoise. Depuis 1999, Laurent Desbaillet, âgé de vingt et un ans, dirige la vinification. Il possède déjà l'art et la manière à en juger ce vin subtilement fruité. La bouche légère laisse une impression friande. Ce chasselas accompagnera une fondue ou une raclette. (30 à 49 F)

Dom. des Abeilles d'Or, 3, rte du Moulin-Fabry, 1242 Satigny, tél. 022.753.16.37, fax 022.753.80.20, e-mail abeillesdor @geneva.link.ch r.-v.

René Desbaillets

DOM. DES ALOUETTES

Satigny Chasselas 2000

☐ 6,64 ha 9 000 5à8€

Bourdigny est un hameau viticole lié à Satigny, la plus grande commune viticole de Suisse. Il fait partie d'une vaste région appelée le Mandement, héritière des propriétés épiscopales du Moyen Age. Le domaine des Alouettes cultive ici 17 ha ; il a produit un chasselas finement fruité, équilibré et rond. (30 à 49 F)

Jean-Daniel Ramu, 36, chem. de la Vieille-Servette, 1242 Satigny, tél. 022.753.13.70, fax 022.753.13.70 r.-v.

J. ET C. BOCQUET-THONNEY

Sézenove Chardonnay Elevé en barrique 1999

☐ 0,45 ha 3 000 8à11€

Ce vin élevé en barrique livre une palette élégante. Le cépage s'exprime pleinement dans une bouche ample et équilibrée entre vivacité et rondeur. Un 99 prêt à boire, mais qui pourra être conservé un an ou deux. (50 à 69 F)

Jacques et Claude Bocquet-Thonney, 9, chem. des Grands-Buissons, 1233 Bernex, tél. 022.757.45.63, fax 022.757.45.63 r.-v.

DOM. DE CHAMPVIGNY

Chardonnay Elevé en fût de chêne 1999*

☐ 0,3 ha 1 500 5à8€

Satigny offre de nombreuses curiosités architecturales - temple construit sur une ancienne église du Moyen Age, maison forte du XVIe s. - ; elle est aussi le point de départ d'un itinéraire dans la région historique du Mandement. Ce domaine propose un vin dont l'élevage sous bois ne masque en rien la typicité du chardonnay. Quelques notes toastées apparaissent au nez, tandis que la bouche est légère et tendre.

(30 à 49 F)

Raymond Meister, 29, rte de Champvigny, 1242 Satigny, tél. 022.753.01.35, fax 022.753.01.78, e-mail champvigny@capp.ch r.-v.

DOM. DES CHARMES

Peissy Les Crécelles Chasselas 2000**

☐ 0,88 ha 8 000 5à8€

Au-dessus de Satigny, ce domaine couvre 10 ha de vignes sur le coteau de Peissy. Sa cave est installée dans une ancienne ferme du XVIIe s. Le chasselas est l'un des huit cépages cultivés ici. Il se concentre sur la parcelle dénommée La Moraine. Le 2000 signe sa maturité par un caractère floral, une bouche ronde et grasse, équilibrée par une juste fraîcheur. La finale est longue.

(30 à 49 F)

Anne et Bernard Conne, Dom. des Charmes, 11, rte de Credery, Peissy, 1242 Satigny, tél. 022.753.22.16, fax 022.753.18.45 mer. jeu. et ven. 11h-12h 17h-18h; sam. 9h-13h

CLOS DES PINS

Dardagny Chasselas 2000**

☐ 2 ha 10 000 5à8€

Dardagny possède un château du XVIIe s., classé, dont les murs décorés de trompe-l'œil du XVIIIe s. sont remarquables. Le Clos des Pins cultive 9 ha à proximité du village. Son chasselas dévoile un caractère minéral marqué, lié au terroir, ainsi qu'un agréable fruité. Il possède en outre ce côté friand en bouche que l'on attend des vins de ce cépage. (30 à 49 F)

Marc Ramu, Clos des Pins, rte du Mandement 458, 1282 Dardagny, tél. 022.754.14.57, fax 022.754.17.23 r.-v.

DOM. DU CREST

Jussy Chasselas 2000***

☐ 3 ha 30 000 8à11€

La famille Micheli possède ce domaine depuis 1637 ; le vignoble s'est agrandi au fil des

générations jusqu'à atteindre 12 ha. Les vins sont élevés dans l'ancienne cave voûtée, creusée en 1823 et restaurée il y a sept ans. Ce chasselas typique, au nez fruité (ananas), présente une belle maturité. Il fait preuve d'équilibre entre la rondeur et la fraîcheur, et se prolonge durablement. (50 à 69 F)

G. Béné et J. Meyer, Ch. du Crest, 1254 Jussy, tél. 022.759.06.11, fax 022.759.11.22 r.-v.

RESERVE DES FAUNES

Dardagny Chardonnay 2000

3 ha 15 000 8à11€

Dominant Dardagny, le domaine des Faunes étend ses 10 ha dans un cadre verdoyant propice aux parcours pédestres. Son chardonnay est un vin fin, aux arômes d'agrumes. Ample, il présente une bonne rondeur qui lui permettra de se marier avec des fromages (un vacherin, par exemple). (50 à 69 F)

Gilbert et Danielle Mistral-Monnier, Dom. Les Faunes, 1282 Dardagny, tél. 022.754.14.46, fax 022.754.19.46, e-mail info@les-faunes.ch t.l.j. sf dim. 16h-18h; sam. 8h-12h

LA CAVE DE GENEVE

Côtes de Russin 2000

1,25 ha 10 600 5à8€

Russin se trouve à la limite de la région du Mandement, entre Dardigny et Peney. La cave de Genève produit sur ses coteaux argilo-calcaires un gamay fruité (cassis et griotte). La bouche bénéficie de tanins présents mais souples, qui structurent l'ensemble et laissent en finale des arômes épicés. (30 à 49 F)

SA La cave de Genève, 140, rte du Mandement, 1242 Satigny, tél. 022.753.11.33, fax 022.753.21.10 r.-v.

GRAND'COUR

Peissy Kerner Sauvignon 2000*

0,52 ha 3 400 11à15€

C'est entre le XVe et le XVIIes. que naquit ce vignoble situé au sommet du coteau de Peissy. Une cour pavée de galets, fermée par une arcade en plein cintre, autour de laquelle sont disposés les bâtiments, a donné ce nom au domaine. Ce sauvignon livre dans le verre un bouquet intense, au parfum de bourgeon de cassis. Ample et gras, il emplit la bouche de saveurs de fruits exotiques. Il pourrait fort bien accompagner une cuisine orientale. (70 à 99 F)

Jean-Pierre Pellegrin, 1242 Satigny, tél. 022.753.15.00, fax 022.753.15.00 r.-v.

LE CLOS DE CELIGNY

La Côte-Céligny Chasselas 2000*

2,55 ha 30 000 5à8€

Ouvert sur le lac Léman et les Alpes, le clos de Céligny s'inscrit dans les paysages de la côte vaudoise, entre bois et champs. C'est un chasselas typé aux notes du terroir de molasse qu'il propose pour accompagner la cuisine genevoise. La bouche équilibrée et ronde bénéficie d'une longueur suffisante pour prolonger le plaisir. (30 à 49 F)

H. Schütz et R. Moser, Le Clos de Céligny, rte de Céligny 38, 1298 Céligny, tél. 022.776.32.05, fax 022.776.07.85, e-mail moser@clos-de-celigny.ch r.-v.

LE CRET 2000**

1 ha 2 500 11à15€

Le pinot noir se marie à parts égales au gamaret et au garanoir pour composer cette cuvée. Le gamaret est un croisement de gamay noir et de reichensteiner qui apporte couleur et richesse en tanins ; le garanoir, issu des mêmes parents, confère le fruité. Il en résulte un vin généreux en fruits, dont la maturité s'exprime dans une bouche ample et ronde, soutenue par des tanins encore présents. S'il est déjà agréable, ce 99 pourra cependant vieillir un an ou deux. (70 à 99 F)

SA Marcel Berthaudin, 11, rue Ferrier, 1202 Genève, tél. 022.732.06.26, fax 022.732.84.60, e-mail info@berthaudin.ch r.-v.

LES PERRIERES

Peissy Chardonnay Elevé en fût de chêne 1999

n.c. n.c. 8à11€

Né sur le terroir d'argiles limoneuses et de molasses de Peissy, ce chardonnay affiche une bonne maturité au nez, tout en gardant le souvenir de son élevage sous bois à travers des arômes vanillés. La bouche, équilibrée, possède du gras. (50 à 69 F)

Bernard et Brigitte Rochaix, 54, rte de Peissy, 1242 Satigny, tél. 022.753.90.00, fax 022.753.90.00 r.-v.

LE VIEUX CLOCHER

Peissy Pinot noir 2000**

5 ha 30 000 8à11€

En 1971, deux cousins ont repris ce domaine, l'un de formation bancaire qui gère l'administration de la maison, l'autre, ingénieur agronome. Les 47,3 ha de vignes, presque d'un seul tenant, sont conduits en agriculture biologique. Cette cuvée, dont le nom fait référence au clocher de Peissy, datant du XIes., provient du pinot noir Oberlin, plant sélectionné à la station de Changins. Le nez se révèle typique par ses notes de griotte et de framboise. Structurée par des tanins fins, la bouche est pleine et ample. (50 à 69 F)

Leyvraz et Stevens, 27, rte de Maison Rouge, 1242 Peissy, tél. 022.753.11.60, e-mail bossons@infonie.ch r.-v.

DOM. DU PARADIS
Satigny Pinot blanc 2000**

☐ 4 ha 9 000 8 à 11 €

Le domaine du Paradis se dit volontiers producteur de « vins d'enfer »... Voyez plutôt l'étiquette : derrière l'aile d'un ange se cache un diablotin... Ce 2000 séduit par son nez fin et typé : la pêche blanche se mêle à des notes légèrement fumées. La bouche présente beaucoup de gras et de rondeur jusqu'à une longue finale. (50 à 69 F)

Roger Burgdorfer, 275, rte du Mandement, 1242 Satigny, tél. 022.753.18.55, fax 022.753.18.55, e-mail info@domaine-du-paradis.ch sam. 9h-12h 13h-17h; f. oct.

DOM. DES PENDUS
Coteaux de Peney Cuvée Victoria Syrah
Elevé en fût de chêne 1999**

■ 1er cru 0,45 ha 3 600 11 à 15 €

Le domaine doit son nom à l'histoire tragique dont le château de Peney, fief catholique, fut la scène en 1534, lorsque des Genevois réformés furent pendus aux arbres avoisinants après avoir tenté de l'assiéger. Aujourd'hui, un vignoble de 7 ha couvre ces terres au bord du Rhône. Cette syrah livre un nez typé par des arômes d'épices. La bouche structurée, ample et longue repose sur des tanins très présents qui lui assureront une bonne garde. (70 à 99 F)

Christian Sossauer, 1, rte de Peney-Dessus, 1242 Satigny, tél. 022.753.19.61, fax 022.753.19.61, e-mail csossauer@domaine-des-pendus.ch r.-v.

DOM. DES TROIS ETOILES
Peissy Chardonnay Elevé en fût de chêne 1999**

☐ 1 ha 6 233 8 à 11 €

Ce ne sont peut-être pas trois étoiles qui récompensent ce domaine, mais une note remarquable pour un vin parfaitement élaboré. Le mariage entre le bois et la matière est accompli. Aux notes vanillées et toastées du nez répond une bouche ample et grasse, bien typée par le chardonnay. Un vin de belle structure, prêt à boire. (50 à 69 F)

Jean-Charles Crousaz, 41, rte de Peissy, Dom. des Trois Etoiles, 1242 Satigny, tél. 022.753.16.14, fax 022.753.41.55, e-mail info@trois-etoiles.ch r.-v.

Canton de Neuchâtel

Proche du lac qui reflète le soleil, adossé aux premiers contreforts du Jura qui lui offrent une exposition privilégiée, le vignoble neuchâtelois s'étire sur une étroite bande de 40 km entre Le Landeron et Vaumarcus. Le climat sec et ensoleillé de cette région, de même que les sols calcaires jurassiques qui y prédominent, conviennent bien à la culture de la vigne, ce que confirment encore les historiens qui nous apprennent que la première vigne y fut officiellement plantée en 998 ; à Neuchâtel, la vigne est donc millénaire.

Dans ce petit vignoble de 610 ha, le chasselas et le pinot noir règnent en maître ; il y a bien quelques « spécialités » (pinot gris, chardonnay, gewurztraminer et riesling x sylvaner), mais leur culture occupe à peine 6 % des surfaces. Cet encépagement apparemment limité cache en réalité une très large palette de vins et de saveurs différentes, grâce au savoir-faire des vignerons et à la diversité des terroirs.

Les rouges issus du pinot noir, élégants et fruités, souvent racés sont aptes au vieillissement. Le très typique Œil-de-Perdrix est un rosé inimitable originaire du vignoble neuchâtelois, ainsi que la Perdrix Blanche obtenue par pressurage sans macération. Quelques caves élaborent même un vin mousseux.

La variété des sols du canton, d'est en ouest, ainsi que les styles personnels des vinificateurs, sont à l'origine d'une grande diversité de goûts et d'arômes des vins blancs de chasselas et promettent à l'amateur curieux plus d'une découverte intéressante. On relèvera encore deux spécialités locales issues du même cépage : le « Non filtré », vin primeur qui ne peut pas être mis en vente avant le troisième mercredi du mois de janvier et les vins sur lies.

Chacune des dix-huit communes viticoles produit sa propre appellation, alors que l'appellation Neuchâtel est applicable à l'ensemble des productions du canton de première catégorie.

CH. D'AUVERNIER
Pinot noir Elevé en barrique 1999*

■ 1 ha 4 000 15 à 23 €

Village viticole typique avec ses maisons vigneronnes du XVIe s. et du XVIIe s., Auvernier mérite une visite. A l'ombre des arbres séculaires du parc du château, les amateurs seront accueillis par Thierry Grosjean, maître des lieux qui a choisi d'élever ce pinot noir en barrique, un choix délicat dans le millésime 99. La réussite de ce vin n'en est que plus belle. Une touche délicatement vanillée apporte un agrément particulier sans perturber l'équilibre de ce pinot noir caractéristique de l'appellation et déjà épanoui. (100 à 149 F)

Ch. d'Auvernier, 2012 Auvernier, tél. 032.731.21.15, fax 032.730.30.03, e-mail wine@chateau-auvernier.ch r.-v.

DOM. DU CHATEAU Vaumarcus 2000**

4 ha 26 000 8 à 11 €

Niché entre des parois de rochers chauffées par le soleil et le lac de Neuchâtel, le domaine du Château Vaumarcus, propriété des Caves Châtenay-Bouvier à Boudry, est l'héritier d'une tradition bicentenaire. Le jury a été séduit par ce chasselas riche, complexe et structuré, auquel il a attribué son coup de cœur. Elégant malgré sa puissance, c'est un vin accompli, mûr et long en bouche. Il offre derrière une belle richesse une complexité aromatique qui en fait davantage un vin de gastronomie qu'un vin d'apéritif. (50 à 69 F)

SA Caves Châtenay-Bouvier, rte du Vignoble 27, 2017 Boudry, tél. 032.842.23.33, fax 032.842.54.71, e-mail chatenay@worldcom.ch r.-v.

ALAIN GERBER Œil-de-perdrix 2000*

1,2 ha 9 000 8 à 11 €

A la tête du domaine familial de 7 ha depuis trois ans, Alain Gerber a proposé au jury un œil-de-perdrix dont l'élégance est séduisante. Son vin se caractérise par des notes de coing soutenues et une attaque vive. Aérien, il ravira les amateurs des rosés classiques de Neuchâtel. (50 à 69 F)

Alain Gerber, imp. Alphonse-Albert 8, 2068 Hauterive, tél. 032.753.27.53, fax 032.753.02.41 r.-v.

GRILLETTE Chasselas 2000**

2 ha 15 000 8 à 11 €

Etabli au cœur du village de Cressier depuis 1884, la Grillette fait partie du patrimoine viticole neuchâtelois. Sous la nouvelle impulsion de Thierry Lüthi, directeur, et de Jean-Claude Martin, œnologue, cette entreprise familiale est présente pour la deuxième année consécutive dans le Guide. Ce vin est remarquablement fin et floral ; il se distingue par des arômes d'aubépine et de tilleul caractéristiques des chasselas poussant sur les sols de Cressier, où affleure la dalle calcaire. L'attaque est vive, mais grâce à sa richesse la bouche reste parfaitement équilibrée. Ce 2000 accompagnera avantageusement les spécialités de poissons de la région ou sera apprécié à l'apéritif. (50 à 69 F)

Grillette Dom. de Cressier, rue Molondin 2, 2088 Cressier, tél. 032.758.85.29, fax 032.758.85.21, e-mail info@grillette.ch r.-v.

J.C. KUNTZER ET FILS
Saint-Sébaste Pinot noir Œil-de-perdrix 2000**

4 ha 25 000 8 à 11 €

Cette exploitation familiale persiste, année après année, dans l'excellence. Racé, élégant et typé pinot noir, ce rosé offre un très bel équilibre entre la vivacité et la richesse alcoolique. A noter également que la cave Kuntzer propose un **pinot noir Saint-Sébaste 99 rouge** remarquable. C'est un millésime prêt à boire, qui apportera de grandes satisfactions aux amateurs de vins souples. (50 à 69 F)

Jean-Pierre Kuntzer, Daniel-Dardel 11, 2072 Saint-Blaise, tél. 032.753.14.23, fax 032.753.14.57, e-mail info@kuntzer.ch r.-v.

DOM. DE L'ETAT DE NEUCHATEL
Auvernier 1999*

2,2 ha 16 000 11 à 15 €

Créée à Auvernier il y a un peu plus d'un siècle au moment de la crise phylloxérique, la station d'essais viticoles développe la recherche et assure l'administration puisqu'elle est en même temps le service cantonal de viticulture. Son directeur, Eric Beuret, dirige l'encavage de l'Etat. Ce vin structuré ne livre pas encore tous ses secrets, mais il possède déjà une palette aromatique complexe, des tanins élégants et traduit bien la typicité du cépage. A conserver quelques années. (70 à 99 F)

Encavage de l'Etat de Neuchâtel, Fontenettes 37, 2012 Auvernier, tél. 032.846.29.17, fax 032.730.24.39, e-mail eric.beuret@ne.ch r.-v.

DOM. E. DE MONTMOLLIN FILS
Auvernier Goutte d'or 2000**

2 ha 10 000 5 à 8 €

La famille Montmollin s'occupe de viticulture depuis le XVIe s. ; le domaine, constitué au cours des siècles, est devenu le plus important du vignoble neuchâtelois, avec 47 ha cultivés et encavés à Auvernier, au cœur du village. Un nez complexe de fruits exotiques, d'agrumes et de citronnelle participe à la fraîcheur de ce vin. Un élégant cordon de perles séduit les papilles. (30 à 49 F)

Dom. E. de Montmollin Fils, Grand-Rue 3, 2012 Auvernier, tél. 032.731.21.59, fax 032.731.88.06, e-mail info@montmollinwine.ch r.-v.

A. PORRET Cortaillod Pinot noir 1999**

3,5 ha n.c. 8 à 11 €

Lors d'une promenade à Cortaillod, vous découvrirez ce domaine des Cèdres qui domine le lac de Neuchâtel et vous en profiterez pour visiter le château et le musée de la Vigne et du Vin à Boudry. La famille Porret perpétue la tradition depuis 1858. Le jury a attribué un coup de cœur à ce pinot. Les tanins souples et soyeux, la note de fumée caractéristique des grands pinots, le parfum de sous-bois, rien ne manque pour séduire les amateurs. (50 à 69 F)

A. Porret et Fils, Dom. des Cèdres, Goutte d'Or 20, 2016 Cortaillod, tél. 032.842.10.52, fax 032.842.18.41 sam. 8h-12h; la semaine sur r.-v.

Canton de Berne

Le vignoble forme un ruban qui s'étend le long de la rive gauche du lac de Bienne, au pied du Jura. Les vignes s'accrochent à la pente et entourent les villages dont l'architecture rappelle un art de vivre et une tradition qui ont su traverser les siècles. Cinquante-cinq pour cent de la surface est occupée par du chasselas, 35 % par du pinot noir, 10 % par des spécialités comme le pinot gris, le riesling x sylvaner, le chardonnay, le gewurztraminer et le sauvignon blanc. Le climat tempéré du lac et le calcaire du sol, en général peu profond, confèrent aux vins finesse et caractère. Le chasselas produit un vin blanc léger, pétillant, idéal pour l'apéritif ou pour accompagner un filet de féra du lac. Le pinot noir produit un vin ample, élégant, fruité. Les domaines viticoles sont des entreprises familiales d'une surface comprise entre 2 et 7 ha, où tradition et modernité sont en parfaite harmonie.

Dans les autres cantons viticoles de Suisse alémanique, la vigne pousse très au nord. Malgré la rigueur du climat, ces régions produisent majoritairement des vins rouges. Souvent à base de pinot noir, ils représentent 70 % de la production. Quant aux vins blancs, ils sont principalement à base de riesling x sylvaner.

AUBERSON ET FILS

Neuveville Pinot blanc 2000*

☐ 0,9 ha 2 500 11 à 15 €

Ce domaine familial domine les toits du vieux bourg de La Neuveville. Il propose un pinot blanc étonnant d'élégance et de finesse par ses délicates touches de tilleul. Ce vin développe une matière ample qui invite à le déguster sur un plateau de fromages à pâte molle. (70 à 99 F)

Auberson et Fils, Tirage 25, 2520 La Neuveville, tél. 032.751.18.30, fax 032.751.53.83 r.-v.

DOM. DE LA VILLE DE BERNE

Schafiser Chasselas 2000**

☐ 12 ha 80 000 8 à 11 €

Ce domaine, appartenant à la ville de Berne et géré par la famille Louis, est la plus grande propriété du lac de Bienne, avec 21 ha. La vieille cave a été transformée en salle de réception. Le jury a été séduit par ce chasselas très floral qui laisse un fin cordon de perles dans le verre. Après une attaque vive, la bouche s'équilibre bien entre vivacité et richesse. Face à l'île Saint-Pierre, si chère à Rousseau, vous apprécierez cette bouteille sur un filet de perche ou une tête de moine, cette spécialité fromagère du Jura. (50 à 69 F)

Dom. de la ville de Berne, 2520 La Neuveville, tél. 032.751.21.75, fax 032.751.58.03 r.-v.

H. Louis

DOM. DE L'HOPITAL DE SOLEURE

Schafiser Chasselas 2000**

☐ 2 ha 6 000 8 à 11 €

Le domaine viticole de l'Hôpital de Soleure est l'un des plus anciens de Suisse. Les bourgeois de cette ville firent l'acquisition des premières vignes vers 1350. La maison a été fondée par donation testamentaire en 1466. Depuis quatre ans, un jeune vigneron conduit la vinification. Il propose ce vin tendre et perlant, en parfait accord avec son terroir d'origine. Une bouteille qui séduira à l'apéritif comme sur un plat de poisson. (50 à 69 F)

Dom. de l'Hôpital de Soleure, Russie, 8, 2525 Le Landeron, tél. 032.751.46.01, fax 032.751.46.01 r.-v.

HEINZ TEUTSCH
Schafiser Schlössliwy Pinot noir 2000*

■ 2 ha 15 000 8 à 11 €

Si son origine remonte à 1570, cette propriété appartient à la famille Teutsch depuis 1830. Il y a quinze ans la cave a été magnifiquement restaurée pour accueillir des fûts de chêne. Rubis, ce pinot noir est représentatif du terroir. Aux fleurs s'associent des arômes de cerise. La bouche bénéficie d'une bonne acidité qui permettra à ce vin de patienter un an ou deux, avant d'être servi sur un gigot d'agneau. (50 à 69 F)

Heinz Teutsch, Im Schlössli, 2514 Schafis, tél. 032.315.21.70, fax 032.315.22.79, e-mail teutsch@rebgut-schloessli.ch r.-v.

Canton d'Argovie

BAUMGARTNER
Tegerfelden Pinot noir Edelblut barrique 1998*

■ 0,6 ha 2 000 11 à 15 €

Depuis 1975, cette entreprise familiale dirigée par un père et son fils se voue à plein temps à la viti-viniculture. Il y a en effet du métier dans son 98 : le nez joue plaisamment sur le fruit et le bois, et la bouche possède tout ce qu'il faut : un boisé bien intégré, une belle douceur ; tout cela annonce un excellent potentiel de vieillissement. (70 à 99 F)

Baumgartner Weinbau, Dorfstrasse 37, 5306 Tegerfelden, tél. 056.245.28.01, fax 056.245.17.00, e-mail baumgartner.weinbau@pop.agri.ch sam. 9h-12h 13h-16h

CHALMBERGER Kerner 2000**

□ 0,17 ha 700 8 à 11 €

Le domaine de près de 7 ha est exploité par Konrad et Sonja Zimmermann depuis 1990. Ce vin de couleur jaune développe un nez intense aux notes de muscat et de menthe. La bouche, ronde et volumineuse, offre un bon équilibre entre sucre et acidité. (50 à 69 F)

Chalmberger Weinbau, Rebbergstrasse 24, 5108 Oberflachs, tél. 052.443.26.39, fax 056.443.06.81, e-mail zimmermann@chalmberger.ch r.-v.

K. et S. Zimmermann

E. ET D. FURST
Hornusser Federweiss Fürstlicher 2000**

◪ 0,5 ha 3 000 8 à 11 €

Le domaine, qui comprend un peu plus de 3 ha de vignes, cultive pinots noir et gris, müller-thurgau et dornfelder. D'où une large palette de vins. Ce rosé, dans sa jolie robe rose clair, développe un nez classique, racé, puis une bouche pleine de chair et de douceur. « Comme il faut », résume un dégustateur. La cuvée **Création Désirée blanc 99** issue de riesling et de sylvaner, obtient une étoile : son nez d'abord retenu révèle des arômes fruités et floraux. La bouche offre un bel équilibre entre l'acidité et la douceur. Réussi et de prix identique, le **Blauburgunder Spätlese 99 pinot noir de vendanges tardives** a des parfums fruités typiques de cerises et de baies. (50 à 69 F)

Daniel et Erika Fürst, Fürstliche Weinkultur, 5075 Hornussen, tél. 062.871.55.61, fax 062.871.85.66 r.-v.

HARTMANN
Sommerhalder Blauburgunder Spätlese Elevé en fût de chêne 1999

■ 1,2 ha 7 000 11 à 15 €

Cette entreprise familiale éprise d'écologie vinifie depuis 1985 ; elle limite les rendements pour privilégier la qualité. Son pinot noir 99 est issu de vendanges tardives titrant plus de 90 ° Oechsle : le résultat est un vin au nez juvénile, mais qui déploie au palais une bonne plénitude. (70 à 99 F)

Bruno Hartmann, Rinikerstrasse 17, 5236 Remigen, tél. 056.284.27.43, fax 056.284.27.28, e-mail weinbau.hartmann@pop.agri.ch r.-v.

NAUER Tegerfelder Räuschling 2000*

□ 0,5 ha 600 8 à 11 €

Belle harmonie générale pour ce vin jaune clair à reflets verts, au nez fruité (citron) et miellé. Il a du corps et un caractère racé. Sa fraîcheur est portée par une acidité nerveuse. (50 à 69 F)

Gebrüder Nauer Ag, Postfach, 5620 Bremgarten 2, tél. 056.648.27.27, fax 056.648.27.17 t.l.j. sf dim. lun. 9h-12h 14h-18h

Canton de Bâle

SIEBE-DUPF-KELLEREI
Prattler Blauburgunder 2000**

■ 1,4 ha 13 000 8 à 11 €

En 1875, Johannes Schwob achète la maison et y installe la cave familiale dirigée aujourd'hui par Paul Schwob. Deux vins nous sont présentés cette année : ce pinot noir d'un pourpre juvénile, qui plaît par ses arômes fins, classiques, ainsi que par une note discrète de violette. Son harmonie a séduit le jury qui n'a pas hésité à lui attribuer ce coup de cœur. Le **Sissacher Kerner**

2000 est cité. Jaune clair, brillant à l'œil, il est fruité et floral. La bouche, délicate de prime abord, se montre équilibrée. (50 à 69 F)

🗝 Siebe-Dupf-Kellerei, Kasernenstrasse 25, 4410 Liestal, tél. 061.921.13.33, fax 061.921.13.32 ☑ 🍷 r.-v.

Canton des Grisons

COTTINELLI Malanser 1999★

□ n.c. n.c. 11 à 15 €

Il affiche une belle couleur claire et un nez fruité, légèrement vanillé. La bouche, riche, pleine et ronde, est bien structurée. (70 à 99 F)

🗝 Weinhaus Cottinelli, Karlihof, 7208 Malans, tél. 081.300.00.30, fax 081.300.00.40 🍷 r.-v.

GRENDELMEIER-BANNWART
Zizerser Blauburgunder Auslese 1999★

■ 0,5 ha 3 500 8 à 11 €

Coup de cœur l'an dernier pour le millésime 98, ce domaine familial a créé sa marque en 1992. Ce pinot noir issu de vendanges effectuées le 29 octobre 1999 a été élevé neuf mois en fût. Le nez est élégant, délicatement parfumé de notes de torréfaction accompagnées d'un léger fruité. Bien équilibré, c'est un vin plein et riche destiné à une bonne garde. (50 à 69 F)

🗝 Weinbau Grendelmeier-Bannwart, 7205 Zizers, tél. 081.322.62.58, fax 081.322.92.66 ☑ 🍷 r.-v.

LEVANTI Pinot noir 1998★

■ 1,5 ha 5 500 11 à 15 €

De fort beaux reflets bleutés animent la robe rouge profond de ce pinot noir resté jeune. Intense, le nez mêle les fruits rouges à l'eau-de-vie et le boisé de la barrique. La bouche se révèle riche et typée. Un vin authentique. (70 à 99 F)

🗝 Elli Süsstrunk, Hindergasse 62 B, 7603 Fläsch, tél. 081.302.78.28, fax 081.302.28.78 ☑ 🍷 r.-v.

LIESCH
Malans Malanser Blauburgunder Barrique 1999★★★

■ 0,7 ha 3 500 11 à 15 €

Ce sont les mûres qui apparaissent d'abord, dans la teinte de ce vin comme dans son nez complexe et balsamique déployant une vaste palette faite de sureau, de thé et de menthe. Le palais est intense, structuré et jeune, capable de mûrir grâce à de bons tanins. Le **Blauburgunder Auslese 99** offre une bonne harmonie générale. C'est un pinot noir de vendanges tardives : le nez est moins typé que celui du millésime précédent, coup de cœur l'an dernier, mais le vin est fort honorable. (70 à 99 F)

🗝 Ueli et Jürg Liesch, Treib, 7208 Malans, tél. 081.322.12.25, fax 081.330.05.85 ☑ 🍷 r.-v.

WEGELIN ET BARGAHR
Blauburgunder Elevé en fût 1999★★

■ 1 ha 3 000 15 à 23 €

Ce pinot noir élevé quatorze mois en fût révèle des arômes boisés intenses ne cachant cependant pas les notes de confiture de fruits rouges. Plein et long, un vin encore jeune à mettre en cave. Le **Silvestri blanc 98 (150 à 199 F),** également remarquable, est un liquoreux récolté le 1er novembre, riche et équilibré. (100 à 149 F)

🗝 Peter Wegelin et Silvia Bargähr, Scadenagut, 7208 Malans, tél. 081.322.11.64, fax 081.322.11.64 ☑ 🍷 r.-v.

Canton de Schaffhouse

GRAF VON SPIEGELBERG
Hallauer Blanc de pinot noir 2000★

□ 3 ha n.c. 8 à 11 €

C'est sans doute ce fameux comte de Spiegelberg qui parade en armure sur l'étiquette. Etait-il aussi bavard que le vin qui porte son nom ? Typique, expressif, ce dernier parle de fruits et de bonbons ; la bouche, elle, évoque avec douceur la bergamote, la mirabelle, et sa rondeur emporte l'adhésion du jury. (50 à 69 F)

🗝 Rimuss-Kellerei Rahm, 8215 Hallau, tél. 052.681.31.44, fax 052.681.40.14 ☑ 🍷 r.-v.

IM LEE Döttingen Pinot noir Malbec 1999★★

■ n.c. 1 200 11 à 15 €

7 ha cultivés dans la tradition familiale depuis 1828, mariant variétés indigènes, classiques internationaux et nouvelles découvertes : ce domaine est également pépiniériste et possède un restaurant gastronomique. D'une belle couleur intense, ce 99 se distingue par un nez riche, aromatique, ainsi que par son palais étoffé. Une étoile échoit au **blanc 2000**, issu de sauvignon blanc, dont le jury a apprécié les arômes de sureau. Il est plus opulent que vif. (70 à 99 F)

🗝 Andreas Meier & Co, Weingut zum Sternen, Rebschulweg 2, 5303 Würenlingen, tél. 056.297.10.02, fax 056.297.10.01, e-mail office@weingut-sternen.ch ☑ 🍷 r.-v.

JURG SAXER'S
Neftenbach Nobler weisser 2000★

□ 1,8 ha 5 000 11 à 15 €

La cave de vinification du domaine Bruppach est toute neuve, prête à accueillir les nouvelles vendanges. Ce 2000, fleurant bon les fruits frais, les agrumes, est un vin racé dont la bouche se signale par sa droiture et une vivacité agréable. (70 à 99 F)

Jürg Saxer, Weingut Bruppach, 8413 Neftenbach, tél. 052.315.32.00, fax 052.315.32.30 ven. 16h-19h, sam. 11h-16h

STAMM
Cuvée Stoffler Elevé en barrique de chêne 1999

■ 1 ha n.c. 15 à 23 €

Le merlot (50 %) assemblé au pinot noir et au gamay x reichensteiner, ces deux derniers cépages à parts égales, ont donné ce vin très jeune, paré d'une robe rouge foncé à reflets bleus. Le nez évoque les fruits noirs à l'eau-de-vie ainsi que le passage en barrique. D'une bonne acidité, la bouche est étoffée. (100 à 149 F)

Thomas et Mariann Stamm, Aeckerlistrasse 20, 8240 Thayngen, tél. 052.649.24.15, fax 052.649.25.16, e-mail stammson@datacomm.ch r.-v.

Canton de Thurgovie

ESCHENZ Müller Thurgau 2000*

□ 0,3 ha 2 754 8 à 11 €

Issu de raisin bien mûr, ce vin qui n'est pas une vendange tardive en a pourtant le caractère. Riche en alcool, il est plein et de bonne garde. (50 à 69 F)

Johannes Hanhart, Hauptstrasse 10, 8265 Mammern, tél. 052.741.24.74, fax 052.741.23.87 r.-v.

A. ET A. SAXER
Nussbaumen Pinot gris 2000**

□ 0,25 ha 1 120 8 à 11 €

Cette maison sise à Nussbaumen exploite quelque 8 ha de vignes, dont une majorité de pinot noir et de müller-thurgau (riesling x sylvaner). C'est pourtant ce pinot gris qui a eu la préférence pour son bel équilibre, ainsi que pour sa bouche douce de vin moelleux (bouteille sérigraphiée). L'**Assemblage n° 13 rouge 2000**, très réussi, livre un bouquet de liqueur de cassis, de fraise, de cerise, de réglisse et de thé noir. La bouche n'est pas en reste avec sa longue finale. Quant à l'**Assemblage n° 11 blanc 2000**, il est jugé intéressant par son nez évoquant le bonbon acidulé avec des notes de sureau et de fruit. Racée et juvénile, la bouche est bien équilibrée. (50 à 69 F)

A. et A. Saxer, St-Anna-Kellerei, Stammheimerstrasse 9, 8537 Nussbaumen, tél. 052.745.23.51, fax 052.745.27.34 r.-v.

> Au restaurant, il est conseillé de choisir un « petit » vin sur un menu préétabli, et de composer son menu à partir d'un grand vin ; mais en accordant les niveaux respectifs de qualité des mets et des vins.

Canton de Zurich

DER ANDERE N°3
Schlossgut Pinot noir 1999**

■ 0,7 ha 3 000 15 à 23 €

H.-U. Kesselring, descendant d'une lignée qui possède le château Bachtobel depuis 1784, propose toujours des cuvées originales. Ce pinot 99 le prouve : avec son nez complexe de baies noires et de bois léger, il offre un palais juvénile mais bien construit, plein. D'une grande harmonie, il promet de vieillir longtemps. (100 à 149 F)

Hans Ulrich Kesselring, Bachtobel, 8561 Ottoberg, tél. 071.622.54.07, fax 071.622.76.07 r.-v.

PANKRAZ Pinot noir Prestige 1998**

■ 2 ha 12 000 11 à 15 €

Monastère catholique fondé au Moyen Age, le domaine fut repris par la ville de Zurich en 1862 ; c'est le célèbre écrivain et œnophile Gottfried Keller qui établit les documents officialisant la laïcisation de Rheinau. Voici, sous une étiquette élégante, un pinot noir au nez complexe de fruits. La bouche est riche, structurée, marquée par des notes de fruits compotés. (70 à 99 F)

Caves Mövenpick SA, Staatskellerei Zürich, Klosterplatz, 8462 Rheinau, tél. 052.319.29.10, fax 052.319.31.82 r.-v.

AUGUST PUNTER
Sternenhalde Stäfa Rubin 1999**

■ 0,2 ha 1 500 8 à 11 €

Pinot noir (80 %), malbec et diolinoir - ce dernier cépage ayant été créé en Suisse en 1970 à la station de Pully dans le canton de Vaud -, trois cépages donnant aux vins qu'ils composent une aptitude au vieillissement. Celui-ci mérite, pour sa teinte, son nom de « Rubin » (rubis). Intensément fruité, le nez propose toute une gamme de baies. La bouche est complète, avec des tanins discrets et fins et une belle structure qui parachève l'harmonie d'ensemble. (50 à 69 F)

August Pünter, Glärnischstrasse 53, 8712 Stäfa, tél. 1.926.12.24, fax 1.796.36.24 r.-v.

Canton du Tessin

Le vignoble tessinois s'étend de Giornico au nord à Chiasso au sud, sur une surface de 900 ha. Une grande partie des trois mille huit cents viticulteurs du canton possèdent des petites parcelles auxquelles ils consacrent leurs loisirs ; depuis quelques années, une trentaine se consacrent à la viticulture, vinifient et commercialisent. Environ cent viticulteurs travaillent leurs vignes à plein temps et vendent leur raisin aux coopératives. Le cépage « prince » du canton est le merlot d'origine bordelaise, qui a été introduit au Tessin au début du XXe s. Actuellement, le merlot recouvre 85 % de la surface viticole du canton. Le merlot est un cépage qui permet la production de plusieurs types de vins : le blanc, le rosé et le rouge. Le vin rouge de merlot, qui est sans doute le plus répandu, peut être léger ou bien corsé, apte au vieillissement, en fonction du temps de cuvage. Certains sont élevés en barrique. La production moyenne décennale de merlot du Tessin se monte à 55 000 quintaux.

AMPELIO Merlot del Sopraceneri 1998*

■ n.c. n.c. 15 à 23 €

Un producteur qui s'illustre également dans les blancs et les rosés. Pour l'heure on s'en tiendra à son Ampelio de jolie couleur rubis, fraîche et intense à l'œil, d'où émanent des senteurs de bois sec, de fruit, de musc. Dommage que l'ensemble reste encore un peu fermé ; mais la bouche affirme une bonne structure. (100 à 149 F)

SA Vinicola Carlevaro, via San Gottardo 123, 6500 Bellinzona, tél. 091.829.10.44, fax 091.829.14.56, e-mail carlevaro@unitbox.ch
Y r.-v.

CAMORINO
Merlot Affinato in barrique 1997*

■ n.c. 5 200 15 à 23 €

Ce merlot possède une belle présentation dans sa robe encore jeune et vive. Du volume en bouche, une acidité garante d'un bon vieillissement, un nez fin, complexe, légèrement évolué, élégant. (100 à 149 F)

SA Cagi-Cantina Giubiasco, via Linoleum 11, 6512 Giubiasco, tél. 091.857.25.31, fax 091.857.79.12, e-mail cagi@ticino.com Y r.-v.

FATTORIA MONCUCCHETTO
Merlot Lugano Riserva 1999*

■ n.c. 2 500 15 à 23 €

Des vignes de trente-cinq ans, un passage en barrique que l'on ressent nettement au nez, avec une chauffe assez forte. En bouche l'attaque est bonne et se poursuit sur un équilibre appréciable, quoique sans longueur excessive. Un 99 bien réussi dans sa robe rubis foncé, qui accompagnera une viande rouge, du gibier ou un fromage. (100 à 149 F)

Niccolo e Lisetta Lucchini, via Crivelli 30, 6900 Lugano, tél. 091.966.73.63, fax 091.922.71.77, e-mail niluc@bluewin.ch
Y r.-v.

PURPURATUM Riserva 1998***

■ n.c. n.c. 15 à 23 €

L'écusson flamboyant de l'étiquette n'est pas démenti par le contenu, d'une jolie couleur profonde et intense. Des senteurs complexes d'épices et de goudron, une bouche riche, souple, volumineuse, harmonieuse... Les dégustateurs n'ont pas manqué de qualificatifs pour ce beau vin, dont l'évolution est prometteuse. (100 à 149 F)

SA La Cappellaccia, Strada Regina 1, 6928 Manno, tél. 091.605.44.76, fax 091.604.64.71

ROMPIDEE Affinato in barrique 1997**

■ n.c. 13 000 15 à 23 €

Issu à 100 % de merlot, selon une vinification traditionnelle, voici un merlot élevé par Fabio Arnaboldi. Il affiche une couleur rubis intense. Le nez, épicé, se montre légèrement végétal avec des notes florales. En bouche, des tanins présents assurent à l'ensemble une personnalité certaine. (100 à 149 F)

SA Cantina Chiodi, via Delta 24, 6612 Ascona, tél. 091.791.16.82, fax 091.791.03.93 Y r.-v.

SASSI GROSSI Merlot 1998**

■ 0,3 ha 20 000 23 à 30 €

Belle réussite que ce rouge dont l'élégance s'affirme depuis l'olfaction jusqu'à la fin de bouche. Légèrement évoluée, la robe intense enveloppe un nez boisé et épicé. Le palais est structuré et long. (150 à 199 F)

SA Casa Vinicola Gialdi, via Vignoo 3, 6850 Mendrisio, tél. 091.646.40.21, fax 091.646.67.06 Y r.-v.

SINFONIA
Merlot del Ticino Barrique 1998*

■ 4 ha 12 000 15 à 23 €

Issu de sols sableux, un rouge qui se présente sous un habit intense, avec quelques signes d'évolution. Le nez est fruité ; un dégustateur

évoque la cerise à l'alcool. Et puis c'est le gras, la longueur d'une bouche complexe, où les tanins tiennent leur place. (100 à 149 F)
SA Chiericati vini, Via Convento 10, casella postale 1214, 6501 Bellinzona, tél. 091.825.13.07, fax 091.826.40.07, e-mail chiericati@freesurf.ch r.-v.
Angelo Cavalli

SOTTOBOSCO - TENIMENTO DELL'OR Rosso del Ticino 1997***

■ 3 ha 10 000 15 à 23 €

Un vignoble dont les archives attestent l'existence depuis le XVII[e]s. Nul doute qu'une si longue expérience doit porter ses fruits... et ils sont excellents. On aime le rubis très foncé et intense de ce 97, le boisé, l'équilibre complexe de son nez. Si la bouche est bien jeune encore, elle est déjà longue et annonce un fort potentiel de veillissement. (100 à 149 F)
SA Agriloro, Tenimento Dell'Or, 6864 Arzo, tél. 091.646.74.03, fax 091.640.54.55, e-mail clinicasantalucia@bluewin.ch r.-v.
M.C. Perler

Plus une vigne est âgée, meilleur est son vin.

TENUTA MONTALBANO Merlot Riserva 1998*

■ 1,35 ha 5 760 15 à 23 €

Des équipements ultra-modernes et une vinification traditionnelle avec passage sous bois... Le résultat est un 98 issu de vieilles vignes, rubis peu intense, légèrement évolué, qui plaît par ses notes réglissées et animales à l'olfaction. Souplesse et équilibre sont au rendez-vous. Un tournedos Rossini l'accompagnera en 2003. (100 à 149 F)
Cantina sociale Mendrisio, Via Bernasconi 22, 6850 Mendrisio, tél. 091.646.46.21, fax 091.646.43.64 r.-v.

TERA CREDA Merlot Riserva 1999*

■ 0,2 ha 2 000 23 à 30 €

Une vinification à la bordelaise pour ce 99 à la robe bien vive. Le jury a aimé la fraîcheur mentholée de son nez et son corps en bouche, même s'il regrette que l'alcool s'y montre un peu dominant. (150 à 199 F)
Tenuta Vitivinicola Trapletti, via Mola 34, 6877 Coldrerio, tél. 091.646.45.08, e-mail 105486@ticino.com r.-v.

VIGNA D'ANTAN Rosso Ticinese 1999**

■ 1,5 ha 15 000 15 à 23 €

La cave creusée dans le rocher date de 1900. Le jury a apprécié l'intensité de ce 99, autant à l'œil, avec ses reflets violacés, qu'au nez, où il se montre agréablement épicé. Les 30 % de cabernet franc y sont pour quelque chose. La bouche séduit par son attaque, la présence harmonieuse de ses tanins et sa longueur. (100 à 149 F)
SA I Vini di Guido Brivio, Via Vignoo 8, 6850 Mendrisio, tél. 091.646.07.57, fax 091.646.08.05, e-mail brivio@brivio.ch r.-v.

INDEX DES APPELLATIONS

INDEX DES COMMUNES

COMMUNES

COMMUNES

COMMUNES

COMMUNES

INDEX DES PRODUCTEURS

Les folios en gras signalent les vins trois étoiles

PRODUCTEURS

PRODUCTEURS

INDEX DES VINS

Les folios en gras signalent les vins trois étoiles

VINS

VINS

T&L Conseils • Photos : E. Teissedre/R. Sprang

Un système breveté d'assemblage de plateaux et rondins en bois naturel traités qui permet toutes les combinaisons de rangement adaptées à votre cave.
Des casiers à vin
...à vos mesures

L'absorption, un principe qui fait toute la différence.

La cave à vin Electrolux ,
grâce au **principe de l'absorption**,
n'utilise ni moteur ni compresseur.
Elle ne génère donc **aucune vibration**
et fonctionne dans un **silence total**.

C'est une exclusivité Electrolux.

L'absence de pièces mécaniques
en mouvement, procure à la cave Electrolux
une longévité exceptionnelle.

Régulation électronique de la température choisie

Quelque soit votre choix (idéalement 12 à 13°)
votre cave le respectera fidèlement, produisant
selon le cas du chaud ou du froid, en tenant
compte des conditions extérieures.

Modèle CE 48

BIBLIOTHÈQUE HACHETTE DU VIN

L'ÉCOLE DE LA DÉGUSTATION : le vin en 100 leçons

Pierre Casamayor

À la découverte du goût du vin.
Comprendre l'influence des cépages et des terroirs sur les arômes et les saveurs.
350 illustrations couleur,
272 p., 230x285 mm,
couverture cartonnée.
32,50 € - 213,20 F

L'ÉCOLE DES ALLIANCES : les vins et les mets

Pierre Casamayor

Le vin à table : comment réussir ses accords gourmands.
88 exercices pour percevoir l'interaction des mets et des vins.
Plus de 800 vins proposés,
304 p., 230x285 mm,
couverture cartonnée.
32,50 € - 213,20 F

LES TERROIRS DU VIN

Jacques Fanet

Les grands terroirs viticoles de France et du monde expliqués à l'amateur de vin.
240 p., 230x285 mm,
78 coupes et cartes géologiques en couleurs.
37,85 € - 248,30 F
(Parution octobre 2001)

LE LIVRE DE CAVE

192 p.,
150x270 mm,
85 photos couleur,
couverture cartonnée.
19,80 € - 129,90 F

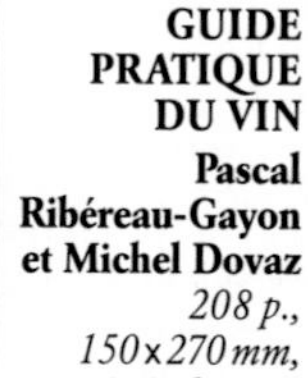

GUIDE PRATIQUE DU VIN

Pascal Ribéreau-Gayon et Michel Dovaz

208 p.,
150x270 mm,
160 photos et dessins couleur, couverture cartonnée.
19,80 € - 129,90 F

VINS

VINS

VINS

VINS

VINS

VINS

VINS

VINS

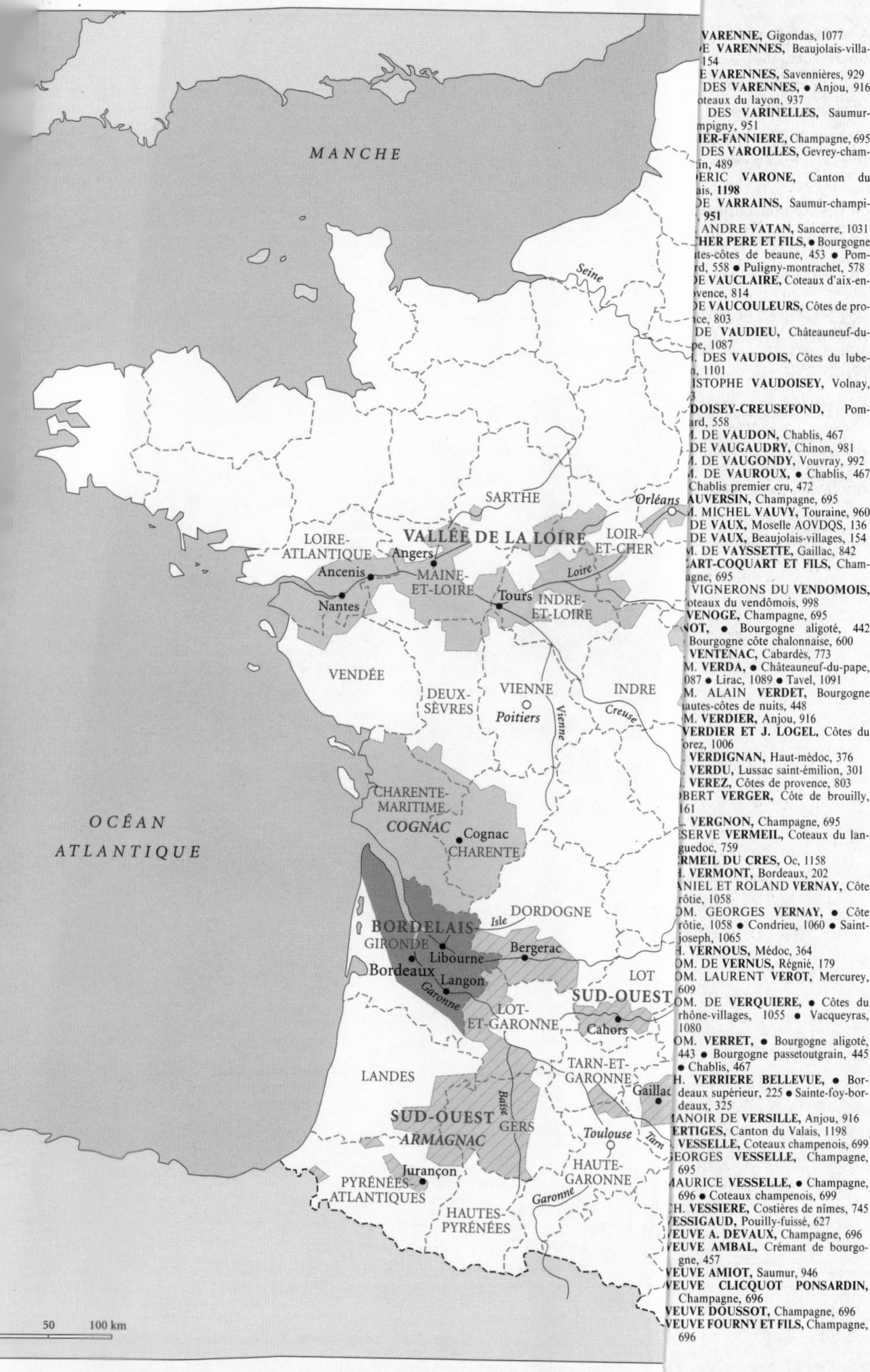
MANCHE
Seine
Orléans
SARTHE
VALLÉE DE LA LOIRE
LOIRE-ATLANTIQUE
Angers
LOIR-ET-CHER
Loire
Ancenis
MAINE-ET-LOIRE
Nantes
Tours
INDRE-ET-LOIRE
VENDÉE
DEUX-SÈVRES
VIENNE
Poitiers
Vienne
INDRE
Creuse
OCÉAN ATLANTIQUE
CHARENTE-MARITIME
COGNAC
Cognac
CHARENTE
DORDOGNE
Isle
BORDELAIS
GIRONDE
Libourne
Bergerac
Bordeaux
Langon
Garonne
LOT
SUD-OUEST
LOT-ET-GARONNE
Cahors
LANDES
TARN-ET-GARONNE
Gaillac
Baïse
SUD-OUEST
ARMAGNAC
GERS
Toulouse
Tarn
Jurançon
HAUTE-GARONNE
PYRÉNÉES-ATLANTIQUES
Garonne
HAUTES-PYRÉNÉES
0 50 100 km